GRAÇA INFINITA

DAVID FOSTER WALLACE

Graça infinita

Tradução
Caetano W. Galindo

4ª reimpressão

COMPANHIA DAS LETRAS

Copyright do texto © 1996 by David Foster Wallace

Grafia atualizada segundo o Acordo Ortográfico da Língua Portuguesa de 1990, que entrou em vigor no Brasil em 2009.

Título original
Infinite Jest

Capa
Nik Neves, Elisa Braga e Alceu Chiesorin Nunes

Preparação
Ciça Caropreso

Revisão
Carmen T. S. Costa
Jane Pessoa
Huendel Viana

Dados Internacionais de Catalogação na Publicação (CIP)
(Câmara Brasileira do Livro, SP, Brasil)

Wallace, David Foster
  Graça infinita / David Foster Wallace ; tradução Caetano W. Galindo. — 1ª ed. — São Paulo : Companhia das Letras, 2014.

  Título original : Infinite Jest.
  ISBN 978-85-359-2504-3

  1. Ficção norte-americana I. Título.

14-09968   CDD-813

Índice para catálogo sistemático:
1. Ficção : Literatura norte-americana 813

Todos os direitos desta edição reservados à
EDITORA SCHWARCZ S.A.
Rua Bandeira Paulista, 702, cj. 32
04532-002 — São Paulo — SP
Telefone: (11) 3707-3500
www.companhiadasletras.com.br
www.blogdacompanhia.com.br
facebook.com/companhiadasletras
instagram.com/companhiadasletras
x.com/cialetras

Para F. P. Foster: R.I.P.

O

ANO FELIZ

Estou sentado num escritório, cercado de cabeças e corpos. Minha postura está conscientemente moldada ao formato da cadeira dura. Trata-se de uma sala fria da Administração da Universidade, com paredes revestidas de madeira e enfeitadas com Remingtons, janelas duplas contra o calor de novembro, insulada dos sons administrativos pela área da recepção à sua frente, onde o Tio Charles, o sr. deLint e eu tínhamos sido recebidos um pouco antes.

Eu estou aqui.

Três rostos ganharam nitidez logo acima de blazers esportivos de verão e meios-windsors do outro lado de uma mesa de reunião envernizada que reluzia sob a luz aracnoide de uma tarde do Arizona. São os três Gestores — de Seleção, Assuntos Acadêmicos, Assuntos Esportivos. Não sei qual rosto é de quem.

Acredito que a minha aparência seja neutra, quem sabe até agradável, embora tenham me instruído a ficar mais para a neutralidade e não tentar o que para mim pareceria uma expressão agradável ou um sorriso.

Eu decidi cruzar as pernas, espero, com cuidado, tornozelo no joelho, mãos juntas no colo da calça. Estou com os dedos emaranhados numa série especular do que se manifesta, para mim, como a letra X. O resto dos envolvidos na entrevista são: o Diretor de Redação da Universidade, o técnico da equipe de tênis da instituição e o Gestor da Academia, o sr. A. deLint. O C.T. está ao meu lado; os outros, respectivamente sentados, de pé e de pé na periferia do meu campo de visão. O técnico de tênis está sacudindo moedinhas no bolso. Há algo vagamente digestivo no odor da sala. O solado de alta aderência do meu tênis Nike de cortesia corre paralelo ao mocassim balouçante do irmão da minha mãe, aqui presente como Diretor, sentado na cadeira que está imediatamente onde, espero, seja a minha direita, também encarando os Gestores.

O Gestor à esquerda, um sujeito magro e amarelado cujo sorriso fixo contudo tem a aura transitória de algo gravado num material que não quer colaborar, é um tipo de personalidade que recentemente passei a apreciar, o tipo que retarda a necessidade de qualquer reação minha ao relatar meu lado da história por mim, para mim. Depois de receber uma pilha de folhas de computador de um Gestor ali no centro com meio que uma jubona, ele está falando mais ou menos com as páginas, sorrindo lá de cima.

"Você é Harold Incandenza, dezoito anos, data de formatura no ensino médio daqui a aproximadamente um mês, aluno da Academia de Tênis Enfield, em Enfield, Massachusetts, uma escola em regime de internato, onde você reside." Os óculos de leitura dele são retangulares, em formato de quadra, com as linhas laterais em cima e embaixo. "Você, segundo o sr. White, nosso técnico, e o Gestor [incompreensível], é um jogador júnior que está ranqueado regional, nacional e continentalmente, um jogador com potencial para entrar na CAAONAN, que promete muito, recrutado pelo sr. White através de uma troca de cartas com o dr. Tavis aqui presente, que teve início em… fevereiro deste ano." A página de cima é retirada com regularidade e levada organizadamente para baixo da pilha. "Você é residente da Academia de Tênis Enfield desde os sete anos de idade."

Eu estou debatendo internamente se arrisco coçar o lado direito do meu queixo, onde há um fruncho.

"O sr. White informa ao nosso escritório que tem a Academia de Tênis Enfield em alta consideração, que a equipe de tênis da Universidade do Arizona já se beneficiou com o ingresso de vários outros egressos da ATE, sendo um deles o sr. Aubrey F. deLint, que aparentemente também está aqui hoje com você. O sr. White e sua equipe nos deram…"

A gramática do administrador é no geral medíocre, embora eu tenha que admitir que ele se fez entender. O Diretor de Redação parece ter mais que o número normal de sobrancelhas. O Gestor à direita está olhando para o meu rosto de um jeito meio estranho.

Tio Charles está dizendo que embora ele imagine que os Gestores possam estar propensos a considerar o que ele avalia que viria da sua possível presença aqui como uma espécie de garoto-propaganda da ATE, que ele pode garantir aos Gestores aqui reunidos que tudo isso é verdade, e que a academia tem no momento entre seus residentes nada menos que um terço dos juniores top 30 deste continente em tudo quanto é classe etária, e que euzinho aqui, normalmente conhecido por "Hal", estou "bem lá em cima nessa lista dos melhores". Os Gestores da direita e do centro sorriem profissionalmente; as cabeças de deLint e do técnico se inclinam, enquanto o Gestor à esquerda pigarreia:

" ... a certeza de que você pode muito bem representar, já como calouro, uma verdadeira contribuição para o programa esportivo desta Universidade. É para nós um prazer", ele diz ou lê, retirando uma página, "que uma competição de natureza algo importante tenha trazido você até aqui e nos dado a chance de sentar e conversar com você sobre a sua inscrição e o seu potencial ingresso, matrícula e bolsa."

"Me disseram para acrescentar que o Hal aqui é o terceiro cabeça de chave no sub-18 masculino de simples no prestigioso torneio júnior WhataBurger lá no Randolph Tennis Center...", diz o que eu deduzo ser o de Assuntos Esportivos, com a cabeça de lado mostrando um escalpo sardento.

"Lá no Randolph Park, perto do sensacional Marriott El Con", o C.T. acrescenta, "umas instalações que o pessoal todo fez questão de declarar absolutamente de primeira até aqui, o que..."

"Isso mesmo, Chuck, e que segundo o Chuck aqui o Hal já venceu a sua chave, chegou à semifinal por causa da vitória aparentemente impressionante de hoje de manhã, e ele vai jogar no Centro amanhã de manhã de novo, contra o vencedor de uma das quartas de final de hoje à noite, portanto vai estar na quadra eu acho que está agendado para as 0830..."

"Tente acabar com tudo antes daquele calor horroroso. Tudo bem que é um calor seco."

" ... e aparentemente já se classificou para o Continental Indoors deste ano lá em Edmonton, o Kirk me falou...", virando mais a cabeça para olhar para a direita e para a esquerda, para o técnico, cujo sorriso tem dentes radiantes contra uma pele violentamente queimada de sol — "O que não é pouca porcaria." Ele sorri, olhando para mim. "Será que é isso mesmo, então, Hal."

O C.T. cruzou os braços de um jeito despreocupado; a carne dos tríceps dele mostra uma teia variegada pelo sol através do ar-condicionado. "Pode crer, Bill." Ele sorri. As duas metades do seu bigode nunca estão exatamente iguais. "E me permita dizer se for possível que o Hal está empolgado, empolgado por ter sido convidado pelo terceiro ano seguido para o torneio, por estar de volta aqui, numa comunidade da qual ele particularmente gosta, por se encontrar com os ex-alunos da academia e a equipe técnica de vocês, por já ter vencido uma chave tão grande na competição nada simples desta semana, por como eles dizem ainda estar no jogo antes da gorda de chapéu de viking cantar, por assim dizer, mas é claro que acima de tudo por ter a chance de falar com os senhores e de dar uma olhada nas instalações daqui. Tudo aqui é absolutamente de primeira, pelo que ele viu."

Há um silêncio. DeLint se reacomoda contra os painéis da parede e recentraliza seu peso. O meu tio sorri largo e ajeita a pulseira ajeitada do relógio. 62,5% dos rostos da sala estão voltados na minha direção, com uma agradável expectativa. O meu peito está saltando como uma secadora cheia de sapatos. Eu componho o que pretendo que seja visto como um sorriso. Eu me viro pra lá e pra cá de leve, como que dirigindo a expressão a todos os presentes.

Há um novo silêncio. As sobrancelhas do Gestor amarelo se circunflexam. Os dois outros Gestores olham para o Diretor de Redação. O técnico de tênis foi para a ampla janela, passando a mão na parte de trás da cabeça de cabelo raspado. Tio Charles alisa o antebraço acima do relógio. Sombras curvas e nítidas de palmas se movem um pouco sobre o brilho da mesa de pinho, tendo como sua lua negra a sombra da única cabeça.

"Tudo bem com o Hal, Chuck?", pergunta o Assuntos Esportivos. "Parece que o Hal... bom, parece que ele fez uma careta. Ele está com alguma dor? Você está com alguma dor, meu filho?"

"O Hal está beleza", sorri meu tio, tranquilizando o ar com uma mão despreocupada. "É só digamos talvez um tique nervoso, coisa pouca, por causa de toda a adrenalina de estar aqui neste campus impressionante de vocês, vencendo a chave como se esperava dele, sem perder nenhum set até aqui, recebendo do sr. White aqui aquela oferta oficial por escrito que oferecia não só a isenção das mensalidades mas uma bolsa-moradia, em papel timbrado da Conferência Esportiva do Pacífico, e estando preparado para assinar com toda probabilidade uma Carta Nacional de Intenções neste mesmíssimo momento, hoje mesmo, ele me deu a entender." O C.T. me olha com um olhar terrivelmente manso. Eu faço a coisa mais segura, relaxo todos os músculos do rosto, elimino toda e qualquer expressão. Fico encarando cautelosamente o nó kekuleano da gravata do Gestor do meio.

A minha reação silente ao silêncio ansioso começa a afetar o ar da sala, com partículas de poeira e de felpas de blazers sendo sacudidas pelo vento do ar-condicionado, dançando convulsas no plano inclinado de luz da janela, e o ar sobre a mesa lembrando o espaço efervescente logo acima de um copo de soda recém-servida. O técnico, com um leve sotaque nem britânico nem australiano, está dizendo para o C.T. que o processo todo da entrevista de ingresso, por mais que normalmente seja só uma formalidade muito amena, provavelmente será mais acentuado se o candidato falar por si próprio. Os Gestores da direita e do meio se inclinaram um para o outro num debate em tom baixo, formando como que uma cabana de pele e cabelo. Deduzo que o técnico quis dizer *agilizar* em vez de *acentuar*, embora *acelerar*, mesmo sendo mais estranho que *agilizar* nesse contexto, têm uma perspectiva fonética mais razoável, como erro. O Pró-Reitor com o rosto chocho e amarelo se inclinou para a frente com os lábios repuxados para trás no que eu interpreto como preocupação. As mãos dele se reuniram na superfície da mesa de reuniões. Os seus dedos parecem estar copulando enquanto minha série de quatro Xs se dissolve e eu me seguro bem nas laterais da minha cadeira.

Nós precisamos ter uma conversinha franca sobre potenciais problemas com a minha inscrição, eles e eu, ele está começando a dizer. Ele faz uma referência à franqueza e ao seu valor.

"As questões com que o meu escritório tem que lidar no que se refere aos documentos enviados para a sua inscrição, Hal, têm a ver com algumas notas." Ele dá uma espiada numa folha colorida de notas de testes que está na trincheira que seus braços formaram. "O pessoal da Seleção está vendo umas notas suas nos testes padronizados que são, como eu tenho certeza que você sabe e pode explicar, que são, digamos assim… subnormais." É para eu explicar.

Claro que esse Gestor amarelo muito do sincero à esquerda é o de Seleção. E claro que a figurinha aviária à direita é o de Esportes, então, porque os vincos faciais do hirsuto Gestor do meio agora estão cerrados numa espécie de afronta distanciada, uma cara de estou-comendo-alguma-coisa-que-me-faz-apreciar-muito-o-que-quer--que-eu-esteja-bebendo, que trai reservas acadêmicas profissionais. Uma fidelidade descomplicada aos padrões, então, no meio. Meu tio está olhando para o Assuntos Esportivos como se estivesse intrigado. Ele se mexe levemente na cadeira.

A discrepância entre a cor das mãos e do rosto do Seleção é quase doida. "… notas na parte verbal que ficam só um bom tantinho mais próximas do zero do que nós gostaríamos de ver contrastam com um currículo de ensino médio de uma instituição onde tanto sua mãe quanto o irmão dela são administradores…", lendo diretamente da pilha de papéis delimitada pela elipse de seus braços — "que neste último ano, é verdade, piorou um pouquinho, mas com essa palavra eu quero dizer 'piorou' para um nível sensacional depois de três anos anteriores francamente incríveis."

"Prodigiosos."

"A maioria das escolas nem tem notas acima de 10", diz o Diretor de Redação com uma expressão facial impossível de interpretar.

"Esse tipo de… como é que eu posso dizer… de discrepância", diz o de Seleção, com uma expressão direta e preocupada, "devo lhe dizer que isso levanta uma bandeira vermelha de preocupações potenciais durante o processo de ingresso acadêmico."

"Portanto pedimos que você explique o surgimento da discrepância, senão o de um total caos." O Assuntos Estudantis tem uma vozinha flautada que é absurda vindo de um rosto daquele tamanho.

"Com certeza o senhor quer dizer muito impressionante quando fala *incrível*, em vez de literalmente aspas 'incrível', com certeza", diz o C.T., que parece estar olhando o técnico massagear a nuca junto à janela. A janela imensa se abre sobre nada além de um sol atordoante e uma terra rachada encimada por distorções provocadas pelo calor.

"E aí nós ainda temos que lidar com a questão dos não dois conforme solicitado mas *nove* ensaios anexados ao formulário de matrícula, alguns quase do tamanho de uma monografia, sendo cada um deles sem exceção…", outra folha, "o adjetivo que vários avaliadores empregaram foi aspas simples 'estelar'…"

Dir. de Red.: "Eu empreguei deliberadamente na minha avaliação os adjetivos *lapidar* e *estéril*".

"… mas em áreas e com títulos, como eu tenho certeza que você lembra muito bem, Hal: 'Premissas neoclássicas na gramática prescritiva contemporânea', 'As implicações de transformações pós-Fourier para um cinema holográfico mimético', 'A emergência da estase heroica no entretenimento televisivo'…"

"'A gramática de Montague e a semântica da modalidade física'?"

"'Um homem que começa a suspeitar que era feito de vidro'?"

"'Simbolismo terciário no material erótico do período Justiniano'?"

Mostrando agora amplas extensões de gengiva retraída. "Basta dizer que há uma clara e franca preocupação de que quem recebeu essas notas infelizes, ainda que talvez explicáveis, nos testes não seja o único autor individual desses ensaios."

"Eu não estou entendendo bem se o Hal está entendendo bem o que está sendo insinuado aqui", meu tio diz. O Pró-Reitor do meio está dedilhando as lapelas enquanto interpreta desagradáveis dados informáticos.

"O que a universidade está dizendo aqui é que de um ponto de vista estritamente acadêmico há uns probleminhas nos formulários que o Hal precisa tentar nos ajudar a dirimir. O primeiro papel de um ingressante na universidade é e deve sempre ser o de estudante. Nós não poderíamos aceitar um aluno que temos motivos para suspeitar que não dê conta do recado, por mais que ele possa ser uma grande contribuição nos estádios."

"O Gestor Sawyer quer dizer quadras, claro, Chuck", diz o Assuntos Esportivos com a cabeça tão severamente inclinada que de alguma maneira chega a incluir o tal White atrás dele como destinatário da mensagem. "Isso sem nem falar dos regulamentos e dos investigadores da CAAONAN que estão sempre fuçando para ver se acham nem que seja só um cheirinho de inadequação."

O técnico de tênis olha para o seu relógio.

"Isso considerando que essas notas aqui sejam reflexos precisos de uma capacidade efetiva neste caso", diz o Assuntos Estudantis com a voz aguda agora séria e sotto, ainda olhando para a ficha diante de si como se fosse um prato de alguma coisa ruim, "vou lhes dizer de uma vez que a minha opinião é que não seria justo. Não seria justo com os outros candidatos. Não seria justo com a comunidade universitária." Ele olha para mim. "E seria especialmente injusto com o próprio Hal. Aceitar um menino que nós vemos simplesmente como uma contribuição no campo esportivo seria a mesma coisa que simplesmente usar o menino. Nós estamos sob uma pletora de avaliações que tentam garantir que não usamos ninguém. Os seus resultados nos testes, meu filho, indicam que nós podíamos ser acusados de usar você."

O Tio Charles está pedindo que o sr. White pergunte ao Gestor de Assuntos Esportivos se essa neurose com as notas ia ser tão grande se eu fosse, digamos, um lucrativo prodígio do futebol americano. O familiar pânico de me sentir mal-entendido está crescendo, e o meu peito pula e sacoleja. Eu estou gastando energia para me manter totalmente calado na cadeira, vazio, com dois grandes zeros claros nos olhos. Teve gente que me prometeu que ia me ajudar com isso aqui.

Já o tio C.T., por sua vez, está com a cara oprimida dos encurralados. A voz dele fica com um timbre esquisito quando ele está acuado, como se ele estivesse gritando enquanto recua. "As notas do Hal na ATE, que eu devo sublinhar que é uma Academia, e não simplesmente um acampamento ou uma fábrica, reconhecida tanto pelo Estado de Massachusetts quanto pela Associação das Academias Esportivas da América do Norte, focada nas necessidades totais do jogador e aluno, fundada por uma figura de grande estatura intelectual cujo nome eu mal preciso recordar, aqui, e baseada por ele no rigoroso modelo curricular de trívio e quadrívio de Oxbridge, uma escola com equipamentos e equipe completos, uma equipe plenamente certificada, deveriam mostrar que o meu sobrinho aqui dá conta de qualquer recado que a Conferência do Pacífico precise transmitir, e que…"

DeLint está se aproximando do técnico de tênis, que sacode a cabeça.

"… poderia ver um nítido tom de preconceito contra um esporte menor nisso tudo", diz o C.T., cruzando e recruzando as pernas enquanto eu ouço, composto e encarando fixo.

O silêncio gaseificado da sala agora é hostil. "Acho que está na hora de deixar o próprio candidato falar em sua defesa", o Gestor de Assuntos Acadêmicos diz muito tranquilamente. "Isso parece de certa forma impossível com o senhor aqui."

O Assuntos Esportivos sorri cansado sob uma mão que massageia o nariz. "Será que você pode nos dar licença um minuto e esperar ali fora, Chuck?"

"O sr. White poderia levar o sr. Tavis e o seu acompanhante até a recepção", diz o Gestor amarelo, sorrindo para os meus olhos sem foco.

"… me deram a entender que tudo isso tinha sido resolvido antes, por causa do…", o C.T. está dizendo enquanto ele e deLint são levados até a porta. O técnico de tênis estende um braço hipertrofiado. O Assuntos Acadêmicos diz: "Somos todos amigos e colegas aqui".

Isso não está funcionando. Percebo de repente que uma placa de saída EXIT ia parecer, para um falante nativo de latim, uma placa luminosa vermelha com a expressão "ele sai", ou EXIT também. Eu cederia ao impulso de disparar na direção da porta na frente deles se pudesse saber que disparar na direção da porta era o que os homens aqui nesta sala veriam. O deLint está murmurando alguma coisa para o técnico de tênis. Sons de teclados, consoles de telefone no que a porta se abre brevemente e depois se fecha com firmeza. Eu estou sozinho entre cabeças administrativas.

"… querer ofender ninguém", o Gestor de Assuntos Esportivos está dizendo, com seu blazer castanho e sua gravata insigniada em tipo minúsculo — "além de simplesmente ter habilidades físicas lá fora, que por favor acredite que nós respeitamos, *queremos*, acredite."

"… alguma dúvida quanto a isso não estaríamos tão ansiosos por essa conversinha diretamente com você, não é?"

"… soubemos ao analisar várias outras inscrições que vieram pelo escritório do sr. White que a Escola Enfield é administrada, por mais que seja administrada de forma muito eficiente, por parentes próximos primeiro do seu irmão, que eu ainda consigo me lembrar como Maury Klamkin, o antecessor do sr. White, cortejou aquele menino, de modo que a objetividade das notas pode ser questionada com bastante facilidade…"

"Por cujo possa ser o dever — a PUAAN, programas de má-vontade na própria Conferência do Pacífico, a CAAONAN…"

Os ensaios são antigos, tudo bem, mas são meus, *de moi*. Mas, tudo bem, são antigos, e não exatamente sobre o tema solicitado na inscrição, que era a Experiência Educacional Mais Significativa de Sua Vida. Se eu tivesse mandado um do ano passado, vocês iam achar que parecia uma criancinha socando à toa o teclado, e isso para o senhor, que usa *cujo* que nem no século xv. E nesse novo grupo mais reduzido o Diretor de Redação parece de repente agir, emergindo tanto como macho alfa aqui quanto como uma figura muito mais efeminada do que tinha parecido de início, de pé e requebrando com uma mão na cintura, mexendo os ombros ao andar, sacudindo as moedinhas enquanto puxa a calça para cima ao se deixar cair na cadeira que ainda está quente da bunda do C.T., cruzando as pernas de uma maneira que o faz se projetar no que já é o meu espaço pessoal, de modo que consigo ver múltiplos tiques de sobrancelha e teias de capilares nas ostras embaixo dos olhos dele e sentir os cheiros já azedos do amaciante de roupas e dos resquícios de uma balinha de menta.

"… um menino brilhante, sólido, mas muito tímido, sabemos da sua timidez, o Kirk White nos contou o que seu jovem professor musculoso ainda que meio retraído contou para ele", o Diretor diz baixinho, colocando o que eu sinto ser uma mão em cima do bíceps do meu blazer (claro que não), "que simplesmente precisa respirar fundo e ter confiança e contar o seu lado da história pra esses sujeitos que não desejam o mal não mesmo mas estão só fazendo a sua obrigação e tentando cuidar dos interesses de todo mundo ao mesmo tempo."

Eu fico imaginando o deLint e o White sentados com os cotovelos nos joelhos na postura defecatória de todos os atletas em repouso, o deLint encarando aqueles polegares imensos, enquanto o C.T. anda na recepção de um lado para o outro numa elipse apertada, falando no seu telefone portátil. Eles me prepararam para isto aqui como se eu fosse um Capo indo para um interrogatório do FBI. Um silêncio neutro e sem emoções. O tipo de jogo defensivo que o Schtitt me fazia adotar: a melhor defesa: devolva todas; não faça nada. Eu diria tudo que vocês querem saber e mais um pouco, se os sons que eu emitisse pudessem ser o que vocês iam ouvir.

O Assuntos Esportivos, com a cabeça saindo debaixo da sua asa: "… para evitar procedimentos de avaliação que podiam ser considerados essencialmente orientados para o lado esportivo. Podia ficar feio, meu filho".

"O Bill quer dizer a aparência, não necessariamente os fatos reais verdadeiros da história, que só você pode fornecer", diz o Diretor de Redação.

"… a aparência de um ranqueamento esportivo muito bom, as notas subnormais, os ensaios excessivamente acadêmicos, as notas incríveis que brotam do que poderia ser visto como uma situação de nepotismo."

O Pró-Reitor amarelo se inclinou tanto para a frente que a gravata dele vai ficar com um chanfro horizontal da borda da mesa, com uma cara lívida e bondosa e chega-de-enrolação-de-uma-vez:

"Veja bem, sr. Incandenza, Hal, por favor só me explique por que não podíamos ser acusados de estar usando você, meu filho. Por que ninguém poderia chegar e dizer Puxa vida, olha só, Universidade do Arizona, olha vocês aí usando um menino só por causa do corpo, um menino tão tímido e fechado que nem fala em sua própria defesa, um brucutu com umas notas maquiadas e um currículo comprado."

A luz em ângulo de Brewster do tampo da mesa surge como um rubor róseo por trás das minhas pálpebras fechadas. Não consigo me fazer entender. "Eu não sou só um brucutu", digo bem devagar. Articuladamente. "Até pode ser que o meu histórico do ano passado tenha sido um tantinho mexido, mas isso foi pra me ajudar num momento complicado. As notas anteriores são *de moi*." Eu estou de olhos fechados; a sala está em silêncio. "Eu agora não estou conseguindo me fazer entender." Estou falando lenta e articuladamente. "Digamos que foi alguma coisa que eu comi."

É engraçado o que a gente não lembra. A nossa primeira casa, na periferia de Weston, que eu mal consigo lembrar — o meu irmão mais velho, Orin, diz que ele lembra de estar no quintal com a nossa mãe no começo da primavera, ajudando a Mães a arar uma hortinha na terra fria. Março ou começo de Abril. A área da horta era um retângulo meio torto marcado com palitinhos de picolé e barbante. O Orin estava tirando pedras e torrões duros do caminho da Mães enquanto ela operava uma Rototiller emprestada, uma coisa a gasolina com formato de carrinho de mão que rugia e roncava e dava pinotes e ele lembra que parecia mais impelir a Mães que vice-versa, a Mães muito alta e tendo que se dobrar dolorosamente para se segurar, com os pés deixando marcas bêbadas na terra arada. Ele lembra que no meio do processo eu saí disparado pela porta e cheguei no quintal com uma roupa do ursinho Puff vermelha e felpuda, chorando, segurando uma coisa que ele disse que era realmente feia de ver na minha mão aberta. Ele diz que eu tinha uns cinco anos e estava chorando todo vermelho-brilhante no ar frio da primavera. Eu ficava repetindo alguma coisa; ele não conseguiu ouvir até que a nossa mãe me viu e desligou a máquina, com um zumbido nos ouvidos, e foi ver o que eu estava segurando. E no final aquilo era um grande tufo de mofo — o Orin supõe que de algum canto escuro do porão da casa de Weston, que era quente por causa da fornalha e que inundava toda primavera. O tufo em si ele descreve como horrendo: verde-escuro, reluzente, vagamente cabeludo, pontilhado de pontos fúngicos parasitas de cor amarela, laranja, vermelha. Pior, eles viam que o tufo parecia estranhamente incompleto, mordido; e um pouco daquela substância nauseabunda sujava a minha boca aberta. "Eu comi isso aqui", era o que eu estava dizendo. Eu estava estendendo o tufo para a Mães, que tinha tirado as lentes de contato para o trabalho sujo, e de início, toda recurvada, só enxergava o filho chorando, mão aberta, oferecendo algo; e no reflexo mais materno ela, que sentia medo e repulsa acima de tudo de lixo e sujeira, estendeu a mão para pegar o que quer que fosse que o seu filhinho estava oferecendo — como quantos lenços de papel usados, pesados, balas cuspidas, pedaços de chiclete mascados em quantos cinemas, aeroportos, bancos traseiros, saguões de torneios? O O. ficou ali parado, diz ele, sopesando um torrão gelado, brincando com o velcro do casaco fofo, olhando enquanto a Mães, curvada para chegar a mim, mão estendida, apertando o rosto descendente com seu olhar presbíope, de repente se deteve, congelou, começando a sacar o que era que eu estava segurando, e dando mostras de contato oral com a mesma substância. Ele lembra do rosto dela como de uma coisa indescritível. A mão estendida, ainda rototrêmula, suspensa no ar diante da minha.

"Eu comi isso aqui", eu disse.

"Como é que é?"

O O. diz que não lembra de mais nada (sic) a não ser de ter soltado alguma ironia enquanto dava uma de dançarino caribenho para estralar as costas. Ele diz que deve ter sentido uma tremenda angústia iminente. A Mães sempre se recusava até a ir ao porão úmido. Eu tinha parado de chorar, ele lembra, e simplesmente estava ali parado, do tamanho e da cor de um hidrante, de pijamão vermelho com pezinhos, estendendo o mofo, sério, como se fosse o relato de algum tipo de auditoria. O O. diz que a memória dele diverge nesse ponto, provavelmente por causa da angústia. Na primeira lembrança dele, o caminho da Mães pelo quintal é um amplo círculo histérico:

"*Meu Deus!*", ela grita.

"Socorro! O meu filho comeu isso aqui!", ela berra na segunda e mais completa reminiscência do Orin, berrando sem parar, segurando o tufo salmilhado no ar com uma pinça de dedinhos, correndo sem parar pelo retângulo da hortinha enquanto o O. ficava boquiaberto diante da sua primeira visão real da histeria adulta. Cabeças de vizinhos de periferia surgiram às janelas e por sobre as cercas, olhando. O O. se lembra de me ver tropeçando no barbante estendido no jardim, levantando sujo, chorando, tentando ir atrás dela.

"Meu Deus! Socorro! O meu filho comeu isso aqui! Socorro!", ela ficava berrando, correndo num padrão estreito dentro do quadrilátero de barbante; e o meu irmão Orin lembra de ter percebido como mesmo durante um momento histérico de trauma as linhas de fuga dela ficavam no prumo, com pegadas indigenamente retas, e as curvas, dentro do ideograma de barbante, secas e marciais, gritando "O meu filho comeu isso aqui! Socorro!", e dando duas voltas antes de a lembrança dele se apagar.

"O meu currículo não é comprado", estou dizendo a eles, falando para a escuridão da caverna vermelha que se abre diante dos meus olhos fechados. "Eu não sou só um carinha que joga tênis. Eu tenho uma história intricada. Experiências e sentimentos. Eu sou complexo.

"Eu *leio*", eu digo. "Eu estudo e leio. Aposto que li tudo que vocês leram. Nem pensem que não. Eu consumo bibliotecas inteiras. Eu gasto lombadas e drives de ROM. Eu faço umas coisas tipo entrar num táxi e dizer 'Pra biblioteca, e pé na tábua'. Os meus instintos no que se refere a sintaxe e mecânica são melhores que os de vocês, dá pra ver, com o devido respeito.

"Mas transcende a mecânica. Eu não sou uma máquina. Tenho sentimentos e crenças. Tenho opiniões. Algumas são bem interessantes. Eu podia, se vocês deixassem, ficar aqui falando sem parar. Vamos falar sobre qualquer coisa. Eu acho que a influência de Kierkegaard em Camus é subestimada. Eu acho que o Dennis Gabor pode muito bem ter sido o anticristo. Eu acho que Hobbes é só Rousseau num espelho escuro. Eu acho, como Hegel, que transcendência é absorção. Eu era capaz de acabar com vocês nesse negócio de interface", digo. "Eu não sou só um creatus, manufaturado, condicionado, gerado pra uma função específica."

Eu abro os olhos. "Por favor, não pensem que eu não ligo."

Eu olho em volta. Na minha direção há horror. Eu levanto da cadeira. Vejo queixos frouxos, sobrancelhas altas em testas trêmulas, bochechas brancas reluzentes. A cadeira se afasta embaixo de mim.

"Santa mãezinha de Deus", o Diretor diz.

"Eu estou bem", eu digo a eles, de pé. A julgar pela expressão do Gestor amarelo, tem um vento monstruoso soprando da minha direção. O rosto do Assuntos Acadêmicos ficou instantaneamente velho. Oito olhos se transformaram em discos em branco encarando seja lá o que for que estão vendo.

"Jesus amado", sussurra o Assuntos Esportivos.

"Por favor não se preocupem", eu digo. "Eu posso explicar." Eu tranquilizo o ar com uma mão despreocupada.

Meus dois braços são presos atrás de mim pelo Dir. de Redação, que me empurra com força, jogando todo o peso em cima de mim. Eu sinto gosto de chão.

"O que é que você *tem*?"

Eu digo "*Nada*."

"Está *tudo bem*! Eu estou *aqui*!", o Diretor está gritando no meu ouvido.

"Chamem alguém!", grita um Pró-Reitor.

Eu estou com a testa espremida num piso de parquê que nunca imaginei que podia ser tão frio. Estou preso. Tento passar a impressão de ser mole e maleável. Meu rosto está achatado; o peso do Red. dificulta a minha respiração.

"Escutem um pouco", eu digo bem devagar, surdinado pelo chão.

"Mas, meu Deus do céu, o que é que são esses...", um Pró-Reitor grita estrídulo, "... esses *barulhos*?"

Vêm cliques de botões de console fônico, saltos de sapato se movendo, girando, uma pilha de folhas fininhas caindo.

"*Jesus!*"

"*Socorro!*"

A base da porta se abre na margem esquerda: uma cunha de luz halógena de corredor, tênis branco e um par gasto de Nunn Bush. "Deixa ele levantar!" É o deLint.

"Está tudo certo", eu digo lentamente para o chão. "Eu estou aqui."

Sou muletalmente erguido pelas axilas e sacudido para atingir o estado que ele deve considerar ser de calma por um Diretor de rosto vermelhíssimo: "Para com isso, meu filho!".

O deLint no braço do homenzarrão: "Chega!".

"Eu não sou o que vocês veem e ouvem."

Sirenes distantes. Um half nelson tosco. Formas à porta. Uma moça hispânica com a mão aberta na frente da boca, olhando.

"Não sou", eu digo.

* * *

Não tem como não gostar desses banheiros masculinos antiquados: o cheiro cítrico dos discos aromatizantes no longo urinol de porcelana; os cubículos com portas de madeira em molduras de mármore frio; aquelas pias estreitas enfileiradas, cubas sustentadas por raquíticos alfabetos de encanamentos expostos; espelhos acima de prateleiras de metal; por trás de todas as vozes o tênue som de um gotejar ininterrupto, inflado pelo eco contra a porcelana úmida e um gélido piso de lajotas cujo padrão de mosaico parece quase islâmico visto assim tão de perto.

O transtorno que eu provoquei roda por tudo. Fui meio arrastado, ainda imobilizado, através de uma turba rala de gente da Administração pelo Dir. de Redação — que parece ter pensado em momentos diferentes que eu estou tendo uma convulsão (tentando me abrir a boca à força para ver se a garganta não tinha sido obstruída pela língua), que eu estou engasgando com alguma coisa (uma clássica manobra de Heimlich que me deixou gemendo), que eu estou psicoticamente descontrolado (várias posturas e golpes destinados a transferir para ele aquele controle) — enquanto em torno de nós azafamavam o deLint, tentando conter a contenção do Diretor, o técnico de tênis contendo o deLint, o meio-irmão da minha mãe falando em velozes combinações de polissílabos com o trio de Gestores, que se alternam entre arfar, torcer as mãos, afrouxar as gravatas, sacudir dígitos na cara do C.T. e fazer passes de mágica com já-bem-nitidamente-supérfluos formulários de inscrição.

Eles me põem em decúbito dorsal sobre as lajotas geométricas. Eu estou docilmente me concentrando na questão de por que os sanitários dos EUA sempre nos parecem enfermarias para transtornos públicos, o lugar onde recuperar o controle. Estou com a cabeça aconchegada no colo de um ajoelhado Diretor, que é macio, meu rosto sendo secado por toalhas institucionais de papel marrom-poeira que ele recebeu de alguma mão provinda lá da turba no alto, encarando com toda a prostração que consigo gerar as pequenas pústulas da mandíbula dele, piores na linha borrada do maxilar, cicatrizes de uma acne antiga. Tio Charles, que é um falador de merda absolutamente sem igual, está mandando ver uma carrada da substância, tentando dobrar uns sujeitos que parecem precisar bem mais que eu de umas toalhinhas na testa.

"Ele está ótimo", ele fica dizendo. "Olhem ali, calmo que só ele, deitadinho."

"O senhor não viu o que *aconteceu* lá dentro", um recurvado Gestor responde por trás de um rosto coberto de uma teia de dedos.

"Empolgação, é só isso, às vezes ele é meio empolgado, fica impressionado com…"

"Mas os *barulhos* que ele fez."

"Indescritíveis."

"Como um animal."

"Uns sons e uns barulhos subanimalísticos."

"Sem falar nos *gestos*."

"O senhor já foi procurar *ajuda* para esse menino, dr. Tavis?"

"Parecia um bicho com alguma coisa na boca."

"Esse menino é doente."

"Parecia um tablete de manteiga apanhando de marreta."

"Um bicho se contorcendo com uma faca no olho."

"O que é que o senhor podia estar *tentando*, quando quis matricular esse…"

"E os *braços* dele."

"Você não viu, Tavis. Os braços dele ficaram…"

"Se debatendo. Meio que uns meneios compridos, tamborilantes. *Balançando*", o grupo olhando brevemente para alguém fora do meu campo de visão tentando demonstrar alguma coisa.

"Como se fosse um estrobo, um tipo de um tremor de alguma… coisa… horrenda."

"O som, acima de tudo, parecia um bode se afogando. Um bode, se afogando em alguma coisa grudenta."

"Uma sequência estrangulada de balidos e…"

"É, era um *balanço*."

"Agora de uma hora pra outra ficar se balançando de empolgação virou crime, é?"

"O senhor está encrencado, meu amigo. O senhor está *encrencado*."

"O rosto dele. Como se ele estivesse sufocando. Queimando. Acho que eu tive uma visão do inferno."

"Ele tem alguns problemas de comunicação, ele é comunicativamente prejudicado, ninguém está negando isso."

"O menino precisa de *ajuda*."

"E em vez de ajudar o menino vocês mandam ele para cá, para se *matricular*, para *competir*?"

"O Hal?"

"O senhor não imagina, nem nas suas fantasias mais pavorosas o senhor não imagina o tipo de *encrenca* em que acabou de se meter, sr. suposto Diretor, *educador*."

"… dado a entender que isso tudo era só uma formalidade. Vocês assustaram o menino, só isso. Tímido…"

"E você, White. Você tentou *recrutar* esse rapaz!"

"… impressionado e empolgado demais lá dentro, sem nós, que somos o apoio dele, que vocês pediram para se retirar dali, que se não fosse…"

"Eu só tinha visto ele jogar. Na quadra é uma beleza. Possivelmente um gênio. A gente não fazia ideia. O irmão está na porra da NFL, droga. Está aí um jogador de primeira, a gente pensou, com raízes no Sudoeste. As estatísticas dele eram absurdas. A gente prestou atenção nele no WhataBurger inteirinho no outono do ano passado. Nem um meneio nem um ruidinho. A gente estava vendo um balé na quadra, um sujeito comentou depois."

"Pode ter certeza que você estava vendo um balé naquele dia, White. Esse menino é um atleta dançarino, um jogador."

"Um tipo de savant esportivo, então. Uma compensação harmônica pelos profundos problemas que o *senhor* tentou disfarçar ao trazer o menino amordaçado aqui." Um caro par de alpargatas brasileiras passa à esquerda e entra num cubículo, as alpargatas dão a volta e me encaram. O urinol goteja ao fundo dos pequenos ecos das vozes.

"... de repente era melhor a gente ir indo", o C.T. está dizendo.

"A integridade do meu sono ficou comprometida para sempre, meu amigo."

"... pensando que podia passar um ingressante com problemas, forjar credenciais e empurrar o menino por uma entrevista fuleira para largar o coitado no meio de todos os rigores da vida universitária?"

"O Hal aqui *funciona*, seu bostinha. Desde que tenha apoio. Ele fica muito bem por conta própria. Está certo, ele tem certos problemas de empolgação nas conversas. Por acaso vocês ouviram ele tentar negar isso uma vez que fosse?"

"Nós testemunhamos um negócio só marginalmente *mamífero* ali dentro, meu amigo."

"Nem a pau. Dá uma olhada. Como é que o empolgadinho ali está, Aubrey, que é que você acha?"

"Meu amigo, o senhor deve ser doido. Essa história não acaba aqui."

"Mas que *ambulância*? Vocês não estão *escutando*? Eu estou dizendo que tem..."

"Hal? Hal?"

"Dopa o rapaz, tenta transformar ele em boneco de ventríloquo, amordaçado, e agora o garoto está ali estendido, catatônico e com um olhar vidrado."

O estalo dos joelhos do deLint. "Hal?"

"... extrapolar isso tudo em público de algum jeito distorcido. A academia tem ex-alunos famosos, um conselho de causídicos. O Hal aqui é comprovadamente competente. Credenciais saindo pelo ladrão, Bill. O sujeitinho lê que nem um aspirador. *Digere* as coisas."

Eu só fico ali deitado, ouvindo, sentindo o cheiro do papel-toalha, vendo o giro de uma alpargata.

"A vida é mais que isso de ficar ali sentado interfaceando, caso o senhor não saiba."

E quem não adoraria aquele troar especial e leonino de um banheiro público?

Não era à toa que o Orin dizia que as pessoas ao ar livre por aqui só corriam em vetores, de ar-condicionado para ar-condicionado. O sol é uma marreta. Dá para eu sentir um lado do meu rosto começar a fritar. O céu azul está brilhante e gordo de calor, uns poucos cirros finos tosados em feixes que sopram como cabelo nas bordas. O trânsito não parece nada o de Boston. A maca é do tipo especial, com tiras de contenção nas extremidades. O mesmo Aubrey deLint que eu desconsiderei durante anos como um linha-dura bidimensional se ajoelhou ao lado da maca para apertar a minha mão amarrada e dizer "Segura a onda, garoto", antes de voltar à querela administrativa às portas da ambulância. É uma ambulância especial, enviada é melhor eu nem pensar muito de onde, com não só uma equipe de paramédicos mas algum tipo de psiquiatra a bordo. Os caras erguem com cuidado e são bons de amarração. O psiquiatra, encostado na lateral da ambulância, está com as mãos erguidas numa mediação imparcial entre os Gestores e o C.T., que não para de cutucar os céus com a antena do celular, como se fosse um sabre, injuriado por eu estar sendo ambulanciado para algum pronto-socorro contra a minha vontade e os meus interesses. A questão de saber se pessoas nesse tipo de condição sequer têm vontades interessadas é abordada superficialmente enquanto algum tipo de caça ultra-mach alto demais para ouvir fatia o céu de sul a norte. O psiquiatra está com as mãos erguidas e dando palmadinhas no ar para demonstrar imparcialidade. Ele tem um queixão azul. No único outro pronto-socorro em que eu já estive, quase exatamente um ano atrás, a maca psiquiátrica foi empurrada e depois estacionada ao lado das cadeiras da sala de espera. As cadeiras eram de plástico injetado laranja; três delas mais para a frente naquela fileira estavam ocupadas por pessoas diferentes, todas segurando frascos vazios de remédio e suando em bicas. Só isso já teria sido ruim, mas na cadeira da ponta, bem ao lado da minha cabeça atada à maca, estava uma mulher encamisetada com pele cor de madeira de demolição e um boné de caminhoneiro que adernava pesado para estibordo e começou a me contar, eu deitado ali amarrado e imóvel, como ela tinha sofrido aparentemente da noite para o dia de um gigantismo repentino e anômalo no seio esquerdo, que ela chamava de tetinha; ela falava com um sotaque québecois quase caricatural e descreveu a sintomatologia e os possíveis diagnósticos da "tetinha" por quase vinte minutos antes de me empurrarem dali. O movimento e o rastro do jato parecem incisionísticos, como se uma carne branca por trás do azul fosse sendo exposta e se abrisse na esteira da lâmina. Uma vez eu vi a palavra *FACA* escrita a dedo no espelho embaçado de um banheiro não público. Virei um infantófilo. Eu me vejo forçado a revirar os olhos fechados para cima ou para o lado para evitar que a caverna vermelha irrompa em chamas por causa do sol. O trânsito que passa pela rua é constante e parece estar dizendo "Shh, shh, shh". O sol, se os teus olhos piscantes topam com ele nem que seja de leve, dá aquelas luzinhas azuis e vermelhas boiando no ar que um flash te dá. "Por que *não*? Por que *não*? Por que *não*, então, se o melhor argumento que o senhor consegue arranjar é por que não?" A voz do C.T., recuando injuriada. Agora só são visíveis os galantes cutucões da antena dele, bem no extremo direito do quadro da minha visão. Eu vou ser levado pra algum pronto-socorro, onde vou ser mantido enquanto não responder às perguntas, e aí, quando eu responder às perguntas, vão me sedar; então vai ser uma inversão da viagem padrão, a ambulância e o PS: primeiro o trajeto, depois a partida. Eu penso muito rapidamente no falecido Cosgrove Watt. Penso no hipofalangial Terapeuta-de-Trauma. Penso na Mães, arrumando latas de sopa em ordem alfabética no armário acima do micro-ondas. No guarda-chuva de Sipróprio pendurado pelo cabo na borda da mesa de correspondência logo na entrada do saguão da Casa do Diretor. O tornozelo bichado não doeu nenhuma vez neste ano inteiro. Eu penso em John N.a. V. Wayne, que teria vencido o WhataBurger deste ano, de pé com uma máscara enquanto Donald Gately e eu desenterramos a cabeça do meu pai. É quase certeza que o Wayne teria vencido. E a Venus Williams tem um rancho perto de Green Valley; pode bem ser que ela assista às finais masculinas e femininas do sub-18. Eu vou sair com tempo de sobra para jogar a semi de amanhã; confio no Tio Charles. É quase certo que o vencedor de hoje à noite vai ser o Dymphna, de dezesseis anos e que faz aniversário duas semanas antes do limite de 15 de abril; e o Dymphna ainda vai estar cansado amanhã às 0830, enquanto eu, sedado, vou ter dormido como uma imagem entalhada. Eu nunca encarei o Dymphna num torneio nem joguei com as bolas sonoras que os cegos precisam usar, mas vi ele lutando pra dar conta do Petropolis Kahn nas oitavas, e sei que ele está frito.

Vai começar no PS, na mesa de recepção se o C.T. demorar para seguir a ambulância, ou na sala de azulejos verdes depois da sala com as máquinas digitais-invasivas; ou, levando-se em conta essa ambulância especial com seu próprio psiquiatra, talvez já no caminho: algum doutorzinho de queixada azul esfregadinha até ficar com um brilho antisséptico, com o nome bordado em letra cursiva no bolso do peito do jaleco branco e uma caneta de qualidade, dessas que vêm em estojos, querendo um interrogatoriozinho à beira da maca, etiologia e diagnóstico pelo método socrático, organizado e detalhado. Segundo a sexta edição do dicionário Oxford, há dezenove sinônimos não arcaicos para *inerte*, dos quais nove são latinos e quatro saxões. Eu vou jogar ou contra o Stice ou contra o Polep na final de domingo. Quem sabe na frente da Venus Williams. Mas vai ser alguém mal pago e sem treinamento, inevitavelmente — uma auxiliar de enfermagem com unhas sabugadas, um segurança do hospital, um zelador cubano cansado que me chama de *bocê* — quem vai, dando uma espiada no meio de alguma tarefa apressada, me pegar olhando e perguntar E aí cara qual que é a *tua* história?

O

ANO DA FRALDA GERIÁTRICA DEPEND

Onde é que estava a mulher que disse que vinha. Ela disse que vinha. Erdedy achava que ela já teria vindo a essa altura. Ele ficou sentado e ficou pensando. Ele estava na sala de estar. Quando ele começou a esperar uma janela estava cheia de uma luz amarela e projetava uma sombra de luz no chão e ele ainda estava esperando quando a sombra começou a sumir e foi cercada por uma mais clara de uma janela de outra parede. Havia um inseto numa das prateleiras de aço que sustentavam o equipamento de áudio dele. O inseto ficava entrando e saindo de um dos buracos dos suportes em que se encaixavam as prateleiras. O inseto era escuro e tinha um invólucro brilhante. Ele ficava olhando para o inseto. Uma ou duas vezes começou a levantar para ir olhar mais de perto, mas teve medo de que se fosse mais perto e visse mais de perto ele fosse matar o inseto, e ele tinha medo de matar o inseto. Ele não usou o telefone para ligar para a mulher que tinha prometido vir porque se deixasse a linha ocupada e por acaso fosse a hora em que talvez ela estivesse tentando ligar para ele ela ia ouvir o sinal de ocupado e achar que ele não estava interessado e ficar brava e talvez levasse o que tinha prometido a ele para algum outro lugar.

Ela tinha prometido conseguir um quinto de um quilograma de maconha, 200 gramas de uma erva excepcionalmente boa, por $1250. Ele já tinha tentado parar de fumar maconha talvez umas 70 ou 80 vezes. Antes dessa mulher o conhecer. Ela não sabia que ele tinha tentado parar. Ele sempre aguentava uma semana ou duas, ou quem sabe dois dias, aí dava uma pensada e decidia comprar mais um pouco pela última vez. Uma última e definitiva vez em que ele ia procurar alguém novo, alguém a quem ainda não tivesse dito que precisava parar de fumar maconha e que por favor de maneira alguma ela devia conseguir mais erva pra ele. Tinha que ser um terceiro, porque ele tinha pedido que todos os traficantes que conhecia o cortassem das listas. E o terceiro tinha que ser alguém novinho em folha, porque toda vez que ele comprava ele sabia que aquela vez tinha que ser a última, portanto dizia isso a eles e lhes pedia, como um favor, que nunca mais lhe arranjassem mais erva, nunca. E ele nunca pedia de novo para uma pessoa depois de dizer isso a ela, porque era orgulhoso, e também era delicado, e não colocaria ninguém numa posição contraditória dessas. E também ele se considerava esquisito no que se referia à erva, e tinha medo de que os outros também vissem que ele era esquisito nesse campo. Ele ficou sentado e ficou pensando e esperando dentro de um X irregular de luz de duas janelas diferentes. Uma ou duas vezes olhou para o telefone. O inseto tinha desaparecido de novo no buraco do suporte de aço em que uma prateleira se encaixava.

Ela tinha prometido vir numa determinada hora, e já tinha passado daquela hora. Finalmente ele desistiu e ligou para o número dela, usando só áudio, e o telefone tocou várias vezes, e ele ficou com medo de quanto tempo estava ocupando a linha e ouviu a secretária eletrônica da mulher, a mensagem tinha um trechinho de música pop irônica e a voz dela e uma voz masculina juntas dizendo a gente já volta, e o "a gente" fazia eles parecerem um casal, o homem era um negro bonitão que estudava direito, ela era cenógrafa, e ele não deixou mensagem porque não queria que ela soubesse quanto ele estava sentindo que precisava daquilo. Ele tinha se mostrado bem nem aí com a coisa toda. Ela disse que conhecia um cara logo do outro lado do rio em Allston que vendia maconha com um alto teor de resina em quantidades medianas, e ele tinha bocejado e dito puxa, de repente, puxa vida, olha só, por que não, está certo, ocasião especial, eu nem lembro mais quanto tempo que eu não compro maconha. Ela disse que o cara morava num trailer e tinha lábio leporino e criava cobras e não tinha telefone, e não era basicamente o que daria para chamar de uma pessoa agradável ou atraente, não mesmo, mas que o cara de Allston vivia vendendo drogas para o pessoal do teatro em Cambridge, e tinha um séquito fiel. Ele disse que estava tentando pelo menos lembrar quando tinha sido a última vez que tinha comprado erva, de tanto tempo que fazia. Ele disse que achava que ia pedir pra ela pegar uma quantidade decente, disse que uns amigos andavam ligando pra ele ultimamente perguntando se ele conseguia alguma coisa pra eles. Às vezes ele tinha essa mania de dizer que estava comprando drogas basicamente para os amigos. Aí se a mulher não estivesse com a erva quando disse que ia estar pra poder passar pra ele e ele ficasse angustiado por causa disso ele podia dizer pra mulher que eram os amigos dele que estavam ficando angustiados, e que ele sentia muito por incomodar a mulher por uma coisa tão assim à toa, mas os amigos dele estavam angustiados e enchendo o saco dele por causa daquilo e ele só queria saber o que é que podia dizer pra eles, se desse. Ele estava entre a cruz e a caldeirinha, era como ele definia as coisas. Ele podia dizer que os amigos dele já tinham dado o dinheiro e que agora estavam ansiosos e fazendo pressão, ligando e enchendo o saco dele. Essa tática não era possível com essa mulher que tinha dito que vinha porque ele ainda não tinha lhe dado os $1250. Ela não deixou. Ela era bem-de-vida. A família dela era bem-de-vida, ela tinha dito isso para explicar como o prédio dela era bacana daquele jeito sendo que ela trabalhava projetando cenários para uma companhia de teatro de Cambridge que aparentemente só montava peças alemãs, uns cenários escuros e encardidos. Ela não dava muita bola pra dinheiro, disse que ia cobrir o custo ela mesma quando fosse até Allston Spur ver se o cara estava em casa no trailer como ela tinha certeza que ele estaria naquela determinada tarde, e ele podia simplesmente reembolsar a quantia quando ela trouxesse tudo para ele. Esse arranjo tão informal o tinha deixado ansioso, então ele tinha se mostrado ainda mais informal e dito claro, beleza, nem esquenta. Lembrando, agora, ele tinha certeza de que tinha dito *nem esquenta*, o que pensando bem o preocupava porque podia ter dado a impressão de que ele não estava nem ligando, não estava nem aí, tanto que nem ia fazer diferença se ela se esquecesse de ir pegar ou de ligar pra ele, e depois que ele tinha tomado a decisão de ter maconha em casa mais uma vez fazia muita diferença. Fazia muita diferença. Ele tinha sido tranquilo demais com a mulher, devia ter feito ela pegar os $1250 com ele já de cara, dizendo que era por educação, dizendo que não queria criar uma inconveniência financeira pra ela por uma coisinha tão trivial e tão à toa daquela. O dinheiro criava uma sensação de obrigação, e ele devia ter querido que aquela mulher se sentisse obrigada a fazer o que tinha dito, depois que o que ela tinha dito que ia fazer tinha dado partida no motor dele. Depois que o motor dele tinha dado partida, aquilo fazia tanta diferença que ele de alguma maneira tinha medo de mostrar quanta diferença fazia. Depois que ele tinha pedido pra ela ir pegar, ele se obrigava a vários procedimentos. O inseto da prateleira estava de volta. Ele parecia não fazer muita coisa. Só saía do buraco do suporte para a borda da prateleira de aço e ficava lá parado. Depois de um tempo ele desaparecia de novo no buraco do suporte, e ele quase podia apostar que o inseto também não fazia nada lá dentro. Ele se sentia parecido com o inseto dentro do suporte em que se encaixava a sua prateleira, mas não sabia exatamente como. Depois que tinha decidido ter maconha mais uma última vez, ele ia se ver obrigado a vários procedimentos. Precisava contatar a agência via modem e dizer que tinha havido uma emergência e que ele ia deixar um e-note no TP de uma colega pedindo que ela cuidasse das ligações dele o resto da semana porque ele não ia ter como se comunicar por vários dias devido àquela emergência. Ele precisava gravar uma mensagem na sua secretária eletrônica dizendo que a partir daquela tarde ele ia estar fora de circulação por vários dias. Precisava limpar o banheiro, porque depois que estivesse com a erva ele não ia sair do quarto a não ser para ir à geladeira e ao banheiro, e mesmo nesses casos iam ser viagens muito rápidas. Ele precisava jogar fora toda a cerveja e as bebidas da casa, porque se bebia álcool e fumava maconha ao mesmo tempo ele ficava tonto e nauseado, e se tivesse álcool em casa ele não podia confiar que não ia beber depois que começasse a fumar maconha. Precisava fazer compras. Precisava estocar mantimentos. Agora só uma antena do inseto protuberava do buraco no suporte. Ela protuberava, mas não se mexia. Ele precisava comprar refrigerante, bolacha Oreo, pão, presunto, maionese, tomate, M&M's, biscoito caseiro de supermercado, sorvete, um bolo de chocolate congelado Pepperidge Farm e quatro latas de cobertura de chocolate para ser comida com uma colher grande. Ele precisava fazer um pedido para alugar cartuchos de filmes no entreposto de entretenimento da InterLace. Precisava comprar antiácido para o desconforto que comer tudo que ia comer lhe causaria altas horas da noite. Precisava comprar um bong novo, porque toda vez que acabava com o que simplesmente ia ser a sua última compra grande de maconha, que decidia chega, acabou, que ele nem gostava mais daquilo, acabou, chega de se esconder, chega de abusar dos colegas e de colocar mensagens diferentes na secretária eletrônica, de levar o carro para fora do condomínio e fechar as janelas, as cortinas, as venezianas e viver em vetores velozes entre os filmes do teleputador da InterLace no quarto e a geladeira e o banheiro, ele pegava o bong que tinha usado e jogava fora enrolado em várias sacolas plásticas de compras. A geladeira dele fazia gelo sozinha nuns crescentezinhos nublados que ele adorava, e quando tinha erva em casa ele sempre bebia um monte de refrigerante gelado e de água gelada. A língua dele quase inchava só de pensar. Ele olhou para o telefone e para o relógio. Olhou para as janelas, mas não para as plantas e o asfalto da rua do outro lado das janelas. Ele já tinha passado aspirador nas venezianas e nas cortinas, tudo estava pronto para ser fechado. Depois que a mulher que tinha dito que vinha viesse, ele ia fechar para balanço. Surgiu-lhe a ideia de que ele ia desaparecer no buraco de um suporte dentro dele que sustentava alguma coisa dentro dele. Ele não sabia direito o que era essa coisa dentro dele e não estava preparado para se obrigar aos procedimentos que seriam necessários para explorar a questão. Já passavam quase três horas da hora que a mulher tinha dito que vinha. Um terapeuta, Randi, com *i*, com um bigode de Polícia Montada, tinha lhe dito no programa ambulatorial que ele tinha frequentado havia dois anos que ele parecia insuficientemente comprometido com os procedimentos que seriam necessários para tirar as drogas do seu estilo de vida. Ele foi obrigado a comprar um bong novo na Bogart's da Porter Square, em Cambridge, porque toda vez que acabava com toda a erva que tinha à mão ele sempre jogava fora todos os bongs, as maricas, os filtros e tubos, as sedas, Visine, Pepto-Bismol, bolachas e coberturas, para eliminar toda tentação futura. Ele sempre tinha uma sensação de otimismo e de resoluta determinação depois de se livrar dos materiais. Ele tinha comprado o bong novo e comprado mantimentos frescos de manhã, voltando para casa com tudo bem antes de quando a mulher tinha dito que vinha. Ele pensou no bong novo e no pacotinho de filtros redondos de latão na sacola da Bogart's em cima da mesa da cozinha na cozinha ensolarada e não conseguiu se lembrar de que cor era esse bong novo. O último tinha sido laranja, o anterior era de um rosa meio escuro que ficou lamacento no fundo em meros quatro dias por causa da resina. Ele não se lembrava da cor desse novo e derradeiro bong. Pensou em levantar para ir ver a cor do bong que passaria a usar, mas achou que verificações obsessivas e movimentos convulsos comprometeriam a atmosfera de calma despreocupada que ele precisava manter enquanto esperava, protuberando mas sem se mexer, pela mulher que ele tinha conhecido numa reunião de design para a pequena campanha que a agência dele estava fazendo para o novo festival de Wedekind da pequena companhia de teatro dela, enquanto esperava que aquela mulher, com quem ele tinha feito sexo duas vezes, cumprisse sua promessa informal. Ele tentou definir se a mulher era bonita. Outra coisa que ele tinha estocado quando se comprometeu com a ideia de um último período de férias com maconha era vaselina. Quando fumava ele tendia a se masturbar pacas, houvesse ou não oportunidades para sexo, optando sempre que fumava maconha pela masturbação e não pelo sexo, e a vaselina evitava que ele voltasse às suas funções normais todo machucado e dolorido. Ele também estava hesitando em levantar e ir dar uma olhada na cor do bong porque teria que passar bem na frente do console telefônico para chegar à cozinha, e não queria se ver tentado a ligar de novo para a mulher que tinha dito que vinha porque ia se achar muito esquisito de encher o saco dela por causa de uma coisa que ele tinha dado a impressão de que era supertranquila, e tinha medo de que vários áudios dele desligando na secretária eletrônica da mulher fossem parecer ainda mais esquisitos, e ele ainda ficava meio angustiado com a possibilidade de ocupar a linha bem na hora em que ela ligasse, como certamente ligaria. Ele decidiu acrescentar Chamada em Espera ao seu serviço telefônico de voz por uma taxa extra irrisória, e aí lembrou que como esta era definitivamente a última vez que ele ia ou até podia ceder ao que Randi, com *i*, tinha chamado de um vício absolutamente tão devastador quanto o alcoolismo puro e simples, não haveria necessidade real de ter Chamada em Espera, já que uma situação como a atual nunca mais ia acontecer de novo. Essa linha de raciocínio quase fez com que ele ficasse com raiva. Para garantir a compostura com que estava sentado esperando sob a luz na sua cadeira ele concentrou seus sentidos no ambiente em torno. Nenhum pedaço do inseto que ele tinha visto estava visível agora. Os cliques do seu relógio portátil na verdade eram compostos de três cliques menores, que significavam pelo que ele podia supor preparação, movimento e reacomodação. Ele começou a sentir repulsa por si próprio por esperar tão angustiado pela prometida chegada de uma coisa que de qualquer maneira já nem era mais legal. Ele nem sabia mais por que gostava de fumar. Aquilo o deixava de boca seca e de olhos secos e vermelhos e fazia a cara dele ficar frouxa, e ele odiava quando ficava com a cara frouxa, era como se toda a integridade de todos os músculos de seu rosto fosse erodida pela maconha, e ele ficava horrendamente consciente do fato de que a sua cara estava ficando frouxa, e já tinha se proibido fazia muito tempo de fumar maconha na frente de qualquer pessoa. Ele nem sabia mais qual era o barato daquilo. Nem podia ficar perto de alguém se tivesse fumado maconha no mesmo dia, de tão obsessivo que ficava. E a erva muitas vezes lhe provocava uma dolorosa crise de pleurisia se ele fumasse pesado mais de dois dias seguidos na frente do monitor da InterLace no quarto. A maconha fazia as suas ideias apontarem em ângulos quebrados e o deixava com um olhar fixo e encantado como uma criança nada inteligente vendo cartuchos de entretenimento — quando ele estocava cartuchos de filmes para umas férias com maconha, dava preferência a cartuchos em que várias coisas explodissem e batessem umas nas outras, o que ele tinha certeza que um especialista em fatos desagradáveis como o Randi apontaria que aquilo implicava coisas que não eram boas. Ele puxou e ajeitou a gravata enquanto reorganizava o intelecto, a disposição, o autoconhecimento e a convicção e determinava que quando essa mais recente mulher viesse como certamente viria, esta seria simplesmente a sua última orgia de maconha. Ele ia simplesmente fumar tanto e tão rápido que ia ser tão desagradável e a lembrança daquilo tudo ia ser tão repulsiva que depois que tivesse consumido aquela quantidade e tirado aquilo tudo da casa e da vida dele o mais rápido possível ele nunca mais ia querer fazer uma coisa daquela de novo. Ele ia fazer questão de criar um péssimo conjunto de associações orgiásticas com a maconha na sua memória. A droga era uma coisa assustadora. Ele tinha medo. Não que tivesse medo da droga, é que fumar deixava ele com medo de tudo. Fazia tempo que aquilo não era mais um relaxamento, ou um alívio, ou uma diversão. Nesta última vez, ele ia fumar todos os 200 gramas — 120 gramas limpos e dechavados — em quatro dias, mais de uma onça por dia, tudo em tapas pesados com um bong virgem de boa qualidade, uma quantidade incrível, insana, por dia, ele ia embarcar numa missão, tratar aquilo como uma penitência e um regime de transformação comportamental ao mesmo tempo, ia queimar trinta gramas de altos teores por dia, começando na hora em que acordasse e usasse água gelada para desgrudar a língua do céu da boca e tomasse um antiácido — e cumprindo uma média de 200 a 300 tapas compridos por dia, uma quantidade insana e deliberadamente desagradável, e ele ia embarcar numa missão de fumar sem parar, ainda que, se a maconha fosse mesmo tão boa quanto a mulher dizia, ele fosse dar cinco tapas e aí não querer se dar ao trabalho de preparar outro por pelo menos uma hora. Mas ele ia se forçar a fumar mesmo assim. Ia fumar até se não quisesse. Até se começasse a ficar tonto e nauseado. Ele ia usar disciplina e persistência e força de vontade e ia transformar aquilo tudo numa coisa tão desagradável, tão degradada e pervertida e desagradável, que o comportamento dele dali em diante se modificaria, ele nunca mais ia querer fazer aquilo de novo porque a lembrança dos quatro dias insanos por vir estaria assim muito firme, terrivelmente gravada na memória dele. Ele ia se curar pelo excesso. Ele previu que a mulher, quando viesse, podia querer fumar um pouco dos 200 gramas com ele, ficar de bobeira, encostar, ouvir um pouco da sua impressionante coleção de gravações de Tito Puente, e provavelmente fazer sexo. Ele nunca, jamais, tinha chegado efetivamente a fazer sexo chapado de maconha. Francamente, a ideia era repulsiva para ele. Duas bocas secas se trombando, tentando um beijo, a neura fazendo as ideias dele se enroscar em si próprias como uma cobra numa vara enquanto ele se remexia e fungava seco em cima dela, com os olhos inchados e vermelhos e a cara tão frouxa que suas dobras moles talvez tocassem, caídas, as dobras do rosto frouxo dela que transbordava pra lá e pra cá no travesseiro dele, com a boca se remexendo seca. A ideia era repulsiva. Ele decidiu que ia fazer ela lhe jogar o que tinha prometido trazer, e aí ia jogar para ela de longe os $1250 em notas grandes e lhe dizer pra não deixar a porta bater na bunda na saída. Ele ia dizer *traseiro* em vez de *bunda*. Ele ia ser tão grosso e desagradável com ela que a lembrança da falta de decência básica dele e do rosto dela, tenso e ofendido, seria sempre um desestímulo a mais, no futuro, para ele correr o risco de ligar para ela e repetir os procedimentos a que agora estava obrigado.

Ele nunca tinha ficado tão ansioso pela chegada de uma mulher que não queria ver. Ele lembrava nitidamente da última mulher que tinha envolvido numa tentativa sua de mais umas férias com maconha e cortinas fechadas. A última mulher tinha sido uma coisa chamada artista de apropriação, o que aparentemente significava que ela copiava e enfeitava outras obras de arte e aí vendia através de uma prestigiada galeria da Marlborough Street. Ela escreveu um manifesto artístico que envolvia temas feministas radicais. Ele tinha permitido que ela lhe desse uma das suas pinturas menores, que cobria metade da parede acima da cama dele e era de uma famosa atriz de cinema cujo nome ele sempre penava para lembrar e de um ator de cinema menos famoso, os dois enroscados numa cena de um filme antigo bem conhecido, uma cena romântica, um abraço, copiado de um manual de história do cinema e muito ampliado e entortado, e com palavrões rabiscados por tudo ali com letras vermelho-vivas. A última mulher era sexy mas não bonita, como a mulher que ele não queria ver mas estava esperando ansiosamente era bonita de um jeito chocho e cambridgiano que a fazia parecer bonita mas não sexy. Ele tinha levado a artista de apropriação a acreditar que ele era um ex-viciado em cristal, dependência de cloridrato de metanfetamina[1] via endovenosa é o que ele lembra de ter dito a ela, ele chegou até a descrever o gosto horroroso de cloridrato na boca do viciado imediatamente depois do pico, pois tinha pesquisado o assunto com cuidado. E ele ainda tinha levado a artista a acreditar que a maconha evitava que ele usasse a droga com que realmente tinha problemas, e portanto se ele parecia angustiado para conseguir um pouco de erva depois que ela tinha prometido conseguir um pouco de erva para ele era só porque estava heroicamente contendo impulsos químicos mais negros e mais profundos e precisava que ela lhe desse uma mãozinha. Ele não lembrava direito quando ou como ela ficou com todas essas impressões. Ele não tinha sentado e mentido descaradamente na cara dela, tinha sido mais uma impressão que ele tinha passado e alimentado e permitido que ganhasse força e vida próprias. O inseto agora estava inteiramente visível. Ele estava na prateleira que sustentava o seu equalizador digital. Pode até ser que o inseto nunca tenha se recolhido totalmente ao buraco no suporte da prateleira. O que parecia uma reemersão podia ser só uma mudança na atenção dele ou na luz das duas janelas ou no contexto visual circunstante. O suporte protuberava da parede e era um triângulo de aço fosco com buracos em que se encaixavam as prateleiras. As prateleiras de metal que sustentavam o seu equipamento de áudio eram pintadas de um verde-escuro industrial e tinham sido originalmente feitas para abrigar enlatados. Foram planejadas para ser prateleiras adicionais numa cozinha. O inseto estava ali parado dentro do seu invólucro brilhante com uma imobilidade que parecia a de uma força que se acumulava, ele estava ali parado como a carcaça de um veículo cujo motor tivesse sido temporariamente removido. Era escuro e tinha um invólucro brilhante e antenas que protuberavam mas não se mexiam. Ele tinha que usar o banheiro. O seu último contato com a artista de apropriação, com quem ele tinha feito sexo e que durante o sexo tinha espirrado algum tipo de perfume no ar com um borrifador que segurava na mão esquerda enquanto estava deitada embaixo dele fazendo uma ampla gama de sons e borrifando perfume no ar, tanto que ele sentiu aquela névoa fria pousando em suas costas e ombros e ficou gelado e sentiu repulsa, o último contato depois que ele tinha se ocultado com a maconha que ela conseguiu para ele tinha sido um cartão enviado por ela que era uma foto paródica de um capacho de grama plástica verde e tosca com a inscrição *BEM-VINDO* e ao lado dele uma foto publicitária bem produzida da artista de apropriação, da galeria dela na Back Bay, e entre elas um sinal de diferente, que era um sinal de igual cortado por uma barra diagonal, e ainda um palavrão que ele tinha concluído ser dirigido a ele maiusculado a lápis de cera no pé do cartão, com múltiplos pontos de exclamação. Ela ficou ofendida porque eles tinham se visto todo dia durante dez dias, e aí quando ela finalmente lhe conseguiu 50 gramas de maconha hidropônica geneticamente modificada ele disse que ela tinha salvado a vida dele e que ele agradecia muito e que os amigos para quem ele tinha prometido conseguir erva agradeciam muito e que ela precisava ir embora agora mesmo porque ele tinha um compromisso e precisava se mandar, mas que ele com certeza ligava pra ela mais tarde, e eles trocaram um beijo molhado, e ela disse que podia sentir o coração dele batendo do outro lado do paletó, e ela foi embora com o seu carro enferrujado e sem silencioso e ele foi levar seu próprio carro para um estacionamento subterrâneo a várias quadras dali, e voltou correndo, fechou as persianas e as cortinas, trocou a mensagem da secretária eletrônica por uma que falava de uma viagem de emergência para outra cidade, fechou e travou o blecaute do quarto, tirou seu novo bong cor--de-rosa da sacolinha da Bogart's, e não foi mais visto por três dias; ignorou mais de vinte mensagens de voz, protocolos e e-notes manifestando preocupação pela viagem de emergência dele, e nunca mais entrou em contato com ela. Ele torceu para que ela deduzisse que ele tinha sucumbido mais uma vez ao cloridrato de metanfetamina e que ela na verdade estava sendo poupada da agonia da queda dele, de volta ao inferno da dependência química. O que de fato aconteceu foi que ele tinha novamente decidido que aqueles cinquenta gramas de erva entupida de resina, que era tão forte que no segundo dia lhe causou um ataque de ansiedade tão paralisante que ele tinha ido ao banheiro num caneco de cerâmica com o símbolo da Universidade Tufts para não ter que sair do quarto, representavam a sua ultimíssima orgia com maconha, e que ele precisava cortar todas as possíveis e futuras fontes de tentação e de fornecimento, e isso certamente incluía a artista de apropriação, que tinha chegado com a erva pontualmente no horário combinado, ele lembrava. Da rua lá fora vinha o som de uma lixeira sendo esvaziada numa carreta da DRE. A vergonha dele pelo que ela por outro lado podia interpretar como uma nojenta atitude falocêntrica com ela também tornava ainda mais fácil para ele evitá-la. Ainda que não fosse bem por vergonha. Era mais por ficar incomodado com a ideia. Ele teve que lavar a roupa de cama duas vezes para tirar o cheiro do perfume. Ele entrou no banheiro para ir ao banheiro, fazendo questão de não olhar nem para o inseto visível na prateleira à esquerda nem para o console telefônico em cima da escrivaninha laqueada à direita. Ele estava decidido a não encostar em nenhum dos dois. Onde é que estava a mulher que tinha dito que vinha. O bong novo na sacolinha da Bogart's era laranja, o que significava que ele podia ter lembrado errado que o bong anterior era laranja. Era um laranja-escuro e outonal que ficava mais para um laranja-cítrico quando o cilindro plástico era posto contra a luz do fim de tarde da janela acima da pia da cozinha. O metal do gargalo e do bojo era um aço inox grosseiro, do tipo que tem textura, deselegante e totalmente sem frescura. O bong tinha meio metro de altura e uma base com peso, coberta de um veludo falso macio. O plástico laranja era grosso e o carburador do lado oposto ao do gargalo tinha sido cortado meio à faca de modo que lasquinhas ásperas de plástico protuberavam do buraco e podiam muito bem machucar o polegar dele quando fumasse, o que ele decidiu considerar simplesmente uma parte da penitência que começaria a pagar assim que a mulher tivesse chegado e ido embora. Ele deixou a porta do banheiro aberta para não correr o risco de não ouvir o telefone quando ele tocasse ou o interfone da porta da frente do complexo de prédios quando ele tocasse. No banheiro a garganta dele repentinamente fechou e ele chorou forte por dois ou três segundos antes do choro parar de repente e ele não conseguiu fazer começar de novo. Agora já tinham passado quatro horas do horário em que a mulher tinha informalmente se comprometido a vir. Estivesse ele no banheiro ou na cadeira junto da janela e ao lado do console telefônico e do inseto e da janela que tinha deixado entrar uma barra retangular direta de luz quando ele começou a esperar. A luz que entrava pela janela estava ficando num ângulo cada vez mais oblíquo. Sua sombra se tornara um paralelogramo. A luz que entrava pela janela sudoeste era direta e avermelhada. Ele tinha achado que precisava usar o banheiro, mas não conseguiu. Tentou pôr uma pilha inteira de cartuchos de filmes no deck do drive de discos e aí ligar o imenso teleputador do quarto. Ele podia ver a obra de arte apropriativa no espelho acima do TP. Baixou todo o volume e apontou o controle remoto para o TP meio como se fosse uma arma. Sentou na beira da cama com os cotovelos apoiados nos joelhos e deu uma olhada nos cartuchos da pilha. Cada cartucho no deck caía quando ele mandava e começava a se conectar ao drive com um estalo entomológico e um zumbido, e ele dava uma olhada. Mas não conseguia se distrair com o TP porque não conseguia ficar com nenhum cartucho de entretenimento por mais de alguns segundos. Assim que reconhecia o que havia num cartucho ele tinha uma forte sensação de angústia, de que havia algo mais divertido em outro cartucho e que ele estava potencialmente perdendo aquilo. Percebeu que teria tempo mais que suficiente para curtir todos os cartuchos, e percebeu racionalmente que a sensação de pânico e privação por ter perdido alguma coisa não fazia sentido. O monitor ficava preso à parede e tinha metade do tamanho da obra de arte feminista. Ele ficou um tempo dando uma olhada nos cartuchos. O console telefônico tocou durante esse intervalo de exame ansioso. Ele já estava indo na direção do aparelho antes que o primeiro toque se encerrasse, inundado por uma empolgação ou um alívio, com o controle remoto do TP ainda na mão, mas era só uma pessoa do trabalho que estava ligando, e quando ouviu a voz que não era a mulher que tinha prometido trazer o que ele tinha se decidido a banir para sempre da sua vida nos próximos dias ele quase sentiu náuseas de tão desapontado, com uma grande quantidade de adrenalina desnecessária cintilando e ressoando dentro dele, e desligou tão rápido o telefonema da pessoa do trabalho para liberar a linha e deixá-la livre para a mulher, que teve certeza que a pessoa ficou com a impressão de que ele ou estava furioso ou simplesmente tinha sido grosseiro. Ele ainda se incomodou com a ideia de que ter atendido o telefone assim tão tarde não batia com a mensagem de emergência que falava que ele não ia poder ser encontrado e que estaria na sua secretária eletrônica se a pessoa ligasse de novo depois que a mulher tivesse chegado e ido embora e ele tivesse fechado totalmente a vida para balanço, e ele estava de pé na frente do console telefônico tentando decidir se o risco da pessoa do trabalho ou mais alguém da agência ligar de novo bastava para justificar a troca da mensagem da secretária eletrônica falando de uma partida de emergência hoje à noite em vez de hoje à tarde, mas decidiu que como a mulher tinha dado certeza que viria o fato de ele não mudar a mensagem seria um gesto de confiança no comprometimento dela e podia até fortalecer de alguma forma enviesada esse comprometimento. A carreta da DRE estava esvaziando lixeiras por toda a rua. Ele voltou para a cadeira da janela. O drive de discos e o monitor do TP ainda estavam no quarto e ele conseguia ver pelo canto da porta aberta do quarto as luzes da tela de alta definição piscando e mudando de uma cor primária para outra no cômodo escuro, e ficou um tempo matando tempo despreocupadamente tentando imaginar as cenas divertidas no monitor abandonado que as cores e intensidades mutantes podiam representar. A cadeira estava virada para a sala e não para a janela. Ler enquanto esperava a maconha estava fora de cogitação. Ele considerou a ideia de se masturbar, mas não se masturbou. Nem chegou tanto a rejeitar a ideia, foi mais que não reagiu a ela e ficou olhando ela ir embora boiando. Ele pensou muito generalizadamente em desejos e ideias que eram observados, mas que não levavam à ação, pensou em impulsos que morriam de fome por falta de expressão e secavam e saíam boiando secos, e sentiu em algum nível que isso tinha alguma coisa a ver com ele e com as circunstâncias dele e com o quê, se essa esgotante orgia final com que ele estava comprometido de alguma maneira não resolvesse o problema, certamente teria que ser chamado de problema, mas nem começou a tentar ver como a imagem dos impulsos desidratados boiando secos se ligava fosse a ele fosse ao inseto, que tinha se recolhido de novo ao buraco no suporte angulado, porque naquele preciso momento o telefone e o interfone da porta tocaram ao mesmo tempo, ambos alto e tão torturada e abruptamente que soavam como algo puxado violentamente por um buraco muito pequeno para dentro do grande balão de silêncio colorido em que ele estava sentado, esperando, e ele foi primeiro na direção do console telefônico, e aí na direção do módulo do interfone, e aí convulsamente de novo na direção do telefone que tocava, e aí tentou de alguma forma ir na direção dos dois ao mesmo tempo, de modo que ficou ali de pernas escancaradas, braços enlouquecidamente esticados como alguma coisa que tivesse sido arremessada, estatelado, inumado entre os dois sons, sem uma só ideia na cabeça.

O

1º DE ABRIL — ANO DO EMPLASTRO MEDICINAL TUCKS

"Só sei que o meu pai falou pra eu vir aqui."

"Entre. Você vai ver uma cadeira bem à sua esquerda."

"Aí eu vim."

"Ótimo. Uma Seven-Up? Quem sabe um refrigerante de limão?"

"Acho que não, obrigado. Eu só vim aqui, só isso, e estou meio que imaginando por que o meu pai me mandou aqui, sabe? Não tem nada ali na sua porta, e eu acabei de ir ao dentista na semana passada, e aí eu estou pensando por que exatamente eu estou aqui, só isso. É por isso que eu ainda não sentei."

"Você tem que idade, Hal? Catorze?"

"Eu faço onze em junho. Você é dentista? Isso é tipo uma consulta de dentista?"

"Você está aqui para conversar."

"Conversar?"

"Sim. Perdoe eu insistir nessa questão da idade. Por alguma razão seu pai pôs catorze anos na sua ficha."

"Conversar tipo com você?"

"Você está aqui para conversar comigo, Hal, isso mesmo. Eu estou quase tendo que implorar que você aceite um refrigerante de limão. A sua boca está fazendo aqueles barulhos secos, grudentos de salivação."

"O dr. Zegarelli diz que uma das razões dessas cáries todas é eu ter um baixo influxo salivar."

"Aqueles barulhos dessalivados secos e grudentos que podem ser a morte de uma boa conversa."

"Mas eu vim de bicicleta até aqui pedalando contra o vento só pra conversar com você? Será que a conversa não devia começar comigo perguntando por quê?"

"Eu vou começar perguntando se você conhece o significado de *implorar*, Hal."

"Provavelmente eu vou acabar aceitando uma Seven-Up, então, se você vai implorar."

"Eu vou lhe perguntar de novo, meu jovem, se o senhor acaso conhece *implorar*."

"Senhor?"

"Você está usando essa gravata-borboleta, afinal. Isso não é um belo convite a um *senhor*?"

"Implorar é um verbo regular, transitivo: invocar, suplicar; pedir instantemente, rogar. Sinônimo fraco: pedir. Sinônimo forte: exorar. Etimologia incontroversa: do latim *implorare*, onde *im* significa em, *plorare* significa, neste contexto, gritar em altos brados. *OED* condensado, volume seis, página 1387, coluna doze e um tiquinho da treze."

"Santo Deus, ela não exagerou, não é?"

"Eu tendo a levar umas surras às vezes na academia por essas coisas. Isso tem alguma relação com o motivo de eu estar aqui? O fato de eu ser um tenista júnior continentalmente ranqueado que também sabe recitar grandes trechos do dicionário, verbatim, quando quiser, e que tende a levar surras e usa gravata-borboleta? Você é tipo um especialista em superdotados? Isso quer dizer que eles acham que eu sou superdotado?"

SPFFFT. "Toma. Bebe tudo."

"Obrigado. CHULGCHULGSPAHHH… Uff. Ah."

"Você estava com sede *mesmo*."

"Mas aí se eu sentar você vai me explicar?"

"… conversador profissional há de entender de mucosas, afinal."

"Pode ser que eu tenha que arrotar daqui a pouco, por causa do refri. Eu estou avisando antecipadamente."

"Hal, você está aqui porque eu sou um conversador profissional e seu pai marcou um consulta para você comigo, para conversar."

"MIÂRP. Desculpa."

Tap tap tap tap.

"CHULGSPAHHH."

Tap tap tap tap.

"Você é um conversador profissional?"

"Sou, eu sou sim, como eu acredito que acabei de dizer, um conversador profissional."

"Não comece a olhar pro relógio, como se eu estivesse ocupando o seu valioso tempo. Se Sipróprio marcou uma consulta e pagou por ela o tempo devia ser meu, certo? Não seu. E aí, mas o que é que isso quer dizer? 'Conversador profissional'? Um conversador é alguém que conversa muito. Você cobra mesmo honorários pra conversar muito?"

"Um conversador também é alguém que, eu tenho certeza de que você se recorda, 'excele na conversação'."

"Isso é a sétima edição do *Webster*. Não é o *OED*."

Tap tap.

"Eu sou um cara do *OED*, doutor. Se é isso que você é. Você é doutor? Você tem um doutorado? A maioria das pessoas, pelo que eu percebi, gosta de pendurar os diplomas na parede se tem alguma credencial. E a sétima do *Webster* não está nem atualizada. A oitava do *Webster* emenda para 'quem conversa com muito entusiasmo'."

"Outra Seven-Up?"

"Será que Sipróprio ainda está tendo aquela alucinação de que eu nunca falo? Foi por isso que ele convenceu a Mães a me mandar de bike até aqui? Sipróprio é o meu pai. A gente chama ele de Sipróprio. Tipo aspas 'o homem em si próprio'. Tipo assim. A gente chama a minha mãe de Mães. Meu irmão que inventou a palavra. Eu compreendo que isso não é incomum. Eu compreendo que a maioria das famílias mais ou menos normais se refere uns aos outros por meio de hipocorísticos, expressões e apelidos. Nem pense em me perguntar qual é o meu apelidinho familiar."

Tap tap tap.

"Mas Sipróprio tem umas alucinações às vezes, ultimamente, você deve ficar a par disso, era essa a ideia. Eu fico aqui imaginando por que a Mães deixou ele me mandar pedalando até aqui montanha acima contra o vento se eu tenho um jogo desafio às três pra conversar com um entusiasta com uma porta em branco e sem diplomas onde quer que eu olhe."

"Eu, no meu modesto ponto de vista, gostaria de pensar que isso tem tanto a ver comigo quanto com você. Que a minha reputação me precedeu."

"Isso não é normalmente uma expressão pejorativa?"

"É superdivertido conversar comigo. Eu sou um ótimo profissional. As pessoas saem da minha sala extasiadas. Você está aqui. É hora da conversa. Vamos discutir material erótico bizantino?"

"Como é que você sabia que eu estava interessado em material erótico bizantino?"

"Parece que você continua me confundindo com alguém que pendura uma plaquinha com a palavra Conversador, e continua confundindo essa profissão com alguma picaretagem ajambrada com chiclete e barbante. Você acha que eu não tenho assistentes? Pesquisadores sob meu comando? Você acha que não sondamos denodadamente a psique daqueles com quem temos conversas agendadas? Não acha que essa sociedade limitada de excelente reputação teria seus interesses em conseguir dados sobre o que informa e estimula nossos conversantes?"

"Eu só conheço uma pessoa que usaria *denodadamente* numa conversa informal."

"Não há nada de informal em um conversador profissional e sua equipe. Nós sondamos. Nós obtemos, e com sobras, meu jovem senhor."

"Beleza. Alexandrina ou constantiniana?"

"Você acha que não pesquisamos com profundidade sua ligação com toda a atual crise intraprovincial no sul do Québec?"

"Que crise intraprovincial no sul do Québec? Eu achei que você quisesse falar de mosaicos picantes."

"Nós estamos num bairro de classe alta de uma vital metrópole norte-americana, Hal. Os padrões aqui são de classe alta, elevados. Um conversador profissional abertamente, denodadamente, *sonda*. Será que você, por um só momento, pensa que um seguidor profissional do ramo da conversação deixaria de verificar minuciosamente a sórdida ligação da sua família com o notório M. DuPlessis, da Resistência pan-canadense e sua malévola mas notoriamente irresistível amanuense-e-coopera-dora, Luria P ___?"

"Olha, você está bem?"

"*Pensa?*"

"Eu tenho *dez* anos, pelo amor do santo. Eu acho que de repente os quadradi-nhos da sua agenda de consultas se misturaram. Eu sou o prodígio lexical e tenístico possivelmente superdotado de dez anos cuja mãe é uma agitadora de alto nível do mundo acadêmico da gramática prescritiva e cujo pai é uma figura de grande estatu-ra nos círculos da ótica e do cinema de vanguarda e, sozinho, fundou a Academia de Tênis Enfield, mas bebe uísque tipo às 5:00 da manhã e cai adernado durante os pri-meiros treinos do dia, nas quadras, às vezes, e às vezes vem com umas ilusões que as bocas das pessoas estão mexendo mas sem sair som nenhum. Eu ainda nem cheguei no *J*, no *OED* condensado, que dirá Québec ou Lurias malévolas."

"... do fato das fotos dos supramencionados... ligação que vazou para o *Der Spiegel* e resultou nas mortes bizarras de um paparazzo de Ottawa e de um editor internacional bávaro, por um bastão de esqui que atravessou seu abdome e uma ce-bolinha de coquetel que desceu pelo lado errado, respectivamente?"

"Eu acabei de terminar *jew's-ear*. Estou só começando *jew's-harp* e a teoria geral dos berimbaus de boca. Eu nunca nem *esquiei*."

"Que você ousasse imaginar que nós não chegaríamos, conversacionalmente, a contemplar certos, digamos, encontros... maternais com determinado oboísta bisse-xual anônimo da unidade de guerrilhas táticas da Guarda Secreta Albertana?"

"Meu Jesus, aquilo que eu estou vendo ali é a saída?"

"... que a sua leviana desatenção com os festins gramaticais da sua própria mãe com não um ou dois, mas mais de *trinta* adidos médicos do Oriente Médio...?"

"Será que seria muito indelicado eu dizer que o seu bigode está torto?"

"... que o fato de ela ter introduzido esteroides mnemônicos esotéricos, nada diferentes estereoquimicamente do suplemento "megavitamínico" hipodérmico do seu próprio pai, derivado de certo composto de regeneração testosterônica orgânica destilado pelos xamãs Jivaros da bacia Sul-Central de L.A. na sua tigela de cereal matinal de aparência inocente..."

"Pra falar a verdade eu vou acabar lhe dizendo que o seu rosto todo meio que está escorrendo, tipo assim, se você quiser saber. O seu nariz está apontando pra virilha."

"Que a composição dos materiais de fórmulas supersecretas das suas raquetes de tênis grandes Dunlop abre-aspas "de cortesia" fecha-aspas à base de resina de polibutileno de policarbonato reforçado por grafite de alta resistência é organoqui-micamente idêntica repito *idêntica* ao sensor de equilíbrio giroscópico e ao cartão de apropriação de mise-en-scène e ao cartucho de entretenimento-priápico implantados no cerebrum anaplástico do seu próprio pai de grande estatura depois da cruel série de desintoxicações e alisamentos de circunvoluções e gastrectomia e prostatectomia e pancreatectomia e faluctomia por que ele passou..."

Tap tap. "CHULGSPAHH."

"... teriam a possibilidade de escapar à conjunta atenção investigativa de...?"

"E acaba de me ocorrer que sem dúvida nenhuma eu já vi esse colete de lã xadrez. É o colete de lã xadrez especial para o jantar-celebratório-do-Dia-da-Interdependência de Sipróprio, que ele faz questão de nunca deixar lavarem. Eu conheço essas manchas. Eu estava lá quando essa mancha de vitela ao molho marsala apareceu ali. Essa consulta toda é alguma coisa de datas? É primeiro de abril, Pai, ou eu tenho que chamar a Mães e o C.T.?"

"... que requer apenas provas diárias de que você *fala*? De que você reconhece o eventual panorama além da ponta carnuda do seu nariz Mondragonoide?"

"Você alugou um escritório inteiro e uma cara inteira pra isso aqui, mas ficou com o seu velho e inconfundível colete? E como foi que você chegou aqui antes de mim, pra começar, se o Mercury está parado quadras lá atrás... você enrolou o C.T. pra ele lhe dar a chave de um carro da academia?"

"Que rezava diariamente para que viesse o dia em que o seu querido e falecido pai sentasse, tossisse, abrisse aquela porra daquele número do *Tucson Citizen* e não transformasse aquele jornal na quinta parede da sala? E que depois de todo esse estrondo e esse escândalo parece ter gerado o mesmo silêncio?"

"..."

"Que passou toda a porra da modorra da pachorra da sua vida em salas com cinco paredes?"

"Pai, eu tenho um jogo marcado com o Schacht tipo em doze minutos, com ou sem vento nas minhas costas morro abaixo. Tem esse berimbáulogo que vai estar na frente do Brighton Best Savings usando uma gravata pré-combinada às cinco em ponto. Eu vou ter que cuidar do jardim dele por um mês por essa entrevista. Eu não posso ficar aqui sentado olhando você pensar que eu sou mudo enquanto o seu nariz falso aponta pro chão. E você está me ouvindo falar, Pai? A coisa fala. Aceita refrigerante, define *implorar* e conversa com você."

"Rezando por uma só conversa, amadora ou não, que não termine aterrorizante? Que não termine como todas as outras: você encarando, eu engolindo em seco?"

"..."

"Filho?"

"..."

"*Filho?*"

9 DE MAIO — ANO DA FRALDA GERIÁTRICA DEPEND

Outro impacto que um pai pode ter nos seus filhos homens é que os filhos, depois que suas vozes mudam na puberdade, invariavelmente atendem o telefone com as mesmas locuções e entonações que o pai usava. Isso se mantém assim independente de o pai ainda estar vivo.

Como ele deixava seu quarto no dormitório antes das 0600 para os treinos matinais e muitas vezes só estava de volta depois do jantar, saindo com a sacola de livros, a mochila e a bolsa de equipamentos para o dia inteiro, além de escolher as raquetes que estavam com as cordas em melhor estado — isso tudo acabava demorando, para Hal. Além disso ele normalmente recolhia suas coisas, guardava e escolhia no escuro, e sorrateiramente, porque seu irmão Mario normalmente ainda estava dormindo na outra cama. Mario não treinava e não sabia jogar, e precisava dormir o máximo possível.

Hal estava segurando sua bolsa de cortesia e colocando vários conjuntos de abrigos contra o rosto, tentando achar o mais limpo pelo cheiro, quando o console telefônico tocou. Mario se agitou e sentou na cama, uma pequena forma corcunda com uma cabeça enorme contra a luz cinzenta da janela. Hal chegou ao console no segundo toque e já tinha estendido a antena do telefone transparente no terceiro.

O seu modo de atender o telefone parecia um "Mmmiallou".

"Prepare seu coração", a voz ao telefone disse. "Pras coisas que eu vou contar."

Hal estava com três calças da ATE na mão que não segurava o telefone. Ele viu o irmão mais velho sucumbir à gravidade e cair de novo todo mole nos travesseiros. Mario vivia sentando e deitando de novo sem acordar.

"Eu tenho muito tempo", Hal disse baixinho. "Temos todo o tempo do mundo."

"Você que pensa", a voz disse. A ligação caiu. Era Orin.

"Ô Hal?"

A luz no quarto era de um cinza medonho, um tipo de não luz. Hal ouvia Brandt rindo de alguma coisa que Kenkle tinha dito, lá no fundo do corredor, e as batidas de seus baldes faxineirais. A pessoa no telefone era o O.

"Ô Hal?" Mario estava acordado. Eram necessários quatro travesseiros para sustentar o crânio gigantesco de Mario. A voz dele vinha da roupa de cama embolada. "Ainda está escuro lá fora ou é impressão minha?"

"Dorme. Não são nem seis horas." Hal pôs primeiro a perna boa na calça.

"Quem era?"

Enfiar três Dunlops widebody sem as capas na bolsa e fechar o zíper só até o meio para que os cabos ficassem para fora. Ir com as três bolsas até o console para desativar a campainha do telefone. Ele disse: "Ninguém que você conhece, acho".

O

ANO DA FRALDA GERIÁTRICA DEPEND

Embora seja só metade árabe etnicamente e canadense de nascimento e residência, o adido médico está mais uma vez sob imunidade diplomática saudita, dessa vez como otorrinolaringologista auxiliar do clínico pessoal do Príncipe Q_____, ministro saudita do Entretenimento Doméstico, que está aqui em solo do Nordeste dos EUA com sua missão diplomática para fechar mais um acordo-monstro com a

InterLace TelEntretenimento. O adido médico faz trinta e sete amanhã, quinta-feira, 2 de abril no AFGD lunar da América do Norte. A missão diplomática acha o subsídio promocional do calendário norte-americano hilariamente vulgar. Sem falar na imagem inesquecível do mais famoso e autocelebratório ídolo do Ocidente idólatra, a colossal Estátua Libertina, usando um tipo de um cueiro projetado para adultos, imagem hilariamente adequada e popular para as fotos do noticiário de tantos jornais internacionais.

Como a atividade clínica do adido médico normalmente se dividia entre Montreal e o Rub'al-Khali, é sua primeira viagem de volta ao solo dos EUA desde que concluiu a residência oito anos atrás. Seus deveres aqui envolvem migrar com o Príncipe e seu séquito entre os dois polos de manufatura e disseminação da InterLace em Phoenix, Arizona, EUA, e Boston, Massachusetts, EUA, respectivamente, oferecendo assistência especializada em ORL ao clínico pessoal do Príncipe Q_____. A especialidade médica particular do adido médico são as consequências maxilofaciais dos desequilíbrios da flora intestinal. O Príncipe Q_____ (como qualquer um que se recusasse a comer praticamente tudo que não fosse Töblerone) sofre cronicamente de *Candida albicans*, com consequente suscetibilidade a sinusite monilial e sapinho, cujas pústulas levedadas e impacções sinusais requerem drenagem quase diária no início frio e úmido da primavera de Boston, EUA. Um verdadeiro artista, dotado de uma habilidade ímpar com cotonetes e seringas de esgotamento, o adido médico é conhecido nas classes mais altas, e cada vez menores, das nações petroárabes como o DeBakey das leveduras maxilofaciais, e sua atordoante escala de preços, como integralmente *ad valorem*.

Os preços das consultas na Arábia Saudita, em particular, ficam em algum ponto da escala logo além do indecente, mas os deveres do adido médico nessa viagem são pessoalmente esgotantes e meio nauseabundos, e quando ele volta ao suntuoso apartamento que tinha feito sua esposa alugar em distritos distantes das instalações normais da missão diplomática em Back Bay ou Scottsdale, no fim do dia, ele precisa desesperadamente relaxar. Sendo um seguidor mais que medianamente devoto do sufismo norte-americano pregado na sua infância por Pir Valayat, o adido médico não consome kief nem álcoois destilados e tem que relaxar sem auxílio químico. Quando chega em casa depois das orações vespertinas, o que quer é ver um jantarzinho picante e 100% *shari'a-halal* pelando de quente, arrumadinho e fumegando gostosamente na bandeja encaixável, ele quer seu babador passado a ferro e estendido ao lado da bandeja, à sua disposição, e quer o teleputador da sala ligado e aquecido e os cartuchos de entretenimento daquela noite já selecionados, dispostos e alinhados no deck prontos para a inserção remota no drive do monitor. Ele reclina diante do monitor em sua cadeira reclinável eletrônica especial, e sua esposa velada de negro e etnicamente árabe o serve sem dizer palavra, afrouxando qualquer peça mais opressiva de roupa dele, ajustando a iluminação da sala, passando a bandeja do jantar complexamente convoluta acima da cabeça dele, de modo que os ombros sustentem a bandeja e permitam que ela se projete no espaço logo abaixo do queixo, para que ele possa saborear seu jantarzinho quente sem nem tirar os olhos do entretenimento que esteja passando. Ele tem uma barbicha estreita estilo império de que sua esposa também cuida e que ela mantém livre de detritos da bandeja logo abaixo. O adido médico fica sentado assistindo, comendo e assistindo, relaxando em graus visíveis, até que os ângulos do seu corpo na cadeira e da cabeça no pescoço indicam que ele já passou para o sono, quando então pode-se fazer sua cadeira reclinável eletrônica especial reclinar automaticamente para uma posição completamente horizontal, com uma luxuosa roupa de cama de um análogo de seda emergindo fluentemente de longas fendas nas laterais do móvel; e, a não ser que à sua esposa faltem consideração e delicadeza com os controles remotos de operação manual da cadeira reclinável, o adido médico ganha o direito de passar sem nenhum esforço da condição de espectador relaxado para a de quem dorme uma noite de sono de total relaxamento, ainda ali na cadeira reclinável horizontalizada, com o TP programado para a repetição infinita de um som suave de ondas do mar e de uma chuva leve sobre enormes folhas verdes.

A não ser, claro, nas noites de quarta-feira, que em Boston permite-se que sejam a noite da Liga Avançada Árabe Feminina de Tênis da sua esposa com as outras esposas e acompanhantes da missão diplomática no aconchegante clube Mount Auburn em West Watertown, noites nas quais ela não está por ali sem dizer palavra para servi-lo, já que quarta-feira é o dia da semana dos EUA em que o Töblerone fresquinho chega às prateleiras dos vendedores de confeitos importados da Newsbury Street de Boston, Massachusetts, EUA, e em que a incapacidade do ministro de Entretenimento Doméstico Saudita de controlar seu apetite pelo Töblerone de quarta-feira muitas vezes exige que o adido médico passe a noite de plantão no décimo quarto andar inteiro reservado do Back Bay Hilton, lidando com abaixadores de línguas e cotonetes, nistatina e ibuprofeno e estípticos e unguentos antibióticos contra sapinho, reabilitando as membranas mucosas do dispéptico e transtornado e muitas vezes (mas não sempre) penitente e grato Príncipe Saudita Q_____. Assim, no dia primeiro de abril, AFGD, quando o adido médico (supostamente) é insuficientemente hábil com um cotonete numa necrose sinal ulcerada e precisamente às 1800h é exposto a um surto sapinhístico febril e histérico vindo de um ministro de Entretenimento Doméstico floralmente desequilibrado, e é via tonitruante decreto real substituído à nobre cabeceira pelo clínico pessoal do Príncipe, que é convocado por bipe na sauna do Hilton, e quando o úmido clínico pessoal dá tapinhas no ombro do adido médico e lhe diz para não dar atenção àquele surto, que é só influência dos fungos, e ir para casa e relaxar e uma vez na vida ganhar uma quarta-feira mais curta de presente, aí quando o médico chega em casa, mais ou menos às 18h40, seu espaçoso apartamento bostoniano está vazio, as luzes da sala de estar não foram diminuídas, o jantar não está aquecido e a bandeja encaixável ainda está na máquina de lavar e — pior — é claro que ninguém foi buscar cartuchos de entretenimento no entreposto de Boylston da InterLace em que a esposa do adido médico, como todas as veladas esposas e acompanhantes dos membros da missão do Príncipe, tem uma conta de cortesia oferecida em demonstração de boa vontade. E mesmo que ele não estivesse exausto

39

demais e tenso demais para se arriscar de novo na úmida noite urbana para ir pegar os cartuchos de entretenimento, o adido médico percebe que sua esposa, como sempre às quartas-feiras, levou o carro com placa diplomática, sem o qual um estrangeiro ajuizado nem sequer sonharia tentar estacionar em público à noite em Boston, Massachusetts, EUA.

As opções de relaxamento do adido médico estão portanto seriamente reduzidas. O exuberante TP da sala de estar recebe também as disseminações espontâneas da rede de pulsos da InterLace por assinatura, mas os procedimentos de solicitação de pulsos espontâneos específicos do serviço são tão complexos que o médico sempre deixou isso tudo para a esposa. Nessa noite de quarta-feira, tentando botões e abreviações quase aleatoriamente, o adido consegue gerar apenas esportes profissionais dos EUA ao vivo — coisa que ele sempre achou brutal e repugnante —, novelas patrocinadas pela Texaco Oil — e o adido hoje já viu a úvula humana demais, muito obrigado —, um episódio redisseminado do popular programa infantil vespertino "Sr. Pula-Pula" — que por um instante o adido pensa ser um documentário sobre transtornos bipolares do humor, até se dar conta e meter o polegar apressadamente no painel de seleção — e uma sessão redisseminada da série de aeróbica em casa em trajes sumários "Para Sempre em Forma", transmitida de manhã, com a gurua da aeróbica, a sra. Tawni Kondo, cuja imodéstia escanchada de trajes sumários ameaça o devoto adido médico com a possibilidade de pensamentos impuros.

Os únicos cartuchos de entretenimento à vista no apartamento, revela uma busca terrivelmente mal-humorada, são os que chegaram com a entrega postal de quarta-feira dos EUA, deixados no aparador da sala de estar junto com faxes pessoais e profissionais e correspondência que o adido médico declina de ler antes que tenha sido pré-verificada pela sua esposa para garantir que os assuntos sejam do seu interesse. O aparador fica contra a parede do outro lado da cadeira reclinável eletrônica da sala sob um tríptico de material erótico bizantino de alta qualidade. Os envelopes acolchoados dos cartuchos com seu distintivo volume retangular estão misturados desordenadamente com a correspondência menos divertida. Procurando algo com que relaxar, o adido médico rasga os diversos envelopes acolchoados ao longo das linhas pontilhadas indicadas. Há um filme de Serviços Especializados da AMONAN sobre antibióticos para actinomicetos e síndrome do cólon irritável. Há um cartucho de quarenta minutos da CBC/PATHÉ com o Resumo das Notícias da América do Norte para primeiro de abril do AFGD, disponível diariamente pela autoassinatura de uma esposa ou transmitido ao TP por pulso ingravável da InterLace ou enviado por correio expresso num só disco ROM autoapagante de leitura única. Há a edição em vídeo em língua árabe da revista *Self* de abril para a esposa do adido, e a modelo da capa da *Nass* castamente envolvida em tecido e velada. Há um cartucho todo marrom e irritantemente desprovido de título num envelope de cartuchos estofado padrão Primeira Classe para envio em três dias dos EUA. O envelope estofado tem um carimbo da grande Phoenix no Arizona, EUA, e o remetente traz só a expressão *"HAPPY AN-NIVERSARY!"*, com um rostinho tosco desenhado, sorrindo, com esferográfica, em vez de um endereço ou uma logomarca empresarial. Embora fosse de nascimento e residência um nativo do Québec, onde a língua de discurso não é o inglês, o adido médico sabe muito bem que a palavra inglesa *anniversary* não quer dizer o mesmo que *birthday*. O adido médico e sua velada esposa uniram-se diante dos olhos de Deus e do Profeta não em abril, mas em outubro, quatro anos antes, no Rub'al-Khali. A confusão do envelope estofado só faz aumentar, porque tudo que viesse da missão diplomática do Príncipe Q_____ em Phoenix, Arizona, EUA, teria um timbre diplomático em vez dos selos normais da ONAN. O adido médico, em suma, está se sentindo tensíssimo, e tremendamente desconsiderado, e está pré-preparado para ficar irritado com o item ali dentro, que não passa de um cartucho de entretenimento preto, padrão, mas totalmente desprovido de etiquetas e sem nenhum tipo de estojo colorido ou informativo, ou atraente, e só tem outra dessas tolas cabecinhas sorridentes EUA gravada nele, onde deveriam estar gravados os códigos de registro e duração. O adido médico está intrigado com o críptico envelope, com o rosto, com o estojo e com o entretenimento desprovido de etiquetas, e preliminarmente irritado com o tempo que já precisou gastar de pé diante do aparador cuidando da correspondência, o que não é tarefa sua. A única razão para que ele não jogue o cartucho desprovido de etiquetas na lata de lixo ou o ponha de lado para que sua esposa o examine previamente para verificar sua relevância é o fato de haver uma falta tão grande de possibilidades de entretenimento na irritante e americanizada noite de liga de tênis da sua esposa, longe do seu lugar em casa. O adido vai colocar o cartucho e dar só uma olhadinha no conteúdo para determinar se é algo irritante ou de natureza irrelevante que não seja nem divertido nem cativante. Ele vai aquecer o cordeiro halal e as picantes guarnições halal no micro-ondas até ficarem fumegantes, vai dispor os pratos de maneira atraente na sua bandeja, dar uma olhadinha nos primeiros momentos do cartucho de entretenimento intrigante e/ou irritante ou possivelmente misteriosamente vazio primeiro, depois relaxar com o resumo das notícias, depois quem sabe dar uma rápida vista-d'olhos desprovida de conotações libidinosas na linha de primavera da *Nass* de roupas pretas e assexuadas para devotas, depois vai inserir o cartucho circular de ondas-e-chuva e ganhar uma merecida quarta-feira mais curta, esperando só que sua esposa não chegasse daquela liga de tênis com seu conjunto preto de tênis até o tornozelo todo úmido de suor e removesse a bandeja de jantar de debaixo do pescoço adormecido dele de algum jeito indelicado ou inábil, capaz de acordá-lo.

Quando ele se acomoda com a bandeja e o cartucho, o mostrador digital do monitor do TP indica 1927h.

ANO SORVETE DOVE TAMANHO-BOQUINHA

A Wardine diz que mãe dela trata ela direito não. O Reginald ele me aparece lá no asfalto lá do meu prédio onde eu e a Dolores Epps a gente tava pulando corda lá com duas corda e ele diz: Clenette, a Wardine vai lá na minha caminha chorar pra dizer que a mãe dela trata ela direito não, e eu vou lá com o Reginald lá no prédio que ele mora, e a Wardine tava sentada bem enfiada no quarto do Reginald e tava lá era chorando. O Reginald foi lá tirar a Wardine do guarda-roupa e eu lá com ele chorando e eu lá esfregando o molhado por tudo a cara da Wardine e o Reginald foi com bastante é do cuidado quando tirou tudo as camisa que ela tava usando, mandou a Wardine deixar eu ver. As costa da Wardine tava tudo lanhada e magoada. Uns risco enorme de uns corte por tudo nas costa da Wardine, uns risco cor-de-rosa e em volta dos risco a pele que nem a pele dos beiço das pessoa. Chega me deu um enjoo de olhar aquilo. A Wardine lá chorando. O Reginald disse que a Wardine disse que a mãe dela trata ela direito não. Disse que a mãe dela bate na Wardine com um cabide. Disse que o homem lá da mãe da Wardine o Roy Tony quer dormir com a Wardine. Fica dando docinho e moedinha pra Wardine. Fica lá parando na frente dela bem na cara da Wardine e não deixa ela passar toda vez sem relar a mão nela. O Reginald diz que a Wardine diz que o Roy Tony de noite quando a mãe da Wardine está lá no trabalho dela ele vai lá nos colchão onde que a Wardine, o William e a Shantell e o Roy que é o nenê onde que eles dorme, e ele fica lá no escuro, comprido, e fala umas coisa baixinho pra ela, e respira. A mãe da Wardine diz que a Wardine tenta o Roy Tony no Pecado. A Wardine diz que ela diz que a Wardine tenta levar o Roy Tony pra Maldade e pro Pecado com aquela coisa apertadinha dela, que ela é menina. Aí ela surra as costa da Wardine com os cabide do guarda-roupa. A minha mãe diz que a mãe da Wardine não bate bem das ideia. A minha mãe tem medo do Roy Tony. A Wardine lá chorando. O Reginald ele me começa a implorar pra Wardine contar pra mãe do Reginald como que a mãe da Wardine trata a Wardine. O Reginald diz que ele Ama a Wardinezinha dele. Diz que ele Ama ela mas nunca nem tinha entendido antes por que que a Wardine não queria dormir com ele que nem as moça dorme com os homem delas. Diz que a Wardine nunca nem deixou o Reginald tirar as camisa dela até hoje que ela foi no quarto do Reginald lá no prédio dele chorando, ela deixou o Reginald tirar as camisa dela para ver como que a mãe da Wardine surrou a Wardine por causo do Roy Tony. O Reginald Ama a Wardinezinha dele. A Wardine parece que ia morrer de medo. Ela diz que não pros implôro do Reginald. Ela diz que se ela for falar com a mãe do Reginald, aí que a mãe da Wardine vai achar que a Wardine dormiu mesmo com o Reginald. A Wardine diz que a mãe dela diz que era a Wardine deixar um homem dormir com ela antes dela fazer dezesseis que ela matava a Wardine de pancada. O Reginald diz que ele nem a pau que vai deixar uma coisa dessa acontecer com a Wardine.

O Roy Tony matou o Columbus Epps o irmão da Dolores Epps lá no conjunto de Brighton tem coisa de quatro ano. O Roy Tony tá de Condicional. A Wardine diz que ele mostrou pra Wardine que ele tem um negócio na canela que manda uns sinal de rádio pra Condicional que ele ainda está aqui em Brighton. O Roy Tony não pode ir embora de Brighton. O irmão do Roy Tony que é pai da Wardine. Ele foi embora. O Reginald tentou calmar a Wardine mas não conseguiu parar com o choro da Wardine não. A Wardine parecia que tava doida de tão assustada que tava. Ela disse que se matava se eu ou o Reginald contasse pra mãe da gente. Ela disse: Clenette, cê é minha meia-irmã e eu tô te implorando pra você não contar pra tua mãe da minha mãe e do Roy Tony. O Reginald falou pra Wardine ficar quietinha e deitar bem calminha. Ele passou manteiga da cozinha nos corte das costa da Wardine. Ele passou o dedo com gordura bem devagarzinho assim nos risco cor-de-rosa da surra de cabide dela. A Wardine diz que nem sente mais as costa desda primavera. Ela deita de barriga no chão do Reginald e diz que não sente mais nada na pele das costa. Quando o Reginald foi pegar a água ela me perguntou de verdade se tava muito feio as costa dela quando o Reginald olhou. Se ela ainda tava bonita, chorando.

Eu não contei pra minha mãe da Wardine e do Reginald e da mãe da Wardine e do Roy Tony. A minha mãe tem medo do Roy Tony. Foi por causo da minha mãe que o Roy Tony matou o Columbus Epps, tem coisa de quatro ano, no conjunto de Brighton, por Amor.

Mas eu sei que o Reginald contou. O Reginald diz que prefere morrer que deixar a mãe da Wardine surrar a Wardine de novo. Ele diz que vai ele mesmo lá falar com o Roy Tony pra dizer pra ele não mexer com a Wardine nem respirar de noite perto do colchão dela. Ele falou que ia ele mesmo lá até no parquinho do conjunto de Brighton onde que o Roy Tony vende as coisa e que ele ia falar de homem pra homem com o Roy Tony e que ia fazer o Roy Tony ajeitar tudo.

Mas eu acho que o Roy Tony mata o Reginald se o Reginald for. Eu acho que o Roy Tony vai matar o Reginald, e aí a mãe da Wardine vai matar a Wardine de pancada com os cabide. E aí ninguém sabe mais, só eu. E eu vou ter nenê.

Na oitava série do sistema educacional americano, Bruce Green se apaixonou terrivelmente por uma colega que tinha o incrível nome de Mildred Bonk. O nome era incrível porque se algum dia uma menina da oitava série teve cara de Daphne Christianson ou Kimberly St.-Simone, ou uma coisa dessas, foi Mildred Bonk. Ela era o tipo da figura fatalmente bela, núbil e fantasmática, que desliza pelos suarentos corredores ginasiais do mundo onírico de todo ejaculador noturno. Cabelo que Green ouvira um professor entusiasmadíssimo descrever como "de ouro"; um corpo que o volúvel anjo da puberdade — o mesmo anjo que aparentemente nem sabia o CEP da casa de Bruce Green — havia visitado, beijado e já abandonado, lá na sexta série; umas pernas que nem um Keds laranja com cadarços encrustados de purpurina roxa podia deixar menos sérias. Tímida, iridescente, faceira, pelvicamente anfractuosa, fartamente embustecida, dada a hesitantes movimentos de mão que espanavam da doce testa aveludada algum cabelo de ouro, movimentos que tiravam Bruce Green do seu sério particular. Uma bênção de vestidinho e tênis bobos. Mildred L. Bonk.

E aí na altura da décima série, numa dessas metamorfoses malucas tipo quando-foi-que-isso-aconteceu, Mildred Bonk tinha se tornado um membro empolgado do amedrontador grupinho de alunos da escola secundária Winchester que fumava

Marlboros dos mais fortes no bequinho entre as duas alas e que simplesmente sumia da escola depois do almoço, para ficar andando nuns carros rebaixados ao som de música alta, bebendo cerveja e fumando maconha, andando por aí com uns sistemas de som de potência ilegal, usando Visine e Clorets etc. Ela era uma dessas. Mascava chiclete (ou coisa pior) na cantina, com seu doce rosto hesitante agora transformado em entediada máscara de Pose, douradas melenas agora puxadas e gelificadas no que parecia definitivamente ser o que acontecia quando alguém enfiava o dedo numa tomada. Bruce Green guardou dinheiro para comprar um carro rebaixado e praticou aquela Pose com a tia que o havia acolhido. Ele desenvolveu uma vontade férrea.

E, no ano que teria sido o da formatura, Bruce Green já era bem mais entediado, impressionante e medonho que a própria Mildred Bonk, e ele e Mildred Bonk e a pequena e incontinente Harriet Bonk-Green moravam bem ali do ladinho de Allston num trailer reluzente com um outro casal medonho e com Tommy Doocey, o infame e lábio-leporínico traficante de maconha-e-itens-variados que guardava várias cobras imensas nuns aquários sujos e destampados, que fediam, o que Tommy Doocey não notava porque seu lábio superior cobria completamente as narinas e ele só sentia era cheiro de beiço. Mildred Bonk ficava chapada de tarde assistindo cartuchos de séries, e Bruce Green tinha um emprego de verdade vendendo gelo nas Horas Vagas, e por um tempo a vida foi basicamente uma grande festa.

O

ANO DA FRALDA GERIÁTRICA DEPEND

"Hal?"

"…"

"… Ô Hal?"

"O quê, Mario?"

"Cê tá dormindo?"

"Bubu, a gente já falou disso. Eu não posso estar dormindo se a gente está conversando."

"Foi bem o que eu achei."

"Que bom que eu te confirmei isso então."

"Meu, você tava o máximo hoje. Meu, como você fez aquele cara ficar mareado. Quando ele mandou aquela paralela e você chegou na bola e caiu e mandou aquele voleio o Pemulis disse que parecia que o cara ia vomitar na rede e tudo, ele disse."

"Bu, eu acabei com a raça de um carinha, e só. Ponto final. Eu não acho legal ficar repisando quando eu acabei com a raça de alguém. É uma coisa meio de dignidade. Acho que a gente devia só deixar a estória ali com a sua pompa, bem quietinha. E por falar nisso…"

"Ô Hal?"

"…"

"Ô Hal?"

"Está tarde, Mario. É hora de nanar. Feche os olhos e pense vago."

"É isso que a Mães fala toda vez também."

"Sempre funcionou pra mim, Bu."

"Você acha que eu penso vago o tempo todo. Você me deixa ficar no teu quarto porque você tem pena de mim."

"Bubu, eu não vou nem me dar ao trabalho de responder um negócio desses. Vou considerar isso um sinal de alerta. Você sempre fica petulante quando não dorme bem. E nós já estamos vendo a petulância surgir no horizonte ocidental, bem aqui na nossa frente."

"…"

"…"

"Quando eu perguntei se você estava dormindo eu ia perguntar se pareceu que você acreditava em Deus, hoje, lá fora, quando você estava a mil, fazendo aquele cara ficar mareado."

"De novo isso?"

"…"

"Eu não acho *mesmo* que meia-noite num quarto todo escuro, eu tão cansado que meu cabelo está doendo e com seis horas pros treinos começarem seja a hora e o lugar para começar essa conversa, Mario."

"…"

"Você me pergunta isso uma vez por semana."

"Mas é que você nunca diz."

"Então hoje pra te deixar quietinho que tal se eu te dissesse que eu tenho uns probleminhas pra resolver com Deus, Bu. Digamos que Deus tem um estilo de gerenciamento tipo relaxadão que eu acho meio contestável. Eu sou basicamente antimorte. Deus, por tudo que a gente pode perceber, é pró-morte. Eu não vejo como é que eu e ele podemos resolver essa questãozinha, Bu."

"Você quer dizer desde que Sipróprio morreu."

"…"

"Viu? Você nunca diz."

"Digo, sim. Acabei de dizer."

"…"

"Só que eu não disse o que você queria ouvir, Bubu, só isso."

"…"

"Não é a mesma coisa."

"Eu não entendo como é que você não achou que acreditava, hoje, lá fora. Estava tão ali na cara. Você estava jogando como se acreditasse mesmo."

"…"

"É o que você sente por dentro, né?"

"Mario, eu e você somos misteriosos um pro outro. A gente está se olhando cada um de um lado de uma diferença intransponível nessa questão. Vamos ficar bem quietinhos e meditar sobre isso."

"Hal?"

"..."

"Ô Hal?"

"Eu prometo te contar uma piada, Bu, se depois você ficar bem quietinho e me deixar dormir."

"É das boas?"

"Mario, o que é que dá o cruzamento de um cara com insônia, um agnóstico recalcitrante e um trocadilhista?"

"Desisto."

"Dá um sujeito que passa a noite toda acordado se torturando mentalmente pra saber se Deus É Xiste."

"Essa é das boas!"

"Quietinho."

"..."

"..."

"Ô Hal? Que que é insônia?"

"É dividir o quarto com você, rapaz, pode ter certeza."

"Ô Hal?"

"..."

"Por que será que a Mães nunca chorou quando Sipróprio morreu? Eu chorei, você, até o C.T. chorou. Eu mesmo vi ele chorar."

"..."

"Você ficou escutando *Tosca* sem parar e chorando e dizendo que estava triste. Todo mundo estava."

"..."

"Ô Hal, você não acha que parece que a Mães ficou mais feliz depois que Sipróprio morreu?"

"..."

"Parece que ela ficou mais feliz. Parece até que ela ficou mais alta. Ela parou de ficar indo toda hora pra tudo quanto é lugar por causa de uma coisa ou de outra. Esse negócio de gramática-empresarial. De protestar em bibliotecas."

"Agora ela não vai mais a lugar nenhum, Bu. Agora ela ficou com a Casa do Diretor, com o escritório dela e com o túnel no meio do caminho e nunca mais sai da academia. Ela está mais workahólica do que nunca. E mais obsessiva-compulsiva. Quando foi a última vez que você viu um grãozinho de poeira naquela casa?"

"Ô Hal?"

"Agora ela é só uma workahólica agorafóbica e obsessiva-compulsiva. Isso te parece felicidade?"

"Os olhos dela melhoraram. Não parece que eles estão muito afundados. Eles ficaram mais bonitos. Ela ri do C.T. bem mais do que ela ria de Sipróprio. Ela ri de um lugar mais lá dentro. Ela ri mais. As piadas dela até são melhores que as tuas agora, quase sempre."

"..."

"Por que será que ela nunca ficou triste?"

"Ela ficou triste, sim, Bubu. Só que ela ficou triste do jeito dela em vez de ficar triste do teu jeito ou do meu. Ela ficou triste, eu aposto com você."

"Hal?"

"Você lembra como o pessoal baixou a bandeira a meio pau lá na frente perto do portão levadiço depois daquilo? Você lembra disso? E que fica a meio pau todo ano na Formatura? Lembra da bandeira, Bu?"

"Ô Hal?"

"Não chora, Bubu. Lembra da bandeira só na metadinha do mastro? Bubu, tem dois jeitos de baixar uma bandeira pra ela ficar a meio pau. Você está escutando? Porque sério mesmo, cara, eu tenho que dormir em coisa de meio segundo aqui. Então escuta — um jeito de baixar a bandeira pra ela ficar a meio pau é simplesmente baixar a bandeira. Mas tem outro jeito. Também dá pra erguer o mastro. Dá pra erguer o mastro até ele ficar com o dobro da altura original. Sacou? Você está me entendendo, Mario?"

"Hal?"

"Eu aposto com você como ela está bem triste."

Às 2010h do dia primeiro de abril do AFGD, o adido médico ainda está assistindo o cartucho de entretenimento sem etiqueta.

OUTUBRO — ANO DA FRALDA GERIÁTRICA DEPEND

Para Orin Incandenza, nº 71, a manhã é a noite da alma. O pior momento do dia, psicologicamente. Ele põe no máximo o ar-condicionado do apartamento à noite e ainda assim acorda quase todo dia empapado, enroscado em posição fetal, inumado naquele tipo de escuridão psicológica em que você morre de medo de tudo que te passa pela cabeça.

Orin, o irmão de Hal Incandenza, acorda sozinho às 0730h em meio a um úmido odor de Ambush e vendo no travesseiro amarfanhado do outro lado da cama um bilhete com um nº de telefone e alguns dados vitais escritos com uma letrinha de normalista cheia de floreios. O bilhete também tem Ambush. Seu lado da cama está empapado.

Orin faz torradas com mel, descalço, no balcão da cozinha, de cuecas e com uma camiseta velha da Academia, com as mangas cortadas, espremendo o mel da cabeça de um urso de plástico. O chão está tão gelado que machuca seus pés, mas a janela dupla acima da pia está quente quando ele encosta nela: o calor animalesco da grande Phoenix numa manhã de outubro logo ali fora.

Quando o time está em casa, por mais que o ar esteja no máximo ou que o lençol seja fino, Orin acorda com seu corpo gravado a suor na cama em que deitou, uma impressão escura secando lentamente o dia todo até virar um contorno branco salgado só um tantinho deslocado em relação aos outros vagos contornos secos da semana, de modo que sua imagem fetal fossilizada se abre em leque no seu lado da cama como um baralho, sobrepondo-se a si própria, como um rastro de ácido ou uma exposição temporizada.

O calor logo ali do outro lado das portas de vidro lhe enrijece o escalpo. Ele leva o café da manhã para uma mesa branca de ferro à beira da piscina central do prédio e tenta comer ali, no calor, com um café que não fumega nem esfria. Ele fica ali sentado sentindo uma muda dor animal. Está com um bigode de suor. Uma bela bola de praia colorida flutua e se esbate contra um dos lados da piscina. O sol como um vislumbre do inferno por um buraco de fechadura. Ninguém mais aqui. Os prédios formam um anel com a piscina e o deck e a Jacuzzi no meio. O calor tremeluz sobre o deck como o vapor de um combustível. Tem aquela coisa meio de miragem quando o calor extremo faz o deck parecer molhado de combustível. Orin ouve monitores de cartuchos ligados atrás de janelas fechadas, aquele programa de aeróbica todo dia de manhã, e também alguém tocando órgão, e a mulher mais velha que nunca retribui os sorrisos dele no apartamento ao lado do seu fazendo umas escalas operísticas, abafada pelas cortinas, forros e vidros duplos. A Jacuzzi vibra e espuma.

O bilhete da Cobaia de ontem está em sulfite violeta dobrado uma vez e com um círculo de um violeta mais escuro bem no meio onde o borrifador de perfume da Cobaia tinha atingido o papel. A única coisa interessante a respeito da caligrafia, mas também deprimente, é que cada circulozinho — o, d, p, os n°s 6 e 8 — está preenchido, enquanto os i têm pingos que não são círculos, mas minúsculos coraçõezinhos que não estão preenchidos. Orin lê o bilhete enquanto come uma torrada que é basicamente uma desculpa para o mel. Ele usa o braço direito, o menor, para comer e beber. O imenso braço esquerdo e a volumosa perna esquerda ficam em repouso o tempo todo de manhã.

Uma brisa sopra a bola que escorrega até o outro lado da piscina azul, e Orin fica observando seu silente deslizar. As mesas brancas de ferro não têm guarda-sóis, e sem olhar dá para você dizer onde o sol está; dá para você sentir exatamente onde ele está no seu corpo e extrapolar a partir daí. A bola ensaia alguns movimentos de volta para o meio da piscina e fica por ali, sem nem balançar. As mesmas brisas leves fazem as palmeiras podres junto aos muros de pedra dos prédios farfalhar e estalar, e algumas frondes se destacam e descem em espiral, estapeando o deck quando caem. Todas as plantas aqui são diabólicas, pesadas e cortantes. As partes das palmeiras que ficam acima das frondes têm uns tufos de uns trecos nojentos que parecem cabelinho de coco. Baratas e outras coisas moram nas árvores. Ratos, talvez. Bichos odiosos de altas altitudes de tudo quanto é tipo. Todas as plantas são espinhudas ou carnudas. Cactos com uns formatos doidos e torturados. O topo das palmeiras como o cabelo de Rod Stewart dos tempos de outrora.

48

Orin e o time voltaram da partida de Chicago duas noites atrás, sonados, olhos vermelhos. Ele sabe que ele e o kicker são os únicos titulares que não estão mais sofrendo com dores terríveis, físicas, das pancadas.

Um dia antes de eles partirem — portanto cinco dias atrás — Orin estava sozinho na Jacuzzi ao lado da piscina no fim do dia, cuidando da perna, sentado no calor radiante e na luz sanguinolenta do fim do dia com a perna na Jacuzzi, distraidamente apertando a bola de tênis que ele por hábito ainda aperta distraidamente. Olhando a Jacuzzi redemoinhar, bolhar e espumar em volta da perna. E do meio do nada um pássaro caiu de repente na banheira. Com um *plop* peremptório. Do nada. Do vasto céu vazio. Nada cobria a banheira além do céu. O pássaro parecia ter simplesmente tido um infarto ou coisa assim em pleno voo, morrido e caído do meio do céu vazio e aterrissado morto na banheira, bem do lado da perna. Ele puxou os óculos de sol para a ponta do nariz com um dedo e olhou direito. Era um pássaro de um tipo meio qualquer. Não um predador. Quem sabe uma carriça. Parece que nem a pau aquilo podia ser um bom presságio. O pássaro morto ficou balançando e rolando na espuma, foi chupado para o fundo uma hora e ressurgiu depois, criando uma ilusão de voo continuado. Orin não tinha herdado nenhuma das fobias da Mães relacionadas com bagunça, higiene. (Se bem que ele não era lá muito fã de insetos — baratas.) Mas tinha ficado ali apertando a bola, olhando para o pássaro, sem uma única ideia consciente na cabeça. Na manhã seguinte, quando acordou, enroscado e inumado, parecia que aquilo tinha que ter sido um mau presságio, a bem da verdade.

Orin agora sempre deixa o chuveiro tão quente que chega a quase nem aguentar ficar lá dentro. O banheiro todo do apartamento é revestido com um tipo de azulejo meio amarelo-mentolado que ele não escolheu, que talvez tenha sido escolhido pelo free-safety que morou ali antes de os Cardinals mandarem para New Orleans o free-safety, dois reservas e mais uma grana, em troca de Orin Incandenza, punter.

E não importa quantas vezes ele mande chamar o pessoal da Terminex, tem sempre as baratas imensas que saem do ralo do banheiro. Baratas de esgoto, segundo o pessoal da Terminex. *Blattaria implacabilis* ou uma coisa assim. Umas baratonas enormes. Uns bichos tipo carro blindado. Totalmente pretas, com umas cascas meio de kevlar e tudo mais. E destemidas, criadas nos esgotos hobbesianos de lá. As baratinhas marrons de Boston e de New Orleans já eram dose, mas pelo menos dava para você entrar e acender a luz e elas saíam correndo desesperadas. Essas baratas de esgoto do Sudoeste, você acende a luz e elas só ficam te olhando lá do chão tipo: "Vai encarar?". Orin pisou numa delas, só uma vez, que tinha saído diabolicamente do ralo do chuveiro quando ele estava lá dentro, tomando banho, saindo pelado e calçando o sapato e entrando e tentando esmagar o bicho de um jeito convencional, e o resultado foi explosivo. Ainda há vestígios dessa única ocasião nos rejuntes dos azulejos. O negócio parece irremovível. Tripa de barata. Um nojo. Foi melhor jogar o sapato fora que olhar para a sola para poder limpar. Agora ele deixa uns copões de vidro no banheiro e quando acende a luz e vê uma barata ele coloca um copo em cima dela, para ela ficar presa. Depois de uns dias o copo fica todo embaçado e a barata morreu asfixiada sem fazer sujeira e Orin descarta tanto a barata quanto o copo em saquinhos Ziploc separados e lacrados no complexo de lixeiras perto do campo de golfe ali na rua.

O chão de lajotas amarelas do banheiro às vezes é uma pequena pista de obstáculos feita de copos com imensas baratas morrendo lá dentro, estoicamente, só ali paradinhas, com os copos gradualmente embaçados por dióxido de barata. Aquilo tudo deixa Orin nauseado. Agora ele imagina que quanto mais quente a água do chuveiro, menor a chance de algum pequeno veículo blindado ter vontade de sair pelo ralo enquanto ele está lá dentro.

Às vezes elas estão dentro da privada assim que ele acorda, nadando cachorrinho, tentando chegar até a lateral e escalar. Ele também não é lá muito fã de aranhas, se bem que isso já é mais inconsciente; ele nunca chegou nem remotamente perto do terror consciente que Sipróprio de alguma maneira tinha desenvolvido das viúvas-negras do Sudoeste com suas teias caóticas — as viúvas estão por toda parte, tanto aqui quanto em Tucson, sempre encontráveis a não ser nas noites mais geladas, com suas teias empoeiradas sem nenhum tipo de padrão, entupindo praticamente qualquer canto de ângulos retos que esteja escuro ou escondido. As toxinas da Terminex funcionam melhor nas viúvas. Orin manda eles virem mensalmente; ele é meio que assinante lá da Terminex.

O terror consciente especial de Orin, além de alturas e das primeiras horas da manhã, são as baratas. Havia partes da Grande Boston, perto da Baía, aonde ele se recusava a ir quando criança. Ele se pela de medo de barata. As paróquias em torno de NO passaram por uma febre ou um surto de uma certa raça de origem latina de sinistras baratas tropicais *voadoras*, que eram pequenas e tímidas mas que sabiam *voar*, cacete, e que ficavam sendo encontradas aos montes em cima das crianças de New Orleans, de noite, no berço, especialmente crianças assim de casebres ou miseráveis e que supostamente se alimentavam do muco dos olhos dos nenês, algum tipo especial de mucóptico — isso é que é pesadelo, cacete, baratas móveis voadoras que queriam pegar os teus olhos quando você era criança — e que supostamente estavam cegando as criancinhas; os pais entravam naquela luz horrenda matutina do casebre e encontravam seus bebês cegos, tipo uma dúzia de crianças ficando cegas só no último verão; e foi durante essa febre ou esse surto maldito, além de uma inundação em julho que desencavou uma dúzia de uns cadáveres amaldiçoados de um cemitério numa colina, deslizando assim cinzazulados pela encosta em que Orin e dois companheiros de time moravam, em Chalmette, no subúrbio, deixando membros e tripas por todo o caminho pela lama da encosta e até numa certa manhã vindo descansar apoiados no poste da caixinha de correio dos três, quando Orin saiu para pegar o jornal da manhã, que Orin mandou seu agente começar a sondar transferências. E assim chegamos aos cânions vítreos e à impiedosa luz da grande Phoenix, num círculo meio desidratado, perto da Tucson da desidratada infância do seu pai.

São as manhãs depois dos sonhos com aranhas e alturas que doem mais, quando às vezes são necessários três cafés e dois banhos e às vezes uma corrida para afrouxar a mão que lhe aperta a garganta da alma; e essas manhãs pós-sonhos são ainda piores se ele acorda não-só, se a Cobaia da noite anterior ainda está lá, a fim de bater papo ou de ficar de carinho e, tipo, de conchinha, perguntando qual seria exatamente a daqueles copos emborcados embaçados no chão do banheiro, comentando sobre os suores noturnos, fazendo estrondo na cozinha, preparando peixe defumado ou bacon ou coisa ainda mais horrenda e desmelificada que ele deveria supostamente comer com masculina voracidade pós-coital, aquelas que têm essa neura com isso que elas chamam de Alimentar o Meu Homem, querendo que um cara que mal consegue engolir torradinhas matinais com mel coma com voracidade masculina, de cotovelos abertos e garfando, fazendo barulhinhos. Mesmo quando está só e pode se desenroscar sozinho e sentar devagar e torcer o lençol e ir ao banheiro, essas manhãs mais negras abrem dias em que Orin por horas a fio mal consegue imaginar como é que ele há de chegar ao fim do dia. Essas piores manhãs, de piso frio e vidros quentes e luz impiedosa — a certeza que a alma tem de que o dia terá não que ser atravessado mas como que escalado, verticalmente, e de que ir dormir de novo no fim do dia vai ser como cair, de novo, de algum lugar alto e íngreme.

Então agora o seu mucocular está seguro, no deserto Sudoeste; mas os sonhos ruins só pioraram depois que ele se transferiu para essa área amaldiçoada de onde o próprio Sipróprio tinha fugido, muito tempo atrás, quando era um jovem infeliz.

Numa referência à juventude infeliz do próprio Orin, todos os sonhos parecem se abrir brevemente com alguma espécie de situação que envolve o tênis competitivo. O da noite passada tinha começado com uma tomada aberta de Orin numa quadra de saibro verde, esperando o saque de alguém meio vago, alguém da Academia — talvez Ross Reat, ou o bom e velho M. Bain, ou o Walt Flechette com seus dentes cinzentos, que agora dava aula nas Carolinas — quando a tela do sonho fecha bem nele e abruptamente se dissolve no vazio rosa-escuro dos olhos fechados diante de uma luz forte, e vem a horrorosa sensação de estar submerso e não saber para que lado seguir em busca da superfície e do ar, e depois de um intervalo o Orin do sonho se liberta desse tipo de sufocamento visual para encontrar a cabeça de sua mãe, a sra. Avril M. T. Incandenza, a cabeça desconectada da Mães atada cara a cara com a própria e bela cabeça dele, amarrada bem forte de alguma maneira por um sistema envolvente de cordas vs HiPro de tripa de carneiro de primeira qualidade da sua raquete da Academia. De modo que por mais que Orin tente alucinadamente mexer a cabeça ou sacudi-la de um lado para o outro, ou torcer o rosto, ou virar os olhos, ele ainda está olhando para, para dentro de, e de alguma maneira através do rosto da mãe. Como se a cabeça da Mães fosse uma espécie de elmo hiperjusto de que Orin não consegue se livrar.[2] No sonho, é de importância compreensivelmente vital para Orin que ele consiga soltar a cabeça do nó filacteriano da cabeça incorpórea da mãe, e ele não consegue. O bilhete da Cobaia da noite passada indica que num dado momento da noite passada Orin tinha agarrado a cabeça dela com as mãos e tentado como que imobilizá-la, ainda que não de alguma maneira indelicada ou reclamona (o bilhete, não a imobilização). A aparente amputação da cabeça da Mães do resto do corpo da Mães parece no sonho ser limpa e cirurgicamente bem-feita: não há indícios da presença de um coto ou de nenhum tipo de sobra de pescoço, nem isso, e é como se a base da bonita cabeça redonda tivesse sido lacrada, e também como que arredondada, de modo que a cabeça dela é uma grande bola viva, um globo com rosto, atado ao rosto da cabeça dele.

A Cobaia de depois da irmã de Bain mas antes da que veio antes desta última, com o aroma de Ambush e os coraçõezinhos em cima dos *i*, a Cobaia anterior tinha sido uma pós-graduanda lividamente bonitinha do programa de psicologia do desenvolvimento da Arizona State com dois filhinhos e uma pensão indecente e certas inclinações por joias cortantes, chocolate refrigerado, cartuchos educacionais da InterLace e atletas profissionais que se debatiam enquanto dormiam. Não era exatamente inteligente — ela achou que a figura que ele tinha traçado sem pensar no torso nu dela depois do sexo era o numeral 8, pra você ter uma ideia. Na última manhã que eles passaram juntos, logo antes de ele mandar pelo correio um brinquedo bem caro para o filho dela e aí mandar trocar o número do telefone de casa, ele tinha acordado de uma noite de sonhos horripilantes — acordado com um abrupto espasmo fetal, inrevigorado e de alma escura, com os olhos agitados e a sua silhueta molhada no lençol como um contorno a giz feito por um legista — ele acordou e encontrou a Cobaia desperta e sentada apoiada no travesseiro de leitura, com a camisa sem mangas dele da Academia e bebericando um espresso de avelã enquanto via, no sistema de exibição de cartuchos que ocupava metade da parede sul do quarto, uma coisa horrível intitulada "OS CARTUCHOS EDUCACIONAIS INTERLACE EM COLABORAÇÃO COM A DISTRIBUIDORA DE PROGRAMAÇÃO EDUCATIVA DA CBC APRESENTAM *ESQUIZOFRENIA: MENTE OU CORPO?*" e tinha tido que ficar ali, úmido e paralisado, enroscado fetalmente em sua sombra suada, e ver no monitor um sujeito pálido e jovem mais ou menos da idade do Hal, com uma barbinha ruiva e um topete vermelho e uns olhos pretos vazios planos e sem emoções como os de uma boneca, ficar encarando o nada como que das coxias enquanto uma ríspida locução albertana explicava que o Fenton aqui era um paranoico esquizofrênico de quatro costados que acreditava que fluidos radiativos estavam invadindo seu crânio e que máquinas tremendamente complexas assim de última tecnologia tinham sido projetadas e programadas especialmente para persegui-lo sem folga até que o pegassem e acabassem com ele e o enterrassem vivo. Era um antigo documentário canadense de interesse público de fim de milênio, digitalmente retocado e redisseminado com o imprimatur da InterLace — a InterLace às vezes era meio ordinária e miserável nessas horas mortas do começo do dia em termos de Disseminações Espontâneas.

E aí mas como a tese do velho documentário da CBC estava dando mais que na cara que ia ser *ESQUIZOFRENIA: CORPO*, a narração demonstrava uma grande animação entrecortada enquanto explicava que então, era verdade, o coitadinho do Fenton aqui estava basicamente perdido como indivíduo funcional fora de uma instituição de saúde, mas que, em compensação, a ciência podia ao menos dar alguma espécie de sentido à vida dele ao estudá-lo muito atentamente para ajudar a descobrir como a esquizofrenia se manifestava no cérebro do corpo humano... que, em outras palavras, com o auxílio da tecnologia de Topografia por Emissão de Pósitrons, ou PET (posteriormente superada completamente pelos Digitais Invasivos, Orin ouve a pós-graduanda em psicologia do desenvolvimento resmungar em voz baixa, assistindo enlevada por cima da xícara, sem perceber que Orin está paraliticamente desperto), eles podiam enxergar e estudar como partes diferentes do cérebro disfuncional do coitadinho do Fenton emitiam pósitrons numa topografia toda diferente da do típico cérebro albertano são, saudável e não alucinado, fazendo a ciência progredir ao injetar no nosso amigo Fenton aqui um contraste especial que atravessa a barreira hematoencefálica e depois metê-lo dentro de uma máquina PET que era um receptáculo rotativo tamanho-homem — no monitor, é uma enorme máquina cinza de metal que parece algo coprojetado por James Cameron e Fritz Lang, e agora eles nos mostram os olhos desse tal Fenton enquanto ele começa a sacar o que a narração está dizendo — e num corte brusco e típico da velha TV-pública eles agora mostraram a cobaia Fenton atada por cintos de lona de cinco pontos e sacudindo o cabelo cor de cobre de um lado para o outro enquanto uns sujeitos com máscaras cirúrgicas e toucas verde-menta injetam fluidos radiativos nele com uma seringa do tamanho de um treco de rechear peru, aí os olhos do nosso amigo Fenton saltando no pleno horror da antevisão enquanto ele é levado para o imenso aparelho cinza de PET e enfiado como um pão cru na goela aberta daquela coisa até ficarem à vista apenas seu tênis cor de podridão, e o receptáculo tamanho-homem gira a cobaia em sentido anti-horário, com uma velocidade brutal, de modo que aquele tênis aponta para cima, e aí para a esquerda, e aí para baixo, e aí para a direita, e aí para baixo, cada vez mais rápido, com os arrotos e os bipes da máquina nem perto de encobrir os uivos inumados do Fenton enquanto seus piores medos paranoicos viram realidade em estéreo digital e dava para você ouvir os últimos vestígios sobreviventes da sua mente funcional permeada de contraste berrando ali de dentro dele para toda a eternidade enquanto o monitor sobrepunha digitalmente uma imagem do cérebro vermelho-brasa e azul-nêutron do Fenton no canto inferior direito, onde normalmente aparecem as funções de Hora/Temperatura da InterLace, e a ríspida narração fornecia breves histórias primeiro da paranoia esquizofrênica e depois da PET com Orin ali deitado de olhos entreabertos, molhado e neurálgico por causa do pavor matutino, desejando que a Cobaia fosse pôr as suas roupas e joias cortantes e levasse o resto do seu Töblerone que estava no freezer e fosse embora, para ele poder ir ao banheiro e levar as baratas asfixiadas de ontem para uma lixeira da DRE antes que as latas ficassem cheias e decidir que tipo de presente caro mandar pelo correio para o filho da Cobaia.

E aí aquilo do pássaro morto, do nada.

E aí a notícia da pressão de certos membros da administração dos AZ Cardinals para que ele cooperasse com alguma espécie de série de entrevistas meio insípidas tipo perfil de celebridade com alguém da revista *Moment*, com umas perguntas meio de história pessoal que deveriam ser respondidas de alguma maneira mornamente sincera, coisa de RP para o time, cuja insondada tensão o leva a começar a ligar de novo para o Hallie, a reabrir toda aquela caixa de Pandora de caraminholas.

Orin também faz a barba no chuveiro, rosto rubro de calor, coroado de vapor, no tato, se barbeando de baixo para cima, com gestos sul-norte, como lhe ensinaram.

O

ANO DA FRALDA GERIÁTRICA DEPEND

Eis Hal Incandenza com dezessete anos e sua mariquinha de latão, ficando secretamente chapado na subterrânea Sala da Bomba da Academia de Tênis Enfield e exalando palidamente para um exaustor industrial. É aquele triste intervalinho depois das partidas da tarde e do condicionamento, mas antes do jantar coletivo da Academia. Hal está sozinho aqui e ninguém sabe onde ele está ou o que está fazendo.

Hal gosta de ficar chapado em segredo, mas um segredo maior ainda é que ele é tão ligado no segredo quanto em ficar chapado.

Uma marica como essa, pequena, meio como uma longa piteira à la Roosevelt cuja ponta você entope com uma pitada de erva da boa, fica quente e maltrata a boca — especialmente as de latão —, mas as maricas têm a vantagem da eficiência: cada partícula de maconha queimada é inalada; não existe aquela fumaça incidental meio de segunda mão que vem com um cachimbo grande, comunitário, e Hal pode absorver cada fiapinho bem fundo e segurar a respiração para sempre, de modo que até as suas exalações são pouco mais que pálidas e com um odor doce-enjoado.

Utilização total dos recursos disponíveis = ausência de resíduos publicamente detectáveis.

A Sala da Bomba do Pulmão das quadras de tênis da Academia é subterrânea e acessível somente via túnel. A ATE é abundante e ramificadamente entunelada. É intencional.

Além disso, essas mariquinhas são pequenas, o que é bom, porque, convenhamos, qualquer coisa que você use para fumar maconha com alto teor de resina vai acabar fedendo. Um bong é uma coisa grande, e o fedor vai ser tipo comensuravelmente grande, e além disso você tem que lidar com a água nojenta do bong. Os cachimbos normais são menores e pelo menos são portáteis, mas eles sempre vêm com um fornilho tamanho-família que dispersa a fumaça não utilizada por uma grande área. Uma marica pequena pode ser usada de maneira a não gerar resíduos, depois pode-se deixar que ela esfrie, embrulhar em dois sacos plásticos e aí embrulhar mais uma vez e lacrar num Ziploc, e depois meter dentro de duas meias felpudas numa sacola esportiva junto com o isqueiro, o colírio, as mentinhas e a latinha de filme para a maconha propriamente dita, e é extremamente portátil e sem odores e básica e totalmente malocável.

Até onde Hal sabe, os colegas Michael Pemulis, Jim Struck, Bridget C. Boone, Jim Troeltsch, Ted Schacht, Trevor Axford e possivelmente Kyle D. Coyle e Vara-Paul Shaw, e com uma remota possibilidade Frannie Unwin, todos sabem que Hal fica regular e secretamente chapado. Também não é impossível que Bernadette Longley saiba, na verdade; e claro que o desagradável K. Freer sempre tem suspeitas de tudo quanto é tipo. E Mario, irmão de Hal, sabe uma ou outra coisinha. Mas só, no que se refere a conhecimento público. E mesmo que se saiba que Pemulis, Struck, Boone, Troeltsch, Axford e de vez em quando (meio que de um jeito assim medicinal ou turístico) Stice e Schacht também fiquem chapados, Hal de fato só ficou ativamente chapado com Pemulis nas raras ocasiões em que ficou chapado com alguém, digamos, em pessoa, o que ele evita. Ele tinha esquecido: Ortho ("Trevas") Stice, de Partridge, KS, sabe; e o irmão mais velho de Hal, Orin, misteriosamente, mesmo de longe, parece saber mais do que anda dizendo assim na cara, a menos que Hal esteja inferindo em certos comentários telefônicos mais do que realmente existe.

A mãe de Hal, a sra. Avril Incandenza, e seu irmão adotivo, o dr. Charles Tavis, atual diretor da ATE, os dois sabem que Hal às vezes bebe álcool, assim no fim de semana, à noite, com Troeltsch ou quem sabe com Axford morro abaixo, lá nos bares da Commonwealth Avenue; o Vida Inquestionada tem a sua notória noite Leão-de--Chácara-Cego toda sexta quando eles te aceitam só com base na tua palavra. A sra. Avril Incandenza não é exatamente fã da ideia de Hal beber, especialmente por causa do quanto o pai dele bebia, quando vivo, e pelo que se diz o pai dele também, no AZ e na CA; mas a precocidade acadêmica de Hal e ainda mais seu recente sucesso competitivo no circuito de juniores deixam claro que ele é capaz de lidar com quaisquer quantias insignificantes que ela tem certeza que é o que ele consome — simplesmente é impossível que alguém abuse seriamente de alguma droga e tenha um desempenho escolar e esportivo de alto nível, assegura a dra. Rusk, conselheira psicológica da ATE, especialmente na parte que se refere a esporte de alto nível — e Avril sente que é importante que uma mãe que cria os filhos sozinha de maneira preocupada mas não sufocante saiba quando deixar algo passar e deixe os dois filhos altamente funcionais dentre os seus três cometerem seus próprios possíveis erros e aprenderem com suas próprias e válidas experiências, por mais que a secreta preocupação com os erros lhe rasgue a gorja, a da mãe. E Charles apoia toda e qualquer decisão pessoal que ela tome internamente sobre os filhos. E Deus sabe que ela prefere ver o Hal beber uns copinhos de cerveja de vez em quando do que ingerindo sabe lá Deus que tipo de compostos químicos esotéricos com o reptiliano Michael Pemulis e aquele James Struck que até deixa um rastro de gosma por onde passa, sendo que esses dois fazem Avril ter ululantes faniquitos maternos. E no fim de contas, ela disse aos drs. Rusk e Tavis, ela prefere ver Hal vivendo na segurança da consciência de que sua mãe confia nele, de que ela confia e apoia e não aponta dedos ou rasga gorjas ou torce suas belas mãozinhas por causa dele ter tomado por exemplo um copo de cerveja canadense com os amigos uma vez ou outra, e assim ela se esforça muitíssimo para esconder seu pavor maternal de que ele possivelmente venha a beber como o próprio James ou como o pai de James, tudo para que Hal possa gozar da segurança de sentir que pode ser franco com ela sobre coisas como a bebida e não sinta que tem que esconder qualquer coisa dela em quaisquer circunstâncias.

O dr. Tavis e Dolores Rusk discutiram em particular o fato de que não insignificante entre os estresses fóbicos que Avril suporta tão estoicamente está um negro pavor fóbico de tudo que possa estar oculto ou ser secreto de todas as maneiras possíveis no que se refere a seus filhos.

Avril e C.T. não fazem ideia da predileção de Hal pela ganja de alta resinagem e de sua absorção subterrânea, fato de que Hal obviamente gosta muito, em algum nível, apesar de nunca ter pensado muito na razão. Na razão de gostar tanto dessas coisas.

O terreno ocupado pela ATE no alto do morro é atravessável via túnel. Avril I., por exemplo, que não sai mais da Academia, raramente se locomove por terra, disposta a andar corcovada para encarar os túneis menores entre a casa do Diretor e o seu escritório perto do de Charles Tavis no Edifício Comunitário e Administrativo, uma coisa neogeorgiana de tijolos cor-de-rosa e colunas brancas que Mario, o irmão de Hal, diz parecer um cubo que engoliu uma bola grande demais para o seu estômago.[3] Dois conjuntos de elevadores e um de escadas passam entre o saguão, a recepção e os escritórios da administração no primeiro andar do Com.-Ad. e a sala de musculação, sauna e a área de chuveiros/vestiários no andar abaixo dele. Um grande túnel de cimento cor de elefante leva logo de perto dos chuveiros dos meninos até a gigantesca lavanderia embaixo das Quadras Oeste, e dois túneis menores saem radialmente da área da sauna rumo sul e leste para os subporões de prédios menores, esferocubulares e protogeorgianos (que abrigam salas de aulas e os subdormitórios B e D); esses dois porões e esses túneis menores frequentemente servem de espaço para os estudantes acumularem coisas e de corredores entre os quartos particulares de diversos pró-reitores.[4] E aí dois túneis menores ainda, navegáveis por qualquer adulto disposto a assumir uma espécie de postura simesca de arrastar os dedos no chão, conectam por sua vez cada um dos subporões com as antigas instalações ópticas e de revelação de filmes de Leith e Ogilvie e do falecido dr. James O. Incandenza (de triste memória) abaixo e logo a oeste da Casa do Diretor (e dessas instalações sai também um túnel de bom diâmetro que vai direto para o andar mais inferior do Ed. Com.-Ad., mas suas funções foram mudando aos poucos ao longo de quatro anos, e ele agora está demasiadamente cheio de cabos expostos e canos de água quente e dutos de aquecimento para ser efetivamente transponível) e aos escritórios da Manutenção, quase diretamente abaixo da fileira central de quadras abertas da ATE, escritórios que, junto com seu salão zelatorial, por sua vez se conectam às Salas de Armazenamento-do--Pulmão e -da-Bomba através de um túnel chapiscado construído às pressas pela Cia. TesTar de Estruturas Infláveis Ultrarresistentes, que junto com o pessoal dos Aparelhos Industriais de Deslocamento de Ar ATHSCME erige e mantém o domo inflável de dendriuretano, conhecido como Pulmão, que cobre a fileira central de quadras para a temporada indoors de inverno. O tunelzinho tosco e áspero entre Manutenção e Bomba só é atravessável via rastejos tipo quatro-apoios e é essencialmente desconhecido pela equipe e pela Administração, popular apenas entre os meninos menores do Clube do Túnel e entre certos adolescentes com vigorosos incentivos secretos para rastejar de gatinhas.

A Sala-de-Armazenamento-do-Pulmão é basicamente intrafegável entre março e novembro, por estar cheia de material pulmonar de dendriuretano intricadamente dobrado e de seções desmontadas de dutos flexíveis e lâminas de ventilador etc. A Sala da Bomba fica logo ali ao lado, embora seja necessário rastejar de volta pelo túnel para chegar a ela. Nos diagramas dos engenheiros a Sala da Bomba fica talvez vinte metros diretamente sob as quadras mais centrais da fileira central de quadras, e parece uma espécie de aranha pendurada de cabeça para baixo — uma câmara oval infenestrada com seis dutos curvos tamanho-homem que saem e sobem radialmente para pontos de exaustão no terreno acima dela. E a Sala da Bomba tem seis aberturas radiais, uma para cada duto curvascendente: três aberturas de dois metros com imensos ventiladores de lâminas turbinais aparafusados às suas grades e mais três dessas bimétricas com ventiladores reversos ATHSCME que permitem que o ar do terreno seja sugado para e pela sala e soprado para os três exaustores. A Sala da Bomba é essencialmente um órgão pulmonar, ou o epicentro de um túnel de vento monstruoso e hexavetorializado e, quando ativada, uiva como uma alma penada que prendeu a mão numa porta, embora a S.B. esteja em plena operação legítima apenas quando o Pulmão está ereto, normalmente de novembro a março. Os ventiladores reversos puxam o ar hibernal para baixo e o fazem passar pela sala, sair pelos três exaustores e subir pelos dutos de saída para redes de encanamentos pneumáticos que ficam nas laterais e no domo do Pulmão: é a pressão do ar em movimento que mantém inflado o frágil Pulmão.

Quando o Pulmão das quadras está desmontado e armazenado, Hal desce e caminha e aí passa corcovado para garantir que não há ninguém nas instalações da manutenção, e aí anda corcovado e rasteja para a Sala da Bomba, sacola esportiva entre os dentes, e ativa só um dos grandes exaustores e fica secretamente chapado e exala palidamente por entre suas lâminas na grade, de modo que qualquer possível odor seja soprado por um duto de saída e expelido por um buraco gradeado no lado oeste das Quadras Oeste, um buraco de rosca, com um flange, onde eficientes camaradas com as roupas brancas da ATHSCME vão prender parte dos encanamentos pneumáticos arteriais do Pulmão em algum momento muito em breve quando Schtitt et al. da equipe de funcionários decidirem que o clima real passou do limite da suportabilidade para o tênis a céu aberto.

Nos meses de inverno, quando qualquer odor expelido seria dutado para dentro do Pulmão e ficaria lá conspicuamente parado, Hal costuma ir para um banheiro afastado de um subdormitório e subir na privada de um dos cubículos para exalar na grade de um dos exaustorezinhos que ficam no teto; mas falta a essa rotina certo intricado drama oculto e subterrâneo. É outra das razões por que Hal teme o Dia da Interdependência e a aproximação do torneio WhataBurger e do Dia de Ação de Graças e do tempo insuportável, e da ereção do Pulmão.

Drogas recreativas são mais ou menos tradicionais em tudo quanto é escola secundária dos EU, talvez por causa das inéditas tensões: pós-latência e puberdade e angústias e a adultidade batendo à porta etc. Como ajuda para gerenciar as tempestades intrapsíquicas etc. Desde a incepção da escola, sempre houve certa percentagem dos jogadores adolescentes de alto calibre da ATE que gerenciam quimicamente suas meteorologias internas. Boa parte disso é diversão temporária, normal e limpa; mas um conjunto tradicionalmente menor e mais radical tende a confiar numa química toda pessoal para gerenciar as exigências especiais da ATE — dexedrina ou metedrinas de baixa voltagem[5] antes dos jogos e benzodiazepinas[6] para baixar a bola depois dos jogos, com uns mudslides ou blue flames em algum barzinho compreensivo na Comm. Ave.[7] ou umas cervejas e uns bongs em algum cantinho discreto da Academia à noite para dar um curto no ciclo de barato e depressão, cogumelos ou X ou vez por outra algo da classe Designer Drug Light[8] — ou de repente de vez em quando uma Estrela Negra,[9] sempre que houver um fim de semana sem jogos e/ou obrigações, para basicamente reiniciar a placa-mãe e apagar todos os circuitos e se recuperar lentamente e praticamente renascer neurologicamente e começar do zero o ciclo gradual... essa rotina circular, se já de saída a tua fiação básica está em ordem, pode funcionar surpreendentemente bem durante toda a adolescência e às vezes até os vinte e poucos anos, antes de começar a te puxar a perna.

Então alguns dos ATEs — nem de longe só Hal Incandenza — estão envolvidos com químicos recreacionais, é isso. Tipo quem é que não está, num certo momento da vida, nos EUA e nas regiões Interdependentes, nestes tempos em geral complicados. Se bem que uma percentagem bem decente de alunos da ATE não está. I. e., envolvida, a percentagem. Tem gente que consegue se entregar a um objetivo ambicioso e fazer disso todo o entregar-se-a-alguma-coisa que é necessário. Se bem que às vezes isso muda à medida que os jogadores vão ficando mais velhos e os objetivos começam a gerar mais estresse. A experiência americana parece sugerir que as pessoas são virtualmente ilimitadas na sua necessidade de se entregar a alguma coisa, em vários níveis. Só que algumas preferem fazer isso em segredo.

O uso de drogas ou de químicos ilícitos por um aluno-atleta regularmente matriculado é motivo para expulsão imediata, segundo o manual da ATE. Mas os funcionários da ATE tendem a ter coisa muito mais importante na agenda que ficar policiando uns meninos que já se entregam a um ambicioso objetivo competitivo. A atitude administrativa sob primeiro James Incandenza e depois Charles Tavis é, tipo, por que alguém que queira comprometer quimicamente suas faculdades ia aparecer aqui na ATE, onde a única meta é estender as suas faculdades em múltiplos vetores.[10] E já que são os ex-alunos pró-reitores que têm mais contato supervisório direto com os meninos, e como muitos dos próprios pró-reitores são indivíduos deprimidos ou traumatizados por não conseguirem entrar no Circuito e por terem que voltar à ATE e morar em quartos decentes conquanto subterrâneos ligados por túneis e trabalhar como assistentes de técnicos e ministrar umas disciplinas optativas ridículas — que é o que os oito pró-reitores da ATE fazem quando não estão viajando para jogar em torneios satélites ou tentando passar pelo qualifier de algum evento onde role grana de verdade —, portanto eles são macambúzios e têm um moral meio baixo e não estão satisfeitos com a própria vida, muitas vezes, via de regra, e então também não tão surpreendentemente também tendem a se chapar de vez em quando, ainda que de maneira menos oculta ou exuberante que o grupinho químico dos estudantes radicais, mas então dado isso tudo não é difícil ver por que a fiscalização interna antidrogas tende a ser meio molenga na ATE.

A outra coisa bacana da Sala da Bomba é como ela se liga via túnel às fileiras de acomodações dos pró-reitores, o que significa banheiros masculinos, o que significa que Hal pode rastejar, andar corcovado e na pontinha dos pés até um banheiro livre e escovar os dentes com sua Oral-B portátil e lavar o rosto e aplicar colírio e Old Spice e sapecar um naco de Kodiak aroma wintergreen, e aí voltar rapidinho para a área da sauna e ascender para o nível do solo com uma cara e um cheiro ótimos, porque quando fica chapado ele desenvolve uma poderosa obsessão pela ideia de que ninguém — nem mesmo o grupinho dos neuroquímicos — saiba que ele está chapado. Essa obsessão tem uma força quase irresistível. A quantidade de planejamento e de transporte de artefatos higiênicos que ele tem de realizar para ficar secretamente chapado diante de uma ventarola subterrânea no intervalo pré-janta faria um homem de menor estatura pensar duas vezes. Hal não tem a menor ideia do porquê disso ou da origem dessa obsessão pelo segredo da coisa toda. Ele às vezes medita abstratamente a respeito, quando chapado: esse negócio de Ninguém-Pode-Saber. Não é medo propriamente dito, medo de ser descoberto. Além desse ponto fica tudo abstrato e emaranhado demais para levar a qualquer lugar nas reflexões de Hal. Como a maioria dos norte-americanos da sua geração, Hal tende a saber bem menos sobre os motivos que o levam a se sentir de determinadas maneiras quanto aos objetos e objetivos a que se devota do que sabe sobre os próprios objetos e objetivos. É difícil dizer com certeza se isso sequer é excepcionalmente ruim, essa tendência.

À 0015h do dia 2 de abril, a esposa do adido médico está acabando de sair do Centro Fitness Total Mount Auburn depois de ter jogado cinco sets profissionais de seis games no torneiozinho de turno e returno do seu círculo-de-tênis-de-esposas--diplomáticas-do-Oriente-Médio e depois ter ficado no Lounge especial para Membros-Prata com as outras senhoras, desembrulhando o rosto e o cabelo e jogando Narjees[11] e todas fumando kief e fazendo comentários jocosos extremamente delicados e oblíquos sobre as idiossincrasias sexuais dos maridos, rindo baixinho com a mão na frente da boca. O adido médico, no apartamento deles, ainda está assistindo ao cartucho sem rótulo, que ele rebobinou até o começo diversas vezes e depois configurou num loop recursivo. Ele está lá sentado, atado a um jantar gelado, assistindo, às 0020h, tendo já molhado tanto as calças quanto a poltrona reclinável especial.

Com dezoito anos agora em maio, a função oficial de Mario na Academia de Tênis Enfield é fílmica: às vezes nos treinos matinais ou nos jogos vespertinos ele recebe do Técnico Schtitt et al. ordens de colocar uma velha camcorder ou qualquer outro equipamento de vídeo que esteja à mão num tripé e gravar imagens de determinada área da quadra, filmando golpes de diferentes alunos, certos vícios e pequenos problemas nos serviços ou nos voleios na rede, para que a equipe possa mostrar pedagogicamente as fitas aos alunos, deixando que esses alunos vejam na tela exatamente o que um técnico ou um pró-reitor está tentando dizer. O motivo é que é bem mais fácil consertar uma coisa se ela é visível.

OUTONO — ANO DOS LATICÍNIOS DO CORAÇÃO DA AMÉRICA

Viciados em drogas que são levados ao crime para financiar o vício em drogas normalmente não se inclinam para a criminalidade violenta. A violência demanda tipos de energia superdiferentes, e a maioria dos viciados em drogas gosta de gastar sua energia não nos seus crimes profissionais, mas no que os seus crimes profissionais permitem que eles comprem. Viciados em drogas, portanto, muitas vezes são ladrões de residências. Um dos motivos pelos quais a residência de alguém cuja residência foi roubada causa uma sensação de violação e impureza é o fato de que provavelmente viciados em drogas estiveram por lá. Don Gately era um viciado em narcóticos orais (preferencialmente Demerol e Talwin[12]) de vinte e sete anos e um ladrão mais ou menos profissional; e ele próprio era impuro e violado. Mas era um ladrão talentoso quando roubava — embora tivesse as dimensões de um dinossauro jovem, com uma cabeça imensa e quase perfeitamente quadrada com que costumava divertir os amigos quando estava bêbado deixando que abrissem e fechassem portas de elevadores, na cabeça, ele era, quando no auge profissional, esperto, ardiloso, silencioso, rápido, dotado de bom gosto e de um confiável meio de transporte — com uma espécie de alegria enfurecida na sua atitude em relação ao seu meio de vida.

Como ativo viciado em drogas, Gately se distinguia por seu enfurecido e alegre elã. Ele mantinha o queixão quadrado erguido e o sorriso aberto, mas não se dobrava nem na direção nem para longe de homem algum. Ele tolerava zero de baixaria e era um expoente alegrinho mas implacável da escola Não-Fique-Puto-Fique-Quites. Tipo por exemplo, uma vez, depois de ele ter cumprido três meses bem desagradáveis no Xadrez de Revere por causa de nada além das suspeitas circunstanciais de um Promotor Público Assistente impiedoso da North Shore, saindo finalmente depois de noventa e dois dias quando a Defensoria Pública conseguiu derrubar as acusações com uma alegação baseada no direito-a-julgamento-rápido, Gately e um comparsa de confiança[13] fizeram uma visitinha semiprofissional à residência particular desse PP Assistente cujos empenho e determinação lhe haviam custado uma desintoxicação violenta e imediata no chão da sua pequena cela. Também admirador do ditado A-Vingança-É-Mais-Gostosa-Fria, Gately esperou pacientemente até que a seção "De Olho na Sociedade" do *Globe* mencionou a presença do PPA e da sua esposa numa coisa tipo uma regata beneficente de celebridades lá em Marblehead. Gately e o comparsa foram naquela noite até a residência particular do PPA na região elegante do Wonderland Valley de Revere, cortaram a energia da casa com um shunt direto na entrada do relógio, depois cortaram o fio terra do dispendioso alarme HBT da residência, para o alarme tocar coisa de dez minutos depois e gerar a impressão de que os meliantes tinham dado um jeito de ferrar com o alarme e saído assustados no meio da ação. Mais à noite, quando os policiais de Revere e Marblehead os convocaram de volta ao lar, o PPA e sua esposa se viram desprovidos de uma coleção de moedas e de duas espingardas antigas e mais nada. Vários outros bens de valor estavam empilhados no chão da sala de estar que dava para o foyer como se os meliantes não tivessem tido tempo de tirá-los da casa. Tudo mais na residência invadida parecia intacto. O PPA era um profissional escolado: ele andou de um lado para o outro tocando a aba do chapéu[14] e reconstruiu os eventos prováveis: parecia que os meliantes tinham se atrapalhado com a desativação do alarme e se assustado com a sirene quando o dispendioso sistema alternativo do alarme HBT disparou a 300 V. O PPA tranquilizou a noção de violação e impureza que assolava sua esposa. Ele calmamente insistiu em dormir lá na residência deles naquela noite mesmo; nada de hotel: era tipo crucial segurar imediatamente o touro emocional à unha, em casos assim, ele insistiu. E aí no dia seguinte o PPA lidou com o seguro e relatou a perda das espingardas para um chapa da ATAF[15] e a sua esposa se acalmou e a vida prosseguiu.

Cerca de um mês depois, um envelope chegou à belíssima caixa de correspondência de ferro forjado da residência do PPA. No envelope havia um folheto-padrão da Associação Americana de Odontologia, em papel cuchê, sobre a importância da higiene oral diária — disponível tipo em qualquer consultório de dentista de qualquer lugar — e duas fotos polaroides de alta pixelagem, uma de um grande Don Gately e uma do seu comparsa, cada um deles com uma máscara de Dia das Bruxas que denotava a boa alegria profissional de um palhaço, cada um deles com a calça abaixada e curvado e cada um deles com o cabo nitidamente focado de uma das escovas de dentes do casal protuberando da bunda.

Don Gately teve o bom senso de nunca mais trabalhar de novo na região da North Shore depois daquilo. Mesmo assim acabou se dando horrendamente mal, PPAmente falando. Ou era azar ou kismet, ou coisa assim. Foi por causa de um resfriado, de um simples rinovírus humano. E nem mesmo um resfriado do próprio Don Gately, foi o que o fez finalmente parar e questionar o seu kismet.

A coisa começou com cara de mamão com açúcar, roubisticamente falando. Uma linda residência neogeorgiana numa parte insanamente chique de Brookline ficava comodamente afastada de uma estradinha pseudorrural sem iluminação, tinha um sisteminha fuleiro de alarme VigilanCia que se alimentava, mais idiota impossível, de um cabo AC de 330 V e 90 Hz com seu próprio relógio, não parecia estar nem na vizinhança de uma rota regular de rondas policiais e tinha, nos fundos, umas portinhas francesas muito elegantes e superfrágeis, cercadas de uns arbustos densos e inespinhosos e protegidas dos holofotes halógenos da garagem por uma lixeira chique fornecida pela DRE. Para encurtar a história, era uma puta tentação, a residência, roubisticamente falando, para um viciado. E Don Gately meteu um shunt direto no relógio do alarme e, com um comparsa,[16] invadiu a privacidade do lar e andou por lá com seus sorrateiros pés gigantes.

Só que infelizmente o dono da casa afinal ainda estava em casa, muito embora os seus dois carros e o resto da família não estivessem. O homenzinho estava dormindo doente na cama no andar de cima com um pijama de acetato, uma bolsa de água quente no peito, meio copo de suquinho de laranja, um vidro de NyQuil,[17] um livro em língua estrangeira, exemplares da *International Affairs* e da *Interdependent Affairs*, uns óculos grossos e uma caixa de lenços de papel de tamanho industrial no criado-mudo e um vaporizador vazio que mal zumbia no pé da cama, e o cara ficou para dizer o mínimo desorientado quando acordou e viu lanternas de alta potência cruzando as paredes escuras do quarto e a cômoda e o chiffonier de teca enquanto Gately e comparsa buscavam um cofre embutido na parede, que surpreendentemente tipo 90% das pessoas que têm cofres embutidos na parede escondem no quarto do casal atrás de algum tipo de pintura de marinha ou paisagem. As pessoas se revelavam tão idênticas em certos particulares domésticos básicos que Gately às vezes se sentia meio estranho, como se estivesse de posse de certos fatos privados demasiadamente volumosos a que homem nenhum deveria ter direito. Gately tinha uma consciência bem mais gosmenta a respeito da posse de alguns desses grandes fatos particulares do que tinha a respeito de surripiar os bens pessoais dos outros. Mas aí de repente no meio da silenciosa demanda por um cofre eis que surge esse proprietário chique afinal em casa com um resfriado pesado enquanto sua família está num passeio em dois carros pelo que restou dos verdes bosques das Berkshires, contorcendo-se grogue e NyQuilizado pela cama e fazendo uns barulhos adenoidais buzinados e perguntando o que *diabos* isso tudo quer dizer, só que dizendo em francês do Québec, o que significa, para esses viciados americanos com máscaras de palhaço de Dia das Bruxas, absolutamente lhufas, ele está sentado na cama, um proprietário pequeno e mais velho com uma cabeça com forma de bola de futebol americano e um cavanhaque grisalho e uns olhos que nitidamente estão acostumados a lentes corretivas enquanto acende o forte abajur do criado-mudo. Gately podia, facinho, ter se mandado dali sem nem olhar para trás; mas aqui de fato, à luz do abajur, vê-se uma marinha ali perto do chiffonier, e o comparsa dá uma rápida olhada e relata que o cofre ali atrás é de dar risada, quase dá para abrir só falando uns palavrões pra ele; e os viciados em narcóticos orais tendem a operar com uma agenda física de carência e satisfação extremamente rígida, e Gately nesse momento está firmemente plantado na parte da carência da agenda; então D. W. Gately desastrosamente decide seguir em frente e deixar que um roubo não violento se transforme de fato num assalto — sendo que a diferença legal em questão envolve tanto violência como ameaça coercitiva de violência — e Gately se ergue em toda a sua ameaçadora estatura e aponta a lanterna para os olhos remelentos do proprietário, e se dirige a ele como falam os criminosos ameaçadores da ficção popular — comendo plurais, trocando letras, *l* por *r*, e assim por diante — e segura a orelha do cara e o conduz a uma cadeira da cozinha onde lhe amarra pernas e braços à cadeira com cabos elétricos delicadamente cortados da geladeira e do abridor de latas e da Máquina-Automática-de-Café-au-Lait da marca M. Café, com nós que ficam um pouquinho aquém do gangrenoso, porque ele espera que os bosques verdejantes das Berkshires estejam lindos e que o sujeito vá ficar solando ali naquela cadeira por um bom tempo, e Gately começa a revistar as gavetas da cozinha procurando a prataria — não a prataria-boa-para-quando-vem-alguém, que estava num estojo de pelica embaixo de uns restos de papel de presente com temas natalinos cuidadosamente dobrados numa cômoda maravilhosa de madeira-de-lei-com-marchetaria-de-marfim na sala de estar, onde mais de 90% das pessoas com grana sempre escondem a sua prataria, e já foi devidamente afanada e está empilhada[18] logo na frente do foyer — mas só aquela velha prataria normal sem firulas de todo dia, porque a imensa maioria dos proprietários dessas residências guarda os panos de prato duas gavetas abaixo da gaveta com a prataria cotidiana, e Deus não criou melhor mordaça para situações de emergência nesse mundo que um bom e velho pano de prato de imitação de linho e com cheiro de óleo; e o sujeito amarrado à cadeira pelos cabos de repente se liga nas implicações do que Gately está procurando e fica se debatendo e dizendo: Não me amordace, eu tenho terrível resfriado, meu nariz está tijolo, eu não tenho capacidade de respirar pelo nariz, pelo amor de Deus por favor não me amordace na boca; e numa demonstração de boa vontade o proprietário diz a Gately, que está revirando gavetas, a combinação do cofre da marinha do quarto, só que em números franceses, o que junto com a inflexão de buzina adenoidal que a gripe do sujeito confere à sua voz não soa nem como uma língua humana para Gately, e também o cara diz a Gately que tem umas medalhas de ouro antigas pré-conquista-britânica do Québec numa bolsa de pelica presa com fita adesiva atrás de uma paisagem impressionista sem graça na sala de estar. Mas tudo que o proprietário canadense diz não passa para Gately, que assovia uma alegre melodia e tenta fazer cara de mau do outro lado da máscara de palhaço, de gritos de, digamos, gaivotas da North Shore ou passarinhos continentais; e pode apostar que os panos estão duas gavetas abaixo das colheres, e lá vem o Gately pela cozinha com cara de Bozo dos infernos, e a boca do quebequense fica oval de horror, e boquinha adentro entra um pano de prato embolado, vagamente cheirando a gordura, e através das bochechas do sujeito e por sobre o domo de tecido projetado passam pedaços de fita adesiva fibrosa de alta qualidade que saiu da gaveta debaixo do telefone desativado — por que é que todo mundo guarda coisas para postar cartas na gaveta mais próxima do telefone da cozinha? — e Don Gately e seu comparsa terminam a sua tarefa ligeira e na-melhor-das-intenções desprovida de violência de deixar o lar de Brookline tão pelado quanto uma pradaria pós-hamsters-selvagens, e trancam novamente a porta da frente e tocam estrada escura afora no confiável 4×4 com silenciador duplo de Gately. E o canadense manietado, fungante e pijamificado — o braço direito daquele que provavelmente é o mais infame agitador anti-ONAN ao norte do Grande Recôncavo, o lugar-tenente e resolvedor de problemas preferido que altruisticamente se ofereceu para se mudar com a família para a área insanamente americana da cidade de Boston para trabalhar como contato e segurador geral de coleiras da cerca de meia dúzia de grupos malévolos e mutualmente antagônicos de separatistas quebequenses e de ultradireitistas albertanos unidos somente por sua fanática convicção de que o "presente" ou a "devolução" em que os EUA Experialistas entregaram o supostamente "Reconfigurado" Grande Recôncavo ao seu vizinho e aliado onanita do norte constituía um golpe intolerável contra a soberania, a honra e a higiene canadenses — este proprietário, inquestionavelmente VIP, ainda que, convenhamos, mais para VIP enrustido, ou provavelmente de modo mais acurado um *"PIT"*[19] em francês, esse coordenador-de-terrorismo-canadense de aparência mansa — atado à sua cadeira, totalmente amordaçado, ali sentado, sozinho, sob a fria luz fluorescente da cozinha,[20] o sujeitinho rinoviralmente atribulado, amordaçado com competência e materiais de qualidade — o sujeito, depois de batalhar tanto para desobstruir parcialmente uma das suas passagens nasais entupidas que chegou a romper ligamentos intercostais nas costelas, logo vê até aquele minúsculo furo por onde o ar podia fluir ser tapado novamente pelo implacável fluxo como que da lava de meleca, e então tem que romper mais ligamentos tentando abrir a outra narina, e assim por diante; e depois de uma hora de esforços e de chamas pelo peito e sangue nos lábios e no pano de prato branco, das suas tentativas alucinadas de empurrar o pano com a língua para fora da fita, que é fita de qualidade, e depois de as suas esperanças dispararem quando toca a campainha, e depois de as esperanças se afundarem nas trevas quando a pessoa que tocou, uma moça de prancheta e mascando chiclete, que oferece cupons de descontos para Feriados de Felicidade se você aderir como membro por seis meses ou mais de uma rede de salões de bronzeamento artificial não UV de Boston, dá de ombros dentro de sua parca, faz uma marquinha na prancheta e bate animadamente em retirada pelo longo caminho que leva à estrada pseudorrural, uma hora ou mais disso, finalmente o *PIT* quebequense, depois de uma agonia indescritível — sufocar aos poucos, com ou sem muco, não é nenhuma brincadeira de criança na Festa da Tulipa de Montreal —, em cujo ápice, dessa agonia, ouvindo o pulsar das veias da testa como um trovão que se afasta e vendo o círculo da sua visão se encolher enquanto uma abertura rubra em torno dos olhos gira continuamente vindo das bordas, em cujo ápice ele só conseguia pensar, malgrado a dor e o pânico, como aquilo era um jeito idiota e bobo, depois de tanto tempo, de morrer, uma ideia que a toalha e a fita não permitiam que se manifestasse através do melancólico sorriso com que os melhores entre os homens acolhem os mais bobos dos fins — esse Guillaume DuPlessis abandonou tristinho esta vida, e ficou ali sentado, na cadeira da cozinha, a 250 km a leste de uns bosques verdejantes outonais realmente espetaculares, por quase dois dias e duas noites, com a postura ficando cada vez mais militar à medida que o rigor mortis se estabelecia, os pés descalços parecendo pães de fôrma arroxeados por causa do livor; e quando a polícia de Brookline finalmente foi convocada e o desatou da cadeira friamente iluminada, tiveram que carregá-lo dali como se ainda estivesse sentado, de tão militarmente comme-il-faut tinham ficado seus membros e sua espinha. E o coitadinho do Don Gately, cuja capacidade profissional de cortar a eletricidade com shunts diretos na entrada do relógio era para todos os efeitos um modus operandi registrado, e que tinha, claro, um lugarzinho especial no coração de um imisericordioso PPA de Revere que contava com influências judiciárias em todos os três condados de Boston e além, e obviamente um PPA particularmente imisericordioso em tempos recentes, cuja esposa agora precisava tomar Valium até para passar fio dental, e que estava pacientemente aguardando sua oportunidade, o PPA, friamente esperando para ver, sendo ele um sujeito calmo do tipo Fique-Quites e Prato-Frio tanto quanto Don Gately e que estava, sem nenhum desejo seu por uma violência que consome energias, no tipo de merda absoluta e infernal que tem a capacidade de virar do avesso a vida do camarada.

Ano da Fralda Geriátrica Depend: Telentretenimento InterLace RISC 932/1864 super-TP c/ ou s/ console, Pink$_2$, disseminação SSD pós-Primestar, menus e ícones, Intert e Fax pixel-free, tri-e quad-modems c/ baud regulável, Grades-de-Disseminação, telas tão alta definição que era como se você estivesse lá, videoconferências com preço competitivo, CD-ROM Froxx interno, *haute couture* eletrônica, consoles tudo-em-um, nanoprocessadores Tutikaga, cromatografia laser, cartões de mídia com capacidade virtual, pulso por fibra óptica, codificação digital, superapps; neuralgia carpal, enxaqueca com aura, hiperadiposidade glútea, estresse lombar.

3 DE NOVEMBRO — ANO DA FRALDA GERIÁTRICA DEPEND

Dorm. 204, Subdormitório B: Jim Troeltsch, dezessete anos, nascido em Narberth, PA, ranking atual sub-18 masculino na Academia de Tênis Enfield nº 8, o que o coloca como segundo de Simples na equipe B masculina, está doente. De novo. Apareceu quando ele estava se vestindo com roupas bem quentes para o treino das 0745h da equipe B. Um cartucho das oitavas de final do US Open de setembro estava passando no monitorzinho do quarto com o som mudo como sempre e Troeltsch estava ajeitando as tiras do suporte atlético, desligadamente narrando o jogo como se a mão fechada fosse um microfone, quando apareceu. A doença. Do nada. A respiração dele de repente começou a machucar o fundo da garganta. Aí aquele calor assoberbante em vários meati craniais. Aí ele espirrou e o que saiu no espirro era grosso e pesado. Apareceu ultrarrápido e do meio do nada, pré-treino. Ele agora está de novo na cama, supino, assistindo ao quarto set da partida, mas sem narrar. O monitor fica bem embaixo do pôster do rei paranoico[21] do Pemulis que você não consegue deixar de ver se quiser olhar para o monitor. Bolas de lenço de papel cobrem o chão em volta do cesto de lixo da cama dele. O criado-mudo está coberto de expectorantes, inibidores da tosse, analgésicos, comprimidões tanto de balcão quanto os vendidos com receita, um frasco de Benadryl e um de Teldane,[22] só que o frasco de Teldane na verdade está incrementado com várias cápsulas de 75 mg de Hipofagin que Troeltsch foi afanando em suaves prestações do lado Pemulisiano do quarto e que bem engenhosamente,

65

acha ele, mocozou nas barbas de todo mundo num vidro de comprimidos do lado da cama onde o Pemulão nunca ia pensar em olhar. Troeltsch é do tipo que consegue pôr a mão na própria testa e detectar febre. É definitivamente um rinovírus, do tipo repentino e grave. Ele estava especulando se ontem quando Graham Rader fingiu espirrar na bandeja do almoço de J. Troeltsch na máquina de leite na hora do almoço se o Rader podia ter espirrado de verdade e só fingido fingir, transferindo virulentos rinoviri para as delicadas mucosas de Troeltsch. Ele febrilmente invoca diversas vinganças cósmicas contra Rader. Nenhum colega de quarto de Troeltsch está aqui. Ted Schacht está dando o primeiro de vários banhos de Jacuzzi no joelho durante o dia. Pemulis já se preparou e saiu para os treinos das 0745. Troeltsch ofereceu a Pemulis os direitos sobre o seu café da manhã se ele enchesse o vaporizador e chamasse a enfermeira do primeiro turno para "mais um pouco" daquele anti-histamínico nuclear Teldane e um pouco de dextrometorfano para o vaporizador e uma dispensa por escrito para os treinos da manhã. Ele está ali deitado suando profusamente, assistindo a uma partida de tênis digitalmente registrada, preocupado demais com a garganta para sentir a loquacidade que o levaria a narrar o jogo. O Teldane não devia dar sono, mas ele está se sentindo fraco e desagradavelmente sonolento. Mal consegue fechar a mão. Está suarento. Náusea/vômitos estão longe de ser uma impossibilidade. Ele não consegue acreditar na velocidade com que aquilo apareceu, a doença. O vaporizador fervilha e arrota, e todas as quatro janelas do quarto choram em contato com o frio lá de fora. Há tristes e minúsculos barulhinhos de rolha de champanhe vindos das dúzias de bolas rebatidas nas quadras Leste. Troeltsch flutua num nível imediatamente superior ao do sono. O rugido distante de imensos ventiladores de deslocamento ATSCHME bem ao norte nos muros e fronteiras, as vozes externas e o *poc* das bolas frias criam um tipo de carpete sonoro por sob os sons digestivos do vaporizador e o rangido das molas da cama de Troeltsch enquanto ele se bate e se contorce num semissono umedecido. Ele tem pesadas sobrancelhas alemãs e mãos de juntas grossas. É um desses desagradáveis estados de semissonolência febris opiáceos, mais um estado de fuga que um estado de sono, menos flutuação que deriva em mares bravios, arremessado vigorosamente para dentro e para fora desse semissono em que a sua mente ainda está ativa e você consegue se perguntar se está dormindo bem enquanto está sonhando. E quaisquer sonhos que você chegue mesmo a ter parecem meio esfiapados, roídos, incompletos.

É literalmente "sonhar de olhos abertos", doente, o tipo de fuga incompleta de que você desperta com uma espécie de baque psíquico, tentando sentar na cama, convicto de que alguém não autorizado está no quarto com você. Caindo de novo enjoado no travesseiro circularmente enodoado, encarando direto as prolixas dobras da coisa turca felpuda que Pemulis e Schacht colaram nos cantos do teto, que se desfralda, pendente, de modo que as dobras formam terrenos, tipo com vales e sombras.

Eu tenho percebido que a sensação dos piores pesadelos, uma sensação que você pode sentir dormindo ou acordado, é idêntica à própria forma desses sonhos ruins: a súbita percepção intraonírica de que a própria essência e o próprio centro do pesadelo estiveram o tempo todo com você, mesmo quando acordado: só que você... não percebia; e aí aquele intervalo aterrador entre se dar conta do que você não tinha percebido e virar a cabeça para olhar para o que esteve ali o tempo todo, *sempre*... O seu primeiro pesadelo longe de casa e da família, a sua primeira noite na Academia, ele estava lá o tempo todo: o sonho é que você acorda de um sono profundo, acorda subitamente suado e surtado e é completamente tomado pela repentina sensação de que neste quarto com você há uma destilação do mal mais pleno, de que a essência e o centro do mal estão bem aqui, neste quarto, agora. E é só para você. Nenhum outro menininho do quarto está acordado; o colchão do beliche acima de você pende morto, imóvel; ninguém se mexe; ninguém mais naquele quarto sente a presença de algo radicalmente mau; ninguém se bate ou senta suado; ninguém mais grita de medo: seja o que for, não é mau *para eles*. A lanterna que sua mãe adesivou com seu nome em fita crepe e pôs especialmente para você na mala dá uma panorâmica pelo quarto institucional: o teto, o colchão cinza listrado e a grade intumescida de molas acima de você, os dois outros beliches de outro cinza-fosco que não devolve a luz, as pilhas de livros e CDs e fitas e equipamento de tênis; o seu disco de luz branca tremendo como a lua sobre a água enquanto brinca sobre as escrivaninhas idênticas, os recessos de armários e da porta da entrada do quarto, o volume dos batentes da porta; o cone de luz caminha sobre objetos, disformes calombos de sombras adormecidas de meninos nas paredes branco-gelo, os dois tapetes felpudos ovais sobre o chão de madeira maciça, linhas negras de tábuas de rodapés, as frestas nas venezianas que deixam vazar a não luz violeta de uma noite de neve e apenas um gancho de lua; a lanterna com seu nome em materna letra cursiva brinca sobre cada cm de parede, reostatos, CDs, pôster InterLace de Tawni Kondo, console telefônico, monitores de mesa, o rosto no chão, pôsteres dos prós, o amarelo-casca-de-cebola das cúpulas das luminárias nas escrivaninhas, os padrões de furinhos dos painéis do teto, a grade de molas do estrado de cima, o recesso de armário e porta, meninos embrulhados em cobertas, breve fresta como risco de um abismo no teto mais a leste já discernível, tabuazinha de bordo na borda que junta parede com teto a norte e a sul *chão não tem rosto* a sua lanterna mostrou, mas não mostrou não nunca mostrou *olha* as pupilas dos olhos dele de lado e estreitas que nem as de um gato as sobrancelhas \ / e o sorriso dentuço horroroso encarando bem de frente a sua luz o tempo todo em que você ficou olhando com a lanterna ai mãe um rosto no *chão* mãe ai e o foco da sua lanterna corta direto para o rosto que você não percebeu erra corrige passa e aí centra no que você tinha sentido mas tinha visto sem ver, agora mesmo, quando você virou a panorâmica da luz com tanto cuidado e olhou, um rosto no *chão* ali o tempo todo mas sem ser sentido por todos os outros e sem ser visto por você até você saber bem quando sentiu que ele não devia estar ali e era mau: *Mau*.

E aí aquela boca se abre na frente da sua luz.

E aí você acorda daquele jeito, tremendo que nem vara verde, deitado ali acordado e tremendo, tentando juntar coragem e saliva, rola para a direita bem como no sonho para pegar a lanterna adesivada com o seu nome no chão ao lado da cama só para garantir, fica ali deitado de lado, passando a luz por tudo, como no sonho. Fica ali deitado em panorâmica, olhando, só costelas e cotovelos e olhos dilatados. O chão desperto está coberto de equipamento e roupa suja, madeira maciça clara com juntas seladas, dois tapetes, a madeira nua encerada brilhante sob a luz de neve das janelas, o chão neutro, sem rosto, você não consegue ver rosto algum no chão, desperto, ali deitado, sem rosto, vazio, dilatado, brincando com o foco sobre o chão de novo, de novo, inseguro a noite toda para sempre inseguro de ter deixado de ver alguma coisa que está bem ali: você fica ali deitado, desperto com quase doze, fazendo força para acreditar.

O

À ALTURA DO ANO DA FRALDA GERIÁTRICA DEPEND

A Academia de Tênis Enfield estava regularmente licenciada havia três anos pré-Subsidiados e depois oito Subsidiados, primeiro sob direção do dr. James Incandenza e depois sob a administração do seu meio-cunhado Charles Tavis, Ed. D. James Orin Incandenza — filho único de um ex-tenista americano júnior de alto nível e depois promissor ator jovem pré-Método que, durante o intervalo dos primeiros anos de formação de J. O. Incandenza, tinha se transformado num ator desrespeitado e basicamente inempregável, levado de volta à sua Tucson, AZ, natal e dividindo o que lhe restava de energias entre períodos de trabalho como tenista profissional em resorts-fazenda e depois produções de curtas temporadas em algo chamado Projeto Teatral Ritmo do Deserto, o pai, um trágico dipsomaníaco progressivamente destruído por obsessões pela morte por mordida de aranha e por medo do palco e com uma amargura de origem ambígua mas de violenta intensidade com a escola de atuação profissional do Método e seus expoentes mais promissores, um pai que em algum ponto perto do nadir de suas fortunas profissionais aparentemente decidiu descer até o seu porão todo borrifado de Raid e construir na sua oficina um atleta júnior promissor exatamente como outros pais restauravam carros antigos ou construíam navios dentro de garrafas ou tipo reformavam cadeiras etc. — James Incandenza se revelou um aprendiz contido mas tolerante do jogo e logo um jogador júnior talentoso — alto, quatro-olhos, impressionante na rede — que usou as bolsas que ganhava jogando tênis para financiar, por conta própria, uma educação particular de segundo grau e depois superior em lugares basicamente tão distantes do Sudoeste dos EUA quanto se podia estar sem cair no mar. O prestigioso DPN[23] dos Estados Unidos financiou seu doutorado em física óptica, realizando algo que era como um sonho de infância. Seu valor estratégico, durante o intervalo Federal G. Ford-primeiro G. Bush, como essencialmente o mais elevado óptico-geométrico-aplicado do DPN e do Comando Aéreo Estratégico, projetando refletores de dispersão de nêutrons para sistemas de armas termoestratégicas, e depois na Comissão de Energia Atômica — onde seu desenvolvimento de índices de refração-gama para lentes e painéis de lítio anodizado é comumente considerado uma das grandes e poucas descobertas que possibilitaram a fusão anular a frio e a quase independência energética dos EUA e de seus vários aliados e protetorados — sua expertise óptica se traduziu, depois de uma aposentadoria precoce do setor público, numa fortuna em patentes de espelhos retrovisores, artefatos oculares sensíveis à luz, cartuchos holográficos de aniversário e de Natal, tablôs videofônicos, software de cartografia de Goode, sistemas não fluorescentes de iluminação pública e equipamento de filmagem; depois, na opcional aposentadoria da ciência pura que o fato de estar construindo e abrindo uma academia de tênis pedagogicamente experimental e regularmente registrada pela ATEU aparentemente representava para ele, no mundo "après-garde" da cinematografia experimental e conceitual muitíssimo à frente ou atrás do seu tempo, possivelmente, para ser muito apreciado no momento da sua morte no Ano do Sorvete Dove Tamanho-Boquinha — embora boa parte dela (a cinematografia experimental e conceitual) fosse confessadamente pura e simplesmente pretensiosa, desinteressante e ruim, e provavelmente nada auxiliada pela decadência muito gradual do sujeito rumo à destrutiva dipsomania do seu falecido pai.[24]

O casamento em maio-dezembro[25] do alto, deselegante, socialmente prejudicado e beberrão dr. Incandenza com uma das poucas legítimas mulheres à la bombshell da academia norte-americana, a altíssima e algo tensa mas também belíssima e elegante e abstêmia e classuda dra. Avril Mondragon, a única mulher que já ocupou a Cátedra Macdonald de Uso Prescritivo no Royal Victoria College da Universidade McGill, que Incandenza tinha conhecido numa conferência na U. Toronto, sobre Sistemas Reflectivos v. Reflexivos, ficou ainda mais romântico graças às tribulações burocráticas envolvidas na obtenção de um visto de saída e depois de um de entrada, isso para não falar de um Green Card, mesmo para uma professora Mondragon já dotada de um cônjuge EU-ense, ela, cujo envolvimento, conquanto demonstravelmente não violento, com certos membros da Esquerda Separatista québecoise enquanto ainda aluna de pós-graduação colocara seu nome na notória Lista de *Personnes à Qui On Doit Surveiller Attentivement*" da RPMC. O nascimento do primeiro filho dos Incandenza, Orin, fora ao menos parcialmente uma manobra jurídica.

É sabido que, durante os últimos cinco anos de sua vida, o dr. James O. Incandenza liquidou seus bens e suas patentes, cedeu o controle de quase todas as operações da Academia de Tênis Enfield ao meio-irmão de sua esposa — um ex-engenheiro mais recentemente empregado na Administração de Esportes Amadores do Throppinghamshire Provincial College, New Burnswick, Canadá — e devotou suas horas de desocupação quase exclusivamente à produção de documentários, filmes artísticos tecnicamente abstrusos e cartuchos dramáticos obsessivos e causticamente obscuros, deixando um número substancial (dada a idade tardia em que floresceu, criativamente) de filmes e cartuchos completados, sendo que alguns deles lhe garantiram um pequeno círculo de admiradores acadêmicos em função de seu panache técnico e de um páthos que de alguma maneira era ao mesmo tempo surrealmente abstrato e melodramático a ponto de rasgar SNCs.

O intempestivo suicídio do professor James O. Incandenza com cinquenta e quatro anos de idade foi considerado uma grande perda em pelo menos três mundos. O presidente J. Gentle (VV), falando em nome do EPN do DDEU e da CEA pós-anular da ONAN, conferiu uma condecoração póstuma e comunicou suas condolências por meio do correio eletrônico oficial da ARPA-NET. O enterro de Incandenza no Condado de L'Islet no Québec foi postergado duas vezes por ciclos de hiperfloração anular. A Cornell University Press anunciou planos de um festschrift. Certos proeminentes cineastas entre aspas "après-garde" e "anticonfluenciais" empregaram, em sua produção do Ano do Sorvete Dove Tamanho-Boquinha, certas referências visuais oblíquas — que em geral envolviam a iluminação chiaroscuro e os efeitos obtidos com lentes customizadas que singularizavam a conhecida profundidade de campo de Incandenza — que prestavam aquele tipo de tributo elegíaco a profundos iniciados que não se pode esperar que plateia alguma perceba. Uma entrevista com Incandenza foi incluída postumamente num livro sobre a gênese da anulação. E aqueles alunos da ATE cujos braços hipertrofiados cabiam dentro delas usaram faixas pretas nas quadras por quase um ano.

CONDADO DE DENVER, PRIMEIRO DE NOVEMBRO
ANO DA FRALDA GERIÁTRICA DEPEND

"Eu odeio esse negócio!", Orin berra para quem quer que paire perto dele. Ele não dá cambalhotas ou espirais como os metidos; ele meio que bordeja, o equivalente de um limpa-neve, em termos de pairar, inespetacular e com o objetivo de acabar com aquilo já-já e intacto. O náilon das falsas asas rubras farfalha numa corrente ascendente; penas mal coladas ficam desgrudando e voando. A corrente são os óxidos das milhares de bocas abertas do Mile-High. De longe o estádio mais barulhento de todos. Ele está se sentindo um imbecil. Fica difícil respirar e enxergar com o bico. Dois alas reservas fazem algum tipo de pirueta lateral. O pior é o momento logo antes de eles saltarem da borda do estádio. As mãos das últimas filas esticadas tentando pegar alguma coisa. As pessoas rindo. As câmeras da InterLace girando e se centrando; Orin conhece bem demais a luzinha ali do lado que significa zoom. Quando eles já estão em cima do campo as vozes se derretem e se fundem em óxidos e ascendente. O zagueiro está subindo em vez de descer. Uns bicos e uma garra caem de alguém e descem rodopiando para o verde. Orin bordeja macambúzio para lá e para cá. Ele está entre os que se recusam firmemente a assoviar ou piar. Com ou sem bônus. O alto-falante do estádio é um gargarejo metálico. Nunca dá para ouvir direito nem no chão.

O triste ex-quarter-back que agora só segura a bola para os chutes emparelha com o lento zigue-zague de Orin cerca de 100 metros acima da linha de 40. Ele é uma das raras fêmeas, bico mais grosso e o rubro das asas desornado.

"Odeio e detesto esse negócio do fundo do esfíncter do meu *coração*, Clayt!"

O holder tenta fazer um gesto resignado com as asas e quase é soprado para cima das peninhas de Orin, "Quase lá! Aproveitem a viagem! Opa — saca o decote na 22G, bem do lado da —" e aí se perde no troar quando o primeiro jogador toca o solo e se livra do aparato promocional de rubra penugem. Você tem que gritar até para se fazer ouvir. Em algum momento a coisa começa a soar como se aquela multidão estivesse gritando por causa do seu próprio grito, uma coisa meio redobrada como se algo estivesse para explodir. Um dos Broncos na parte de trás de uma fantasia despenca de cabeça no meio do campo de um jeito que faz parecer que a bunda do bicho saiu voando. Orin não contou a nenhum dos Cardinals, nem mesmo ao psicólogo e terapeuta de visualização da equipe, sobre seu medo mórbido de alturas e de descida da altitude.

"Eu chuto! Eu sou pago pra chutar longe, alto, bem e sempre! Ficar fazendo eu dar entrevistas pessoais sobre o meu lado pessoal já é ruim! Mas isso aqui não tem o menor cabimento! Por que é que a gente aguenta isso! Eu sou atleta! Eu não sou artista de circo de monstros! Ninguém mencionou a necessidade de voar na hora de assinar. Em New Orleans era só um monte de vestes e de auréolas e uma vez por temporada tinha uma harpa. Mas só uma vez por temporada. Essa merda é foda!"

"Podia ser pior!"

Descendo em espiral para a linha de Xs e os camaradas de boné de bico que ajudam a tirar as asas, uns voluntários baixotes e barrigudos com algum chapinha na recepção que sempre te dão um sorrisinho torto de um jeito que não te deixa sacar direito qual é a acusação.

"Eu sou pago pra chutar!"

"É pior na Filadélfia!… tomei caldo na porra da cidade de Seattle por três temporad…"

"Por favor, Senhor, poupai a Perna", Orin sussurra toda vez logo antes de aterrissar.

"… em como você podia ser um Oiler! Você podia jogar por *Brown*."

O

O muscimol organopsicodélico, um isoxazol-alcaloide derivado do *Amanita muscaria*, vulgo cogumelo mata-moscas — que de modo algum, enfatiza Michael Pemulis, deve ser confundido com o *phalloides* ou *verna* ou certas outras espécies mata-bem-morto do gênero *Amanita* na América do Norte, enquanto os meninos menores ficam sentados como índios no chão da Sala de Vídeo, olhos vítreos e tentando não bocejar — recebe o nominho estrutural de 5-aminometil-3-isoxazolol, requer coisa de tipo uns dez a vinte mg por ingestão via oral, o que o torna de duas a três vezes mais forte que a psilocibina e frequentemente resulta nas seguintes alterações de consciência (sem ler ou verificar anotação alguma): uma espécie de transe semionírico com visões, êxtase, sensações de leveza física e força física ampliada, percepções sensóreas intensificadas, sinestesia e distorções favoráveis da autoimagem corpórea. Isso deveria ser uma tertuliazinha tipo "Amigão" pré-jantar, onde os meninos menores recebem apoio e aconselhamento de tipo irmão-mais-velho de um aluno mais veterano. Pemulis às vezes trata as tertúlias do seu grupo como uma espécie de colóquio, em que ele divide descobertas e interesses pessoais. O monitor está em Ler a partir do laptop que fica na sala e a tela mostra em grandes maiúsculas BASES METOXILADAS PARA MANIPULAÇÃO DE FENILCILAMINA, e embaixo disso umas coisas que bem podiam ser grego para os Amiguinhos. Dois meninos estão apertando bolas de tênis; dois se balançam chassidicamente para não cair no sono; um está com um boné com um par de antenas falsas feitas de uma mola bem apertada. Mais ou menos reverenciado pelas tribos aborígines do que hoje é o sul de Québec e do Grande Recôncavo, Pemulis lhes diz, o cogumelo agárico era tanto amado quanto odiado por seus efeitos psicoespirituais vigorosos, mas nem sempre, a não ser quando cuidadosamente volumetrizado, agradáveis. Um menino está cutucando o umbigo com grande interesse. Outro finge desmoronar.

Alguns jogadores mais marginais começam já tipo aos doze, lamento dizer, especialmente drinas antes das partidas e aí encefalina[26] depois, o que pode gerar todo um círculo vicioso de neuroquímica individual; mas eu mesmo, tendo feito certas promessas desde cedo no que se refere a genitores e diferenças, nem cheguei a menos de meio metro do meu primeiro tapa de Bob Hope[27] antes dos quinze, mais tipo quase dezesseis, quando Bridget Boone, em cujo quarto vários dos sub-16 tinham o costume de se congregar antes da hora de apagar as luzes, me convidou a considerar uns bongs de fim de noite, como uma espécie de Difenidrin psicodisléptico, para eu dormir melhor, quem sabe, finalmente, sem acordar no meio de um sonho bem desagradável que andava se repetindo toda noite e me despertando *in medias* havia semanas e estava começando a me desgastar e a causar ligeira deterioração de desempenho e ranqueamento. Fosse ou não fosse Bob sintética de baixa qualidade, os bongs foram um milagre.

Nesse sonho, que de vez em quando ainda se repete, eu estou parado diante do público na linha de fundo de uma quadra de tênis pantagruelicamente grande. Estou claramente disputando uma partida: tem plateia, juízes. Se bem que a quadra tem mais ou menos o tamanho de um campo de futebol, talvez, parece. É difícil dizer. Mas principalmente a quadra é complexa. As linhas que limitam e definem o jogo são tão complexas e tão convolutas nessa quadra quanto uma escultura de barbante. Tem linha saindo para tudo quanto é lado, e elas correm oblíquas ou se encontram e formam relações e caixas e rios e afluentes e sistemas dentro de sistemas: linhas, cantos, corredores e ângulos deliquescem num borrão no horizonte da rede distante. Eu fico ali parado inseguro. A coisa toda é quase enrolada demais pra eu tentar assimilar de uma só vez. É simplesmente imensa. E é pública. Uma plateia muda se delineia no que pode ser a periferia da quadra, usando as cítricas cores do verão, imóvel e tremendamente atenta. Um batalhão de juízes de linha fica mansamente alerta com seus blazers e chapéus de safári, mãos cruzadas sobre as braguilhas das calças. Bem no alto, perto do que pode ser um poste da rede, o juiz, de blazer azul, grampeado para ser amplificado na sua alta cadeira elevada, sussurra Podem Jogar. A plateia é um quadro, imóvel e atento. Eu giro a raquete na mão, quico uma bola amarela nova e tento entender para onde naquela zona de linhas eu devo dirigir o serviço. Eu posso perceber na arquibancada à esquerda de quem entra o para-sol branco da Mães; a altura dela alça o guarda-chuva branco acima dos vizinhos; ela está sentada no seu pequeno círculo de sombra, cabelo branco, pernas cruzadas e um delicado punho cerrado erguido e teso em total torcida incondicional.

O juiz sussurra Joguem, Por Favor.

A gente meio que joga. Mas é tudo hipotético, sei lá como. Até o "a gente" é em teoria: eu nunca chego a ver direito o distante oponente, por conta de todo o aparato do jogo.

O

ANO DA FRALDA GERIÁTRICA DEPEND

Os médicos tendem a adentrar as arenas de sua prática profissional com uma ríspida animação que então precisam deter e tentar calar um pouco quando a arena que adentram é o quinto andar de um hospital, uma ala psiquiátrica, onde ríspidas animações equivaleriam a jactância. Por isso é que os médicos das alas psiquiátricas tão frequentemente ostentam um cenho fechado de maneira algo falsa ou uma expressão de curiosa concentração, se e quando você os vê nos saguões de um quinto andar. E é por isso que um médico de hospital — que normalmente é saudável e róseo e de rosto desporificado, e que quase sempre tem um cheiro incomumente limpo e bom — se aproxima de cada paciente psiquiátrico a seus cuidados com uma atitude profissional que fica em algum lugar entre o morno e o profundo, com uma distante mas sincera preocupação que se divide equanimemente entre o desconforto subjetivo do paciente e os fatos incontornáveis do caso.

O médico que meteu um tantinho sua bela cabeça porta aberta adentro do cálido quarto dela e bateu talvez um tanto exageradamente de leve no umbral metálico encontrou Kate Gompert deitada de lado na estreita cama dura de calça jeans, com uma blusa sem mangas, com os joelhos encolhidos contra o abdome e os dedos trançados em torno dos joelhos. Alguma coisa quase clara demais no páthos da postura: essa exata posição estava ilustrada em certa melancólica gravura da era Watteau no frontispício do *Guia de campo dos estados clínicos*, de Ievtuchenco. Kate Gompert calçava dockside azul sem meia nem cadarços. Metade do rosto obscurecida pela fronha quem sabe verde ou amarela do travesseiro de plástico, cabelo havia tanto tempo sem lavar que tinha se separado em discretas faixas reluzentes, e a franja negra lhe caía como as barras brilhantes de uma cela sobre a metade visível da testa. A ala psiquiátrica cheirava vagamente a desinfetante e à fumaça dos cigarros do Salão Comunitário, o acre odor do lixo hospitalar à espera da coleta com também aquele perpétuo e levemente amoníaco travo de urina, e havia o bing duplo do elevador e o sempre distante som do intercomunicador chamando algum médico, e umas imprecações em alto volume de um maníaco no Isolamento cor-de-rosa no outro extremo do corredor da ala psiquiátrica além do Salão Comunitário. O quarto de Kate Gompert também cheirava a poeira chamuscada pela entrada do ar quente, também a perfume extra doce usado pelo jovem funcionário da saúde mental que ficava sentado numa cadeira ao pé da cama da moça, mascando chiclete azul e assistindo a um cartucho ROM mudo num laptop do hospital. Kate Gompert estava no regime Especial, o que significava Alerta de Suicídio, o que significava que a moça em algum momento tinha traído tanto Ideação quanto Intenção, o que significava que precisava ser observada bem de perto por um funcionário vinte e quatro horas por dia até que o médico supervisor suspendesse o Especial. Os funcionários se revezavam ostensivamente no Especial de hora em hora, para que a pessoa de serviço estivesse sempre descansada e agudamente atenta, mas na verdade porque simplesmente ficar sentado ali ao pé de uma cama olhando para alguém que estava com tanta dor psicológica que queria cometer suicídio era tão incrivelmente deprimente, entediante e desagradável, que eles dividiam a odiosa tarefa o mais que podiam, os funcionários. Tecnicamente eles não deveriam ler, cuidar de nenhuma papelada, ver CD-ROMs, dar um trato na aparência nem desviar, em serviço, sua atenção do paciente no Especial. A paciente srta. Gompert parecia tanto estar lutando para respirar quanto estar respirando a uma velocidade que poderia induzir hipocapnia; não se podia esperar que o médico também não notasse que ela tinha seios bem grandes que subiam e desciam rapidamente dentro do círculo de braços com que estreitava os joelhos. Os olhos da jovem, que eram opacos, haviam registrado sua aparição à porta, mas não pareciam segui-lo no que se aproximava da cama. O funcionário também estava empregando uma lixa de unhas. O médico disse ao funcionário que ia precisar de uns minutos a sós com a srta. Gompert. É como que uma exigência da profissão que um médico sempre que possível esteja lendo ou pelo menos verificando alguma coisa na prancheta quando se dirige a um subordinado, de modo que o médico estava olhando aplicadamente para o prontuário da paciente e para a resma de planilhas e históricos dos transferidos de alas de trauma ou alas psiquiátricas de outros hospitais da cidade. Gompert, Katherine A., 21, Newton, MA. Gestora de Informação de uma imobiliária em Wellesley Hills. Quarta hospitalização em três anos, todas por depressão clínica, unipolar. Uma série de tratamentos eletroconvulsivos no Newton--Wellesley Hospital dois anos antes. Prozac por um curto período, depois Zoloft, mais recentemente Parnate com uma dose de lítio. Duas tentativas de suicídio anteriores, a segunda agora no último verão. Bi-Valium interrompido há dois anos, Xanax interrompido há um ano — um histórico confesso de abuso de medicamentos. Depressão unipolar, bem típica, caracterizada por disforia aguda, ansiedade c/ pânico, inércia/padrões de agitação durante o dia, Ideação c/ e/ou s/ Intenção. Primeira tentativa

74

com CO, o automóvel na garagem morreu antes que uma hemotoxicidade letal fosse atingida. Depois a tentativa do ano anterior — agora sem cicatrizes visíveis, nódulos vasculares dos pulsos obnubilados pela parte interna dos joelhos que abraçava. Ela continuava encarando a porta por onde ele surgira. Essa última tentativa foi uma OD medicamentosa simples com Entrada pelo PS três dias antes, à noite. Dois dias no respirador depois de Lavagem. Crise hipertensiva no segundo dia por reintoxicação metabólica — ela deve ter tomado uma cacetada de comprimidos —, a enfermeira responsável da UTI tinha bipado o capelão, então a reintoxicação deve ter sido pesada. Quase morreu duas vezes dessa vez, essa Katherine Ann Gompert. Terceiro dia na 2-Oeste em observação, Psicosedin relutantemente administrado para uma PA que estava completamente louca. Agora aqui no quinto, sua arena atual. PA estável nas quatro últimas medições. Próxima aferição às 1300h.

A tentativa tinha sido séria, uma tentativa mesmo. Essa menina não estava brincando. Um internamento clínico legítimo que podia ter saído direto do Ievtuchenco ou do Dretske. Mais da metade dos internos das alas psiquiátricas são umas coisas tipo líderes de torcida que entornam dois vidros de Buscopan por terem acabado com o namoradinho do colegial ou umas pessoas cinza, solitárias, assexuadas e deprimentes que ficaram inconsoláveis depois da morte de um bicho de estimação. O trauma catártico de realmente entrar num lugar oficialmente psi-, de uns acenos compreensivos, de uma mera indicação de que alguém dá uma meia mínima que seja — e eles levantam, sacodem a poeira e dão a volta por cima. Três tentativas determinadas e um tratamento de choque não apontavam para um caso desses aqui. O estado interior do médico estava algo entre a trepidação e a empolgação, o que se manifestava exteriormente como uma espécie de preocupação amena e profundamente intrigada.

O médico disse Oi e que queria ter certeza de que ela era Katherine Gompert, já que até então eles não tinham se encontrado.

"Sou eu", num amargo cantarolado curto. A voz dela era estranhamente ensolarada para alguém deitada em posição fetal, de olhos mortos, s/ expressões faciais.

O médico perguntou se ela podia lhe contar um pouco de por que estava ali com eles naquele momento. Ela conseguia lembrar o que aconteceu lá atrás?

Ela respirou ainda mais fundo. Estava tentando transmitir tédio ou irritação. "Eu tomei cento e dez Parnates, coisa de trinta comprimidos de lítio e um tanto de Zoloft. Eu tomei tudo que eu tinha na vida."

"Você estava mesmo querendo se machucar de verdade, então, parece."

"Eles disseram lá embaixo que o Parnate me fez apagar. Fez alguma coisa com a pressão arterial. A minha mãe escutou alguma coisa lá em cima e me achou, ela disse que deitada de lado, mastigando o carpete do meu quarto. O meu quarto tem um carpete felpudo. Ela disse que eu estava no chão toda vermelha e molhada como se fosse um recém-nascido; ela disse que primeiro achou que tinha tido uma alucinação comigo de recém-nascida de novo. De lado toda vermelha e molhada."

"Uma crise hipertensiva faz isso mesmo. É porque a sua pressão arterial estava alta a ponto de poder te matar. Sertralina combinada com um IMAO[28] mata, em quantidade suficiente. E ainda por cima com a toxicidade de todo aquele lítio, eu diria que você tem muita sorte de estar aqui agora."

"A minha mãe às vezes acha que está tendo alucinações."

"Sertralina, aliás, é o Zoloft que você manteve em vez de abandonar quando trocou de medicação."

"Ela diz que eu mastiguei um pedaço do carpete. Vai saber."

O médico escolheu a segunda melhor caneta do conjunto que ostentava no bolso do peito do jaleco e fez uma espécie de anotação na nova ficha de Kate Gompert nessa ala psiquiátrica em particular. Afogada entre as canetas do bolso estava a cabeça de borracha de um martelo ortopédico. Ele perguntou se Kate podia lhe contar por que quis se machucar. Se ela estava com raiva de si própria. De alguém. Se tinha deixado de sentir que a sua vida tinha sentido. Será que tinha ouvido algo como uma voz que sugeria que ela se machucasse.

Não houve resposta audível. A respiração da menina tinha reduzido o ritmo e agora era só rápida. O médico resolveu correr um risco clínico precoce e perguntou a Kate se não ia ser mais fácil se ela se virasse e sentasse na cama para eles poderem conversar mais normalmente, face a face.

"Eu estou sentada."

A caneta do médico estava no ar. O gesto lento da cabeça dele foi estudado, de aparência serenamente intrigada. "Você quer dizer que neste exato momento está sentindo como se seu corpo estivesse numa posição sentada?"

Ela revirou um olho para ele por um longo tempo, suspirou de modo significativo, virou e sentou. Katherine Ann Gompert provavelmente sentia que lá estava mais um médico de ala psiquiátrica com zero senso de humor. Isso provavelmente porque ela não entendia os estritos limites metodológicos que ditavam o quanto ele, como médico, tinha que ser literal com os internos da ala psiquiátrica. Nem que piadas e sarcasmo ali eram normalmente prenhes e férteis demais de significado clínico para não ser levados a sério: sarcasmo e piadas eram muitas vezes o frasco em que os depressivos clínicos enviavam seus gritos mais plangentes, pedindo que alguém cuidasse deles e os ajudasse. O médico — que, por falar nisso, ainda não era médico e sim residente, e estava ali por causa de um estágio psiquiátrico de doze semanas — deixou-se levar por esse devaneio clínico enquanto a paciente fazia uma grande cena para tirar o travesseiro fino debaixo dela e apoiá-lo no sentido do comprimento contra a parede nua atrás da cama e se reclinar afundada nele, os braços cruzados sobre os seios. O médico concluiu que aquela demonstração clara de irritação podia significar tanto algo positivo como nada.

Kate Gompert ficou encarando um ponto sobre o ombro esquerdo do homem. "Eu não estava tentando me machucar. Eu estava tentando me matar. Tem uma diferença."

O médico perguntou se ela podia tentar explicar qual ela achava que era a diferença entre essas duas coisas.

A defasagem entre a pergunta e a resposta dela foi quase insignificantemente mais longa que a pausa numa conversa à paisana normal. O doutor não fazia ideia do que essa observação podia indicar.

"Vocês veem tipos diferentes de suicidas?"

O residente não fez nenhuma tentativa de perguntar a Kate Gompert o que ela queria dizer. Ela usou um dedo para remover alguma coisa do canto da boca.

"Eu acho que provavelmente deve ter uns tipos diferentes de suicidas. Eu não sou desses que se odeiam. O tipo meio que 'Eu sou uma merda e o mundo ia ficar melhor sem mim', sabe, o tipo que diz isso mas que também imagina o que todo mundo vai dizer no velório dele. Eu conheci uns tipos assim nos hospitais por aí. Tadinho-de-mim-eu-me-odeio-me-castigue-vá-no-meu-enterro. Aí eles te mostram uma fotinho colorida do gatinho morto deles. É tudo uma merdarada de gente morrendo de pena de si mesma. Não vale nada. Eu não tinha nenhum rancor especial. Não tomei pau em nenhuma matéria nem pé na bunda. Esses tipos todos. Esses se machucam." Ainda aquela enigmática, inquietante combinação de uma máscara facial inexpressiva com um tom de voz convencionalmente animado. Os pequenos gestos de cabeça do médico eram pensados para demonstrar não uma resposta mas incitações a que ela continuasse, o que Dretske chamava de Movimentadores.

"Eu não quero especialmente me machucar. Ou tipo me castigar. Eu não me odeio. Eu só queria sair dessa. Não queria mais brincar, só isso."

"Brincar", concordando com a cabeça, tomando rápidas notas breves.

"Eu só queria parar de ficar consciente. Eu sou um tipo totalmente diferente. Eu queria parar de me sentir assim. Se eu pudesse só me pôr num coma bem comprido eu tinha feito isso. Ou me dado choque eu tinha feito. Em vez."

O médico estava escrevendo industriosissimamente.

"A última coisa que eu quero é me machucar. Eu só não queria me sentir mais assim. Eu não… Eu não acreditava que isso fosse parar um dia. Não acredito. Ainda não. Eu preferia não sentir nada do que sentir isso."

Os olhos do médico pareciam muito interessados de um jeito absorto. Eles tinham um aspecto extremamente magnificado por trás de seus óculos atraentes mas grossos, de aros de aço. Pacientes de outros andares em outros estágios tinham às vezes reclamado que de vez em quando se sentiam como alguma coisa dentro de um pote que ele estava analisando aplicadamente através de todo aquele vidro. Ele estava dizendo "Essa sensação de querer parar de sentir através da morte, então, é…".

O jeito de ela subitamente sacudir a cabeça foi veemente, exasperado. "A sensação é o *porquê* de eu querer. A sensação é a *razão* de eu querer morrer. Eu estou aqui porque eu quero morrer. É por isso que eu estou num quarto sem janelas e com grades em cima das lâmpadas e sem tranca na porta do banheiro. Que eles me tiraram os cadarços e o cinto. Mas eu percebi que eles não levam a sensação embora né."

"Essa sensação que você está descrevendo então é uma coisa que você já sentiu nas suas outras depressões, Katherine?"

A paciente não respondeu de pronto. Tirou os pés do sapato e tocou um pé descalço com os dedos do outro. Seus olhos seguiam a atividade dele. A conversa parecia ter ajudado a paciente a se concentrar. Como a maioria dos pacientes clinicamente depressivos, ela parecia funcionar melhor quando estava concentrada do que em estase. A estase paralisada normal deles era o que permitia que suas mentes os destroçassem. Mas era sempre uma luta titânica conseguir que eles fizessem qualquer coisa que os ajudasse a se concentrar. A maioria dos residentes achava o quinto andar um lugar deprimente para estagiar.

"O que eu estou perguntando, eu acho, é se essa sensação que você está me comunicando é a sensação que você associa com a sua depressão."

O olhar dela se afastou. "É assim que vocês querem chamar isso, eu acho."

O médico apertou algumas vezes o botão da caneta e explicou que estava mais interessado em como *ela* queria chamar aquela sensação, já que a sensação era dela.

O estudo retomado dos movimentos dos pés. "Quando as pessoas chamam assim eu sempre fico puta porque eu sempre acho que *depressão* lembra assim quando você fica supertriste, fica quieta e melancólica e fica lá sentada quietinha do lado da janela suspirando ou deitada à toa. Um estado de quem não dá bola pra nada. Um tipo de estado tristinho tipo estado de paz." Ela parecia para o médico decididamente mais animada agora, mesmo que parecesse incapaz de olhá-lo nos olhos. A respiração dela tinha acelerado. O médico lembrou que episódios hiperventilatórios clássicos caracterizavam-se por espasmos carpopedais, e tentou não se esquecer de monitorar cuidadosamente as mãos e os pés da paciente durante a entrevista clínica em busca de quaisquer sinais de contração tetânica, caso em que a terapia prescrita seria cálcio EV numa percentagem de solução salina que ele teria de verificar rapidinho.

"Bom, mas *isso*" — ela apontou para si mesma com um gesto — "não é um estado. Isso é uma *sensação*. Eu sinto por tudo. Nos braços e nas pernas."

"Isso por acaso inclui os carpos — as mãos e os pés?"

"Por *tudo*. Cabeça, garganta, bunda. Na barriga. É por tudo em tudo. Eu não sei do que eu posso chamar isso. Parece que eu não consigo sair direto de dentro disso pra poder chamar de alguma coisa. É tipo horror mais que tristeza. É mais tipo horror. É tipo que uma coisa horrorosa está para acontecer, a coisa mais horrorosa que você conseguir imaginar. Não, é pior que você conseguir imaginar, porque a sensação é de que tem alguma coisa que você precisa fazer tipo já pra parar tudo isso, mas você não sabe o que é que você tem que fazer, e aí está acontecendo, também, o tempo todo, horroroso, está pra acontecer e também está acontecendo, tudo ao mesmo tempo."

"Então você diria que a ansiedade é uma parte considerável das suas depressões."

Não estava claro agora se ela estava reagindo ao médico ou não. "Tudo fica horroroso. Tudo que você vê fica feio. A palavra é *lúgubre*. O dr. Garton disse *lúgubre* uma vez. Essa é que é a palavra certa pra isso. E tudo soa áspero, espinhudo meio áspero, como se todo som que você ouvisse de repente tivesse dentes. E com um cheiro como se eu estivesse fedendo até quando acabei de sair do banho. É meio tipo pra que tomar banho se tudo cheira como se eu precisasse tomar outro banho."

O médico pareceu intrigado mais do que preocupado por um momento enquanto anotava tudo isso. Ele preferia escrever à mão a escrever num laptop porque sentia que os médicos que digitavam no colo durante as entrevistas clínicas passavam uma impressão de frieza.

O rosto de Kate Gompert se contorceu por um momento enquanto o médico escrevia. "Eu tenho mais medo dessa sensação do que de qualquer coisa, meu. Mais do que da dor, ou da minha mãe morrer, ou da contaminação do meio ambiente. Mais que tudo."

"O medo é parte considerável da ansiedade", o médico confirmou.

Katherine Gompert pareceu sair do seu negro devaneio por um momento. Ela encarou o médico de frente por vários segundos, e o médico, que tinha sido treinado direitinho para não ter o desconforto de ser encarado pelos pacientes quando tinha passado pela ala de paralíticos/-plégicos no andar de cima, também foi capaz de olhar direto para ela com um tipo de compaixão morna, com a expressão de alguém que era compassivo mas que não estava, claro, sentindo o que ela sentia e que demonstrava respeito pelas sensações subjetivas dela ao nem sequer tentar fingir que estava. Compartilhando delas. A expressão da moça, por sua vez, revelava que ela também tinha decidido correr o que para ela era um risco assim tão cedo numa relação terapêutica. A alheada resolução no rosto dela agora duplicava a que estivera no rosto do médico quando ele tinha se arriscado a pedir que ela sentasse na cama.

"Olha", ela disse. "Você já ficou mal? Assim enjoado, tipo sabendo que vai vomitar?"

O médico fez um gesto tipo Mas claro.

"Mas é só na barriga", Kate Gompert disse. "É uma sensação horrorosa, mas só na barriga. É por isso que as pessoas dizem que estão com um 'desconforto gástrico'." Ela estava de novo olhando com toda a atenção para os seus carpopedais inferiores. "O que eu disse para o dr. Garton foi beleza, mas imagine se você sentisse isso por tudo, por dentro. No seu corpo inteiro. Tipo cada celulazinha e cada átomo ou neurônio ou sei lá o quê tão enjoado que queria vomitar, mas não podia, e você se sentindo assim o tempo todo, e você tem certeza, você não tem a menor dúvida de que a sensação não vai passar nunca, que você vai passar o resto da sua vida se sentindo desse jeito."

O médico escreveu alguma coisa breve demais para corresponder diretamente ao que ela disse. Ele ficou balançando a cabeça tanto enquanto estava escrevendo quanto quando ergueu os olhos. "Mesmo assim essa sua sensação de náusea já veio e já foi embora no passado, acabou passando durante as outras depressões, Katherine, não é verdade?"

"Mas quando você está dentro da sensação você esquece. A sensação parece que sempre esteve lá e que sempre vai estar lá, e você esquece. É como se caísse um puta filtro por cima de todo o seu jeito de pensar em tudo, umas semanas depois…"

Eles ficaram se olhando. O médico sentia uma mistura de intenso entusiasmo clínico e angústia de talvez dizer a coisa errada num momento assim tão crucial e estragar tudo. O sobrenome dele estava bordado com fio amarelo no lado esquerdo do jaleco branco que ele era obrigado a usar. "Como é? Umas semanas depois…"

Ele esperou sete respirações.

"Eu quero choque", ela disse por fim. "Não faz parte dessa coisa toda de delicadeza e atenção você me perguntar como eu acho que você pode me ajudar? Porque eu já passei por isso. Você não perguntou o que eu quero. Não é verdade? Bom que tal você ou me dar ECT[29] de novo ou me devolver o cinto. Porque eu não aguento sentir isso nem mais um segundo, e os segundos não param de vir, não param."

"Bom", disse o médico lentamente, assentindo com a cabeça para indicar que tinha levado em conta as sensações que a moça estava exprimindo, "bom, eu não vejo problema em discutir opções de tratamento com você, Katherine. Mas é que eu tenho que dizer que neste exato momento estou curioso sobre o que você começou, me pareceu, a querer indicar que pudesse ter acontecido há duas semanas para fazer você sentir essas coisas agora. Você se incomodaria de falar disso comigo?"

"Ou ECT ou vocês podiam só me sedar por um mês. Vocês podiam fazer isso. Eu só preciso acho que de um mês apagada. Tipo coma induzido. Vocês podiam fazer isso, se quisessem me ajudar."

O médico a olhava fixamente com uma paciência que ela deveria perceber.

E ela lhe devolveu um sorriso assustador, um sorriso esvaziado de todo sentimento, como se alguém tivesse contraído seus circum-orais com um eletrodo tigmotático. Os dentes do sorriso mostravam a clássica desatenção dos deprimidos clínicos para com a higiene bucal.

Ela disse: "Eu estava pensando que eu estava a ponto de dizer que você ia me achar louca se eu contasse. Mas aí eu lembrei onde é que eu estou". Ela fez um barulhinho que deveria ser uma risada; soava serrilhado, dentado.

"Eu ia dizer que eu às vezes achei antes que a sensação tipo de repente tinha a ver com Hope."

"Roupa?"

Os braços dela tinham permanecido cruzados na frente dos seios o tempo todo, e embora o quarto estivesse aquecido a paciente esfregava a palma das mãos continuamente nos antebraços, um comportamento associado ao frio. A posição e o movimento blindavam a parte interna de seus braços contra a visão. As sobrancelhas do médico tinham ficado sinclinais por causa da desorientação sem ele perceber.

"O Bob."

"Bob." O médico estava angustiado, com medo de que a sua incapacidade de ter a mais leve ideia do que a menina estava querendo dizer se traísse e acentuasse a sensação de solidão e de dor psicológica da paciente. Os unipolares clássicos normalmente eram torturados pela convicção de que ninguém conseguia ouvir ou entender o que eles diziam quando tentavam comunicar alguma coisa. Daí as piadas, o sarcasmo, a psicopatologia de esfregar inconscientemente os braços.

A cabeça de Kate Gompert oscilava como a de um cego. "Meu Deus o que é que eu estou *fazendo* aqui. Bob Hope. Erva. Suruma. Marofa. Rafi. Fumo." Ela fez um rápido gesto-baseado com o polegar e um dedo diante dos lábios redondos. "Os traficas lá de onde eu compro tem uns que chamam de Bob Hope quando você liga, caso alguém tenha grampeado a linha. Você tem que perguntar se o Bob está na cidade. E se eles tiverem erva eles normalmente dizem Quem espera sempre alcança. É tipo um código. Tem um menino que faz você pedir por favor pra ele cometer um crime. Os traficas que duram algum tempo no mercado tendem a ser mais para o paranoico. Como se uma coisa dessa fosse enganar qualquer um que tivesse informação suficiente para acessar a frequência do telefonema." Ela parecia decididamente mais animada. "E um cara em particular com umas cobras num aquário lá num trailer em Allston, ele…"

"Aí 'as drogas', então, você está dizendo que você acha que podem ser um fator", o médico interrompeu.

O rosto da moça deprimida se esvaziou mais uma vez. Ela lançou rapidamente o que os funcionários que cuidam dos Especiais chamam de um Olhar de Mil Metros.

"Não *as drogas*', ela disse devagar. O médico sentiu cheiro de vergonha no quarto, azedo e urêmico. O rosto dela tinha se tornado distantemente dolorido.

A menina disse: "Parar".

O médico se sentiu à vontade para dizer mais uma vez que não sabia bem se tinha entendido o que ela estava tentando dividir com ele.

Ela exibiu uma série de expressões que tornavam clinicamente impossível para o médico determinar se ela estava ou não sendo totalmente sincera. Ela parecia ou com dor ou tentando de alguma maneira conter a hilaridade. Ela disse: "Não sei se você vai acreditar em mim. Eu tenho medo que você me ache maluca. Eu tenho esse negócio com a ganja".

"Ou seja, maconha."

O médico estava estranhamente convicto de que Kate Gompert fingiu fungar em vez de dar uma fungada verdadeira. "Maconha. Quase todo mundo acha que maconha é só uma coisinha sem importância, eu sei, tipo uma planta natural que por acaso te deixa legal que nem carvalho venenoso te deixa com coceira, e se você diz que está tendo problemas com o Bob — neguinho só ri. Porque tem droga muito pior por aí. Pode acreditar, que eu sei."

"Eu não estou rindo de você, Katherine", o médico disse, e foi sincero.

"Mas é que eu adoro *tanto*. Às vezes é tipo o centro da minha vida. Me faz alguma coisa que não é legal, eu sei, e me disseram com todas as letras pra eu não fumar tomando Parnate, porque o dr. Garton disse que ninguém ainda sabia o que certas misturas fazem e ia ser roleta-russa. Mas depois de um tempo eu sempre penso assim que faz tempo e que dessa vez vai ser tudo diferente se eu fumar, mesmo tomando Parnate, aí eu fumo de novo. Eu começo só dando uns tapas num baseadinho depois do trabalho, pra encarar a janta, porque jantar só eu e a minha mãe é… bom, mas aí logo, logo depois de um tempo eu estou no meu quarto com o ventilador virado pra janela a noite toda, fumando de marica e soprando no ventilador pro cheiro sair, e eu faço ela dizer que eu não estou se alguém liga, e minto sobre o que eu estou fazendo lá a noite inteira mesmo quando ela não pergunta, às vezes ela pergunta e às vezes não. Aí depois de um tempo eu estou fumando beque no trabalho, nas pausas, indo pro banheiro e subindo na privada pra soprar pela janela, tem uma janelinha lá em cima com vidro jateado e toda suja e cheia de teia de aranha, e eu odeio ficar com a cara perto daquilo, mas se eu limpar eu tenho medo que a sra. Diggs ou alguém acabe sacando que alguém está fazendo alguma coisa lá na janela, ali em pé de salto alto na borda da privada, escovando o dente o tempo todo e usando Collyrium[30] aos montes e deixando o console no áudio e sempre querendo mais água antes de atender o console porque a minha boca fica seca demais pra eu falar, especialmente tomando Parnate, o Parnate já me deixa de boca seca. E logo, logo eu estou totalmente paranoica achando que eles sabem que eu estou chapada no trabalho, sentada ali no escritório, doida, fedendo, e que eu sou a única que não percebe que eu estou fedendo, eu fico tipo tão obcecada Será Que Eles Sabem, Será Que Dá Pra Ver, e aí depois de um tempo eu estou mandando a minha mãe ligar pra dizer que eu estou doente pra eu poder ficar em casa depois que ela vai trabalhar e ficar com a casa toda só pra mim sem ninguém pra eu me preocupar Será Que Eles Sabem, e fumar no ventilador, e borrifar Lysol por tudo que é canto, e remexer na caixa de areia da Ginger pra casa toda ficar fedendo a Ginger, e fumar e desenhar e assistir umas coisas horríveis que passam no TP de tarde porque eu não quero que a minha mãe veja pedidos de cartuchos nos dias em que eu devia estar doente de cama, eu começo a ficar obcecada por Será Que Ela Sabe. Eu vou ficando cada vez mais acabada e de saco cheio de mim mesma por fumar tanto, isso depois de umas semanas, e só, aí começo a ficar chapada e a só pensar em como eu tenho que parar com esse monte de Bob pra poder voltar a trabalhar e começar a dizer que estou em casa quando as pessoas ligam, pra eu poder começar a viver alguma porra de uma *vida* em vez de só ficar sentada de pijama fingindo que eu estou doente que nem uma aluninha de terceiro ano e fumando e vendo TP de novo, aí depois que eu acabei de fumar o que eu tinha eu sempre digo Chega, Acabou e jogo fora todas as minhas sedinhas e a minha marica, eu provavelmente já joguei umas cinquenta maricas no lixo, inclusive umas bacanas de madeira e latão, inclusive umas brasileiras, os caras da carreta devem passar pela lixeira do nosso setor uma vez por dia pra pegar outra marica boa. Mas enfim eu acabo largando. Eu paro mesmo. Fico de saco cheio, eu não gosto de como eu fico com aquilo. E volto a trabalhar e trabalho até me matar, pra compensar as últimas semanas e me embalar pra tipo ganhar um ritmo pra começar do zero, sabe?"

O rosto e os olhos da moça estavam passando por diversas escalas de configurações emocionais, todas parecendo inexplicavelmente em termos instintivos de alguma maneira vazias e talvez não totalmente sinceras.

"Então", ela disse, "aí eu largo. E depois de umas semanas que eu fumei um monte e finalmente parei e larguei e voltei a viver de verdade, depois de umas semanas essa *sensação* sempre começa a aparecer, aparece só um pouquinho assim de canto de olho no começo, tipo bem quando eu acordo, ou ali esperando o T pra ir pra casa, depois do trabalho, pra jantar. E eu tento negar ela, a sensação, ignorar, porque eu tenho mais medo dela do que de qualquer outra coisa."

"Da sensação que você está descrevendo, que começa a aparecer."

Kate Gompert finalmente respirou de verdade. "E aí não importa o que eu faça vai ficando cada vez pior, está lá cada vez mais, cai um filtro, e a sensação deixa pior o medo da sensação, e depois de umas semanas está comigo o tempo todo, a sensação, e eu estou totalmente dentro dela, eu estou nela, e tudo tem que passar por ela pra entrar, e eu não quero mais fumar Bob, não quero ir trabalhar, nem sair, nem ler, nem ver TP, nem sair, nem ficar em casa, nem fazer alguma coisa ou não fazer, eu não quero *nada*, só que a sensação vá *embora*. Mas ela não vai. Parte da sensação é estar tipo a fim de fazer qualquer coisa pra ela ir embora. Sabe. *Qualquer coisa*. Você está entendendo? Não é vontade de me machucar, é vontade de *não sentir dor*."

O médico nem tinha tentado anotar isso tudo. Ele não conseguia deixar de ficar tentando estabelecer se a insinceridade vazia que a paciente parecia projetar no ambiente durante o que dava a impressão, clinicamente, de ser um risco significativo e um grande passo adiante rumo à confiança e à autorrevelação era de fato projetada pela paciente ou de alguma maneira contratransferida ou contraprojetada na paciente pela própria psique do médico em função de algum tipo de ansiedade sobre as possibilidades terapêuticas críticas que a revelação da preocupação dela com o uso de drogas podia representar. O tempo que esses raciocínios demandaram pareceu ser uma sóbria e considerada reflexão sobre o que Kate Gompert disse. Ela estava olhando de novo para as interações entre seus pés e o dockside vazio, o rosto se movendo entre expressões associadas à dor e ao sofrimento. Nada na literatura clínica que o médico tinha lido para este estágio psiquiátrico sugeria alguma relação entre episódios unipolares e a abstinência de canabinoides.

"Então isso já aconteceu antes, antes das suas outras hospitalizações, Katherine."

O rosto dela, escorçado pelo ângulo descendente, dedicava-se às amplas configurações retorcidas do choro, mas lágrima alguma emergia. "Eu só quero que você me dê choque. Só me tire disso. Eu faço o que você quiser."

"Você já explorou com o seu terapeuta essa possível conexão entre o seu uso de cannabis e as suas depressões, Katherine?"

Ela não respondeu de forma direta, por assim dizer. As associações dela começaram a se afrouxar, na opinião do médico, enquanto seu rosto continuava trabalhando a seco.

"Eu já tomei choque e serviu para me tirar disso. Cintas. Enfermeiras com os tênis delas dentro de uns saquinhos verdes. Injeções antissaliva. A coisa de borracha por causa da língua. Geral. Só umas dores de cabeça. Eu não me incomodei *nadinha*. Eu sei que todo mundo acha horroroso. Aquele cartucho antigo, com o Nichols e aquele índio grandão. Distorção. Eles dão geral aqui, né? Eles te apagam. Não é tão ruim assim. Eu vou na boa."

O médico estava fazendo um resumo da escolha terapêutica dela, como ela tinha direito, na ficha. Ele tinha uma letra excepcionalmente boa para um médico. Ele pôs entre aspas o *me tire disso* dela. Ele estava acrescentando sua própria pergunta pós-avaliação, *E depois?*, quando Kate Gompert começou a chorar de verdade.

* * *

E um pouco antes de 0145h do dia 2 de abril do AFGD, a esposa dele voltou para casa, descobriu o cabelo, entrou, viu o adido médico do Oriente Próximo, o rosto dele, a bandeja, os olhos, a posição da poltrona reclinável especial, e correu para junto do marido gritando seu nome, tocando na cabeça dele, tentando obter alguma reação, não conseguindo nenhuma reação a ela, com ele ainda olhando direto para a frente; por fim e naturalmente ela — percebendo que a expressão de ricto no rosto do marido entretanto parecia bastante positiva, em êxtase, até, dava para dizer — ela por fim e naturalmente virou a cabeça e seguiu a linha de visão dele até o visor de cartuchos.

Gerhardt Schtitt, Técnico Principal e Diretor Esportivo da Academia de Tênis Enfield, Enfield, MA, foi intensamente cortejado pelo Diretor da ATE, o dr. James Incandenza, que praticamente implorou para ele entrar nos quadros no momento em que se rasourou o topo do morro da Academia e a instituição começou a funcionar. Incandenza tinha decidido que era Schtitt ou mais ninguém — muito embora Schtitt tivesse acabado de ser convidado a se demitir de uma escola de Nick Bollettieri em Sarasota por causa de um incidente extremamente infeliz envolvendo um rebenque.

Mas a essa altura quase todo mundo da ATE acha que essas estórias sobre essa coisa toda do Schtitt com castigos corporais deve ter sido exagerada muito além dos limites da decência, porque muito embora Schtitt ainda se incline a usar aquelas botas altas e brilhantes e, sim, ainda as dragonas, e agora uma varinha telescópica de meteorologista que é uma clara substituta do ora interdito velho rebenque, ele amoleceu, o Schtitt, próximo do que devem ser os seus setenta anos, e chegou a um estágio meio de estadista ancião em que se tornou basicamente um fornecedor de abstrações, em vez de disciplina, um filósofo em vez de um rei. A presença que dele se sente aqui é basicamente verbal; a varinha de meteorologista não fez contato punitivo com nenhuma bunda atlética em todos os nove anos de Schtitt na ATE.

Contudo, embora ele hoje tenha todos esses *Lebensgefährtins*[31] e pró-reitores para administrar quase todas as pequenas crueldades formadoras de caráter, Schtitt ainda gosta de se divertir de vez em quando, contudo.

Aí mas quando Schtitt enverga o capacete de couro e os óculos e esquenta a velha moto BMW dos tempos da RFA e segue no encalço dos suarentos pelotões da ATE que sobem os morros da Comm. Ave. rumo a East Newton nas duas corridas de condicionamento matinais, empregando judiciosamente a zarabatana de bolso para desencorajar os retardatários mais preguiçosos, é normalmente Mario Incandenza, 18, quem ganha o privilégio de ir a seu lado no sidecar, cuidadosamente estabilizado e cinto-de-segurançalmente preso, o vento soprando seu cabelo fino para longe da cabeça descomunal, sorrindo largo e acenando com a garra para as pessoas que conhece. É possivelmente esquisito que o leptossomático Mario I., tão defeituoso que não consegue nem segurar uma raquete, que dirá bater com ela numa bola em movimento, seja o único menino da ATE cuja companhia Schtitt procura, seja na verdade basicamente a única pessoa com quem Schtitt fala com franqueza, solta sua franga pedagógica. Ele não é particularmente muito próximo dos seus pró-reitores, o Schtitt, e trata Aubrey deLint e Mary Esther Thode com uma formalidade quase paródica. Mas em não poucas tardes cálidas às vezes Mario e o Técnico Schtitt se veem a sós sob o pavilhão de lona das Quadras Leste ou sob as imensas faias-europeias do Com.-Ad., ou a uma das mesas de piquenique de pau-brasil todo riscado de iniciais que ficam ao lado da trilha que passa por trás da Casa do Diretor onde vivem a mãe e o tio de Mario, Schtitt libando um cachimbo pós-prandial, Mario gozando os aromas da coreópsis junto dos caminhos em quincunce do terreno, de adocicados pinhais e do almíscar levedurado da sarça que sobe das encostas do morro. E ele gosta mesmo do odor sulfúreo do obscuro tabaco austríaco de Schtitt. Schtitt fala, Mario ouve, em geral. Mario para todos os efeitos é um ouvinte nato. Um das coisas positivas de ser visivelmente prejudicado é que as pessoas às vezes esquecem que você está ali, mesmo quando estão interagindo com você. Você fica quase xeretando sem ser percebido. É meio como se elas pensassem: Se não tem ninguém de verdade ali dentro, não há por que eu ficar com timidez. É por isso que sempre há a tendência de se soltar uma bobagem diante de ouvintes prejudicados, de crenças sérias serem reveladas, de se deixar levar por devaneios particulares à la meu caro diário; e, ouvindo, o garoto sorridente e bradicinético consegue forjar uma conexão interpessoal cuja existência ele sabe que pode sentir de verdade aqui.

Schtitt tem esse tipo de secura corporal meio arrepiante dos homens velhos que ainda se exercitam vigorosamente. Ele tem olhos azuis surpresos e um cabelo branco raspado do tipo que parece viril e que fica bem em velhos que de qualquer maneira já perderam bastante cabelo. E uma pele tão branco-lençol-limpinho que quase brilha; uma evidente imunidade ao UV do sol; à luz do crepúsculo, se toldada pelos pinhais, ele é quase cintilantemente branco, como que feito do material de que são feitas as luas. Ele tem uma maneira muito estreita de concentrar toda a extensão do seu eu, ajustando a abertura das pernas por causa das varicoses e enroscando um braço sobre o outro como que se recolhendo em volta do cachimbo de que cuida. Mario consegue ficar sentado imóvel por períodos bem longos. Quando Schtitt exala fumaça de cachimbo em diferentes formatos geométricos que os dois parecem examinar atentamente, quando Schtitt exala ele faz uns barulhinhos cuja oclusão varia entre um P e um B.

"Estou percebendo todo mito de eficiência e de não desperdício que está fazendo esse continente de países que estamos em." Ele exala. "Conhece mitos?"

"É tipo uma estória?"

"Ach. Uma estória inventada. Para umas crianças. Uma eficiência de Euclides só: plana. Para criança plana. Adiante! Siga em frente! Vá! Isso é mito."

"Não existe criança plana de verdade."

"Esse mito da competição e da melhoração que nós lutamos para vocês aqui jogadores: esse mito: eles pensam aqui sempre que jeito eficiente é seguir adiante, vai! A estória que o menor caminho entre dois pontos é a linha reta, não?"

"Não?"

Schtitt sabe usar a piteira do cachimbo para apontar, como ênfase: "Mas e quando alguma coisa fica *na frente* quando você vai de um lugar para o outro, não? Siga adiante: vá: colide: *kabong*".

"Cacilda!"

"Cadê a reta menor então, não é? Cadê a eficientemente velozmente reta de Euclides então, não é? E quantos dois lugares tem sem que tenha alguma coisa no caminho entre elas, se você vai?"

Pode ser divertido ficar olhando os mosquitos no crepúsculo dos pinhais que pousam e se alimentam pesadamente do luminoso Schtitt, que nem percebe. A fumaça não os afasta.

"Quando eu sou infantil, treinando para competir para ser o melhor, a nossa escola de treinamento numa placa, pintada bem grande, declarava NÓS SOMOS O QUE NOS CERCA NO CAMINHO."

"Nossa."

É uma tradição, talvez brotada dos tímpanos dos vestiários do All-England em Wimbledon, que toda grande academia de tênis tenha o seu lema tradicional na parede dos vestiários, alguma pílula especial de sabedoria aforística que supostamente descreve e embasa a filosofia daquela academia. Depois que o dr. Incandenza, o pai de Mario, faleceu, o novo diretor, o dr. Charles Tavis, um cidadão do Canadá, ou meio-irmão, ou irmão adotivo da sra. Incandenza, dependendo da versão, C.T. retirou o lema original de Incandenza — *TE OCCIDERE POSSUNT SED TE EDERE NON POSSUNT NEFAS EST*[32] — e o substituiu pelo mais otimista O HOMEM QUE CONHECE SEUS LIMITES NÃO TEM LIMITES.

Mario é um grande fã de Gerhardt Schtitt, que a maioria dos alunos da ATE provavelmente considera pirado, e s/ sombra de dúvida logorreico a ponto de afrouxar os parafusos da cabeça dos outros, mas demonstram um respeito proforma pelo velho sábio só porque Schtitt ainda supervisiona pessoalmente as atribuições de exercícios diários e pode, quando irritado, fazer com que Thode e deLint os tornem extremamente desagradáveis mais ou menos conforme lhe der na veneta lá nos treinos matinais.

Um dos motivos por que o falecido James tinha feito assim tanta questão de trazer Schtitt para a ATE era que Schtitt, como o próprio fundador (que tinha voltado ao tênis, e depois ao cinema, vindo de uma formação em ciência óptica baseada em matemática-duríssima), era que Schtitt lidava com o tênis competitivo mais como um matemático puro do que como um engenheiro. A maioria dos técnicos de tênis juvenil é basicamente de engenheiros, uns nerdzinhos práticos mão-na-massa, resolvedores-de-problemas tipo-trator, obcecados por dados estatísticos, com de repente uma quedinha a mais por psicologia de curto prazo e discursos motivacionais. A razão de não ficar pirado com estatísticas é que Schtitt tinha insinuado para Incandenza, lá na convenção da ATEU sobre uso de aparatos elétricos para julgar as bolas na linha no distante ano 1989 AS,[33] que ele, Schtitt, sabia que o tênis de verdade não era a mistura de organização estatística e potencial expansivo que os engenheiros do jogo reverenciavam, mas na verdade o contrário — *não* organização, *limite*, os lugares em que as coisas se rompem em cacos e beleza. Que o tênis de verdade era tão irredutível a fatores delimitados ou curvas de probabilidade quanto o xadrez ou o boxe, os dois jogos do qual é um híbrido. Em resumo, Schtitt e o óptico compridão da CEA (ou seja, Incandenza), cuja abordagem direta tipo saque-e-corre-direto-pra-rede tinha lhe rendido um curso inteiro com bolsa no MIT, e cuja consultoria sobre rastreamento fotoelétrico de alta velocidade os fodões da ATEU acharam densa a ponto de exceder qualquer possibilidade de compreensão, se viram totalmente chapinhas no que se referia à isenção do tênis da regressão estatiticizante. Estivesse ainda entre os vivos, o dr. Incandenza hoje descreveria o tênis nos termos paradoxais do que agora se chama "Dinâmica Extralinear".[34] E Schtitt, cujo conhecimento de matemática formal é provavelmente equivalente ao de um aluno de prezinho na Tailândia, mesmo assim parecia saber o que Hopman, Van der Meer e Bollettieri pareciam não saber: que situar beleza, arte, mágica, aperfeiçoamento, chaves para a excelência e vitória no prolixo fluxo do jogo em disputa não é uma questão fractal de se reduzir o caos a um padrão. Parecia intuitivamente sentir que era uma questão não de redução, de maneira alguma, mas — perversamente — de expansão, da palpitação aleatória do crescimento descontrolado, metastático — admitindo cada bola bem rebatida n possíveis respostas, n^2 possíveis respostas a essas respostas, e assim por diante no que Incandenza articulava para todos que compartilhassem suas duas formações como um contínuo cantoriano[35] de infinidades de possíveis lances e respostas, cantoriano e lindo porque *in*voluto, *contido*, essa diagnata infinidade de infinidades de escolha e execução, limitada pelo talento e pela imaginação do eu e do adversário, recurvada sobre si própria pelas fronteiras delimitadoras da habilidade e da imaginação que derrubavam finalmente um dos jogadores, que evitavam que ambos vencessem, que faziam daquilo, finalmente, um jogo, essas fronteiras do eu.

"Você quer dizer tipo que as linhas da quadra são umas fronteiras?", Mario tenta perguntar.

"*Lieber Gott nein*", com um som enojado e oclusivo. Schtitt gosta dentre todas as formas de fumo de tentar soprar anéis, e é meio incompetente nisso, soprando em geral umas salsichas moloides cor de lavanda, o que Mario acha maravilhoso.

O negócio com o Schtitt é que, como a maioria dos europeus da sua geração, ancorados desde a infância em certos valores permanentes que — tudo bem, vá lá, reconheçamos — podem, admitidamente, ter um cheirinho de um potencial protofascista, mas que, não obstante tudo isso, ancoram (os valores) muito bem a alma e o trajeto de uma vida — coisas patriarcais do Velho Mundo tipo honra, disciplina e fidelidade a uma unidade mais ampla — não é nem que Gerhardt Schtitt não goste dos EUAONANitas modernos, mas é mais que ele acha isso tudo ao mesmo tem-

87

po hilário e assustador. Provavelmente mais para *alienígena*. Isso não deveria ser exposto assim dessa maneira, mas Mario Incandenza tem um escopo de memória verbatim severamente limitado. Schtitt foi educado no *Gymnasium* pré-Unificação sob a ideia bem kanto-hegeliana de que o esporte juvenil era basicamente formação de cidadãos, que praticar esporte na juventude era aprender a sacrificar os férvidos e estreitos imperativos do Eu — as necessidades, os desejos, os medos, as multiformes carências da vontade apetitiva individual — em nome dos mais amplos imperativos de uma equipe (tudo bem, o Estado) e de um conjunto de regras delimitadoras (tudo bem, a Lei). Parece quase assustadoramente simplório, ainda que não para Mario, do outro lado da mesa de pau-brasil, ouvindo. Ao aprender, *in praelio*, as virtudes que geram recompensas diretas nos jogos competitivos, o bem disciplinado rapaz começa a construir suas habilidades mais abstratas de retardamento de gratificação, necessárias para ser um "membro da equipe" numa arena mais ampla: o caos moral sutilimamente mais difratado da cidadania plenamente a serviço do Estado. Só que Schtitt diz *Ach*, mas quem é que pode imaginar esse treinamento a serviço do seu propósito original numa nação experialista e exportadora de lixo que esqueceu a privação, a carestia e a disciplina que a carestia ensina ao exigir? Nesses EU da moderna A em que o Estado não é uma equipe ou um código, mas uma espécie de interseção mal definida de desejos e medos, onde o único consenso público a que um garoto tem que se render é a reconhecida primazia da necessidade de perseguir em linha reta essa ideia plana e míope da felicidade pessoal:

"O prazer feliz da pessoa sozinha, não?"

"Só que por que você deixa o deLint amarrar o cordão do tênis do Pemulis e do Shaw nas linhas, se as linhas não são uma fronteira?"

"Sem haver algo maior. Nada para conter e dar o sentido. Só. *Verstiegenheit*."[36]

"Saúde."

"Qualquer alguma coisa. O *oquê*: isso é mais desimportante que existir *alguma-coisa*."

Schtitt uma vez estava falando para o Mario, enquanto os dois respectivamente andavam e cambaleavam pela Comm. Ave. rumo leste para Allston para ver se conseguiam um sorvete tipo gourmet em algum lugar do caminho, que quando ele tinha a idade do Mario — ou talvez mais tipo a idade do Hal, sei lá — ele (Schtitt) uma vez se apaixonou por uma árvore, um salgueiro que de uma certa e única perspectiva crepuscular tinha ficado parecido com uma mulher misteriosa envolta em véus, essa certa árvore de uma *Platz* pública de alguma cidade da Alemanha Oriental cujo nome soava para Mario como o som de alguém sendo estrangulado. Schtitt relatou ter ficado gravemente tocado pela árvore:

"Eu ia diariamente lá, para ficar com a árvore."

Eles respectivamente andavam e cambaleavam atrás do sorvete, Mario seguindo como aquele entre eles que fosse de fato velho, a cabeça desligada do passo porque estava tentando pensar com força no que Schtitt acreditava. A expressão de pensamento concentrado de Mario se assemelha ao que para outra pessoa seria o tipo de rosto comicamente distorcido que se faz para divertir uma criança. Ele estava tentando pensar como articular alguma forma razoável de pergunta tipo: mas aí como é que esse negócio de sacrificar-as-necessidades-pessoais-individuais-em-nome-de-um-Estado-maior-ou-árvore-adorada-ou-*algumacoisa* funcionava num esporte deliberadamente *individual* como o tênis juvenil competitivo, onde é só você v. um outro cara?

E aí também, de novo, ainda, o que é que são essas fronteiras, se não são as linhas da quadra, que contêm e dirigem a tal expansão infinita para dentro, que torna o tênis algo como xadrez em movimento, lindo e infinitamente denso?

A ideia final de Schtitt e sua única e enorme irresistível atração aos olhos do falecido pai de Mario: O verdadeiro adversário, a fronteira delimitadora, é o próprio jogador. Sempre e só o eu que está lá, em quadra, a ser enfrentado, combatido, levado à mesa em que será forçado a aceitar os termos. O garoto que compete do outro lado da rede: ele não é o inimigo; ele é um parceiro de dança. Ele é a como é que chama *desculpa* ou *oportunidade* para você encontrar o eu. Como você é a oportunidade dele. As infinitas raízes da beleza do tênis são autocompetitivas. Você compete com os seus próprios limites para transcender o eu em imaginação e execução. Sumir no jogo: romper limites: transcender: melhorar: vencer. Que é a razão de o tênis ser uma cruzada essencialmente trágica, para se aperfeiçoar e crescer como juvenil sério, com ambições. Você busca vencer e transcender o eu limitado cujos limites são a mesma razão do próprio jogo. É trágico, é triste, é caótico, é agradável. Toda vida é igual, como cidadãos do Estado humano: os limites vivificantes ficam dentro, à espera de serem mortos e pranteados, repetidamente.

Mario pensa num poste de aço erguido até dobrar a sua altura nominal e bate o ombro na borda verde de aço de uma lixeira, piruetando-se quase até o cimento antes de Schtitt se lançar e pegá-lo, e quase parece que eles estão executando um passo de dança dramático enquanto Schtitt diz que esse jogo que todos estão na ATE para aprender, esse sistema infinito de decisões, ângulos e linhas que os irmãos de Mario se esforçaram tão brutalmente para dominar: o esporte juvenil é somente uma faceta da verdadeira gema: a guerra sem fim da vida contra o eu sem o qual você não consegue viver.

Schtitt então cai no tipo de silêncio de alguém que está gostando de rebobinar mentalmente e rever o que acabou de pensar. Mario pensa com força de novo. Ele está tentando pensar de que forma articular algo como: Mas então combater e vencer o eu é o mesmo que se destruir? Será que isso é tipo dizer que a vida é pró-morte? Três meninos de rua allstonianos que passam riem e debocham da aparência de Mario pelas costas da dupla. Algumas caras de Mario pensando são quase orgásmicas: palpitantes e frouxas. E aí mas então qual é a diferença entre tênis e suicídio, vida e morte, o jogo e o seu próprio fim?

É sempre Schtitt que acaba testando algum sabor exótico de sorvete, quando eles chegam. Mario sempre dá para trás e opta pelo bom e velho chocolate quando chega o momento da decisão no balcão. Pensando coisas como Melhor o sabor que você tem certeza que já adora.

"E então. Nenhuma diferença, talvez", Schtitt concede, sentando bem reto numa cadeira de alumínio com assento tipo waffle e Mario embaixo de um para-sol enviesado que faz a mesinha bamba em que está cravado sacudir e retinir com a brisa da calçada. "Talvez diferença nenhuma, então", mordendo com força a casquinha tricolor. Ele tateia o flanco de sua alva mandíbula, onde há uma espécie de vergão vermelho, parece. "Sem diferença" — olhando para a mediana destacada da Ave. onde chacoalha o trem da Linha Verde que desce a colina — "a não ser a chance de jogar". Ele se ilumina ao se preparar para rir com o seu assustador troar alemão, dizendo "Não? Sim? A chance de jogar, não?". E Mario perde uma bolota de chocolate queixo abaixo, porque ele tem uma coisa involuntária de rir sempre que alguém ri, e Schtitt está achando o que acabou de dizer extremamente engraçado.

ANO DA FRALDA GERIÁTRICA DEPEND

Não há nenhuma doce ironia no nome do Míni Ewell. Ele é minúsculo, um macho americano tamanho-duende. Seus pés mal tocam no chão do táxi. Ele está sentado, sendo levado rumo leste para os lúgubres distritos de predinhos de três andares de East Watertown, a oeste da Boston propriamente dita. Um funcionário de reabilitação usando faxineirais roupas brancas sob uma jaqueta de piloto está sentado ao lado do Míni Ewell, brações cruzados e encarando plácido qual uma vaca a pele intricadamente vincada do pescoço do taxista. A janela ao lado da qual está o Míni tem um adesivo que lhe agradece antecipadamente por não fumar. O Míni Ewell não está usando nenhuma roupa de inverno sobre um paletó que não combina muito bem com a gravata e encara pela janela com plácida intensidade o mesmo distrito em que cresceu. Ele normalmente segue rotas complicadas para evitar Watertown. Seu paletó é tamanho 36, a calça, 34/36, a camisa é uma das camisas que sua esposa delicadamente colocou na mala para ele levar para a desintoxicação no hospital e pendurar em cabides que não saem da barra. Como com todas as camisas sociais do Míni Ewell, só o peito e os punhos são passados a ferro. Ele usa sapatos Oxford Florsheim tamanho 36 que brilham belamente a não ser por uma grande marca incongruente de um raspão branco onde ele tinha chutado a porta de casa quando chegou logo antes de o sol nascer de uma reunião extremamente importante com clientes em potencial e descobriu que a sua esposa tinha mandado trocar as fechaduras e pedido uma ação cautelar de afastamento e só se comunicava com ele através de bilhetes passados pelo buraco para cartas embaixo da aldrava de latão negro (o latão tinha sido pintado de negro) da porta branca. Quando o Míni se curva e esfrega o raspão com um polegar estreito ele só empalidece e se borra. É a primeira vez que o Míni está sem Chinelinhos Felizes desde o seu segundo dia na desintoxicação. Eles levaram o seu Florsheim depois que 24 horas abstinentes haviam se passado e ele começou a quem sabe DTizar um pouco. Ele ficava vendo uns ratinhos que corriam pelo quarto dele, ratinhos assim tipo roedores, bichos mesmo, e quando fez uma queixa formal e exigiu que o quarto fosse desratizado imediatamente e aí começou a correr de um lado para o outro abaixado e martelando com o salto de um Florsheim enquanto os ratinhos continuavam a escorrer das tomadas elétricas do quarto e a correr repulsivamente de um lado para o outro, finalmente uma enfermeira com uma expressão gentil flanqueada por homens enormes com brancas roupas faxineirais negociou uma troca de sapato por Psicosedin, prevendo que o sedativo leve haveria de desratizar o que precisava ser desratizado. Eles lhe deram um chinelinho de espuma de poliuretano enfeitado com carinhas sorridentes em cima. Os internos da desintoxicação são encorajados a se referir a eles como Chinelinhos Felizes. Os funcionários se referem aos calçados particularmente como "pega-mijos". É o primeiro dia do Míni Ewell sem chinelo de espuma, sem o pijama mostra-bunda da desintoxicação e sem seu robe de algodão listrado em duas semanas. O dia de princípios de novembro está nublado e descolorido. O céu e a rua são da mesma cor. As árvores parecem esqueléticas. Há lixo luminoso e úmido enchumaçado em todas as bordas rua-sarjeta. As casas são predinhos pele e osso de três andares, todas empilhadas umas nas outras, cinza-docas c/ detalhes branco-sal, madonas nos jardins, cachorros cambaios se jogando contra as cercas. Alguns meninos com remendos nos joelhos e bonezinhos estão jogando hóquei de rua no playground de cimento de uma escola que passa. Só que nenhum desses meninos parece estar se movendo. Os dedos ossudos das árvores fazem gestos de quem lança feitiços no vento enquanto se vão. East Watertown é a óbvia trajetória-em-linha-reta entre a clínica de St. Mel e a Enfield da Casa de Recuperação, e o seguro de Ewell está bancando o táxi. Com o seu formato pequeno e redondo, um cavanhaquezinho branco e um violento rubor que podia passar por algum tipo animado de saúde, o Míni Ewell parece um Burl Ives radicalmente encolhido, o falecido Burl Ives como uma criança impossivelmente barbada. O Míni olha pela janela para a rosácea da igreja próxima do playground da escola onde os meninos estão jogando/não jogando. A rosácea não está iluminada por nenhum dos dois lados.

O homem que nos últimos três dias foi o colega de quarto do Míni Ewell na unidade de desintoxicação do Hospital St. Mel fica sentado numa cadeira reta de plástico azul diante do ar-condicionado da janela do quarto dele e de Ewell, olhando o aparelho. O ar-condicionado murmura e golfa, e o homem fica olhando com embevecida intensidade para a sua tela de ventarolas horizontais. O cabo do ar-condicionado é grosso e branco e conduz a uma tomada de três furos com marcas negras de calcanhar na parede em volta. O quarto em novembro fica em torno dos 12°C. O homem gira o botão do ar-condicionado da regulagem nº 4 para a regulagem nº 5. As cortinas acima dele sacodem e se enfunam à roda da janela. O rosto do homem cai em e desperta de expressões de diversão enquanto ele olha o ar-condicionado. Ele fica sentado na cadeira azul com um trêmulo copo de isopor de café e um pratinho de papel com brownies em que ele bate as cinzas dos cigarros cuja fumaça o ar-condicionado sopra de novo sobre sua cabeça. A fumaça dos cigarros está começando a se acumular na parede dos fundos e a escorrer e a correr resfriada pela parede e a formar como que um banco de nuvens perto do chão. O perfil encantadamente divertido do homem surge no espelho da parede ao lado da cômoda que os dois internos dividem. O homem, como o Míni Ewell, tem a aparência de cadáver maquiado decorrente da desintoxicação do alcoolismo avançado. O homem além disso é de um amarelo-queimado sob o rubor, de uma hepatite crônica. O espelho em que ele surge é tratado com polímeros inquebráveis de plexiglas. O homem se curva cuida-dosamente para a frente com o pratinho de brownies no colo e muda a regulagem do ar-condicionado do 5 para o 3, e daí para o 7, e daí para o 8, examinando a tela de ventarolas golfantes. Ele finalmente gira o botão seletor até o fim, para o 9. O ar--condicionado troa e sopra para trás todo o seu cabelo longo, e a barba dele voa para trás sobre o ombro, cinzas pairam e rodam à roda do pratinho de brownies, além de migalhas, e a ponta do careta reluz cereja e solta centelhas. Ele está profundamente atraído por seja lá o que for que vê no 9. Ele faz o Míni Ewell dar chilique, Ewell reclamou. Ele usa pega-mijos, um robe de algodão listrado do St. Mel e óculos sem uma das lentes. Ele passou o dia todo olhando para o ar-condicionado. Seu rosto produz os pequenos sorrisos e as caretas de uma pessoa que está sendo eficientemen-te divertida por alguma coisa.

Quando o grande funcionário reabilitador negro colocou o Míni Ewell no táxi e aí se espremeu lá dentro e disse ao taxista que eles queriam a Unidade nº 6 do Complexo Hospitalar dos Fuzileiros Veteranos de Enfield bem pertinho da Com-monwealth Ave., em Enfield, o taxista, cujas fotos estavam na Licença de Transporte de Passageiros de Mass., grudada no porta-luvas, o taxista, olhando para trás e para baixo, para a bem cuidada barbinha branca do Míni Ewell com a sua compleição vermelha e o seu pisante esperto, tinha coçado por baixo do bonezinho e perguntado se ele estava doente ou coisa assim.

O Míni Ewell tinha dito: "Ao que parece".

No meio da tarde do dia 2 de abril do AFGD: o adido médico do Oriente Pró-ximo; sua devotada esposa. O assistente pessoal do médico pessoal do Príncipe Q_____, que tinha sido mandado até lá para ver por que o adido médico não havia aparecido no Back Bay Hilton de manhã e depois não tinha respondido o bipe; o próprio médico pessoal, que tinha ido ver por que o seu assistente pessoal não tinha voltado; dois seguranças da embaixada c/ armas de serviço, que foram enviados por um candidiático e severamente emputecido Príncipe Q_____; e dois pan-fleteiros Adventistas do Sétimo Dia muito arrumadinhos que tinham visto cabeças humanas pela janela da sala de estar e encontrado a porta da frente destrancada e entraram com as melhores intenções espirituais — todos estavam assistindo ao loop recursivo que o adido médico tinha programado no monitor do TP na noite anterior, sentados e de pé ali muito imóveis, muito atentos, sem nenhum ar de incômodo ou sombra de desprazer, muito embora a sala já cheirasse bem mal.

○

30 DE ABRIL — ANO DA FRALDA GERIÁTRICA DEPEND

Ele estava sentado sozinho acima do deserto, contraluz vermelha e fundo xisto, olhando tratores amarelíssimos rastejarem pela terra batida de alguma construção dos EUA, vários quilômetros ao sul dali. A altura do afloramento permitia que ele, Marathe, enxergasse quase toda a área de código 6026 dos EUA. Sua sombra ainda não alcançava as regiões centrais da cidade de Tucson; ainda não. De sons no silêncio seco havia somente um vento quente, fraco e ocasional, o som borrado das asas de às vezes um inseto, algum tentativo escorrer de pedrisco solto e pedras pequenas que se moviam descendo a encosta que subia atrás dele.

E também o pôr do sol sobre sopés e montanhas atrás dele: que diferença dos crepúsculos aguados e algo tristes da primavera das regiões de Papineau no sudoeste do Québec, onde sua esposa precisava de cuidados. Isto (o pôr do sol) parecia mais uma explosão. Ocorria acima e atrás dele, e ele se virava de tempos em tempos para observar: ele (o pôr do sol) era inchado e perfeitamente redondo, e grande, radiando facas de luz quando ele contraía os olhos. Flutuava e tremia de leve como gota viscosa prestes a cair. Flutuava logo acima dos sopés das Tortolitas atrás dele (Marathe), e lentamente ia afundando.

Marathe estava sentado sozinho com o colo coberto em seu *fauteuil de rollent*[37] numa espécie de afloramento ou saliência mais ou menos na metade do caminho, esperando, divertindo-se com sua sombra. Enquanto a luz que baixava detrás vinha num ângulo mais e mais agudo, o conhecidíssimo fenômeno de *"Brockengespenst"*[38] de Goethe ampliava e distendia sua sombra sentada bem longe sobre a terra, de modo que os raios das rodas de trás da cadeira projetavam sobre dois condados inteiros imensas sombras-asteriscos, cujas linhas finas, negras e radiais ele podia mover brincando de leve com os aros de borracha das rodas; e a sombra de sua cabeça provocava em boa parte dos subúrbios de West Tucson um crepúsculo prematuro.

Ele parecia concentrado em seu ingente teatro de sombras quando pedriscos e depois alento soaram do íngreme flanco de montanha acima de suas costas, lascas e pedras sujas desceram em cascata para o afloramento e passando pela cadeira em torrente para cair da borda, e então o inconfundível ganido de um impacto individual contra cacto em algum lugar atrás e acima. Mas Marathe, ele tinha o tempo todo sem se virar observado a destrambelhada descida aos escorregões daquele outro homem por sua sombra enorme, que se projetava até a cadeia de Rincon logo além da cidade de Tucson, e viu a sombra se apressar rumo oeste na direção da sua enquanto M. Hugh Steeply dos Serviços Aleatórios aterrissava, caindo duas vezes e xingando em inglês EUA, até que a sombra praticamente se fundiu à de Marathe. Outro ganido ocorreu enquanto o agente de campo dos Serviços Aleatórios caía e escorregava os últimos metros que o levaram de bunda até o afloramento e aí quase até o fim e até cair, tendo Marathe que soltar a submetralhadora que estava embaixo do cobertor

93

para agarrar o braço nu de Steeply e deter seu deslizamento. A saia de Steeply estava obscenamente erguida e a meia de seda, desfiada e cheia de tocos de espinhos. O agente estava sentado aos pés de Marathe, reluzindo rubro com a luz ao fundo, pernas pendendo da borda da saliência, respirando com dificuldade.

Marathe sorriu e soltou o braço do agente. "Você nasceu para ser discreto", disse.

"Vá cagar no teu chapeau", arquejou Steeply, erguendo as pernas para inspecionar os danos causados à meia.

Eles conversavam basicamente em inglês EUA quando se encontravam dessa maneira, escondidos, no campo. M. Fortier[39] tinha pedido que Marathe solicitasse que eles dialogassem sempre em francês québecois, como que numa pequena concessão simbólica à AFR por parte do Escritório de Serviços Aleatórios, que a Gauche Séperatiste Québecoise sempre chamava de BSS, *Bureau des Services sans Spécificité*.

Marathe observava uma coluna de sombra se espalhar novamente sobre o chão do deserto enquanto Steeply punha a mão embaixo do corpo e se erguia, uma imensa figura bem alimentada que balançava sobre saltos altos. Juntos, os dois homens projetavam uma estranha sombra-*Brockengespenst* na direção da cidade de Tucson, uma sombra redonda e radial na base serrilhada do topo, porque a peruca de Steeply tinha se despenteado na queda. Os gigantes seios prostéticos de Steeply apontavam em direções absurdamente divergentes agora, um quase para o céu vazio. A cortina fosca da vera sombra crepuscular do pôr do sol se movia muito devagar no que chegava pelos Rincons e pelo deserto de Sonora a leste da cidade de Tucson, ainda a muitos km de obscurecer a grande sombra deles.

Mas a partir do momento em que Marathe tinha se comprometido a não só fingir trair seus *Assassins des Fauteuils Rollents* para garantir cuidados médicos avançados para as necessidades de saúde de sua esposa, mas de fato a fazê-lo — trair, perfidamente: agora fingindo apenas para M. Fortier e seus superiores na AFR que estava meramente fingindo entregar informações traiçoeiras para o BSS[40] —, a partir do momento dessa decisão, Marathe estava todo sem poder, servindo agora às vontades e ao poder de Steeply e do BSS de Hugh Steeply: e agora em geral eles conversavam no inglês EUA da preferência de Steeply.

Na verdade, o québecois de Steeply era melhor que o inglês de Marathe, mas c'était la guerre, como se diz.

Marathe fungou de leve. "Portanto, então, aqui estamos agora." Ele estava usando uma parca e não suava.

Os olhos de Steeply estavam sinistramente maquiados. A região traseira do seu vestido estava suja. Parte da maquiagem tinha começado a escorrer. Ele estava formando um tipo de continência para proteger os olhos da luz e olhava para o alto, atrás deles, para o que restava do explosivo e trêmulo disco solar. "Meu santo Deus, como é que você chegou aqui em cima?"

Marathe deu de ombros lentamente. Como sempre, ele parecia estar semiadormecido para Steeply. Ignorou a pergunta e disse apenas, dando de ombros: "Meu tempo é finito".

94

Steeply também trazia consigo uma bolsa feminina. "E a esposa?", ele perguntou, olhando ainda para o alto. "Como é que vai a patroa?"

"Carregando seu fardo, obrigado", Marathe disse. Seu tom de voz não traía nada. "E então portanto o que seus Escritórios acham que querem saber?"

Steeply balançava num pé só enquanto descalçava um sapato e retirava pedrinhas dele. "Nada terrivelmente surpreendente. Um pega pra capar lá no Nordeste na sua dita área de atuação, você há de estar sabendo."

Marathe fungou. Um amplo odor de perfume barato e alcoolizado vinha não da pessoa de Steeply mas de sua bolsa, que não combinava com o sapato. Marathe disse: "Capar?".

"Coisa de um indivíduo do tipo civil que recebeu um certo item. Não me diga que é novidade pra vocês. Não é via pulso de InterLace, esse item. Chega pelo correio físico normal. A gente tem certeza que você está sabendo, Rémy. Um cartucho-cópia de um certo digamos assim cá entre nós, 'o Entretenimento'. Assim pelo correio, sem aviso nem motivo. Caído do céu."

"De paraquedas?"

O agente do BSS tinha perspirado também no ruge e seu rímel havia derretido até ficar putesco. "Uma pessoa sem valor político pra qualquer um dos lados só que o Ministro do Entretenimento Saudita fez um esporro gritalhão dos diabos."

"O adido médico, o especialista de digestão, você quer dizer." Marathe de novo deu de ombros daquele jeito francófono enlouquecedor que pode querer dizer várias coisas. "Seus escritórios querem perguntar se foi o cartucho com o Entretenimento disseminado por nossos mecanismos?"

"Não vamos perder o nosso tempo finito, ami meu velho", Steeply disse. "Acontece que a safadeza foi na Grande Boston. Os códigos postais registram que o pacote veio pelo deserto, do Sudoeste, e nós sabemos que o esquema de disseminação de vocês fica supostamente entre Phoenix e a fronteira aqui." Steeply tinha se esforçado muito para feminilizar suas expressões e gestos. "Seria meio bocó os EUA não pensar na sua distinta célula, não é?"

Sob o casaco de Marathe havia uma camisa esporte cujo bolso do peito estava cheio de muitas canetas. Ele disse: "Nós, nós não temos a informação nem das vítimas. Caindo desse céu baderneiro que você mencionou".

Steeply tentava extrair algo que relutava em sair do seu outro pé de sapato. "Mais de vinte, Rémy. Totalmente inutilizados. O adido e a esposa, a mulher de um cidadão saudita. Mais uns quatro pentelhos, todo mundo com documentação diplomática. Mais uns vizinhos e tal. O resto basicamente gente da polícia antes do alerta correr a um nível em que eles conseguiram impedir os policiais de entrar antes de cortarem a luz."

"Forças locais de policiamento. Gendarmes."

"A delegacia local."

"Os defensores das leis desta terra."

"A delegacia local estava digamos *despreparada* para um Entretenimento daqueles." Steeply até retirava e recolocava o sapato de salto à moda de-pé-num-pé-só--com-o-outro-atrás-da-bunda de uma mulher feminina EUA. Mas ele parecia imenso e inchado para uma mulher, não apenas pouco atraente mas gerando algo como um desespero sexual. Ele disse: "O adido tinha status de diplomata, Rémy. Oriente Médio. Saudi. Dizem que era próximo de membros afastados da família real".

Marathe fungou forte, como que entupido do nariz. "Um enigmático", disse.

"Mas também compatriota seu. Cidadania canadense. Nascido em Ottawa, de pais imigrantes árabes. O visto dele registra um período de residência em Montreal."

"E os Serviços Sem Especificidade querem quem sabe perguntar se havia conexões subterrâneas que fazem do indivíduo não um tal civil, desconectado. Perguntar a nós se a AFR queria usá-lo de exemplo."

Steeply estava retirando terra da bunda, esfregando a própria bunda. Ele estava algo mais ou menos diretamente sobre Marathe. Marathe fungou. "Nós não temos nem médicos digestivos nem séquitos diplomáticos em nossas listas de ação. Você viu pessoalmente as listas iniciais da AFR. Nem civis de Montreal em particular. Não lidamos, como se diz, com o rabo-de-arraia miúdo."

Steeply estava olhando o deserto e a cidade, também, enquanto se esfregava. Ele parecia ter percebido o fenômeno-*gespenst* de sua sombra. Marathe por alguma razão fingiu de novo fungar o nariz. O vento estava moderado e constante e mais ou menos com a temperatura de uma secadora de roupas EUA regulada no baixo. Fazia os sons agudos de assovio. Também sons da poeira soprada. Ervas-de-tombo iguais a bolas de pelo enormes rolavam com frequência cruzando a Autoestrada Interestadual de I-10 lá embaixo. A perspectiva espetacular deles, a luz avermelhante sobre amplas pedras bronze e a cortina de crepúsculo que se cerrava, o alongamento ainda maior de suas monstruosas sombras ágnatas: tudo era quase hipnótico. Nem um deles parecia capaz de olhar para algo que não o panorama abaixo. Marathe conseguia simultaneamente falar em inglês e pensar em francês. O deserto tinha a cor castanha da pele de um leão. Falarem sem olhar um para o outro, encarando ambos a mesma direção — isso dava à conversa dos dois um ar de intimidade fácil, como de velhos amigos juntos diante do monitor de cartuchos ou um casal de muitos anos. Marathe pensava nisso enquanto abria e fechava a mão erguida, fazendo uma imensa flor negra abrir e fechar na cidade de Tucson.

E Steeply erguia os braços nus e os estendia e recruzava, talvez um sinal para um distante pedido de socorro; isso fazia xis e pendentivos vês sobre muito da cidade de Tucson. "Vá lá, Rémy, mas natural da Ottawa que vocês tanto odeiam, esse adido civil, e conectado a um grande comprador de entretenimento transmalha. E o acompanhamento que o escritório de Boston fez aponta possíveis indicações do possível envolvimento da vítima em tempos de outrora com a viúva do *auteur* que nós dois sabemos que foi o responsável em primeiro lugar pelo Entretenimento. O *samizdat*."

"Outrora?"

Steeply tirou da bolsa cigarros belgas de um tipo multimilimetral e normalmente feminino. "A mulher do diretor do filme lecionou em Brandeis, onde a vítima fez residência. O marido estava no quadro do CEA, e verificações de histórico feitas por agências diferentes indicaram que sua mulher estava trepando com praticamente qualquer coisa que fizesse sombra." Com a breve pausa Steeply caprichou: "Especialmente sangue canadense".

"Envolvimento de sexualidade é o que você quer dizer, então, não de política."

Steeply disse: "Essa mulher também é quebequense, Rémy, do condado de L'Islet — o Chefe Tine diz que tem três anos na lista de '*Personnes Qui l'on Doit*' de Ottawa. Também existe sexo político".

"Eu te disse tudo o que sabemos. Civis como recados para ONAN não são o que desejamos. Isso é conhecido de vocês." Os olhos de Marathe pareciam quase fechados. "E teus seios, eles ficaram vesgos, eu te digo. Os Serviços Sem Especificidade, eles te deram os seios ridículos, e agora eles estão apontando para lados diferentes."

Steeply olhou para si próprio. Um dos seios falsos (certamente falsos: eles não chegariam ao extremo do hormonal, Marathe pensou) quase tocou nos queixos de Steeply quando olhando para baixo ele ficou com queixos duplos. "Só me pediram para fazer uma verificação pessoal, nada mais", disse. "A minha sensação geral no Escritório é que a chefia acha que a coisa toda é um nó. Tem teorias e contrateorias. Tem até umas antiteorias que acreditam num erro, em confusão de identidades, numa pegadinha pervertida." O dar de ombros dele, com as mãos nas próteses, não parecia nada gálico. "Ainda assim: vinte e três seres humanos perdidos para sempre: bela pegadinha, hein?"

Marathe fungou. "Nosso mútuo M. Tine pediu para você verificar? Como vocês chamam ele: 'Rodão, um Fodão'?"

(Rodney Tine, sênior, Chefe de Serviços Aleatórios, reconhecido como o arquiteto da ONAN e da Reconfiguração continental, que era ouvido diretamente pela Casa Branca dos EUA e cuja estenógrafa durante muito tempo fez hora extra como estenógrafa-e-*jeune-fille-de-Vendredi* de M. DuPlessis, ex-coordenador-assistente da Resistência Pan-canadense e cujo afeto passional e mal disfarçado (de Tine) por essa bi-amanuense — uma certa Mlle. Luria Perec, de Lamartine, condado de L'Islet, Québec — deu origem a certos questionamentos sobre as lealdades mais elevadas de Tine, de se ele "duplicava"[41] para o Québec por causa do amor de Luria ou "triplicava" suas lealdades, fingindo apenas divulgar segredos enquanto secretamente se mantinha em vassalagem aos EUA contra a atração de um amor irresistível, dizia-se.)

"O Rémy." Estava claro que Steeply não conseguia arrumar a direção dos seios sem puxar severamente a décolletage, o que sua timidez o impedia de fazer. Ele tirou da bolsa óculos de sol e pôs os óculos de sol. Eles eram embelezados com strass e pareciam absurdos. "Rodão, *o* Fodão."

Marathe se forçou para não abrir a boca sobre a aparência deles. Steeply tentou com vários fósforos acender um cigarro contra o vento. A infiltração do verdadeiro crepúsculo começou a apagar a sombra caótica de sua peruca. Luzes elétricas começaram a cintilar nos sopés do Rincon a leste da cidade. Steeply tentava de algum jeito proteger o fósforo com o corpo, para abrigo da chama.

97

É uma manada de hamsters selvagens, das grandes, ribombando pelas planícies amarelas dos limites meridionais do Grande Recôncavo no que era Vermont, erguendo poeira que cria uma nuvem de tom urêmico com formatos somáticos interpretáveis até de Boston e Montreal. A manada descende de dois hamsters domésticos libertados por um menino de Watertown, NY, no começo da migração Experialista no Ano do Whopper do calendário subsidiado. O menino hoje é universitário em Champaign, IL, e esqueceu que seus hamsters se chamavam Ward e June.

O barulho da manada é tornádico, locomotival. A expressão nos rostos bigodudos dos hamsters é determinada e implacável — aquela expressão de manada-implacável. Eles ribombam rumo leste por um terreno pedalferroso que hoje é estéril, nu. Para leste, ofuscado pela fulva nuvem que os hamsters levantam, fica o vívido contorno verdejante serrilhado das florestas anularmente hiperfertilizadas do que era o centro do Maine.

Todos esses territórios são agora propriedade do Canadá.

No que se refere a uma manada deste tamanho, por favor empregue o tipo de bom senso que a bem da verdade afastaria um sujeito ajuizado do Recôncavo sudoeste de qualquer maneira. Hamsters selvagens não são bichinhos de estimação. Eles são coisa séria. Recomenda-se manter grande distância. Não ande com nada nem remotamente vegetálico na frente de uma manada selvagem. Ao se ver no caminho de tal manada, ande veloz e calmamente em direção perpendicular à dela. Se americano, não se recomenda o rumo norte. Siga para o sul, calma e apressadissimamente, para alguma metrópole fronteiriça — Rome, NNY, ou Glens Falls, NNY, ou Beverly, MA, ou para os pontos de fronteiras entre esses lugares onde os gigantescos ventiladores protetores ATHSCME sobre os muros protetores imensamente convexos de plexiglas anodizado contêm o banco de nuvens teratogênicas babujentas e cor de mijo do Recôncavo e empurram o banco bem para trás, para o norte, para longe, denteadamente, por sobre a sua cabecinha protegida.

O inglês de batata quente de Steeply era ainda mais difícil de entender com um cigarro na boca. Ele disse: "E é claro que você vai relatar essa nossa interface aqui direto pro Fortier".

Marathe deu de ombros, *"n sûr"*.

Steeply conseguiu acender. Ele era um sujeito grande e mole, um tipo de atleta de um esporte-brutal-de-contato-dos-EUA que tinha engordado. Ele parecia para Marathe menos uma mulher do que uma paródia perversa da feminilidade. A eletrólise lhe causara faixas de minúsculas bolinhas vermelhas na mandíbula e no lábio superior. Ele também apontava para fora o cotovelo do braço que segurava o fósforo para acender, como nenhuma mulher acende cigarro, que está acostumada com seios e deixa o cotovelo que acende para dentro. Também Steeply balançava desgraciosamente sobre os saltos do sapato na superfície irregular da pedra. Ele nunca nem por um só momento deu totalmente as costas para Marathe enquanto ficou na beira do afloramento. E Marathe estava com as travas das rodas da cadeira agora bem apertadas e com uma mão firme no cabo granuloso da submetralhadora. A bolsa de Steeply era pequena, brilhante e preta, e os óculos de sol que ele usava tinham uma armação de mulher com pequenas joias falsas nas hastes. Marathe acreditava que algo em Steeply gostava dessa aparência grotesca e desejava sofrer a humilhação dos disfarces de campo que seus superiores do BSS lhe exigiam.

Muito provavelmente, Steeply agora olhava para ele por trás dos óculos de sol. "E também que eu acabei agora mesmo de perguntar se você ia relatar, e que você disse *bien sûr?*"

A risada de Marathe tinha esse infortúnio de soar falsa e exagerada, fosse ou não fosse sincera. Ele fez um bigode de dedo, fingindo por alguma razão segurar uma necessidade de espirrar. "Você verifica isso por causa?"

Steeply estava coçando embaixo da peruca loura com (estúpida, perigosamente) o polegar da mão que segurava o cigarro. "Bom, você já está triplicando, Rémy, não é verdade? Ou está quadruplicando. Nós sabemos que o Fortier e a AFR sabem que você está comigo aqui agora."

"Mas será que os meus amigos rolantes sabem que vocês estão sabendo disso, que eles me enviaram para fingir que duplico?"

A arma de Marathe, uma submetralhadora Sterling UL35 9 mm com um silenciador Mag Na Port, não tinha trava de segurança. Seu cabo gordo e de textura granulosa estava quente na mão de Marathe, e por sua vez fazia a mão de Marathe perspirar sob o cobertor. De Steeply vinha nada mais que silêncio.

Marathe disse: "... será que eu meramente *fingi* fingir fingir trair".[42]

E a luz do deserto dos EUA ficara agora triste, mais que meio redondo sol sumido atrás das Tortolitas. Só que agora as rodas da cadeira e as pernas grossas de Steeply projetavam sombras abaixo da linha do crepúsculo, e essas sombras estavam ficando atarracadas e se retiravam na direção dos dois homens.

Steeply fez um breve falso-Charleston, brincando com as sombras das pernas. "Nada pessoal. Você sabe. É a cautela obsessiva. Quem foi, quem disse uma vez que nós somos pagos para enlouquecer a nós mesmos, essa coisa da cautela? Vocês e o Tine — o seu amigo DuPlessis sempre suspeitou que ele tentava segurar as informações que passava sexualmente para a Luria."

Marathe deu de ombros com vigor. "E abruptamente M. DuPlessis agora faleceu da vida. Sob circunstâncias de uma suspeição quase ridícula." De novo com aquela risada que soava falsa. "Um roubo incompetente mais gripe, está bem."

Ambos ficaram calados. O braço esquerdo de Steeply tinha um arranhão de mesquite bem feio, Marathe observava.

Por fim Marathe deu uma espiada no relógio, com o mostrador iluminado na sombra do corpo. As sombras dos dois homens agora estavam escalando a encosta íngreme, retornando até eles. "Eu, eu já acho que nós tratamos dos nossos negócios de maneira mais simples que a do seu escritório de BSS. Se a traição de M. Tine estivesse incompleta, nós do Québec estaríamos cientes."

99

"Por causa da Luria."

Marathe fingiu mexer com o cobertor, rearrumando-o. "Mas sim. A cautela. Luria estaria ciente."

Steeply foi cuidadosamente até a borda e jogou sua bituca de cigarro. O vento pegou a bituca e ela pairou um pouco acima da mão dele, movendo-se para leste. Os dois ficaram calados até que a bituca caiu e bateu no flanco negro da montanha abaixo deles, minúscula flor de cor laranja. O silêncio deles tornou-se contemplativo. Algo tenso no ar entre eles afrouxou. Marathe não sentia mais o sol no crânio. O crepúsculo os envolvia. Steeply tinha encontrado o arranhão no tríceps e repuxava a carne do braço para examiná-lo, lábios rugificados arrondados de preocupação.

ANO DA FRALDA GERIÁTRICA DEPEND

Terça-feira, 3 de novembro, Academia de Tênis Enfield: treinos matinais, chuveiro, comer, aula, laboratório, aula, aula, comer, prova de gramática prescritiva, aula de laboratório, corrida de condicionamento, treinos vespertinos, jogo amistoso, jogo amistoso, circuitos para tronco e membros superiores na sala de musculação, sauna, chuveiro, se atolar no vestiário c/ outros jogadores.

"... nem de se ligar que o que eles estão sentadinhos ali sentindo é infelicidade? Ou nem sentir pra começo de conversa?"

1640h: o vestiário masculino do Ed. Com.-Ad. está cheio de veteranos enrolados em toalhas depois dos jogos vespertinos, com os cabelos dos jogadores penteados a úmido e brilhando de Barbicide. Pemulis usa a ponta dos dentes largos do pente para conseguir aquele look estriado que os carinhas de Allston preferem. O cabelo de Hal tende a parecer penteado a úmido mesmo quando está seco.

"Então", Jim Troeltsch diz, olhando em volta. "Então o que é que você acha?"

Pemulis se deixa chegar ao chão perto das pias, encostado no armário onde eles guardam todos os desinfetantes. Ele tem essa mania de olhar cuidadosamente para os dois lados antes de dizer alguma coisa. "Tinha tipo algum argumento central nessa estória toda, Troeltsch?"

"A prova estava falando da sintaxe da sentença do Tolstói, não de famílias infelizes de verdade", Hal diz baixinho.

John Wayne, como fazem quase todos os canadenses, ergue uma perna um pouquinho para peidar, como se o peido fosse uma espécie de tarefa, de pé diante do seu armário, esperando que os pés sequem o bastante para ele poder calçar as meias.

Há um momento de silêncio. Chuveiros babam no azulejo. Vapor parado. Distantes sons pavorosos vindos de T. Schacht num dos cubículos para lá dos chuveiros. Todos têm o olhar fixo a uma certa distância, atordoados de fadiga. Michael Pemulis, que consegue suportar coisa de dez segundos de silêncio generalizado, e olha lá, limpa a garganta profundamente e manda um escarro para cima e para trás, para a pia atrás de si. Os espelhos vítreos viram parte do seu voo trêmulo, Hal enxerga. Hal fecha os olhos.

"Cansadão", alguém exala.

Ortho Stice e John ("Nada a Ver") Wayne parecem menos cansados que desligados; eles têm a capacidade dos atletas realmente de ponta de desligar toda a rede neural por breves períodos, encarando o espaço que ocupam, envoltos em silêncio, retirados, por um momento, do conectadismo de todos os eventos.

"Certo então", Troeltsch diz. "Prova surpresa. Pergunta de prova surpresa. Diferença mais crucial, pro Leith amanhã, entre aquele aparelhinho histórico de transmissão de TV e um TP compatível com cartuchos."

Disney R. Leith leciona História do Entretenimento I e II na ATE, assim como certas coisas esotéricas de óptica de alto nível que você precisava pedir a permissão da Inst. para poder se matricular.

"O Painel Catodeluminescente. Sem canhão catódico. Sem tela fosfênica. Dois elevado à diagonal da tela em cm linhas de resolução no total."

"Você quer dizer um monitor de alta definição em geral ou um monitor especificamente para-TP?"

"Sem elementos análogos", Struck diz.

"Sem interferência, sem aquelas coisinhas vagas meio fantasmáticas do lado das imagens de UHF, sem perda de vertical quando passa um avião."

"Análogo v. digital."

"Você está se referindo à transmissão tipo de redes versus TP ou à rede-mais-cabo versus TP?"

"Mas TV a cabo usava análogo? Tipo, sei lá, telefone pré-fibra?"

"É a coisa do digital. O Leith tem aquela palavra que ele usa pra mudança de análogo pra digital. Aquela palavra que ele usa coisa de onze vezes por hora."

"O que é que os telefones pré-fibra usavam exatamente?"

"O velho princípio da latinha e do barbante."

"'Seminal'. Ele não para de dizer isso. 'Seminal, seminal'."

"O maior avanço nas comunicações domésticas desde o telefone, ele diz."

"No entretenimento doméstico desde a televisão propriamente dita."

"O Leith pode dizer o CD gravável, pro entretenimento."

"Ele é difícil de entender quando a gente entra nessa de entretenimento enquanto entretenimento."

"O Diz vai dizer usem as suas opiniões próprias", Pemulis diz. "O Axford cursou essa no ano passado. Ele quer que você defenda uma opinião. Ele vai te ferrar se você lidar com a coisa como se tivesse uma resposta óbvia."

"Além de tudo tem o desdigitalizador da InterLace em vez de antena nos TPS", Jim Struck diz, espremendo alguma coisa atrás da orelha. Graham ("Repelente") Rader está verificando embaixo do braço para ver se tem mais pelos. Freer e Shaw podiam estar dormindo.

Stice puxou a toalha só um pouquinho para baixo e está cutucando a risca abdominal funda e vermelha que o suporte atlético deixa. "Meu, se eu for presidente um dia, a primeira coisa que vai ser proibida é o elástico."

Troeltsch finge embaralhar cartas. "Próximo item. Próximo cartão de sugestões, digamos. Defina *acutância*. Voluntários?"

"Uma medida de resolução diretamente proporcional à razão resolvida do código digital de um determinado sinal", Hal diz.

"O Incandente tem a última palavra mais uma vez", diz Struck.

O que gera um coro:

"Ó Haltitude."

"Halorama."

"Halação."

"Halação", Rader diz. "Um padrão de exposição com formato de halo em torno das fontes de luz que é perceptível em filmes químicos projetados a velocidades baixas."

"A mais angélica das distorções."

Struck diz: "A gente vai ficar tipo *se matando* pelas cadeiras em volta do Inc amanhã". Hal fecha os olhos: ele consegue ver a página de texto bem ali, toda cheia de marcas de caneta marca-texto, toda amarelada.

"Ele consegue examinar a página, rotacionar, dobrar uma pontinha e limpar embaixo da unha com o papel, tudo mentalmente."

"Deixa o cara em paz", Pemulis diz.

Freer abre os olhos. "Manda uma página de dicionário aí pra gente, meu, Inc."

Stice diz: "Deixa o cara na dele".

É só uma semissacanagem. Hal encara com placidez aquela encheção de saco; eles todos enchem o saco. Ele cumpre a sua cota de pentelhação. Alguns meninos mais novos que tomam banho depois dos veteranos estão por ali escutando a conversa. Hal está sentado no chão, quiescente, queixo no peito, só pensando como é gostoso finalmente respirar e conseguir bastante ar.

A temperatura tinha caído com o sol. Marathe ouvia o vento mais fresco do anoitecer rolar pela encosta e sobre o chão do deserto. Marathe sentia ou pressentia múltiplos milhões de poros florais que lentamente se abriam, na esperança do orvalho. O americano Steeply produzia pequenas exalações entre os dentes enquanto examinava o arranhão de seu braço. Só uma ou duas pontas remanescentes dos raios digitados das lâminas radiais do sol encontravam frestas entre os picos das Tortolitas e cutucavam o teto do céu. Vieram os fracos e secos farfalhos não localizados de pequenas coisas vivas que queriam sair à noite, emergindo. O céu estava violeta.

Todos no vestiário usavam uma toalha como um kilt na cintura. Todos exceto Stice têm uma toalha branca da ATE; Stice usa o seu tipo especial de toalhas-assinatura, pretas. Depois de um silêncio, Stice solta um pouco de ar pelo nariz. Jim Struck cutuca liberalmente o rosto e o pescoço. Há um ou dois suspiros. Peter Beak, Evan

Ingersoll e Ken Blott, doze, onze, dez, estão sentados nos bancos de madeira clara que correm diante das fileiras de armários, sentados ali em cima de toalhas, cotovelos nos joelhos, sem participar. Assim como Zoltan Csikzentmihalyi, que tem dezesseis anos mas fala inglês muito mal. Idris Arslanian, que entrou este ano, etnicamente vago, catorze, só pés e dentes, é uma presença sombria à espreita logo à porta do vestiário, metendo de vez em quando o focinho não caucasoide e daí se retirando, terrivelmente tímido.

Cada jogador da ATE do sub-18 tem tipo de quatro a seis meninos sub-14 que ele precisa manter debaixo da sua mais experiente asa, protegidos. Quanto mais a administração da ATE confia em você, tanto mais novos e mais generalizadamente sem-noção os menininhos ao seu encargo. Charles Tavis instituiu essa prática e a chama de Sistema do Amigão nos panfletos que envia aos pais dos novos alunos. Para os pais poderem sentir que o filho não está se perdendo no caos institucional. Beak, Blott e Arslanian estão todos no grupo Amigão de Hal no AFGD. Ele também *de facto* tem Ingersoll, tendo trocado Todd ("Postal-do-Oeste") Possalthwaite com Axford extraoficialmente pelo Ingersoll porque Trevor Axford descobriu que desprezava esse menino Ingersoll de um tal jeito por algum motivo inanalisável que estava lutando contra uma horrenda compulsão de colocar os dedinhos do Ingersoll entre as dobradiças de uma porta aberta e aí muito lentamente ir fechando a porta, e foi falar com Hal quase às lágrimas, o Axford. Embora tecnicamente Ingersoll ainda seja de Axford e Possalthwaite, de Hal. Possalthwaite, o mestre do lob, tem uma cara esquisita velha-jovem e uns beicinhos úmidos que sob tensão recaem num reflexo de sugar. Na teoria, um Amigão é um negócio a meio caminho entre um estagiário-docente e um pró-reitor. Ele está ali para responder perguntas, facilitar transições mais complicadas, mostrar os atalhos, agir como contato com Tony Nwangi e Tex Watson e os outros pró-reitores especializados nos mais novinhos. Ser alguém a quem eles podem recorrer extraoficialmente. Para terem um ombro onde chorar depois de subirem num banquinho. Se um sub-16 é promovido a Amigão é meio que uma honra; significa que eles acham que você vai longe. Quando não há torneios ou viagens etc., os Amigões sentam com o seu de-quar-a-sexteto em reuniões particulares duas vezes por semana, no intervalo entre os amistosos vespertinos e o jantar, normalmente depois de saunas e banhos e de uns minutos largados no vestiário sorvendo ar. Às vezes Hal se reúne com os seus Amiguinhos para jantar e come com eles. Mas não muitas vezes. Os Amigões mais descolados não ficam muito abertamente chegados a seus efebinhos, que é para eles não esquecerem o intransponível abismo de experiência e competência e status geral que separa efebinhos de veteranos que aguentaram permanecer na ATE por anos a fio. Eles ficam com uma coisa a mais para admirar. O Amigão descolado se apressa e não bate o pé; ele fica firme e deixa os suplicantes perceberem quando é que precisam de ajuda e irem a ele. Você tem que saber quando dar um passo à frente e interferir ativamente e quando ficar de lado e deixar os menorzinhos aprenderem com a experiência pessoal com que vão ter de aprender, inevitavelmente, se querem ser capazes de dar conta. Todo ano, a maior fonte de atritos, além dos 18 que estão se formando, são os 13-15 que não aguentam mais porque já deu para a bolinha deles. Isso acontece; a administração aceita; nem todo mundo nasceu para o que se exige de você aqui. Embora o C.T. faça a sua assistente Alice Moore Lateral azucrinar a vida dos pró-reitores tentando arrancar informações sobre o estado psíquico dos meninos menores, para ele ser capaz de prever possíveis desmantelamentos e desistências atritantes, e assim saber quantas vagas ele e o pessoal das Matrículas vão poder oferecer aos Inscritos do semestre seguinte. Os Amigões ficam numa posição desagradável, instados a de maneira geral manter os pró-reitores informados sobre quais de seus subordinados parecem frágeis de determinação, capacidade de suportar dor e tensão, castigos físicos, saudade de casa, fadiga profunda, mas ao mesmo tempo desejosos de continuar como confiável asa e ombro confidencial para as questões mais íntimas e delicadas dos seus Amiguinhos.

Conquanto ele, também, tenha que combater uma estranha vontade de ser cruel com Ingersoll, que o faz lembrar de alguém que ele odeia mas de quem não consegue se lembrar direito, Hal no geral até que gosta de ser Amigão. Ele gosta de estar ali à disposição, e gosta de fazer palestrinhas despretensiosas sobre teoria do tênis e a pedagogia e as tradições da ATE, e poder ser bom de um jeito que não lhe custa. Às vezes ele descobre que acredita em alguma coisa em que nem imaginava acreditar até ela lhe sair da boca diante de cinco rostinhos confiantes, glabros, ansiosos e sem-noção. As interfaces grupais bissemanais (mais para monossemanais, no andar normal da carruagem) com o seu quinteto são desagradáveis só depois de uma sessão vespertina particularmente ruim nas quadras, quando ele está cansado e irritado e preferiria sem sombra de dúvida sumir sozinho e fazer uns trecos secretos em subterrânea e ventilada solidão.

Jim Troeltsch apalpa as glândulas. John Wayne é da escola meia-um-tênis, meia-um-tênis.

"Cansadão", Ortho Stice suspira novamente. Ele pronuncia "nsadão". Sem exceção, agora, os veteranos estão largados no carpete felpudo azul do vestiário, com as pernas esticadas para a frente, dedos dos pés para cima naquele clássico ângulo cadavérico, as costas contra o aço azul dos armários, com cuidado para evitar as seis aberturinhas venezianadas antimofo na base de cada armário. Todos eles parecem meio bobos nus por causa do bronzeado de tenista: pernas e braços do siena escuro de uma luva de beisebol de boa qualidade, do verão, com o bronzeado só agora assim já tarde começando a desaparecer, mas os pés e tornozelos de um branco-barriga de sapo, o branco da tumba, com peitos e ombros e a parte de cima dos braços mais para o bege-claro — os jogadores podem ficar sem camisa nas arquibancadas durante os torneios quando não estão jogando e pegar um pouco de sol torácico. Os rostos são o pior, talvez, quase todos vermelhos e brilhantes, alguns ainda sofrendo um peeling profundo por causa das três semanas ininterruptas de torneios a céu aberto em agosto-setembro. Fora Hal, que é atavicamente amorenado mesmo, os presentes com a coloração menos vaca-malhada são os jogadores que conseguem tolerar se borrifar com lustra-móveis antes de jogar a céu aberto. O negócio é que o lustra-móveis, se você aplica em estase pré-atlética e deixa secar até virar uma crosta fina, é um filtro solar fenomenal, com um fator de proteção UV tipo 40+, e é a única coisa por aí que sobrevive a um suor de três sets. Ninguém sabe que jogador júnior em que academia descobriu isso do lustra-móveis, anos atrás, ou como: mencionam-se circunstâncias algo bizarras para a descoberta. O cheiro de lustra-móveis molhado de suor na quadra causa náuseas em alguns meninos de constituição mais delicada, no entanto. Outros acham que filtro solar de qualquer tipo é inengolivelmente boiolizado, tipo viseirinha branca ou usar óculos de sol na quadra. Então a maioria dos veteranos da ATE tem esses nítidos bronzeados tipo camisa e sapato que os deixam com a clássica aparência de corpos apressadamente montados a partir de vários outros corpos, especialmente quando você acrescenta pernas muito musculosas, peitos normalmente rasos e braços de tamanhos diferentes.

"Nsadão sadão sadão", Stice diz.

A empatia grupal aqui se manifesta via suspiros, posturas cada vez mais largadas, pequenos gestos espasmódicos de exaustão, os baixos baques secos dos crânios contra o aço fino dos armários.

"Os meus ossos estão zumbindo como neguinho às vezes diz que o ouvido fica zumbindo, de tão cansado."

"Eu estou esperando até o último dos últimos segundos até para respirar. Eu não estou expandindo a caixa até ser levado pela necessidade de ar."

"Tão cansado que está fora do escopo da palavra *cansado*", Pemulis diz. "*Cansado* simplesmente não dá conta."

"Exausto, acabado, esgotado", diz Jim Struck, esfregando o olho fechado com a base da mão. "Zerado. Destruído."

"Olha." Pemulis apontando para Struck. "A coisa está tentando pensar."

"Comovente de ver."

"Caído. Abatido pra cacilda."

"Abatido pra caralho fica mais justo."

"Esmigalhado. Destroçado. Estropiado. Mais morto que vivo."

"Nenhuma chega nem perto, as palavras."

"Inflação verbal", Stice diz, esfregando o cabelo raspado e fazendo a testa enrugar e se alisar. "Maior e melhor. Bom, melhor, ótimo superexcelente. Hiperbólico e hiperboliquíssimo. Tipo inflação nas notas."

"Bom se fosse", diz Struck, que está em risco acadêmico desde os quinze.

Stice vem de uma parte do sudoeste do Kansas que bem podia ser Oklahoma. Ele faz as empresas que lhe dão roupas e equipamento lhe darem só roupas e equipamento pretos, e o seu cognome na ATE é "Trevas".

Hal ergue as sobrancelhas para Stice e sorri. "Hiperboliquíssimo?"

"O meu pai quando era novo, ele ia dizer 'estropiado' pra mim está beleza."

"Enquanto nós estamos aqui sentados atrás de todos esses termos e palavras novos."

"Sintagmas, sentenças, modelos e estruturas", Troeltsch diz, referindo-se novamente a um exame prescritivo que todo mundo menos Hal gostaria de esquecer. "Nós precisamos de uma gramática gerativa de inflação."

Keith Freer esboça um gesto de quem está pegando sua unidade sob a toalha e a segura apontando para Troeltsch: "Pode ir gerando isso aqui, então".

"Precisa uma sintaxe toda nova pro cansaço de um dia que nem esse", Struck diz. "As melhores mentes da ATE aplicadas ao problema. Dicionários inteiros digeridos, analisados." Faz um gesto sarcástico. "Hal?"

Um sema que ainda funciona direitinho é erguer o punho e fazer uma manivela com a outra mão de modo que o dedo que você está dando para alguém suba como uma ponte levadiça. Se bem que é claro que Hal está rindo também de si próprio ao mesmo tempo. Todo mundo concorda que é supereloquente. O sapato e os incisivos de Idris Arslanian surgem brevemente no vão da porta evaporado, aí se retiram. O reflexo de todos é meio cubista nos azulejos brilhantes das paredes. Com um nome transmitido via paterna desde a Úmbria há cinco gerações e hoje muito diluído por sangue ianque da NI, uma bisavó com sangue indígena Pima do SO e a mestiçagem canadense, Hal é o único Incandenza remanescente com uma aparência pelo menos vagamente étnica. Seu falecido pai tinha sido quando jovem moreno e alto, zigomas altos e chatos dos Pima e um cabelo muito preto brilhantinado para trás com tanto vigor que produzia uma espécie de topete forçado. Sipróprio parecia étnico, mas ele não remanesce. Hal é luzidio, meio que radiantemente moreno, quase lôntrico, só um tanto alto, olhos azuis mas dos escuros, e inqueimável mesmo s/ filtro solar, pés imbronzeados da cor de um chá fraco, nariz sempre indescascante mas levemente reluzente. Seu aspecto luzidio não é tão oleoso quanto úmido, leitoso; Hal secretamente teme parecer semifeminino. As gravidezes dos pais dele devem ter sido uma guerra cromossomática total: Orin, o irmão mais velho de Hal, tinha ficado com o fenótipo anglo-nordo-canadense da Mães, os olhos azuis mais claros afundados na cabeça, a postura irreprimível e a incrível flexibilidade (Orin era o único homem que qualquer um da ATE já tinha conhecido que era capaz de fazer um espacato total tipo cheerleader), zigomaticamente mais redondo e protrusivo.

Mario, o segundo irmão mais velho de Hal, não parece lembrar ninguém que eles conheçam.

Em quase todos os dias sem viagem em que não fica de Amigão com os seus meninos, Hal espera quase todo mundo estar ocupado na sauna e no chuveiro, guarda as raquetes no armário e como quem não quer nada desce os degraus de cimento que levam ao sistema de túneis e câmaras da ATE. Ele tem lá um jeito de conseguir sumir como quem não quer nada e deixar passar um belo tempo antes de alguém sequer perceber sua ausência. Ele normalmente volta como quem não quer nada ao vestiário bem quando as pessoas estão largadas no chão em cima das toalhas falando do cansaço, carregando a sua sacola e com o estado de espírito substancialmente alterado, e entra quando a maioria dos meninos mais novos está por ali descascando lascas de lustra-móveis do corpo e se revezando para tomar banho, e ele toma banho, usa o xampu de um dos meninos num pote com formato de personagem de desenho animado, e aí joga o cabeção para trás e aplica Visine num cubículo livre de Schacht, gargareja, escova, fiodentaliza e se veste, normalmente sem nem precisar pentear o cabelo. Ele carrega Visine AC, um fio dental sabor menta, e uma escova de dentes de viagem num bolso da sua sacola esportiva Dunlop. Ted Schacht, grande higienizador bucal, considera o fio e a escova da sacola de Hal um exemplo para todos eles.

"Tão cansado que quase parece que eu estou chapado."

"Mas não no bom sentido", Troeltsch diz. "Ia ser um barato de cansaço mais legal se eu não tivesse que esperar até a porra das 1900 pra começar a estudar tudo que eu tenho pra estudar", Stice diz.

"Era de imaginar que o Schtitt podia pelo menos não sacanear demais na semana antes das provas."

"Era de imaginar que os técnicos e os professores fossem tentar dar uma sincronizada nos calendários."

"Ia ser tipo uma fadiga do bem se eu pudesse simplesmente subir depois da janta e ficar encostadão com a cabeça em ponto morto assistindo alguma coisa descomplexa."

"Sem ter que ficar se preocupando com formulários prescritivos ou acutâncias."

"Dar um relax."

"Assistir alguma coisa com cenas de perseguição e um monte de explosão pra tudo quanto é lado."

"Desligar, dar uns tapas num bong, esticar as pernocas, olhar uns catálogos de lingerie, comer granola com uma colherona de madeira", Struck diz sonhadoramente.

"Trepar."

"Só tirar uma noite de folga pra dar um descansão."

"Meter um pantufão e ouvir um jazzinho atonal."

"Transar. Trepar."

"Dar uma varada. Partir o bolo. Funfunhar."

"Me arranjarem uma dessas garçonetes de drive-in de lanchonete lá do nordeste de Oklahoma com aquelas tetonas imensas."

"Aqueles peitões enormes cor-de-rosa-quase-branco tipo de pintura francesa que meio que *caem* pra fora da roupa."

"Uma dessas colheres de madeira tão grandes que mal dá pra você meter na boca."

"Só uma noite pra relaxar e fazer bobagem."

Pemulis urra duas velozes estrofes de "Chances Are", de Johnny Mathis, que sobraram da hora do banho, e aí se recolhe para examinar alguma coisa na coxa esquerda. Shaw está com uma bolha de saliva inflada, que vai atingindo um tamanho tão excepcional para ser só cuspe que metade do vestiário fica olhando até ela finalmente estourar no exato instante em que Pemulis se interrompe.

Evan Ingersoll diz: "Mas a gente vai ser liberado no sábado pra véspera do Dia da Interdependência, eles falaram".

Diversas cabeças veteranas se inclinam para Ingersoll. Pemulis cria um calombo na bochecha com a língua que se move de um lado para o outro.

"Dãããã": Stice deixa o queixo cair. "A gente vai ser liberado só das aulas. Os treinos e jogos prosseguem galhardamente, diz o deLint", Freer comenta.

"Mas nada de treino no domingo, antes da festa."

"Mas ainda tem jogo."

Cada jogador júnior aqui presente está ranqueado no top 64 continental, com exceção de Pemulis, Yardley e Blott.

Haveria indícios claros da presença continuada de T. Schacht num dos cubículos das privadas para lá dos chuveiros mesmo que Hal não pudesse ver a ponta de um dos pés do imenso chinelo roxo que Schacht usa no chuveiro sob a porta do cubículo que fica bem onde a entrada da área dos chuveiros atravessa a sua linha de visão. Algo de humilde, até de plácido, em pés inertes sob portas de privadas. A postura defecatória é uma postura de aceitação, ocorre-lhe. Cabeça abaixada, cotovelos nos joelhos, dedos enlaçados entre os joelhos. Algum tipo corcovado de espera meio milenar, quase religiosa. O sapato de Lutero no chão sob o penico, plácido, possivelmente de madeira, o sapato quinhentista de Lutero à espera da epifania. O mudo sofrimento quiescente de gerações de mascates nos cubículos de banheiros de ferroviárias, cabeça abaixada, dedos enlaçados, inertes sapatos engraxados à espera do ácido fluxo. Tamancos de mulheres, sandálias poeirentas de centuriões, botas de pregos de estivadores, tamancos de papas. Todos à espera, apontando retos para a frente, batendinho no chão. Imensos homens de caras peludas cobertos de peles, corcovados logo além do círculo da luz da fogueira com maços de folhas na mão, à espera. Schacht sofria da doença de Crohn,[43] cortesia do seu papai colítico-ulceroso, e tinha que tomar medicação carminativa em todas as refeições, e aguentava muita baixaria por causa dos seus problemas digestivos, e ainda tinha desenvolvido justo gota, também, por causa da doença de Crohn, que havia se instalado no seu joelho direito e lhe causava uma dor terrível na quadra.

As raquetes de Freer e do Vara-Paul Shaw caem do banco com estrondo, e Beak e Blott correm para apanhá-las e empilhá-las de volta no banco, Beak com uma só mão porque a outra está mantendo a toalha presa.

"Pois assim se deu vejamos", Struck diz.

Pemulis adora cantar entre azulejos.

Struck está batendo na palma da mão com um dedo ou por ênfase ou para contar ordinalmente. "Perto de digamos uma hora de corrida para as equipes A, uma hora e quinze de treinos, dois jogos emendados."

"Eu só joguei um", Troeltsch intervém. "Estava com uma febre perceptível de manhã, o deLint disse pra pegar mais leve hoje."

"Quem jogou três sets só fez um jogo, o Spodek e o Kent, por exemplo", Stice diz.

"Engraçado como o Troeltsch, como a saúde dele sempre dá uma melhorada quando os treinos da manhã passam", Freer diz.

"… tipo na melhor das hipóteses duas horas pros jogos. Na melhor. Aí meia hora nas máquinas embaixo da testa gosmenta do merdinha do Loach, ali sentadinho com a prancheta. Dá digamos cinco horas de movimento vigoroso ininterrupto diretão.

"Esforço intenso e continuado."

"O Schtitt decidiu que esse ano a gente não vai cantar nenhuma musiquinha bocó em Port Washington."

John Wayne não abriu a boca durante todo esse tempo. As coisas no seu armário estão organizadas e ajeitadas. Ele sempre abotoa a camisa até o último botão de cima como se fosse pôr gravata, que ele nem tem. Ingersoll também está se vestindo na frente do seu armarinho quadrado de aluno novo.

Stice diz: "Só que parece que eles esquecem que a gente ainda está na puberdade".

Ingersoll é um garoto aparentemente totalmente desprovido de sobrancelhas, até onde Hal pode ver.

"Fale por você, Trevas."

"Eu só estou dizendo que estressar o esqueleto pubertizante assim desse jeito é muito arriscado." A voz de Stice se ergue. "Comé que eu vou fazer quando eu estiver com vinte anos jogando direto no Circuito e estiver esqueletalmente estressado e tendencioso a contusões?"

"O Escuridão está certo."

Um pedaço espiralado de fosca lasca de lustra-móveis velho e um fio verde de uma faixa de bandagem GauzeTex estão complexamente enredados nas fibras azuis do carpete perto do tornozelo esquerdo de Hal, tornozelo que está levemente inchado e tem um tom azulado. Ele fica dobrando o tornozelo sempre que lembra. Struck e Troeltsch trocam tapas brevemente com as mãos abertas, esquivando e balançando a cabeça, os dois ainda sentados no chão. Hal, Stice, Troeltsch, Struck, Rader e Beak estão apertando ritmicamente bolas de tênis com a mão com que seguram a raquete, ordens da Academia. Os ombros e o pescoço de Struck têm furiosas inflamações purpúreas; Hal também já tinha percebido uma espinha no lado de dentro da coxa de Schacht, quando Ted sentou. O reflexo do rosto de Hal cabe direitinho em um azulejo da parede da frente, e aí se ele mexe a cabeça devagar o rosto se distende e reagrupa com um baque óptico no azulejo ao lado. O sentimento comunitário pós--banho está se dissipando. Até Evan Ingersoll dá uma olhada rápida para o relógio e limpa a garganta. Wayne e Shaw se vestiram e se foram; Freer, um grande fã de lustra-móveis, está cuidando do cabelo na frente do espelho, Pemulis também se levanta para se livrar dos pés e das pernas de Freer. Os olhos de Freer têm uma vastidão esbugalhada que o Aiquefoda diz que deixa ele com cara de quem está sempre assustado ou esgoelado.

E o tempo no vestiário da tarde parece ter uma ilimitada profundidade; todos eles já estiveram exatamente aqui, bem assim, e amanhã estarão de novo. A luz entristece do lado de fora, uma mágoa sentida nos ossos, um contorno cortante nas sombras que se alongam.

"Eu estou achando que é o Tavis", Freer diz para todos no espelho. "Onde houver excesso de trabalho e sofrimento, o merda do Tavis não pode andar muito longe."

"Não, é o Schtitt", Hal diz.

"O Schtitt já tinha um ou dois pequenos primatas no bom e velho andar superior bem antes da gente estar nas mãos dele, galera", Pemulis diz.

"Pemulístico e Hal."

"Halação e Pemurama."

Freer franze os lábios e expele ar como se estivesse apagando um fósforo, soprando algum minúsculo resquício de penteado do vidro do grande espelho. "O Schtitt só faz o que mandam, como um bom nazistinha."

"Mas que *puorra* é essa?", pergunta um Stice que é famoso por perguntar Que Altura Senhor quando Schtitt grita Pulem, agora tateando pelo carpete à sua volta em busca de algo para jogar em Freer. Ingersoll arremessa uma toalha entronchada para Stice, tentando ser útil, mas os olhos de Stice estão nos de Freer no espelho, e a toalha o acerta na cabeça e fica lá, na cabeça dele. As emoções da sala parecem estar se invertendo de poucos em poucos segundos. Rola um riso semicruel às custas de Stice enquanto Hal se esforça para se pôr de pé, subindo em estágios cuidadosos, pondo quase todo o peso do corpo no tornozelo bom. A toalha de Hal cai enquanto ele faz essa manobra. Struck diz alguma coisa que se perde no troar de uma privada de alta pressão.

O feminilizado americano encontrava-se ligeiramente na diagonal de Marathe, sobre o afloramento. Encarava a sombra crepuscular dentro da qual eles agora estavam, assim como também o cintilar cada vez mais complexo da cidade de Tucson dos EUA, parecendo lassamente transfixado, Steeply, como só as paisagens imensas demais para os olhos são capazes de transfixar as pessoas numa espécie de torpe espectação.

Marathe parecia à beira do sono.

Até a voz de Steeply tinha um timbre diferente dentro da sombra. "Dizem que é um grande e talvez eterno amor até, o do Rod Tine por essa Luria de vocês."

Marathe grunhiu, trocando levemente de posição na cadeira.

Steeply disse: "O tipo que vira tema de canções, o tipo pelo qual as pessoas morrem e aí ficam imortalizadas em música. De onde vêm as baladas, as óperas. Tristão e Isolda. Lancelote e aquela outra. Agamêmnon e Helena, Dante e Beatriz".

O sorriso sonolento de Marathe continuou avançando até se transformar num esgar. "Narciso e Eco. Kierkegaard e Regina. Kafka e aquela coitadinha que tinha medo de ir na caixa de correio pegar a correspondência."

"Uma escolha interessante de exemplo essa, do correio." Steeply fingiu dar uma risadinha.

Marathe ficou alerta. "Tire sua peruca e fique cagando dentro, Hugh Steeply BSS. E sua ignorância me espanta. Agamêmnon não tinha relações com essa rainha. Menelau era marido, o de Esparta. E você quer dizer *Páris*. Helena e Páris. O de Troia."

Steeply parecia estar se divertindo de um jeito idiota: "Páris e Helena, o rosto que lançou naus. O cavalo: o presente que não era presente. O presente anônimo deixado à porta. O saque de Troia começa por dentro".

Marathe se ergueu de leve sobre seus tocos de perna na cadeira, mostrando um pouco de emoção para esse Steeply. "Eu estou sentado aqui espantado com a naïveté da história da sua nação. Páris e Helena foram a *desculpa* para a guerra. Todos os Estados gregos além da Esparta de Menelau atacaram Troia porque Troia controlava os Dardanelos e cobrava os pedágios escorchantes para passagem, o que os gregos, que gostariam muito da passagem marítima fácil para comerciar com o Leste Oriental, lamentaram furiosamente. Foi por comércio, essa guerra lá. O cita-se 'amor' não cita-se-mais de Páris por Helena era meramente a desculpa."

Steeply, gênio das entrevistas, às vezes afetava mais do que a idiotice de sempre com Marathe, o que ele sabia que provocava Marathe. "Tudo se reduz à política para vocês. Aquela guerra toda não foi só uma canção? Será que aquela guerra aconteceu mesmo até onde se pode saber?"

"A questão é que o que lança naus de guerra é o Estado, a comunidade e seus interesses", Marathe disse sem calor, fatigadamente. "Você só deseja gostar de fingir para você mesmo que o amor de uma mulher podia fazer isso, lançar tantas naus de aliança."

Steeply estava afagando o perímetro do arranhão de mesquite, o que fez seu dar de ombros parecer desajeitado. "Eu não sei se teria tanta certeza assim. As pessoas próximas do Rodão Fodão dizem que o cara era capaz de morrer duas vezes por ela. Dizem que ele nem ia precisar pensar. Não é só que ele ia deixar a ONAN inteira desmoronar, se fosse o caso. Mas que ia morrer."

Marathe fungou. "Duas vezes."

"Sem nem ter que parar pra pensar", Steeply disse, afagando o vermelhão eletrolisístico do lábio de maneira ruminativa. "É por isso que a gente, na maioria, acha que ele ainda está lá, o motivo dele ainda aconselhar o presidente Gentle. Lealdade dividida é uma coisa. Mas se ele faz isso tudo por *amor* — bom, aí rola um elemento meio trágico que transcende o político, você não acha?" Steeply sorriu amplo para Marathe.

A traição do próprio Marathe à AFR: em troca de cuidados médicos para as doenças de sua esposa; pelo (Steeply pode imaginar pensar) amor a uma pessoa, a uma mulher. "*Trágico* dizendo como se o Rodney Tine da Não Especificidade não fosse responsável por escolher, como os insanos não são responsáveis", disse Marathe baixo.

Steeply agora estava sorrindo ainda mais amplo. "Tem uma qualidade meio trágica, atemporal, musical, que como é que o Gentle ia poder resistir?"

O tom de Marathe tornou-se derrisório malgrado seu lendário sangfroid em questões referentes a entrevistas técnicas: "Esses sentimentos vindos de uma pessoa que permite que eles ponham em campo uma moça imensa de tetas no ângulo de vesgo, que agora quer discursar sobre o amor trágico".

Steeply, impassivo e lassamente ruminativo, cutucou o batom do canto da boca com um dedinhozinho, retirando algum grão de poeira, olhos fixos na distância, sobre a saliência de pedra em que estavam. "Mas claro. Os patriotas fanáticos dos

Cadeirantes Assassinos do Québec meridional desprezam esse tipo de sentimento interpessoal entre as pessoas." Olhando agora para Marathe, para baixo. "Não? Apesar de ter sido exatamente esse tipo de coisa que levou Tine até vocês, às ordens de Luria, caso isso venha a ser necessário um dia?"

Marathe tinha reacomodado a bunda na cadeira. "Sua palavra EUA para os fanáticos, 'fanático', eles ensinam para vocês que ela vem do latim 'templo'? Ela está significando, literalmente, 'aquele que adora no templo'."

"Ai, Jesus, lá vem ele de novo", Steeply disse.

"Como, se você dá a permissão, esse *amor* de que você fala, o grandioso amor de M. Tine. Ele significa só a *ligação*. Tine está ligado a ela fanaticamente. Nossas ligações são nosso templo, aquilo que adoramos, não? Isso a que nós nos entregamos, isso que investimos com fé."

Steeply fazia gestos de exausta familiaridade. "Lááááá vem ele."

Marathe ignorou. "Não somos todos nós fanáticos? Eu digo somente o que vocês dos EUA somente fingem não saber. Ligações são de grande seriedade. Escolha bem suas ligações. Escolha seu templo de fanaticismo com grande cuidado. O que você deseja decantar como amor trágico é uma ligação não cuidadosamente escolhida. Morrer por uma pessoa? Isso é a loucura. As pessoas mudam, partem, morrem, adoecem. Elas partem, mentem, enlouquecem, têm doença, traem você, morrem. Sua nação sobrevive a você. Uma causa sobrevive a você."

"Como é que vão a patroa e as crianças lá no nortão, por falar nisso?"

"Vocês, EUAS, vocês me parece que não acreditam que podem escolher a coisa pela qual morrer. Amor de uma mulher, o sexual, ele se volta novamente para o eu, ele estreita você, pode que enlouqueça. Escolha com cuidado. Amor de sua nação, de seu país e de seu povo, ele amplia o coração. Qualquer coisa maior que o eu."

Steeply repousou uma das mãos entre seus seios desnorteados: "Ahh... Canadá...".

Marathe novamente se reclinou sobre os tocos das pernas. "Faça diversão quanto quiser. Mas escolha com cuidado. Você é o que você ama. Não? Você é, completa e unicamente, as coisas pelas quais você morreria sem, como vocês dizem, o *pensar duas vezes*. Você, M. Hugh Steeply: você morreria sem pensar por qual coisa?"

A extensa ficha de Steeply na AFR mencionava seu recente divórcio. Marathe já havia informado Steeply da existência dessa ficha. Ele tinha dúvidas de até que ponto Steeply duvidava de seus relatos, de Marathe, ou se simplesmente imaginava que eram verdadeiros. Embora a persona mudasse, o carro de Steeply para todos os seus trabalhos de campo era um sedã verde subsidiado por um doloroso anúncio de aspirina na lateral — a ficha sabia dessa estupidez —, Marathe tinha certeza de que o sedã com seu anúncio de aspirina estava em algum lugar abaixo deles, escondido. O carro fanaticamente adorado por M. Hugh Steeply. Steeply estava olhando ou contemplando as trevas do deserto. Não respondeu. Sua expressão de tédio podia ser real ou tática, uma das duas.

Marathe disse: "Essa, não é essa a escolha da mais suprema importância? Quem ensina às suas crianças EUAs como escolher seu templo? O que amar a ponto de não pensar duas vezes?".

"Isso vindo de um homem que…"

Marathe estava disposto a não permitir que sua voz se erguesse. "Pois essa escolha determina todo o resto. Não? Todas outras nossas escolhas que vocês dizem *livres-escolhas* decorrem disto: qual é seu templo. Qual é o templo, então, para os EUAs? Qual é, quando vocês receiam ser necessário proteger essas pessoas delas mesmas, se malvados quebequenses conspiram para pôr o Entretenimento dentro de seus lares cálidos?

O rosto de Steeply tinha adotado a expressão retorcida abertamente escarnecedora que ele sabia muito bem que os quebequenses achavam repulsiva nos americanos. "Mas você supõe que é sempre uma escolha, uma decisão consciente. Isso não é só um tantinho naïve, Rémy? Você senta com o seu caderninho de contador e decide sobriamente o que amar? Sempre?"

"As alternativas são…"

"E se às vezes não houver escolha do que amar? E se o templo for a Maomé? E se você simplesmente *ama*? Sem decidir? Você simplesmente *ama*: você vê aquela mulher e naquele instante danou-se a contabilidade sensata e você só pode escolher amar?"

A fungada de Marathe continha desprezo. "Aí em tal caso seu templo é o eu e o sentimento. Aí em tal exemplo você é um fanático do desejo, escravo dos sentimentos estreitos e subjetivos do eu; um cidadão do nada. Você se torna cidadão do nada. Você está por conta própria e sozinho, ajoelhado diante de si mesmo."

Um silêncio se seguiu a isso.

Marathe se ajeitou na cadeira. "Num caso como tal você se torna o escravo que acha que é livre. A mais patética das servidões. Não o trágico. Não as canções. Você acha que morreria duas vezes por um outro, mas em verdade você morreria só por seu eu somente, o sentimento dele."

Outro silêncio se seguiu. Steeply, que tinha começado a carreira nos Serviços Aleatórios conduzindo entrevistas técnicas,[44] usava pausas silenciosas em suas técnicas de diálogo. Aqui isso desarmou Marathe. Marathe sentiu as ironias imanentes à sua situação. Uma das alças do sutiã das próteses de Steeply tinha aparecido logo abaixo do ombro, onde fazia um vinco fundo na carne do braço. O ar cheirava vagamente a creosoto, mas muito menos forte do que o cheiro dos dormentes dos trilhos de trem, que Marathe tinha cheirado bem de perto. As costas de Steeply eram amplas e macias. Marathe finalmente disse:

"Você em tal caso não tem nada. Você se ergue sobre nada. Nada de chão ou de pedra sob os pés. Você cai; você voa daqui para lá. Como se diz: 'tragicamente, involuntariamente, perdido'."

Outro silêncio se seguiu. Steeply peidou de leve. Marathe deu de ombros. O Agente de Campo Steeply do BSS podia não estar realmente escarnecendo. O lume da cidade de Tucson surgiu como um branco fantasmático alvejado no ar úmido.

Animais crepusculares farfalharam e talvez tenham rastejado. Densas e não belas teias de aranha da peçonhenta espécie EUA de aranha viúva-negra estavam sob a prateleira e os outros afloramentos da encosta. E quando o vento atingia certos ângulos do flanco da montanha ela gemia. Marathe pensou em sua vitória sobre o trem que lhe levara as pernas.[45] Ele tentou em inglês cantar:

"'Oh Say, Land of the free'."

E os dois sentiram aquele estranho arrepio do frio da noite seca do deserto descer com a ascensão da lua em quarto — um vento poeirento lá embaixo fazendo a areia correr e os espinhos dos cactos assoviarem, as estrelas do céu se ajustando para uma cor de chama baixa —, mas não se arrepiaram eles, nem o vestido sem mangas de Steeply: ele e Marathe de pé e sentado no justo traje espacial astral de tepidez que o próprio calor irradiado deles produzia. É isso que acontece em climas noturnos secos, Marathe estava aprendendo. A sua esposa moribunda jamais saíra do sudoeste do Québec. A base disseminatória embriônica remota de Les Assassins des Fauteuils Rollents aqui no sudoeste dos EUA lhe parecia a superfície da lua: quatro barracões Quonset corrugados, terra queimada como cerâmica e um ar que ondulava e cintilava como a área atrás dos motores de um jato. Salas vazias de janelas sujas, maçanetas quentes ao toque e um fedor dos diabos dentro das salas vazias.

Steeply continuava a dizer nada enquanto batia mais um de seus longos cigarros belgas. Marathe continuou a cantarolar a canção dos EUA, totalmente descoordenado no tom.

3 DE NOVEMBRO AFGD

"Porque nenhum deles na verdade queria isso assim", Hal diz a Kent Blott. "O ódio-de-fim-de-dia da coisa toda é só parte da coisa toda. Você acha que o Schtitt e o deLint não sabem que a gente vai ficar aqui sentado todo mundo junto depois do banho reclamando da vida? Está tudo planejado. Os reclamões e os fungões aqui só estão fazendo o que eles esperam."

"Mas eu olho esses caras que estão tipo há seis, sete anos, oito anos, sem parar de sofrer, quebrados, acabados, tão cansados, bem como eu acho que eu estou cansado e que eu sofro, eu sinto um sei lá, pavor, um pavor, eu vejo sete ou oito anos de infelicidade todo dia e dia a dia de cansaço e tensão e sofrimento pela frente, e pra quê, pra uma chance de uma carreira pró que eu estou começando a ficar meio com um sentimento meio pavoroso que uma carreira no Circuito representa ainda *mais* sofrimento, se eu estiver esqueletalmente estressado por essa batalha toda aqui quando eu chegar lá."

Blott está deitado de costas no carpete felpudo — todos os cinco estão esticados com os membros estirados e as cabeças erguidas apoiadas em almofadas aveludadas de espessura dupla no chão da SV6, uma das três Salas de Vídeo pequenas do segundo andar do Ed. Com.-Ad., dois andares acima dos vestiários e a três da boca do túnel principal. O novo monitor de cartuchos é imenso e de uma definição quase dolorosamente alta; ele pende plano da parede norte como uma grande pintura; roda com um chip refrigerado; a sala não tem TP nem console de telefone; é bem especializada, só um player e um monitor, e fitas; o novo player de cartuchos fica na segunda prateleira de uma estantezinha embaixo do monitor; as outras prateleiras e as várias outras caixas estão cheias de cartuchos de jogos, cartuchos motivacionais e de visualização — InterLace, Tatsuoka, Tutikaga, SyberVision. O cabo de 300-pistas que vai do player até o canto direito inferior do monitor na parede é tão fino que parece uma rachadura na pintura branca da parede. As Salas de Vídeo são desprovidas de janelas e o ar que vem da ventarola é choco. Se bem que quando o monitor está ligado parece que a sala tem janela.

Hal colocou um cartucho tranquilo tipo visualização, como sempre faz para uma interface grupal de Amigão, quando todo mundo está cansado. Ele tirou o som, então não dá para ouvir o mantra de reforço, mas a imagem é colorida e tintina de tão límpida. É como se a imagem quase saltasse em cima de você. Um Stan Smith encanecido e de aparência algo destroçada trajando um anacrônico branco está no fundo de uma quadra batendo forehands perfeitos, repetidamente, repetidamente, o mesmo golpe, com as costas meio osteoporoticamente corcovadas mas sua forma imaculada, seu jogo de pés perfeito e sem esforço — o giro sem atrito e o deslocamento do peso para trás, a anacrônica raquete Wilson de madeira para trás e apontando direto para a cerca atrás dele, a fluida transferência de peso para o pé da frente quando a bola chega, o contato na altura da cintura e logo à frente, os músculos da perna da frente se avolumando enquanto a perna de trás se acomoda, olhos grudados na bola amarela no centro do W aplicado às suas cordas — os meninos da ATE são condicionados a olhar não só a bola mas a rotação das suturas da bola, para ler o efeito aplicado — o joelho da frente dobrando um pouquinho sob quadríceps inflados enquanto o peso corre mais para a frente, o pé de trás quase *en-pointe* sobre o bico indesgastado do tênis, o follow-through sem floreios e mais que objetivo, de modo que a raquete acaba bem na frente do seu rosto descarnado — as bochechas de Smith secaram com a idade, seu rosto desmoronou pelas beiradas, os olhos parecem saltar dos zigomas que protuberam quando ele inala depois do impacto, ele parece desidratado, envelhecido sob a luz quente, por décadas, com a outra mão flutuando delicadamente para agarrar o pescoço da raquete lá na frente do rosto para ele voltar fluidamente à Postura de Espera mais uma vez. Nenhum movimento desperdiçado, golpes desprovidos de ego, sem floreios nem tiques nem excessos de munheca. Repetidamente, cada forehand se fundindo com o outro, um loop, é hipnotizante, é para ser. A trilha sonora diz "Não Pense Só Veja Não Saiba Só Flua" repetidamente, se você puser o som. A ideia é você fingir que é você ali na tela tintinante com os golpes fluidos e desprovidos de ego. A ideia é você desaparecer no loop e aí levar esse desaparecimento com você, para a quadra. Os meninos estão deitados lá, lassos e espalhados, supinos, queixos frouxos, olhos amplos e opacos, um calor exausto e relaxado — o piso sob as fibras é levemente aquecido. Peter Beak está dormindo de olhos abertos, um estranho talento que a

ATE parece instilar nos mais jovens. Orin era capaz de dormir com os olhos abertos à mesa do jantar, também, em casa.

Os dedos de Hal, longos e marrom-claros e ainda um pouquinho grudentos da tintura de benjoim,[46] estão enlaçados atrás da cabeça apoiada na almofada, acomodando o próprio crânio, assistindo Stan Smith, olhos pesados também. "Você fica achando que vai passar pelo mesmíssimo tipo de sofrimento com os dezessete que você tem agora, aqui, Kent?"

Kent Blott tem cadarços coloridos no tênis com uns penduricalhos da marca do programa "Senhor Pula-Pula", o que Hal acha extraordinariamente vulgar e jovem.

Peter Beak ronca leve, com uma bolhinha de saliva protuberando e recolhendo.

"Mas Blott claro que você pensou nisso: por que eles ainda estão aqui, então, se é tão horrível todo dia?"

"Não todo dia", Blott diz. "Mas vive sendo horrível."

"Eles estão aqui porque querem o Circuito quando saírem", Ingersoll funga e diz. O Circuito sendo o circuito da ATP, viagens e prêmios em dinheiro, patrocínios e cachês, melhores momentos das partidas nas revistas de vídeo, fotos em cena nas revistas impressas em cuchê.

"Mas eles sabem e a gente sabe que um em cada vinte dos juvenis mais fodas acaba de verdade no Circuito. E ainda não sobrevive por muito tempo lá. O resto se contenta com os circuitos satélites ou regionais, ou larga mão e vira profissional de clube. Ou então vira advogado ou acadêmico que nem todo mundo", Hal diz baixinho.

"Aí eles ficam e ralam pra ganhar uma bolsa. Um passe pra faculdade. Um cardigã branco com uma letra grande no peito pra mostrar que tá nos Esportes. Coleguinhas doidas por um cara letrado."

"Kent, fora o Wayne e o Pemulis não tem ninguém aqui que precise de bolsa. O Pemulis consegue uma integral onde ele quiser, só com as notas dos testes. As tias do Stice mandam ele pra qualquer lugar nem que ele não queira jogar. E o Wayne está marcado pro Circuito, ele nunca vai cumprir mais de um ano no AAUONAN." O pai de Blott, um otorrinoncologista de ponta, voava pelo mundo afora extirpando tumores de ricas membranas mucosas; Blott tem um fundo financeiro em seu nome. "Nada disso é o problema principal e vocês sabem."

"Eles adoram jogar, você vai dizer."

Stan Smith passou para os backhands.

"Bom, claro que eles devem adorar alguma coisa, Ingersoll, mas que tal se por um minutinho aqui eu disser que isso também não é aonde o Kent quer chegar. O Kent quer chegar é na desgraça que estava aquela sala agora há pouquinho. K. B., eu participei desse mesmo tipo de momentos amargos e reclamentos centenas de vezes com aqueles mesmos caras depois de um vespertino ferrado. No chuveiro, na sauna, na janta."

"Muita reclamentação no banheiro também", Arslanian diz.

Hal desgruda o cabelo dos dedos. Arslanian sempre tem um estranho cheiro cachorro-quêntico. "A questão ali é ritualística. As reclamações e a gemeção. Mesmo que a gente considere que eles estão de verdade daquele jeito que eles dizem que estão quando ficam juntos, o lance é sacar que a gente está aqui todo mundo sentado estando do mesmo jeito *junto*."

"O lance é a união?"

"Não era pra rolar uns violinos nessa parte, Hal, se o lance é esse?"

"Ingersoll, eu…"

As adenoides de tempo frio de Beak o despertam periodicamente e ele gorgoleja e seus olhos reviram brevemente antes de se aplanarem e de ele se aprumar, aparentemente com o olhar fixo.

Hal criativamente visualiza que o backhand veludoso de Smith é ele em câmera lenta dando um bofete que joga Evan Ingersoll na parede oposta. Os pais de Ingersoll fundaram a versão de Rhode Island do serviço em que você faz compras por TP e uns adolescentes com uma frota de peruas levam para você, em vez de supermercados. "O lance é que todo mundo ali tinha acabado de passar três horas jogando um contra o outro num frio encolhescroto, se atacando, tentando um tirar o lugar do outro nas equipes. Tentando defender os nossos lugares dos ataques do outro. O sistema tem a desigualdade por axioma. A gente sabe onde está totalmente um em relação ao outro. O John Wayne está acima de mim, eu estou acima do Struck e do Shaw, que dois anos atrás estavam acima de mim, os dois mais abaixo do Troeltsch e do Schacht, e agora estão acima do Troeltsch, que hoje está acima do Freer, que está bem acima do Schacht, que não ganha de ninguém daquela sala fora o Pemulis desde que o joelho e a doença de Crohn dele pioraram muito e ele mal está se segurando em termos de ranking, e está demonstrando uma garra do caralho só por não desistir. O Freer me meteu um 4 a 2 nas quartas do US de saibro há dois anos e agora ele está na equipe B e cinco posições abaixo de mim, seis se o Troeltsch ainda conseguir ganhar dele quando eles jogarem de novo depois daquele cancelamento por doença."

"Eu estou acima do Blott. Estou acima do Ingersoll", Idris Arslanian balança a cabeça.

"Mas o Blott só tem dez anos, Idris. E você está abaixo do Chu, que está num ano esquisitão e abaixo do Possalthwaite. E o Blott está abaixo do Beak e do Ingersoll simplesmente em virtude da divisão por idade."

"Eu sei onde eu estou o tempo todo", reflete Ingersoll.

A SyberVision edita as suas sequências de visualização com um filtro de fusão de modo que o follow-through de Stan Smith se emenda inconsutilmente na sua preparação para o mesmíssimo golpe novamente; as transições são vaporosas e oníricas. Hal se esforça para se erguer nos cotovelos.

"Todo mundo aqui está na cadeia alimentar um do outro. Todo mundo. É um esporte individual. Bem-vindos ao sentido da palavra *indivíduo*. Nós estamos profundamente sozinhos aqui. É o que todo mundo aqui tem em comum, essa solidão."

"*E Unibus Pluram*", reflete Ingersoll.

Hal olha de um rosto para outro. O de Ingersoll é completamente desprovido de sobrancelhas, redondo e poeirento de sardas, não muito diferente de uma panqueca. "Então como é que a gente pode também estar junto? Como é que a gente pode ser amigo? Como é que o Ingersoll pode torcer pelo Arslanian nas simples do Idris lá em Port Washington já que se o Idris perder o Ingersoll pode ter mais uma chance de ganhar o lugar dele?"

"Eu não necessito da torçância dele, porque estou preparado." Arslanian mostra os caninos.

"Esse que é o lance. Como é que a gente pode ser amigo? Mesmo morando, comendo, tomando banho e jogando juntos, como é que a gente pode não ser 136 pessoas profundamente solitárias todas enfiadas no mesmo lugar?"

"Você está falando de comunidade. Isso aqui é uma defesa da comunidade."

"Acho que é alienação", Arslanian diz, virando de perfil para demonstrar que está falando com Ingersoll. "Individualidade existencial, frequentemente mencionada no Ocidente. Solipsismo." O seu lábio superior fica subindo e descendo sobre os dentes.

Hal diz: "Pra encurtar a história, a gente está falando aqui é de solidão".

Blott parece meio pronto para chorar. Os olhos paralisados de Beak e seus espasmos musculares significam um sonho incômodo. Blott esfrega furiosamente o nariz com a base da mão.

"Eu estou com saudade do meu cachorro", Ingersoll confessa.

"Ah." Hal rola para se apoiar num cotovelo e alçar um dedo ao ar. "Ah. Mas aí então percebam a imediata coesão grupal que se formou em torno de toda aquela gemeção e aquele mi-mi-mi lá embaixo, cavalheiros. Blott. Você, Kent. Essa era a questão de vocês. O que parece sadismo, o estresse esqueletal, a fadiga. O sofrimento *une* a gente. Eles querem que a gente fique ali sentado gemendo. Juntos. Depois de um vespertino fodido todo mundo ali, por mais que dure pouco, sente que tem um inimigo comum. Esse é o presente que eles dão pra gente. O remédio deles. Nada une mais as pessoas que um inimigo comum."

"O senhor deLint."

"O dr. Tavis. O Schtitt."

"DeLint. Watson. Nwangi. Thode. Todos os capangos e as capangas do Schtitt."

"Eu odeio eles!", Blott grita.

"Você está aqui faz tempo e ainda acha que esse ódio é acidental?"

"Adquira uma noção, Kent Blott!", Arslanian diz.

"Do tipo grande tamanho-família, Blott", Ingersoll ecoa.

Beak senta no chão e diz: "Não, pelo amor de Deus, não com o *alicate*!", e cai de novo, de novo com a bolha de saliva.

Hal está fingindo incredulidade. "Vocês ainda não perceberam como o pessoal todo do Schtitt vai ficando mais azedo e mais sádico quando uma semana de competição importante vai chegando?"

Ingersoll apoiado num cotovelo, para Blott. "O meeting de Port Washington. Dia da ID. O WhataBurger de Tucson na semana seguinte. Eles querem a gente na pontíssima dos cascos, Blott."

Hal se estende no chão e deixa o *ballet de se* de Smith novamente relaxar-lhe os músculos faciais, olhando. "Caralho, Ingersoll, todo mundo aqui já está na ponta dos cascos. Não é isso. Isso é o menos importante. A gente está explodindo, cascalmente falando."

Ingersoll: "O adolescente norte-americano típico não consegue nem uma flexão de braços, segundo o Nwangi".

Arslanian aponta o próprio peito. "Vinte e oito flexões."

"A questão", Hal diz baixinho, "é que não se trata mais da parte física, galera. A parte física é só proforma. São as cabeças que eles estão lapidando aqui, gente. Dia a dia. Um programa de exercícios. Vocês vão encarar isso melhor se procurarem as provas da intencionalidade. Eles sempre dão alguma coisa pra gente odiar, odiar de verdade, juntos, quando as coisas grandes vão chegando. Os temidos Treinos de Maio durante as finais antes dos torneios de verão. O massacre pós-natalino antes da Austrália. A geladeira de novembro, o mês da gripe, a demora pra erguer o Pulmão e colocar a gente indoors. Um inimigo comum. *Eu* posso desprezar K. B. Freer ou (é meio irresistível) Evan Ingersoll, ou Jennie Bash. Mas *nós* desprezamos o pessoal do Schtitt, os jogos de duplas depois das corridas, a insensibilidade às provas, a repetição, o estresse. A solidão. Mas a gente se reúne e reclama, e de repente a gente está dando uma expressão grupal a alguma coisa. A voz de uma comunidade. Comunidade, Evan. Ah, eles são ardilosos. Eles se entregam ao nosso ódio, calculam o nosso ponto de resistência e miram um tantinho além, e aí mandam a gente pro vestiário com quarenta e cinco livres antes das sessões de Amigão. Acidente? Casualidade fortuita? Por acaso vocês já viram um indício que seja da menor ausência de uma estrutura friamente calculada por aqui?"

"A estrutura é o que eu mais odeio", Ingersoll diz.

"Eles sabem o que está rolando", Blott diz, quicando um pouco em cima do cóccix. "Eles *querem* que a gente se junte e fique reclamando."

"*Ah*, mas eles são ardilosos", Ingersoll diz.

Hal se enrosca um pouco sobre o cotovelo para pôr na boca um naco pequeno de Kodiak. Ele não consegue dizer se Ingersoll está sendo insolente. Fica ali largado, visualizando Smith dar smashes no crânio de Ingersoll. Hal algumas semanas atrás aquiescera com o diagnóstico de Lyle de que Hal acha Ingersoll — aquele menino esperto fofo e cáustico, com um rostão fofinho e dessobrancelhado e juntas sem rugas nos polegares, com cara repolhuda e mimada de um filhinho de mamãe dos tempos antigos, uma inteligência rápida que ele desperdiça numa insaciável necessidade de melhorar alguma impressão que cause — que o menino é tão repulsivo para Hal porque Hal vê no menino certas partes de si próprio que não pode ou não quer aceitar. Nada disso jamais ocorre a Hal quando Ingersoll está no cômodo. Ele lhe deseja coisas ruins.

Blott e Arslanian estão olhando para ele. "Tudo bem com você?"

"Ele está cansado", Arslanian diz.

Ingersoll batuca desligado nas costelas.

Hal normalmente fica secretamente chapado com tanta regularidade ultimamente este ano que se na hora da janta ele ainda não ficou chapado naquele dia a boca dele começa a encher de saliva — algum rebote do efeito desidratante do B. Hope — e os olhos começam a encher de lágrimas como se ele tivesse acabado de bocejar. O tabaco não fumígero começou quase como uma desculpa para cuspir às vezes. Hal fica impressionado com o fato de que ele realmente em termos gerais acredita no que disse sobre solidão e a necessidade estruturada de um *nós* ali; e isso, com a repugnância-Ingersoll e a inundação de saliva, o deixa novamente desconfortável, meditando desconfortavelmente por um momento sobre os motivos de curtir o segredo de ficar chapado em segredo mais do que o próprio fato de ficar chapado, possivelmente. Ele sempre fica com a sensação de que tem alguma pista para a resposta bem na ponta da língua, em algum recanto mudo e inacessível do córtex, e aí sempre se sente vagamente nauseado, procurando por ela. A outra coisa que acontece se ele não dá uns tapas em algum momento antes da janta é que ele fica levemente enjoado, e é difícil comer direito na janta, e aí depois quando ele consegue sair e curtir fica cheio de fome e vai ao mercadinho Father & Son comprar doce ou enche os olhos de Murine e se manda para a Casa do Diretor para outro jantar noturno com o C.T. e a Mães, e come como um bicho tão selvagem que a Mães diz que algo instintivamente maternal no seu coração fica satisfeito de ver ele mandar para dentro, mas aí ele acorda antes do sol nascer com uma indigestão horrorosa.

"Então o sofrimento fica menos solitário", Blott lhe dá a deixa.

Duas curvas corredor abaixo, na sv5, onde o monitor fica na parede sul e não está ligado, o canadense John Wayne está com LaMont Chu, o "TP hibernando", Peterson, Kieran McKenna e Brian van Vleck.

"Ele está falando sobre como desenvolver o conceito da técnica do tênis", Chu diz aos outros três. Eles estão no chão como índios, Wayne de pé com as costas contra a porta, girando a cabeça para alongar o pescoço. "O argumento dele é que o progresso para uma técnica legitimamente calibre-Circuito é lento, frustrante. Te deixa humilde. Uma questão mais de temperamento que de talento."

"É verdade isso, sr. Wayne?"

Chu diz: "... que como você progride na direção do domínio da técnica por uma série de platôs, então tipo tem uma melhora radical até um certo platô e aí o que parece uma travada, no platô, que o único jeito de sair de um dos platôs e subir pro outro é com um monte de treino frustrante, repetitivo e burro e paciência e resistir".

"Plateaux", Wayne diz, olhando para o teto e apertando isometricamente o crânio contra a porta. "Com X. *Plateaux*."

A tela do monitor inativo é da cor do Atlântico distante visto de cima num dia frio. A postura de pernas cruzadas de Chu é exemplar. "O que o John está dizendo é que os tipos que não resistem e não camelam na estrada da paciência que leva ao domínio da técnica são basicamente três. Tipos. Tem o que ele chama de tipo Desesperado, que está beleza enquanto está no estágio de desenvolvimento rápido antes de um platô, mas aí quando chega no platô e vê que parece que ele travou, que não está melhorando tão rápido ou até parece que está piorando um pouco, esse tipo se entrega à frustração e ao desespero, porque não tem a humildade e a paciência de resistir e ralar, e ele não aguenta o tempo que tem que passar nos plateaux, e aí o que acontece?"

"Gerônimo!", os outros meninos gritam, não exatamente síncronos.

"Ele dá no pé, isso mesmo", Chu diz. Ele confere umas anotações. A cabeça de Wayne faz a porta chacoalhar um pouquinho. Chu diz: "Aí tem o tipo Obsessivo, diz J. W., com tanta vontade de pular platô que nem conhece a palavra *paciente*, muito menos *humilde* ou *ralar*, quando ele trava num platô ele tenta tipo se *arrancar* dali na base da *vontade*, por pura força bruta, trabalhando e treinando, com vontade e com treino, praticando e aperfeiçoando obsessivamente e trabalhando cada vez mais, tipo alucinando mesmo, e ele exagera e se machuca, e logo, logo está todo cronicamente ferrado de contusão e fica mancando pela quadra ainda trabalhando obsessivamente, até que finalmente ele mal consegue andar ou rebater uma bola, e o ranqueamento dele desmorona, até que finalmente numa bela tarde tem uma batidinha na porta do quarto e é o deLint, que foi dar uma conversada sobre o progresso dele aqui na ATE."

"Banzai! El Baile! Tchau*zim*!"

"E aí tem o que o John de repente considera o pior tipo, que consegue se disfarçar espertamente de paciência e de humilde frustração. É o tipo Complacente, que melhora radicalmente até bater num platô, fica satisfeito com a melhora radical que obteve pra chegar no platô, não acha ruim ficar no platô porque é confortável e familiar, nem pensa em sair dali, e logo, logo você vê que ele desenvolveu todo um estilo de jogo baseado na compensação das fraquezas e das frestas que aquele platô ainda representa no jogo dele — o jogo todo dele agora se baseia nesse platô. E pouco a pouco os caras que perdiam dele começam a ganhar, por acharem as frestas do platô, e o ranqueamento dele vai escorregando, mas ele vai dizer que não liga, ele diz que joga por amor ao esporte, e ele sempre sorri, mas acaba tendo uma coisa meio tensa e deprê no sorriso dele, e ele sempre sorri e é superbacana com todo mundo e superboa companhia e tal, mas vai ficando onde está enquanto os outros vão pulando plateaux e ele perde cada vez mais, mas está contente. Até que um dia tem uma batidinha leve na porta."

"É o deLint!"

"Uma conversinha!"

"Geronzai!"

Van Vleck ergue os olhos para Wayne, que agora está de costas com as mãos apoiadas no batente, empurrando, uma perna esticada para trás, alongando a panturrilha esquerda. "Esse é o seu conselho, sr. Wayne? Isso não é o Chu se passando pelo senhor de novo?"

Todos querem saber como o Wayne consegue, nº 2 continentalmente no sub-18 ainda com dezessete e muito provavelmente nº 1 depois do WhataBurger e já recebendo ligações de agentes da ProServ que o Tavis faz a Alice Moore Lateral triar. Wayne é o Amigão mais procurado da ATE. Você precisa se inscrever para um sorteio para ter Wayne de Amigão.

LaMont Chu e T. P. Peterson estão soltando adagas óticas para cima do Van Vleck enquanto Wayne se vira para alongar um flexor do quadril e diz que já disse basicamente o que tinha a dizer.

"Toddynho, eu admiro a tua sagacidade, admiro um certo ceticismo sofisticado num menino, por mais que aqui ele esteja fora de lugar. Então mesmo que isso foda com a banca aqui, e que agora tipo não tenha a menor chance de eu sair zerado", M. Pemulis diz na sv2, subdormitório C, sentado bem na pontinha do divã com alguns centímetros de carpete bege entre ele e os seus quatro meninos, todos de pernas cruzadas sobre almofadas; ele diz: "Eu vou recompensar o teu sofisticado ceticismo só dessa vez deixando você tentar só com duas, então eu tipo fico só com duas cartas aqui e seguro as duas, uma em cada mão...". Ele para abruptamente, bate na têmpora com a base de uma mão que segura um valete. "Opa, onde é que eu estou com a cabeça. Todo mundo tem que casar um cincutcho aqui primeiro."

Otis P. Lord limpa a garganta: "O bolo".

"Ele chama monte", diz Todd Possalthwaite, deixando uma nota de cinco na pilhinha.

"Jesusinho digo eu, meu Jesus amado o que é que eu estou fazendo aqui com esses meninos que têm as manhas dos crupiês veteranos de Jersey. Eu devo estar com uma parafuseta a menos aqui. Mas, quer saber, foda-se, sacumé? Então Todd meu chapa você escolhe só uma carta, a gente tem o valete pauzetoso e a rainha espada aqui, você escolhe... então lá se vão os dois de carinha pra baixo, e eu tipo redemoinho eles aqui pelo chão um pouquinho, não é uma embaralhada mas um redemoinho geral pra eles ficarem à vista o tempo todo, e você seeeeeeeeeegueeeeee a carta que escolheu, roda-roda-roda, que tipo com três cartas de repente eu tenho uma mínima chance de você se perder, mas com duas? Com apenas *duas*?"

Ted Schacht na sv3 diante do seu gigantesco demonstrador oral de massinha, a imensa maquete dentária, umas tábuas brancas de uns dentes e umas gengivas rosa obscenas, com um fio dental tamanho-barbante ancorado em volta dos pulsos:

"A coisa central aqui, senhores, não é a força ou a frequência de rotação para um uso de fio dental livre de partículas, mas o *movimento*, estão vendo, um delicado movimento de serra, suavemente subindo e descendo pelas duas ancipitais de esmalte" — demonstrando nos flancos de uma bicúspide do tamanho da cabeça dos meninos, a gengiva massinhenta cedendo com nojentos sons de sucção, os cinco meninos de Schacht todos ou com cara de janela ou grudados no ponteiro dos segundos dos relógios de pulso — "e aí essa que é a chave, *essa* que é a coisa que tão pouca gente entende: é *embaixo* da ostensiva linha da gengiva nos recessos basais de cada lado da projeção gengival que se ergue entre os dentes, *bem* lá embaixo, que as partículas mais perniciosas se ocultam e procriam."

Troeltsch faz a sua sessão no seu, de Pemulis e de Schacht, quarto no subdormitório C, supinamente reto contra tanto os seus quanto um dos travesseiros de Schacht, o nebulizador fervendo, um dos seus meninos segurando lenços de papel em prontidão.

"Meninos, o negócio é que é a repetição que eu vou dizer pra vocês que é o negócio. Pra começo de conversa e fim e sempre. É ouvir a mesma tralha motivacional sem parar até que o peso da mera repetição faz a ficha cair direitinho. É fazer os mesmos pivôs e os mesmos voleios e os mesmos golpes sem parar e sem parar, na idade de vocês é repetição pela repetição mesmo, deixa os resultados meio de lado por enquanto, por isso que eles nunca chutam o fulano por falta de evolução antes dos catorze, é movimento e gesto repetitivo pela repetição mesmo, sem parar até o peso acretivo das repetições meter os movimentos propriamente ditos lá no fundo tipo da consciência de vocês numas regiões mais ínferas, com a repetição eles afundam e empapam o hardware de vocês, o CPD. Língua de máquina. A parte autonômica que faz vocês respirarem e suarem. Não é por acaso que eles dizem que você Come, Dorme e Respira tênis aqui. São processos autonômicos. Acretivo quer dizer que acumula, pela pura repetição burra dos gestos. A linguagem de máquina dos músculos. Até que você consegue fazer sem nem pensar, jogar. Lá pelos catorze, mais ou menos, eles acham por aqui. Só fazer. Esqueça que tem um porquê, claro que não tem por quê. O porquê da repetição é não ter por quê. Espera até empapar o hardware e aí veja como isso te libera a cabeça. Uma porrada de espaço de cabeça que você não precisa mais usar pra mecânica da coisa, depois que empapou. Agora a mecânica está pré-programada. Está na máquina. Isso libera a cabeça de uns jeitos incriveizíssimos. Só esperem. Você começa a pensar de um jeito completamente diferente agora, jogando. A quadra parece que está dentro de você. A bola para de ser uma bola. A bola começa a ser uma coisa que você simplesmente sabe que *tem* que estar no ar, girando. É aí que eles começam a te falar de concentração. Agora mesmo claro que vocês já têm que se concentrar, não tem escolha, ainda não está empapado na linguagem, você ainda precisa pensar cada vez que vai fazer. Mas espera até vocês terem catorze ou quinze. Aí eles veem vocês tipo no topo de um dos platôs cruciais. Quinze no máximo. Aí começa a coisa de concentração e caráter. Aí é que eles pegam mesmo no teu pé. Esse é que é o platô crucial onde o caráter começa a fazer diferença. Concentração, autoconsciência, a cabeça que não para de falar, as vozes matraqueando, a coisa de travar, o medo versus sei lá o quê que não é medo, autoimagem, dúvidas, relutâncias, homenzinhos calados e de pés frios dentro da tua cabeça, matraqueando sobre medo e dúvida, frestas na armadura mental. Agora essas coisas começam a fazer diferença. Treze no mínimo. O pessoal aqui busca isso entre os treze e os quinze. A idade também dos rituais de masculinidade em várias culturas. Pensem nisso. Até lá, repetição. Até lá vocês podiam até ser máquinas, aqui, eles acham. Você só fica repetindo sem pensar. Pensem na expressão: Sem Pensar. Programando os gestos na placa-mãe. Vocês não fazem ideia de como já sacaram isso sem saber."

James Albrecht Lockley Struck Jr. de Orinda, CA, prefere uma longa interface tipo P&R, com o monitor da SV8 tocando umas músicas tipo ambiente contra uns panoramas relaxantes de ondas, lagos reluzentes, campos de trigo oscilante.

"De repente ainda cabem mais duas, drugues meus."

"E se está apertado e o cara fica te buzunhando. As bolas estão superdentro e ele fica dizendo que foi fora. Você não consegue acreditar na caradura."

"Implícito que se trata de uma situação sem juiz de linha, Traub, você quer dizer."

Os olhos bisonhamente azuis de Audern Tallat-Kelpsa ecoam: "Isso é nas primeiras rodadas. Daquele tipo que você só ganha duas bolas. Sistema de honra. De repente ele está lá te buzunhando. Acontece".

"Eu sei que acontece."

Traub diz: "Tanto faz se ele está buzunhando mesmo ou só sacaneando com a tua cabeça. Você começa a buzunhar também? Olho por olho? O que que você faz?".

"A gente está imaginando que tem público."

"Primeiras rodadas. Quadra afastada. Sem testemunhas. Você está por conta própria ali. Será que você devolve o buzunho?"

"Você não devolve o buzunho. Você aceita as bolas fora sem abrir a boca, sem parar de sorrir. Se você ganhar mesmo assim, você cresceu por dentro como ser humano."

"Se você perder?"

"Se você perder, você faz alguma coisa íntima e desagradável com a garrafinha d'água dele antes da próxima rodada."

Alguns meninos ostentam caderninhos e gestos aplicados de concordância. Struck é um tático muito valorizado, bem formal nas sessões com os grupos de Amiguinhos, algo de erudito e distante nele que os que ficam sob sua responsabilidade muitas vezes reverenciam.

"Nós podemos discutir desagradabilidades íntimas com garrafas d'água sexta-feira", Struck diz, olhando para o relógio.

Uma mão levantada pelo violentamente vesgo Carl "Baleia" Whale, treze anos. Struck percebe:

"E se você precisar peidar."

"É sério, né, Moby."

"Jim, senhor, e se você está lá jogando e de repente tem que peidar. Parece que é um daqueles pressurizados nojentos bem quentes e tal."

"Deu pra entender."

Agora uns murmúrios empáticos, olhares de um para o outro. Josh Gopnick concorda intensissimamente com a cabeça. Struck está de pé muito ereto à direita do monitor, mãos atrás das costas como um catedrático de Oxford.

"Assim, é do tipo que é urgente pacas." Whale olha brevemente em volta. "Mas não é impossível que seja na verdade uma vontade de ir ao banheiro, em vez disso, disfarçada de peido."

Agora cinco cabeças estão aquiescendo, sofridas, urgentes: claramente uma questão controversa no sub-14. Struck examina uma cutícula.

"Você quer dizer defecar, então, Baleião. Ir ao banheiro."

Gopnik ergue os olhos. "O Carl está dizendo aquele tipo que você não sabe o que fazer. E se você acha que tem que peidar mas na verdade é que você tem que cagar?"

"Assim tipo numa situação de competição não é uma situação que você pode ir aguentando e forçando pra ver o que rola."

"Aí por cautela você não solta", Gopnik diz.

"... o peido", Philip Traub diz.

"Mas aí você segurou um peido urgente e está correndo de um lado pro outro tentando competir com um peido quente terrível desconfortável e nojento andando pela quadra dentro de você.

Dois andares abaixo, Ortho Stice e a sua ninhada: o circulozinho bibliotequístico de poltronas macias e luminárias no cálido saguão diante da porta do subdormitório C:

"E o que ele diz ele diz que é sobre coisa maior que o tênis, Meine Kinder. *Meine Kinder*, bom quer dizer mais ou menos minha família. Ele me encara bem direto no fundo do olho e diz que se trata de saber encontrar partes do fundo de si mesmo que você nem sabia que estavam lá e ir pra lá morar nessas partes. E o único jeito de chegar lá: sacrifício. Sofrer. Negar. O que você está disposto a dar. Vocês vão ouvir ele perguntar se um dia tiverem o privilégio de conseguir uma interface com ele. O chamado pode vir a qualquer momento: o homem quer uma interface mano a mano Vocês vão ouvir ele dizer o tempo todo. O que é que você tem para dar. Do que é que você está disposto a se separar. Estou vendo que você está com uma cara meio pálida aí, Wagenknecht. Se isso dá medo, pois podem apostar esses seus pescocinhos rosados individuais aí que dá medo sim. É o grande momento. Ele vai dizer assim direto pra caralho. É questão de disciplina, sacrifício e honra a alguma coisa bem maior que o seu pescocinho individual. Ele vai mencionar a América. Vai falar de patriotismo e não duvidem disso. Ele vai ficar falando que o jogo patriótico é que é a estrada que leva a tudo. Ele não é americano mas eu vou dizer assim direto pra vocês aqui que ele me deixa com orgulho de ser americano Meine Kinder. Ele vai dizer que é o jeito de aprender a ser um bom americano durante um tempo, meninos, em que a própria América não está sendo boa."

Há uma pausa longa. A porta da frente é mais nova que a madeira à sua volta. "Eu mastigava fibra de vidro por aquele velho."

O único motivo por que os Amiguinhos na sv8 conseguem ouvir a pequena salva de palmas que vem do saguão é Struck não hesitar em se deter e contemplá-los em silêncio e longamente como deve. Para os meninos as pausas representam dignidade, integridade e a profundidade das enganosas águas paradas de um cara de nove anos em três academias diferentes e que tem que fazer a barba todo dia. Ele exala um alento lento por lábios arredondados, com os olhos erguidos para o friso guilochê do teto.

"Moby, se é comigo: eu deixo correr."

"Você manda ver e pronto?"

"Au contraire. Eu deixo correndo dentro de mim o dia inteiro se for o caso. Eu tenho uma regra de ferro: nada me escapa da bunda num jogo. Nem um apito nem um zumbido. Se for pra eu jogar dobrado eu jogo dobrado. Eu aguento o desconforto em nome de uma dignidade cautelosa, e se for um especialmente ruim eu olho pro céu e digo pro céu Obrigado Cavalheiro mais um por favor. Obrigado Cavalheiro mais um por favor."

Gopnik e Tallat-Kelpsa estão anotando tudo isso.

Struck diz: "Isso se eu quero segurar a longo prazo".

"*Um* lado da projeção gengival, aí por cima do ápex e descendo pelo *outro* lado da projeção gengival, usando vocês têm que cultivar uma certa pegada com o fio."

"Agora a grande questão de caráter é se a gente deixa uma anomalia de um lapso de concentração de um tipo provavelmente uma-vez-em-cem fazer a gente jogar as nossas mãozinhas boiolas pro céu e sair descaracterificadamente beiçudos pro nosso ninho pra lamber as feridas gemebundas, ou se a gente aperta os olhos, levanta o queixo e diz Pemulis a gente diz que a gente diz Pemulis, o Dobro ou Nada, quando as probabilidades continuam tão quase escandalosamente favoráveis a vocês hoje."

"Então eles fazem de propósito?", Beak está perguntando. "Tentam fazer a gente odiar eles?"

Limites e rituais. Está quase na hora do jantar coletivo. Às vezes a sra. Clarke da cozinha deixa o Mario bater um triângulo com uma concha de metal enquanto ela recolhe as portas da sala de jantar. Eles fazem os que servem usarem redinhas de cabelo e umas luvinhas meio obstétrico/ginecológicas. Hal podia cuspir o naco e se escafeder pelos túneis, talvez de repente nem até a Sala da Bomba. Atrasar só uns vinte minutos. Ele está pensando de um jeito ausente e abstrato sobre limites e rituais, ouvindo o Blott dar um aperçu ao Beak. Assim tipo meio será que existe uma linha nítida, uma diferença quantificável entre uma necessidade e simplesmente um desejo intenso. Ele tem que sentar para cuspir no cesto de lixo. Um dente do lado esquerdo da sua boca está dando umas pontadas.

A PRIMEIRA E ÚNICA EXPERIÊNCIA MÍNIMA E REMOTAMENTE ROMÂNTICA DE MARIO INCANDENZA ATÉ AQUI

No meio de outubro do AFGD, Hal tinha convidado Mario para um passeio pós-prandial, e eles estavam passeando pelo terreno da ATE entre as Quadras Oeste e a linha das árvores do flanco do morro, Hal com a sua sacola esportiva. Mario sentiu que Hal queria sair andando sozinho um pouco, então fingiu (Mario fingiu) estar muito interessado em alguma espécie de conjunto folha-e-ramo ao lado da trilha e deixou Hal meio que sumir trilha afora. Toda a área que corria ao longo da linha das árvores e dos bosques de uns tipo arbustos e umas moitas grudentas e sabe lá Deus mais o quê estava coberta de folhas caídas que estavam secas mas ainda não tinham bem até o fim perdido toda a cor. As folhas estavam no chão. Mario meio que cambaleava de uma árvore para a outra, se detendo em cada árvore para descansar. Eram 1900h, ainda antes do crepúsculo de verdade, mas a única coisa que restava do sol poente era um focinho logo acima de Newton, e os lugares sob as sombras longas estavam frios, e um certo tipo de melancólica tristeza se insinuava na luminosidade do terreno. Os postes cambaleantes ao lado das trilhas ainda não estavam acesos, contudo.

Um cheiro encantador de folhas ilegalmente queimadas soprando de East Newton misturado aos odores comidícios das turbinas dos ventiladores lá dos fundos da sala de jantar. Duas gaivotas estavam paradas no ar acima das lixeiras perto do estacionamento dos fundos. Folhas crepitavam no chão. O som de Mario caminhando pelas folhas secas era tipo: crepita crepita crepita silêncio; crepita crepita crepita silêncio.

Um veículo de deslocamento da Deslocamento de Resíduos Empire assoviou pelo céu, subindo no início do seu arco, cintilando sua única luz-alerta azul.

Ele estava mais ou menos onde a linha das árvores saltava herniaticamente para fora na direção do fim da cerca das Quadras Oeste. De mais fundo dentre os bosques na borda do flanco veio um tremendo crepitar e uma zurzição de vegetação baixa e de ramos de salgueiro arrastados, e quem é que laboriosamente emerge e aparece senão a Fragata Millicent Kent, uma menina de dezesseis anos que vinha de Montclair, NJ, nº 1 de simples na equipe A do feminino sub-16 e duzentos quilos, contadinhos. Canhota, backhand de uma mão só, um saque que Donnie Stott gosta de medir com radar e registrar em planilha. Mario filmou a Fragata Millicent Kent para análise da equipe interna em diversas ocasiões. Eles trocam calorosos Ois. Uma das pouquíssimas alunas da ATE com veias visíveis nos antebraços, objeto de um desafio de abdominais que foi motivo de ferozes apostas financeiras contra Schacht, Freer e Petropolis Kahn, que M. Pemulis organizou na primavera do ano anterior, em que ela tinha batido Kahn e Freer se recusou a dar as caras e Schacht finalmente ganhou dela mas tirou o chapéu. Num passeio pós-jantar para controle de peso por determinação da equipe interna, apertando uma Penn 5 em cada mão, calça de moletom da ATE e com um enorme laço violeta grudado ou com durex ou com cola branca ao topo arredondado e abrupto de seu cabelo. Ela disse a Mario que tinha acabado de ver uma coisa muito louca mais para dentro do bosque que começava ali. O cabelo dela era alto e arredondado no formato de uma espécie de pílula, não muito diferente de um chapéu papal ou do chapéu alto de um policial inglês. Mario disse que o laço estava lindo, e que surpresa ficar assim cara a cara no meio do gélido crepúsculo. Bridget Boone tinha dito que o penteado da Fragata Millicent Kent parecia um míssil surgindo do silo nos preparativos para o lançamento. O último canto do focinho do sol estava se pondo logo atrás da pontinha do cabelo da Fragata Millicent Kent, que parecia quase osseamente endurecido, composto de densos ninhos entretecidos de fibras reticuladas como uma bucha natural seca, que ela disse que no verão uma permanente feita em casa tinha saído pela culatra e deixado o cabelo dela como um sistema de ninhos reticulados que só agora estava afrouxando o bastante para ela poder até mesmo prender-lhe um laço. Mario disse que enfim o laço combinava com ela igualzinho, era a única coisa que ele tinha a dizer sobre o assunto. (Ele não tinha literalmente dito "gélido crepúsculo".) A FMK disse que estava se divertindo abrindo caminho por um dos bosques aculeolados que a sra. Incandenza — quando ainda passava algum tempo a céu aberto — tinha plantado para desencorajar os empregados de meio período a cortarem caminho até a ATE pela encosta do morro, e tinha topado com um tripé desmontável da marca Husky VI, novo e de aparência prateada fosqueada e amparado por suas três perninhas, bem no meio do bosque. Sem nenhuma razão visível nem pegadas ou indícios visíveis de aberturas de caminhos em torno a não ser os da própria Fragata Millicent Kent. A Fragata Millicent Kent alojou uma bola de tênis em cada bolso da calça, pegou a garra de Mario e disse vem por aqui que ela ia mostrar bem rapidinho, para pedir tipo a opinião dele sobre aquilo, e além de tudo ter uma testemunha quando eles voltassem e ela contasse para as pessoas. Mario disse que o Husky VI vinha com cabeça fluida e disparador a cabo. Com a menina segurando-o com uma mão e abrindo uma trilha na vegetação com a outra eles foram entrando cada vez mais no bosque do morro. A luz do ambiente era já do mesmo tom do laço no cabelo da FMK. Ela disse que jurava por Deus que estava ali em algum lugar. Mario disse que o seu falecido pai tinha usado um modelo IV um pouco menos chique de Husky no começo da sua carreira de cineasta, quando ele também usava um dolly feito em casa e sacos de areia e luzes halógenas em vez de kliegs. Diversas espécies diferentes e tipos de pássaros piavam.

A Fragata Millicent Kent disse a Mario que assim em off ela sempre achou que ele tinha os cílios mais longos mais lindos e opulentos do que qualquer garoto nos dois continentes, três se fosse pra contar a Austrália. Mario agradeceu polidamente, chamando-a de senhorita e tentando fingir um sotaque sulino.

A Fragata Millicent Kent disse que não sabia bem quais eram as velhas pegadas dela de quando achou o bosque com o tripé e quais eram as mais recentes deles tentando achar as velhas, e que ela estava preocupada porque estava começando a escurecer e eles podiam não conseguir encontrar e aí o Mario não ia acreditar que ela tinha visto uma coisa tão aloprada como um tripé prateado reluzente todo montadinho sem motivo no meio do Cudimundistão.

Mario disse que tinha quase certeza que a Austrália era um continente. Caminhando, ele chegava mais ou menos ao pé da caixa torácica da Fragata Millicent Kent.

Mario ouvia crepitares e zurzições de outro bosque logo perto mas tinha certeza de que não era o Hal, já que o Hal rarissimamente fazia muito barulho ao se mover fosse externamente ou in-.

A Fragata Millicent Kent contou ao Mario que embora reconhecesse ser uma grande jogadora, c/ um atordoante estilo arraste-o-caveirão-para-a-rede-e-cresça-como-um-titã-pra-cima-da-adversária na tradição do jogo de força de Betty Stove/Venus Williams, e destinada a um futuro quase ilimitado no Circuito, ela ia confiar a ele aqui em segredo que ela nunca gostou de verdade do tênis competitivo, que o seu verdadeiro amor e paixão era a dança interpretativa moderna, atividade para a qual ela admitia ter dons e talentos menos inconscientemente naturais a empregar, mas que adorava, e que tinha passado praticamente cada minuto seu fora de quadra quando menininha treinando de malha justa na frente de um espelho extralargo no quarto dela em casa na pacata Montclair, NJ, mas que o tênis era onde ela tinha um talento ilimitado e ganhava afagos psíquicos e ofertas de bolsas em internatos, e que ela tinha sido desesperada para entrar num internato. Mario perguntou se ela se lembrava se o tripé Husky VI era um TL com pontinhas de borracha tipo waffle nas pernas e uma cabeça fluida só de 180° que girava num arco em vez de num círculo inteiro. A Fragata Millicent Kent revelou que tinha aceitado uma bolsa na ATE com nove anos de idade pelo único motivo de sair de perto do pai. Ela se referia ao pai como o seu Velho, que simplesmente dava para ver que ela usava em maiúscula. A mãe dela tinha ido embora quando a Fragata Millicent tinha só cinco aninhos, fugindo muito de repente com um homem enviado por algo que tinha o nome de Con-Edison para fazer uma avaliação gratuita de eficiência energética do lar. Fazia seis anos que ela não punha um globo ocular no seu Velho, mas até onde ela lembrava ele tinha quase três metros de altura e era obeso mórbido, motivo por que todos os espelhos e as banheiras da casa eram extralargos. Uma irmã mais velha dela que era profundamente interessada em nado sincronizado tinha ficado grávida e se casado no ensino médio logo depois da partida da mãe.

Durante todo esse tempo houve mais crepitar e zurzição encosta acima e além. Mario tem dificuldades em qualquer grau de inclinação. Algum tipo de ave está sentada no ramo mais alto de uma arvorezinha e olhando para eles sem dizer nada. Mario pensa de repente numa piada que lembra ter ouvido Michael Pemulis contar:

"Se duas pessoas se casam em West Virginia e aí levantam acampamento e se mudam pra Massachussetts e aí decidem que querem se divorciar, qual é o maior problema pra conseguir o divórcio?"

A FMK diz que a sua outra irmã mais velha tinha com quinze aninhos, veja só, entrado para o Holiday on Ice, acredita? E ela estava tipo na linha do fundo onde o maior desafio artístico era não trombar com os outros e cair ou fazer alguém cair.

"Se divorciar da irmã, porque em West Virginia o Pemulis disse que muita gente que casa é irmão."

"Me dá a mão."

"Mas ele estava brincando."

A essa altura a luz estava mais ou menos da mesma cor das cinzas com borras no fundo de um grill Weber. A Fragata Millicent Kent conduzia a dupla numa rota de círculos concêntricos cada vez pouco menores. Aí, ela disse, com oito anos ela chegou em casa mais cedo dos treinos vespertinos da Escola Júnior da ATEU em Passaic, NJ, ansiosa por meter aquela malhinha justa e mandar ver na dança interpretativa moderna no quarto, quando entrou em casa de repente e encontrou o pai usando sua malha de balé. Que nem precisa dizer que não caía muito bem nele. E com uma pequena porção anterior dos imensos pés descalços enfiados num tamanquinho sem alça que a sra. Kent tinha deixado em casa na pressa de ir embora. Na sala de jantar para cujo lado ele tinha empurrado toda a mobília dali, diante de um espelho largo pacas, dentro de uma malha grotescamente minúscula e toda calombuda, saltitando. Mario diz que violeta realmente é a cor da Fragata Millicent Kent. Ela diz que essa era exatamente a palavra medonha para descrever aquilo: *saltitar*. Piruetas e giros. E risadinhas também. O gancho da malhinha dela parecia um estilingue de tão deformado. Ele não tinha ouvido ela chegar. A Fragata Millicent Kent perguntou se Mario já tinha visto o yin-yang de uma menina. Hirsuta carne obscena mosqueada transbordava e transformava cada centímetro do perímetro da malha, ela lembrou. Ela tinha uma figura voluptuosa mesmo com oito anos, disse para Mario, mas o Velho era de um tamanho que não vendia nem nas mesmas lojas. Mario ficava dizendo Carambolas, a única coisa que lhe ocorria. A carne dele sacudia ao saltitar e quicava. Era repulsivo, ela disse. Não havia nenhum sinal de um Husky VI ou de qualquer outro modelo de tripé em nenhum dos bosques e capões. A palavra dela para aquilo era literalmente "yin-yang". Mas o Velho dela não era só um travesti transformista, ela disse; parece que sempre tinha que ser com as roupas de uma *parente*. Ela disse que sempre estranhou os maiôs e as sainhas de patinadora das suas irmãs terem um jeito meio enviesadamente frouxo e lasseado, já que as irmãs não usavam tamanhos exatamente minúsculos e subnutridos. O Velho não ouviu ela chegar e saltitou e fez jetées por vários minutos até ela por acaso pegar o olhar sorridente dele no espelho, ela disse. Foi aí que ela soube que tinha que se mandar, ela disse. E a moça das Matrículas ali do velho do Mario tinha ligado do nada naquela noite mesmo, ela disse. Como se fosse destino. Serendipidade. Kismet.

"Yin-yang", Mario contribuiu, assentindo com a cabeça. A mão da Fragata Millicent Kent era grande e quente e tinha o nível de empapamento de um tapetinho de chuveiro que foi usado várias vezes seguidas direto.

A sua segunda irmã mais velha, muitos anos depois, informara à Fragata Millicent Kent que a primeira vez que alguém teve uma pista sobre o Velho foi num episódio quando a irmã mais velha era bem pequenininha e a sra. Kent tinha costurado para ela uma fantasia especial com arco & flecha de lamê, tudo para ela fazer o papel de Cupido na festa do Dia dos Namorados da escolinha, e a escolinha da irmã um dia liberou as crianças mais cedo depois de um alarme falso sobre um problema com amianto e ela foi para casa sem avisar e encontrou o Velho na salinha da bagunça no porão com as asinhas e uma fralda horrendamente distendida fazendo a pose de uma pintura a óleo até que bem conhecida de Ticiano na Ala do Alto Renascimento do Met, e tinha lutado contra a negação e com dúvidas de propriocepção por bastante tempo dali em diante, até que um episódio de histeria durante os ensaios para um número do Dia dos Namorados do Holiday on Ice apareceu e desmantelou a negação, e o pessoal do aconselhamento psicológico do Escritório de Assistência aos Funcionários do Holiday on Ice a ajudou a lidar com aquilo tudo.

Eis que então a Fragata Millicent Kent parou a dupla num bosque desespinhento do que mais tarde revelou ser sumagre venenoso e se virou com um estranho brilho no olho que não estava sob a sombra dos pinheiros e apertou a grande cabeça de Mario contra a região logo abaixo dos seus seios e disse que precisava confessar que os cílios e o colete com trava policial telescópica que ele usava para ficar ereto no mesmo lugar vinham já havia algum tempo virando a cabecinha dela do avesso com sentimentos sensuais. O que Mario percebeu como uma repentina queda radical na temperatura ambiente era na verdade a estimulação sexual da Fragata Millicent Kent sugando tremendas quantidades de energia circunstante do ar que os cercava. O rosto de Mario estava tão espremido contra o tórax da Fragata Millicent Kent que ele tinha que contorcer a boca bem para a esquerda para poder respirar. O laço da FMK se desprendeu e saiu voandinho pela linha de visão de Mario qual gigantesca mariposa violeta alucinada. A FMK tentava soltar a calça de veludo de Mario mas foi frustrada em seu intento pelo complexo sistema de fechos e faixas embaixo do colete de velcro dele com trava policial, que se sobrepunha aos fechos da calça, e Mario tentava reconfigurar a boca de alguma maneira para tanto respirar quanto avisar à FMK que ele era incrivelmente cosquento na área do umbigo e logo abaixo. Ele agora começava a ouvir seu irmão Hal em algum ponto acima e a leste, chamando o nome de Mario em volume moderado. A Fragata Millicent Kent dizia que não havia possibilidade de Mario estar mais nervoso do que ela com o que estava acontecendo entre eles. Está certo que os sons de Mario chupando ar por uma boca severamente levógira podiam ser interpretados como a respiração pesada da estimulação sexual. Foi quando a Fragata Millicent Kent passou um braço em volta dos ombros dele para fazer uma alavanca e forçou a outra mão sob a barra do colete justo e depois calça e cueca abaixo, como raízes que buscam um pênis, que Mario ficou tão cosquento que começou a se dobrar, livrando o rosto do anverso da Fragata Millicent Kent e rindo alto num tom agudo tão distintivo que Hal não teve dificuldades em ir direto para eles, por mais comprometidos que estivessem seus sistemas navegacionais depois de coisa de quinze secretos minutos sozinho entre os aromáticos pinheiros.

Mario mais tarde disse que foi exatamente como quando tem uma palavra na ponta da tua língua que por mais que você tente você não consegue lembrar até o preciso momento em que para de tentar, aí lá vem ela, bem na tua cabeça: foi quando os três estavam voltando juntos pela encosta do morro na direção da borda da linha das árvores, sem tentar fazer nada além de voltar ao Com.-Ad. pela rota mais direta no escuro, que eles toparam com o tripé cinematográfico, um Husky TL devidamente cintilante e com pezinhos tipo waffle, no meio do que nem era um bosque assim tão alto ou espesso.

30 DE ABRIL — ANO DA FRALDA GERIÁTRICA DEPEND

Steeply disse: "Vocês terem escolhido Boston como Centro Operacional, enfim, o que pra nós significa: o lugar da origem do suposto Entretenimento".

Marathe fez um gesto de estar disposto a dar um tempo e entrar no jogo, se Steeply desejava. "Mas também a cidade Boston EUA tem lógica. Sua cidade mais próxima do Reconvexo. Mais próxima portanto de Québec. À distância como vocês dizem de cuspe." Sua cadeira de rodas rangia muito leve toda vez que ele se mexia. Uma buzina de automóvel em algum ponto entre a cidade e eles soprou uma nota sustentada. Ficava sempre mais frio no deserto lá embaixo; eles podiam sentir isso. Ele sentiu gratidão por sua parca.

Steeply bateu as cinzas do cigarro com um gesto rude de polegar que já não era feminino. "Mas nós não temos mais certeza que eles têm mesmo cópias. E também esse entre aspas 'anti'entretenimento que o diretor do filme supostamente fez pra contrabalançar a letalidade: se ele existe mesmo; podia ser algum tipo de joguinho pra vocês e pra FLQ,[47] oferecer a promessa do antiEntretenimento como uma migalha em busca de concessões. Como alguma espécie de remédio ou de antídoto."

"Sobre esse antifilme que antidoteia a sedução do Entretenimento nós não temos indícios a não ser a loucura dos rumores."

Steeply usou o recurso de um entrevistador técnico de fingir se ocupar de pequenas tarefas físicas de higiene e aparência, procrastinando, para fazer Marathe desenvolver mais plenamente aquela ideia. As luzes da cidade de Tucson com seus movimentos e cintilações geravam um globo de luz como nos tetos das salles de danser de Val d'Or, Québec. A esposa de Marathe morria lentamente de estenose ventricular.[48] Ele pensou: *morrer duas vezes*.

Marathe disse: "E também por que eles nunca te mandam a campo como você mesmo, Steeply? Isso quer dizer na aparência. Na última vez você foi — o que é que eu desejo dizer — um Negro por quase um ano, não?".

O dar de ombros de uma pessoa dos EUA é sempre como a tentativa de erguer uma coisa pesada. "Haitiano", Steeply disse. "Eu fui um haitiano. Certas tendências negroides na persona, talvez." Marathe ficou ouvindo Steeply ficar calado. Um coiote dos EUA soa mais como um cachorro muito nervoso. A buzina do automóvel continuava tocando, soando para os homens melancólica e algo náutica lá embaixo no escuro. A maneira feminina de examinar as unhas era levar o dorso da mão até os olhos em vez de masculinamente dobrar as unhas sobre a palma exposta; Marathe lembrou que sabia disso desde muito jovem. Steeply cutucou os cantos do lábio, depois de certo intervalo passou a examinar as unhas. Os silêncios dele pareciam sempre confortáveis e contidos. Era um agente competente. Veio mais ar frio, rajadas de um súbito ar como que das páginas viradas de um livro. Seus braços nus tinham a aparência galinha-depenada da pele gelada e pelada naquele grotesco vestidinho sem mangas. Marathe não tinha percebido quando durante o cair da noite Steeply havia tirado os absurdos óculos de sol, mas concluiu que o exato momento disso não tinha relevância para o relato de cada palavra e cada gesto para M. Fortier. De novo o coiote, e também outro mais longe, talvez respondendo. Os sons eram mais como os de um cão doméstico recebendo baixas voltagens. M. Fortier e M. Broullîme de Les Assassins e certos outros de seus camaradas-sobre-rodas acreditavam que Rémy Marathe fosse eidético, quase perfeito para lembrar e evocar detalhes. Marathe, que lembrava de vários incidentes em observações cruciais que esquecera depois de relatar, sabia que isso não era verdade.

30 DE ABRIL — ANO DA FRALDA GERIÁTRICA DEPEND

Diversas vezes também Marathe chamou os EUA para Steeply de "Sua nação murada" ou de "Sua nação emparedada".

Um guru lubrificado está sentado em ióguica posição de lótus trajando elastano e uma regata. Ele pode ter uns quarenta anos. Está sentado em posição de lótus sobre o porta-toalhas logo acima da máquina para ombros da sala de musculação da Academia de Tênis Enfield, Enfield, MA. Discos de músculo projetam-se dele e se emendam de modo que ele quase parece um crustáceo. Sua cabeça reluz, cabelo negro de azeviche e extravagantemente cortado à la Farrah Fawcett. Seu sorriso poderia vender produtos. Ninguém sabe de onde ele vem ou por que o deixam ficar, mas ele está sempre lá, ioguicamente sentado a cerca de um metro do chão emborrachado da sala de musculação. A sua regata diz TRANSCENDA em silkscreen; nas costas está escrito *DEUS PROVIDEBIT* num laranja-fluorescente. É sempre a mesma regata. Às vezes a cor da legging de elastano muda.

Esse guru vive do suor dos outros. Literalmente. Dos fluidos, sais e ácidos graxos. Ele é como um louco de estimação. Uma tradição na ATE. Você faz tipo umas séries de supinos, umas flexões de perna, uns abdominais inclinados, retos, fica bem laqueadinho de suor; aí, se você deixar ele te lamber os braços e a testa, ele te transmite alguma pepita da sabedoria de um guru-fitness. A preferida dele por um tempão foi: "E o Senhor disse: Que o peso que puxais não exceda vosso próprio peso". Os conselhos dele sobre condicionamento e prevenção de lesões tendem a ser bem sólidos, reza o consenso. Sua língua é áspera mas gostosinha, como a de um gato. Não é tipo uma coisa veadinha ou sexual. Tem umas meninas que deixam ele lamber também. Ele é totalmente inofensivo. Dizem que conhecia bem o dr. Incandenza, o fundador da Academia, das antigas.

Alguns meninos mais novos acham que ele é tarado e querem se livrar dele. Que tipo de guru usa calça de elastano e vive da transpiração alheia?, eles reclamam. Só Deus sabe o que ele fica fazendo ali quando a sala de musculação fecha de noite, eles dizem.

Às vezes os meninos mais novos que nem deixam ele chegar perto aparecem e ajustam a resistência da máquina de ombros com um peso maior que o deles. O guru sobre o porta-toalhas só fica ali sentadinho sorrindo e não abre a boca. Eles se contorcem, então, fazem careta e tentam puxar a barra para baixo, mas, tipo, em verdade vos digo: eis que a barra hiperpesada se transforma numa barra em que se pendura o rapaz. Lá vão eles para cima, os corpos, na direção da barra que estão tentando puxar. Qualquer um daria pelo menos uma boa olhada na cara de um sujeito que se vê subindo na direção do que queria puxar para si. E eu gosto de como o guru no porta-toalhas não ri deles nem sacode a cabeça com ar sábio em seu pescoção marrom. Ele apenas sorri, escondendo a língua. É como um bebê. Tudo que ele vê afunda nele sem fazer bolha. Ele só fica ali sentado. Eu quero ser assim. Capaz de só ficar sentado bem quietinho e puxar a vida para mim, uma testa por vez. O nome dele supostamente é Lyle.

Era este que vos fala, o C e o Coitado do Tony que tava junto aquele dia e coisa e tal e tudo. A manhã tava megaclara e a gente meio mal mas a gente arrumou um jeito de acordar roubando uns treco numa venda de garagem na Harvar Squar onde que tava aquecendando e a neve caindo dos beral e aí o Coitado do Tony topou com um cidadão mauricinho meio tipo velho conhecido dele e tal tipo do Cabo e o Coitado do Tony foi lá e fingiu que ia fazer tipo um boquete Por Conta da Casa e a gente fez o cidadão entrar na caranga dele com a gente e caímo matando legal nele e tiramo uns $ do Maurício que deu pra ficar de boa de verdade o dia inteiro e caímo nele legal e o C queria que a gente devia de elemenar o mapa do Maurício de uma vez e coisa e tal e tudo e tipo assim levar a caranga dele pra um desmanche de um chapinha china que ele conhece em Chinatown mas o Coitado do Tony fica branco que nem um lençol e diz não obstante e começa a descotir e coisa e tal e tudo e a gente só deixou o cara ali no veículo dele perto da Mem Dr a gente quebrou as queixada de insentivo pra ele não comer queijo e o C insistiu e não queria não como resposta e rancou uma orelha que foi um esporro e coisa e tal e tudo e aí o C me joga fora a orelha depois numa lixeira que este que vos fala ficou tipo mas aí pra quê mesmo um treco desse. A lixeira ficava com as lixeira lá perto do Steve dos donut na Enfiel Squar. A gente volta pros conjunto de Brighton pra comprar bagulho e o Roy Tony tava sempre lá no banco dele no Parquinho no fim da manhã mas agora tudo os negão dos conjunto tava acordado e lá no Parquinho e tava tenso mas era de dia e coisa e tal e tudo e a gente comprou meia troxinha do Roy Tony e foi lá pra biblioteca em Copley que é onde que a gente guarda o nossos petrecho quando a gente se juntou e foi no banheiro dos homens que já tinha vários petrecho no chão já cedo daquele jeito e se ajeitou na privada e o C e este que vos fala tiveram uma tretinha pra ver quem picava três vez e quem picava duas vez e a gente fez o Coitado do Tony dar a terceira trouxinha dele pra nós e aí mas a gente tinha que descolar pra de noite e amanhã de manhã ainda que era Natal e tem que descolar adiantado, é uma luta que não acaba nunca é um trabalho de pirildo integral ficar louco e não tem férias pro Natal nunca. É uma porra de uma vida fudida e não deixe ninguém querer te convencer do contrário. E toca nós ir de volta pra Harvar Squar mas no que a gente chegou o Coitado do Tony queria que a gente ia ficando pro almoço com os viadinho de couro vermelho lá dele do Bow&Arrow e eu até que consigo encarar os viadinho quando eu tou sozinho mas junto este que vos fala eu não aguento os porra dos viado e este que vos fala e o C disseram quer saber foda-se essa merda e a gente se mandou e subiu lá pra Central Squar que tava frio pacas e os beral congelando e coisa e tal e tudo e neve e a gente meteu a mão nuns NyQuil na farmácia CVS que a gente vai até no corredor que tem os esfregão e usa o cabo dum esfregão pra virar o espelho em cima do corredor do NyQuil e mete a mão no NyQuil com o casaco do C e se entupimo de NyQuil e passamo a mão numa sacola de livro de um estudante estranja tipo china na plataforma da Redline mas só tinha era livro e disco o estojo dos disco era de plástico caralho e lá vai aquilo pra lixeira mas também a essa altura a gente dá de cara com a Kely Vinoy que tava trabalhando lá na esquina dela perto da lixeira da Cheap-O a loja de disco lá da praça perto do lugar dos email e ela tá fissuradaça dealogando com o Eckwus e um outro cara e o Eckwus disse que ele disse que o Stokely Estrelanegra tinha cabado de fazer outro teste de grátis no Fenway e confirmou megapezão no saco que ele tá cem por cento com o Vírus e o Roxinho disse que ele disse que o Estrelanegra disse que se ele ia se foder ele estava pouco se fodendo e não ia nem ligar se passasse o Vírus pros outros por transmissão e que todo mundo tava dizendo pra não usar os petrecho do Stokely Estrelanegra não use os petrecho que vem do Stokely Estrelanegra por mais que você teja na fissura nem que você teja morrendo de vontade arrume outros petrecho. Tipo o C disse que tudo ia pesar na tua cabeça quando você tava na fissura e tinha descolado alguma coisa e tava sem os petrecho e o Estrelanegra tinha os petrecho. Todo mundo ali que ainda tinha juízo tinha os petrecho separado pessoal só nosso que a gente usa a não ser umas guria detonada que nem a Kely ou o Roxinho que é o Homem delas e pega os $ delas e os petrecho delas e deixa a Kely só na berada de ficar na fissura 24h de insentivo pra ela fazer mais $ pra ele e coisa e tal e tudo, não tem nada pior que um Cafetão e os Cafetão de Boston são os pior eles são 10X pior que os Cafetão de NYC que dizem que são tão fudido em NYC onde este que vos fala vendeu o corpitcho na Columbus Squar um tempão quando era jovem que nem o Stokely Estrelanegra antes de ir em busca de um futuro mais prometedor, e a gente teve um deálogo mas tava ficando mals e tava ficando escuro e caindo uma nevinha de Natal e se a gente não descolasse antes das 2200 os negão do Roy Tony ia estar bebo demais pra dar pra eles não tretar com a gente e ia ter treta e coisa e tal e tudo se a gente sai descolar depois das 2200 e ninguém aqui precisa de sufrimento meu então ó nós de T vermelho de volta pra Harvar Squar e tudo os estudante estranja tão nos bar e a gente localiza o Coitado do Tony fumando erva com os viadinho lá no Au Bon Pain e diz vamo derrubar um estudante estranja desses que ficaram no Natal nos bar e descolar alguma coisa antes das 2200 e aí vai todo mundo no gelo que era da neve derretida que congelou pro Bow&Arrow da praça com o Coitado do Tony e a Lolirmã e a Susan T. Queijo que eu não aguento nem fudendo e chegamo lá e fizemo a Susan T. Queijo comprar cerveja e a gente espera e não tem nenhum estudante saindo sozinho pra gente derrubar mas um indevíduo tipo mais velho que qualquer um pode ver que não é estudante mas está trançando as perninha de beber sozinho no bar tudo ferrado torto de bebo tá meio que indo sair em busca de um futuro melhor e o Coitado do Tony diz pra Lolirmã se mandar ela às vezes fica com o Coitado do Tony mas não se for coisa de sujeira e com o envolvimento do C é sempre sujeira, e este que vos fala eu informo pra Susan T. Queijo que ela era melhor se mandar também e o indevíduo de mais idade descamba torto e segurando nas parede com um casacão classudo e prometedor pra possibilidade de $ e aponta a nariganga velha dum lado pro outro e coisa e tal e tudo pela janela do Bow&Arrow que o C vai desembaçando, e dealoga um pouco com um Papainoel que tá batendo um sinão pra encher a sacola e a gente ali tipo Jesus que trabalheira que é esperar pra descolar mas depois de um tempo finalmente depois de deixar o Noel na dureza a gente fica olhando até ele escolher um caminho finalmente até que enfim pela Mass Ave indo pra Central Squar de a pé, e o Coitado do Tony dá a volta correndo no quarterão pra chegar na frente dele pelo outro lado do quarterão no gelo com as porra do salto alto e a cobrona de pluma envolta do pescoço e chega no cara sei lá como o Coitado do Tony sempre sabe como até o beco das lixera do Bay Bank perto da Sherman St., e este que vos fala e o C caem matando no indevíduo e jogamo o cara no chão e o C ferrou com o mapa velho dele em grande medida e a gente deixa ele sem condições de comer queijo numa pilha de neve acumulada embaixo da lixeira, e o C de novo quer chupar gasolina de um veículo na Mass Av e botar fogo no carro mas ele está com 400 $ na mão e trocado e um casacão com uma gola peluda e um relógio que tipo era muita sorte e o C até chega ao ponto de pegar o sapato do não estudante que nem serve o sapato, e toca mandar pra lixera.

E mas aí mas toca a gente voltar pros conjunto de Brighton mas é pós 2200 é tarde demais o Roy Tony não está com os cupincha dele na rua e não está em horário comercial e mesmo assim aquilo parece uma convenssão de negão no Parquinho dos conjunto de Brighton com aqueles cachimbinho de vidro e o Crown Royal do saco roxo e coisa e tal e tudo no Parquinho dos conjunto e se eles farejam que a gente tá com esse tipo de quantia de $ eles vão cair matando na gente de monte são uns animal de noite com aqueles saquinho roxo de veludo e heroína malhada e pedra de crack, um negão enorme com um boné dos Patriots tem um incidente cardíaco e lá cai ele no asfalto perto da balança que ele estava bem na nossa frente e nenhum dos *mano* dele fecha haspas vai ao ponto de fazer alguma coisa ele fica ali esticado são uns animal de noite e a gente se manda com estrema velocidade dos conjunto de Brighton, e dealoga. E o Coitado do Tony quer só correr de trem pra Enfiel Squar e tentar descolar uma heroína vagabunda com a Delphina lá dos cara que ficam de bobeira no Empire senão fazer o quê ficar de bobeira com os viadinho do Steve dos donuts e ficar sabendo quem mais está encanado em Enfiel ou em Allston e coisa e tal e tudo, mas o cavalo da Delphina era uma bosta tava todo mundo dizendo que é só Manitol e Quenina dava na mesma se você injetasse laxante ou Schweppes e o C dá uma bifa no Coitado do Tony e o C quer ir de Redline em Chinatown mas o Coitado do Tony fica branco igual lençol e diz que é muito caro em Chinatown assim de $ e coisa e tal e tudo, até pra tipo papel, o dr. Wo é 200 $ mas pelo menos é sempre do bom e mas a gente está com 400 $ e uns trocado e o C aponta que a gente está mais que capaz de bancar uma parada da excelente dessa do Wo uma vez na vida assim no Natal e o Coitado do Tony bate o escarpim e diz mas como que a gente tem $ que dá pra ficar doido e deixar a Lolirmã doidona o Natal inteiro e todo mundo ficar de boa e não ter que ficar na labuta eterna no Natal e mais dois dia depois que se a gente não torrar na véspera do Natal na China-town em vez de esperar o que faz sentido mas quando é que alguém já viu o C esperar ele fica fissurado mais rápido que a gente e coisa e tal e tudo e fica já putão com isso do Wo e diz que já está começando a tremer e com os musco do nariz já e coisa e tal e tudo e o C quer nem saber e a gente diz que a gente tá se mandando pra Chinatown e se o Coitado do Tony não quer ir ele pode respirar gigantão e segurar aqui na praça até a gente voltar e a gente descola um pra ele, e o Coitado do Tony diz que ele até pode ser um viado chupador de pica mas não é uma besta quadrada.

E aí lá se vai a gente e coisa e tal e tudo com 400 $ na Linha Laranja, e por meio de uma circostância fudida este que vos fala e o C quase acabam estrupando uma enfermeira meio mais velha de uniforme branco de enfermeira e casada no trem mas não e o Coitado do Tony com uma cara branca e detraído no trem brincando com a cobrona de pluma e diz que ele diz que parece que na cabeça dele ele meio que lembra algum envolvimento em algum tipo de rolo que o dr. Wo pode ter ficado meio contrariado e irritadão e que de repente lá em Chinatown a gente podia dar uma de ficar na moita e tentar descolar em outro lugar e não no Wo. Só que o dr. Wo é o cara que a gente conhece lá. O C conhece o Wo das antiga desde quando ele andava com os china na North Shore pro Sorkin Branquinho nos tempo que ele era novo. O C não quer nem saber. Aí na estação da Linha Laranja a gente pega um ta-xista gordo pra coisa de duas quadra da Hung Toys e se manda do táxi no farol e o negócio com os taxista gordo é que eles não conseguem correr atrás de você e o Coitado do Tony é a maior comédia de ver descambado pela rua de salto com uma istola de pluma. O Coitado do Tony passa direto na frente da Hung Toys, isso foi de-cidido apriore pra esperar a gente na moita mais pra frente na rua e este que vos fala e o C entram na Hung Toys que eles não abrem lá antes das 2300 e vendem *chá* fecha haspas tipo chá qualidade 100 porcentos até as altas e coisa e tal e tudo e nunca rece-bem ispeção porque o dr. Wo tem uns acordo com a polícia de Chinatown. O Natal é incomemorado em Chinatown. O dr. Wo uma coisa boa do dr. Wo é que ele está sempre lá na Hung Toys qualquer hora. Lá tem tudo quanto é tipo de velha china assim de racial mesmo sentada numas cabininha comendo macarrão e tomando abre haspas chá numas xicrinha do tamanho de um martelo e coisa e tal e tudo. Com uns chininha criança descambando dum lado pro outro e uns cara mais velho com uns chapeuzinho assim de judeu e umas barba rala só assim do meio do queixo mas o dr. Wo é só de meidade e usa um óculos de ferro e gravata e parece mais um banqueiro china mas ele é total profissa e gelado até o fim nisso de comércio tipo china além que ele é super-relacionadão e não dá pra ferrar com ele ou irritar o cara se você ainda tem alguma coisa na cabeça e este que vos fala aqui eu não consigo botar na cabeça que o Coitado do Tony ia ter se metido em tentar roubar o Wo que ele sabe pelo C nem que fosse numa coisinha pequena e se tentou o C diz que ele é que nun-ca nem ficou sabendo nem viu as parada nem nada, e como. O C que conhece o Wo. A gente combinou do Coitado do Tony esperar a gente lá fora e tentar ficar na moita. Tá uma neve abaixo de zero e ele tá com um casaquinho de couro de meistação e uma istola e uma peruca marrom que não serve bem de chapéu e ele vai congelar as bolinha assim na moita lá fora e o C tava tentando sorrir e ele disse pro dr. Wo que a gente precisava de três papel e o dr. Wo que tava sorrindo lá daquele jeito china disse que a vida devia tá exelente pros ladrãozinho de rua e o C riu e disse *exelentíssima* o C tem a manha dos china ele que fala e coisa e tal e tudo, e ele diz que a gente vai ficar na moita nos feriado do Natal e nem ia meter a mão em nada porque eu tinha meio entrado numa coisa de estrupo com uma enfermeira mais velha ontem de noite no T e quase tinha sido preso pelos polícia do T e o dr. Wo faz um gesto especial subservente que ele usa pros não china que ele quer ser bem-educado mas ele é o maior ditador com os china dele quando a gente vê ele com os china subservente dele mas com a gente a gente é tudo supereducado e coisa e tal de deálogo e é bacana mas é caro mas na hora é bacana mas o Wo termina lá com o suposto *chá* dele e o Wo vai lá pra trás das cortina nos fundo da Hung Toys que é uma cortina vermelhona gigante com umas montanha ou umas colina roxa e umas nuve que são umas cobra voadora com asa de couro que taí uma cortina que este que vos fala ia querer afanar para pendurar eu mesminho que ninguém que não é china e não está na do Wo nunca pode ir atrás mas dá pra ver quando ele abre e vai pra trás da cortina que parece meramente mais umas velha china sentada nuns engradado com as letra china comendo mais macarrão de tigelinha que elas seguram tipo um milímetro daqueles mapa amarelo delas e coisa e tal e tudo. Os china raramente param de se entupir com aqueles macarrão. O Stokely Estrelanegra chama os china de comedor de minhoca e os china subservente ficam entrando e saindo da cortina enquanto o Wo fica lá trás um tempo maior que a média e o C tá tremendo e começando a ficar bistinente e viciado é tudo cheio de supistição e ele diz pra este que vos fala ele diz caralho ele diz quem sabe e se o Coitado do Tony participou mesmo da sacanagem com o Wo e será que um desses china entrando e saindo da cortina de repente não tá contando pro Wo, tipo rateando que a gente conhece o Coitado do Tony, e o meu musco tá escorrendo e a gente tá fissuradão na supistição por causa do CdoT e cadê o Wo atrás da cortina e coisa e tal e tudo, tentando sorrir e dealogar supermoita, tomando abre haspas chá que parece schnapps só que pior, e verde. E a gente na fissura e o dr. Wo volta finalmente até que enfim sorrindo subservente com tudo aquele cavalo maravilha três papel num jornal que nenhum filhadaputa me consegue ler mas as foto é de gente china VIP de terno e o Wo senta, e o Wo nunca senta na mesa com a parada isso não se faz no comércio dele, e as mão do Wo tão assim por cima da nossa parada ali dentro e o Wo sorrindo diz ele pergunta pro C se a gente tem visto o nosso amigão Coitado do Tony ou a Susan T. Queijo por aí a gente anda com o Coitado do Tony nisso de roubar na rua não era ele disse. O C diz que o CdoT é uma porra de um viado chupador de pica boiola e um puta rato e que a gente tinha fudido com o mapa dele e com o mapa da Queijo e da Lolirmã numa treta e não andava mais com viado desde mais ou menos o pirildo do outono. O C tá jorrando musco e tentando sorrir como quem não quer nada, o dr. Wo riu de um jeito animado e disse exelente e o Wo se inclinou por cima da nossas parada dizendo que se poracaso a gente acabasse vendo o Coitado do Tony ou os outros que era pra mandar um abraço bem grande pro Coitado do Tony e desejar prosperidade pra ele e mil *felicidades*. E coisa e tal e tudo. E a gente cata o papel de cavalo e o Wo cata o nosso $ e bem-educadinhos lá se vai a gente e eu ademito que este que vos fala queria que a gente mandasse o Coitado do Tony pastar e zarpasse voando de Chinatown mas a gente desce mais até a China Pearl Place e o Coitado do Tony tá meio inculhido atrás dum poste com os dente cinza batendinho de vestido e com aquele casaco fino tentando ficar na moita de casaco vermelho e salto alto no meio de + de um milhão de china que é tudo subservente do Wo. E depois que a gente zarpou a gente não falou pra ele o que o Wo disse de sentar e perguntar das *felicidades* dele e da Queijo e a gente se manda pra Linha Laranja pra nossa grade de ventilação de ar quente que a gente usa de noite na biblioteca atrás da Copley Squar e a gente pega o nossos petrecho indevidual de trás da paredinha de tijolo atrás do mato perto da grade de ar quente que é o mocó do nossos petrecho e a gente tá ligadão no primeiro papel e a gente tá cozinhando e percebe que o Coitado do Tony nem resmunga quando este que vos fala e o C garroteiam em primeiro na fila já que foi a gente que descolou e o Coitado do Tony tem que esperar que nem sempre, só que eu saco que ele não resmunga nem um pouquinho, normalmente o Coitado do Tony fica com a choramingueira de sempre que este que vos fala aprendeu a não escutar, mas quando ele não choraminga agora que a gente tá fissurado e o bagulho tá bem ali eu saco que ele tá como quem não quer nada olhando pra tudo quanto é lado menos pro cavalo o que é estranho e o C fissurado e tremendo cozinhando tentando deixar o isqueiro aceso no vento do ar quente e na neve da noite, e eu ademito que este que vos fala eu fiquei com um puta frio por dentro sentindo até com tudo aquele ar quente da grade subindo do chão e fazendo o nosso cabelo voar e o cobrão de pluma do Tony apontar pracima eu este que vos fala fica com um frio de supistição de novo, dá umas puta supistição nesse tipo de merda assim fudida porque é uma correria sem parar e você fica cansado demais pra seguir alguma coisa que não seje habto antigo e supistição e coisa e tal e tudo aí mas eu não digo nada mas este que vos fala eu fico com um frio de supistição por causa do Coitado do Tony não choramingar enquanto ele faz que tem que dar um mijão como quem não quer nada e dá um mijão e o mijo faz vapor nas parte baixa dos mato de costa virado de costa e não está olhando em volta com interesse nem nada assim você nunca dá as costa pro bagulho quando o bagulho é meio teu o que é incomum pacas mas que o C tá tão fissuradão que nem percebe nada mais só aquilo de não deixar apagar o isqueiro. E aí eu ademito que eu este que vos fala fiz mesmo este que vos fala despropósito deixou o C garrotear e se picar primeiro enquanto eu ficava cozinhando, eu cozinhei devagar demais mesmo, ferrando com a coisa de fazer a neve derreter e esquentar na colher e coisa e tal e tudo este que vos fala eu deixei o isqueiro apagar e demorei mais com o algodão e o C tava tremendo mais que a gente e cozinha mais rápido e ia ter se ferrado de qualquer jeito. Depois com o mapa do C elimonado o Coitado do Tony depois concedeu ademitir que a Susan T. Queijo ajudou uma bicha de Worcester a se vingar do Wo por causa de um papel ferrado no outono foi por isso.

Tudo os três papel que o Wo deu pra nós nos jornal de china era quente. Veneno. Começou no istantaneamente quando o C soltou o cinto e picou a gente já soube, este que vos fala eu e o CdoT tearizamo que era Limpa Ralo com aquelas merdinha azul cintilante e coisa e tal e tudo que os china subservente meteram teve aquele efeito de Limpa Ralo no C e coisa e tal e tudo era veneno sei lá o que era o C começou com aquela gritaria com uma voz fininha istantaneamente depois que ele solta o cinto e pica e lá cai ele no chão se batendo com os salto socando o metal da grade de ventilação e ele garrado na garganta com as mão se rasgando dos jeito mais fudido e o Coitado do Tony batendo os saltinhos pra lá e pra cima do C batendo as bota dizendo ele tá gritando querido C mas e metendo o cobrão de pluma da cabeça do pescoço dele na boca do C pra calar a boca dele daqueles grito fininho caso os polícia de Boston escutasse o envolvimento e sangue uns material sanguento tão saindo da boca do C e do nariz do C e aquilo está por cima de tudo as pluma é sinal que certeza que era Limpa Ralo, o sangue e os olho do C ficam miudinho e saltam e ele tá chorando sangue nas pluma da boca e tentando segurar na minha luva mas os braço do C tão indo por tudo e um olho tipo subitamente pula pra fora do mapa dele, tipo com um estalo que nem a gente faz com o dedo na boca com tudo aquela sangueira e o material e um fio azul atrás do olho e o olho cai do lado do mapa do C e fica ali olhando pro viado do Coitado do Tony. E o C ficou azulbebê e rancou a cabeça do cobrão e morreu de vez e cagou nas calça istantaneamente com tanta merda que a grade do ar quente ficou soprando uns pedacinho de peido e sangue e névoa de merda no nosso mapa e o Coitado do Tony recua de cima do C e põe as mão por cima daquele mapa maquiado e olha o C pelo meio dos dedo. E este que vos fala eu tiro o cinto nem precisa dizer e eu nem repenso ou sonho de tentar de repente outro papel de outro tipo do C porque como é que o Wo podia saber qual papel que a gente ia cozinhar primeiro então os três deve tá quente então eu nem sonho apesar que este que vos fala tá tremendo e nojento de musco já e agora de vingança o Wo tá com tudo o nosso $ de ficar doido no Natal. Pode parecer baixo pra caralho mas a razão que a gente teve que deixar o corpo falecido do C numa das lixera da biblioteca é a razão é por causa que os polícia da Copley Squar sabem que é a nossa grade indevidual de ar quente e se a gente deixa o C ali é mole pegarem a gente como companhia frequente do falecido e um pirildo de abestinença no xadrez mas a lixeira tava vazia de materiais e a cabeça do C fez um barulho fudido quando bateu no fundo vazio e o Coitado do Tony gritava e choramingava e disse ele disse que não tinha ideia que aquele animal do Wo era vingantivo daquele jeito e agora o coitadinho do C falecido e o negócio é que ele ia ficar limpo daqui por em diante e arrumar um emprego direito de dançarino nalgum clube tipo Mauricinho no Fenway e coisa e tal e tudo e falava e falava que tava um saco. Eu não abri a boca. Eu tive que repensar no T que ia pra praça se este que vos fala eu devia elimonar o mapa do Coitado do Tony pra sempre de compensação por ele ter despropósito deixado o C meter primeiro nos canos e ia ter deixado este que vos fala meter primeiro mesmo sabendo, ou dar de comedor de queijo e voltar pela Linha Laranja lá no Wo e tentar conseguir bastante

140

trouxinha pra ficar doido dedando pro Wo o paradeiro do Coitado do Tony e da Susan T. Queijo e da Lolirmã que estão lá no Eckwus agora. Ou tipo o *quê*. Este que vos fala eu tava quase chorando. Foi quando o Coitado do Tony tirou o salto e queria que este que vos fala eu empurrasse ele por cima da bera da lixera do cadave do C pra pegar de volta o que sobrou da istola de pluma dele da boca do C que este que vos fala eu acho que eu decidi o que fazer. Mas o china relacionado daquele Wo não tava nem lá na frente da cortina da Hung Toys na manhã cedinho do Natal, e aí o Coitado do Tony foi em busca de um futuro melhor e comeu queijo, e eu levei três dia de abestinença na cadeia bem na frente do apartamento da minha Mâmis que de vingança ela trancou a porta antes deste que vos fala conseguir entrar numa desintoxicação pra pelo menos descolar uma metadona e conseguir botar três refeição pra dentro deste que vos fala para começar a tearizar o que tentar fazer depois que eu conseguisse ficar de pé e caminhar ereto de novo mais uma vez.

○

3 DE NOVEMBRO DO AFGD

Hal ouviu o console telefônico tocando quando largou a sacola esportiva e tirou a chave do quarto do pescoço. O aparelho tinha sido de Orin e o seu plástico transparente permitia que você lhe visse as entranhas.

"Mmmiallou."

"Por que é que eu sempre fico com a sensação de que estou te interrompendo bem no meio de uma intensa sessão de autoerotismo?" Era a voz de Orin. "Sempre toca um monte. Aí você sempre está meio sem fôlego na hora."

"Que hora?"

"Uma certa urgência suarenta na sua voz. Por acaso você é um dos 99% de adolescentes do sexo masculino, Hallie?"

Hal nunca gostou de falar ao telefone depois de ficar secretamente chapado lá na Sala da Bomba. Mesmo que houvesse água ou líquidos à mão para manter a boca umectada. Ele não sabia por que isso. Só ficava incomodado.

"Você está com uma voz potente e saudável, O."

"Você pode me dizer, sabe. Não é vergonha nenhuma. Vou te contar, garoto, eu me escalavrei anos a fio aí nesse morro."

Hal estimava que mais de 60% do que ele dizia a Orin ao telefone desde que Orin abruptamente começara a ligar de novo na primavera era mentira. Ele não tinha ideia de por que gostava de mentir para Orin ao telefone assim tanto. Ele olhou para o relógio. "Onde é que você está?"

"Em casa. Aconchegado e torrando. Tá mais de 90 lá fora."

"Isso em Fahrenheit, imagino."

"Essa cidade é feita de vidro e luz. As janelas parecem uns holofotes te perseguindo. O ar tem aquele brilho tremelicado de gasolina derramada."

141

"Então a que devemos?"

"Às vezes eu uso óculos escuros até dentro de casa. Às vezes no estádio eu ergo a mão e olho e eu te juro que dá pra ver do outro lado. Tipo aquele negócio com a mão e uma lanterna."

"As mãos parecem que são meio que um tema dessa conversa até aqui."

"Na volta do estacionamento aqui na rua eu vi um pedestre com um chapéu de safári ficar tonto e tipo tentar agarrar ar na frente dele e cair de cara no chão. Mais um fenício vencido pelo calor, penso eu cá comigo."

Ocorreu a Hal que embora ele mentisse sobre detalhes insignificantes para Orin no telefone nunca tinha lhe ocorrido que Orin por acaso podia estar fazendo a mesma coisa de vez em quando. Isso induziu um momento de convoluto raciocínio marijuânico que rapidamente levou, mais uma vez, Hal a questionar se ele era mesmo assim tão inteligente. "As provas são daqui a seis semanas e o Pemulis anda cada vez menos útil com a matemática, se você quer saber o que eu ando fazendo o dia todo."

"O rosto do cara fez um barulho de fritura quando bateu na calçada. Tipo fritura calibre-bacon. Ele ainda está lá deitado, eu estou vendo pela janela. Ele não está mais se mexendo. Todo mundo está evitando o cara, dando a volta. Ele parece quente demais pra alguém querer encostar. Um garotinho hispânico se mandou com o chapéu dele. Aí já nevou? Descreve a neve pra mim de novo, Hallie, eu te imploro."

"Então você anda por aí com essa imagem minha em que eu fico de bobeira o dia todo me masturbando, é o que você está me dizendo."

"Eu até andei pensando em tentar garantir uma concessão de venda de Kleenex na ATE, como empreendimento comercial."

"O que é claro implicaria entrar de fato em contato com o C.T. e a Mães."

"Eu e esse QB reserva de cabeça aberta andamos fazendo umas investigações. Sondando um pouco. Descontos pra grandes compras, estatuto de cliente preferencial. De repente um investimento paralelo em lubrificantes sem perfume. Alguma ideia?"

"O.?"

"Eu estou aqui até com saudade de New Orleans, garoto. Ia estar bem chegandinho a época do Advento, eu acho. O Quarter sempre fica esquisitão e macambúzio no Advento. Quase nunca chove lá durante o Advento por alguma razão. As pessoas comentam até, o fenômeno."

"Você está me parecendo meio estranho, O."

"Eu estou enlouquecido de calor. Eu posso estar desidratado. Como é que é a palavra? Tudo estava meio bege e granulado o dia inteiro. Teve uns sacos de lixo que incharam e entraram em combustão espontânea nas lixeiras. Umas chuvas repentinas de café moído e casca de laranja. Os caras do Deslocamento nas carretas têm que usar luva de amianto. E também eu conheci uma pessoa. Hallie, uma pessoa possivelmente muito especial."

"Aiaiai. Hora da janta. O Triângulo tilinta no Oeste."

"Mas ó Hallie. Espera. Sem brincadeira um segundinho. O que é que você sabe de separatismo?"

Hal parou por um momento. "Você quer dizer do Canadá?"

"Tem outro tipo?"

A Casa Ennet de Recuperação de Drogas e Álcool[49] foi fundada no ano do Whopper por um velho dependente de drogas e alcoólico crônico mais durão que prego enferrujado que tinha passado a maior parte da sua vida adulta sob a supervisão do Departamento Penal de Massachusetts antes de descobrir a irmandade dos Alcoólicos Anônimos de MDC-Walpole e passar por uma súbita experiência de total entrega e despertar espiritual no chuveiro durante o seu quarto mês de ininterrupta sobriedade AA. Esse dependente/alcoólico recuperado — que na sua nova humildade dava tanto valor à tradição de anonimato do AA que se recusava até a usar o primeiro nome e era conhecido no AA de Boston simplesmente como o Cara Que Nem Usava O Primeiro Nome — abriu a Ennet um ano depois da condicional, determinado a passar a outros dependentes de drogas e alcoólicos crônicos o que lhe tinha sido dado tão gratuitamente no chuveiro do Piso-E.

A Casa Ennet arrendou um antigo dormitório de médicos no Complexo Hospitalar de Saúde Pública dos Fuzileiros Navais de Enfield, dirigido pela Administração de Veteranos dos Estados Unidos. A Casa Ennet está equipada para propiciar a vinte e dois clientes dos sexos masculino e feminino um período de nove meses de residência e tratamento sob estrita supervisão.

A Casa Ennet não apenas foi fundada mas originalmente reformada, mobiliada e decorada pelo inominado ex-presidiário do AA local, que — como sobriedade não significa exatamente santidade instantânea — liderava equipes escolhidas a dedo de drogados nos primeiros estágios da recuperação em raides noturnos para saquear estabelecimentos de móveis e artefatos domésticos da região.

Esse lendário fundador anônimo era um velho latagão do AA de Boston, extremamente durão, que acreditava passionalmente que todos, por mais espessa que fosse a trilha de gosma que deixavam ao passar, mereciam a mesma oportunidade de atingir a sobriedade através da rendição total que lhe tinha sido concedida. É um tipo de amor extremamente rude encontrado quase exclusivamente entre velhos latagões bostonianos.[50] Ele às vezes, o fundador, nos primeiros tempos da Casa, requeria que os residentes recém-chegados tentassem comer pedras — tipo pedras do chão mesmo — para demonstrar sua disposição de ir até onde fosse necessário em nome da dádiva da sobriedade. A Divisão de Serviços de Abuso de Substâncias Químicas do Departamento de Saúde Pública de Massachusetts acabou solicitando que essa prática fosse descontinuada.

Ennet não era parte alguma do nome do inominado fundador da Ennet, diga-se de passagem.

A coisa da pedra — que virou um cruel fato mitopoético hoje elencado para ilustrar como era mansa a vidinha dos atuais residentes da Casa — provavelmente não foi tão tonga quanto pareceu à Divisão de SAS, já que boa parte das coisas que os AAS veteranos pedem que os recém-chegados façam e acreditem não parecem muito menos tongas que tentar mastigar feldspato. P. ex.: ficar tão fissurado que você consegue sentir o coração no globo ocular, tremer tanto que você pinta expressionismo abstrato na parede toda vez que alguém te dá uma xícara de café, fazer das formas de vida no canto do olho a única coisa que te distrai da tagarelice de motosserra que rola na sua cabeça, ali sentado, e deixar alguma velhinha com pelo de gato na meia de náilon vir te abraçar e te dizer pra você fazer uma lista de todas as coisas pelas quais você está grato hoje: você vai querer ter um pedacinho de feldspato à mão também.

No Ano do Upgrade-de-Placa-Mãe-para-Visualização-de-Cartuchos-de-Resolução-Mimética-Fácil-de-Instalar Tutikaga 2007 para sistemas de TP doméstico, empresarial ou móvel Infernatron/InterLace,[51] a morte do inominado fundador por hemorragia cerebral com sessenta e oito anos de idade passou despercebida fora da comunidade do AA de Boston.

EXCERTO DE MEMORANDO CAH-NNE22-3575634-22 POR E-MAIL
NO SISTEMA INTERNO DA INTERLACE, CENTRAL DE RETIFICAÇÃO
DE SOLICITAÇÕES, COMPANHIAS SEGURADORAS
AGROPECUÁRIAS ESTATAIS, S.A., BLOOMINGTON, IL,
25 DE JUNHO DO ANO DOS LATICÍNIOS DO CORAÇÃO DA AMÉRICA

DE: murrayf@crtslcnne22.626INTCOM
PARA: powellg/sanchezm/parryk@crtsclmhqne.626INTCOM
MENSAGEM: galera, saca só. minha def. de um dia ruim. reg. metro de boston no começo do ano, solicitação de indeniz. testemunhos recolhidos pela comp. operária de boston estabelecem que o segurado é Comprometido e o rel. do p.s. registra .3+ de álcool no sangue, então fiquem felizes pq a gente está livre de pagar a indeniz. pelo 357-5. mas os fatos gerais abaixo conf. por testemunhas e pelo rel. de acid. do CYD. vai só a primeira página, saca só:

> Murrayf@crtslcnne22.62INTCOM 626ALCA0112317/p.1

Dwayne R. Glynn
176N. Faneuil Blvd.
Soneham, Mass. 021808754/4
21 de junho, ALCA

Escritório de Solicitações de Indenização por Acidente
Seguros Agropecuários Estatais

1 State Farm Plaza
Normal, Ill. 617062262/6

Caro senhor:

Estou escrevendo em resposta a seu pedido de mais informações. No campo nº 3 do formulário de relato de acidentes, eu coloquei "tentar fazer o trabalho sozinho" como causa do meu acidente. O senhor disse na sua carta que eu devia explicar melhor e acredito que os detalhes que seguem serão suficientes.

Sou pedreiro por profissão. No dia do acidente, 27 de março, eu estava trabalhando sozinho no teto de um prédio novo de seis andares. Terminado o meu trabalho, descobri que tinha cerca de 900 kg de sobras de tijolos. Em vez de eu ter o trabalho de levar os tijolos para baixo nas mãos, eu decidi transportá-los num barril usando uma roldana que felizmente se encontrava afixada à parede do edifício na altura do sexto andar. Prendendo a corda no nível do solo, eu subi até o teto, dependurei o barril e acomodei os tijolos ali. Depois desci novamente ao térreo e soltei a corda, segurando-a com firmeza para garantir a descida lenta dos 900 kg de tijolos. O senhor pode conferir no campo nº 11 do formulário de relato de acidentes que eu peso 75 kg.

Dada a minha surpresa por ser tão súbito içado do solo, eu perdi a presença de espírito e esqueci de soltar a corda. Nem é preciso dizer que segui a uma velocidade considerável edifício acima. Nas cercanias do terceiro andar eu encontrei o barril que vinha descendo. Isso explica a fratura no crânio e a clavícula quebrada.

Sofrendo apenas uma ligeira desaceleração, eu segui em minha veloz ascensão parando apenas quando os dedos da minha mão direita já estavam com duas falanges enfiadas na roldana. Felizmente, a essa altura, eu tinha recobrado a presença de espírito e consegui me agarrar firmemente à corda malgrado eu estar sentindo uma considerável dor. Aproximadamente ao mesmo tempo, contudo, o barril de tijolos bateu no chão e o fundo do barril caiu com a força do impacto no chão.

Privado do peso dos tijolos, o barril pesava agora aproximadamente 30 kg. Lembro novamente o meu peso de 75 kg, constante do campo nº 11. Como o senhor pode imaginar, ainda segurando a corda, comecei uma descida bem veloz desde a roldana, pela parede do prédio. Nas cercanias do terceiro andar, encontrei o barril subindo. Isso explica os dois tornozelos fraturados e as lacerações nas minhas pernas e na região inferior do corpo.

O encontro com o barril me desacelerou o suficiente para diminuir meu impacto com o chão coberto de tijolos lá embaixo. Lamento informar, contudo, que enquanto eu lá estava estendido sobre os tijolos sofrendo uma dor considerável, incapaz de ficar de pé ou me mexer e observando o barril vazio seis andares acima de mim, eu infelizmente perdi a presença de espírito e infelizmente soltei a corda, fazendo com que o barril começasse uma

fimtranscINTCOM626

O MAIS ANTIGO COMENTÁRIO ESCRITO REMANESCENTE DE AUTORIA DE HAL INCANDENZA SOBRE QUALQUER COISA AINDA QUE REMOTAMENTE FÍLMICA, APRESENTADO AO CURSO DE SÉTIMO ANO DO SR. OGILVIE "INTRODUÇÃO AOS ESTUDOS DE ENTRETENIMENTO" (2 SEMESTRES, OBRIGATÓRIO), ACADEMIA DE TÊNIS ENFIELD, 21 DE FEVEREIRO DO ANO DO FRANGO-MARAVILHA PERDUE, @ QUATRO ANOS DEPOIS DO FALECIMENTO DA TELEVISÃO TRADICIONAL, UM ANO APÓS O DR. JAMES O. INCANDENZA ABANDONAR SUA VIDA MORTAL, TRABALHO QUE RECEBEU APENAS UM B/ B+, APESAR DE COMENTÁRIOS BASICAMENTE POSITIVOS, PRINCIPALMENTE PORQUE SEU § DE CONCLUSÃO NÃO ERA NEM PREPARADO PELO CORPO DO ENSAIO NEM SE SUSTENTAVA, OGILVIE APONTOU, EM ALGO QUE NÃO FOSSE INTUIÇÃO SUBJETIVA E FLOREIO DE RETÓRICA.

O Chefe Steve McGarrett de *Havaí Cinco-0* e o Capitão Frank Furillo de *Chumbo Grosso* são úteis para vermos como nossa ideia norte-americana de herói mudou entre os anos 1970 AS, era de *Havaí Cinco-0*, e os anos 1980 AS, era de *Chumbo Grosso*.

O Chefe Steve McGarrett é um herói classicamente moderno de filmes de ação. Ele age. É o que ele faz. A câmera está sempre nele. Ele quase nunca está fora do quadro. Ele só tem um caso por semana. Os espectadores sabem qual é o caso e também sabem, no fim do Primeiro Ato, quem é culpado. Como os espectadores sabem a verdade antes de Steve McGarrett saber, não há mistério, há apenas Steve McGarrett. O drama de *Havaí Cinco-0* é ver o herói em ação, ver Steve McGarrett em emboscadas e perseguições, aproximando-se da verdade. Aproximar-se da verdade é a essência do que o herói moderno de filmes de ação faz.

Steve McGarrett não sofre impedimentos causados pelas tarefas administrativas de um chefe-oficial-de-polícia, nem por mulheres, nem amigos, nem emoções, nem por nenhum tipo de exigência que exija sua atenção. O seu campo de ação fica livre de entulhos que o distraiam. Assim, o Chefe Steve McGarrett age obstinadamente para remoldar uma verdade que os espectadores já conhecem e dar-lhe a forma de um objeto da lei, da justiça, do moderno heroísmo.

Por outro lado, o Capitão Frank Furillo é o que se costumava chamar de um herói "*pós*"-moderno. I. e., um herói cujas virtudes são as que competem a uma era mais complexa e capitalista. I. e., um herói de *reação*. O Capitão Frank Furillo não investiga os casos nem se aproxima obstinadamente da verdade. Ele comanda um distrito. Ele é um burocrata, e seu heroísmo é burocrático, dotado de um gênio para navegar espaços entulhados. Em cada episódio de *Chumbo Grosso*, o Capitão Frank Furillo é atormentado por pequenas distrações vindas de todos os lados desde os momentos iniciais do Primeiro Ato. Não um, mas onze casos complexos, cada um com suspeitos, informantes, detetives investigando, líderes comunitários furiosos e as famílias das vítimas, todos exigindo justiça. Centenas de tarefas para delegar, egos para massagear, promessas para fazer, promessas da semana passada para manter. Problemas domésticos de dois ou três policiais. Contracheques. Papelada. Corrupção como tentação e motivo de sofrimento agônico. Um Chefe de Polícia que é uma paródia política, um filho hiperativo, uma ex-mulher que assombra o cubículo de vidro jateado que serve como escritório de Frank Furillo (enquanto o escritório dos anos 1970 AS de Steve McGarrett mais parecia as bibliotecas da aristocracia, isolado por duas portas pesadas e revestido por grossos painéis de carvalho tropical), além de uma Promotora Pública gelidamente atraente que quer falar coisas como será que esse suspeito foi Mirandizado em espanhol e será que o Frank consegue parar de gozar tão cedo ele gozou cedo demais de novo ontem à noite talvez ele devesse arranjar alguma ajuda para esse estresse. Além de todos os dilemas morais e impasses semanais em que seu burocrático heroísmo imparcial mete o Capitão Frank Furillo.

O Capitão Frank Furillo de *Chumbo Grosso* é um herói "pós"-moderno, um virtuose da triagem, das concessões e da administração. Frank Furillo mantém a sanidade, a compostura e uma aparência bem cuidada diante da enxurrada de exigências nada heroicas que o distraem e que teriam deixado o Chefe Steve McGarrett abatido, com má aparência e mordendo os dedos naquela confusão administrativa.

Ampliando ainda mais o contraste com o Chefe Steve McGarrett, o Capitão Frank Furillo raramente é filmado em plano fechado ou de frente. Ele normalmente é parte de uma panorâmica móvel e frenética do cameraman do programa. Por outro lado, o pessoal de câmera de *Havaí Cinco-0* nunca usou nem um dolly, dando preferência a um firme close-up tripódico do rosto de McGarrett que hoje parece evocar mais imagens do romantismo que um drama filmado.

Que tipo de herói vem depois do caubói moderno irlandificado de McGarrett, o solitário homem de ação conduzindo sozinho uma boiada no paraíso? A solidão de Furillo é de um tipo totalmente diferente. O herói "pós"-moderno era uma heroica *parte* do rebanho, responsável por tudo de que é parte, respondendo por todos, seu rosto solitário tão plácido sob pressão quanto o de uma vaca. O herói de ação queixudo (*Havaí Cinco-0*) se torna o herói de olhos mansos da reação (*Chumbo Grosso*, uma década depois).

E, como observamos até aqui na nossa disciplina, nós, como espectadores norte-americanos, desde então vimos dando preferência ao mais estoico herói empresarial da probidade reativa, alguns podem se ver tentados a dizer, "vítimas" da ambiguidade moral reativa da cultura "pós"- e "pós-pós"-moderna.

Mas o que vem depois disso? Que herói norte-americano pode esperar suceder o plácido Frank? Aguardamos, predigo, o herói da *inação*, o herói catatônico, o que está além da calma, divorciado de todo e qualquer estímulo, carregado daqui para lá no cenário por extras parrudos cujo sangue fervilha de aminas retrógradas.

O ÚNICO ARTIGO PUTATIVAMENTE PUBLICADO PELA IMENSA E TODA ELETROLISADA "JORNALISTA" "HELEN" STEEPLY ANTES DE ELA COMEÇAR SEU PERFIL DO PUNTER ORIN J. INCANDENZA DOS PHOENIX CARDINALS, E SEU ÚNICO ARTIGO PUTATIVAMENTE PUBLICADO QUE TINHA QUALQUER COISA DECLARADAMENTE A VER COM A BOA E VELHA METRÓPOLE DE BOSTON, 10 DE AGOSTO DO ANO DA FRALDA GERIÁTRICA DEPEND, QUATRO ANOS DEPOIS QUE O TEÓRICO ÓPTICO, EMPREENDEDOR, ACADÊMICO DO TÊNIS E CINEASTA DE VANGUARDA JAMES O. INCANDENZA PÔS FIM À SUA PRÓPRIA VIDA COLOCANDO A CABEÇA NUM FORNO DE MICRO-ONDAS

A revista *Moment* apurou que o trágico destino da segunda cidadã norte-americana a receber um Coração Artificial Externo Jarvik IX foi, infelizmente, escondido do povo norte-americano. A mulher, uma contadora bostoniana de quarenta e seis anos com restenose irreversível do coração, respondeu tão bem à substituição de seu coração defeituoso por um Coração Artificial Exterior Jarvik IX que em poucas semanas pôde retomar seu estilo de vida ativo que tanto apreciava antes da doença, dedicando-se à sua animada agenda com a extraordinária prótese portatilmente instalada em uma elegante bolsa Etienne Aigner. Os tubos ventriculares do coração subiam até cateteres nos braços da mulher e transportavam o vivificante sangue entre seu corpo vivo e ativo e o extraordinário coração dentro de sua bolsa.

Seu destino trágico, precoce e, alguns poderiam dizer, cruelmente irônico, contudo, foi recebido com o frequentíssimo silêncio sob o qual se enterram as tragédias desnecessárias quando elas desnudam aos olhos da grande população a insensível incompreensão dos administradores da coisa pública. Foi necessária a profunda e destemida determinação jornalística que os leitores aprenderam a respeitar na *Moment* para que fossem desenterrados os fatos tragicamente negativos do destino dessa mulher.

A portadora do Coração Artificial Externo Jarvik IX de quarenta e seis anos estava ativamente olhando vitrines na elegante Harvard Square de Cambridge, Massachusetts, quando um trombadinha travestido, um viciado em drogas com uma ficha criminal conhecidíssima dos administradores da coisa pública, trajando um bizarro tomara que caia de festa, salto agulha, um esfiapado boá de plumas e peruca castanha, brutalmente arrancou da desatenta mão da mulher a bolsa que lhe sustinha a vida.

A ativa e alerta mulher perseguiu "a" trombadinha enquanto pôde, lamuriosamente gritando aos passantes as palavras "Segurem aquela mulher! Ela roubou meu coração!" na elegante calçada repleta de gente fazendo compras, aparentemente gritando repetidamente: "Ela roubou meu coração, segurem aquela mulher!". Em resposta a suas lamúrias, tragicamente, os equivocados passantes e populares meramente sacudiam a cabeça olhando de um para o outro com sorrisos cúmplices diante do que ignorantemente deduziam ser mais um relacionamento alternativo que ia para o vinagre. Um duo de patrulheiros de Cambridge, Massachusetts, cujos nomes estão sendo sonegados nas obstinadas investigações da *Moment*, foi publicamente ouvido brincando, indiferentes: "Acontece toda hora", enquanto a vitimizada mulher passava freneticamente cambaleante no encalço do célere travesti, pedindo aos gritos que alguém socorresse seu coração roubado.

O fato de a vítima do crime ter mantido uma vivaz perseguição por mais de quatro quadras antes de cair de peito vazio na calçada é prova da impressionante capacidade do procedimento de substituição Jarvik IX, foi o comentário anônimo de um médico do sistema público de saúde abordado por *Moment*.

O trombadinha alucinado pelas drogas, especularam com indiferença certos administradores da coisa pública, pode até ter sentido sua calejada consciência tocada pela prótese salvadora revelada pela imerecida bolsa Aigner da mulher, que se alimenta da mesma bateria recarregável de um barbeador elétrico masculino e que pode muito bem ter continuado a bater e a sangrar por um certo período de tempo dentro da bolsa violentamente desconectada. A reação do trombadinha a essa consciência parece ter sido a de cruelmente bater no Coração Artificial Externo Jarvik IX, repetidamente, com uma pedra ou pequena ferramenta como um martelo, lá onde seus restos foram encontrados horas depois, atrás da histórica Biblioteca Pública de Boston na elegante Copley Square.

Estará o atordoante progresso da ciência médica, contudo, perenemente condenado a incluir tais trágicos acidentes de ignorância e perda cruel? Podemos perguntar. Parece ser essa a posição dos administradores da América do Norte. Se for de fato assim, o destino da vítima é frequentemente ocultado dos olhos da população.

E os fatos referentes aos desdobramentos do caso? O cérebro anteriormente ativo e alerta da falecida mulher de quarenta e seis anos foi removido e dissecado seis semanas depois por um residente do Hospital Brigham and Women's da Cidade de Boston aparentemente tão tocado pelo conciso relato sem coração que encontrou na etiqueta presa ao dedão do pé da vítima que confessou a *Moment* uma temporária incapacidade física de segurar a serra elétrica do dever que lhe cabia.

ROL ALFABÉTICO DE GRUPOS SÉPARATISTEURS/ANTI-ONAN CUJA OPOSIÇÃO À INTERDEPENDÊNCIA/RECONFIGURAÇÃO É CLASSIFICADA PELA RCMP E O ESAEU COMO SENDO DE CARÁTER TERRORISTA/EXTORCIONISTA

(Q= Québecois, A= Ambientalista, S= Separatista, V= Violento, VV= Extremamente Violento)

— *Les Assassins des Fauteuils Rollents* (Q, S, VV)
— *Le Bloc Québecois* (Q, S, A)
— Falange Pró-Canadense Calgariana (A, V)
— *Les Fils de Montcalm* (Q, A)
— *Les Fils de Papineau* (Q, S, V)
— *Le Front de la Libération du Québec* (Q, S, VV)
— *Le Parti Québecois* (Q, S, A)

POR QUE — EMBORA NOS PRIMEIROS DIAS DOS TELEPUTADORES INTERNÉTICOS DA INTERLACE QUE EMPREGAVAM BASICAMENTE A MESMA REDE DE FIBRAS

DIGITAIS DAS COMPANHIAS TELEFÔNICAS, O ADVENTO DA VIDEOTELEFONIA (VULGO "VIDEOFONIA") TENHA GOZADO DE UM INTERVALO DE IMENSA POPULARIDADE ENTRE OS CONSUMIDORES — USUÁRIOS EMPOLGADOS COM A IDEIA DA INTERFACE TELEFÔNICA TANTO AUDITIVA QUANTO FACIAL (SENDO QUE AS PEQUENAS CÂMERAS DE VIDEOFONE DA PRIMEIRA GERAÇÃO ERAM SIMPLES DEMAIS E TINHAM UMA ABERTURA ESTREITA DEMAIS PARA QUALQUER COISA QUE EXCEDESSE DEMAIS UM CLOSE-UP FACIAL) NOS TELEPUTADORES DE PRIMEIRA GERAÇÃO QUE NAQUELA ÉPOCA ERAM POUCO MAIS QUE APARELHOS DE TV DE ALTA TECNOLOGIA, MALGRADO, CLARO, O FATO DE TEREM AQUELE ICONEZINHO HOMUNCULAR, O "AGENTE INTELIGENTE", QUE APARECIA NO CANTO DIREITO INFERIOR DE UM PROGRAMA DE TV ABERTA/CABO PARA DIZER A HORA E A TEMPERATURA LÁ FORA OU PARA TE LEMBRAR DE TOMAR O REMÉDIO PARA A PRESSÃO ARTERIAL OU TE AVISAR DE UMA OPÇÃO DE ENTRETENIMENTO PARTICULARMENTE INTERESSANTE QUE ESTAVA PARA COMEÇAR NO CANAL TIPO 491 OU COISA ASSIM, OU, CLARO, AGORA TE AVISANDO DE UMA CHAMADA VIDEOFÔNICA RECEBIDA E AÍ SAPATEANDO COM ICÔNICOS CHAPEUZINHO DE PALHA E BENGALA BEM EMBAIXO DE UM MENU DE POSSÍVEIS OPÇÕES DE RESPOSTA, E OS USUÁRIOS ADORAVAM OS SEUS ICONEZINHOS HOMUNCULARES — MAS POR QUE, DENTRO DE TIPO DEZESSEIS MESES OU CINCO TRIMESTRES COMERCIAIS, A TUMESCENTE CURVA DE DEMANDA PELA "VIDEOFONIA" REPENTINAMENTE DESMORONOU COMO UMA BARRACA CHUTADA, DE MODO QUE, NO ANO DA FRALDA GERIÁTRICA DEPEND, MENOS DE DEZ POR CENTO DE TODAS AS COMUNICAÇÕES TELEFÔNICAS PARTICULARES UTILIZAVAM QUALQUER TRANSFERÊNCIA DE DADOS VIA FIBRA DE VIDEOIMAGEM OU SEUS PRODUTOS E SERVIÇOS CORRELATOS, TENDO O USUÁRIO TELEFÔNICO MÉDIO DOS EU DECIDIDO QUE ELE/ELA NA VERDADE *PREFERIA* A INTERFACE TELEFÔNICA SOMENTE VOCAL RETRÓGRADA E DE BAIXA TECNOLOGIA DA ERA BELL NO FINAL DAS CONTAS, UMA MEIA-VOLTA PREFERENCIAL QUE CUSTOU A NÃO POUCOS EMPREENDEDORES PRECIPITADOS DE RAMOS LIGADOS À VIDEOTELEFONIA ATÉ O ÚLTIMO FIO DE CABELO, ALÉM DE DESESTABILIZAR DOIS FUNDOS DE INVESTIMENTOS DE GRANDE RESPEITABILIDADE QUE TINHAM SE ANCORADO PESADAMENTE NA TECNOLOGIA DE VIDEOFONE, E DE QUASE DETONAR O FUNDO FREDDIE-MAC DO SISTEMA DE APOSENTADORIA DOS FUNCIONÁRIOS DO ESTADO DE MARYLAND, UM FUNDO CUJO IRMÃO DE CUJA AMANTE DE CUJO ADMINISTRADOR TINHA SIDO UM EMPREENDEDOR QUASE MANIACAMENTE PRECIPITADO NO RAMO DA TECNOLOGIA VIDEOFÔNICA... E MAS AÍ POR QUE A ABRUPTA RETIRADA DOS CONSUMIDORES PARA A BOA E VELHA TELEFONIA SOMENTE DE VOZ?

A resposta, em uma espécie de trivalente resumo, é: (1) estresse emocional, (2) vaidade física, (3) uma certa estranha lógica auto-obliterante na microeconomia da alta tecnologia orientada aos consumidores.

(1) Acabou que tinha alguma coisa terrivelmente estressante nas interfaces via telefonia visual que não era nada estressante nas interfaces somente-voz. Os consumidores de videofones pareceram perceber subitamente que vinham estando sujeitos

a uma ilusão insidiosa mas plenamente maravilhosa no que se referia à telefonia somente-voz. Eles nunca tinham percebido antes essa ilusão — é como se ela fosse tão emocionalmente complexa que pudesse apenas ser discutida no contexto da sua perda. As boas e velhas conversas tradicionais num telefone somente-áudio te permitiam imaginar que a pessoa do outro lado da linha estava prestando total atenção em você, enquanto ao mesmo tempo permitiam que você não precisasse prestar nada nem remotamente próximo de uma total atenção a ela. Uma conversa tradicional somente-áudio — utilizando um telefone manual cujo fone continha somente seis furinhos mas cujo bocal (mui significativamente, mais tarde pareceu) continha (6^2) ou trinta e seis furinhos — deixava você entrar no desligamento semiatento e hipnótico de uma autoestrada: enquanto conversava, você podia olhar em volta da sala, rabiscar, se ajeitar minuciosamente, descascar pedacinhos minúsculos de pele das cutículas, criar haicais de bloco de anotações, mexer coisas no fogo; você podia até sustentar toda uma outra conversa adicional tipo língua-de-sinais-e-expressões-faciais-exageradas com pessoas que estavam no mesmo cômodo com você, parecendo enquanto isso estar bem ali, intensamente atento à voz ao telefone. No entanto — e esta era a parte retrospectivamente maravilhosa —, na mesma medida em que você dividia a sua atenção entre a chamada telefônica e tudo quanto era atividade ociosa e desligamentística, por algum motivo você nunca se via assolado pela suspeita de que a atenção da pessoa do outro lado da linha pudesse estar dividida de maneira similar. Durante uma chamada tradicional, p. ex., enquanto digamos realizava uma detida análise tátil de suas imperfeições no queixo, você de modo algum se via oprimido pela ideia de que a sua contraparte fônica talvez estivesse devotando uma bela percentagem da sua atenção a uma detida análise tátil de imperfeições. Era uma ilusão e a ilusão era auditiva e auditivamente sustentada: a voz do outro lado da linha telefônica era densa, violentamente comprimida, e vetorializada diretamente para o seu ouvido, permitindo que você imaginasse que a atenção do dono da voz era similarmente comprimida e concentrada… mesmo que a sua própria atenção *não* o fosse, eis a questão. Essa ilusão bilateral de atenção unilateral era quase infinitamente satisfatória do ponto de vista emocional: você ganhava a possibilidade de acreditar que estava recebendo a total atenção de alguém sem ter que reciprocar essa atenção. Considerada com a objetividade de um julgamento a posteriori, a ilusão parece arracional, quase literalmente fantástica: seria como ser capaz ao mesmo tempo tanto de mentir quanto de confiar nas outras pessoas.

A videotelefonia tornou a fantasia insustentável. Os usuários agora descobriam que tinham que compor o mesmo tipo de expressão de ouvinte franca e ligeiramente extraintensa que tinham que compor para intercâmbios em-pessoa. Aqueles usuários que por um hábito inconsciente sucumbiam a rabiscos ou ajustes-de-pregas-de-calças desligamentais agora pareciam ser indelicados, distraídos ou infantilmente autísticos. Usuários que ainda mais inconscientemente analisavam imperfeições ou exploravam narinas ergueram os olhos para encontrar expressões horrorizadas nos videorrostos do outro lado da linha. O que resultava em estresse videofônico.

Pior ainda, claro, era a traumática sensação de expulsão-do-Éden quando se erguiam os olhos depois de traçar o contorno do polegar no bloco de lembretes ou de ajustar o ângulo de repouso da unidade dentro da cueca e efetivamente se via a sua interfaceante videofônica displicentemente soltar a agulheta de um cadarço enquanto falava com você e repentinamente perceber que toda a sua fantasia pueril de merecer a atenção da sua parceira enquanto você tinha o direito de se dedicar a rabiscos desligamentais e pequenos ajustes genitais era ilusória e insustentável e que você na verdade não estava merecendo nem um pingo a mais de atenção do que estava prestando ali. Essa coisa toda da atenção era monstruosamente estressante, os videousuários descobriram.

(2) E o estresse videofônico era ainda pior se você fosse minimamente vaidoso. I. e., se você se preocupava um tantinho que fosse com a sua aparência. Assim, para os outros. Quê, sério, quem nunca? As boas e velhas chamadas telefônicas auditivas podiam ser encaradas sem maquiagem, peruca, próteses cirúrgicas etc. Até sem roupa, se era esse tipo de coisa que fazia a sua cabeça. Mas para aqueles conscientes da sua imagem, é claro que não havia nenhuma informalidade do tipo atenda-em-trajes-informais no que se referia às chamadas videotelefônicas visuais, que os usuários começaram a perceber que eram menos como ouvir o bom e velho telefone tocar do que ouvir a campainha da porta tocar e ter que vestir alguma coisa e colocar as próteses e fazer verificações capilares no espelho do hall antes de atender a porta.

Mas o prego definitivo no caixão da videofonia tinha relação com a aparência do rosto dos usuários na tela de seus TPs durante as chamadas. Não o rosto de quem ligava, mas o de quem atendia, quando se via no vídeo. Era coisa de três botõezinhos só, afinal, para usar a opção Gravar-Vídeo do cartão de cartuchos do TP a fim de gravar os dois sinais de uma chamada bifônica visual e depois reproduzir a ligação para ver como seu rosto tinha aparecido de fato para a outra pessoa durante a chamada. Esse tipo de verificação da aparência era tão irresistível quanto um espelho. Mas a experiência se verificou quase universalmente aterradora. As pessoas ficavam aterradas com o aspecto do seu rosto numa tela de TP. Não era só aquele "Inchaço de Apresentadora de Telejornal", aquela consabida impressão de peso extra que o vídeo inflige ao rosto. Era pior. Mesmo com monitores de alta definição em TPs de ponta, os usuários percebiam algo essencialmente borrado e com cara de úmido em seus rostos fônicos, uma *indefinição* pálida e reluzente que lhes parecia não só pouco lisonjeira como algo evasiva, furtiva, não confiável, *ingostável* numa das primeiras e ominosas pesquisas com grupos focais da InterLace/GTE que foi para todos os efeitos ignorada numa tempestade de entusiasmo empreendedorístico sci-fi-tech, quase sessenta por cento dos entrevistados que receberam acesso visual a seus rostos durante chamadas videofônicas especificamente usaram os termos, *não confiável, ingostável* ou *difícil de gostar* ao descrever sua própria aparência visual, com uma percentagem fenomenalmente ominosa de setenta e um por cento dos entrevistados da melhor-idade especificamente comparando seus rostos no vídeo ao de Richard Nixon durante os debates Nixon-Kennedy de 1960 AS.

A solução proposta para o que os consultores psicológicos da indústria de telecomunicações denominaram Disforia *Videofisionômica* (ou DV) foi, claro, o advento do Mascaramento de Alta Definição; e de fato aqueles empreendedores que foram atraídos para a produção de imagens e depois para as efetivas máscaras videofônicas de alta definição foram os que entraram e saíram da breve era da videofonia com todos os fios de cabelo além de sólidos incrementos de renda.

Mascaralmente, a opção inicial das Imagens Fotográficas de Alta Definição — i. e., pegar os elementos mais favoráveis de uma grande variedade de fotos favoráveis multiângulos de um dado usuário fônico e — graças a equipamentos já existentes de configuração de imagens, cujo uso foi testado pelas indústrias cosméticas e de aplicação da lei — combiná-las num compósito transmissível de alta definição insanamente atraente de um rosto que exibisse uma expressão franca, ligeiramente extraintensa, de total atenção — foi rapidamente suplantada pela opção menos dispendiosa e mais econômica em termos de bytes (usando os mesmíssimos softwares dos cosméticos e do FBI) de efetivamente moldar a partir daquela imagem facial aperfeiçoada uma máscara anatômica de resina de polibutileno, e os usuários logo descobriram que o elevado custo inicial de uma máscara permanente valia totalmente o investimento, considerando-se os benefícios por redução de estresse e DV, e as convenientes alças de Velcro para a parte de trás da máscara e a cabeça do consumidor eram vendidas a preço de banana; e por alguns trimestres fiscais as companhias telefônicas e de cabo conseguiram estimular a autoconfiança dos consumidores através da elaboração de um produto horizontalmente integrado que oferecia serviços gratuitos de máscaras compósitas com cada nova conexão videofônica. As máscaras de alta definição, quando não estavam sendo usadas, simplesmente ficavam penduradas num ganchinho ao lado do console telefônico de um TP, reconhecidamente meio surreais e perturbadoras quando destacadas e ali penduradas, vazias e enrugadas, e às vezes havia fudevus potencialmente constrangedores de identidades trocadas envolvendo videofones multiusuários familiares ou empresariais e a apressada seleção e afixação da máscara errada retirada de alguma longa fileira de máscaras pendentes e vazias — mas no geral as máscaras pareceram inicialmente uma resposta viável da indústria ao problema da vaidade, do estresse e da imagem facial nixoniana.

(2 e de repente 3 também) Mas combine-se o natural instinto empreendedorístico de satisfazer a *toda* e qualquer demanda suficientemente alta dos consumidores, por um lado, com o que parece ser uma distorção igualmente natural em como as pessoas tendem a se ver, e torna-se possível explicar em termos históricos a velocidade com que a coisa das máscaras-videofônicas-de-alta-definição fugiu totalmente do controle. Não apenas é bisonhamente difícil avaliar qual é a sua própria aparência, tipo se você é bonito ou não — p. ex., tente olhar no espelho e determinar em que lugar você está na hierarquia da atratentividade com qualquer coisa parecida com a objetiva facilidade com que você consegue determinar se praticamente qualquer pessoa que você conhece é bonita ou não —, mas ocorreu que as autopercepções instintivamente enviesadas dos consumidores mais o estresse ligado à vaidade fizeram

com que eles começassem a preferir e depois a abertamente exigir máscaras videofônicas que fossem na verdade muito mais atraentes do que eles mesmos eram pessoalmente. Empreendedores mascarais de alta definição prontos e dispostos a suprir não apenas verossimilhança mas também aprimoramento estético — queixos mais fortes, bolsas menores sob os olhos, cicatrizes e rugas retocadas — logo expulsaram de vez do mercado os empreendedores mascarais miméticos. Numa progressão cada vez mais insutilizante, em mais alguns poucos trimestres-fiscais a maioria dos consumidores já usava máscaras tão inegavelmente mais bonitas nos videofones do que seus rostos reais eram pessoalmente, transmitindo uns para os outros imagens mascaradas de si próprios tão horrendamente enviesadas e aprimoradas que começou a surgir um imenso estresse psicossocial, com grandes quantidades de usuários fônicos relutando em sair de casa para interfacear pessoalmente com pessoas as quais, eles temiam, estavam agora acostumadas a ver os eus mascarados e muito-mais-lindos deles no fone e que ao vê-los pessoalmente sofreriam (era o que dizia a fobia dos usuários) a mesma decepção estética destruidora de ilusões que, p. ex., certas mulheres que sempre usam maquiagem causam nas pessoas na primeira vez em que elas as veem sem maquiagem.

As angústias sociais que cercavam o fenômeno e receberam dos consultores psicológicos a denominação de *Mascaramento Otimistamente Arrepresentacional* (ou *MOA*) foram sofrendo uma constante intensificação à medida que a tecnologia simples e minúscula das câmeras de videfone de primeira geração evoluiu até o ponto em que a abertura não era mais tão estreita e agora as minúsculas câmeras de mais alto nível podiam abarcar e transmitir imagens mais ou menos de corpo inteiro. Certos empreendedores psicologicamente inescrupulosos começaram a oferecer displays 2-D de polibutileno e -uretano em tamanho natural — mais ou menos como os displays sem-cabeça de fisiculturistas e lindas banhistas atrás dos quais você podia se colocar posicionando o queixo no cotoco de papelão que ficava no lugar do pescoço para tirar fotos baratas na praia, só que essas máscaras videofônicas de corpo inteiro eram absurdamente mais hight-tech e convincentes. Assim que você acrescentava um guarda-roupa 2-D variável, opções de cores de olhos e cabelos, diversas ampliações e reduções estéticas etc., os custos começavam a bater no limite da marketabilidade, muito embora houvesse ao mesmo tempo uma terrível pressão social para que as pessoas pudessem comprar a melhor imagem corporal mascarada em 2-D que pudessem, para que não se sentissem comparativamente horrorosas ao fone. Quanto tempo, então, seria razoável esperar que se passasse antes que o infatigável impulso empreendedorístico na direção de uma ratoeira sempre mais eficiente concebesse o *Tableau Transmissível* (vulgo *TT*), que voltando agora os olhos para o passado foi provavelmente a pontinha mais afiada do prego do caixão videofônico. Com os *TTs*, era então possível dispensar totalmente o mascaramento facial e corpóreo, substituído pela imagem videotransmitida do que era essencialmente uma fotografia intensamente manipulada, uma fotografia de um ser humano incrivelmente atlético e atraente e bem-pronto, alguém que na verdade se assemelhava ao usuário somente em quesitos limitados como raça e número de membros, com o rosto da foto atentamente concentrado na direção da câmera videofônica em meio aos apetrechos suntuosos mas não exibicionistas do tipo de sala que melhor refletisse a imagem que você desejava transmitir etc.

Os Tableaux eram simplesmente fotografias transmissíveis de alta qualidade, reduzidas às proporções de um diorama e acopladas com um suporte plástico sobre a câmera do videofone, não muito diferentes de uma tampa de lente. Celebridades do entretenimento extremamente lindas mas não tremendamente famosas — o mesmo tipo que em décadas anteriores teria preenchido as listas de elencos dos infomerciais — viram-se muito solicitadas como modelos para vários Tableaux videofônicos de alto nível.

Como operavam com uma simples fotografia transmissível em vez de com imagens e aprimoramentos via computador, os Tableaux podiam ser produzidos em massa e ter um preço comensurável, e por um breve período eles ajudaram a diminuir a tensão entre o custo elevado do mascaramento corpóreo aprimorado e as monstruosas pressões estéticas que a videofonia exercia sobre os usuários, sem falar que também propiciaram empregos para cenógrafos, fotógrafos, tratadores de imagens e celebridades nível-infomercial que andavam penando com a decadência da publicidade na televisão aberta.

(3) Mas há uma certa lição significativa aqui na curva de viabilidade de além--curto-prazo dos avanços em tecnologia de consumo. A carreira da videofonia se encaixa perfeitamente no formato classicamente anular dessa curva: primeiro há alguma espécie de incrível avanço tipo ficção científica na tecnologia — tipo o que rolou entre a telefonia auditiva e a videofonia —, um dito avanço que, contudo, tem certas desvantagens imprevistas para o consumidor; e aí mas os nichos de mercado criados por essas desvantagens — tipo a repulsa estressantemente vaidosa das pessoas diante das suas aparências videofônicas — são engenhosamente preenchidos via pura verve empreendedorística; no entanto as próprias vantagens dessas engenhosas compensações de desvantagens parecem com grande frequência minar o avanço high-tech original, resultando num recidivismo de consumo e no fechamento da curva e em maciça perda de fios de cabelo de investidores precipitados. No caso em tela, a evolução das próprias compensações-de-estresse-e-vaidade viu os videousuários rejeitarem primeiro seus próprios rostos, depois até mesmo suas próprias imagens intensamente mascaradas e aprimoradas, e cobrindo por fim as câmeras para transmitir estáticos Tableaux atraentemente estilizados uns para os TPs dos outros. E, por trás desses dioramas tipo tampa de lente e desses Tableaux transmissíveis, é claro que os usuários descobriram que estavam mais uma vez desestressadamente invisíveis, invaidosamente desmaquiados e desperucados e com os olhos devidamente acompanhados de bolsas por trás dos seus dioramas de celebridades, novamente livres — já que novamente não vistos — para rabiscar, analisar imperfeições, manicurar-se, verificar as dobrinhas — enquanto na tela o rosto atraente e intensamente atento de uma celebridade bem escolhida no Tableau da outra ponta da linha lhes garantia que eram o objeto de uma atenção concentrada que eles mesmos não precisavam exercer.

E claro mas essas vantagens não eram nada além das outrora perdidas e ora estimadas vantagens da boa e velha telefonia cega, somente-voz, dos tempos da Bell, com os seus seis e (6^2) furinhos. A única diferença era que agora esses dispendiosos Tableaux bobos, irreais e estilizados estavam sendo transmitidos entre TPs através de custosas linhas de fibras de vídeo. Quanto tempo, depois que a ficha dessa percepção caiu e ela se espalhou entre os consumidores (principalmente via fone, o que é interessante), um microeconometrista esperaria passar até que a videofonia visual high-tech fosse basicamente abandonada, num retorno, então, à boa e velha telefonia, ditado não apenas pelo bom senso dos consumidores mas na verdade depois de um tempo culturalmente aprovado como um tipo de integridade chique, não exatamente luditismo, mas uma espécie de transcendência retrógrada do mundo ficção-cientificamente high-tech por si próprio, uma transcendência da vaidade e da escravização por uma moda high-tech que as pessoas consideravam tão pouco atraente umas nas outras. Em outras palavras um retorno à telefonia somente-auditiva tornou-se, no fim da curva fechada, uma espécie de símbolo de status da antivaidade, tanto que apenas usuários completamente desprovidos de autoconsciência continuaram a usar a videofonia e os Tableaux, isso sem falar das máscaras, e esse pessoal brega consumidor de fac-símiles virou um irônico símbolo cultural da escravidão brega e fútil à publicidade empresarial e às novidades high-tech, eles viraram os equivalentes bregas da Era Subsidiada das pessoas com conjuntinhos de roupas combinadas, pinturas em veludo negro, suéteres em seus poodles, bijuterias fosforescentes de zircônio, higienizadores Papas da Língua, & c. e tal. A maioria dos consumidores do mercado de comunicação colocou seus Tableaux-dioramas no fundo de uma prateleira de bibelôs e cobriu suas câmeras com tampas de lente pretas-padrão e agora usava os ganchinhos de máscaras dos consoles fônicos para pendurar umas agendinhas telefônicas plásticas especialmente feitas com um receptaculozinho no alto da encadernação para poderem ser convenientemente penduradas em antigos ganchos-de-máscaras. Mesmo então, é claro, a maioria dos consumidores dos EUA continuou perceptivelmente relutante em sair de casa e da frente do teleputador para interfacear pessoalmente, embora a persistência desse fenômeno não possa ser atribuída à modinha da videofonia por si só, e pelo menos a nova panagorafobia serviu para abrir imensos novos mercados empreendedorísticos teleputacionais para compras por encomenda e não causou muita preocupação na indústria.

Quatro vezes per annum, nestes tempos quimicamente agitados, a Divisão Júnior da Associação de Tênis da Organização das Nações da América do Norte manda um jovem toxicologista de cabelo fino como palha de milho e um botãozão liso de um nariz e um blazer azul da ATONAN para coletar amostras de urina de qualquer estudante de qualquer academia registrada que esteja ranqueado acima da 64ª posição na sua divisão etária em nível continental. O tênis juvenil de competição deve ser uma diversão limpa e honesta. É outubro no Ano da Fralda Geriátrica Depend. Uma impressionante percentagem dos alunos da ATE está no top 64 das suas divisões. No dia da amostra de urina, os juniores formam duas longas filas que escapam dos vestiários e sobem as escadas e aí correm, agnatas e partenogênicas, pelo saguão do Ed. Com.-Ad. da ATE com seu carpete azul-real e seus painéis de madeira de lei e grandes estantes de vidro com troféus e placas comemorativas. Leva coisa de uma hora para chegar da metade da fila até a área dos cubículos no banheiro do seu sexo, onde seja o toxicologista louro seja do lado das meninas uma enfermeira cuja linha capilar em severo ângulo agudo encima-lhe a cabeça quadrada com uma espécie de bissecção testal entrega um potinho plástico com uma tampinha verde-clara e um pedaço de esparadrapo branco com um nome e um ranqueamento mensal e 15/10/ AFGD e A.T.Enf. impressos cuidadosamente numa fonte tamanho 6.

Provavelmente cerca de um quarto dos jogadores ranqueados acima de, digamos, quinze anos na Academia de Tênis Enfield não consegue passar num exame de urina padrão de CG/EM[52] na América do Norte. Esses, os clientes noturnos de Michael Pemulis, dezessete, agora se tornam também, quatro vezes por ano, seus clientes diurnos. A urina limpa custa dez dólares ajustados por cc.

"Compre a sua urina aqui!" Pemulis e Trevor Axford viram mercadores trimestrais de urina; eles usam aqueles chapeuzinhos ovais de papel que os vendedores usam nos estádios; passam três meses coletando e armazenando a urina de jogadores sub--dez-anos-de-idade, uma urina quentinha, clara, pueril e inocente que é produzida em pequenos jatinhos esguios e que somente não passaria num teste de G/M se fosse um teste de Ovomaltine ou alguma coisa assim; aí de três em três meses Pemulis e Axford percorrem a agnata fila não supervisionada que serpenteia pelo carpete azul do saguão, vendendo potinhos de Visine cheios com a urina que vêm de um antigo tanque de vendedor de salsichas de estádio, que eles compraram por meio trocado de um salsicheiro do Fenway Park que estava encarando tempos difíceis entre-campeonatos, uma puta caixona de metal fosco e manchado com uma alça nas cores dos Sox que passa por trás do pescoço e deixa as mãos do vendedor livres para trocar o dinheiro.

"Urina!"

"Urina clinicamente estéril!"

"Fervendo!"

"Urina que você ia ficar orgulhoso de levar pra casa e apresentar pros teus pais!"

Trevor Axford cuida do fluxo de caixa. Pemulis entrega frasquinhos de pontas cônicas de Visine cheios de urina juvenil, frascos que ficam facilmente discretos sob axilas, dentro de meias ou calcinhas.

"Se mijando de medo? Mije com a nossa urina!"

As análises das vendas trimestrais indicam um número ligeiramente maior de clientes homens para a urina. Amanhã de manhã, os empregados zeladoriais da ATE — Kenkle, Brandt ou Dave ("Ai Como Isso") Harde, o adorado zelador das antigas que o Boston College demitiu por ter contraído narcolepsia, ou irlandesas de canelas grossas dos semicortiços morro abaixo, do outro lado da Comm. Ave., ou ainda residentes macambúzios e de olhos desviantes da Casa Ennet, a instituição de recuperação no pé do outro lado do morro no velho complexo hospitalar dos veteranos, umas figuras duras e geralmente macambúzias que vinham cumprir nove meses de trabalho tipo ancilar pelas trinta e duas horas semanais que o contrato de tratamento deles estipula — vão jogar montes de potinhos plásticos vazios no ninho de lixeiras atrás do estacionamento dos funcionários da ATE, lixeiras donde Pemulis então vai fazer Mario Incandenza e algum dos próprios e efêbicos doadores originais de urina mais bobinhos retirar, esterilizar e reencaixotar os potinhos sob o disfarce de um empolgante joguinho de Vamos-Ver-Quem-É-Que-Consegue-Achar,-Ferver,-E-En-caixotar-Mais-Potinhos-Vazios-De-Visine-Num-Período-De-Três-Horas-Sem-Que--Nenhuma-Figura-De-Qualquer-Autoridade-Saque-O-Que-Vocês-Estão-Aprontando, um jogo que Mario tinha achado pra lá de mais-que-doido quando Pemulis apresentou o referido três anos atrás, mas que Mario tinha passado a esperar com verdadeira ansiedade, já que descobriu que tem meio que um talento místico e intuitivo para achar potinhos vazios de Visine nas camadas sedimentares de lixeiras lotadas, e sempre parece ganhar de longe, e se você é o coitadinho do nosso Mario Incandenza você agradece cada competição que pode ganhar. T. Axford então armazena e recicla os frascos, e o custo com embalagens é nulo. Ele e Pemulis mantêm o tanque de salsichas malocado embaixo de uma velha vela Yarmouth na caçamba do guincho usado que eles fizeram uma vaquinha para comprar com Hal e Jim Struck e outro cara que depois se formou na ATE e que agora joga por Pepperdine, e pagaram para mandar recondicionar e substituir a corrente e o gancho enferrujados que pendiam do ínclino guindaste do guincho por uma corrente reluzentemente nova e um gancho grosso — que são usados de verdade só duas vezes por ano, na primavera e no fim do outono, para breves intervalos de operações de curta distância durante o desmanche e a ereção do Pulmão protetor, além de ocasionalmente puxar um paralisado veículo de tração traseira de um estudante ou funcionário seja de volta para a longa pista que leva em 70º à entrada da ATE ou por toda a sua extensão durante nevascas pesadas — e desenferrujar e pintar aquilo tudo com as galhardas cores escolares vermelhas e cinzas da ATE, com o complexo emblema heráldico da ONAN — uma águia rosnando de frente com uma vassoura e uma lata de desinfetante numa garra e uma folha de bordo na outra e com um sombrero e parecendo ter comido metade de um pedaço de tecido pontilhado de estrelas — algo ironicamente silkscreenado na porta do motorista e o bom e velho motto tradicional pré-Tavis *TE OCCIDERE POSSUNT…* a-ironicamente gravado na porta do passageiro, e que eles usam alternadamente, embora Pemulis e Axford tenham uma ligeira prioridade, porque a documentação e o seguro obrigatório do caminhão são pagos com os lucros trimestrais da urina.

O irmão mais velho de Hal, Mario — que por decreto do Gestor Acadêmico pode ficar num beliche com Hal no subdormitório A no terceiro piso do Com.-Ad. muito embora seja fisicamente limitado demais para jogar tênis até mesmo num nível baixo e recreacional, mas que tem um agudo interesse pela produção de vídeo e cartuchos de filmes e cumpre o seu papel na comunidade da ATE gravando trechos predeterminados de partidas e treinos e processionais sessões de filmagem de golpes de raquete para posterior reprodução e análise de Schtitt e de sua equipe —, está filmando a fila congregada, as interações sociais e a operação de venda do dia-da-urina no saguão com sua câmera-de-cabeça que é presa por tiras, trava-policial e pedal, aparentemente acumulando metragem para um dos estranhos e breves cartuchos conceituais com que a administração permite que ele ocupe seu tempo fazendo e fuçando depois neles lá embaixo nas instalações de edição e efeitos do falecido fundador no túnel principal sub-Com.-Ad.; e Pemulis e Axford não têm objeções a fazer à filmagem, e eles nem chegam a fazer aquela coisa de mão-na-têmpora para obnubilar o rosto quando ele mira a Bolex-de-cabeça na direção deles, já que eles sabem que ninguém vai acabar vendo o filme a não ser o próprio Mario e que a pedido deles ele vai modular e embaralhar os rostos dos vendedores e fregueses, que vão virar ondulantes quadradinhos cor de carne graças ao painel de reconfiguração-matte do seu falecido pai, na sala de edição, já que o embaralhamento facial vai realçar seja lá qual for o esquisito efeito conceitual que Mario normalmente está procurando de qualquer maneira, se bem também que porque Mario é notoriamente fã de ondulantes quadradinhos cor de carne e aproveita cada oportunidade de inseri-los na cara das pessoas.

As vendas andam bem.

Michael Pemulis, seco, rosto pontudo, fenomenalmente talentoso na rede mas coisa de dois passos lento demais para chegar lá com efetividade contra alguém que jogue num nível mais alto — então em compensação também um grande lobeiro ofensivo —, é um aluno bolsista vindo da vizinha cidade de Allston, MA — uma lúgubre área de vilas operárias e terrenos baldios, baixos conjuntos habitacionais de gregos e irlandeses, pedregulhos e esgoto ocasional e alvo de uma manutenção indiferente do município, várias unidades decadentes da indústria de petroquímicos leves ao longo de todo o Spur, um distrito mais afastado cujo zoneamento previa o crescimento; uma velha piada de Enfield-Brighton diz: "'Me dá um beijo lá na fedidinha', ela disse, aí eu levei ela pra Allston" —, onde ele descobriu que levava jeito jogando tênis em clubes infantis de bermudas cortadas de calças jeans e sem camisa e com uma raquete encordoada-em-loja em quadras fedegosas de um asfalto que te descoloria as bolinhas amarelas e com umas redes feitas de sobras das cercas do Feeny Park que mandavam as bolas que triscavam a fita chispando direto para o meio do trânsito. Prodígio tenístico do Programa de Desenvolvimento Urbano com dez anos, recrutado morro acima com onze, com pais que queriam saber quanto a ATE pagaria à vista em troca dos direitos por toda e qualquer renda futura. Leviano nos treinos mas uma pilha de nervos estrangulados nos torneios, o negócio do Pemulis é que ele tem um ranqueamento bem mais baixo do que poderia ter com um pouquinho de trabalho duro, já que ele é não apenas o melhor artilheiro Eskhatônico[53] da ATE com o seu lob mas que o Schtitt diz que ele é o único jovem aqui agora que sabe verdadeiramente o que quer dizer ter *pünch* no voleio. Pemulis, cuja vida familiar pré-ATE era aparentemente de arrepiar peruca, também vende drogas peso-leve de força considerável a preços finais razoáveis para uma grande fatia-de-torta do mercado total do circuito-jú-nior-de-torneios. Mario Incandenza é uma dessas pessoas que não veriam sentido em provar químicos recreacionais nem que soubessem como tentar. Ele simplesmente não ia sacar qual era. O sorriso dele, abaixo da câmera atada à sua cabeça imensa mas de aparência meio murcha, é constante e amplo enquanto filma a movimentação da serpentina fila contra estantes de vidro cheias de prêmios.

M. M. Pemulis, cujo nome do meio é Mathew (*sic*), tem o maior Stanford-Bïnet de todos os meninos que já estiveram ameaçados de expulsão por motivos acadêmi-cos em toda a história da Academia. Os mais galantes esforços de Hal Incandenza mal conseguem fazer Pemulis passar pela tríade de Gramáticas obrigatórias[54] da sra. I. e pela pesada Literatura da Disciplina de Soma R.-L.-O. Chawaf, porque Pemulis, que declara ver uma em cada três palavras de cabeça para baixo, na verdade tem sim-plesmente a impaciência congênita de um tarado-tecnológico nato com a opacidade referencial e a deselegância dos sistemas verbais. Tendo o que ele precocemente prometera como tenista se esgotado cedo e no final revelado ser algo diletantesco, o verdadeiro talento duradouro de Pemulis é para a matemática e a ciência dura, e sua bolsa é a cobiçada Bolsa James O. Incandenza de Óptica Geométrica, que é uma só e que a cada semestre Pemulis dá um jeito de não perder por uma fração decimal de triz na avaliação das suas notas, e que lhe dá acesso livre a todas as len-tes e equipamentos do falecido diretor, alguns dos quais acabam se revelando úteis para empreendimentos de natureza diversa. Mario é a única outra pessoa que divide com ele os laboratórios de óptica-e-edição no túnel principal, e os dois têm aquele tipo de conexão transpessoal que interesses comuns e vantagens recíprocas podem inspirar: se Mario não está ajudando Pemulis a fabricar os produtos dos trabalhos de estudos-ópticos-independentes que M. P. nem está tão a fim assim de fazer — vocês precisavam ver o menino aqui com uma lente convexa, Avril gosta de dizer quando Mario está perto; parece pinto no lixo —, então Pemulis está oferecendo a Mario, que é cinefilíssimo mas não tem uma cabeça muito técnica, grandes ajudas com a práxis cinemato-óptica, a física da distância focal e dos compostos reflexivos — vocês precisavam ver o Pemulis com uma curva de emulsão, bocejando blaséemente sob seu quepe de iatista de aba invertida e coçando uma axila, manuseando diferenciais como um menino que nasceu para usar um protetor de bolso e calças de veludo de catar siri e fita isolante nas emendas das armações de tartaruga, perguntando se Mario sabe como é que se chama quando tem três canadenses copulando num snow-mobile. Tanto Mario quanto o seu irmão Hal consideram Pemulis um bom amigo, embora a amizade na ATE seja moeda não negociável.

Hal Incandenza por um longo tempo se identificou como um prodígio lexical que — embora Avril tenha se esforçado para que todos os seus três filhos soubessem que seu amor e orgulho incondicionais de modo algum dependiam de sucesso, de-sempenho ou talento potencial — havia deixado a mãe orgulhosa além de ser um tenista realmente bom. Hal Incandenza agora está sendo encorajado a se identificar como um prodígio que amadureceu tarde e talvez até um gênio do tênis que está pres-tes a deixar tudo quanto é figura de autoridade neste mundo e além tremendamente orgulhosa. Ele nunca esteve melhor na quadra ou no jornal mensal da ATONAN. Ele está extrusivo. Ele realizou o que Schtitt chamou de um "salto de expoentes" numa idade pós-pubescente em que o desenvolvimento radical, transplateaux, quase-de-ní-vel-J.-Wayne-e-do-Circuito é extraordinariamente raro no tênis. Ele recebe sua urina estéril de graça, embora pudesse muito bem pagar: Pemulis conta com ele para obter apoio acadêmico-verbal e não gosta de dever favores, mesmo para os amigos.

Hal é, com dezessete anos, em 10/AFGD, considerado *ex cathedra* o quarto me-lhor tenista com menos de dezoito anos nos Estados Unidos da América e o sexto me-lhor do continente, pelos órgãos de organização esportiva devidamente responsáveis pelo ranqueamento. A cabeça de Hal, atentamente monitorada por deLint e Equipe, é considerada ainda estável e concentrada e não inflada/martelada pelo súbito éclat e pelo aumento das expectativas gerais. Quando lhe perguntam como ele está lidando com isso tudo, Hal diz Beleza e agradece a quem perguntou.

Se Hal corresponder a esse nível recentemente emergente de promessa e che-gar de fato ao Circuito, Mario será o único dos meninos Incandenza a não ser lou-camente bem-sucedido como esportista profissional. Ninguém que conhece Mario poderia imaginar que esse fato lhe ocorresse.

O falecido pai de Orin, Mario e Hal era reverenciado como um gênio na sua profissão original sem que ninguém jamais tivesse percebido em que ele acabou se revelando um gênio, nem mesmo ele, pelo menos não enquanto estava vivo, o que é talvez de-boa-fé-mente trágico mas também, na opinião de Mario, normal, afinal de contas, se foi assim que as coisas acabaram rolando.

Certas pessoas acham pessoas como Mario Incandenza irritantes ou até pensam que elas são efetivamente birutas, que estejam mortas por dentro de alguma maneira essencial.

A postura básica de Michael Pemulis com as pessoas é que a sra. Pemulis não criou nenhum lesado, meu amigo. Ele usa bonés de pintor de parede na quadra e às vezes um quepe de iatista virado em 180° e, como não tem um ranqueamen-to que lhe garanta roupas oficiais gratuitas, joga com camisetas com coisas como *ARANHAS-LOBO DA ALLSTON HS E FIDASPUTAS EXIGENTES E DEMÔ-NIOS EM FORMA HUMANA TOUR AFGD* ou tipo um antigo *VOCÊ ACRE-DITA QUE A SUPREMA CORTE ACABOU DE DESSACRALIZAR A NOSSA BANDEIRA?* O rosto dele é o tipo de rosto feniano de traços pontiagudos e cenho protuberante que você pode ver em toda a Allston e em toda a Brighton irlandesas, queixo e nariz aguçados e pele com a cor marrom de nascença da casca de uma noz de qualidade.

Michael Pemulis não tolera baixaria e teme o Brutus dos traficantes, o come-dor potencial de queijo, o rato, o dedo-duro, o polícia de cara púbere enviado para fazer ele passar por bobo. Então quando alguém liga para o telefone do seu quarto, até no vídeo, e quer comprar algum tipo de químico, eles têm que descaradamente pronunciar as palavras "Por favor cometa um crime", e Michael Pemulis responderá então "Mas ora, puxa vida, mas um crime mesmo?" e o freguês tem que insistir, ali no fone, e dizer que vai pagar dinheiro para que Michael Pemulis cometa um crime ou tipo que vai machucar Michael Pemulis de alguma maneira se ele se recusar a cometer o crime, e Michael Pemulis então numa voz nítida e identificável marcará um encontro para encontrar pessoalmente o freguês para "tentar salvar a minha honra e a minha segurança pessoal", de modo que se alguém vier posteriormente a comer queijo ou a frequência do fone estiver dissimuladamente grampeada de alguma maneira, Pemulis terá sido vítima de uma armadilha.[55]

Ocultar um frasquinho de Visine cheio de urina numa axila na fila tem também a vantagem de levar a sua temperatura a níveis plausíveis. Na entrada da área dos banheiros masculinos, o toxicologista efêbico da ATONAN raramente chega a sequer erguer os olhos da prancheta, mas a enfermeira de cara quadrada pode ser um problema lá no lado feminino, porque vez por outra ela quer a porta do banheiro aberta durante a produção. Com Jim Struck tratando do plágio, iteração comprimida e xerografia de fontes publicadas, Pemulis também oferece, a um custo razoável, um pequeno panfleto vade-mecumístico que explicita diversos métodos para lidar com essa contingência.

O

INVERNO DE 1960 AS — TUCSON, AZ

Jim não assim Jim. Isso não é jeito de tratar uma porta de garagem, dobrando a cintura assim todo duro e dando esse tranco na maçaneta de um jeito que a porta sai toda sacudida e sobe sacudindo e toda dura e você arrebenta as canelas e os meus joelhos estragados, filho. Vamos ver você dobrar esses joelhos saudáveis. Vamos ver você enganchar uma mão macia com leveza por cima da maçaneta sentindo essa textura delicada e puxar com a exata leveza que vai fazer ela vir até você. Experimente, Jim. Veja exatamente quanta força você precisa empregar para mover a porta com facilidade, deixe que ela abra e se enrole nas roldanas e polias ocultas no conjunto de vigas teia de aranha do teto. Pense em todas as portas de garagem como se fossem a porta bem lubrificada de abrir para fora de um forno que contenha carne quente, o calor escapando em baforadas, quente. Desnecessário e perigoso dar trancos, empurrões, baques, socos. A tua mãe é de empurrar e sacudir, filho. Ela trata os corpos fora dela sem respeito e sem o devido cuidado. Ela nunca aprendeu que tratar as coisas do jeito mais delicado e relaxado também é tratar a elas e ao teu próprio corpo da forma mais eficiente. É culpa do Marlon Brando, Jim. A tua mãe lá na Califórnia antes de você nascer, antes de ela virar uma mãe devotada e esposa sofredora e provedora, filho, a tua mãe fez uma ponta num filme do Marlon Brando. O grande momento dela. Teve que ficar ali de sapatinho bicolor e meinha soquete e rabo de cavalo e pôr as mãos nos ouvidos enquanto umas motocicletas bem barulhentas passavam roncando.

Um grande momento cênico, podes crer. Ela estava platonicamente apaixonada por esse tal desse camarada Marlon Brando, filho. Quem? Quem. Jim, Marlon Brando foi o arquetípico ator da nova-escola que estragou ao que parece as relações de duas gerações inteiras com seus corpos e com os objetos e corpos do cotidiano delas. Não? Bom mas foi por causa do Brando que você estava abrindo aquela porta de garagem daquele jeito, Jimbo. O desrespeito vai sendo aprendido e passado adiante. Passado para a frente. Você vai reconhecer o Brando quando assistir a um filme dele, e você vai ter aprendido a ter medo dele. *Brando*, Jim, meu Deus, B-r-a-n-d-o. Brando o novo tipo rebelde durão e largado arquetípico, inclinando a cadeira para trás, passando enviesado pelas portas, encostado em tudo que esteja por perto, tentando *dominar* os objetos, sem mostrar um respeito ou um cuidado atenciosos, dando trancos nas coisas como uma criança pirracenta e usando as coisas e jogando tudo fora grosseiramente para fora do cesto do lixo, e daí elas só ficam ali, mal usadas. Com os movimentos e as posturas impetuosos e extradesajeitados de uma criança pirracenta. A tua mãe é dessa nova geração que se move a contrapelo da vida, contra a urdidura e os aparos da vida. Ela até pode ter amado Marlon Brando, Jim, mas ela não o entendeu, e foi isso que deixou ela estragada para as artes de todos os dias como portas de fornos e de garagens e o tênis até de baixo-nível de bate-bola de parques-e-praças. Você já viu a tua mãe com uma porta de forno? É um massacre, Jim, é de chorar de ver, e a coitada da boba acha que é um tributo a esse largado encostado que ela amou quando ele passou roncando. Jim, ela nunca intuiu a economia delicada e ardilosa que existe por trás do manuseio entre aspas rude, impensado e desleixado dos objetos por aquele sujeito. O quanto ele tão nitidamente tinha treinado vezes sem fim aquela reclinação nas pernas traseiras da cadeira. Como ele estudava os objetos com os olhos de um soldador em busca daquelas suturas centrais e mais firmes que quando pressionadas pelo mais porcamontes dos largados ainda aguentam. Ela nunca… nunca viu que Marlon Brando se percebia tão agudamente enquanto corpo que *não precisava* de modos. Ela nunca viu que daquele jeito entre aspas descuidado ele na verdade tocava de fato tudo que tocava como se fosse parte dele. Do seu próprio corpo. O mundo que ele só parecia tratar com rispidez era para ele uma entidade dotada de sentidos, sensibilidade. E ninguém… e ela nunca entendeu isso. Isso é que é dor de cotovelo. Você não pode ter inveja de alguém que consegue ser desse jeito. Respeito, talvez. Talvez um respeito *cobiçoso* na pior das hipóteses. Ela nunca viu que o Brando estava jogando o equivalente de uma boa partida de tênis de alto nível em estúdios de costa a costa, Jim, era o que ele estava fazendo de verdade. Jim, ele se mexia que nem um alevino descuidado, um grande músculo, musculosamente *naïf*, mas sempre, veja bem, um alevino no centro de uma corrente límpida. Aquele tipo de graça animal. O filho da mãe não desperdiçava *um* gesto, era isso que fazia aquilo virar arte, esse des-cuidado abrutalhado. O lema dele era o de um tenista: toque as coisas com consideração e elas serão suas; você vai mandar nelas; elas vão se mexer ou ficar paradas ou se mexer pra você; elas vão se recostar e abrir as pernas e entregar as suas suturas mais íntimas a você. Vão te ensinar todos os truques que elas conhecem. Ele sabia o que os beatniks sabem e o que o grande jogador de tênis sabe, filho: aprenda a fazer nada, com a tua cabeça inteira e com o corpo, e tudo vai ser feito pelo que está em volta de você. Eu sei que você não está entendendo. Ainda. Eu conheço essa cara boquiaberta. Eu sei muitíssimo bem o que isso quer dizer, filho. Não faz mal. Você vai entender. Jim, o que eu sei eu sei.

Eu estou fazendo uma previsão aqui, meu jovem Jim. Você vai ser um grande tenista. Eu fui quase-grande. Você vai ser grande de verdade. Você vai ser de verdade. Eu sei que eu ainda não te ensinei a jogar, eu sei que hoje é a primeira vez pra você, Jim, pelo amor de Deus, relaxe, eu sei. Isso não afeta a minha capacidade preditiva. Você vai me obnubilar e me obliterar. Hoje você está começando, e em poucos anos eu sei muito bem que você vai conseguir ganhar de mim lá fora, e no dia em que você ganhar de mim pela primeira vez pode muito bem ser que eu chore. Vai ser por um tipo de orgulho altruísta, a terrível alegria de um pai obliterado. Eu estou sentindo, Jim, aqui, agora, parado nessas pedrinhas quentes e olhando: nos teus olhos eu estou vendo a apreciação dos ângulos, uma presciência no que se refere ao efeito, esse jeito que você já tem de ajustar o teu corpo infantil superdimensionado e aparentemente desajeitado na cadeira para que ele esteja na melhor linha de força contra prato, colher, aparelho de polir lentes, a lombada rija de um livro grande. Você faz inconscientemente. Você não tem ideia. Mas eu fico olhando bem de perto. Nunca nem pense que eu não fico, filho.

Você vai ser poesia em movimento, Jim, apesar do tamanho e da postura e tudo. Não deixe o problema da postura te enganar quanto ao teu verdadeiro potencial lá fora. Confie em mim, pra variar um pouquinho. O truque vai ser transcender essa cabeça superdimensionada, filho. Aprender a se mexer exatamente como você já fica sentado. Viver no teu corpo.

Isso aqui é a garagem comunitária, filho. E isso aqui é a nossa porta da garagem. Eu sei que você sabe. Eu sei que você já olhou pra ela antes, muitas vezes. Agora… agora *veja* a porta, Jim. Veja como um corpo. A maçaneta fosca, a trava horária, os pedacinhos de insetos presos quando a tinta estava molhada e agora ainda está protuberando. As rachaduras desse sol impiedoso daqui. Vá saber a cor original, rapaz. Os quadrados côncavos entalhados, quantos, chanfrados em quantos níveis nos cantos, que passam por enfeite. Conte os cantos, talvez… vamos ver você tratar essa porta como uma dama, filho. Virar a trava no sentido horário só com uma mão isso mesmo e… Acho que você vai precisar puxar mais forte, Jim. Quem sabe até mais forte que isso. Deixa eu… é *assim* que ela quer, Jim. Dá uma olhada. Jim, é aqui que a gente guarda esse Mercury Montclair 1956 que você conhece tão bem. Esse Montclair pesa 1700 quilos, mais ou menos. Tem oito cilindros, um para-brisa inclinado, barbatanas aerodinâmicas, Jim, e tem uma velocidade máxima total na estrada de 150 km/h. Eu descrevi o tom da pintura desse Montclair para o vendedor quando vi pela primeira vez como vermelho lábio-mordido. Jim, é uma máquina. Vai fazer o que é feita pra fazer e vai fazer com perfeição, mas só quando estimulada por alguém que tenha se dedicado a conhecer os seus truques e as suas suturas enquanto corpo. O estimulador desse carro tem que conhecer o carro, Jim, sentir o carro, estar dentro de muito mais que o... que o compartimento. É um objeto, Jim, um corpo, mas não deixe esse corpo te enganar, ali parado, calado. Ele *reage*. Se tratado condignamente. Com meticuloso cuidado. É um corpo e vai reagir com um ronronado bem-lubrificado assim que eu puser um oleozinho decente nele e todo Mercurial a até 150 grandões por hora, unicamente pro motorista que trate o corpo dele como o seu próprio, que *sinta* o grande corpo de aço que está em volta de si, que suave e sub-repticiamente sinta o plástico texturizado da alavanca do câmbio bem pertinho do volante quando troca de marcha exatamente como quem sente pele e carne, os músculos, tendões e ossos embrulhados em teias de aranha cinzentas de nervos na mão vascularizada exatamente como ele sente o plástico, o metal, as flanges, os dentes, os pistões, a borracha e as bielas do gasolinizado Montclair quando muda de marcha. O corpóreo vermelho de um lábio bem mordido, fonfando tranquilo e sedoso a mais de 120 por hora. Jim, um brinde ao que nós sabemos sobre corpos. Ao tênis de alto nível na estrada da vida. Ah. Oh.

Filho, você está com dez anos, e isso não é uma notícia mole pra alguém de dez anos, mesmo que você tenha quase um metro e oitenta, uma possível aberração pituitária. Filho, você é um corpo, filho. Essa cabecinha rápida de prodígio-científico que deixa tua mãe tão orgulhosa que não para de matraquear: filho, são só espasmos neurais, essas ideias na tua cabeça são só o barulho do teu cérebro em ponto morto, e cabeça ainda é só corpo, Jim. Guarde isso de cor. Cabeça é corpo. Jim, se segure aqui no meu ombro pra esta notícia dura pros teus dez anos: você é uma máquina um corpo um objeto, Jim, tanto quanto esse rutilante Montclair, aquela mangueira enrolada ali ou aquele rastelo ali pras pedrinhas da entrada ou santo Deus aquela aranha horrível e gorda se esticando na teia mais ali bem pertinho do cabo do rastelo, está vendo? Está vendo? *Latrodectus mactans*, Jim. Viúva. Pegue essa raquete aqui e se mexa com graciosidade e consciência até ali e mate aquela viúva pra mim, meu jovem Jim. Anda. Faz ela abrir o bico. Não faça prisioneiros. Meu garoto. Um brinde a uma área desaranhificada da garagem comunitária. Ah. Corpos por todo canto. Uma bola de tênis é o corpo definitivo, garoto. A gente está chegando ao ponto crucial do que eu tenho que tentar te comunicar antes da gente ir lá fora e começar a dar vazão a esse teu potencial medonho. Jim, uma bola de tênis é o corpo definitivo. Perfeitamente redonda. Distribuição equilibrada de massa. Mas vazia por dentro, totalmente, um vácuo. Suscetível a caprichos, efeitos, a força — usada bem ou mal. Ela vai refletir o teu caráter. Pegue ali uma bolinha naquele cesto de roupa suja barato de plástico verde que eu deixo ali perto dos maçaricos de propano e uso pra treinar um saque de vez em quando, Jimbo. Maravilha. Agora olhe a bola. Sopese. Sinta o peso. Aqui, deixa eu... rasgar assim pra... abrir. Ufa. Viu? Nada além de um ar evacuado aqui dentro com o cheiro de algum inferno de látex. Vazio. Puro potencial. Perceba que eu rasguei aqui na sutura. É um corpo. Você vai aprender a tratar essa bola com consideração, filho, alguém até pode dizer um tipo de amor, que ela vai se abrir para você, fazer o que você pede, estar à tua doce disposição amorosa. A coisa que os grandes jogadores de verdade de corpos têm que obnubila todos os outros é um jeito com a bola que eles chamam, e não esqueça a porta da garagem e o forno, *toque*. Toque a bola. Mas isso… isso aí já é o toque de um jogador. E como com a bola, que assim seja com esse corpo imenso extra-alto e magro, meu jovem Jimbo. Eu estou fazendo essa previsão neste exato momento. Eu estou vendo como você vai aplicar as lições de hoje a você mesmo enquanto corpo físico. Chega de andar com essa cabeça na altura do peito embaixo de uns ombros redondos derrubados. Chega de tropeçar. Chega de não se dar conta do tamanho dos braços, de estilhaçar pratos, entortar cúpulas de abajur, derrubar os ombros e encovar o peito, com os objetos mais simples se contorcendo e resistindo às tuas mãozonas ossudas, menino. Imagine a sensação de ser essa bola, Jim. Total fisicalidade. Nada de cabeça em ponto morto. Completa presença. Absoluto potencial, paradinha ali potencialmente absoluta na tua mãozona branca e feminil tão jovem que o dedão não tem ruguinhas na dobra. O meu dedão tem ruguinhas na dobra, Jim, daria até para alguém dizer que ele é encarquilhado. Dá uma olhada nesse dedão aqui. Mas eu ainda trato esse dedão como uma coisa minha. Eu dou o que ele merece. Quer um golinho disso aqui, filho? Acho que você está pronto pra um golinho disso aqui. Não? Nein? Hoje, Lição Número Um lá fora, você vai virar, pro bem ou pro mal, Jim, um homem. Um jogador. Um corpo em comércio com corpos. Um timoneiro à cana do leme do teu próprio barco. Uma linha no boi, como diz a expressão. Ah. Um menino monstruosamente alto e de gravata-borboleta que com dez anos já é cidadão do… Eu bebo isso aqui, às vezes, quando não estou trabalhando ativamente, pra me ajudar a aceitar as mesmas coisas dolorosas que agora chegou a hora de eu te contar, filho. Jim. Você está pronto? Eu estou te contando essas coisas agora porque você tem que saber o que eu estou prestes a te dizer se você quiser ser o jogador de tênis de alto nível mais que quase-grande que eu sei que você vai acabar virando muito em breve. Se prepare. Filho, se apronte. É glo… gloriosamente doloroso. Quem sabe se você der só um golinho aqui. Essa garrafinha é de prata. Trate com o devido cuidado. Sinta o formato. O toque quase-macio da prata quente e a bainha de couro de vitelo que cobre só metade da altura chata arredondada da garrafa. Um objeto que recompensa quem o toca com consideração. Está sentindo o calor escorregadio? É o óleo dos meus dedos. O meu óleo, Jim, do meu corpo. Não a minha mão, filho, sinta a garrafinha. Sopese. Conheça a garrafinha. É um objeto. Um vaso. É uma garrafinha de um litro cheia de um líquido âmbar. A bem da verdade está mais pra meio cheia, parece. Ao que parece. Essa garrafinha foi tratada com o devido cuidado. Ela nunca foi derrubada, jogada nem empilhada. Ela nunca viu uma única gota errante, nem *uminha*, ser derramada. Eu trato essa garrafinha como se ela tivesse sentimentos. Eu lhe dou o que ela merece enquanto corpo. Solte a tampa. Segure a bainha de couro de vitelo com a mão direita e use a tua canhota boa pra sentir o formato da tampa e conduzi-la delicadamente pelos sulcos espirais. Filho… filho, você vai ter que pôr esse o que que é isso aí esse *Guia Colúmbia de Índices de Refração Segunda Edição* no chão, filho. E ainda parece pesado. Uma tensão pra qualquer tendão. Fode o teu pronador redondo e os tendões circunjacentes antes de você começar. Você vai ter que pôr o livro no chão, uma vez na vida, meu jovem cavalheiro Jimbo, você nunca tenta manusear dois objetos ao

166

mesmo tempo sem simplesmente séculos de treino e atenção diligentes, quase marlonbrandesco… e mas *não* você não larga simplesmente o livro, filho, você não simplesmente você não *larga* simplesmente o nosso amigo *Guia dos Índices* no piso poeirento da garagem pra ele levantar esse cogumelo quadrado de poeira e deixar as nossas belas meias atléticas brancas todas cinzentas antes da gente pisar na quadra, menino, *Jesus* eu acabei de passar cinco minutos explicando como a chave para ser nem que seja um jogador potencial é tratar as coisas com exatissimamente o… me dá aqui esse negócio… que a gente não *larga* um livro com esse estrondo como se estivesse jogando uma garrafa no lixo a gente *coloca*, guia, com os sentidos no Pleno, sentindo as bordas, a pressão na pontinha dos dedos das mãos quando você dobra os joelhos com o livro, o leve fluxo gasoso quando o ar no chão poeirento… quando o ar do chão é deslocado num quadrado delicado que não levanta poeira. Assiiiim ó. Não *assim*. Entendeu? Está entendendo? Mas agora não seja assim. Filho, não seja assim agora. Não fique assim todo sensível pra cima de mim, filho, quando eu só estou tentando é te ajudar. Filho, Jim, eu *odeio* isso quando você faz isso. O teu queixo simplesmente some nessa gravata-borboleta quando esse teu beição extragrande treme pendurado desse jeito. Parece que você não tem queixo, filho, e é beiçudo. E essa capa de muco descendo por cima da tua boca, ela brilha de um jeito, não, por favor não, é repulsivo, filho, você não quer causar repulsa nas pessoas, você precisa aprender a controlar esse tipo de extrassensibilidade às verdades pesadas, esse tipo de coisa, assumir e exercer algum tipo de *controle*, cacete, é o ponto central de eu estar tirando essa manhã inteirinha sem ensaiar com não somente um mas dois testes de importância vital surgindo no horizonte do meu cangote pra poder te mostrar, planejando deixar você empurrar o banco pra trás e encostar na alavanca e quem sabe até… quem sabe até dirigir o Montclair, benza Deus, que os teus pés alcançam, né, Jimbo? Jim, ó só, por que não dirigir o Montclair? Por que não levar a gente de carro, a começar de hoje, estacionar lá perto das quadras onde hoje você vai — aqui, olha, está vendo como eu abro? a tampa? Com as pontinhas mais externas e úmidas dos meus dedos encarquilhados que eu bem queria que fossem mais firmes mas eu estou exercendo controle pra controlar a minha raiva desse queixo, desse beiço e da capa de ranho e do jeito que os teus olhos ficam apertados e esbugalhados que nem os de um mongoloide quando você está ameaçando chorar mas só as pontinhas dos dedos, aqui, a parte mais sensível, a parte banhada de óleo morno, as almofadas labirínticas, eu sinto elas vibrarem de nervo e de sangue eu deixo elas se estenderem… além do extremo topo da garrafinha de bolso prata e quente pelo cone mais amplo aonde as espirais que percorreram a boquinha circular correm se ocultar enquanto com a outra mão vibrante e quente eu delicadamente seguro o invólucro de couro pra poder sentir como toda a garrafa parece guiar… guiar a tampa nas suas voltas pelas roscas prateadas, está ouvindo isso? pare e escute, está ouvindo isso? o som das espirais se movendo por sulcos bem escavados, com grande cuidado, uma suave espiral de barbearia, a minha mão inteira através das almofadas das pontas dos dedos menos… menos desrosqueando, aqui, que guiando, persuadindo, lembrando ao corpo da tampa prateada o que ele foi feito pra fazer, construído pra fazer, a tampa prateada sabe, Jim, eu sei, você sabe, a gente já falou disso, *largue* esse livro, menino, ele não vai fugir, então a tampa prateada abandona os lábios quentes e sulcados da boca da garrafa com um ruído seco, está ouvindo? um ruído levíssimo? não som de lixa ou áspero ou um som duro, não uma tentativa dura e marlonbrandesca de exercer domínio mas um leve ruído uma... nuance, assim, ah, oh, como o depois que você ouviu jamais confundível *ponk* de uma bola bem rebatida, Jim, bom então *tire* do chão se você está com medo dessa poeirinha, Jim, tire o livro do *chão* se é pra você ficar assim todo de olho esbugalhado e sem queixo sério meu Deus por que é que eu fico tentando e tentando e tentando só queria te apresentar à garagem do forno e deixar você dirigir, quem sabe, sentindo o corpo do Montclair, perdendo o meu tempo aqui pra deixar você encostar nas quadras com o câmbio do Montclair num macio ponto morto e os oito cilindros pulsando e com leves ruídos como os de um coração saudável e as rodas todas perfeitamente alinhadas com o meio-fio e tirar o meu velho amigo que é aquele cesto de roupa suja... o cesto de roupa suja das bolas, umas raquetes, umas toalhas, a garrafinha e o meu *filho*, a minha carne da minha carne, carne branca e corcunda da minha carne que queria embarcar no que eu prevejo neste exato momento que vai ser uma carreira tenística que vai colocar o seu velho pai quebrado e acabado bem no lugarzinho dele, que queira assim quem sabe uma vez na vida ser um menino de verdade e aprender a jogar, a se divertir, a correr por aí e a brincar sob o sol inclemente que faz a fama desta porra desta cidade, aproveitar enquanto pode esse sol todo porque será que a tua mãe te disse que a gente vai se mudar? Que a gente vai voltar pra Califórnia finalmente na primavera? A gente vai se mudar, filho, eu vou dar ouvidos por uma última e tentativa vez àquele canto das sereias de celuloide, vou dar uma última chance plena que a obrigação de um homem pra com o seu último talento minguante merece, Jim, a gente está indo de novo rumo ao sucesso finalmente pela primeira vez desde que ela anunciou que ia ter você, Jim, pé na estrada, a caminho do celuloide, então diga adios àquela escola e àquele professorzinho de física que parece uma mariposa voejante e àqueles amiguinhos corcundas e sem queixo que andam com aquelas réguas de cálculo lá da agora espera não foi isso que eu quis dizer eu queria dizer que a gente queria te contar *agora*, com antecedência, a tua mãe e eu, pra te dar bastante tempo pra você conseguir se *adaptar* dessa vez porque ah você deixou tão inequivoquissimamente *claro* o quanto esta última mudança para este trailer aqui deixou você tão transtornado, não foi, uma casa móvel com banheiro químico e presa no chão por essas travas e teias-de-viúva por todo lugar em que você olhe e areia pousando em tudo que nem poeira por aqui em vez do apartamento funcional dos empregados do Clube de onde eu consegui ser expulso ou da casa que foi nitidamente culpa minha a gente não poder mais bancar. Foi minha culpa. Quer dizer, de quem é que seria? Estou certo? Que a gente mudou o teu corpo enorme e mole alegadamente sem avisar com suficiente antecedência e aquela escolinha do east-side que você lamentou aos prantos e aquela bibliotecária-assistente-de-pesquisa negra lá com aquele cabelo até aqui aquela... aquela senhora com o nariz empinado que andava na pontinha dos pés o tempo todo eu tenho que te dizer que ela parecia tão consumadamente tucsoniana do east-side toda autoconscientemente nascida não desta areia desta terra aqui dizendo que a gente devia aspas nutrir os teus dons ópticos na física com aquele nariz empinado que dava pra enxergar lá dentro e na pontinha dos pés como se alguma coisa competente lá no alto tivesse enfiado um gancho no meio daquelas duas narinas arregaçadas de alevino e estivesse içando a mulher pro céu lá pro éter pouco a pouco aposto que aqueles tamanquinhos sem salto a esta altura saíram do chão de uma vez filho o que é que você diria filho o que é que você acha... não, vai, anda, chora, não se iniba, eu não vou abrir a boca, só que cada vez está me irritando menos cada vez quando você faz isso, eu só vou te avisar, eu acho que você está abusando das lágrimas e da... está ficando menos efic... eficaz a cada vez que você usa por mais que a gente saiba que não é verdade só cá entre nós a gente sabe que vai funcionar sempre com a tua mãe, não é mesmo, nunca falha, ela toda vez vai pegar e colocar o teu cabeção no ombro dela de um jeito que fica obsceno, se você pudesse ver, te dando tapinhas nas costas como se estivesse fazendo um bebê corcunda extragrande obsceno e de gravatinha-borboleta arrotar, com um livro forçando o pronador redondo, chorando, você vai fazer isso quando crescer? Será que essas coisas vão acontecer quando você for um homem responsável? Um cidadão do mundo que não vai ficar de tapinha-tapinha-tudo-bem? Será que o teu rosto vai desmoronar e inchar desse jeito quando você tiver dois grotescos metros de altura, mais de dois como o teu avô que descanse em paz no desentupidor de pia do inferno quando finalmente esticar as botas no décimo buraco e com essa tua cara chata e sem queixo igualzinha à dele no ombro tolerante frágil úmido e melequento daquela coitada daquela tonta eu te contei o que ele fez? Eu te contei o que ele fez? Eu tinha a tua idade Jim aqui pegue a garrafa não dá aqui, ah. Ah. Eu tinha doze, treze anos e já jogava fazia anos e ele nunca tinha ido ver, ele nunca, nem uma vez, tinha ido aonde eu ia jogar, pra assistir, nem mudava aquela expressão totalmente desinteressada quando eu levava um troféu pra casa eu ganhava troféus ou uma notícia no jornal NATIVO DE TUCSON SE QUALIFICA PARA O CAMPEONATO JÚNIOR NACIONAL ele nunca reconheceu nem que eu existia como eu era, não como eu faço com você, Jim, não assim como eu faço força pra fazer de tudo, me esforço *bem* mais do que eu queria pra você ficar sabendo que eu te reconheço e estou ciente de você enquanto corpo me importo com o que pode estar acontecendo por trás dessa carantonha chata dobrada em cima de um prisma feito em casa. Ele joga golfe. O teu avô. O teu vovozucho. Golfe. Golfista. O meu tom está transmitindo o desprezo? Sinuca numa mesa grandona, Jim. Um jogo incorpóreo de convulsões espasmódicas e terra volante. Um esporte entre aspas. Fúria anal e bonezinhos xadrezes. Isso aqui está quase vazio. Acho que deu, filho. Que tal se a gente adiasse isso aqui. Que tal se eu acabar de uma vez com o que resta de âmbar aqui e a gente entrar e dizer pra ela que você não estava cem por cento de novo e que a gente vai dar uma adiada nessa tua primeira introdução ao Jogo até o fim de semana e a gente vai correr lá no fim de semana e mandar dois dias direto nos dois dias e te dar uma introdução intensa e bem extensa ao que só pode parecer um futuro sem limites. Delicadeza intensa e cuidado corpóreo igual tênis de qualidade, Jim. A gente vai nos dois dias e deixa você mergulhar de uma vez e se molhar por tudo. É só cinco dólares. O preço da quadra. Por uma horinha vagabunda. Cada dia. Cinco dólares por dia. Nem pense nisso. Dez dólares totais por um fim de semana intenso quando a gente mora num trailer de luxo e tem que dividir garagem com dois DeSotos e o que parece um Ford A em cima de uns tijolos e o meu Montclair não tem dinheiro pro tipo de óleo que merece. Não faça essa cara. O que é o dinheiro ou os meus ensaios pros testes de celuloide que a gente está viajando mais de 1000 quilômetros pra fazer, testes que podem muito bem representar a última chance do teu velho ter uma vida com algum tipo de sentido na comparação com o meu *filho*? Certo? Eu estou certo? Vem aqui, garoto. Venhaqui, venhaqui, venhaqui. Isso mesmo. Esse é o meu carinha J. O. I. meu menino já-tá-aí. É o meu menino no seu corpo. Ele nunca foi, Jim. Nem uma vezinha. Assistir. A Mãe nunca perdeu um jogo de competição, claro. A Mãe foi tantas vezes que deixou de ter qualquer significado ela ir. Ela virou parte do ambiente. As mães são assim, como eu tenho certeza que você sabe mais do que bem, estou certo? Certo? Nunca foi, rapaz. Nunca se arrastou todo corcunda e mole e projetou aquela sua sombra grotesca e comprida-inclusive-ao meio-dia em nenhuma quadra em que eu tenha jogado. Até que um dia ele apareceu, uma vez. De repente, uma vez, sem precedentes ou avisos, ele... apareceu. Ah. Oh. Eu ouvi ele chegando antes mesmo de poder vê-lo. Aquilo é que era sombra comprida, Jim. Era algum evento local de segundo nível. Era alguma coisa local de primeiras rodadas de muito pouca relevância no quadro geral das coisas. Eu estava jogando com um dandizinho local, do tipo que tem um equipamento de primeira e umas roupinhas vincadas e que fez aula no country club e ainda não sabe jogar de verdade, nem isso, apesar de todo tipo de apoio. Você vai descobrir que vai ter que aturar esse tipo de adversário nas primeiras rodadas. Esse salmão defumado desse infeliz desse garoto quarado era filho de algum cliente do meu pai... filho de um cliente dele. Então ele foi por causa do cliente, pra dar uma de pai preocupado. Ele estava de chapéu e paletó a mais de 35°. O cliente. Não lembro o nome. Tinha alguma coisa canina no rosto dele, eu lembro, que aquele menino do outro lado da rede tinha herdado. O meu pai não estava nem suando. Eu cresci com o sujeito nesta cidade aqui e nunca vi o cara suar, Jim. Eu lembro que ele estava de chapéu de palha e o tipo de uniforme gregariamente axadrezado que os homens profissionais tinham que usar no fim de semana naquele tempo. Eles ficaram sentados sob a sombra indecisa de uma palmeira descabelada, o tipo de palmeira que está simplesmente fervendo de viúvas-negras nas frondes, que descem sem avisar, que ficam escondidinhas esperando no calor do meio-dia. Eles ficaram sentados no cobertor que a minha mãe sempre levava — a minha mãe, que está morta, e o cliente. O meu pai ficou de canto, às vezes sob a sombra móvel, às vezes não, fumando com piteira. As piteiras tinham entrado na moda. Ele nunca sentava no chão. Não no Sudoeste americano, isso não. Aquilo era um homem com um saudável respeito pelas aranhas. E *nunca* embaixo de uma palmeira. Ele sabia que era grotescamente alto e desajeitado demais pra levantar correndo ou rolar gritando pra longe correndo caso caíssem aranhas. Já aconteceu delas resolverem cair lá das árvores em que ficaram escondidas, em pleno dia, sabe. Caem bem em cima de você se você está sentado no chão, na sombra. Ele não era bobo, o desgraçado. Golfista. Eles ficaram assistindo. Eu estava bem ali na primeira quadra. Esse parque não existe mais, Jim. Tem carros estacionados hoje onde antes eram essas quadras verdes de asfalto áspero, ali reluzindo de calor. Eles ficaram bem ali, assistindo, com a cabeça indo e voltando daquele jeito meio limpador-de-para-brisa de quem está assistindo tênis de qualidade. Eu estava nervoso, meu jovem J. O. I.? Com o primeiro e único Sipróprio ali em toda a sua majestade amadeirada, assistindo, meio dentro e meio fora da luz, sem expressão? Eu não estava. Eu estava no meu corpo. O meu corpo e eu éramos uma coisa só. A minha Wilson de madeira da minha pilha de Wilsons de madeira com as suas formas trapezoidais era uma expressão sensível do meu braço e eu sentia a raquete vibrando, e a minha mão, e elas estavam vivas, a minha mão bem armada era a secretária da minha mente, ágil e presta e *senza errori,* porque eu me conhecia enquanto corpo e estava plenamente dentro do meu corpinho de criança ali, Jim, eu estava no meu bração direito e nas minhas pernas sem cicatrizes, acomodado e seguro, correndo de um lado pro outro, a cabeça latejando como um coração, suor jorrando de todos os membros, correndo como uma criatura das pradarias, saltando, brincando, rebatendo com máxima economia e mínimo esforço, com os olhos na bola e nos cantos ao mesmo tempo, eu estava dois, três, vários passos à frente tanto de mim quanto do filho infeliz do cliente canino, servindo de bandeja a cabeça mimada do dândi. Era uma carnificina. Era uma cena da natureza no seu estado mais cru, Jim. Você devia ter visto. O menino ficava se dobrando pra recuperar o fôlego. A fluente brincadeira econômica que eu realizava ali contrastava vigorosamente com como ele estava sendo forçado a marchar pesadamente e todo travado e a se jogar de um lado pro outro. A camisa polo branca e os calções de marca dele estavam tão empapados que dava pra ver as alças do suporte dele beliscando a bunda mole que eu estava provando que ele era. Ele estava com uma viseirinha branca de transviado que nem as das mulheres dos country clubs e dos resorts metidos do Sudoeste. Eu era, numa só palavra, hábil, atento, presciente. Eu fiz ele marchar, pular, se jogar. Eu queria humilhar o menino. A cara comprida e pontuda do cliente estava caindo. O meu pai não tinha rosto, ele estava violentamente sombreado e depois iluminado sob a sombra que acenava das frondes das palmeiras onde ele meio que estava, mas aureolado pela fumaça dos cigarros na piteira longa que ele preferia, umas piteiras compridas de plástico, amareladas na cânula, pra imitar o presidente, como os cortesãos um dia cuspiram perdigotos com o Rei... velado pela sombra e depois pela fumaça acesa. O cliente não sabia que tinha que ficar quieto. Ele achava que era um jogo de beisebol ou coisa assim. A voz do cliente ia longe. A nossa primeira quadra ficava bem perto da árvore que eles estavam sentados embaixo. As pernas do cliente estavam esticadas na frente deles e protuberavam da estrela pontiaguda de sombra-de-fronde. A calça do cliente tinha sombras de gelosia por causa do padrão da cerca atrás da qual o filho dele e eu estávamos jogando. Ele estava bebendo a limonada que a minha mãe tinha levado pra mim. Ela fazia fresquinha. Ele disse que eu era bom. O cliente do meu pai que disse. Daquele jeito enfático que fazia a voz dele ir longe. Sabe, filho? Mas cacilda Incandenza meu velho como é *bom* esse teu garoto. Fecha aspas. Eu ouvi ele dizer enquanto eu corria, batia, brincava. E ouvi a resposta daquele filho de uma puta comprido, depois de uma longa pausa durante a qual o ar do mundo inteiro ficou ali parado como que erguido do chão e balançando no alto. Parado na linha de fundo, ou voltando pra linha de fundo, ou pra sacar, ou pra receber, um dos dois, eu ouvi o cliente. A voz dele ia longe. E depois mais tarde eu ouvi a resposta do meu pai, que apodreça num inferno verde e vazio. Eu ouvi o que… o que ele disse em resposta, filhoco. Mas antes de cair. Eu insisto nesse ponto, Jim. Não antes de eu ter começado a cair. Jim, eu estava no meio de tentar correr até uma bola que estava fora do alcance de um mortal, uma deixadinha rara, sortuda, cega e frouxa lá do salmão arrumadinho do outro lado da rede. Um ponto que eu podia mais do que bem ter deixado passar. Mas não é assim que eu… não é assim que um jogador de verdade joga. Com respeito e o devido esforço e a devida atenção a cada ponto. Você quer ser grande, quase-grande, então você dá tudo em cada bola. E mais um pouco. Você não deixa nada passar. Nem contra um salmão. Você joga no teu limite e aí ultrapassa o limite e olha pra trás, pro limite antigo, e acena com um lencinho pra ele, enquanto embarca. Você entra num transe. Você sente as suturas e as bordas de tudo. A quadra vira um… um lugar extremamente único de se estar. Ela vai fazer de tudo por você. Não vai deixar nada escapar do teu corpo. Os objetos se movem como a gente manda, com o mais leve e mais fácil dos toques. Você cai na corrente límpida do lá e cá, fazendo delicados *x* e *l* pela superfície áspera e grosseira do asfalto verde-brilhante, com o teu suor na mesma temperatura da pele, jogando com uma facilidade e um esforço sem esforço desligado e total e num transe tão concentrado que você nem para pra considerar se deve ou não correr atrás de cada bola. Você mal se dá conta de que está fazendo isso. O teu corpo está fazendo por você e a quadra e o Jogo estão fazendo pelo teu corpo. Você mal está envolvido nisso. É mágica, menino. Nada chega perto disso, quando está tudo certinho. Eu estou prevendo. Fatos, cifras, vidro curvo e as páginas iniluminadas daqueles teus livros de entortar cotovelo vão parecer coisas chatas em comparação. Estáticas. Mortas e brancas e chatas. Elas nem chegam perto de… parece uma dança, Jim. A questão é que eu era corporeamente respeitoso demais pra escorregar e cair por conta própria lá fora. E a outra questão é que eu comecei a cair pra frente ainda *antes* de começar a ouvir a resposta dele, ali parado: É, Mas Ele *Nunca Vai Ser Grande*. O que ele disse de maneira alguma me fez cair pra frente. O adversário desgracioso tinha soltado uma deixada que mal passou pela rede baixa demais daquele parque público, um acidente bizarro, uma deixadinha errada, e outro sujeito em outra quadra em outra piada de uma primeira rodada que nem aquela teria deixado cair, concedido o que podia aceitar, não teria tentado acenar de lencinho da nau do seu limite. Não teria corrido com todos os oito cilindros sem cicatrizes desesperadamente pra rede pra tentar pegar a porcaria da bola no primeiro quique. Jim, mas qualquer um pode escorregar. Eu não sei no que foi que eu escorreguei, filho. Todo mundo sabia que as frondes das palmeiras que acompanhavam as cercas das quadras estavam infestadas de aranhas. Elas descem à noite com os fiozinhos, bulbosas, se alongando. Eu fico pensando que pode ter sido numa viúva bulbosa e cheia de gosma que eu pisei e escorreguei, Jim, uma aranha, uma aranha maluca isolada que desceu com o seu fiozinho pra sombra, flácida e rastejante, ou que saltou suicida de uma fronde pendente sobre a quadra, provavelmente fazendo um leve som hediondo e flácido quanto aterrissou, rastejando com aquelas garras, piscando grotescamente por causa da luz quente que odiava, que eu pisei quando corri e matei e escorreguei na sujeira que a aranhona horrorosa fez. Está vendo essas cicatrizes? Todas tortas e enroscadas, como se alguma coisa tivesse destroçado os joelhos do meu corpo como um Brando displicente simplesmente rasgava um envelope de cartas com os dentes e deixava o papel cair no chão todo molhado e rasgado e lacerado. Todas as palmeiras que acompanhavam a cerca estavam doentes, com podridão-de-palmeira, era o ano de 1933 AD, da Grande Epidemia de Podridão-de-Palmeira de Bisbee, no estado todo, e estavam perdendo as frondes e as frondes estavam murchas e da cor de umas azeitonas bem velhas naqueles potes antigos e compridos bem no fundo da geladeira e exsudavam um corrimento podre meio como um pus escorregadio que às vezes caía abruptamente das árvores que se curvavam pra frente e pra trás no ar como as espadas de papel dos piratas de celuloide. Deus do céu como eu odeio fronde, Jim. Eu fico pensando que pode ter sido ou uma *latrodectus* diurna ou um pouco de pus de uma fronde. O vento soprou o pus nojento lá das frondes cheias de teias pra quadra, quem sabe, perto da rede. Enfim. Alguma coisa peçonhenta ou infecta, de um jeito ou de outro, inesperada e gosmenta. Só precisa um segundo, você está pensando, Jim: o corpo te trai e lá vai você abaixo, de joelhos, escorregando pela lixa da quadra. Não mesmo, filho. Eu tinha outra garrafinha que nem essa, menor, uma garrafa de prata bem mais esperta, no porta-luvas do meu Montclair. A tua devotada mãe fez alguma coisa com ela. O assunto nunca foi mencionado entre nós. Não mesmo. Foi um corpo *estranho*, ou uma substância, não o meu corpo, e se alguém naquele dia traiu alguma coisa eu estou te dizendo meu filho meu menino que foi alguma coisa que *eu* fiz, Jimmer, eu posso muito bem ter traído aquele belo corpo ágil bronzeado e descorcunda, eu posso muito bem ter ficado rígido, hiperconsciente, ter perdido o cuidado, ouvindo o que o meu pai, que eu respeitava, eu *respeitava* aquele homem, Jim, isso é que é doente, eu sabia que ele estava lá, eu estava consciente daquela cara apagada dele e da sombra da piteira comprida, eu conhecia o sujeito, Jim. As coisas eram diferentes quando eu era criança, Jim. Eu odeio... meu Deus eu odeio dizer uma coisa dessa, esses clichês de merda de as-coisas-eram-diferentes-quando-eu-era-garoto, o tipo de clichê que os pais cuspiam naquele tempo, isso se ele dissesse alguma coisa. Mas eram. Diferentes. Os nossos filhos, os filhos da minha geração, eles... agora você, esse pessoalzinho pós-Brando, vocês são uns rapazes que não conseguem gostar ou desgostar da gente, ou respeitar ou não a gente como seres humanos, Jim. Os teus pais. Não, espera, não precisa fingir que discorda, não, não precisa dizer isso, Jim. Porque eu sei. Eu podia ter previsto, vendo o Brando e o Dean e o resto, e eu sei, então não me venha com perdigotagem. Eu não culpo ninguém da tua idade, menino. Vocês veem os pais como uma gente bondosa ou maldosa, ou feliz ou desgraçada, ou bêbada ou sóbria, ou grande ou quase-grande ou fracassada como vocês veem uma mesa quadrada ou um Montclair vermelho-lábio. As crianças de hoje em dia... vocês, as crianças de hoje em dia parece que não sabem *sentir*, que dirá amar, pra nem falar em respeitar. Nós somos só uns corpos pra vocês. Só uns corpos, ombros, joelhos com cicatrizes, umas barrigonas e carteiras vazias e garrafas pra vocês. Eu não estou dizendo nenhum clichê como que vocês não dão valor pra gente mas na verdade estou é dizendo que vocês não conseguem... imaginar a nossa ausência. Nós somos tão presentes que deixou de ter significado. Nós somos ambiente. Mobília do mundo. Jim, eu conseguia imaginar a ausência daquele sujeito. Jim, eu estou te dizendo que você não consegue imaginar a minha ausência. É culpa minha, Jim, tanto tempo em casa, manquitolando de um lado pro outro, joelhos acabados, acima do peso, entorpecido, arrotando, não esbelto, suarento dentro daquele forno daquele trailer, arrotando, peidando, frustrado, miserável, derrubando abajur, sem saber o tamanho dos meus braços. Com medo de dar ao meu último talento a chancezinha que ele exigia. O talento é a expectativa do próprio talento, Jim: ou você vive o talento ou ele te acena de lencinho, pra sempre se afastando. É teu ou adeus, ele dizia por cima do jornal. Eu... eu só tenho medo de ter uma lápide que diga AQUI JAZ UM VELHO PROMISSOR. É... potencial pode ser pior que falta, Jim. Que a falta de um talento que dê trabalho pra começo de conversa, ficar por aí me lamuriando por não ter colhão pra... meu Deus eu sinto muito *mesmo*. Jim. Você não merece me ver assim. Eu estou com tanto medo, Jim. Eu estou com tanto medo de morrer sem jamais ter sido *visto* de verdade. Será que você consegue entender? Será que você já é um homem grande, magro, prematuramente corcunda, jovem e quatro-olhos, mesmo com a vida inteira ainda pela frente, pra entender? Será que você consegue ver que eu estava dando tudo o que eu tinha? Que eu estava *lá*, lá fora no calor, ouvindo, com a minha teia de nervos? Um eu que toca todas as bordas, eu lembro que ela disse. Eu senti aquilo de um jeito que infelizmente você e a tua geração nunca poderiam sentir, filho. Foi mais uma sensação de ser arremessado de alguma coisa do que de cair, é como eu me lembro. Não aconteceu mas *não* aconteceu em câmera lenta. Num minuto eu estava numa desabalada e linda carreira rumo à bola, no minuto seguinte havia mãos nas minhas costas e nada embaixo dos pés como um empurrão numa escadaria. Um tranco brusco como uma pancada bem no meio das costas e o meu corpo promissor com todas as suas teias de nervos pulsando e disparando estava em pleno voo aéreo e caiu sobre os meus joelhos essa garrafa está vazia bem em cima dos meus joelhos com todo o peso e a inércia naquela superfície quente e escabrosa de lixa forçado no que era uma paródia precisa de uma imitação de oração contemplativa, escorregando pra frente. A carne e daí os tecidos e os ossos deixaram trilhas gêmeas de marrom vermelho cinza branco como uns rastros de pneu de matéria corpórea que iam da linha de serviço até a rede. Eu deslizei nos meus joelhos em chamas, passei em alta velocidade pela bolinha murcha e fui na direção da rede que deteve o meu curso. O nosso curso. A minha raquete tinha voado longe Jim e os meus braços desraquetados na minha frente no que eu escorregava Jim na atitude de um monge mortificado em plena oração. Me foi dado ouvir meu pai pronunciar que a minha existência corpórea não era nem potencialmente grandiosa no momento em que eu destruí os meus joelhos pra sempre, Jim, de modo que nem anos depois na faculdade eu nunca consegui acenar com o meu lencinho pra nada além da semi- e da quase-grandiosidade e do quem-sabe-um-dia-tarde-*demais*, e depois nunca pude nem ter esperança de um teste para aqueles filmes de praia de sunguinha e brilhantina que a cobra do Avalon está usando pra enriquecer. E eu não estou insistindo que a sentença e a queda punitiva estão... estivessem ligadas, Jim. Qualquer um pode escorregar lá fora. Basta um segundo de distração do respeito. Filho, era mais do que a voz de um pai, indo longe. A minha mãe gritou. Foi um momento religioso. Eu aprendi o que quer dizer ser um corpo, Jim, só carne embrulhada num tipo de meia de náilon rala, filho, enquanto caía ajoelhado e escorregava pra rede esticada, eu mesmo sendo visto por mim, quadro a quadro, dilacerado. Eu posso ter que arrotar, eructar, filho, filho, te dizer o que eu aprendi, filho, meu... meu amor, tarde demais, enquanto eu ia deixando a carne dos joelhos pra trás, escorregando, acabei numa postura de súplica sobre os ossos expostos dos meus joelhos com os dedos desraqueteados enganchados na malha da rede, que do outro lado, da rede, o dândi empapado tinha largado a sua cara raquete Davis com corda de tripa e estava correndo na minha direção com a viseira torta e as mãos nas bochechas. O meu pai e o cliente que ele estava ali pra impressionar me arrastaram de pé até a sombra infecta da palmeira onde ela se ajoelhou no cobertor xadrez de praia com as juntas dos dedos entre os dentes, Jim, e eu senti a religião física naquele dia, com não muito mais que a tua idade, Jim, com as meias se encharcando de sangue, seguro por baixo dos braços por dois corpos do teu tamanho e arrastado de uma quadra pública com duas linhas a mais. É um dia essencial, seminal, é um dia religioso quando você chega a ouvir e sentir o teu destino no mesmo momento, Jim. Eu percebi o que eu tenho certeza que você percebeu há muito tempo, eu sei, eu sei que você me viu ser trazido pra casa em certas ocasiões, arrastado porta adentro, como se diz entorpecido, filho, auxiliado por taxistas à noite, eu vi a tua sombra comprida grotescamente iluminada por trás no topo da escadaria da casa que eu ajudei a pagar, menino: como os bêbados e os aleijados são carregados arrastados pra fora da arena como um cristo desossado, um homem embaixo de cada braço, pés arrastados, olhos no éter.

4 DE NOVEMBRO — ANO DA FRALDA GERIÁTRICA DEPEND

Da alatinada Inman Square de Cambridge, Michael Pemulis, que não nasceu ontem mesmo, pega um ônibus necessário para a Central Square e depois um ônibus desnecessário para a Davis Square e um trem de volta à Central. Isso é para eliminar a mais remota chance de alguém segui-lo. Na Central ele pega a Linha Vermelha até a estação Park Street, onde deixou o guincho num estacionamento subterrâneo que ele pode pagar com sobras. O dia está outonal e gostoso, a brisa leste cheira a comércio urbano e ao vago cheiro acamurçado de folhas recém-caídas. O céu é de um azul lâmpada-piloto; a luz se reflete de modo complexo nas laterais de vidro fumê dos altos centros comerciais em toda a volta da Park St. no centro da cidade. Pemulis está usando calças de sarja com braguilha de abotoar e uma camiseta da ATE por baixo de um blazer esporte descolado da Brioni, além do boné de iatista branco reluzente que Mario Incandenza diz que é o chapéu de sr. Howell dele. O boné fica chique até virado de lado, e tem um forro destacável. Dentro do forro é possível guardar quantidades portáteis de praticamente tudo. Tendo se permitido 150 mg de drinas muito leves, pós-transação. Usando também sapatos Oxford cinza e azul s/ meia, de tão gostoso que está o dia de outono. As ruas literalmente *fervilham*. Vendedores ambulantes com carrinhos em vez de tanques vendem pretzels quentes, tônicas e aquelas salsichas subcozidas que Pemulis gosta que eles cubram com tudo a que tem direito. Dá pra ver o Palácio do Governo, a Assembleia, o Tribunal e o Passeio Público, e atrás disso tudo as fachadas frescas e lisas das casas enfileiradas da Back Bay. Os ecos no estacionamento subterrâneo da Park Pl. — PARK — são agradavelmente complexos. O trânsito rumo oeste na Commonwealth Avenue está leve (ou seja, a coisa anda) até a Kenmore Square e além da Boston U. e subindo o lento morro longo em direção a Allston e Enfield. Quand Tavis, Schtitt, os jogadores e os funcionários da casa, da Testar e da ATHSCME inflam o Pulmão climatizado para o inverno sobre as quadras 16-32, a nacela cupulada do Pulmão fica visível contra o horizonte em todo caminho na separação Brighton Ave.-Comm. Ave. no sul de Allston.

O incrivelmente potente DMZ é aparentemente classificado como uma anfetamina parametoxilada mas na verdade Pemulis ficou com a impressão devido às duas longas e torturadas pesquisas de monografias na MED.COM de que ele está mais para mais parecido com a classe dos anticolinérgicos-delirantes, muito mais forte que a mescalina ou MDA, ou DMA, ou TMA, ou MDMA, ou DOM, ou STP, ou a e.v-mente administrável DMT (ou Ololiúqui ou escopolamina de datura, ou fluotano, ou bufotenina (vulgo "Jackie-O."), ou Ebene, ou psilocibina, ou Pemolina;[56] sendo que o DMZ se assemelha quimicamente a alguma miscigenação de um lisérgico com um muscimoloide, mas é significativamente diferente do LSD-25 pelo fato de seus efeitos serem menos visuais e espacialmente-cerebrais e mais tipo *cronologicamente*-cerebrais e quase ontológicos, com alguma espécie de aceleração tipo fenilalquilamina-manipulada na qual o ingestor sente sua relação com o fluxo comum do tempo radicalmente (e euforicamente, é onde a semelhança com os efeitos muscimolóidicos dá o ar da sua graça) alterada.[57] O incrivelmente potente DMZ foi sintetizado de um derivado do fitviavi, um obscuro mofo que cresce apenas em outros mofos, pelo mesmo químico ambivalentemente sortudo da Sandoz Pharm que foi o primeiro a topar com o LSD, quando era um químico orgânico ainda relativamente efêbico e sem-noção, ao fuçar uns fungos ergóticos no centeio. A descoberta do DMS foi o canto do cisne dos anos

1960 AS, bem quando o dr. Alan Watts estava considerando o convite de T. Leary para se tornar o "Escritor Ressonante" na utópica colônia de LSD-25 de Leary em Millbrook, NY, no que hoje é solo canadense. Uma substância cuja mera síntese acidental mandou o químico da Sandoz para uma aposentadoria precoce e um longo e intenso período de contemplação de parede, o incrivelmente potente DMZ tem uma reputação no submundo-da-química-laica-popular de ser a coisa mais macabra já concebida numa proveta. Ele também é hoje o composto recreacional mais difícil de se adquirir na América do Norte depois do ópio vietnamita puro, que tipo nem pensar.

O DMZ às vezes é chamado em certos círculos químicos da Grande Boston de *Madame Psicose*, em homenagem a uma popular personalidade cult da rádio mui--matutina de uma estação tocada por estudantes do MIT, a WYYY-109, "O maior Primo Inteiro do seu Dial", que Mario Incandenza e o mestre-de-jogo e fanático estatístico da ATE, Otis P. Lord, ouvem quase religiosamente.

O rapaz da Casa Ennet que está no turno do dia na cabine que levanta o portão levadiço para que ele possa entrar nos terrenos da Academia tinha abordado Pemulis algumas vezes em outubro sobre uma potencial transação. Pemulis tem uma política rígida de não transacionar com empregados da ATE que vêm morro acima da casa de recuperação, já que sabe que alguns estão ali por Mandado Judicial, e sabe sem sombra de dúvida que eles pedem exames de urina não agendados a três por quatro lá embaixo, e esses tipos da Casa Ennet são exatamente essa espécie de gente de que os talentos de Pemulis permitem que ele se afaste em termos de tipo meio-social e convívio e transações; e a sua atitude básica para com esses empregados de baixo-custo é de atentíssima discrição e tipo por que cutucar o destino com vara curta.

As Quadras Leste estão vazias e cobertas de bolas quando Pemulis estaciona; a maioria ainda está almoçando. O quarto triplo de Pemulis, Troeltsch e Schacht fica no subdormitório B na parte norte, fundos, do segundo andar da West House e portanto sobrejacente ao Refeitório, por cuja porta Pemulis consegue ouvir vozes, prataria, e consegue sentir exatamente o cheiro do que eles estão comendo. A primeira coisa que ele faz é inicializar o console telefônico e tentar o quarto do Inc e de Mario lá no Com.-Ad., onde Hal está sentado à luz da janela lendo a edição Riverside do *Hamlet* que ele disse a Mario que ia ler para ajudar com um projeto tipo filme conceitual baseado num trecho da mesma, com a sua cadeira de capitão não estofada parcialmente sob uma antiga gravura de um detalhe do mosaico alexandrino menor e softcore chamado A *consumação dos Leviratos*, comendo uma barra energética AminOk® e esperando muito despreocupadamente, o fone com a antena já estendida deixado a postos à espera no braço da poltrona e os dois guias *Baron's* de preparação para os exames, cada um do tamanho de um fólio, e um exemplar com a lombada detonada do *Tilden sobre o Spin* e as suas chaves na corrente-de-pescoço repousando no carpete de Lindisfarne ao lado do tênis, esperando numa postura muito despreocupada. Hal deliberadamente espera o console tocar três vezes, como uma menina em casa num sábado à noite.

"Mmmiallou."

"O desfile militar já cá é." A voz nítida e digitalmente comprimida de Pemulis na linha. "Repetindo. O desfile militar cá é."

"Por favor cometa um crime" é a imediata resposta de Hal Incandenza.

"Mas ora, puxa vida", Pemulis diz no fone que mantém metido sob o queixo, cuidadosamente desvelcrando o forro do seu chapéu de sr. Howell.

TÊNIS E O PRODÍGIO SELVAGEM, NARRADO POR HAL INCANDENZA, UM CARTUCHO DE ENTRETENIMENTO DIGITAL DE 11,5 MINUTOS, DIRIGIDO, GRAVADO, EDITADO E — SEGUNDO O FORMULÁRIO DE INSCRIÇÃO — ESCRITO POR MARIO INCANDENZA, AO RECEBER A MENÇÃO HONROSA NA REGIÃO DA NOVA-NOVA-INGLATERRA NO CONCURSO ANUAL "NOVOS OLHOS, NOVAS VOZES" DA INTERLACE TELENTRETENIMENTO, ABRIL DO ANO DO UPGRADE-DE-PLACA-MÃE-PARA-VISUALIZAÇÃO-DE-CARTUCHOS- -DE-RESOLUÇÃO-MIMÉTICA-FÁCIL-DE-INSTALAR TUTIKAGA 2007 PARA SISTEMAS DE TP DOMÉSTICO, EMPRESARIAL OU MÓVEL INFERNATRON/INTERLACE [SIC], QUASE EXATAMENTE TRÊS ANOS DEPOIS QUE O DR. JAMES O. INCANDENZA DEIXOU ESTA VIDA

É assim que você põe uma camisetona vermelha tipo uma barraca que tem escrito ATE no peito em cinza.

Por favor adentre cuidadosamente o seu suporte e ajuste as tiras elásticas de modo que as tiras não te apertem a bunda e façam umas bolinhas na sua bunda que todo mundo vai poder ver quando você tiver molhado o calção de suor.

É assim que você enfaixa o seu tornozelo machucado tão apertado com a sua bandagem cor da pele que a sua perna esquerda fica parecendo um tronco.

É assim que você ganha mais tarde.

Isto aqui é um cesto aramado amarelo cheio de bolas velhas, verdes, mortas. Leve essas bolas pras Quadras Leste enquanto a aurora ainda é cor de giz e ninguém está por perto a não ser as pombas da manhã que infestam os pinheiros no nascer do sol, e o ar está tão encharcado que você consegue ver a sua respiração de verão. Saque pra ninguém. Faça uma montoeira de bolas se acumularem no pé da cerca do outro lado enquanto o sol vai se içando sobre o Porto e um suor ralo começa e os saques começam a explodir. Pare de pensar e deixe rolar e mande bum, bum, bum. A pancada da bola contra a cerca do outro lado. Dê uns mil saques pra ninguém enquanto Sipróprio fica sentado dando conselhos com a sua garrafinha. As pernas dos homens mais velhos são brancas e carecas por causa das décadas passadas dentro de calças. É ali que fica o chaveiro, a um passo de você na quadra enquanto você saca bolas mortas pra ninguém. Depois de cada saque você tem que quase cair de cara na quadra e num único gesto fluido se dobrar e catar as chaves com a mão esquerda. É assim que você se treina pra subir pra rede depois do saque. Você ainda, anos depois da morte do sujeito, não consegue deixar as suas chaves em nenhum outro lugar, só no chão.

É assim que você segura a raquete.

Aliás, aprenda a chamar a raquete de *stick*. Todo mundo chama, aqui. É uma tradição: *Stick*. Uma coisa que é tão uma extensão do seu corpo merece um apelido.

Por favor olhe. Vão te mostrar uma única vez como segurar a raquete. Bem assim. Esqueça esse conversê todo de empunhadura-de-backhand-com-slice-quase--Eastern. Só diga oi e pronto. Só aperte a mão do grip de couro de vitelo da raquete. É assim que você segura. A raquete é sua amiga. Vocês vão ficar muito íntimos.

Segure a sua amiga com firmeza o tempo todo. Uma empunhadura firme é essencial tanto pro controle quanto pra força. É assim que você carrega uma bola de tênis por aí na sua mão da raquete, apertando a bolinha sem parar por longos períodos — na sala de aula, no telefone, no laboratório, na frente do TP, uma bola molhada pro banho, de preferência apertando a bolinha o tempo todo a não ser durante as refeições. Olhe o refeitório da Academia, onde há bolas de tênis ao lado de todos os pratos. Aperte a bola de tênis ritmicamente mês após ano até você não senti-la mais do que sente o coração espremendo o seu sangue e o seu antebraço direito estar três vezes maior que o esquerdo e o seu braço parecer quando visto do outro lado da quadra um braço de gorila ou de estivador grudado no corpo de uma criança.

É assim que você faz treinos individuais extras antes dos treinos matutinos da Academia, antes do café da manhã, de modo que depois que a milésima bola rebatida logo além do seu alcance por Sipróprio, com aquela envergadura monstro e as canelas horrendas, te incitando com nada além de sorrisos a dar demonstrações cada vez maiores de esforço, de modo que depois que você gastou o seu terceiro e último fôlego e tem que vomitar, tem pouca coisa lá dentro pra vomitar e os espasmos passam rapidinho, uma brisa leste sopra mais fresca por você, você se sente limpo e consegue respirar.

É assim que você enverga um agasalho vermelho e cinza da ATE e corre-em-grupo 40 km por semana subindo e descendo a urbana Commonwealth Avenue mesmo que você preferisse tocar fogo no cabelo que correr num grupinho. Correr é doloroso e inútil, mas não é você quem dá as ordens. O seu irmão anda de passageiro enquanto um alemão senil sopra chumbinhos com uma zarabatana nas suas pernas com os dois rindo e gritando *Schnell*. Enfield fica a leste dos Morros do Desespero da Maratona, que ficam logo ali na Commonwealth, pra lá do Reservatório, em Newton. Correr na cidade como parte de um grupo suarento é tedioso. Ver Sipróprio se abaixar pra pôr um braço pálido e comprido em volta do teu ombro e te dizer que o talento é como um dom negro, que o talento é a expectativa do talento: ele está ali desde o começo e ou é vivido ou se perde.

Tenha um pai cujo próprio pai perdeu o que estava lá. Tenha um pai que viveu tudo o que prometia e depois ficou encontrando cada vez outra coisa em que atingir e depois ultrapassar as expectativas do que prometia nelas e que não parecia nem a pau mais feliz ou menos despirocado que o seu próprio pai fracassado, o que te deixa numa espécie de estado selvagem e tomado pela velocidade do fluxo no que se refere ao talento.

É assim que você evita pensar em qualquer dessas coisas treinando e jogando até que tudo corra no piloto automático e o exercício inconsciente do talento se transforme numa maneira de escapar de você mesmo, um longo sonho desperto de puro jogo.

A ironia é que isso te deixa muito bom, e começam a achar que você tem um talento prodigioso ao qual deve dar vazão.

É assim que você lida com o fato de ser um prodígio selvagem. É assim que você lida com o fato de ser cabeça de chave nos torneios, o que significa que comitês de organização compostos de velhos braçudos esperam publicamente que você chegue até determinada rodada. Chegar no mínimo até a rodada que esperam de você é chamado nos torneios de "vencer a sua chave". Ao repetir essa expressão inúmeras vezes, talvez no mesmo ritmo com que você aperta uma bola, você pode reduzi-la a uma série vazia de fonemas, apenas formantes e fricativos, acentuados trocaicamente, significando lhufas.

É assim que você vence adversários aleatórios e desorientados de Iowa ou Rhode Island nas primeiras rodadas dos torneios sem gastar muita energia mas também sem parecer insolente.

É assim que você joga com integridade pessoal nas primeiras rodadas de um torneio, quando não há juiz. Qualquer bola que caia no seu lado e seja muito difícil de determinar: diga que foi dentro. É assim que você fica invulnerável à marra dos outros jogadores. Que você mantém estreito o foco da sua atenção. É assim que você se ensina, quando um adversário de repente rouba nas bolas que triscaram a linha, a não esquecer que aqui se faz, aqui se paga. Que o castigo de um mau perdedor é sempre autoinfligido.

Tente aprender a deixar o que é injusto te ensinar alguma coisa.

É assim que você se cobre com uma única camada de lustra-móveis, o filtro solar perfeito, e aí descobre que quando você vai pra quadra e sua naquela camada o cheiro parece um batalhão de gambás.

É assim que você toma relaxantes musculares não narcóticos pros espasmos nas costas que decorrem de milhares de saques pra ninguém.

É assim que você chora na cama tentando lembrar quando foi que o seu tornozelo machucado não doeu o tempo todo.

Esta é a hidromassagem, uma amiga.

É assim que você regula a máquina de bolas na aurora nos dias em que Siпróprio está vivendo o que será o seu talento final.

É assim que você dá o nó numa gravata-borboleta. É assim que você assiste às modestas noites de estreia dos primeiros filmes de arte do seu pai, cercado de uma ranzinza fumaça estrangeira de cigarro e de conversas tão pretensiosas que você, sem exagero, não consegue acreditar nelas, você tem certeza de que deve ter ouvido errado. Finja estar interessadíssimo nos ângulos radicais e nas múltiplas exposições sem fingir que você tem uma leve ideia do que está rolando. Assuma a expressão do seu irmão.

É assim que você sua.

É assim que você entrega um troféu pra Alice Moore Lateral colocar na estante de vidro da ATE sob seu sistema de holofotes e plaquinhas.

O que é injusto pode ser um professor severo, mas inestimável.

É assim que você entope os seus tecidos de carboidratos pra um dia com quatro partidas de simples e duas de duplas num junho da Flórida.

Por favor aprenda a dormir com perpétuas queimaduras de sol.

Conte com alguns sonhos pesados pelo caminho. Eles vêm de brinde. Tente aceitar. Deixe eles te ensinarem.

Deixe uma lanterna ao lado da cama. Ajuda nos sonhos.

Por favor não faça amigos extramuros. Desencoraje iniciativas vindas de fora do circuito. Recuse encontros.

Se você fizer exatamente os exercícios de reabilitação que Eles te passam, por mais que sejam bobos e tediosos, o tornozelo vai melhorar mais rápido.

Esse tipo de alongamento ajuda a prevenir a distensão de virilha.

Trate os joelhos e o cotovelo com todo o cuidado possível: você vai ficar um tempão com eles.

É assim que você recusa um encontro extramuros pra não ser mais convidado. Diga alguma coisa tipo Eu lamento muito não poder sair pra ver o relançamento de 8 ½ num monitor gigante no Festival do Celuloide de Cambridge nesta sexta, Kimberly, ou Daphne, mas é que, sabe, se eu pular corda duas horas e daí correr de ré por Newton até vomitar eles me deixam assistir cartuchos de jogos e aí a minha mãe lê o OED em voz alta pra mim até a hora de apagar as luzes às 2200, & c.; aí você pode ter certeza de que dali em diante Daphne/Kimberly/Jennifer vai esticar as suas anteninhas pra outro lado em busca de socialização-ritual-tipo-dança-e-namoro-
-adolescente. Fique alerta. A estrada se alarga e muitos desvios são sedutores. Esteja constantemente concentrado e atento: o talento selvagem é o seu próprio conjunto de expectativas e pode te abandonar em qualquer um dos desvios da chamada vida americana normal a qualquer momento, então fique *alerta*.

É assim que você *schnell*.

É assim que você passa pelo seu crescimento adolescente e sente cada membro do corpo doer como uma enxaqueca porque grupos escolhidos de músculos foram exercitados até ficarem espessos e intênseis e resistem no que o crescimento dos ossos tenta esticá-los, e eles doem o tempo todo. Existe medicação pra essa situação.

Se você é adolescente, é assim que você dá um jeito na dúvida entre ser nerd e ser atleta: seja nada.

É mais fácil do que você pensa.

É assim que você lê os rankings mensais da ATE e da ATEU e da ATONAN como Sipróprio lia as resenhas acadêmicas dos seus melodramas de exposição-múltipla. Aprenda a se incomodar e a não se incomodar. A ideia dos rankings é ajudar a determinar onde você está, não quem você é. Decore os seus rankings mensais, depois esqueça. É assim, ó: nunca diga a ninguém onde você está.

E também é desse jeito que você deixa de ter medo de dormir ou de sonhar. Nunca diga a ninguém onde você está. Por favor aprenda a pragmática da manifestação do medo: às vezes palavras que parecem exprimir na verdade *invocam*.

Isso pode ser complicadinho.

É assim que você ganha raquetes grátis, cordas, roupas e equipamento da Dunlop, Inc. enquanto você deixar eles pintarem o inconfundível logo da Dunlop nas cordas da sua raquete, costurarem logos no seu ombro, no bolso esquerdo do calção e usar uma sacola Dunlop, e você se transforma numa propaganda andante saltante e suante da Dunlop, Inc.; isso tudo enquanto você continuar vencendo as suas chaves e mantendo o seu ranqueamento; o Representante Esportivo da Dunlop, Inc. na Nova-Nova Inglaterra vai se referir a você como "Nosso cisne cinza"; ele usa calças de marca e um perfume de travar a garganta e cerca de duas vezes por ano quer te ajudar a se vestir e precisa levar um tapa como se fosse um mosquito.

Seja um Estudioso do Jogo. Como a maioria dos clichês esportivos, esse é profundo. O esporte pode te moldar ou pode te rachar. Não tem muita coisa no meio do caminho. Tente aprender. Seja treinável. Tente aprender com todo mundo, especialmente com os que fracassam. Isso não é mole. Pares que perdem o embalo ou se detonam, ou caem, fogem, somem dos rankings mensais, desaparecem do circuito. Pares da ATE à espera de que o deLint bata mansinho na porta deles e peça pra conversar. Adversários. É tudo educativo. O quão promissor você é como Estudioso do Jogo se deve às coisas em que você consegue prestar atenção sem sair correndo. Redes e postes podem ser espelhos. E entre as redes e os postes, os adversários também são espelhos. É por isso que a coisa toda é de dar medo. É por isso que todos os adversários são de dar medo e os adversários mais fracos são de dar ainda mais medo.

Se veja nos adversários. Eles vão te levar a entender o Jogo. A aceitar o fato de que o Jogo é uma questão de administrar medo. De que o seu objetivo é mandar pra longe de si o que você espera que não volte.

Esse é o seu corpo. Eles querem que você saiba. Ele vai ficar pra sempre com você.

No que se refere a isso não há conselhos possíveis; você precisa chutar o melhor que puder. Quanto a mim, eu não tenho esperança de um dia saber de verdade.

Mas nesse meio-tempo, se é que isso é um meio-tempo: tome Ibuprofeno pras juntas, Noxzema pras queimaduras, lustra-móveis se você prefere a náusea às queimaduras, Contracol pras costas, benjoim pras mãos, sais de Epsom e anti-inflamatórios pro tornozelo, e extracurriculares pra família, que simplesmente queria garantir que você não perdesse nada do que eles tiveram.

TRANSCRIÇÕES DE TRECHOS ESCOLHIDOS DAS HORAS-DE-INTERFACE-ESPONTÂNEA- -DOS-RESIDENTES DA SRA. PATRICIA MONTESIAN, MA, CCAS,[58] DIRETORA EXECUTIVA, CASA ENNET DE RECUPERAÇÃO DE DROGAS E ÁLCOOL (SIC), ENFIELD, MA, 1300-1500H., QUARTA-FEIRA, 4 DE NOVEMBRO — ANO DA FRALDA GERIÁTRICA DEPEND

"Mas aí tem o *jeito* dele batucar na mesa. Nem parece batucar de verdade. É mais ali entre tipo batucar e tipo *arranhar, cutucar*, que nem a gente vê neguinho futucando pele morta. E sem nenhum ritmo, sabe, constante e incessante mas sem nenhum ritmo que desse pra você pegar, seguir e aturar. Totalmente tipo *doido, insano*. Tipo os sons que você pode imaginar que uma menina escuta dentro da cabeça dela antes dela matar a família inteira porque alguém pegou o último restinho de manteiga de amendoim ou sei lá o quê. Sabe como? O som de uma cabeça se destruindo por dentro, caralho. Sabe como? Então tá, tudo bem, beleza, a resposta curta é que quando ele não quis parar de batucar na hora da janta eu meio que cutuquei ele com o garfo. Meio quê. Dava pra ver que de repente alguém podia pensar que eu meio que furei o cara. Se bem que eu me ofereci pra descravar o garfo. Só deixa eu dizer que eu estou na boa pra fazer as pazes tipo qualquer hora. Da minha parte. Eu estou *assumindo* a minha parte é isso que eu estou querendo dizer. Será que eu posso perguntar se eu vou tomar uma Restrição por causa desse negócio? Porque eu tenho essa Noite-Fora amanhã que o Gene já aprovou já no Livro das Noites-Fora. Se você quiser dar uma olhada. Mas eu não estou tentando me livrar de assumir a minha parte na, tipo, nessa ocorrência aí. Se o meu Poder Superior que eu prefiro chamar de Deus decidir que é melhor você dizer que eu estou merecendo algum castigo, eu não vou tentar escapar do castigo. Eu já mencionei a minha gratidão por estar aqui?"

"Eu não estou *negando* nada. Eu só estou pedindo pra você definir 'alcoólico'. Como é que você pode pedir pra eu me atribuir uma palavra se você se recusa a definir o significado da palavra? Eu trabalho defendendo vítimas de danos morais, com um sucesso razoável há dezesseis anos, e a não ser por aquela ridícula suposta convulsão no jantar da Ordem dos Advogados esse ano e aquele besta daquele juiz me banir do tribunal quando ele estiver presidindo — e deixa só eu te dizer aqui que eu sustento a minha afirmação de que o sujeito se masturba por baixo da toga atrás da mesa com depoimentos *detalhados* tanto de colegas quanto de empregados da lavanderia dos tribunais — exceto por uns poucos incidentes eu segurei a bebida e mantive a minha cabeça tão erguida quanto a de muito advogado mais graúdo que eu. Pode acreditar. E a senhora, minha jovem, tem quantos anos? Eu não estou *em negação*, pra falar de alguma coisa empírica e objetiva. Eu estou com problemas no pâncreas? Estou. Eu tenho dificuldade pra lembrar certos intervalos das administrações de Kemp e Limbaugh? Nem contesto. Existe uma pequena turbulência doméstica na questão da minha ingestão de álcool? Ora, sim, com certeza. Por acaso senti uma certa formigação na minha desintoxicação? Senti. Eu não tenho problemas em admitir sem rodeios as coisas que eu consigo entender. For*mig*ação, com *m* e *g*, isso mesmo. Mas que coisa é essa que você exige que eu admita? Será que é *negação* postergar o momento da assinatura até que o vocabulário do contrato esteja claro para todas as partes ali comprometidas? Isso mesmo, isso mesmo, você não está entendendo o que eu estou dizendo aqui, muito bem! E você não pretende seguir em frente sem pedir esclarecimentos. Caso encerrado. Eu não posso negar o que eu não entendo. Essa é a minha posição."

* * *

"Então eu estou lá sentadinho esperando o meu bolo de carne esfriar quando de repente vem um berro que era simplesmente de soltar o *esfíncter* de qualquer cristão e me aparece a Nell do meio do nada com uma carne espetada num garfo definitivamente *em riste*, *pulando* por cima da mesa, *voando*, horizon*tal*, assim Pat o corpo da menina estava literalmente *paralelo* à superfície da mesa, se *atirando* pra cima de mim, com aquele garfo erguido, berrando alguma coisa com um som de manteiga de *amendoim*. Tipo meu Deus do céu. O Gately e o Diehl tiveram que arrancar o garfo da minha mão e do tampo da mesa também. Pra te dar uma ideia. Da *selvageria*. Nem me pergunte da dor. Não vamos nem começar, eu te garanto. Eles me *ofereceram* Percocet[59] no pronto-socorro, só pra você ter uma ideia do nível da dor da coisa toda. Eu falei pra eles que eu estava em recuperação e que não tinha defesa contra nenhum tipo de narcótico. Por favor nem me pergunte quanto eles ficaram comovidos com a minha coragem se você não quer me ver todo chorandão. Essa estória toda me deixou à beira de um *surto* histérico total. Então, mas tá, culpado, é, eu posso muito bem ter batucado na mesa. Mil perdões por ocupar espaço no mundo. Aí ela super *magnânima* diz que pede desculpa se eu também pedir. Mas como é que é, eu disse? Como é que é? Tipo meu Deus do céu. Eu ali sentado pregado na mesa com um garfo. Eu sei o que é pancadaria, Pat, e essa garota pancada é da pancadaria, e das fascistas. Com todo o respeito, eu solicito que ela tome um belo pé naquela enorme traseira lá dela e volte pra sei lá que canto do mundo lá dela em que neguinho tipo anda armado com garfo, com aquela sacola de mercado dela cheia de roupa gauche. Sério. Eu sei que parte desse processo daqui é aprender a viver em comunidade. Fazer concessões e tal, largar mão das coisas da personalidade, virar a página. Et cetera. Mas não era pra ser também e aqui eu estou citando o manual um *ambiente seguro* e *protetor*? Poucas vezes eu me senti tão desprotegido como ali, empalado naquela mesa, isso eu tenho que te dizer. A encheção de saco patética do Minty e do McDade já não é pouca coisa. Eu posso levar pancada lá em Fenway. Eu não vim aqui pra levar pancada com um pretextozinho de batuque na mesa. Eu estou perigosamente perto de dizer que ou aquela... aquela *criatura* vai embora ou vou eu."

"Eu sinto muito mesmo incomodar. Eu posso voltar depois. Eu estava pensando se de repente não tem alguma oração especial do Programa pra quando você quer se enforcar."

"Quero entendimento que não tenho negação que sou viciado na droga. Eu, eu sei que sou viciado desde o período de antes de Miami. Não tenho problema de me erguer nas reuniões e dizer eu sou Alfonso, sou viciado na droga, impotente. Estou sabendo da impotência desde o período de Castro. Mas não posso parar mesmo desde que eu já sei. Isso eu temo. Eu temo não parar quando admito que eu sou Alfonso, impotente. Como pode admitir que eu sou impotente me fazer parar o que é a coisa que eu sou impotente por parar? Minha cabeça está louca com esse medo de não poder. Agora estou na esperança de *poder*, sra. Pat. Quero aconselho. Será a esperança de *poder* o mau caminho para Alfonso como viciado na droga?"

"Desculpa ir entrando assim, ó, o pessoal da manutenção ligou de novo por causa da coisa da dedetização e tal. A palavra foi *ultimato* que eles disseram."

"Desculpa se eu estou incomodando você por uma coisa que não é um negócio assim direto de interface de tratamento e tal. Eu estou lá em cima tentando fazer a minha Tarefa Doméstica. Eu estou com o banheiro masculino do primeiro andar. Tem um treco... Pat tem um treco na privada lá em cima. Que não desce com a descarga. O treco. Não vai embora. Fica voltando. Por mais que eu dê a descarga. Eu só estou aqui pra saber o que eu faço. Possivelmente também um equipamentinho de proteção. Eu não consigo nem descrever o treco lá da privada. Eu só digo que se aquilo foi produzido por alguma coisa humana aí eu preciso dizer que eu estou é com medo. Nem me peça pra descrever aquilo. Se você quiser subir e dar uma olhada, eu tenho 100% de certeza que ainda está lá. O treco deixou bem claro que não pretende sair dali."

"Eu só sei é que eu pus um potinho de pudim da Hunt na geladeira dos residentes como é pra gente fazer às 1300 tarari-tarará e às 1430 eu desço na maior animação atrás do meu pudim que eu que paguei e ele não está mais lá e o McDade aparece todo preocupado se oferecendo pra me ajudar a procurar tarari-tarará, só que se você olhar aí eu olho e olha lá o filho de uma vaca com uma puta mancha de pudim no queixo."

"Tá mas só que como é que eu posso responder só sim ou não se eu quero parar com a coca? Se eu acho que eu quero com certeza eu acho que eu quero. Eu não tenho mais septo. A coca tipo dissolveu a porra do meu septo. Ó. Dá pra ver algum septo quando eu ergo assim? Eu com certeza do fundo do meu coração eu achei que eu queria parar e tal e coisa. Desde isso do septo. Aí mas aí se eu queria parar esse tempo todo, por que é que eu não consegui parar? Está vendo o que eu estou te dizendo? Não é tudo uma questão de querer e coisa e tal? E tal e coisa? Como é que pode isso de morar aqui e ir nas reuniões e tudo isso não me fazer querer parar? Mas eu acho que eu já quero parar. Como é que eu ia estar aqui se eu não quisesse parar? Eu estar aqui já não é uma prova que eu quero parar? Mas aí então como é que pode que eu não consigo parar, se eu quero parar, aí é que está."

* * *

"Esse garoto tinha lábio leporino. Aquele que faz, sabe, *affim, deffe veito*. Mas o dele subia bem alto. Beeem alto. Ele vendia bolinha ruim mas erva da boa. Ele disse que cobria a nossa parte do aluguel se a gente não deixasse faltar camundongo pras cobras dele. A gente estava fumando tudo que a gente tinha de grana então fazer o quê. Elas comiam camundongo. A gente tinha que ir nas lojas de bichos e fingir que a gente era megafã de camundongo. Cobra. Ele tinha umas cobras. O Doocy. Elas cheiravam mal. Ele nunca limpava os tanques. O lábio dele tapava o nariz. O lábio leporino. O que eu acho é que ele não sentia o cheiro dos bichos. Ou ia ter feito alguma coisa. Ele tinha uma fixação na Mildred. A minha namorada. Não sei. Ela deve ter problema também. Não sei. Ele tinha uma fixação nela. Ele vivia dizendo umas merdas tipo tudo com aqueles *fff*, ele ficava Dif aí, quer trepar comigo ou não, Mildred? A gente não prefifa fe lamber nem nada. Ele dizia umas merdas dessas comigo bem ali, soltando camundongo naqueles tanques, prendendo a respiração. Tinha que ser camundongo vivo. Tudo com aquela voz bisonhenta que parece alguém segurando o nariz sem conseguir dizer *s*. Ele ficou dois anos sem lavar o cabelo. Era tipo uma brincadeira nossa isso de ver quanto tempo ele ia ficar sem lavar o cabelo e a gente fazia uns xizinhos no calendário toda semana. A gente tinha um monte dessas brincadeirinhas, pra ajudar a gente a aguentar aquilo. A gente ficava chapado eu diria tipo 90% do tempo. Nove-zero. E ele nunca, enquanto a gente ficou lá. Ele lavou o cabelo. Quando ela dizia que a gente tinha que se mandar ou que ela estava se mandando e levando a Harriet foi quando ela disse que quando eu estava no trabalho ele começava a dizer pra ela como é que era trepar com uma galinha. Ele disse que trepava com galinha. Era um trailer pra lá da doca do lixo no Spur, e ele criava umas galinhas embaixo do trailer. Não espanta que elas saíam que nem doidas quando alguém chegava perto. Ele estava tipo abusando sexualmente dos bichos. Ele ficava contando isso pra ela, cheio de *fff*, tipo Vofê tem que tipo atarrachar of bichinhof, maf quando vofê efporra elaf meio que faem *voando* de vofê. Ela disse que ela passou do limite. A gente se mandou e foi pro abrigo da Pine Street e ela ficou um tempo até um carinha de chapéu dizer que tinha um rancho em Nova Jersey, e lá se vai ela, e com a Harriet. A Harriet é a nossa filha. Ela vai fazer três aninhos. Se bem que ela diz *tlêif*. Eu duvido agora que aquela menina vá conseguir dizer um *s* que seja na vida inteira dela. E eu nem sei onde em Nova Jersey. Pra começo de conversa, será que tem rancho em Nova Jersey? Eu estudei com ela desde o primário. A Mildred. A gente era tipo namoradinho de escola. E aí esse carinha que pegou a cama que era dela do abrigo me passou piolho. Ele pega a cama dela e aí eu começo a ficar com piolho. Eu ainda estava tentando entregar gelo pras máquinas dos postos de gasolina. Quem é que não ia precisar ficar chapado só pra aguentar?"

"Então isso seria que nem uma doença, o alcoolismo? Uma doença como um resfriado? Ou como câncer? Eu tenho que te dizer que eu nunca ouvi falar de mandarem alguém rezar pra se curar de câncer. Isso fora talvez de certas áreas rurais do Sul dos Estados Unidos, de repente. Então como é que é isso? Você está me *mandando* rezar? Porque supostamente eu tenho uma doença? Eu desmantelo a minha vida e a minha carreira, embarco nove meses num tratamento de baixa renda pra uma *doença*, e me receitam orações? Será que a palavra *anacrônico* faz sentido aqui? Será que eu estou num período sócio-histórico que eu não conheço? Que história exatamente é essa aqui?"

"Certo, certo. Certo. Certíssimo. Sem nenhum problema. Feliz de estar aqui. Melhorzinho. Dormindo melhor. Adoro o grude. Numa palavra, não podia estar melhor. Os dentes? Isso de ranger os dentes? Tique. Deixa a queixada mais forte. Uma expressão de bem-estar geral. A mesma coisa isso da pálpebra."

"Mas eu tentei *sim*. Eu estou tentando o *mês* inteiro. Eu fui em quatro entrevistas. E nenhuma começou antes das 11, e eu ali tipo pra que levantar cedo e ficar aqui sentada se eu só preciso estar aqui às 11? Eu preenchi esses formulários de inscrição *tudo* dia. Pra onde é que eu devia ir? Vocês não podem me chutar daqui só por causo da porr... eles não me chamam de volta se eu estou *tentando*. Não é *culpa* minha. Vai lá perguntar pra Clenette. Pergunte praquela menina, a Thrale, e lá pra eles se eu não estou tentando. Vocês não *podem*. Isso é muito *filhadaputice*.
"Eu *disse* pra onde é que eu devia *ir*?"

"Eu estou tomando uma Restrição Integral de um mês por usar uma merda de um enxaguatório bucal? Extra! Extra! Notícias fresquinhas: enxaguatório é pra cuspir! O teor alcoólico é tipo 2%!"

"É por casa do peido de *outra* pessoa que eu estou aqui."

"Eu me identifico com muito prazer se você primeiro simplesmente me explicar com o *que é* que eu estou me identificando. Essa é a minha posição. Você está me pedindo pra confirmar fatos que eu não conheço. A palavra pra isso é 'coação'."

"Então o meu delito é o quê, gargarejo delinquente?"

"Eu volto quando você estiver livre."

* * *

"Voltou. Por um segundo eu até tive esperança. Eu tive esperança. Aí voltou de novo."

"Primeiro deixa eu te dizer só uma coisa."

O

FIM DE OUTUBRO
ANO DA FRALDA GERIÁTRICA DEPEND

"Able outla dessa aí pla mim lapaz que eu te conto o ponto alto daquela tempolada que eu complei inglesso pla tempolada toda foi que eu pude vê aquele filho da puta inclível batê o plimeilo lecolde em pessoa. Ela a expedição da tlopa de lobinhos do teu ilmão que você não quelia entlá eu lemblo disso polque cê ficou com medo de peldê o tempo on-line na flente do TP. Lembla? Bom eu nunca vou esquecê esse dia, lapaz. Foi contla Sylacuse, o quê, oito anos atlás. O filhinho da puta estava com setenta e tlês jaldas aquele dia e uma média de sessenta e nove, calalho! *Setenta e tlês*, cacete! Able outla dessa aí, lapaz, aploveita o exelcício. Eu lemblo que tava nublado. Quando ele chutava você ficava um tempão olhando o céu. Ela voava mesmo. Ele tinha um tempo de voo de oito vílgula tlês segundos naquela época. Isso é voo pacas, lapaz. Euzinho aqui nunca cheguei a cinco no meu tempo. Jesus. A tlopa inteila disse que nunca ouviu coisa igual o balulho das setenta e tlês daquele filho da puta. Lon Lichardson, lembla do Lonnie, o lídel ou sei lá o quê da tlopa, vendedol de vaselina lá de Blookline, o Lonnie é piloto aposentado da aelonáutica, de um esquadlão bombaldeilo, o Lonnie tava lá no bal aquele dia o Lonnie disse ele disse que aquelas setenta e tlês fizelam bem o balulho que uma *bomba* faz, aquele tipo de BLOMP que estoula, quando cai, plos meninos do esquadlão dos aviões quando eles soltam as bombas."

O programa de rádio logo antes do programa da meia-noite de Madame Psicose na WYYY, a rádio semiunderground do MIT, é *Eram Estas as Lendas que um Dia Foram*, um desses cruéis formatos universitário-tecnológicos em que qualquer estudante dos EU que queira pode dar uma escapadinha do laboratório do supercolisor ou do grupo de estudos Transforme Fourier por quinze minutinhos e ler no ar alguma coisa paródica onde ele finge ser o próprio pai apoteosificando alguma espécie de figura atlética histórica pescoçuda que o pai admirava e tinha consequentemente comparado com lamentoso desgosto ao menininho asmático cabeçudo e de pescoço fininho que o encarava através de lentes fundo-de-garrafa-de-coca enquanto digitava no seu teclado digital. A única regra do programa é que você tem que ler o texto com uma voz de algum personagem de desenho animado bem bobo. Há outros, e bem mais exóticos, formatos parricidas para alunos asiáticos, latinos, árabes e europeus em noites de fins de semana selecionados. O consenso é que os personagens dos desenhos asiáticos têm as vozes mais bobas de todas.

Ainda que seja sem exagero nenhum uma coisa imatura, *Eram estas as lendas que um dia...* é uma útil opção catártica tipo dramaterapia — os alunos do MIT tendem a ter lá as suas cicatrizes psíquicas específicas: nerd, geek, beronha, mongo, boiola, bundão, quatro-olhos, debiloide, pinto-mole, minipinto, capado, pinto-morto, magricela; levar com o seu próprio violino ou TP portátil ou jarro de entomologista na cabeçona graças aos garotos de pescoço grosso do parquinho — e o programa arranca belos índices de audiência na FM, ainda que boa parte dela se deva à inércia reversa, um baque ao contrário à la 2ª de Newton devido à fervidamente popular Hora da Madame Psicose, seg.-sex. 0000h-0100h, que vem antes.

O estudante engenheiro do turno da madrugada da WYYY no AFGD, desafeto de todo e qualquer elevador que siga uma rota serpentina ou vascular, evita o elevador do Diretório Acadêmico do MIT. Ele tem uma rotina de chegada que o faz pular as entradas dianteiras e passar pelo meato acústico da fachada sul e pegar um Refri 2000® na máquina que fica no seio esfenoide e aí descer rangentes escadas de fundos da Sala de Leitura da Adesão Intertalâmica até a vizinhança do Recesso Infundibular, passando pelo andar onde fica a produção do jornal estudantil em CD-ROM *Diário Tech Tudo* e o cheiro químico enjoativo da reveladora de cartuchos-de-imprensa somente-leitura, passando pelo QG escuro e de porta estrelada do Clube Hillel, pela porta mais pesada que leva à rede azulejada dos corredores que conduzem às quadras de squash e raquetebol e a uma única quadra de vôlei e ao ventilado corpo caloso de vinte e quatro quadras de tênis de pé-direito alto doadas por um ex-aluno do MIT e agora tão pouco usadas que eles nem sabem onde estão as redes, descendo mais três andares até os estúdios fantasmaticamente limpos e iluminados a lítio da FM 109 — WYYY FM, que transmite para a comunidade do MIT e pontos selecionados além dela. As paredes do estúdio são rosadas e laringalmente fissuradas. A asma dele melhora aqui embaixo, com o ar ralo e cortante, com os filtros traqueais de ar logo abaixo do piso e o ar dos ventiladores que é o mais fresco do Diretório.

O engenheiro, um pós-graduando com bolsa-trabalho, de pulmões ruins e poros oclusos, se acomoda sozinho diante do seu painel na cabine do engenheiro, regula o contrapeso de algumas agulhas e passa o som da única personalidade paga da agenda noturna, a obscuramente reverenciada Madame Psicose, cuja sombra de camafeu mal se enxerga do outro lado do espesso vidro da cabine, já que a tela dela semiobnubila a bancada de fones no-ar do estúdio, verificando as marcas e as transições para a edição de quinta-feira. Ela está protegida de quaisquer olhos por uma tela tríptica articulada de chifon creme que reluz vermelha e verde com as luzes da bancada de fones e dos mostradores dos painéis e emoldura a sua silhueta. A silhueta dela delineia-se clara contra a tela, sentada de pernas cruzadas com seu insético microfone de cabeça, fumando. O engenheiro sempre tem que regular a faixa craniana do seu fone de ouvido por causa da elefantina amplidão parietal do engenheiro do *Eram estas*.

Ele ativa o intercom e se oferece para checar os níveis da própria Madame Psicose. Ele pede som. Qualquer coisa. Ele nem abriu sua lata de refrigerante. Há um longo silêncio durante o qual a silhueta de Madame Psicose não ergue os olhos de algo que ela parece estar coligindo na mesinha à sua frente.

Depois de um tempo ela faz uns barulhinhos, leves plosivas para verificar os sons de estrondo quando exala, um problema perene na FM de baixo orçamento.

Ela solta um longo som de s.

O engenheiro estagiário usa o seu inalador portátil.

Ela diz: "Ele amava esse tipo sonoro, de sonhos de música dotados do ritmo de coisas compridas que oscilam".

Os movimentos do engenheiro diante dos mostradores do painel parecem os de alguém que está ajustando o aquecedor e o sistema de som enquanto dirige.

"O Dow que se pode dizer não é o eterno Dow", ela diz.

O engenheiro, vinte e três anos de idade, tem uma pele extremamente ruim.

"Atraente mulher paraplégica procura o mesmo; objeto:"

O laringal estúdio sem janelas é terrivelmente claro. Nada projeta sombras. Fluorescência de iluminação embutida nos cantos do teto com uma corona litiumizada de espectro dual, desenvolvida a dois prédios dali e à espera da patente na ONAN. A gélida luz sem sombras das salas de cirurgia, das lojas de conveniência às 0400. As paredes rosadas enrugadas às vezes parecem mais ginecológicas que qualquer outra coisa.

"Como a maioria dos casamentos, aquele era o produto final da conformidade com a concessão."

O engenheiro estremece sob o gélido clarão e acende um careta e diz a Madame Psicose através do intercom que todos os níveis estão o.k. Madame Psicose é a única personalidade da WYYY que traz o seu próprio microfone de cabeça e os seus cabos, além de uma tela tríptica. Na área esquerda da tela ficam quatro relógios regulados para quatro fusos horários diferentes mais um disco sem números que alguém pendurou de sacanagem, para designar o Não Tempo do Grande Recôncavo anularizado. O ponteiro traçável do relógio do horário-padrão da Costa Leste vai entalhando os últimos poucos segundos dos cinco minutos de transmissão vazia que o contrato de Madame Psicose estipula que devem preceder o seu programa. Dá para ver a silhueta dela apagando o cigarro muito meticulosamente. Ela dá o sinal para a vinheta sintetizada e a trilha sonora do dia; o engenheiro toca de leve uma alavanca e solta a música pela medula coaxial e através dos amplificadores e boosters enfiados no espaço acima do rebaixado teto alto das quadras de tênis ociosas do corpo caloso e para cima e para fora pela antena que protubera da superfície cinza e bulbosa do teto do Diretório. O design institucional já mudou bastante desde o quase-novo Diretório Acadêmico do MIT de I. M. Pei, na esquina da Ames com a Memorial Dr.,[60] East Cambridge, é um imenso córtex cerebral de concreto reforçado e compostos de polímeros. Madame Psicose está fumando de novo, ouvindo, cabeça de lado. Sua tela alta vai vazar fumaça por toda a hora do seu programa. O engenheiro estagiário está fazendo uma contagem regressiva a partir do cinco numa mão esticada que ele não consegue ver como ela consegue ver. E quando o mindinho encontra a palma, ela diz o que tem dito há três anos toda meia-noite, uma abertura que Mario Incandenza, a pessoa menos cínica da história de Enfield, MA, do outro lado do rio, ouvindo fielmente, acha, apesar de todo o seu negro cinismo, terrivelmente encantadora:

A sua silhueta se inclina e diz: "E eis que a Terra era sem forma e vazia

"E havia Trevas sobre a Face do Abismo.

"E dissemos Nós:

"Olha como *Dança* essa filha da puta."

Então entra uma voz morna masculina para dizer que São Sessenta Minutos Mais Ou Menos com Madame Psicose na YYY-109, Maior Primo Inteiro No Dial FM. Os diferentes sons são codificados e soltos pelo engenheiro estagiário pelo tronco do edifício e pela antena do teto. Essa antena, de poucos watts, tinha sido alterada pelos nerdzinhos mecatrônicos da emissora para se inclinar e rodar, não muito diferente de um brinquedo centrífugo tipo-parque-temático, borrifando o sinal para tudo quanto é lado. Desde o Decreto Hundt de 1966 AS, as franjas de baixa potência das frequências de FM são a única parte do Espectro Sem-Fio ainda licenciada para transmissão pública. O verde-água-profunda de sintonizadores de FM em todos os laboratórios, dormitórios e monturos de cracas de apartamentos de alunos do campus se alinha lentamente com o centro do jorro, seguindo para a direita do dial, meio medonhamente, como plantas na direção de uma luz que nem conseguem ver. As audiências são cafés-pequenos pelos padrões das transmissões pré-InterLace de outrora, mas consistentes pacas. A audiência de Madame Psicose tem sido, desde o primeiro dia, inelástica. A antena, inclinada mais ou menos no ângulo de um canhão de 3-km, gira numa elipse borrada — sua base rotatória é elíptica porque foi a única forma na qual os nerdzinhos mecatrônicos conseguiram montar um molde para ela. Obstruída de todos os lados pelos prédios altos de East Cambridge e da Commercial Drive e do Centro de verdade, no entanto, só umas poucas fatias finas de sinal escapam do MIT propriamente dito, p. ex. através da fresta no Dep. de Ed. Fís. composta dos quase inúteis campos de lacrosse e futebol entre os complexos de Filologia e Física de Baixas Temperaturas na Mem. Dr., depois pela festivamente purpúrea extensão noturna do histórico rio Charles e depois através do fluxo de tráfego pesado da Storrow Dr. do outro lado do Chuck, de modo que quando o sinal bate em upper Brighton e Enfield você precisa quase que de uma antenação de nível de vigilância remota para filtrá-lo do miasma eletromagnético de transmissões celulares e telefônicas interconsoles e das auras-EM dos TPs que entopem todos os cantos das franjas da FM. A não ser, isto é, que o seu sintonizador tenha a boa sorte de estar localizado no ápice de um morro alto e mais ou menos nu, em Enfield, caso em que você se encontra bem na centrífuga linha de fogo da YYY.

Madame Psicose evita aberturas prolixas e tapa-buracos contextuais. A sua hora é compacta e sem tolices.

Depois que a música diminui, a sombra dela segura folhas coligidas e as agita levemente para que o som do papel se transmita. "Obesidade", diz. "Obesidade com hipogonadismo. E também obesidade mórbida. Hanseníase nodular com *facies* leonina." O engenheiro vê a silhueta dela erguer uma xícara no que ela pausa, o que o faz lembrar do Refri 2000 na sua sacola de livros.

Ela diz: "Os acromegálicos e hiperqueratosísticos. Os enuréticos, justo neste ano. Os espasmodicamente torcicólicos".

O engenheiro estagiário, um metalurgista transuraniano doutorando que amortizava imensas dívidas de crédito estudantil, trava os níveis e preenche o lado esquerdo da folha do seu cronograma e ascende com a sacola de livros por uma treliça de escadarias interneurais com ideogramas semíticos e cheiro de fluido de revelação e passando pelo bar, a sala de sinuca, as bancadas de modem e a ampla sessão de Aconselhamento Estudantil em torno da lâmina rostral, todas as subutilizadas neuroformas escadarificadas que vão até a porta corta-fogo vermelho-artéria do teto do Diretório, deixando Madame Psicose, como é de regra, sozinha com o seu programa e a tela na gélida ausência de sombras. Ela em geral fica sozinha ali quando está no ar. Muito de vez em quando há um convidado, mas o convidado normalmente é apresentado e depois não diz mais nada. Os monólogos parecem simultaneamente livre-associativos e intricadamente estruturados, não muito diferentes de pesadelos. Não há como saber o que vai acontecer numa dada noite. Se existe um único tema ainda que remotamente consistente de repente é cinema e cartuchos de filmes. Filmes antigos de celuloide (e quase sempre italianos) do neorrealismo e (quase sempre alemães) do expressionismo. Nunca New Wave. Positivo para Peterson/Broughton e Dali/Buñuel e negativo para Deren/Hammid. Maluca pelas coisas mais lentas de Antonioni e por um russo chamado Tarkóvski. Às vezes Ozu e Bresson. Uma estranha afeição pela dramaturgia encanecida de Sir Herbert Tree. Bizarra admiração kaelesca pelos monstruosos Peckinpah, De Palma, Tarantino. Cem por cento peçonha no que se refere ao 8 ½ de Fellini. Excepcionalmente fluente no que se refere a celuloide de vanguarda e cartuchos digitais de van- e retroguarda, cinema anticonfluencial,[61] brutalismo, Drama Achado etc. Também tremendamente alfabetizada em esportes dos EUA, especialmente futebol americano, fato que o engenheiro estagiário acha dissonante. Madame atende a um telefonema por programa, aleatoriamente. Em geral ela sola. O programa meio que anda sozinho. Ela podia fazer aquilo dormindo atrás da tela. Às vezes ela parece muito triste. O engenheiro gosta de monitorar a transmissão de algum ponto alto, do teto do Diretório, faça chuva ou faça sol. A palavra mais correta para uma bombinha de asmático é "nebulizador". A especialidade de pesquisa do engenheiro na pós-graduação são as partículas carbonadas translítio criadas e destruídas bilhões de vezes por segundo no núcleo de um anel de fusão a frio. A maioria dos litioides não pode ser destruída nem estudada e existe somente para explicar lacunas e incongruências em equações de anulação. Uma vez no ano passado Madame Psicose fez o engenheiro estagiário escrever o processo de transformar num laboratório doméstico o pó de óxido de urânio no bom e velho e fissionável U-235. Aí ela leu o texto no ar entre um poema de Baraka e uma análise da tática de defesa dos Steelers. É coisa que um aluno inteligente de ensino médio conseguiria preparar e levou menos de três minutos para ler no ar e não havia ali um único procedimento ilegal nem uma só peça ou equipamento que não fosse obtível em qualquer loja decente de aparatos químicos de Boston, mas a administração do MIT criou um azedume nada desprezível, que se sabe muito bem que o MIT é cupincha da Defesa. A receita de combustível-quente foi o único momento de intercurso verbal que o engenheiro teve com Madame Psicose que não envolveu níveis de áudio e vinhetas.

O macio teto de polímero de látex da União é cerebralmente cupular e de um nebuloso rosa-pia-mater a não ser nos pontos em que se erodiu num cinza pastoso, e por toda parte texturizado, o teto redondo, com sulcos e bulbosas convoluções. Do céu, parece enrugado; da porta corta-fogo do teto é um sistema quase nojento de serpentinas trincheiras, como escorregadores de um parque aquático do inferno. A própria União, *summum opus* do falecido A. Y. ("F. V.") Rickey, é uma grande estrutura cerebral oca, um memorial doado à sede norte-americana do High-Tech mais high e mais tech, e não é tão horrenda quanto os ádvenas imaginam que deve ser, embora os olhos-balões vitreamente inflados, desorbitados e pendentes de cabos azuis entrançados nos quiasmas ópticos do segundo andar para ficar ao lado da rampa dianteira para cadeiras de rodas, precisem de um certo convívio até você se acostumar, e alguns como o engenheiro nunca se sintam realmente confortáveis com eles e usem as menos exuberantes portas-laterais-auditórias; e as abundantes fissuras-sulcais e volumes-girais do liso teto de látex tornam complexa a drenagem pluvial e arriscado na melhor das hipóteses andar por ali, de modo que não rola muita gente passeando à toa por ali, embora uma espécie de varanda de segurança de resina de polibutileno cor crânio, que se curva em torno do mesencéfalo vindo do sulco frontal inferior para o sulco parieto-occiptal — um anel aureolante na altura tipo de um beiral, exigido pelos Bombeiros de Cambridge a despeito dos acalorados protestos pró-miméticos de rickeyitas topológicos lá do Dept. de Arq. (que a administração do MIT, tentando aplacar ao mesmo tempo os rickeyitas e o Chefe da Brigada, tinha mandado injetarem corantes na resina pré-moldada para deixá-la com a distintiva coloração repulsiva amarronzada meio embranquecida de um crânio vivo, de modo que a varanda evoca ao mesmo tempo ossos corpóreos e uma aura numinosa) — dita varanda que significa que mesmo o pior escorregão-de-escorregador para além da borda do íngreme cerebrum representaria uma queda de somente uns poucos metros até a larga plataforma de butileno, de onde uma escada de emergência azul-venosa pode ser destacada e baixada para passar pelo giro temporal superior e pela ponte e o abducente para se enganchar na artéria basilar do tronco e permitir um escape seguro descendo a boa e velha oblongata logo ao lado do meato emborrachado no nível do chão.

Apical lá no duro vento fluvial, usando uma parca cáqui com falso forro de pele, o engenheiro estagiário abre caminho e se acomoda no primeiro sulco intraparietal que lhe dá na veneta, faz como que um ninho na macia trincheira — o convoluto látex é preenchido por aqueles amendoinzinhos de isopor sem-CFC com que tudo de industrialmente macio é preenchido, e a superfície da pia-mater cede de modo

193

muito similar a uma daquelas grandes poltronas moles de tempos mais inocentes —, se acomoda e se recosta com o seu Refri 2000, a bombinha, o cigarro e o receptor digital de FM Heathkit de bolso sob um céu noturno rico em CO que faz as pontas das estrelas parecem extra-agudas. A noite bostoniana está com 10°C. O sulco pós-central em que ele está sentado fica logo além do limite da circunferência da rotação de alta velocidade da antena da YYY, de modo que cinco metros acima dele a luz-de-avião da ponta do equipamento descreve um borrado oval, vascularmente tinto. As fontes de energia do seu receptor de FM, testadas diariamente contra os resistores mercúricos do Lab. de Baixas Temps., são novas, e minúsculo e crocante o som sem-woofer do aparelho, de modo que Madame soa como uma cópia fiel mas radicalmente miniaturizada do seu eu do estúdio.

"Os de nariz-colabado. Os de membros atróficos. E sim químicos e graduandos em matemática pura também os de pescoços atróficos. Scleredema adultorum. Vós que vazais, os sedermatosos. Vinde, vinde todos, diz esta circular. Os hidrocefálicos. Os tabescentes, os caquéticos, os anoréxicos. Os doentes-de-Brag, com seus densos nós rubros de carne. Os dermicamente maculados de vinho ou carbunculares ou esteatocriptóticos ou Deus os livre os três ao mesmo tempo. Síndrome de Marin-Amat, então? Pode vir. Os psoríacos. Os eczemicamente evitados. E os escrofulodérmicos. Esteatopígicos em forma de sino, com suas calças especiais. Os vitimados da Pitiríase Rósea. Diz aqui Chegai-Vos Ó Monstros. Abençoados os pobres de corpo, pois deles."

A pulsante luz de alerta aéreo da antena é magenta, uma estrela aguda e tão mais perto, já, com os dedos trançados atrás da cabeça, reclinado e olhando acima, ouvindo, a velocidade do giro centrífugo fazendo que a luz da ponta riscasse cores nos olhos. O oval da luz é um halo sanguíneo sobre a mais nua de todas as cabeças possíveis. Madame Psicose já leu material da OFIDE, uma ou duas vezes. Ele está ouvindo ela ler quatro andares abaixo do Recesso Oblongo que vira o terceiro mamilo ou a espinha do poço de aquecimento, lendo à-la-ad-lib o texto de uma das circulares de RP da Organização dos Feios e Inconcebivelmente Deformados, um negócio tipo grupo-de-apoio-de-12-passos estilo-agnóstico para os que eles chamam de "esteticamente prejudicados".[62] Ela às vezes lê circulares, catálogos e essas coisas tipo RP, ainda que não regularmente. Algumas coisas levam vários programas seguidos para acabar. A audiência continua estável; os ouvintes ficam lá. O engenheiro tem praticamente certeza de que ele ficaria ouvindo mesmo que não fosse pago. Ele gosta mesmo de se acomodar num sulco e fumar lentamente e expirar para cima rumo à rubra elipse borrada da antena, monitorando. Os temas de Madame são ao mesmo tempo imprevisíveis e algo rítmicos, mais como ondas-de-probabilidade para sub-hadrônicos do que qualquer outra coisa.[63] O engenheiro estagiário nunca viu, nenhuma vez, Madame Psicose entrar ou sair da WYYY; ela provavelmente usa o elevador. É dia 22 de outubro do ano ONANita da Fralda Geriátrica Depend.

Como a maioria dos casamentos, o de Avril com o falecido James Incandenza foi o produto final da conformidade com a concessão, e o currículo acadêmico da ATE é o produto de concessões negociadas entre o cdfismo universitário de Avril e a aguda noção pragmática esportiva de James e Schtitt. É por causa de Avril — que abandonou completamente o MIT e assumiu um cargo de meio período em Brandeis e até recusou uma cátedra patrocinada extremamente suculenta no Bunting Institute da Universidade Radcliffe naquele primeiro ano para conceber e assumir o leme do currículo da ATE — que a Academia de Tênis Enfield é a única escola tipo-com-fo-co-esportivo na América do Norte que ainda adere ao trívio e quadrívio da tradição clássica linha-dura das CHLA,[64] e portanto uma das pouquíssimas academias esportivas restantes que têm uma chance legítima de serem consideradas uma verdadeira escola preparatória para a universidade e não apenas uma fábrica de atletas cortina--ferrosa. Mas Schtitt nunca deixou Incandenza esquecer o objetivo original daquele lugar, e então a pétrea pedagogia *mens-sana* de Avril não foi tanto diluída quanto *ad-valorem*izada, pragmaticamente focada para a obtenção de metas tipo-*corpore-potis* que aqueles meninos estavam subindo o morro para obter em troca de uma infância. Algumas alteraçõezinhas da ATE que Avril tinha permitido se infiltrarem na clássica trilha das CHLA são p. ex. que os sete conteúdos do T e do Q ficam misturados e não divididos em nível superior Quadrivial v. efêbico Trivial; que as aulas de geometria da ATE basicamente ignoram o estudo de figuras fechadas (à exceção dos triângulos) para se concentrar (também à exceção da Trigonometria de Cubos do Thorp, que é optativa e principalmente estética) durante dois semestres progressivamente mais aniquiladores na involução e na expansão de ângulos simples; que a exigência quadrivial da astronomia na ATE virou um seminário elementar de óptica dividido em dois semestres, já que questões visuais obviamente são atinentes ao Jogo e já que os equipamentos necessários para qualquer coisa entre uso de lentes afóticas e apocromáticas estavam e estão no laboratório do túnel do Com.-Ad. A música foi basicamente eliminada. Sem contar que o fetiche trivioide pela oratória clássica hoje na ATE já foi convertido numa ampla gama de cursos de história e de estúdio sobre diversos tipos de entretenimento, especialmente filmes gravados — de novo, porque tinha um monte de equipamento do Incandenza ali parado, demais para eles não usarem, sem contar a presença juridicamente testamentada e financeiramente garantida em termos perpétuos na folha de pagamento da sra. Pricket, do sr. Ogilvie, do sr. Disney R. Leith e da sra. Soma Richardson-Levy-O'Byrne-Chawaf, os leais engenheiro de som, auxiliar, assistente de produção e terceira-atriz-favorita do falecido fundador/diretor, respectivamente.

Sem contar também a exigência de seis semestres de Entretenimento porque alunos que tenham esperança de se preparar para carreiras como esportistas profissionais por intensão também estão treinando para o ramo do entretenimento, ainda que de uma maneira medonha e especial, era o que dizia Incandenza, um dos poucos pontos filosóficos que ele teve que basicamente meter goela abaixo tanto de Avril quanto de Schtitt, que estava tentando forçar alguma mistura de teologia com a lúgubre ética kantiana.

Mario Incandenza se sentou num banquinho de última fileira em todas as aulas oferecidas pelo Dep. de Entretenimento da ATE até que finalmente faz três anos agora em dezembro que pediram para ele se desmatricular da Escola Especial Winter Hill em Cambridgeport por se recusar sorridente a sequer tentar aprender a ler de verdade, explicando que ele preferia sem sombra de dúvida escutar e assistir. E ele é um ouvinte/observador fanático. Ele trata o luxuoso sintonizador Tatsuoka de extremos--de-frequência-FM que fica na sala de estar da Casa do Diretor como as crianças de três gerações atrás, ouvindo como outros meninos assistem TP, optando pelo mono e sentando bem pertinho de um dos falantes com a cabeça caninamente de lado, ouvindo, encarando aquele cantinho especial localizado a meia distância e que é reservado ao ouvinte dedicado. Ele tem mesmo que se sentar bem grudado para ouvir o *Sessenta Minutos +/−...* quando está lá na CD[65] com o C.T. e às vezes com Hal nos jantares tardios de sua mãe, porque Avril tem alguma coisa auditória contra som transmitido e tem faniquitos ululantes com qualquer voz que não saia de uma cabeça corpórea viva, e embora Avril tenha deixado claro que Mario está livre a qualquer momento para ativar e alinhar o sintonizador verde-fantasma do Tatsuoka para o que quer que deseje, ele deixa o volume tão baixo que o aparelho precisa ser deposto numa mesinha baixa de centro e ele tem que se inclinar e quase colocar a orelha encostada no tremolo do woofer e se concentrar bastante para ouvir o sinal da YYY por cima da conversa na sala de jantar, que tende a ficar meio alucinadamente aguda mais para o fim da janta. Avril nunca chega a pedir de fato que Mario baixe o volume; ele faz isso por uma consideração tácita para com a coisa que ela tem com o som. Outra das coisas tácitas mas tensas dela envolve questões de enclausuramento, e a CD não tem portas internas entre os cômodos, nem mesmo muitas paredes, e as salas de estar e jantar são separadas apenas por uma vasta baralha multiandares de plantas domésticas em vasos e sobre banquinhos de diferentes alturas e dispostas sob lâmpadas UV de teto de uma intensidade que tende a dar estranhos padrõezinhos de bronzeado aos comensais dependendo do lugar normal de cada um à mesa. Hal às vezes reclama privadamente para Mario que ele já recebe UV mais que suficiente durante o dia muito obrigado. As plantas são incrivelmente exuberantes e saudáveis e às vezes ameaçam tapar todo o espaço entre as salas de jantar e estar, e o facão brasileiro de cabo de corda que o C.T. tinha pendurado na parede ao lado da baloiçante cristaleira com a porcelana deixou de ser realmente uma piada. A Mães chama as plantinhas de seus Bebês Verdes, e para uma canadense tem uma mão jardinisticamente bem espetacular.

"Os leucodérmicos. Os xantodônticos. Os maxilofacialmente inchados. Aqueles com órbitas distorcidas de toda espécie. Saiam da luz-esconderijo do sol é o que se diz aqui. Se protejam da chuva espectral." O sotaque radiofônico de Madame Psicose não é de Boston. Ela pronuncia os *r* de trava de sílaba, para começar, e não há vestígio da gagueira refinada de Cambridge. É o sotaque de alguém que passou algum tempo ou perdendo um cantarolado do Sul ou cultivando. Não é seco e fanhoso como o de Stice e não é arrastado como o das pessoas da academia de Gainesville. A própria voz dela é parcamente modulada e estranhamente vazia, como se estivesse falando de dentro de uma caixinha. Não é entediada, lacônica, irônica ou sarcástica. "Os de hálito de basilisco e os piorreicos." É reflexiva mas não cáustica, de alguma maneira.

A voz dela parece reconditamente familiar para Mario como certos cheiros da infância vão te parecer familiares e bizarramente tristes. "Ó vós os perônicos e teratoides. Os frenologicamente deformes. Os supurativamente lesionados. Os endocrinologicamente malcheirosos de qualquer denominação. Corram e não passem direto. Os de nariz-de-acérvulo. Os radicalmente -ectomizados. Os morbidamente diaforéticos com um lencinho em cada bolso. Os cronicamente granulomatosos. Aqueles diz aqui aqueles que os maldosos chamam de Dois-Sacos — um saco para a sua cabeça, um saco para a cabeça do observador caso o seu saco caia. Os odiados e sem amores e evitados, que se mantêm à sombra. Os que se despem apenas diante de seus bichos. Os entre aspas esteticamente prejudicados. Deixai vossos lazaretos e covis, eu estou lendo isso aqui bem na minha frente, os seus armários e porões e Tableaux de TP, encontrai Aceitação, Apoio e Força Interior para encarar a vossa própria imagem sem desviar os olhos, é o que isso aqui vai dizendo, quiçá um tanto exageradamente. É o nosso lugar definitivo. Diz aqui Carinho em vez de Escarrinho. Diz Venha envergar o véu de tipo e símbolo. Venha aprender a amar o que está oculto por dentro. Para guardar no coração. Os quase incrivelmente caneludos. Os cifóticos e lordóticos. Os irremediavelmente celulíticos. Diz Progresso em vez de Perfeição. Diz Nunca Perfeição. Os fatalmente pulcritudinosos: Bem-Vindos. Os Acteonizantes, lado a lado com os Medusoides. Os papulares, os maculares, os albínicos. Medusas e *odalisques* tanto faz: Venham encontrar o que têm em comum. Todas as salas de reuniões sem janelas. Isso está em itálico: toda as salas de reuniões sem janelas." Sem contar que a música que ela soltou para essa leitura sem inflexões é estranhamente atraente. Você nunca consegue prever o que vai ser, mas com o tempo surge uma espécie de padrão, uma tendência ou um ritmo. A trilha de hoje se encaixa, de alguma maneira, no que ela lê. Não há nenhum momento real no que ela diz. Você não sente que aquilo está querendo chegar a algum lugar. A coisa que você se vê levado a ver enquanto ela lê é algo que pendula pesado na ponta de uma corda longa. É suficientemente tom-menor para ser macabro contra o cantarolar vazio da voz e os tinidos de dentes de garfos e porcelana enquanto os parentes de Mario comem salada de peru e crosiers no vapor, bebem cerveja, leite e vin blanc de Hull lá atrás das plantas banhadas de luz purpúrea. Mario pode ver a nuca da Mães bem acima da mesa, depois mais para a esquerda o braço direito inflado de Hal e aí o perfil de Hal quando ele abaixa para comer. Tem uma bola ao lado do prato dele. Parece que os jogadores da ATE precisam comer seis ou sete vezes por dia. Hal e Mario tinham ido a pé para o jantar das 2100 na CD depois que o Hal tinha lido alguma coisa para a aula do sr. Leith e depois desaparecido por coisa de meia hora enquanto Mario ficava parado apoiado na trava policial esperando por ele. Mario esfrega o nariz com a base da mão. Madame Psicose tem uma visão não irônica mas em geral sombria a respeito do universo em geral. Uma das razões da obsessão de Mario por ela é que ele de alguma maneira tem certeza de que a própria Madame Psicose não consegue sentir a atraente beleza e a luz que ela de alguma maneira projeta pelo ar. Ele tem visões em que interfaceia com ela e lhe diz que ela ia se sentir muito melhor se ouvisse o seu próprio programa, ele aposta. Madame Psicose é uma das duas únicas pessoas com quem Mario adoraria conversar mas teria medo de tentar. A palavra *periódico* pipoca na cabeça dele.

"Ô Hal?", ele diz através das plantas.

Tipo por meses a fio no primeiro semestre do ALCA ela se referiu ao seu programa como "A Hora Literário-Macambúzia da Madame" e ficou lendo um livro depressivo atrás do outro — *Good Morning, Midnight* e *Maggie: A Girl of the Streets*, *Giovanni's Room* e *À sombra do vulcão*, sem contar um período absolutamente horroroso de Bret Ellis durante a Quaresma — com voz monocórdia, bem devagar, noite após noite. Mario fica sentado na mesinha de centro baixa cópia de Van der Rohe de pernas curvas (a mesa) com a cabeça de lado bem grudada no falante, as garras no colo. Os dedos do pé tendem a virar para dentro quando ele senta. A trilha sonora é tanto previsível quanto, nos limites dessa previsibilidade, surpreendente: é periódica. Sugere expansão sem de fato se expandir. Conduz exatamente ao tipo de inevitabilidade que nega. É violentamente digital, mas com algo de um buquê coral. Mas inumana. Mario pensa na palavra *obsedante*, como em "um eco *obsedante* de coisa e tal". A música de Madame Psicose — que o engenheiro estagiário nunca escolhe nem a vê trazer — é sempre terrivelmente obscura[66] mas com frequência tão bizarramente vigorosa e encantadora quanto a voz dela e o próprio programa, sente a comunidade do MIT. Ela tende a te deixar com a sensação de que existe uma brincadeirinha interna que só você e ela estão sacando. Muito poucos ouvintes fiéis da WYYY dormem bem de seg. a sex. Mario às vezes tem problemas para respirar na horizontal, mas fora isso ele dorme como um bebê. Avril Incandenza mantém o velho hábito da região de L'Islet de tomar só um chazinho com bolachas na hora do jantar dos EU e esperar para comer de verdade logo antes de ir dormir. Os canadenses cultos tendem a pensar que a digestão vertical deixa a mente lenta. Algumas das primeiras memórias de Orin, Mario e Hal são de apagar à mesa da sala de jantar e serem carregados para a cama por um homem muito alto. Isso foi numa casa diferente. As músicas de Madame Psicose despertam memórias muito antigas do pai de Mario. Avril está mais do que disposta a aturar uma encheção de saco bem-humorada sobre a sua incapacidade de comer antes de tipo 2230h. A música prandial tem poucos encantos ou associações para Hal, que como quase todos os meninos que fazem treinos duplos diários segura os talheres com o punho cerrado e come como um cão selvagem.

"Nem se excluem os totalmente privados de nariz, nem os hediondamente estrábicos e vesgos, nem sejam os ergóticos de S. Antônio, os leprosos, os variceliformicamente eruptivos nem os sarcomados de Kaposi."

Hal e Mario provavelmente comem/ouvem tarde da noite na CD duas vezes por semana. Avril gosta de ver os dois fora da constrangedora formalidade do cargo dela na ATE. C.T. é a mesma coisa em casa e no escritório. Tanto o quarto de Avril quanto o de Tavis ficam no segundo andar, a bem da verdade um bem ao lado do outro. O único outro cômodo lá em cima é o escritório de Avril, com um grande Xerox colorido de M. Hamilton como a Bruxa do Oeste de Oz na porta e cabeamento customizado de fibra óptica para um console de TP trimodem. Uma escada vai do escritório dela pelos fundos da CD, rumo norte, até um túnel-afluente que leva ao túnel principal para o Com.-Ad., de modo que Avril pode ir para a ATE subterraneamente. O túnel da CD se liga ao principal num ponto entre a Sala da Bomba e o Com.-Ad., o que significa que Avril nunca tipo passa à toa corcovadinha pela Sala da Bomba, coisa que Hal obviamente aprova. Os jantares tardios na CD, para Hal, são limitados por deLint à bissemanalidade no máximo porque o isentam dos treinos matutinos, o que também significa possibilidades noturnas de safadeza. Às vezes eles levam o canadense John ("Nada a Ver") Wayne com eles, de quem a sra. I. gosta e com quem conversa animadamente embora ele raramente abra a boca durante todo o tempo que passa lá e também coma qual um cão selvagem, por vezes chegando até a abandonar de vez os talheres. Avril também gosta quando Axford vem; Axford tem dificuldade para comer e ela gosta de exortá-lo a comer. Muito raramente hoje em dia Hal leva Pemulis ou Jim Struck, com quem Avril é tão irrepreensivelmente, irritadiçamente educada que a tensão na sala de jantar arrepia cabelos.

Sempre que Avril abre folhas de fícus para verificar, Mario ainda está abaixado com os pezinhos para dentro e inclinado na mesma postura RCA-victoriana, com a ruguinha horizontal na testa que significa que ele está ouvindo ou pensando muito sério.

"Os amputados múltiplos. Os de próteses equivocadas. Os dentuços, com papadas ou sem queixo, os com bochechas de morsa. Os palatalmente fendidos. Os de poros imensos. Os excessiva mas não necessariamente lincatropicamente hirsutos. Os cabeças-de-alfinete. Os convulsivamente tourétticos. Os parkinsonianamente trêmulos. Os enanificados e torcidos. Os teratoides faciais. Os tortos e dobrados, corcovados e halitóticos. Os de um jeito ou de outro assimétricos. Os de cara murina, sáuria e equina."

"Ô Hal?"

"Os trinarinados. Os de boca e olhos invaginados. Aqueles com grandes bolsas frouxas sob os olhos que pendem quase na metade da cara. Os com doença de Cushing. Os que parecem ter síndrome de Down mesmo não tendo síndrome de Down. A decisão é sua. Pode escolher. Diz aqui Você é bem-vindo qualquer que seja a gravidade. A gravidade está nos olhos de quem vê, diz aqui. Dor é dor. Pé-de-galinha. Marca de nascença. Rinoplastia que não colou. Verruga. Mandíbula de Habsburgo. Acordou com o cabelo feio *neste ano*."

O engenheiro estagiário da WYYY no seu sulco contempla a lua, que parece meio que uma lua cheia que alguém socou um pouquinho com um martelo. Madame Psicose pergunta retoricamente se a circular esqueceu alguém. O engenheiro termina o Refri e se prepara para descender uma vez mais para o encerramento da hora, com a pele virada para o terrível ar gelado cerebral que vem do Charles, eólico e azul. Às vezes Madame Psicose atende uma chamada aleatória para começar os *Sessenta Minutos +/–*. Hoje o único que ela acaba atendendo tem uma gagueira refinada e convida MP e a comunidade da YYY a considerar o fato de que a lua, que obviamente como qualquer néscio sabe gira em torno da Terra, não gira ela também. Será verdade? Ele diz que é. Que ela só fica ali, oculta e revelada pelos ritmos da nossa sombra redonda, mas sem jamais girar. Que ela nunca vira a cara.

O aparelhinho Heathkit não recebe sinais dentro das escadarias subdurais do Cerebrum, durante a descensão, mas o engenheiro estagiário antevê que ela não vai dar uma resposta direta. A despedida dela é mais tempo-morto. Ela quase lembrava ao engenheiro certos tipos do segundo grau que todo mundo adorava porque você sentia que para aquelas pessoas não fazia nenhuma diferença se você as adorava ou não. Se bem que teria feito uma bela diferença para o engenheiro, que não tinha sido convidado a nenhuma festa de formatura, com sua bombinha e aquela pele.

A sobremesa que Avril serve quando Hal vai jantar são os infames quadradinhos de gelatina-de-alto-teor-de-proteína da sra. Clarke, à venda em vermelho-brilhante ou verde-brilhante, mais ou menos gelatininha com esteroides. O Mario adora. O C.T. tira a mesa e coloca tudo na lava-louça, já que ele não cozinhou, e Hal entra no casaco lá tipo 0101h. Mario ainda está ouvindo a vinheta de despedida noturna da WYYY, o que leva um tempinho porque eles não apenas listam as especificações da kilowattagem da emissora mas repassam as provas das fórmulas que permitem que se obtenham as especificações. C.T. sempre derruba pelo menos um prato na cozinha e aí solta um berro. Avril sempre traz uns quadradinhos de gelatina-do-demônio para Mario e adota um tom de imitação de severidade e diz a Hal que foi razoavelmente agradável vê-lo fora dos bâtiments sanctifiés. A coisa toda para Hal às vezes fica ritualística e quase alucinatória, a rotina do adeus pós-prandial. Hal fica parado sob o grande cartaz emoldurado de *Metrópolis*, estapeia uma luva na outra e sorri para ela lá do alto e diz: "Arranje encrenca".

E Avril sempre faz uma espécie de expressão imitando contrariedade e diz: "Você, por favor, em hipótese alguma, se divirta", que toda vez Mario ainda acha engraçado de rolar de rir, uma semana depois da outra.

A Casa Ennet de Recuperação de Drogas e Álcool é a sexta de sete unidades exteriores no terreno de um complexo do Hospital de Saúde Pública da Marina de Enfield que, da altura de um ventilador de deslocamento industrial ATHSCME 2100 ou do alto do morro da Academia de Tênis Enfield, lembra sete luas orbitando um planeta morto. O prédio do hospital propriamente dito, uma instalação para veteranos, de tijolos cor de ferro e telhados íngremes de ardósia, está fechado e isolado por um cordão, com tábuas claras de pínus cobrindo cada possível acesso e abertura, com placas governamentais bastante rigorosas a respeito de invasões. A Marina de Enfield foi construída durante ou a Segunda Guerra ou a Guerra da Coreia, quando houve grande mortandade e muita convalescência. Praticamente as únicas pessoas que hoje usam o complexo da Marina de Enfield de alguma maneira veterânica são ao que parece ex-soldados do Vietnã de olhos perdidos e casacos camuflados desmangados para virar coletes, ou então veteranos radicalmente velhos da Coreia que hoje estão senis ou terminalmente alcoólicos, ou ambas as coisas.

Com o prédio do hospital propriamente dito já sem equipamentos e fios de cobre, defunto, a Marina de Enfield permanece no azul ao manter vários prédios menores no terreno do complexo — prédios do tamanho de residências prósperas, que abrigavam médicos militares e o pessoal de assistência — e alugar esses espaços a diferentes agências e serviços de saúde ligados ao Estado. Cada prédio tem um número-de-unidade que aumenta de acordo com o afastamento ou a proximidade da unidade em relação ao defunto hospital, via uma estradícula de cimento maltratado que se estende desde o estacionamento do hospital, e a uma íngreme ravina que dá para uma parte particularmente desagradável da Commonwealth Avenue de Brighton, MA, e os trilhos de trem da sua Linha Verde.

A Unidade nº 1, bem junto ao lote sob a sombra vespertina do hospital, está alugada por alguma agência que parece só empregar uns camaradas de gola olímpica; ela presta assistência psicológica a veteranos do Vietnã de olhar perdido que sofrem de certos transtornos muito-pós-traumáticos, e fornece diversos medicamentos pacificadores. A Unidade nº 2, vizinha, é uma clínica de metadona supervisionada pela mesma Divisão de Serviços de Abuso de Substâncias que fiscaliza a Casa Ennet. Os clientes em busca dos serviços das Unidades 1 e 2 chegam ao sol-levante e formam longas filas. Os clientes da Unidade nº 1 tendem a se congregar em grupos de três ou quatro indivíduos de opiniões semelhantes que gesticulam um monte e ficam com o olhar perdido e basicamente puto de alguma forma geopolítica generalizada. Os clientes da clínica de metadona tendem a chegar com uma cara via de regra ainda mais emputecida e os seus olhos matutinos tendem a saltar e a tremular como os olhos dos asfixiados, mas eles não se agrupam, na verdade ficam parados de pé ou recostados na longa cerca da entrada da nº 2, braços cruzados, sozinhos, pensativos, solo, afastados — cinquenta ou sessenta pessoas todas dando um jeito de fazer fila numa trilha estreita esperando que o mesmo prediozinho destranque a estreita porta da frente e ainda assim dando um jeito de parecerem sós e isoladas é uma visão estranha, e se Don Gately tivesse visto um balé uma única vez ele teria, como residente da Ennet, do seu posto-fumígero de sol-levante na saída de incêndio na frente do quarto masculino de 5 no segundo andar, visto os movimentos e as posturas necessários para manter esse isolamento-em-união como algo balético.

A outra grande diferença entre as Unidades 1 e 2 é que os clientes da nº 2 saem do prédio profundamente modificados, com os olhos não apenas dentro da cabeça novamente mas pacíficos, ainda que um tanto opacos, mas enfim de modo geral simplesmente bem melhor e mais em ordem do que quando chegaram, enquanto os fregueses de olhar perdido da nº 1 tendem a sair da nº 1 com uma cara ainda mais tensa e historicamente ferida do que quando entraram.

Quando Don Gately estava bem no comecinho do seu período na Casa Ennet ele quase foi expulso por se juntar a uma figura viciada em metedrina megachave-de-cadeia que era de New Bedford e fugir depois do toque de recolher, atravessar o complexo do HSPME no meio da noite e pendurar uma placa enorme na estreita porta da frente da clínica de metadona da Unidade nº 2. A placa dizia FECHADA ATÉ SEGUNDA

ORDEM POR DETERMINAÇÃO DO GOVERNO DE MASSACHUSETTS. O primeiro funcionário da clínica de metadona só chega para abrir a porta às 0800h, e contudo já se mencionou como os clientes da nº 2 sempre começam a aparecer torcendo as mãozinhas e de olhos saltados tipo ao nascer do sol, para esperar; e Gately e a figura ciclonada de New Bedford nunca viram nada parecido com as crises psíquicas e o quase-levante-cívico daqueles semiex-junkies — homossexuais pálidos finos que nem papel e fumando sem parar e uns camaradas tipo durões barbados e com boininhas de couro, mulheres de moicano e com múltiplos chicletes na boca, molequinhos endinheirados com carros reluzentes e joias computadorizadas que tinham chegado, como muitos deles vinham fazendo como ratos hipercondicionados havia anos, ao sol-levante com os olhos projetados, com kleenexes no nariz, esfregando os braços e se pondo primeiro num pé depois no outro, fazendo basicamente de tudo menos de fato congregar, doidos pelo alívio químico, prontos a ficar no frio exalando vapor por horas em nome desse alívio, que tinham chegado com o sol e que agora pareciam ser informados de que o Governo de MA ia subitamente retirar a perspectiva desse alívio até (e foi isso que pareceu levar aquele pessoal ao limite da loucura lá no estacionamento) até Segunda Ordem. *Píssico* poucas vezes gozou de denotação tão literal. Ao som da primeira janela quebrada e com a visão de uma puta velha detonada tentando acertar um motoqueiro de colete de couro com uma velha placa pré-métrica A GRAMA CRESCE POR POLEGADAS MAS MORRE POR PÉS do patético jardinzinho da clínica da nº 2 a figura do pó-de-anjo começou a rir tão alto que derrubou o binóculo lá da saída de incêndio do primeiro andar da Ennet de onde eles estavam assistindo, tipo 0630h, e o binóculo atingiu a capota de um dos carros dos conselheiros da Casa Ennet bem embaixo deles na estradícula, com um baque estalado, bem quando ele estava encostando, o conselheiro, seu nome era Calvin Thrust e ele estava sóbrio havia quatro anos e era um ex-ator pornô de NYC que tinha passado também pela Casa e que agora tolerava absolutamente zero baixaria de qualquer residente, e a menina dos seus olhos era aquele Vette customizado, e o binóculo fez um amassado bem feio, sem contar que era o binóculo de ornitólogo amador da Gerente da Casa e tinha sido emprestado lá do escritório dos fundos sem permissão explícita, e a longa queda e impacto não lhe fizeram nada bem, para dizer o mínimo, e Gately e a figura da metedrina foram apanhados e postos em Restrição Plena e muito-quase expulsos. A figura de New Bedford voltou à agulha aminadora umas semanas depois e foi descoberta por um funcionário da noite simultaneamente tocando guitarra no ar e limpando as tampas de todas as mercadorias enlatadas doadas na despensa da Casa Ennet bem depois da hora de dormir, peladona e laqueada de suor de bolinha, e depois da formalidade de um exame de urina a moça recebeu um belo pé administrativo na bunda — mais de um quarto dos residentes que entravam na Casa Ennet eram dispensados por causa de urina ruim nos primeiros trinta dias, e é a mesma coisa em todas as outras casas de recuperação de Boston — e a menina acabou voltando a New Bedford, e aí em coisa de tipo três horas de estar na rua foi presa pelos Homens de New Bedford por causa de um mandado antigo e enviada para a Feminina de Framingham para puxar de 1-a-2, e foi encontrada uma manhã na cama com um estoque improvisado metido nas partes pudendas, outro no pescoço e um mapa pessoal definitivamente encerrado, e o conselheiro individual de Gately Gene M. deu a notícia a Gately e pediu que ele visse o falecimento da viciada em metedrina como um nítido caso de Ali Não Fosse a Graça de Deus Seria a História de D. W. Gately.

A Unidade nº 3, na frente da nº 2 do outro lado da estradícula, está desocupada mas sendo recondicionada para ser alugada; as janelas não estão entabuadas e o pessoal da manutenção da Marina de Enfield vai lá umas duas vezes por semana com ferramentas e cabos elétricos e faz um puta esporro. Pat Montesian ainda não conseguiu descobrir que tipo de infortúnio grupal a nº 3 será destinada a servir.

A unidade nº 4, mais ou menos equidistante tanto do estacionamento do hospital quanto da ravina íngreme, é um repositório para doentes de Alzheimer com pensões militares. Os residentes da nº 4 usam pijaminha 24 horas por dia 7 dias por semana, com as fraldas por baixo concedendo-lhes um aspecto calombudo e bebezal. Os pacientes são vistos frequentemente nas janelas da nº 4 de pijaminha, estatelados contra o vidro e de boca aberta, às vezes gritando, às vezes só mudamente boquiabertos, estatelados. Eles causam faniquitos ululantes em todo mundo na Casa Ennet. Uma enfermeira anciã aposentada da Força Aérea só faz gritar "Socorro!" horas a fio de uma janela do segundo andar. Como os residentes da Casa Ennet recebem treinamento segundo um programa de recuperação do AA de Boston que enfatiza muito o ato de "Pedir Socorro", a gritante enfermeira aposentada da Força Aérea é objeto de um certo humor macabro às vezes. Não tem nem seis semanas, encontrou-se uma grande placa de PROCURA-SE: MARIA DEL SOCORRO presa à lateral da nº 4 bem embaixo da janela da enfermeira aposentada gritalhona, e o diretor da nº 4 não viu a menor graça e exigiu que Pat Montesian identificasse e punisse os residentes da Casa Ennet responsáveis pelo ato, e Pat delegou a investigação a Don Gately, e embora Gately tivesse uma muito boa ideia de quem fossem os delinquentezinhos ele não teve ânimo para apertar de verdade o pessoal e sentar a mão em alguém por causa de uma coisa tão com a cara de algo que ele mesmo teria feito quando era novo e cínico, e aquilo tudo basicamente morreu.

A unidade nº 5, do outro lado da rua, de filanco em relação à Casa Ennet, é para catatônicos e vários pacientes vegetaloides e em posição fetal terceirizados para uma agência estatal de apoio à comunidade por hospitais lotados. A unidade nº 5 é chamada, por motivos que Gately nunca conseguiu identificar com exatidão, de Depósito.[67] Ela é, compreensivelmente, um lugarzinho quieto. Mas com tempo bonito, quando seus internos mais portáteis são levados para fora e colocados no jardim da frente para tomar ar, ali parados apoiados em coisas e olhando para a frente, eles geram um tableau com o qual Gately levou algum tempo para se acostumar. Uns residentes mais novos foram expulsos mais para o fim do tratamento de Gately por jogar bombinhas no meio do grupo de catatônicos do jardinzinho para ver se conseguiam fazer eles pularem ou demonstrarem alguma emoção. Em noites quentes, uma senhora de membros compridos e de óculos que parece mais autista que catatônica tende a sair do Depósito enrolada num lençol e pôr as mãos na fina casca brilhante de um bordo prateado no jardim da nº 5, fica ali tocando a árvore até perder a contagem dos internos na hora de dormir e alguém vir buscá-la; e desde que Gately se formou no tratamento e aceitou a proposta de trabalhar como funcionário residente da Ennet ele às vezes acorda no seu quarto funcional do porão perto do telefone e da máquina de tônica e olha pela janelinha fuligenta no nível do chão ao lado da cama e vê a catatônica tocando a árvore de lençolzinho e óculos, iluminada pelo neon da Comm. Ave. ou pela estranha luz de sódio que vaza da escolinha de tênis metida a besta lá em cima do morro, ele fica olhando ela ali parada e sente uma estranha empatia arrepiada que tenta não associar com a visão da sua mãe desmaiada em alguma peça da sala de estar forrada de chita.

A Unidade nº 6, já encostadinha na ravina no lado leste da ponta da estrada esburacada, é a Casa Ennet de Recuperação de Drogas e Álcool, três andares de tijolo caiado da Nova Inglaterra com o tijolo aparecendo em certos lugares através da cal, um teto tipo mansarda que está soltando telhas verdes, uma escabrosa saída de incêndio em cada janela superior, uma porta dos fundos que nenhum residente tem permissão de usar e um escritório na frente lá na fachada sul com uma imensa bay window que protubera da parede com vista para o mato-de-ravina e o desagradável pedacinho da Commonwealth Ave. O escritório da frente é o escritório da direção, e a bay window, única característica atraente da casa, é mantida imaculadamente limpa por qualquer residente que pegue Janelas do Escritório da Frente como sua Tarefa Doméstica Semanal. A água mais baixa da mansarda cobre sótãos tanto do lado masculino quanto do feminino da Casa. Chega-se aos sótãos através de alçapões no teto do segundo andar e eles estão cheios até as vigas de sacos de lixo e baús, os bens não reclamados de residentes que simplesmente sumiram em algum momento de sua estada ali. Os arbustos em torno de todo o primeiro andar da Casa Ennet parecem explosivos, inflados em certas partes impodadas, e há papel de chocolate e xícaras de isopor presas em todos os verdes níveis dos arbustos, e espalhafatosas cortinas caseiras voam das janelas do quarto feminino no segundo andar, que parecem ficar abertas tipo o ano todo.

A Unidade nº 7 fica no lado oeste da extremidade da rua, enfiada na sombra do morro e equilibrada bem na pontinha da ravina erodida que leva para a avenida. A nº 7 está em péssimo estado, coberta de tapumes, sem manutenção e com um telhado vermelho violentamente afundado no meio como quem dá de ombros para alguma indignidade sem sentido. Para um residente da Casa Ennet, entrar na Unidade nº 7 (que pode ser facilmente penetrada através da placa removível de pinho que tapa uma janela velha da cozinha) é motivo para uma imediata dispensa administrativa, já que a Unidade nº 7 é infame por ser o lugar em que os residentes da Casa Ennet que querem ter uma recaída secreta com as Substâncias se escondem, consomem Substâncias, se aplicam Visine e Clorets e tentam voltar para o outro lado da rua a tempo de pegar o toque de recolher das 2330 sem ser apanhados.

Atrás da Unidade nº 7 começa o que é de longe o maior morro de Enfield, MA. A encosta do morro é cercada, proibida, densamente coberta de vegetação e sem trilhas determinadas. Como a rota oficial envolve caminhar rumo norte por toda a estrada esburacada passando pelo estacionamento, pelo hospital, pela entradinha em curva acentuada que leva à Warren Street e voltando para o sul pela Warren até a Commonwealth, quase metade dos residentes da Casa Ennet ultrapassa a cerca dos fundos da nº 7 e sobe a encosta do morro todas as manhãs, atalhando o caminho que os leva a empregos temporários de salário mínimo tipo na Casa de Repouso Providência ou nos Sistemas de Pressão Medicinal Shuco-Mist etc., morro acima pela Comm., ou a empregos de zelador ou cozinheiro na rica escola de tênis para tenistazinhos louros e reluzentes no que era antes o topo do morro. Don Gately ouviu dizer que o labirinto de quadras de tênis da escola fica hoje no que era antes o topo do morro do morro da academia antes de corpulentos empreiteiros charuteiros da academia terem rasourado o topo curvo e aplainado o novo topo plano, com todo o longo processo estrondoso mandando tudo quanto era espécie de caliça danosa tipo em avalanches por toda e sobre toda a Unidade nº 7 da Marina de Enfield, coisa que você pode ter certeza que levou a administração militar da Marina de Enfield aos tribunais anos atrás; mas Gately não sabe que o encalvamento que a ATE promoveu no morro é a razão de a nº 7 ainda estar vazia e sem reformas: a Academia de Tênis Enfield ainda precisa pagar um aluguel inteiro, todo mês, pelo que ela quase soterrou.

6 DE NOVEMBRO
ANO DA FRALDA GERIÁTRICA DEPEND

1610h. Sala de Musculação da ATE. Circuitos livres. O baque e estalo de vários sistemas de resistência. Lyle sobre o porta-toalhas dialogando com um extremamente úmido Graham Rader. Schacht fazendo abdominais, prancha quase vertical, rosto roxo e testa pulsando. Troeltsch perto da máquina de agachamento assoando o nariz numa toalha. Coyle fazendo halteres só com a barra. Carol Spodek fazendo rosca, atenta ao espelho. Rader balançando a cabeça enquanto Lyle se curva e se aproxima. Hal no banquinho atrás da prancha de supino inclinado à sombra da faia-europeia gigante do outro lado da janela oeste fazendo exercícios para uma panturrilha, para o tornozelo. Ingersoll na barra móvel, constantemente aumentando o peso contra os conselhos de Lyle. Keith ("O Viking") Freer[68] e o esteróidico Eliot Kornspan, de quinze anos, um ajudando o outro com imensas roscas duplas perto do banco do bebedouro, se revezando para berrar encorajamentos. Hal fica parando para se encostar e cuspir num velho copo da NASA que está no chão perto do banquinho. O treinador Barry Loach andando por ali com uma prancheta na qual não escreve nada, mas observando atentamente as pessoas e balançando bastante a cabeça. Axford sem um pé de sapato num canto, fazendo alguma coisa com o pé descalço. Michael Pemulis sentado de pernas cruzadas no banquinho do bebedouro logo ao lado do quadril esquerdo de Kornspan, fazendo exercícios faciais isométricos, tentando entreouvir Lyle e Rader, fazendo careta cada vez que Kornspan e Freer berram um para o outro.

"Mais três! Ergue esse negócio!"

"Ruuuuwaaaaa."

"Ergue essa merda, meu!"

"Gg-rrruuuuuuuwaaaaa!"

"Esse treco estuprou a tua irmã! Ele matou a tua mãe, caralho!"

"Ruhl ruhl ruhl ruhl gwwwww."

"Anda!"

Pemulis estica bem a cara um tempo, depois a encolhe toda, depois a deixa toda meio côncava e esticada como um dos papas de Bacon.

"Bom vamos supor" — Pemulis mal consegue ouvir Lyle — "Vamos supor que eu te desse um chaveiro com dez chaves. Com, não, com cem chaves, e eu te dissesse que uma das chaves é a da porta, dessa porta que a gente está imaginando que guarda tudo que você quer ser como jogador. Quantas dessas chaves você estaria disposto a tentar?"

Troeltsch grita para Pemulis: "Faz a cara do deLint se masturbando de novo!". Pemulis por um segundo deixa a boca cair frouxa e os olhos rolarem para cima e bate as pálpebras, mexendo a mão fechada.

"Bom eu ia tentar tudo as chave", Rader diz a Lyle.

"Ruhl. Ruhl. Gwwwwwwww."

"Puta que pariu! Caralho!"

As caretas de Pemulis parecem um tipo de exercício isométrico facial.

"Faz a Bridget dando piti! Faz o Schacht no banheiro!"

Pemulis pede silêncio com um dedo.

Lyle nunca sussurra, mas é quase a mesma coisa. "Então você está disposto a cometer erros, está vendo. Você está dizendo que vai aceitar 99% de erro. O perfeccionista paralisado que você diz que é ia ficar ali parado na frente daquela porta. Balançando as chaves. Com medo de tentar a primeira."

Pemulis puxa o lábio inferior o mais para baixo que pode e contrai os músculos da bochecha. Tendões saltam no pescoço de Freer enquanto ele grita com Kornspan. Há uma nevoazinha parada de cuspe e suor. Kornspan parece prestes a ter um derrame. Há 90 kg na barra, que já pesa 20 kg.

"Mais uma seu bostinha. Aguente cacete."

"Merda. Merda seu bosta. Gwwwwww."

"Aguente a dor."

Freer está com um dedo embaixo da barra, mal ajudando. O rosto vermelho de Kornspan está saltando em volta do crânio.

A barra menor de Carol Spodek sobe e desce silenciosa.

Troeltsch aparece, senta e serra a nuca com a toalha, olhando para Kornspan. "Acho que todas as roscas que eu fiz na vida não chegam a 110 juntas", ele disse.

Kornspan está fazendo sons que não soam como se estivessem saindo da garganta dele.

"Isso! Yiiissss!", urra Freer. A barra desmorona no chão de borracha, fazendo Pemulis contorcer o rosto. Todas as veias de Kornspan estão saltadas e pulsando. A barriga dele parece grávida. Ele põe as mãos nas coxas e se inclina para a frente, um fio de alguma coisa pendurado na boca.

"Isso é que é aguentar, *meu filho*", Freer diz, indo para a caixa que fica no armário para pegar resina para as mãos, olhando-se andar até o espelho.

Pemulis começa muito lentamente a se inclinar na direção de Kornspan, olhando confidencialmente em volta. Ele vai indo até ficar com o rosto bem perto da lateral da cabeça mesomórfica de Kornspan e sussurra. "Ô. Eliot. Ô."

Kornspan, dobrado, peito ofegante, vira um pouco a cabeça para ele. Pemulis sussurra: "Bundão".

Se, em virtude da caridade ou de uma circunstância de desespero, você por acaso vier um dia a passar algum tempo numa instituição de recuperação para abuso de substâncias como a estatalmente subsidiada Casa Ennet de Enfield, MA, você vai adquirir todo um novo repertório de fatos exóticos. Você vai descobrir que depois que o Departamento de Serviço Social de MA tirou os filhos de uma mãe durante algum período, eles sempre podem levá-los de novo, o DSS, tipo quando quiserem, apoiados por pouco mais que um certo formulário assinado e carimbado, i. e., uma vez considerada Inadequada — não importa por que ou quando, ou o que tenha ocorrido de lá para cá — a mãe não pode fazer nada.

Ou por exemplo que as pessoas viciadas numa Substância que abruptamente param de ingerir a Substância muitas vezes sofrem com uma acne papular desgraçada, frequentemente por meses, enquanto os depósitos da Substância vão sendo eliminados do corpo bem devagar. Os funcionários vão te informar que isso ocorre porque a pele na verdade é o maior órgão excretor do corpo. Ou que o coração dos alcoólicos — por motivos que doutor nenhum conseguiu explicar — incha até ficar com o dobro do tamanho do coração civil humano, e nunca volta ao tamanho normal. Que há um certo tipo de pessoa que leva uma foto do terapeuta na carteira. Que (ao mesmo tempo um alívio e meio que uma bizarra decepção) os pênis negros em geral tendem a ter o mesmo tamanho dos pênis brancos, no geral. Que nem todos os homens dos EU são circuncidados.

Que você pode pegar meio que um leve baratinho anfetamínico se consumir velozmente três Refris 2000 e um pacote inteiro de bolachas Oreo de estômago vazio. (Só que precisa segurar sem vomitar, para dar o barato, o que os residentes mais antigos vivem esquecendo de contar aos residentes mais novos.)

Que a arrepiante palavra hispânica para qualquer transtorno interno que leva o viciado repetidamente de volta à Substância que o escraviza é *tecato gusano*, que parece conotar algum tipo de verme psíquico interior que não pode ser saciado ou morto.

Que os negros e os hispânicos podem ser tão ou mais racistas que os brancos, e aí podem ficar até mais hostis e desagradáveis quando essa percepção parece te deixar surpreso.

Que é possível, durante o sono, que alguns colegas de quarto extraiam um cigarro do seu maço de cabeceira, acendam, fumem até o sabugo, e aí amassem no cinzeiro de cabeceira — sem acordar uma só vez e sem incendiar nada. Você vai ser informado de que essa habilidade normalmente é adquirida em instituições penais, o que vai diminuir a sua inclinação para reclamar do hábito. Ou que nem tapa-ouvidos Flents industriais de espuma expansível resolvem o problema de um colega de quarto que ronca se o colega em questão é tão imenso e adenoidal que os roncos em questão também produzem vibrações subsônicas que arpejam subindo e descendo pelo seu corpo e fazem a sua cama sacudir como uma cama vibratória de motel.

Que as mulheres são capazes de ser tão vulgares a respeito das funções sexuais e eliminatórias quanto os homens. Que mais de 60% de todas as pessoas presas por delitos ligados a drogas e álcool relatam terem sofrido abuso infantil, com dois terços dos 40% restantes relatando que não conseguem lembrar a infância em detalhes suficientes para relatar sim ou não na questão abuso. Que você pode tecer hipnóticas harmonias à la Madame Psicose em torno do grito em Ré menor de um aspirador de pó barato, cantarolando sozinho enquanto aspira, se a sua Tarefa Doméstica for essa. Que algumas pessoas realmente têm cara de roedoras. Que algumas prostitutas viciadas em drogas têm mais dificuldade para largar a prostituição do que para largar as drogas, e a justificativa delas envolve as duas e diferentíssimas direções do fluxo de capital nos dois casos. Que há tantos termos de gíria para o órgão sexual feminino quanto para o masculino.

Que um paradoxo pouco mencionado do vício em Substâncias é: que assim que você fica suficientemente escravizado por uma Substância para precisar largar a Substância para salvar sua vida, a Substância escravizadora se tornou algo tão profundamente importante para você que você vai praticamente enlouquecer quando ela for tirada de você. Ou que algum tempo depois que a sua Substância escolhida foi simplesmente tirada de você para salvar a sua vida, enquanto você se abaixa para as orações matutinas e vespertinas exigidas, você vai se perceber começando a rezar para literalmente perder a cabeça, ser capaz de embrulhar a sua cabeça num jornal velho ou alguma coisa assim e deixá-la num beco para se virar sozinha, sem você.

Que na Grande Boston a palavra preferida para o órgão sexual masculino é: *Unidade*, por isso é que os residentes da Ennet se divertem cinicamente com as designações do Hospital da SPME para os prédios do seu terreno.

Que certas pessoas simplesmente não vão gostar de você por mais que você tente. Depois, que a maioria dos civis adultos não viciados já absorveu e aceitou esse fato, normalmente bem cedo.

Que por mais que você se achasse inteligente, você na verdade é bem menos inteligente do que pensava.

Que o "Deus" do AA e do NA e do CA aparentemente não exige que você acredite nEle/nEla/nIsto antes de Ele/Ela/Isto decidir te ajudar.[69] Que *dividir* quer dizer falar, e *fazer o inventário* de alguém quer dizer criticar essa pessoa, além de muitos outros fiapos de recuperacionês. Que uma parte importante da prevenção do Imunovírus

Humano numa casa de recuperação é não deixar a sua lâmina de barbear ou escova de dentes em banheiros comunitários. Que aparentemente uma prostituta experiente pode (dizem) aplicar uma camisinha na Unidade de um cliente tão habilmente que ele nem percebe que ela está lá até estar acabado, por assim dizer.

Que um cofrinho portátil de aço de dupla camada c/ fechadura de três ganchetas para a sua lâmina e escova pode ser obtido por menos de U\$ 35,00/ONAN \$ 38,50 via Ferragens Em-Kaza, e que Pat M. ou o Gerente da Casa deixam você usar o TP velho do escritório dos fundos para encomendar um se você estrilar de maneira prolongada.

Que mais de 50% das pessoas com um vício em Substâncias sofrem também de alguma outra forma reconhecida de transtorno psiquiátrico. Que alguns prostitutos ficam tão acostumados com enemas que não conseguem mais defecar direito sem eles. Que a maioria dos residentes da Casa Ennet tem pelo menos uma tatuagem. Que a importância desse dado é inanalisável. Que a palavra das ruas da Grande Boston para não ter dinheiro é: *contar flunfa*. Que o que alhures se chama de Informar, ou Dedar, ou Alcaguetar, ou Pagar pros Homens, é conhecido nas ruas da Grande Boston como "Comer Queijo", ao que tudo indica por um nexo associativo com *rato*.

Que argolas de nariz, língua, lábios e pálpebras raramente requerem efetiva penetração. Isso por causa da ampla variedade de argolas tipo clip-on no mercado. Que as argolas de mamilo requerem perfuração e que as de clitóris e glande não são coisas de que ninguém ache que você queira mesmo saber os detalhes. Que dormir pode ser uma forma de fuga emocional e pode com o devido esforço ser um vício. Que os americanos chamam homens e mulheres de *chicanos*. Que te custa U\$ 225 para conseguir uma carteira de motorista de MA com a sua foto mas não com o seu nome. Que se privar de sono de propósito também pode ser uma fuga viciante. Que jogar pode ser uma fuga viciante também, e trabalho, compras, roubar lojas, sexo, exercício, meditação/oração e sentar tão perto do velho monitor de cartuchos tipo TP da DEC que a tela preenche toda a sua visão e a carga estática da tela te faz cócegas no nariz como uma luvinha de lã.[70]

Que você não tem que gostar de uma pessoa para aprender com ele/ela/isto. Que solidão não é uma função de estar só. Que é possível ficar tão puto que você realmente vê o mundo vermelho. O que é um "Cateter Urinário Externo". Que tem gente que realmente rouba — rouba coisas que são *suas*. Que montes de adultos dos EU não sabem ler de verdade, nem mesmo uma dessas coisas fônicas em hipertexto de ROM com funções de AJUDA em cada palavra. Que alianças panelinhazísticas, exclusão e fofoca podem ser formas de fuga. Que validade lógica não é garantia de verdade. Que as pessoas más nunca acreditam que são más, e sim que *todos os outros* é que são maus. Que é possível aprender coisas valiosas com um imbecil. Que prestar atenção a qualquer estímulo por mais de alguns segundos requer esforço. Que você pode de repente do meio do nada querer ficar chapado com a sua Substância mas querer tanto que você acha que certamente vai morrer se não ficar, e mas pode só ficar ali sentado com as mãos se contorcendo no colo e o rosto suado de vontade, pode querer ficar chapado mas em vez disso pode só ficar ali, querendo mas não, se isso faz sentido, e que se você consegue ter peito e não pegar a Substância durante o desejo o desejo vai acabar *passando*, ele vai embora — pelo menos por um tempo. Que é estatisticamente mais fácil uma pessoa com QI baixo largar um vício do que uma pessoa com QI alto. Que a palavra das ruas da Grande Boston para pedir esmola é *dingar* e que alguns consideram essa atividade uma arte ou artesania; e que artistas profissionais da *dingância* chegam realmente a ter os seus coloquiozinhos profissionais de vez em quando, convençõezinhas, em parques ou entroncamentos de transporte público, à noite, em que eles se reúnem e cultivam boas relações e trocam opiniões a respeito de tendências, técnicas e relações públicas etc. Que é possível se viciar em remédios para gripe e alergia vendidos em qualquer farmácia. Que Nyquil tem mais de 25% de teor alcoólico. Que atividades entediantes se tornam, perversamente, muito menos entediantes se você se concentra bastante nelas. Que se um número suficiente de pessoas numa sala quieta está bebendo café é possível discernir o som do vapor saindo do café. Que às vezes os seres humanos simplesmente precisam ficar sentados no mesmo lugar e, tipo, *sofrer*. Que você vai ficar bem menos preocupado com o que as outras pessoas pensam de você quando perceber como elas pensam pouco em você. Que existe uma coisa chamada bondade, crua, inadulterada, sem segundas intenções. Que é possível cair no sono durante um ataque de pânico.

Que se concentrar muito em qualquer coisa dá muito trabalho.

Que o vício ou é uma doença, ou um problema psíquico, ou uma condição espiritual (como em "pobre de espírito"), ou um transtorno tipo TOC, ou um transtorno afetivo, ou de caráter, e que mais de 75% dos AAs veteranos de Boston que querem te convencer de que é um transtorno vão te fazer sentar e olhar enquanto eles escrevem *TRANSTORNO* num pedaço de papel e aí dividem e hifenam a palavra para ela virar *TRANS-TORNO*, e aí vão ficar te encarando como quem espera que você passe por algum tipo de revelação epifânica total, quando na verdade (como G. Day aponta incansavelmente para os seus conselheiros) mudar *TRANSTORNO* para *TRANS-TORNO* reduz um conceito e uma explicação a uma simples descrição de um sentimento, e ainda por cima de um jeito meio obscuro.

Que quase todas as pessoas viciadas em Substâncias também são viciadas em pensar, o que significa que elas têm uma relação compulsiva e patológica com o seu pensamento. Que a palavra fofinha do AA de Boston para o pensamento de tipo viciante é: *Paralisanálise*. Que na verdade um gato fica com uma diarreia violenta se você lhe der leite, ao contrário da imagem popular sobre gatos e leite. Que é pura e simplesmente mais agradável ficar feliz que ficar puto. Que 99% do que pensam os pensadores compulsivos é sobre si mesmos; que 90% desse pensamento autodirecionado consiste em imaginar e depois se preparar para coisas que vão acontecer com eles; e aí, bizarramente, que, se eles param para pensar no assunto, que 100% das coisas que eles gastam 99% do seu tempo e da sua energia imaginando e tentando se preparar para todas as contingências e consequências delas *nunca* são boas. E aí que isso se liga de uma forma bem interessante com o desejo dos primeiros dias de sobriedade de rezar pela perda literal da cabeça. Em resumo que 99% da atividade pensante da cabeça consiste dela própria tentando se fazer cagar de medo. Que é possível fazer ovos cozidos bem gostosos num forno de micro-ondas. Que a palavra das ruas bostonianas para superbacana é: *duca*. Que o espirro de todo mundo soa diferente. Que as mães de algumas pessoas nunca as ensinaram a se cobrir ou a desviar o rosto quando elas espirram. Que ninguém que tenha estado na prisão volta a ser a mesma pessoa de antes. Que você não precisa transar com uma pessoa para pegar chato. Que um quarto limpo é um lugar mais gostoso de estar que um quarto sujo. Que as pessoas de quem você deve ter mais medo são as pessoas que têm mais medo. Que precisa muita coragem para se deixar parecer fraco. Que você não precisa bater em ninguém nem quando está súper a fim. Que nem um único momento individual é em e por si próprio insuportável.

Que ninguém que um dia tenha ficado suficientemente escravizado no vício por uma Substância a ponto de precisar largar a Substância e conseguiu largar por um tempo e ficou careta, mas e aí por qualquer razão voltou e pegou de novo a Substância *jamais* relatou ter ficado feliz por ter feito isso, ter usado a Substância de novo e se reescravizado; nunquinha. Que *puxar* é a palavra das ruas para cumprir pena em cadeia, como em "Don G. estava lá em Billerica puxando seis meses". Que é impossível matar pulgas só com a mão. Que é possível fumar tantos cigarros que você chega a ficar com umas ulceraçõezinhas na língua. Que os efeitos de um excesso de xícaras de café não são de maneira alguma agradáveis ou quimicamente interessantes.

Que meio que todo mundo se masturba.

E muito, no final das contas.

Que o clichê "Eu não sei quem eu sou" infelizmente se revela mais do que um mero clichê. Que um passaporte com um nome falso custa U$ 330. Que outras pessoas muitas vezes podem ver coisas sobre você que você mesmo não consegue ver, mesmo que essas pessoas sejam imbecis. Que você pode conseguir um bom cartão de crédito com um nome falso por U$ 1500, mas que ninguém vai te responder claramente se esse preço inclui um histórico de crédito verificável e uma linha de crédito para quando o caixa passa o cartão falso pelo modemzinho de verificação da registradora com tudo quanto é segurança parrudo parado ali perto. Que ter um monte de dinheiro não imuniza as pessoas contra sofrimento ou medo. Que tentar dançar sóbrio é uma coisa totalmente diferente. Que nas ruas quando se fala em Comissão se fala da comissão do corretor de apostas numa aposta ilegal, normalmente 10%, que ou são subtraídos do que você ganha ou acrescentados à sua dívida. Que algumas pessoas sinceramente devotas e espiritualmente avançadas acreditam que o Deus que elas concebem as ajuda a encontrar vagas de estacionamento e lhes dá palpites de números da loteria de Mass.

Que baratas são, até certo ponto, algo com que você pode conviver.

Que "aceitação" normalmente é mais questão de fadiga que de qualquer outra coisa. Que pessoas diferentes têm ideias radicalmente diferentes de higiene pessoal básica.

Que, perversamente, com frequência é mais divertido querer alguma coisa que ter essa coisa. Que se você faz uma coisa legal para alguém em segredo, anonimamente, sem deixar a pessoa para quem você fez aquilo saber que foi você que fez e sem de maneira alguma tentar levar o crédito pela coisa feita, isso é quase um tipo novo de barato químico.

Que a generosidade anônima também pode ser uma Substância.

Que transar com alguém com quem você não se importa te deixa depois mais sozinho do que não ter transado.

Que é permitido *querer*.

Que todo mundo é idêntico na sua tácita crença secreta de que bem lá no fundo é diferente de todo mundo. Que isso não é necessariamente errado.

Que até pode não existir anjos, mas que tem gente que devia ser anjo.

Que Deus — a não ser que você seja o Charlton Heston, ou doido, ou as duas coisas — fala e age integralmente através do veículo que são os seres humanos, se é que existe Deus.

Que Deus pode considerar a questão de você acreditar ou não em Deus como algo bem baixo na lista que ele/ela/isto tem das coisas por que ele/ela/isto se interessa no que te diz respeito.

Que o cheiro de pé de atleta é doce-enjoativo v. o cheiro da putrefação micótica podiátrica, que é azedo-enjoativo.

Que uma pessoa — uma que tenha o Transtorno/-torno — é capaz de fazer coisas quando está afetada por Substâncias que simplesmente nunca faria sóbria e que certas consequências dessas coisas jamais podem ser apagadas ou consertadas.[71]

Delitos criminais são um exemplo disso.

Assim como as tatuagens. Quase sempre feitas por impulso, tatuagens são vívida e arrepiantemente permanentes. O batidíssimo "Faça Correndo, se Arrependa Com Calma" pode parecer ter sido quase projetado especialmente para as tatuagens. Por um tempo, o novo residente Míni Ewell ficou muitíssimo interessado e depois bizarramente obcecado pelas tatuagens dos outros e começou a passar de um em um pelos residentes da Ennet e pelas pessoas de fora que ficavam por ali às vezes para tentar se manter sóbrias, pedindo para ver as tatuagens deles e querendo saber as circunstâncias que cercavam cada tatuagem. Esses pequenos espasmos de obsessão — tipo primeiro com a definição exata de *alcoólico* e depois com os biscoitos Nestlé especiais de Morris H. até o surto de pancreatite, depois com os tipos exatos de dobras que cada um usava para fazer a cama — eram parte de como o Míni E. temporariamente perdeu a cabeça quando lhe tiraram a sua Substância escravizante. A coisa das tatuagens começou com o espanto classe média do Míni com a percentagem das pessoas da Casa Ennet que aparentemente tinha tatuagens. E as tatuagens pareciam tipo uns símbolos poderosos não só de seja lá o que significassem mas também da arrepiante irrevocabilidade dos impulsos quimicamente alterados.

Porque a coisa central disso das tatuagens é que elas são permanentes, é claro, irrevogáveis depois de feitas — é claro que é a irrevocabilidade da tatuagem que dá uma ligada na adrenalina da decisão quimicamente alterada de sentar na cadeira e fazer (a tatuagem) de uma vez — mas a coisa arrepiante da alteração química é que ela parece fazer você considerar só a adrenalina do momento, e não (com qualquer profundidade) a irrevocabilidade que produz a adrenalina. É como se a alteração química evitasse que a pessoa tipo-tatuagem fosse capaz de projetar em sua imaginação um momento além da adrenalina do impulso e até de considerar as consequências permanentes que estão produzindo o barato daquela empolgação.

O Míni Ewell é capaz de colocar essa mesma ideia abstrata mas não exatamente profunda de diversas formas, repetidamente, obsessivamente quase, e ainda assim não conseguir interessar nenhum residente tatuado, embora Bruce Green escute educadamente e a clinicamente deprimida Kate Gompert normalmente não tenha energia para levantar e ir embora quando o Míni começa, o que faz Ewell ir atrás dela vis-à-vis tatuagens, embora ela não tenha tatuagens.

Mas eles não têm nenhum problema para mostrar as tattoos para o Míni, os residentes com tattoos, a não ser que sejam mulheres e a coisa esteja em algum tipo de área onde role algum problema de limites e tal.

Na opinião que o Míni Ewell elabora, as pessoas tatuadas pertencem a duas grandes categorias. Primeiro tem os tipos mais novos, escrofulosos, cabeças-duras, de camiseta-preta-e-pulseira-de-tachinhas que não têm o bom senso de se arrepender da permanência impulsiva das suas tatuagens e te mostram as que têm com o mesmo orgulho fingidamente tranquilo com que alguém mais do nível social do próprio Ewell mostraria a sua coleção de porcelana antiga ou de bons Sauvignons. Depois tem os mais numerosos (e mais velhos) do segundo tipo, que te mostram as tatuagens com aquele tipo de arrependimento estoico (conquanto tingido de uma pitada de orgulho autoconsciente do próprio estoicismo) que um veterano com um Coração- -Púrpura demonstra para com as suas antigas cicatrizes de ferimentos. O residente Wade McDade tem complexos ninhos de serpentes azuis e vermelhas cobrindo o lado interno dos braços e precisa usar camisas de manga comprida todo dia no seu emprego ancilar na Loja 24, ainda que o aquecimento da loja sempre pire no come- ço da manhã e sempre fique quente pra caralho lá dentro, porque o gerente paquis- tanês da loja acredita que os seus clientes não vão querer comprar Marlboro Light e bilhetes da loteria Mega$ de Mass. de alguém com serpentes de tonalidade vascular se contorcendo por todo o braço.[72] McDade também tem um crânio em chamas na omoplata direita. Doony Glynn tem ligeiros vestígios de uma linha pontilhada preta tatuada na volta toda do pescoço mais ou menos na altura do pomo de adão, com instruções tipo manual-de-instruções para a retirada da cabeça e manutenção da cabeça encaixada tatuadas no escalpo, dos dias da sua juventude skinhead, que hoje as tais instruções tatuadas custam paciência, um pente e três presilhas de cabelo de April Cortelyu para o Míni sequer poder enxergar.

A bem da verdade, algumas semanas obsessão-adentro Ewell expande sua der- motaxonomia para incluir uma terceira categoria, os harleyros, dos quais atualmente há nenhum na Ennet mas montes nas reuniões do AA da região, de barba e colete de couro e aparentemente tendo que cumprir uma exigência de pesar pelo menos duzentos quilos. *Harleyros* é a palavra das ruas da Grande Boston para eles, embora eles pareçam se referir a si próprios normalmente como Motocachorrada, termo que (Ewell descobriu a duras penas) não harleyros não deviam empregar. Esses caras são verdadeiros festivais-de-tatuagens-de-um-homem-só, mas quando eles te mostram são desconcertantes porque desnudam as tattoos com a completa ausência de emoção de alguém que estivesse só mostrando tipo um pé ou um dedão, sem saber direito por que você quer ver ou até o que é que você está olhando.

Uma coisa tipo uma nota de rodapé que Ewell acaba inserindo no tópico *harleyro* é que todo tatuador profissional com quem todo mundo que lembra de ter feito as suas tatuagens, pelo jeitão da descrição geral de todo mundo, lembra de ter feito as suas tatuagens era um harleyro.

No que se refere ao grupo do arrependimento estoico dentro da Casa Ennet, o padrão que emerge é que as tatuagens masculinas com nomes femininos tendem, por sua irrevocabilidade, a ser especialmente desastrosas e lamentadas, dada a natureza extremamente fugaz da maioria dos relacionamentos dos viciados. Bruce Green terá *MILDRED BONK* no seu abandonado tríceps direito para sempre. Mesma coisa para o *DORIS* em letras góticas gotejando vermelho logo abaixo do peito esquerdo de Emil Minty, que sim aparentemente um dia amou alguém. Minty também tem uma suástica artrítica e amadora com a legenda *FODAM-SE OS PRETOS* num bíceps esquerdo que ele é intensamente encorajado a manter coberto enquanto residente. Chandler Foss tem uma flâmula ondulante com um *MARY* rubramente gravado num antebraço, flâmula essa hoje mutilada e necrosada porque Foss, largado e supercocainado numa noite tentou nulificar as conotações românticas da tattoo inscrevendo *SANTA VIRGEM* acima de *MARY* com uma navalha e uma Bic vermelha, com resultados previsivelmente medonhos. Artistas tatuadores de verdade (Ewell recebe essa informação de fonte confiável depois de uma reunião do Grupo Bandeira Branca com um harleyro cujo bíceps tatuado com um imenso seio feminino extirpado sendo dolorosamente espremido por uma mão extirpada que tem *ela própria* uma tatuagem de um seio e uma mão extirpados passa uma supercredibilidade tatuística, na opinião do Míni), artistas tatuadores de verdade sempre são profissionais altamente capacitados.

O que é triste no lindo coração violeta transpassado por uma flecha com *PAMELA* inscrito em torno no quadril direito de Randy Lenz é que Lenz não tem lembrança nem do impulso- e procedimento-de-tatuagem nem de alguém chamado Pamela. Charlotte Treat tem um dragãozinho verde na panturrilha e outra tattoo num seio que ela estabeleceu um limite e não deixou o Míni ver. Hester Thrale tem uma tatuagem azul e verde incrivelmente detalhada do planeta Terra na barriga, com os polos tocando púbis e seios, cuja visão equatorial custou ao Míni duas semanas fazendo as Tarefas Domésticas de Hester. O prêmio geral de se-arrependimento-matasse provavelmente vai para Jennifer Belbin, que tem quatro lágrimas negras indisfarçáveis descendo do canto de um olho, de uma noite de mescalina e lamentação adrenalizada, de modo que a mais de dois metros ela sempre parece ter moscas na cara, Randy comenta. A nova garota negra na Casa, Didi N., tem na parte superior do abdome um crânio esfiapado que grita (que saiu do mesmo estêncil que o de McDade, mas s/ as chamas) que dá medo porque é só um contorno branco esfiapado: as tatuagens dos negros são raras, e por motivos que Ewell considera bem óbvios elas tendem a ser apenas contornos brancos.

Diz-se à boca pequena que o ex-interno e conselheiro voluntário da Ennet Calvin Thrust tem no tronco da sua outrora profissional Unidade de ator-de-cartuchos--pornográficos uma tatuagem que exibe as iniciais maiúsculas *CT* quando a Unidade está flácida e todo o nome *CALVIN THRUST* quando hiperêmica. O Míni Ewell solenemente preferiu deixar esse fato sem verificação. A ex-interna e c.v. Danielle Steenbok um dia teve a brilhante ideia de fazer tatuagens cor-de-delineador em volta dos dois olhos para nunca mais ter de aplicar delineador, sem apostar no inevitável desbotamento que com o tempo deu às tatuagens um tom meio verde-escuro nauseante que ela tem que cobrir constantemente com maquiagem. A atual funcionária--residente Johnette Foltz passou por duas das seis dolorosas intervenções necessárias para remover do antebraço esquerdo o rosnante tigre laranja e azul e agora tem um tigre rosnante descabeçado e sem uma perna dianteira, com as partes suprimidas tendo a aparência de algo que alguém tentou apagar com Bombril. Ewell conclui que isso é que confere profundidade à profunda irrevocabilidade do impulso-tatuístico: mandar remover uma tattoo significa somente trocar um tipo de desfiguração por outro. Há as tatuagens idênticas de folha-palmada-de-cannabis-na-parte-de-dentro-do-pulso de Tingly e Diehl, embora Tingly e Diehl sejam de regiões opostas e nunca tenham se cruzado antes de entrarem na Casa.

Nell Gunther se recusa a discutir tattoos com o Míni Ewell em qualquer momento ou circunstância.

Por algum tempo, o Míni Ewell considera as tatuagens artesanais de presídio de Don Gately primitivas demais para justificar o trabalho de perguntar.

Mas ele virou uma sarna, o Ewell, quando no auge da obsessão chegou esse rapaz viciado-em-narcóticos-sintéticos que se recusava a atender por qualquer nome a não ser o seu apelido de rua, Caveira, e durou só tipo quatro dias, mas que era uma exposição ambulante de tinta-de-alto-teor-de-arrependimento — os braços tatuados com teias de aranha nos cotovelos, no peito branco-peixe uma moça nua com o mesmo tipo de medidas extraexuberantes que Ewell lembrava de ter visto em máquinas de fliperama da sua infância em Watertown. Nas costas do Caveira um esqueleto de meio metro de comprimento de túnica e capucho negros tocando violino ao vento sobre um penhasco com *OS MORTOS* escrito numa flâmula tipo pendão vertical que se desfraldava abaixo dela; num bíceps ou um quebrador de gelo ou uma adaga mucronada, e pelos dois antebraços uma espécie de dança de S. Vito de dragões de asas de couro com as palavras — nos antebraços — *O QUE VOCÊ ACHO DO RAPASINHO DE OLHO AZUL AGORA DONA MORTE?*, cujas gralhas, o Míni achava, serviam apenas para realçar o efeito intencional de toda a Gestalt-tatuística do Caveira, que o Míni presumia que era primariamente repelir.

A bem da verdade todo o deslocamento da obsessão do Míni E. das dobrinhas dos lençóis para as tatuagens das pessoas foi provavelmente cortesia desse rapaz, o Caveira, que na sua segunda noite no masculino de 5 que fica para os novos residentes tinha tirado a sua camisetinha mamãe-sou-forte eletrificada e ficado exibindo as tatuagens de uma maneira cabeça-dura e sem-remorsos de primeira categoria para Ken Erdedy enquanto R. Lenz ficava de cabeça para baixo contra a porta do armário de suporte atlético e Ewell e Geoffrey D. estavam com os cartões de crédito espalhados em cima da cama esticadíssima de Ewell tentando resolver alguma espécie de discussão admitidamente infantil sobre quem tinha os cartões de crédito de mais prestígio — o Caveira flexionando os peitorais para fazer a mulher hipertrofiada que tinha no peito se contorcer, lendo os antebraços para Erdedy etc. — e Geoffrey Day tinha erguido os olhos do seu AmEx (Gold, diante do Platinum de Ewell) e sacudido a cabeça pálida e úmida para Ewell e perguntado retoricamente o que tinha acontecido com as boas e velhas tatuagens americanas tradicionais tipo MAMÃE ou uma âncora, o que por algum motivo detonou uma minúscula explosão obsessiva na psique esfarrapada do desintoxicante Ewell.

Provavelmente os itens mais pungentes da pesquisa de Ewell são as desbotadíssimas tatuagens de velhos AAs de Boston que estão sóbrios na irmandade há décadas, dos crocodilianos estadistas idosos dos grupos Bandeira Branca e Allston, do Grupo de S. Columba que se reúne nas noites de domingo, do Grupo Base que Ewell escolheu, do Grupo Antes Tarde do que Nunca das noites de quarta-feira (não fumantes) no Hospital St. Elizabeth logo ali a duas quadras da Casa. Há algo bisonhamente pungente numa tatuagem profundamente desbotada, uma pungência mais ou menos do tipo de encontrar as roupas minúsculas e pungentemente deselegantes de uma criança que cresceu faz tempo em algum baú no sótão (as roupas, não a criança crescida, Ewell confirmou para G. Day). Veja, p. ex., o velho belígero Francis ("Furibundo") Gehaney do Bandeira Branca e o seu antebraço tatuado com um copo de Martíni e uma moça nua sentada lá dentro com as perninhas esticadas para fora da borda larga e aberta, um penteado velha-guarda modelo-Rita-Hayworth todo cheio de franja. Desbotada num tipo de azul subaquático, com suas ocasionais linhas pretas transformadas em verde-fuligem e o vermelho de lábios/unhas/ SUBIKBAY'62USN4-07 não apagado cor-de-rosa mas mais como que decaído para um vermelho empoeirado de fogo visto através de fumaça densa. Essas irrevocáveis tatuagens todas de velhos discretos da classe operária bostoniana que desbotavam (as tattoos) quase visivelmente sob a barata luz fluorescente de porões de igrejas e auditorias de hospitais — Ewell observou, registrou e arquivou, comovido. Imensas quantidades de boas e velhas âncoras da Marinha dos EU, e na Boston irlandesa trevos verde-fuligem e diversos tableaux congelados de figurinhas cáqui com capacetes de soldados metendo baionetas na barriga de horrendas caricaturas amarelo-urina de orientais dentuços, e águias boquiabertas com as garras cegas pelo desbotamento, e SEMPER FI, tudo autolisado até o ponto em que as tatuagens parecem estar logo abaixo da superfície de um lago lamacento.

Um alto veterano calado e de cara fechada, velho e de cabelo preto do Grupo ATDON tem apenas a concisa e odiosa palavra *BOCETA* de uma cor verde-gosma-de-lago desbotada num antebraço cheio de manchas senis; contudo o sujeito transcende até o arrependimento estoico ao se vestir e se portar como se a palavra simplesmente não estivesse lá, ou estivesse tão irrevocavelmente lá que não fizesse nem sentido pensar no assunto: há uma profunda dignidade tremendamente interessante no comportamento do velho no que se refere à *BOCETA* em seu braço, e Ewell até chega a pensar em abordar o sujeito e pedir que ele seja seu padrinho, se e quando ele sentir que é adequado pegar um padrinho no AA, se decidir que cabe, no seu caso.

Perto do fim dos seus dois meses de obsessão, o Míni Ewell aborda Don Gately para saber se a tatuagem de cadeia pode compreender todo um novo filo tatuístico. A sensação de Ewell é que as tatuagens de cadeia são mais grotescas que pungentes, que elas parecem não ter sido um caso de ornamentação ou autorrepresentação impulsivas e sim simples automutilação provocada pelo tédio e pela desconsideração geral para com o corpo e a estética da ornamentação. Don Gately desenvolveu o hábito de encarar Ewell friamente até o advogadinho calar a boca, embora isso seja em parte para disfarçar o fato de que Gately normalmente não consegue acompanhar direito o que Ewell está dizendo e não sabe bem se isso é porque ele não é inteligente ou educado o bastante para entender Ewell ou porque Ewell é simplesmente pirado pra cacete.

Don Gately conta a Ewell como se faz artesanalmente uma típica tattoo-básica de prisão com agulhas de costura da cantina do presídio e um pouco de tinta azul do cartucho de uma caneta-tinteiro afanada do bolso do paletó de um Defensor Público distraído, por isso o estilo carcerário é sempre do mesmo azul-céu noturno. Mergulha-se a agulha na tinta para enfiá-la tão fundo no tatuado quanto seja possível sem fazer o sujeito puxar o braço e foder a mira do tatuador. Só um quadradinho azul simples e ultraminimalista como o que Gately tem no pulso direito leva metade de um dia e centenas de perfurações. Como é que pode que as linhas nunca ficam bem retas e a cor nunca é sólida por tudo é que é impossível fazer todos os furinhos com a mesma profundidade uniforme na carne que está tipo se contorcendo. Por isso as tattoos de cadeia sempre parecem ter sido feitas por crianças sádicas em tardes chuvosas. Gately tem um quadrado azul no pulso direito e uma cruz desleixada na parte de dentro do seu gigantesco antebraço esquerdo. Ele tinha feito o quadrado sozinho, e um companheiro de cela fez a cruz como pagamento por Gately ter feito uma cruz no companheiro de cela. Narcóticos orais tendem a deixar o processo tanto menos doloroso quanto menos tedioso. A agulha de costura é esterilizada com álcool de cereais, que Gately explica que eles conseguem o álcool pegando frutas do refeitório e esmagando tudo e acrescentando água e escondendo a tralha toda num Ziploc logo abaixo daquele treco do buraco da descarga da privada da cela, pra tipo fomentar. O produto esterilizante desse processo também pode ser consumido. Bebidas engarrafadas e cocaína são as únicas coisas difíceis de conseguir dentro das instituições penais do DPM, porque o custo dessas coisas deixa todo mundo tão empolgadinho que é só questão de tempo alguém ir lá comer o seu queijo. O barato narcótico oral C-IV Talwin pode ser trocado por cigarros, contudo, que por sua vez você pode obter na cantina ou ganhar no biriba ou no dominó (o regulamento do DPM proíbe jogos de cartas mais pesados) ou conseguir em grandes quantidades com detentos menores em troca de proteção contra as iniciativas românticas de detentos maiores. Gately é destro e seus braços são mais ou menos do tamanho das pernas do Míni Ewell. O quadrado presidiário do seu pulso é adernado e tem umas bolotas extras e desajeitadas em três cantos. A tatuagem típica de presidiário não pode ser removida nem com cirurgia a laser de tão funda que é. Gately trata as demandas de Ewell polida mas não expansivamente, i. e., o Míni tem que fazer perguntas muito específicas sobre tudo o que queira saber e aí recebe uma resposta específica e curta de Gately apenas para aquela questão. Aí Gately fica encanando, um hábito de que Ewell tende a reclamar algo extensivamente lá no masculino de 5. Gately parece considerar o interesse dele em tatuagens não como algo invasivo mas como a obsessão temporária de uma psique dessubstanciada que ainda treme e que em poucas semanas terá esquecido tudo que se refere a tatuagens, atitude que Ewell acha condescendente in extremus. A atitude de Gately com suas tatuagens primitivas é uma atitude de segunda categoria, sendo sincera a maior parte do estoicismo e da aceitação do seu arrependimento-tatuístico, no mínimo porque esses irrevogáveis emblemas da cadeia são Sinos Badalados de escala menor se comparados a alguns dos erros impulsivos fodidos e *realmente* irrevocáveis que Gately cometeu como viciado e ladrão atuante, sem falar das consequências, dos erros, que Gately está tentando aceitar que vai continuar pagando por um tempão.

Michael Pemulis tem esse hábito de olhar primeiro para um lado e depois para o outro antes de falar alguma coisa. Impossível dizer se isso é um gesto natural ou se Pemulis está emulando algum personagem tipo-filme-noir. Fica pior quando ele manda ver umas drinas. Ele e Trevor Axford e Hal Incandenza estão no quarto de Pemulis, com os colegas de quarto de Pemulis, Schacht e Troeltsch, almoçando, então estão sozinhos, Pemulis e Axford e Hal, coçando o queixo, olhando para o boné de iatista de Pemulis que está na cama dele. Dentro do boné emborcado está um punhadinho de comprimidos de bom tamanho e a cara-sem-graça do suposta e incrivelmente potente DMZ.

Pemulis olha para todos os lados atrás deles no quarto vazio. "Isso aqui, Incster, Aiquefoda, é o incrivelmente potente DMZ. O Grande Tubarão Branco dos alucinógenos organossintéticos. "O pantagruélico filho selvagem do…"

Hal diz "Deu pra entender".

"A Universidade de Yale da Elite Estudantil do Ácido", diz Axford.

"O distorcedor psicossensual definitivo", Pemulis resume.

"Acho que você quer dizer psicos*sensório*, a não ser que eu ainda não tenha sacado alguma coisa aqui."

Axford se vira para Hal com um olhar semicerrado. Interromper Pemulis significa ter de vê-lo fazer o negócio com a cabeça todo de novo a cada vez.

"Difícil de encontrar, cavalheiros. Assim tipo muito difícil de encontrar. Os últimos lotes saíram da linha de produção no começo dos anos 1970. Esses comprimidos aqui são artesanais. Uma certa degradação de potência é provavelmente de esperar. Usados em alguns obscuros experimentos militares nos tempos da CIA."

Axford balança a cabeça diante do boné. "Controle mental?"

"Mais tipo fazer o inimigo achar que as suas armas são hortênsias, que o inimigo é um parente consanguíneo, esse tipo de coisa. Vai saber. Os relatos que eu andei lendo são incoerentes, sem-sentido-final. Experimentos realizados. Coisas que escaparam do controle. Digamos apenas que as coisas escaparam do controle. Potência considerada incrível demais para que se desse continuidade. Vítimas trancadas em instituições e registradas como vítimas da paz. Fórmula triturada. Equipe de pesquisa dissolvida, realocada. Boatos vagos mas que eu tenho que confessar que são bem chocantes."

"Esses aqui são do começo dos anos 70?", Aiquefoda diz.

"Está vendo a marquinha registrada em cada um deles, com o carinha de calça boca de sino e com essas costeletonas?"

"É isso que isso aí devia ser?"

"De uma potência sem precedentes, esse negócio aqui. O inventor suíço dizem que estava recomendando originalmente o LSD-25 pra você tomar pra *largar* esse barato aqui." Pemulis pega um dos comprimidos e o coloca na palma da mão e cutuca com um dedo calejado. "O que a gente está olhando aqui. A gente está aqui olhando pra o que é ou uma puta injeção repentina de capital..."

Axford solta um ruído espantado. "Você ia ser capaz de tentar vender o incrivelmente potente DMZ neste buraco aqui?"

O meio que riso de Pemulis soa como o som da letra *k*. "Se liga tipo numa tomada 220, Aiquefoda. Ninguém aqui ia ter a menor noção da seriedade dessa coisa. Sem falar da disposição pra pagar o que esses comprimidos valem. Ora, tem museus farmacêuticos por aí, grupos intelectuais de esquerda, consórcios de drogas customizadas de Nova York que eu tenho certeza que estão morrendo de vontade de dissecar esses bichinhos. Tipo macerar. Meter no espectrômetro pra ver o que rola."

"Que a gente podia leiloar, você está dizendo", Axford diz. Hal aperta uma bola, silenciosamente olhando para o boné.

Pemulis vira o comprimido. "Ou algumas casas de repouso bem das progressivas e tipo descoladas que eu conheço uns caras que conhecem. Ou lá em Back Bay naquela loja de iogurte com aquela foto daqueles caras históricos que o Inc estava dizendo no café da manhã que está lá na parede."

"Ram Das. William Burroughs."

"Ou só ali na Harvard Square no Au Bon Pain onde aquele monte de caras tipo anos setenta de poncho de lã fica jogando xadrez contra aqueles reloginhos que ficam levando tapa deles."

Axford finge que está socando o braço de Hal de empolgação.

Pemulis diz: "Ou é claro que eu estou pensando que eu podia simplesmente enveredar pela rota do entretenimento puro e jogar os comprimidinhos nos barris de Gatorade no desafio contra o pessoal de Port Washington na terça, ou lá no Whata-Burger — ficar olhando todo mundo correr de um lado pro outro apertando a cabeça ou sei lá o quê. Eu ia curtir *pacas* ver o Wayne jogar com distorção sensorial.

Hal coloca um pé no banquinho de cabeceira de Pemulis com formato de frusto e se inclina mais. "Seria um abuso perguntar como você finalmente conseguiu pôr as mãos nisso aqui?"

"De jeito nenhum", Pemulis diz, retirando do forro do boné de iatista todos os itens ilegais e espalhando-os na cama, mais ou menos como as pessoas de idade espalham seus objetos de valor em momentos tranquilos. Ele tem uma pequena quantidade de cannabis tipo skunk (comprada de volta de Hal de 20 g que ele tinha vendido para Hal) num saquinho plástico, um retangulozinho de papelão coberto de filme plástico com quatro estrelas negras regularmente distribuídas, uma ou outra drina e o que parece ser uma dúzia e um chorinho do incrivelmente potente DMZ, uns comprimidos do tamanho de um dropes sem uma cor definida com um mod minúsculo no meio de cada um desejando paz ao espectador. "A gente nem sabe quantas doses isso aqui dá", ele pensa em voz alta. O sol bate na parede do monitor pendurado, do pôster do rei paranoico e do imenso triângulo de Sierpinski desenhado à mão. Numa das três grandes janelas maineladas a oeste — se tem uma coisa que a academia é, é ser fenestrada — uma fenda oval está projetando uma bolha de uma cervejística sombra outonal que vem do lado esquerdo da janela e se estende sobre a cama bem-feita de Pemulis,[73] e ele leva tudo que o seu boné contém para a bolha mais clara, pondo-se num joelho para examinar um comprimido preso entre as pinças (Pemulis tem coisas como pinças filatélicas, uma lupa, uma balança farmacêutica, uma balança postal, um bico de Bunsen tamanho-pessoal) com a precisão tranquila de um joalheiro. "A literatura se cala sobre a titulação. Será que é pra tomar um comprimido?" Ele ergue os olhos para um lado e depois de novo para o outro, para os rostos dos meninos inclinados sobre ele. "Será que meio comprimido é tipo uma dose-padrão?"

"Dois ou três comprimidos, até, de repente?", Hal diz, sabendo que está soando ganancioso mas sem conseguir se conter.

"Os dados disponíveis são vagos", Pemulis diz, com o perfil contorcido em torno da lupa presa à órbita ocular. "A literatura sobre blends lisérgicos muscimoloides é lacunar, vaga e difícil de ler a não ser no que se refere à força medonha que os resultados parecem ter."

Hal olha para o topo da cabeça de Pemulis. "Você passou numa biblioteca médica?"

"Eu entrei na MED.COM na linha WATS da Alice Lateral e fui de um lado pro outro e pra lá e pra cá pela MED.COM. Muita coisa sobre lisérgicos, muito sobre híbridos tipo metóxi. Umas merdas vagas e que pareciam coluna de fofoca sobre compostos de fitviavi. Pra conseguir alguma coisa você tem que buscar por Ergotismo junto com *muscimol* ou *muscimolado*. Só umas duas-três coisas parecem familiares quando você digita DMZ. E aí é só potente isso, sinistro aquilo. Nada com qualquer coisa mais específica. E uns polissílabos enrolados a dar com o pau. A coisa toda me deixou com enxaqueca."

"Tudo bem mas você chegou a entrar no caminhão e *ir* de verdade a uma biblioteca médica?" Hal é 100% filho de Avril no que se refere a bases de dados, correções ortográficas automáticas etc. Axford agora o soca de verdade no ombro, ainda que seja o esquerdo. Pemulis está coçando distraído o redemoinho que fica bem no meio da sua cabeça. São quase 1430h, e a defeituosa bolha de luz na cama está ficando da cor ligeiramente triste das tardes de começo de outono. Ainda não há sons vindo das Quadras Oeste lá fora, mas vem um canto em volume alto pelos canos d'água das paredes — vários caras que tiveram que treinar até fazer bico de manhã só conseguem tomar banho depois do almoço, e aí assistem às aulas da tarde de cabelo molhado e com roupas diferentes das da manhã.

Pemulis se levanta para ficar entre os dois e olha de novo em volta do quarto de três camas, pilhinhas organizadas com as roupas dos três jogadores, equipamento esportivo colorido nas prateleiras e com três cestos de vime de roupa suja prestes a estourarem. Há o cheiro denso de roupa esportiva suja, mas fora isso o quarto parece quase profissionalmente limpo. O quarto de Pemulis e Schacht faz o de Hal e Mario parecer um asilo de dementes, Hal pensa. Axford ganhou um dos únicos dois quartos de solteiro para os veteranos na loteria do começo do ano, sendo que o outro ficou com as gêmeas Vaught, que contam como só uma inscrição no Sorteio de Quartos.

Pemulis ainda está com o rosto contorcido para manter a lupa no lugar enquanto olha em volta. "Um artigo fazia uma menção rápida ao DMZ em que o cara te pede pra imaginar um ácido que tomou ácido."

"Pusta *queuspa*."

"Um texto justamente da porra da *Moment*, se é que isso é fonte que se preze, fala de um prisioneiro militar em Leavenworth que supostamente tomou uma injeção de uma dose maciça e não especificada de uma versão anterior do DMZ como parte de alguma experiência do Exército sobre sabei-me lá Deus o quê e que a família desse preso processou o Exército porque o cara teria perdido a cabeça." Ele aponta a lupa dramaticamente primeiro para Hal e depois para Axford. "Eu estou dizendo *perdeu* a cabeça quase literalmente, tipo a dose maciça pegou a cabecinha dele e levou embora pra algum lugar e largou por lá e esqueceu onde."

"Acho que deu pra sacar, Mike."

"Supostamente a *Moment* diz que o cara depois foi encontrado na sua cela militar, em alguma impossível posição de lótus, cantando temas de musicais com uma voz que era uma assustadora imitação perfeitíssima da Ethel Merman."

Axford diz que de repente Pemulis sem querer achou uma explicação possível para o coitado do nosso velho amigo Lyle e a sua posição de lótus lá na sala de musculação, gesticulando com a mão direita bichada na direção do Com.-Ad.

De novo Pemulis com a coisa da cabeça. O relaxamento facial deixa a lupa cair e quicar na cama esticada, e Pemulis pega o rebote com a palma da mão sem nem olhar. "Acho que a gente ganha mais deixando de lado a ideia de mexer com os barris de Gatorade pelo menos. A moral dessa história desse soldado era tome cuidado. Pacas. A cabeça do sujeito ainda está supostamente passeando por aí. Um soldado velho hoje, ainda berrando pot-pourris da Broadway em alguma instituição secretoide em algum lugar. Os parentes de sangue tentam processar em nome do cara, o Exército parece que veio com argumentos suficientes pra deixar o júri numa dúvida razoável sobre se o cara ainda pode ser considerado legalmente existente pra poder processar, agora, já que a dose acabou com a cabeça dele."

Axford passa distraído a mão no cotovelo. "Então você está dizendo que é melhor a gente pegar leve com isso."

Hal se ajoelha para apertar um dos comprimidos contra a lateral do saquinho plástico. O dedo dele parece escuro na alongada bolha de luz. "Eu estou aqui pensando que está com cara que dois comprimidos podem ser uma dose. Uma cara meio ibuprofênica aqui."

"Chute visual não vai rolar. Isso aqui não é Bob Hope, Inc."

"A gente até podia chamar de 'Ethel' no telefone", Axford sugere. Pemulis fica olhando Hal distribuir os comprimidos no mesmo formato algo cardioide da própria ATE. "O que eu falei. Isso aqui é uma substância tipo apressado-come-cru-e-quente, Inc. Esse soldado cantante tipo decolou do *planeta*."

"Bom, se pelo menos ele der um oizinho de vez em quando."

"A sensação que eu fiquei é que ele só dá um oizinho pras baratas da cela."

"Mas isso foi com uma dose maciça de uma versão anterior", Axford diz.

Hal dispôs os comprimidos na coberta vermelha e cinza com uma precisão quase zen. "Esses aqui são dos anos 70?"

Depois de intricadas negociações via-terceiros, Michael Pemulis finalmente garfou 650 mg do mítico e esquivo composto DMZ ou "Madame Psicose" de um duo coberto-de-armas-pequenas de putativos ex-insurgentes canadenses que agora se incumbiam de pequenos projetos-insurgentes provavelmente meio patéticos e anacrônicos por trás da fachada de um antigo empório de espelhos bisotados, vidro soprado, piadinhas & pegadinhas, postais chiques e cartuchos-fílmicos pouco procurados chamado Entretenimento Antitoi, logo ali na Prospect St. Perto da Inman Square no decadente distrito portugo/brasileiro de Cambridge. Como Pemulis sempre cuida sozinho dos seus negócios e não fala francês, a transação toda com o canadôncio encarregado teve que ser conduzida em mimiquês, e como esse canadenho Antitoi meio lenhador tendia a ficar olhando para os lados antes de falar ainda mais do que o próprio Pemulis olhava à volta de si, com o seu sócio cara-de-tanso ali parado ninando uma vassoura e também procurando bisbilhoteiros na loja fechada o tempo todo, a negociação toda tinha se assemelhado a uma espécie de convulsão psicomotora grupal, com diversas amostras de cabeças sacolejantes e balouçantes refletidas em seções deslocadas e ângulos radicais em mais espelhos e vasos soprados artesanalmente do que Pemulis jamais tinha visto enfiados num lugar só. Um TP de custo baixo pacas estava com um cartucho pornô hard-core rodando a cinco vezes a velocidade normal de modo que parecia se tratar de roedores ensandecidos ali o que pode ter desligado as glândulas sexuais de Pemulis para sempre, ele sente. Só Deus sabia onde aqueles palhaços tinham adquirido treze incrivelmente potentes artefatos de 50 mg dos anos 1970 AS. Mas a boa notícia é que eles eram canadenses, e, como os merdas dos canadôncios no que se refere a quase qualquer coisa, eles não faziam a menor ideia do que valia o que tinham nas mãos, como devagar se foi verificando. Pemulis, c/ o auxílio de 150 mg de Hipofagin de liberação lenta, quase dançou uma giga pós--transação enquanto subia a escada do ônibus de Cambridge parado em ponto morto, se sentindo como W. Penn com o seu chapéu de Aveia Quaker deve ter se sentido ao dar uns badulaques pra um grupo bocó de nativos em troca de Nova Jersey, ele imagina, tirando o boné náutico pra duas freiras no corredor.

No dia acadêmico seguinte — com o bagulho incrivelmente potente agora bem enroladinho em filme plástico e mocozado bem na pontinha de um tênis velho que fica no alto da viga de alumínio entre dois painéis do forro do subdormitório B, o entreposto de confiança de Pemulis —, no dia acadêmico seguinte ou pouco mais a questão foi amadurecendo e decidiu-se que apesar de não ser de fato o caso de se envolver Boone ou Stice, ou Struck, ou Troeltsch, é na verdade direito de Pemulis, Axford e Hal — ou dever, quase, para com os espíritos de investigação e das boas práticas comerciais — testar o potencialmente incrivelmente potente DMZ em quantidades predeterminadamente seguras antes de soltar o bicho pra cima de Boone ou de Troeltsch ou de quaisquer civis indefesos. Tendo Axford sido aceito no comitê inicial de financiamento, a questão da amortização do custo-de-oportunidade de Hal pela sua parte no experimento é abordada delicadamente e no final fica beleza. A margem de lucro de Pemulis não é nada muito além das normas estabelecidas, e no orçamento de Hal sempre cabe uma pesquisa intrépida. A única condição de Hal é que alguém tecnologicamente alfabetizado vá de fato de caminhão até a biblioteca médica da BU ou do MIT e verifique fisicamente que o composto é tanto orgânico quanto não aditivo, que Pemulis já responde que um ataque presencial físico à biblioteca já está marcado a caneta na sua agendinha pessoal, de qualquer maneira. Depois dos treinos vespertinos de quinta, enquanto Hal Incandenza e Pemulis com o camerificado Mario Incandenza a reboque ficam com as mãos na malha de metal da cerca de uma das Quadras de Exibição e veem Teddy Schacht jogar uma partida amistosa contra um profissional-satélite sírio que está na ATE para duas semanas pagas de instrução corretiva para um movimento de saque que está erodindo o seu manguito rotador — o sujeito usa uns óculos fundo de garrafa com uma testeira preta e joga com uma fluida precisão vertical e de cara fechada e está despachando facinho o Ted Schacht, o que o Schacht está levando com o seu bom humor sanguíneo de sempre, dando tudo de seu impassível si, aprendendo o que pode, um dos pouquíssimos jogadores legitimamente atarracados da ATE e um dos ainda mais raros jogadores juniores por aqui desprovidos de um ego perceptível, integralmente não inseguro desde que estourou o joelho num *contre-pied* nos amistosos pré-Ação de Graças três anos atrás, o que é estranho, agora ainda ali e ainda correndo atrás só de diversão — e mais ou menos condenado, portanto, a uma existência purgatorial nos números 128-256 na Alfabetolândia — enquanto Pemulis e Hal ficam ali suados e todos vestidos de roupas vermelhas e cinza da ATE numa dura tarde de 5/11, com o suor no cabelo deles começando a coalescer e congelar, com a cabeça de Mario dobrada sob o peso do equipamento preso a ela e com os seus dedos hediondamente aracnodatílicos embranquecendo no que a cerca segura-lhe o peso inclinado, a postura de Hal sutil mas calidamente inclinada ligeirissimamente na direção do seu minúsculo irmão mais velho, que se parece com ele como criaturas da mesma Ordem mas não da mesma Família podem se parecer — enquanto eles ficam assistindo e amadurecendo essas questões, Hal e Pemulis, vem o baque e o estrondo de uma catapulta transnacional da DRE lá bem longe à esquerda deles e depois o som de um estrídulo estrilo de um projétil de deslocamento de resíduos cujo voo as nuvens estão baixas demais para permitir que eles vejam — se bem que uma nuvem ovelhoide bizarramente amarela seja visível em algum ponto além de Acton, conectando a sutura do horizonte com alguma espécie de sistema frontal de tempestade que os ventiladores ATHSCME mantêm à distância ao longo do trecho de fronteira entre Lowell e Methuen, a noroeste. Pemulis finalmente veta a ideia de eles realizarem o intrépido experimento controlado aqui em Enfield, onde Axford tem que estar nos treinos matutinos da equipe A todo dia às 0500, e também Hal, a não ser que ele tenha dormido na CD na noite anterior, sendo que a CD não é nem de longe um bom local para se tomar DMZ. Pemulis, conferindo de um lado e de outro a extensão total da cerca e piscando para Mario, argumenta que trinta e seis horas diretas de tempo totalmente livre serão recomendáveis para qualquer interação com o incrivelmente potente aquilo-lá-mesmo. O que também exclui o negócio interacademias com o pessoal de Port Washington amanhã, para o qual Charles Tavis já contratou dois ônibus, porque um número tão grande de jogadores da ATE vai poder ir e se confrontar dessa vez — a Academia Port Washington é dantescamente grande, a Xerox S.A. das academias de tênis da América do Norte, com mais de trezentos alunos e sessenta e quatro quadras, metade das quais eles já terão colocado sob cobertura quentinha inflável de TesTar tipo no Halloween, já que o pessoal de PW curte menos essa coisa de valorizar o sofrimento básico que o Schtitt & Cia. — tanto que o Tavis quase certamente vai decidir trazer todo mundo de volta lá de Long Island no minuto em que acabar o baile pós-competição, em vez de bancar uns quartinhos de hotel sem patrocínio empresarial. Esse encontro e jantar ATE--PW é uma tradição particular, interacadêmica, uma rivalidade épica que tem quase uma década. Além disso Pemulis diz que vai precisar de umas semanas de tempo de qualidade revirando pilhas de livros de bibliotecas médicas para fazer as pesquisas mais precisas de titulação e efeitos colaterais que Hal concorda que a chocante história do soldado parece sugerir. Então, eles concluem, a janela de oportunidade parece estar em 20-21/11 — o fim de semana logo depois da grande exibição para arrecadação de recursos de Fim de Ano Fiscal com as equipes A e B da ATE de simples contra (este ano) as equipes notoriamente infelizes do Québec para as copas Davis e Wightman Jr.,[74] convidados a vir sob condições políticas discretas e muito sutis via bons esforços expatriados de Avril Incandenza para serem vivisseccionados por Wayne e Hal et al. para a filantrópica diversão dos patrocinadores e ex-alunos da ATE, e depois para dançar a noite toda num jantar com bufê e Baile dos Ex-Alunos — o fim de semana logo antes da semana de Ação de Graças e do WhataBurger no ensolarado AZ, porque este ano além da sexta-feira 20/11 eles também vão ganhar o sábado 21/11 de folga, tipo tanto de aula quanto de treino, porque o C.T. e o Schtitt marcaram uma exibição especial de duplas para a tarde do sábado seguinte ao grande torneio, entre duas treinadoras da equipe Quebequence da Wightman e as infames gêmeas Vaught da ATE, Caryn O' e Diva Dee Vaught, dezessete anos, dupla feminina número um do ranking júnior da ONAN, invictas há três anos, um duo invencível, com um entendimento sobrenatural em quadra, movendo-se sempre como Uma-Só, jogando não só como se compartilhassem mas de fato porque compartilham um mesmo cérebro, ou ao menos os lobos psicomotores de um mesmo cérebro, as gêmeas siamesas, unidas pelas têmporas esquerda e direita, proibidas de jogar simples pelos regs. da ONAN, as impressionantes e aterradoras Vaught, obstinadas filhas de executivos de fábricas de pneus lá de Akron, usando suas quatro pernas para cobrir áreas espantosamente amplas da quadra em que joga/jogam, além de passarem por cima de todas as adversárias na competição de Charleston em todos os bailes formais pós-exibição nos últimos cinco anos seguidos. O Tavis vai andar atrás do Wayne para jogar em alguma coisa tipo exibição também, ainda que pedir para o Wayne detonar publicamente um segundo quebequense em dois dias possa ser meio demais. E mas todo mundo que é alguém neste mundo vai estar lá no Pulmão, vendo as Vaught vivisseccionarem umas canadôncias ranqueadas entre os adultos, além de quem sabe o Wayne,[75] depois os ATEs vão ganhar o sábado para descansar e recarregar as baterias antes de começar tanto a semana de treinamento pré-Whataburger quanto a reta final da preparação para os Exames de 12/12, o que vale dizer que o período entre o fim da noite de sexta-feira e o domingo de manhã dará a Pemulis, Hal e Axford (e talvez Struck se Pemulis tiver que deixar o Struck entrar, pela ajuda com o ataque à biblioteca) tempo suficiente para se recuperarem psicoespiritualmente de sabe-se lá que ressaca de torrar as meninges que o incrivelmente potente DMZ possa acarretar... e Axford na sauna previu que de fato seria de torrar, já que só o mero LSD ele já percebia que te deixava no dia seguinte não apenas mal ou derrubado mas totalmente oco, uma concha, vazio por dentro, como se a sua alma fosse uma esponja torcida. Hal não sabia ao certo se assinava embaixo. Uma ressaca alcoólica definitivamente não era um passeio divertido pelos bosques psíquicos, todo sedento e enjoado e com os olhos saltando e se encolhendo com os batimentos cardíacos, mas depois de uma noite de alucinógenos complexos Hal disse que o nascer do sol parecia conferir à sua psique uma espécie de aura clara e suave, uma luminescência.[76] Halação, Axford observou.

Pemulis parece ter deixado de fora dos seus cálculos o fato de que ele vai ganhar aquela tarde de sábado de folga das aulas apenas se conseguir entrar na lista da viagem para o WhataBurger de Tucson na semana seguinte, e de que ao contrário de Hal e Axford ele não é uma certeza: o ranqueamento de Pemulis na ATEU, com a exceção do seu proverbial décimo terceiro ano de vida no Ano do Frango-Maravilha Perdue, nunca passou de 128, e o WhataBurger seleciona meninos de toda a ONAN e até da Europa; as chaves vão ter que estar muito fracas mesmo para ele conseguir nem que seja uma das sessenta e quatro vagas no qualifying. Axford está beirando o top 50, mas conseguiu uma vaga no ano passado com dezessete, então ele quase garantiu a ida. E Hal está provavelmente para conseguir ser Terceiro ou quiçá Quarto Cabeça de Chave no sub-18 de Simples; ele definitivamente vai, a não ser que role algum tipo de recaída tornozelal cataclísmica contra ou Port Wash ou o Québec. Axford postula que Pemulis não está exatamente calculando mal, e sim simplesmente mostrando uma ferrenha confiança, o que no que diz respeito à forma atual do seu jogo seria uma coisa incomum e das melhores — o pró-reitor Aubrey deLint diz (publicamente) que ver M. Pemulis em treino v. ver M. Pemulis num jogo de verdade que represente alguma coisa é como conhecer uma menina por e-mail assim tipo por correspondência via e-mail-de-teclado e se apaixonar perdidamente por ela e aí por fim conhecê-la pessoalmente e descobrir que ela tem tipo só um seio enorme bem no meio do peito ou algo assim.[77]

Mario vai poder ir junto se Avril conseguir convencer o C.T. a levá-lo para fazer filmagens do WhataBurger para o cartucho promocional de presentinho-de-Natal-para-patrocinadores-privados-e-empresariais da ATE deste ano.

Schacht e o sírio reluzente estão rindo de alguma coisa junto ao poste da rede, onde foram para reunir seu equipamento e vários aparelhos para manguito rotador e joelho depois que o sírio meio jecamente pulou a rede e apertou vigorosamente a mão de Schacht, vapor de hálito e suor subindo deles e se erguendo pela malha da cerca rumo aos cuidadíssimos morros a oeste enquanto o riso de Mario soa diante de algum caricato gesto de imitação de súplica que Schacht acaba de fazer.

$$\bigcirc$$

7 DE NOVEMBRO DO ANO DA FRALDA GERIÁTRICA DEPEND

Você pode estar em certas festas e não estar lá de verdade. Você pode ouvir como certas festas têm os seus próprios fins implicados já embutidos na coreografia da própria festa. Um dos momentos mais tristes que Joelle van Dyne sente em qualquer lugar é aquele eixo invisível onde uma festa acaba — até uma festa ruim —, aquele instante de tácita aquiescência em que todo mundo começa a juntar isqueiros e namorados, jaqueta ou casacão, aquela última cerveja presa ao plástico que viu outras cinco saírem, diz certas coisas perfunctórias para a anfitriã de uma maneira que ela reconhece essa perfunctoriedade sem parecer insincera, e sai normalmente fechando a porta. Quando a voz de todo mundo vai sumindo no corredor. Quando a anfitriã se vira depois de fechar a porta e vê a bagunça e o V de silêncio total se expandindo na esteira da festa.

Joelle, que chegou ao fim da corda e está se preparando para se enforcar com ela, ouvindo, é sustentada por um piso de madeira de lei envernizada sobre tanto o rio quanto a borda da Baía, empoleirada desconfortavelmente sob a luz estriada numa das cadeiras de Molly Notkin, moldadas à semelhança de grandes cineastas do cânone do celuloide, sentada entre o vazio Cukor e o assustador Murnau, no colo de fibra de vidro de Méliès, sentindo o desconforto das pregas da calça dele e o selo do MIT da faixa do seu smoking. Os tétricos diretores das cadeiras são maiores que o seu tamanho real: os pés de Joelle ficam balançando bem acima do chão, seus comprimidos jarretes começando a queimar sob uma grossa saia brasileira de algodão que é toda vivos espirais roxos claros e frescos vermelhos contra um preto latino que parece reluzir sobre joelhos claros e meias de raiom que lhe vão até o joelho e pés dentro de tamancos que lhes pendem pela metade, pernas balançando como as de uma criança, sempre se sentindo como uma criança nas cadeiras da Molly, conspicuamente empoleirada no olho da tempestade algo impostada de animação e inteligência verbal de uma festa ruim, sentada sozinha sob o que um dia foi a sua janela, filha de um químico de pHs baixos e dono de casa do oeste do Kentucky, superdivertida, normalmente, se você consegue superar o incômodo do véu.

Entre outros mitos perniciosos resta o de que as pessoas sempre ficam muito animadas, generosas e altruístas um pouco antes de eliminarem os seus próprios mapas de vez. A verdade é que as horas que antecedem um suicídio via de regra são um intervalo de imensa presunção e de grande ensimesmamento.

As janelas desse apartamentinho de terceiro andar nas margens east-cambridgianas de Back Bay, onde a quase-professora Notkin está dando uma festa para celebrar a sua aprovação Oral em Teoria dos Filmes & Cartuchos-de-Filmes, o programa de doutoramento em que Joelle — antes de se recolher para o som transmitido — a havia conhecido, têm barras decorativas, estreitas e de ferro negro, que as fezes dos pombos tornaram salmilhadas.

Molly Notkin vive se abrindo ao telefone com Joelle van Dyne sobre o único e atormentado amor de toda a vida de Notkin até aqui, um eroticamente circunscrito estudioso de G. W. Pabst da New York University, torturado pela neurótica convicção de que há um número finito de ereções possíveis no mundo num dado momento e de que a tumescência dele representa p. ex. a detumescência de algum fazendeiro de sorgo do Terceiro Mundo, quiçá mais merecedor ou torturado, ou coisa assim, de modo que sempre que ele tumesce ele sofre a mesma espécie de culpa que uma pessoinha doutorada menos excentricamente torturada sofre diante da ideia de, digamos, usar um casaco de pele de bebê-foca. Molly ainda pega o trem de alta velocidade para visitá-lo a cada quinze dias, para estar ao lado dele caso por algum acaso egoísta ele calhe de endurecer, o que gera nele ondas negras de repulsa por si próprio e uma extrema carência de compreensão e amor tolerante. Ela e a coitadinha da Molly Notkin são exatamente a mesma coisa, Joelle reflete, sentada sozinha, vendo doutorandos provarem vinho — irmãs, irmãs de sororidade. Com aquele medo da luz direta, a Notkin. E os disfarces e as suíças são simplesmente véus velados. Quantos gêmeos sub-rosa há no mundo, lá fora, de verdade? E se a hereditariedade, ao invés de linear, for ramificada? E se não for a excitação tão finitamente circunscrita? E se de fato houvesse apenas tipo dois indivíduos realmente distintos caminhando lá atrás nas poeiras do tempo? Se toda a diferença descender dessa diferença? O todo e o parcial. Os defeituosos e os intactos. Os deformados e os paralisantemente lindos. Os insanos e os atentos. Os ocultos e os abertos que te cegam. Ator e plateia. Nada de Um à la Zen, sempre na verdade Dois, um de ponta-cabeça numa lente convexa.

Joelle está pensando no que tem na bolsa. Ela está sentada com o seu véu de linho e a sua saia bonita, obliquamente observada, ouvindo trechos de conversas que fisga do ruído geral das vozes mas sem ver realmente os outros, com o fim absoluto da sua vida e da sua beleza passando como que num gaguejante filme de 16 mm de câmera na mão diante dos seus olhos, projetado contra a tela branca que está ao seu lado, para variar, do Tio Bud em piruetas para Orin e Jim e a YYY, até o úmido passeio da parada central da Linha Vermelha até aqui, caminhando desde a Charles St., imprimindo um passo consciente e meio formal, mas inegavelmente bonita de maneira geral, aquela caminhada rumo às suas últimas horas, neste último dia antes do grande festim da Interdependência ONANita. Do East Charles à Back Bay no dia de hoje é uma rota cheia de ruas chovidas, confeitadas de terra-de-siena e lojas chiques com toldos e placas de madeira com fontes bonitinhas século XIX, as pessoas olhando para ela como a gente olha para os cegos, encarando de maneira nua, sem saber que ela via tudo o tempo todo. Ela gosta do passeio úmido por isso, tudo lácteo e halado no linho molhado do véu, as calçadas de tijolo da Charles St. deslascadas e impessoalmente lotadas, as pernas dela no piloto automático, ela um motor perceptual, segurando a gola do casaco fechada contra o decote do poncho de uma forma que permite que segure bem o véu contra o rosto com um dedo no queixo, pensando sempre no que tem na bolsa, parando numa tabacaria barata e comprando um charuto de qualidade no tubo de vidro e depois uma quadra adiante colocando o charuto cuidadosamente entre o lixo que jorra de um receptáculo de esquina formado de malha de ferro verde-pinho, mas guarda o tubo, põe o tubo de vidro na bolsa, consegue ouvir o *tomp* da chuva nos guarda-chuvas esticados e ouvi-la chiar na rua, e consegue ver as gotinhas estilhaçadas se reagrupando no seu casaco de polirresina, carros passando resplendentes com aquele som especialmente solitário dos carros na chuva, limpadores criando arco-íris negros nos luzentes para-brisas dos táxis. Em cada beco há lixeiras verdes da DRI e lixeiras menores vermelhas da DRI para conter o que transborda das verdes. E o som dos tamancos de sola de madeira dela contra o staccato cada vez mais distante dos saltos altos crocantes das mulheres rumo oeste sobre os tijolos à medida que a Charles St. agora se aproxima do Boston Common e fica menos exótica e chique: lixo empapado — chato como só o lixo se achata — surge nas calçadas e na sutura da sarjeta, e agora gente pardacenta com sacos e carrinhos de compras avaliando o lixo, agachada para saquear e sopesar o lixo; e o farfalhar e projetar-se de membros que saem das lixeiras saqueadas por pessoas que o dia todo não fazem mais que sopesar as lixeiras da DRI; e os azulados membros sem-sapatos de outras pessoas estendendo-se em raios coronais de caixas de geladeiras nos três becos de cada bloco, e a pequena catarata de água da chuva que salta da borda de cada flanco inclinado dos anexos rubros das lixeiras e atinge topos de caixas de geladeiras com um arrítmico tapatapapatap; alguém fazendo *Pssssst* na boca de um beco e faces de uma lividez fantasmática ou borradas declamando para o ar ralo dali dos umbrais recuados e cortinados de chuva, e por um segundo de uma atenção não autocentrada Joelle deseja ter ficado com o charuto, para dar, e seguindo rumo oeste para o território da Taça Infinita perto da foz do Charles ela começa a entregar moedas que lhe pedem dos umbrais e das caixas emborcadas; e lhe perguntam qual é a do véu com uma falta de delicadeza que ela na verdade prefere. Um sujeito encardido numa cadeira de rodas com um rosto branco e morto sob um boné NOTRE RAI PAYS silenciosamente estende uma mão mendicante — o corte inchado carmim que atravessa sua objetiva palma da mão está quase curado e fechando a olhos vistos. Parece uma mossa na massa. Joelle lhe entrega uma nota de vinte dos EU, dobrada, e gosta de ele não dizer nada.

Ela compra uma Pepsi de 473 ml numa romba garrafa de plástico numa Loja 24 cujo balconista jordaniano só a olha com cara de paisagem quando ela pergunta se eles têm Big Red Soda Water, se contenta com a Pepsi, sai, verte o refrigerante numa boca de lobo, fica olhando enquanto ele se empoça e para ali numa espuma marrom porque a grade do esgoto está solidamente entupida de folhas e lixo empapado. Ela caminha na direção do Common com a garrafa e o tubo de vidro vazios na bolsa. Não há necessidade de comprar esponjas de aço na Loja 24.

Joelle van Dyne está excruciantemente viva e enjaulada, e no colo do diretor pode evocar tudo de todos os tempos. O que será o mais autocentrado de todos os atos, o autocancelamento, se trancar no quarto ou no banheiro de Molly Notkins e ficar tão doida que ela vai cair, parar de respirar, ficar azul e morrer, apertando o coração. Chega de ir e vir. O Boston Common é como um buraco verdejante em torno do qual Boston se ergueu, um quadrado de dois quilômetros de árvores brilhantes, ramos gotejantes e bancos verdes sobre a grama úmida. Pombos por tudo ali, da mesma cor creme craquenta das lascas das cascas dos salgueiros. Três jovens negros empoleirados como corvos no encosto de um banco aprovam o corpo dela, a chamam de *vadia* com um afeto inofensivo e perguntam onde é o casamento. Chega de decidir parar às 2300h e aí mal conseguir vencer a hora do programa, voltar correndo para casa à 0130h, fumar as resinas da esponja de aço e não parar no final das contas. Chega de jogar fora o Material só para meia hora depois revirar o lixo, chega de inspeções engatinhantes no carpete na esperança de encontrar um fiapo de felpa que se pareça suficientemente com o Material para tentar fumar. Chega de chamuscar a ourela dos véus. A fronteira sul do Common é a Boylston Street com o seu comércio vinte e quatro horas, chique, echarpes de cashmere e coldres para celular, porteiros com galões dourados, joalheiros com três nomes, mulheres com franjas de sanefa, lojas vomitando clientes com suas alvas e amplas sacolas monogramadas com alças de barbante. O véu úmido da chuva borra as coisas como o Jim tinha projetado a sua lente neonatal para borrar as coisas imitando a retina neonatal, tudo reconhecível e no entanto sem contorno. Um borrão que é mais deformador que nebuloso. Chega de apertar o coração toda noite. O que parece ser a saída da jaula é na verdade as barras da jaula. As malhas do entardecer. A entrada diz *SAÍDA*. Não há saída. A fusão anular final: entre animal exibido e jaula. O próprio *Jaula III: Espetáculo gratuito*. Foi a jaula que entrou *nela*, de alguma maneira. A engenhosidade da coisa toda está além da compreensão dela. A Diversão faz tempo abandonou o Demais. Ela perdeu a capacidade de mentir a si própria sobre a sua capacidade de parar ou até de gostar daquilo, ainda. Ela não delimita e preenche o buraco mais. Ela não delimita mais o buraco. Há um certo cheiro que têm os véus molhados de chuva. Alguma coisa de um telefonema e da lua, dizendo que a lua nunca virava a cara. Em revolução mas ainda assim não. Ela tinha saído correndo no último T da noite e ido para casa e pelo menos finalmente não tinha desviado o rosto da situação, da questão de que ela não amava mais aquilo, mas odiava e queria parar e também não conseguia parar ou imaginar parar ou viver sem aquilo. Ela tinha de certa forma feito como tinham feito o Jim fazer perto do fim e admitido a sua impotência diante dessa jaula, desse espetáculo ingratuito, chorando, literalmente apertando o coração, fumando primeiro os restos de esponja de aço que tinha usado para prender os vapores e formar uma resina fumável, depois pedacinhos de carpete e a calcinha de acetato com que tinha filtrado a solução horas antes, chorando, desvelada e descabelada, como um palhaço grotesco, em todos os quatro espelhos das paredes do seu quartinho.

CRONOLOGIA DO TEMPO SUBSIDIADO™ DA ORGANIZAÇÃO DAS NAÇÕES DA AMÉRICA DO NORTE, POR ANO

(1) Ano do Whopper
(2) Ano do Emplastro Medicinal Tucks
(3) Ano do Sorvete Dove Tamanho-Boquinha
(4) Ano do Frango-Maravilha Perdue
(5) Ano do Lava-Louças Quietinho Maytag
(6) Ano do Upgrade-de-Placa-Mãe-para-Visualização-de-Cartuchos-de-Resolução-Mimética-Fácil-de-Instalar Tutikaga 2007 para sistemas de TP doméstico, empresarial ou móvel Infernatron/InterLace [sic]
(7) Ano dos Laticínios do Coração da América
(8) Ano da Fralda Geriátrica Depend
(9) Ano Feliz[78]

O filho mais velho de Jim, Orin — sublime punter, excelso esquivador de ácido volante —, uma vez mostrou a Joelle van Dyne a sua coleção infantil de lascas de lustra-móveis que os jogadores da escola usavam para evitar o sol. Pernas e pedaços de pernas de tamanhos diferentes, braços musculosos, uma bateria de máscaras de cinco furos pendendo de pregos presos a uma folha de compensado vertical. Nem todas as cascas tinham um nome abaixo delas.

Boylston St. leste significa que ela passa de novo pela estátua equestre de bronze negro do bostoniano Coronel Shaw e a 54ª de MA, iluminada agora por um retalho emergente de luz do sol, a cabeça e a espada alçada, metálicas, de Shaw ilicitamente envoltas numa grande bandeira québecoise de flor-de-lis com todos os quatro pedúndulos das quatro íris transformados em lâminas rubras, de modo que agora ela é absurdamente uma bandeira vermelha-branca-azul; três policiais de Boston com escadas, varas e tesouras; os militantes canadenses vêm à noite, na véspera da Interdependência, pensando que alguém se importa se eles penduram alguma coisa nuns ícones históricos, penduram bandeiras anti-ONAN, como se qualquer pessoa que não esteja sendo paga para retirar essas bandeiras desse a menor bola. Os enjaulados e suicidas têm extrema dificuldade para imaginar alguém passionalmente interessado por qualquer coisa. E aqui também estão dois traficas de E. Boylston, sirenes da outra, da segunda jaula, parados como sempre diante da F. A. O. Schwartz, negrinhos jovens, meninos tão pretos que são azuis, horrendamente esquálidos e jovens, pouco mais que sombras vivas com gorros de lã, moletons até os joelhos e tênis de basquete muito brancos, pulandinho e soprando nas mãos em concha, aludindo à disponibilidade de um certo Material, só vaguissimamente aludindo, com aquela postura e aquele olhar de paisagem entediado e presunçoso. Alguns vendedores só precisam ficar parados. Alguns tipos de venda: o freguês chega em você; E a Venda Se Faz. Os policiais que cuidam da bandeira do outro lado da rua nem olham para eles. Joelle passa apressada pela linha de traficas, ou tenta, tamanco frouxo marcando o tempo, demorando-se apenas um instante na ponta, logo além do final do desafio, ainda a duas mãos esticadas do último trafica entediado; pois aqui na rua em frente à Schwartz está instalado um estranho display publicitário, não um vendedor vivo de qualquer natureza mas na verdade uma figura humanoide de algo que é melhor que papelão, intocado pelos camelôs que nem parecem olhar, um display com apoios traseiros como os de um porta-retratos, 2-D, a figura de um homem numa cadeira de rodas, paletó e gravata, colo coberto por uma manta e sem pernas, rosto bem nutrido artisticamente avermelhado por alguma terrível alegria, o arco do seu sorriso da curvatura extrema que existe entre prazer e fúria, o seu êxtase, terrível de se ver, cabeça calva e plástica reclinada para trás, olhos nos retalhos azuis arlequinais do céu pós-tempestade, olhando bem para cima, ou tendo uma convulsão, ou em êxtase, braços erguidos também e estendidos num gesto de submissão ou triunfo, ou de agradecimento, a mão direita estranhamente volumosa é o receptáculo de um certo novo cartucho de filme que está sendo anunciado para distribuição, com o cartucho entalado como uma língua numa fresta da sua (inerte) palma; só que é só o display, esta extática figura e um cartucho que nenhum camelô selvagem retirou, nenhuma menção a título, nenhuma citação à crítica ou referências às estrelas concedidas pelos jornais, a lombada do cartucho é preta sobre branco e de um plástico texturizado genérico, descaradamente desprovida de rótulo. As sacolas de duas consumidoras orientais repuxam a capa de chuva de Joelle e a fazem esvoaçar enquanto ela fica ali brevemente parada, sentindo o olhar dos traficas alinhados, avaliando-a; e aí alguém grita alguma coisa para um dos policiais que estão meio trepados na estátua, usando o primeiro nome dele, que ecoa levemente e quebra o encanto; os negrinhos desviam o olhar. Nenhum passante parece perceber o display diante do qual ela está parada, refletindo. É algum tipo de antipropaganda. Para chamar a atenção para o que não se diz. Levar a uma inevitabilidade que você nega. Nada de novo. Mas displayzinho caro e impressionante. O próprio cartucho de filme deve estar vazio também, ou o estojo, vazio, sem valor, porque seria fácil retirá-lo lá da fresta na mão da figura. Joelle retira o cartucho, olha para ele e o devolve ao lugar. O romance dela com os cartuchos já acabou. Jim tinha usado Joelle várias vezes. Jim no fim tinha filmado Joelle prodigiosa e multilenticamente, e tinha se recusado a mostrar o resultado, e morreu s/ um bilhete.[79] O nome mental dela para o sujeito era "Jim Infinito". O cartucho do display se encaixa num clique. Um dos traficantezinhos a chama de boazuda e pergunta onde é o enterro.

Por um tempo, depois do ácido, depois de primeiro Orin ir embora e aí Jim chegar e fazer ela passar por aquela cena de desculpas filmadas e aí desaparecer e aí voltar mas apenas para — só quatro anos sete meses seis dias atrás — para ir embora, por um tempo, depois de envergar o véu, por um tempo ela gostou de ficar muito doida e limpa. Joelle. Lavar as pias até ficarem brancas-menta. Espanar tetos sem usar nenhum tipo de escada. Passar aspirador como uma maluca e colocar um saco de aspirador novinho depois de cada cômodo. Imitar a esposa e mãe que ambos recusavam eliminar. Usar a escova de dentes de Incandenza no rejunte dos azulejos.

Em alguns lugares de Boylston os carros estão estacionados em fila tripla. Os limpadores de para-brisa das pessoas estão naquela velocidade que Joelle, que não sabe dirigir, imagina ser chamada de OCASIONAL nos controles do veículo. Os controles dos limpadores do carro do papaizinho pessoal dela ficavam na haste da alavanca da seta junto ao volante. Táxis amarelos disponíveis passam chiando nas ruas. Mais da metade dos táxis que passam aqui na chuva anuncia a sua disponibilidade, números roxos acesos sob *TÁXI*. Na memória dela Jim era, além de uma grande mente cinematográfica e do bom amigo do seu coração, o melhor chamador de táxis bostonianos, famoso por ter menos chamado que invocado táxis em pontos da cidade em que os táxis bostonianos em circunstâncias normais simplesmente não existem, um chamador de táxis de Boston em lugares como Veedersburg, Indiana e Powell, Wyoming, alguma coisa na autoridade da estatura daquele braço erguido, com o táxi passante sofrendo uma espécie de paralaxe no que cruzava ruas cobertas de mato, surgindo sob a palma da mão erguida de Incandenza como que à espera de uma bênção. Ele era um homem alto e fisicamente lento com um grande amor por táxis. E eles correspondiam a esse amor. Nunca mais um táxi em mais de quatro anos, depois daquilo. E assim Joelle van Dyne, vulgo Madame P., em rendição, suicida, evita carrinho de mão ou de aluguel, tamanco sólido soando formal no cimento liso das calçadas de Boylston passando pelas portas giratórias de lojas finas rumo sudoeste na direção da região violentamente residencial, casaco aberto esvoaçante sobre o poncho e a chuva leve que irrompe gaga e gotejante.

Depois de ter fumado cocaína freebase na manhã de hoje pela última vez e aí queimado as esponjas de aço e as calcinhas boas que tinha usado como um último filtro e se afogado com o acetato queimado quando rasgou e fumou a lingerie, e de ter chorado e imprecado contra os espelhos e de ter jogado fora mais uma vez a sua parafernália pela última vez, quando uma hora depois tinha caminhado não formalmente para a parada do T sob um parlamento de nuvens de tempestade que se reuniam e de vagos pedacinhos grudentos de trovões outonais para ir até Upper Brighton e encontrado Lady Delphina, comprado uma boa quantidade com Lady Delphina, tão difícil parar assim no meio da farra, num sábado, a não ser que você simplesmente apagasse, para contar a L. D. quando tinha dito tchau que da última vez tinha sido na verdade a penúltima vez mas que *agora* era a última vez, agora era tchau mesmo, e comprado uma boa quantidade com Lady Delphina, pagado o dobro do preço normal dos oito gramas em generosa despedida, enquanto caminhava sem grande formalidade de fato até a parada do T e ficava na plataforma, toda hora confundindo uns resmunguinhos de trovão com a chegada da chuva de verdade, querendo tanto mais que podia sentir o cérebro pulsando pelo crânio, aí um negro mais velho simpático e de cara gentil com uma capa e um chapéu de chuva com uma peninha preta na fita e aquele tipo de óculos sem estilo de armação preta que os negros mais velhos simpáticos usam, com os modos mansos, exaustos mas dignos, dos negros mais velhos, esperando sozinho com ela na gélida plataforma do metrô da Davis Square, esse sujeito tinha dobrado o seu *Herald* cuidadosamente no sentido do comprimento e colocado debaixo do mesmo braço com o qual tocava a aba do chapéu e dizia que era para ela desculpar se ele estava se intrometendo, ele disse, mas que ele tinha tido ocasião de ver um ou outro desses véus de linho por aí, como esse que ela estava usando, e estava interessado e tinha ficado curioso. Ele pronunciava todas as sílabas das palavras, o que Joelle, que era do Kentucky, achava agradável. Se não fosse abusar da boa vontade dela, ele disse, tocando a aba do chapéu. Joelle tinha se conectado totalmente a ele, o que era extremamente raro, mesmo fora do ar. Ela até que agradecia a chance de pensar em qualquer outra coisa, com o trem sem dar sinal de pretender chegar. Ela refletiu que a piada tinha escapado, mas não o legado do incidente, ela disse, como se essa parte estivesse escondida. A Organização dos Feios e Inconcebivelmente Deformados foi oficialmente fundada em Londres em 1940 AS em Londres, GB, pela esposa vesga, com fenda palatina e loucamente carbunculosa de um membro júnior da Casa dos Comuns, uma senhora que Sir Winston Churchill, PMGB, depois de ter tomado vários copos de Porto além de um vinho quente numa recepção em homenagem a um administrador financeiro americano, abordara de maneira totalmente inadequada às relações sociais entre cavalheiros e damas civilizados. Sem querer mas praticamente inventando a Organização concebida para proporcionar aos escopofóbicos uma enfática sensação de irmandade e a gênese de vigorosos recursos interiores através da ocultação espontânea e desavergonhada, nosso W. Churchill — quando a senhora, que não era capacho de ninguém, informou-lhe com empertigada acrimônia que ele parecia estar lastimavelmente embriagado — soltou a anedoticamente famosa réplica de que por mais que, sim, deveras, ele realmente estivesse embriagado, ele na manhã seguinte estaria sóbrio mais uma vez, enquanto ela, cara senhora, iria amanhã ainda ser feia e improvavelmente deformada. Churchill, indubitavelmente presa de consideráveis pressões emocionais durante tal período da história, havia então apagado seu charuto no xerez da dama e colocado um guardanapo de mão sobre os traços catastróficos do seu rosto inflamado. A carteira de associada à OFIDE plastificada e sem foto que Joelle mostrou ao cavalheiro negro registrava toda essa informação, e muito mais, numa fonte tão minúscula que a carteira parecia de alguma maneira tanto em branco quanto conspurcada.

PUTATIVO CURRICULUM VITAE DE HELEN P. STEEPLY, 36, 1,93 M, 104 KG, BA, MJA

1 Ano, *Time* (estagiária recém-formada, Seção "Novos nas Notícias");

16 Meses, *Decade Magazine* ("Quem está por cima e quem está por baixo", uma coluna de análise de estilo e tendências) até a *Decade* falir;

5 Anos, *Southwest Annual* (artigos de interesse humano, médico-geriátricos, personalidades e turismo);

5 Meses, *Newsweek* (onze textos pequenos sobre tendências e entretenimento até que seu editor-executivo, por quem estava apaixonada, saiu da *Newsweek* e a levou consigo);

1 Ano, *Ladies Day* (artigos sobre personalidades e medicina cosmética — alguns com pesquisa feita pela própria autora até uma semana em que o editor-executivo se reconciliou com a esposa e H. P. S. foi assaltada e perdeu a bolsa na W. 62ª e jurou nunca mais morar em Manhattan);

15 Meses-Até-Aqui, revista *Moment*, Sucursal Sudoeste, Erythema, AZ (reportagens médicas, perfis de esportistas, personalidades e sobre tendências do entretenimento doméstico, status de editora assistente).

Dali seguindo primeiro para Upper Brighton e agora para o casarão de apartamentos às margens da Back Bay em que tinha morado com Orin, atuado para o pai dele e depois passado para Molly Notkin, simultaneamente convidada de honra e anfitriã da festa de hoje, que desde ontem é quase doutora em Teoria de Filmes e Cartuchos-Fílmicos no MIT, depois de superar a notória barreira que são os Exames Orais naquele dia ao oferecer para a banca uma crítica dramaticamente pronunciada e se é que ela mesma podia dizê-lo totalmente destruidora da Teoria Marxista Pós--Milenar de Cartuchos-Fílmicos do ponto de vista do próprio Marx, Marx como pretenso crítico e acadêmico da área de cartuchos-fílmicos. Ainda vestida de K. M. um dia depois, em comemoração — com a barba colada emaranhada e preta-pentelhos, Homburg encomendado direto de Wiesbaden, fuligem de uma lojinha horrenda-mente obscura de lembranças da Inglaterra —, ela não tem ideia de que Joelle está numa jaula desde o ACDT-B nem tem ideia do que ela e Jim Incandenza estiveram armando por vinte e um meses, se eram amantes ou não, se Orin foi embora porque eles eram amantes ou não,[80] nem que Joelle naquele exato momento vive com uma mão na frente e outra atrás com um fundo grotescamente generoso que lhe foi con-cedido em testamento pelo homem para o qual ela se desvelou mas com quem nunca dormiu, o pai do prodigioso punter, gracioso infinito, diretor de um último *opus* tão *magnum* que ele pediu que fosse trancado numa caixa. Joelle nunca viu a montagem completa do filme em que ela aparecia nem viu alguém que tivesse visto, e duvida que qualquer somatória de cenas tão patológicas como as para as quais ele meteu aquela lente longa quartzoide e autotremelicante na câmera e filmou possa ser um entretenimento tão bom quanto ele tinha dito que a coisa que ele sempre quis fazer lhe partiu o coração ao acabar sendo.

Subindo até o terceiro andar, degraus claros de tanto uso, ainda tremendo por causa do interruptus matinal, Joelle se vê tendo grande dificuldade, subindo, como se a força da gravidade subisse quando ela sobe. Os sons da festa começam lá pelo segundo patamar. Eis Molly Notkin vestida como uma versão desmoronante de Marx mais uma vez cumprimentando Joelle na porta de casa com aquele tipo de falsa sur-presa encantada que as anfitriãs dos EU usam para receber as pessoas. Notkin segura o véu de Joelle para ela durante a retirada do poncho e do casaco de contas, aí ergue o véu levemente com um experiente gesto de dois dedos para dar um beijinho de duas bochechas que está azedo de cigarro e de vinho — Joelle nunca fuma velada — per-guntando como Joelle chegou até ali e aí sem esperar uma resposta oferecendo aque-le estranho tipo de suco de maçã da Colúmbia Inglesa de que as duas tinham desco-berto que gostavam tanto e que Joelle em casa tinha abandonado para voltar para a Big Red Soda Water da infância, o que Notkin nem sabe e ainda sem-noção-mente considera que o suco canadense extradoce seja basicamente o maior dos vícios dela e de Joelle. Molly Notkin é o tipo de pessoa com quem você quer desesperadamente ser educada mas de quem você tem que esconder esse fato senão ela ia ficar choca-díssima se suspeitasse que você só era educada com ela a respeito de qualquer coisa.

Joelle faz um gesto de não-me-conte. "Do bom mesmo?"

"Do tipo que parece lamacento de tão fresco."

"Onde foi que você achou aqui no leste?"

"Do tipo que você até tem que *peneirar* de tão fresco."

A sala está cheia e está quente, um mambo pseudobrega tocando, paredes ainda do mesmo bege-claro mas rodapés e caixilhos agora de um belo marrom de confei-teiro. Ou além do mais ainda tem vinho, Joelle vê, de tudo quanto é tipo no velho aparador que precisou de três sujeitos com charutos e macacões cinzentos pra levar escada acima quando eles compraram, vários tipos de garrafa de formatos diferentes, cores foscas e diferentes níveis do que está lá dentro. Molly Notkin está com uma mão de unhas sujas no braço de Joelle e com a outra na cabeça de uma cadeira de Maya Deren meditando vanguardisticamente em vívidos polímeros de vidro entretecido, e está contando a Joelle da sua avaliação oral num quase-grito de festa que vai deixá-la rouca bem antes do triste fim desta aqui.

Um bom suco lamacento enche a boca de Joelle de uma saliva que é tão boa quanto o suco, e o seu véu de linho está secando e começando mais uma vez a esvoaçar reconfortantemente com a sua respiração, e, empoleirada ali sozinha e espiada furtivamente por pessoas que não conhecem sua voz, ela sente o desejo de erguer o véu diante de um espelho, de refinar um pouquinho do Material intocado que traz na bolsa, erguer o véu e libertar a coisa voraz que está enjaulada dentro dela, para respirar o único gás despido que consegue engolir; ela se sente medonha e triste; ela parece a morte, com o rímel todo borrado; ninguém pode imaginar. A garrafa plástica de Pepsi, o tubo vítreo de cigarro, o isqueiro e o pacote de saquinhos de glicina são uma forma no fundo da bolsa de pano escura-de-chuva que repousa no chão logo abaixo do seu tamanco sacolejante. Molly Notkin está parada com Rutherford Keck, Crosby Baum e um homem com uma má postura radical diante do monitor Infernatron fornecido pela universidade. As costas largas e o topete de Baum obscurecem o que quer que esteja na tela. As vozes dos acadêmicos soam nasais, com um gaguejar refinado no princípio das frases. Uma bela parcela dos filmes de James O. Incandenza era muda. Ele reconhecia que era um cineasta visual. Seu sorridente filho defeituoso que Joelle nunca chegou a conhecer porque Orin não gostava dele muitas vezes carregava o estojo das lentes, sorrindo como alguém que contrai os olhos diante de uma fonte de luz forte. Smothergill, aquele ator infantil insuportável, ficava contorcendo o rosto para o menino e ele só ria, o que fazia Smothergill ter uns ataques de raiva que Miriam Prickett resolvia no banheiro sabe-se lá como. Um antigo CD de revival latino sai num volume decente dos falantes parafusados em vasos e pendurados por correntes finas em cada canto do teto creme. Outro grande grupo frouxo está dançando no espaço liberado entre a aglomeração de cadeiras diretoriais e a porta do quarto, a maioria preferindo o Mínimo Mambo do AFGD, a antimoda da Costa Leste neste outono, com os dançarinos simplesmente parecendo estar quase parados, com as mais ligeiras insinuações possíveis de estalos de dedos sob cotovelos em ângulos retos. Orin Incandenza, ela não esqueceu, tem um cotovelo inchado todo sardentinho sobre um antebraço do tamanho de um pernil de cordeiro. Ele trocou direitinho do braço para a perna. Joelle foi a única amante de Orin Incandenza por vinte e seis meses e a amada óptica do pai dele por vinte e um. Um acadêmico estrangeiro com uma calva quase franciscana tem o passo manco espiralado de alguém que usa uma prótese — contratado pelo MIT depois do tempo dela. Os movimentos dos melhores dançarinos são tão minúsculos que chegam a ser evocativos e viciantes de ver, com aquela massa quase estática coalhada e curvada de alguma maneira sutilmente em torno de uma única moça linda, linda mesmo, com as costas ondulando minimamente dentro de uma blusa leve, justa, listrada de azul e branco e meio amarinheirada enquanto ela alude ao tchá-tchá-tchá com maracas desprovidas do que as fizesse chocalhar e se assiste quase dançar no espelho de corpo inteiro de prata de qualidade que depois que Orin foi embora Joelle tinha proibido Jim de pendurar e havia empurrado para baixo da cama dela com o vidro contra o chão; agora ele é o espelho emoldurado da parede oeste, pendente entre duas molduras douradas de arabescos que Notkin acha que ela foi retroirônica ao mandar emoldurar as próprias molduras, com molduras bem menos enfeitadas, numa sarcástica alusão à moda dos primeiros anos do experialismo de transformar em arte os acessórios da apresentação artística; as molduras emolduradas penduradas não exatamente na mesma altura de cada lado do espelho que ele tinha cortado para as cenas daquele último filme medonho em que ele a fizera ficar parada ali, recitando com os tons abertamente ocos que ela tinha depois usado no ar; a moça fica transfixada de azul e branco que se alternam horizontais e depois fatiada verticalmente pela luz do sol cortada em barras, picada, bêbada, tão torrada com o bom vinho envelhecido que seus lábios pendem moles e os músculos refletidos das bochechas dela perderam toda a integridade e as bochechas balançam como os incríveis seios dentro da blusinha de marinheiro. Blush apocalíptico e um piercing de nariz que ou é eletrificado ou está apanhando um pouco da luz da janela. Ela está se assistindo com um fascínio nada autoconsciente no único espelho que se pode usar aqui fora o do banheiro. Essa falta de vergonha da auto-obsessão. Será que ela é canadense? Culto do espelho? Não tem como ser da OFIDE: o porte está todo errado. Mas agora, ao ouvir o sussurro de um homem quase imóvel com um capacete de jóquei, ela se vira abruptamente se desprendendo do próprio reflexo para explicar não tanto para o homem quanto para ninguém em especial, para toda a massa dançante: eu só estava olhando os meus *peitos* ela diz olhando para baixo eles não são *lindos*?, e é comovente, há algo tão cardiacamente partido na sinceridade do que ela diz que Joelle quer ir até ela dizer-lhe que sim e que ela vai ficar completamente bem, ela pronunciava também todas as sílabas das palavras, alongando inclusive a nasal, traindo sua classe e sua origem com a sinceridade comovente que Joelle sempre considerou ou terrivelmente estúpida ou terrivelmente corajosa, a menina erguendo os braços listrados num gesto de triunfo ou de singelo agradecimento por ter sido construída dessa maneira, com aqueles "peitos", construída por quem e para quem sendo algo que nunca lhe ocorria, singelamente extática, Joelle pode ver, pelo rubor febril e pelos olhos tão escancarados que você consegue entrever a carne encefálica por trás dos polos dos globos, vulgo E ou MDMA, um beta-alguma coisa, um dos primeiros sintéticos, ácido emocional, a Droga do Amor supostamente, grande sucesso entre os jovens artistas do tempo digamos de Bush e seus sucessores, caída desde então em relativo esquecimento porque a sua ressaca pulverizante foi associada ao uso impulsivo de armas automáticas em lugares públicos, uma ressaca que faz a ressaca de freebase parecer um dia na praia em termos emocionais, com a diferença entre suicídio e homicídio consistindo talvez apenas no lugar em que você julga perceber a porta da jaula: será que ela mataria outra pessoa para sair da jaula? Será que a coisa supostamente fatalmente interessante e escopofilíaca que o Jim diz que fez com o rosto desvelado dela aqui no começo do ACDT-B era na verdade uma jaula ou uma porta? Será que ele ao menos editou aquilo num todo coerente? Não havia coerência nas desculpas e na cosmologia-de-morte-materna que ela tinha ficado repetindo, inclinada sobre aquela lente autotremelicante apoiada no carrinho de bebê de laterais axadrezadas. Ele nunca a deixou ver nem os copiões. Ele se matou menos de noventa dias depois. Depois de menos de noventa dias? Quanto uma pessoa deve querer terminar com tudo pra meter a cabeça num forno de micro-ondas? Uma mulher estúpida que todas as crianças conheciam lá em Boaz tinha posto o gato num micro-ondas para secar depois de um banho anticarrapato e regulado o forno só para Descongelar e o gato acabou espalhado por todas as paredes da cozinha da mulher. Como será que dava para mexer no forno para ele ligar com a porta aberta? Será que ele tem só tipo um botão de luz de geladeira que dá pra prender com durex? Será que durex derrete? Ela não consegue lembrar de ter pensado nisso em quatro anos. Será que foi ela quem o matou, de alguma maneira, só se inclinando desveladamente sobre aquela lente? A mulher apaixonada pelos próprios seios está sendo parabenizada com as mais sutis alusões a mãos que batem palmas vindas de dançarinos quase inanimados com suas tulipas de vidro presas entre os dentes, e o Vogelsong do Emerson College tenta repentinamente plantar bananeira e imediatamente vomita um leque cor de ameixa de um ectoplasma do qual os dançarinos mal tentam escapar, e Joelle aplaude a mulher Extasiada também, porque são mesmo, Joelle admite francamente, os seios, são *bonitos*, o que na Organização é chamado de Atraentes Dentro de Limites Relativos Compatíveis; Joelle não tem problemas com a ideia de ver a beleza ser celebrada, dentro de limites relativos compatíveis; ela não sente mais empatia ou carinho materno, só um desejo de engolir cada gotinha de saliva que ainda possa produzir e sair deste barco, ter mais quinze minutos de Diversão Demais, eliminar o seu próprio mapa com o aflato do deus cego de todas as jaulas sem portas; e ela se deixa escorregar do colo de Méliès, uma queda minúscula, conduzindo a bolsa calombuda e o copo de suco fosco de maçã para a porta além das fileiras de uma conga em calmaria e os agrupamentos umbrais de uma festa teórica quente e sentida. E aí, de novo, vacila, hesita, e a passagem para o banheiro está bloqueada. Ela é a única mulher velada aqui, e uma geração acadêmica mais velha que quase todos esses alunos, e algo temida, muito embora não muitas pessoas saibam que ela é uma Personalidade Sonora, temida por desistir em vez de fracassar, e por causa da sua ligação com a memória de Jim, e ela tem uma margem de tolerância algo larga em termos sociais, que lhe dá permissão para hesitar, orbitar e ficar isolada nas margens de grupos móveis, dissimuladamente espiada, véu se concavando a cada inspiração, esperando com nonchalance requebrada que se libere o quarto que dá para o banheiro, tendo Iaccarino o arquivista chapliniano e um homem mais velho de um amarelo-icterícia entrado no quarto de Molly e deixado a porta entreaberta, esperando com nonchalance. Ignorando o acadêmico estrangeiro que quer saber onde ela trabalha com aquele véu, dando-lhe as costas, rude, cérebro latejando na sua caixa óssea, memorizando cada detalhe como quem recolhe conchas ocas, bebendo suco opaco sob cantos delicadamente erguidos do véu, olhando agora para, em vez de através do, o tecido translúcido, o equivalente Improvavelmente Deformado de fechar os olhos em concentração auditiva, deixando que a Festa Final passe por cima de si, ultrapassada graciosamente por vários convidados que socializam e uma ou duas vezes quase tocada, vendo apenas o branco que acorre e depois se enfuna, ouvindo várias vozes que socializam como os jovens desvelados provam vinho.

"Isso aqui é um espaço tecnologicamente constituído."

"... o negócio abre com um plano superfechado do Remington com um terno horrível de flanelinha de vovô, p&b, um plano frontal total com aquela textura granulada de p&b que o Bouvier ensinou ele a manipular a abertura pra imitar aqueles super-8 horrorosos, frontal total, olhando sobre a câmera, sem nenhuma tentativa de dissimular que ele está lendo um teleprônter, com aquele tom monótono e tudo, dizendo 'Poucos estrangeiros percebem que o termo alemão *Berliner* também é o idiotismo vulgar para um sonho recheado comum, e que assim o seminal "*Ich bin ein Berliner*" de Kennedy foi recebido pela massa teutônica com um deleite que só aparentemente era político', quando então ele mira o polegar e o indicador para a têmpora quando então o assistente dele dobra a distância focal que dá um puta..."

"Eu morreria pra defender o seu direito constitucional de errar, meu amigo, mas nesse caso você..."

"Eles eram menos lindos mas aí o Rutherford disse pra parar de dormir de bruços."

"Não não eu estou dizendo que *isso*, que *essa* situação toda, *dentro* da qual eu e você estamos discutindo, é um espaço tecnologicamente constituído."

"*À du nous avons foi au poison.*"

"É um queijo gostoso, mas eu já comi queijos melhores."

"Mainwaring, esse aqui é o Kirby, o Kirby está aqui com uma dor, ele estava me contando isso e agora ele queria te contar."

"... um mistério total a Eve Plumb não ter dado as caras, todo mundo sabe que ela deu uma repaginada para o papel, o resto deles todo mundo estava lá, até o Henderson e aquela tal daquela Davis como Alice que teve que ser empurrada numa cadeira de rodas com enfermeira e tudo, Jesus meu, e o Peter, com cara de quem só comeu doce nos últimos quarenta anos, o Greg com aquela peruquinha absurda e as botas de couro de cobra, está bem mas todo mundo reconhecível, no fundo, de algum jeito, essa insistência pré-digital na continuidade através do tempo que era toda a mágica e a *raison* do projeto, você sabe, você está ligado na fenomenologia pré-digital e na teoria família-sol-lá-si-dó. E aí mas agora me aparece uma *negra de meia-idade* totalmente incongruente no papel da Jan!"

"*De gustibus non est disputandum.*"

"Nem a pau."

"Uma incongruente negritude central teria servido para acentuar a terrível branquitude que tinha existido em inelut..."

"Todo o efeito histórico de um programa seminal foi alterado de um jeito horrível, horrível. Alterado de um jeito terrível."

"Eisenstein, Kurosawa e Micheaux entram num bar."

"Sabe aqueles cartuchos de massa, pras massas? Aqueles que são tão ruins que são meio que perversamente bons? Esse era pior que isso."

"… que as pessoas chamam de fantasma, mas é de verdade. E é móvel. Primeiro a coluna. Aí não é a coluna mas o olho direito. Aí o olho fica que é uma maravilha mas o dedão, o dedão me mata de dor. Não fica quieto, sabe."

"Ferra com o gradiente da emulsão de um jeito que todos os ângulos do tesseracto *parecem* ser retos, só que em…"

"Então aí o que é que eu faço eu sento bem do ladinho dele, sabe como, de um jeito que é pra ele não ter espaço pra se esgueirar ou pra fazer mira, o Keck disse que eles precisavam de uns dez m, então eu ajeitei o chapéu assim, só um pouquinho mesmo assim de lado, certinho, só virei ele assim meio de lado certinho e sentei praticamente no colo do cara, perguntei das carpas premiadas dele, ele cria carpas com pedigree, e claro que dá pra vocês imaginarem o que…"

"… questão mais interessante de uma perspectiva heideggeriana é a priori se o espaço enquanto conceito é emoldurado pela tecnologia enquanto conceito."

"Tem meio que uma inteligência móvel, uma coisa meio de espectro ou de espírito…"

"Porque elas são emotivas, mais lábeis nesse estágio."

"'Então pôr dentadura?', ela disse. 'Então pôr *dentadura*?'"

"Quem foi que filmou A *incisão*? Quem fez a fotografia de A *incisão*?"

"… como aquilo conseguiu ser um filme como filme. Comstock diz que se o negócio pelo menos existe ele tem que ser mais tipo um fármaco estético. Algum vetor escopofilíaco brutal pós-anular. Suprassubliminaridade e tudo mais. Algum tipo de hipnose abstraível, um liberador óptico de dopamina. Uma alucinação gravada. O Duquette diz que perdeu contato com três colegas. Ele disse que uma galera em Berkeley não está atendendo o telefone."

"Acho que ninguém aqui vai negar que são uns peitos absolutamente encantadores, Melinda."

"A gente comeu blinis com caviar. Tinha baguete. A gente comeu moleja com molho de creme de champignon. Ele disse que era tudo por conta dele. Ele disse que estava pagando. Tinha alcachofra assada com um molho alioli meio metido. Carneiro recheado com foie gras, bolo de chocolate ao rum recheado. Sete tipos de queijo. Um glacê de kiwi e brandy nuns copões que você tinha que girar com as duas mãos."

"Aquela bicha cocainômana naquele Mini Morris."

O acadêmico prostético: "Os ventiladores não têm nem chance de manter tudo no Grande Reconvexo. Aquilo volta. Tudo que vai volta direto. Essa nação de vocês se recusa a aprender. Vai continuar voltando. Vocês não podem dar a imundície de vocês e evitar todo e qualquer retorno, não é? A imundície é por natureza uma coisa que está sempre voltando. Eu, eu lembro quando o Charles aqui de vocês era café com creme. Agora olhem só. É o rio azul. Vocês têm um rio ali fora de vocês que é azul-ovo-de-pisco".

240

"Acho que você quer dizer Grande Recôncavo, Alain."

"Eu quis dizer Grande Reconvexo. Eu sei que coisa que eu quis dizer."

"E aí no fim ele tinha posto xarope de ipeca no brandy. Foi a coisa mais horrível que você já viu na vida. Todo mundo, por tudo, tipo jorrando igual baleia. Eu tinha ouvido falar de vômito *em golfadas* mas nunca tinha pensado que dava pra *mirar*, a pressão era tão grande que dava pra *mirar*. Aí me aparecem uns técnicos de baixo tipo do beiral da mesa, e ele me puxa uma cadeirinha de lona, uma claquete e começa a filmar aquela gemeção horrível, os jorros, todo mundo capengando…"

"Esse boato final do cartucho-enquanto-morte-extática que anda correndo por aí que nem uma barata tonta desde o Lava-louças, pelo amor de Deus. É só fazer umas perguntas, mencionar uma bolsa de alguma fundação obscura, conseguir pôr as mãos no negócio no mercado de qualquer tom de cinza em que ele supostamente anda circulando. Dê uma olhada. Confira que é sem sombra de dúvida só pornô conceitual ou uma hora de espirais girando. Ou uma coisa tipo fim da carreira do Makavaiev, uma coisa que só é divertida depois que acaba, quando você reflete."

O paralelogramo estriado de sol vespertino está se alongando em trânsito pela parede leste do apê, sobre o aparador engarrafado e o armário de vidro com equipamentos vintage de edição e aberturinhas venezianadas e prateleiras de cartuchos artísticos nos seus estojos foscos pretos e pardos. O homem das verrugas com o capacete de jóquei ou está piscando para ela ou tem um tique. Há um clássico anseio pré-suicida: senta um minutinho, eu quero te contar tudo. O meu nome é Joelle van Dyne, sangue holandês e irlandês, e fui criada nas terras da família a leste de Shiny Prize, Kentucky, filha única de um químico de pHs baixos com a sua segunda mulher. Eu não tenho mais sotaque a não ser quando fico tensa. Eu tenho 1 metro e 70 de altura e peso 48 quilos. Eu ocupo espaço e tenho massa. Eu inspiro e expiro. Joelle até hoje nunca tinha tido consciência da prolongada volição necessária para simplesmente inspirar e expirar, com o véu recuando sobre seu nariz e sua boca redonda e depois se inflando um pouco para fora como cortinas em uma janela aberta.

"Reconvexo."

"Recôncavo!"

"Reconvexo!"

"Recôncavo, seu idiota cego!"

O banheiro tem um gancho na parede e um armarinho com espelho em cima da pia e dá para o quarto. O quarto de Molly Notkin parece o quarto de alguém que fica tempo pacas na cama. Uma meia-calça foi jogada em cima de um abajur. Há não apenas migalhas mas pedaços inteiros de bolachas protuberando das ondas cinzentas da roupa de cama embolada. Uma foto do nova-iorquino faloneurótico com o mesmo apoio triangular dobrável do antianúncio do cartucho vazio. Um pote Ziploc de maconha e seda EZ-Wider e sementes no cinzeiro. Livros com títulos alemães e cirílicos estão abertos em posições de rachar lombada sobre o tapete sem cor. Joelle nunca gostou que a foto do pai de Notkin estivesse pregada a uma altura icônica na parede acima da cabeceira da cama, um planejador de sistemas de Knoxville, TN, o sorriso dele é o sorriso de um homem que usa chinelinho branco e um cravo que esguicha água. E por que os banheiros sempre são bem mais iluminados do que qualquer quarto que dá para eles? No lado privado da porta do banheiro de cujo topo ela teve que tirar duas toalhas úmidas para fechar inteira, o mesmo ganchinho vagabundo de uma tranca que nunca parece querer caber direito no seu encaixe no caixilho, a música da festa agora é alguma coletânea horrorosa de clássicos suaves do rock'n'roll que só trazem todas aquelas medonhas lembranças odontológicas, o lado relevante da porta está coberto por um calendário da Selective Automation de Knoxville de antes do Tempo Subsidiado e de fotos de Kinski como Paganini e Léaud como Doinel e de um still sem margens da cena de multidão no que parece ser *The Lead Shoes* de Peterson e de maneira algo curiosa a página impressa do único ensaio sobre teoria fílmica publicado durante o mestrado de J. van Dyne.[81] Joelle consegue sentir o cheiro, através do véu e de suas próprias exalações rançosas, do complicado aroma de farelo de sândalo num sachezinho violeta, de sabonete desodorante e o odor rascante de limão podre da diarreia provocada pela tensão. Filmes de terror baratos do tempo do celuloide criavam ambiguidade e possíveis elisões colocando *?* depois do *THE END*, é o que aparece na cabeça dela: *THE END?* Por entre os odores de mofo e da digestão acadêmica com problemas? A família da mãe de Joelle não tinha encanamento em casa. Tudo bem. Ela reprime todos os padrões de pensamento sentimentaloides tipo esse-vai-ser-o-último-cheiro-que-eu-senti. Joelle vai se Divertir Demais aqui. Era sem dúvida nenhuma muito *divertido* no começo. Orin nem desaprovava nem compartilhava; a urina dele era um livro aberto por causa do futebol. Mais do que desaprovar, Jim de fato tinha se mostrado desinteressado. O Demais dele era uísque puro, e ele tinha vivido a vida plenamente, e depois ido para a desintoxicação repetidamente. Aquilo tinha sido simplesmente divertido demais no começo. Muito melhor que nasalar o Material com uma cédula enroladinha, esperar aquela onda de frio no fundo da garganta e limpar o apartamento recém-espaçoso até quase gastar enquanto a sua boca se contorce e se repuxa por vontade própria por baixo do véu. A base se libera e se condensa, comprime a experiência toda da implosão num único e terrível pico no gráfico, um aflatado orgasmo do coração que faz ela se sentir, verdadeiramente, *atraente*, protegida por limites, desvelada e amada, observada e só, e suficiente, e fêmea, plena, como que vista por um instante por Deus. Ela sempre vê, depois de inalar, bem no ápice, na pontinha do pico do gráfico, *O êxtase de santa Teresa*, de Bernini, atrás de um vidro na Vittoria, por alguma razão, a santa reclinada, semissupina, com suas soltas vestes pétreas erguidas pelo anjo em cuja outra mão uma flecha nua está ereta em busca da melhor descida, com as pernas da santa imobilizadas na abertura, a expressão do anjo não de caridade mas da perfeita depravação de um amor farpado. Aquilo tinha sido não só o deus que a enjaulava mas também seu amante, demoníaco, angélico, de pedra. O assento da privada está erguido. Ela pode ouvir um helicóptero em algum lugar no alto a leste, um helicóptero do Dep. de Trânsito sobre a Storrow, e o gritinho de Molly Notkin quando um imenso estrondo de vidro quebrado ressoa na sala de estar, e imagina a barba dela pendendo enviesada e a boca obnubilada pela espuma do champanhe enquanto ela desconsidera a quebra que significa Festa Boa, e pode ouvir pela porta as desculpas da extática Melinda e a risada de Molly, que soa como um gritinho:

"Ah tudo acaba caindo da parede mais cedo ou mais tarde."

Joelle ergueu o véu para que lhe cubra o crânio como o de uma noiva. Como jogou fora cachimbos, tigelas e filtros de novo hoje de manhã vai ter que ser inventiva. No balcão de uma pia antiga o mesmo não bem-branco do piso e do teto (o papel de parede é um ensandecedor padrão incontável de rosas entrançadas em grinaldas com cabinhos), no balcão estão uma escova de dentes velha de cerdas abertas, tubo de pasta de dentes Gleem bem enroladinho de baixo para cima, nojento limpador de língua antigo, durepox, Naluril, unguento depilatório, tubo de Miconazol não espremido de baixo para cima, as partes das suíças de uma barba falsa, pedacinhos verdes e enroscados de fio dental usado sabor menta, remédio para diarreia, um tubo totalmente não espremido de espuma de diafragma, nenhum tipo de maquiagem mas montes de gel de cabelo num pote enorme sem tampa e com cabelos na borda, uma caixa vazia de absorventes internos meio cheia de moedinhas e elásticos, e Joelle varre o balcão com um braço e estruncha tudo num canto embaixo da varetinha com um paninho odiosamente dependurado e ressequido num formato de espiral apertada como de um cabo de telefone, e se alguns itens acabam oscilando e caindo no chão tudo bem porque tudo um dia tem que cair. Para o balcão liberado vai a deformada bolsa de Joelle. A ausência do véu atenua de alguma maneira os cheiros do banheiro.

Ela sempre foi inventiva, mas esse é o maior grau de determinação que Joelle já conseguiu alcançar a respeito do assunto em coisa de um ano. Da bolsa ela retira o recipiente plástico de Pepsi, uma caixa de fósforos de madeira mantidos secos num saquinho refechável, dois saquinhos grossos de glicina cada um com quatro gramas de cocaína de qualidade farmacêutica, uma gilete de um só gume (cada vez mais difícil de encontrar), uma latinha preta Kodachrome cuja tampa cinza ela abre e joga fora para revelar bicarbonato de sódio peneirado até ficar fininho como talco, o tubo vítreo vazio do charuto, um quadrado dobrado de papel-alumínio Reynolds do tamanho de uma carta de baralho e um pedaço amputado da parte de baixo de um bom cabide de metal. A luz do teto projeta sombras de suas mãos por cima das coisas de que ela precisa, depois ela acende a luz acima do armarinho também. A luz gagueja, zumbe e banha o balcão com uma fria fluorescência sem-lítio. Ela solta os quatro grampos, retira o véu da cabeça e o coloca no balcão com o resto do Material. Os saquinhos de glicina de Lady Delphina têm uns lacres inteligentes que ficam verdes quando estão fechados e azuis e amarelos quando não. Ela bate meia glicinada no tubo de charuto e acrescenta metade daquela quantidade de bicarbonato de sódio, derramando um pouco do bicarbonato num parêntese de branco-claro do balcão. Esse é o maior grau de determinação que ela conseguiu ter em pelo menos um ano. Ela abre a torneira F, deixa a água ficar bem fria, aí regula o volume até escorrer só um fiozinho e enche o tubo até em cima com água. Ela segura o tubo reto e bate delicadamente do lado com uma unha rombuda e sem esmalte, vendo a água escurecer lentamente os pós do fundo. Ela produz uma rosa dupla de chama no espelho que ilumina o lado direito do seu rosto enquanto segura o tubo sobre a chama dos fósforos e espera que aquilo comece a borbulhar. Ela usa dois fósforos, duas vezes, quando o tubo fica quente demais para segurar ela pega e dobra o véu e o emprega como uma espécie de luva para forno por cima dos dedos da mão esquerda, com cuidado (por costume e experiência) para não deixar os cantos inferiores chegarem tão perto da chama que fiquem marrons. Depois que borbulhou só um segundo Joelle sacode os fósforos com um floreio e os arremessa na privada para ouvir o mais breve dos chiados. Ela pega a vareta negra de arame do cabide e começa a mexer e amassar o conteúdo recém-borbulhado do tubo, sentindo ele se espessar rapidamente e crescer sua resistência aos minúsculos círculos do arame. Foi quando as mãos dela começaram a tremer durante essa parte do procedimento de preparo que ela percebeu pela primeira vez que gostava disso mais do que alguém pode gostar de alguma coisa e ainda continuar vivo. Ela não é boba. O Charles rolando lá embaixo do banheiro sem janelas é vividamente azul, mais suavemente azul no alto por causa da água fresca da chuva que tinha feito surgirem anéis roxos que se abriam, de um azul mais escuro de pincel atômico por baixo da camada diluída, gaivotas cravadas no céu aberto, imóveis como pipas. Um baque encorpado soa de trás do grande morro de cume plano de Enfield na margem sul do rio, um grande mas relativamente amorfo projétil de tambores envoltos em papel postal marrom e cingido por barbante que se lança num largo arco ascendente que incomoda as gaivotas que se deixam cair e rodar, o pacote marrom é logo um minúsculo furo no céu já enevoado ao norte, onde uma nuvem marrom-amarelada paira logo acima da linha entre céu e terreno, com seu topo lentamente se dispersando e se abrindo de modo que a nuvem parece um tipo não muito lindo de cesto de lixo, à espera. Dentro, Joelle ouve apenas um pouco do baque encorpado, que podia ser qualquer coisa. A única outra coisa além do que ela está prestes a fazer demais aqui neste exato momento a respeito da qual ela tinha chegado perto de se sentir desse jeito na vida: na infância de Joelle, Paducah, nem tão longe assim de carro de Shiny Prize, ainda tinha alguns cinemas públicos, seis e oito auditórios separados aglomerados em colmeias comuns nas franjas dos shoppings das rodovias. Os cinemas sempre terminavam em *plex*. O Issoplex e o Aquiloplex. Isso nunca tinha parecido estranho para ela. E ela nunca viu nem um único filme lá, menina, que não a deixasse praticamente morta de paixão. Não fazia diferença o que fosse. Ela e o seu Paizinho pessoal lá na primeira fila, eles sentavam nas primeiras filas dos estreitos *plex* extraisolados lá na torcicololândia e deixavam a tela preencher todo o seu campo de visão, ela com a mão no colo dele e a caixona de pipoca doce na mão e com refrigerantes seguros em argolinhas recortadas no plástico dos assentos deles; e ele sempre com um fósforo de madeira no canto da boca, apontando lá no mundo retangular para este ou aquele sujeito, atores, gigantes belezas 2-D imaculadas iridescentes na tela, dizendo sem parar a Joelle como ela era mais bonita que aquela ali ou aquela lá. De pé na plácida fila enquanto ele comprava as entradinhas de papel do *plex* que pareciam canhotos de compras, sabendo que ela ia adorar o entretenimento de celuloide, qualquer que fosse, maravilhosamente inocente, ainda achando que *qualidade* se referia aos ursinhos de pelúcia vivos dos comerciais da Qantas, de pé segura pela mão, olhos na altura do calombo do bolso de trás que a carteira fazia nas calças dele, ela nunca mais de novo como naquela fila se sentiu tão *cuidada*, destinada para a boa diversão inadulterada do entretenimento da telona, nunca mais na vida até começar com este amante aqui, preparando e fumando, cinco anos atrás, antes da morte de Incandenza, no começo. O punter nunca fez ela se sentir assim tão *cuidada*, nunca fez ela se sentir prestes a ser penetrada por alguma coisa que não sabia que ela estava ali e que no entanto só servia para fazer ela se sentir bem mesmo assim, ao penetrar. O entretenimento é cego.

A coisa improvável da coisa toda é que quando o bicarbonato, a água e a cocaína são misturados direito, aquecidos direito e mexidos bem direitinho enquanto a mistura esfria, aí quando aquilo está duro demais para mexer e finalmente está pronto para sair dali ele sai fácil como o excremento de uma cabra, só uma pancada de garrafa de ketchup invertida e lá se vai o filho de uma puta vagabunda escorregando para fora, um cilindro moldado endurecido em volta do arame negro, com o focinho arredondado do fundo do tubo de vidro. A pedra média de freebase pré-quebra parece uma bala de .38. O que Joelle agora tira com três piparotes do tubo do charuto é uma monstruosa salsicha branca, um cachorro-quente de feira, com as laterais meio ásperas, tipo machê, com uns coágulos restantes ainda no tubo que são o que você raspa para fumar antes das esponjas de aço e das calcinhas.

Ela agora está há pouco menos de dois deliberados minutos de Diversão Demais para um mortal qualquer ter esperança de resistir. Seu rosto desvelado no espelho sujo iluminado é chocante na intensidade da sua absorção. Lá na entrada do quarto ela pode ouvir Reeves Mainwaring dizendo a alguma menina com voz de hélio que a vida é essencialmente uma longa busca por um cinzeiro. Diversão Demais. Ela usa a gilete para fazer seções transversais e extrair pedaços da salsicha de freebase. Não dá para você ir fatiando fininho umas lâminas tipo de fiambreria porque eles desmancham e viram pó rapidinho e de qualquer modo eles não queimam tão bem quanto você podia pensar. Pedaços grossos são a regra. Joelle tira pedaços suficientes para talvez umas vinte doses. Eles formam uma pequena pedreira no tecido macio do seu véu dobrado sobre o balcão. A saia brasileira dela não está mais úmida. O bigode louro estilo imperial de Reeves Mainwaring vivia com restinhos de comida. *O êxtase de santa Teresa* está em exposição perpétua na Vittoria em Roma e ela nunca foi ver. Ela nunca mais vai dizer *E eis que* e convidar as pessoas para assistirem a dança das trevas sobre a face do abismo. A *face do abismo* tinha sido o título que ela sugeriu para o último cartucho inédito de Jim, que ele tinha dito que ia ser pretensioso demais e aí acabou usando aquele fragmento do crânio lá da cena do cemitério do *Hamlet*, que tipo nem me fale em pretensão ela tinha rido. A cara assustada dele quando ela tinha rido é por tudo nessa vida a última expressão facial que ela consegue lembrar do sujeito. Orin às vezes se referia ao pai como Sipróprio, às vezes como a Cegonha

Demente e uma vez por um deslize como a Cegonha Gemente. Ela acende um fósforo de madeira e sopra imediatamente e toca a cabeça negra quente no lado da garrafa plástica de refri. Ela derrete fácil e se abre num buraquinho. O helicóptero era provavelmente do Dep. de Trânsito. Alguém na Academia deles tinha alguma conexão com algum helicóptero de trânsito que tinha sofrido um acidente. Ela não consegue nem fazendo a maior força do mundo. Ninguém lá fora sabe que ela está se preparando para o Demais. Ela pode ouvir a Molly Notkin gritando pelos quartos uma coisa de se alguém viu o Keck. No primeiro seminário teórico dela Reeves Mainwaring tinha chamado um filme de "desgraçadamente mal concebido" e outro de "desesperadamente aquiescente" e Molly Notkin tinha fingido ter um ataque de tosse e tinha ficado com sotaque do Tennesse e foi assim que elas se conheceram. O papel-alumínio é para fazer um filtro que vai ficar em cima da garrafa aberta. Um filtro normal de bagulho é do tamanho de um dedal, com as laterais abertas como uma flor que desabrocha. Joelle usa a ponta de umas tesourinhas curvas de unha em cima da privada para fazer uns buraquinhos no retângulo de alumínio e lhe dá a forma de um funil raso e grande o bastante para alguém verter gasolina, apertando a pontinha para caber no gargalo da garrafa. Ela agora é a orgulhosa proprietária de um cachimbo tamanho-monstro com filtro e tudo, agora, e coloca pedacinhos suficientes para cinco ou seis doses ao mesmo tempo. As pedrinhas ficam ali empilhadas e branco-amareladas. Ela coloca os lábios experimentalmente no buraco derretido no lado da garrafa e traga, depois, muito deliberadamente, acende outro fósforo, o apaga e amplia o buraco. A ideia de que ela nunca mais vai ver Molly Notkin ou o cerebral Diretório ou os seus irmãos- e irmãs-apoiadores/-as da OFIDE ou o engenheiro da YYY ou o Tio Bud em cima de um telhado ou a madrasta na Ala Psiquiátrica ou o coitado do seu Paizinho pessoal é sentimental e banal. A ideia do que ela está armando aqui contém todas as outras ideias e as torna banais. O copo de suco dela está em cima da privada, semivazio. A parte de trás da privada brilha levemente com uma condensação de origem desconhecida. Esses são fatos. Este cômodo neste apartamento é a soma de muitíssimos fatos e ideias específicos. Tudo se resume a isso. Deliberadamente se preparar para fazer o seu coração explodir assumiu o estatuto de só mais um desses fatos. Era uma ideia mas agora está prestes a se tornar um fato. Quanto mais perto ela chega de se tornar concreta tanto mais abstrata parece. As coisas ficam muito abstratas. O cômodo concreto era a soma de fatos abstratos. Será que os fatos são abstratos ou será que são apenas representações abstratas de coisas concretas? O nome do meio de Molly Notkin é Cantrell. Joelle põe mais dois fósforos juntos e se prepara para riscá-los, respirando rapidamente, inspirando e expirando, como um mergulhador que se prepara para uma longa descida.

"Então, tem alguém aí?" A voz é a do jovem pós-neo-formalista de Pittsburgh que força um sotaque continental e usa uma echarpe que nunca para no lugar, com aquelas batidinhas hesitantes de quando você sabe perfeitamente bem que alguém está ali, sendo a porta do banheiro composta de trinta e seis ou seja três vezes longitudinais doze quadrados entalhados com dois chanfros num retângulo empenado de madeira amolecida-pelo-vapor, não exatamente branca, com o canto direito inferior aqui de madeira crua e todo ferrado de bater no puxador de metal rijo da gaveta mais de baixo, através da porta e do "Tinto" deslocado e dos atores carrancudos e do calendário e da cena muito multitudinosa e da espiral púbica de fumaça azul-clara do farelo de cinza cor de elefante e de pequenos pedacinhos enegrecidos no cone do funil de papel-alumínio, o azul-bebê da fumaça que a fez deslizar pela parede passando pelo paninho amarrado, pela toalha pendurada, o papel de parede de flores sanguíneas e a tomada elétrica intricadamente encardida, o leve tom cortante e amargo do azul de um céu quente que a deixou verticalmente fetal com o queixo nos joelhos em mais um banheiro norte-americano, desvelada, indizivelmente linda, talvez o Mais Belo Orgulho da Espécie (+BODE), joelhos contra o peito, pés convergentes junto à gélida radiância da porcelana de pés de garras da banheira, Molly mandou alguém laquear de azul a banheira, laca, ela está segurando a garrafa, lembrando nitidamente que o seu slogan para a geração passada era A Escolha de Uma Nova Degeneração, quando ela era da altura de um bolso de calça e mais linda de longe que qualquer um dos titãs cor de pêssego que eles viam lá no alto, com a mão dele no colo dela e a dela na caixa e procurando embaixo do doce para achar o Brinde, mais divertido bem mais divertido dentro do véu no balcão em cima dela, o que tinha no funil já acabado embora ainda solte uma esguia fumaça, com o gráfico atingindo a maior altura da maior pica, pico, a melhor descida da flecha, tão bom que ela não aguenta e estende a mão para a borda fria da banheira fria para se erguer enquanto o ruído-branco-de--festa-branca atinge, para ela, aquele tipo de precipício estereofônico de volume em que oscila logo antes dos falantes estourarem, com as pessoas mal se mexendo e as conversas entrando em stretto contra uma medonha coisa velha de tempos pré-Carter que dizia "We've only just begun", os membros de Joelle foram removidos e levados a uma distância em que o mero fato de ouvirem as ordens que ela emite parece mágica, os dois pés do tamanco simplesmente sumidos, desaparecidos, e a meia estranhamente molhada, ergue a cara e encara o espelho sujo do armário de remédios, rosas de chama gêmeas ainda pendentes do canto do vidro, cabelos da chama que comeu se arrastando agora atrás dela como pernas de vespas pelo ar do vidro que emprega para localizar o véu descarado e o que resta ali dentro, carregando de novo o cone, as cinzas da última carga dão o melhor filtro do mundo: isso é um fato. Inspira e expira como um mergulhador descolado...

"Olha só será que tem alguém aí mesmo? Tem alguém aí? Abre por favor. Eu estou apuradão aqui. Olha Notkin tem alguém trancado aqui e, digamos, não parece nada bem, e emanando uns odores bem exóticos."

... e está de joelhos vomitando por sobre a borda da fresca banheira azul, ranhuras na borda da banheira revelando uma arenosa matéria áspera branca sob laca e porcelana, vomitando suco lamacento, fumaça azul e pontos de vermelho mercúrico na calha de pés de garras, e pode ouvir de novo e parece ver, contra o fogo do sangue das pálpebras fechadas, naus com pás que revoam na noite para monitorar o fluxo, helicópteros-holofotes, densos dedos de luz azul do céu, em busca.

O

Enfield, MA, é um dos pequenos fatos estranhos que compõem a ideia que é a Grande Boston, uma vez que se trata de um distrito composto quase integralmente de instalações médicas, empresariais e espirituais. Como que um braço que se estende da Commonwealth Avenue e separa Brighton em Upper e Lower, com o cotovelo cutucando as costelas de East Newton e o punho mergulhado em Allston, a ampla base de arrecadação de impostos de Enfield inclui o hospital St. Elizabeth, o Hospital Infantil Franciscano, a Cia. Universal de Arquibancadas, o Lar Providência, a Shuco-Mist Sistemas de Pressão Medicinal Ltda., o Complexo Hospitalar de Saúde Pública da Marina de Enfield, a Cia. de Unhas Svelte, metade das turbinas e da geração de forças da Grande Boston na Sunstrand Força e Luz (a parte que é taxada está na comarca de Allston), o quartel-general empresarial da "Família ATHSCME de Efetuadores de Deslocamento de Ar" (o que quer dizer que eles fazem uns puta ventiladores), a Academia de Tênis Enfield, o Hospital S. João de Deus, o Hospital Ortopédico Hanneman, a Companhia de Gelo Horas Vagas, um monastério de descalços, a junção do Seminário de S. João e dos escritórios da Arquidiocese de Boston da ICC (parcialmente em Upper Brighton; nenhum deles isento), o convento-general das Irmãs pela África, a Fundação Nacional de Dor Crânio-Facial, o Instituto Memorial Dr. George Roebling Runyon de Pesquisa Podiátrica, instalações regionais de caminhões brilhantes, carretas e catapultas para a Cia. de Deslocamento de Resíduos Empire subsidiada pela ONAN (o que os québecois chamam de *les trebuchets noirs*, espetaculares catapultas do tamanho de uma quadra e que fazem um som que parece um pé gigante batendo o chão no que arremessam grandes veículos-de-resíduos-atados-com-barbante para as regiões subanulares do Grande Recôncavo numa altitude parabólica que excede os cinco quilômetros; as fundas dos dispositivos são de um elástico cintado por uma liga metálica e os seus imensos receptáculos-de-veículos em formato de vasos são como luvas de beisebol do inferno, coisa de meia dúzia de catapultas nesse galpãozão tipo hangar de dirigível com um teto seletivamente deslizável, que ocupa umas boas seis quadras da braquiforme incursão de Enfield pelo Allston Spur, ocasionais passeios escolares tolerados mas não encorajados), e assim por diante. C/ toda a fletida Enfield vestida por uma manga de uma camada perimetral de pequenas propriedades residenciais e mercantis. A Academia de Tênis Enfield ocupa provavelmente o que é hoje o melhor ponto de Enfield, cerca de dez anos depois de carecar e rasourar o topo do grande morro abrupto que constitui uma espécie de cisto inchado no cotovelo do distrito, praticamente setenta e cinco hectares de alamedas largas, trilhas-em-trevos, ereções topologicamente vanguardísticas, trinta e duas quadras de tênis de asfalto, dezesseis quadras compósitas de Har-Tru, extensas instalações subterrâneas de manutenção, armazenagem, treinamento esportivo, sarças, coreópsis, pinheiros misturados artisticamente nas encostas com árvores caducas, com o topo do morro da ATE dando de um lado, o leste, para a histórica migração aclivada da Commonwealth Avenue que se afastava da miséria de Lower Brighton — lojas de bebidas, Laundromats, bares, paliçadas de fachadas sombrias e pontilhadas de guano nos cortiços, os imensos e tristonhos arranha-céus dos cortiços de Brighton com números de identificação alaranjados de três andares de altura nas laterais, além de lojas de bebidas, homens pálidos de couro, bandos inteiros de crianças pálidas de couro nas esquinas, pizzarias de proprietários gregos, paredes amarelas, mercadinhos de esquina imundos de proprietários orientais que trabalham como mulas para manter as calçadas limpas mas não conseguem, nem com mangueira, além do estrondo e do tintinar a cada quinze minutos de um trem da Linha Verde se esfalfando para cumprir a longa subida da Av. até o Boston College — rumo à escarpinada elegância do BC e à ampla burguesificação de Newton mais para oeste, onde o sol de Boston, num halo de névoa, cai por trás do último nó da onda senoidal de quatro quilômetros que é coletivamente chamada de "Morro da Desilusão" da histórica Maratona de Abril, com o sol sempre se pondo quinze minutos, com nanossegundos de precisão, depois que deLint acende as luzes das torres das quadras. Mais para o que eu acho que deve ser sudoeste a ATE dá para o metálico labirinto cinzento de transformadores, grades de alta voltagem e transformadores coaxiais com contas de isolamento cerâmico da Sunstrand, sem nenhuminha chaminé da Sunstrand até onde a vista alcança mas com um grupo-isolador de mega-ohms bem no extremo de uma cadeia de placas que se arrastam desde o nordeste, cada placa contando com muitos Øs sobre quantos amps gerados anularmente estão subterraneamente à espera de quem quer que cave ou fique fuçando por ali, com uns não verbais bonequinhos de palitos de deixar o cabelo em pé, representando alguém com uma pá que decola como um lenço de papel numa lareira. Há chaminés no pano de fundo visual ligeiramente ao sul da Sunstrand, por outro lado, dos hangares da DRE, cada coluna com um monstruoso EDA (ventilador) ATHSCME Série 2100 parafusado atrás e soprando direto rumo norte com uma insistente fúria de tom agudo que é de alguma maneira reconfortante, auditivamente, à distância e da altura da ATE. Tanto da linha das árvores norte quanto da das de nordeste a ATE dá pela encosta mais íngreme e mais arborizada do seu morro para o terreno complexamente depauperado da Marina de Enfield.

5 DE NOVEMBRO — ANO DA FRALDA GERIÁTRICA DEPEND

O fone transparente soou em algum ponto sob a montanha de cobertas[82] quando Hal estava na beira da cama com uma perna erguida e o queixo no joelho, cortando as unhas num cesto de lixo que estava a vários metros de distância, no meio do quarto. Demorou quatro toques para ele achar o aparelho entre as cobertas e puxar a antena.

"Mmmiallou."

"Sr. Incandenza, aqui quem fala é a Comissão de Esgoto de Enfield, e para lhe dizer com franqueza a gente acha que já chega de fazer merda aí."

"Oi, Orin."

"Como é que anda, rapá."

"Pelo amor de Deus, por favor, por favor, O., sem mais perguntas de separatismo."

"Relaxa. Nunca me passou pela cabeça. Ligaçãozinha social. Bater um papinho e tal."

"Interessante você ligar bem agora. Porque eu estou cortando as unhas do pé num cesto de lixo que está a vários metros de distância."

"Jesus amado, você sabe como eu odeio barulho de alicate de unha."

"Só que eu estou batendo em mais de setenta por cento. Os fragmentinhos de unha. Muito louco. Eu estou o tempo todo querendo sair no corredor e pegar alguém pra vir ver aqui. Mas eu não quero quebrar o encanto."

"O frágil encanto mágico daqueles momentos em que você sente que não tem como errar."

"É definitivamente um desses intervalos sem erro. É bem igual àquela sensação mágica naqueles dias raros jogando lá fora. Jogar sem a cabeça, diz o deLint. O Loach chama de A Zona. Estar n'A Zona. Aqueles dias em que você se sente perfeitamente calibrado."

"Com a coordenação de Deus."

"Alguma ranhura no contorno do ar que guia tudo pra baixo e pra dentro."

"Quando você sente que não ia conseguir errar nem que tentasse."

"Eu estou tão longe que a boca do cesto parece mais uma fenda que um círculo. Mas elas continuam caindo, cabum cabum. E lá se foi mais uma. Até as que eu erro eu meio que quase-erro, elas triscam na borda."

"Eu estou aqui sentado com a perna num redemoinho no banheiro da casa estilo-rancho de uma terapeuta norueguesa de tecidos-profundos a 1100 metros de altura nas montanhas Superstition. Mesa-Scottsdale em chamas lá embaixo. O banheiro é coberto de painéis de pau-brasil e dá pra um precipício. A luz do sol está cor de bronze."

"Mas você nunca sabe quando a magia vai te tocar. Você nunca sabe quando as ranhuras vão se abrir. E na hora que a magia te toca você não quer mudar nem o mais mínimo detalhe. Você não sabe que concorrência de fatores e variáveis gera aquela sensação calibrada de não tem-como-errar, e você não quer conspurcar a magia tentando descobrir, mas não quer mudar de empunhadura, de raquete, de lado da quadra, o ângulo de incidência do sol. O teu coração bate na garganta cada vez que você troca de lado na quadra."

"Você começa a ficar que nem um índio supersticioso. Como é que se diz, *aplacar* os deuses."

"E de repente eu começo a entender o impulso de dizer saúde, o sal por cima do ombro e os símbolos apotropaicos nos paióis da Pensilvânia. Cara, eu estou com medo de trocar de pé agora. Eu estou cortando as menores lasquinhas aerodinamicamente viáveis pra prolongar o tempo desse pé aqui, caso a magia dependa do pé. E não é nem o pé bom."

"Esses momentos de não tem-como-errar fazem todo mundo virar índio supersticioso, Hallie. O jogador profissional de futebol pode muito bem ser o pior índio supersticioso de todos os esportes. Daí que vem todo aquele monte de enchimentos high-tech, a Lycra colorida e a terminologia complexa do jogo. Porque o indião de olho estanhado está logo ali abaixo da superfície, a gente sabe. O primitivo de olho esbugalhado, lança em riste e sainha de mato, dando virgens pro Popogatepec comer e com medo dos aviões."

"O novo *OED Discursivo* diz que os Ahts de Vancouver cortavam a garganta das virgens e derramavam o sangue bem cuidadosamente nos orifícios dos cadáveres embalsamados dos antepassados."

"Está dando pra ouvir o alicate. Para um minuto com o alicate."

"O telefone não está mais encaixado no meu queixo. Eu consigo até fazer com uma mão só, segurando o fone na mão. Mas ainda é o mesmo pé."

"Você não sabe nada de superstição esportiva estanhada até chegar no profissional, Hallie. Quando você chega no Circuito é que você entende o sentido de *primitivo*. Uma sequência de vitórias faz o índio subir borbulhante. Um suporte atlético que não é lavado por jogos a fio até ficar parado de pé sozinho no compartimento de bagagem de mão do avião. Uns jeitos bizarramente ritualizados de se vestir, de comer, de mijar."

"Micturição."

"Imagine um beque de duzentos quilos insistindo em sentar pra mijar. Nem me pergunte o que as esposas e as namoradas têm que aguentar durante uma sequência de vitórias tipo não tem-como-errar."

"Eu não quero saber de coisa de sexo."

"Aí tem os jogadores que anotam exatamente o que dizem pra todo mundo antes de um jogo, pra daí se for um jogo mágico tipo não tem-como-errar eles poderem dizer exatamente as mesmas coisa pras mesmas pessoas exatamente na mesma ordem antes do jogo seguinte."

"Aparentemente os Ahts tentavam encher completamente os corpos dos antepassados com sangue-virgem pra preservar a privacidade dos seus próprios estados mentais. O ditado Aht que caberia aqui é abre aspas "O fantasma saciado não pode ver as coisas secretas". O *OED Discursivo* postula que se trata de uma das primeiras profilaxias registradas contra a esquizofrenia."

"Ô, Hallie?"

"Depois de um enterro, os quebequenses da região rural do Papineau supostamente fazem um furinho do chão até a tampa do caixão, pra deixar a alma sair, se ela quiser."

"Ô, Hallie? Eu acho que alguém está me seguindo."

"Agora é o grande momento. Eu exauri completa e finalmente o pé esquerdo e vou passar pro direito. Vai ser o grande teste da fragilidade do encanto."

"Eu disse que acho que alguém está me seguindo."

"Tem gente que nasceu pra ser líder, O."

"Sério. E aí é que vem a parte esquisita."

"Aí é que vem a parte que explica por que você está dividindo isso com o seu irmãozinho que você não vê mais em vez de com alguém cuja credulidade você respeite mesmo."

"A parte esquisita é que eu acho que quem está me seguindo são... são uns aleijados."

"Duas de três no pé direito, com uma triscada. O júri ainda não tem uma sentença."

"Para de cortar um segundo. Eu não estou brincando. Veja um dia desses por exemplo. Eu puxo conversa com uma certa Cobaia na fila do correio. Eu percebo um cara numa cadeira de rodas atrás de nós. Nada de mais. Você está ouvindo?"

"O que é que você está fazendo no correio? Você odeia correio-véio. E você parou de mandar aquelas respostas pseudoautomáticas pra Mães tem dois anos, o Mario diz."

"Mas aí a conversa vai bem e decola, eu emprego as Estratégias de Sedução 12 e 16, coisa que eu ainda te conto em detalhes. A questão é que a Cobaia e eu saímos juntos na maior conversa e tem outro cara numa cadeira de rodas entalhando um pedacinho de madeira à sombra do toldo de uma loja logo mais pra frente na mesma rua. O.k. Ainda nada necessariamente grandes coisas. Mas agora a Cobaia e eu vamos de carro pro trailer onde ela mora..."

"Phoenix tem estacionamento desses trailers? Não aqueles trailers prateadinhos de *metal*."

"Aí mas a gente desce do carro, e lá do outro lado do estacionamento tem *mais um* cara numa cadeira de rodas, tentando manobrar no pedrisco, e sem muito sucesso, diga-se de passagem."

"O Arizona não tem anciãos e enfermos mais do que a dar com pau?"

"Mas nenhum desses aleijados era velho. E eram tudo uns caras superparrudos pra quem está numa cadeira de rodas. E três numa hora é meio exagero, eu fiquei pensando."

"Eu sempre imagino você marcando os teus encontros amorosos em cenários suburbanos mais domésticos. Ou de repente nuns arranha-céus de uns hotéis com umas camas de formatos exóticos. Por acaso as mulheres dos trailers de metal ainda têm filhos pequenos?"

"Essa tinha umas gemeazinhas muito fofas que ficaram brincando bem quietinhas com uns tijolinhos coloridos sem ninguém cuidar delas o tempo todo."

"De uma ternura, O..."

"E mas aí a questão é que eu levanto acampamento do trailer tipo X horas depois, e o cara ainda está lá, atolado nas pedrinhas. E de longe assim eu jurava que ele estava com algum tipo de máscara de dominó. E agora em todo lugar que eu vou nos últimos dias parece que tem um número estatisticamente absurdo de figuras em cadeiras de rodas por ali, à espreita, de alguma maneira um pouco indiferentes demais."

"Fãs muito tímidos, de repente? Algum clube de pessoas com disfunções pernais que são superobcecadas daquele jeito bem de fã-tímido por uma das primeiras personalidades do esporte da América do Norte que as pessoas associam com a palavra *perna*?"

"Deve ser imaginação minha. Um pássaro morto caiu na minha hidro."

"Mas agora deixa eu te fazer umas perguntinhas."

"Mas quando eu te liguei eu não te liguei por causa disso tudo."

"Mas você mencionou estacionamentos de trailers e trailers. Eu preciso confirmar umas suspeitas aqui — dois pontos, na mosca, cabum. Já que eu nunca estive num trailer e até o *OED Discursivo* tem basicamente uma grande lacuna no que se refere a trailers."

"E esse é o único membro pra todos os efeitos não tantã da família pra que eu telefono. É pra esse cara que eu peço ajuda."

"Devia ser *pra quem*, acho. Mas esse trailer. Esse trailer da moça que você conheceu. Confirme ou negue o seguinte. Ele era todo acarpetado com uma forração extremamente fina de um amarelo-queimado ou -laranja."

"Isso."

"A sala de estar ou tipo área de convívio continha todos ou alguns dos seguintes itens: uma pintura de veludo preto que representava um animal; um diorama videofônico em alguma espécie de prateleira de bibelôs; um bordado em ponto-cruz com algum tipo de ditado bíblico manjado; pelo menos uma peça de mobília de chintz com paninhos protetores nos braços; um cinzeiro de filtração de ar tipo Adeus-Fumaça; as *Reader's Digests* dos últimos anos expostas na própria estante-revisteiro inclinadinha delas."

"Sim para pintura de leopardo em veludo, bordado, sofá com paninhos, cinzeiro. Sem *Reader's Digest*. Isso não é especialmente engraçado, Hallie. Às vezes a Mães aparece em você de uns jeitos bem estranhos."

"Última. O nome da pessoa do trailer. Jean. May. Nora. Vera. Nora-Jean ou Vera-May."

"…"

"Era a pergunta."

"Acho que eu vou ter que pular essa."

"Meu, você escreve *romance* com um r bem minúsculo, hein."

"Mas o motivo de eu te ligar."

"Não está claro se a frágil magia do não tem-como-errar ainda está agindo com o pé direito. Eu estou em sete de nove, mas está rolando uma sensação diferente de que eu estou de algum jeito deliberadamente *tentando* encaçapar."

"Hallie, eu estou com uma pessoa da porra da revista *Moment* aqui pra fazer um abre aspas perfil meu."

"Você está com o quê?"

"Um texto desses de interesse-humano. Sobre eu enquanto pessoa humana. A *Moment* não cobre esportes de verdade, essa moça diz. Eles são mais de gente, de interesse-humano. É pra um negócio chamado abre aspas Gente Agora, uma seção."

"A *Moment* é uma revistinha de caixa de supermercado. Fica bem ali com os caretas e o chiclete. A Alice Moore Lateral lê isso aí. Tem um monte na sala de espera do C.T. Eles publicaram um negócio sobre aquele menininho cego de Illinois que o Thorp achava o máximo."

"Hal."

"Eu acho que a Alice Lateral passa tempo pacas nas caixas de supermercado, que se você parar pra pensar é quase o ambiente ideal pra ela."

"Hal."

"… Já que ela pode simplesmente se locomover de ladinho o tempo todo."

"Hallie, essa moça fisicamente imponente da *Moment* está me fazendo tudo quanto é pergunta de contexto-familiar tipo-perfil-pessoal."

"Ela quer saber de Sipróprio?"

"De todo mundo. Você, a Cegonha Demente, a Mães. Está emergindo aos poucos que vai ser algum tipo de tributo ao Cegonhão enquanto patriarca, com os talentos e o sucesso de todo mundo perfilados como algum tipo de homenagem refratada às carreiras d'El Cigoño."

"Ele sempre foi um homem de estatura, você dizia."

"Claro e a minha primeira ideia foi sugerir que ela fosse catar coquinho na descida. Mas a *Moment* falou com o pessoal do time. O RP insinuou que um perfil desse tipo seria uma coisa positiva pro time. O Cardinal Stadium não anda exatamente tremendo sob o peso dos fãs, com ou sem sequência de vitórias. Eu também pensei em mandar ela falar com o Bain, deixar o Bain solar na orelha dela ou mandar aquelas cartas que só pra decifrar ela ia levar um mês."

"*Ela* tipo fêmea. Não a cobaia típica do nosso Orin. Uma mulher endurecida, carreirista, mascadora de chiclete, de repente até desprovida de filhinhos pequenos, jornalística, que veio de Níu Ióak de madrugueiro. Fora que você disse imponente."

"Não tão dura ou durona assim, mas fisicamente imponente. Grande mas não a-erótica. Mulher e meia em todos os sentidos."

"Uma moça que dominaria o espaço de qualquer trailer em que morasse."

"Chega de trailerismo."

"O espremido aqui sou eu tentando falar e ao mesmo tempo pegar lascas triscadas de unha no chão."

"A mulher é imune a quase tudo quanto é estratégia conversacional."

"Você está com medo de estar perdendo a mão. Uma mulher imune e meia."

"Eu disse conversacional e não seducional."

"Você meio que sabiamente evita tudo que é mulher que você suspeita que podia te dar um pau se as coisas chegassem a esse ponto."

"Ela é mais imponente que tipo a maioria dos beques do time. Mas bizarramente sexy. Os beques estão doidões. Os caras ficam com essas piadinhas de perguntar se ela não quer ver um perfil vertical e tal."

"Vamos esperar que a prosa dela seja melhor que a da pessoa que escreveu aquele negócio de interesse-humano sobre o carinha cego no começo do ano. Você perguntou o que ela acha dessa dos aleijados?"

"Escuta só. Justo você devia saber que eu tenho zero intenção de responder sinceramente qualquer pergunta tipo roupa-suja-da-família que qualquer um me faça, muito menos um qualquer-um que sabe estenografia. Com ou sem encantos físicos."

"Você e o tênis, você e os Saints, Sipróprio e o tênis, a Mães e o Québec e o Royal Victoria, a Mães e a imigração, Sipróprio e a anulação, Sipróprio e o Lyle, Sipróprio e os álcoois destilados, Sipróprio se matando, você e a Joelle, Sipróprio e a Joelle, a Mães e o C.T., você v. a Mães, a ATE, filmes inexistentes et cetera."

"Mas você entende como isso vai me deixar pensando. Como evitar ser sincero sobre o material da Cegonha se eu não souber de verdade as respostas sinceras."

"Todo mundo disse que você ia se arrepender de não ter vindo ao enterro. Mas eu não acho que era isso que eles queriam dizer."

"Por exemplo a Cegonha se eliminou antes do C.T. se mudar pro andar de cima da CD? Ou depois?"

"..."

"..."

"Você está perguntando isso pra mim?"

"Não faz isso ficar horrível pra mim, Hal."

"Eu nem sonharia em tentar uma coisa dessa."

"..."

"Imediatamente antes. Dois, três dias antes. O C.T. dormia no que hoje é o quarto do deLint, perto do Schtitt, no Com.-Ad."

"E o Pai sabia que eles eram...?"

"Muito próximos? Eu não sei, O."

"Você não *sabe*?"

"O Mario deve saber. Quer trocar uma palavrinha com o Bubu sobre isso, O.?"

"Não faz isso ficar assim, Hallie."

"..."

"E o Pai... a Cegonha Demente pôs a cabeça no forno?"

"..."

"..."

"De micro-ondas, O. Do micro-ondas gourmet perto da geladeira, do lado do freezer, em cima do balcão, embaixo do armário das travessas e tigelas à esquerda da geladeira se você está de frente pra geladeira."

"Num forno de micro-ondas."

"Positivo e operante, central."

"Ninguém tinha falado em micro-ondas."

"Acho que foi uma coisa bem comentadinha no enterro."

"Eu continuo entendendo a indireta, se por acaso você quer saber."

"..."

"Então onde foi que encontraram ele, então?"

"20 de 28 dá o quê, 65%?"

"Também não é a coisa mais..."

255

"O micro-ondas estava na cozinha como eu já expliquei, O."

"Certo."

"Certo."

"Então o.k. agora, quem é que você diria que fala mais do cara, mantém a memória dele viva, verbalmente, mais hoje em dia: você, o C.T. ou a Mães?"

"Acho que rola um empate geral."

"Então a coisa nunca é mencionada. Ninguém fala dele. Rola um tabu."

"Mas parece que você está esquecendo alguém."

"O Mario fala dele. Fala disso."

"Às vezes."

"Com o que e/ou quem ele fala tanto?"

"Comigo, pra começo de conversa, imagino."

"Então você *fala* do assunto, mas só com ele, e só quando é ele que começa."

"Orin eu menti. Eu ainda nem comecei o pé direito. Eu estou morrendo de medo de mudar o meu ângulo de aproximação das unhas. O pé direito é um ângulo de aproximação totalmente diferente. Eu estou com medo de que a magia seja exclusiva do pé esquerdo. Eu sou igual aos teus beques supersticiosos. Falar do assunto quebrou o encanto. Agora eu estou autoconsciente e com medo. Eu estou sentado aqui na beira da cama com o joelho direito embaixo do queixo, paradinho, analisando o meu pé, congelado por um pavor aborígine. E mentindo pro meu próprio irmão."

"Eu posso te perguntar quem foi que encontrou ele? O... quem foi que achou ele no forno?"

"Encontrado por Harold James Incandenza, treze anos, prestes a ficar velho pacas."

"Foi você que achou ele? Não a Mães?"

"..."

"..."

"Escuta só, será que eu posso perguntar por que todo esse interesse repentino depois de quatro anos e 216 dias, e com dois anos desse tempo sem nem telefonar?"

"Eu já disse que eu não me sinto seguro pra responder as perguntas da Helen se eu não sacar o que é que eu não estou dizendo."

"Helen. E você disse mesmo."

"Por isso."

"Eu ainda estou congelado, aliás. A autoconsciência que mata a magia está piorando, piorando. É por isso que parece que o Pemulis e o Troeltsch sempre deixam a vantagem escapar. O termo padrão é Travar. O alicate está na posição, com as lâminas em volta da unha. Só que eu não consigo atingir o grau de inconsciência necessário pra cortar. De repente foi por eu ter ido limpar as poucas que caíram fora. Eu perdi a magia por falar dela em vez de simplesmente me deixar levar. Lançar a unha na direção do cesto agora parece um exercício de telemacria."

"Você quer dizer telemetria?"

"Que vergonha. Quando um talento some ele *some*."

"Escuta só…"

"Sabe, por que é que você não me pergunta de uma vez sei lá que coisa violenta que você não quer responder. Pode ser a tua única chance. Normalmente parece que eu não falo do assunto."

"Ela estava lá? A +BODE?"

"A Joelle não tinha dado as caras por aqui desde que vocês acabaram. Você sabia disso. Sipróprio ia se encontrar com ela no casarão, pra filmar. Eu tenho certeza que você sabe muito mais a respeito de sei lá o quê que eles estavam tentando fazer. A Joelle e Sipróprio. Sipróprio também se restringiu ao subterrâneo. O C.T. já estava cuidando de quase tudo da administração cotidiana. Sipróprio ficou lá naquele arma-rinho de pós-produção grudado no laboratório tipo um mês direto. O Mario levava comida e… coisas essenciais. Às vezes ele comia com o Lyle. Acho que ele não voltou pra superfície por pelo menos um mês, a não ser só pra uma viagem pra Belmont pra uma purga e desintoxicação de dois dias na McLean. Isso foi coisa de uma semana depois que ele voltou. Ele tinha ido passar três dias em algum lugar, de avião, por um motivo que eu fiquei com a impressão que era de trabalho. Cinema. Se o Lyle não foi com ele o Lyle foi a algum lugar, porque ele não estava na sala de musculação. Eu sei que o Mario não foi com ele e não sabia o que estava rolando. O Mario não mente. Não ficou claro se ele tinha acabado a coisa que ele andava editando. Sipróprio, quer dizer. Ele parou de viver no dia Primeiro de Abril, se você não lembra bem, foi o dia. Eu posso te dizer que no Primeiro de Abril ele não tinha voltado quando começaram as partidas da tarde, porque eu passei pela porta do laboratório depois do almoço e ele não tinha voltado."

"Ele foi fazer outra desintoxicação então. Tipo quando, março?"

"A própria Mães apareceu, se arriscou a transitar pela área externa e ela mesma pegou ele, então acho que foi urgente."

"Ele parou de beber em janeiro, Hal. Foi uma coisa que a Joelle deixou bem clara pra ele. Ela me ligou mesmo depois da gente ter combinado que não ia se ligar e me contou isso mesmo depois de eu dizer que não queria saber dele se ela ainda ia aparecer nos filmes dele. Ela disse que ele não tomava uma gota fazia semanas. Foi a condição dela pra deixar ele colocar ela no sei lá o quê que ele estava fazendo. Ela disse que ele disse que fazia qualquer coisa."

"Bom, eu não sei o que te dizer. Àquela altura era difícil dizer se ele estava ingerindo alguma coisa ou não. Parece que depois de um certo ponto deixa de fazer diferença."

"Ele levou as coisas de cinema quando pegou esse avião? Uma lata de filme? Equipamentos?"

"O., eu não vi ele sair e não vi ele voltar. Ele não estava por aqui na hora dos jogos, isso eu sei. Apanhei feio e rápido do Freer. Foi 4 a 1, 4 a 2, uma coisa assim, e o nosso jogo foi o primeiro a acabar. Eu apareci na CD pra cuidar de uma carga emergencial de roupa-suja e entrei e percebi alguma coisa já de cara."

"E encontrou ele."

"E fui chamar a Mães, aí mudei de ideia e fui chamar o C.T., aí mudei de ideia e fui chamar o Lyle, mas a primeira autoridade que eu topei foi o Schtitt. Que foi irretocavelmente rápido, eficiente e sensato sobre aquilo tudo e acabou sendo exatamente a autoridade certa pra eu chamar."

"Eu achava que os micro-ondas nem funcionavam se a porta estivesse aberta. Com aquele monte de micro-ondas oscilando por tudo, lá dentro. Eu achava que tinha tipo uma luzinha de geladeira ou um dispositivo tipo lacre-somente-leitura."

"Parece que você está esquecendo a engenhosidade técnica da pessoa de quem a gente está falando."

"E você ficou totalmente chocado e traumatizado. Ele estava asfixilhado, irradiado e/ou queimado."

"Do jeito que a gente reconstituiu a cena depois, ele usou uma broca larga e uma serra pequena pra fazer um buraco que passasse a cabeça na porta do forno, aí depois de meter a cabeça ele lacrou cuidadosamente o espaço que sobrou em volta do pescoço com papel-alumínio embolado."

"Parece uma coisa meio improvisada, ad hoc e mal-ajambrada."

"Fácil falar. Não era uma empreitada com objetivos estéticos."

"…"

"E foi encontrada uma garrafa grande semicheia de Wild Turkey no balcão mais ou menos perto dele, com um lação vermelho decorativo meio presêntico."

"Na garrafa, né?"

"Positivo."

"Assim tipo ele não estava sóbrio afinal."

"Parece ser o caso, O."

"E ele não deixou bilhete ou vídeos tipo testamento-em-vida nem nenhum tipo de communiqué."

"O., eu sei que você sabe muito bem que não. Você agora está me perguntando coisas que eu sei que você sabe, além de criticar o cara e me vir com argumentos de sobriedade quando você não estava nem nas vizinhanças do enterro. Será que deu aqui? Eu estou com um pé unhudo inteirinho me esperando."

"Do jeito que vocês reconstituíram a cena, você disse."

"Também me caiu a ficha que eu tenho um livro da biblioteca que eu tinha que devolver. Eu tinha esquecido completamente. Buzunho."

"'Reconstituir a cena' como se a cena quando você encontrou ele estivesse tipo… desconstruída?"

"Justo você, O. Você sabe que ele odiava essa palavra mais que…"

"Então queimado, então. Diga de uma vez. Ele estava superqueimado pacas."

"…"

"Não, espera. Asfixilhado. O papel-alumínio enfiado ali era pra preservar o vácuo num espaço que foi automaticamente evacuado assim que o magnitron começou a oscilar e gerar micro-ondas."

"Magnitron? De onde é que você tirou isso de magnitrons e osciladores? Você não é aquele meu irmão que precisa perguntar pra que lado se gira a chave de ignição do carro?"

"Breve affair com uma Cobaia que trabalhou como modelo numas feiras de equipamentos de cozinha."

"..."

"Era um raminho bem brutal de modelagem. Ela ficava lá numa plataforma giratória imensa de maiô com uma coxa virada pra dentro e uma mão estendida com a palma pra cima, indicando o aparelho ao lado dela. Ficava ali sorrindo e girando dia após dia. Ela passava metade da noite cambaleando pra tentar recuperar o equilíbrio."

"Por acaso essa *Cobaia* teve a oportunidade de te explicar como é que as micro--ondas cozinham as coisas?"

"..."

"Ou será que você por acaso, digamos, já cozinhou uma batata num micro-ondas? Você sabia que precisa cortar a batata antes de ligar o forno? Você sabe por que uma coisa dessas?"

"Jesus amado."

"O patologista do DPB[83] disse que o acúmulo de pressões internas deve ter sido praticamente instantâneo e equivalente em kg.p.cm a mais de duas toneladas de TNT."

"Meu Jesusinho, Hallie."

"Daí a necessidade de reconstruir a cena."

"Jesus amado."

"Não fique mal. Não há nenhuma garantia de que alguém tivesse te contado nem que você tivesse aparecido, digamos, pra missa de sétimo dia. Eu sei que eu mesmo não estava exatamente tagarela na época. Parece que eu estava tendo sintomas de choque e de trauma no período de luto. O que eu mais me lembro é do monte de vezes em que as pessoas ficavam conversando baixinho sobre o meu bem-estar psíquico. Chegou a um ponto em que eu gostava de entrar e sair de repente dos lugares só pra ver as conversas que rolavam baixinho pararem no meio de uma frase."

"Você devia estar traumatizado pra caralho."

"A sua preocupação é muito bem-vinda, acredite em mim."

"..."

"Parece que o consenso foi trauma. No fim parece que a Rusk e a Mães começaram a entrevistar terapeutas de trauma e luto tops de linha já poucas horas depois de tudo. No fim me meteram num *shunt* direto pra uma terapia de luto e trauma concentrada. Quatro dias por semana por mais de um mês, bem entre abril-maio, quando a gente estava se preparando pro giro de verão. Eu caí duas posições no sub--14 só por causa de todas as partidas vespertinas que eu perdi. Perdi o qualificatório de quadra dura e teria perdido Indianápolis se... se eu finalmente não tivesse sacado o processo de terapia de luto e trauma."

"Mas ajudou. No final das contas. A terapia."

"A terapia acabou sendo naquele Edifício Profissional lá na Comm. Ave. pra lá do Sunstrand Plaza perto da Lake Street, aquele de tijolo da cor do molho Thousand Island que a gente sempre vê quando passa correndo quatro dias por semana. Quem podia imaginar que um dos mais importantes lutólogos do continente estava logo ali na esquina."

"A Mães não queria que o processo todo rolasse longe demais da teiazinha de sempre, se fosse o caso, pode apostar."

"Esse terapeuta de luto insistia que eu me dirigisse a ele pelo primeiro nome, que eu não lembro. Um sujeitão grande, carnudo e vermelho com umas sobrancelhas num ângulo sinclinal meio demoníaco e uns dentinhos bem pequenininhos, uns cotocos cinza. E bigode. Ele sempre estava com os restos de um espirro no bigode. Eu acabei conhecendo muito bem aquele bigode. O rosto dele tinha o mesmo rubor de pressão arterial que o rosto do C.T. às vezes tem. E nem me peça pra falar das mãos do cara."

"A Mães mandou a Rusk te shuntear direto pra um profissa de primeira do luto pra ela não precisar se sentir culpada por ela mesma ter praticamente serrado o buraco na porta do micro-ondas. Entre outras operaçõezinhas de culpa e anticulpa. Ela sempre achou que Sipróprio estava fazendo mais que trabalhar com a Joelle. O coitado de Sipróprio nunca teve olhos pra outra, só pra Mães."

"Era um hombre fuedón, O., esse terapeuta. Ele fazia uma sessão com a Rusk parecer um dia no Adriático. Ele não largava o osso: 'O que você sentiu, o que você está sentindo, como é que você se sente quando eu te pergunto como é que você se sente'."

"A Rusk sempre me lembrava um novato fuçando no sutiã de uma Cobaia, aquele jeito dela de ficar cutucando e fuçando na cabeça da gente."

"O sujeito era insaciável e de dar medo. Aquelas sobrancelhas, aquele rosto cor de salame, os olhinhos mornos. Ele nunca, nenhuma vez, desviou o rosto ou olhou pra qualquer outra coisa além de direto pra minha cara. Foram as seis semanas mais violentas de cavoucação profissional que alguém pode imaginar."

"Com o porrinha do C.T. já levando a sua coleção de sapatos-plataforma e de perucas fajutas e o StairMaster pro andar de cima da CD já."

"A coisa toda foi de pesadelo. Eu simplesmente não conseguia sacar o que o cara queria. Eu fui lá e devorei a seção de luto da biblioteca da Copley Square. Não em disco. Livros mesmo. Eu li a Kübler-Ross, o Hinton. Gramei com o Kastenbaum e Kastenbaum. Eu li coisas como *Sete escolhas: Dando os passos para uma vida nova depois de perder uma pessoa amada*,[84] que eram 352 páginas de babação total. Eu voltei e exibi os sintomas clássicos da negação, barganha, raiva, mais denegação ainda, depressão. Eu listei as minhas sete escolhas clássicas e vacilei plausivelmente entre e em meio a elas. Eu ofereci dados etimológicos da palavra *aceitação* que voltavam no inglês até Wyclif e no limite até o francês *languedocien* do século XIV. E o terapeuta de luto nadinha. Parecia uma dessas provas de um pesadelo que você se prepara impecavelmente e aí entra lá e todas as perguntas da prova estão em híndi. Eu até tentei dizer pra ele que Sipróprio estava infeliz, pancreatítico e pinel quase direto naquela época mesmo, que ele e a Mães estavam praticamente separados, que nem o trabalho e o Wild Turkey estavam ajudando mais, que ele estava desiludido com alguma coisa que estava editando que no final das contas era tão ruim que ele não queria lançar. Que ele... que o que aconteceu foi provavelmente meio que misericordioso, no fim."

"Sipróprio não sofreu, então. No micro-ondas."

"O patologista do DPB que desenhou os contorninhos de giz em volta dos sapatos de Sipróprio no chão disse que de repente dez segundos estourando. Ele disse que o acúmulo de pressão deve ter sido quase instantâneo. Aí ele apontou pras paredes da cozinha. Aí ele vomitou. O patologista."

"Jesus Cristo, Hallie."

"Mas o terapeuta de luto não estava a fim de engolir essa, o enfoque pelo-menos- -o-sofrimento-dele-acabou que Kastenbaum e Kastenbaum dizem que é basicamente uma placa brilhante de neon anunciando a verdadeira aceitação. Esse terapeuta de luto ficou pendurado em mim que nem um monstro-de-gila. Eu até tentei dizer que não estava sentindo nada."

"O que era ficção."

"Claro que era ficção. O que é que eu podia fazer? Eu estava em pânico. O cara era um pesadelo. O rosto dele ficava lá flutuando em cima da mesa que nem uma lua hipertensa, sem nunca se desviar. Com aquele orvalhinho mucoidal reluzente no bigode. E nem me pergunte das mãos do cara. Ele era o meu pior pesadelo. Aquilo é que era autoconsciência e medo. Ali estava uma autoridade de primeiro nível e eu não estava conseguindo fornecer o que ela queria. Ele deixou manifestamente claro que eu não estava dando conta. Eu nunca tinha deixado de dar conta na vida."

"Você era o nosso doador oficial de contas, Hallie, sem sombra de dúvida."

"E ali mas ali estava aquela autoridade com umas supercredenciais emolduradas em cada centímetro quadrado das paredes que ficava ali sentada e se recusava até a definir do que era que eu tinha que dar conta. A gente pode falar o que quiser do Schtitt e do deLint, mas eles te dizem o que eles querem sem enrolação. O Flottman, a Chawaf, o Prickett, o Nwangi, o Fentress, o Lingley, o Pettijohn, o Ogilvie, o Leith, até a Mães lá do jeito dela. Mas aquele filho de uma pulga ali: lhufas."

"E você devia estar em estado de choque o tempo todo, além do mais."

"O., foi só piorando. Eu perdi peso. Eu não conseguia dormir. Foi aí que os pesadelos começaram. Eu ficava sonhando com um rosto no chão. Eu perdi de novo pro Freer, e aí pro Coyle. Eu precisei de três sets com o Troeltsch. Tomei B em duas provas. Eu não conseguia me concentrar em mais nada. Comecei a ficar obcecado pelo medo de que de alguma maneira eu ia ser reprovado em terapia do luto. Que aquele profissional ia contar pra Rusk, pro Schtitt, pro C.T. e pra Mães que eu não estava dando conta."

"Desculpa eu não ter conseguido estar lá."

"O estranho era que quanto mais obcecado eu ficava, pior eu jogava e pior eu dormia, e mais feliz todo mundo ficava. O terapeuta de luto me cumprimentou pela minha cara torturada. A Rusk disse pro deLint que o terapeuta de luto disse pra Mães que estava começando a funcionar, que eu estava começando a passar pelo processo de luto, mas que era um processo longo."

"Longo e dispendioso."

"Positivo. Eu comecei a entrar em desespero. Eu comecei a prever um futuro em que eu de alguma maneira ficava pra trás na terapia do luto, sem conseguir dar conta e sem aquilo acabar nunca. Tendo aquelas interfaces kafkianas com aquele cara dias a fio, semanas a fio. Já era maio. O Continental de saibro onde eu tinha conseguido ir até a quarta rodada no ano anterior estava pra chegar, e foi ficando tacitamente claro que todo mundo achava que eu estava num estágio crucial do longo e dispendioso processo de luto e que eu não ia conseguir ir com o pessoal pra Indianápolis a não ser que eu conseguisse sacar algum jeito de no apagar das velas dar conta emocionalmente daquele cara. Eu estava totalmente desesperado, estava um trapo."

"Aí você se arrastou até a sala de musculação. Você e a testinha fizeram uma visita pro nosso amigo Lyle."

"O Lyle se revelou a chave. Ele estava lá embaixo lendo *Folhas da relva*. Ele estava passando por uma fase Whitman, parte do luto por Sipróprio, ele dizia. Eu nunca tinha ido falar com o Lyle em nenhum tipo de posição súplice, mas ele disse que bastou uma olhadinha enlutada na minha cara enquanto eu me batia ali embaixo criando um suorzinho gourmet e disse que se sentiu tão comovido pelo meu sofrimento adicional além de ainda ter tido que ser o primeiro dos amados de Sipróprio a sentir a perda de Sipróprio que ele tinha exercido todo esforço cerebral possível. Eu assumi a posição e deixei ele atacar a testona aqui e expliquei o que estava rolando e que se eu não conseguisse sacar algum jeito de satisfazer aquele profissa do luto eu ia acabar num quartinho estofado e solitário em algum canto isolado. O estalo-chave do Lyle foi que eu estava encarando a coisa pelo lado errado. Eu tinha ido até a biblioteca e agido como um *estudante* do luto. O que eu precisava devorar era a seção destinada aos *próprios* profissionais do luto. Eu tinha que me preparar segundo o ponto de vista do profissa. Como é que eu podia saber o que um profissional queria se eu não soubesse o que se exigia profissionalmente que ele quisesse etc.? Era simples, ele disse. Eu precisava empatizar com o terapeuta de luto, o Lyle disse, se eu queria peitar uma figura daquelas. Era uma obversão tão simples do meu sistema normal de preparação pra dar conta das coisas que ela não tinha nem me ocorrido, o Lyle explicou."

"O Lyle disse tudo isso? Não parece o Lyle."

"Mas meio que uma luz acendeu dentro de mim pela primeira vez em semanas. Eu chamei um táxi, ainda enrolado na toalha. Eu pulei pra dentro do táxi antes dele parar direito na frente do portão. Eu disse de verdade: 'Pra biblioteca mais próxima com uma seção de literatura técnica sobre terapia de luto e dor, e pisa fundo'. Et cetera et cetera."

"O Lyle que a minha geração conheceu não era um sujeito do tipo como-dar-conta-do-que-as-autoridades-demandam."

"Na hora que eu cheguei no consultório do terapeuta de luto no dia seguinte eu era um novo homem, imaculadamente preparado, inabalável. Tudo que eu tinha passado a temer no sujeito — as sobrancelhas, a música multicultural na sala de espera, o olhar implacável, o bigode seboso, os dentinhos cinzentos, até as mãos — eu cheguei a mencionar que esse terapeuta-de-luto deixava as mãos o tempo todo escondidas embaixo da mesa?"

"Mas você superou. Você passou por um período de luto que deixou todo mundo satisfeito, você estava dizendo."

"O que eu fiz foi que eu apareci lá e demonstrei raiva do terapeuta de luto. Eu acusei o terapeuta de luto de estar na verdade inibindo a minha tentativa de processar a minha dor, por se recusar a validar a minha ausência de sentimentos. Eu disse pra ele que eu já tinha dito a verdade. Eu usei linguagem de baixo calão e gíria. Disse que estava pouco me fodendo se ele era uma figura de autoridade abundantemente titulada ou não. Chamei ele de bostinha. Eu perguntei que porra de merda caralhal ele queria de mim. O meu comportamento foi paroxístico de ponta a ponta. Eu disse que eu tinha dito que não sentia nada, o que era verdade. Eu disse que parecia que ele queria que eu me sentisse toxicamente culpado por não sentir nada. Perceba que eu ia introduzindo sutilmente alguns termos carregados de associações técnicas de terapia do luto, como *validar*, *processar* como sinônimo de *elaborar*, e *culpa tóxica*. Isso vinha direto da biblioteca."

"A diferença foi que dessa vez você estava andando pela quadra com uma noção de onde estavam as linhas, diria o Schtitt."

"O terapeuta do luto foi me encorajando a prosseguir com os meus sentimentos paroxísticos, a dar nome à minha raiva e honrá-la. Ele foi ficando cada vez mais satisfeito e excitado enquanto eu raivosamente lhe dizia que me recusava terminantemente a sentir um fiapinho de culpa de qualquer tipo que fosse. Eu disse qual é, era pra eu ter perdido ainda mais rápido pro Freer, pra eu poder ter aparecido na CD a tempo de deter Sipróprio? Não era minha culpa, eu disse. Não era minha culpa se fui eu que achei ele, eu gritei; eu estava só com umas meias sociais pretas, eu tinha uma carga legítima de roupa suja pra lavar emergencialmente. A essa altura eu estava me socando no plexo solar de raiva enquanto dizia que simplesmente pelo-amor-de--Deus *não era* minha culpa que…"

"Que o quê?"

"Foi bem o que o terapeuta do luto disse. A literatura técnica tinha toda uma seção em negrito sobre Pausas Abruptas no Discurso Altamente Emotivo. O terapeuta do luto agora estava inclinado pra frente. Os lábios dele estavam úmidos. Eu estava n'A Zona, terapeuticamente falando. Eu me senti no controle pela primeira vez em muito tempo. Eu rompi o contato visual com ele. Que eu estava com fome, eu resmunguei."

"Como assim?"

"Foi bem o que ele disse, o terapeuta do luto. Eu resmunguei que não era nada, só que nem a pau era culpa minha que eu tive a reação que tive quando entrei pela porta da frente da CD antes de entrar na cozinha pra chegar até a escada do porão e encontrar Sipróprio com a cabeça dentro do que restava do micro-ondas. Quando eu tinha acabado de entrar e ainda estava no hall tentando tirar o sapato sem largar a sacola de roupa suja no carpete branco e pulando num pé só, e ninguém podia esperar que eu tivesse alguma ideia do que tinha acontecido. Eu disse que ninguém consegue escolher ou ter controle das primeiras ideias e reações inconscientes quando entra numa casa. Eu disse que não era minha culpa que a minha primeira ideia inconsciente acabou sendo…"

"Jesus amado, garoto, fala!"

"'*Que alguma coisa ali estava com um cheirinho delicioso!*', eu gritei. A força do meu berro quase derrubou o terapeuta do luto pra trás. Um e outro diploma dele caíram da parede. Eu me dobrei na minha cadeira de não couro como quem se prepara pra um pouso de emergência. Pus uma mão em cada têmpora e fiquei balançando pra frente e pra trás na cadeira, chorando. Foi saindo entre soluços e gritos. Que fazia quatro horas que eu tinha almoçado e eu tinha trabalhado um monte e jogado um monte e estava morrendo de fome. Que a saliva tinha começado no instante em que eu passei pela porta. Que cacilda alguma coisa está com um cheirinho *delicioso* foi a minha primeira reação!"

"Mas você se perdoou."

"Eu me absolvi faltando sete minutos pro fim da sessão bem ali diante dos olhos plenamente aprovadores do terapeuta do luto. Ele estava em êxtase. No fim juro que o lado dele da mesa estava meio metro fora do chão, diante do meu clássico e doloroso colapso de terapia do luto rumo à verdadeira emoção, ao trauma, à culpa, ao luto ensurdecedor clássico, e aí à absolvição."

"Jesus de jet ski, Hallie."

"…"

"Mas você superou. Você passou de verdade pelo luto, e agora me diz como é que foi, pra eu poder dizer alguma coisa genérica mas convincente sobre perda e luto pra Helen pra *Moment*."

"Mas eu tinha omitido que de alguma maneira a coisa mais pesadelicamente enfeitiçante desse terapeuta do luto de alto nível era que as mãos dele nunca estavam visíveis. O pavor das seis semanas todas de alguma maneira se aglutinava em torno da questão das mãos do cara. As mãos dele nunca emergiam de sob a mesa. Era como se os braços dele terminassem no cotovelo. Além da análise de material do bigode, eu também passava uns bons pedaços de hora tentando imaginar o aspecto e as atividades daquelas mãos ali embaixo."

"Hallie, deixa só eu te perguntar e aí eu nunca mais menciono isso. Você insinuou que o que foi especialmente traumático foi que a cabeça de Sipróprio estourou que nem uma batata."

"Aí no que acabou sendo o último dia da terapia, na véspera deles escolherem as equipes A pra Indianápolis, depois de eu finalmente ter dado conta daquilo e do meu luto traumático ter sido tecnicamente declarado revelado, enfrentado e processado, quando eu vesti meu moletom e me preparei pra me despedir, fui até a mesa e estendi a mão de um jeito trêmulo e agradecido que ele não teria como recusar, e ele levantou e estendeu a mão dele e sacudiu a minha, eu finalmente entendi."

"As mãos dele eram defeituosas ou alguma coisa assim."

"As mãos dele não eram maiores que as de uma menininha de quatro anos. Era surreal. Aquela maciça figura de autoridade com uma cara carnuda vermelha e imensa, um bigodão de morsa, barbela e um pescoço que transbordava do colarinho, e as mãos dele eram minúsculas, rosadinhas, peladas e macias que nem bunda de nenê, delicadas que nem umas conchinhas. As mãos foram a cereja do bolo. Eu mal tinha saído do consultório quando começou."

"A histeria catártica pós-revivência-tipo-traumática. Você desmontou lá fora."

"Eu mal consegui chegar ao banheiro do corredor. Eu ria tão histericamente que fiquei com medo que os periodontistas e os contadores de um lado e do outro do banheiro fossem ouvir. Eu sentei numa privada com as mãos em cima da boca, batendo os pés no chão e dando com a cabeça primeiro num lado do boxe e depois no outro numa alegria histérica. Se você tivesse visto aquelas mãos."

"Mas você superou tudo, e você pode dar uma resumida geral tipo 3×4 pra mim."

"O que eu estou sentindo é a retomada da força no pé direito, finalmente. Aquela sensação mágica voltou. Eu não estou alinhando vetores até o cesto nem nada. Eu não estou nem pensando. Estou confiando na sensação. É tipo aquele momento celuloide em que o Luke retira o capacete de mira high-tech."

"Que capacete?"

"Você sabe, claro, que as unhas humanas são vestígios de garras e chifres. Que elas são atavísticas, que nem cóccix e cabelo. Que elas se desenvolvem in utero bem antes do córtex cerebral."

"E daí?"

"Que num certo momento do primeiro trimestre a gente perde as guelras mas ainda é pouco mais que uma bolsa bexiguenta de fluido espinal, um rabinho rudimentar, folículos capilares e umas lasquinhas de garras e chifres vestigiais."

"Isso é pra eu me sentir mal? Isso tudo fodeu com a tua cabeça, eu ficar te pedindo detalhes depois de tanto tempo? Reativou a dor?"

"Só mais uma confirmação. O interior do trailer. Havia um objeto ou um trio contíguo de objetos com o seguinte esquema cromático: marrom, lavanda e ou verde-menta ou amarelho-junquilho."

"Eu posso ligar de novo quando você estiver mais você mesmo. E minha perna aqui está começando a ficar meio enrugada por causa da hidro."

"Eu vou estar aqui. Eu tenho a mágica de um pé inteiro para explorar. Eu não vou alterar nem os menores detalhes. Eu estou prestes a pressionar o alicate. Vai dar certo, eu sei."

"Uma manta. Tipo uma colcha de crochê em cima do sofá de chintz. O amarelo era mais fluorescente que junquilho."

"E a palavra é *asfixiado*. Chute aí umas bolinhas ovoides pra nós, O. O próximo som que você vai ouvir vai ser desagradável", Hal disse, segurando o fone bem perto do pé, com uma expressão terrivelmente intensa.

O

6 DE NOVEMBRO — ANO DA FRALDA GERIÁTRICA DEPEND

Halogênica branca reflete no verde do piso sintético, a luz lá nas quadras cobertas da Academia de Tênis Port Washington é da cor de maçãs azedas. Para a plateia atrás do vidro da galeria, os duos de jogadores dispostos e se movendo lá embaixo têm um tom reptiliano na pele, uma espécie de palor nauseado. Esse encontro anual é gigante: as equipes A e B tanto masculinas quanto femininas de ambas as academias, tanto de simples quanto em duplas, no sub-14, sub-16, sub-18. Trinta e seis quadras se estendem a partir da galeria de uma das pontas, sob um chique sistema tricupular de Pulmão climatizado permanente.

Uma equipe júnior tem seis pessoas, com a mais bem ranqueada jogando uma simples nº 1 contra o melhor da outra equipe, o segundo melhor jogando nº 2 e assim por diante até o nº 6. Depois de seis jogos de simples vêm três duplas, com os dois melhores de simples de uma dada equipe normalmente dobrando os papéis e também jogando duplas nº 1 — com exceções ocasionais, p. ex. as gêmeas Vaught, ou o fato de que Schacht e Troeltsch, bem na rabeira da equipe B do sub-18, jogam duplas nº 2 na equipe A de 18 anos da ATE, porque eles jogam duplas juntos desde que eram bebês incontinentes lá em Philly, e são tão experientes e tranquilos juntos que podem esfregar o piso da quadra com a cara dos nᵒˢ 3 e 4 de simples da equipe A de 18, Coyle e Axford, que preferem pular de vez as duplas. A coisa toda tende a ser complicada, e provavelmente não muito interessante — a não ser que você jogue.

Mas então um encontro normal entre duas equipes de juniores é uma melhor de nove partidas, enquanto esse negócio gigante anual de início de novembro entre a ATE e a ATPW vai tentar ser uma melhor de 108. Uma conclusão com 54-partidas--iguais é extremamente improvável — as chances são de 1 em 2^{27} — e nunca aconteceu em nove anos. O encontro é sempre lá em Long Island porque a ATPW tem quadra coberta que não acaba mais. Todo ano a academia que perde o encontro tem que subir nas mesas no jantar que se segue e cantar uma música muito bocó. Uma transação ainda mais constrangedora parece que ocorre em particular entre os dois Diretores das escolas, mas ninguém sabe exatamente o que é. No ano passado Enfield perdeu por 57-51 e Charles Tavis não abriu a boca durante a viagem de ônibus para casa e usou o banheiro várias vezes.

Mas no ano passado a ATE não tinha John Wayne, e no ano passado H. J. Incandenza ainda não tinha explodido competitivamente. John Wayne, que vem de Montcerf, Québec — uma cidade de mineradores de amianto a coisa de quinze quilômetros da infame e pré-rupta Represa Mercier —, e já foi o primeiro do ranking júnior masculino no Canadá com dezesseis assim como o nº 5 geral nos rankings computadorizados da Associação de Tênis da Organização das Nações da América do Norte, foi finalmente recrutado por Gerhardt Schtitt e Aubrey deLint no começo do ano via o argumento de que dois anos grátis numa academia americana talvez pudessem fazer Wayne saltar as temporadas de tênis universitário de alto nível de sempre e se profissionalizar imediatamente com dezenove com uma têmpera competitiva mais do que refinada. Esse raciocínio não era ilógico, já que os calendários dos torneios das quatro melhores academias de tênis dos EU lembram muito o circuito da ATP em termos de viagens ininterruptas e estresse contínuo. John Wayne atualmente é o nº 3 do masculino sub-18 da ATONAN e o nº 2 da ATEU (o Canadá, sob uma pressão provinciana, o baniu como emigrante) e chegou neste Ano da Fralda Geriátrica Depend às semifinais juniores tanto do Aberto da França quando do dos EU, e perdeu para precisamente nenhum americano em sete encontros e em uma dúzia de torneios importantes. Ele está atrás do nº 1 das Américas, um Independente[85] lá da Flórida, Veach, por uns poucos pontos computadorizados da ATEU, e eles ainda não se enfrentaram em jogos oficiais neste ano, e todo mundo sabe que o menino está se escondendo de Wayne, evitando o confronto, se malocando em Pompano Beach, supostamente para tratar de um estiramento de virilha de tipo quatro meses, acomodadinho com o seu ranking. Ele deve aparecer no WhataBurger em AZ em algumas semanas, esse tal de Veach, já que ele ganhou o sub-18 com dezessete anos lá no ano passado, mas ele não tem como ignorar que Wayne vai, e as especulações abundam e se complexificam. ATONANmente, tem um rapaz argentino que a Academia de Vera Cruz do México mantém bem escondidinho que é o nº 1 e não está disposto a perder para ninguém, tendo esse ano conquistado três das quatro pernas do Junior Grand Slam, primeira vez que alguém fez uma coisa dessas desde que um tcheco sepulcral chamado Lendl se aposentou do Circuito e se matou bem antes do advento do Tempo Subsidiado. Mas aí fica o Wayne de nº 1.

E já se estabeleceu que Hal Incandenza, no ano passado numa respeitável mas de maneira alguma grandes-coisas 43ª posição em termos nacionais e quicando entre os nºs 4 e 5 na equipe A masculina de simples sub-16 da Academia, passou por uma espécie de salto-de-plateaux competitivo de escala meio quântica de modo que neste ano — o que está quase acabado, com a Divisão de Produtos Absorventes Depend da Kimberly-Clark logo passando a vez para a empresa que der o lance mais alto para o Ano-Novo — Incandenza, que veja bem só tem dezessete neste ano, é o quarto nacionalmente e o nº 6 no computador da ATONAN e está jogando A-2 pela ATE no masculino sub-18. Essas explosões competitivas acontecem de vez em quando. Ninguém na Academia fala muito com Hal sobre a explosão, mais ou menos como você evita um arremessador que está numa maré perfeita. O jogo delicado e enfeitado, algo cerebral, não se alterou, mas neste ano ele parece ter desenvolvido garras. Já não mais frágil ou distraído na quadra, ele parece quase acertar os cantos sem pensar. As suas estatísticas de erros não forçados parecem um erro-decimal.

O estilo de Hal tem a ver com abrasão. Ele sonda, cutuca, até abrir um ângulo. Até esse momento ele sonda. Ele prefere deixar o oponente em farrapos, desgastar.

Três adversários diferentes nos últimos meses tiveram que receber oxigênio nos tempos de descanso.[86] O saque dele voa pelas pessoas como se estivesse correndo sobre uma corda diagonal escondida. O saque dele, agora, de repente, depois de quatro verões de mil-saques-por-dia sozinho ao nascer do sol, é repentina e supostamente um dos melhores serviços canhotos que o circuito júnior já viu. Schtitt chama Hal Incandenza de seu "redivivo", agora, e às vezes aponta com a vareta para ele de forma afetuosa do seu ninho de observação no gio durante os treinos.

Quase todos os jogos A de simples estão em curso. Coyle e o seu adversário na 3 estão num rally infindável em formato de borboleta. O musculoso mas nada veloz oponente de Hal está vergado tentando recuperar o fôlego enquanto Hal fica ali parado futucando as cordas. Vara-Paul Shaw na 6 quica a bola oito vezes antes de sacar. Nunca sete nem nove.

E John Wayne é sem sombra de dúvida o melhor jogador do masculino que a Academia Enfield viu em muitos anos. Ele foi descoberto primeiro pelo falecido dr. James Incandenza com seis anos de idade, onze primaveras atrás, quando Incandenza estava fazendo um dos seus primeiros e gelidamente conceituais Super-8 sobre pessoas chamadas John Wayne que não eram o verdadeiro dramato-histórico John Wayne, um filme de onde o papai não me-venham-com-essas-histórias de John Wayne acabou obrigando a produtora a retirar a sequência com o rapaz num processo porque o filme tinha a palavra *Homo* no título.[87]

Na 1, com John Wayne subindo à rede, o melhor jogador de Port Washington manda um lob. É uma bola linda: ela paira lenta, quase roça o sistema de vigas e lâmpadas da quadra coberta, e volta flutuante e delicada como um fiapo de algodão: uma belíssima função quadrática de verde fluorescente, suturas em turbilhão. John Wayne volta de costas e voa atrás da bola. Dá para você dizer — se você joga a sério — dá para você dizer só pelo jeito da bola sair das cordas do cara se o lob vai cair dentro. Há surpreendentemente pouco pensamento envolvido. Os treinadores dizem tantas vezes o que o jogador deve fazer que se torna automático. O jogo de John Wayne poderia ser descrito como o de um tipo de beleza automática. Quando o lob subiu ele tinha voltado de costas da rede, com os olhos na bola até ela chegar ao topo do voo e romper sua curva, fazendo tantas sombras sob a salva de luzes que pendia do isolamento do teto; aí Wayne deu as costas para a bola e correu a toda rumo ao ponto em que ela ia cair na quadra. Ia cair. Ele não precisa localizar de novo a bola até ela bater na quadra verde logo dentro da linha de fundo. A essa altura ele já deu a volta no voo da bola que quica, ainda correndo. Ele parece pérfido de uma forma meio distante. Ele dá a volta na segunda ascensão da bola que quica como quando você passa pelo lado de alguém que pretende ferir, e tem de tirar os pés do chão e dar uma meia pirueta para ficar de lado para a bola e chicoteá-la com seu grande braço direito, pegando a bola na subida e mandando uma pancada paralela que passa pelo menino de Port Washington, que jogou com a lógica e acompanhou a beleza de um lob até a rede. O menino de Port Washington aplaude com a base da mão contra as cordas reconhecendo uma bela recuperação no instante em que ergue os olhos para a equipe de treinadores de Port Washington na galeria. O painel de vidro da plateia fica ao nível do chão, e os jogadores jogam abaixo dele em quadras que foram entalhadas como num poço cavado há muito tempo: alguns clubes do Nordeste preferem quadras subterrâneas, porque a terra gera isolamento e mantém as contas de aquecimento assustadoras em vez de proibitivas depois que os Pulmões são inflados. O painel da galeria se estende por sobre as quadras de 1 a 6, mas há decididamente uma aglomeração plateística na parte da galeria que dá para as Quadras Especiais, o masculino sub-18 nº 1 e nº 2, Wayne e Hal e os dois melhores da ATPW. Agora depois da vencedora bailarina de Wayne vem o treno triste do aplauso de uma plateia minguada detrás de um vidro; nas quadras o aplauso é abafado e comprometido pelos sons das quadras, e soa como os sobreviventes presos de alguma catástrofe pedindo socorro de uma grande profundidade, batendo em alguma coisa. O painel é como o vidro de um aquário, grosso e limpo, e segura os sons por trás de si, e para a galeria parece que setenta e duas crianças musculosas estão distribuídas pelo poço competindo em total silêncio. Quase todo mundo na galeria está usando roupas de tênis e coloridos agasalhos de aquecimento de náilon; alguns usam até munhequeiras, o equivalente tenístico da flâmula e do casaco de pele de guaxinim de um torcedor de futebol americano.

A inércia do recuo pós-pirueta de John Wayne o levou para o pesado encerado negro que pende vários metros atrás dos dois lados das trinta e seis quadras de um sistema de varas e argolas não muito diferente do de uma cortina de chuveiro bem pretensiosa, com as lonas escondendo dos olhos as paredes manchadas de água e cobertas de isolantes inchados e cobertos de branco e criando uma passagem estreita para os jogadores chegarem até as suas quadras sem passar pelas outras quadras e interromperem o jogo. Wayne bate no pesado encerado e meio que quica, produzindo um bum que ressoa. Os sons das quadras num evento coberto são imensos e complexos; tudo ecoa e os ecos depois se fundem. Na galeria, Tavis e Nwangi mordem as juntas dos dedos e deLint espreme o nariz contra o vidro de angústia enquanto todos os outros aplaudem educadamente. Schtitt bate calmamente com a varinha no alto da bota em momentos de alta tensão. Mas Wayne não está machucado. Todo mundo de vez em quanto bate no encerado. É para isso que ele está ali. Sempre soa pior do que é.

Mas o bum do encerado soa mal lá embaixo. O bum sacode Teddy Schacht, que está ajoelhado na passagenzinha logo atrás da Quadra 1, segurando a cabeça de M. Pemulis enquanto Pemulis com um joelho no chão vomita num balde branco e alto de plástico com bolas de reserva. Schacht tem que puxar Pemulis um pouco para trás quando o contorno de Wayne infla por um momento o encerado enfunado e ameaça derrubar Pemulis, além de talvez o balde, o que não ia ser bonito de ver. Pemulis, bem afundadinho no inferno do seu nervosismo nauseante pré-partida, está ocupado demais tentando vomitar s/ sons para ouvir o som tremendo da vencedora de Wayne ou o bum dele contra a cortina pesada. Está gelado aqui atrás na passagenzinha, bem encostada no isolamento e nas vigas de perfil I e longe dos aquecedores infravermelhos que ficam pendurados em cima das quadras. O balde plástico está cheio de bolas Wilson carecas e velhas e do café da manhã de Pemulis. É claro que rola um cheiro. Schacht não liga. Ele acaricia de leve as laterais da cabeça de Pemulis como a sua mãe acariciava a sua cabeçorra nauseada lá em Philly.

Colocadas de tanto em tanto à altura dos olhos na lona estão pequenas janelinhas plásticas, aberturas como seteiras de cada quadra para quem está na fria passagem dos bastidores. Schacht vê John Wayne ir até o poste da rede e virar o seu placar enquanto ele e o oponente trocam de lado. Mesmo em quadras cobertas, você troca de lado de quadra depois de um game ímpar. Ninguém sabe por que ímpar e não par. Cada quadra da ATPW tem, soldado ao poste oeste da rede, outro poste menor com um conjunto tipo uma dupla de plaquinhas viráveis com grandes numerais vermelhos de 1 a 7; em competições senjuízicas você tem que virar a sua placa adequadamente em cada troca de lado, para ajudar a galeria a seguir o placar do set. Vários jogadores juniores negligenciam essa tarefa. Wayne é sempre automático e escrupuloso na sua contabilidade. O pai de Wayne é um minerador de amianto que com quarenta e três anos é de longe o maior veterano do seu turno; ele hoje usa máscaras de espessura tripla e está tentando segurar as pontas até John Wayne poder começar a ganhar $ de verdade e tirá-lo daquilo tudo. Ele não viu mais o filho mais velho jogar desde que as cidadanias québecoise e canadense de John Wayne foram revogadas no ano passado. A plaquinha de Wayne está no (5); o adversário dele ainda não virou placas. Wayne nunca senta para aproveitar os sessenta segundos a que tem direito em cada troca de lado. O adversário dele, com a sua camiseta azul-clara de gola larga com WILSON e ATPW nas mangas, diz alguma coisa não inamistosa no que Wayne passa por ele junto à rede. Wayne não reage nem bem nem mal. Ele simplesmente vai para a linha de fundo mais distante da janelinha da lona de Schacht e quica uma bolinha no ar com a face reticulada da raquete enquanto o menino de Port Washington senta na sua cadeirinha de lona de diretor de cinema e enxuga o suor dos braços (nenhum dos quais é grande) e olha brevemente para a galeria lá no alto, atrás do painel. O negócio com o Wayne é que ele é cem por cento objetivo. Seu rosto em quadra é vazio e rígido, com o mascaramento hipertônico dos esquizofrênicos e dos adeptos do zen. Ele tende a olhar direto para a frente o tempo todo. Ele é o mais reservado que se pode ser. Suas emoções emergem em termos de velocidade. A inteligência, como concentração estratégica. O jogo dele, como o seu estilo de modo geral, Schacht acha menos vivo que um zumbi. Wayne tende a comer e a estudar sozinho. Ele às vezes é visto com dois ou três canadôncios expatriados da ATE, mas quando estão juntos todos eles parecem macambúzios. Schacht não faz ideia de como Wayne se sente em relação aos EU ou à sua cidadania. Ele acha que Wayne acha que não faz muita diferença: o destino dele é o Circuito; ele vai ser um artista do entretenimento cem por cento objetivo, cidadão do mundo, zumbizando por toda parte, anunciando bebidas e linimentos esportivos.

Pemulis não tem mais nada dentro e está espasmando a seco em cima do balde, com as suas raquetes encordoadas com tripa ainda dentro das capas Dunlop e o resto do equipamento caído logo ao lado das coisas de Schacht na passagem. Eles são os últimos a entrar em quadra. Schacht vai jogar nº 3 de simples no sub-18 B, Pemulis nº 6 no B. Eles estão inegavelmente atrasadinhos. Os oponentes deles estão atrás das linhas de fundo das Quadras 9 e 12 esperando que eles apareçam para o aquecimento, inquietos, se alongando daquele jeito como você se alonga quando já se alongou, batendo umas bolinhas novas com suas grandes raquetes pretas Wilson. Todo o corpo discente da Academia de Tênis Port Washington ganha raquetes gratuitas e obrigatórias da Wilson por um contrato administrativo. Nada pessoal, mas nem a pau que o Schacht ia deixar uma academia lhe dizer que marca de raquete usar. Ele prefere as Head Masters, o que é considerado bizarro e excêntrico. O representante da AMF-Head traz as raquetes para ele lá de algum depósito empoeirado onde elas ficam guardadas desde que a linha foi descontinuada durante a revolução das raquetes grandes muitos anos atrás. As Head Masters de alumínio têm cabeça pequena, perfeitamente redondas, e uma braçadeira de plástico azul-fosco no V do pescoço e parecem mais brinquedos do que armas. Coyle e Axford vivem sacaneando que viram uma Head Master à venda tipo num mercado de pulgas ou numa venda de garagem em algum lugar e que era melhor o Schacht ir correndo lá. Schacht, que historicamente é chapa de Mario e de Lyle lá na sala de musculação (aonde o Schacht, desde o joelho e a doença de Crohn, gosta de ir até em dias de folga, para malhar e esquecer o incômodo, e o deLint e o Loach vivem no pescoço dele para ele não ficar musculoso a ponto de endurecer), tem um jeito de só sorrir e mostrar a língua quando é sacaneado.

"Cê tá legal?"

Pemulis diz "Blarg". Ele enxuga a testa num gesto de quem terminou, se deixa ser erguido e ser posto de pé e fica ali parado sozinho com as mãos na cintura, ligeiramente vergado.

Schacht ajeita e estica umas ruguinhas na bandagem em volta do suporte do joelho. "Dê mais um segundinho de repente. O Wayne já está bem na frente."

Pemulis funga desagradavelmente. "Como é que pode isso me acontecer toda vez? Não combina comigo."

"Tem gente que passa por isso e pronto."

"Esse cara recurvado, pálido e golfante não é alguém que eu reconheça."

Schacht junta as suas coisas. "Tem gente que tem os nervos no estômago. O Cisne, o Repelente, o Lord, você: gente de estômago."

"Teddy-baby meu amigo eu nunca-*nunquinha* chego de ressaca em uma competição. Eu tomo elaboradas medidas precautórias. Nem um nadinha. Na noite anterior eu estou sempre na cama antes das 2300 todo coradinho e limpo."

No que eles passam pela janela plástica atrás da Quadra 2 Schacht vê Hal Incandenza tentar uma passada num sujeito todo saque-voleio com um slice abarrocadamente diagonal de backhand e errar por pouco. A plaquinha de Hal já está em (4). Schacht acena um oizinho que Hal não pode ver para responder. Pemulis está na frente dele no que eles descem o corredor gelado.

"O Hal também está na frente. Outra vitória para as forças da paz."

"Jesus amado eu estou péssimo", Pemulis diz.

"Podia ser pior."

"Você teria a bondade de me dizer como?"

"Não se comparou com aquele probleminha estomacal de Atlanta. A gente estava fechado aqui. Ninguém viu. Você viu aquele vidro; pro Schtitt e pro deLint é tudo um filme mudo aqui. Ninguém ouviu lhufas. Os nossos colegas acham que a gente está aqui atrás batendo a cabeça um no outro pra ficar puto ou sei lá o quê. Ou a gente pode dizer que eu tive cãibra. Essa foi moleza em termos de problemas estomacais."

Pemulis é uma pessoa completamente diferente antes de jogos competitivos.

"Eu sou uma porra de um inepto."

Schacht ri. "Você é uma das pessoas mais eptas que conheço. Pare de se torturar."

"Nunca lembro de eu vomitar quando era pequeno. Agora parece que eu vomito só de me preocupar com a possibilidade de vomitar."

"Bom então é isso. Só não tenha pensamentos torácicos. Finja que você não tem estômago."

"Eu não tenho estômago", Pemulis diz. A cabeça dele pelo menos fica paradinha quando ele fala, abrindo caminho pela passagem. Ele leva quatro raquetes, uma toalha branca áspera do vestiário da ATPW, uma lata de bolas vazia cheia de água de Long Island com alto teor de cloro, nervosamente zipando e dezipando a capa da raquete de cima. Schacht nunca, jamais, leva mais que três raquetes. As dele não têm capas. A não ser Pemulis, Rader, Unwin e uns outros que preferem cordas de tripa e realmente precisam de proteção, ninguém em Enfield usa capas de raquete; é tipo uma atitude antifashion. As pessoas com capa fazem questão de te dizer que elas são válidas e servem para a tripa. Outra questão parecida de cuidadosa falta de vaidade é jamais usar a camiseta para dentro. Ortho Stice costumava treinar de calça jeans preta cortada até o Schtitt mandar o Toni Nwangi ir lá gritar com ele. Cada academia tem seu estilo ou antiestilo. O pessoal da ATPW, mais ou menos uma subsidiária de facto da Wilson, tem umas capinhas azuis Wilson desnecessárias em todas as raquetes de cordas sintéticas que vão para a quadra e um W vermelhão pintado nas raquetes Wilson de cordas sintéticas. Você tem que deixar a marca que você escolher pintar o logo nas suas cordas se quiser ficar na Lista Gratuita deles para as raquetes, é a regra universal no mundo júnior. As Gamma-9 alaranjadas de cordas sintéticas de Schacht têm o louco logo taoista paraboloide da AMF-Head Inc. pintado nelas. Pemulis não está na Lista Gratuita da Dunlop[88] mas pede que o encordoador da ATE coloque a marca registrada de pontinho-e-circunflexo da Dunlop em todas as cordas das suas raquetes, num gesto tocantemente inseguro, na opinião de Schacht.

"Eu joguei com o teu cara em Tampa tem dois anos", Pemulis diz, driblando uma das velhas e descoloridas bolas de treinos que sempre entulham as passagens por trás dos encerados das quadras cobertas. "O nome está me fugindo."

"Le-alguma-coisa", diz Schacht. "Outro canadôncio. Um desses nomes que começam com Le." Mario Incandenza, com um conjuntinho de moletom para treinos da ATE emprestado pelo pequeno Audern Tallat-Kelpsa, espreita silenciosamente uns dez m. atrás deles na passagem, com a trava policial levantada e a cabeça desca-merificada; ele está enquadrando as costas de Schacht dentro de uma caixa de três cantos com os polegares e os dedos longos, simulando a visão de uma lente. Mario recebeu autorização para viajar com o pessoal para o WhataBurger para terminar de filmar o seu curto e alegre documentário anual — breves depoimentos, momentos de leveza, takes dos bastidores e momentos de emoção nas quadras etc. — que todo ano é distribuído para ex-alunos, patrocinadores e convidados da ATE na exibição e fête solene de arrecadação de recursos pré-Ação de Graças. Mario está pensando em como conseguir uma luz decente aqui nesse túnel enlonado para filmar uma marcha gladiatória tensa e gélida pré-partida atrás de um encerado de quadra coberta, levan-do raquetes de tênis nos braços como um buquê obsceno, sem sacrificar a qualidade obscura, difusa e meio gladiatorialmente condenada que as figuras na passagem obs-cura têm. Depois de Pemulis ter misteriosamente vencido, ele vai dizer a Mario que de repente um Marino 350 com filtro de difusão em algum tipo de cabo suspenso que você pudesse ir roldanando atrás das figuras tipo no dobro da distância focal, ou usar filme rápido, estacionar o Marino bem na entrada do túnel e deixar as costas das figuras gradualmente sumirem num tipo de névoa condenada de baixa exposição.

"Na minha lembrança o teu cara é só forehand. Da esquerda só sai slice. O VAVS dele nunca varia. Se você mandar o saque no backhand dele ele vai devolver com um slice curto. Você pode subir pra rede tipo como quiser."

"Se preocupe com o teu cara", Schacht diz.

"O teu cara tem imaginação zero."

"E você tem uma área vazia onde era pra ter um estômago, não esqueça."

"Eu sou um homem sem estômago."

Eles surgem por abas da lona com as mãos erguidas pedindo ligeiras desculpas aos oponentes, caminham até os cantos mais quentes, o lento passo verde borrachen-to de um piso compósito de quadra coberta. Os ouvidos deles se dilatam para todos os sons do espaço mais amplo. Os gasps, vasps, pocks e fuics dos tênis. A quadra de Pemulis já é quase em território feminino. As Quadras de 13 a 24 são do feminino sub-18 A e B, só rabinhos de cavalo baloiçantes, backhands com duas mãos e griti-nhos agudos que se as meninas pudessem só ouvir como soam esses gritinhos elas iam parar com isso. Pemulis não consegue dizer se os aplausos muito abafados lá longe, no alto, atrás do painel da galeria são um aplauso sardônico por ele finalmente ter aparecido depois de vários minutos de vômito ou se são sinceramente para K. D. Coyle na Quadra 3, que devolveu um lob desajeitado com um smash tão forte que a bola explodiu na quadra e quicou tão alto que destruiu o conjunto de lâmpadas suspensas da 3. A não ser por uma certa borracha nas pernas Pemulis está se sentindo desestomagado e temporariamente o.k. Vencer essa partida é definitivamente uma necessidade para ele no que se refere ao WhataBurger.

As Quadras infrailuminadas estão quentes e moles; os aquecedores parafusados nas duas paredes acima da barra superior do encerado são do vermelho quente e escuro de pequenos sóis quadrados.

Os jogadores de Port Washington todos usam meia, calção e camiseta para dentro, tudo combinando. Eles têm uma aparência elegante mas estéril, com um aspecto manequinesco. Quase todos os alunos mais bem ranqueados da ATE têm liberdade para assinar com empresas diferentes sem pagamento mas com equipamento de graça. Coyle é Prince e Reebok, assim como Trevor Axford. John Wayne é Dunlop e Adidas. Schacht é raquete Head Master mas usa suas próprias roupas e suportes para joelho. Ortho Stice é Wilson e Fila tudo preto. Keith Freer é raquete Fox e tanto Adidas quanto Reebok até que um dos reps das duas empresas na NNE se ligue. Troeltsch é Spalding e olha lá, meu filho. Hal Incandenza é Dunlop e tênis Nike leves de cano alto e um suporte Air Stirrup para o tornozelo bichado. Shaw é raquete Keenex e roupas da linha tamanho extra da Tachani. O vigor empreendedorístico de Pemulis lhe rendeu total liberdade de escolha e de gastos, ainda que deLint e Nwangi o proíbam de usar quaisquer camisetas que de alguma maneira ou mencionem Sinn Fein ou louvem o nome de Allston, MA, nas competições.

Antes de voltar para a linha de fundo e se aquecer com golpes de fundo Schacht gosta de passar um tempo em volta da quadra enrolando, batendo o quadro das raquetes contra as cordas e ouvindo o tom da melhor tensão, ajeitando a toalha no encosto da cadeira, garantindo que as suas plaquinhas não ficaram viradas depois de algum jogo anterior etc., e aí prefere ficar meio que matando o tempo um pouco na linha de fundo, procurando bolinhas de pelo-de-bola e remoinhos ou estrias causadas pelo frio, ajustando o suporte do seu joelho destruído, esticando os braços grossos cruciformemente e os esticando bem para trás para alongar os bons e velhos peitorais e manguitos. Seu oponente aguarda pacientemente, rodando a raquete de polibutileno; e quando eles finalmente começam a trocar bolas, a expressão do cara é amigável. Schacht sempre prefere um jogo amigável, seja como for. Ele nem liga mais tanto para ganhar, desde primeiro a doença de Crohn e depois o joelho com seus dezesseis anos. Ele provavelmente hoje descreveria o seu desejo de vencer como apenas uma preferência, nada mais. O curioso é que o seu jogo parece ter melhorado um pouquinho nos dois anos depois que ele deixou de ligar tanto. É como se o seu estilo duro e seco não tivesse mais nenhum outro objetivo além de si próprio e tivesse começado a se alimentar de si próprio e ficado mais cheio, mais livre, com arestas menos ásperas, embora o de todo mundo tenha melhorado também, ainda mais rápido, e o ranqueamento de Schacht venha declinando constantemente desde os dezesseis, e a equipe da Academia tenha parado de falar até de bolsas em universidades boas. Tudo bem que o Schtitt desenvolveu algum afeto por ele, desde o joelho e a perda de qualquer anseio que não o próprio jogo, e agora trata Schacht mais como um par do que como um objeto experimental com algo em risco. Schacht no fundo do seu coração já está decidido a seguir uma carreira odontológica, e trabalha como estagiário duas vezes por semana para um especialista em canais lá na Fundação Nacional de Dor Craniofacial, no leste de Enfield, quando não está competindo fora.

274

Schacht acha esquisito Pemulis fazer tanta questão de parar com todas as substâncias um dia antes da competição, mas nunca associar o estômago neurastênico a nenhum tipo de abstinência ou dependência. Ele nunca diria isso a Pemulis a não ser que Pemulis lhe perguntasse diretamente, mas Schacht suspeita que Pemulis seja fisicamente dependente de drinas, Preludin ou Hipofagin, ou alguma coisa assim. Não é da sua conta.

O sujeito supostamente franco-canandense de Schacht é tão largo quanto Schacht porém mais baixo, com um rosto escuro e com uma estrutura meio esquimoide, com dezoito o seu cabelo já recuou daquele jeito que você sabe logo que o menino já tem pelos nas costas, e ele se aquece com uns efeitos doidos, um topspin alucinado de uma direita tipo western e uma merda de uma esquerda bizarra de-dentro-pra-fora com uma mão só, com os joelhos dobrando estranhamente quando ele faz contato com a bola e com um follow-through cheio dos floreios bailarinos que caracterizam um caso de nervos. Um spinzeiro nervoso pode ser derrotado mais ou menos com um pé nas costas, se você bate com a força do Schacht, e o que Pemulis disse é verdade: o backhand do cara é sempre um slice que sempre sai curto. Schacht dá uma olhada no cara do Pemulis, um gemedor com um perfil contrariado e a aparência cegonhística da puberdade recente. Pemulis está com uma cara estranhamente firme e confiante depois de uns minutos fuçando nas latinhas de água, enxaguando a cavidade oral e tal. Pemulis talvez vá vencer, também, apesar de si mesmo. Schacht raciocina que ele pode dar uma corrida e mandar um dos meninos de 12 que ele tem de Amiguinhos voltar lá na passagem para esvaziar sorrateiramente o balde de Pemulis antes que alguém que estiver saindo da quadra veja aquilo. Indícios de incapacidade nervosa de qualquer tipo são registrados e arquivados na ATE, e o Schacht observou que o Pemulis tinha algum tipo de interesse emocional oculto em estar presente no WhataBurger de Ação de Graças. Ele achou que o Mario meio à espreita pela passagem gelada coçando aquele cabeção dele coitado por causa de uns problemas técnicos de iluminação até que foi engraçado. Não vai ter Pulmões, encerados ou passagens escuras no WhataBurger: o torneio de Tucson é a céu aberto, e Tucson ficava em torno de 40ºC inclusive em novembro, e o sol lá era retinalmente punk nas bolas altas e nos saques.

Apesar de Schacht comprar a sua urina trimestral como todo mundo, Pemulis acha que Schacht ingere um ou outro químico daquele jeito que os adultos que às vezes esquecem de terminar os seus coquetéis bebem álcool: para tornar uma vida interior tensa mas fundamentalmente o.k. interessantemente diferente mas nada mais que isso, sem nenhum elemento de alívio; um tipo de turismo; e Schacht nem tem que se preocupar com treinos obsessivos como o Inc ou o Stice ou ficar mal com tanta frequência por causa do estresse fisiológico das drinas constantes como o Troeltsch ou sofrer de um decaimento psicológico mal disfarçado como o Inc, o Struck ou o próprio Pemulis. O jeito de Pemulis, Troeltsch, Struck e Axford ingerirem substâncias e se recuperarem das substâncias e terem todo um vocabulário gírio baseado em várias substâncias causa faniquitos em Schacht, um pouquinho, mas desde que a lesão do joelho o quebrou em pedacinhos e remontou de novo com dezesseis ele aprendeu a seguir lá do seu jeito interior e deixar os outros seguirem do seu. Como quase todos os homens muito grandes, ele está ficando confortável cedo com o fato de que o seu lugar no mundo é bem pequeno e o seu real impacto nas pessoas é ainda menor — o que é um dos grandes motivos por que ele às vezes consegue esquecer de acabar com a sua porção de uma dada substância, de tão interessado que fica em como já começou a se sentir. Ele é uma dessas pessoas que não precisam de muito, muito menos de muito mais.

Schacht e o seu adversário aquecem os golpes de fundo com a fluida economia de anos de aquecimento de golpes de fundo. Eles se revezam levantando voleios um para o outro na rede e aí dão "uns balões", lobs, batendo umas bolas altas fáceis e tranquilas, lentamente regulando o ponto morto de meia velocidade para três-quartos. O joelho parece fundamentalmente legal, molinho. Pisos compósitos lentos de quadras cobertas não gostam do jogo duro e seco de Schacht, mas pegam leve com o joelho, que depois de uns dias a céu aberto no cimento duro incha e fica mais ou menos do tamanho de uma bola de vôlei. Schacht está se sentindo amenamente alegre aqui na 9, jogando sem a presença de ninguém, bem longe do painel da galeria. Há uma confortadora noção de espaço expugnável num grande clube coberto que você nunca percebe jogando a céu aberto, especialmente jogando a céu aberto no frio, quando as bolas parecem duras e rabugentas e saem da face encordoada da raquete com um *ping* sem eco. Aqui tudo estala e estoura, os gemidos e guinchos dos tênis, estouros de *pocks* de impacto e xingamentos que se desdobram por sobre o plano branco-sobre-verde e ecoam em cada encerado. Logo todos eles vão se recolher para o inverno. O Schtitt vai ceder e deixar que inflem o Pulmão da ATE sobre as dezesseis Quadras Centrais; é como a cerimônia de ereção de um celeiro, o dia-de-inflar; é coletivo e divertido, e eles vão tirar as cercas centrais e os holofotes externos e desparafusar todos os postes que vão virar seções de postes empilhados e armazenados, e os caras da TesTar e da ATHSCME vão aparecer numas caminhonetes fumando cigarros e contraindo os olhinhos com a cara cínica dos experts em cima de tubos de plantas azul-de-arquiteto, e vai haver um e às vezes dois helicópteros da ATHSCME c/ cabos e ganchos preênseis para a abóbada e a nacela do Pulmão; e o Schtitt e o deLint vão deixar os ATEs mais novinhos irem pegar os aquecedores internos infravermelhos lá no mesmo galpão de metal corrugado para onde irão as cercas e os postes desmontados, exércitos como coreanoides ou formigas-cortadeiroides de crianças de catorze e dezesseis anos carregando seções, aquecedores, pedaços de Gore-Tex e longas lâmpadas halo-litiadas enquanto os de dezoito podem ficar sentados em cadeiras de lona e papear porque já fizeram o seu papel de formiguinhas de ereção de Pulmão entre os treze e os dezesseis. Dois caras da TesTar vão supervisionar enquanto Otis P. Lord e todos os nerdzinhos mais conspícuos deste ano montam os aquecedores, passam os cabos das luzes, instalam shunts coaxiais com plugues cerâmicos entre o disjuntor principal da Sala da Bomba e a malha da Sunstrand e ligam os ventiladores de circulação e os guindastes pneumáticos que vão erguer o Pulmão até ele assumir o formato inflado de um iglu esticado, dezesseis quadras em quatro linhas de quatro, fechadas e aquecidas por nada mais que o fibroso Gore-Tex e uma corrente AC e um imenso Efetuador ATHSCME de Fluxo de Exaustão que uma equipe da ATHSCME num dos helicópteros da ATHSCME vai trazer pendurado num cabo e montar e prender na mamilosa nacela do topo da abóbada ascendente. E nessa primeira noite pós-Inflação, tradicionalmente a quarta segunda-feira de novembro, todos os dezoito da elite que assim desejem vão aumentar os infravermelhos, se chapar, comer pizza de micro-ondas de baixo índice lipídico e jogar a noite toda, suando magnificamente, abrigados para o inverno sobre o morro cabeça-feita de Enfield.

Schacht fica um pouco mais para trás da área de saque e deixa o seu cara aquecer os saques, estranhamente secos e baixos para um artista nervoso. Schacht encurta cada resposta com um severo backspin de modo que as bolas do cara voltam rolando e ele pode sacar de volta para o cara, se aquecendo também. A rotina de aquecimento se tornou automática e não requer atenção. Lá na nº 1, Schacht vê John Wayne simplesmente explodir uma diagonal de backhand. Wayne bate a bola tão forte que uma nuvenzinha-cogumelo de penugem verde flutua no ar onde a bola encontrara as cordas. As plaquinhas deles estavam longe demais para ele poder ler com a luz maçã-azeda, mas dava para dizer pelo jeito do melhor jogador de Port Washington voltar para a linha de fundo para receber o serviço seguinte que ele já estava com a cabeça numa bandeja. Em vários jogos juniores tudo que acontece depois do quarto game mais ou menos é meio que uma formalidade. Os dois jogadores costumam saber o placar final a essa altura. A cena toda. Eles já terão decidido quem vai perder. O tênis competitivo é em grande medida mental, depois que você chega a um certo platô de habilidade e condicionamento. O Schtitt diria *espiritual* em vez de *mental*, mas até onde o Schacht consegue ver dá na mesma. Até onde o Schacht vê, a postura filosófica de Schtitt é que para ganhar um número suficiente de vezes para ser considerado um sucesso você tem tanto que ligar muito para aquilo tudo quanto não ligar nada.[89] Schacht não liga o bastante, provavelmente, não mais, e encarou o seu gradual afastamento da equipe A de simples da ATE com uma equanimidade que alguns dos ATEs acharam espiritual e outros o mais claro sinal de bunda-molice e de fim-de-linha. Só uma ou duas pessoas chegaram a usar a palavra *coragem* em relação à radical reconfiguração de Schacht depois daquilo da doença de Crohn e do joelho. Hal Incandenza, que é provavelmente tão assimetricamente rengo para o lado ligar-demais quanto Schacht é para não-o-suficiente, reservadamente atribui o laissez-faire de Schacht a alguma decadência interna, a alguma rendição cinza-danação do talento que sua infância prometia diante da cinzenta mediocridade adulta, e tem medo; mas como Schacht é um velho amigo e um motorista confiável quando eles bebem e a bem da verdade ficou uma companhia ainda mais agradável depois do joelho — que Hal reza fervidamente que o tornozelo não comece também a ficar do tamanho de uma bola de vôlei no fim de cada dia em quadra —, Hal de um jeito esquisito e interno quase meio que admira e inveja Schacht ter se entregado estoicamente às profissões orais e parado de sonhar com chegar ao Circuito depois de se formar — um ar de algo diferente de fracasso no desligamento de Schacht, algo que não se pode definir direito, como você não consegue lembrar direito uma palavra que você sabe que sabe, por dentro — Hal não consegue sentir direito o desprezo pela queda competitiva de Teddy Schacht que seria um desprezo basicamente natural em alguém que ligasse tão tremendissimamente tanto, e assim os dois tendem a se decidir por não falar do assunto, exatamente como Schacht alegre e caladamente dirige o guincho nas ocasiões em que o resto do grupo está tão incapacitado que eles têm que ficar com um olho fechado até para não ver uma estrada em dobro, e concorda s/ protestos em pagar o preço de tabela pela urina trimestral, e não abre a boca sobre a transformação de Hal de turista ocasional em compulsivo subterrâneo, substancialmente, com as suas visitas à Sala da Bomba e o seu colírio, muito embora Schacht bem no fundo acredite que a estranha contribuição aparente da compulsão por substâncias à explosão eruptiva de Hal pelos ranqueamentos haja de ser coisa temporária, que há tipo uma conta de cartão de crédito psíquico no correio para Hal, em algum lugar, para chegar, e se entristeça por ele de antemão por seja lá o que for que uma hora vai estourar no fim. Se bem que não vai ser nos Exames. O Hal vai detonar os Exames, e o Schacht pode muito bem estar entre os que vão disputar as cadeiras próximas da dele, ele seria o primeiro a admitir. Na 2 Hal agora manda um segundo serviço no quadrado do saque com tanto topspin de esquerda que quase passa direto por cima da cabeça do nº 2 de Port Washington. É nitidamente uma chacina lá nas Quadras de Exibição 1 e 2. O dr. Tavis vai estar irreprimível. A galeria praticamente nem aplaude mais Wayne e Incandenza; num dado momento vira uma questão dos romanos aplaudirem os leões. Todos os treinadores, funcionários, parentes da ATPW e civis na galeria suspensa usam roupas de tênis, meias brancas altas e as camisetas para dentro das pessoas que não jogam de verdade.

Schacht e o seu sujeito jogam.

Tanto Pat Montesian quanto o padrinho AA de Gately gostam de lembrar a Gately o quanto esse novo residente Geoffrey Day podia acabar sendo um inestimável professor de paciência e tolerância para ele, Gately, enquanto funcionário da Ennet.

"Então aí com quarenta e seis anos de idade eu venho pra cá pra aprender a viver por clichês", é o que Day diz a Charlotte Treat logo depois de Randy Lenz perguntar que horas eram, de novo, às 0825. "A entregar a minha vida e a minha vontade aos cuidados de uns clichês. Um Dia de Cada vez. Vai de Leve. Primeiro as primeiras coisas. Coragem é medo que fez as suas orações. Peça ajuda. Seja feita a vossa e não a minha vontade. Funciona se você fizer funcionar. Cresça ou desapareça. Volte sempre."

A coitadinha da Charlotte Treat, bordando que nem uma senhorinha no sofá velho de vinil que acabou de chegar do Exército da Salvação, franze os lábios. "Você tem que pedir um pouco de gratidão."

"Ah não mas a questão é que eu já tive a felicidade de *receber* gratidão." Day cruza uma perna sobre a outra de um jeito que inclina todo o seu corpo mole na direção dela. "Pela qual, pode acreditar, eu fico grato. Eu cultivo gratidão. É parte do sistema de clichês que orienta a minha vida aqui. Uma posição de gratidão. Um bêbado agradecido nunca bebe. Eu sei que o clichê de verdade é 'Um *coração* agradecido nunca bebe', mas como não se pode de fato dizer que órgãos libem e eu ainda sofro de uma obstinação suficiente para não me permitir aceitar viver por non sequiturs irredimíveis, em oposição aos bons e velhos clichês, eu estou tomando a liberdade de propor uma sutil emenda." Ele com isso lança um olhar mais frio que bunda de pinguim. "Conquanto seja grata, a emenda, claro."

Charlotte Treat olha para Gately em busca de algum tipo de ajuda ou reforço oficial do dogma. A filha da puta está perdidinha. Todos eles estão perdidos ainda. Gately se lembra que ele também está provavelmente perdido em termos gerais, ainda, mesmo depois daquelas centenas todas de dias. "Eu não sabia que não sabia" é outro slogan que parece raso por algum tempo e aí de repente se abre e se aprofunda como as águas de pescar lagosta lá na North Shore. Enquanto Gately tenta se aquietar para ir em frente com a meditação matutina diária ele sempre tenta se lembrar todos os dias que isso é tudo que se espera que um período na Ennet faça: dar algum tempo pra esses manés, uma fatiazinha fina de tempo abstinente até eles poderem começar a sentir o cheiro do que é verdadeiro e profundo, quase mágico, por baixo da superfície rasa do que eles estão tentando fazer.

"Eu cultivo assiduamente. Eu faço exercícios especiais de gratidão à noite lá no quarto. Flexões-de-grato, pode-se dizer. Pergunte pro Randy ali se eu não faço a cada minuto. Diligentemente. Laboriosamente."

"Mas é que é verdade, só." Treat funga. "Isso da gratidão."

Todos os outros a não ser Gately, deitado no outro sofá velho na frente do deles, ignoram essa conversa, assistindo a um velho cartucho da InterLace cujo alinhamento está meio ferrado de modo que uns risquinhos estatiquentos ficam comendo a parte de baixo e a de cima da imagem. Day não acabou de falar. Pat M. encoraja os funcionários novos a pensar nos residentes que gostariam de matar de pancadas como valiosos professores de paciência, tolerância, disciplina, contenção.

Day não acabou de falar. "Um dos exercícios é ficar grato pela vida estar tão mais *fácil* agora. Antes eu às vezes pensava. Eu pensava em longas sentenças com orações subordinadas e até uma palavra comprida de vez em quando. Agora eu vejo que não preciso. Agora eu vivo segundo os ditames de quadrinhos de macramê encomendados na quarta capa de um exemplar velho da *Reader's Digest* ou do *Saturday Evening Post*. Vai de Leve. Lembre de Lembrar. Não Fosse pela Graça de Deus com d-maiúsculo. Vire a Página. Lapidar, pesado. Palavras curtas. A boa e velha sabedoria tipo Norman Rockwell-Paul Harvey. Eu fico andando com os braços esticados pra frente e recito esses clichês. Num tom neutro. Não é necessário enfatizar. Será que esse podia ser um? Será que dava pra acrescentar ao estoque de clichês? '*Não é necessário enfatizar*'? Talvez comprido demais."

Randy Lenz diz: "Eu não tenho tempo pra ficar ouvindo essa bosta".

A coitadinha da Charlotte Treat, do alto de parcas nove semanas de sobriedade, está tentando fazer cada vez mais cara de senhorinha. Ela olha de novo para Gately, deitado de costas, ocupando o outro sofá inteiro da sala de estar, um tênis na coisa quadrada de pano puído de apoiar braço do sofá, olhos quase fechados. Só os funcionários podem deitar nos sofás.

"Negação", Charlote finalmente diz, "não é uma crioula ativa."

"Porra, que tal vocês dois calarem a boca", diz Emil Minty.

Geoffrey (não Geoff, Geoffrey) Day está há seis dias na Ennet. Ele veio da infame Desintoxicação de Dimock, em Roxbury, onde era o único branco, o que Gately aposta que deve ter ampliado os horizontes do rapaz. Day tem uma cara achatada, vazia, borrada e esmagada, que requer grande esforço de vontade para ganhar alguma estima, e uns olhos que estão só começando a perder a camada nictitante dos primeiros tempos de sobriedade. Day é um recém-chegado e está um trapo. Um adepto de vinho tinto e Mandrix que finalmente apagou no fim de outubro, atravessou com o seu Saab a vitrine de uma loja de artigos esportivos de Malden e aí saiu do carro e ficou revirando a loja até a polícia chegar e pegá-lo. Que dava aula de alguma coisa com jeito de bobagem tipo historicidade social ou socialidade histórica em alguma faculdade lá na Via Expressa em Medford e chegou dizendo no formulário de entrada que também capitaneava um Periódico Acadêmico. Palavra por palavra, o Diretor da Casa tinha dito: "*capitaneava*" e "*Periódico*". Seu formulário de entrada calculou que Day estava apagando ou apagado na maior parte do tempo havia vários anos e que a fiação elétrica dele ainda está como eles dizem meio esfiapadinha. A desintoxicação dele em Dimock, onde eles mal têm recursos pra te dar um Psicosedin se você entra em delirium tremens, deve ter sido um horror, porque Geoffrey D. alega que ela nunca aconteceu: agora a história dele é que ele simplesmente veio sozinho para a Ennet na maior boa um dia deixando sua casinha a dez passos dali em Malden e achou o lugar hilariamente egrégulo demais para pensar em não ficar ali. Os recém-chegados com alguma formação são os piores, segundo Gene M. Eles se identificam totalmente com a cabeça, e a Doença monta o seu quartel-general na cabeça.[90] Day usa calça de sarja de matiz indeterminado, meias marrons com sapatos pretos e camisas que Pat Montesian descreveu no formulário como "camisas havaianas tipo-Leste-Europeu". Day agora está no sofá de vinil com Charlotte Treat depois do café da manhã na sala de estar da Ennet com alguns residentes que não estão trabalhando ou que não precisam chegar cedo ao trabalho, e com Gately, que tinha virado a noite no Turno de Morfeu no escritório da frente até as 0400, depois de ter sido liberado temporariamente por Johnette Foltz para poder ir trabalhar zeladorando lá no Abrigo Shattuck até as 0700, aí voltado e subido de novo no maior esforço pra Johnette poder ir pra coisa dela do NA com um monte de gente do NA no que parecia um buggie de praia se a praia em questão ficasse no Inferno, e está agora, o Gately, tentando afrouxar os músculos e se centrar internamente retraçando as rachaduras da tinta do teto da sala de estar com os olhos. Gately vive sentindo uma terrível noção de perda, narcoticamente falando, de manhã, ainda, mesmo depois de tanto tempo limpo. O padrinho dele lá no Grupo Bandeira Branca diz que tem gente que nunca se recupera da perda daquilo que eles achavam que era o seu único melhor amigo e amante; eles simplesmente têm que rezar diariamente pedindo aceitação e colhões de aço pra seguir adiante e passar pela dor e pela perda, pra esperar até que o tempo endureça bem a casca da ferida. O padrinho, Francis Furibundo G., não enche nem por um átimo o saco de Gately por ele sentir uns sentimentos negativos sobre isso tudo: pelo contrário, ele elogia Gately pela sua sinceridade ao desmontar e chorar que nem um bebê e falar tudo numa manhã bem cedo no telefone público, da sensação de perda. É um mito isso de que ninguém sente falta. Da Substância particular de cada um. Caralho, você não ia precisar de ajuda se não sentisse falta. Você só tem que Pedir Ajuda e tipo Virar a Página, da perda e da dor, para Não Deixar de Vir, dar as caras, rezar, Pedir Ajuda. Gately esfrega o olho. Esses conselhos simples desse jeito parecem mesmo um monte de clichês — o Day tem razão sobre o que parece. É, e se Geoffrey Day continuar se guiando pelo que as coisas parecem pra ele então certeza que ele está morto. Gately já viu dúzias passarem por aqui e saírem mais cedo e voltarem para Lá Fora e aí cair em cana ou morrer. Se o Day um dia tiver a sorte de finalmente desmontar e chegar no escritório da frente de noite pra gritar que não aguenta mais e se agarrar na bainha da calça de Gately e babar e implorar por ajuda a qualquer custo, Gately vai poder dizer a Day que o negócio é que as diretrizes clichezísticas são muito mais profundas e duras de *fazer* de verdade. De tentar viver por elas em vez de só falar. Mas ele só vai poder dizer isso se o Day vier perguntar. Pessoalmente, Gately dá a Geoffrey Day tipo um mês fora da casa antes dele voltar a cumprimentar parquímetros. Só que quem é o Gately pra julgar quem é que vai acabar recebendo a Dádiva do programa versus quem não vai, ele tem que lembrar. Ele tenta sentir que Day está lhe ensinando paciência e tolerância. Precisa muita paciência e muita tolerância pra não querer dar um bico no sujeitinho e mandar ele direto pro barranco da Comm. Ave. e liberar a cama dele pra alguém que realmente queira desesperadamente a Dádiva. Só que quem é o Gately pra achar que pode saber quem quer e quem não quer, bem no fundo. O braço de Gately está atrás da cabeça, contra o outro braço do sofá. O velho monitor DEC está ligado em alguma coisa violenta e colorizadíssima que Gately nem vê nem ouve. Era parte dos seus dons como ladrão: ele consegue meio que desligar a atenção e ligar de novo como se fosse uma lâmpada. Até quando estava de residente aqui ele tinha essa capacidade presciente de arrombador de filtrar informação, de fazer triagem sensorial. Foi um dos motivos para ele conseguir aturar os seus nove meses de residência com outros vinte e um desintoxicados arrombadores, malandros, putas, executivos demitidos, moças da Avon, músicos de metrô, operários da construção civil inchados de cerveja, vagabundos, vendedores de carros indignados, mamães bulímicas traumãetizadas, salafras, mordedores de fronha fresquinhos, fodões do North End, garotinhos espinhentos com piercings elétricos no nariz, donas de casa entupidas de negação etc., todo mundo fissuradão, pirando, jururu, sofrendo e basicamente ferrado e produzindo informação ininterrupta tipo 24H todo santo D.

Em algum momento aqui o Day está dizendo: "Então chama o lobotomista, pode chamar, eu estou dizendo!".

Só que o conselheiro do próprio Gately quando ele foi residente aqui, o Eugenio Martinez, um dos ex-alunos que se voluntariavam como aconselhadores, um salafra de uma orelha só que vendia caldeiras de aquecimento e agora celulares e que tinha se ligado à Casa na época do fundador original, o Sujeito Que Nem Usava o Primeiro Nome, e tinha coisa de dez anos limpo, o Gene M. — o Eugenio tinha carinhosamente confrontado o Gately já de cara sobre essa sua concentração especial seletiva de ladrão e sobre como ela podia ser perigosa porque como é que você podia saber se era você que estava fazendo a triagem e não A Aranha. Gene chamava a Doença de A Aranha e falava de Alimentar A Aranha versus Matar A Aranha de Fome e assim por diante e coisa e tal. O Eugenio M. tinha chamado o Gately no escritório dos fundos da Gerente da Casa e dito e que tal se isso do Don filtrar informações acabasse sendo um tipo de Alimentar A Nossa Amiga Aranha e que tal uma experiência de não filtrar informações por um tempinho. Gately tinha dito que ia fazer o possível pra tentar e tinha saído dali e tentado assistir a uma Diss.-Espont. dos Celtics enquanto dois residentes mordedores-de-fronha do Fenway estavam tendo uma longa conversa sobre uma terceira bichinha que teve que ir pedir pra tirarem o esqueleto de alguma merda de um roedor de dentro do seu cu.[91] O experimento de não filtrar tinha durado meia hora. Isso foi um pouco antes de o Gately ganhar a sua ficha de 90-dias quando ele não estava exatamente com todo mundo em casa ou supertolerante ainda. A Ennet neste ano nem se compara com o circo que era quando o Gately ficou.

O Gately está completamente sem-Substâncias há 421 dias hoje.

Charlote Treat, com um rosto destruído e cuidadosamente maquiado, está assistindo ao cartucho riscado de listras do monitor enquanto borda alguma coisa. A conversa entre ela e Geoffrey D. graças a Deus morreu. Day está olhando em volta pra ver se encontra outra pessoa pra abordar e deixar puta pra poder provar a si próprio que o seu lugar não é aqui e ficar separado isolado dentro de si próprio e talvez deixar todo mundo tão puto que role uma treta e ele seja expulso, o Day, aí não vai ser culpa dele. Quase dá pra ouvir a Doença dele roendo lá dentro da cabeça, comendo. Emil Minty, Randy Lenz e Bruce Green também estão na sala, largados em cadeiras de molas frouxas, acendendo um careta no toco do outro, em posições desleixadas típicas do não-se-meta-comigo das ruas e que aqui de alguma maneira fica difícil diferenciar da posição das cadeiras. Nell Gunther está sentada à longa mesa da sala de jantar desprovida de portas que sai direto do velho móvel dobrável de pinho do TP DEC, branqueando embaixo das unhas com um lápis de manicure por entre os restos de algo que comeu e que envolvia grandes quantidades de calda. Burt F. Smith também está ali, bem metido dentro de si próprio na outra ponta da mesa, tentando serrar um waffle com um garfo e uma faca presos aos tocos dos seus punhos com tiras de velcro. Um há-muito-tempo-ex-examinador de Teste de Direção do Dep. de Trânsito, Burt F. Smith tem quarenta e cinco anos e cara de setenta, um cabelo quase todo branco que é seboso e amarelo de tanto ele fumar, e finalmente entrou na Ennet no mês passado depois de nove meses preso no Abrigo de Cambridge City. A estória de Burt F. Smith é que ele está fazendo tipo a sua quinquagésima e tantésima tentativa de ficar sóbrio no AA. Outrora um católico devoto, Burt F. S. tem problemas potencialmente letais com a Fé num Deus de Amor desde que a igreja católica apostólica romana concedeu uma anulação a sua esposa tipo em 99 AS depois de quinze anos de casamento. Depois vários anos como bêbado de pensão, o que na opinião de Gately fica tipo a um passo de um bêbado tipo sem-teto mesmo. Burt F. Smith foi assaltado e quase morto de pancada em Cambridge na véspera do Natal do ano passado, e ficou lá caído congelando, num beco, numa nevasca, e acabou perdendo as mãos e os pés. Doony Glynn já foi visto dizendo a Burt F. S. coisas tipo tem um cara novo que vai chegar pra ficar no Quarto pra Deficientes do lado do escritório da Pat junto com o Burt F. S. que não só não tem mãos e pés mas também não tem braços e pernas nem tem cabeça e se comunica peidando em Código Morsa. Essa gracinha lhe rendeu três dias de Restrição Plena à Casa e uma semana de uma Tarefa Doméstica extra pelo que Johnette Foltz descreveu no Registro como "Excesso de Crueldade". Vem um vago gemido intestinal do flanco direito de Gately. Ficar olhando Burt F. Smith fumar um Benson & Hedges segurando o cigarro entre os tocos com os cotovelos para fora como um cara que estivesse com uma tesoura de poda é uma aventura no mundo do sofrimento na modesta opinião de Gately. E Geoffrey Day dá uma de espertinho sobre o Não Fosse Pela Graça. E nem pense no que é tentar ficar vendo Burt F. Smith tentar acender um fósforo.

Gately, que já está como empregado-residente aqui há quatro meses, acha que a devoção de Charlotte Treat ao bordado é suspeita. Aquele monte de agulhas. Entrando e saindo daquele monte de algodão branco que parece esterilizado bem esticadinho naquele bastidor redondo. A agulha faz um barulho meio de pancada e rangido quando entra no tecido. Não parece muito o estalo e o deslizar inaudíveis de uma sessão de verdade com a seringa. Mas ainda assim. Ela toma um grande cuidado.

Gately fica pensando de que cor ele diria que é o teto se fosse forçado a dizer uma cor. Não é branco e não é cinza. Os tons de amarelo-acastanhado vêm dos caretas de alto teor de alcatrão; uma cortina de fumaça paira perto do teto mesmo já assim tão cedo num novo dia de sobriedade. Alguns dos bebuns e dos loucos por tranquilizantes ficam acordados quase a noite inteira, balançando os pezinhos e fumando sem parar mesmo que não seja permitido ver cartuchos ou ouvir música depois da 000h. Ele tem aquela estranha manha dos Funcionários da Casa, o Gately, já, depois de quatro meses, de ver tudo tanto na sala de estar quanto na de jantar sem precisar olhar. Emil Minty, um punk viciadíssimo em heroína que está aqui por motivos que ninguém ainda conseguiu determinar direito, está numa velha espreguiçadeira cor de mostarda com os coturnos apoiados num dos cinzeiros verticais, que está adernando não exatamente o bastante para Gately mandar ele ter cuidado, por favor. O moicano laranja e o crânio raspado de Minty em volta dele estão começando a ficar castanhos, o que simplesmente não é uma coisa agradável de ver assim de manhã. O outro cinzeiro ao lado da cadeira dele está cheio de pequenas luas novas serrilhadas feitas de unhas roídas, o que necessariamente significa que a Hester T. que ele mandou ir para a cama às 0230 voltou direto para cá e ficou naquela cadeira roendo as unhas de novo no mesmo instante que Gately saiu pra limpar bosta no Abrigo. Quando ele passa a noite acordado o estômago de Gately fica todo duro e acidulento por causa ou do tanto de café que ele toma ou só dele ficar acordado. Minty está na rua desde tipo os dezesseis, Gately enxerga: ele tem essa aparência de fuligem que os sem-teto acabam adquirindo, essa em que a fuligem se infiltra sob a camada dérmica e engrossa, e que faz o Minty parecer estranhamente estofado. E o motorista musculoso da Gelo Horas Vagas, o quietinho, o Green, um menino toma-tudo meio tipo dingo, de uns vinte e um, rosto ligeirissimamente estronchado de um lado, usa camisas cáqui sem mangas e morou num trailer naquele estacionamento apocalíptico de Enfield lá perto do Allston Spur; Gately gosta de Green porque parece que ele tem o bom senso de ficar com o seu mapinha fechado quando não tem nada de importante pra dizer, o que é basicamente o tempo todo. A tatuagem no tríceps direito do menino é um coração atravessado por uma lança em cima do nome horroroso de uma *MILDRED BONK* que Bruce G. lhe contou que era um raio de sol encarnado e megafã do falecido cantor dos Demônios em Forma Humana e único amor da vida do seu coração morto e que levou a filha dos dois e abandonou Green no verão por um cara que disse pra ela que criava aquelas porras daquelas vacas de chifre comprido a leste de Atlantic City, NJ. Ele tem, até pelos padrões da Ennet, uma insônia grave pacas, o Green, e ele e o Gately jogam baralho às vezes no meio da madrugada, coisa que Gately começou a fazer na cadeia. Burt F. S. agora está todo dobrado tendo um robusto ataque de tosse, com os cotovelos apontando para fora e a testa roxa. Nem sinal de Hester Thrale, roedora de unhas e algo que Pat chama de Limítrofe. Gately consegue ver tudo sem se mexer ou mexer a cabeça e nem os olhos. Quem também está aqui é Randy Lenz, Lenz esse que é um trafica vagabundinho de coca orgânica que usa uns blazers com as mangas enroladas nos antebraços com bronzeado artificial e fica o tempo todo verificando seus batimentos cardíacos na parte de dentro dos pulsos. Veio à tona que Lenz é objeto de extremo interesse para ambos os lados da lei porque em maio deste ano ele aparentemente tinha de repente perdido completamente o controle e se enfiado de repente num hotelzinho de Charlestown e feito freebase de praticamente toda uma leva de 100 gramas que tinha recebido de adiantamento de um brasileiro curiosamente boa-praça no que Lenz não sabia que devia ter sido uma operação do DEA no South End. Depois de ter ferrado com os dois lados no que Gately secretamente considera um rolo delicioso, Randy Lenz, desde maio, está mais procurado do que provavelmente jamais foi. Ele é sordidamente bonito como são os cafetões e os traficas ordinários de coca, musculoso daquele jeito meio de PM daqueles caras que têm uns músculos que parecem musculosos mas que não levantam porra nenhuma, com um cabelo complexamente entupido de gel e a cabeça que se move em pequenos gestos de passarinho como a de todos os profundamente vaidosos. Os pelos de um dos antebraços têm um pedacinho despelado, que Gately sabe que significa dono-de-faca, e se tem uma coisa que Gately nunca conseguiu engolir é um dono-de-faca, uns caras megafalastrões que sempre fodem com uma treta honesta e se levantam de repente com uma faca que aí você tem que se cortar pra tirar deles. Lenz está fazendo Gately aprender uma polidez contida para com pessoas que de cara você basicamente quer surrar. Está bem óbvio para todo mundo a não ser para Pat Montesian — cuja curiosa credulidade quando na presença da escória da humanidade, no entanto, Gately precisa tentar lembrar que foi uma das razões para ele mesmo ter originalmente sido aceito na Ennet — óbvio que Lenz está aqui basicamente apenas para se esconder: ele raramente sai da Casa a não ser sob coerção, evita janelas e ruma para as reuniões noturnas obrigatórias do AA/NA com um disfarce que o deixa parecido com o Cesar Romero depois de um acidente horrível; e aí ele sempre quer voltar a pé sozinho para a Casa depois, o que não é uma coisa encorajada. Lenz está sentado bem enterrado no canto extremo nordeste de uma namoradeira que ele enfincou no canto extremo nordeste da sala de estar. Randy Lenz tem uma estranha necessidade compulsiva de estar ao norte de tudo, e quem sabe até a nordeste de tudo, e Gately não tem a mais remota ideia do significado disso mas observa rotineiramente a posição de Lenz por interesse e para registros próprios. A perna de Lenz, como a de Ken Erdedy, nunca para de balançar; Day diz que ela balança até mais quando ele está dormindo. Outro borborigmo com um plop abdominal para Don G., deitado ali. Charlotte Treat é violentamente ruiva. Assim tipo um cabelo giz de cera vermelho. O motivo dela não ter que trabalhar num empreguinho fuleiro é que ela tem alguma forma do Vírus ou tipo um HIV. Ex-prostituta, saída da vida. Por que será que as prostitutas quando mudam de vida sempre tentam ficar tão senhorinhas? Parece uma ambição-bibliotecária recalcada desde sempre que inunda tudo de repente. Charlotte T. tem o rosto duro e quase bonitinho de uma puta barata, de olhos enlaçados de trevas em volta de todas as quatro pálpebras. Ela também é um caso de aparência fuliginosa da camada dérmica. A coisa mais impressionante é que suas bochechas têm uns furos fundos, meio que uns rasgos que ela entope de base e tenta cobrir com blush, o que junto com o cabelo lhe dá uma cara de palhaço malvado. Aquelas feridas horrorosas no rosto dela quase dizem com todas as letras que alguém a marcou com um pirógrafo em algum momento da carreira dela. Gately prefere não saber.

Don Gately tem quase vinte e nove anos, está sóbrio e é simplesmente imenso. Está deitado ali borborigmante e inerte com um sorriso e pálpebras trêmulas. Uma escápula e uma nádega transbordam de um lado de um sofá que está afundado como uma rede. Gately parece menos concreto que plástico, com a imobilidade plácida de uma estátua da Ilha de Páscoa. Seria bacana se dimensões de dar medo não fossem um dos principais fatores que determinam quais ex-residentes masculinos recebem propostas para permanecerem como empregados-residentes aqui, mas fazer o quê. Don G. tem uma cabeça enorme e quadrada que fica ainda mais quadrada por causa do penteado meio Príncipe Valente que ele tenta manter sozinho diante do espelho, para poupar $s: sem contar casa e comida — além da oportunidade de ser Útil — ele ganha muito pouco como funcionário da Casa Ennet e está pagando custas de processos em três tribunais diferentes. Ele agora está com o sorriso de trêmulos olhos brancos de quem está se aguentando além do limite do sono. Pat Montesian deve chegar às 0900 e Don G. não pode ir dormir antes dela chegar porque a Gerente da Casa levou Jennifer Belbin de carro para um depoimento num tribunal do centro e ele é o único Funcionário homem aqui. Foltz, a funcionária-residente, está numa convenção dos Narcóticos Anônimos em Hartford que vai durar todo o fim de semana prolongado do Dia da Interdependência. Gately não é lá muito fã do NA: é muita recaída e muita gente voltando sem humildade, muita história de guerra cheia de um orgulho fajuto e descarado, e muito pouca ênfase em ser Útil ou numa Mensagem séria; aquele monte de gente cheia de couro e de metal, desfilando. Salas e salas de Randys Lenz, todos se abraçando, fingindo que não sentem falta da Substância. Uma começão desenfreada de recém-chegadas. Tem diferença entre abstinência e recuperação, Gately sabe. Só que claro que quem é o Gately pra saber o que é que funciona pra cada um. Ele só sabe o que parece que funciona pra ele hoje: a pegada pesada à la Enfield-Brighton do AA, o Grupo Bandeira Branca, uns velhões de pança, suspensório e cabelo branco raspado e extensões geológicas de tempo de sobriedade, os Crocodilos, que te arrancam a cabeçona quadrada se perceberem que você está ficando complacente ou correndo atrás de rabo de saia ou esquecendo que a sua vida ainda está em risco todo dia, meu. Os recém-chegados do Bandeira Branca são tão doidões e tão doentes que não conseguem nem ficar sentados e têm que ficar andando no fundo da reunião, como o Gately quando chegou. Velhas professorinhas aposentadas de jardim de infância com calça de tergal e pincenê que assam biscoitinhos pra reunião semanal e relatam lá na frente como costumavam chupar os balconistas dos bares na hora de fechar só pra pegarem mais dois dedinhos num copo de papel pra levar pra casa pra enfrentar a luz cortante da manhã. Gately, apesar de desde sempre ser um cara dos narcóticos orais, se entregou ao AA. Afinal ele bebeu o que devia e o que não devia, também, raciocina.

A Diretora Exec. Pat M. deve chegar às 0900 e tem entrevistas com três pessoas que querem uma vaga, 2F e 1M, que era melhor aparecerem loguinho, e Gately vai atender a porta quando eles não sacarem que era só ir entrando e vai dizer Bem-Vindos e vai pegar uma xícara de café pra eles se julgar que são capazes de segurar sem derrubar. Ele vai puxar essas pessoas de lado e lhes dar a dica de não deixarem de passar a mão nos cachorros da Pat M. Durante a entrevista. Eles vão ficar lá largadões bem no meio do escritório da frente, com os flancos pulsantes, se contorcendo e se mordendo. Ele vai lhes dizer que é um fato comprovado cientificamente que se os cachorros da Pat gostarem de você, você está dentro. Pat M. instruiu Gately a dizer isso aos inscritos, e aí se os inscritos realmente passarem a mão nos cachorros — dois golden retrievers horrorosos com feridas supuradas de sarna e problemas dermatológicos, fora que um deles tem epilepsia tipo Grande Mala — isso vai trair um nível de entrega e de desespero que Pat diz que é praticamente a única coisa que a guia nas decisões.

Um gato sem nome flui sobre a larga soleira da janela acima do encosto do sofá de tecido. Os animais aqui vêm e vão. Os ex-residentes os adotam ou eles simplesmente somem. As pulgas tendem a ficar. O intestino de Gately geme. A aurora de Boston quando ele voltava hoje pela Linha Verde estava quimicamente rósea, com riscos de escapes industriais soprando rumo norte. As lascas de unhas no cinzeiro vertical, ele agora percebe, são grandes demais para serem de unhas das mãos. Aqueles arcos roídos são largos e grossos e de um amarelo profundo e outonal. Ele engole em seco. Vai dizer a Geoffrey Day que, mesmo que sejam só clichês, que clichês são (a) tranquilizadores, (b) te lembram coisas de bom senso, (c) chancelam a unanimidade universal que apaga o silêncio e (4) o silêncio é fatal, pura ração-de-Aranha, se você tem a Doença. Gene M. diz que a doença é um transtorno e um trans-torno, o que resume a situação geral bem direitinho. A Pat tem uma reunião com a Divisão de Serviços de Abuso de Substâncias no Centro Estadual ao meio-dia que ele precisa lembrar pra ela. Ela não entende a própria letra, que o derrame afetou a letra dela. Gately imagina ter que sair tentando descobrir quem anda roendo a porra das unhas do pé na sala de estar e colocando aquelas lascas nojentas de unha do pé roída no cinzeiro tipo às 0500. Fora que as regras da Casa proíbem ficar descalço em qualquer parte do térreo. Tem uma mancha marrom-clarinha de umidade no teto em cima do Day e da Treat quase exatamente com o formato da Flórida. Randy Lenz tem problemas com Geoffrey Day porque Day é verboso, é professor e capitaneia um Periódico Acadêmico. Isso ameaça a autoimagem de um Randy Lenz que se considera uma espécie de intelectual-artista chiquemente sexy. Traficas de segunda nunca se conceitualizam como simples traficas de segunda, mais ou menos como as putas, nunca. Em *Profissão*, no seu formulário de entrada Lenz tinha posto *roteirista freelancer*. E ele gosta de exibir o que lê. Na primeira semana que passou aqui em julho ele ficava segurando os livros de cabeça pra baixo no canto extremo nordeste de tudo quanto era sala. Ele tinha um Dicionário Médico monstruoso que arrastava pra lá e pra cá pra ficar fumando e lendo até a Annie Parrot, a Gerente Assis., ter que dizer pra ele não descer mais com aquilo porque estava fodendo com a cabeça do Morris Hanley. Daí ele parou de ler e começou a falar, deixando todo mundo com saudade de quando ele só ficava ali sentadinho lendo. Geoffrey D. tem problemas com Randy L., também, dá pra ver: tem um certo jeito deles não se olharem direito. E aí agora claro que foram meter os dois juntos no quarto Masculino pra Três, depois que três caras numa só noite perderam a hora de recolher, voltaram sem nenhuma das seis pupilas com o tamanho normal, se recusaram a dar urina e foram chutados na hora, e aí o Day é promovido na primeira semana do quarto Masculino de Cinco pro de Três. A senioridade chega cedo por aqui. Atrás da imagem de Minty, lá na ponta da mesa da sala de jantar, Burt F. S. ainda está tossindo, ainda dobrado, com o rosto de um roxo-fosco, e Nell G. está atrás dele socando as costas dele de um jeito que fica fazendo ele ir pra frente e pra cima do cinzeiro, e ele está acenando de um jeito meio vago com um dos cotocos por cima do ombro tentando fazer um sinal pra ela parar. Lenz e Day: uma treta pode estar surgindo: Day vai tentar atrair Lenz pra uma treta que seja suficientemente pública pra ele não se machucar mas ser expulso, e aí ele pode largar o tratamento e voltar pro Chianti com Mandrix e pras calçadas que pulam pra cima dele e fingir que a recaída é culpa da Ennet e nunca precisar se confrontar ou confrontar a Doença. Para Gately, Day é tipo um manual interativo aberto da Doença. Uma das tarefas de Gately é ficar de olho no que possivelmente esteja se armando entre os residentes, informar Pat ou a Gerente e tentar amaciar as coisas antes se possível. A cor do teto podia ser gelo, se ele fosse apertado pra dizer. Alguém peidou; ninguém sabe exatamente quem, mas isso aqui não é como um lugar adulto normal onde todo mundo elegantemente finge que o peido não rolou; aqui todo mundo tem que fazer o seu comentariozinho.

O tempo está passando. A Ennet fede a tempo passando. É a umidade dos primeiros dias de sobriedade, que fica ali parada no ar, palpável. Dá para ouvir um tique-taque em cômodos sem relógios aqui. Gately muda o ângulo de um tênis, põe o outro braço atrás da cabeça. A cabeça dele tem um peso e uma pressão bem reais. As compulsões obsessivas de Randy Lenz inclum a necessidade de ficar ao norte, um medo de discos, uma tendência de viver contando os batimentos cardíacos, um medo de toda sorte de relógios e uma necessidade de sempre saber a hora com grande precisão.

"Day, meu amigo, será que rapidinho cê não me diz a hora aí?" Lenz. Terceira vez em meia hora. Paciência, tolerância, compaixão, autodisciplina, contenção. Gately lembra os seus primeiros seis meses sóbrio aqui: ele sentia o gume de cada segundo que corria. E os sonhos bisonhos. Uns pesadelos que iam além dos piores tremens que você já ouviu falar. Um motivo para ter um Funcionário no turno noturno no escritório da frente é ter alguém ali pros residentes conversarem quando — não se, quando — quando os sonhos bisonhos raparem os residentes da cama tipo às 0300. Pesadelos de recaídas e viagens, não viajar mas ver todo mundo achar que você está viajando, viajar com a sua mãe alcoólica e aí matar a velha com um taco de beisebol. Sacar a boa e velha Unidade pra uma Urina-surpresa e começar e cuspir umas chamas. Ficar doidão e pegar fogo. Um redemoinho com formato de um Talwin gigante que te suga pra dentro. Um veículo explode num cogumelo retocado digitalmente de chamas fuliginosas no monitor DEC, com o capô levantado que nem a tampa de uma latinha de refri.

Day está fazendo um gesto largo de quem olha o relógio. "Coisa de 0830, camarada."

As narinas estreitas de Randy L. se alargam e embranquecem. Ele fica encarando direto em frente, olhos estreitados, dedos no pulso. Day cerra os lábios, perninha balançando. Gately deixa a cabeça cair sobre o braço do sofá e olha Lenz de cabeça pra baixo.

"Essa cara aí no teu mapa quer dizer alguma coisa aí, Randy? Você está tipo comunicando alguma coisa com essa cara?"

"Será que alguém talvez possa saber a hora um pouco mais *exatamente* é o que estou pensando, Don, já que o Day não sabe."

Gately olha o seu digital baratinho, cabeça ainda pendendo do braço do sofá. "Aqui diz 0832:14,15,16, Randy."

"Valeu mesmo, D. G."

Aí e agora o Day me vem com a mesma cara apertada e boquiaberta pro Lenz. "A gente já passou por isso, amigo. Chapa. Companheiro. Você faz isso o tempo todo comigo. Eu vou dizer mais uma vez — eu não tenho um relógio digital. Isso aqui é uma bela antiguidade de relógio. Com ponteiros. Uma relíquia de tempos melhores. Não é um relógio digital. Não é um relógio atômico de césio. Ele aponta, com ponteiros. Está vendo, o Spiro Agnew aqui tem dois ponteirinhos: eles apontam, sugerem. Isso aqui não é a porra de um cronômetro pra vida. Lenz, compre um relógio. Eu não tenho razão? Por que é que você não compra um relógio de uma vez, Lenz. Eu sei muito bem que três pessoas já se ofereceram pra te arranjar um relógio e você pode pagar tranquilamente no momento em que decidir meter o nariz pela porta e dar uma olhadinha no mundo dos trabalhadores. Arrume um relógio. Adquira um relógio. Um belo relógio digital e incrivelmente *grande*, com coisa de cinco vezes a largura do seu pulso, pra você precisar segurar como se fosse um falcoeiro, um que trate o tempo na ordem de pi."

"Vai de Leve", Charlotte Treat quase canta sem erguer os olhos da agulha e do bastidor.

Day olha para ela. "Eu não acredito que eu estava conversando com você, nem perto disso."

Lenz o encara firme. "Se você está tentando foder comigo, rapaz." Ele sacode sua bela caneca reluzente. "Grande erro."

"Ai, estou tremendo inteiro. Mal posso manter o braço firme pra olhar o meu relógio."

"Grande grande grande *grande* erro."

"Paz na terra e boa vontade entre os homens", diz Gately, de novo de costas, sorrindo para o teto gelo rachado. Foi ele quem peidou.

Eles voltaram de Long Island carregando os escudos e não deitados neles, como dizem por aí. John Wayne e Hal Incandenza perderam ao todo cinco games nos dois jogos deles de simples. Os das duplas A pareciam um quadro de Jackson Pollock. E as equipes B, especialmente as moçoilas, tinham se superado. Toda a equipe e os funcionários da ATPW tiveram que cantar uma musiquinha bem boba. Coyle e Troeltsch não venceram e Teddy Schacht tinha, incrivelmente, perdido para o seu adversário atarracado e cheio dos efeitos em três sets, apesar dos nervos em frangalhos do menino em momentos cruciais. O fato de Schacht não estar tão transtornado assim foi devidamente percebido pela equipe técnica. Schacht e um Jim Troeltsch visivelmente pilhado arrancaram a grande vitória nas duplas nº 2 do 18-A, no entanto. O microfone sem cabo de Troeltsch misteriosamente desapareceu da sacola dele durante o banho pós-duplas, para a exultação de todos. O cegonhento e intenso adversário duas-mãos-nos-dois-lados de Pemulis tinha ficado estranhamente letárgico e em seguida desorientado no segundo set depois de Pemulis perder o primeiro no tiebreaker. Depois que o menino suspendeu o jogo por vários minutos alegando que as bolas de tênis eram bonitas demais para levarem porrada, os treinadores da ATPW o retiraram delicadamente da quadra, e o Peemster levou uma "VD", que é a gíria do circuito júnior para Vitória por Desistência. O fato de Pemulis não ter saído de peitão estufado relatando a vitória para toda e qualquer menina da ATE foi percebido apenas por Hal e T. Axford. Schacht estava com dor demais no joelho para perceber muita coisa, e Schtitt pediu que Barry Loach da ATE injetasse alguma coisa no joelhão arroxeado dele que fez os olhinhos do Schacht revirarem na cabeça.

Aí durante a festa e o baile pós-desafio o adversário desistente de Pemulis comeu o que estava na mesa de aperitivos sem usar talheres e num dado momento sem nem mesmo usar as mãos, fez uma coreografia de discoteca quando não tinha música rolando, e finalmente alguém o ouviu dizer para a esposa do Diretor de Port Washington que sempre quis comê-la por trás. Pemulis passou muito tempo assobiando e olhando inocentemente para o teto pré-fabricado.

O ônibus para todas as equipes sub-18 era quente e havia uns foquinhos de luz acima de cada poltrona que você podia ou deixar ligado pra fazer a lição de casa ou desligar e dormir. Troeltsch, com o olho esquerdo ominosamente nistágmico, fingia recapitular os melhores momentos dos jogos do dia para uma audiência de assinantes, falando convictamente no punho fechado. Stockhausen, da equipe C, fingia cantar ópera. Hal e o Vara-Paul Shaw estavam ambos lendo manuais de preparação para o vestibular. Um bom quarto dos passageiros estava destacando de amarelo suas cópias do inescapável-na-ATE *Planolândia*, de E. A. Abbott, fosse para o Flottman, para a Chawaf ou o Thorp. Um alongado negror de formas variadas se derretendo, além de longas interseções, perto das saídas, em altos postes Interestaduais que projetavam cones de luz de sódio de aparência encardida. A odiosa luz de sódio deixava Mario Incandenza feliz por estar dentro do seu conezinho de luz branca interna. Mario estava sentado ao lado de K. D. Coyle — que era meio lento das ideias, especialmente depois de uma derrota feia — e eles ficaram jogando joquempô por coisa de duzentos quilômetros, sem abrir a boca, absorvidos pela tentativa de localizar padrões nos ritmos de escolhas de formas de cada um, que ambos decidiram que não havia, os tais padrões. Dois ou três veteranos da turma de Lit. Disciplinar de Levy--Richardson-O'Byrne-Chawaf estavam debruçados sobre o *Oblómov* de Gontcharóv com uma cara definitivamente infeliz. Charles Tavis estava sentado bem no fundo com John Wayne e sorria largo e falava ininterruptamente em tons confidenciais com Wayne enquanto o canadense olhava pela janela. DeLint estava com o pessoal do sub-16 no ônibus que vinha atrás; ele azucrinava a orelha de Steven e Kornspan desde o jogo de duplas dos dois, que eles pareciam ter praticamente entregado. O ônibus estava des-Schtittficado: Schtitt sempre encontrava uma forma misteriosa e privada de voltar e aí aparecia nos treinos da manhã com deLint e elaborados estudos de tudo que tinha dado errado no dia anterior. Ele era particularmente gritalhão, insistente e negativo depois que eles ganhavam alguma coisa. Schacht estava sentado adernado a bombordo e não reagia quando as pessoas acenavam com as mãos na frente do seu rosto, e Axford e Struck começaram a encher o saco de Barry Loach dizendo que o joelho deles também estava fodido. Os bagageiros acima da cabeça de todo mundo se eriçavam com cabos de raquetes e cordas sem capas, e linimento e tintura de benjoim tinham sido distribuídos e aplicados com liberalidade, de modo que o ar cálido tornou-se complexamente canforado. Todo mundo estava cansado de um jeito gostoso.

O espírito amistoso da volta para casa só foi maculado por alguém que mais no fundo do ônibus começou a passar um folhetinho com fontes góticas oferecendo o trono da Inglaterra pré-histórica para o cavaleiro que conseguisse arrancar Keith Freer de Bernadette Longley. A pró-reitora Mary Esther Thode tinha descoberto Freer praticamente X-ando a pobre Bernadette Longley embaixo de um cobertor Adidas na última poltrona do ônibus na viagem para os torneios de saibro da Costa Leste em Providence em setembro, e tinha sido uma ceninha bem feia, porque havia lá certas regras básicas de conduta acadêmica que era simplesmente inaceitável você desprezar bem na cara do pessoal da equipe técnica. Keith Freer dormia profundamente enquanto o folheto ia sendo passado, mas Bernadette Longley não, e quando o folheto chegou à parte da frente onde desde setembro todas as meninas agora eram obrigadas a sentar ela enterrou o rosto nas mãos e corou até na sua bela nuca, e a parceira de duplas dela[92] foi até o fundão onde Jim Struck e Michael Pemulis estavam sentados e lhes disse sem rodeios que alguém ali naquele ônibus era tão imaturo que chegava a dar dó.

Charles Tavis estava impossível. Ele fez uma imitação de Pierre Trudeau que ninguém além do motorista tinha idade para achar engraçada. E toda aquela gigantesca equipe viajante, três onibusadas, pôde parar e tomar o Mega-Café-da-Manhã do Denny's, ali ao lado da Resíduos Empire, tipo às 0300, quando eles chegaram.

O irmão mais velho de Hal, Orin Incandenza, deixou o tênis competitivo quando Hal tinha nove anos e Mario quase onze. Isso foi durante o período da grande agitação pré-Experialista, o surgimento do alternativo PEUL DE Johnny Gentle, A Voz de Veludo, e da tumescência do ONANismo. Perto de fazer dezoito, Orin estava na posição 70 e pouco do ranking nacional; ele era sênior; tinha aquela idade horrível para um jogador 70-e-pouco em que os dezoito anos de idade e o encerramento de uma carreira júnior começam a surgir no horizonte e ou: (1) você vai abandonar os seus sonhos em relação ao Circuito, ir para a universidade e jogar tênis universitário; ou (2) você vai tomar toda aquela gama de vacinas contra bactérias gram-negativas, cólera e disenteria amébica, e de algum jeito tentar levar uma vidinha triste e diaspórica num Circuito satélite eurasiano para quem sabe galgar esses últimos poucos plateaus competitivos que te levariam a um nível-pró quando adulto; ou (3) ou você não sabe o que vai fazer; e normalmente é uma época horrível.[93]

A ATE tenta diluir um pouco essa horribilidade permitindo que oito ou nove alunos formados fiquem dois anos e trabalhem no pelotão de pró-reitores[94] de deLint em troca de casa e comida e despesas de viagem para pequenos torneios satélites tristonhos, e o fato de Orin ser parente próximo da Administração da ATE obviamente lhe dava meio que uma garantia de uma vaga de pró-reitor se ele quisesse, mas um emprego de pró-reitor durava no máximo coisa de dois anos, e era considerado triste e purgatorial... e aí claro e daí? O que é que você vai fazer depois *disso* e tal.

A decisão de Orin de se matricular na universidade deixou seus pais muitíssimo satisfeitos, embora a sra. Avril Incandenza, especialmente, tenha feito todos os esforços possíveis para deixar bem claro que qualquer escolha que Orin fizesse os deixaria satisfeitos porque eles apoiavam plenamente as atitudes do filho, Orin, e qualquer decisão que a sua boa reflexão gerasse. Porém eles ainda eram favoráveis à universidade, ali entre eles, dava para perceber. Orin claramente jamais seria um tenista adulto de nível profissional. O seu auge competitivo tinha sido com treze, quando havia chegado às quartas de final sub-14 do torneio Nacional de Saibro de Indianápolis, IN, e nas quartas tinha vencido um set contra o segundo cabeça de chave; mas logo depois ele começou a sofrer em termos esportivos da mesma puberdade tardia que tinha afetado seu pai quando Sipróprio foi júnior, e a ver meninos que ele tinha destroçado com doze e treze virarem agora aparentemente da noite para o dia umas figuras truculentas, peitudas e cabeludas nas pernas que começaram a destroçar o próprio Orin com catorze e quinze — isso sugou dele qualquer espécie de aflato competitivo, abateu o ímpeto tenístico dele, Orin, e o seu ranqueamento da ATEU mergulhou de nariz durante três anos até recuperar a estabilidade em alguma altura dos 70-e-poucos, o que significou que com quinze anos ele nem estava mais qualificado para a chave principal dos 64 jogadores dos maiores eventos. Quando a ATE abriu, o ranking dele no sub-18 estava em torno de 10 e ele foi relegado a uma posição intermédia na equipe B da Academia, uma mediocridade que meio que apaziguou ainda mais a sua verve. O estilo dele era essencialmente de fundo de quadra, um jogador defensivo, mas sem a devolução, o saque ou as passadas de que você precisa para ter uma chance decente contra um jogador de rede qualificado. A ficha corrida de Orin na ATE era que ele era bom de lob mas exagerava. Ele tinha mesmo um lob fenomenal: conseguia roçar a curva do domo do Pulmão e três em cada quatro vezes cravar uma moeda grande colocada na linha de fundo da outra quadra; ele, Marlon Bain e mais dois ou três jogadores defensivos marginais da ATE, todos tinham lobs fenomenais, refinados em tardes livres dedicadas cada vez mais ao Eskhaton, que segundo os relatos mais plausíveis um refugiado croata transferido tinha trazido da Palmer Academy, em Tampa. Orin foi o primeiro mestre-de-jogo do Eskhaton na ATE, onde nas primeiras gerações de Eskhaton os jogadores eram basicamente veteranos marginais e desaflatificados.

A universidade foi a escolha óbvia, no final das contas, então, para Orin, quando a hora de decidir se aproximou. Descontadas as arrevesadas pressões familiares, como jogador de nível baixo na ATE ele sofria exigências acadêmicas mais duras do que aqueles para quem o Circuito de verdade parecia um objetivo viável. E a Eskhatonologia ajudava um monte nas questões matemático-informáticas em que a ATE tendia a ser meio fraca, sendo que tanto Sipróprio quanto Schtitt eram àquela altura bem antiquantitativos. As notas dele eram sólidas. O seu score nos exames não ia envergonhar ninguém. Orin era basicamente forte em termos acadêmicos, especialmente para alguém com um esporte competitivo de alto nível também no currículo.

E você tem que entender que a mediocridade é algo relativo num esporte como o tênis júnior. Uma 74ª posição no ranking masculino sub-18 de simples, por mais que seja medíocre de acordo com os padrões dos futuros profissionais, é o bastante para deixar brilhando o queixo da maioria dos técnicos universitários. Orin recebeu algumas propostas da Pac-10. Propostas grandes. A U. do Novo México chegou até a contratar uma banda de mariachis que se instalou debaixo da janela do dormitório dele por seis noites seguidas até que a sra. Incandenza conseguiu que Sipróprio autorizasse "A. C. I." Harde a eletrificar as cercas. A Ohio State mandou Orin de avião à Columbus para um fim de semana de "orientação prospectiva" tão intenso que quando Orin voltou teve que ficar três dias de cama tomando Alka-Seltzer com uma bolsa de gelo na virilha. A Cal-Tech lhe ofereceu uma dispensa militar e uma vaga permanente no programa top de Estudos Estratégicos depois que a *Decade Magazine* publicou um artigozinho curto sobre Orin e o Croata e o uso aplicado do c:\Pink$_2$.[95]

Orin escolheu a BU. Boston Univ. Nenhuma potência tenística. Longe de ser uma Cal-Tech, academicamente. Nenhum desses lugares que contratam bandas ou te levam de avião para orgias romanas de convencimento. E só a uns três quilômetros da ATE morro abaixo pela Comm. Ave., a oeste da baía, perto do cruzamento da Commonwealth com a Beacon, Boston, a cidade. Foi meio que uma decisão conjunta Orin/Avril. A Mães de Orin reservadamente acreditava que era importante para Orin ficar longe de casa, em termos psicológicos, mas ainda poder vir para casa quando quisesse. Ela expôs tudo para Orin nos termos de um temor de que a sua preocupação com o que seria melhor para ele psicologicamente pudesse levá-la a passar dos limites das suas obrigações maternais e acabar falando mais do que devia ou dando conselhos intrometidos. Segundo todas as listas e gráficos de prós e contras de Avril, a BU era de longe sob todos os aspectos a melhor escolha para O., mas para jamais correr o risco de passar dos limites ou de fazer uma pressão indevida a Mães chegou de fato a passar seis semanas correndo de todo e qualquer cômodo em que Orin entrasse, com as duas mãos tapando a boca. Orin tinha um jeito que era uma cara que ele fazia quando ela implorava para ele não deixar que ela influenciasse a sua escolha. Foi durante esse período que Orin caracterizou a Mães para Hal como uma espécie de contorcionista com o corpo dos outros, o que Hal nunca conseguiu esquecer. Sipróprio, baseado nas suas experiências, provavelmente achava que ia ser melhor para Orin ele meter de uma vez o pé na estrada, encarar uma coisa Meio-Oeste ou Atlântica, mas ele ficou na sua. Ele nunca tinha que se esforçar para não passar dos limites. Ele provavelmente sacou que Orin era um criação. Isso foi quatro anos e 30-e-tantos entretenimentos lançados antes de Sipróprio meter a cabeça num forno de micro-ondas, fatalmente. Aí aconteceu que o irmão-adotivo-barra-meio-irmão de Avril, Charles Tavis, que na época estava de novo na presidência da AEA em Throppinghamshire,[96] aconteceu que ele era amigo das antigas via rede-de-relações--de-administradores-esportivos-de-segunda do técnico da equipe de tênis da Boston University. Tavis pegou um voo da Air Canada especialmente para organizar um encontro entre os quatro, Avril, filho, Tavis e o técnico de tênis da BU. O técnico de tênis da BU era um aristocrata universitário septuagenário, um desses velhos nobres oca e encarquilhadamente bonitões cujo perfil parece merecer uma moeda, que gostava que os seus "rapazes" usassem apenas roupas brancas e real e literalmente saltassem a rede, ganhando ou perdendo, depois do jogo. A BU só tinha tido um ou dois jogadores nacionalmente ranqueados, tipo em todos os tempos, e isso lá nos anos 60 AD, bem antes do mandato deste janota em questão; e quando o técnico viu Orin jogar ele praticamente caiu de quatro. Lembrem que a coisa da mediocridade é contextual. Os jogadores da BU eram todos crias (literalmente) de country clubs da Nova Inglaterra e usavam calçõezinhos passados a ferro e aqueles suéteres brancos de tênis bem de veadinhos com aquela faixa cor de sangue no peito, e falavam sem mexer o queixo, e jogavam aquele tipo de tênis travado e aristocrático de saque-e-voleio que você joga quando teve um monte de aulas nas férias de verão e jogou nuns torneios do clube mas nunca teve que ir lá e matar ou morrer, psiquicamente. Orin usava bermudas de calça jeans cortada e keds s/ meia e bocejava compulsivamente enquanto batia o imaculadamente trajado nº 1 de simples da BU por 2 a 0, fazendo coisa de 40 pontos vencedores com lobs. Aí na reunião-a-quatro que Tavis organizou, o velho técnico da BU apareceu de calça de sarja L. L. Bean e camisa polo Lacoste, deu uma olhada no tamanho do braço esquerdo de Orin, aí na Mães de Orin dentro de uma sainha preta justa e um casaquinho levantino com Kohl em volta dos olhos e uma torre moussificada de cabelo e praticamente caiu de costas. Ela tinha esse efeito em homens mais velhos, de alguma maneira. Orin estava em posição de ditar termos limitados apenas pelos parâmetros da marginalidade esportivo-orççamentária da própria BU.[97] Orin assinou uma Carta de Intenções aceitando uma Bolsa Integral na BU mais livros, um laptop Hitachi c/ software, residência fora do campus, auxílio para despesas com alimentação e um lucrativo trabalho-estudantil em que o seu trabalho era ligar os borrifadores toda manhã no histórico Nickerson Field dos Terriers, o time de futebol americano da BU, borrifadores que já tinham temporizadores automáticos — o trabalho com os borrifadores era a única carta na manga da equipe de tênis da BU em termos de recrutamento. Charles Tavis — que por insistência de Avril naquele outono devolveu sua passagem canadense e ficou como Diretor Assistente para auxiliar o pai de Orin a supervisionar a Academia[98] com poderes cada vez mais plenos à medida que viagens tanto externas quanto internas afastavam J. O. Incandenza de Enfield com uma frequência cada vez maior — disse 3½ anos depois que nunca, de qualquer modo, esperou realmente um Muito-Obrigado de Orin por ter feito o contato com o mundo tenístico da BU, que ele não estava atrás de Muito-Obrigados, que uma pessoa que prestava um serviço *em busca* da gratidão de alguém era mais uma imagem recortada em 2-D de uma pessoa que uma pessoa genuína de verdade;

pelo menos era o que ele achava, ele disse; ele disse o que é que a Avril, o Hal e o Mario achavam? Será que ele era uma legítima pessoa 3-D? Será talvez que ele só estava racionalizando alguma culpa verdadeira? Será que de repente o Orin talvez tivesse raiva dele por ele aparentemente ter se mudado para cá bem quando ele, Orin, se mudou daqui? Se bem que com certeza não por Tavis estar capitaneando a ATE cada vez mais à medida que J. O. Incandenza vivia hiatos cada vez maiores ou com Mario nas filmagens, ou editando na sua salinha do túnel, ou em instituições de reabilitação de alcoólicos (treze delas naqueles três anos finais; Tavis está com os recibos do Plano de Saúde bem aqui), e com ainda mais certeza não pelo gesto final de autoviolência que qualquer um com qualquer espécie de sensibilidade livre-de-negação podia ter previsto nos últimos 3½ anos; mas, C.T. opinou no dia 4 de julho do ALCA depois que Orin, que agora tinha montes de dias livres no verão, declinou de seu quinto convite seguido para voltar a Enfield para o churrasco anual da família para assistir à disseminação espontânea das finais de Wimbledon na InterLace, Orin podia só estar com algum ressentimento por C.T. ter se mudado para o escritório do Diretor e trocado o *"TE OCCIDERE POSSUNT…"* da porta antes da cabeça micro--ondulada de Sipróprio ter esfriado direito, mesmo que tenha sido para assumir um posto de Diretor que estava decididamente *implorando* para ser assumido por alguém aplicado e enérgico. Tendo Sipróprio Incandenza eliminado seu próprio mapa no dia primeiro de abril do Ano do Sorvete Dove Tamanho-Boquinha bem quando as Cartas de Intenções tinham que ser preparadas para veteranos que haviam decidido se encostar no tênis universitário, bem quando convites para todos os torneios do circuito de saibro europeu se amontoavam na mesa paraboloide de Alice Moore Lateral, bem quando a isenção fiscal da ATE estava para ser revista pelo Grupo de Isenção do DRMA,[99] bem quando a escola tentava se readequar aos novos procedimentos de cadastramento da ATONAN depois de anos de procedimentos de cadastramento na ATEU, bem quando o litígio com o Hospital de Saúde Pública da Marina de Enfield por causa de supostos danos causados pelo aplainamento inicial do cume do morro da ATE e com o deslocamento de Resíduos Empire por causa das rotas de voo de veículos de deslocamento que rumavam para o Recôncavo estavam chegando ao estágio recursal, bem quando as matrículas e as bolsas para o primeiro semestre estavam nos estágios finais de revisão e resposta. Bom *alguém* teve que chegar ali e preencher o vácuo, e essa pessoa ia ter de ser alguém que podia atingir um estado de Preocupação Total sem ficar paralisado pela preocupação ou pela ausência de mínimos Muito-Obrigados por deveres inglórios executados em nome de uma pessoa cuja substituição iria naturalmente, *naturalmente* iria ser recebida com certo ressentimento, Tavis achava, já que já que não dá pra ficar puto com um moribundo, que dirá com um falecido, quem podia ser melhor para assumir o estresse de ocupar a posição de objeto-da-raiva que o assistente burocrático e substituto 3-D incansável, aplicado, inglório e não agradecido do falecido, cujo próprio quarto no primeiro andar ficava bem ao lado da suíte máster da CD e que podia, por certos elementos enlutados, ser considerado alguma espécie de usurpador intrometido. Tavis estava pronto para toda essa tensão e muito mais, ele disse para a Academia reunida nos seus comentários iniciais antes da Convocação para o primeiro semestre do ano passado, falando através de amplificação lá da gávea coberta de flâmulas vermelhas-e-cinza do gio de Gerhardt Schtitt para as fileiras de cadeiras dobráveis dispostas ao longo das linhas de fundo e laterais das Quadras 6-9 da ATE: ele não só aceitava plenamente o estresse e o ressentimento, mas disse que tinha trabalhado duro e continuaria, à sua maneira calma, calada e nada romântica, a trabalhar duro para se manter aberto a isso, a esse ressentimento e a essa sensação de perda e insubstituibilidade, mesmo depois de quatro anos, para deixar que todos que precisassem manifestá-la a manifestassem, a raiva e o ressentimento e talvez o desprezo, para sua própria saúde psicológica, já que Tavis reconhecia publicamente que cada ATE já tinha mais do que a sua parcela de problemas e responsabilidades. A reunião de Convocação era ao ar livre, nas Quadras Centrais que no inverno são protegidas pelo Pulmão. Era dia 31 de agosto do Ano dos Laticínios do Coração da América, quente e mormacento. Os veteranos que tinham ouvido praticamente esses mesmos comentários nos últimos quatro anos faziam gestinhos de navalha-na-jugular e laço-de-forca-sobre-viga-imaginária enquanto ouviam. O céu lá em cima era de um vítreo azul entre grumos e fios de nuvens que seguiam velozes rumo norte. Nas Quadras 30-32 os carinhas do Coro de Música Aplicada seguravam um fundo de *"Tenebrae Factae Sunt"* sotto *v*. Todo mundo estava com a braçadeira preta que todo mundo ainda usava em eventos e assembleias, para evitar o esquecimento; e as bandeiras de algodão dos EU e de náilon liso da ONAN tremulavam e se esbatiam a meia altura em todos os postes da entrada, em tributo. O Sunstrand Plaza ainda não tinha naquele outono encontrado um jeito de abafar o som dos seus ventiladores ATHSCME de East Newton, e a voz de Tavis, que mesmo com o megafone policial tendia a soar distante e se-afastante, se entretecia com o ruído dos ventiladores, o tranco das catapultas da DRE, os estrilos elétricos de grilos, o vento quente e rico de escapamentos que o verão soprava pela Comm. Ave., as buzinas, o baque e o troar da Linha Verde e com o soar dos mastros e cabos dos pendões, e todo mundo a não ser a equipe técnica e as crianças menores bem lá na frente perdeu a chance de ouvir Tavis explicar que a lei Sálica não tivera nada a ver com o fato de que simplesmente não tinha como a amada esposa do falecido diretor e Gestora da ATE sra. Avril Incandenza se tornar Diretora: onde já se viu? Ela tinha as meninas, as pró-reitoras e os zeladores de Harde para supervisionar, todos os cursos, tarefas, prazos e complexos recadastramentos da ATONAN cuja kafkiana solicitação ainda estava por finalizar, fora os rituais cotidianos de esterilização da CD e de ablução pessoal e da constante batalha contra a antracnose e as pragas de climas secos nos Bebês Verdes da sala de jantar, fora é claro os deveres de docência na ATE acima de tudo, com o acréscimo de inumeráveis noites insones com os Gramáticos Militantes de Massachusetts, o grupo acadêmico que ficava de cão de guarda da sintaxe midiática e convidava flóridos sujeitinhos da Academia Francesa com biquinho de peixe de aquário para virem falar com *r*'s vibrantes sobre preservação prescritiva, e organizava maratonas de multileituras de p. ex. "Política e a Língua Inglesa", de Orwell, e cuja Falange

Tática (dos GMMA) presidida por Avril estava então (sem sucesso, no fim) questionando nos tribunais a nova iniciativa de políticas-públicas-de-desmantelamento-de-bibliotecas-e-corte-de-gorduras, além de estar é claro praticamente arrasada e rasourada de dor e tendo que lidar com todo o processamento emocional que decorria de viver com esse tipo de trauma pessoal, coisas todas além das quais assumir o caixa administrativo da ATE teria sido simplesmente um fardo insuportável que ela agradeceu ao C.T. efusivamente em mais de uma ocasião pública por ter abandonado a confortável sinecura de Throppinghamshire e ter vindo para cá encarar as tarefas estressantíssimas não apenas da administração burocrática e garantir a transição mais tranquila possível mas de estar ao lado da própria família Incandenza c/ ou s/ Muito-Obrigados, e por ajudar a dar apoio não apenas à carreira e aos processos decisórios institucionais de Orin mas também por estar ali ao lado apoiantemente, de todos os envolvidos, quando Orin fez sua escolha seminal de quer saber vamos parar de uma vez com isso de jogar tênis universitário na BU.

O que aconteceu foi que lá pela terceira semana do seu primeiro ano de universidade Orin estava tentando uma deserção extremamente improvável do tênis universitário para o futebol americano universitário. O motivo que ele deu aos pais — Avril deixou claro que a última coisa que ela queria era ver qualquer um dos seus filhos achando que tinha de justificar ou explicar para ela qualquer tipo de decisão de grande escala abrupta ou até bizarramente repentina que por acaso calhasse de tomar, e não está claro se a Cegonha Demente entendeu bem o fato de que Orin ainda estava na região da Grande Boston ali na BU para começo de conversa, mas Orin ainda sentiu que aquele passo exigia alguma espécie de explicação — foi que naquele outono os treinos de tênis tinham começado e ele tinha descoberto que era uma casca psíquica seca, competitivamente acabado. Orin vinha jogando, comendo, dormindo e excretando tênis competitivo desde que a sua raquete era maior que ele. Ele disse que percebeu que com dezoito anos tinha se tornado exatamente o melhor jogador de tênis que jamais viria a ser. A perspectiva de melhorias ulteriores, uma cenoura fundamental que Schtitt e a equipe da ATE eram experts em sacudir na frente do teu nariz, tinha desaparecido num programa de tênis de quarta categoria cujo técnico tinha um pôster de Bill Tilden no escritório e oferecia conselhos do nível de Dobre Os Joelhos e Fique De Olho Na Bola. Isso tudo era realmente verdade, a parte da acabadice, e totalmente tragável no que se referia ao elemento largar-o-tênis, mas Orin sofreu mais para conseguir explicar o fator entrar-para-o-futebol-americano, em parte porque entendia apenas superficialissimamente as regras, táticas e toda a convenção não métrica do futebol dos EU; a bem da verdade ele nunca tinha encostado numa bola de couro texturizado de futebol americano e, como quase todos os tenistas sérios, sempre tinha achado desorientantes os saltos esquizoides daquela bola torta, e perturbadores de ver. No fundo a decisão tinha muito pouco a ver com futebol mesmo ou com o motivo que Orin acabou começando a dar antes de Avril praticamente exigir que ele parasse de se sentir sequer remotamente pressionado ou levado a fazer qualquer outra coisa que não pedir o apoio total e irrestrito deles para quaisquer ações que sentisse que sua felicidade pessoal demandasse, que foi o que ela fez quando ele começou um negócio ligeiramente lírico sobre as ombreiras, o borogodó das líderes de torcida, o ambiente de amizade masculina e o cheiro da grama coberta de orvalho no Nickerson Field ao nascer do sol quando ele aparecia para ver os borrifadores ligarem e transformarem a fatia de limão do sol nascente em arcos celestes esfiapados de refrações. Pior que a parte dos borrifadores-refratantes era verdade, e ele gostava mesmo; o resto era ficção.

O verdadeiro motivo futebolístico, em toda a sua inevitável banalidade de razão-real, era que, com o passar de semanas de auroras de ver os borrifadores automáticos e as líderes de torcida (que realmente treinavam de manhã cedinho) treinando, Orin tinha desenvolvido uma horrível paixonite de escola primária, com pupilas dilatadas, joelhos moles e tudo mais, por uma certa giradora de varinha do segundo ano com um baita cabelão, que ele ficava olhando girar a varinha e marchar lá de longe por entre o espectro difratato dos borrifadores esfiapados, lá do outro lado da grama coberta de orvalho do campo, uma rodadora que tinha comparecido a alguns dos bailinhos de Todas-As-Equipes-Esportivas a que Orin e seu estrábico parceiro de duplas da BU tinham ido, e que dançava do mesmo jeito que rodava a varinha e invocava o entusiasmo geral, o que vale dizer com um jeito de deixar tudo de sólido no corpo de Orin aguado, distante e estranhamente refratado.

Orin Incandenza, que como muitos filhos de alcoólicos pesados e vítimas de TOC tinha lá seus probleminhas pessoais de vício-sexual, já havia desenhado pequenos 8 deitados à toa nos flancos pós-coitais de uma dúzia de alunas da BU. Mas aquilo ali era diferente. Ele já tinha sido flechado na vida, mas nunca decapitado. Ele ficava na cama nas tardes outonais durante o horário obrigatório de soneca que o técnico de tênis exigia, apertando uma bolinha de tênis e falando por horas a fio sobre essa tal aluna rodadora obscurecida por borrifadores enquanto o seu parceiro de duplas ficava deitado bem no outro extremo da imensa cama olhando simultaneamente para Orin e para as folhas do NE que mudavam de cor nas árvores do outro lado da janela. O epíteto de escola-primária que eles tinham inventado para se referir à rodadora de Orin era a +BODE, ou seja o Mais Belo Orgulho da Espécie, mas ela realmente era quase grotescamente bonita. Ela fazia a Mães parecer o tipo de fruta que você acha que quer tirar da fruteira, mas aí bem quando você está lá do ladinho da fruteira você põe de volta porque assim de perto dá pra ver uma fruta bem mais fresquinha e com menos cara de em-conserva em outro lugar da fruteira. A rodadora era tão linda que nem os Terriers futebolísticos mais antigos da BU conseguiam produzir saliva para falar com ela nos bailes esportivos. A bem da verdade ela era quase universalmente evitada. A rodadora gerava nos machos heterossexuais da espécie o que a OFIDE depois lhe disse que era chamado de Complexo de Ácteon, que é meio que um profundo medo filogênico da beleza trans-humana. Praticamente a única coisa que o parceiro de duplas de Orin — que enquanto estrábico era meio que um expert nisso da inatingibilidade feminina — sentia que podia fazer era avisar O. que aquela era exatamente o tipo de menina hediondamente atraente que você sabia assim de cara que não se metia com machos humanos universitários normais, e nitidamente frequentava as festas esportivas da BU movida somente por algum tipo de vago interesse científico enquanto esperava que o ascapártico macho adulto de furo no queixo, cara de modelo e insanamente bem-sucedido nos negócios com quem ela indubitavelmente estava envolvida ligasse para ela do banco traseiro da sua limusine Infiniti verde etc. Nenhum jogador de nenhum dos esportes principais jamais havia sequer orbitado perto dela o suficiente para ouvir as elisões e os lapsos apicais de um sotaque do meio-Sul naquela voz estranhamente monocórdia mas ressonante que soava como alguém que estivesse articulando os fonemas com muita clareza dentro de um cômodo à prova de som. Quando ela dançava, nas festas, era com outras líderes de torcida, giradoras de varinhas e terrieretes de plantão, porque macho nenhum tinha peito ou cuspe para pedir para dançar com ela. O próprio Orin não conseguia chegar a menos de quatro metros dela nas festas, porque de repente não conseguia decidir onde colocar os ictos na tirada estratégia inopinadamente inspirada por Charles Tavis "Descreva-o-tipo-de-cara-que-você-acha-interessante-que-eu-vou-afetar-o-comportamento-desse-tipo-de-cara" que tinha funcionado tão bem com outras Cobaias da BU. Ele precisou de três audiências para sacar que o nome dela não era Joel. O cabelão era ouro-velho e a pele de uma palidez tinta de pêssego com braços sardentos e zigomas indescritíveis e os olhos dela eram de um verde HD além-mundo. Ele só ia ficar sabendo depois que o cheiro quase pungente de roupa-limpa-seca-ao-sol que pairava em torno dela era uma essência dente-de-leão de pH-baixo preparada especialmente para ela pelo seu papaizinho químico em Shiny Prize, KY.

A equipe de tênis da Boston University, nem precisa dizer, não tinha nem líderes de torcida nem batalhões de giradoras de varinhas, que ficavam reservadas para os esportes mais prestigiados e com grandes públicos. O que é bem compreensível.

O técnico de tênis sofreu com a decisão de Orin, e Orin teve que lhe passar um Kleenex e ficar ali parado por vários minutos sob o pôster de um avuncular Big Bill Tilden ali parado com sua calça branca da Segunda Guerra Mundial e passando a mão no cabelo de um gandulinha, Orin vendo o Kleenex se empapar e ir adquirindo buracos com os assoos enquanto tentava expor precisamente o que queria dizer com *acabado*, *casca seca* e *cenoura*. O técnico ficou perguntando se aquilo significava que a mãe de Orin não ia mais assistir aos treinos.

O agora ex-parceiro de duplas de Orin, um sujeitinho estrábico e de suéter de veadinho mas basicamente decente que também calhava de ser herdeiro da fortuna da Quase-Carne Nickerson, pediu que o seu pai de furinho no queixo e sólidas relações com o pessoal da BU fizesse "umas ligaçõezinhas rápidas" do banco traseiro do seu Lexus verde-musgo. O Técnico Principal de Futebol Americano da BU, o Tio Terrier, um oklahomense exilado que efetivamente usava um moletom cinza de gola careca com um apito pendurado num cordãozinho, ficou intrigado com o tamanho do antebraço esquerdo e da mão que lhe foram estendidos (deseducada mas intrigantemente) durante as apresentações — era o braço tenístico de Orin, mais ou menos com as dimensões de um tonel de bater manteiga; o outro, de dimensões humanas, estava oculto sob um blazer estrategicamente dobrado sobre o ombro direito do candidato aspirante a uma vaga.

Mas não dá para jogar futebol americano com um blazer penduradinho. E a única velocidade real de Orin era em minúsculas explosões laterais de três metros. E aí se revelou que a ideia de efetivamente fazer contato físico direto com um oponente estava tão profundamente marcada nele como algo estranho e horrendo que os testes de Orin, mesmo como reserva, foram patéticos demais para serem descritos. Ele foi chamado de *lerdo*, depois de *songo* e depois de *bichona de quatro costados*. Acabaram lhe dizendo que ele parecia ter apenas alguma espécie de bolsa vazia balouçante onde os colhões deviam estar e que se ele pretendia manter aquela bolsa ele devia era ficar na dele nos esportes menos prestigiosos em que a coisa em que você batia não revidava. O Técnico por fim chegou de fato a agarrar o capacete de Orin e apontar para a boca do túnel sul do campo. Orin saiu do campo pelo sul só e inconsolável, capacete embaixo do bracinho direito, sem nem lançar um olharzinho nostálgico para a +BODE entre as giradoras, treinando lançamentos de varinha com espacatos e um ar destroçadoramente distante lá embaixo das traves setentrionais dos Visitantes.

O que os AAs da Grande Boston tratam de forma trivial mas correta é o fato de que tanto os beijos do destino quanto suas bifas ilustram a impotência básica e pessoal de um indivíduo qualquer diante dos eventos realmente importantes da sua vida:[100] i. e., quase nada de importante te acontece porque você produziu. O destino não tem bipe; o destino sempre fica ali encostadinho de capa de chuva num beco fazendo algum tipo de *Psst* que normalmente você nem ouve porque está correndo tanto para ou de alguma coisa importante que tentou produzir. O evento de escala destínica que aconteceu com Orin Incandenza naquele momento foi simplesmente que no que ele passava macambúzio sob as traves da Casa e adentrava a sombra do ádito do túnel sul um ruído estrepitoso e ominosamente ortopédico, e aí um grito, veio de algum ponto do campo atrás dele. O que tinha acontecido era que o melhor defensor da BU — um futuro profissional de 180 quilos que não tinha dentes e que gostava de desenhar com lápis de cor —, treinando jogadas de punt e bloqueio, não só bloqueou o chute do punter da BU como cometeu um grave equívoco mental e foi em frente trombando direto com o sujeitinho sem ombreiras enquanto o pezinho de chuteira do punter ainda estava acima da cabeça do fulano, caindo em cima dele num amontoado tretejante e quebrando tudo que ficava entre fêmur e tarso na perna do punter com um pavoroso estalido de alto calibre. Duas balizas com varinhas e um ajudante que levava água para os jogadores desmaiaram só com o som dos gritos do punter. A bola bloqueada ricocheteou forte no capacete do defensor, quicou que nem doida e foi rolando desacorçoada até lá à sombra do túnel sul, onde Orin tinha se virado para ver o punter se contorcendo e o beque se erguer com um dedinho na boca e cara de culpado. O técnico da defesa desconectou o headset, saiu disparado e começou a soprar o apito para o defensor à queima-roupíssima, sem parar, enquanto o beque imenso começava a chorar e a bater na própria testa com a base da mão. Como não havia mais ninguém por perto, Orin pegou a bola bloqueada, que o Técnico Principal estava pedindo com gestos impacientes lá de onde estava no banquinho no meio do campo. Orin segurou a bola (coisa que ele não tinha sido lá muito bom em fazer nos testes, segurar a bola sem deixar cair), sentindo o seu estranho peso oval, e olhou lá para o outro extremo do campo onde estavam os maqueiros, o punter, os assistentes e o técnico. Estava longe demais para um arremesso e simplesmente não havia possibilidade de Orin fazer outra caminhada solitária ao longo da linha lateral e depois descer de novo o campo sob o distante e verde olhar da rodadora que era a detentora dos direitos de propriedade do SNC dele.

Orin, antes desse momento seminal, nunca tinha tentado chutar nenhum tipo de bola em toda a sua vida, foi a infabricada e meio vulnerável revelação que acabou tocando Joelle van Dyne bem mais que o status ou as estatísticas.

E mas naquele exato momento, no que apitos caíam de beiços, gente apontava e sob aquele mesmo verde olhar enevoado de borrifadores, Orin encontrou, no futebol americano competitivo, um novo nicho e uma cenoura nova. Uma carreira tipo-Circuito que ele jamais teria sonhado tentar fabricar. Em poucos dias ele estava chutando sessenta jardas sem esforço, treinando sozinho num campo marginal com o assistente de jogadas especiais, um fumante de Gauloises com cara de sonhador que invocava ideias de voo e de céus e chamava Orin de "efebo", o que uma discreta ligação para o irmãozinho mais novo revelou que não era a ofensa que Orin temia que soasse como. Na segunda semana O. já estava em cerca de sessenta e cinco jardas, ainda sem esforço e sem sustos, com um ritmo limpo e preciso, uma concentração na transação que se dava entre um pé e um ovo de couro que era quase assustadoramente total. Nem, na terceira semana, ele ficava muito desorientado com os dez gigantes pituitários alucinados que partiam para cima dele quando ele pegava a bola e dava um passo adiante, com os arquejos, baques e choques de carne do contato interpessoal à roda dele, o passinho de estivador dos maqueiros que iam e vinham depois que os apitos soavam. Ele tinha sido puxado de lado para ouvir desculpas pelas piadinhas de escroto-oco, e tinham lhe explicado — com projeções de páginas do livro das Regras e tudo mais — que os regulamentos contra o contato físico direto com o punter eram draconianos e garantiam a perda de quantidades imensas de jardas e da posse de bola. Os sons de tiro-de-rifle da perna agora inútil do ex-punter eram sons um-em-um-milhão, garantiam. O Técnico Principal deixou que Orin o entreouvisse dizer aos defensores que qualquer sujeito que tivesse o infortúnio de se chocar com o novo punter-astro do time nem precisava parar de andar depois da pancada, era só seguir direto até o túnel sul, a saída do estádio e o meio de transporte mais próximo que o levasse a outra instituição acadêmica e futebolística.

Era, mais do que obviamente, o começo da temporada de futebol. Ar seco, tudo semimorto, folhas em chamas, chocolate quente, casacos de guaxinim e giração de varinhas no intervalo e uma coisa chamada Ola. Plateias exponencialmente maiores e mais ativas que as dos torneios de tênis. EM CASA × SUNY-Buffalo, EM CASA × Syracuse, FORA × Boston College, FORA × Rhode Island, EM CASA × os desprezados Minutemen da UMass-Amherst. A média de Orin chegou a 69 jardas por chute e ainda estava melhorando, com os olhos fixos nos motivadores gêmeos que eram uma varinha reluzente e uma monstruosa cenoura desenvolvimental que ele não sentia desde os catorze anos. Ele chutava a bola cada vez melhor à medida que seus movimentos — uma coreográfica combinação de gestos e transferências de peso tão complexa e tão precisa quanto um saque com efeito — iam ficando mais instintivos e ele via seus semitendíneos e adutores se alongarem graças à constante chutação competitiva de alto impacto, com sua chuteira esquerda terminando em 90° em relação à grama, joelho no nariz, chutando cancã em meio a um ruído tão enfurecido da plateia e tão pleno que parecia remover o ar de todo o estádio, aquela única e gigantesca voz orgástica erguendo-se e criando um vácuo que sugava a bola rumo ao céu, com o ovo de couro sumindo ao subir em perfeita espiral, parecendo perseguir o mesmo troar que produzira.

Perto do Dia das Bruxas ele tinha desenvolvido mais controle que distância. Não foi por acidente que o Assistente descreveu aquilo como "toque". Considere que um campo de futebol americano é basicamente uma quadra de tênis na grama que alguém esticou até ficar bisonhamente comprida e que linhas brancas dispostas em complexos ângulos retos ainda definem táticas e movimentos, a própria possibilidade do jogo. E que Orin Incandenza, que histórico-tenisticamente tivera passadas medíocres, tinha sido acusado por Schtitt de depender demais do lob que tinha desenvolvido como compensação. Como Michael Pemulis, o prodígio-eskhatônico igualmente fraco-de-passada que o sucedeu, todo o limitado jogo de Orin tinha se construído em torno de um lob sobrenatural, que claro que um lob é simplesmente uma parábola mais alta que o adversário que idealmente aterrissa logo antes da linha demarcatória traseira da área de jogo e é difícil de alcançar e devolver. Gerhardt Schtitt, deLint e seus deprimidos pró-reitores precisaram ficar sentados comendo pipoca sem manteiga durante um único cartucho de um jogo da BU para entender como Orin tinha encontrado seu nicho num esporte prestigioso. Orin continuava só dando balão, Schtitt observou, ilustrando com a vareta num quarto down que tinha múltiplos replays, só que agora com a perna, só o punt, e agora com dez factoti de armaduras entupidos de testosterona para lidar com qualquer tentativa de devolução que o adversário pudesse armar; Schtitt supôs que Orin tinha dado acidentalmente com uma maneira, naquele jogo americano grotescamente físico e territorial, de legitimar a mesma dependência do único golpe de lob que tinha evitado que ele desenvolvesse a coragem de desenvolver suas áreas mais fracas, que essa indisposição de arriscar um fracasso e uma fraqueza temporários em nome de ganhos de longo prazo tinha sido o verdadeiro herbicida na cenoura do tênis de Orin Incandenza. Puberdade o *Kassett*, no que se refere ao verdadeiro motivo de se apagar a chama interior do tênis, Schtitt sabia. Os comentários de Schtitt foram recebidos com vigorosos acenos de cabeça e amplamente ignorados na sala de vídeo. Schtitt depois disse a deLint que tinha vários maus pressentimentos sobre o futuro de Orin por dentro.

Mas então no Dia das Bruxas do seu primeiro ano de universidade Orin estava regularmente colocando os seus punts dentro da linha de 20 do adversário, com a bola saindo rodando dos cadarços da chuteira de um jeito que a fazia ou quicar e triscar para lá da linha lateral branca e sair de jogo ou aterrissar de bico e pular direto para cima e parecer pairar no ar, parada e girando, esperando que algum Terrier avançado a matasse com um mero toque. O Assistente de Jogadas Especiais disse a Orin que esses chutes eram historicamente chamados de canto-de-caixão e que Orin Incandenza era o melhor chutador de canto-de-caixão natural que ele já tinha visto na vida. Dava quase para rir. A Bolsa Integral de Orin foi renovada sob a égide de um esporte norte-americano mais brutal porém bem mais popular que o tênis competitivo. Isso foi depois do segundo jogo em casa, aproximadamente na época em que uma certa giradora de varinhas acteonizantemente linda, invocando o entusiasmo geral nas pausas do jogo, pareceu começar a de alguma maneira dirigir suas reluzentes coreografias nas laterais para Orin em particular. Então e aí a única relação romântica de escala verdadeiramente cardíaca da vida de Orin foi criando raízes bilaterais à distância, durante os jogos, sem um único telefonema trocado em pessoa, um amor que era comunicado — por sobre terrenos gramados, contra o monovocal troar dos estádios — integralmente por movimentos repetitivos estilizados — funcionais os dele, festivos os dela — as dancinhas respectivas devocionais de cada um deles para o espetáculo que estavam ambos — em seus diferentes papéis — tentando transformar num entretenimento cada vez melhor.

Mas então a questão era que a acurácia vinha depois da distância. Nos seus primeiros jogos Orin tinha encarado as tarefas de quarto down como se fosse apenas o caso de chutar a bola a perder de vista e sem esperanças de devolução. O nefelibata Assistente de J. E. disse que esse era o padrão natural de crescimento e desenvolvimento de um punter. A nossa amiga força bruta tende a surgir antes do controle. Na primeira entrada em-casa dele, usando um uniforme sem ombreiras que não servia direito e um número de wide receiver, ele foi convocado quando o primeiro ataque da BU travou na linha de 40 de um time de Syracuse que não tinha ideia de que estava na sua última temporada como representante de uma universidade americana. Uma questão de somenos. Analistas de esportes universitários posteriormente iriam se referir a esse jogo para contrastar o começo e o fim de eras diferentes. Mas uma questão de somenos. Orin tinha nesse dia um recorde pessoal de 73 jardas e uma média de tempo de voo de oito segundos e bolinha; mas aquele primeiro punt oficial, empolgadíssimo — a cenoura, a +BODE, o troar monovocal da plateia de um esporte de prestígio —, ele mandou por cima da cabeça do laranjinha que estava lá atrás esperando para receber, por cima das traves e das redes de segurança atrás das traves, por cima das primeiras três fileiras de cadeiras e bem no colo de um professor emérito de teologia lá na fileira 52 que estava precisando usar binóculos de ópera para poder ver o campo, que dirá a bola. O que se registrou foram as 40 jardas naquele competitivo punt batismal. Na verdade foi quase um chute de 90 jardas, e teve o tipo de tempo de voo que o Assistente de Jogadas Especiais disse que você podia usar numa trepada romântica e carinhosa. O som do impacto podiátrico tinha calado a plateia de um esporte de prestígio, e um fuzileiro naval da reserva que sempre aparecia com umas amostras de vaselina que ele vendia para o pessoal de juntas ressecadas nas arquibancadas do Nickerson disse para os amiguinhos dele num boteco de Brookline depois do jogo que o primeiro punt público desse menino Incandenza tinha soado exatamente como as Berthas barrigudas soaram no Vietnã, o VUMP exagerado de uma tonelagem incendiária, bem maior do que se espera.

Depois de quatro semanas, o sucesso de Orin em chutar grandes bolas ovoides estava muito além de qualquer coisa que ele tivesse conseguido batendo nas redondinhas. Tudo bem que o tênis e o Eskhaton não tinham feito mal. Mas não era tudo atlético, nessa afinidade pelo punt público. Não era tudo só treinamento competitivo de alto nível e a experiência de alta pressão transportada interesportivamente. Ele disse a Joelle van Dyne, aquela, a do sotaque e da varinha e da beleza de travar cérebros, disse a ela durante uma conversa cada vez mais reveladora depois que um tanto espantosamente *ela* tinha abordado a *ele* num evento esportivo de grande dimensão no Dia de Colombo e lhe pedido para autografar uma bola de flanco colabado que ele tinha furado com um chute nos treinos — a bexiga deflacionada tinha aterrissado dentro do sousafone do sousafonista da Banda Marcial dos Terriers e tinha sido entregue a Joelle depois de extricada pelo seboso tubista, suarento e bobo sob o olhar acteonizantemente súplice da menina — pedido a ele — Orin também agora subitamente úmido e desprovido de alguma coisa atraente que dizer ou recitar — pedido a ele, com um sotaque monocordiamente ressonante, que assinasse aquela coisa furada em nome do seu Próprio Paizinho Pessoal, um certo Joe Lon van Dyne de Shiny Prize, KY, e disse ela também da Cia. de Reagentes de Cessão de Prótons Dyne-Riney da vizinha Boaz, KY, e engatado com ele (O.) numa conversa lentamente decrescentemente monolateral tipo evento social — a +BODE era bem fácil de manter assim cara a cara tipo tête-à-tête, já que nenhum outro Terrier conseguia chegar a menos de quatro metros dela — e Orin aos poucos se viu quase olhando nos olhos dela enquanto compartilhava o fato de acreditar que não era só esportiva a atração que ele sentia pelos punts, que uma bela parcela daquilo parecia emocional e/ou até, se ainda existia isso, espiritual: uma negação do silêncio: ali estavam mais de trinta mil vozes, almas, manifestando aprovação como Uma Só Alma. Ele invocou os números brutos. O frenesi. Ele estava pensando em voz alta já. Exortações e aprovações de um público que se faziam tão totais que deixavam de ser numericamente distintas e se fundiam numa espécie de gemido coital unificado, numa única e grande vogal, o som do útero, o troar crescente, tsunâmico, amniótico, a voz do que podia muito bem ser Deus. Nada dos aplausos educadinhos do tênis cortados pela repreensão aristocrática do juiz. Ele disse que estava só especulando, improvisando; ele estava olhando nos olhos dela sem se afogar, com o pavor agora transformado em seja lá o que era o motivo original do pavor. Ele disse o som daquelas almas todas como Um Só Som, alto demais para se poder suportar, crescendo, esperando que o pé dele o liberasse: Orin disse que o que ele achava legal era que ele literalmente não conseguia ouvir nem o que estava pensando lá no campo, pode até ser lugar-comum, mas transformado lá fora, o seu antigo eu transcendido como ele nunca tinha fugido de si próprio nas quadras, uma sensação de uma presença no céu, o som-troar congregacional, o clímax que sacudia um estádio quando a bola subia e inscrevia um arco catedrálico, parecendo levar uma eternidade para cair... Nunca nem lhe ocorreu perguntar que tipo de comportamento ela preferia. Ele não precisou traçar estratégias nem bolar planos. Depois que soube de que era pavor o pavor. Ele não teve que lhe prometer nada no fim. Era tudo de graça.

No fim do outono do seu primeiro ano de universidade e do campeonato da conferência ianque vencido pela BU, além da sua presença não vitoriosa mas mesmo assim inédita no K-L-RMKI/Forsythia Bowl assistido in loco em Las Vegas por altos dignitários, Orin tinha empregado seu subsídio para moradia fora do campus e se mudado com Joelle van Dyne, a kentuckiana de parar corações, para um prédio de apartamentos em East Cambridge a três paradas de metrô da BU e das novíssimas inconveniências de ser publicamente um astro num esporte de prestígio numa cidade em que as pessoas se matavam de porrada nos bares por causa de estatísticas e times do coração.

Joelle tinha encarado o jantar de Ação de Graças à meia-noite na ATE e sobrevivido a Avril, e depois Orin passou o seu primeiro Natal da vida longe de casa, indo de avião até Paducah e aí num 4×4 alugado até a puerária-lobatificada Shiny Prize, Kentucky, para tomar quentão sob um pinheirinho branco reutilizável só com bolinhas vermelhas junto com Joelle e a mãe dela, o seu Paizinho Pessoal e os seus leais pointers, ganhando uma visita guiada ao porão-bunker de Joe Lon para conhecer sua incrível coleção de recipientes Pyrex com tudo quanto é solução existente no mundo conhecido que possa deixar vermelho o papel tornassol azul, com retangulozinhos vermelhos flutuando dentro dos frascos como prova, Orin assentindo bastante com a cabeça e se esforçando demais e Joelle dizendo que o fato do sr. Van D. não sorrir nenhuma vezinha para ele era só O Jeito Dele, só isso, igual o fato da Mães dele ter o jeito dela tinha incomodado Joelle. Orin telegrafou a Marlon Bain, a Ross Reat e ao estrábico Nickerson que ele por todos os indícios disponíveis estava apaixonado por alguém.

A véspera de Ano-Novo daquele primeiro ano de universidade, em Shiny Prize, longe das agitações ONANitas do novo Nordeste, a última noite Antes do Subsídio, foi a primeira vez que Orin viu Joelle ingerir quantidades muito pequenas de cocaína. Orin tinha abandonado a sua própria fase de substâncias mais ou menos na época em que descobriu o sexo, além é claro de considerações urinárias que envolviam a AAUONAN/EUA, e recusou a cocaína, mas não de um jeito censóreo ou estraga-prazeres, e descobriu que gostava de estar com a sua +BODE sóbrio enquanto ela ingeria, ele achava excitante, uma sensação vicária de estar no limite que ele associava à ideia de se entregar não à definição de um dado jogo mas a si próprio e como você acensoreamente se sente a respeito de alguém que está chapado e se sentindo mais livre e melhor que o normal, com você, só, sob as bolas vermelhas. Eles eram um par perfeito ali: a ingestão dela naquela época era recreacional, e ele não só não ligava como nunca ostentava o fato de não ligar, nem ela o de ele se abster; a coisa toda das substâncias era natural e como que livre. Outro motivo para eles parecerem ter o destino escrito nas estrelas era que Joelle no seu segundo ano tinha decidido se concentrar academicamente em Filmes/Cartuchos na BU. Ou Teoria de Filmes-Cartuchos ou Produção de Filmes-Cartuchos. Ou de repente as duas coisas. A +BODE era fanática por cinema, embora seu gosto fosse bem comercial: ela disse a O. que preferia filmes em que "um monte de coisa explode".[101] Orin de forma muito discreta tinha lhe apresentado o cinema de arte, os filmes de van e retroguarda acadêmicos intelectuais e conceituais, e tinha lhe ensinado a usar alguns dos menus mais excêntricos da InterLace. Ele disparou morro acima até Enfield e trouxe de volta o *Acordo pré-nupcial do céu e do inferno* da própria Cegonha Demente, que teve um imenso impacto nela. Logo depois do Dia de Ação de Graças Sipróprio deixou a +BODE estagiar com Leith no set de *O século americano visto por um tijolo* em troca de poder filmar o polegar dela contra uma corda vibrante. Depois de uma temporada apenas levemente frustrante em seu segundo ano, O. foi de avião com ela para Toronto para assistir a parte das filmagens de *Irmã de Sangue: uma freira de matar*. Sipróprio levava Orin e sua adorada para jantar depois dos copiões, entretendo Joelle com o seu dom bizarro de chamar táxis canadenses enquanto Orin ficava parado entartarugado dentro do sobretudo; e aí depois Orin pastoreou os dois de volta ao hotel Ontario Place, parando o táxi para que os dois pudessem vomitar e carregando Joelle à la bombeiro enquanto via a Cegonha Demente tentar chegar à suíte se apoiando nas paredes. Sipróprio lhes mostrou o Centro de Convenções de Toronto onde ele e a Mães tinham se conhecido. Isso pode ter sido o começo do fim, gradualmente, olhando agora. Joelle naquele verão tinha recusado pela sexta vez um verão no Instituto Dixie de Giração de Varinha em Oxford, MS, e deixado Sipróprio lhe dar um nome artístico e usá-la repetidamente em *Civismo de baixa-temperatura*, (O) *Desejo de desejar* e *A navegação segura não se dá por acidente*, viajando com Sipróprio e Mario enquanto Orin ficava em Boston se recuperando de uma pequena cirurgia por causa de um quadríceps esquerdo hipertrofiado no Massachusetts General Hospital onde nada menos que quatro enfermeiras e fisioterapeutas da ala de Medicina Esportiva pediram separação legal de seus maridos, com custódia.

As verdadeiras ambições da +BODE não eram cênicas, Orin sabia, o que era um dos motivos de ele ter ficado tanto tempo com ela. Joelle quando ele a conheceu já tinha lá uma certa quantidade de equipamento cinematográfico, cortesia do seu Paizinho Pessoal. E ela agora tinha acesso a uma traquitana digital seriíssima. No segundo ano de Orin na faculdade ela não rodava bastão nem cheerleaderava mais. Na primeira temporada completa que ele jogou ela ficou atrás de várias linhas brancas com uma camerazinha digital Bolex R32, lentes e fotômetros BTL, inclusive uma teleobjetiva Angenieux do cacete que O. tinha decidido pagar, como manifestação de interesse, e ela filmava uns clipezinhos de meio-setor-de-disco do Punter nº 78 da BU, às vezes com Leith de assistente (nunca Sipróprio), fazendo experiências com velocidade, comprimento focal e mattes digitais, ampliando os seus horizontes técnicos. O próprio Orin, malgrado os seus interesses na evolução do gosto comercial da +BODE, nem tinha tanto interesse assim por essa coisa toda de filmes, cartuchos e cinema e basicamente tudo que o reduzisse a uma expectativa de rebanho, mas ele respeitava os impulsos criativos de Joelle até certo ponto; e descobriu que realmente gostava de assistir os filmes de futebol de Joelle van Dyne, que basicamente só tinham ele como astro, preferia decididamente os clipezinhos de .5-setor aos cartuchos de Sipróprio ou a filmes industriais em que coisas iam pelos ares enquanto Joelle dava pulinhos na poltrona e apontava para o monitor; e ele os achava (os clipes que ela filmava dele jogando) bem mais interessantes que os celuloides de jogos e jogadas, granulados e cheios de gente, que o Técnico Principal o obrigava a assistir. Orin gostava de abaixar bem o reostato do apartamento quando Joelle não estava em casa, pegar os disquetes, fazer pipoquinha e ficar assistindo os clipezinhos de dez segundos que ela filmava sem parar. Ele via alguma coisa diferente cada vez que rebobinava, algo mais. Os clipes dele chutando se desenrolavam como flores fotografadas em time-lapse e pareciam revelá-lo de maneiras que ele jamais poderia ter concebido. Ele ficava sentado em transe. Só acontecia quando ele assistia sozinho. Às vezes ele tinha uma ereção. Ele nunca se masturbava; Joelle voltava para casa. Ainda nos últimos estágios de uma puberdade retardada e com a formosura ficando visivelmente pior dia a dia, Joelle era donzela, ainda, quando Orin a conheceu. De tão evitada que fora, tanto na BU quanto na Boaz Consolidated de Shiny Prize: a beleza afastara todo e qualquer pretendente. Ela tinha consagrado a vida aos bastões e aos filmes amadores. Disney Leith disse que ela levava jeito: a mão para segurar a câmera era firme como uma rocha; até os primeiros clipes do começo da temporada do AW pareciam ter sido rodados com um tripé. Não havia áudio nos clipes do segundo ano, e dava para ouvir o ruído agudo do cartucho no drive do TP. Um cartucho girando nos 450 rpm de um disquete digital soa um pouco como um aspirador de pó à distância. Ruídos automobilísticos e sirenes noturnas penetravam por entre as barras vindos talvez da Storrow 500. Silêncio não era algo que Orin buscasse ao assistir. (Joelle é maluca por limpeza. Aquilo ali está sempre estéril. A semelhança com o gosto por limpeza da Mães ele acha meio assustadora. Só que Joelle não liga para bagunça nem deixa todo mundo surtado com aquele jeito de se preocupar em esconder o fato de querer que ninguém fique magoado. Com Joelle a bagunça simplesmente some em algum momento da noite, aí você acorda e está tudo estéril. Parece coisa de duende.) Logo depois que ele começou a assistir os clipes no terceiro ano de faculdade, Orin tinha disparado morro acima na Comm. e trazido para Joelle um gravador Tatsuoka compatível com a Bolex c/ sincronizador, um microfone cardioide, um tripezinho barato com um Barney para abafar o zumbido da Bolex, um blooper Pilotone classudo e cabos de sincronização, toda uma auracópia. Leith levou três semanas para ensiná-la a lidar com o Pilotone. Agora os clipes tinham som. Orin tem dificuldades para não deixar a pipoca queimar. Ela tende a queimar quando o papel laminado que cobre a panelinha infla; você tem que tirar do fogão antes que o papel forme uma cúpula. Nada de pipoca de micro-ondas para Orin, nem naquela época. Ele gostava de diminuir a luz quando Joelle saía, pegar o porta-cartuchos e assistir os clipezinhos de dez segundos que ela tinha feito com os chutes dele, sem parar. Olha ele ali de novo contra Delaware no segundo jogo em-casa do AEMT. O céu está fosco e pálido, as cinco bandeiras da Conferência Ianque — a U. Vermont e a UNH já dançaram — estão bem retinhas sob as rajadas que vêm do Charles e que fazem a infâmia do Nickerson Field. É o quarto down, obviamente. Milhares de quilos de carne com ombreiras assumem posturas semiagachadas e bufam uns para os outros, prontos para a carga e o ataque. Orin está doze jardas atrás da linha dos jogadores, com os pés juntos dentro das chuteiras, peso logo à frente de si, braços desemparelhados estendidos para a frente na atitude dos cegos diante de uma parede. Os olhos dele estão fixados no distante coração manchado de grama formado pela bunda do jogador central. Sua postura, esperando para receber a bola, não é diferente da de um mergulhador, ele vê. Nove homens em linha, em quatro apoios, prontos para deter o ataque de dez homens. O defensor do outro time está lá atrás para receber, a setenta jardas dali, ou mais. O fullback cuja única função é não deixar Orin se machucar está à frente e à esquerda, de joelhos dobrados, punhos juntos cobertos de fita adesiva e cotovelos abertos como um bicho de asas pronto para se arremessar contra qualquer coisa que rompa a linha e se dirija ao punter. O equipamento de Joelle não é exatamente de nível profissional mas a sua técnica é muito boa. No terceiro ano já é em cores também. Só há um som, que é total: o barulho do público e a sua própria reação a esse barulho, crescente. Orin está de volta contra Delaware, pronto, capacete de um claro-branco virginal e o interior da cabeça lavado, por dez segundos limpo de tudo que não esteja ligado a receber o snap e dar um passo marcial para a frente para mandar um lob no ovo de couro que o lance além da vista a uma altitude em que o vento não influencie mais. Madame +BODE pega a cena toda, dando um zoom lá do outro lado do campo. Ela pega o timing dele; o timing de um punt é de uma precisão delicadíssima, como o de um saque; é uma dança solo; ela pega o terrível VUMP contra e acima do clímax vocálico do público; captura o arco pendular de 180° da perna de Orin, o follow-through gluteal que lhe põe os cadarços das chuteiras bem acima do capacete, o ângulo reto perfeito entre perna e grama. A técnica dela é soberba na debacle de Delaware que Orin mal consegue suportar rever, a única vez no ano todo em que o centralzão bufante lança um snap longo demais e paraboliza a bola sobre as mãos erguidas de Orin de modo que quando ele consegue correr e pegar a coisa que pula doida a dez jardas dali os defensores de Delaware já romperam a linha, passaram pela linha, o fullback ali pisoteado em decúbito, todos os dez jogadores correndo, querendo nada além de contato físico pessoal com Orin e seu ovo de couro. Joelle pega a imagem dele correndo, um pique lateral de três metros no que evita o primeiro par de mãos e os lábios toscos revirados e mas está quase a ponto de ser pessoalmente contatado e arrancado das chuteirinhas pelo beque forçudo de Delaware que vem voando de viés bem de longe quando o minúsculo .5-setor de espaço digital que cada punt está programado para cobrir acaba e o som do público muge e morre e dá para ouvir o drive travado no byte terminal e o rosto de Orin, tirinha no queixo e barrinhas de plástico, está ali no monitor gigante, congelado e HD no capacete, logo antes do impacto, no zoom de uma lente de qualidade. De particular interesse são os olhos.

14 DE NOVEMBRO
ANO DA FRALDA GERIÁTRICA DEPEND

O Coitado do Tony Krause teve uma convulsão no T. Era um trem da Linha Cinza que ia de Watertown à Inman Square, Cambridge. Ele tinha ficado tomando xarope de codeína para tosse no banheiro masculino da Biblioteca da Fundação Armênia no horrendo centro de Watertown, MA, por mais de uma semana, disparando para fora do esconderijo só para mendigar uma receita com o hediondo Equus Reese e aí sair correndo para uma farmácia Brooks, usando um conjunto simplesmente repulsivo de calça de fibra sintética com suspensórios e um boné de tuíde que ele teve que bispar de um salão do sindicato dos estivadores. O Coitado do Tony não podia ousar vestir algo formoso, nem mesmo a jaqueta de couro vermelho dos irmãos Antitoi, não depois que a bolsa daquela coitada revelou conter um coração. Ele simplesmente nunca tinha se sentido tão sitiado e assediado por todos os lados quanto naquele dia negro de um mês de julho em que lhe coube a fortuna de afanar um coração. Quem não ficaria pensando Por Que Eu? Ele não ousava se vestir com expressividade ou voltar à Praça. E o Emil ainda estava com o nome dele marcado para um desmapeamento como consequência daquela coisa horrível com o Wo e o Bobby C no ano passado. O Coitado do Tony não tinha ousado mostrar uma pluminha que fosse a leste da Tremont St. ou nos conjuntos de Brighton nem na Delphina lá nos cafundós de Enfield desde o Natal passado, mesmo depois que o Emil simplesmente se desmaterializou da cena urbana; e agora desde 29 de julho ele era *no grata* na Harvard Square e cercanias; e a mera visão de uma Oriental agora lhe dava palpitações — nem me fale de um acessório Aigner.

Assim o Coitado do Tony não tinha como descolar nada. Ele não podia confiar em ninguém a ponto de injetar as tralhas dos outros. S. T. Queijo e a Lolirmã não eram mais dignas de confiança que ele mesmo; ele nem queria que elas soubessem onde ele estava dormindo. Ele começou a tomar xarope para tosse. Deu um jeito de fazer a Bridget Furiquinho e o estritamente sujeiraça do Stokely Estrela Negra descolarem para ele na moita por umas semanas, até que o Stokely morreu num asilo da Fenway e aí a Bridget Furiquinho foi mandada pelo cafetão pra Brockton em circunstâncias de enlouquecer de tão vagas. Aí o Coitado do Tony tinha lido os negros portentos, engolido pela primeira vez o orgulho e se escondido ainda mais entocado num complexo de lixeiras atrás do Salão Local nº 4 da IITPCD[102] em Fort Point lá no centro e decidiu ficar ali escondido enquanto pudesse engolir o orgulho de mandar a Lolirmã ir adquirir heroína, aceitando s/ orgulho e s/ muxoxos as desavergonhadas facadas que aquela vagabunda desavergonhada lhe dava em termos financeiros, até um período em outubro em que a Lolirmã pegou uma hepatite tipo G e o fornecimento de heroína minguou horrivelmente e as únicas pessoas que estavam conseguindo descolar para não pirar eram as pessoas que estavam em posição de poder correr daqui para lá por distâncias descomunais sob um céu aberto e de acesso público e amigo nenhum, por mais que fosse querido ou estivesse em dívida, podia dar conta de descolar para os outros. Aí, totalmente sem amigos e conexões, o Coitado do Tony, escondido, começou a entrar em Abstinência da Heroína. Não só ficar bolado ou enjoado. Abstinência. As palavras ecoavam pela sua cabeça neuralgíaca e desperucada com uma aura simplesmente pavorosíssima de passos-sinistros-ecoando-em-corredor-deserto. Abstinência. O Peru Frio. Geladificação. A Pérfida Ave Sem Coração. O Coitado do Tony nunca tinha tido que passar pela Abstinência, não desde que começou com dezessete. Na pior das hipóteses, sempre apareceu alguém bonzinho que achou ele bonito, se as coisas ficaram pretas a ponto de ele precisar alugar seus encantos. Tanto pior então que ora seus encantos se vissem minguantes. Ele estava pesando cinquenta quilos e com a pele cor de melão. Tinha ataques de tremores terríveis e também perspirava. Tinha um terçol que tinha deixado um olho tão rosinha de arranhado quanto o de um coelhinho. O nariz dele escorria como duas torneiras gêmeas e o que saía dali tinha um tom verde-amarelado que não parecia *nada* promissor. Pairava em torno dele um cheiro pouco formoso, de podridão, que até ele conseguia sentir. Em Watertown ele tentou botar no prego a sua bela peruca castanha c/ coque removível e foi xingado em armênio porque o picumã tinha infestações provindas do seu próprio cabelo. Não vamos nem mencionar a análise que o penhorista armênio fez da sua jaqueta de couro vermelho.

O Coitado do Tony foi ficando cada vez pior enquanto ia entrando em Abstinência. Os seus sintomas desenvolveram sintomas próprios, sulcos e nódulos que ele registrava com mórbida atenção dentro da lixeira, de suspensórios e com aquele boné de tuíde horroroso, agarrado a uma sacolinha de plástico que continha sua peruca e sua jaqueta e vestes formosas que ele não podia nem usar nem penhorar. A lixeira vazia da Cia. de Deslocamento Empire em que ele estava escondido era nova e verde-maçã e o seu interior era de um ferro nu encovadinho, e permanecia nova e inutilizada porque as pessoas se recusavam a chegar perto para utilizá-la. Levou um tempinho para o Coitado do Tony perceber por que isso acontecia; por um breve intervalo de tempo lhe parecera sorte, um único sorriso fugaz dos fados. O pessoal de uma equipe de transporte da DRE corrigiu essa opinião numa linguagem que deixou um tantinho a desejar em questão de tato, ele achou. Pela tampa verde de ferro da lixeira também entrava água quando chovia, e já havia uma colônia de formigas numa das paredes, uns insetos que o Coitado do Tony tinha desde uma infância neurastênica temido e detestado em particular, as formigas; e sob a luz direta do sol virava um ambiente infernal para se viver, do qual até as formigas aparentemente desapareciam.

Com cada passo a mais no negro corredor da Abstinência propriamente dita, o Coitado do Tony Krause batia o pezinho e simplesmente se recusava a acreditar que as coisas pudessem ficar piores do que aquilo. Aí ele parou de conseguir antecipar quando precisaria ir digamos assim retocar a maquiagem. O melindroso horror da incontinência numa vítima de disforia de gênero não pode ser adequadamente descrito. Fluidos de consistência variada começaram a jorrar s/ notícia prévia de diversas aberturas. Aí é claro que eles ficavam ali, os fluidos, no chão de ferro da lixeira de verão. Estavam ali, paradinhos. Ele não tinha como limpar e não tinha como descolar. Todo o seu conjunto de associações interpessoais consistia de pessoas que não davam a mínima para ele mais pessoas que lhe queriam mal. O seu próprio falecido pai obstetra rasgara as roupas num shivá simbólico no Ano do Whopper na cozinha da residência dos Krause, no 412 da Mount Auburn Street, no horrendo centro de Watertown. Foi a incontinência além da perspectiva dos cheques mensais da Assistência Social de 4/11 que levou o Coitado do Tony numa louca relocação às pressas para o banheiro de uma obscura Biblioteca da Fundação Armênia no Watertown Center, onde tentou preparar um cubículo com o conforto que lhe coubesse com coloridas fotos de revistas, bibelôs estimados e papel higiênico estendido em volta do assento, e onde dava descarga repetidamente e tentava manter a verdadeira Abstinência a uma certa distância com vidrinhos de Codinex Plus. Uma percentagem insignificante da codeína é metabolizada e vira a boa e velha morfina-c_{17}, propiciando uma torturante insinuação do que seria de fato o alívio do Peru. Ou seja o xarope fazia pouco mais que arrastar o processo, estender o corredor — ralentava o tempo.

O Coitado do Tony Krause ficava sentadinho na privada lacrada do cubículo domesticado o dia e a noite inteiros, alternadamente golando e jorrando. Ele erguia os saltos altos às 1900h quando o pessoal da biblioteca verificava os cubículos, apagava todas as luzes e deixava o Coitado do Tony numa escuridão dentro da escuridão tão total que ele não tinha ideia de onde estavam ou aonde tinham ido seus membros. Ele saía daquele cubículo talvez uma vez a cada dois dias, correndo loucamente até a Brooks com óculos escuros de segunda mão e uma espécie de capuz ou xale feito pateticamente de toalhas de papel marrons do banheiro.

O tempo começava a ganhar aspectos novos para ele, agora, com o progresso da Abstinência. O tempo começou a passar com pontas cortantes. Sua passagem no cubículo escuro ou mal iluminado era como o tempo sendo carregado por uma procissão de formigas, uma reluzente coluna vermelha e marcial daquelas formigas vermelhas militarísticas do Sul dos EUA que constroem uns formigueiros hediondos, altos e fervilhantes; e cada formiguinha reluzente e pérfida queria uma minúscula parcela da carne do Coitado do Tony como paga no que ajudava a carregar o tempo lento pelo corredor da vera Abstinência. Já na segunda semana no cubículo o próprio tempo parecia ser o corredor, iniluminado em ambas as pontas. Depois de mais tempo o tempo então parou de se mover ou de ser movido ou de permitir que algo se movesse e adotou uma forma acima e além, uma imensa ave sem asas, de olhos laranja e penas bolorentas, corcovada incontinente sobre o cubículo, com uma personalidade como que alerta mas profundamente indiferente que não parecia ir lá muito com a cara do Coitado do Tony Krause enquanto pessoa, ou lhe querer bem. Nem um tiquinho. Ela falava com ele de sobre o cubículo, as mesmas coisas, sem parar. Eram irrepetíveis. Nada nem nas mais lúgubres experiências de vida do Coitado do Tony o tinha preparado para a experiência do tempo com forma e odor, acocorado; e os sintomas físicos que iam piorando eram uma tarde de compras no shopping comparados com as negras afirmações do tempo, de que os sintomas eram meras dicas, placas que apontavam para um conjunto mais amplo e muito mais tenebroso de fenômenos da Abstinência que pendiam logo acima dele de uma corda que desfiava constantemente com o passar do tempo. Ele não ficava quieto e não acabava; mudava de forma e de cheiro. Entrava e saía dele como o mais temível de todos os violadores de chuveiro de presídio. O Coitado do Tony teve um dia a petulância de imaginar que já tivera motivos para estremecer, um dia, na vida. Mas nunca tinha estremecido de verdade até que as cadências do tempo — serrilhadas, frias e com um estranho cheiro de desodorante — penetraram seu corpo via várias aberturas — frias como só as coisas frias e úmidas são frias — a expressão que ele teve a audácia de ter imaginado que entendia era a expressão *estremecer até os ossos* — colunas de gelo com cravos e cacos que entravam para encher de vidro moído seus ossos, e ele conseguia ouvir o estralar vítreo das suas juntas com cada insignificante mudança de posição corcovada, o tempo circunstante e no ar entrando e saindo a seu bel-prazer; gélido; e a dor da sua respiração contra os dentes. O tempo lhe apareceu no negror-falcão da noite da biblioteca com um moicano laranja e um corpete sem alças c/ um escarpim Amalfo bem breguinha e nada mais. O tempo o arregaçou e entrou sem cerimônia, fez o que quis e deixou-o de novo sob a forma de um jorro infinito de merda líquida que ele não conseguia eliminar todo por mais que desse descarga sem parar. Ele passou um tempo mórbido e enorme tentando sondar a proveniência de tanta merda se só estava ingerindo Codinex Plus. Aí num dado momento ele percebeu: o tempo tinha virado a própria merda: o Coitado do Tony tinha virado uma ampulheta: o tempo agora passava por dentro dele; ele deixou de existir fora desse fluxo de bordas serrilhadas. Ele agora estava pesando mais para quarenta e cinco quilos. Suas pernas estavam do tamanho que tinham sido seus formosos bracinhos antes da Abstinência. Ele vivia assombrado pela palavra *Zuckung*, uma palavra estrangeira e possivelmente iídiche que ele não lembrava de um dia ter ouvido na vida. A palavra ficava ecoando numa cadência animada em sua cabeça sem significar nada. Ele tinha pensado ingenuamente que ficar louco significava que você não tinha consciência de ficar louco: ele tinha ingenuamente imaginado os loucos como gente que ria para sempre. Ficava vendo de novo seu pai desfilhado — tirando as rodinhas da bicicleta, olhando o bipe, usando um vestido verde e uma máscara, servindo chá gelado num copo texturizado, rasgando a camisa esporte em dor filial, agarrando-lhe o ombro, caindo de joelhos. Enrijecendo num ataúde de bronze. Descendo debaixo de neve para a cova do cemitério Mount Auburn, visto através de óculos escuros, de longe. "Estremecer até o *Zuckung*." Quando, então, até os fundos para o xarope de codeína se esgotaram, ele ainda permaneceu sentado na privada do último cubículo da BFA, cercado por trajes pendentes que um dia lhe deram consolo e fotografias de revistas de moda que tinha prendido à parede com a fita que bispou do balcão de informações quando passou, ficou sentadinho quase um dia e uma noite inteiros porque não tinha fé em sua capacidade de conter o fluxo de diarreia pelo tempo necessário para chegar a algum lugar — se surgisse algum lugar para onde ir — com a única calça adequada ao seu gênero biológico. Durante o horário de funcionamento iluminado, o banheiro masculino se enchia de velhos de mocassins marrons idênticos que falavam eslavo e cuja flatulência metralhada cheirava a repolho.

Perto do fim do dia da segunda tarde sem xarope (o dia da convulsão) o Coitado do Tony Krause começou a entrar em Abstinência do álcool do xarope para tosse, da codeína e da morfina demetilada, agora, também, assim como da heroína original, gerando uma série de sensações para a qual nem mesmo sua experiência recente o havia preparado (especialmente a Abstinência-do-álcool); e quando tiveram início os verdadeiros espetáculos visuais de alto-orçamento estilo *tremens*, quando a primeira luzidia e ínfima formiga-soldado subiu pelo braço dele e se recusou fantasmatica- mente a ser expulsa com um tapa ou esmigalhada e morta, o Coitado do Tony jogou seu orgulho higiênico na goela de porcelana do tempo, ergueu a calça — medo- nhamente amassada depois de + de 10 dias amarfanhada numa poça em volta de seus tornozelos —, fez os ligeiros retoques cosméticos que podia fazer, envergou seu chapéu brega com a echarpe de toalhas de papel presas com durex e se mandou num desespero final para a Inman Square de Cambridge, para os sinistros e traiçoeiros irmãos Antitoi, para a central de operações com fachada de vidro de Entertenimento & Pegadinhas onde ele havia muito jurara nunca mais pisar e mas agora sacou que era o seu ultimíssimo recurso, os Antitoi, canadenses do subgênero Québec, sinistros e traiçoeiros mas no frigir dos ovos algo desafortunados insurgentes políticos a quem ele por duas vezes fornecera serviços por intermédio da Lolirmã, agora as únicas pes- soas de qualquer lugar do mundo que ele conseguia supor que de alguma maneira lhe deviam uma gentileza desde aquilo do coração.

Com o seu casaco e boné-com-echarpe na plataforma subterrânea da Linha Cinza do Watertown Center, quando a primeira leva solta e quente caiu-lhe dentro da calça frouxa e lhe desceu a perna contornando o salto alto — ele ainda tinha só seu sapato vermelho de salto com tirinhas cruzadas, que a calça era longa o bastante para quase cobrir — o Coitado do Tony fechou os olhos para não ver as formigas for- migando acima-abaixo pelo seu braço esquelético e gritou um calado grito interior de dor total que lhe escaldava a alma. Seu adorado boá cabia quase inteiro em um bolso da jaqueta, onde permanecia em nome da discrição. Dentro daquele trem lotado, então, ele descobriu que tinha passado em três semanas de uma pessoa colorida e formosa conquanto formosa de um jeito doido para um daqueles odiosos espécimes urbanos de que as pessoas respeitáveis nos trens se afastam deslizantes e vogantes sem sequer parecer notar que estão ali. Sua echarpe de toalhas de papel tinha se desmon- tado um pouco. Ele cheirava a bilirrubina e a suor amarelo e usava um delineador de uma semana que simplesmente não rolava se o cara estava precisando fazer a barba. E ainda uns incidentes negativos no campo da urina também, na calça, para fechar a conta. Ele simplesmente nunca tinha se sentido tão pouco formoso na vida ou tão acabado. Chorava em silêncio a vergonha e a dor diante da passagem de cada dente publicamente iluminadíssimo de cada segundo, e as formigas-correição que lhe fer- vilhavam no colo abriam pequenas boquinhas inséteis com dentes de agulha para pegar as lágrimas que caíam. Ele podia sentir o coração errático batendo no terçol.

A Linha Cinza era de trens tipo-monstro-sacolejante das linhas Verde e Laranja, e ele estava totalmente só num extremo do vagão, sentindo cada lento segundo talhar seu corte.

Quando desabou sobre ele, a convulsão pareceu menos uma crise-de-saúde separada e distinta que simplesmente o próximo item do corredor de horrores que era a Velha Ave Fria. A bem da verdade a convulsão — uma espécie de tiroteio sináptico nos desidratados lobos temporais do Coitado do Tony — foi causada integralmente pela Abstinência não de Heroína mas do bom e velho álcool etílico, que era o principal ingrediente e bálsamo presente no xarope Codinex Plus. Ele tinha consumido mais de dezesseis frasquinhos 40% de Codinex por dia por oito dias, portanto estava singrando rumo a uma bela de uma pancadaria neoquímica quando simplesmente deu de parar. A primeira coisa que não foi de bom augúrio foi uma chuva de fosfenos tamanho-centelha que caiu do teto do trem balançante, isso mais a violenta aura violeta em torno da cabeça dos respeitáveis que quietinhos se retiraram o máximo possível para longe das diversas poças em que ele estava sentado. Os rostos róseos e limpos de todos eles pareciam de alguma maneira chocados, cada um dentro de um capuz de chama violeta. O Coitado do Tony não sabia que os seus gemidinhos silentes tinham deixado de ser silentes, o que foi o motivo de todo mundo no vagão ter ficado tantissimamente interessado nas lajotinhas do piso entre seus pés. Ele só sabia que o súbito e incongruente aroma de Desodorante Em Barra Old Spice, Fragrância Original Clássica — indesejado e inexplicável, a marca do seu falecido e obstétrico pai, incheirada havia anos — e os minúsculos gorjeios de pânico com que as formigas da Abstinência corriam reluzentes para dentro da boca e do nariz dele e sumiam (cada uma delas claro levando sua mordidinha saideira entre as mandíbulas) auguravam a chegada de alguma nova atração ainda mais vívida no horizonte do corredor. Ele tinha ficado, na puberdade, violentamente alérgico ao cheiro de Old Spice. Enquanto sujava a calça, o assento plástico e o chão mais uma vez a Fragrância Clássica de tempos passados se intensificava. Aí o corpo do Coitado do Tony começou a inchar. Ele ficou vendo seus membros virarem aerados dirigíveis alvos e sentiu que eles negavam sua autoridade, se destacavam dele e flutuavam lerdos rumo ao alto de bico empinado para as fagulhas de pedra de afiador que o teto chovia. Ele de repente sentiu nada, ou na verdade o Nada, uma imobilidade pré-tornádica de sensação zero, como se ele fosse o próprio espaço que ocupava.

Aí ele teve uma convulsão.[103] O piso do vagão do metrô virou o teto do vagão do metrô e ele estava arqueado de costas numa cascata de luz, engasgado com Old Spice e vendo seus membros túmidos dispararem pelo interior do vagão como bexigas desatadas. O tambor *Zuckung Zuckung Zuckung* eram os saltos do seu sapato de salto saltando sobre as lajotas cagadas do piso. Ele ouviu um estrondo veloz de um trem que não era um trem deste mundo e sentiu um estrondo veloz que até que a dor bateu parecia a tensão de uma espécie de orgasmo da cabeça. A cabeça dele inflou imensamente e rangeu no que se estendia, inflando. Aí a dor (uma convulsão *dói*, o que é coisa que poucos civis têm a oportunidade de saber) era o lado agudo de um martelo. Veio um chio e um jorro liberado de dentro do seu crânio e algo saltou dele para o ar. Ele viu o sangue de Bobby ("C") C espirrando no ar sob o vento quente do duto da Copley. O pai dele se ajoelhou ao seu lado no teto com uma camisetinha sem manga bem podrinha, louvando os Red Sox do tempo de Rice e Lynn. Tony trajava um tafetá de verão. Seu corpo estrebuchava sem o.ks. do QG. Ele não se sentia nem um pouco um boneco. Pensou em peixes fisgados. O vestido tinha "zilhões de babados e um corpete bem safado de renda renascença". Aí ele viu o pai, com trajes verdes e de luvas de borracha, se inclinando para ler as manchetes na pele de um peixe que tinha sido enrolado em um jornal. Isso nunca tinha acontecido. A manchete com as letras maiores dizia FORÇA. O Coitado do Tony estrebuchava, engasgava e fez força bem no fundo e o vermelho total do sangue que irriga a vista explodiu por trás de suas pálpebras pulsantes. O Tempo nem estava passando tanto, e sim ficando ajoelhado ao lado dele com uma camisetinha rasgada desvelando os seios fuçados-de-roedores de um homem que desdenha os cuidados para com seu corpitcho outrora formoso. O Coitado do Tony convulsionava, se esbatia, engasgava e pulsava, uma fonte de luz à sua volta. Sentiu um pedaço de carne nutritiva e possivelmente até inebriante no fundo da garganta mas escolheu não engolir mas engoliu mesmo assim, e lastimou imediatamente ter engolido; e quando os dedos emborrachados do pai dele dobraram seus dentes para trás para ir buscar a língua que ele tinha engolido ele se recusou absolutamente a morder ingratamente a mão que lhe estava tirando a comida, aí sem autorização fez força, mordeu e arrancou os dedos enluvados da mão, de modo que de novo havia carne emborrachada dentro da sua boca e a cabeça do seu pai explodiu em antenas acuminadas de cores como uma estrela que explode entre os erguidos braços verdes de suas vestes e um pedido de *Zuckung* enquanto os saltos de Tony saltavam e se esbatiam contra estribos de luz cada vez mais largos a que estavam presos enquanto uma cortina de vermelho era umidamente puxada por sobre o piso que ele encarava, o Tony, e ele ouviu alguém gritando para alguém Desistir, Errar, com uma mão na sua barriga rendada enquanto ele fazia FORÇA e via que as pernas nos estribos que eles estavam segurando iam continuar abrindo até que eles o rachassem ao meio e o virassem inteiro do avesso no teto e o seu último medo foi que o Papai de mãos rubras fosse ver por dentro do vestido o que ali se ocultava.

O

7 DE NOVEMBRO — ANO DA FRALDA GERIÁTRICA DEPEND

Cada um dos oito a dez pró-reitores da Academia de Tênis Enfield ministra um curso acadêmico por semestre, normalmente uma coisa de sábado uma-vez-por-semana. Isso basicamente por motivos relacionados à certificação,[104] fora que todos menos um dos pró-reitores são profissionais de nível baixo no circuito, com os tenistas profissionais de nível baixo sendo não exatamente os astros mais brilhantes no Órion do intelecto. Por causa disso tudo, as aulas deles tendem a ser não somente optativas

315

mas piadas acadêmicas, e o Gestor de Questões Acadêmicas da ATE considera as disciplinas ministradas pelos pró-reitores — p. ex.: no primeiro semestre do AFGD, Geometrias Marginais, de Corbett Thorp, Introdução às Planilhas Esportivas, de Aubrey deLint, ou Da Penúria à Fartura: Das Coisas Podres que Vêm da Terra ao Átomo no Espelho: Uma Visão Laica das Fontes de Energia do Antracito à Fusão Anular, de Tex Watson, totalmente tarado por dois-pontos etc. — como pontos que não satisfaziam nenhuma exigência quadrivial. Mas os ATEs mais velhos, com mais latitude em termos de obrigatórias e optativas, ainda tendem a disputar a tapas e berros as vagas nos seminários dos pró-reitores, não só porque as disciplinas aprovam basicamente qualquer um que dê as caras e ostente sinais vitais, mas porque a maioria dos pró-reitores é (também como os tenistas profissionais de nível baixo enquanto filo) meio pancada, e as aulas deles em geral são fascinantes como é fascinante ver as imagens de um acidente de avião. P. ex.: malgrado o fato de que qualquer cômodo fechado em que ela esteja logo adquire um misterioso e fortíssimo fedor de vitamina B que ele mal consegue aturar, o veterano Ted Schacht se matriculou no perenemente pancádico curso "O Pessoal é o Político é o Psicopatológico: A Política dos Paradoxos Psicopatológicos Contemporâneos", de Mary Esther Thode em todas as três ocasiões em que ela o ofertou. Os alunos mais velhos consideram M. E. Thode, provavelmente louca, tipo por padrões assim clínicos, embora a sua proficiência no treinamento das Meninas do sub-16 seja inquestionável. Um tantinho acima da idade para ser pró-reitora na ATE, Thode tinha sido pupila do Técnico G. Schtitt no velho e infame programa de treinamento à la rebenque-e-dragona de Schtitt em Winter Park, FL, e depois por uns anos na nova ATE como jogadora júnior top destinada ao Circuito ainda que meio furibundamente politizada e fora-da-casinha. Posteriormente banida dos circuitos femininos profissionais tanto do Virginia Slims quanto do Family Circle depois de tentar organizar as jogadoras mais politicamente furibundas e mais distantes da casinha numa espécie de clã radical pós-feminista que só iria competir em torneios profissionais organizados, subsidiados, arbitrados, supervisionados e até assistidos e distribuídos em cartuchos exclusivamente para não apenas mulheres ou mulheres homossexuais, mas apenas por, para e através de sócias registradas da infamemente impopular Falange de Protesto e Prevenção da Objetificação Feminina dos primeiros dias da Interdependência,[105] pé-na-bundada, ela tinha voltado, praticamente com uma trouxinha de roupas atadas numa bandana, para o Técnico Schtitt, que por motivos histórico-nacionais sempre teve uma quedinha por qualquer um que pareça nem que seja marginalmente reprimido em termos políticos. A seção do ano passado da abafada e B-zificada oferta psicopolítica de Thode, "O Predador Banguela: A Amamentação Como Abuso Sexual", tinha sido uma das experiências mais desorientadoramente fascinantes da vida intelectual de Ted Schacht até aqui, fora de uma cadeira de dentista, enquanto o enfoque deste semestre em dilemas tipo-paradoxo estava se revelando não tão instigante mas bizarra — e quase intuitivamente — mole:

P. ex.: do de hoje.

O Pessoal é o Político é o Psicopatológico: A Política dos
Paradoxos Psicopatológicos Contemporâneos
Primeira Avaliação
Sra. THODE
7 de novembro, ano da FGD

APRESENTAR RESPOSTAS BREVES E SEM MARCAÇÃO DE GÊNERO

ITEM *1*

(1a) Você é uma pessoa que, tem uma natureza patologicamente cleptomaníaca. Nessa condição você tem uma necessidade patológica de roubar, roubar, roubar. Você tem que roubar.

(1b) Mas, você também é uma pessoa que, é patologicamente agorafóbica. Enquanto vítima de agorafobia, você não consegue nem dar um passo além da entrada da sua casa, sem sofrer palpitações, suores encharcantes e sensações de morte iminente. Enquanto vítima de agorafobia, você tem uma necessidade patológica de ficar em casa e não sair. Você não consegue sair de casa.

(1c) Mas, em função de (1a) você tem uma necessidade patológica de sair e roubar, roubar, roubar. Mas, em função de (1b) você tem uma necessidade patológica de nunca sair de casa. Você vive sem companhia. Ou seja, não há mais ninguém na sua casa de quem roubar. Ou seja, você tem que sair, para a rua para satisfazer sua tremenda compulsão por roubar, roubar, roubar. Mas, tamanho é seu medo da rua que você não consegue em circunstância alguma, sair de casa. Seja seu problema uma verdadeira psicopatologia pessoal ou meramente marginalização por uma definição política de "psicopatologia", mesmo assim, é um dilema paradoxal.

(1d) Assim, responda à questão de, o que você faz?

Schacht estava acabando de fazer a voltinha do l em *fraude postal* quando o pseudoprograma de rádio de Jim Troeltsch, anunciado pela sua trilha sonora operística eustaquianamente arrasadora, começou no alto-falante do intercom oficial da Casa Oeste 112 da ATE ali em cima do relógio da sala de aula, a "rádio" WATE, comandada pelos alunos, podia "transmitir" notícias relacionadas à ATE, esporte e assuntos comunitários por coisa de dez minutos no intercom de circuito fechado toda terça e sábado durante o último horário vespertino de aulas, tipo entre 1435 e 1455h. Troeltsch, que sonha com uma carreira de narrador de tênis desde que ficou claro (bem cedo) que ele de maneira alguma estava a caminho do Circuito — o Troeltsch que gasta cada pataquinha que seus pais lhe enviam com uma biblioteca incrível de cartuchos de jogos profissionais InterLace/SPN e passa praticamente cada segundo livre narrando lances profissionais com o volume do monitor do TP do quarto abaixado;[106] aquele patético tipo de Troeltsch que desavergonhadamente traciona os escrotos dos comentaristas da InterLace/SPN toda vez que está no local de um evento jr. filmado pela I/SPN,[107] enchendo os comentaristas e se oferecendo para pegar doughnuts e café para eles etc.; o Troeltsch que já possui um guarda-roupa inteiro de blazers azuis genéricos e treina um jeito de pentear o cabelo para ele ficar com aquela cara vítrea de peruca de um comentarista esportivo de verdade — Troeltsch vem fazendo a seção esportiva da transmissão da WETA desde que o velho do Schacht morreu de colite perfurativa e Ted veio se juntar ao seu velho parceiro de duplas infantis na Academia no outono do Ano do Sorvete Dove Tamanho-Boquinha, o que tinha sido quatro meses depois do ato final do falecido diretor da ATE, quando as bandeiras ainda estavam a meio pau e o bíceps de todo mundo envolto em algodão negro, de que o mesomórfico Schacht foi dispensado por causa do tamanho do bíceps; Troeltsch já estava cobrindo esportes para a WETA quando chegou e é irremovível do posto desde então.

A seção esportiva da transmissão da WETA é praticamente só um monte de relatos de resultados e placares de todo e qualquer evento competitivo em que o pessoal da ATE tenha estado envolvido desde a última transmissão.[108] Troeltsch, que encara seus deveres bissemanais com toda a verve possível, diria que o que ele sente ser o mais difícil nas suas transmissões de intercom é evitar que as coisas fiquem repetitivas enquanto ele repassa longas listas de quem venceu quem e por quanto. A sua demanda por sinônimos para *vencer* e *perder para* é infinita e séria e uma contínua fonte de irritação para os seus amigos. As provas de Mary Esther eram notoriamente bico e automaticamente 10 se você cuidasse dos pronomes de terceira pessoa e dos adjetivos, e embora estivesse ouvindo Troeltsch com atenção suficiente para poder fornecer a participação do público sem a qual a mesa do jantar de hoje seria inescapável, Schacht já estava no terceiro item da prova, que se referia ao exibicionismo entre os patologicamente tímidos. Os resultados transmitidos em 7/11 vinham da destruição que os ETAS impingiram aos times A e B de Port Washington por 71-37 no negócio anual lá de Port Washington.

"John Wayne no 18 A-1 venceu Bob Francis de Great Neck, Nova York, de Port Washington por 6-0, 6-2", Troeltsch diz, "enquanto Hal Incandenza do A-2 de simples derrotou Craig Burda de Vivian Park, Utah, por 6-2, 6-1; e enquanto K. D. Coyle do A-3 caiu diante de Shelby van der Merwe, de Hempstead, Long Island de Port Washington, num jogo disputadíssimo por 6-3, 5-7, 7-5, Trevor 'Aiquefoda' Axford do A-4 atropelou Tapio Martti lá de Sonora, México, representando P. W., por 7-5, 6-2."

E assim por diante. Quando a coisa chega lá pelo A-14 do masculino o discurso vai ficando mais sucinto muito embora suas tentativas de variedade verbiforme tenham se tornado mais lúgubres, p. ex.: "LaMont Chu estripou Charles Pospisilova por 6-3, 6-2; Jeff Penn atacou Nate Millis-Johnson como fogo morro acima 6-4, 6-7, 6-0; Peter Beak espalhou Ville Dillard numa bolachinha como se fosse um aperitivo e deu-lhe uma mordida forte 6-4, 7-6, enquanto Idris Arslanian do A-4 dos 14 socou o calcanhar no pescoço de David Wiere por 6-1, 6-4 e o 5 de P. W., R. Greg Chubb teve que ser praticamente carregado nas costas de alguém depois que Todd Possalthwaite fez ele virar os olhinhos e cair num coma narcoléptico por 4-6, 6-4, 7-5".

Certas partes da disciplina de Corbett Thorp sobre distorções geométricas muitos meninos achavam difíceis; o mesmo para as aulas de deLint, para os ineptos em software. E apesar de a compreensão geral que Tex Watson tem de Contenção-a-Frio e Anulação-DT ser meio bamba, o seu seminário de física-laica da combustão e da anulação tem lá a sua validade acadêmica, especialmente porque em alguns semestres ele chama Pemulis para dar uma aula como convidado quando ele e Pemulis estão em algum período de détente. Mas a maior disciplina pró-reitoral realmente desafiadora de todos os tempos para Hal Incandenza está se revelando ser "Separatismo e Retorno: História Quebequense de Frontenac até a Era da Interdependência", de Mll. Thierry Poutrincourt, de que a bem da verdade Hal nunca tinha ouvido muita coisa boa e sempre tinha se esquivado das sugestões da Mães de que ele podia cursar com bom proveito até que finalmente o malabarismo de calendário deste semestre ficou complicadão, e que (a disciplina) ele acha difícil e incômoda mas surpreendentemente cada vez menos tediosa com o caminhar do semestre, e está na verdade desenvolvendo uma certa familiaridade laica pelo canadensismo e pela política ONANita, tópicos que ele anteriormente achava por algum motivo não somente chatos mas bizarramente de mau gosto. O busílis com a dificuldade dessa disciplina em particular é que a Poutrincourt só dá aula em francês québecois, com o que Hal consegue lidar por causa da sua excursãozinha pelos Clássicos da Pléiade em francês--de-verdade de Orin mas que nunca conseguiu admirar muito, particularmente em termos de som, sendo o quebequense uma língua gorgolejante e glotal que parece requerer uma expressão facial perpetuamente azeda para poder ser pronunciada. Hal não vê como Orin pode ter sabido que ele estava cursando "Separatismo e Retorno" da Poutrincourt quando ligou para pedir ajuda com o Separatismo, sendo que Orin pedir ajuda dele em qualquer coisa já era bem estranho.

"Bernadette Longley relutantemente se curvou a Jessica Pearlber de P. W. no 18 A-1 de simples, 6-4, 4-6, 6-2, embora Diane Prins no A-2 tenha saltitado sobre o tórax de Marilyn Ng-A-Thiep de Port, 7-6, 6-1, e Bridget Boone tenha enfiado uma estaca de ferro quente bem no olho direito de Aimee Middleton-Law, 6-3, 6-3"; e assim por diante, numa sala de aula depois da outra, enquanto só instrutores corrigem provas ou leem e batem um pezinho cada vez menos paciente, sempre ter./sáb., enquanto Schacht rabisca mapas de dentição pré-natal nas margens das provas c/ cara concentrada, sem querer constranger Thode entregando a prova bico assim tão cedo.

A maior parte das coisas sobre as origens do Québec, Cartier, Roberval, Cap Rouge, Champlain e bandos de freiras ursulinas com veuzinhos congelados que foram dadas até tipo o dia das N.U. Hal tinha achado basicamente chatas e repetitivas aquelas guerras de peruca e calça-curta, bisonhas e absurdas, como um pastelão em câmera lenta, embora todo mundo tenha ficado nauseabundamente intrigado com como o comandante inglês Amherst lidou com os Hurons, entregando cobertores e peles grátis que tinham sido cuidadosamente lambrecados com a boa e velha varíola.

"Felicity Zweig do A-3 14 tipo bombardeou a população civil da Kiki Pfefferblit-lândia de P. W., 7-6, 6-1, enquanto Gretchen Holt fez Tammy Taylor-Bing de P. W. ficar com vergonha de os pais dela terem um dia se conhecido, 6-0, 6-3. Na 5, Ann

Kittenplan abriu caminho com caretas e alongamentos para uma vitória de 7-5, 2-6, 6-3 sobre Paisley Steinkamp, logo ao lado da quadra onde Jolene Criess da 6 estava fazendo com Mona Ghent de P. W. o que uma bota de boa qualidade faz com um cogumelinho, 2 e 2."

A cara de saluki de Thierry Poutrincourt se recosta na cadeira, fecha os olhos, aperta a palma das mãos com força contra as têmporas e fica assim durante cada transmissão inteira da WETA, que sempre interrompe a sua aula do último período e deixa essa seção ligeira e enlouquecedoramente atrás da outra seção de Separação & Retorno, o que resulta em duas preparações de aulas obrigatórias em vez de uma. O menino azedo de Saskatchewan ali ao lado de Hal está fazendo uns desenhos esquemáticos de armas automáticas bem impressionantes durante o semestre todo no caderno. Os disquetes-ROM que o menino recebe ficam sempre visíveis na bolsa de livros dele ainda plastificados, e no entanto o garoto sempre termina as provas tipo em cinco minutos. Tinha levado até uma semana antes do Dia das Bruxas para dar conta da parte do Levesque-Parti-e-Bloc Québecois de 67 BS[109] e do princípio da Fronte de la Libération Nationale e chegar à era Interdependente atual. A voz de sala de aula de Poutrincourt foi ficando cada vez mais baixa no que a história se aproximava do seu limite contemporâneo; e Hal, achando aquela coisa toda bem mais complexa e menos chata do que ele esperava — considerando-se no seu imo peito um ser apolítico —, mesmo assim achava a mentalidade do Separatismo-qué-becois quase impossivelmente convoluta, confusa e impenetrável para um intelecto dos EU,[110] fora que ele ficava tanto com- quanto re-pelido pelo fato de que o tema da insurgência-contemporânea-anti-ONAN provocasse nele uma sensação estranha, não a desorientação cintilante dos pesadelos ou do pânico que às vezes bate na quadra, mas uma sensação mais empapada, mais furtivamente nauseabunda, como se alguém andasse lendo cartas de Hal que ele achava que tinha jogado fora.

Os orgulhosos e altivos québecois estavam assediando e até aterrorizando o res-to do Canadá por causa da questão da Separação desde tempos imemoriais. Foi o estabelecimento da ONAN e o ajambramento do Grande Reconvexo (Poutrincourt é canadense, não esqueçam) que viraram a malévola atenção dos piores insurgentes pós-FLN do Québec para o sul da fronteira. Ontário e Nova Brunswick aceitaram o *Anschluss* continental e a Reconfiguração territorial como bons meninos na escola. Certos elementos radicais ultradireitistas de Alberta não ficaram lá muito satisfeitos, mas não tem mesmo muita coisa que deixe um ultradireitista de Alberta muito sa-tisfeito. Foram, no final das contas, só os orgulhosos e altivos québecois que chora-mungaram,[111] e as células insurgentes do Québec que perderam completamente as estribeiras políticas.

Os Séparatisteurs anti-ONAN e consoantemente -EU, as diversas células terro-ristas formadas quando Ottawa era o inimigo, provaram não ser lá um pessoalzinho muito boa-praça. Os primeiros ataques não ignoráveis envolveram uma célula ter-rorista[112] até então desconhecida que aparentemente se infiltrava vinda das regiões assoladas pela DRE em Papineau à noite e empurrava uns espelhos imensos sobre apoios no meio da Interestadual 87 dos EU em seletos trechos estreitos e sinuosos das montanhas Adirondack ao sul da fronteira e dos seus muros de acrílico. Ingênuos motoristas empiricistas dos EU que seguiam rumo norte — vários deles funcionários da ONAN e do Exército, assim tão perto do Recôncavo — viam faróis iminentes e acreditavam que algum imbecil ou algum canadense suicida tinha trocado de pista e estava vindo direto na direção deles. Eles davam luz alta, mas até onde pudessem entender o idiota iminente também simplesmente dava luz alta de volta. Os motoristas dos EU — que via de regra não toleram baixaria quando a bordo de seus veículos, historicamente, como se sabe muito bem — peitavam a situação até onde alguém em sã consciência tinha chance de peitar, mas logo antes do impacto aparente com os faróis iminentes eles sempre davam uma guinada radical e saíam da desacostamentada I-87 e punham o braço em cima da cabeça daquele gritante jeito pré-colisão e se estabacavam descambulhados num abismo das Adirondack numa flor de muitas pétalas de fogo de gasolina de alta octanagem, e aí a ora-desconhecida célula terrorista québecoise removia o espelhão e zarpava de caminhão de volta rumo norte por estradinhas menores e não fiscalizadas de volta para as empesteadas entranhas do sul do Québec até a próxima. Houve fatalidades desse tipo até já bem adentrado o Ano do Emplastro Medicinal Tucks antes de alguém ter qualquer ideia de que elas tinham uma conexão com uma célula diabólica. Por mais de vinte meses as dúzias de carcaças calcinadas que se empilhavam em abismos das Adirondack foram consideradas suicídios ou inexplicáveis acidentes-de-um-carro só tipo sono-ao-volante pelos Policiais Rodoviários de NA que tiveram que soltar as tirinhas sob o queixo para coçar por baixo dos seus grande chapelões marrons por causa da misteriosa sonolência que aparentemente afetava os condutores nas Adirondack no que pareciam ser trechos montanhosos adrenalinadíssimos. O Chefe do Escritório de Serviços Aleatórios dos Estados Unidos, Rodney Tine, fez pressão, para posterior constrangimento seu, por uma série de spots de Utilidade Pública anti-dirigir-com-sono que seriam disseminados pela InterLace no norte de Nova Nova York. Foi uma real suicida frustrada americana, uma distribuidora da Amway de Schenectady nos estágios finais do vício em Valium que estava no fundo do seu poço de benzodiazepina e que já estava zanzando toda doida pela pista mesmo, e que segundo relatos históricos viu os súbitos faróis iminentes na sua pista rumo norte como manifestação da Graça e fechou os olhos e meteu-lhe o pé na tábua pra cima deles, dos faróis, sem jamais esterçar, espirrando vidro e prata micronizada pelas quatro pistas da estrada, essa civil desprevenida, que "ESTILHAÇOU A ILUSÃO", "ROMPEU A BARREIRA" (manchetes da mídia) e trouxe à tona o primeiro indício tangível de uma má vontade anti-ONAN bem pior que qualquer coisa causada pelo bom e velho separatismo das antigas lá no Québec.

O primeiro nascimento do segundo filho dos Incandenza foi uma surpresa. Avril Incandenza, alta e curvilínea de estalar os olhos, não engordou, sangrou como um reloginho; nada de hemorroidas ou bloqueios glandulares; nada de distúrbios alimentares; afetiva e digestivamente normal; ela vomitava de vez em quando de manhã mas quem é que não vomitava naqueles tempos?

Foi numa tarde de novembro de uma luz metalizada no sétimo mês de uma gravidez escondida que ela parou, Avril, enlaçada pelo longo braço do marido no que ascendiam a escadaria de freixo da casa na Back Bay que logo haveriam de deixar, parou, virou parcialmente para ele, cinérea, e abriu a boca de um jeito mudo que por si só era eloquente.

O marido baixou a cabeça para olhar para ela, empalidecendo: "O que foi?".

"Foi dor."

Era dor. O fluido da bolsa rompida deixara vários degraus abaixo deles brilhando. Ela pareceu aos olhos de James Incandenza meio que se voltar para dentro de si mesma, contida, enroscada e se afundando num degrau a cuja borda mal conseguiu chegar, redobrada, com a testa apoiada nos belos joelhos. Incandenza viu toda a lenta cena numa luz como se ele fosse Vermeer: ela continuou afundando ao lado dele, ele se curvou ao lado dela e ela então tentou se erguer.

"Espera espera espera espera. Espera."

"É dor."

Um tanto torto de uma tarde de Wild Turkey e holografia de baixas temperaturas, James tinha achado que Avril estava morrendo bem ali na frente dele. O pai dele tinha caído morto numa escadaria. Por sorte o meio-irmão de Avril, Charles Tavis, estava no andar de cima, usando o StairMaster portátil que tinha trazido consigo para uma visita alongada de recarregamento de baterias emocionais no começo do ano, depois daquele fudevu horroroso com o videoplacar no Skydome de Toronto; ele ouviu a agitação, saiu com passo rápido, desceu e imediatamente assumiu o controle.

Ele teve que ser meio que raspado dali, o Mario, como a carne de uma ostra, de um útero a cujas paredes estava aracnideamente grudado, minúsculo e inconspícuo, ligado por cordas tendinosas por dois pés e uma mão, com o outro punho grudado ao rosto pelo mesmo material.[113] Ele foi uma total surpresa e terrivelmente prematuro, e murcho, e passou várias semanas balançando seus bracinhos murchos e contraturados sob os tetos de Pyrex das incubadoras, sendo alimentado por tubos e monitorado por cabos e se aninhando em mãos estéreis, com a cabeça aconchegada num polegar. Mario tinha recebido o nome do pai do pai do dr. James Incandenza, um severo oculista viciado em golfe de Green Valley, AZ, que fez uma pequena fortuna, logo depois de Jim ter crescido e fugido rumo leste, ao inventar aqueles Óculos de Raios X! entre aspas que não funcionam mas cujo encanto para leitores pubescentes de gibis de meados da década de 60 praticamente os obrigava a pedir pelo correio, e depois vender os direitos da invenção ao titã neozelandês da indústria de pegadinhas, a AcméCo, e aí prontamente morrer antes da tacada final, o Mario Sr., permitindo que James Incandenza Sr. se aposentasse de uma triste terceira carreira como Homem Feliz[114] em comerciais de saquinhos de sanduíche durante os anos 1960 AS e se mudasse de volta para o deserto pontilhado de saguaros que detestava e eficientemente bebesse até ganhar de presente uma hemorragia cerebral numa escadaria de Tucson.

Enfim, a gestação incompleta e o parto aracnoidal de Mario II deixaram o menino com certos desafios físicos vitalícios e formadores-de-caráter. O tamanho era um deles, sendo que ele na sexta série era mais ou menos do tamanho de um bebê e com dezoito ou + estava numa escala mais ou menos entre a dos elfos e a dos jóqueis. Havia a questão dos braços de aparência emurchecida e bradiauxéticos, que exatamente como num caso horripilante de contratura de Volkmann[115] ficavam encolhidos na frente do tórax em Ss maiúsculos e eram usáveis para uma forma rudimentar de alimentação sem facas e para estapear maçanetas até que elas meio que virassem só um tantinho e desse para chutar as portas para abrir e também para formar um falso quadro para escolher enquadramentos, fora de repente jogar bolas de tênis a distâncias muito curtas para jogadores que queriam as ditas bolinhas, mas para nada muito além disso, embora os braços fossem impressionantemente — quase síndrome-de-Riley-Day-mente — resistentes à dor e pudessem ser beliscados, perfurados, chamuscados e até comprimidos numa coisa que parecia um elmo no porão e que servia para prender aparatos óticos pelo irmão mais velho de Mario, Orin, sem efeitos ou reclamações.

Bradipedestrianisticamente falando, Mario não tinha exatamente pés tortos, eles eram meio virados *do avesso*: não só chatos mas perfeitamente quadrados, bons para chutar portas primeiro entreabertas a tapinhas mas curtos demais para serem empregados como pés convencionais: combinados à lordose da coluna lombar, eles forçam Mario a se mover com o andar meio trôpego e macabrento de um ébrio de vaudeville, corpo inclinado bem para a frente como que contra o vento, bem no limite de cair de cara no chão, o que quando criança ele fazia com alguma frequência, tivesse ou não levado um empurrãozinho do seu irmão Orin. As constantes quedas para a frente ajudam a explicar por que o nariz de Mario era severamente amassado e consequentemente se abria para os dois lados do rosto mas não se erguia do plano da face, o que acarretava o fato de que suas narinas tendiam a palpitar um pouco, particularmente durante o sono. Uma pálpebra ficava mais baixa do que a outra sobre os olhos abertos — olhos bondosos e delicadamente castanhos, ainda que meio grandes e saltados demais para parecerem olhos convencionalmente humanos — e o seu irmão mais velho às vezes tinha tentado dar na pálpebra recalcitrante aquele tipo de puxãozinho brusco que pode destravar uma persiana emperrada, mas tinha conseguido apenas soltar gradualmente a pálpebra das suas estruturas, de modo que ela acabou tendo de ser reconstituída e religada em mais um procedimento blefaroplástico, porque na verdade ela não era a pálpebra do Mario de verdade — essa tinha sido sacrificada quando o punho grudado na cara dele como uma língua no metal gelado tinha sido arrancado na natividade — mas uma blefaroprótese extremamente avançada de fibropolímero dermal ornado de cílios de pelo de cavalo que se curvavam no espaço muito além do alcance dos cílios da sua outra pálpebra e junto com a arrastada movimentação da própria pálpebra dava até à mais neutra expressão de Mario o caráter de uma piscadela de pirata, estranhamente simpática. Além do sorriso involuntário constante.

Este provavelmente é também o lugar para se mencionar a pele cor cáqui do irmão mais velho de Hal, um estranho verde-acinzentado e morto que por sua textura cortiçada e junto com os braços atrofiadamente recolhidos e o aracnodatilismo lhe dava, particularmente a meia distância, uma aparência quase assombrosamente reptiliana/dinossáurica. Sendo os dedos não apenas mucronados e pontiagudos mas não prênseis, o que impossibilitava o uso da faca à mesa. Fora o cabelo ralo, fino e escorrido, ao mesmo tempo desalinhado e de alguma maneira macio demais, que parecia com seus dezoito anos ou + o cabelo de um engenheiro analista de tensão de materiais e diretor esportivo e diretor-geral de uma Academia baixote e gorducho de quarenta e oito anos que deixa um lado crescer até parecer de menininha e cuidadosamente penteia aquilo tudo para ficar ralamente espalhado por sobre o quipá reluzente de escalpo nu de tez verde-acinzentada e caindo para o outro lado onde pende ralo e não engana ninguém e tende a voar de novo para o outro lado com qualquer ventinho para o qual Charles Tavis tenha esquecido de virar o seu lado esquerdo. Ou que ele é lento, o irmão de Hal, tecnicamente, Stanford-Binet-mente, lento, o pessoal de Brandeis descobriu — mas *não*, verificavelmente *não*, retardado ou cognitivamente deficiente ou bradifrênico, mais para refratado, quase, ligeirissimamente curvado epistemicamente, uma vara metida nas águas mentais e só um tantinho desviada e que só levava um tantinho a mais de tempo, à maneira de tudo que se refrata.

Ou que a sua posição na Academia de Tênis Enfield — erigida, junto com o terceiro e último lar do dr. e da sra. I. no extremo norte, fundos, do terreno, quando Mario tinha nove anos, Hallie oito e Orin dezessete, e era, no seu único ano de ATE, B-4 de simples e estava no top 75 da ATEU — que a vida de Mario ali é por todas as aparências meio que uma existência triste e abandonada, como o único menor com problemas físicos a morar ali, incapaz até de segurar uma raquete oficial ou de ficar parado de pé atrás de um espaço delimitado. Que ele e seu falecido pai tinham sido, sem piadinhas, inseparáveis. Que Mario tinha sido tipo um assistente honorário de assistente de produção e carregou as lentes, os filmes e filtros do falecido Incandenza numa mochila complicada do tamanho de um pernil de boi durante quase todo o tempo dos três últimos anos da vida do cineasta tardio, trabalhando com ele nas filmagens e dormindo com múltiplos travesseiros em pequenos espaços macios disponíveis no mesmo quarto de hotel de beira de estrada em que estivesse Sipróprio e ocasionalmente saindo cambaleante para buscar uma garrafa plástica de um vermelho-vivo de algo chamado Big Red Soda Water e levar para a estagiária sênior velada e aparentemente muda no outro quarto, pegando café e pretinho e vários remédios para pancreatite e coisas outras variadas para serem usadas como objetos de cena e ajudando D. Leith com a Continuidade quando Incandenza queria preservar a Continuidade, basicamente sendo do jeito que seria qualquer filho cujo papai o deixasse entrar no que era o último e mais amado amor de seu coração, se esgueirando sinistra mas não pateticamente para acompanhar o lento e paciente passo de dois metros daquele sujeito alto, corcovado e cada vez mais tantã em aeroportos, estações ferroviárias, carregando as lentes, inclinado cada vez mais para a frente mas de modo algum parecendo um tipo de animal de estimação na coleira.

Quando é necessário que ele fique ereto e imóvel, como quando filma os movimentos de saque de um aluno ou cuida dos fotômetros no set de um filme artístico de chiaroscuro de alto-contraste, Mario e sua inclinação frontal são apoiados por uma trava policial estilo-porta-de-apartamento-de-NNYC, uma haste de metal de 0,7 m que se estende de um colete especial velcrificado e se angula a cerca de 40° para o chão e se encaixa num bloco de chumbo com uma ranhura (que é foda de carregar naquela mochila complexa) disposto no chão por alguém compreensivo e prênsil, logo diante dele. Ele ficava assim ancorado em sets que Sipróprio tinha feito ele ajudar a erigir, mobiliar e iluminar, com uma iluminação normalmente incrivelmente elaborada e para certas partes da equipe às vezes quase ofuscante, raios de sol de espelhos angulados, lâmpadas Marino e kliegs centrais, Mario recebendo uma formação técnica abrangente numa arte cinemática que ele jamais tinha imaginado poder seguir por conta própria até o Natal do Ano do Sorvete Dove Tamanho-Boquinha, quando um pacote com um embrulho bem colorido, encaminhado pelo escritório do advogado de Incandenza, revelou que Sipróprio tinha projetado, construído e legalmente legado em testamento (numa cláusula adicional), para que fosse embrulhada em papel bem colorido e encaminhada para o décimo terceiro aniversário de Mario uma confiável câmera Bolex H64 Rex 5[116] com três lentes atarrachadas a um antigo capacete de aviador tamanho-família e sustentada por vigotes cujas pontas eram o topo, virado, de muletas de academia e se curvavam bonitinhamente sobre os ombros de Mario, de modo que a Bolex H64 não necessitava de prensibilidade digital porque se acomodava sobre o rosto enorme de Mario[117] como uma máscara de mergulho com três visores e era controlada por um pedal de máquina de costura adaptado, e mas mesmo assim precisou de um tempão para ele se acostumar, e as primeiras obras digitais da juventude de Mario são prejudicadas/potencializadas pelo espasmódico aponte-para-onde-der de algo como um filme caseiro rodado em grande velocidade.

Cinco anos depois, a facilidade de Mario com a Bolex de cabeça atenua a tristeza da situação dele aqui, permitindo que ele contribua via manufatura do cartucho documentário anual de levantamento de recursos da ATE, filmagem de golpes dos alunos e ocasionalmente lá por cima da cerca do gio de supervisão de Schtitt um ou outro jogo-desafio — essas filmagens viraram uma parte do pacote didático profissional que vem descrito no catálogo da ATE —, fora que ele produz coisas mais ambiciosas, de arte mesmo, que ocasionalmente encontram um certo público meio tipo-à-clef na comunidade da ATE.

Depois que Orin Incandenza abandonou o ninho para começar a agarrar e depois chutar bolas ovais universitárias, não restou quase ninguém na ATE ou nos seus entornos de Enfield-Brighton que não tratasse Mario M. Incandenza com a distinção casual de alguém que não tem pena de você nem te admira mas meio que simplesmente prefere vagamente quando você está por perto. E Mario — malgrado os retilíneos pés e a desajeitada trava policial ele é o mais prodigioso caminhante-

-filmante de três distritos — ia para as desprotegidas ruas da região diariamente num passo muito lento, um passeio titubeante, às vezes c/ Bolex de cabeça e às vezes não, com uma espécie de meia-reverência extrainclinada que fazia pouco da sua própria postura vergada sem piedade e sem choramingos. Mario é um dos clientes favoritos dos lojistas dos pontos mais baratos de todo o trecho da Commonwealth Ave. que passa pela ATE, e instantâneos fotográficos que provêm de alguns de seus melhores esforços adornam as paredes de trás de certos balcões de tinturarias e de caixas registradoras com teclas coreanas da Comm. Ave. Objeto de um estranho e talvez meio panelinhazístico afeto de Lyle, o guru do suor com sua malha colante, para quem ele às vezes leva Diet Coke Sem-Cafeína para equilibrar o sal da dieta, Mario às vezes se vê recebendo alunos mais novos que Lyle mandou falarem com ele sobre complicadas questões de lesões, incapacidades e caráter e se-virar-com-o-que-sobrou, e nunca sabe muito o que dizer. O treinador Barry Loach só falta beijar o anel do garoto, já que foi Mario que, graças a uma coincidência, o salvou do fétido submundo da mendicância das regiões mais negras do Boston Common e basicamente lhe deu o emprego.[118] Fora é claro o fato de que o próprio Schtitt constitucionaliza com ele, em certas tardes cálidas, e deixa que ele ande no seu sidecar militar. Objeto de certa bisonha Gestalt atrato-repulsiva para Charles Tavis, Mario trata C.T. com a deferência calada que pode sentir que seu possível meio-tio deseja, e se mantém longe dele tanto quanto possível, em prol de Tavis. Os jogadores no Denny's, quando eles todos vão ao Denny's, quase saem no braço para ver quem é que trincha as partes trincháveis do Mega-Café-da-Manhã para menores-de-12 de Mario.

E Hal, seu irmão mais novo e bem mais externamente impressionante, quase idealiza Mario secretamente. Descontadas as questões Divinais, Mario é um (semi) milagre ambulante, Hal acha. Pessoas que foram de alguma maneira queimadas no parto, gente encarquilhada ou erodida muito além de qualquer limite do que poderia lhes ser justo, gente assim ou se consome nas chamas ou se reergue. O encarquilhado, sáurico e homodôntico[119] Mario paira no ar, para Hal. Ele o chama de Bubu mas teme a sua opinião provavelmente mais do que a de qualquer outra pessoa a não ser a da Mães deles. Hal lembra as infindáveis horas de tijolinhos e bolinhas nos pisos de madeira do número 36 da Belle Ave., em Weston, MA, da sua primeira infância, tangrams e Pictureka, com a cabeçorra do Mario ali encarando paciente jogos que ele não conseguia jogar, para um faz de conta em que ele não tinha nenhum interesse além da proximidade com seu irmão. Avril lembra que Mario ainda queria que Hal o ajudasse a tomar banho e a se vestir com treze anos — uma idade em que a maioria dos meninos não deficientes tem vergonha até do espaço que seus corpos saudáveis e rosados ocupam — e querendo a ajuda por Hal, não por ele. Por mais que não queira (e demonstrando uma singular falta de percepção da psique da sua Mães), Hal teme que Avril veja Mario como o verdadeiro prodígio da família, um gênio tipo-savant, recolhido, que não pertence a nenhum tipo gênero reconhecível, uma coisa raríssima e brilhante, mesmo que sua intuição — lenta e silente — a assuste, a sua pobreza acadêmica lhe parte o coração, o sorriso que ele enverga toda manhã sem falha desde o suicídio do pai deles faz que ela deseje poder chorar. Por isso ela tenta tão terrivelmente deixar Mario em paz, não superproteger ou cobrar, tratá-lo de um jeito bem menos especial do que ela deseja: é por ele. É meio nobre, de dar dó. O amor dela pelo filho que nasceu de surpresa transcende toda e qualquer experiência e dá forma à sua vida. Hal suspeita. Foi Mario, e não Avril, quem conseguiu para Hal os primeiros exemplares do *OED* completo num momento em que Hal ainda estava sendo mandado de um lado para o outro em busca de uma avaliação de possíveis problemas, com o Bubu puxando os volumes até a casa deles num carrinho preso às bicúspides pelas ruazinhas asfaltadas pseudorrurais da elegante Weston, meses antes de Hal conseguir uma avaliação de Sei Lá o Quê que Fica Depois de Eidético no Levantamento Verbal Mnemônico concebido por um querido colega de confiança da Mães em Brandeis. Foi Avril, e não Hal, que insistiu que Mario ficasse morando não na CD com ela e Charles Tavis mas com Hal num subdormitório da ATE. Mas no Ano dos Laticínios do Coração da América foi Hal, e não ela, que, quando o emissário velado da Organização dos Feios e Inconcebivelmente Deformados deu as caras no portão levadiço da entrada da ATE para discutir com Mario questões de inclusão cega versus exclusão visual, do ocultamento aberto que o véu poderia lhe proporcionar, foi Hal, ainda enquanto Mario ria e fazia sua meia-reverência, foi Hal, brandindo a raquete Dunlop, que mandou o cara ir vender os seus paninhos em outros rincões.

30 DE ABRIL / 1º DE MAIO
DO ANO DA FRALDA GERIÁTRICA DEPEND

O céu do deserto dos EUA estava coalhado de estrelas azuis. Era agora o mais fundo da noite. Só sobre a cidade dos EUA estava o céu vago de estrelas; sua cor era perolada e vaga. Marathe deu de ombros. "Talvez em você haja a sensação de que cidadãos do Canadá não estão envolvidos na real raiz da ameaça."

Steeply sacudia a cabeça com aparente irritação. "O que é que isso quer dizer?", ele perguntou. Sua macabra peruca escorregava quando ele mexia a cabeça com uma força mais abrupta.

A primeira forma de Marathe trair uma emoção era alisar meio irritado o cobertor que tinha no colo. "É dizer que não vão por finalidade ser os quebequenses que vão estar dando esse chute no *cou des Etats Unis*. Olha: os fatos da situação dizem com clareza. O que se sabe. Isso é uma produção EUA. Feito por um americano nos EUA. O apetite pelo encanto dele: isso é também EUA. O desejo EUA de especulação, que a sua cultura ensina. Isso eu estava dizendo: isso é porque escolher é tudo. Quando eu digo para você escolha com grande cuidado ao amar e você faz ridículo é por isso que eu olho e digo: será que eu posso acreditar que esse homem está dizendo essa coisa de ridículo?" Marathe se inclinou um pouco sobre os tocos das pernas, abandonando a submetralhadora para usar as mãos ao falar. Steeply podia ver que isso era importante para Marathe; que ele acreditava mesmo nisso.

Marathe fazia pequenos círculos enfáticos e cortes no ar enquanto falava: "Esses fatos da situação, que dizem com tanta clareza o medo do seu *Bureau* desse *samizdat*: agora é o que aconteceu quando um povo não escolhe nada mais para amar além de si próprio, cada um. Um EUA que morreria — e deixaria seus filhos morrerem, cada um — pelo suposto perfeito Entretenimento, por esse filme. Que morreria por essa chance de receber de bandeja essa morte de prazer, em seus lares quentinhos, sozinhos, imóveis: Hugh Steeply, com completa seriosidade como cidadão de seu vizinho eu te digo: esqueça por um só momento o Entretenimento e pense em vez disso em EUA onde uma tal coisa pode ser possível a ponto de seu Escritório ter medo: será que tal EUA pode ter esperança de sobreviver muito tempo? De sobreviver como uma nação de povos? De menos ainda exercer um domínio sobre outras nações de outros povos? Se esses são outros povos que ainda sabem o que é escolher? que aceitam morrer por algo maior? Que sacrificam o lar quentinho, a mulher amada em casa, as pernas, até a vida, por uma coisa maior que os próprios desejos de sentimento deles? que escolheriam não morrer de prazer, sozinhos?".

Steeply tirou com calma deliberação mais um cigarro belga do maço e acendeu, dessa vez no primeiro fósforo. Apagando o fósforo com um floreio circular da mão e com um corte seco. Tudo isso consumiu tempo de seu silêncio. Marathe se recostou. Marathe se perguntou por que a presença de americanos sempre o deixava vagamente envergonhado depois de dizer coisas em que acreditava. Um resto de gosto de vergonha na boca depois de revelar uma paixão por qualquer crença, de qualquer tipo, na presença de americanos, como se tivesse feito flatulência em vez de revelado crença.

Steeply descansou seu um cotovelo no antebraço do outro braço por sobre as próteses, para fumar como mulher: "Você está dizendo que a administração nem estaria preocupada com o Entretenimento se nós não soubéssemos que somos fatalmente fracos. Enquanto nação. Você está dizendo que o fato de estarmos preocupados diz muitíssimo sobre a própria nação em questão".

Marathe deu de ombros. "Nós, nós não vamos forçar nada nas pessoas EUA dentro de seus lares quentinhos a elas. Nós vamos só tornar disponível. Entretenimento. Vai haver então algumas escolhas, de entrar na dança ou escolher não." Alisando levemente o cobertor no colo. "Como vão os EUAS escolher? Quem foi que lhes ensinou a escolher com cuidado? Como vão seus Escritórios e Agências proteger essas pessoas? Com leis? Matando québecois?" Marathe se ergueu, mas muito pouco. "Como vocês estavam matando colombianos e bolivianos para proteger os cidadões EUA que desejam os narcóticos deles? Como foi que isso funcionou para suas Agências e Escritórios, a matança? Quanto tempo levou para os brasileiros tomarem o lugar dos mortos da Colômbia?"

A peruca de Steeply tinha escorregado legal para estibordo. "Rémy, não. Um traficante de drogas não te quer morto, necessariamente; eles só querem o teu dinheiro. Tem uma diferença aí. O teu pessoal parece que quer que a gente morra. Não é só a reintegração de posse do Recôncavo. Não é só a secessão do Québec. A FLQ, pode até ser que eles sejam como os bolivianos. Mas o Fortier quer que a gente morra."

"De novo você passa por cima do que é importante. Por que o ESA não consegue nos entender? Você não pode matar o que já está morto."

"Pode ir esperando pra ver se a gente está morto, chapinha."

Marathe fez um gesto de quem bate na própria cabeça. "De novo passando por cima do que é importante. Esse apetite de escolher a morte por prazer se estiver à disposição para escolher — esse *apetite* de seu povo incapaz de escolher apetites, isso é que é a morte. O que você chama de morte, o colapso: isso vai ser só a formalidade. Você não está vendo? Esse foi o gênio de Guillaume DuPlessis, o que M. DuPlessis ensinou às células, mesmo que a FLQ e les Fils não tenham entendido. Muito menos os albertanos, todos loucos dentro das cabeças. Nós da AFR, nós entendemos. É por isso que *essa* célula de quebequenses, *esse* perigo de entretenimento tão bom que mata o espectador, se for — o modo exato não tem importância. O momento exato da morte e a forma da morte, isso não tem mais importância. Não para os povos de vocês. Você quer proteger eles? Mas você só consegue postergar. Não salvar. O Entretenimento existe. O adido e os gendarmes do incidente da capada — mais provas. Ele está lá, existindo. A escolha da morte da cabeça por prazer agora existe, e suas autoridades sabem, ou você não ia estar agora tentando deter o prazer. O seu Sans--Christe do Gentle estava nessa parte correto: '*Alguém tem que levar a culpa*'."

"Isso não teve nada a ver com a Reconfiguração. A Reconfiguração foi uma questão de autopreservação."

"Isso: esqueça isso. Lá estava o vilão que ele viu que vocês queriam, vocês todos, para postergar essa desintegração de posse. Para manter vocês juntos, o ódio de um outro. Gentle é louco dentro da cabeça, mas nessa '*culpa de alguém*' ele estava correto em dizer. *Un ennemi commun*. Mas não alguém fora de você, esse inimigo. Alguém ou algum povo dentro de sua própria história um dia matou já sua nação EUA, Hugh. Alguém que tinha autoridade, ou devia ter tido autoridade, e não exercitou autoridade. Eu não sei. Mas alguém em algum momento deixou vocês esquecerem como escolher, e o quê. Alguém deixou seus povos esquecerem que era a única coisa de importância, escolher. Tão completamente esquecendo que quando eu digo *escolher* para você você faz expressões com o rosto como que '*Láááá se vamos nós*'. Alguém ensinou que templos são para fanáticos só, tirou os templos e jurou que não havia necessidade de templos. E agora não há abrigo. E não há mapa para achar o abrigo de um templo. E vocês todos andam tateando no escuro, nessa confusão de permissões. A sem-fim busca da felicidade da qual alguém deixou vocês esquecerem as velhas coisas que possibilitam a felicidade. Como é que vocês dizem: '*Está valendo tudo*'?"

"É por isso que a gente treme diante da imagem do que seria um Québec independente. Escolha o que nós mandamos, abandone os seus desejos e vontades, se sacrifique. Pelo Québec. Pelo Estado."

Marathe deu de ombros. "*L'état protécteur*."

Steeply disse: "Isso não está te parecendo meio familiar, Rémy? O Estado Nacional Socialista Neofascista do Québec Independente? Vocês são piores que os piores albertanos. Totalitariedade. Cuba com neve. Pegue os teus esquis e vá direitinho para o campo de reeducação mais próximo, para uma aula sobre escolhas. Eugenia moral. China. Cambodja. Chade. A liberdade."

"Infelicidade."

"Não existem escolhas sem liberdade pessoal, rapá. Não somos nós que estamos mortos por dentro. Essas coisas que vocês acham tão fracas e desprezíveis em nós — elas são só os riscos da liberdade."

"Mas o que é que essa expressão quer dizer, esse *Rapa*?" Steeply virou o rosto para encarar o espaço sobre o qual se viam. "E agora lá vamos nós. Agora você vai dizer como é que a gente é livre se você sacode um fruto fatal na nossa cara e a gente não consegue evitar a tentação. E a gente te diz 'humano'. A gente diz que não tem como ser humano sem liberdade."

A cadeira de Marathe rangeu levemente no que o peso dele mudou de lugar. "Sempre com essa sua liberdade! Para seu país murado, sempre gritar 'Liberdade! Liberdade!' como se fosse óbvio para todo mundo o que ela quer significar, essa palavra. Mas olha: não é tão simples. Sua liberdade é a liberdade-*de*: ninguém diz aos preciosos indivíduos EUA o que eles têm que fazer. É esse significado só, essa liberdade de obrigações e de ser forçado." Marathe por sobre o ombro de Steeply súbito pôde ver por que os céus acima da cidade coruscante estavam tão desprovidos de estrelas: era a fumaça dos dejetos dos escapamentos das belas luzes dos automóveis em movimento que se erguia e escondia as estrelas dos olhos da cidade e tornava nacarado o lume da cidade Tucson no vazio de seu dossel. "Mas e a liberdade-*para*? Não apenas livre-*de*. Nem toda compulsão vem de fora. Você finge que não vê isso. E a liberdade-*para*. E a possibilidade da pessoa escolher livremente? Como escolher qualquer coisa além das egoístas escolhas de uma criança se não há um pai pleno-de-amor para guiar, instruir, ensinar a pessoa a escolher? Como será essa liberdade de escolha se você não aprende a escolher?"

Steeply jogou um cigarro fora e encarou parcialmente Marathe, da borda: "Agora a história do riquinho".

Marathe disse: "O pai rico que pode pagar o dinheiro das balas além das comidas dos filhos: mas se ele grita 'Liberdade!' e deixa os filhos escolherem somente o que é doce, comendo só as balas, sem sopa de ervilha, pão e ovo, de modo que o filho dele fica fraco e doente: será o rico que grita 'Liberdade!' o bom pai?".

Steeply fez quatro barulhinhos. A empolgação de uma crença fazia os pontinhos de irritação pela eletrólise do americano se avermelharem até na leitosa luz diluída de lume e estrelas baixas. A lua sobre as montanhas do Rincón estava do lado dele, com a cor da cor do rosto de um gordo. Marathe acreditava que podia ouvir umas vozes jovens dos EUA gritando e rindo numa jovem aglomeração em algum ponto do chão do deserto lá embaixo, mas não via faróis nem jovens. Steeply bateu um salto alto frustrado. Steeply disse:

"Mas nós não partimos do princípio que os cidadãos dos EU sejam crianças, a ponto de paternalisticamente pensar e escolher por eles. Seres humanos não são crianças."

Marathe fingiu de novo fungar.

"Ah, sim, mas aí você diz: Não?", Steeply disse. "Não? você diz, não são crianças? Você diz: E qual é a diferença, por favor, se você cria um prazer gravado tão divertido e interessante que é letal pras pessoas, você acha uma cópia copiável, copia o Entretenimento e dissemina pra nós escolhermos ver ou desligar, e se nós não conseguimos escolher resistir a ele, ao prazer, e não conseguimos escolher viver? Você diz o que o seu Fortierzinho acha, que *nós somos* crianças, não adultos humanos como os nobres quebequenses, nós somos crianças, valentões mas ainda criancinhas por dentro, e nós vamos nos matar para vocês se vocês puserem a balinha ao alcance da mão."

Marathe tentou tornar seu rosto expressivo de raiva, o que lhe era difícil. "Isso é o que acontece: você imagina as coisas que eu vou dizer, aí diz as coisas para mim e aí fica bravo comigo. Sem minha boca; ela nunca abre. Você fala sozinho, inventando lados. Isso já é o hábito das crianças: preguiçosas, sozinhas, auto. Eu nem estou aqui, pode ser, para ouvir."

Imencionada por cada um daqueles homens restava a dúvida de como neste mundinho de meu Deus cada um daqueles homens esperava sair, subindo ou descendo, da prateleira da encosta da montanha na escuridão da noite do deserto dos EU.

O

8 DE NOVEMBRO
DO ANO DA FRALDA GERIÁTRICA DEPEND
DIA DA INTERDEPENDÊNCIA
GAUDEAMUS IGITUR

Todo ano na ATE, coisa de talvez uma dúzia de meninos entre tipo doze e quinze anos — crianças nos primeiríssimos estágios da puberdade e do pensamento realmente capaz de abstrações, quando a nossa alergia às limitadoras realidades do presente está apenas começando a emergir sob a forma de uma estranha espécie de saudade de coisas que você nem chegou a conhecer[120] — talvez uma dúzia desses meninos, quase todos homens, entregam-se com fanática devoção a um jogo inventado na própria Academia, chamado Eskhaton. Eskhaton é o jogo infantil mais complicado que qualquer pessoa na ATE já tinha visto ou ouvido falar. Ninguém sabe direito quem trouxe o jogo para Enfield e de onde. Mas dá para datar com razoável facilidade a sua concepção graças à mecânica do próprio jogo. A sua estrutura básica já tinha se sedimentado bastante bem quando Michael Pemulis, de Allston, chegou com doze e ajudou a deixar o jogo mais atraente. Sua elegante complexidade, combinada a um frisson tipo vamos-fazer-de-novo-sem-nem-dar-muita-bola e a uma completa dissociação das realidades do presente, compõe quase todo seu encanto pueril. Fora que o jogo é quase viciantemente divertido, e assusta os adultos.

Esse ano foi Otis P. Lord, um jogador de fundo e fenômeno do cálculo integral de treze anos vindo de Wilmington, DE, quem "Usou o Gorro" de mestre do Eskhaton e estatístico oficial, embora Pemulis, como ainda está por aí e é de longe, mesmo, o maior jogador de Eskhaton da história da ATE, goze de uma espécie de poder tácito e emérito de correção dos cálculos e dos ditames de Lord.

O Eskhaton requer de oito a doze jogadores, c/ 400 bolas de tênis tão mortas e carecas que não podem nem ser usadas mais para treinos de saque, mais um terreno livre igual à área de quatro quadras de tênis contíguas, mais uma cabeça que curta lidar com dados e exercitar cognição lógica, além de pelo menos 40 megabytes de RAM disponíveis e uma imensa variedade de artefatos de tênis. O *vademecum*ístico manual que Pemulis fez Hal Incandenza escrever no AF-MP — com apêndices e amostras de diagramas de Árvores-de-Protocolos c:\Pink$_2$\Mathpak\EndStat-path e um offset do ensaio mais acessível que Pemulis conseguiu achar sobre teoria aplicada dos jogos — é tipo tão longo e tão interessante quanto o acachapante *Progresso do peregrino d'este mundo ao mundo do porvir*, de J. Bunyan, e um negocinho bem difícil de se comprimir em qualquer formato animado (embora todo ano mais uma dúzia de meninos da ATE decore aquilo tudo com um fanatismo tão profundo que ainda serão capazes de recitar trechos resmungados quando sob leve anestesia odontológica ou cosmética anos mais tarde). Mas se Hal estivesse com uma Luger apontada para a cabeça e fosse compelido a tentar, ele provavelmente ia começar explicando que cada uma das 400 bolas de tênis mortas no arsenal global do jogo representa uma ogiva termonuclear de 5 megatons. Do número total de jogadores num dado dia,[121] três compõem um *Anschluss* teórico designado AMOTAN, outros três são a SOVARS, um ou dois a CHIVERM, outros dois, ou um, para a alucinada mas sempre irritante LIBSIR ou o mais temível bloco IRLIBSIR, e o restante dos jogadores do dia, dependendo de complexas considerações aleatórias, pode formar qualquer coisa que vá de AFRSUL a INDPAQ ou a tipo uma célula independente de insurgentes canadôncios com um Howitzer de 50 quilômetros e ideias grandiosas. Cada time é chamado de Combatente. No terreno aberto das quadras contíguas, os Combatentes ficam dispostos em posições correspondentes a sua localização no planeta Terra conforme representada no *Mapa-Múndi Pendurável Praticamente Retangular de Rand McNally*.[122] A efetiva distribuição da megatonelagem requer conhecimentos mínimos do Teorema do Valor Médio para Integrais,[123] mas para os propósitos sinópticos de Hal aqui basta dizer que a megatonelagem é distribuída entre os Combatentes de acordo com uma razão integralmente regredida entre (a) o orçamento militar anual do Combatente como percentagem do PIB do Combatente e (b) o inverso dos gastos estratégico-táticos como uma percentagem do orçamento militar anual do Combatente. Em tempos mais pitorescos, as bolas dos Combatentes eram simplesmente distribuídas via lances de brilhantes dados vermelhos de General. Não há mais necessidade de contar com o pitoresco elemento do acaso, porque Pemulis downloadou o elegante software de estatística-pesada EndStat[124] da Mathpak Iltda no aterrador, ocioso e cortinado DEC 2100 do falecido James Incandenza, e ensinou Otis P. Lord a abrir a fechadura do escritório de Schtitt à noite com um cartão de refeição da cantina e conectar o DEC numa tomada de três pinos que fica embaixo do canto inferior esquerdo da imensa gravura de Dürer, *O magnífico animal*, na parede junto da relevante borda da grande escrivaninha de vidro de Schtitt, de modo que Schtitt ou deLint não vão nem saber que o negócio está ligado, quando estiver ligado, aí linkar via modem celular com um pequeno Tutikaga portátil com monitor colorido lá no teatro nuclear das quadras. A AMOTAN e a SOVARS normalmente acabam com coisa de 400 megatons totais cada um, com o resto dividido de forma inconsistente. É possível complicar a equação do valor médio de Pemulis ao se incluírem coisas como incidências históricas de belicosidade e apaziguamento, características singulares de pretensos interesses nacionais etc., mas Lord, filho de não apenas um mas dois banqueiros, é um gerenciador simples e direto do tipo paga-e-leva, postura que o igualmente sem-firulas Michael Pemulis endossa com ambos os polegares. Itens de equipamentos tenísticos são cuidadosamente dispostos dentro do território de cada combatente para espelhar e mapear alvos estratégicos. Camisetas dobradas cinza-sobre-fundo-vermelho da ATE são as MAMAS — Maiores Metrópoles Atuais. Toalhas roubadas de hoteizinhos escolhidos durante o Circuito júnior representam pistas de pouso, pontes, instalações de monitoramento por satélite, grupos de transporte, usinas de força convencionais, importantes entrocamentos ferroviários. Calções vermelhos de tênis com debruns cinza são as FOCAS — Forças Convencionalmente Armadas. As braçadeiras pretas de algodão da ATE — para quando Deus me livre alguém morrer — designam as usinas atômicas não contemporâneas da era do jogo, instalações de enriquecimento de urânio/plutônio, usinas de difusão gasosa, reatores reprodutores, fábricas iniciadoras, laboratórios de reflexão-difusão-de-nêutrons, receptáculos reatores de produção de trítio, instalações de água-pesada, módulos semiprivados de carga oca, aceleradores lineares e os pontuadíssimos laboratórios de pesquisa em Fusão Anular de North Syracuse, NNY, Presque Isle, ME, Chyonskrg no Curguistão, Pliscu na Romênia, e possivelmente alhures. Bermudas vermelhas com debruns cinza (de pouca disponibilidade por serem fervorosamente detestadas pelo pessoal que viaja) são DOCES — igualmente raros mas bem pontuados Domínios de Comando Estratégico. Meias são ou instalações de mísseis, ou instalações antimísseis, ou aglomerados isolados de silos ou de esquadrões de B2 ou SS5 com capacidade de cruzeiro — vamos baixar aqui uma caridosa cortina sobre quaisquer outras SIGMILS — dependendo de serem meias de tênis de menino ou meias de sapato de menino, ou meias de tênis de menina com aqueles rabinhos de coelho atrás, ou meias de tênis de menina s/ rabinho de coelho. Tênis descartados e com os bicos gastos que as empresas de material esportivo fornecem ficam ali de boca aberta e serenamente letais, sugerindo intensamente os submarinos que representam.

No jogo, as ogivas de 5 megatons dos Combatentes só podem ser lançadas com raquetes de tênis empregadas manualmente. Daí a necessidade de uma verdadeira habilidade física de atingir os alvos que separa o Eskhaton de joguinhos de holocausto nível-patureba jogados com transferidores e PCs em mesas de cozinha por aí. O voo continental paraboloide de um veículo de descarga estratégica movido a combustível líquido lembra muito um lob com topspin. Um dos motivos de a administração e a equipe de funcionários da ATE permitirem que o Eskhaton absorva a atenção e o interesse dos alunos pode ser o fato de que os devotos do jogo tendem a desenvolver lobs incríveis. Os lobs de Pemulis conseguem cravar uma moeda na linha de fundo em duas a cada três tentativas dos dois lados, o que é a razão de ser uma idiotice ele sair correndo tantas vezes para a rede em vez de deixar o outro cara subir mais. As ogivas podem ser lançadas independentemente ou embaladas num suporte atlético intricadamente emaranhado projetado para se abrir a meio voo e soltar Veículos de Reentrada Independente Múltipla — os VRIMS. Os VRIMS, por serem um uso prodigalizante da megatonelagem disponível para um dado Combatente, tendem a ser usados só se um jogo de Eskhaton sofre metástase e deixa de ser um conjunto controlado de Eventos Espasmódicos — EVESPAS — para virar uma série aberta e apocalíptica de furiosos Bombardeios Contra a População Civil — BOCOPOCS. Poucos Combatentes entram em BOCOPOC a não ser que se vejam compelidos a isso pela lógica impiedosa da teoria dos jogos, já que os eventos BOCOPOC normalmente acabam por custar tantos pontos a ambos os combatentes que eles se veem eliminados do resto da disputa. A equipe vencedora de uma dada partida de Eskhaton é simplesmente o Combatente com a razão mais favorável entre DESMIRIN — Destruição, Morte e Incapacitação de Reação Infligidas — e DESMIRSOF — óbvio — embora a atribuição de valores numéricos para as camisetas, toalhas, calções, braçadeiras, meias e tênis de cada Combatente seja estatisticamente vaga, fora que rolam ainda umas correções insanamente complicadas das megatonelagens iniciais, da densidade populacional, das distribuições de descarga Terra-Mar-Ar e dos gastos com defesa-civil à-prova-de-pulsos-EM, de modo que Otis P. Lord precisa de coisa de três horas de contas complexas via EndStat e pelo menos quatro Motrins para declarar o vencedor oficial.

Outra razão por que o estatístico principal de cada ano tem que ser uma combinação especial de nerd e compulsivo é que o aparato abarrocado de cada Eskhaton tem que ser preparado previamente e depois vendido para uma espécie de comunidade imatura e facilmente entediada de líderes mundiais. Um quórum dos Combatentes daquele dia tem que endossar uma Situação Mundial simulada em particular que Lord ficou acordado bem além de vários toques de recolher para desenvolver: distribuições de forças em Terra-Mar-Ar; quadros demográficos étnicos, sociológicos, econômicos e até religiosos para cada Combatente, além de esboços de perfis psicológicos de todos os chefes de Estado relevantes; o clima dominante em cada um dos quadrantes do mapa; etc. Aí todos que vão jogar naquele dia sentam com a sua água purificada e as suas batatinhas sem gordura para resolver entre Combatentes coisas como alianças de defesa recíproca, pactos e convenções de guerra, instalações de comunicação inter-Combatentes, gradientes de DEFCON, trocas de cidades, e assim por diante. Como a equipe de cada Combatente conhece apenas o seu próprio perfil para a Situação e a sua megatonelagem disponível total — e como mesmo lá no teatro de quatro-quadras as ogivas estocadas ficam escondidas dentro de baldes de solvente industrial descartados de plástico branco que todas as academias e todos os jogadores sérios usam para as bolas-de-treino[125] — chega a rolar muito pôquer psíquico no que se refere à tendência a reagir, à disposição de acabar em BOCOPOC, a interesses não negociáveis, imunidades a pulsos EM, distribuição de forças estratégicas e comprometimento com ideais geopolíticos. Vocês tinham que ter visto Michael Pemulis praticamente comer o mundo inteiro vivo durante as conferências pré-Eskhaton, lá quando ele ainda jogava. As equipes dele ganhavam quase todos os jogos antes de o primeiro lob ser lançado.

O que normalmente leva mais tempo até se atingir uma maioria é a Situação de Detonação de cada jogo. Aqui Lord, como muitos nerds-estatísticos estelares, mostra um certo calcanhar de aquiles no que se refere à imaginação, mas ele tem coisa de cinco, seis anos de precedentes de Eskhaton em que se basear. Uma disputa russo--chinesa de fronteira vira embate sobre Sinkiang. Um sistema computadorizado de monitoramento da AMOTAN nas aleutas interpreta uma revoada de gansos como se fossem três SS10s da SOVARS em reentrada. Israel desloca divisões blindadas rumo norte e leste através da Jordânia depois que um Airbus da El Al é bombardeado em pleno voo por uma célula ligada a ambos os H'sseins. Uns albertanos negros e piradões se infiltram num silo isolado em Ft. Chimo e conseguem fazer dois VRIMS passarem pelo sistema de defesa da AFSUL. A Coreia do Norte invade a Coreia do Sul. Vice-versa. A AMOTAN está a 72 horas de acionar uma cadeia inexpugnável de satélites antimísseis e de que a impiedosa lógica da teoria dos jogos obrigue a SOVARS a mandar um BOCOPOC enquanto ainda tem chance.

No Dia da Interdependência, domingo, 8/11, a Situação de Detonação do mestre do jogo Lord se desenrola bonitinho, do ponto de vista de Pemulis. Explosões de origem suspeita ocorrem em estações de recepção de transmissões de satélite da AMOTAN da Turquia ao Labrador enquanto três ministros da defesa canadense de alto nível desaparecem e alguns dias mais tarde são fotografados num bistrô de Volgogrado virando uns martelinhos de Stolichnaya com umas vagabundas eslavas no colo.[126] Aí duas traineiras da SOVARS logo no limite das águas internacionais perto de Washington são metralhadas por caças F16 que patrulham a região a partir da Base Naval de Cape Flattery. Tanto a AMOTAN quanto a SOVARS vão de DEFCON 2 para DEFCON 4. A CHIVERM vai a DEFCON 3, e em resposta as pistas de pouso e as redes antimísseis SOVARS DE Irkutsk até a Cadeia Djugdjur vão a DEFCON 5, e em resposta os bombardeiros do Comando Aéreo Estratégico da AMOTAN e silos antimísseis em Nebraska, Dakota do Sul, Saskatchewan e no leste da Espanha adotam uma postura de Prontidão Máxima. O premiê calvo e manchado-de-vinho-do-porto da SOVARS liga para o presidente de papada-de-peru[127] da AMOTAN na Linha Quente e pergunta se tem um carro verde ali na frente. Outra explosãozinha bem marota arrasa uma estação de monitoramento Orelhão da SOVARS em Sakhalina. As instalações de enriquecimento de urânio por difusão gasosa da General Atomic Inc em Portsmouth, OH, relatam a perda de quatro quilogramas de hexafluoreto de urânio enriquecido e aí sofrem um incêndio cataclísmico que força a evacuação de seis condados vento-abaixo. Um caça-minas da Sexta Frota da AMOTAN em manobras no Mar Vermelho é atingido e afundado com torpedos Bicho-da-Seda da CHIVERM disparados por MiGs 25 da LIBSIR. A Itália, num desdobramento aparentemente gerado por alguma bizarria do EndStat a respeito da qual Otis P. Lord se limita a sorrir enigmaticamente, invade a Albânia. A SOVARS pira na batatinha. O apoplético premiê liga para o presidente da AMOTAN, que só quer saber se ali eles trabalham com roupa. A LIBSIR choca o mundo ocidental ao detonar em pleno ar uma bomba de meio megaton a dois quilômetros de Tel-Aviv, causando algumas centenas de milhares de mortes. Todo mundo e a mãe do vizinho entram em DEFCON 5. O Air Force One decola. A AFSUL e a CHIVERM anunciam neutralidade e pedem tranquilidade. Colunas blindadas israelenses precedidas por pesada saturação de artilharia tática entram na Síria e abrem caminho até Abu Kenal em doze horas: Damasco é bombardeada; En Nebk aparentemente sumiu do mapa. Diversos regimes direitistas repressores do Terceiro Mundo sofrem golpes de Estado e são substituídos por regimes esquerdistas repressivos. Teerã e Bagdá anunciam total apoio diplomilitar à LIBSIR, reconstituindo assim a LIBSIR como IRLIBSIR. A AMOTAN e a SOVARS ativam todo o pessoal da Defesa Civil e os reservistas das Forças Armadas e começa a evacuação de determinadas MAMAS. Hoje a IRLIBSIR está representada por Evan Ingersoll, para quem Axford fica rugindo em voz baixinha, Hal está ouvindo. Um membro meio esquisito do Grupo de Chefes de Gabinete dos EU desaparece e não é fotografado nenhures. A Albânia pede reparações. Bombas toscas e aparentemente amadorísticas de baixa quilotonagem explodem em Israel inteiro, de Haifa a Ashquelon. Trípoli está sem comunicações depois de pelo menos quatro explosões termonucleares terem causado queimaduras de segundo grau numa região que se estende até Medenine na Tunísia. Uma bomba de artilharia tática de 10 quilotons explode no ar sobre o Centro de Comando do 3º Exército Tcheco em Ostrava, resultando no que um analista do Pentágono chama de "um monte de salsichão queimado". Malgrado o fato de que ninguém além da SOVARS em pessoa tenha pessoal tão perto para atingir Ostrava a um tiro de canhão de distância, a SOVARS faz ouvidos moucos para as negativas e os lamentos da AMOTAN. O presidente da AMOTAN tenta ligar para o premiê da SOVARS de dentro do avião e só dá na secretária eletrônica do premiê. A AMOTAN não consegue determinar se uma cadeia de detonações nas suas instalações de radar por todo o círculo ártico é de dispositivos convencionais ou táticos. A CIA/NSA informa que 64% da população civil das MAMAS da SOVARS foi devidamente relocada para pontos subterrâneos em abrigos protegidos. A AMOTAN ordena a evacuação de todas as MAMAS. MiGs 25 da SOVARS enfrentam aviões da CHIVERM sobre os mares de Tientsin. O Air Force Two tenta decolar mas não consegue por causa de um pneu furado. Uma única SS10 de um megaton escapa aos mísseis antimísseis e detona logo acima de Provo, UT, de onde abruptamente todas as comunicações cessam. O mestre do jogo do Eskhaton agora supõe — mas não chega a afirmar de fato — que a Árvore de Decisão teórico-joguística do EndStat agora determina uma reação EVESPA da AMOTAN.

Adultos não iniciados que por acaso estivessem estacionados num sedã Ford anuncial verde-menta ou que passassem por acaso pelas quatro quadras leste da ATE e vissem um atávico jogo de conflito-nuclear-global ser disputado por menininhos bronzeados, vigorosos e coisa e tal podiam esperar naturalmente ver descabeladas ogivas esverdeadas sendo raqueteadas indiscriminadamente para o céu para tudo quanto é lado enquanto todo mundo fosse ficando insanamente embriagado de uma fúria tanatóptica sob o ar fresco de novembro — tais adultos teriam mais probabilidade de de achar um jogo efetivo de Eskhaton estranhamente manso, quase narcotizante de ver. Uma rodada normal de Eskhaton anda mais ou menos na mesma velocidade do xadrez dos entendidos. Isso porque esses devotados jogadores se tornam, na quadra, quase parodicamente adultos — sensatos, sóbrios, humanitários e judiciosos líderes mundiais de doze anos de idade fazendo o possível para não deixar que o peso aterrador de suas responsabilidades — para com a nação, o globo, a racionalidade, a ideologia, a consciência e a história, tanto para com os vivos quanto para com os ainda por nascer — para não deixar que a horrenda agonia que sentem diante da chegada deste dia — este dia negro que os líderes tinham rezado para nunca ver chegar e que tentaram de toda maneira possível e racionalmente consistente com os interesses estratégicos nacionais evitar, prevenir — para não deixar que o peso terrível da responsabilidade afete sua determinação de fazer o que deve ser feito para preservar o modo de vida do seu povo. E portanto jogam, lógica, cautelosamente, tão aplicados e deliberados em seus cálculos que parecem plena e estranhamente adultos, quase talmúdicos, de longe. Uma ou duas gaivotas voam. Um sedã Ford verde-menta passou pelo portão levadiço e está tentando fazer uma baliza entre duas lixeiras na rua circular que passa atrás da Casa Oeste, que fica atrás e torcicolicamente à esquerda do pavilhão Gatorade. Há um aroma outonal no ar e um casco cinza e crocante de nuvens no alto, fora o constante zumbido distante da linha de ventiladores ATHSCME no Sunstrand Plaza.

O acume estratégico e a noção de realismo variam de um para outro menino, claro. Quando Evan Ingersoll da IRLIBSIR começa a lobar ogivas contra o cinturão de silos de reserva de Terceira Onda da SOVARS no Cazaquistão, e fica mais do que claro que a AMOTAN conquistou a IRLIBSIR como aliado graças a sinistras promessas quanto às disposições finais de Israel, Israel, embora ninguém seja Israel hoje aqui, parece ter dado um piti e de alguma maneira ter convencido a AFSUL, que hoje é o certinho brooklynense do Josh Gopnik — o mesmo Josh Gopnik que diga-se de passagem assina a *Commentary* —, a gastar todas as suas dezesseis ogivas peludinhas num ataque debilitador contra represas, pontes e bases da AMOTAN, da Flórida a Baja. Todos os envolvidos decretam o deslocamento total das populações em áreas de MAMA. Aí, sem nenhum calculozinho, a INDPAQ, que hoje é J. J. Penn — um menino bem ranqueado de treze anos, mas que não é exatamente o tronquinho mais brilhante na fogueira da festa junina —, larga três suportes atléticos mal amarrados entupidos de VRIMs em cima de Israel, acertando quase toda essa megatonagem em áreas desérticas sub-Bersebá que nem ficaram com uma cara muito diferente depois das explosões. Quando vigorosamente palpitado por Troeltsch, Axford e Incandenza lá debaixo da torre de Schtitt e ocultados pelo pavilhão Gatorade, Penn estridulamente lembra a eles que

337

o Paquistão é um Estado muçulmano e um inimigo mortal de todos os infidélicos inimigos do Islã, mas não pode fazer nada além de fuçar nas cordas do seu lançador quando Pemulis animadamente faz lembrar que hoje ninguém é Israel e que não há nem uma meia de algum combatente naquela parte das quadras. Não é uma questão de princípios, nunca, no Eskhaton.

Descontados o surto da AFSUL e o vacilo da INDPAQ, o jogo de 8/11 continua com muita probidade e fria deliberação, com ainda mais pausas e calmas conferências com mais cofiar de queixos imberbes do que tende a ser normal. A única pessoa que parece apressada no mapa de 1300 m² é Otis P. Lord, que tem que ficar batendo perna de um continente a outro, empurrando um carrinho de refeitório de duas prateleiras de aço inoxidável surripiado do Hospital St. João de Deus com um piscante portátil Tutikaga numa das prateleiras e um estojo com capacidade para 256 disquetes que está tipo dois terços cheio na outra, com pranchetas ruidosas penduradas nas bordas das prateleiras, sendo Lord obrigado a dramatizar manualmente os ditames espontâneos da lógica e da necessidade do mundo real, verificando que as decisões dos comandos são funções legítimas da situação e da capacidade (ele tinha dado de ombros num Vai-Entender bem neutro para as atividades da AFSUL e da INDPAQ), localizando os dados necessários para premiês e ditadores subterranificados e presidentes enjoados a bordo, retirando itens de vestuário vaporizados de pontos que sofreram impactos devastadores e simplesmente entronchando as peças ou dobrando cada uma nos locais em que houvera acertos parciais e bombas não detonadas, triangulando estimativas de pulsos-EM de detonações confirmadas para autorizar ou negar capacidade de comunicação, ou seja um trabalhinho de matar, ele está mais ou menos tendo que bancar Deus, contabilizando razões-de-mortos, níveis de radiação, parâmetros de cinzas nucleares, níveis de estrôncio-90 e iodo e a probabilidade de conflagrações v. bombardeios em MAMAs com diferentes Valores-Médios de altura de arranha-céus e índices de capital-combustível. Apesar das mãos ressecadas e de um nariz que escorria sem parar, o tempo de reação de Lord quando dos pedidos de dados é impressionante, graças principalmente à ardilosa conexão com o DEC e aos detalhados arquivos do algoritmo de decisão que Pemulis tinha concebido três anos antes. Otis P. Lord informa à SOVARS e à AMOTAN que a planura topográfica de Peoria, IL, aumenta o raio efetivo de morte do impacto direto de 5 megatons da SOVARS para 10,1 quilômetros, o que representa que metade dessa POP-MAMA morre queimada em engarrafamentos evacuatórios lá na Interestadual 74. Um míssil Minuteman da AMOTAN tem uma capacidade máxima absoluta de oito VRIMS, *emboramente* o suporte atlético colossal que LaMont Chu afanou da sacola de um sedado Teddy Schacht no ônibus sexta à noite dê conta de treze bolas de tênis mortas. Dadas as condições climáticas normais, a área de fogo de uma detonação aérea seria 2π vezes maior que a área da explosão. Toronto tem um número suficiente de arranha-céus subcódigo na sua área total para garantir um incêndio em função de ao menos duas detonações dentro de

$$\frac{2\pi}{(1/\text{ área total de Toronto em m}^2)}$$

do centro do alvo. Cinco megatons de fusão de hidrogênio pesado geram pelo menos 1 400 000 curies de estrôncio-90, o que vale dizer criancinhas microcefálicas em Montreal por coisa de vinte e duas gerações, e sim ó meu caro e espertinho McKenna da AMOTAN o mundo provavelmente vai perceber a diferença. Struck e Trevor Axford vaiam estrepitosamente lá debaixo do toldo *GATORADE CONTRA A SEDE* do pavilhão a céu aberto do outro lado da cerca que passa pelo flanco sul das quadras Leste, onde (o pavilhão) eles, Michael Pemulis, Jim Troeltsch e Hal Incandenza estão esticadões em cadeiras de piscina de trama reticulada com roupas civis e com os tênis de rua apoiados em banquinhos de trama reticulada, Struck e Axford com Gatorades suspeitosamente revigorantes e o que parece ser algum tipo de cigarrinho psicoquímico enrolado à mão sendo passado entre eles. 8/11 na ATE é dia de relax total e compulsório, ainda que a inebriação em público seja meio que um exagero. Pemulis está com um saquinho de amendoins de casca vermelha que ainda nem começou a comer direito. Trevor Axford tragou demais o cigarro e está dobrado tossindo, com a testa roxa. Hal Incandenza está apertando uma bolinha de tênis e se inclinando bem a estibordo para cuspir num copo da NASA que está no chão e lutando com um forte desejo de ficar chapado de novo pela segunda vez depois do café da manhã v. uma forte aversão à ideia de fumar erva com/na-frente-de todos esses caras, especialmente aqui a céu aberto na frente dos Amiguinhos, o que lhe parece violar alguma questão de gosto que ele luta para articular satisfatoriamente para si próprio. Um dente lá no fundão esquerdo está latejando eletricamente com o ar frio. Pemulis, embora se possa ver pelo seu olho direito saltitante que ele recorreu recentemente ao Hipofagin (o que ajuda a explicar a não ingestão dos amendoins), está agora se abstendo e sentado em cima das mãos por causa do frio, amendoins no chão bem longe do copo da NASA de Hal. O pavilhão é aberto em todos os lados e foi presente da Stokely-van Camp Corp. e mal passa de uma tendona metida a besta com uma cobertura de feltro verde sobre a grama real da área e mobília branca de piscina com trama plástica reticulada; ele basicamente é usado para a espectação civil durante partidas de exibição nas Quadras de Exibição Leste 7, 8, 9; às vezes os ATES se aglomeram embaixo dele durante as pausas dos treinos no verão no calor do dia. O toldo verde é desmontado quando eles entram no Pulmão para o inverno. O Eskhaton normalmente se apropria das Quadras 6-9, as Quadras Leste legais de verdade, a não ser que esteja rolando tênis de verdade. Todos os espectadores de classe mais alta fora Jim Struck são ex-praticantes devotados de Eskhaton, embora Hal e Troeltsch tenham ambos sido membros marginais do grupo. Troeltsch, que também está na cara que usou Hipofagin, está com nistagmo no olho esquerdo e narra a partida num microfone com fone de ouvido desconectado, mas é duro abrilhantar o Eskhaton, verbalmente, mesmo para os quimicamente estimulados. Já que é normalmente lento e cerebral demais.

Struck está mandando Axford pôr as mãos sobre a cabeça e Pemulis está mandando Axford segurar o fôlego. Agora, com uma voz sublinhada pela tensão, Otis P. Lord diz que precisa que Pemulis dê uma corridinha ali até o portão da cerca Cyclone ao sul da Quadra 12 e atravesse o mapa de quatro quadras do teatro de operações para mostrar a Lord como acessar os cálculos do EndSat de que cada mil Roentgens de radiação X e gama direta produzem 6,36 mortes para cada cem POP e significam para os outros 93,64 uma redução na expectativa de vida de

$$(R \text{ Total} - 100) \, (.0636(R \text{ Total} - 100)^2)$$

anos, o que significa que ninguém vai comprar muita dentadura em Minsk, por assim dizer, no futuro. E assim por diante.

Depois de cerca de metade do arsenal restante do planeta ter sido empregada, as coisas estão parecendo bem boas para o pessoal da AMOTAN. Muito embora eles e a SOVARS estejam EVESPAndo a torto e a direito com uma precisão de dar medo — a lançadora escolhida pela SOVARS é a viril e suspeitosamente musculosa Ann Kittenplan (que com doze anos e meio de idade parece uma arremessadora de peso bielorrussa, tem que comprar urina mais do que trimestralmente, tem um bigode bem mais exuberante e impressionante que por exemplo o próprio Hal seria capaz de deixar crescer e que de vez em quando fica putíssima da vida) mas então a Kittenplan conseguiu pouco mais que uma detonação no alvo naquela tarde toda, enquanto o lançador da AMOTAN é Todd ("Postal") Possalthwaite, uma criatura endomórfica de treze anos oriunda de Edina, MN, cujo irritante tênis consiste apenas de saques violentos e lobs com topspin, que vem sendo o LMV[128] do Eskhaton há dois anos e que em termos de precisão é uma coisa que só vendo — ainda assim, os dois lados engenhosamente evitaram os BOCOPOCs descontrolados que muitas vezes eliminam completamente do jogo os dois supercombatentes; e o presidente da AMOTAN, LaMont Chu, usou como desculpa os ataques temperamentais de Gopnik contra o sul dos EU, além dos lobs arracionais de Penn contra um Israel que na conferência prévia foi explicitamente colocado sob o guarda-chuva de defesa mútua da AMOTAN, usou esses fatos como uma gansa tática dos ovos de ouro, acumulando montes de pontos de DESMIRIN contra uma AFSUL e uma INDPAQ cuja apressada aliança defensiva somada a uma mira meio incerta produziu pouco mais que alguns cardumes de bacalhaus radioativos no litoral de Gloucester. Sempre que um alvo é atingido diretamente, Troeltsch senta ereto na cadeira e se dá o direito de usar a exclamação que encontrou para ser uma espécie de marca registrada narratorial: "PELA madru*gada*!". Mas a SOVARS, assediada por dois vetores diferentes, pela AMOTAN e pela IRLIBSIR (cujos lobs ocasionais na direção de Israel a AMOTAN, gerando uma série de protestos diplomáticos da AFSUL e da INDPAQ, continua instruindo Lord a registrar como "lamentáveis erros de mira"), mesmo com uma defesa civil de alto nível e com comunicações resistentes a PEM, a coitadinha da SOVARS está absorvendo DERMIRSOFs colaterais tão graves que está sendo inexoravelmente impelida pela lógica teórico-joguística para uma posição em que basicamente não terá escolha a não ser mandar um BOCOPOC contra a AMOTAN.

Agora o premiê da SOVARS, Timmy ("TP hibernando") Peterson solicita a O. P. Lord a autorização/possibilidade de fazer uma chamada criptografada para o Air Force One. "Chamada criptografada" quer dizer que eles não gritam publicamente um para o outro pelo mapa das quadras; Lord tem que levar as mensagens de um lado para o outro, com tudo a que se tem direito, cabeças inclinadas, sussurros e tal. Premiê e presidente trocam as formalidades de praxe. O premiê pede desculpas pela piadinha do carro verde. Hal, que vai recusar todos os químicos públicos, decidiu, dá uma espiada nas estimativas que Pemulis está esboçando das razões entre DESMIRIN/DESMIRSOF dos combatentes até aqui e concorda em apostar cinquinho com Axford que nem a pau que a AMOTAN aceita a proposta possível de paz da SOVARS. Durante intervalos inativos como esse, Troeltsch se reduz a dizer "Que belo dia para o Eskhaton" repetidamente e a perguntar o que as pessoas estão achando do jogo até Pemulis lhe dizer que ele está prestes a tomar uma bifa. Basicamente não tem ninguém por ali: Tavis e Schtitt estão fora dando o que são basicamente umas palestras de recrutamento em clubes indoors nos subúrbios do oeste; Pemulis tinha deixado o Vara-Paul Shaw pegar o guincho multiadesivado para levar Mario ao Passeio Público para assistir às festividades públicas do Dia-I com a Bolex H64; os meninos que são daqui mesmo normalmente vão passar o dia em casa; boa parte dos outros gosta de ficar deitada nas Salas de Vídeo e mal se mexer durante o Dia-I todo até o jantar de gala. Lord corre alucinado de um lado para o outro entre as Quadras 6 e 8, com o carrinho se sacudindo inteiro (o carrinho de refeitório, que Pemulis e Axford pegaram com um auxiliar de serviços gerais de cara meio suspeita no Hospital SJDD que Pemulis conhecia de Allston, tem uma dessas rodinhas dianteiras esquerdas frouxas que p. ex. parecem ser um atributo exclusivo do *seu* carrinho de compras no supermercado, e fazem um barulho dos diabos quando você está correndo), levando mensagens que os caras do sub-18 têm certeza que a AMOTAN e a SOVARS estão deixando deliberadamente enviesadas e obtusas para que Lord tenha que correr ainda mais vezes; Deus nunca é um papel muito popular entre os atores, e Lord neste outono já foi vítima de diversas pegadinhas tipo internato, pueris demais até para serem descritas. J. A. L. Struck Jr., que como sempre virou um porco torto depois daqueles copinhos suspeitosamente revigorantes de Gatorade, vomita de repente em seu próprio colo e depois meio que cai de lado na cadeira de piscina com o rosto mole e branco e não ouve a rápida análise de Pemulis de que Hal podia simplesmente já ir passando o $ para o Aiquefoda de uma vez, porque LaMont Chu é o diabo para analisar uma árvore de decisões, e a Árvore-D agora está indicando ofertas de paz em seja lá que for a versão Árvore-D de um letreiro de neon, porque a maior prioridade para a AMOTAN exatamente às 1515h é evitar ter de entrar em BOCOPOC com a SOVARS, já que se o jogo acaba agora a AMOTAN provavelmente venceu, enquanto se eles entram em BOCOPOC com a SOVARS, trocando a maciça obtenção de pontos de DESMIRIN por maciças saraivadas de DESMIRSOF, ficando mais ou menos pau a pau um com o outro, a AMOTAN ainda estaria com os mesmos pontos de vantagem geral sobre a SOVARS, mas teria aceitado um débito tão grande de DESMIRSOF que IRLIBSIR — e não

341

esqueçamos a IRLIBSIR, brilhante conquanto irritantemente imamezada hoje pelos dessobrancelhados onze anos de Evan Ingersoll de Binghamton, NNY — ao ficar de fora da orgia de BOCOPOC e mandar uns lobs esporádicos contra a SOVARS com uma frequência que baste para recolher belos pontos de DESMIRIN mas não o bastante para emputecer a SOVARS a ponto de provocar a onda retaliatória de SS10 que representaria significativo DESMIRSOF, podia muito bem ter uma boa chance de passar a AMOTAN no placar geral do Eskhaton, especialmente quando você considera as vantagens de $f(x)$ de belicosidade e uma defesa civil inexistente. Num dado momento Axford passou o que restava do cigarro de volta para trás na direção de Struck sem olhar para ver que Struck não está mais na cadeira, e Hal se vê pegando o baseado oferecido e fumando maconha em público sem nem pensar a respeito e sem nem ter decidido conscientemente fazê-lo. Não há dúvidas de que o coitadinho do Lord, de cara vermelha e nariz escorrendo, está fazendo viagens demais sacolejando de um lado para o outro entre as Quadras 6 e 8 para que isso não represente uma negociação de paz. Evan Ingersoll está positivamente cavoucando os últimos veios preciosos da narina direita. Por fim Lord para com a correria, se posiciona na área de saque da Quadra 7 e carrega um disquete novo no Tutikaga. Struck geme alguma coisa numa língua possivelmente estrangeira. Todos os outros espectadores de nível mais alto foram arrastando suas cadeiras para bem longe de Struck. Troeltsch estende uma mão cheia de bolhas de sangue e esfrega a pontinha dos dedos uma na outra na direção de Hal, e Hal entrega as doletas sem passar o cigarrinho de volta para Axford, de alguma maneira. Pemulis está intensamente curvado para a frente com o queixo pontudo nas mãos; ele parece completamente absorto.

O Eskhaton do Dia da Interdependência do AFGD entra no que é provavelmente sua fase mais crucial. Lord, com o carrinho e o TP portátil, coloca o gorrinho branco (n.b.: não o gorrinho preto ou o vermelho) que representa uma interrupção temporária dos EVESPAS entre dois Combatentes mas permite que todos os outros Combatentes continuem perseguindo seus interesses estratégicos como lhes aprouver. A SOVARS e a AMOTAN estão portanto bem vulneráveis neste momento. O premiê Peterson e a marechal do ar Kittenplan, da SOVARS, carregando juntos o balde branco faxineiral deles com o estoque bélico, atravessam a Europa e o Atlântico para uma reunião com o presidente Chu e o supremo comandante Possalthwaite, da AMOTAN, no que parece ser Serra Leoa. Vários territórios fumegam em silêncio. Os outros jogadores estão na sua maioria parados batendo os braços no peito por causa do frio. Alguns flocos hesitantes de neve surgem, revoam e derretem virando estrelas negras assim que tocam a quadra. Um ou outro ostensivo líder mundial corre daqui para ali de uma maneira nada presidencial com a boca aberta virada para o céu, tentando pegar um pouco da primeira neve do outono. Ontem estava mais quente e choveu. Axford especula se a neve vai significar que Schtitt pode consentir com a inflação do Pulmão ainda antes do evento de arrecadação dali a duas semanas. Struck está ameaçando cair da cadeira. Pemulis, intensamente concentrado, usando o quepe de navegador à la sr. Howell, ignora a todos. Ele detesta digitar e mantém suas estimativas via lápis e prancheta, ao estilo deLint. O sedã Ford em ponto morto é conspícuo graças ao antigo e excruciado anúncio colorido de Aspirina Nunhagen sobre o verde da sua porta traseira direita. Hal e Axford estão passando o que para os Combatentes parece ser um papel de bala sem bala de um para o outro, e de vez em quando para Troeltsch. Trevor ("Aiquefoda") Axford tem um total de apenas três dedos e meio na mão direita. Lá da Casa Oeste dá para ouvir a sra. Clarke e a equipe normal-mais-cinquenta-por-cento da cozinha preparando o jantar de gala do Dia da Interdependência, que sempre inclui sobremesa.

Agora a CHIVERM, que está ela própria tentando descolar um DESMIRIN de graça, manda um altíssimo lob com topspin para os quadrantes da INDPAQ, atingindo o que a CHIVERM diz ser uma detonação perfeita sobre Karachi e o que a desogivada INDPAQ diz ser apenas uma detonação parcial sobre Karachi. É um momento tenso: uma disputa como essa jamais ocorreria no mundo real do Deus real, já que a verdade estaria manifesta no tamanho verdadeiro da salsichada verdadeira na verdadeira Karachi. Mas Deus aqui é representado por Otis P. Lord, e Lord está fazendo contas tão alucinadamente no Tutikaga do carrinho, tentando confirmar a verossimilhança dos termos do acordo de paz que a AMOTAN e a SOVARS estão montando, que não consegue nem fingir ter visto onde aterrissou o bólido da CHIVERM contra a INDPAQ em relação à camiseta de Karachi — que é bom reconhecer que está meio entortada e entronchada, embora isso talvez se deva originalmente a brisas e pés — e em seu lapso de onisciência ele não consegue ver como deveria alocar os pontos relevantes de DESMIRIN e DESMIRSOF. Troeltsch não sabe se diz ou não diz "PELA madrug*ada!*". Lord, constrangido por um lapso que é difícil ver como um mortal poderia ter evitado, apela a Michael Pemulis para uma arbitragem independente; e quando Pemulis solenemente sacode a cabeça enchapelada, lembrando que Lord é Deus e ou vê ou não vê, no Eskhaton, Lord tem um intenso ataquezinho de choro que fica abruptamente pior quando agora J. J. Penn da INDPAQ do meio do nada tem a ideia de começar a dizer que agora que está nevando que a neve afeta totalmente a área dos impactos e do fogo, a intensidade dos pulsos e de repente até tem implicações pras cinzas nucleares, e ele diz que Lord precisa refazer completamente os parâmetros de danos antes que alguém possa traçar estratégias realistas daqui em diante.

Os pés da cadeira de Pemulis gritam e fazem amendoins vermelhinhos jorrarem numa espécie de cone cornucópico e lá está ele de pé em sua capacidade de como que eminência parda do Eskhaton e patrulhando de cima para baixo a cerca de aros de metal do teatro de operações, dando a J. J. Penn o lado mais grosso da sua língua. Além de ser sensível pacas a toda e qualquer ameaça de violação da integridade do mapa via punção das fronteiras do teatro — ameaças que já surgiram antes, e que na visão de Pemulis ameaçam toda a noção vital de realismo do jogo (um realismo que depende de se aceitar o artifício de 1300 m² de quadras de tênis de piso sintético representando toda a projeção retangular do planeta Terra) — Pemulis é também um inimigo jurado de todos os Penn para todo o sempre: foi o irmão bem mais velho de J. J., Miles Penn, hoje com vinte e um anos e se esfalfando no terrível Circuito profissional satélite do Terceiro Mundo, jogando para cobrir as despesas de viagem em locais lúgubres e disentéricos, que quando Pemulis chegou à ATE com onze aninhos tinha batizado o menino de Michael Penisliso e mantido Pemulis convencido durante quase um ano inteiro que se ele apertasse o umbigo a bunda caía.[129]

"Está nevando na porra do *mapa*, não no *território*, sua *besta!*", Pemulis berra para Penn, cujo lábio inferior está projetado e trêmulo. O rosto de Pemulis é o rosto de um cara que um dia vai precisar de medicação para pressão alta, uma constituição física que o Hipofagin não ajuda nem um pouquinho. Troeltsch está sentado bem reto e fala muito aplicadamente, baixinho, no microfone. Hal, que no seu tempo nunca usou o gorrinho, e normalmente representava alguma nação marginal de algum ponto em que o judas nuclear perdeu as botas, se vê mais intrigado pelo faux pas mapa/território de Penn do que irritado por ele, ou até do que divertido.

Pemulis volta ao pavilhão e parece estar olhando para Hal com algum tipo de apelo: "Jisúis!".

"Só que será que o território é o mundo, entre aspas mesmo!", Axford grita de longe para Pemulis, que está andando de um lado para o outro como se a cerca estivesse entre ele e algum tipo de presa. Axford sabe muito bem que dá pra sacanear o Pemulis quando ele está assim: quando está fervendo ele sempre esfria e fica arrependido.

Struck tenta gritar buzunho para Pemulis mas não consegue fazer o megafone que montou com as mãos se encaixar na frente da boca.

"O mundo real é o que este mapa aqui *representa!*" Lord levanta a cabeça do Tutikaga e grita lá na direção do Aiquefoda, tentando agradar Pemulis.

"Olha que até que tá parecendo neve tipo de verdade vendo daqui, M. P.", Axford grita. A testa dele ainda está castanha por causa do acesso de tosse. Troeltsch está tentando descrever a diferença entre o mapa simbólico das quadras recobertas de equipamento tenístico e o teatro estratégico global que ele representa empregando única e exclusivamente clichês de narrador esportivo. Hal olha de Aiquefoda para Pemulis para Lord.

Struck finalmente cai da cadeira com um baque mas as pernas dele ainda estão de alguma maneira enredadas nas pernas da cadeira. Começa a nevar mais pesado, e estrelas negras de derretimento passam a se multiplicar e aí a se fundir por todas as quadras. Otis Lord está tentando digitar e enxugar o nariz na manga ao mesmo tempo. J. Gopnik e K. McKenna estão correndo muito longe dos quadrantes que lhes foram atribuídos, de língua de fora.

"Neve de verdade não é um fator considerável se está caindo na porra do *mapa!*"

A cabeça de cabelo raspado de Ann Kittenplan protubera agora de um monte como que um scrum de rúgbi que os chefes de Estado da AMOTAN e da SOVARS formam em torno do carrinho computacional de Lord. "Pelo amor de Deus deixa a gente em paz!", ela berra para Pemulis. Troeltsch está dizendo "Ai ai ai" no microfone. O. Lord está lutando com o guarda-chuva que protege o carrinho, com a helicezinha branca do seu gorro rodando num vento que aumenta. Um leve pó de neve começa a surgir no cabelo dos jogadores.

344

"Só vai ser neve de verdade se já estiver no *roteiro!*" Pemulis continua dirigindo isso tudo a Penn, que não abriu mais a boca desde a sua sugestão original e está ocupado chutando meio distraído a camiseta de Karachi lá para o Mar Arábico, nitidamente torcendo para que a detonação original seja esquecida no meio dessa zona metateórica toda. Pemulis está enfurecido do outro lado da cerca oeste das Quadras Leste. A combinação de diversas cápsulas de Hipofagin com a adrenalina do Eskhaton faz o seu lado irlandês-operário vir direto à tona. Ele é um sujeito musculoso mas fundamentalmente estreito em termos físicos: cabeça, mãos, o chumacinho cartilaginoso e estreito na ponta do nariz de Pemulis — para Hal tudo nele parece se estreitar e se afilar, como um El Greco de segunda. Hal se inclina para cuspir e fica olhando enquanto ele anda como uma coisa enjaulada e Lord trabalha enlouquecidamente com a matriz de decisões para tratados de paz do EndStat. Hal imagina, não pela primeira vez, se pode bem lá no fundo ser um esnobe enrustido quanto a questões sociais e a Pemulis, e depois se o fato dele ser capaz de imaginar se é esnobe atenua a possibilidade dele realmente ser esnobe. Apesar de Hal não ter dado mais que quatro ou cinco bolas bem pequenas no total daquele baseado público, este é um belíssimo exemplo do que às vezes é chamado de "pensamento maconheiro". Dá para saber isso porque Hal está bem inclinado para cuspir mas se perdeu numa espiral paralítica de pensamento e ainda não cuspiu, muito embora esteja bem em posição de bombardeio sobre o copo da NASA. Também lhe ocorre que ele acha essa enrolação de neve-de-verdade/neve-de-mentira no Eskhaton extremamente abstrata mas de alguma maneira bem mais interessante que o próprio Eskhaton até agora.

O homem forte da IRLIBSIR, Evan Ingersoll, do alto do seu metro e trinta, aquecido pela gordura pueril e por um empenho cerebral de alto consumo calórico, está acocorado, sentado nos calcanhares como um apanhador de beisebol logo a oeste de Damasco, girando o lançador Rossignol distraído, assistindo à conversa unilateral entre Pemulis e J. J. Penn, companheiro de quarto de Ingersoll, que agora está ameaçando zarpar e ir tomar um chocolate se eles não conseguirem jogar Eskhaton uma vez sem os mais velhos ficarem se metendo como sempre. Ouve-se um levíssimo zumbido enquanto as engrenagens mentais de Ingersoll trabalham. Pela duração da pequena conferência de Serra Leoa e pela cara concentrada e neutra de todo mundo está mais do que claro que a SOVARS e a AMOTAN vão chegar a um acordo, e os termos desse acordo devem provavelmente envolver o comprometimento da SOVARS de não entrar em BOCOPOC contra a AMOTAN em troca da liberação pela AMOTAN de que a SOVARS entre em BOCOPOC com a IRLIBSIR de Ingersoll, porque se a SOVARS entra em BOCOPOC com uma IRLIBSIR que não pode mais ter muitas ogivas restantes naquele balde a essa altura (Ingersoll sabe que eles sabem) aí a SOVARS vai conseguir juntar um monte de pontos de DESMIRIN sem muito DESMIRSOF, ao mesmo tempo que vai expor a IRLIBSIR a tanto DESMIRIN que a IRLIBSIR vai ser efetivamente eliminada enquanto ameaça a liderança da AMOTAN em pontuação, que é o que tem mais utilidade na boa e velha matriz teórico-joguística neste exato momento. As transformações precisas das utilidades são bisonhas demais para um Ingersoll que ainda se bate com frações, mas ele pode ver com clareza que esse seria o quadro mais desremorsifica-damente lógico em-nome-dos-melhores-interesses-comuns tanto para LaMont Chu quanto especialmente para o Hibernante, Peterson, que faz meses já que odeia Ingersoll sem nenhuma razão, motivo nem nada, Ingersoll simplesmente sabe.

Hal, paralisado e absorto, fica olhando Ingersoll se balançar agachado, trocar a raquete de uma mão para a outra, cerebrar furiosamente e concluir logicamente, então, que a mais elevada utilidade estratégica possível para a IRLIBSIR resta na possibilidade de que a AMOTAN e a SOVARS não consigam fechar um acordo.

Hal quase enxerga uma lâmpada negra se acendendo acima da cabeça de Ingersoll. Pemulis está dizendo a Penn que há uma distinção crítica entre se meter e deixar uns merdinhas que nem o nosso Jeffrey Joseph Penn aqui ferrarem com todas as delimitações possíveis, que são o verdadeiro sangue e a vida do Eskhaton. Chu e Peterson estão aquiescendo solenemente com coisinhas que estão se dizendo enquanto Kittenplan estrala os dedos e Possalthwaite quica uma ogiva distraído nas cordas da raquete.

Aí agora Evan Ingersoll se ergue do agachamento apenas para se curvar mais uma vez e pegar uma ogiva no balde faxineiral da IRLIBSIR, e Hal parece ser o único que vê Ingersoll alinhar o vetor muito cuidadosamente com o polegar fininho, armar bem o braço e disparar a bola direto contra o pequeno círculo de líderes super-Combatentes que está na África Ocidental. Não é um lob. Ela voa direto como se tivesse sido disparada por um rifle e atinge Ann Kittenplan bem na nuca com um violento *fomp*. Ela gira para olhar a leste, com uma mão atrás do crânio arrepiado, buscando e aí focando em Damasco, o rosto como uma pétrea máscara mortuária tolteca.

Pemulis, Penn, Lord e todo mundo gela, chocados e calados, e aí fica só o bizarro suspiro cintilado da neve que cai e os sons de dois corvos interfaceando nos pinheiros lá perto da CD. Os ventiladores ATHSCME estão calados e quatro nuvens de escapamento em formato de meias felpudas pairam imóveis sobre as chaminés da Sunstrand. Nada se move. Nenhum Combatente de Eskhaton jamais atingiu intencionalmente a pessoa física de outro Combatente com um dispositivo termonuclear de 5 megatons. Por mais que os nervos dos jogadores tenham estado em frangalhos, nunca fez nem o mais remoto sentido. A megatonelagem de um Combatente é preciosa demais para ser gasta em ataques pessoais fora do mapa. Era assim meio que uma regra tácita e superbásica.

Ann Kittenplan está tão chocada e enfurecida que fica ali paralisada, tremendo, com os olhos cravados em Ingersoll e na sua Rossignol fumegante. Otis P. Lord apalpa o seu gorrinho.

Ingersoll agora muito ostensivamente examina as minúsculas unhinhas da sua mão esquerda e como quem não quer nada sugere que a IRLIBSIR acabou de acertar uma detonação perfeita contra toda a capacidade de bombardeio da SOVARS, ou seja, a marechal do ar Ann Kittenplan, e que fora isso também tinha que a capacidade de bombardeio da AMOTAN, fora os assistentes e os chefes de Estado dos dois Combatentes, tudo isso estava dentro do raio fatal da explosão — que pelos cálculos iniciais

346

de Ingersoll se estende da Costa do Marfim até o Senegal, lá no corredor de duplas. A não ser é claro que esse raio mortal seja de alguma maneira alterado pela possível presença de neve climática, ele acrescenta, com um largo sorriso.

Pemulis e Kittenplan agora surtam ao mesmo tempo com uma série linear de invectivas anti-Ingersoll em que um afoga o outro fazendo os corvos nas árvores decolarem.

Mas Otis Lord — que ficou assistindo a toda a conversa, lívido, e achou algo relevante no subdiretório de metadecisão TREEMASTER do EndStat — agora, para horror de todos, retira do pescoço um cadarço de sapato com uma chavinha cor de níquel e se curva até a pequena caixinha disfarçada de livro na última prateleira do carrinho e diante dos olhos aterrorizados de todos abre a caixinha e com uma cautela quase cerimonial troca o gorrinho branco que tem na cabeça pelo gorrinho vermelho que significa Crise Global Total. O temido gorrinho vermelho de CGT foi envergado pelo mestre do Eskhaton apenas uma vez antes, e isso há mais de três anos, quando um erro humano na entrada de dados nas estimativas de DESMIRSOF agregado no EndStat durante um forrobodó de BOCOPOC há três gerou uma aparente ignição da atmosfera terrestre.

Agora um arrepio mundo-real desce sobre a granulada paisagem de revoos brancos do teatro nuclear.

Pemulis diz a Lord que não está acreditando na *merda* que está vendo ali. Ele diz a Lord como é que ele ousa envergar o temido gorrinho vermelho por causa de um exemplo tão óbvio de cagada equivocacionária tipo mapa-não território como esse que o Ingersoll está tentando descolar.

Lord, curvado diante do piscante Tutikaga do carrinho, responde que aparentemente há um problema.

Ingersoll está assobiando e fingindo dançar o charleston entre Abu Kemal e Es Suweida, usando a raquete como uma bengala de sapateador.

Hal finalmente cospe.

Debaixo dos olhos escancarados de Pemulis, Lord pigarreia e chama Ingersoll, tentando postular que as negociações da Situação-de-Detonação antes do jogo de hoje não estabeleciam áreas-alvo de valor estratégico válido na nação tamanho-selo--postal de Serra Leoa.

Ingersoll grita lá do outro lado do Mediterrâneo que áreas-alvo de extremo interesse estratégico apareceram em Serra Leoa no exato momento em que os chefes de Estado e todas as capacidades de bombardeio da AMOTAN e da SOVARS acharam por bem dar uma voltinha ali por Serra Leoa. Que Serra Leoa dali em diante a partir de então tem se tornado, ou na verdade se tornou, ele finge se corrigir com um sorriso, um PESTRALVO de facto. Se presidentes e premiês queriam deixar a proteção das redes de defesa de seus territórios e ir organizar esses convescotezinhos panelinhazísticos que excluíam os outros Combatentes em alguma palhoça por aí era problema deles, mas Lord estava usando o gorrinho branco que explicitamente autorizava os defensores expoliados e subdesenvolvidos da Única e Verdadeira Fé do mundo a continuar em busca de seus interesses estratégicos, e a IRLIBSIR estava agora extremamente interessada nos pontos somados de DESMIRIN que via se somarem aos seus por ter acabado de fazer evaporar as capacidades estratégicas dos dois super-Combatentes com um único golpe tipo Espada-Chamejante-do-Altíssimo.

Ann Kittenplan fica dando uns passinhos trêmulos na direção de Ingersoll e sendo contida e puxada para trás por LaMont Chu.

"TP hibernando" Peterson, que sempre parece meio zonzo mesmo nas melhores circunstâncias, pede que Otis P. Lord defina *equivocacionária* para ele, fazendo Hal Incandenza rir alto sem querer.

Logo do outro lado da cerca do teatro, Pemulis está de olho esbugalhado de fúria — nada impossivelmente agravada pelas drinas — e literalmente pulando no lugar com tanta força que o seu quepe de iatista lhe salta levemente da cabeça a cada impacto, o que depois de breve consulta mútua Troeltsch e Axford concordam só terem visto ocorrer previamente em desenhos animados. Pemulis urra que Lord em sua hesitação está satisfazendo Ingersoll no esforço de Ingersoll foder fatalmente com o alento e o sustento do Eskhaton.[130] Os jogadores não podem ser eles mesmos alvos válidos. Os jogadores não estão dentro da porra do jogo. Os jogadores são parte do *aparato* do jogo. Eles são parte do mapa. Está nevando nos jogadores mas não no território. Eles são parte do *mapa*, não da porríssima do *território*. Você só pode disparar contra o território. Não contra o *mapa*. É tipo a única regra básica que evita que o Eskhaton degenere e vire caos. O Eskhaton, cavalheiros, é um jogo de lógica, axiomas, probidade matemática, disciplina, verdade e *ordem*. Você não ganha pontos por acertar alguém que é de verdade. Só os equipamentos de tênis que *mapeiam* o que é de verdade. Pemulis fica olhando por cima do ombro lá para o pavilhão e gritando "Jisúis!".

O companheiro de quarto de Ingersoll, J. J. Penn, tenta argumentar que a evaporada Ann Kittenplan está usando vários artigos de indumentária que valem mucho INDDIR, e todo mundo grita para ele calar a boca. A neve agora está caindo pesado para já compor um ambiente, e todo mundo que está fora da proteção do pavilhão parece eneblinadamente amortalhado, do ponto de vista de Hal.

Lord está tabulando endoidecido no TP sob a proteção recém-aberta de um velho guarda-sol de praia que um mestre de jogo anterior tinha soldado ao topo do carrinho de refeitório. Lord enxuga o nariz contra o mesmo ombro que segura um telefone preso contra sua orelha, desajeitadamente, e relata que verificou o diretório de axiomas do Eskhaton no DEC via modem $Pink_2$ e que infelizmente com todo o devido respeito a Ann e Mike ele não parece dizer explicitamente que jogadores com funções estratégicas não possam virar áreas-alvo se por acaso resolverem dar uma voltinha fora das suas redes de defesa. LaMont Chu diz então como é que pode que nunca atribuíram valores de pontuação aos jogadores então, cacilda, e Pemulis grita de longe isso é tudo tão nada-a-ver que nem faz diferença, que o motivo dos jogadores não serem explicitamente excluídos do ESKAHX.DIR é que a exclusão deles é o que possibilita a porra do Eskhaton e os seus axiomas pra *começo* de conversa. Como que uma pálida esteira de barco de gás de escapamento escapa do sedã Ford em ponto morto lá por trás do pavilhão e se alarga ao que levanta, dispersando-se. Pemulis diz que senão, usem a cabeça, senão emoções não estratégicas seriam despertadas e os Combatentes se veriam mandando bolinhas contra as pessoas físicas um do outro o tempo todo e o Eskhaton não seria nem possível na gélida elegância de sua forma teórico-joguística. Pelo menos ele parou de ficar pulandinho, Troeltsch observa. A exclusão dos jogadores dos ataques vai sem dizer, Pemulis diz; é um negócio tipo *pré*-axiomático. Pemulis diz para Lord considerar com muito cuidado o que está fazendo, porque olhando de onde ele está parece que Lord está disposto a muito possivelmente comprometer o mapa do Eskhaton para todo o sempre. A pró-reitora do feminino 16-a-18 Mary Esther Thode roda lentamente da esquerda para a direita por trás do pavilhão, no longo caminho que vai da ruazinha circular até o portão levadiço, para sua lambretinha, ergue a viseira escura do seu capacete e berra para Kittenplan pôr um gorro se quer jogar na neve com aquele cabelo raspado. É desse modo apesar do fato de Kittenplan não estar estritamente debaixo digamos do guarda-chuva de autoridade da srta. Tode, Axford observa para Troeltsch, que transmite esse fato para o microfone. Hal está mexendo a boca para tentar juntar cuspe numa boca que ficou bem seca, o que quando você está com um naco de Kodiac não é lá muito agradável. Ann Kittenplan está sofrendo do que parecem ser tremores quase parkinsonianos nos últimos minutos, com o rosto convulso e o bigode quase de pé. LaMont Chu repete o argumento de que é impossível que os jogadores, nem mesmo aqueles com funções estratégicas, possam um dia vir a ser áreas-alvo legítimas se não lhes foram atribuídos valores de DESMIRIN/DESMIRSOF na função contabilizadora do EndStat. Pemulis ordena que Chu não distraia Otis Lord do terreno incrivelmente potente e letal a que Lord está deixando que Ingersoll os leve. Ele diz que nenhum deles jamais teve a oportunidade de conhecer o verdadeiro sentido da palavra *crise*. Ingersoll grita para Pemulis que o seu poder emérito de veto se restringe aos cálculos de Lord e não se estende às decisões do Deus do jogo de hoje sobre o que faz e o que não faz parte do jogo. Pemulis convida Ingersoll para fazer algo anatomicamente impossível. Pemulis pergunta a LaMont Chu e a Ann Kittenplan se eles vão só ficar ali com o dedo na boca deixando o Lord deixar o Ingersoll eliminar o mapa do Eskhaton pela eternidade por uma merreca de uma bostinha de uma vitória num único dia de apocalipse. Kittenplan estava tremendo e passando a mão na parte de trás da cabeça coberta de veias e olhando por sobre o Mediterrâneo para Ingersoll como alguém que sabe que vai acabar na cadeia por causa de uma coisa que quer fazer. Axford propõe certas condições físicas bastante improváveis em que o que Pemulis disse para Ingersoll fazer não seria totalmente impossível. Hal cospe grosso, junta mais e tenta cuspir de novo, olhando. Troeltsch transmite o fato de que há sempre um vago odor estranho e vitamínico em torno de Mary Esther Thode que ele nunca consegue sacar direito. Ouve-se o súbito uuump tripartido de três veículos de Deslocamento de Resíduos Empire sendo lançados acima das nuvens para pontos no norte distante. Hal identifica o odor ambiente de Thode como o fedor da tiamina, que por motivos que só a mesma Thode há de entender ela toma aos montes; e Troeltsch transmite esse dado e se refere a Hal como uma "fonte próxima", o que soa estranho para Hal, e algo errado de uma maneira que ele não consegue descrever precisamente. Kittenplan se livra do braço de Chu, corre em disparada, extrai uma ogiva do estoque portátil da SOVARS e grita então tá então se jogador pode ser alvo então nesse caso: e ela lança uma bola velocíssima contra a cabeça de Ingersoll, que Ingersoll mal consegue bloquear com a sua Rossignol gritando que Kittenplan não pode lançar nada contra nada porque foi evaporada por uma detonação de contato de 5 megatons. Mas Kittenplan manda Ingersoll reclamar por escrito para o seu representante no congresso e contra os pedidos desesperados de LaMont Chu por uma discussão razoável ao fundo ela pega várias outras ogivas teoricamente valiosas do balde de solvente industrial e leva muito a sério a ideia de atingir Ingersoll, avançando firme rumo leste sobre a Nigéria e o Chade, fazendo com que Ingersoll corra para o norte por sobre o mapa das quadras numa velocidade impressionante, abandonando o balde de munição da IRLIBSIR e saindo como um louco pela Sibéria gritando Não Vale. Lord está miando pedidos de ordem em vão, mas alguns assistentes dos outros Combatentes começaram a sentir que Evan Ingersoll virou alvo permitido de crueldade — daquele jeito que as crianças têm de aparentemente farejar essas coisas com uma acurácia atordoante — e o secretário-geral da CHIVERM, um especialista em vetores da AMOTAN e Josh Gopnik começam a seguir rumo nordeste pelo mapa disparando bolas com toda a força contra Ingersoll, que largou o lançador e está tremendo alucinadamente contra o portão trancado do lado norte da cerca, onde a sra. Incandenza decidiu que não quer os meninos saindo das Quadras Leste e pisoteando as calliopsis dela; e esses menininhos são capazes de disparar umas bolas incrivelmente rápidas. Hal agora não consegue juntar cuspe para cuspir. Uma ogiva atinge Ingersoll no pescoço e outra solidamente na carne da coxa. Ingersoll começa a mancar em círculos apertados segurando o pescoço, chorando daquele jeito estremecido meio câmera lenta que as crianças pequenas têm quando estão chorando mais pelo fato de terem se machucado do que pelo próprio machucado. Pemulis está se afastando da cerca sul rumo ao pavilhão e com os braços erguidos ou num apelo ou enfurecido ou por qualquer outra coisa. Axford diz a Hal e a Troeltsch que ele queria não ter sentido o arrepio do mal que sentiu ao ver Ingersoll ser sovado. Umas pelezinhas vermelhas de amendoim se embaraçaram no cabelo de Jim Struck, deitado ali imóvel. O. P. Lord tenta decretar que Ingersoll não está mais no mapa-múndi de quatro quadras do Eskhaton e portanto nem é teoricamente uma área-alvo válida. Não faz mal. Vários meninos acuam Ingersoll, triangulando os bombardeios, com T. Peterson liderando. Ingersoll é atingido diversas vezes, uma vez bem perto do olho. Jim Troeltsch já disparou rumo à cerca querendo parar aquilo, mas Pemulis o segura pelo cabo do microfone e diz para ele deixar cada corcunda dormir como sabe. Hal, agora inclinado para a frente, com os dedos formando uma abóbada, se vê praticamente paralisado pela concentração. Trevor Axford, punho no queixo, pergunta se Hal alguma vez já simplesmente *odiou* alguém sem ter a menor ideia do motivo. Hal se vê encantado com alguma coisa nesse jogo em degeneração que parece tão terrivelmente abstrato e pleno de implicações e consequências que até pensar num jeito de articular isso tudo parece tão complexamente tenso que ficar quase incapacitado pela absorção é quase a única forma de se livrar dessa tensão. Agora Penn, da INDPAQ, e McKenna, da AMOTAN, que têm velhas diferenças pessoais com Ann Kittenplan, se separam dos outros, se reagrupam e executam um movimento de pinça contra Ann Kittenplan. Ela é atingida duas vezes por trás a curta distância. Ingersoll já caiu faz tempo e continua sendo atingido. Lord está decretando em altos brados que simplesmente não é possível que a AMOTAN ataque a si própria, quando leva bem no esterno com uma ogiva errante. Apertando o peito com uma mão, com a outra ele dá um tapinha na hélice do gorro vermelho, nunca antes girada, giro que anuncia uma situação tipo pior-das-hipóteses-de-total--descontrole-e-Armagedon. Timmy Peterson leva uma bolada na virilha e cai como um saco de farinha de trigo refinada. Todo mundo está catando ogivas usadas e redisparando-as de maneira superirrealista. As cercas tremem e cantam no que as bolas as macetam. Ingersoll agora parece algum tipo de bicho atropelado na estrada.

Troeltsch, que pela primeira vez está olhando o sedã em ponto morto lá perto das lixeiras da Casa Oeste e perguntando se alguém conhecia alguém que andava com um Ford de anúncio de aspirina Nunhagen, é o único espectador de nível mais alto que não parece total e tacitamente envolvido pelo espetáculo. Ann Kittenplan largou a raquete e está atacando McKenna. Ela recebe duas detonações de contato na região do peito antes de chegar até ele e derrubar McKenna no chão com um impressionante cruzado de esquerda. LaMont Chu agarra Todd Possalthwaite por trás. Struck parece ter mijado nas calças enquanto dormia. J. J. Penn escorrega numa ogiva largada perto de Fiji e cai de maneira espetacular. A neve faz tudo parecer ao mesmo tempo velado e terrivelmente nítido, eliminando todo e qualquer pano de fundo visual de modo que a ação no mapa parece clara e surreal. Ninguém agora está usando bolas de tênis mais. Josh Gopnik soca o estômago de LaMont Chu, e LaMont Chu berra que foi socado no estômago. Ann Kittenplan segura Kieran McKenna com um sossega-leão e soca repetidamente o alto da cabeça dele. Otis P. Lord larga o guarda-sol de praia e começa a empurrar o carrinho de refeitório com a roda frouxa numa velocidade de fazer os disquetes saltitarem na direção do portão sul aberto da 12, ainda dando tapinhas alucinados na hélice do gorrinho vermelho. O cabelo de Struck não para de acumular casquinhas vermelhas. Pemulis está se protegendo mas ainda está de pé, com as pernas bem separadas e os braços cruzados. Troeltsch diz que ele no que se refere a ele não estaria ali sentado e deitado na boa se algum Amiguinho dele sob a responsabilidade pessoal dele estivesse ali sendo potencialmente ferido, e Hal reflete que de fato está sentindo um certo tipo de intensa angústia, mas não consegue desembaraçar as implicações que quase parecem infinitas do que Troeltsch está dizendo com velocidade suficiente para determinar se a angústia vem de algo que ele está vendo ou de algo na conexão entre o que Troeltsch está dizendo e o grau em que ele está envolvido pelo que está acontecendo dentro da cerca, que é um caos degenerativo tão completo em sua desordem que é difícil dizer se parece coreografado ou simplesmente desordenado caoticamente. LaMont Chu está vomitando no Oceano Índico. Todd Possalthwaite está com as mãos no rosto e gritando alguma coisa sobre o seu "*dariz*". Agora, sem nenhuma sombra de dúvida ou possibilidade de engano, está nevando. O céu está meio bege. Lord e o seu carrinho estão literalmente deixando rastros na direção da borda do mapa. Evan Ingersoll não se mexe há vários minutos. Penn está deitado numa área de saque que embranquece com uma perna dobrada embaixo do corpo num ângulo impossível. Alguém lá bem longe atrás deles está soprando um apito de atletismo. Ann Kittenplan começa a perseguir o secretário-geral da CHIVERM pelo subcontinente Asiático em plena velocidade. Pemulis está dizendo a Hal que ele detesta ter que dizer que ele disse. Hal vê Axford bem inclinado para a frente protegendo alguma coisa minúscula do vento enquanto toca nela com um isqueiro sem gás. Agora lhe ocorre que hoje é o terceiro aniversário do dia em que o Aiquefoda perdeu um dedo e meio polegar da mão direita. O selvagenzinho do J. Gopnik está dando patadas no ar e dizendo para quem quiser encarar que é só cair dentro, cai dentro. Otis P. Lord e o seu carrinho vogam sacolejantes pela Indochina na direção do portão sul. Hal subitamente se dá conta de que Troeltsch e Pemulis estão com cara de sofrimento mas ele não está com cara de sofrimento e não tem certeza do motivo daquelas caras de sofrimento e está olhando para a batalha tentando determinar se deveria estar fazendo cara de sofrimento quando o secretário-geral da CHIVERM, chamando a mãe e fugindo desesperado enquanto olha por cima do ombro para o rosto contorcido de Ann Kittenplan, tromba de frente com o carrinho acelerado de Lord. Ouve-se um barulho que é como a soma histórica de todos os acidentes de refeitório de todos os lugares do mundo. Disquetes de 3.6 MB decolam como morcegos ensandecidos sobre o que descoberto seria a linha de fundo da Quadra 12. Gorrinhos de cores diferentes voam da caixa projetada, cuja tranca está quebrada e esticada como língua enquanto isso. O monitor do TP, o modem e o chassi do Tutikaga, com quase todo o sistema nervoso do Eskhaton no seu HD, assumem um vetor parabólico sudoeste. A altitude daquele equipamento pesado impressiona. Um estranho momento inerte, silente, de espera, com o TP lá no alto. Pemulis berra, mãos nas bochechas. Otis P. Lord salta as formas curvadas de carrinho e o secretário-geral e dispara abaixado sobre a neve sobre o mapa sobre a quadra, tentando salvar um equipamento que agora está no topo do arco de seu íris. Claro que Lord não vai conseguir. É um momento em câmera lenta. A neve já cai tão pesada, Hal pensa, que explica o fato de Lord não ver LaMont Chu bem na frente dele, de quatro, vomitando. Lord colide com a forma arqueada de Chu mais ou menos na altura do joelho e se lança espetacularmente no ar. O Ford em ponto morto revela um rosto súbito à janela do motorista. Axford está segurando o chassi do isqueiro perto da orelha e sacudindo. Ann Kittenplan está enfiando a cara do líder da CHIVERM repetidamente na malha da cerca sul. A parábola do voo de Lord é menos espetacular no eixo y do que tinha sido a do TP. O chassi do HD do Tutikaga faz um barulho indescritível quando bate no chão fazendo jorrar suas entranhas de brilhantes circuitos. O monitor colorido aterrissa de costas com a tela piscando ERRO para o céu branco. Hal e todos os outros conseguem projetar o ponto final do voo do próprio Lord um instante antes do impacto. Por um breve momento que Hal depois vai considerar completa e desconfortavelmente bizarro, Hal tateia o próprio rosto para ver se está fazendo cara de dor. Distante, o apito pistrila. Lord realmente acaba indo de cabeça na tela do monitor, e fica lá, de tênis para o alto e com a calça de aquecimento caída para cima e revelando uma meia preta. Tinha sido um barulho bem feio de vidro. Penn se contorce de costas. Possalthwaite, Ingersoll e McKenna sangram. A sirene da mudança de turno às 1600h lá na Sunstrand Power & Light é lugubremente abafada pelo não som da nevasca que cai.

8 DE NOVEMBRO
DO ANO DA FRALDA GERIÁTRICA DEPEND
DIA DA INTERDEPENDÊNCIA
GAUDEAMUS IGITUR

O AA de Boston é diferente do AA de qualquer outro lugar deste mundo. Exatamente como o AA de todos os outros lugares, o AA de Boston se divide em vários Grupos AA individuais, e cada Grupo tem seu nome de Grupo particular como o Grupo Realidade ou o Grupo Allston, ou o Grupo Sóbrio e Limpo, e cada Grupo faz sua reunião regular uma vez por semana. Mas quase todas as reuniões dos Grupos de Boston são reuniões de orador. Isso quer dizer que nessas reuniões há oradores alcoólicos em recuperação que ficam na frente de todo mundo num púlpito amplificado e "dividem sua experiência, sua força e sua esperança".[131] E o que é diferente aqui é que esses oradores nunca são membros do Grupo que está organizando a reunião, em Boston. Os oradores na reunião semanal de orador de um certo Grupo são sempre de algum outro Grupo AA de Boston. As pessoas do outro Grupo que estão aqui tipo no seu Grupo falando estão aqui no que se chama uma Promessa. Promessas são quando alguns membros de um Grupo prometem pôr o pé na estrada e viajar até a reunião de um outro Grupo para falar publicamente no púlpito. Aí um pessoal do Grupo que os recebeu põe o pé na pista oposta da mesma estrada numa outra noite e vai para a reunião do Grupo visitante, por assim dizer. Os Grupos sempre trocam Promessas: vocês vêm falar com a gente que a gente vai falar com vocês. Pode parecer bizarro. Você sempre vai para outro lugar para falar. Na reunião do seu próprio Grupo você é o anfitrião; você só fica ali sentado e presta a maior atenção que puder, e você faz café naquelas cafeteiras enormes de refeitório, empilha copinhos de isopor nuns zigurates enormes, vende bilhetes de rifa, faz sanduíches, você esvazia cinzeiros e limpa as cafeteiras enormes de refeitório e varre o chão quando os oradores do outro Grupo terminaram de falar. Você nunca divide a sua experiência, a sua força e a sua esperança sob as luzes da ribalta atrás de um púlpito de compensado com o microfone do seu sisteminha barato de PA não digital a não ser na frente de algum *outro* Grupo da Grande Boston.[132] Toda noite em Boston, carros todos lotados de adesivos de para-

-choque, cheios de uma gente totalmente sóbria, de olhos esbugalhados pela cafeína e tentando ler umas orientações rabiscadas de maneira ilegível com a luz do painel, cruzam a cidade, seguindo rumo a porões de igrejas ou salões de bingo, ou cantinas de asilo de outros Grupos AA, para cumprir Promessas. Ser um membro ativo de um Grupo AA de Boston é provavelmente parecido com ser um músico profissional ou tipo um atleta, em termos de viagens constantes.

O Grupo Bandeira Branca de Enfield, MA, na Grande Boston, se reúne aos domingos na cantina do Lar Providência na Hanneman Street, perto da Commonwealth Avenue a algumas quadras a oeste do morro de topo chato da Academia de Tênis Enfield. Hoje o Grupo Bandeira Branca está recebendo uma Promessa do Grupo Básico Avançado de Concord, um subúrbio de Boston. O pessoal do Básico Avançado dirigiu quase uma hora para chegar aqui, fora que sempre rola o problema das ruas urbanas desplacadas e das instruções dadas por telefone. Na noite da sexta-feira que vem, uma pequena horda de Bandeiras Brancas vai se mandar para Concord para cumprir uma Promessa Recíproca para o Grupo Básico Avançado. Cumprir longas distâncias em ruas sem placas tentando decodificar instruções como "Pegue a segunda à esquerda da rotatória perto da entrada do quiropraxista", se perder e gastar toda a sua noite depois de um dia longo só para falar por tipo seis minutos num púlpito de compensado é o que se chama "Manter-se Ativo no Seu Grupo"; a fala propriamente dita é chamada de "Trabalho de 12 Passos" ou de "Entregar Tudo". Entregar Tudo é um princípio central do AA de Boston. O termo deriva de uma epigramática descrição da recuperação no AA de Boston: "Você se entrega para receber de volta para entregar a alguém". A sobriedade em Boston é considerada mais uma espécie de empréstimo cósmico que uma dádiva. Você não pode pagar a dívida, mas pode pagar *pra frente*, espalhando a mensagem de que apesar de todas as aparências o AA funciona, espalhando essa mensagem para o próximo carinha que chegar cambaleante a uma reunião e estiver sentado na fileira do fundo incapaz de segurar seu copinho de café. O único jeito de se agarrar à sobriedade é entregar, e meras 24 horas de sobriedade valem todo tipo de coisa, sendo que um dia sóbrio é nada menos que um milagre diário se você é vítima da Doença como ele é vítima da Doença, diz o membro do Básico Avançado que está presidindo a Promessa desta noite, dizendo só umas poucas palavras públicas para o salão antes de abrir a reunião e se recolher a um banquinho perto do púlpito e chamar os oradores do seu Grupo por um sorteio aleatório. O presidente diz que não conseguia passar 24 ínfimos *minutos* sem um golinho antes de Entrar. "Entrar" significa admitir que o seu caveirão está ferrado e chegar cambaleando ao AA de Boston, pronto para encarar de tudo para encerrar a merda toda. O presidente do Básico Avançado parece uma cruza perfeita dos retratos de Dick Cavett e Truman Capote,[133] só que esse cara também é tipo totalmente, quase exuberantemente calvo, e como cereja do bolo ele ainda está usando uma camisa de caubói de um preto brilhante com uns fru-frus de uns filetes brancos no peito e nos ombros, uma gravata fininha mais uma bota de bico pontudo de um tipo de couro de réptil estranhamente imbricado, e no geral ele é bem impactante de olhar, grotesco daquele jeito impactante que exibe o seu grotesco. Há mais cinzeiros baratos de metal e copinhos de isopor nesse salão largo do que você vai ver em qualquer outro lugar do planeta. Gately está sentado bem na frente na primeira fila, tão perto do púlpito que consegue ver a lasquinha "de alfaiate" nos incisivos descomunais do presidente, mas ele gosta de se torcer e ficar vendo todo mundo chegar e andar por ali sacudindo água de cima da roupa, tentando achar um lugar vago. Mesmo na noite do feriado do Dia-I, a cantina do Providência está lotada às 2000h. O AA não tem feriados porque a Doença não tem. Essa é a grande Reunião Vespertina tradicional para os AAs de Enfield, Allston e Brighton. Os habitués vêm toda semana de Watertown e East Newton, também, muitas vezes, a não ser que estejam em Promessas com seus próprios Grupos. As paredes da cantina do Providência, pintadas de um verde indeciso, estão hoje ornadas de bandeirolas de feltro cobertas de slogans AA gravados num escoteirístico azul e dourado. Os slogans ali parecem insípidos demais até para serem mencionados. P. ex. "UM DIA DE CADA VEZ", pra começo de conversa. O coroquinha com roupa de faroeste conclui sua exortação inicial, pede o primeiro Momento de Silêncio, lê o Preâmbulo do AA, saca um nome aleatório do chapelão Crested Beaut que está segurando, exagera no esforço de apertar os olhos para ler, diz que gostaria de chamar o primeiro orador aleatório do Básico Avançado desta noite e pergunta se o seu camarada de Grupo John L. está no salão, aqui, hoje.

John L. levanta para ir ao púlpito e diz: "Está aí uma pergunta que antes eu não conseguia responder". O que recebe risos, e a postura de todo mundo fica sutilmente mais relaxada, porque está claro que John L. já tem algum tempo de sobriedade e não vai ser um desses oradores do AA tão assolados por um nervosismo autoconsciente que acabam deixando a empática plateia nervosa também. Todo mundo na plateia está buscando total empatia com o orador; assim eles vão poder receber a mensagem AA que ele veio transmitir. Empatia, no AA de Boston, é chamada de Identificação.

Aí John L. diz o seu primeiro nome e o que ele é, e todo mundo diz oi.

O Bandeira Branca é uma das reuniões AA da região que a Ennet exige que seus residentes frequentem. Você tem que ser visto numa reunião do AA ou do NA todas as noites da semana ou tchau, sem mais. Um funcionário da Casa tem que acompanhar os residentes quando eles vão às reuniões determinadas, para eles poderem ser oficialmente vistos lá.[134] Os conselheiros dos residentes da Casa sugerem que eles sentem bem na frente do salão onde possam ver os poros do nariz do orador e tentar se Identificar em vez de Comparar. De novo, *Identificação* significa empatia. Identificar-se, a não ser que você esteja decidido a se Comparar, não é uma coisa muito difícil, aqui. Porque se você senta bem na frente e presta bastante atenção, todas as estórias de declínio, queda e rendição dos oradores são essencialmente iguais, e iguais à sua: prazer com a Substância, aí muito gradualmente menos prazer, aí um prazer significativamente menor por causa dos pequenos apagões em que você de repente acorda no meio da estrada andando a 145 km/h acompanhado de pessoas que não conhece, noites em que você acorda numa roupa de cama estranha ao lado de alguém que nem se assemelha a qualquer espécie conhecida de mamífero, apagões

355

de três dias de que você sai e precisa comprar um jornal até para saber em que dia está; sim aos poucos um prazer cada vez menor mas com certa necessidade física da Substância agora, em vez do antigo prazer voluntário; aí num dado momento de repente simplesmente pouquíssimo prazer, combinado com uma terrível necessidade cotidiana que te põe as mãos tremendo, aí o pavor, a angústia, fobias irracionais, vagas lembranças de prazer que parecem sirenes, problemas com vários tipos de autoridades, dores de cabeça de agarrar os joelhos, leves convulsões e a litania do que o AA de Boston chama de Perdas...

"Aí um belo dia eu perdi o emprego por causa da bebida." John L., de Concord, tem uma pança imensa e pênsil, e praticamente nenhuma bunda, do jeito que a bunda de uns velhões mais altos parece chupada pra dentro do corpo e reaparecer na frente como pança. Gately, na sobriedade, faz abdominais toda noite com medo de que isso de repente aconteça com ele, à medida que os trinta anos se aproximam. Gately é tão imenso que ninguém senta atrás dele por várias fileiras. John L. tem o maior molho de chaves que Gately já viu na vida. Elas ficam num desses chaveiros destacáveis de zelador que se prendem a uma presilha da calça, e o orador sacode as chaves distraído, sem perceber, seu único piparote de chapéu para o nervosismo em público. Ele também está usando calça cinza de zelador. "Perdi a porra do emprego", ele diz. "Quer dizer, eu ainda sabia onde o emprego estava e coisa e tal. Eu simplesmente cheguei um dia que nem todo dia e tinha outro cara no meu emprego", o que ganha mais risos.

— aí mais Perdas, com a Substância parecendo ser o único consolo para a dor das Perdas que se acumulam, e claro que você fecha os olhos para o fato de que é a Substância que está causando essas mesmas Perdas de que ela te consola —

"O álcool destrói de um jeito *lento* mas *total* foi o que um chapa meu me disse na primeira noite depois que eu Entrei, lá em Concord, e esse camarada acabou sendo o meu padrinho."

— aí convulsões menos leves, delirium tremens durante tentativas de cortar o vício rápido demais, ser apresentado a insetos e roedores subjetivos, aí mais um porre e mais insetos formigantes; aí finalmente uma terrível percepção de que alguma linha foi definitivamente ultrapassada, e votos tipo mãos-cerradas-pro-céu e pela-minha-mãe-morta de que você vai se controlar e largar de vez isso tudo, parar pra sempre, aí quem sabe mais uns dias de força bruta e sucesso inicial, aí uma recaída, aí mais promessas, períodos vigiando o relógio, autorregulamentações barrocas, recaídas repetidas para o alívio propiciado pela Substância depois de tipo dois dias de abstinência, ressacas pavorosas, uma culpa e um nojo de si próprio que parecem te esmagar a cabeça, superestruturas de novas autorregulamentações (p. ex. não antes das 0900h não se você tem que trabalhar de manhã, só na lua crescente, só na companhia de suecos) que também fracassam —

"Quando eu estava bêbado eu queria ficar sóbrio e quando eu estava sóbrio eu queria ficar bêbado", John L. diz; "Eu vivi desse jeito durante anos, e eu digo a vocês que isso não é vida, isso é uma porra de uma morte-em-vida."

— aí uma dor psíquica inacreditável, uma espécie de peritonite da alma, agonia psíquica, medo da insanidade iminente (por que é que eu não consigo largar se eu quero tanto largar, a não ser que eu seja louco?), episódios de desintoxicações e reabilitações hospitalares, brigas em casa, decadência total das finanças, Perdas domésticas finais —

"Aí eu perdi a minha mulher por causa da bebida. Quer dizer, eu ainda sabia onde ela estava e coisa e tal. Eu só cheguei lá um dia e tinha outro cara na minha mulher", o que não ganha tanta risada assim, mas muitos gestos doloridos de aquiescência: muitas vezes é a mesma coisa com todo mundo, em termos de Perdas domésticas.

— aí ultimatos vocacionais, inempregabilidade, ruína financeira, pancreatite, uma culpa atordoante, vômito com sangue, neuralgia cirrótica, incontinência, neuropatia, nefrite, depressões profundas, uma dor lacerante, com a Substância concedendo períodos cada vez menores de alívio; aí, finalmente, nenhum alívio disponível em parte alguma; finalmente é impossível ingerir uma quantidade que congele o que você sente, aquele estado; agora você odeia a Substância, *odeia*, mas ainda se reconhece incapaz de parar com ela, com a Substância, você descobre que finalmente quer parar mais do que tudo no mundo e que não há mais nenhum prazer naquilo, você não consegue acreditar que um dia gostou daquilo mas você *ainda* não consegue parar, parece que você está louco, caralho, parece que são dois vocês; e quando você venderia a sua própria mamãezinha pra parar e ainda, você descobre, não consegue parar, aí a última camada de mascaramento amistoso e simpático cai do rosto da sua velha amiga Substância, é meia-noite agora e todas as máscaras caem, e de repente você vê a Substância como ela realmente é, pela primeira vez você vê a Doença como ela realmente é, o que ela realmente foi esse tempo todo, você olha no espelho à meia-noite e você vê quem é o seu dono, quem virou o núcleo do que você é —

"Uma porra de uma morte-em-vida, meu, aquilo nem parece vida mesmo, no fim eu estava um morto-vivo, e não um cara vivo de verdade, e eu digo pra vocês aqui que a ideia de morrer nem se comparava à ideia de viver daquele jeito por mais cinco ou dez anos e morrer só *depois*", com cabeças na plateia que concordam alinhadas como um campo varrido pelo vento; *rapaz*, e como eles conseguem se Identificar.

— aí você está ferrado, bem ferrado, e sabe, finalmente, totalmente ferrado, porque essa Substância que você achava que era o seu único amigo, pela qual você desistiu de tudo, feliz, que por tanto tempo te propiciou um alívio da dor das Perdas que o seu amor por esse alívio causou, a sua mãe, a sua amante e o seu deus e camarada, finalmente retirou sua máscara de smiley pra revelar olhos sem centro e uma bocona faminta, e caninos até aqui ó, é o Rosto no Chão, a sorridente face lívida dos seus piores pesadelos, e o rosto é o seu próprio rosto no espelho, agora, *é você*, a Substância devorou ou substituiu e virou *você*, e a camiseta encrustada de vômito, baba e Substância que vocês dois estavam usando já fazia semanas se rasga e você fica ali olhando e no peito lívido em que o seu coração (entregue a Ela) deveria estar pulsando, no centro exposto do peito dela e nos seus olhos sem centro só há um buraco sem luz, mais dentes, e uma mão com garras que te chama e te mostra algo irresistível, e agora você vê que te passaram a perna, foderam totalmente com você, você foi pelado, comido e jogado de lado como um brinquedo de pelúcia pra ficar ali pela eternidade na posição em que cair. Você vê agora que Ela é o seu inimigo e o seu pior pesadelo pessoal e o problema em que Ela te meteu é inegável e você *ainda* não consegue parar. Usar a Substância agora é como frequentar uma Missa Negra mas você ainda não consegue parar, apesar de a Substância nem te deixar bêbado mais. Você está, como eles dizem, Acabado. Não consegue ficar bêbado e não consegue ficar sóbrio; não consegue ficar chapado e não consegue ficar careta. Você está atrás das grades; está numa jaula e só consegue ver grades pra todo lado. Você está naquele tipo de merda que ou acaba com a vida de alguém ou vira do avesso. Você está numa encruzilhada que o AA de Boston chama de *Fundo do Poço*, embora o termo seja enganoso, porque todo mundo aqui concorda que está mais pra um lugar muito elevado e sem apoios: você está à beira de um ponto alto e se inclinando bem pra frente...

Se você presta atenção nas similaridades, as carreiras de todos esses oradores do mundo das Substâncias parecem terminar na mesma beira-de-abismo. Você agora está Acabado como usuário de Substância. É o ponto de onde se salta. Você agora tem duas escolhas. Pode ou eliminar o seu próprio mapa de uma vez por todas — lâminas são a melhor opção, ou talvez comprimidos, ou sempre se pode chupar bem quietinho o escapamento do seu carro hipotecado na garagem que já pertence a uma financeira da sua casa sem-família. Pode não ser uma rima, mas bem pode ser a solução. Melhor uma coisa limpa, quietinha e (como toda a sua carreira foi uma longa e vã fuga da dor) indolor. Ainda que dos alcoólicos e drogados que compõem mais de setenta por cento dos suicidas de um ano qualquer alguns tentem sair de cena com um último gesto grandioso, espetacular e balaclavense: um membro de longa data do Grupo Bandeira Branca é uma senhora prognata chamada Louise B. que tentou um mergulho eliminador de mapa do bom e velho Hancock Building no centro da cidade em 81 AS mas foi apanhada por uma rajada de uma coluna térmica ascendente a meros seis andares do teto e soprada toda cambalhoteante para cima através da janela fumê de um conjunto de escritórios de uma firma de arbitragem no trigésimo quarto andar, acabando estatelada de bruços em cima de uma mesa de reuniões brilhantíssima apenas com lacerações, uma fratura na clavícula e uma experiência de autoaniquilação propositada e intervenção externa que a deixou rabidamente cristã — rábida, assim, tipo espumante — de modo que ela é comparativamente ignorada e evitada, embora sua estória no AA, sendo exatamente como a de todo mundo porém mais espetacular, tenha se tornado parte da mitologia do AA de Boston. Mas aí quando você chega a esse ponto de onde se salta no Fim da sua carreira no mundo das Substâncias você pode ou pegar a Luger ou a lâmina e eliminar o seu próprio mapa pessoal — isso pode ser com sessenta anos ou com vinte e sete, ou com dezessete — ou pode ir para a primeiríssima das Páginas Amarelas ou do Arquivo de Svçs-Psic da InterNet e fazer uma ligação babujenta às 0200h e admitir para uma delicada voz avozal que você está ferrado, totalmente ferrado, e a voz vai tentar te acalmar e te convencer a esperar só mais umas horas passarem e dois caras agradavelmente diretos e estranhamente calmos com roupas conservadoras vão aparecer sorrindo à sua porta em algum momento antes do sol nascer e vão falar baixinho com você durante horas e sair deixando você sem lembrar nada do que eles disseram a não ser a sensação de que eles antes eram bizarramente parecidos com você, bem assim como você é, totalmente ferrados, mas agora de algum jeito não são mais, fodidos que nem você, pelo menos não pareciam ser, a não ser que a coisa toda seja algum esquema incrivelmente complexo para te sacanear, isso do AA, e aí mas enfim você fica ali sentado no que sobrou da sua mobília sob a luz lavanda da aurora e percebe que a essa altura você literalmente não tem mais escolha a não ser tentar essa coisa do AA ou eliminar o seu mapa, aí você passa o dia detonando cada fiapinho de toda e qualquer Substância que você ainda tenha num último festim de adeus amargo e desprovido de prazer e se decide, no dia seguinte, a ir em frente e engolir o orgulho e quem sabe até o bom senso também e tentar essas reuniões desse "Programa" que na melhor das hipóteses é provavelmente só uma baboseirada Unitária feliz e na pior é fachada pra alguma coisa sacana e oculta meio tipo seita religiosa onde eles vão te manter sóbrio fazendo você passar vinte e quatro horas por dia vendendo cones de celofane com flores artificiais nos canteiros de avenidas de trânsito intenso. E o que define esse nexo abísmico de exatamente duas escolhas, e não mais, essa miserável encruzilhada que o AA de Boston chama de Fundo do Poço, é que neste ponto você sente que de repente ficar vendendo flores na rua pode até nem ser uma coisa tão ruim, não em comparação com o que está rolando na sua vida, pessoalmente, nesse momento. E isso, no fundo mesmo, é o que une o AA de Boston: acaba que esse mesmo desespero resignado, miserável, tipo me-façam-uma-lavagem-cerebral-e-me-explorem-se-é-isso--que-vai-dar-certo, foi o lugar de salto de praticamente todo AA que você encontra, isso vai emergindo assim que você chegou ao ponto de conseguir parar de entrar e sair correndo das grandes reuniões e começa a aparecer com a mão úmida estendida tentando chegar de fato a conhecer alguns AAs de Boston. Como diz aquele específico velhinho ou velhinha de que você sempre sentiu um medo especial e uma certa atração, ninguém Entra aqui porque as coisas estavam indo superbem e a pessoa só quis acabar de preencher a sua agenda noturna. Todo mundo, mas *todo mundo*, Entra de olho esbugalhado e com uma cara cor de vômito que já está quase encostando no joelho de tão desmontada e com um catálogo já bem folheado de armas brancas e de fogo por reembolso postal bem guardadinho e sempre à disposição em casa, mapalmente, pra quando esse último recurso desesperado de abracinhos e clichês acabar se revelando só uma baboseirada feliz pra você. Você não é único, eles vão dizer: essa falta inicial de esperança une cada alma aqui nesta ampla sala fria com um bufê de saladas. Eles são tipo sobreviventes do Hindenburg. Cada reunião é um reencontro, depois que você já passou algum tempo aqui.

E aí os recém-chegados todos encarquilhados que aparecem cambaleantes, desesperados e miseráveis o bastante para Aguentar Firme e continuar vindo e começam inanemente a arranhar a superfície improvável e insípida da coisa toda, Don Gately descobriu, aí se veem unificados por uma segunda experiência em comum.

A chocante descoberta de que a coisa parece mesmo que funciona. Ela te mantém sem-Substâncias. É improvável e é chocante. Quando Gately finalmente se deu conta disso, um dia coisa de quatro meses depois do começo da sua residência na Ennet, de que já haviam se passado alguns dias sem que ele tivesse brincado mentalmente com a ideia de sempre dar uma escapadinha até a Unidade 7 e ficar doidão de algum jeito não urêmico que os tribunais não conseguissem provar, que vários dias tinham se passado sem ele nem *pensar* em narcóticos orais ou num baseadinho bem enrolado, ou numa breja gelada num dia quente... quando ele sacou que as várias Substâncias que antes ele não conseguia ficar um dia sem absorver não tinham nem lhe *ocorrido* tipo em quase uma semana, Gately se sentiu mais pura e simplesmente chocado do que grato ou alegre. A ideia de que o AA pudesse realmente *funcionar* o deixou desalentado. Ele suspeitou de algum tipo de armadilha. De algum tipo novo de armadilha. Naquela época ele e os outros residentes da Ennet que ainda estavam ali e começavam a sacar que o AA podia funcionar começaram a passar altas horas da noite surtando juntos porque parecia ser impossível entender simplesmente *como* o AA funcionava. Tudo bem que, o.k., por enquanto aquilo parecia estar funcionando mesmo, mas Gately não tinha a menor chance de sacar como é que só ficar ali sentado em cadeiras desmontáveis pró-hemorroidas toda noite olhando para poros nasais e escutando clichês podia funcionar. Ninguém jamais conseguiu sacar o AA, é mais uma percepção comum e unificadora. E o pessoal que tem mais tempo de AA é irritante quando você chega com alguma pergunta que começa com um *Como*. Você pergunta aos velhões amedrontadores Como o AA Funciona e eles sorriem aqueles sorrisos gélidos e dizem Direitinho. Funciona, pronto; ponto final. Os recém-chegados que abandonam o bom senso e se decidem a Aguentar Firme e a continuar vindo e aí veem suas jaulas subitamente abertas, misteriosamente, depois de um certo tempo, sentem todos esse profundo pasmo e essa possibilidade da armadilha; nos AAs mais recentes de Boston com tipo seis meses de sobriedade você consegue ver uma expressão de suspeita pasmada em vez de uma alegria beatífica, uma expressão como a dos nativos de queixo caído quando confrontados com um isqueiro Zippo. E aí isso os une, nervosamente, essa conjunção insegura de possíveis relances de algo que parece esperança, esse mover-se relutante na direção de quem sabe reconhecer que essa coisa prosaica, brega e cheia de clichês que é o AA — tão improvável e tão pouco promissora, tão o contrário do que eles chegaram a amar demais — pode mesmo ser capaz de manter a bocarra dentada da amante longe deles. O processo é bem o contrário do que te fez cair e Entrar aqui: as Substâncias começam sendo tão magicamente geniais, tão peça-que-faltava-no-quebra-cabeça-interior, que no começo você simplesmente sabe, bem visceralmente, que elas nunca vão te deixar na mão; você simplesmente sabe. Mas deixam. E aí esse sistema pateta, mal-ajambrado e anárquico de reuniões em lugares baratos, de slogans jacus, sorrisos edulcorados e um café hediondo é tão mané que você simplesmente *sabe* que não tem a menor chance daquilo um dia funcionar a não ser pros mais imbecis dos idiotas... e aí Gately parece descobrir que o AA acaba sendo o amigo muito fiel que ele achava que tinha e tinha perdido, quando você Entra. E aí você Aguenta Firme, fica sóbrio e careta, e movido por um simples terror tipo mão-queimada-no-forno-quente você presta atenção aos avisos que parecem improváveis pra não parar de bater cartão nas reuniões noturnas nem depois que os desejos da Substância desapareceram e você sente que dominou aquilo tudo finalmente e pode se virar sozinho, você ainda não tenta se virar sozinho, você presta atenção nos avisos improváveis porque a essa altura você não tem mais fé na sua noção do que é realmente improvável e do que não é, já que o AA parece, mais do que improvavelmente, estar funcionando, e sem nenhuma fé nas suas convicções você fica confuso, desorientado, e quando as pessoas que têm tempo no AA te aconselham vigorosamente a continuar vindo você faz que sim roboticamente com a cabeça e continua vindo, você varre o chão, limpa cinzeiros, enche cafeteiras imensas com um café horrível e continua se pondo ritualmente de joelhos, esses joelhos enormes que você tem, toda manhã e toda noite pedindo ajuda de um céu que ainda parece um escudo brilhante colocado contra todos que queiram pedir sua ajuda — como é que você pode rezar para um "Deus" em que você acredita que só os imbecis acreditam, ainda? — mas os velhões dizem que ainda não faz diferença se você acredita ou não acredita, Faça e Pronto, eles dizem, e como um organismo treinado por choques sem nenhuma espécie de vontade humana independente você faz exatamente o que te mandam, você continua vindo sem parar, toda noite, e agora você se mata pra não tomar um pé na bunda na Casa de Recuperação vagabunda de que a princípio você tentou tanto ser expulso, você Aguenta Firme, Aguenta Firme, reunião após reunião, dia quente após dia frio...; e não só a vontade de se chapar fica mais ou menos longe, mas umas coisas mais gerais tipo qualidade de vida — exatamente como lhe tinha sido improvavelmente prometido, de início, quando você Entrou — as coisas parecem ficar progressivamente melhores, dentro de você, por um tempo, aí piores, aí melhores ainda, mais reais, você se sente estranhamente descegado, o que é bom, mesmo que um monte de coisas que você agora vê sobre si mesmo e de como você viveu sejam coisas horríveis de ter que ver — e a essa altura a coisa toda é tão improvável e impenetrável que você está tão desorientado que está convencido que de repente você passou por uma lavagem cerebral, mesmo, durante todos esses anos com as Substâncias, e você saca que é melhor você Aguentar Firme nesse AA de Boston onde uns velhões que parecem menos estropiados — ou no mínimo menos desorientados pelo seu estropiamento — te dizem com simples sentenças imperativas secas exatamente o que fazer, e onde e quando fazer (ainda que nunca Como ou Por quê); e nesse momento você começou a ter um tipo quase clássico de Fé Cega nos velhões, uma Fé Cega neles que nasce não de fanatismo e nem mesmo de uma crença mas apenas da convicção fria de que você não tem mais nenhuma fé em si próprio;[135] e agora se os velhões disserem Pule você pede pra eles mostrarem com a mão a altura desejada, e você agora é deles, e você está livre.

Outro orador do Grupo Básico Avançado, cujo primeiro nome Gately perde no grande Oi da plateia mas cuja inicial final é E., um sujeito ainda maior que John L., um irlandês com green-card, de bonezinho e suéter do Sinn Fein, com uma barriga que parecia um saco balouçante de farinha e uma bunda plenamente visível para equilibrar as coisas, está dividindo a experiência da sua esperança listando as dádivas que se seguiram à sua decisão de Entrar, meter a rolha no jarro e deixar a tampinha no frasco de cloridrato de fentermina,[136] parar de fazer longas rotas de caminhão por estados ininterruptos de noventa e seis horas de pé na tábua e psicose química. As compensações pela sua abstinência, ele enfatiza, foram mais do que só espirituais. Só no AA de Boston é que você ouve um imigrante de cinquenta anos falar comovido da sua primeira evacuação sólida na vida adulta.

"Ó queu era dispirrá purtudo na privada tinha década. Eu tarra pruibido dintrá imbanhero diposto daqui té em noviorque tinha anos. O papel diparede dutoelete lá dicasa tarra quitarra caíno assim meinroscado da parede, sacumé. Maisaí um dia... eu nunca queu vô misquecê. Foi uma semana izatinha dipois deu vim recebê a minha fichinha dinoventadia. Eu tarra trêis mêis sóbrio. Tarra lá nutronincasa, sacumé. Senhintrá em mais grandes detalhes, eu pruduzi quinem dissempre e... e eu fiquei tão chocado quera dinão criditá nusuvido. Era um baruio tão discunhicido assinquidicara eu achei quitinha era dirrubado a cartêra na privada, sacumé. Eu achei queu tinha era dirrubado a cartêra na privada juro pela minha mãe mortinha. Intão não é queu midobro numeio dujuelho e dô umolhadinha nuiscuro da privada, e não miacredito numeusolho. Aí minha gentiboa eu caio dijuelho duladaprivada e dô umolhada di*verdade*. Cum amor mesmo, sacumé. E meusamigo tarra além daminhas força dizê diverdade. Eruncocô na privada. Un*cocô diverdade*. Era firme ipuntudinho e só untantinhassim dobradulado. Aquilo paricia... *cunstruído* invêis dispirrado. Era a cara queu sintia nufundumeupeito qui Deus quiria quiuscocô tivesse. Meusamigo, esse meu cocô praticamente tinha coração. Eu fiquei ali dijuelho e gradici umeu Pudê Supiriô, queu prifiro chamá umeu Pudê Supiriô de Deus, e eu tô agradecendo meu Pudê Supiriô dijuelho deisdessedia, dimanhã e dinoite e naprivadatomém, deisdesse dia." O rosto de couro vermelho do homem reluz durante toda a estória. Gately e os outros Bandeiras Brancas caem de costas, riem de se dobrar, um cocô que praticamente tinha coração, uma ode à bosta firme; mas os olhos foscos de certos recém-chegados encarquilhados das últimas fileiras se abrem numa Identificação muito particular e numa possível esperança, mal ousando imaginar... Uma certa Mensagem tinha sido Transmitida.

A maior vantagem de Gately enquanto Funcionário Residente da Ennet — sem contar a coisa do tamanho, que não se deve menosprezar quando você tem que manter a ordem num lugar aonde chegam carinhas que acabaram de sair da desintoxicação e ainda estão em Abstinência com os olhos revirando que nem uns bezerros paralisados, piercing na pálpebra e uma tatuagem que diz NASCI PRA ENCHER O SACO — além do fato de que os antebraços dele são do tamanho de uns cortes de carne que você raramente vai ver sem estarem em ganchos, o grande plus de Gately é que ele tem uma habilidade de transmitir essa sua experiência de primeiro ter odiado o AA para Residentes novos que odeiam o AA e não gostam de ser forçados a ir e ficar sentados embaixo dos poros nasais pra ficar ouvindo aquela patacoada songa, improvável e entupida de clichês toda noite. Songo o AA parece, de início, e a bem da verdade songo ele de fato às vezes é, Gately diz aos novos residentes, e diz que nem a pau ele ia esperar que eles acreditassem só porque ele falou que o negócio vai funcionar se eles estiverem miseráveis e desesperados a ponto de Aguentar Firme contra o bom senso por um tempo. Mas ele diz que vai dar o bisu do que é realmente bacana no AA: *eles não podem te expulsar*. Você fica Dentro enquanto disser que está Dentro. Ninguém pode ser expulso, por nenhum motivo. Ou seja, você pode dizer *qualquer coisa* ali. Fale de merda dura quanto quiser. A integridade molecular das fezes é bolinho. Gately diz que desafia os novos residentes da Ennet a tentar chocar esses caras do AA de Boston para ver se eles param de sorrir. Não rola, ele diz. Esses caras literalmente já ouviram de tudo. Enurese. Impotência. Priapismo. Onanismo. Incontinência em jatos. Autocastração. Elaboradas alucinações paranoicas, a mais maior das megalomanias do munto inteiro, Comunismo, quase-Birchismo, Bundismo-Nacional-Socialista, surtos psicóticos, sodomia, bestialismo, molestadores de filhinhas, atentados ao pudor em tudo quanto é grau possível de indecência. Coprofilia e -fagia. Glenn K., membro há quatro anos do Bandeira Branca, escolheu como seu Poder Superior nada menos que *Satã*, caralho. Tudo bem que ninguém no Bandeira Branca gosta muito do Glenn K., e aquele negócio da capa com capuz, da maquiagem e do candelabro que ele carrega por aí gera uns resmungos, mas Glenn K. vai ser membro exatamente enquanto se der ao trabalho de Aguentar Firme.

Então podem dizer o que quiserem, Gately incita. Vão pra Reunião dos Iniciantes às 1930h, levantem sua patinha trêmula e contem a verdade sem verniz. Associação-livre. Mandem ver. Gately hoje de manhã, depois da meditação matinal obrigatória, Gately estava dizendo ao novo cara, o advogadinho obcecado por tatuagens, Ewell, o da cara corada de hipertenso e da barbichinha branca, dizendo o quanto ele, Gately, tinha ficado consideravelmente mais animado com trinta dias de sobriedade quando descobriu que conseguia levantar sua patona nas Reuniões de Iniciantes e dizer publicamente o quanto ele odiava aquela patacoada songa do AA sobre gratidão, humildade e milagres e o quanto ele odiava aquilo tudo e achava que era baboseira e odiava os AAs e o jeito que eles têm de parecer uns bostinhas songos idiotas orgulhosos e cagões com aqueles sorrisos lobotomizados e aquela sentimentalidade brega e como ele desejava a todos eles um fim violento em technicolor do pior jeito possível, o novo Gately ali sentado cuspindo vitríolo, de lábio úmido e orelhas vermelhas, *tentando* ser expulso, *tentando* ofender de propósito os AAs e fazer que eles lhe dessem um pé na bunda pra ele poder voltar depressinha pra Ennet e contar à aleijada da Pat Montesian e ao conselheiro dele Gene M. que ele tinha tomado um pé na bunda no AA, o quanto eles tinham insistido pra ele ser honesto e dividir os seus sentimentos mais profundos e o.k. ele tinha dividido honestamente com eles os seus sentimentos mais profundos a respeito *deles* e os hipócritas sorridentes tinham sacudido os punhos pra ele e mandado ele pastar... e mais aí nas reuniões o veneno pulava e jorrava dele, e como mas ele acabou descobrindo que a única coisa que esses Bandeiras Brancas veteranos faziam como Grupo quando ele tipo vocalmente desejava o mal pra eles era acenar vigorosamente com a cabeça numa empática Identificação e gritar com uma animação enlouquecedora "Continue Vindo!" e um ou dois membros com quantidades medianas de tempo de sobriedade vinham falar com ele depois da reunião e dizer como tinha sido bom ouvir ele dividir aquilo com eles e *cacilda* como eles se Identificavam com os sentimentos profundamente honestos que ele tinha dividido e como ele tinha lhes feito o serviço de lhes dar a dádiva de uma verdadeira experiência tipo "Lembra-Aquele-Tempo" porque eles agora conseguiam lembrar que se sentiram exatamente do mesmo jeito que Gately se sente, quando Entraram, só que confessam que não tinham tido colhão pra dividir honestamente aquilo com o Grupo, e assim numa reviravolta improvável e bizarra eles acabavam deixando Gately ali parado se sentindo meio como um tipo de herói do AA, um prodígio dos colhões vitriólicos, simultaneamente frustrado e empolgado, e antes de eles lhe dizerem orrevuar e lhe falarem para voltar eles faziam questão de lhe dar seus números de telefone no verso dos bilhetinhos de rifa, números que Gately nem sonharia em usar (pra dizer o *quê*, jesus amado?) mas que ele descobriu que até gostava de deixar na carteira, só pra carregar por aí, só caso sei lá o quê; e aí de repente ainda um desses velhos Bandeiras Brancas nativos de Enfield com períodos geologicamente grandes de sobriedade no AA e um corpo velho destruído e contorcido e olhos limpos de um branco brilhante vinha se arrastando de lado que nem um caranguejo lentamente na direção de Gately depois de uma reunião em que ele tinha cuspido vitríolo e erguia bem o braço para dar uns tapinhas no seu grade ombro suarento e dizer com um fremítico rangido de fumante na voz que Bom pelo menos parece que você é um filho-de-uma-puta bem corajoso, rapaz, todo azedo e cheio de veneno e tal, e que talvez quem sabe você fique direitinho, Don G., talvez quem sabe, só Continue Vindo, e, se quiser um conselho ou outro de alguém que provavelmente já derramou mais cachaça na vida do que você já consumiu na sua, você podia simplesmente ficar sentado durante as reuniões, dar uma relaxada, tirar o algodão do ouvido e colocar na goela e calar a porra dessa boca e só ouvir, pela primeira vez talvez na vida *ouvir* de verdade, e quem sabe você vai acabar direitinho; e eles não oferecem os seus números de telefone, não os caras velhos de verdade, Gately sabe que ele vai ter que engolir o seu orgulho cru e *pedir* mesmo o telefone dos velhos veteranos destruídos, calmos e macabros do Bandeira Branca, "Os Crocodilos", os Bandeiras Brancas menos antigos chamam esses caras, porque os velhões contorcidos tendem a ficar todos sentados juntos com uns charutos horrorosos que parecem cocô num canto da cantina do Providência embaixo de uma imagem de cuchê emoldurado de 40 × 50 com crocodilos ou aligatores tomando sol em alguma margem verdejante de um rio de algum lugar, com a legenda quiçá-humorística CANTO DOS VETERANOS que alguém tinha maiusculado no pé da foto, e esses velhões se aglomeram juntos ali, girando aqueles charutos verdes nos dedos deformados e discutindo questões de sobriedade prolongada completamente misteriosas pelo canto da boca. Gately meio que tem medo desses velhos AAs com aqueles narizes de varizes, camisas de flanela, cabelos brancos raspados, dentes marrons e caras tranquilas e divertidas de quem avalia tudo, ele se sente como algum tipo de otário tribal bem baixo na hierarquia na presença de caciques de rostos pétreos que chefiam graças a certa indeterminada injunção xamanística,[137] e aí é claro que ele os odeia, esses Crocodilos, por fazerem ele sentir que tem medo deles, mas estranhamente também acaba gostando um pouco da ideia de ficar sentado na mesma cantina de asilo que eles e olhando para a mesma direção em que eles olham, todo domingo, e um pouco mais tarde ele descobre que até curte andar a 30 km/h no máximo nos sedãs perfeitamente conservados de vinte e cinco anos de idade dos velhos quando começa a ir junto em Promessas do Bandeira Branca para outros grupos do AA de Boston. Ele por fim dá ouvidos a uma sugestão concisa e começa a ir contar sua lúgubre estória pessoal publicamente no púlpito com outros membros do Bandeira Branca, o grupo ao qual ele cedeu e que finalmente decidiu adotar oficialmente. É isso que você faz se você é novo e tem o que eles chamam de A Dádiva do Desespero e está disposto a fazer qualquer coisa a qualquer custo para ficar sóbrio, você oficialmente entra para um Grupo, registra o seu nome e a sua data de sobriedade no livro oficial do secretário do Grupo, e você vai se ocupando de começar a conhecer os outros membros do Grupo pessoalmente, e você carrega o telefone deles talismanicamente na carteira; e, acima de tudo, você fica Ativo Com O Seu Grupo, o que aqui no AA de Boston de Gately *Ativo* quer dizer não apenas varrer o chão pisado depois do Pai-Nosso, fazer café e esvaziar cinzeiros de bitucas de cigarro e de pavorosas bitucas de charuto molhadas de saliva mas também aparecer regularmente em momentos específicos da tarde no covil regular do Grupo Bandeira Branca, o Elit (o reator do neon do último *e* pifou) Diner perto do Steve's Donuts no Enfield Center, aparecer e engolir quantidades de café que são de amolecer os dentes e aí entrar em sedãs crocodilianos bem conservados cujas molas de suspensão o volume de Gately faz afundarem e ser levado, de olhos esbugalhados pela cafeína, pela fumaça dos charutos e pelo pavor geral de falar em público para tipo o Grupo Alegria de Viver de Lowell, ou o Grupo Rolha No Gargalo de Charlestown, ou o Bridgewater State Detox, ou a Concord Honor Farm com esses caras, e fora um ou dois outros recém-chegados de olhos arregalados e dotados da Dádiva do Desespero total e absoluto é quase só uma Crocodilada com um tempo geológico de sobriedade nesses carros, são basicamente os caras que ficaram sóbrios no Bandeira Branca por décadas que ainda vão a cada Promessinha agendada, eles vão toda vez, infalíveis como a morte, mesmo quando os Celtics estão em Diss-Espont eles metem o pé na boa e velha estrada da Promessa, eles se mantêm rabidamente Ativos Com O Grupo Deles; e os Crocodilos do carro pedem que Gately veja a coincidência entre sobriedade satisfeita de longo prazo e Atividade AA rábida e incansável como tudo menos uma coincidência. A parte de trás do pescoço deles se vinca em complexos padrões. Os Crocodilos do banco da frente olham no espelho retrovisor e apertam os olhos brancos brilhantes e pelancudos para Gately ali afundado no banco traseiro, junto com outros recém-chegados, e os Crocodilos dizem que não podem nem começar a dizer quantos caras novos eles viram Entrar e aí serem sugados de novo para Fora, Entrar no AA por um tempo, Aguentar Firme, juntar um tempinho de sobriedade, ver tudo começar a melhorar, em termos de cabeça e em termos de qualidade de vida, e depois de um tempo os caras novos ficam metidinhos, decidem que estão *"Bem"* e ficam superocupados com o emprego novo que a sobriedade permitiu que eles conseguissem, ou de repente eles compram ingressos pra temporada inteira dos Celtics, ou redescobrem a xoxota e começam a caçar xoxota (esses fodidos desses velhões murchos, ressequidos, banguelas e totalmente pós-sexuais dizem mesmo *xoxota*), mas de um jeito ou de outro esses coitadinhos desses filhos-de-umas-outras desses novatos metidos e sem-noção começam a se afastar aos poucos da rábida Atividade No Grupo, e aí do próprio Grupo, e aí pouco a pouco a se afastar gradualmente de todas as reuniões do AA, e aí, sem a proteção das reuniões ou de um Grupo, com o tempo — ah, nunca falta tempo, a Doença tem uma paciência do diabo —, com o tempo eles esquecem como era, os sujeitos que se afastaram metidos, esquecem quem e o que são, eles se esquecem da Doença, até que tipo um dia eles estão sei lá num jogo dos Celtics contra os Sixers, e o nosso Fleet/First Interstate Center está quente, e eles pensam que mal pode fazer só uma cervejinha, depois de todo esse tempo de sobriedade, agora que eles estão *"Bem"*. Só uminha, gelada. Que mal pode fazer. E depois daquela é como se eles nunca tivessem parado, se eles têm a Doença. E como num mês ou seis meses ou um ano eles têm que Entrar *de novo*, de volta aos salões do AA de Boston e ao seu velho Grupo, cambaleando, com delirium tremens, com a cara caindo de novo no joelho, ou quem sabe são cinco ou dez anos até eles conseguirem juntar coragem para Entrar de novo, aniquilados de novo, ou às vezes o sistema deles não está preparado pra recorrência dos excessos depois de um tempo de sobriedade e eles morrem Lá Fora — os Crocodilos estão sempre falando em tons sussurrados tipo Vietnã sobre esse *Lá Fora* — ou ainda, pior, de repente eles matam alguém num momento de apagão e passam o resto da vida no presídio de Walpole bebendo uísque pirata de uva-passa sentados numa privada sem assento e tentando lembrar o que foi que eles fizeram para estar lá dentro, Lá Fora; ou ainda, pior ainda, esses novatos metidos escorregam de novo pra esse Lá Fora e nada de horrível a ponto de acabar com eles acontece, eles só voltam a beber 24 horas por dia, 7 dias por semana, 365 dias por ano, voltam a não viver, a se ver atrás das grades, mortos-vivos, de volta mais uma vez à jaula da Doença. Os Crocodilos falam de como eles nem conseguem contar a quantidade de caras que Entraram por um tempo, se desviaram, voltaram Lá pra Fora e morreram ou não conseguiram morrer. Eles até apontam alguns desses caras — uns sujeitos emaciados e espectrais se contorcendo na calçada com tudo que possuem dentro de um saco de lixo — enquanto os Bandeiras Brancas dirigem lentamente seus carros bem conservados. O velho e enfisêmico Francis G. em particular gosta de diminuir a velocidade do LeSabre numa esquina diante de um bosta de um sem-teto de cara caída e todo fodido que um dia foi do AA e se desviou todo metido e baixar a janela e gritar "Se Divirta!".

Claro — os Crocodilos se cutucam com os cotovelos retorcidos e dão umas risadas abafadas e chiadas — eles dizem quando falam para Gately ou Aguentar Firme no AA e ficar rabidamente Ativo ou morrer na sarjeta claro que é só uma *sugestão*.

Eles zurram, se engasgam e batem nos joelhos depois dessa. É uma clássica piada tipo para-iniciados. No AA de Boston, por uma tradição bem ratificada, não há "obrigações". Não há doutrinas nem dogmas nem regras. Eles não podem te expulsar. Você não precisa fazer o que eles dizem. Faça exatamente o que te der na veneta — se você ainda confia no que te dá na veneta. Os Crocodilos rugem, chiam, socam o painel e se balançam no banco da frente numa alegria abjeta.

A opinião que o AA de Boston tem de si próprio é que se trata de uma anarquia do bem, que toda e qualquer ordem naquilo tudo é função de algum Milagre. Sem regulamentos, sem obrigações, só amor e apoio e uma ou outra sugestão humilde nascida da experiência comum a todos. Um movimento não autoritário, adogmático. Normalmente um virtuose do cinismo, com uma potente antena para detectar enrolação, Gately precisou de mais de um ano para identificar precisamente as formas em que ele sente que o AA de Boston no fundo é realmente secretamente dogmático. Você não deve consumir nenhum tipo de Substância alteradora, claro; isso vai sem dizer; mas o discurso oficial da Irmandade é que se você vacilar ou se desviar ou foder com tudo ou esquecer e for Lá Fora uma noite e ingerir uma Substância e disparar todos os detonadores da sua Doença de novo eles querem que você saiba que eles não só te convidam mas insistem que você volte para as reuniões o mais rápido possível. Eles são bem sinceros quanto a isso, já que uma bela parcela dos novatos vacila e escorrega um tanto, no que se refere à abstinência total, no começo. Ninguém deveria fazer cara feia ou te passar alguma descompostura por ter escorregado. Todo mundo está aqui pra ajudar. Todo mundo sabe que o escorregante que volta já se castigou bastante só por estar Lá Fora e que são necessários um desespero e uma humildade incríveis para engolir o orgulho, voltar todo torto e largar de novo a Substância depois que você fodeu com tudo na primeira vez e a Substância está te chamando de novo. Rola aquele tipo de compaixão sincera quanto a foder com tudo que a empatia possibilita, embora certos AAs balancem cinicamente a cabeça quando descobrem que o escorregante não tinha aceitado algumas das sugestões mais básicas. Mesmo recém-chegados que não conseguem nem começar a largar ainda e aparecem com suspeitos volumes tamanho-garrafa nos bolsos do casaco e adernam progressivamente a estibordo com o correr da reunião são incentivados a continuar vindo, Aguente Firme, fique, enquanto não atrapalharem demais. Os embriagados não são encorajados a voltar dirigindo para casa depois do Pai-Nosso, mas ninguém vai arrancar as chaves do carro da mão deles. O AA de Boston valoriza a total autonomia do membro individual. Por favor faça tudo que você quiser. Claro que há coisa de uma dúzia de sugestões básicas,[138] e claro que vive tendo gente que, atrevida, decide que não quer aceitar as sugestões básicas e fica o tempo todo voltando Lá pra Fora e aí retornando cambaleante com a cara no joelho e confessando no púlpito que não aceitou as sugestões e pagou o preço sem desconto pela sua arrogância propositada e aprendeu na marra e mas agora voltou, esse pessoal jura por Deus, e dessa vez eles vão seguir as sugestões ao pé da porra da última *letra* pode esperar pra ver. O mentor de Gately, Francis ("Furibundo") G., o Crocodilo que Gately finalmente conseguiu juntar forças para convidar para ser seu mentor, compara as sugestões totalmente opcionais do AA de Boston a, digamos por exemplo se você vai pular de um avião, eles "sugerem" que você use um paraquedas. Mas claro que você faz o que quiser. Aí ele começa a rir até estar tossindo tanto que precisa sentar.

A merda disso tudo é que você tem que *querer*. Se você não *quiser* fazer o que eles mandam — quer dizer, como eles sugerem que você faça — isso significa que a sua vontade pessoal individual ainda está no controle, e Eugenio Martinez lá na Ennet nunca cansa de lembrar que a sua vontade pessoal é a teia em que a Doença está sentada tecendo, ainda. A vontade que você chama de própria deixou de ser sua há sabe lá quantos anos empapados de Substância. Ela agora está eivada da fibrose aracnídea da sua Doença. O termo que a experiência dele deu à Doença é: A *Aranha*.[139] Você precisa Matar A Aranha De Fome: você tem que abandonar a sua vontade. É por isso que a maioria das pessoas acaba Entrando e Aguentando Firme só depois que a sua própria vontade emaranhada já chegou quase a matá-las. Você precisa querer abandonar a sua vontade e entregá-la a pessoas que saibam como Matar A Aranha De Fome. Você precisa querer aceitar as sugestões, querer acatar as tradições de anonimato, humildade, entrega à Consciência de Grupo. Se você não obedecer, ninguém vai te dar um pé na bunda. Eles nem vão precisar. Você mesmo vai acabar *se* dando um pé na bunda, se você se guiar pela sua vontade doente. Talvez seja por isso que praticamente todo mundo do Grupo Bandeira Branca tenta tanto ser tão repulsivamente humilde, bondoso, disposto, cuidadoso, animado, justo, organizado, paciente, tolerante, atento, verdadeiro. Não é que o Grupo os obrigue a fazer isso. É mais tipo que as únicas pessoas que acabam sendo capazes de aguentar bastante tempo no AA são as que estão de fato dispostas a ser essas coisas. É por isso que, para o recém-chegado cínico ou para um residente novinho da Ennet, AAs sérios como esses caras parecem uma mistura esquisita de Gandhi e sr. Rogers com tatuagens e fígados inchados e sem dentes, que batiam nas mulheres, molestavam as filhas e agora decantam suas defecações. É tudo opcional; faça ou morra.

Então mas tipo p. ex. Gately ficou bastante tempo intrigado com por que essas reuniões do AA em que ninguém cuidava da organização pareciam tão organizadinhas. Sem interrupções, sem brigas, sem invectivas acerbas, sem fofoquinhas venenosas ou tretas quanto ao último Oreo na bandeja. Cadê o Sargento-de-Armas linha-dura que zelava por esses princípios que eles garantiam que iam salvar a tua pele? Pat Montesian, Eugenio Martinez e Francis Furibundo Crocodilo não respondiam as perguntas de Gately sobre cadê a força pra garantir o cumprimento. Eles só sorriam todos os seus sorrisos safados e diziam Continue Vindo, um apotegma que Gately achava tão banal quanto "Vai de Leve!" "Viva e Deixe Viver!".

Como é que as coisas banais ficam sendo banais? Por que será que a verdade normalmente é não apenas des- mas *anti*-interessante? Porque toda e cada uma das miniepifanias seminais que você tem nos primeiros dias de AA é sempre tergalmente trivial, Gately admite para os residentes. Ele conta como, quando residente, logo depois que aquele pós-punk-grunge-industrial da Harvard Square, um sujeitinho cujo nome era Bernard mas insistia em ser chamado de Plasmatron-7, logo depois que o nosso amigo Plasmatron-7 bebeu nove frascos de Naldecon no banheiro do primeiro andar, caiu de cara nas batatas pré-cozidas da janta e foi expulso na hora, e foi carregado à la bombeiro por Calvin Thrust até o ponto do T da Linha Verde na Comm. Ave., e Gately mudou do Masculino pra Cinco dos caras mais novos para pegar o antigo beliche do Plasmatron-7 no Masculino pra Três dos caras menos-novos, Gately teve um sonho noturno epifânico ligado ao AA que ele vai ser o primeiro a admitir que foi trivialmente banal.[140] No sonho Gately e fileiras e mais fileiras de cidadãos totalmente comuns e não singulares dos EU estavam ajoelhados de joelhos em almofadinhas de tergal num porão de igreja seboso e barato. O porão era um porãozinho de igreja barato e comum só que as paredes desse porão de igreja do sonho eram tipo um vidro fininho limpo e transparente. Todo mundo estava ajoelhado nessas almofadinhas baratas mas confortáveis, e era esquisito porque parecia que ninguém tinha uma ideia clara do motivo de estar todo mundo de joelhos, e não tinha nenhum tipo capataz ou uma figura meio sargento-de-armas por ali pra coagir as pessoas a ficarem ajoelhadas, e no entanto rolava uma sensação de que havia algum motivo tácito muito forte pra elas estarem todas ajoelhadas. Era uma dessas coisas de sonho que não fazem sentido mas fazem. E mas aí uma mulher qualquer à esquerda de Gately levantou e assim do meio do nada levantou, só tipo pra dar uma esticada, e no instante em que ela levantou ela foi repentinamente jogada pra trás com uma força tremenda e chupada por uma das paredes de vidro do porão, e Gately se encolheu se preparando pro barulho de um monte de vidro, mas a parede de vidro não estilhaçou e meio que só deixou a moça catapultada passar tipo derretida, e se fechou de novo onde ela tinha passado meio derretida, e adeus pra ela. A almofada dela e aí Gately nota outras almofadas de tergal em algumas fileiras aqui e ali que estavam vazias. E foi então, enquanto ele estava olhando em volta, que Gately no sonho ergueu lentamente os olhos pros canos à vista do teto e de repente viu, girando silente e lentamente pelo porão coisa de um metro acima das cabeças de cores e formatos variados da assembleia de joelhos, ele viu um longo bastão curvo na ponta, como o cajado de um pastor gigante, como aquele gancho que aparece das coxias à esquerda e retira os esquetes ruins do alcance dos tomates, movendo-se lento sobre eles em círculos enodados, quase acanhadamente, como que silentemente vigilante; e quando um sujeito de cara mansa com um cardigã por acaso levantou e foi enganchado pelo bastão de gancho e arrancado de cambulhada através da membrana de vidro insonoro Gately virou sua cabeçorra até onde conseguia sem sair da almofada e viu, agora, logo além do vidro claro da parede, cantarolando com o bastãozão, uma figura impressionante e vestida com uma elegância extraordinária manipulando o cajado gigante de pastor com uma mão e tranquilamente examinando as unhas da outra mão por trás de uma máscara que era simplesmente o círculo amarelo de um smiley que acompanhava desejos de tenha-um-bom-dia. A figura era tão impressionante, inspirava tanta confiança e era tão despreocupadamente segura de si que chegava a ser ao mesmo tempo tranquilizadora e persuasiva. A figura de autoridade radiava animação, um charme abundante e uma paciência ilimitada. Ela manipulava o bastãozão do jeito tranquilo e determinado de um pescador que você sabe que não vai devolver nada do que pescar. O lento bastão silente com o gancho que ela segurava era o que os mantinha a todos ajoelhados sob as circunferenciazinhas barrocas de seu movimento lá no alto.

Uma das funções noturnas revezadas pelos funcionários residentes da Casa Ennet é ficar desperto e a postos no escritório da frente a noite toda no Turno de Morfeu — as pessoas que estão no começo do processo de recuperação das Substâncias vivem sendo atingidas por uns sonhos horrorosos, ou por sonhos traumaticamente sedutores com as Substâncias, e o Funcionário do Turno de Morfeu deve estar acordado cuidando de papeladas ou fazendo abdominais ou encarando a larga bay window do escritório do primeiro andar, pronto para fazer café, escutar os sonhos do residente e oferecer uma ou outra sacada prática e animada tipo AA de Boston sobre as possíveis implicações para o progresso do sonhador na sua recuperação — mas Gately não teve que marchar escada abaixo pra ver o que um Funcionário tinha a dizer daquele ali, já que era tão vigorosa e banalmente óbvio. Tinha ficado claro para Gately que o AA de Boston tinha o sargento-de-armas mais impiedosamente linha-dura e eficiente do planeta. Gately ficou ali deitado, ultrapassando os quatro lados do beliche, com a testona quadrada molhada pela revelação: o Sargento-de-Armas do AA de Boston ficava *fora* das organizadas salas de reuniões naquele invocadíssimo Lá Fora onde clubes animados cheios de empolgação pulsavam contentes sob placas iluminadas com garrafas de neon que nunca deixavam de verter seu conteúdo. O paciente guardião do AA estava em toda parte a todo instante Lá Fora: ele ficava distraidamente analisando suas cutículas sob a fluorescência adstringente de farmácias que forjavam receitas de Talwin por uma sobretaxa pesada, na luz acebolada por cúpulas de papel dos quartos-e-salas de enfermeiras noiadas que financiavam a manutenção das suas próprias jaulas com amostras roubadas de fármacos, no fedor de isopropil dos consultórios fuleiros de médicos encurvados fumantes inveterados cujos blocos de receita estavam sempre à mão e que só precisavam ouvir "dor" e ver a grana. Na casa de um VIP canadense estrangulado por meleca e no escritório de um implacável PPA de Revere cuja esposa tinha optado por dentaduras aos trinta e cinco. O disciplinador do AA tinha uma aparência boa pacas e um cheiro ainda melhor e se vestia para impressionar e o seu vago sorriso preto-sobre-amarelo nunca vacilava enquanto ele sinceramente desejava que você tivesse um bom dia. Só mais um último dia bom. Só um.

E essa foi a primeira noite em que o cínico Gately voluntariamente aceitou a sugestão básica de cair nos seus joelhões ao lado do beliche subdimensionado e com molas quebradas na Ennet e Pedir Ajuda para algo em que ele ainda não acreditava, pedir que a sua própria vontade doente e picada pela Aranha fosse tirada dele, dedetizada e pisoteada.

Mas e fora que no AA de Boston rola, infelizmente, dogma, também, afinal; e tem coisa ali que é tanto datada quanto safada. E tem um jargão desorientador na Irmandade, um dialeto psicomala que é quase impossível de seguir de cara, diz Ken Erdedy, o seminovato universitário publicitário da Ennet, reclamando com Gately

370

na pausa para a rifa da reunião do Bandeira Branca. As reuniões do AA de Boston são incomumente longas, uma hora e meia em vez da uma hora nacional, mas aqui eles também têm essa pausa formal depois de coisa de 45 minutos em que todo mundo pode bater um sanduba ou um Oreo e um sexto copinho de café e ficar à toa e bater papo, e criar vínculos, em que o carinha pode chamar o padrinho de lado e confidenciar alguma sacada banal ou algum beco-sem-saída emocional que o padrinho pode veloz e privadamente reconhecer mas também colocar no contexto imperativo mais amplo da necessidade primária de não absorver uma Substância hoje, só hoje, aconteça o que acontecer. Enquanto todo mundo está criando conexões pessoais e interfaceando num bizarro sistema de palavras-de-ordem, tem também a rifa, outra idiossincrasia de Boston: os mais novos entre os novatos do Bandeira Branca que estão tentando Ficar Ativos Com o Serviço do Grupo cambaleiam de um lado pro outro com cestinhos de vime e carnês de bilhetes, um por um mango e três por cinquinho, e o vencedor no fim é anunciado lá no púlpito e todo mundo vaia, grita "Marmelada!" e ri, e o vencedor leva um Grande Livro ou um *Na opinião do Bill* ou um *Viemos a acreditar*, que se ele já tem algum tempo de sobriedade e já conhece toda a literatura do AA por ter ganho outras rifas ele vai levantar e oferecer publicamente pra qualquer recém-chegado que queira, o que quer dizer qualquer recém-chegado com uma quantidade suficiente de desespero humilde para ir até ele pedir e arriscar receber um número de telefone pra carregar por aí na carteira.

Na pausa para a rifa do Bandeira Branca Gately normalmente fica por ali fumando sem parar com os residentes da Ennet, de modo que sempre fica informalmente disponível para responder perguntas e acolher queixas. Ele normalmente espera a reunião acabar para fazer as suas queixas para Francis Furibundo, com quem Gately agora divide a importante tarefa de "ajeitar a casa", varrer o chão, esvaziar cinzeiros e limpar as mesas compridas da cantina, função esta em que F. F. G. é limitado porque precisa usar oxigênio e a sua função consiste basicamente em ficar ali sugando oxigênio e segurando um cigarro apagado enquanto Gately ajeita a casa. Gately até que gosta de Ken Erdedy, que entrou na Casa há coisa de um mês vindo de alguma reabilitação metida a besta em Belmont. Erdedy é um cara classe alta, o que a mãe de Gately teria chamado de yuppie, gerente de contas da agência de publicidade Viney and Veals no centro da cidade segundo o seu Formulário de Admissão, e embora tenha mais ou menos a idade de Gately ele é tão suavemente elegante daquele jeito suave e manequinesco que os aluninhos de Harvard e Tufts têm, e tem sempre uma cara tão lisa e bem-cuidada até quando está de jeans e com um suéter simples de algodão, que Gately pensa nele como alguém muito mais jovem, totalmente antigrisalho, e se refere a ele mentalmente como "menino". Erdedy está na Casa basicamente por "vício em marijuana", e Gately não acha mole se Identificar com alguém que conseguiu se enrolar tanto com a maconha a ponto de sair do emprego e do apartamento pra ficar num quarto cheio de caras tatuados que fumam dormindo, e trabalhar tipo de frentista (Erdedy acabou de começar seu trabalho de humildade de nove meses no posto Merit lá perto da North Harvard St. em Allston) por trinta e duas horas de pagamento mínimo por semana. Ou pra ficar com a perna sacudindo daquele jeito o tempo todo pela tensão da síndrome de abstinência: de maconha, caralho? Mas não cabe a Gately dizer o que é ruim a ponto de fazer algum Entrar e o que não é, não pra ninguém além dele mesmo, e a bonita mas hiperferrada novata da Kate Gompert — que basicamente só faz ficar na cama no quarto feminino de 5 das novatas quando não está nas reuniões, e está num Contrato de Suicididade com a Pat, e não está recebendo a pressão de sempre pra arranjar um trabalho de humildade, e pode pegar algum tipo de medicamento com receita lá no armário de medicamentos toda manhã — a conselheira de Kate Gompert, Danielle S., relatou na última Reunião dos Funcionários que Kate finalmente tinha se aberto e lhe dito que tinha basicamente Entrado por causa da erva, também, e não dos tranquilizantes leves que tinha elencado no Formulário de Admissão. Gately tratava maconha como se fosse tabaco. Ele não era como outros viciados em narcóticos que fumavam um baseado quando não conseguiam outra coisa; ele sempre fumava maconha e sempre podia conseguir outra coisa e simplesmente fumava maconha enquanto tomava tudo que conseguisse arranjar. Gately não sente muita falta da maconha. O milagre AA tipo bisonho mesmo é que ele não sente muita falta do Demerol, também, hoje.

Um vento forte de novembro cospe neve meio mole contra as amplas janelas que contornam a sala. A cantina do Lar Providência é iluminada por um aparato tipo tabuleiro de xadrez de lâmpadas profissionais superdimensionadas lá em cima, algumas das quais estão sempre baixas e emitem uns estrobos tremelicantes. As lâmpadas tremelicantes são o motivo por que Pat Montesian e todos os outros AAs com tendência a convulsões fóticas da região nunca vão ao Bandeira Branca, optando pelo Grupo Autoestrada lá em Brookline ou pela reunião metidinha da Lake Street lá em West Newton nos domingos à noite, que até a Pat M. bizarramente vai de carro lá da casa dela na South Shore em Milton pra chegar lá, pra ouvir os carinhas falarem do seu analista e do seu Saab. Não tem como entender o gosto das pessoas no AA. O salão do Bandeira Branca é tão violentamente iluminado que a única coisa que Gately consegue ver por qualquer uma das janelas é meio que um preto brilhante babando contra o pálido reflexo de todos.

Milagre é um dos termos do AA que Erdedy e a jovem velada novíssima na casa e extremamente amedrontada parada de pé ao lado dele reclamam que acham difícil de engolir, tipo "Nós Todos Somos Milagres Aqui" e "Não Saia Cinco Minutos Antes do Milagre Acontecer" e "Ficar Sóbrio 24 Horas é um Milagre".

Só que a nova garota, Joelle V., ou Joelle D., que disse que tinha até ido a uma outra reunião antes, antes do Fundo do Poço, e tinha se sentido totalmente enojada, e ainda está basicamente cínica e enojada, ela disse no caminho até o Providência sob direta supervisão de novos residentes de Gately, disse que ela acha até a palavra *Milagre* preferível ao constante falatório do AA sobre "a Graça de Deus", que faz ela lembrar de sei lá onde que ela cresceu, onde ela deu a entender que os templos muitas vezes eram trailers de alumínio ou barracos de compensado e os fiéis brincavam com jararacas durante o culto em honra de alguma coisa que tinha a ver com serpentes e línguas.

Gately também observou que Erdedy também tem um jeito Tufts-Harvard de falar que parece que não mexe o queixo.

"É como se fosse um outro país, sei lá", Erdedy reclama, de pernas cruzadas de um jeito de repente meio aluninho veadinho, olhando em volta durante a pausa pra rifa, sentado à generosa sombra de Gately. "Na primeira vez em que eu falei, lá na reunião de St. E. na quarta-feira, alguém vem pra mim depois do Pai-Nosso e diz: 'Foi bom te ouvir, eu me Identifiquei mesmo com aquele Fundo de Poço que você mencionou, o isolamento, o não tem-como, fazia meses que eu não me sentia assim tão verde'. E aí me dá o bilhete da rifa com o telefone anotado que eu não pedi e diz que eu estou bem onde eu devia estar, o que eu tenho que dizer que eu achei meio paternalista."

O melhor barulho que Gately produz é sua risada, que ribomba e reconforta, e uma certa dureza dolorida some de seu rosto quando ele ri. Como a maioria dos caras imensos, Gately tem uma voz meio rouca; a laringe dele soa comprimida. "Eu ainda odeio essa coisa do bem-onde-você-devia-estar", ele diz, rindo. Ele acha legal que Erdedy, sentado, olhe direto para ele e deixe a cabeça levemente de lado pra Gately ver que ele está prestando atenção. Gately não sabe que isso é um pré-requisito num emprego de executivo em que você deve demonstrar que está prestando total atenção a clientes que estão pagando alto e podem esperar uma demonstração clara de plena atenção. Gately ainda não é muito bom juiz de nada a respeito das pessoas de classe alta a não ser os lugares em que elas tendem a esconder seus bens de valor.

O AA de Boston, com a sua ênfase nos Grupos, é intensamente social. A pausa para a rifa não acaba nunca. Um homem de rua embriagado com um nariz venulado e sem uns incisivos mas com fita isolante atada em volta dos sapatos está cantando "Volare" lá no microfone do púlpito vazio. Ele é delicada e animadamente levado a sair do palco por um dos Crocodilos com um sanduíche e um braço em volta dos ombros. Há um certo páthos na gentileza do Crocodilo, com aquele braço enflane-lado em torno dos ombros manchados de chuva, um páthos que Gately sente e gosta de poder sentir, enquanto diz: "Mas pelo menos a coisa do 'Bom Te Ouvir' não me incomoda mais. É só o que eles dizem quando alguém acabou de falar. Eles não po-dem dizer 'Bom trabalho' ou 'Você falou bem', porque ninguém pode estar aqui pra saber se alguém foi bem ou mal ou sei lá o quê. Você está me entendendo aí, Míni?".

O Míni Ewell, com um terno azul, um cronômetro laser e um minissapato cujo brilho serviria de lâmpada de leitura, está dividindo um cinzeiro sujo de alumínio com Nell Gunther, que tem um olho de vidro que ela acha divertido usar com o lado da pupila e da íris virado para dentro e a parte toda branca com as miniespecificações do fabricante que ficam no fundo do olho virada pra fora. Os dois estão fingindo que examinam atentamente o tampo de falsa madeira clara da mesa, e Ewell meio que faz questão de deixar claro que não está olhando ou reagindo a Gately, nem en-trando na conversa, o que é escolha dele e só dele, então Gately deixa passar. Wade McDade está com um walkman ligado, o que é tecnicamente beleza na pausa pra rifa ainda que não seja assim uma ideia tão bacana. Chandler Foss está passando fio dental e fingindo que vai jogar o fio usado em Jennifer Belbin. Quase todos os residentes da Ennet estão socializando satisfatoriamente. Os dois residentes negros estão socializando com outros negros.[141] Aquele menino Diehl e o Doony Glynn estão se divertindo contando piadas sobre homossexualidade para Morris Hanley, que está sentado alisando o cabelo com a pontinha dos dedos, fingindo que nem está ouvindo, com a mão esquerda ainda enfaixada. Alfonso Parias-Carbo está parado de pé com três caras do Grupo Allston, sorrindo largo e balançando a cabeça, sem entender uma só palavra do que as pessoas estão dizendo. Bruce Green desceu até o banheiro dos homens e fez Gately rir ao pedir permissão primeiro. Gately disse para ele mandar ver. Green tem uns belos de uns braços e nenhuma barriga, mesmo depois de todas as Substâncias, e Gately suspeita que ele pode ter jogado bola em algum momento. Kate Gompert está totalmente isolada numa mesa para não fumantes perto de uma janela, ignorando o seu pálido reflexo e fazendo barraquinhas de papel com os bilhetes de rifa e mexendo com eles por ali. Clenette Henderson agarra outra negra, ri e diz "Menina!" várias vezes. Emil Minty está agarrando a própria cabeça. Geoff Day com a sua gola olímpica preta e o seu blazer fica espreitando à beira de vários grupos de pessoas fingindo que faz parte daquelas conversas. Nenhum sinal imediato da presença de Burt F. Smith ou de Charlotte Treat. Randy Lenz, com seu disfarce de bigode e costeleta brancos, sem sombra de dúvida está no telefone público no canto nordeste do saguão do Providência lá embaixo: Lenz passa um tempo quase inaceitável ou no telefone ou tentando se ver em posição de poder usar um telefone. "Porque o que eu gosto", Gately diz a Erdedy (Erdedy está ouvindo mesmo, muito embora haja uma moça magneticamente vulgar com uma sainha branca e absurdas meias arrastão pretas sentada com as pernas bem cruzadinhas — Ferragamo preto de tirinha e salto baixo também — na periferia do seu campo de visão, e a moça está com um cara grandão, o que a torna ainda mais magnética; e também os seios e as claves dos quadris da menina nova e velada são magnéticos e perturbadores, perto dele, mesmo com um suéter azul comprido e todo frouxo que combina com a ourela bordada em volta do véu), "O que eu acho que eu gosto é do jeito que 'Foi bom te ouvir' acaba, tipo dizendo duas coisas totalmente diferentes ao mesmo tempo." Gately está tentando dizer isso a Joelle, que é esquisito mas dá pra você dizer que ela está olhando pra você, mesmo com o véu de linho. Tem de repente mais uma meia dúzia de gente velada no salão do Bandeira Branca hoje; uma percentagem bem decente de membros da Organização dos Feios e Inconcebivelmente Deformados, um grupo 11 passos, também está em irmandades de 12 passos por outras coisas além da deformidade hedionda. A maioria dos AAs velados da sala é de mulheres, embora tenha lá esse um OFIDE velado que é um Bandeira Branca ativo, Tommy S. ou F., que anos atrás apagou num sofá de vinil estofado com uma garrafa de Rémy e um Tiparillo aceso — o cara agora usa véus da OFIDE e todo um espectro de golas olímpicas de seda e chapéus variados e umas luvinhas classudas de dirigir. Gately ouviu uma explicação da filosofia da OFIDE e do véu assim de passagem mais de uma vez mas ainda não saca direito, parece um gesto de vergonha e de ocultamento, ainda, pra ele, o véu. Pat Montesian tinha dito que já houve outros OFIDES passando pela Ennet antes do Ano dos Laticínios do Coração da América, que foi quando o novo residente Gately entrou cambaleante, mas essa Joelle van Dyne, que Gately sente que ele sacou tipo zero por cento até aqui como pessoa ou sobre a seriedade dela quanto a largar as Substâncias e Entrar para ficar sóbria de verdade, essa Joelle é a primeira residente velada que Gately já assumiu como Funcionário. Essa garota Joelle, que não estava nem na lista de espera de dois meses para a Admissão, entrou da noite pro dia por algum combinado particular com algum membro do Quadro de Diretores da Casa, uns caras de classe de Enfield que curtem caridade e dirigir coisas. Não rolou entrevista de entrada com a Pat na Casa; a garota simplesmente apareceu dois dias atrás logo depois do jantar. Ela tinha ficado cinco dias no Brigham and Women's depois de alguma situação horrível tipo overdose que dizem que incluiu tanto desfibriladores quanto padres. Ela tinha bagagem de verdade e um negócio assim tipo um biombo portátil chinês de se vestir com umas nuvens e uns dragões zoiudos que mesmo dobrado no comprimento precisou ser carregado até lá em cima pelo Green e pelo Parias-Carbo. Ninguém falou de trabalho de humildade pra ela, e a Pat está pessoalmente aconselhando a menina. A Pat tem algum tipo de acordo estabelecido em particular com a garota; Gately já viu bastante desses acordos particulares entre certos Funcionários e certos residentes pra sentir que isso é de repente meio que um defeito de personalidade da Ennet. Uma menina do Grupo Jovem de Brookline que veio de sainha de cheerleader e meias de puta está ignorando todos os cinzeiros e apagando o seu cigarrão extralongo no tampo vazio da mesa a duas fileiras de distância enquanto ri que nem uma foca de alguma coisa que um cara com acne e um casaco de camelo que ele não tirou e sapato de dançarino de salão sem meia que Gately nunca viu numa reunião diz. E ele está com a mão em cima da dela enquanto ela amassa o cigarro. Uma coisa tipo apagar cigarro no tampo plástico com veios de madeira da mesa, que Gately já até está vendo o furo preto que ficou da queimadura, é uma coisa cuja imundície nunca teria lhe chamado a atenção antes, até Gately assumir metade do trabalho de ajeitar-a-casa-e-limpar-as-mesas conforme Francis Furibundo G. sugeriu, e agora ele se sente meio dono dos tampos das mesas do Providência. Mas não é como se ele pudesse ir lá e fazer o inventário de alguém e mandar eles se comportarem direito. Ele se satisfaz com a imagem mental da garota voando pelo ar na direção de uma parede de vidro.

"Quando eles dizem meio que quer dizer que o que você falou foi bom pra eles, que ajudou eles e tal", ele diz, "mas fora que agora também eu gosto de dizer pra mim mesmo porque se você parar pra pensar também quer dizer que foi bom *conseguir* ouvir você. Ouvir de verdade." Ele está tentando sutilmente alternar os olhares entre tanto Erdedy quanto Joelle, como se estivesse se dirigindo a ambos. Não é algo em que ele seja bom. A cabeça dele é grande demais para sutilezas. "Porque eu lembro que tipo nos primeiros sei lá sessenta dias eu não conseguia ouvir porra nenhuma. Eu não escutava nada. Eu só ficava ali sentado e me Comparava, eu ficava ali na minha, tipo 'Eu nunca capotei um carro', 'Eu nunca perdi a mulher', 'Eu

375

nunca sangrei pelo reto'. O Gene me dizia pra eu continuar vindo um tempo que mais cedo ou mais tarde eu ia conseguir tanto escutar quanto ouvir. Ele disse que é difícil ouvir de verdade. Mas ele não dizia qual era a diferença entre escutar e ouvir, o que me deixava bem puto. Mas depois de um tempo eu comecei a *ouvir* de verdade. Acaba que — e isso de repente é só comigo — mas acaba que *ouvir* o orador significa assim de repente ouvir a similaridade entre como ele se sentia e como eu me senti, Lá Fora, no Fundo do Poço, antes da gente Entrar. Em vez de só ficar ali com raiva de estar aqui e pensando que o cara sangrou pelo cu e eu não e como isso significa que eu ainda não estou tão mal quanto ele e eu ainda posso ficar Lá Fora."

Um dos macetes de ser útil de verdade para os recém-chegados é não soar autoritário nem dar conselhos mas só falar sobre a sua própria experiência pessoal e o que te disseram e o que você descobriu pessoalmente, e fazer isso de um jeito despreocupado mas positivo e encorajador. Fora que você deveria tentar se Identificar com as sensações do recém-chegado tanto quanto possível. Francis Furibundo G. diz que esse é um dos jeitos dos caras com só um ou dois anos sóbrios serem mais úteis: a capacidade de se Identificar sinceramente com os recém Doentes e Sofredores. Francis Furibundo disse para Gately enquanto eles estavam limpando mesas que se um Crocodilo com décadas de tempo de sobriedade no AA ainda consegue empatizar e se Identificar sinceramente com um recém-chegado estropiado, esbugalhado e tomado pela Doença então tem alguma coisa profundamente fodida na recuperação daquele Crocodilo. Os Crocodilos com décadas de sobriedade vivem numa galáxia espiritual totalmente diferente por dentro. Um veterano descreve isso dizendo que ele agora tem todo um castelo interior espiritual exclusivo pra morar.

Parte da atração dessa nova garota Joelle para Ken Erdedy não é só a coisa sexual do corpo dela, que ele acha que fica muito mais sexy com o jeito com que aquele suéter azul enorme manchado de café tenta amenizar a coisa do corpo sem ter a pachorra de tentar esconder — sexualidade desleixada atrai Erdedy como uma mariposa bem-arrumadinha rumo a uma janela iluminada — mas também é o véu, ficar imaginando que contraste horroroso com o encanto do corpo está inchado ou torto embaixo daquele véu; isso dá à atração um efeito diagonal safado que a torna ainda mais perturbadora, e então Erdedy inclina a cabeça um pouco mais para Gately e contrai os olhos para deixar sua cara de quem está ouvindo extremamente concentrada. Ele não sabe que há uma distância abstrata naquela cara que faz parecer que ele está examinando uma tacada dificílima para um ferro nº 7 no rough do décimo buraco ou algo assim; a cara não comunica o que ele acha que sua plateia deseja que ela comunique.

A pausa para a rifa vai esfriando à medida que todo mundo começa a querer seu próprio cinzeiro. Mais duas cafeteiras enormes emergem da porta da cozinha lá perto da mesa dos panfletos. Erdedy é provavelmente o segundo maior sacudidor--de-perna-e-pé em residência atualmente, depois de Geoffrey D. Joelle v. D. agora diz uma coisa muito estranha. É um momentinho bem estranho, bem no fim da pausa para a rifa, e Gately depois descobre que é impossível descrevê-lo na sua entrada no registro daquele turno da noite. É a primeira vez que ele percebe que a voz de Joelle — pura, doce e bizarramente vazia, com um sotaque levemente sulista e um estranho e afinal kentuckiano lapso na pronúncia de todas as apicais à exceção do *s* — é familiar de um jeito bem distante que tanto a torna familiar como ao mesmo tempo deixa Gately certo de que nunca falou com ela Lá Fora. Ela inclina o plano do seu véu de bordas azuis brevemente para as lajotas do piso (umas lajotas horríveis, cor de casca de ferida, nojentas, a pior coisa do salão, de longe), nivela-o de novo na vertical (ao contrário de Erdedy ela está de pé, e de sapato baixo é quase da altura de Gately) e diz que está achando especialmente difícil engolir quando esses caras sofridos e sinceros no púlpito dizem que estão aqui "Não Fosse Pela Graça de Deus", só que não é isso a coisa estranha que ela diz, porque quando Gately concorda enfaticamente com a cabeça e começa a interpor que "Era igualzinho pra…" e quer disparar numa tirada bem padrão AA Boston pra acalmar os agnósticos, de que o "Deus" do slogan é só um símbolo de um "Poder Superior" totalmente subjetivo e por-conta-tua e que o AA é meramente espiritual e não dogmaticamente religioso, uma espécie de anarquia benigna de espírito subjetivo, Joelle interrompe essa interposição e diz que mas pra *ela* o problema era que "Não Fosse Pela Graça de Deus" é subjuntivo, contrafactual, ela diz, e só faria sentido introduzindo uma oração condicional, tipo p. ex. "Não Fosse Pela Graça de Deus eu *teria* morrido no chão do banheiro da Molly Notkin", de modo que uma transposição indicativa tipo "Eu Estou Não Fosse Pela Graça de Deus", ela diz, é literalmente sem sentido, e sem nem levar em consideração se ela *ouve* ou não a frase ela não faz sentido, e que o entusiasmo babão com que esse pessoal diz o que de fato não quer dizer nada, nadinha, faz ela querer enfiar a cabeça num micro-ondas só de pensar que as Substâncias a levaram ao tipo de situação em que esse é o tipo de linguagem em que ela tem que ter uma Fé Cega. Gately fica olhando para um pedaço retangular de linho ourelado de azul cujas doces curvas mal aludem a quaisquer traços que escondam, ele olha para ela e não tem ideia se ela está ou não falando sério, ou se está noiada, ou tentando como o dr. Geoff Day erigir fortificações de negação com algum tipo de exibicionismo intelectualoide, e ele não sabe o que dizer em resposta, ele não tem absolutamente nada naquela cabeçorra quadrada com que se Identificar com ela ou a que se agarrar ou o que dizer como resposta encorajadora, e por um instante a cantina do Providência parece silenciosa de se ouvir um alfinete, e o coração dele o agarra como uma criancinha sacudindo as barras do cercadinho, e ele sente uma onda sebosa de um pânico antigo e quase desconhecido, e por um segundo parece inevitável que em algum momento da vida ele vá ficar chapado de novo e voltar de novo para a jaula, porque por um segundo o vácuo véu alvo erguido para ele parece uma tela em que alguém poderia muito bem projetar uma despreocupada carinha sorridente amarela e preta, rindo, e ele sente todos os músculos do rosto se afrouxarem e seguirem rumo aos joelhos; e o momento fica suspenso, estendido, até que o coordenador da rifa do Bandeira Branca do mês de novembro, Glenn K., desliza até o microfone do púlpito com sua capa de veludo escarlate, a maquiagem e o candelabro com velas da mesma cor das lajotas do chão e usa o martelo de plástico para formalmente encerrar a pausa e trazer tudo de volta ao que quer que por áqui passe por ordem, para o sorteio da rifa. O cara de Watertown com um tempo mediano de sobriedade que ganha o Grande Livro publicamente o oferece a qualquer novato que queira, e Gately fica feliz ao ver Bruce Green erguer uma mãozona, e decide que vai simplesmente passar a bola e pedir uma ajudinha ao Francis Furibundo G. nisso de subjuntivos e contrassexuais, e a criancinha deixa o cercado em paz lá dentro dele, e os rebites da mesa comprida a que sua cadeira está presa fazem um breve barulhinho estressado no que ele senta e se acomoda para a segunda parte da reunião, pedindo ajuda em silêncio para ficar determinado a tentar ouvir de verdade ou morrer tentando.

A tia gigantona da Ilha da Liberdade do porto de NNYC tem o sol por coroa e segura o que parece ser um imenso álbum de fotografias embaixo de um braço de ferro, e o outro braço ergue um produto no ar. O produto é trocado todo 1º de jan. por homens corajosos com pitões e guindastes.

Mas é engraçado o que eles acham engraçado, os AAs nas reuniões de Boston, de ouvir. O próximo cara do Básico Avançado convocado pelo presidente reluzentemente calvo e cauboizístico a falar é pavorosa e transparentemente não engraçado: dolorosamente novo mas fingindo estar à vontade, ser puta velha, desesperadamente tentando divertir e impressionar. O cara tem o tipo de passado profissional em que estava acostumado a tentar impressionar montes de gente. Ele está morrendo de vontade de que gostem dele. Ele está encenando. O pessoal do Bandeira Branca todo enxerga isso. Até os idiotas de verdade entre eles leem o cara direitinho. Isso aqui não é uma plateia comum. Um AA de Boston é muito sensível à presença do ego. Quando o cara novo se apresenta, faz um gestinho irônico e diz "Me disseram que eu recebi a Dádiva do Desespero. Eu estou procurando o guichê de trocas", isso é tão claramente não espontâneo, ensaiado — fora o fato de que comete a sutil mas definitiva ofensa- -contra-a-Mensagem de parecer depreciar o Programa em vez de se Autodepreciar — que uma risotinha polida ressoa, e as pessoas mudam de posição nas cadeiras com um leve mas perceptível desconforto. O pior castigo que Gately já viu ser aplicado a um orador numa Promessa é quando a plateia fica com vergonha alheia por ele. Os oradores que estão acostumados a sacar o que uma plateia quer ouvir e aí fornecer exatamente isso descobrem rapidinho que essa plateia aqui não quer receber o que alguém aí acha que ela quer. É outro enigma em que a gasolina cerebral de Gately acabou minguando. Parte de finalmente ficar confortável no AA de Boston é simplesmente acabar ficando sem gasolina em termos de tentar entender umas coisas desse tipo. Porque literalmente não faz sentido. Perto de duzentas pessoas todas castigando alguém ao ficar com vergonha alheia por ele, matando o sujeito ao morrer empaticamente bem ali com ele, por ele, ali no púlpito. Os aplausos quando esse cara acaba têm o ar aliviado de um punho que se descerra, e os gritos deles de "Continue Vindo!" são tão sinceros que quase dói.

Mas aí num contraste igualmente paradoxal dá só uma olhada no próximo orador do Básico Avançado — esse camarada que parece um saco de batata comprido e frouxo, igualmente novo de dar dó, mas esse coitadinho aqui completa e abertamente nervoso, cambaleando até a frente da sala, com o rosto brilhando de suor e a fala plena de prolações vazias e saltos dissociados — enquanto o cara fala com um terrível sofrimento envergonhado sobre tentar segurar o emprego Lá Fora enquanto suas ressacas matinais iam ficando cada vez mais debilitantes até que ele finalmente ficou tão trêmulo e afásico que simplesmente não conseguia mais nem encarar os clientes que iam bater na porta do seu Departamento — ele era, das 0800 às 1600h, o Departamento de Reclamações da Loja de Departamentos Filene's —

— "O que eu acabei fazendo, meu Deus eu não sei de onde foi que me veio uma ideia estúpida dessas, foi que eu levei um martelo de casa e levei pra lá e deixava bem ali embaixo da mesa, no chão, e quando alguém batia na porta eu só... eu meio que *mergulhava* pra baixo da mesa, catava o martelo e começava a marretar a perna da mesa, tipo com força mesmo, tapata-tapata, como se eu estivesse consertando alguma coisa ali embaixo. E se eles abriam a porta finalmente e entravam de qualquer maneira ou entravam pra reclamar de eu não ter aberto a porta eu só ficava escondido ali embaixo marretando que nem um doido e gritava que era só um segundinho, só um segundinho, reparos de emergência, um momento só. Acho que vocês podem imaginar como é que era aquela martelação toda, sabe, ali embaixo, com a cabeça pesada que eu estava toda manhã. Eu ficava ali escondido e marretava sem parar com o martelo até eles finalmente desistirem e se mandarem, eu ficava olhando de baixo da mesa e via quando eles finalmente se mandavam, que dava pra ver os pés deles de lá de baixo."

— E sobre como a coisa de se-esconder-embaixo-da-mesa-e-marretar funcionou, vá saber, durante quase todo o último ano em que ele bebeu, que terminou perto do Dia do Trabalho no ano passado, quando um reclamante vingativo finalmente sacou onde é que se ia na Filene's pra reclamar do Dep. de Reclamações — os Bandeiras Brancas todos se desmontaram, estavam totalmente satisfeitos e divertidos, os Crocodilos removeram os charutos, urraram, chiaram, bateram os pés no chão e mostraram uns dentes de dar medo, todo mundo rugindo de Identificação e prazer. Isso mesmo apesar do fato, como a desorientação do orador diante dessa alegria toda trai abertamente, de que a estória não devia ser nada engraçada: era só a verdade.

Gately descobriu que tem que ser a verdade, é isso. Ele está fazendo bastante força pra ouvir de verdade os oradores — ele manteve o hábito que tinha desenvolvido como residente da Ennet, de sentar bem lá onde dava pra ver dentições e poros, com zero obstruções ou cabeças entre ele e o púlpito, pro orador preencher todo o seu campo de visão, o que deixa mais fácil ouvir de verdade — tentar se concentrar em receber a Mensagem em vez de ficar cismando com aquele momento negro, doido e velho de terror afásico com aquela menina velada tipo pseudointelectual que provavelmente estava só em algum tipo complicado de negação, ou em seja qual for o lugar sem dúvida macabro de onde ele sente que acha que conhece aquela voz suave sem-eco e levemente sulista. O negócio é que tem que ser de verdade pra descer mesmo aqui. Não pode ser uma coisa calculada, de agradar as massas, e tem que ser a verdade sem vieses, sem fortificantes. E maximamente a-irônica. Um ironista numa reunião do AA de Boston é uma bruxa numa igreja. Zona de ironia zero. E é a mesma coisa com pseudossinceridades manipuladoras espertinhas e malandras. Sinceridade com segundas intenções é uma coisa que esse pessoal duro e maltratado conhece e teme, todos eles treinados pra lembrar das fortificações acanhadamente sinceras e irônicas de autoconcepção que tiveram que erigir pra poder seguir a vida Lá Fora, sob a incessante garrafa de neon.

Isso não quer dizer que você não possa só papagaiar cínica ou hipocritamente, no entanto. Por mais que possa ser paradoxal. Os Bandeiras Brancas desesperados, sóbrios há pouco, são sempre encorajados a invocar e a papagaiar cinicamente slogans que ainda não entendem e nos quais não acreditam — p. ex. "Vai de Leve!" e "Vire a Página!" e "Um Dia de Cada Vez!". É o que se chama "Finja Até Que Atinja", que é ele próprio um slogan muito repetido. Todo mundo numa Promessa que levanta publicamente pra falar começa dizendo que é alcoólico, diz isso se já acredita que é ou não; aí todo mundo lá no palco diz o quanto agradece por estar sóbrio hoje e como é genial estar Ativo e cumprindo uma Promessa com o seu Grupo, mesmo que não se sinta grato nem satisfeito com a coisa toda. Você é encorajado a continuar dizendo essas coisas até começar a acreditar, exatamente como se você perguntar a alguém com bastante tempo de sobriedade quanto tempo você vai ter que continuar se arrastando pra essas merdas dessas reuniões ele vai sorrir com aquele sorrisinho irritante e vai te dizer que é só até você começar a *querer* ir pra essas merdas dessas reuniões. Há definitivamente uns elementos sêiticos, lavagem-cerebrálicos no Programa AA (o próprio termo *Programa* soa meio tenebroso, pra quem tem medo de lavagens cerebrais), e Gately tenta ser bem sincero com os seus residentes sobre isso. Mas ele também dá de ombros e lhes diz que no fim das suas carreiras com narcóticos orais e roubo de residências ele tinha meio que decidido que o nosso amigo cérebro bem que precisava de uma escovada e de um tempo de molho mesmo. Ele diz que basicamente ofereceu seu cérebro e disse pra Pat Montesian e pro Gene M. ficarem à vontade e irem lavando. Mas ele diz aos seus residentes que está pensando agora que o Programa pode ser mais tipo uma desprogramação que uma lavagem de verdade, considerando o trabalho psíquico que a Aranha da Doença fez com eles todos. O progresso mais nítido de Gately ao virar a vida do avesso rumo à sobriedade, além do fato de que ele não anda mais pela noite com os bens dos outros, é que ele tenta ser tão verbalmente honesto quanto possível em quase todos os momentos, agora, sem muitos cálculos de como o ouvinte vai se sentir com o que ele diz. Isso é mais difícil do que parece. Mas é por isso que nas Promessas, suando no púlpito como só um cara grandão sabe suar, o barato dele é sempre dizer que ele tem Sorte de estar sóbrio hoje, em vez de que ele está Grato hoje, porque ele admite que aquele é sempre o fato, todo dia, mesmo que na maior parte do tempo ele ainda não se sinta Grato, mais tipo chocado que esse negócio parece que funciona, fora que na maior parte do tempo ele também está com vergonha e deprimido por causa do jeito que ele passou mais da metade da vida, e com medo de poder estar permanentemente lesado ou retardado por causa das Substâncias, fora que também normalmente ele não tem nenhum tipo de noção quanto ao seu rumo na sobriedade ou o que ele devia estar fazendo ou sobre qualquer outra coisa a não ser que ele não morre de vontade de estar Lá Fora atrás das grades, de novo, rapidinho. Francis Furibundo G. gosta de dar um soquinho no ombro de Gately e lhe dizer que ele está exatamente onde devia estar.

Aí mas também fique sabendo aí que a atribuição causal, como a ironia, é a morte, no que se refere a falar durante as Promessas. As veias das têmporas dos Crocodilos saltam de verdade e ficam pulsando de irritação se você tenta pôr a culpa da sua Doença numa causa ou outra, e todo mundo que tenha qualquer tempo razoável de sobriedade vai empalidecer e se contorcer na cadeira. Veja p. ex. o desconforto da plateia Bandeira Branca quando a magrelinha sisuda do Básico Avançado que é a próxima a falar declara que era uma noiada de oito-papelotes-dia *porque* com dezesseis anos teve que virar stripper e semiprostituta no infame Clube Corpo de Delírio lá na Route 1 (muitos olhos masculinos na plateia brilham com uma lembrança repentina, e apesar de toda a contenção voluntária automaticamente fazem aquela coisa norte-sul meio arrastada pelo corpo dela, e Gately consegue ver todos os cinzeiros da mesa tremerem com a força do estremecimento de Joelle V.), e aí mas que ela teve que virar stripper com dezesseis *porque* teve que fugir da casa dos pais adotivos em Saugus, MA, e que ela teve que fugir *porque*... — aqui ao menos parte do desconforto da sala provém do fato da plateia prever que a etiologia vai ficar prolixa e enrolada de arrancar os cabelos de raiva; essa menina ainda não aprendeu a Deixar Simples — ... porque, enfim, pra começo de conversa, ela era adotada, e os pais adotivos também tinham uma filha biológica, e a filha biológica, desde o nascimento, era totalmente paralisada, retardada, catatônica, e a mãe adotiva daquela família era — como Joelle V. mais tarde disse a Gately — doida de dar nó em pingo d'água, e negava totalmente que a filha biológica era um vegetal, e não só insistia em tratar a filha biológica invertebrada como um membro válido do filo dos cordados como também insistia que o pai e a filha adotiva tratassem A Coisa como se fosse normal e sem problemas, e fazia a filha adotiva dividir um quarto com A Coisa, levar A Coisa pras festas do pijama (a oradora usa a expressão A *Coisa* para a irmã invertebrada, e também pra falar a verdade usa a frase "arrastar A Coisa comigo" em vez de "levar", o que Gately sabiamente prefere não analisar demais), e até pra escola com ela, pro treino de softball, pro cabeleireiro, pras Bandeirantes etc., e onde e em todo e qualquer lugar pra onde A Coisa tivesse sido arrastada A Coisa ficava embolada num canto, babando e incontinente sob preciosos modelitos adquiridos por mamãe e especialmente modificados para a atrofia e cosméticos Lancôme de primeiro nível que n'A Coisa ficavam simplesmente macabros, e só com o branco dos olhos aparecendo, com fluido escorrendo da boca e de tudo mais, e fazendo uns barulhos gorgolejantes inenarráveis, completamente pálida, úmida, rançosa; e aí, quando a filha adotiva que ora vos falava fez quinze anos, a mãe adotiva doidona rabidamente católica até anunciou que o.k. agora que a filha adotiva estava com quinze anos ela podia sair com os meninos, mas só se A Coisa fosse junto também, em outras palavras que os únicos meninos com quem a filha adotiva de quinze anos podia sair eram os que levavam sabe lá que tipo de amigo submamífero que conseguissem arranjar pra fazer par com A Coisa; e como esse tipo de coisa não parou mais; e como o pesadelismo da ubiquidade pálida e molhada d'A Coisa durante a sua juventude já seria mais do que o bastante para causar e explicar o vício posterior da oradora em drogas, ela acha, mas que também calhou que o sorridente e tranquilo patriarca da família adotiva, que trabalhava das 0900 às 2100 como analista de apólices na Atena, calhou que o alegre e sorridente pai adotivo na verdade fazia a mãe adotiva doidona parecer uma coluna dórica de estabilidade em comparação com ele, porque acabou que havia certas coisas na maleabilidade paralítica total e na incapacidade catatônica da filha biológica de fazer qualquer coisa que não fossem barulhos gorgolejantes inenarráveis que o pai sorridente achava que facilitavam demais certas práticas doentias que a oradora diz que acha difícil discutir publicamente, ainda, mesmo com trinta e um meses de sobriedade no AA, por estar ainda tão retroativamente Machucada e Ferida por causa disso tudo; mas então em suma que ela tinha acabado sendo forçada a fugir da casa adotiva em Saugus e assim virar stripper no Corpo de Delírio e assim virado uma noiada máster não, como em tantos outros casos ordinários, porque tinha sido molestada incestuosamente, mas porque tinha sido abusivamente forçada a dividir um quarto com uma invertebrada babenta que com catorze anos já estava sendo molestada incestuosamente toda noite por um analista de apólices biológico sorridente de um pai que — a oradora faz uma pausa para ganhar coragem — que aparentemente gostava de fingir que A Coisa era Raquel Welch, antiga deusa do sexo em celuloide do apogeu glandular do pai, e ele até chamava A Coisa de *"RAQUEL!"* em momentos de ápice incestuoso; e como, durante o verão na Nova Inglaterra em que a oradora tinha feito quinze anos e tinha começado a ter que arrastar A Coisa com ela nos encontros duplos com os meninos e aí que não deixar de arrastar A Coisa de volta para casa às 2300h para A Coisa ter bastante tempo de ser incestuosamente molestada, naquele verão o sorridente pai adotivo tranquilo até comprou, tinha achado em algum lugar, uma *máscara* cafoníssima de borracha daquelas de meter na cabeça inteira com a cara da Raquel Welch, com cabelo, e agora vinha toda noite com a luz apagada e erguia a cabeça macia e larga d'A Coisa e se virava para dar um jeito de colocar a máscara com os buracos relevantes devidamente alinhados para a respiração, e aí molestar feliz até o ápice e gritar *"RAQUEL!"* e aí mas ele simplesmente se mandava e saía do quarto escuro sorridente e saciado e muitas vezes deixava a máscara ainda n'A Coisa, ele esquecia, ou nem ligava, exatamente como parecia nem perceber (Não Fosse Pela Graça de Deus, de certa forma) a forma magrela fetalmente enrodilhada da filha adotiva deitada bem quietinha na cama ao lado, no escuro, fingindo dormir, calada, respirando mansinho, com o rosto sisudo magrelo e machucado pré--vício virado para a parede, na cama ao lado, a cama dela, a que não tinha as estruturas desmontáveis meio de berço de hospital nas laterais… A plateia está arrancando seu cabelo coletivo, a essa altura só parcialmente movida pela empatia, enquanto a oradora especifica como tinha sido de facto praticamente *forçada* em termos emocionais a se mandar e tirar a roupa e mergulhar de cabeça na negra anestesia espiritual do ativo vício em drogas numa tentativa disfuncional de lidar psicologicamente com uma determinada noite seminalmente traumatizante de horror abjeto, o horror indescritível do jeito com que A Coisa, a filha biológica, tinha olhado para ela, a oradora, numa determinada última vez naquela determinada ocasião de uma série frequente de ocasiões em que a oradora tinha sido obrigada a sair da cama depois que o pai tinha vindo e ido na pontinha dos pés até a cama d'A Coisa e se debruçado sobre as estruturas hospitalares para retirar a máscara de borracha de Raquel Welch e recolocá-la na mesinha de cabeceira embaixo de umas edições antigas da *Ramparts* e da *Commonweal*, depois de cuidadosamente fechar as pernas escancaradas d'A Coisa e puxar para baixo a sua plurimanchada camisolinha de grife, coisas todas que ela sempre fazia questão de fazer quando o pai não se dava ao trabalho, de noite, para a mãe adotiva doidona não entrar de manhã e encontrar A Coisa ainda com uma máscara de borracha de Raquel Welch com a calcinha puxada e as pernas abertas e fazer as contas e ver tudo quanto era processo elaborado de bloqueio mental se estilhaçar sobre os motivos do pai adotivo sempre andar pela casa adotiva com um sorriso calado e medonho, e surtar e fazer o pai da catatônica invertebrada parar de molestar A Coisa — porque, a oradora sacou, se o pai adotivo tivesse que parar de molestar A Coisa não era exatamente necessário ser Sally Jessy Raphael M. S. W. pra sacar quem era que ia provavelmente ser promovida ao papel de Raquel ali na cama ao lado. O calado e sorridente pai analista de apólices nunca na vida comentou as ajeitadinhas pós-incestuosas da filha adotiva. É o tipo de cumplicidade tácita doentia que é característica de famílias loucamente disfuncionais, confessa a oradora, que também se orgulha ao dizer que é membro de uma Irmandade 12 Passos dissidente, uma coisa tipo Criança-Interior chamada Bando Unido Nacional dos Ora Eternos Sobreviventes. Mas ela diz que foi essa determinada noite em particular logo depois do seu aniversário de dezesseis anos, depois que o pai tinha chegado e ido embora e descuidadamente deixado a máscara d'A Coisa ainda lá, de novo, e lá se vai a oradora até a mesinha de cabeceira d'A Coisa, pra ajeitar tudo, e mas dessa vez acabou que deu problema com as longas tranças castanhas de crina de cavalo da máscara enroscadas e emaranhadas nas mechas semivivas do penteado elaboradamente extragelificado d'A Coisa, e a filha adotiva teve que ativar o perímetro de luzes no espelho multilampadado da mesinha de cabeceira d'A Coisa para enxergar o suficiente para poder tentar desembaraçar a máscara de Raquel Welch, e quando ela finalmente tirou a máscara, com o espelho ainda luzindo feliz da vida, a oradora diz que foi forçada a fixar pela primeira vez o rosto aceso paralítico pós-molesto d'A Coisa, e que a expressão no mesmo era decididissimamente mais do que suficiente para forçar alguém com um sistema límbico operante[142] a dar no pé imediatamente e se mandar da casa da família adotiva disfuncional, mais ainda, de toda a comunidade de Saugus, MA, agora sem-teto, traumatizada e forçada por forças negras psíquicas a se dirigir ao infame ninho neonizado de depravação e vício na Route 1, para tentar esquecer, rasar a tábula, apagar completamente a memória, atordoá-la com opiáceos. Com a voz trêmula, ela aceita o lenço abandanado que o presidente oferece, assoa o nariz primeiro uma narina depois a outra e diz que quase consegue ver A Coisa de novo: a expressão d'A Coisa: sob as luzes da penteadeira só apareciam os brancos dos olhos d'A Coisa, e enquanto a sua total catatonia e paralisia não permitiam que A Coisa contraísse os músculos circum-orais macabramente maquiados para formar um tipo qualquer de expressão humana convencional, mesmo assim alguma camada expressiva e horrendamente móvel nas regiões úmidas sob a camada expressiva das pessoas de verdade, alguma camada de fibras lentas, exclusiva d'A Coisa, tinha se contraído cegamente, de alguma maneira, para formar no queixo mole e branco do rosto d'A Coisa o tipo de expressão retraída e engasgada de concentração neurológica que revela um êxtase carnal além de quaisquer sorrisos ou suspiros. O rosto d'A Coisa parecia pós-coital mais ou menos como você imagina que os vacúolos e aparatos ópticos de um protozoário ficariam pós-coitais depois de ele ter dado uma tremida e lançado a sua ejaculação monocelular nas águas frias de algum mar muito antigo. A expressão facial d'A Coisa era, numa palavra, a oradora diz, inenarrável, inesquecivelmente macabra, horrenda e traumatizante. Era também a mesmíssima expressão daquela moça do vestido de pedra na foto sem identificação de alguma estátua católica que ficava pendurada (a foto) na sala da casa disfuncional bem em cima da mesinha de teca em que a mãe adotiva disfuncional guardava os rosários, os livros de Horas e o breviário laico, essa foto de uma estátua de uma mulher cujo vestido de pedra está meio erguido e amarrotado do jeito mais pecaminosamente sensual e excitante, a mulher reclinada contra a pedra não talhada, com o vestido erguido e um pé de pedra pendurado na pedra no que as pernas dela caem abertas, com um anjo tipo querubim com um sorrisinho totalmente psicótico de pé em cima das coxas da moça e apontando uma flecha nua bem para onde o vestido de pedra escondia o seio de pedra da moça, ela com o rosto erguido e viradinho de lado e contraído exatamente daquele mesmo jeito protozoarístico além do prazer ou da dor. A mãe doidona se ajoelhava diariamente diante daquela foto, numa postura rosariada e oratorial, e também exigia diariamente que A Coisa fosse içada pela irmã adotiva da sua cadeira de rodas jamais mencionada e erguida por baixo dos braços e abaixada para se aproximar da mesma devoção ajoelhada diante da foto, e enquanto A Coisa gorgolejava e a sua cabeça pendia a oradora tinha ficado olhando para a foto com um nojo inominável toda manhã enquanto segurava aquele peso morto e mole e tentava evitar que o queixo d'A Coisa caísse no peito, e agora estava sendo forçada a ver à luz do espelho a mesmíssima expressão no rosto de uma catatônica que acabava de ser incestuosamente molestada, uma expressão simultaneamente reverente e cobiçosa num rosto preso por cabelos mortos ao simulacro de borracha frouxa e balouçante da cara de uma antiga deusa do sexo. E para encurtar a história (a oradora diz, sem tentar fazer graça até onde os Bandeiras podem ver), a menina adotada violentamente traumatizada

384

tinha dado no pé daquele quarto adotivo e daquela casa adotiva rumo à melancólica noite das fugas adolescentes em North Shore, e tinha tirado a roupa, e semi-se-prostituído, e injetado coisas EV até chegar àquela beira de abismo padrão do viciado, com duas opções, esperando apenas Esquecer. Foi por causa disso, ela diz; é disso que ela está tentando se recuperar, um Dia de Cada Vez, e pode ter certeza que ela agradece estar aqui com o seu Grupo hoje, sóbria e corajosamente relembrando, e que os novatos definitivamente devem Continuar Vindo... Enquanto ela diz o que vê como verdade etiológica, muito embora o monólogo pareça sincero e nada afetado e pelo menos uma nota 9 na escala geral de lucidez das histórias AA, certos rostos na sala se desviam, certos cabelos são arrancados e certas posturas se alteram incomodadas sentindo-se empaticamente mal diante do convite olha-só-o-que-aconteceu-com-euzinha-aqui que está implícito na narrativa, sendo o tom de autopiedade da própria fala menos ofensivo (muito embora vários desses Bandeiras Brancas, Gately sabe, tenham tido infâncias pessoais que faziam a da dessa menina parecer um dia de sol no parquinho) que a subcorrente de explicação, um apelo a uma *Causa* externa que pode virar, na mente viciada, tão insidiosamente uma *Desculpa* que qualquer atribuição causal no AA de Boston é temida, evitada, castigada via incômodo empático. O *Porquê* da Doença é um labirinto que se sugere enfaticamente que todos os AAs boicotem, habitado que é, o labirinto, pelos minotauros gêmeos chamados *Por Que Eu? E Por Que Não?*, vulgo Autopiedade e Negação, dois dos ajudantes de ordens mais temíveis do sargento-de-armas com cara de Smiley. O "Aqui Dentro" do AA de Boston que protege de um retorno ao "Lá Fora" não é uma questão de explicar o que causou a sua Doença. É uma receita sonsamente simples de como lembrar que você tem a Doença dia após dia e de como tratar a Doença dia após dia, como evitar que o sedutor fantasma de um êxtase há muito ocultado te provoque, te enganche, te arraste de volta pra Fora, coma o teu coração cru e (se você der sorte) elimine o teu mapa pra sempre. Então nada de porquês ou praquês aqui. Em outras palavras deixe a cabeça na portaria. Apesar de seu cumprimento não poder ser imposto de maneira convencional, ele, o verdadeiro axioma de base do AA de Boston, é quase classicamente autoritário, talvez até protofascista. Algum ironista que levantou acampamento, voltou Lá pra Fora e deixou seus parcos bens para serem ensacados e descartados pelos Funcionários no sótão da Casa Ennet tinha, lá no distante Ano do Emplastro Medicinal Tucks, permanentemente entalhado seu tributo à verdadeira Diretriz Central do AA com um canivetinho de cabo de jacarandá no assento plástico da privada do quarto masculino de 5:

> "Se por aqui eu não PERGUNTO
> É medo de virar PRESUNTO
> Se por aqui eu sou BONZINHO
> É pra tentar ficar VELINHO"[143]

30 DE ABRIL / PRIMEIRO DE MAIO
ANO DA FRALDA GERIÁTRICA DEPEND

A coreografia da interface tinha acabado assumindo a forma de Steeply fumando, braços nus cruzados, subindo e descendo na ponta do sapato de salto, enquanto Marathe ficava meio corcovado na cadeira de metal, ombros redondos e cabeça levemente para a frente numa posição que tinha treinado e que lhe permitia quase dormir enquanto ainda prestava atenção a cada detalhe de uma conversa ou de uma vigilância cansativa. Ele (Marathe) tinha puxado o cobertor xadrez até o peito. Estava cada vez mais frio na altitude da saliência. Eles podiam sentir os vestígios do calor do Deserto de Sonora dos EUA subindo e passando por eles rumo ao emaranhado de lantejoulas das estrelas que os encimavam. A camisa que Marathe usava por baixo da parca não era de tipo havaiano.

Marathe continuava sem saber direito àquela altura o que exatamente Hugh Steeply dos EUA queria com ele, ou averiguar, através da traição de Marathe. Perto da meia-noite Steeply lhe havia fornecido o dado de que ele (Steeply) estivera em licença marital pessoal por causa de seu recente divórcio e agora estava de volta ao cumprimento do dever, usando seios prostéticos e credenciais de jornalista-mulher, com a missão de se aproximar de alguns parentes e amigos mais chegados do suposto cineasta do Entretenimento. Marathe tinha tirado um leve sarro da inoriginalidade de um disfarce jornalístico, e depois um sarro consideravelmente menos leve do nome falso do disfarce de Steeply, manifestando dúvidas risonhas de que a carnuda cara eletrolisada de Steeply fosse capaz de lançar ao mar um único navio ou barco que fosse.

Houve o caso daquela primeira noite brutal de inverno, no começo da era crono-subsidiada ONANita, logo depois que a InterLace começou a disseminar *O homem que começou a suspeitar que era feito de vidro*, em que Sipróprio emergiu da sauna e foi até Lyle todo bebobabão e deprimido com o fato de que os fidasputa das revistas de vanguarda estavam reclamando que mesmo no seu material mais comercialmente interessante o calcanhar de aquiles fatal de Incandenza era o enredo, que os esforços de Incandenza não tinham nem sombra de um enredo cativante, nenhum movimento que te prendesse e te arrastasse junto com ele.[144] Mario e Joelle van Dyne são provavelmente as únicas duas pessoas que sabem que tanto o Drama Achado[145] quanto o anticonfluencialismo surgiram dessa noite com Lyle.

Também não é que o AA de Boston evite a ideia da responsabilidade. Causa: não; responsabilidade: sim. Parece que tudo depende do sentido da flecha da responsabilidade. A stripper adotiva tinha se apresentado como o objeto de uma Causa externa. Agora a flecha dá meia-volta quando a última e talvez a melhor oradora desta noite do Básico Avançado, outra novata, uma menina redondinha e cor-de-rosa totalmente sem cílios e com os dentes podres de uma viciada em freebase, sobe lá e fala com um sotacão sem *r* do sul de Boston sobre ter se visto grávida com vinte e fumar pedras de cocaína freebase que nem uma alucinada durante toda a gravidez mesmo sabendo que fazia mal para a criança e querendo desesperadamente largar. Ela conta que a sua bolsa rompeu e as contrações começaram tarde da noite no quarto de um abrigo estatal quando ela estava bem no meio de uma pedra que tinha passado a noite fazendo coisas incrivelmente sórdidas e degradantes para poder comprar; ela fazia o que tinha que fazer para se chapar, ela diz, mesmo grávida, ela diz; e diz que nem quando a dor das contrações ficou insuportavelmente forte ela conseguiu abandonar o cachimbo de freebase para ir dar à luz na clínica gratuita, e que ficou sentada no chão do quarto do abrigo estatal e fumou durante todo o trabalho de parto (o véu daquela menina nova Joelle está se enfunando e baixando com a respiração dela, Gately vê, bem como estava durante a descrição da última oradora do orgasmo da estátua na foto devota da mãe católica disfuncional da catatônica); e que ela tinha acabado parindo um bebê natimorto bem ali sozinha deitada de lado que nem uma vaca no tapete do seu quarto, durante o tempo todo sem parar ainda enchendo compulsivamente o cachimbo de vidro e fumando; e que o bebê emergiu todo seco e duro que nem um cocozinho constipado, sem nenhuma umidade de proteção e sem nenhum material pós-parto vir atrás dele, e que o bebê emerso era minúsculo, seco, todo murcho, da cor de um chá bem forte, e morto, e também não tinha rosto, não tinha desenvolvido in utero nem olhos nem narinas e só um hinfenzinho desbeiçado de uma boca, e que os membros dele eram disformes e aracnodatílicos, e que tinha meio que uma coisa tipo uma teia reptiliana e translúcida entre os seus dígitos mucronados; a boca da oradora é um arco espasmódico de sofrimento; o bebê dela tinha sido envenenado antes de poder criar rosto ou fazer escolhas pessoais, ele teria morrido logo de Abstinência de Substância na incubadora Pyrex da clínica gratuita se tivesse emergido vivo mesmo, dava pra ela ver, ela tinha passado aquele ano todo da gravidez numa noia muito grande de freebase; e mas aí uma hora a pedra foi toda consumida e aí a tela e a bola de palha de aço do cachimbo foram fumadas e o filtrinho de tecido fumado até virar cinza e aí claro fragmentos de fiapos com caras prováveis tinham sido detectados no tapete e fumados também, e a menina finalmente apagou, ainda umbilicalmente ligada ao bebê morto; e que quando ela recobrou a consciência novamente à impiedosa luz do meio-dia do dia seguinte e viu o que ainda pendia por um cordão murcho das suas entranhas vazias ela conheceu pessoalmente o lado bem pontudo de uma flecha de responsabilidade, e que enquanto olhava pasmada à luz do dia para o bebê natimorto murcho e sem rosto ela sentiu uma dor e um ódio tão grande de si própria que erigiu uma fortaleza de completa e negra Negação, tipo Negação total. Ela segurou a coisa morta e a enrolou exatamente como se estivesse viva em vez de morta, e começou a carregar a coisa com ela aonde quer que fosse, exatamente como imaginava que as mães devotadas carregavam os seus bebês com elas aonde quer que fossem, com o cadáver sem rosto do bebê completamente velado e oculto por um cobertorzinho cor-de-rosa que a prenhe mãe viciada tinha se permitido comprar na Woolworth nos sete meses, e ela também manteve intacta a conexão do cordão até que o seu lado do cordão finalmente caiu de dentro dela e ficou pendurado, e fedendo, e ela carregava o bebê morto aonde quer que fosse, mesmo quando fazia suas coisas sórdidas, porque mãe solteira ou não ela ainda tinha que ficar chapada e ainda tinha que fazer o que tinha que fazer pra ficar chapada, aí ela carregava o bebê envolto no cobertor no colo enquanto batia perna pelas ruas com o seu shortinho de veludo fúcsia, de regata e escarpim verde, se vendendo, até que começou a haver fortes indícios, enquanto ela circulava pela sua quadra — era agosto —, digamos apenas indícios sólidos de que o bebê dentro daquele casulo manchado de um cobertor nos braços dela não era um bebê biologicamente viável, e os passantes das ruas do sul de Boston começaram a se contorcer lívidos e se afastar quando a menina passava, com estrias e dentes marrons e sem cílios (cílios estes perdidos num acidente com a Substância; risco de incêndio e displasia dental são pequenos bônus do freebase) e ainda simplesmente calma na aparência, ignorando totalmente o caos olfativo que gerava nas ruas abafadas, e mas os rendimentos da sua sordidez naquele agosto logo decaíram acentuada e compreensivelmente e acabou correndo a notícia de que lá havia um problema sério de bebê--mais-Negação pelas ruas, e os seus amigos e coviciados sulistas vieram falar com ela com censuras sem *r* não de todo indelicadas, lencinhos perfumados e mãos que delicadamente tentavam se intrometer e tentaram usar a razão para fazer ela sair da Negação, mas ela os ignorou a todos, ela protegia o seu bebê de todos os perigos e o mantinha apertado contra si — àquela altura já estava grudado nela e teria sido difícil separá-lo dela manualmente mesmo — e ela batia perna pelas ruas evitada por todos e sem ofertas e falida e nos primeiros estágios da Abstinência da Substância, com os restos do cordão da barriga de um bebê morto pendendo de uma prega infechável no ora ominosamente inflado e craquento cobertor da Woolworth: isso é que é Negação, essa garota estava numa Negação coisa-seriíssima; e mas finalmente um policial que se contorcia lívido passou por telefone um histérico alerta olfativo para o infame Departamento de Serviços Sociais da cidade — Gately vê mães alcoólicas por toda a sala se persignarem e estremecerem à mera menção ao DSS, o pior pesadelo de todos os pais viciados, o DSS, aqueles das diversas definições abstrusas diferentes de Negligência e do aríete de cabeça de tungstênio para portas de apartamento com fechaduras triplas; numa janela escura Gately vê uma mãe refletida sentada lá com os AAs de Brighton que está com as suas duas menininhas na reunião e agora à menção ao DSS aperta as duas por reflexo contra o corpo, uma cabeça para cada seio, enquanto uma das meninas se debate e dobra os joelhos nas pequenas mesuras de um penico que se anuncia — mas aí agora o DSS estava no caso, e um batalhão de funcionárias friamente eficientes do DSS com cara de ex-alunas da Wellesley, pranchetas e amedrontadores trajes Chanel de executivas agora estava à espreita pelas ruas do sul de Boston em busca da mãe viciada com o seu falecido bebê sem rosto; e mas finalmente mais ou menos nessa época, durante a terrível onda de calor de fim de agosto do ano passado, indícios de que o bebê tinha sérios problemas de bioviabilidade começaram a se apresentar tão incontornavelmente que até a viciada atolada em Negação que existia dentro daquela mãe não conseguia mais ignorar ou deixar de lado — indícios que a reticência descritiva da oradora (a não ser por mencionar que eles envolviam um problema de atração de insetos) deixa as coisas ainda piores para os empáticos Bandeiras Brancas, já que detona as imaginações negras que todos os usuários de Substâncias têm em excesso e em comum — e aí mas a mãe diz que finalmente não aguentou mais, emocional e olfativamente, diante dos indícios tremendos, e caiu no parquinho de cimento que ficava na frente do prédio favelento em que a sua própria e falecida mãe tinha morado perto da praia da L Street no Sul, e uma equipe de caça do DSS se aproximou para a apreensão, e ela e seu bebê foram apreendidos, e solventes em spray especiais do DSS tiveram que ser solicitados e utilizados para destacar o cobertor de bebê da Woolworth do seu seio materno, e o conteúdo do cobertor foi mais ou menos recomposto e enterrado num caixão do DSS que a oradora lembra ser do tamanho de um estojinho de maquiagem Mary Kay, e a oradora foi medicamente informada por alguém do DSS com uma prancheta que o bebê tinha sido involuntariamente toxificado até a morte em algum ponto do seu desenvolvimento para virar um menininho; e a mãe, depois de uma dolorosa curetagem por causa da placenta presa que vinha carregando nas entranhas, passou então os próximos quatro meses na ala fechada do Metropolitan State Hospital de Waltham, MA, psicótica com culpa ligada à Negação e abstinência de cocaína e um dilacerante ódio de si própria; e que quando ela finalmente recebeu alta do Met State com o seu primeiro cheque do seguro de invalidez mental ela descobriu que não estava a fim de pedras ou pós, que queria só belas garrafas lisinhas cujos rótulos nomeavam percentagens, e ela bebeu e bebeu e acreditou do fundo do coração que nunca ia parar nem engolir a verdade, mas finalmente ela chegou aonde tinha que chegar, ela diz, a engolir, a verdade responsável; que ela tinha rapidamente bebido até chegar às boas e velhas duas opções da soleira da janela de um quarto de abrigo e tinha feito uma ligação babujenta às 0200h, e aí então olha ela aqui, pedindo desculpas por ter falado tanto, tentando falar de uma verdade que ela espera um dia engolir por dentro. Para poder só tentar viver. Quando ela conclui pedindo que eles rezem por ela aquilo quase não parece jacu. Gately tenta não pensar. Aqui não há Causas nem Desculpas. É simplesmente o que aconteceu. A oradora final é verdadeiramente nova, pronta: todas as defesas foram incineradas. De pele lisinha e cada vez mais cor-de-rosa, no púlpito, com os olhos bem apertados, parece que ela é que é o bebê. Os Bandeiras Brancas anfitriões fazem o maior dos elogios do AA de Boston a essa casca queimada de uma novata: eles têm que lembrar conscientemente até de piscar enquanto a veem, ouvindo. Se Identificando sem fazer força. Não há julgamentos. Está claro que ela já sofreu mais do que devia. E foi basicamente a mesma coisa em toda parte, afinal, Lá Fora. E o fato de que foi tão bom ouvi-la, tão bom que até o Míni Ewell, a Kate Gompert e o resto dos piores deles ficaram imóveis e ouviram sem piscar, olhando não só para o rosto da oradora mas dentro dela, ajuda a forçar Gately a lembrar mais uma vez a aventura trágica que isso aqui é, em que ninguém aqui se inscreveu.

* * *

Eles foram o estranho casal das libações, o musculoso guru fitness e o diretor/óptico alto e de ombros curvados, sempre lá embaixo na sala de musculação até altas horas, sentados no armário de toalhas, bebendo, Lyle com sua Diet Coke Descafeinada, Incandenza com seu Wild Turkey. Mario literalmente a postos caso o balde de gelo acabasse ou Sipróprio precisasse de apoio moral para chegar ao urinol. Mario vivia caindo no sono quando as horas avançavam, ia apagando e voltando, dormia de pé inclinado para a frente, peso sustentado pela trava policial e seu receptáculo de chumbo.

James Incandenza era um desses bebedores de profundas mudanças de personalidade que parecem calmos e centrados e quase ataráxicos quando sóbrios mas que podiam pular para um ou outro lado do espectro emocional humano quando bêbados, e parecem se abrir de uma forma que era quase imprudente.

De vez em quando, libado até não poder mais com Lyle na recém-equipada sala de musculação da ATE, Incandenza se abria e vertia o mais espesso quimo do seu coração bem ali para que todos se vissem afetados por aquilo e potencialmente amedrontados. P. ex. um dia Mario, inclinado bem para a frente com o apoio da trava policial, acordou ao som do seu pai dizendo que se tivesse que dar uma nota ao seu casamento daria um C-. Isso parece imprudente ao extremo, potencialmente, embora Mario, como Lyle, tenda a receber as informações basicamente pelo seu valor de face.

Lyle, que às vezes começava também a ficar tontinho à medida que os poros de Sipróprio começavam a excretar burbom, de vez em quando evocava algum Blake, tipo o William mesmo, durante essas sessões madrugueiras, e lia Blake para Incandenza, mas com a voz de vários personagens de desenho animado, o que Sipróprio acabou começando a considerar uma coisa muito profunda.[146]

O

8 DE NOVEMBRO
ANO DA FRALDA GERIÁTRICA DEPEND
GAUDEAMUS IGITUR

Se é estranho que o primeiro cartucho cinematográfico semicoerente de Mario Incandenza — um filme de quarenta e oito minutos rodado há três anos lá no cuidadosamente decorado armário de produtos de limpeza do Subdormitório B com a sua Bolex H64 de cabeça e pedal de acionamento — se é estranho que o primeiro entretenimento concluído por Mario consista de um filme de teatro de bonecos — tipo teatro de bonecos de criancinha — então provavelmente parece ainda mais estranho que o filme tenha conseguido ser bem mais popular com os adultos e adolescentes da ATE do que com as crianças tristemente desinformadas em termos históricos para quem tinha sido originalmente feito. Ele conseguiu ser tão popular que é exibido anualmente agora todo dia 8/11, Dia da Interdependência Continental, num projetor de cartuchos de foco largo e uma tela de armar no refeitório da ATE, depois da ceia. É parte da festiva conquanto algo irônica celebração anual do Dia-I numa academia cujo fundador se casou com uma canadense, e normalmente começa lá pelas 1930h, o filme, e todo mundo se junta no refeitório e assiste, e por decreto festivo de Charles Tavis[147] todo mundo ganha o direito de aperitivar com as duas mãos em vez de ficar apertando bolas de tênis enquanto assistem, e não só isso mas as regulamentações alimentícias normais da ATE são completamente suspensas por uma hora, e a sra. Clarke, a nutricionista lá da cozinha — uma ex-chef-de-sobremesas quatro-estrelas normalmente relegada aqui a veículos para proteínas e a maneiras de variar carboidratos complexos — a sra. Clarke ganha o direito de colocar seu chapéu moloide de chef e simplesmente pirar sucroticamente lá na cozinha reluzente da Casa Oeste. Todo mundo tem que usar algum tipo de chapéu — Avril Incandenza positivamente se destaca com o mesmo chapéu de feiticeira com copa de torre com que ela dá todas as aulas todo dia 31/10, Pemulis está usando o complexo quepe de iatista com a passamanaria naval, o pálido e manchado Struck está com um barrete com uma egrete esvoaçante e Hal, com um chapéu de pregador preto com uma severa aba redonda virada para baixo etc. etc.[148] — e Mario, enquanto diretor e putativo autor do filme popular, é encorajado a dizer algumas palavras, tipo umas oito:

"Valeu galera e tomara que vocês achem legal", foi o que ele disse neste ano, com Pemulis atrás dele colocando com gestos exageradíssimos uma cerejinha em cima do pequeno morro de chantili que O. Stice tinha sprayzado em cima da Bolex H64 de cabeça de Mario, que vale um chapéu, quando o zênite das sobremesas tinha escapado um tantinho do controle perto do fim da ceia da festa do Dia-I. Essas breves palavras e a salva de palmas são o grande momento público anual de Mario na ATE, e ele nem gosta nem desgosta do momento — igual com o próprio filme sem título, que na verdade começou sendo só uma adaptação infantil de A ONANtíada, um filme de quatro horas de paródia política tendenciosamente anticonfluencial há muito rotulado como um Incandenza de segunda pelos arquivistas do seu falecido pai. O filme de Mario não é de fato melhor que o do pai; é só diferente (fora claro que é bem menor). É bem óbvio que mais alguém da família Incandenza meteu pelo menos um dedinho amanuênsico no roteiro, mas Mario fez a coreografia e quase toda a manipulação dos bonecos ele mesmo — seus bracinhos em S e seus dedos falcados são perfeitos para a curva do corpo à cara de um fantoche político cabeçudo padrão — e foi, indubitavelmente, o Hush Puppy quadradão de Mario no pedal de acionamento da H64, com a câmera propriamente dita instalada num dos tripés Husky-VI TL do laboratório trancado à chave lá do túnel na frente do armário hiperiluminado, esfregões e baldes faxineirais de um cinza-fosco cuidadosamente levados para fora do enquadramento nos dois lados do palquinho de veludo.

Ann Kittenplan e duas meninas mais velhas de cabelo raspado estão sentadas com seus fedoras idênticos de abas viradas, de braços cruzados, com a mão direita de Kittenplan enfaixada. Mary Esther Thode está corrigindo provas à sorrelfa. Rik Dunkel está de olhos fechados mas não dormindo. Alguém enfiou um boné ad hoc dos Red Sox no profissional Satélite Sírio visitante, e o profissional Satélite Sírio está sentado com os pró-reitores, com cara de confuso, ombro adesivado com uma compressa aquecida, demonstrando polidez ao falar da autenticidade comparativa da baclava da sra. C.

Todo mundo se junta e tudo se cala exceto pelos sons de saliva e deglutição, e rola o cheiro doce-levedurado do cachimbo do Técnico Schtitt, e a aluna mais nova da ATE, Tina Echt com sua boina gigante, ganha o direito de cuidar das luzes.

A coisa do Mario abre sem créditos, só uma composição bem tosca de um texto imitando linotipos, uma citação do segundo Discurso de Posse do Presidente Gentle: "Que o chamado ecoe, para basicamente toda e qualquer nação que a gente possa estar a fim de chamar, que anuncia que o passado foi incinerado por uma nova e milenar geração de americanos", contra uma foto facial frontal de um personagem efetivamente inconfundível. Trata-se do rosto projetado de Johnny Gentle, A Voz de Veludo. Trata-se de Johnny Gentle, em solteiro Joyner, cantor de baile transformado em delírio das adolescentes transformado em arroz de festa de filmes B, conhecido durante duas décadas do passado distante como "O Sujeito Mais Limpo do Ramo do Entretenimento" (o camarada é um anal-retentivo tipo profissional, nível Howard-Hughes--de-fim-de-carreira, do tipo mais grave, do tipo com um medo paralisante de contaminação por via aérea, do tipo ou-use-máscara-de-filtragem-cirúrgica-ou-faça-as--pessoas-que-estão-perto-de-você-usarem-toucas-e-máscaras-cirúrgicas-e-só-toque-em--maçanetas-com-um-lencinho-fervido-e-tome-catorze-banhos-por-dia-só-que-não--exatamente-banhos-mas-numas-Cabines-Flash-Hipoespectrais-tamanho-chuveiro--da-marca-Dermalatix-que-na-verdade-queimam-a-camada-mais-externa-da-pele--num-flash-atordoante-e-te-deixam-novo-e-estéril-tipo-bunda-de-nenê-depois--que-você-espana-a-fina-camada-de-cinza-epidérmica-com-um-lencinho-fervido, sabe como?) aí no fim da vida pública um promotor e figurão da vida sindical do mundo do entretenimento com uma peruquinha esterilizada, vendedor de schmaltz em Vegas e líder da infame Guilda dos Vocalistas Melífluos, o bronzeado sindicato com correntinhas de ouro no pescoço que empurrou goela abaixo da sociedade aqueles sete meses de infame e pavoroso "Silêncio ao Vivo",[149] a total solidariedade imagoada e o silêncio performativo pleno que atingiram salões e palcos do Deserto ao litoral de NJ por mais de meio ano até que fórmulas equitáveis de compensação a respeito de certos discos e CDs retrospectivos de fim-de-milênio vendidos por telefone com anúncios na TV tipo Para-Você-Não-Esquecer-Peça-Antes-Da-Meia-Noite-De-Hoje foram consentidas pela Gerência. Eis então Johnny Gentle, A Voz de Veludo, fundador e porta-bandeira do novo e seminal "Partido dos E.U. Limpos", essa agnação anular de aparência improvável mas politicamente presciente de tipos ultradireitistas racistas tipo caçador-de-veados--com-armas-automáticas e esquerdistas radicais microbióticos à la Salvem-o-Ozônio,--as-Florestas-Tropicais,-as-Baleias,-o-Mico-Leão-Dourado-e-as-Vias-Fluviais--de-pH-Alto com rabinhos de cavalo e tigelinhas de granola, uma união surreal de camadas desiludidas tanto com Rush L. quanto com Hillary R. C. que virou motivo de chacota da mídia estabelecida durante a sua primeira Convenção (realizada em ambiente estéril), o partido marginal aparentemente LaRoucheanístico cuja plataforma começou a ser construída com uma plataforma que dizia Vamos Jogar o Nosso Lixo no Espaço,[150] o PEUL, um tipo de piada nacional pós-Perot por três anos, até que — com o seu dedinho de luva branca bem no pulso de um eleitorado americano cada vez mais asmático, emputecido e lambrecado de filtro solar — o PEUL subitamente colheu a vitória quadrienal num furioso espasmo eleitoral reacionário que fez a UWSA, os LaRoucheanos e os Libertários roerem os dedinhos de inveja enquanto os Dems e o GOP ficavam cada um de um lado olhando apatetados, como jogadores de dupla que acham que o outro é que devia ir na bola, os dois partidos principais divididos por linhas filosóficas envelhecidas num tempo negro em que agora todos os aterros lotaram e todas as uvas eram passas e às vezes em alguns lugares a chuva que caía estalava em vez de respingar, e também, não esqueça, uma era pós-Soviética e -Jihad em que — de certa forma para piorar as coisas — não havia uma Ameaça Estrangeira real de nenhuma potência real e unificada que se pudesse odiar e temer, e em que os EU meio que se viraram para dentro, para a sua própria fadiga filosófica e para os seus resíduos hediondos e redolentes com um espasmo de fúria pânica o que quando se olha para trás parece ter sido possível apenas num tempo de supremacia geopolítica e consequente silêncio, a perda de uma Ameaça externa para se odiar e temer. Esse rosto imóvel na tela da ATE é Johnny Gentle, o choque da Terceira-Via. Johnny Gentle, o primeiro presidente dos EU a balançar o microfone pelo cabo durante o discurso de Posse. Cujo novo Escritório de Serviços Aleatórios e seus rapazes de macacões brancos exigiram que os convidados para a Posse se esterilizassem, usassem máscaras e passassem por piscininhas cloradas para os pés como em piscinas públicas. Johnny Gentle, que de alguma maneira dava um jeito de ficar com cara de presidente mesmo com uma máscara Fukoama de microfiltração, cujo Discurso de Posse saudava o advento de uma Nação Mais Certinha, Mais Limpinha. Que prometeu uma limpeza no governo, um corte de gorduras, uma varrida nos resíduos e uma mangueirada nas nossas ruas quimicamente perturbadas e dormir só um tiquinho por dia até dar com um jeito de livrar a psicosfera americana dos resíduos desagradáveis de um passado descartável, de restaurar os majestosos âmbares e os frutos purpúreos de uma cultura que ele agora promete livrar dos eflúvios agrotóxicos que afogam nossas estradas, entulham nossas vias e sacaneiam o nosso pôr do sol e empitojam aqueles portos em que barcas-de-lixo televisadas restam entupidas e ancoradas, rançosas e impotentes por entre nuvens ondulantes de gaivotas barrigudas e daquelas moscas nojentas de corpo azul que vivem na merda (o primeiro presidente dos EU a dizer *merda* em público, estremecendo), barcas de cascos enferrujados que cabotam litorais petroleaginosos ou derivam fedorentas e entupidas e emitindo CO no que aguardam a abertura de novos aterros e depósitos tóxicos que o Povo exigiu em tudo quanto é área menos na deles. Aquele Johnny Gentle cujo PEUL tinha sido totalmente claro sobre ver a renovação da América como uma questão essencialmente estética. Aquele Johnny Gentle que prometeu ser o quem sabe às vezes impopular arquiteto de uma América mais ou menos imaculada que Varria o Seu Lado da Rua. De uma nação nova-erística que cuidava do Seu, de uma ex-Polícia-do-Mundo que agora entrava na aposentadoria e mandava o uniforme azul para a lavanderia e um depósito, acondicionado em sacos plásticos de lavanderia de espessura tripla e pendurava as algemas para dedicar momentos preciosos à limpeza das folhas do jardim e à limpeza daquele canto atrás da geladeira e a sacudir seus rebentos recém-banhados no colo do seu pijaminha civil passado a ferro. Um Gentle por trás de quem o diorama do Lincoln do Memorial de Lincoln lhe sorria amistoso. Um Johnny Gentle que estava a partir deste novo minuto transmitindo a mensagem de que "não estava nessa pra ganhar concurso de popularidade" (bonequinhos de palito de pirulito e feltro na plateia do pronunciamento adotando expressões intrigadas por sobre suas mascarazinhas cirúrgicas). Um presidente J. G., V.d.V., que disse que não ia ficar ali na boa e pedir pra nós tomarmos decisões difíceis porque ele estava ali prometendo que as tomaria por nós. Que pedia simplesmente que nós relaxássemos para aproveitar o espetáculo. Que lidava com os aplausos frenéticos dos membros de roupa-camuflada e poncho-e-sandália do PEUL com a graça inabalável de um verdadeiro profissa. Que tinha cabelo negro e costeletas brancas, exatamente como seu boneco cabeçudo, e o bronzeado poeirento cor de tijolo visto apenas entre aqueles desprovidos de um teto e aqueles cujos tetos cobrem uma cabine Hipoespectral Dermalatix de esterilização pessoal. Que declarou que nem Taxação & Cortes nem Cortes & Empréstimos eram a saída para uma novíssima era milenar (aqui mais caras intrigadas na plateia da Posse, o que Mario representa fazendo os pequenos dedoches se virarem rigidamente um para o outro, depois se darem as costas e daí olharem para a frente). Que aludiu a Inovadoras Novas Fontes de Renda madurinhas e à disposição logo ali, esquecidas, ignoradas pelos seus antecessores por causa das árvores (?). Que previu a tosa de adiposidades orçamentárias com uma faca bem grandona. Aquele Johnny Gentle que sublinhou acima de tudo — simultaneamente declarou a necessidade e prometeu o advento de — um fim para a atomizada fragmentação americana em busca de culpar uns aos outros pelos nossos terríveis[151] problemas internos. Aqui balanços e sorrisos tanto de bonecos com ricas máscaras verdes quanto de bonecos sem-teto andrajosos com sapatos descombinados e máscaras cirúrgicas usadas, tudo confeccionado pelas turmas de artes da quarta e da quinta séries da ATE, sob supervisão da sra. Heath, com lascas de palitos de fósforo e de pirulito e feltro de mesa de sinuca com lantejoulas como olhos e aparas pintadas de unhas para sorrisos/caretas por baixo das máscaras.

Aquele Johnny Gentle, Líder do Executivo que com um punho de luva emborrachada soca o púlpito com tanta força que entorna o Selo e declara Cacilda *tem* que ter outro pessoal que não seja a gente pra gente culpar. Pra gente se unir contra eles. E ele promete comer frugalmente e dormir muito pouco até encontrar esse pessoal — na Ucrânia, ou os teutos, ou esses cucarachos malucos. Ou — numa pausa de braço erguido e cabeça abaixada ao estilo dos ápices dramáticos de Las Vegas — mais pra logo embaixo do nosso nariz. Ele jura que vai nos encontrar algum Outro que renove a nossa coesão. E que aí vai tomar umas decisões difíceis. Alude a uma América novíssima para um mundo pós-milenar muito louco. O primeiro presidente dos EU a usar *show* como adjetivo. Ele jogar as luvas cirúrgicas para a plateia em miniatura da Posse como suvenir é um toque do Mario.

E a ideia de Mario Incandenza de representar o gabinete do presidente Gentle todo composto de bonecas negras com cabelos verticais e reluzentes vestidos de lantejoulas sobrepostas é também, claro, historicamente imprecisa, ainda que a inclusão honorária, no segundo ano do gabinete, do presidente do México e do P-M do Canadá seja tanto verídica quanto, claro, seminal.

> PRES. MEX. E P-M CAN. [em uníssono e abafados pelas máscaras verdes]: é tremendamente lisonjeiro sermos convidados a compor o gabinete da liderança do nosso amado vizinho (meridio-/setentrio-)nal.
>
> GENTLE: Que é isso, galera! Vocês moram no meu coração.

Não é a cena mais forte do cartucho, cheia de frases feitas e apertos-de-mãos-de-duas-mãos. Mas o fato histórico de que o presidente de México e o Premier Ministre du Canadá são nomeados honorariamente pelo presidente Gentle como "Secretários" do México e do Canadá (respectivamente) — como se os vizinhos já tivessem virado meio que uns protetorados americanos pós-milenares — é anunciado por um ominoso ré menor *tremolando* no órgão que faz a trilha sonora — o Wurlitzer da sra. Clarke, em casa — mas as expressões respectivamente tisnada e gálica dos dois líderes parecem imperturbáveis, sob suas máscaras verdes, enquanto mais frases feitas são citadas.

Como o orçamento e as constrições do espaço armarial tornam pouco práticas as transições mais elegantes entre cenas, Mario optou pelo artifício intercênico tipo "entr'acte" de fazer Johnny Gentle, a Voz de Veludo, executar algumas das peças mais animadas do seu repertório, com os membros do gabinete ondulando e harmonizando Motownicamente por trás dele e outros bonecos saltitando no ritmo tanto no palco quanto fora dele conforme as exigências do roteiro. No que se refere à plateia, quase todos os ATES abaixo de doze anos, com os córtex cintilando de doces anuais, a essa altura já emigraram hiperativamente para baixo das toalhas das longas mesas, se encontraram no piso do refeitório lá embaixo e começaram a navegar de rastos o segundo mundo especial da infância, feito de tornozelos, pernas de cadeiras e lajotas, que existe sob longas toalhas de mesa, causando tudo quanto era problema pueril — as investigações do Dia-I do ano passado ainda não foram concluídas quanto a qual ou quais menino ou meninos amarraram os laços dos dois pés do sapato de Aubrey deLint um no outro e colaram a nádega esquerda de Mary Esther Thode ao assento da cadeira — mas todo mundo dotado de suficiente maturidade glicêmica para ficar sentado quietinho e assistir o cartucho está se divertindo pacas, comendo canolis de chocolate, baclava de vinte e seis camadas, chantili de spray sozinho se quiserem, passinhas feitas em casa e uns trequinhos recheados de caramelo e vez por outra rezingando ou aplaudindo ironicamente, de vez em quando jogando doces que grudam na tela, dando ao liso e estéril Gentle uma aparência meio carbunculosa que todo mundo aprova. Rola muita tiração de sarro e muita imitação abaritonada de um presidente amplamente desestimado já há dois mandatos. Somente John Wayne e um punhado de outros alunos canadenses estão deschapelados, mastigando estólidos, rostos vagos e distantes. Essa quedinha americana pela absolvição via ironia lhes é estranha. Os meninos canadenses só lembram de fatos concretos e da muralha de vidro do Grande Reconvexo cuja linha sul de Efetuadores ATHSCME sopra rumo norte os óxidos certinhos dos EU, rumo à casa deles; e eles sentem com uma pungência especial no 8/11 as implicações deles estarem aqui, ao sul da fronteira, treinando, na terra do inimigo-aliado; e os menos dotados entre eles ficam pensando se um dia irão voltar para casa depois da formatura se uma carreira profissional ou uma bolsa não aparecerem. Wayne está com um lencinho de pano e fica enxugando o nariz.

A versão abertamente chocha que Mario fez da leitura do seu pai sobre a ascensão da ONAN e do experialismo dos EU prossegue com o uso de pequenos trechos difratados de notícias verdadeiras e de mentira e diálogos concebidos por conta própria entre os arquitetos e tomadores-de-decisões-de-peso de uma nova era milenar:

GENTLE: Mais um pedacinho de torta pré-provada, J. J. J. C.?

P-M CAN.: Não dá. Entupidão aqui. Difícil respirar. Mas outra cervejinha eu encarava.

GENTLE: ...

P-M CAN.: ...

GENTLE: Então a gente está de boa com o gradual e sutil mas inexorável desarmamento seguido da dissolução da OTAN enquanto sistema de acordos de defesa-mútua.

P-M CAN. [Menos abafado que na cena anterior porque a máscara cirúrgica dele tem um orifício prandial]: Nós estamos lado a lado e atrás de você nessa. A CEE que cuide da sua própria defesa daqui por diante, n'est-ce pas? Eles que arquem com algum orçamento defensivo e aí quero ver eles subsidiarem os fazendeiros deles para dumpear a NAFTA. Eles que comam manteiga e armas por conta própria uma vez de vez em quando. Hein?

GENTLE: A voz da verdade aí, J. J. Agora, de repente a gente pode dedicar uma atençãozinha calma e tranquila às nossas questões infraternas. À nossa própria qualidade de vida interna. Reforçar as prioridades aqui neste continente muito louco que a gente chama de lar. Se é que você me entende, coisa e tal.

P-M CAN.: John, enquanto você vai com a farinha eu já voltei com o croissant. Por acaso eu estou com o meu Resumão-do-Mandato bem aqui comigo. Agora que grandes *frappeurs* estão sendo eliminados, nós estamos pensando qual seria a data que eu podia já ir marcando primeiro a lápis para a retirada dos MBIC da OTAN lá de Manitoba, n'est-ce pas?

GENTLE: Larga esse lápis, seu canadense bonitão. Eu tenho mais trailers compridos cheios de uns caras enormes de cabelo curtinho e macacões bem branquinhos do que você tem folhas de bordo em casa, e eles estão a caminho dos teus silos neste exato. Esses estorvos totais para a capacidade estratégica do Canadá vão ser coisa do passado tu-de-suíte.

P-M CAN.: John, eu faço questão de ser o primeiro líder mundial a te chamar de estadista.

GENTLE: Os americanos do Norte têm que ficar unidos, J. J. J. C., especialmente agora, né? Pira minha? Nós somos interdependentes. Nós somos unha e carne.

P-M CAN.: Mundinho pequeno hoje em dia.

GENTLE: E um continentinho menor ainda.

Isso se emenda com um entreato, com a palavra *continent* espremida em lugar de *world* em "It's a Small World After All", enjambment que não facilita em nadinha a vida da cozinha rítmica das meninas doo-woppizantes do gabinete, mas anuncia de fato o começo de uma novíssima era.

Só que será que dá para exigir que um guru siga um padrão de 100% de isenção das dores humanas do desejo frustrado? Não. Não 100%. Qualquer que seja o nível de transcendência ou a dieta.

Lyle, lá na escura sala de musculação do Dia da Interdependência, às vezes lembra um jogador da ATE de muitos anos atrás cujo primeiro nome era Marlon e cujo sobrenome Lyle nunca ficou sabendo, até onde ele sabe.[152]

O negócio com esse Marlon era que ele estava sempre molhado. Braços rumorejantes, camiseta escuramente V-zificada, rosto e testa eternamente reluzentes. Parceiro de duplas de Orin na Academia. Tinha um gosto cítrico, diet, a onimolhância desse garoto. Não era exatamente doce, porque dava para você lamber a testa que mais gotinhas instantaneamente tomavam o lugar das que você tinha tirado. Nada da acumulação frustantemente gradual do suor de verdade. O garoto estava sempre no chuveiro, sempre fazendo o que podia para se manter limpo. Era pozinho, comprimido, apliques elétricos. E o tal do Marlon continuava pingando e brilhando. O carinha escrevia belos poemas juvenis sobre o rapaz seco e limpo que ele era por dentro, lutando para atravessar a superfície empapada. Ele tinha longas conversas confessionais com Lyle. Uma noite ele admitiu na silenciosa sala de pesos que havia entrado no atletismo de alto nível basicamente para ter uma desculpa de alguma natureza para o quanto estava sempre suado. Sempre parecia que tinha chovido no Marlon. Mas não era chuva. Era como se Marlon desde o útero nunca tivesse ficado seco. Parecia que ele tinha um vazamento. Foram anos atormentadores mas também de certa maneira anos de auge, no passado. Uma esperança atormentadoramente inespecífica no ar. Lyle disse para esse garoto tudo que tinha para dizer.

Mas é que agora está chovendo. Como tantas vezes no outono ao sul do Grande Recôncavo, a neve vespertina deu lugar à chuva. Do outro lado das janelas altas da sala de musculação um vento feroz joga cortinas de chuva para lá e para cá, e as janelas estremecem e babam. O céu está que é uma zona. Trovões e relâmpagos ocorrem ao mesmo tempo. A faia lá fora range e geme. Relâmpagos unham o céu, brevemente iluminando Lyle, sentado em lótus de elastano sobre o armário de toalhas, inclinado para a frente para aceitar o que se lhe oferece na escura sala de musculação. As máquinas de resistência abandonadas parecem inséteis sob a luz breve do raio. A resposta para as indagações de alguns meninos mais novos sobre que diabos o Lyle pode estar fazendo aqui embaixo à noite numa sala de musculação vazia e trancada é que a sala de musculação noturna raramente fica vazia. Os zeladores noturnos Kenkle e Brandt efetivamente trancam a porta, mas dá para abrir a fechadura até com a mais desajeitada inserção de um cartão de refeitório da ATE entre lingueta e umbral. O pessoal da cozinha sempre acha estranho por que a borda de tantos cartões de refeitório parece detonada. Embora as máquinas abandonadas sejam de dar medo e a sala por algum motivo cheire mais mal à noite, eles vêm principalmente à noite, os ATES que sabem qual é a do Lyle. Eles vão para as saunas lá perto da escada de cimento até juntarem bastante incentivo na pele, e aí se esgueiram, rumorejantes e reluzindo, pela porta da sala de musculação, esperando para entrar um por um, às vezes vários ATES, pingando de toalhinha, sem falar, uns fingindo ter o que fazer ali embaixo, se esgueirando com aquela atitude de olhos desviados tipo pacientes na sala de espera de uma clínica de impotência ou de um analista. Eles têm que ficar bem quietinhos e as luzes ficam apagadas. É um negócio meio da administração fazer que não vê desde que você torne plausível essa opção. Do refeitório, cuja parede leste de janelas fica de frente para o Com.-Ad., dá para ouvir risadas e palpites muito abafados e um ou outro grito que vem lá da coisa dos bonecos da Interdependência do Mario. Um silencioso fluxozinho de migrações de impermeáveis amarelos e sapatos molhados de um lado para o outro entre a Casa Oeste e a sala de musculação — todo mundo sabe quais são as horas mais lentas, a hora de se mandar e ir correndinho ver o Lyle dar uma palavra. Eles cartoneiam a fechadura e entram um a um, de toalhinha. Estender a carne rórida. Confrontar o tipo de problema reservado para o tête-à-tête guruzal noturno, sussurros que se tornam anecoicos graças ao piso emborrachado e à quantidade de roupa suja úmida.

Às vezes Lyle ouve, dá de ombros, sorri e diz: "O mundo é muito velho", ou algum outro Comentário generalizado e declina de dizer muito mais. Mas é o jeito que ele tem de ouvir, de alguma maneira, o que mantém as saunas cheias.

Relâmpagos unham o céu oriental, e fica bacana no escuro da sala de musculação porque Lyle está numa posição e numa proclividade diferentes cada vez que é iluminado pela janela lá sobre as máquinas de empunhadura/punho/antebraço à sua esquerda, então parece que são Lyles diferentes em diferentes fulgurações.

LaMont Chu, glabro, cintilante de toalha branca e relógio de pulso, hesitantemente confessa uma obsessão cada vez mais violenta pela fama tenística. Ele quer tanto entrar no Circuito que parece que essa vontade está acabando com ele. Ver a sua foto em revistas coloridas, ser um menino prodígio, ver uns sujeitos com o blazer da I/SPN descreverem cada gesto e cada estado de espírito dele em quadra com clichês esportivos em voz baixinha. Ter retangulozinhos com nomes de produtos costurados nas roupas. Ser alvo de perfis na imprensa. Ser comparado a M. Chang, recentemente falecido; ser chamado de Grande Esperança Amarela dos EU. Sem falar nas revistas em vídeo ou na Grade. Ele confessa a Lyle: ele *quer* o hype; *quer*. Às vezes ele finge que uma foto colorida de um lance de rede que ele recorta de uma revista é dele, LaMont Chu. Mas aí percebe que não consegue comer nem dormir e às vezes nem mijar, de tanta inveja que tem dos adultos do Circuito que podem ter seus retratos nas revistas. Às vezes, ele diz, ultimamente, ele não corre riscos em partidas de torneios nem quando os riscos são permitidos ou até necessários, porque percebe que anda com medo demais de perder e de diminuir as chances de entrar no Circuito e viver o hype e a fama a longo prazo. Mais de uma vez esse ano o gélido medo tenso de perder foi o que o fez perder, ele acha. Ele está começando a temer que a ambição furiosa tenha mais de um gume de repente. Ele tem vergonha dessa fome secreta de hype numa academia que considera o hype e a sedução do hype uma grande armadilha mefistofélica e uma ameaça ao talento. Boa parte disso está nos próprios termos dele. Ele está se sentindo num mundo negro, por dentro, com vergonha, perdido, trancafiado. LaMont Chu tem onze anos e bate com as duas mãos tanto na direita quanto na esquerda. Ele não menciona o Eskhaton ou o soco que tomou no estômago. A obsessão pela fama no tempo verbal futuro deixa tudo para trás. Seus pulsos são tão fininhos que ele usa o relógio quase no meio do antebraço, o que parece um tanto gladiatório.

Lyle tem o hábito de ficar chupando as bochechas para dentro enquanto escuta. Placas de músculos velhos e estriados emergem e amainam no que ele troca ligeiramente de apoio no alto do armário de toalhas. O armário bate mais ou menos no ombro de alguém como Chu. Como todo bom ouvinte, ele tem um jeito de prestar atenção que é ao mesmo tempo intenso e reconfortante: o suplicante se sente tanto nuamente revelado quanto protegido, de alguma maneira, de qualquer julgamento possível. É como se ele estivesse fazendo tanta força quanto você. Vocês dois, brevemente, sentem-se dessolitários. Lyle chupa primeiro uma bochecha, depois a outra. "Você quer muito ver a sua foto numa revista." "Infelizmente sim." "E por que mesmo, exatamente?" "Acho que deve ser pras pessoas pensarem de mim o que eu penso daqueles caras com as fotos nas revistas." "Por quê?" "Por quê? Acho que pra dar algum tipo de sentido, de repente, Lyle." "E como é mesmo que aquilo faria isso?" "Eu não sei, Lyle. Eu não sei. Só sei que faz. Faria. Senão por que é que eu ia me incomodar tanto, recortar fotinhos secretas, deixar de correr riscos, de dormir e de mijar?" "Você acha que esses caras que têm as fotos nas revistas dão uma importância enorme pra ter as fotos nas revistas. Extraem um sentido enorme disso." "Acho. Têm que extrair. Eu ia extrair. Senão por que isso de querer sentir o que eles sentem ia me incomodar tanto?" "O sentido que eles sentem, você quer dizer. Graças à fama." "E eles não sentem, Lyle?" Lyle chupa as bochechas. Não é que ele seja condescendente ou fique só te dando corda. Ele está pensando tanto quanto você. É como se ele fosse você em cima de um lago límpido. Faz parte da atenção. Um lado da bochecha dele quase colaba, pensando. "LaMont, talvez eles tenham sentido isso no começo. Na primeira foto, na primeira revista, essa onda de satisfação, essa sensação de se ver como os outros os veem, a hagiografia da imagem, talvez. Talvez na primeira vez:

prazer. Depois disso, se você acreditar em mim, acredite em mim: eles não sentem o que tanto te incomoda. Depois da primeira onda, eles só se preocupam em saber se as fotos ficaram feias ou constrangedoras, ou distorcidas da verdade, ou se a privacidade deles, essa coisa de que você quer tanto escapar, se o que eles chamam de privacidade está sendo violado. Alguma coisa muda. Depois que a primeira foto apareceu numa revista, os caras famosos não sentem *prazer* diante das fotos nas revistas mas na verdade temem muito mais que as fotos deles deixem de aparecer nas revistas. Eles ficam tão presos quanto você." "E isso devia ser uma boa notícia? Isso é uma notícia horrível." "LaMont, você está disposto a ouvir um Comentário sobre o que é a verdade?" "Beleza." "A verdade liberta. Mas só depois de acabar com você." "De repente é melhor eu ir voltando." "LaMont, o mundo é muito antigo. Você foi vítima de uma inverdade. Você está enganado. Mas isso é uma boa notícia. Você foi vítima da ilusão de que a inveja é recíproca. Você supõe que haja um lado positivo para a sua dolorosa inveja de Michael Chang: especificamente a prazerosa sensação que Michael Chang tem por ser invejado por LaMont Chut. Um bicho todo outro." "Bicho?" "Você está se deixando consumir pela fome de uma comida que não existe." "Isso é uma notícia boa?" "Isso é a verdade. Ser invejado, admirado, não é uma sensação. Nem a fama. Existem certas sensações ligadas à fama, mas poucas são sob qualquer aspecto mais prazerosas que as sensações ligadas à inveja da fama." "A fome não some?" "Qual é o fogo que morre quando é alimentado? Não é a fama por si própria que eles querem negar a vocês aqui. Confie neles. Existe muito medo na fama. Um medo terrível e pesado que precisa ser puxado, segurado, carregado. Talvez eles só queiram evitar que ele caia em cima de vocês até vocês terem peso suficiente para puxar para vocês." "Vai parecer uma coisa ingrata se eu te disser que isso não está me deixando nem um pouco melhor?" "LaMont, a verdade é que o mundo é incrivelmente, incrivelmente, inacreditavelmente velho. Você está sofrendo com a frustração de um desejo provocado por uma das mentiras mais antigas dele. Não acredite nas fotos. A fama não é a saída de nenhuma jaula." "Então eu estou preso na jaula pelos dois lados. A fama ou a torturante inveja da fama. Não tem saída." "Você precisa considerar que a fuga de uma jaula certamente deve requerer, acima de tudo, a consciência do fato da jaula. E eu acho que estou vendo uma gotinha aí na sua têmpora, isso… bem aí…" Etc.

O trovão morreu com um resmungo, e os respingos na janela se tornaram aleatórios e pós-tempestamente tristes.

Uma ATE (as alunas usam duas toalhas diferentes quando chegam), uma veterana sem seios que mal consegue suar, fica incomodada, toda vez que almoça com o noivo, com o choramingo persistente de um mosquito que não enxerga e que ninguém mais escuta. Verão e inverno, indoors ou a céu aberto. Mas só no almoço, e só com o noivo. Comentários ou conselhos nem sempre são o objetivo. Às vezes o objetivo do sofrimento é quase gritar num choramingo agudo para ser ouvido. Para um guru-fitness, Lyle é pragmático e objetivo.[153] Kent Blott, dez aninhos, cujos pais são Adventistas do Sétimo Dia, ainda não tem idade para se masturbar, mas ouve falar bastante da coisa, como era de esperar, graças aos seus pares adolescentes, com detalhes bem exuberantes, da masturbação, e se preocupa com o tipo de cartucho pornográfico feito-em-casa e potencialmente pervertido e esvaziador-de-seiva--vital que vai acabar passando no seu projetor psíquico enquanto ele se masturba, quando um dia puder se masturbar, e se preocupa com a possibilidade de que tipos e combinações diferentes de cenas de fantasia augurem tipos diferentes de disfunção ou torpeza psíquica, e quer ir já se preocupando adiantado. Os sons do banquete do refeitório são mais frequentes e convulsivos sem o som da chuva. Lyle diz para Blott não deixar que o peso que ele ergue supere o seu próprio peso. Em cima à esquerda as nuvens de tempestade desgarradas escorrem como tinta aguada entre a janela e a lua que nasceu. O boneco presidencial de Mario Incandenza está prestes a inaugurar o Tempo Subsidiado. Anton Doucette, do 16-B, foi levado a se dirigir a Lyle diz ele por uma autoconsciência cada vez maior da grande verruga escura e volumosa no seu lábio superior, logo abaixo da narina esquerda. É só uma verruguinha, mas tem uma cara bem feia, nasalmente falando. Quando as pessoas são apresentadas a ele, elas vivem chamando ele de lado para lhe passar um lencinho de papel. Doucette ultimamente deseja que ou a verruga suma ou que ele suma. Mesmo que as pessoas não fiquem encarando a verruga é como se elas estivessem *intencionalmente* não encarando. Doucette soca o peito e a coxa, supostamente revoltado. Ele simplesmente não consegue lidar com a aparência que aquilo deve ter. Está ficando pior na medida em que a puberdade se intensifica, essa angústia. Aí num círculo vicioso a angústia dispara o tique nervoso do lado direito do seu rosto. Ele está começando a suspeitar que alguns veteranos estão se referindo a ele pelas costas como Anton ("Catota") Doucette. É como se ele estivesse travado nessa angústia, sem conseguir passar para angústias mais avançadas. Ele não consegue ver uma saída. Aquilo dele se socar é mais sinal de um intenso ódio inconsciente, no entanto, Lyle sabe. Doucette faz uma careta e diz que está começando a querer jogar tênis com a mão sobre o nariz e o lábio superior. Mas o backhand dele é com duas mãos e está tarde demais para mudar e nem a pau vão deixar ele trocar de backhand só por um motivo estético. Lyle dispensa Anton Doucette com instruções de voltar com Mario Incandenza imediatamente depois do fim da festa. Lyle encaminha várias questões de autoconsciência estética para Mario. Tipo ou nível nenhum de guru está acima de delegar poderes. É tipo uma lei. Doucette diz que parece que ele está emperrado. Ele só pensa nisso. Esse negócio está tapando a saída. As verrugas adicionais nas costas dele não formam nenhum contorno ou formato. Lyle abre uma latinha de DC-Decaf. Que Mario tende a trazer quase toda noite perto da hora da janta. Entre arrombamentos da fechadura e visitas Lyle faz uns alongamentozinhos isométricos de pescoço, por causa da tensão.

Entre o cachimbo de Gerhardt Schtitt e os Benson & Hedges de Avril Incandenza e certas bochechas cheias de tabaco de mascar — além dos alucinantes cheiros de mel e chocolate e das nozes de verdade e de alto teor lipídico que saem da ventilação da cozinha, fora os mais de 150 corpos saudabilíssimos dos quais apenas alguns receberam uma chuveirada nesse dia de folga — o refeitório está quente, abafado e multiodorado. Mario enquanto *auteur* opta pelo recurso paródico do seu falecido pai, de misturar cartuchos de notícias reais e falsas, artigos de imprensa e manchetes históricas dos últimos grandes jornais diários, tudo para uma espécie de exposição condensada de certos acontecimentos que levaram à Interdependência, ao Tempo Subsidiado, à Reconfiguração cartográfica e à renovação de uns EU da A certinhos e consideravelmente mais limpos, sob o comando de Gentle:

UCRÂNIA, MAIS DOIS ESTADOS BÁLTICOS PEDEM INCLUSÃO NA OTAN — Manchete em negrito, corpo 16;

AÍ ENTÃO POR QUE OTAN? — Título de Editorial;

CEE ACOMPANHA CÍRCULO DO PACÍFICO E AUMENTA TARIFAS EM REAÇÃO ÀS COTAS DOS EUA — Lide;

DECLARAÇÃO DE GENTLE SOBRE O ARMAZENAMENTO DE RESÍDUOS DE TERMONUCLEARES DESATIVADAS DA OTAN: "COMIGO NÃO, VIOLÃO" — Sublide, corpo 12;

"Entre sorrisos e apertos de duas mãos ao mesmo tempo que deixaram transparecer as grandes tensões envolvidas, líderes de doze das quinze nações da OTAN assinaram hoje um acordo que efetivamente desintegra a aliança de cinquenta anos na defesa do Bloco Ocidental." — Narração de Sumário de Cartucho Noticiário;

CORTE DE APOIO CANADENSE E AMERICANO CONDENA CÚPULA DA OTAN DESDE O INÍCIO, DECLARA PESQUISA ISLANDESA — Lide;

ENTÃO POR QUE NÃO UMA ALIANÇA CONTINENTAL, AGORA, TALVEZ? — Título de Editorial;

MÉXICO ASSINA COM A ALIANÇA CONTINENTAL "ORGANIZAÇÃO DAS NAÇÕES DA AMÉRICA DO NORTE"; MAS SEPARATISTAS DO QUÉBEC PROTESTAM CONTRA A "FINLANDIZAÇÃO" DA "ONAN"; MAS GENTLE DECLARA AO CANADÁ: OU SE ASSINA A "ONAN", ANULA-SE O NAFTA OU OS TERMOS DE MANITOBA NÃO SE ALTERAM E A POLUIÇÃO INTRACONTINENTAL E O MANEJO DE RESÍDUOS SÃO DE RESPONSABILIDADE DE CADA NAÇÃO "QUE LIDE COM ISSO COMO BEM LHE DER NA VENETA" — Lide Escrito por Jornalista Veterano mas Dependente de Metanfetamina Finalmente Rebaixado de Volta à Redação Depois de Repetidas Reclamações por Uso Excessivo de Espaço;

TRABALHADORES DO FED PROTESTAM CONTRA FISCALIZAÇÃO SURPRESA DE HIGIENE DAS UNHAS — Lide em corpo 12;

GENTLE PROPÕE NACIONALIZAÇÃO DA INTERLACE TELENT — Manchete; DIZ QUE O GOV. ESTÁ NA FILA PARA "UMA FATIA DO BOLO" DO MERCADO DE ALUGUEL DE DISCOS, CARTUCHOS E VÍDEO — Sublide em corpo 8;

A PILLSBURY, PROPRIETÁRIA DO BURGER KING, RECEBE OS DIREITOS DO ANO NOVO — Manchete;
A PEPSICO, PROPRIETÁRIA DA PIZZA HUT, ABRE PROCESSO CONTRA A RECEITA FEDERAL POR SUSPEITA DE LICITAÇÃO PRÉ-COMBINADA — Sublide em corpo 12; VENDAS DE CALENDÁRIOS E DE CHEQUES PRÉ-IMPRESSOS DECOLAM — Sublide em corpo 8;

Três presidiários de barba por fazer e com antiquados uniformes de listrinhas arrombam a fechadura da cela e fogem, contra um fundo de sirenes e o jogo entrelaçado dos holofotes, não rumo ao muro mas direto para o escritório noturno vazio do diretor, onde sentam enlevados diante de um antigo MacIntoch de modem dual, dando tapinhas nos joelhos, apontando para o monitor e se dando cotoveladinhas nas costelas enquanto se servem de inexplicáveis sacos de pipoca que aparecem do nada, com uma narração: "Cartuchos por Modem! É Só Inserir um Disquete Vazio! Liberte-se da Prisão dos seus Canais!" — e mais alguns bonecos da turma da sra. Heath numa paródia tipo filme B dos anúncios de TelEntretenimento da InterLace que as redes de TV a cabo pareciam transmitir de forma misteriosamente suicida todas ao mesmo tempo no último ano do Tempo Insubsidiado;

ESBOÇADO O ACORDO DA ONAN — Manchete em corpo 24;

CANADÁ CAI-NA-DELES — Manchete tabloidesca de um Diário de NY em corpo 24;

CHUVA ÁCIDA, ATERROS, BARCAÇAS, TECNOLOGIA DE FUSÃO, TERMONUCLEARES DE MANITOBA FORAM "MECANISMOS DE PRESSÃO", CHRÉTIEN ADMITE — Lide em corpo 16;

HOMENS DE CABELO CURTINHO EM CAMINHÕES RELUZENTES NÃO ESTÃO DESATIVANDO TERMONUCLEARES DE MANITOBA MAS NA VERDADE AS TRANSPORTAM PARA O OUTRO LADO DA FRONTEIRA NO TERRITÓRIO DA RESERVA INDÍGENA TURTLE MOUNTAIN, ACUSA GOV DE ND — Sublide em corpo 12 do Redator Rebaixado Que Já Está Com Problemas No Dep. de Sublides, Agora, Também;

FOTOS COLORIDAS EXCLUSIVAS MOSTRAM VALOROSOS MÉDICOS LUTANDO EM VÃO CONTRA O TEMPO PARA RETIRAR UM CRAVO DE TRILHO DO OLHO DIREITO DO PRIMEIRO-MINISTRO DO CANADÁ — Lide tabloidesco em corpo 16 de um Diário de NY;

ESCRITÓRIO DO PRESIDENTE É "UM INFERNO ANAL-RETENTIVO" DECLARA ESTE ZELADOR DA CASA BRANCA RECÉM-APOSENTADO — Lide de Tabloide com Foto de um Velho que Basicamente Só Tem Uma Sobrancelha Bem No Meio Da Testa Segurando Um Barril Gigante de Plástico que Ele Diz que Continha Somente Um Dia de Estimuladores Dentais Usados, Chumaços de Algodão Embebidos em Álcool, Frascos de Purgante Colônico Padrão Raio-X-Abdominal, Cinza Epidérmica, Máscaras e Luvas Cirúrgicas, Cotonetes, Kleenex e Embalagens de Creme Homeopático para Prurite;

403

CHEFE TINE, DO ESAEU: ACUSAÇÕES DE QUE O SALÃO OVAL ESTARIA COBERTO DE KLEENEX E FIO DENTAL SÃO "CLARAMENTE JOGO SUJO" — Lide de Diário Respeitável;

BARCAÇAS DE LIXO SOBRECARREGADAS COLIDEM E VIRAM PERTO DE GLOUCESTER — Lide de Diário de Boston;

ENORME QUANTIDADE DE RESÍDUOS PÚTRIDOS ESVAZIA PRAIAS DAS DUAS MARGENS — Sublide Igualmente Grande;

GENTLE DENUNCIA UM "BLOQUEIO INTESTINAL DE LIXO CONTINENTAL" NOS EU DURANTE DISCURSO DE FORMATURA DA UNLV — Lide;

RELATÓRIO DO CONSELHO DE PUBLICIDADE: AS CAMPANHAS DE ABAIXADORES DE LÍNGUA E DE LIPOASPIRAÇÃO DA AGÊNCIA VINEY & VEALS NÃO SÃO RESPONSÁVEIS PELAS AMEAÇAS DE BOMBA NO QG DA ABC — Lide da *Advertising Age*;

"Os governadores dos estados do Maine, Vermont e New Hampshire reagiram vigorosamente no dia de hoje à criação, pelo presidente Gentle, de uma equipe de elite de experts em lixo para investigar a possibilidade de aterros e usinas de processamento gigantescos no norte da Nova Inglaterra" — Lide Sobre um Gráfico em Respeitável Diário de NY;

MÉDICOS DE BETHESDA: PRESIDENTE FRAGILIZADO SE RECOLHE DEVIDO A "ESTRESSE HIGIÊNICO" DEPOIS DE DISCURSO INCOERENTE NA ONAN — Lide;

A HOLOGRAFIA FAZ COM QUE A APOSTA NA FUSÃO ULTRATÓXICA SEJA SEGURA PARA OS TRABALHADORES E A COMUNIDADE, REPRESENTANTE DO DEP. DE ENERG. ASSEGURA À APM DE METHUEN — Lide de um Diário de Boston;

GENTLE SAI DE CONFINAMENTO NO HOSP. NAVAL DE BETHESDA E DISCURSARÁ NO CONGRESSO DOS EU SOBRE "OPÇÕES RECONFIGURATIVAS" PARA UMA "ERA NACIONAL MAIS CERTINHA E MAIS LIMPINHA" — Lide,

isso tudo rodopiando jornalisticamente sobre um fundo de acetato negro (um dos abrigos de aquecimento Fila velhos de O. Stice) de um jeito retromente alusivo a velhos filmes p&b, com um fundo sônico daquelas tristes e babujentas melodias italianadas que Scorsese adorava usar nas suas montagens, com as manchetes se fundindo com takes diagonais de um modesto Gentle com sua máscara verde aceitando apertos de mão recalcitrantes de políticos mexicanos e canadenses num acordo que fará do presidente dos EU o primeiro presidente da Organização das Nações da América do Norte, com El Presidente de México e o novo ultrassegurança do P-M do Canadá como vice-presidentes. O primeiro Discurso sobre o Estado da ONAN de

404

Gentle, pronunciado diante de um Congresso triplicado no último dia do tempo solar "AS", oferece a promessa de um milênio luminoso novinho em folha de sacrifícios e recompensas e de uma "nova cara que é bem capaz de ter mudado pacas" do continente pós-Interdependência.

Não subestime os objetos! Lyle diz que acha impossível exagerar a importância desse conselho: *não* subestime os objetos. O prodígio de saque-e-voleio de Partridge, KS, Ortho ("Trevas") Stice, o número 1 do 16-A, cujo torso recém-saído da sauna brilha com a mesma cor do luar refletido no metal dos pesos abandonados, está quase enlouquecendo porque vai dormir com a cama contra uma parede e aí mas acorda com a cama contra outra tipo nada a ver. Stice já quebrou o pau várias vezes com seu colega de quarto Kyle D. Coyle porque tinha sacado claramente que Coyle estava mudando a cama de Stice de lugar enquanto Stice dormia. Mas aí Coyle foi parar na enfermaria por causa de umas secreções suspeitas e nas duas últimas noites ele não dormiu no quarto, o Coyle, e o Stice aqui continua acordando com a cama contra uma parede diferente. Aí então ele achou que tipo o Axford ou o Struck estavam arrombando a porta dele com um cartão de refeitório e entrando escondidos bem tarde da noite e sacaneando com a cama de Stice por motivos obscuros. Aí mas ontem à noite Stice travou a porta com uma cadeira e empilhou latas vazias de bolas de tênis na cadeira para fazer um puta barulhão se alguém quisesse entrar, e alinhou ainda mais latas nas soleiras de todas as três janelas, só para não deixar nada descoberto; e mas aí a razão dele estar aqui é que hoje de manhã ele acorda com a cama enfiada contra a cadeira que estava na porta num ângulo que ele não achou nada legal e com todas as latas de bolas dispostas numa bela pirâmide no retângulo empoeirado em que a sua cama deveria normalmente estar. Ortho Stice só pode pensar em três explicações possíveis para o que está rolando, e ele as apresenta a um Lyle que atentamente chupa bochechas, em ordem crescente de macabridade. Uma é que Stice seja telecinético, mas só dormindo. Outra é que alguém da ATE seja telecinético, não vai com a cara do Stice e quer deixar ele lelé por alguma razão. A terceira é que Stice está tipo levantando dormindo e rearrumando o quarto sem saber e sem lembrar, o que quer dizer que ele é uma porra de um sonâmbulo dos sérios, o que quer dizer que só Deus sabe o que mais ele pode resolver fazer enquanto dorme. Ele tem potencial, o pessoal da Academia diz; ele tem uma bela de uma chance de entrar no Circuito quando se formar. Coisa que ele não quer ferrar por causa de alguma barafunda sonambulística ou telecinética. Stice oferece os planos do torso e da testa. Ele está usando uma das suas toalhas pessoais, preta. Ele é magro mas forte e lindamente musculoso, e sua livre e satisfatoriamente. Ele diz que sabe muito bem que não deu bola para o conselho de Lyle sobre a polia alta dois anos atrás, e que sente muito. Ele pede sinceríssimas desculpas por aquela vez no ano passado em que mandou o Struck e o Axford distraírem Lyle e aí colou o elastano da nádega esquerda de Lyle no tampo de madeira do armário de toalhas. Stice diz que percebe sim que ele é o último cara que pode ter algum direito de aparecer na frente do Lyle com o chapéu na mão depois daquelas piadinhas todas com a dieta e o cabelinho dele e tal. Mas ele está aqui, de chapéu na mão, na verdade de bonezinho na mão, oferecendo sua superfície saunada, pedindo os palpites de Lyle.

Lyle desconsidera o leite derramado como se nem cheirasse mal. Ele está completamente envolvido. Os relâmpagos agora já bem longe sobre o Atlântico o tratam como um estrobo fraco. *Não subestime os objetos*, ele avisa a Stice. Não deixe os objetos de lado nas explicações. O mundo, afinal, que é radicalmente velho, diga-se de passagem, é feito principalmente de objetos. Lyle se inclina para a frente, faz um sinal para que Stice se aproxime ainda mais e concede contar a Stice a história de um cara que um dia ele ouviu. Esse cara ganhava a vida indo a vários locais públicos em que as pessoas se congregavam e eram entediadas, impacientes, cínicas, ele ia até lá e apostava com as pessoas que conseguia subir em qualquer cadeira ali e aí levantar a cadeira do chão sem sair de cima dela. Uma coisa tipo Munchausen mesmo. O *modus operandi* dele é que ele sobe na cadeira, fica ali parado e diz publicamente Olha só, eu consigo levantar essa cadeira em que eu estou trepado. Um popular recolhe as apostas. O ponto de ônibus ou a sala de espera do Dep. de Trâns. ou o saguão de hospital parados ficam pasmados. Eles erguem a cabeça para olhar para um cara que está 100% em cima de uma cadeira que segurou pelo espaldar e ergue vários metros do chão. Rola uma especulação feroz sobre como se faz aquele truque, o que dá origem a um mercado paralelo de apostas. Um oncologista experimental devotadamente religioso que está morrendo da sua própria neoplasia colorretal inoperável geme Por quê ai por quê meu Deus o Senhor dá esse poderzinho imbecil pra esse sujeito e não me dá poder sobre as minhas vorazes células colorretais. Há numerosas variações tácitas desse tipo de reflexão na plateia. Ganha a aposta, finalmente pagos e entregues a ele os $, o sujeito de que o Lyle diz que um dia lhe falaram desce de novo para o chão com uma que outra moedinha saltando dos bolsos na queda, ajeita a gravata e vai embora, deixando atrás de si uma multidão pasmada ainda encarando um objeto que ele não tinha subestimado.

Como a maioria dos jovens geneticamente pré-programados para um problema secreto com as drogas, Hal Incandenza também tem dificuldades graves, tipo compulsão mesmo, com a nicotina e o açúcar. Como cigarro simplesmente acaba com você nos treinos, só Bridget Boone, uma menina esteroidística do sub-16 chamada Carol Spodek, e uma ou outra das gêmeas Vaught têm o grau necessário de masoquismo para fumar, ainda que já se tenha visto Teddy Schacht com um ou outro panatela. O desejo de nicotina Hal tenta minorar o quanto pode mascando tabaco Kodiak Wintergreen Sem-Fumaça várias vezes ao dia, cuspindo ou num estimado copo da NASA dos tempos de infância ou na lata vazia de Bebida de Desjejum Spiru-Tein de alto teor proteico que neste exato momento está largada — com todos se mantendo a considerável distância dela — perto de uma pilhinha de bolas de tênis que os meninos da mesa não têm que apertar enquanto estão comendo. O problema mais sério de Hal é com a sucrose — o eterno canto de sereia para o fumante de Hope — porque ele morre de vontade o tempo todo e de uma maneira terrível, o Hal — de açúcar — mas ultimamente tem percebido que qualquer infusão de açúcar acima do nível de uma Barra Energética AminoPal High Energy de 56 gramas ultimamente induz a estados emocionais estranhos e desagradáveis que não lhe fazem nadinha de bem em quadra.

Sentado aqui com seu chapéu de pregador, a boca cheia de múltiplas camadas de baclava, Hal sabe perfeitamente bem que Mario pegou o fetiche de cartuchos com bonecos, entreatos e plateias do seu falecido pai. Sipróprio, durante seu período anticonfluencial do meio da carreira, passou por uma subfase em que estava obcecado pela ideia da relação das plateias com diversos tipos de espetáculos. Hal não quer nem pensar naquele mais horroroso sobre o circo de globos oculares.[154] Mas aquele mais curto e high-tech se chamava A *Medusa* × *a Odalisca* e era um filme de uma encenação de mentira no Ford's Theater na capital da nação, em Wash. DC, que, como todas as suas obras obcecadas por plateias, custou uma grana preta para Incandenza em termos de figurantes humanos. Os figurantes nesse filme são uma plateia bem vestida de caras com umas costeletonas e senhoras com leques de papel que enchem o teatro da primeira fila até o fundo dos balcões, e eles estão assistindo a uma pecinha complicada e incrivelmente violenta chamada A *Medusa* × *a Odalisca*, cujo enredo relativamente desenredado é apenas que a mítica Medusa, de cabelos de cobra e armada com uma espada e um escudo bem polido, está lutando até a morte ou a petrificação contra L'Odalisque de Ste. Thérèse, uma personagem da antiga mitologia quebequense que supostamente era tão desumanamente linda que qualquer um que olhasse para ela virava instantaneamente uma gema preciosa em tamanho humano, de admiração. Uma contrapartida mais que natural à Medusa, obviamente, a Odalisca tem apenas uma lixa de unhas em vez de uma espada, mas também tem um espelhinho de maquiagem muito bem manuseado, e ela e a Medusa ficam basicamente se confrontando por tipo vinte minutos, saltitando pelo palco enfeitado tentando desmapear uma à outra com lâminas e/ou desvivificar uma à outra com seus respectivos refletores, que cada uma delas saltita tentando posicionar bem direitinho para que a outra receba uma imagem do seu próprio reflexo frontal pleno e fique instantaneamente petrificada ou gemificada ou sei lá o quê. No cartucho fica bem claro graças à translucência leitoso-pixelada e à insubstancialidade das duas que elas são hologramas, mas não fica claro o que é que elas deveriam ser no mundo da pecinha, se a plateia deveria vê-las/(não) vê-las como fantasmas, espíritos ou entidades míticas "reais", ou vai saber. Mas é uma ceninha de luta bem duca o que rola ali no palco — intricadamente coreografada por um oriental que Sipróprio alugou de algum estúdio comercial e colocou na CD, que comia que nem um passarinho, sorria muito educadamente o tempo todo e não tinha nem uma palavra a dizer a qualquer um, parecia, a não ser Avril, com quem o coreógrafo oriental se deu bem já de cara — balética e cheia de fascinantes acuamentos, golpes desviados por pouco, reversões, e a plateia do teatro está encantada e nitidamente entretida até as orelhas, porque eles ficam aplaudindo espontaneamente, tanto talvez pela coreografia da peça do filme quanto por qualquer outra coisa — o que faria daquilo mais tipo um meta-aplauso espontâneo, Hal supõe — porque toda aquela cena de luta tem que ser engenhosamente coreografada para que ambas as combatentes fiquem de respectivamente escamosas e aveludadas costas[155] para a plateia, por motivos óbvios... só que na medida em que o escudo e o espelhinho são marcialmente sacudidos de um lado para o outro e brandidos em vários ângulos estratégicos, certos membros da bem vestida plateia da pecinha acabam começando a pegar desastrosos reflexos das fatais imagens frontais das combatentes e instantaneamente são transformados em tipo estátuas de rubi ali mesmo nos seus assentos de primeira fileira, ou ficam petrificados e caem das beiras dos balcões como morcegos que sofreram uma embolia etc. O cartucho segue assim até que não resta mais ninguém nas poltronas do Ford's Theater com vida suficiente para aplaudir a narrativa dentro da narrativa que é a peça de luta, e ela termina com as duas inimigas estéticas ainda se confrontando alucinadamente diante de uma variegada plateia de pedra. As plateias do próprio A *Medusa* × *a Odalisca* não viram muita graça naquilo, porque a plateia do filme nunca tem uma imagem frontal decente do que poderia haver nas combatentes que supostamente teria um efeito tão melodramático na plateia ao vivo do confronto, e assim a plateia do filme termina se sentindo provocada e vagamente iludida, e a coisa só teve um lançamento regional, e o cartucho foi alugado que nem jornal de ontem, e é hoje quase impossível de achar. Mas esse não foi nem de muito longe o filme de James O. Incandenza que as plateias mais odiaram. O filme mais odiado de Incandenza, uma obra de duração variável chamada A *piada*, teve apenas um lançamento muito breve nos cinemas, e ainda por cima só nos dispersos vestígios remanescentes do circuito de cinemas de arte pré-InterLace em lugares metidinhos como Cambridge, MA, e Berkeley, CA. E a InterLace nunca considerou o filme para um relançamento por Pedido-de-Pulso, por motivos óbvios. As marquises e os cartazes e anúncios dos cinemas de arte para aquela coisa deveriam todos contratualmente dizer algo como "A *piada*": *Sinta-se Vigorosamente Aconselhado a NÃO Gastar Dinheiro Para Ver Este Filme*, que os habitués do cinema de arte obviamente pensaram ser uma piadinha antipublicitária inteligentemente irônica, e então eles acabaram gastando seu dinheirinho em troca de bilhetes de papel, fizeram fila com seus coletes de lã, paletós de tuíde e vestidos de camponesa, se entupiram de espresso no balcão da entrada, procuraram cadeiras, sentaram, fizeram seus pequenos ajustes pré-fílmicos de pernas e posições, olharam em volta com aquele tipo de intensidade vaga e imaginaram que as câmeras Bolex H32 de três lentes — uma operada por um sujeito velho alto e corcunda e uma complexamente montada sobre a cabeça imensa de um menino estranhamente adernante com o que parecia uma estaca de aço se projetando do tórax — as grandes câmeras lá perto das SAÍDAS iluminadas de vermelho de cada lado da sala, o público imaginou, eram tipo para um anúncio, ou um antianúncio, ou um documentário metafílmico de bastidores, ou alguma coisa assim. Isto é, até que as luzes se apagaram, o filme começou e o que estava na grande tela pública era apenas um take binoculado com grande-angular dessa mesma plateia de cinema de arte se abastecendo de espressos, procurando cadeiras e sentando, olhando em volta, se ajeitando, dizendo coisinhas pré-fílmicas inteligentes para seus pares de óculos fundo de garrafa sobre aquele anúncio Não-Pague-Para-Ver-Isto e sobre o que as câmeras Bolex provavelmente significavam, artisticamente, se acomodando quando as luzes iam diminuindo e olhando para a tela (i. e. agora eles mesmos, afinal) com os sorrisos descoladamente empolgados da expectativa de entretenimento refinado, sorrisos que as câmeras e a projeção da tela agora revelavam apenas começando a cair dos rostos da plateia enquanto a plateia se via fila a fila se olhando de volta com expressões faciais cada vez menos curiosas e cada vez mais vazias e depois intrigadas e depois finalmente putas. O tempo total de duração de A piada era exatamente enquanto houvesse um único membro da plateia de perninhas cruzadas no teatro para assistir à sua própria imagem imensa projetada olhando de volta para si com a especial aversão de um fã de filmes de arte enojado e vilipendiado, o que acabava dando mais que tipo vinte minutos só quando havia críticos ou professores de cinema na plateia, que se contemplavam atentamente se contemplando atentamente enquanto tomavam notas com um fascínio infinito e por fim saíam apenas quando o espresso finalmente os impelia à retrete, momento em que Sipróprio e Mario tinham que guardar freneticamente câmeras, estojos de lentes e cabos coaxiais e sair correndo e cambaleando que nem uns doidos para pegar o próximo voo transnacional de Cambridge para Berkeley ou de Berkeley para Cambridge, já que eles obviamente precisavam estar lá bem prontinhos e Bolexeados para as exibições de cada cinema. Mario dizia que Lyle tinha dito que Incandenza tinha confessado que tinha adorado o fato de que A piada era tão publicamente estático, bocó, tolo mesmo, e que os raros críticos que defenderam o filme dizendo em textos longos e complexos que a estase bocó era precisamente a tese estética do filme estavam totalmente errados, como sempre. Ainda não está claro se foi a coisa de Circo-e-Olhos ou A Medusa ×... que sofreu uma metamorfose e se transformou no envolvimento do falecido pai dos meninos com o hostil antirrealismo do Drama Achado, que foi provavelmente o zênite histórico da estase autoconscientemente bocó, mas que as plateias nunca chegaram de fato a odiar, por motivos a-priorísticos.

ACIDENTE BIZARRO NA ESTÁTUA DA LIBERDADE MATA ENGENHEIRO FEDERAL — Lide; CORAJOSO OPERADOR DE GRUA ESMAGADO POR HAMBÚRGUER DE FERRO FUNDIDO DE CINCO TONELADAS — Sublide em corpo 12;

GENTLE PROMETE A UMA CÉTICA CONVENÇÃO DE LOBINHOS "VOCÊS VÃO PODER COMER DIRETO DO CHÃO" DOS EUA CONTINENTAIS AO TÉRMINO DO PRIMEIRO ANO DO MANDATO — Lide;

OUTRO CASO LOVE CANAL? — Manchete em corpo 24; HORROR TÓXICO ACIDENTALMENTE DESCOBERTO NO NORTE DE NEW HAMPSHIRE — Sublide tamanho Lide em corpo 16;

"Funcionários de agências ambientais de New Hampshire negaram ontem em termos categóricos que conjuntos imensos de tambores de solventes industriais, cloretos, benzenos e toxinas vazando tivessem sido entre aspas 'encontrados por acidente' por 18 funcionários federais da EPA durante uma partida informal de softball a leste de Berlim, NH, alegando que na verdade os receptáculos corroídos tinham sido colocados ali contra os estatutos por homens grandalhões com macacões brancos e cabelos curtinhos que chegaram em longos caminhões brilhantes com o brasão oficial da OTAN, uma águia de sombrero com uma folha de bordo na boca, aplicado nas laterais. Na capital federal, a administração Gentle prometeu entre aspas 'investigação plena e ativa' das alegações dos residentes de Berlim, NH, e Rumford, ME, de que a incidência de recém-nascidos com crânios moles e olhos supranumerários na região toxicamente afetada supera em muito a média nacional." — Lide de Âncora de Cartucho de Notícias por Aluguel Noturno nos EU a $3,75;

SUPOSTO LOCAL DE TESTES SECRETOS PARA FUSÃO-EM-AMBIENTE-VENENOSO EM MONTPELIER, VT — Manchete da *Scientific North American*;

MEU FILHINHO TEM SEIS OLHOS E PRATICAMENTE NÃO TEM CRÂNIO — Macabra Manchete de Tabloide em corpo 32, com Legenda Lancaster, NH;

SOFTBALLISTAS FEDERAIS DA EPA ALEGAM EXISTÊNCIA DE MAIS DOIS "INFERNOS DE LIXO TÓXICO" ILEGAIS "ENCONTRADOS POR ACASO" PERTO DE NORTH SYRACUSE, NA HISTÓRICA TICONDEROGA — Lide de Diário de NYC;

A CIÊNCIA E A ARTE DOS ACHADOS CASUAIS FEDERAIS: JOGA-SE MUITO SOFTBALL ULTIMAMENTE — Título de Editorial no *Post-Standard* de Syracuse, NY;

PRIMEIRO-MINISTRO DO CANADÁ NEGA ENCONTRO SECRETO PARA JOGAR MINIGOLFE COM ENFURECIDOS GOVERNADORES DA NOVA INGLATERRA — Lide Surpreendentemente Pequeno na Terceira Página em corpo 10;

GENTLE MENTE — Megamanchete Tamanho-Pearl-Harbor em corpo 32 Quase Grande Demais para uma Leitura Clara; AÇÕES DE EMPRESAS DE MUDANÇAS DISPARAM — Sublide de Diário Financeiro em corpo 16; DOIS GOVERNADORES DO NORDESTE HOSPITALIZADOS POR INFARTO E ANEURISMA — Sublide em corpo 10;

GENTLE DECLARA QUE TODO O TERRITÓRIO DOS EU AO NORTE DE UMA LINHA QUE VAI DE SYRACUSE A TICONDEROGA, NY, DE TICONDEROGA, NY, A SALEM, MA, É ÁREA DE DESASTRE FEDERAL, OFERECE FUNDO DE AUXÍLIO PARA RESIDENTES DO NORTE E DA NOVA INGLATERA QUE DESEJEM SE REALOCAR, ALEGA QUE OS FUNDOS PARA A LIMPEZA PELA EPA "NÃO ESTÃO NO MAPA DO QUE É POSSÍVEL" [SIC] — Lide de Lidista Quimicamente Hipergárrulo Finalmente Demitido Até do Dep. de Sulides por Ultrapassar Parâmetros Verbais Aceitáveis e Agora Começando a se Ver nos Mesmos Maus Lençóis de Novo num Jornal Diário de Muito Menos Prestígio;

e assim por diante e coisa e tal. O velho laboratório de óptica e edição de Sipróprio tem imponentes equipamentos Compugraphic de composição e editoração: é difícil dizer quais manchetes e tal são de verdade e quais foram alteradas, normalmente, se você é jovem demais para lembrar a cronologia real. Pelo menos parte das manchetes é de araque, os meninos sabem; minigolfe, ah tá. Mas a acurácia do relato fantochado de Mario sobre a reunião seminal do que veio a ser conhecido como "O Gabinete do Recôncavo" acaba incontestada pelos fatos. Ninguém que não tenha estado realmente lá na reunião de 16 de janeiro sabe exatamente o que foi dito quando ou por quem, sendo que a administração Gentle mantém a posição de que o que restava dos equipamentos de gravação do Salão Oval era uma verdadeira placa de petri de organisminhos. A claque de bonecos Motown doo-woppantes do gabinete de Gentle está com vestidos roxos, batom, esmalte combinando e cabelões tão afro-lustrosos que houve problemas especiais de iluminação e velocidade de filme no armário zelatorial.

SEC. DO TES.: O senhor está com uma cara ótima, hoje, presidente.

GENTLE: Hhhaaahh Hhhuuuhh Hhhaaahh Hhhuuuhh.

PRES. MEX./SEC. MEX./V-P ONAN.: Posso perguntar, señor, por que meu distinto co-vice-presidente da ONAN não está aqui conosco no dia de hoje?

GENTLE: Hhhaaahh Hhhuuuhh.

SR. RODNEY TINE, CHEFE DO ESCRITÓRIO DE SERVIÇOS ALEATÓRIOS DOS EU: O presidente está respirando um pouquinho de oxigênio puro hoje, galera, e me autorizou a ser o seu representante oral nesse dia que eu me permito chamar de historicamente oportuno. O P.-M. do Canadá está numa situação meio delicada. Ele prefere ficar choramingando na mídia cercado de Policiais Montados e está em algum lugar bem distante do Québec com um colete de Kevlar fazendo sei lá como é que se chama biquinho em canadês, sem sombra de dúvida analisando pesquisas de opinião preparadas por uns carinhas sem queixo com uns oclinhos canadenses de aro de chifre.

SEC. MEX. E ALGUNS OUTROS SECS.: [Vários ruídos de apreensão e desorientação.]

TINE: Eu tenho certeza de que os senhores todos foram informados da crise inédita mas não inoportuna que se instalou a norte de uma linha quase perfeitamente horizontal entre Buffalo e o Nordeste de Mass.

TINE dispõe fotos em apoios enfeitados pelo selo continental: um dique de contenção em New Hampshire que não está contendo um material cuja cor ninguém viu exatamente igual na vida; um panorama feito com grande-angular cobrindo todo um horizonte de tambores marcados com caveiras, com sujeitos de cabelo curtinho e macacões brancos andando de um lado para o outro ajustando botões e lendo mostradores de reluzentes aparelhinhos portáteis; um estranho nascer do sol químico, de um tom próximo ao do batom dos membros do gabinete, sobre florestas do sul do Maine que parecem bem mais altas e de modo geral mais exuberantes do que as florestas tinham direito de ser em janeiro; uns retratos com iluminação de cenas internas de um bebê dotado de múltiplos olhos que engatinha para trás, a orelha contra o tapete, arrastando a cabeça disforme como um saco de batatas. Essa última imagem é do tipo que tange as cordas de qualquer coração.

TODOS OS SECS.: [Vários ruídos preocupados e solidários.]

GENTLE: Hhhaaahh Hhhuuuhh.

TINE: Senhores, vamos só deixar o presidente aqui dizer que ninguém está preparado pra dizer que sabe direitinho o que aconteceu, ou que sabe direitinho qual parte entre aspas leal da União ou da Organização pode ser razoavelmente considerada culpada, mas não é uma preocupação imediata da administração apontar o dedo nivelador da acusação ou da aspersão ainda ou agora. A nossa preocupação é agir, reagir, e agir e reagir decisivamente. Pronta. E decisivamente.

SEC. DO INT.: Nós chegamos a umas projeções extremamente preliminares dos custos da descontaminação e/ou da desradiativização de uma parcela enorme dos quatro estados dos EU, senhor, e tenho que dizer aos cavalheiros presentes que mesmo com a atmosfera de incerteza neste momento da história de nós não termos ainda uma noção definitiva de exatamente quais tipos e combinações de compostos foram — mmm — encontrados ali e qual a dimensão desses nossos — não "nossos" assim pessoalmente, senhor, J. G., "nossos" aqui é só meio que um jeito simples de dizer — de dizer alguma coisa tipo meio eu acho assim que nem um "desses", só "desses" — a dimensão *desses* parâmetros de difusão e toxicidade no final de tudo — mmm — eu tenho que relatar que as cifras que estamos contemplando aqui são quase atordoantemente multizerificadas, senhor, cavalheiros.

TINE: Dê uma definição mais certinha e mais detalhada de *atordoante*, por favor, Blaine.

SEC. DO INT.: Nós estamos falando na mais otimista das hipóteses de uma quantidade atordoante de carinhas tipo da Economia Privada de roupa e capacete branco, mais ou menos como o seu capacete, senhor, com uma conta comensuravelmente maciça para as roupas e os capacetes, mais luvas e botas descartáveis, e um monte de equipamentos bem brilhantes com vários botões e mostradores. Senhor.

GENTLE: Hhhaaahh Hhhuuuhh.

TINE: Senhores, vamos ter para com o presidente a devida consideração de ir direto ao osso do assunto. Acho que a posição do presidente fica patentemente clara graças ao oxigênio puro que ele está sendo forçado a usar aqui conosco no dia de hoje. Nem a pau ele vai permitir que um território publicamente exposto desse jeito como terra maculada e cheia de lixo continue a empestear o território que já está mais certinho e mais limpinho de uns EU da A de uma nova era. O presidente treme só de pensar. Só de pensar nisso ele já tem que recorrer ao oxigênio.

PRES. MEX./SEC. MEX./V-P ONAN: Não antevejo quais opções vosso governo federal e nosso continental podem considerar opções a essa permissão, señores.

OUTROS SECS.: [Movimentos titubeantemente desorientados com a cabeça e ruídos de concordância ligeiramente fora do tom.]

TINE: Tendo sido eleito e agraciado com um mandato ao sustentar a clara e pública plataforma antilixo do PEUL, o presidente se vê inexoravelmente levado a ver como única opção viável entregar a coisa toda.

SEC. DE EST.: Entregar?

TINE: E logo.

SEC. DE EST.: Você quer dizer simplesmente dizer a verdade? Que a plataforma do PEUL do Johnny requer — dada a impossibilidade de lançar os resíduos da nação no espaço, já que a NASA não faz um lançamento bem-sucedido há mais de uma década e os foguetes simplesmente capotam, explodem e viram mais lixo, que dada a quantidade de resíduos adicionais que o início do processo de fusão anular vai começar a pôr em circulação no minuto em que o processo começar — que a plataforma dele praticamente exige a opção secundária de transformar certas amplas regiões do território dos EU em aterros inabitáveis e provavelmente cercados de arame farpado e em lixões amortalhados de moscas e cemitérios de resíduos saprogênicos cobertos de uma névoa magenta? Admitir publicamente que aqueles jogos de softball da EPA não eram casuais ou acidentais em nenhum medida? Que você deixou o nosso amigo Rodão o Fodão aqui te convencer[156] a autorizar os Serviços Aleatórios a realizar maciças descargas tóxicas e amaciamentos cranianos contra estatutos locais basicamente pelos mesmos motivos tipo escolha-difícil, Para-O-Bem--Da-Nação, que levaram Lincoln a suspender a Constituição e encarcerar ativistas Confederados sem acusação durante toda e por enquanto última grande crise territorial dos EU? E/ou não menos importante que esses territórios em particular foram escolhidos essencialmente porque New Hampshire e Maine não incluíram o PEUL nas suas votações independentes e o prefeito de Syracuse teve o azar de espirrar no presidente durante uma vista de campanha? Entregar toda a estratégia que vocês dois aparentemente se enfiaram em algum cantinho esterilizado para traçar? Será que isso pode ser mesmo o que você quer dizer com *Entregar*, Rod?

TINE: Bôf. Não seja ontário, Billingsley. Aquele *a coisa toda* quando o presidente falou em *Entregar a coisa toda* se refere ao território.

GENTLE: Hhhaaahhh.

TINE: Nós vamos entregar toda aquela terrinha fedorenta.

SEC. DO INT.: Exportar, pode-se arriscar a dizer.

TINE: É um recurso inovador e proativo que nenhum estadista do passado teve a visão ou os cojones ambientalísticos de vislumbrar. Se ainda existe um único recurso natural que nós temos aos montes, é território.

PRES. MEX./SEC. MEX./V-P ONAN E VÁRIOS OUTROS SECS.: [Tentam fazer suas sobrancelhas voltarem de debaixo dos cabelos.]

TINE: O presidente Gentle decidiu que nós vamos reinventar não somente o governo mas a história. Incinerar o passado. Declarar um novo destino. Galera, a gente vai instituir uma puta interdependência intra-ONAN.

GENTLE: Hhhaaahh hhhuuuhh.

TINE: Cavalheiros, nós vamos fazer uma inédita doação intercontinental de certos territórios recém-descartáveis, em troca da continuidade *faute-de-mieux* da continuidade do acesso lixístico dos EU a esses territórios. Só me deixem ilustrar o que a Lur... só o que o presidente aqui quer dizer.

TINE coloca dois grandes mapas (igualmente cortesia da aula de artes da sra. Heath) em tripés oficiais do governo. Eles parecem representar os bons e velhos EUA. O primeiro mapa é daqueles mais ou menos tradicionais e tal, com os EU parecendo bem grandões de branco e as regiões limítrofes do México setentrional coloridas de um elegante cor-de-rosa banheiro-feminino e o fundo fecundo do Canadá de um exuberante carmesim quase ameaçador. O segundo mapa da América do Norte não parece nem muito bom nem velho, em termos de tradição. Ele tem uma concavidade. Parece que alguma pessoa ou algumas pessoas deram uma grande mordida com ênfase nos caninos e arrancaram um pedaço da sua área superior direita, em que uma linha ascendente e depois descendente tem seu ângulo quase-reto no que parece ser a histórica e agora hediondamente emporcalhada Ticonderoga, NY; e as áreas ao norte dessa linha quebrada parecem ser daquele tom canadense exagerado agora. Há algumas mosquinhas de borracha tipo loja-de-pegadinhas, daquelas de barriga azul que vivem no lixo, que estão grampeadas numa distribuição uva-pássica sobre o rubro Recôncavo. TINE tem como marca registrada uma varetinha telescópica de meteorologista de televisão com que fica brincando em vez de usá-la para apontar alguma coisa.

SEC. DE EST.: Meio que um gerrymandering ecológico?

TINE: O presidente pede que os cavalheiros aqui concebam esses dois visuais como uma espécie de representação antes-e-depois das "projetadas realocações territoriais intra-ONAN", ou algum outro termo público desses. *Desintegração de posse* é provavelmente técnico demais.

SEC. DE EST.: Eu ainda respeitosamente não estou entendendo direito que o pessoal aqui do Dep. de Estado veja uma forma de vender ao público a imagem de que territórios habitados possam ser entre aspas descartáveis quando uma parcela nada desconsiderável desse público segundo todos os relatórios que temos mora nesse território, Rod.

GENTLE: Hhhaaahh.

TINE: O presidente proativamente escolheu não se deixar afetar por esse fato tipo decisão difícil e de alto custo, possivelmente impopular e ossos-do-ofício nem ligeiramente, galera. Nós estamos nos adiantando a toda a velocidade antecipando vários e complexíssimos quadros de possibilidades de realocação. Complexissíssimos? É complexíssimos ou complexicíssimos?[157] O Marty está encarregado de lidar com os quadros. Você pode dar uma atualizada aqui, Marty.

SEC. DE TRANSP.: Nós estamos prevendo um montão de gente indo para o Sul bem rapidinho. Prevemos carros, caminhonetes, caminhões, kombis, ônibus — ônibuses? — kombis, caminhonetes roubadas e possivelmente ônibus ou ônibuses roubados. Nós prevemos veículos com tração nas quatro rodas, motocicletas, jipes, barcos, motonetas, bicicletas, canoas e uma ou outra jangada improvisada. Snowmobiles, esquiadores e patinadores com aqueles patinzinhos esquisitos que só têm uma linha de rodas em cada patim. Nós prevemos um pessoal tipo mochileiro andando velozmente com shorts de caminhada, botas, chapéus tiroleses e um bastão. Nós prevemos certas pessoas simplesmente correndo pra cacete, possivelmente, Rod. Nós prevemos carroças artesanais entupidas de bens materiais. Prevemos motocicletas BMW do Exército alemão com sidecars e uns carinhas de óculos de motociclista e capacete de couro. Prevemos um ou outro skatista. Prevemos um rompimento estritamente temporário do fino verniz de civilização que recobre as almas de animais essencialmente assustados num estouro. Nós prevemos saques, tiroteios, preços abusivos, tensões étnicas, sexo promíscuo, partos na estrada.

SEC. DE S. & ED.: Rollers acho que você quer dizer, Marty.

SEC. DE TRANSP.: Toda informação e contribuição é bem-vinda, Trent. Teve um funcionário mais novo no departamento que previu asas-deltas. Eu não prevejo um asa-deltismo demograficamente relevante, pessoalmente, no quadro atual. E também preciso reafirmar que a gente não está prevendo nada que se possa chamar de verdadeiros refugiados.

GENTLE: Hhhaaahh *hhhuuuhhhhhh*.

TINE: De maneira alguma, Mart. Nem a pau que um termo supercheio de associações nada-a-ver como *refugiado* vai ser aplicável aqui. Eu não sei como ressublinhar isso mais vigorosamente. Desdesapropriação: sim. Sacrifício de escala renovadora: pode apostar. Heróis, a raça de pioneiros da nova era, seguindo bravamente rumo a um território já colonizado, bom e velho e colonizado mas imaculado território americano: *bien sûr*.

SEC. DE EST.: *Bien sûr?*

SEC. DE IMP.: [c/ uma estranhíssima mistura de franja, afro e um par de bifocais pendente de uma delicada corrente de contas no pescoço e repousando sobre o decote]: O Neil lá da manipulação anda compulsando material de referência. Aparentemente o termo *refugiados* pode ser plausivelmente negado se tanto — e aqui eu cito diretamente do memorando do Neil — se tanto, a, nenhuma carroça artesanal entupida de bens materiais for puxada por vagarosos animais bovídeos com chifres encurvados, e b, se a percentagem de crianças abaixo de seis anos que estejam ou, a, nuas, ou b, berrando a plenos pulmões, ou c, ambas as coisas, estiver abaixo de 20% do número total de crianças abaixo de seis anos em trânsito. É verdade que a referência-chave do Neil pra isso é o *Guia totalitário mão-de-ferro da manipulação de imprensa* de Pol e Diang, mas eles estão achando que esse fato pode ser manipulado sem grandes encrencas, o pessoal da Manipulação.

GENTLE: Hhhuuuhh.

TINE: As equipes do Marty e do Jay estão virando dias e noites pensando em estratégias para nós evitarmos qualquer sombra possível de refugiadismo.

SEC. DA IMP. [Com a cabeça brilhantinada naquele ângulo necessário para as pessoas com bifocais, para ler]: Qualquer coisa bovídea com chifres encurvados será abatida imediatamente. Os melhores agentes do ESA do Rod com os seus caminhões brilhantes dispostos em intervalos estratégicos distribuindo roupas infantis de graça cortesia da linha Ursinho Puff da Sears, para cortar a nudez pela raiz.

SEC. DO TES.: Nós ainda estamos fechando os detalhes do contrato com a Sears, Rod.

TINE: O presidente tem toda confiança, Chet. Eu acho que o Marty e o Jay estavam exatamente chegando ao coup de grâce transportacional.

SEC. DE TRANSP.: Nós vamos estar abrindo uma licitação para placas lá no Norte para tornar legal dirigir super-rápido pelo acostamento.

SEC. DE IMP.: Nos acostamentos rumo-sul.

TODOS OS SECS.: [Murmúrios harmônicos.]

SEC. DE EST.: Eu ainda não vejo por que não manter simplesmente a posse cartográfica das áreas toxificadas, realocar os cidadãos e o capital móvel, usar aquilo como a nossa própria área de depósito. Meio tipo um armarinho dos fundos ou um cesto especial embaixo da pia da nação por assim dizer. Montar uns sistemas pra transportar todo o lixo e os resíduos da nação pra aquela área, passar um cordão de isolamento, manter o resto da nação limpinho de dar pra comer no chão conforme a plataforma do Johnny.

SEC. DE S. & ED.: Por que ceder recursos de manejo de resíduos vitalmente necessários a um aliado recalcitrante?

TINE: Billingsley, Trent, mas quem é que diz pelas minhas palavras que a gente não pode usar esses territórios pra este preciso propósito esteja ele sob jurisdição de qual nação estiver? Interdependente é quem Interdepende, afinal.

PRES. MEX./SEC. MEX./V-P ONAN.: ¿Qué?

GENTLE: Hhhaaahh?

TINE: Mas o Billingsley tem razão que esse tipo de vasto e despovoado território recém-canadense pode acomodar as necessidades de limpeza de toda essa grandiosa aliança continental por décadas. Depois disso, cuidado aí, Yukon!

PRES. MEX./SEC. MEX./V-P ONAN.: [Rosto verde e máscara umidamente escurecida sobre o lábio superior]: Posso perguntar com todo respeito ao presidente Gentle como vocês vão pedir ao meu recém-empossado co-vice-presidente da nossa Organização continental que seja possivelmente capaz de aceitar amplas arenas de terreno egregiamente envenenado em nome de sus puevos?

TINE: Pergunta válida. Resposta simples. Três respostas. Política de Estado. Política de Riscos. Política de Crise.

C/ agora mais — e bem mais bobos — efeitos jornalísticos surgindo rodando do fundo negro em velocidades breguíssimas ao som de um disco de uma execução em 45-rpm do disco 33-1/3-rpm do zelador Dave ("A. C. I.") Harde do "Voo do besouro":

GENTLE PARA O P-M CANADENSE: LEVA UM TERRITÓRIO AÍ — Lide;

P-M CANADENSE PARA GENTLE: NÃO, QUE É ISSO, OBRIGADO — Lide;

GENTLE PARA P-M CANADENSE: MAS EU INSISTO — Lide;

BLOC QUÉBECOIS PARA P-M CANADENSE: ACEITE ACRÉSCIMO TOXICAMENTE CONVEXO À NOSSA PROVÍNCIA QUE A GENTE SAI DAQUI TÃO RÁPIDO QUE A SUA CABEÇA VAI DAR UM RODOPIO — Lide d'Aquele Cara de Novo.

P-M CANADENSE PARA GENTLE: OLHA, A GENTE JÁ TEM TERRITÓRIO DE SOBRA, DÁ UMA OLHADINHA NUM ATLAS, AMIGO, A GENTE TEM BEM MAIS TERRITÓRIO DO QUE CONSEGUE USAR JÁ, FORA QUE EU TAMBÉM NÃO QUERO SER GROSSEIRO MAS A GENTE ESPECIALMENTE NÃO ESTÁ A FIM DE ACEITAR UM TERRITÓRIO IRREDIMIVELMENTE MACULADO DE VOCÊS, COM OU SEM ESSA RETÓRICA DE INTERDEPENDÊNCIA, SIMPLESMENTE NÃO ROLA — de Novo;

abon CEE DE 26 MEMBROS ACUSA OS EU DE "DOMÍNIO EXPERIALISTA" — Lide; VEGETAIS DO TERCEIRO MUNDO ARREMESSADOS EM IMBRÓGLIO NA ONU — Sublide em corpo 10;

GENTLE PARA P-M: SACA SÓ, MEU, LEVA ESSE TERRITÓRIO OU VOCÊ VAI SE ARREPENDER BONITINHO — Lide;

ANALISTA DE VEGAS: O MAIS AVELUDADO CROONER DA NAÇÃO FOI HOSPITALIZADO DUAS VEZES POR DOENÇA MENTAL — Manchete de Tabloide;

HISTÓRICO PRESIDENCIAL DE "INSTABILIDADE EMOCIONAL" AVENTADO POR MÉDICO DE VEGAS — Manchete Respeitável;

A MINHA HORTA AGORA ESTÁ DANDO UNS TOMATES QUE EU NÃO IA CONSEGUIR ERGUER DO CHÃO NEM QUE DESSE PARA CORTAR AQUELES CAULES COM O MACHETE PARA CONSEGUIR CHEGAR PERTO — Manchete de Tabloide, com Legenda Montpelier, VT, com Foto Que Simplesmente Tem Que Ter Sido Alterada;

COMISS. ELEIT. CONVOCADA PARA INVESTIGAR O PEUL — Lide; "DISTORÇÃO ESTRATÉGICA" DO HISTÓRICO PSICOLÓGICO DE CANDIDATO PÔS NAÇÃO E CONTINENTE EM RISCO, ACUSAM DEMOCRATAS — Supersublide em corpo 12;

ASSISTENTES DE PRIMEIRO ESCALÃO SE REÚNEM DIANTE DO AUMENTO DO RECEIO CAUSADO PELA "PATOLÓGICA INCAPACIDADE DE GENTLE LIDAR COM QUALQUER TIPO REAL OU IMAGINADO DE REJEIÇÃO" EM FACE DO EMBATE COM O CANADÁ — Lidista Dependente de Metanfetamina, Agora no Terceiro Jornal em 17 Meses;

"As comunidades financeira e diplomática reagiram com preocupação crescente a relatos de que o presidente Gentle se isolou numa pequena suíte particular no Hospital Naval de Bethesda com milhares de dólares em equipamento de som e de esterilização e está passando o dia todo cantando tristonhas canções de musicais antigos em tons inadequados para o Coronel dos Fuzileiros Navais que fica parado ao lado do aparelho Dermalatrix de esterilização Hipoespectral e preso por uma algema à Caixa Preta dos códigos nucleares dos Estados Unidos. Porta-vozes do Escritório de Serviços Aleatórios não quiseram comentar as histórias de diretivas executivas erráticas como: a ordem para que o Departamento de Defesa confisque todo o estoque de roupas infantis da linha do Ursinho Puff do gigante das lojas de departamentos administrado pela Searsco sob a Cláusula Emergencial 414 de Segurança Nacional; exigir que efetivos das Forças Armadas pratiquem tiro ao alvo com silhuetas de papelão de animais que lembram bois ou búfalos d'água ou gado longhorn do Texas; preparar o lançamento de um cartucho de Discurso Presidencial à nação que supostamente consiste unicamente do presidente sentado à sua escrivaninha com a cabeça nas luvas entoando 'Para que continuar?' repetidamente; instruir os funcionários dos silos em todas as instalações da Aeronáutica a norte do paralelo 44 a retirar os mísseis dos silos e aí reinseri-los de cabeça para baixo; e determinar a instalação de maciços 'efetuadores de deslocamento de ar' a 28 km ao sul de cada um desses silos, virados para o norte." Texto de Âncora Para Um Cartucho de Resumo Semanal Semicafona e Cheio de Notícias Macabras;

LUCROS "INÉDITOS" DO WHOPPER NO TERCEIRO TRIMESTRE CREDITADOS PELA PILLSBURY/BK À "CRIATIVAMENTE PROATIVA" RESSUSCITAÇÃO DA PUBLICIDADE PÓS-TELEVISIVA PROMOVIDA POR GENTLE — Lide Colorido em corpo 14 na *Ad Week*;

GENTLE PIROU COMPLETAMENTE, ALEGA SEU CONFIDENTE, CHEFE TINE DO ESA, EM COLETIVA: AMEAÇA DETONAR MÍSSEIS EMBORCADOS EM SILOS DOS EU, IRRADIAR O CANADÁ COM AJUDA DE VENTILADORES-MONSTRO DA ATHSCME — Lide; "DISPOSTO A ELIMINAR O PRÓPRIO MAPA SÓ DE BIRRA" SE CANADÁ VETAR TRANSFERÊNCIA RECONFIGURATIVA DE TERRAS "ESTETICAMENTE INACEITÁVEIS" — Sublide Obvissimamente Feito-Sob-Medida.

Esse elemento catastático da trama do filme de bonecos — de que Johnny Gentle, a Voz de Veludo, ameaça bombardear seu próprio país e toxificar os vizinhos num emputecimento insano com a relutância canadense em aceitar a desintegração de posse do imenso lixão de toda a OTAN — ecoa poderosamente nos membros da plateia do filme na ATE que sabem que todo esse quadro paródico pseudo-*ONAN-tiádico* é na verdade uma alusão tipo fantoche-à-clef à lenda negra de um certo Eric Clipperton e à Brigada Clipperton. Nos últimos anos do Tempo Solar, Insubsidiado, esse garoto chamado Eric Clipperton apareceu pela primeira vez como um rapaz desconhecido de dezesseis anos nos torneios regionais da Costa Leste. A caixinha para Cidade-ou-Academia-de-Origem depois do nome de Clipperton nas fichas dos torneios dizia apenas "Ind.". Que queria supostamente dizer "Independente". Ninguém tinha ouvido falar dele nem sabia de onde ele vinha. Ele só tinha meio que surgido infiltrantemente, um tipo de radônio humano, de algum lugar fundo e ignoto, de onde viria a dar ao clichê "Vença ou Morra Tentando" novos níveis grotescamente literais de sentido.

Pois a lenda de Clipperton se originou do fato de que esse tal de Clipperton tinha uma pistola Glock 17 semiautomática horrorosa e imaculadamente limpa que vinha num elegante estojo de madeira clara com alça de couro e letras góticas na tampa e com uma concavidade de veludo em formato de pistola onde a Glock 17 ficava aninhadinha no veludo, reluzindo, com mais um rebaixo retangular para o pente de 17 balas; e de que ele levava o estojo da arma e a Glock 17 para a quadra junto com as toalhas, a garrafa d'água, as raquetes e a sacola do equipamento, e desde a sua primeiríssima aparição nos torneios jr. da Costa Leste ele deixou clara sua intenção de estourar os próprios miolos publicamente, bem ali na quadra, se um dia viesse a perder um único jogo.

E assim veio a surgir, em quase todo torneio com uma chave inicial de 64, um grupo de três meninos, depois quatro, e cinco à altura das semifinais, e depois finalmente de seis meninos que naquele torneio formavam a Brigada Clipperton, jogadores que tinham tido o azar de cair por sorteio na chave de Clipperton e da bem lubrificada Glock 17 de Clipperton, e que compreensivelmente não aceitavam ser o jogador que levaria Clipperton a eliminar o próprio mapa para sempre em público por algo tão comparativamente simplório quanto uma vitória sobre Clipperton no torneio. Uma vitória sobre Clipperton não tinha sentido porque uma *derrota* para Clipperton não tinha sentido e não alterava o ranking regional e da ATEU de ninguém, não depois que os caras do centro de computação da ATEU sacaram o modus operandi de Clipperton. Assim, sair mais cedo de um torneio por causa de uma derrota para Clipperton começou a ser considerado mais ou menos como uma base por bolas no beisebol em termos de estatística; e o menino que se via na Brigada Clipperton e perdia sua rodada tendia a considerar aquele torneio como uma espécie de feriado inesperado, uma chance de descansar e se recuperar, de finalmente pegar um sol no peito e nos tornozelos, de trabalhar nas frestas da armadura do seu jogo, de refletir um pouco sobre o significado daquilo tudo.

A primeira vitória sem-sentido de Clipperton aconteceu com dezesseis anos, como jogador desconhecido, no Hartford Jr. Open, na primeira rodada, contra um certo Ross Reat, de Maddox, OH, e da recém-inaugurada Academia de Tênis Enfield. Por alguma razão é Struck quem meio que se especializa nessa estória e nunca perde uma chance de contar aos novos ATEs a lenda de Clipperton × Reat. Clipperton é um jogador o.k., nada de espetacular mas também não tipo absurdamente deslocado num torneio de nível regional; mas Reat com quinze anos é maduro e bem ranqueado, e é o terceiro cabeça de chave em Hartford; e Reat está, por um certo tempo — como seria a regra para um cabeça de chave numa primeira rodada —, basicamente limpando as unhas com o desconhecido Eric Clipperton. Quando está 1 a 4 no segundo set, Clipperton senta durante a troca de lados e, em vez de se enxugar, enfia a mão na sacola de equipamento, extrai seu elegante estojo de madeira clara e tira a Glock 17. Ele a acaricia. Ele tira o pente, o sopesa e o mete no seu encaixe na base da coronha com um clique arrepiantemente sólido. Ele afaga a têmpora esquerda com o cano curto e brilhante daquela coisa. Todo mundo que está assistindo o jogo concorda que se trata de um instrumento de defesa pessoal dos mais feios e com cara de não estou-para-brincadeira. Clipperton sobe os degraus da cadeira meio salvavídica em que o juiz com seu blazer azul[158] fica sentado e usa o microfone do juiz para tornar pública sua intenção de explodir seus miolos pessoais por toda a quadra com a horrenda Glock, caso perca. O pequeno público de primeira-rodada congela, respira fundo e não exala por um longo tempo. Reat engole em seco audivelmente. Reat é alto, densamente sardento, um bom menino, um dos meninos de ouro de Incandenza, sem muita inteligência, com o Circuito Satélite tão claramente no futuro que com apenas quinze anos já está começando com as vacinas contra cólera e aprendendo taxas de câmbio do Terceiro Mundo. E mas durante o resto da partida (que dura exatamente mais onze games) Clipperton joga tênis com a Glock 17 mantida bem firme contra sua têmpora esquerda. A arma meio que dificulta o toss, no saque de Clipperton, mas Reat está deixando os saques passarem intocados mesmo. Ninguém da equipe da ATE se deu ao trabalho de aparecer e cuidar de Reat no que deveria ter sido uma limpeza-de-unhas-padrão de primeira-rodada, e então Reat está estratégica e emocionalmente sozinho lá fora, e optou por nem fingir que está fazendo força, dado o que o desconhecido Clipperton parece estar disposto a sacrificar por uma vitória. Ross Reat foi o primeiro e último jogador júnior a apertar a mão livre de Clipperton no fim de uma partida, e o momento está registrado numa foto do pessoal do *Hartford Courant* que algum espertinho da ATE depois grudou na porta do quarto de Struck com tanta cola na parte de trás toda que arrancar aquilo ia machucar o verniz, então a coisa fica lá para todo mundo ver no corredor, Reat ali na rede com um joelho no chão, um braço tapando os olhos e a outra mão estendida para cima na direção de um Clipperton que tinha simplesmente obliterado o adversário, psicologicamente. E Ross Reat nunca mais foi exatamente o mesmo depois daquilo, tanto Schtitt quando deLint garantiam a todos os homens potencialmente inclinados à misericórdia na ATE.

E, prossegue a história da lenda, Eric Clipperton nunca perdeu depois daquilo. Ninguém está disposto a ganhar dele e arriscar passar a vida com a imagem do disparo da Glock na consciência. Ninguém jamais sabe de onde Clipperton vem para jogar. Ele nunca é visto em aeroportos ou entradas de vias expressas nem se reabastecendo de carboidratos em algum Denny's entre as partidas. Ele só começa a se materializar, sempre sozinho, em torneios jr. cada vez de nível mais alto, aparece nas fichas com "Ind." ao lado do nome, joga tênis de competição com uma Glock contra a têmpora esquerda;[159] e seus oponentes, sem querer sacrificar o refém de Clipperton (Clipperton *même*), nem se dão ao trabalho, ou então arriscam ângulos e spins impossíveis, ou então falam no celular enquanto jogam ou tentam rebater todas as bolas por entre as pernas ou por trás das costas; e o público das partidas tende a vaiar Clipperton tanto quanto ousa; e Clipperton senta, sopesa seu pente de 17 balas, tira os cartuchos de 9 mm revestidos de metal de vez em quando e bate um contra o outro pensativamente na mão na cadeira da lateral em todas as pausas dos games ímpares, e às vezes tenta umas manobrinhas de rodopios à la pistoleiro de faroeste nas pausas; mas quando o jogo recomeça Clipperton está de novo seriíssimo e com a Glock 17 contra a têmpora, jogando, e vai moendo a descontraída Brigada Clipperton rodada após rodada, e vence o torneio todo pelo que é essencialmente uma impossibilidade física, e aí logo depois de pegar seu troféu ele desaparece como se o próprio chão o tivesse tragado. O seu único amigo mesmo que distante no Circuito jr. é Mario Incandenza, de oito anos, que Clipperton vem a conhecer porque, muito embora Disney Leith e um antigo pró-reitor chamado Cantrell estejam ciceroneando o pessoal do torneio masculino (incluindo um Orin Incandenza sólido mas meio que travado-no-platô-atual e sem muita evolução com dezessete anos), naquele verão, o Diretor da ATE, dr. J. O. Incandenza, aparece em não poucos eventos do circuito doméstico, fazendo sob os supostos auspícios da ATEU um documentário em duas partes sobre o tênis competitivo jr., estresse, luz, e assim Mario anda cambaleando de um lado para o outro com estojos de lentes e tripés Tuffy etc. em quase todos os torneios importantes daquele fim de verão, e conhece Clipperton, e acha Clipperton intrigante e de jeitos que ele não consegue definir muito bem também o acha hilário, e é simpático com ele e passa tempo com ele, Clipperton, ou pelo menos trata Clipperton como se ele *existisse*, enquanto no fim de julho a atitude de todos os outros para com Clipperton parecia aquele tipo de não reconhecimento rigidamente conspícuo que p. ex. acompanha os peidos em ocasiões formais. Um dos pequenos cartuchos--teste de Sipróprio — filmado para avaliar a aberração transversal com vários ângulos solares de incidência, diz a etiquetinha adesiva do estojo — contém a única filmagem de Eric Clipperton[160] — pela preponderância de tabletes de sal, pilhas de cascas de limpa-forno e ambulâncias de Dade County é quase certo que tenha sido rodada na horrenda cãibrolândia do Sunkist Jr. Inv. em agosto em Miami — só uns poucos metros de quadros de Clipperton, de cabeça baixa e ombros caídos numa arquibancada baixa cor de laranja, com ombros ossudos, sem camisa e com o tênis Nike desamarrado, com seu estojo de letras góticas no colo, cotovelos nos joelhos e mãos aracnadas sobre as duas bochechas, olhando para o espaço entre os pés e tentando não sorrir enquanto um Mario adernado e do tamanho de uma criancinha murcha está parado ao seu lado, apoiado na sua trava polícia portátil, segurando um fotômetro e alguma outra coisa halada demais para poder ser distinguível na fita, de boca escancarada para uma risada homodôntica por causa de alguma coisa engraçada que Clipperton aparentemente acabou de soltar.

Hal, tendo fumado cannabis em quatro ocasiões diferentes — duas vezes c/ outros — nesse dia de descanso continental, fora que ele ainda está numa espécie de choque estomacalmente nauseabundo e culpado por causa da debacle do Eskhaton vespertino e da sua incapacidade de intervir ou até de levantar da cadeirinha de piscina, Hal perdeu um pouco do controle e acabou de esconder seu quarto cannoli de chocolate em meia hora, e está sentindo o gume gélido e elétrico de algum tipo de cárie incipiente na área molar esquerda, e também agora como sempre, depois de um desbunde glicosado, se vê afundando, emocionalmente, num tipo de melancolia desconectada. O filme de bonecos lembra tanto o falecido Sipróprio que basicamente a única coisa mais deprimente em que você poderia pensar ou prestar atenção seria a publicidade e as repercussões da Reconfiguração ONANita para a indústria publicitária dos EU. O filme de Mario executa uns cortes rápidos meio metidos demais entre as ereções de fortificações de acrílico e instalações de deslocamento da ATHSCME e da DRE ao longo da nova fronteira dos EU, de um lado, e veladas insinuações do elemento desastroso-interesse-amoroso-de-Rodney-Tine pela voluptuosa boneca que representa a infame e enigmática *femme fatale* québecoise conhecida publicamente apenas como "Luria P____", do outro. A mãozinha marrom de feltro do boneco de Tine está sobre o joelhinho de palito de pirulito voluptuosamente estofado de Luria na famosa Vienna, a churrascaria estilo Sichuan de Virgínia em que, segundo negras lendas, o Tempo Subsidiado foi concebido no verso de um jogo americano vagabundinho de papel com o zodíaco chinês, por R. Tine. Hal por acaso conhece a queda e ascensão da publicidade milenar dos EU excepcionalmente bem, porque uma das duas únicas coisas que ele escreveu na escola sobre assuntos ainda que remotamente cinematográficos[161] foi uma pesquisa gigantesca sobre os destinos entrelaçados da televisão aberta e da Indústria Publicitária Americana. Foi o projeto final, que determinaria a nota, na disciplina anual do sr. U. Ogilvie chamada Introdução aos Estudos do Entretenimento em maio do AF-MP; e Hal, aluno da sétima série e ainda apenas no R do *Oxford Resumido*, escreveu sobre o falecimento da publicidade televisiva com um tom reverente que soava como se os eventos tivessem ocorrido na enevoada distância dos glaciares com sujeitos que usavam pele de animais, e não somente quatro anos antes, mais ou menos se sobrepondo ao nascimento da Era Gentle e da Reconfiguração Experialista de que o teatrinho de bonecos de Mario tira sarro.

Não há dúvida de que a indústria das redes de televisão — ou seja, já que a PBS é farinha de outríssimo saco, as Três Grandes mais a precoce mas pouco resistente Fox — já estava com sérios problemas. Entre a proliferação exponencial de canais a cabo, o surgimento de controles remotos de controle-total-do-espectador conhecidos historicamente como zappers, e dos avanços nos aparelhos de videocassete que empregavam delicados sensores de tom-e-volume-histéricos para editar quase todos os comerciais dos programas que eram gravados (aqui vinha uma digressão bem descontraída sobre as batalhas legais entre as Redes e os Fabricantes de Videocassetes quanto à função Editar a cujo lado o sr. O. desenhou uma grande caveira bocejando, na margem, por impaciência), as Redes estavam com problemas para atrair o tipo de público de que elas precisavam para justificar o preço dos anúncios que a bocarra babujante dos seus orçamentos imensos exigia. O arqui-inimigo das Quatro Grandes eram as mais de 100 redes regionais e nacionais a cabo, que, na extraordinariamente generosa interpretação dos estatutos Sherman por um Dep. de Justiça de tempos pré-milenares limbaughianos, tinham se organizado como uma Associação de Comércio tensa mas poderosa sob o comando de Malone da TCI, Turner da TBS e de uma misteriosa figura albertana proprietária do Canal Vistas-Simuladas-das-Janelas-

422

-de-Casas-Exuberantes-em-Diversos-Locais-Exóticos, do Canal Lareira-de-Natal, da Grade de Programação Educacional a Cabo da CBC, e de quatro das cinco grandes redes de compras-na-TV do *Groupe Vidéotron* do Canadá. Montando uma agressiva campanha tipo corações-e-mentes que ridicularizava a "passividade" de centenas de milhões de espectadores forçados a escolher toda noite entre apenas quatro canais abertos estatisticamente boiolificados, e depois louvava a "escolha ativamente americana" de mais de 500 opções esotéricas a cabo, o Arquiconselho de Disseminadores de Cabo estava atacando as Quatro bem pela raiz ideológica, a matriz psíquica em que os espectadores tinham sido condicionados (condicionados, bem deliciosamente, pelas Quatro Grandes Redes e seus próprios anunciantes, Hal observa) a associar a Liberdade de Escolha e o Direito de Ser Entretido a tudo que era EU e a tudo que era verdade.

A campanha do ACDC, brilhantemente orquestrada pela Viney & Veals de Boston, MA, estava socando o tórax fiscal das Quatro Grandes com seu ubíquo slogan antipassividade *"Não Fique Sentado Esperando Menos"* quando um coup de grâce totalmente não relacionado originalmente com a viabilidade das Redes foi desferido por um empreendimento diferente das mesmas Viney & Veals. A V&V, como a maioria das agências de publicidade dos EU, avidamente passava manteiga em tudo quanto era lado possível do pão quando podia, e começou a tirar vantagem da queda vertiginosa dos preços dos anúncios nas Quatro Grandes para lançar eficientes campanhas de anúncios em Rede para produtos e serviços que anteriormente não teriam conseguido bancar uma proliferação de imagens em escala nacional. Para a obscura e local Nunhagen Aspirin Co., de Framingham, MA, a Viney & Veals conseguiu que a Fundação Nacional de Dor Craniofacial, com sede em Enfield, patrocinasse uma imensa exposição itinerante de pinturas feitas por artistas com debilitantes dores craniofaciais, sobre a dor craniofacial. Os anúncios resultantes da Nunhagen nas Redes eram simplesmente imagens mudas de 30 segundos de alguns quadros, com ASPIRINA NUNHAGEN em tranquilizantes tons pastel-claros no canto esquerdo inferior. As próprias pinturas eram excruciantes, tanto mais porque a HDTV tinha chegado aos consumidores, ao menos no lar classe-bem-alta da família Incandenza. Nos anúncios com pinturas de tipo mais dor-dental Hal não quer nem pensar agora, ainda mais com um fragmento de cannoli enfiado em algum lugar da esquerda-superior em que ele fica procurando o Schacht pela sala para pedir que ele dê uma olhadinha com o espelho angulado. Um que ele consegue lembrar era do rosto regular de um sujeito americano comum classe média, mas com um tornado saindo do globo ocular direito e uma boca no vórtice do tornado, gritando. E esse era dos mais leves.[162] A produção dos anúncios não custava quase nada. As vendas de Aspirina Nunhagen dispararam nacionalmente na mesmíssima medida em que os números da audiência dos anúncios da Nunhagen propriamente ditos iam de baixos a abismais. As pessoas acharam as pinturas tão excruciantes que estavam comprando o produto mas fugindo dos anúncios. Agora era de você pensar que isso não fazia diferença enquanto o produto propriamente dito estivesse vendendo assim tão bem, esse fato de que milhões de espectadores nacionais estivessem zapeando ou surfando para um canal diferente com os controles remotos no exato momento em que um rosto mudo retorcido pintado com um machado na testa aparecia. Mas o que deixava os anúncios da Nunhagen tão meio fatalmente poderosos era que eles também comprometiam os percentuais de audiência dos anúncios que se seguiam a eles e dos programas que englobavam os anúncios, e, pior, eram desastrosos porque eram tão violentamente desagradáveis de ver que despertavam de seu sono espectatorial literalmente milhões de devotos das redes que até aquele momento estavam tão inertes e pacificados que normalmente nem se davam ao trabalho de gastar a energia dos músculos do polegar que era necessária para zapear ou surfar para longe de qualquer coisa na tela, despertaram legiões desses espectadores súbita e violentamente enojados e incomodados para o poder e a efetividade que seus polegares lhes concediam de fato.

A próxima gansa dos ovos de ouro televisiva da Viney & Veals, uma série macabra de anúncios para uma cadeia nacional de clínicas de lipoaspiração sem internamento, reforçou a tendência da v&v para vendas elevadas mas audiências terríveis para os anúncios; e aqui as Quatro Grandes se viram realmente contra a parede, porque — apesar dos críticos, das APMs e de poderosos grupos femininos voltados para distúrbios alimentares estarem denunciando os anúncios da LipoVac por causa das imagens de celulite transbordante e os clipes explícitos de procedimentos cirúrgicos que pareciam uma mistura de demonstrações hiperbólicas de aspirador de pó com autópsias filmadas e programas de culinária preocupados com o colesterol que envolviam um monte de drenagem de gordura de galinha, e muito embora a fuga da audiência dos anúncios da LipoVac estivesse absolutamente estripando os índices de audiência de outros anúncios e dos programas em volta deles — com o sono suarento dos executivos das Redes infectado por vívidas visões em REM de flácidos polegares atrofiados que ganham convulsa vida sobre controles que zapeiam e surfam — apesar dos anúncios serem fatalmente poderosos, os lucros da cadeia LipoVac foram tão obscenamente aumentados pelos anúncios que a LipoVac Iltda. logo pôde bancar somas obscenas por anúncios de 30 segundos nas Redes, obscenas mesmo, somas de que as abatidas Quatro precisavam absurdamente. E assim os anúncios da LipoVac passaram sem parar, e muito dinheiro trocou de mãos, e as audiências gerais das Redes começaram a cair como se tivessem sido perfuradas por alguma coisa rombuda. De uma perspectiva histórica é fácil acusar as corporações das Redes de televisão de serem cúpidas e míopes no que se refere à lipoaspiração explícita; mas Hal defendia, com uma compaixão que o sr. Ogilvie achou surpreendente num menino da sétima série, que é provavelmente difícil ser contido e enxergar longe quando se está lutando para salvar sua vida fiscal contra uma maligna cabala cabal invasiva apoiada pela v&v, dia a dia.

Olhando para trás, no entanto, a medular gota d'água das Quatro Grandes deve ter sido o trio de anúncios concentrados em p&b que a v&v fez para uma minúscula cooperativa de Wisconsin que vendia raspadores de língua por correio pré-pago. Esses anúncios simplesmente ultrapassavam de alguma maneira muito clara um certo

424

limite psicoestético, malgrado o fato de que eles sozinhos criaram toda uma indústria nacional de raspadores de língua e colocaram os Papas da Língua de Fond du Lac na Fortune 500.[163] Estilisticamente reminiscentes daqueles famigerados roteiros de enxaguatório bucal, desodorante e xampu para caspas que apresentavam o encontro casual de um anti-herói com um lindo objeto-de-desejo e que acabavam em nojo e vergonha por causa de alguma deficiência higiênica facilmente corrigível, a arrepiante força emocional dos anúncios dos Papas da Língua podia ser localizada na exagerada hediondez da camada de proporções quase geológicas de material branco--acinzentado que cobria a língua do pedestre fora isso até que bonitinho que aceita o coquete convite de uma guardinha de trânsito para dar uma lambida no sorvete de casquinha que ela acabou de comprar de um vendedor de rua meio avuncular. O lento close-up de uma língua estendida que você tinha que ver para crer, em termos de cobertura branco-acinzentada. A tomada frontal em câmera lenta do rosto da moça desmontando de nojo no que ela recua, com o cone que lhe era devolvido caindo de seus dedos inertes, paralisados pelo nojo. A câmera lenta de pesadelo em que o mortificado pedestre dispara rumo à rua cheia de carros com o braço inteiro tapando a boca, o rosto bondoso do vendedor avuncular agora pleno de ódio e de contorsões enquanto ele lança invectivas higiênicas.

Esses anúncios abalaram o núcleo existencial dos espectadores, aparentemente. Era em parte uma questão pura e simples de gosto: os críticos de anúncios alegaram que os filminhos dos Papas da Língua eram equivalentes a tipo uma pomada para hemorroida que filmasse um exame de próstata ou uma câmera das Fraldas Geriátricas Depend dando uma panorâmica em busca de poças pelo chão de um evento social no salão de uma igreja. Mas o ensaio de Hal localizava o nível em que o público das Quatro Grandes reagiu, aqui, bem mais perto da alma do que a mera falta de gosto pode chegar.

A campanha da v&v para a Papas da Língua era um estudo de caso da escatologia dos apelos emocionais. Ela pairava acima de todos, uma espécie de Überanúncio, projetando uma sombra felpuda sobre todo um século de persuasão televisiva. Ela fazia o que se espera de todo e qualquer anúncio: criar uma angústia aliviável pela compra. Só que fazia isso com mais competência que prudência, dada a psique vulnerável de um público americano cada vez mais consciente em termos higiênicos naquele tempo.

A campanha Papas da Língua teve três consequências principais. A primeira foi aquele ano horroroso de que Hal lembra vagamente quando toda uma nação ficou obcecada pelo estado da sua língua, quando as pessoas tinham tanta dificuldade para sair de casa sem um raspador de língua e um raspador de língua estepe para emergências quanto para deixar de se lavar, escovar e desodorantar. O ano em que as áreas com pias e espelhos dos banheiros públicos eram lugares muito desoladores. O pessoal da cooperativa Papas da Língua trocou seus macacões B'Gosh e ponchos tecidos à mão por Armani e Dior, e aí rapidamente se desintegrou em vários processos na casa dos milhões. Mas àquela altura todo mundo, da Procter & Gamble à Tom's, do

Maine, já tinha lançado seu modelo de raspador, alguns deles com apêndices eletrônicos abarrocados e potencialmente perigosos.

A segunda consequência foi que as Quatro Grandes redes de televisão finalmente caíram do pedestal, de uma vez, fisicamente falando. Numa onda de desestima pública inédita desde os tempos em que os comerciais de Jif faziam estranhos meterem o nariz brilhante no seu pote aberto de manteiga de amendoim, a cabala liderada por Malone-Turner-e-Obscura-Pessoa-Albertana conseguiu que investidores cujos comerciais estavam passando a distâncias de até sete ou oito anúncios para lá ou para cá das aberrações da Papas da Língua saltassem do barco e viessem para a ACDC. Malone e Turner, então, veros anjos da morte da TV aberta dos EU, imediatamente converteram essa recente injeção de capital anuncístico em propostas irrecusáveis pelos direitos de transmissão das Finais da NCAA, do campeonato nacional de basquete, de Wimbledon e do circuito profissional de boliche, momento em que as Quatro Grandes sofreram novas deserções da Schick e da Gillette de um lado e da Miller e da Bud de outro. A Fox começou os procedimentos de falência na segunda-feira, depois dos anúncios-golpe do ACDC, e o Dow despencou na cabeça de G. E., Paramount, Disney etc. Em questão de dias três das Quatro Grandes Redes tinham interrompido as operações de transmissão, e a ABC teve que recorrer a velhas maratonas de "Dias Felizes" de durações tão insuportáveis que começaram a chegar ameaças de bomba tanto contra a Rede quanto contra o coitado do Henry Winkler, agora sem cabelo e viciado em açúcar em La Honda, CA, e considerando seriamente dar uma tentada naquela coisa meio bizarra mas algo esperançosa da LipoVac…

E mas a irônica terceira consequência foi que praticamente todas as grandes agências publicitárias chiques com substanciais contas nas Redes — entre elas a icárica Viney & Veals — afundaram, também, no redemoinho das Quatro Grandes, levando consigo incontáveis companhias produtoras, artistas gráficos, gerentes de contas, técnicos de photoshop, porta-vozes de produtos com suas línguas vermelhas, demógrafos de oclinhos de chifre etc. Os milhões de cidadãos em áreas que por um motivo ou outro não contavam com cabo usaram os videocassetes até eles derreterem, ficaram homicidamente cansados de "Dias Felizes", e aí começaram a se ver com vastos blocos ensandecedores de tempo absolutamente sem-escolha e -entretenimento; e as taxas de criminalidade doméstica, assim como os suicídios propriamente ditos, atingiram ápices em cifras que amortalham consideravelmente o penúltimo ano do milênio.

Mas a consequência dessas consequências — com toda a ironia típica da inventividade ianque que acompanha as legítimas ressurreições — chega quando as ora recombinadas Quatro Grandes, caladas e esquecidas, agora, mas com os bens à-prova--de-credores que lhes sobraram agora sustentando apenas aquelas mentes executivas rapacemente inteligentes que conseguem sobreviver a cortes que geraram apenas o esqueleto do esqueleto de uma equipe de funcionários, erguem-se da pilha de cinzas e mandam um último hurrah coletivo, ironicamente empregando o velho apelo pró-escolha/antipassividade da V&V para obliterar a ACDC que apenas três meses antes obliterara as Quatro Grandes, derrubando Malone da TCI sobre um colchão dourado de indenizações e mandando Turner da TBS para um autoimposto exílio náutico:

Porque é aqui que entra em cena uma certa Noreen Lace-Forché, a milionarete da locação de vídeo educada na USC que nos anos 90 AS tinha levado a cadeia Phoenix Intermission Video do meio do Cinturão do Sol a uma posição nacional em termos de distribuição que perdia apenas para a Blockbuster Entertainment em receita bruta. A mulher que Gates, da Microsoft, chamou de "A Rainha dos Aplicativos Matadores" e Huizenga, da Blockbuster, de "A única mulher de quem eu mesmo tenho medo".

Convencendo os rapaces vestígios esqueletais das Quatro Grandes a consolidarem suas produções, distribuições e recursos financeiros individuais por trás de uma empresa de fachada que ela havia adquirido e deixado à toa desde que tinha antevisto os primeiros sinais do apocalipse televisivo na explosão psicofiscal dos anúncios da Nunhagen — a fachada de um empreendimento de aparência obscura chamado InterLace TelEntretenimento — Lace-Forché na sequência convenceu o mestre publicitário P. Tom Veals — naquela época em luto pelo meio-mortal carpado efetivamente mortal do seu sócio torturado por remorsos na Tobin Bridge, bebendo rumo à pancreatite num apartamento em Beacon Hill — a se rebotar de pé e orquestrar uma profunda insatisfação nacional com a "passividade" envolvida até na espectação via *cabo* por assinatura:

Que diferença faz se as suas "escolhas" são 4, 104 ou 504?, argumentava a campanha de Veals. Porque lá estava você — supondo claro que você pelo menos tivesse disponibilidade de cabo ou uma antena de satélite e pudesse pagar taxas mensais que se mantinham fosse qual fosse a sua "escolha" a cada mês — lá estava você, sentado ali aceitando apenas o que era enviado por decreto do distante ACDC para o seu cantinho de entretenimento. Lá estava você se consolando da sua dependência e passividade com um zapear e surfar metralhadorísticos que estavam começando a gerar suspeitas de que causariam certos tipos bem feios de epilepsia a mais-ou-menos-longo-prazo. A promessa de "empoderamento" da cabala cabal, alegava a campanha, ainda era apenas um convite para você comer de 504 colheres visuais que te faziam ficar ali sentado e abrir bem a boquinha.[164] E aí mas *e se*, era o apelo fundamental da campanha deles, e se, em vez de ficar sentadinho para escolher o menor de 504 males infantiloides, a vox- e o digitus-populi pudessem escolher tornar o entretenimento que entrava na sua casa literal e essencialmente *adulto*? I. e. e se — segundo a InterLace — e se um espectador pudesse mais ou menos *escolher 100% o que está passando num dado momento*? Escolher e alugar, via PC, modem, fibra óptica, a partir de dezenas de milhares de reprises de filmes, documentários, um pouco de esporte, velhos e amados programas não "Dias Felizes", programas novinhos, coisas culturais & c., tudo preparado pelas instalações de produção e pelos cofres gigantes das recém-reformadas Quatro Grandes e embalado e disseminado pela InterLace TelEnt em convenientes pulsos de fibra-óptica que entram direto nos novos disquetes de PC de 4.8-mb que cabem na palma da mão e que a InterLace estava chamando de "cartuchos"? Para assistir bem ali no monitor de alta resolução do seu amigo PC? Ou, se você preferisse e assim escolhesse, conectável a uma boa e velha TV wide screen pré-milenar com no máximo um ou dois coaxiais? Programação autosselecionada, pagável através de qualquer grande cartão de crédito ou de uma conta Interlace especial para baixos-rendimentos, disponível para qualquer um dos 76% dos lares dos EU que contam com um PC, uma linha telefônica e uma linha de crédito? E se, o porta-voz da Veals ruminava em voz alta, e se o(a) espectador(a) pudesse se transformar no seu/sua próprio(a) diretor(a) de programação; e se ele(a) pudesse *definir* a própria felicidade-de-entretenimento que era seu direito perseguir?

O resto, para Hal, é história recente.

Quando não apenas reprises de lançamentos de Hollywood mas não poucas estreias de filmes, fora novos sitcoms, dramas policiais e esportes quase-ao-vivo, fora agora também noticiários noturnos com âncoras de prestígio, meteorologia, arte, saúde e análise financeira estão disponíveis em cartuchos e pulsando direitinho para dentro de cartuchos por toda parte, as fileiras de programadores solventes do próprio ACDC já tinham sido reconduzidas ao velho sistema regional de filme-antigo-e-beisebol-à-tarde de mais tipo os anos 80 AS. As escolhas passivas agora eram magras. O entretenimento de massa dos americanos tornou-se inerentemente proativo, voltado para o consumidor. E como a publicidade agora estava fora da questão televisual — qualquer CPU de um Power-PC de mínima qualidade conseguia editar qualquer coisa mais gritalhona ou insatisfatória na Função Rever que era executada pós-entrega nos disquetes de entretenimento — a produção de cartuchos (o que agora representava tanto a "disseminação espontânea" satelítica de um menu de programação selecionado pelo espectador e a gravação em fábrica de programação em disquetes fechados de 9.6 mb disponíveis a baixo custo e que rodam em qualquer sistema equipado com CD-ROM), sim a produção de cartuchos — conquanto tentacularmente controlada por uma InterLace que tinha patenteado o processo de transmissão digital de imagens em movimento e tinha mais ações do que qualquer uma das cinco Baby Bells envolvidas na rede de transmissão por fibra óptica da InterNet compradas a 17 c. por dólar da GTE depois que a Sprint estrebuchou tentando lançar uma forma de videofonia primitivamente nua sem-máscaras e — tableaux — virou um mercado quase Hobbesianamente livre. Chega da relutância das Redes em tornar um programa divertido demais por medo que os comerciais ficassem diminuídos em comparação. Quanto mais agradável fosse um cartucho, mais pedidos ele recebia dos consumidores; e quanto mais pedidos de dado cartucho, mais a InterLace repassava para fosse lá que empresa produtora o tivesse vendido a eles. Simples. Prazer pessoal e receita bruta pareciam finalmente seguir a mesma curva de demanda, pelo menos enquanto se pensasse em entretenimento doméstico.

E na medida em que o fato da InterLace acabar comprando de uma vez as instalações de produção e encenação das Redes, dois dos grandes conglomerados de computação doméstica, as licenças de tecnologia de ponta para CD-ROM Froxx 2100 do AApps Inc., dos orbitadores e das patentes de equipamentos do sistema de assinatura por cabo da RCA e das patentes digitalmente compatíveis da tecnologia ainda-meio-carinha-demais do monitor de HDTV com realce de cores e circuitos microprocessados com $2^{(\sqrt{\text{área}})!}$ mais linhas de resolução óptica — na medida em que essas aquisições permitiram que a rede de disseminação de cartuchos de Noreen Lace-Forché atingisse a integração vertical e a economia de escala, os preços de recepção de pulsos e de cartuchos caíram sensivelmente;[165] e aí as receitas ainda mais aumentadas que vieram de aumentos subsequentes em volume de pedidos e aluguéis foram prescientemente canalizadas para mais instalações de cabos de fibra óptica da InterMalha, para a compra total de três das cinco Baby Bells com que a InterNet tinha começado, para ofertas extremamente interessantes de descontos em novos PCs com telas de alta definição e placas-mães de visualização de cartuchos com resolução mimética (reconhecivelmente renomeados pelos rapazes da Veals como "Teleputadores" de Reconhecimento ou "TPs") projetados pela InterLace e compatíveis-com-RISCO,[166] para modems exclusivamente devotados ao sistema de fibras e, claro, para entretenimentos de qualidade extremamente alta que os espectadores desejariam escolher livremente ainda mais.[167]

Mas não havia — não havia como haver — anúncios de nenhuma espécie nos pulsos ou nos cartuchos de ROM da InterLace, era o ponto a que a argumentação de Hal ficava tentando retornar. E aí então além de p. ex. um Turner que ficava protestando amargamente no sistema judicial via rádio de ondas curtas instalado em seu iate equatorial, a verdadeira perdedora na mudança do cabo ACDC para a Malha InterLace foi uma indústria publicitária americana que já estava se contorcendo de dor depois da morte das Quatro Grandes Redes. Nenhum mercado significativo parecia estar com muita pressa de surgir para compensar o vedamento do velho jorro televisivo. As agências, reduzidas a células esqueléticas das suas melhores e mais rapaces mentes criativas, andavam loucas atrás de novos pulsos para medir e novos nichos para ocupar. Outdoors surgiram com uma fúria quase micológica ao lado até de vias rurais de acesso. Não havia ônibus, trem, bondinho ou táxi que não estivesse apimponado com reluzentes anúncios. Jatos comerciais por um certo tempo começaram a puxar aqueles lacônicos banners translúcidos normalmente reservados tipo aos Piper Cubs em jogos de futebol americano e a praias de verão. As revistas (já ameaçadas pelos equivalentes em vídeo-HD) ficaram tão cheias daqueles irritantes cartõezinhos de propaganda que caem quando você abre as páginas que as taxas de postagem de Quarta-Classe decolaram, tornando o e-mail ou seus equivalentes em vídeo ainda mais sedutores, em outra espiral viciosa. A outrora alardeada Sickengen, Smith e Lundine de Chicago chegou a ponto de conseguir que a Ford começasse a pintar umas chamadinhas de produtos domésticos nas laterais da sua mais nova linha, uma ideia que se mostrou um fiasco na medida em que consumidores americanos que de camisetas Nike e bonés Marlboro perversamente se recusaram a investir em carros que "se venderam". Em contraste com praticamente todo o resto da indústria, uma certa agência publicitária da Grande Boston aleijada de sócio estava indo tão bem que foi mais movido por tédio e por uma sensação de desafio improvável que P. Tom

Veals aceitou fazer RP para a candidatura marginal de um ex-cantor e magnata do schmaltz que andava por aí balançando um microfoninho e perorando literalmente sobre ruas limpas e uma culpa criativamente relocalizada e sobre a ideia de foguetear o lixo das pessoas para o tolerante gelo do espaço infinito.[168]

30 DE ABRIL / 1º DE MAIO
ANO DA FRALDA GERIÁTRICA DEPEND

Marathe não chegou a dormir, propriamente. Eles tinham ficado algumas horas na saliência. Ele achava meio demais Steeply se recusar até por uns minutinhos a sentar no chão. Se a saia de sua persona subisse e mostrasse a arma, que diferença faria? Estariam lingeries grotescas e humilhantes também envolvidas? A esposa de Marathe estava num coma irreversível havia catorze meses. Marathe conseguia renovar suas forças sem dormir, propriamente. Não era um estado de fuga ou de relaxamento neural, mas um tipo de desconexão. Ele tinha aprendido isso nos meses que se seguiram à perda das pernas diante de um trem EU. Parte de Marathe saía flutuando e pairava em algum ponto logo acima dele, cruzando as pernas, mordiscando a consciência dele como faz um espectador com um saco de pipocas.

Em alguns momentos ali na rocha Steeply ia além de cruzar os braços, quase se abraçando, gelado mas sem vontade de comentar sobre o frio. Marathe percebeu que o gesto de abraçar a si próprio parecia convincentemente feminino e inconsciente. Os preparativos de Steeply para sua missão de retorno ao trabalho de campo tinham sido disciplinados e efetivos. O elemento de completa inengolibilidade de ver M. Steeply como uma jornalista dos EUA — mesmo uma jornalista imensa e com uma cara de dar medo — eram os pés. Eram uns pezões largos e de unhas amarelas, peludos e trollescos, os pés mais feios que Marathe já tinha visto ao sul do paralelo 60° N e os mais feios pés supostamente femininos que ele já vira.

Ambos os homens estavam estranhamente relutantes, de alguma maneira, em abordar o tema dos planos para descer da saliência na escuridão total. Steeply não queria nem perder tempo imaginando como Marathe podia ter subido (ou descido) até ali para começo de conversa, sem contar a possibilidade de um helicóptero, que ventos caprichosos e a proximidade do flanco da montanha tornavam improvável. O dogma lá nos Serviços Aleatórios era que se *Les Assassins des Fauteuils Rollents* tinham um único calcanhar de aquiles, era sua quedinha pelo exibicionismo, por negar espetacularmente qualquer espécie de limitação física etc. Steeply tinha passado por interfaces de campo com Rémy Marathe uma vez numa plataforma de petróleo mal-ajambrada da Louisiana mais de 50 quilômetros mar adentro da baía Caillou, coberta o tempo todo por simpatizantes cajun armados. Marathe sempre disfarçava o tamanho assustador dos seus braços sob uma parca de mangas longas. Suas pálpebras estavam semicerradas toda vez que Steeply se virava para olhar. Se ele (Marathe) fosse um gato, estaria ronronando. Uma mão ficava embaixo do cobertor o tempo todo, Steeply percebeu. O próprio Steeply tinha uma pequena Taurus PT9 grudada com fita adesiva na parte interna e depilada da coxa, que era o principal motivo de ele estar relutante em sentar na pedra do afloramento; a arma estava com a trava de segurança solta.

Sob a vaga luz de estrelas e luar Marathe achava os pés escarpinados do americano de quatro membros atraentemente grotescos, como macios pães EUA processados industrialmente sendo lentamente espremidos e deformados pelas tiras dos sapatos. A carnuda compressão dos dedos nas pontas abertas do sapato, o couro levemente rangente no que ele saltitava no mesmo lugar, se abraçando gelidamente no vestidinho de verão sem mangas, seus braços nus e gordos rubramente enteiados de veias no frio, um braço bizarramente arranhado. A ideia corrente entre as células québecoises anti-ONAN era que havia algo latente e sádico em como o *Bureau des Services Aléatoires* atribuía personae ficcionais a seus agentes de campo — colocando homens como mulheres, mulheres como estivadores ou rabínicos ortodoxos, homens heterossexuais como homens homossexuais, caucasianos como negros ou haitianos e dominicanos caricaturais, sujeitos saudáveis como vítimas de doenças nervosas degenerativas, moças saudáveis como meninos hidrocefálicos ou executivos de relações públicas epiléticos, ativos não deformados das Forças Armadas que eram obrigados não apenas a afetar mas às vezes a chegar mesmo a sofrer uma verdadeira deformação, tudo em nome do realismo de suas personae-de-campo. Steeply, calado, subia e descia desligado sobre as pontas daqueles pés. Os pés também estavam visivelmente desacostumados com os saltos altos das mulheres EUA, pois estavam com cara de maltratados, privados de sangue corrente e abundantemente embolhados, e a unha dos dedos menores estava ficando preta e se preparando, Marathe notou, para no futuro cair.

Mas Marathe sabia também que algo dentro do verdadeiro M. Hugh Steeply não precisava das humilhações de sua absurda persona-de-campo, que quanto mais grotesco e pouco convincente parecesse que ele fosse ficar como persona disfarçada mais alimentadas e atualizadas suas partes mais profundas ficavam durante a preparação para a humilhante tentativa de representação; ele (Steeply) usava a mortificação que sentia como mulher imensa, ou Negro claro, ou besta paralisada de um músico em degeneração como combustível para a realização da missão; Steeply recebia de braços abertos o desaparecimento de sua dignidade e de seu eu no mesmo *rôle* que ofendia sua dignidade e seu eu... a psicomecânica ficava confusa demais para Marathe, que não tinha a capacidade de abstração de seus superiores de AFR, Fortier e Broullîme. Mas ele sabia que era por isso que Steeply era um dos melhores agentes de campo dos *Services Aléatoires*, tendo uma vez passado quase um ano com robes magenta, dormindo três horas por noite e deixando rasparem sua cabeçona, arrancarem seus dentes, batendo um pandeirinho em aeroportos e vendendo flores de plástico nas avenidas para se infiltrar num cartel de importação de hidróxi-3-amino--8-tetralina[169] que usava uma seita como fachada na cidade EUA de Seattle.

Steeply disse "Porque é esse o negócio da AFR, que realmente deixa eles com aqueles faniquitos ululantes, se você está falando de medo e do que temer." Ele falou ou baixo ou não, que Marathe pudesse determinar. O espaço vazio que ambos encaravam ali na rocha sugava toda e qualquer ressonância, fazendo com que cada som soasse autocontido e que cada fala caísse seca e mole e de alguma maneira extraíntima, quase pós-coital. Os sons de coisas ditas sob cobertores, com o inverno soprando contra paredes de troncos. O próprio Steeply parecia assustado, talvez, ou confuso. Ele continuou: "Esse desinteresse, de vocês, parece, por nada que não seja o próprio efeito negativo causado. Só soltar o Entretenimento pra ferir a gente".

"A agressão nua de nós."

Músculos sob as meias das panturrilhas inchavam e recediam no que Steeply balançava. "Os caras da Ciência Comportamental dizem que não conseguem ver nenhum tipo de objetivo político possível no horizonte da AFR. Qualquer coisa que o DuPlessis estivesse fazendo o seu amigo Fortier tentar obter."

"Os *faniquitos* estão querendo dizer medo, confusão, cabelo em pé."

"A FLQ e os Montcalmistas — caralho, até os mais pirados dos ultradireitistas albertanos…"

M. DuPlessis tinha estudado com jesuítas radicais de Edmonton, Marathe refletiu.

"… eles a gente pode começar a entender, enquanto corpos políticos. Com eles a gente pode meio que sacar como lidar."

"A agressão deles está vestida de finalidades, o Bureau de vocês percebe."

O de Steeply agora era um rosto pensativo, em aparente desorientação. "Eles pelo menos têm objetivos. Desejos reais."

"Para eles."

Steeply parecia meditar de maneira convincente. "É como se houvesse um contexto pra coisa toda, aí, com eles. A gente sabe o que o que a gente pensa parece pra eles. Tem meio que um campo de jogo como contexto."

Fazendo com que a cadeira ranja, Marathe mais uma vez rodou dois dedos de uma mão no ar, o que para os quebequenses significa impaciência. "Regras do jogo. Regras do conflito." A outra mão estava com a submetralhadora Sterling UL embaixo do cobertor.

"Mesmo em termos históricos — os bombardeadores dos anos 60, os Separatistas Cucarachos, os Brimos…"

"Que amor. Que termos mais delicados."

"Brimos, colombianos, brasileiros — eles tinham objetivos indiscutíveis."

"Desejos para eles mesmos que vocês podiam entender."

"Mesmo que os objetivos não passassem de coisas que a gente podia arquivar, grudar no quadro na parte de "OBJETIVOS DECLARADOS" — aqueles cucarachos ridículos. Eles queriam algumas coisas. Havia um contexto. Uma bússola pras manobras contra eles."

"Seus guardiães da Segurança Nacional podiam entender esses desejos positivos de interesse neles mesmos. Olhar para eles e 'se identificar' como um diz, pelo menos. Saber onde você está no campo de jogo."

Steeply só concordou com a cabeça, como que para si próprio. "Não era só pura maldade. Nunca teve essa sensação de que tinha alguém que simplesmente assim do meio do nada vinha pra esvaziar os teus pneus sem nenhum motivo."

"Vocês alegam que nós dispersamos nossos recursos deflatando pneus de automóveis?"

"Só um jeito de dizer. Ou por exemplo um assassino serial. Um sádico. Alguém que quer acabar com você só pelo prazer pervertido de acabar com você. Um pervertido."

Bem ao sul, um sistema piscante de luzes tricoloridas descreveu uma espiral sobre o topo pulsante da torre do aeroporto — era um avião que pousava.

Steeply acendeu mais um cigarro na ponta do anterior e aí jogou fora a guimba, espiando por sobre a borda do afloramento para acompanhar sua queda espiralada. Marathe estava olhando acima e à direita. Steeply disse:

"Porque política é uma coisa. Até uma política lá-bem-longe-do-espectro-tradicional é uma coisa. Não parece que o seu amigo Fortier dá muita bola pra reconfiguração, territórios, desintegração de posse, cartografia, tarifas, finlandização, Anschluss ONANita ou deslocamento de lixo tóxico."

"Experialismo."

Steeply disse: "Ou o dito Experialismo. Nem Separatismo. Parece que nada dos objetivos das outras células move vocês. Quase todo mundo no Escritório acha que é só pura maldade com vocês. Nada de objetivos ou histórias".

"E para vocês isto é qualquer coisa de assustador."

Steeply fechou os lábios, como quem tenta soprar alguma coisa deles. "Mas quando existem objetivos e metas políticas delineáveis. Quando tem algum conjunto de fins que a gente pode usar para fazer a maldade fazer sentido. Aí está tudo em casa."

"Nada de pessoas." Marathe olhava para o alto. Algumas estrelas pareciam tremeluzir, outras queimavam com mais estabilidade.

"A gente sabe que lado fica pra cima quando está tudo em casa. A gente tem um campo e uma bússola." Ele olhava para Marathe diretamente de um jeito que não era acusativo. "Parece uma coisa pessoal", ele disse.

Marathe não conseguia pensar em descrições para o jeito com que Steeply olhava para ele. Não era triste nem interrogativo nem bem meditativo. Havia leves centelhas de uma fogueira celebratória lá bem longe no chão do deserto. Marathe não conseguia determinar se Steeply estava realmente revelando emoções próprias. As centelhas continuamente se apagavam. Finos fiapos de riso jovem vogavam até onde eles estavam pelo vácuo silêncio. Havia às vezes sussurros na parca vegetação da encosta, de pedrisco ou de pequenas coisas vivas e noturnas. Ou se talvez Steeply estava tentando lhe dar alguma coisa, passar alguma informação para ele e determinar se ela chegava até M. Fortier. O acordo de Marathe com o Escritório de Serviços Aleatórios parecia na maioria das vezes consistir numa submissão contínua a diversos testes e joguinhos de verdade e traição. Ele se sentia muitas vezes com o ESAEU como um roedor enjaulado observado desinteressadamente por sujeitos desinteressados de jalecos brancos.

Marathe deu de ombros. "EUA já foi odiado antes. Ricamente. Caminho Iluminado e companhia Maxwell House. Os cartéis translatinos de cocaína e o coitado do falecido M. Kemp com sua casa que explodiu. Não é verdade que tanto Iraque quanto Irã chamam EUA de Satã Muito Grande? Como vocês dizem odiosamente que eles são todos Primos?"

Steeply exumou fumaça rapidamente para responder. "Sim mas ainda assim eram contextos e finalidades. Receita, religião, esferas de influência, Israel, petróleo, neomarxismo, disputas de poder pós-Guerra-Fria. Sempre tinha uma terceira coisa."

"Algum desejo."

"Algo em jogo. Alguma terceira coisa entre eles e nós — não era só *nós*, era alguma coisa que eles queriam de nós, de onde eles queriam que a gente saísse." Steeply parecia estar falando com franqueza. "A terceira coisa, o objetivo ou desejo — ela mediava a má vontade, fazia ela se abstrair de alguma maneira."

"Pois é assim que alguém que é sadio procede", Marathe disse, prestando grande concentração para alinhar as bordas do cobertor contra o peito e as rodas; "algum desejo de eu mesmo, e esforços feitos para atender a esse desejo."

"Não é só querer via negativa", Steeply disse, sacudindo a cabeça bizarra. "Não é só querer o mal de alguém sem um propósito."

Marathe novamente se viu fingindo fungar constipado. "E um propósito EUA, desejos?" Isso ele perguntou baixinho; seu som era estranho contra a pedra.

Steeply estava beliscando ainda uma nova partícula de tabaco do batom. Ele disse: "Isso você não pode generalizar pra muita gente entre nós, já que todo o nosso sistema se baseia na liberdade do indivíduo de perseguir seus desejos individuais". O rímel dele agora tinha esfriado nas formações de seu escorrimento anterior. Marathe ficou em silêncio mexendo no cobertor enquanto Steeply às vezes olhava para ele. Um minuto todo se passou assim. Finalmente Steeply disse:

"Eu, para mim pessoalmente, como americano, Rémy, no fundo mesmo, eu acho que provavelmente são aqueles velhos sonhos americanos básicos e ideais de sempre. Liberdade da tirania, da carestia excessiva, do medo, da censura da expressão e do pensamento." Ele estava olhando com seriedade, mesmo de peruca. "Aqueles velhões, testados pelo tempo. Relativa abundância, trabalho significativo, tempo adequado de lazer. Aqueles que você pode chamar de sentimentais." Seu sorriso revelou a Marathe batom num incisivo. "Nós queremos escolha. Uma sensação de eficácia e de escolha. Sermos amados por alguém. Amar livremente quem você acabe amando. Sermos amados a desrespeito de você poder contar coisas Secretas sobre o seu trabalho para a pessoa. Ter a confiança dessa pessoa e a confiança dela de que você sabe o que está fazendo. Se sentir valorizado. Não ser desprezado desobjetivadamente. Ter boas relações com os vizinhos. Energia barata e abundante. Orgulho do trabalho, da família e do lar." O batom tinha sido esfregado no dente quando o dedo removeu o grão de tabaco. Ele estava *"prennant vélocité*":[170] "As pequenas coisas. Acesso a transporte. Boa digestão. Aparelhos que economizem trabalho. Uma esposa que não confunda as exigências do seu emprego com fetiches seus. Remoção e manejo confiáveis dos resíduos. Pôr do sol sobre o Pacífico. Sapatos que não prendam a circulação. Frozen yogurt. Um copão de limonada numa balança que não range na varanda".

O rosto de Marathe, ele não mostrava nada. "A lealdade de um animal doméstico."

"Steeply apontou com o cigarro. "É isso aí, camarada."

"Entretenimento de alto nível. Uma boa relação custo-benefício no dinheiro pago por lazer e espectação."

Steeply riu satisfeito, exalando uma salsicha roliça de fumaça. Em reação a isso, Marathe sorriu. Houve um certo silêncio para pensamento até que Marathe finalmente disse, olhando para cima e para longe para pensar: "Esse tipo EUA de pessoa e de desejo me parece quase o clássico, como dizer, *utilitaire*."

"Um aparelho francês?"

"Comme on dit", Marathe disse, "*utilitarienne*. Maximizar o prazer, minimizar o desprazer: resultado: o que é bom. Isso é os EUA de vocês."

Steeply pronunciou a palavra do inglês dos EUA para Marathe, então. Aí uma pausa prolongada. Steeply se erguia e caía nos dedos dos pés. Uma fogueira de jovens estava ardendo a quilômetros de distância lá no chão do deserto, com as chamas ardendo em aparente anel em vez de esfera.

Marathe disse: "Mas sim, mas precisamente prazer e dor de quem, nessa equação do que é bom desse tipo de personalidade?".

Quando Steeply removia uma partícula de cigarro do lábio ele então ficava rolando a partícula distraído entre o primeiro dedo e o polegar; isso não parecia feminil. "Como é que é?"

Marathe coçou por dentro da parca. "Eu estou aqui pensando, eu, nas equações desse tipo EUA: o maior bem é o máximo de prazer de cada pessoa individual EUA? ou será o máximo de prazer para todas as pessoas?"

Steeply aquiescia com a cabeça de um jeito que indicava paciência voluntária para com alguém cuja inteligência não era das mais rápidas. "Mas olha só, mas essa própria pergunta já mostra como os nossos tipos diferentes de caráteres nacionais se separam, Rémy. O gênio americano, a nossa boa fortuna é que em algum ponto da trajetória lá da história americana eles perceberam que cada americano tentando perseguir o seu bem maior resulta no final na maximização do bem de *todos*."

"Ah."

"A gente aprende isso na escolinha, bem pequenos."

"Eu estou vendo."

"É isso que permite que a gente evite a opressão e a tirania. Até aquela tirania tipo malta-enfurecida da democracia grega. Os Estados Unidos: uma comunidade de indivíduos sagrados que reverencia a sacralidade da escolha individual. O direito do indivíduo de perseguir sua própria visão da melhor relação entre prazer e dor: totalmente sacrossanto. Defendido com unhas e dentes pontudos por toda a nossa história."

"Bien sûr."

Steeply pela primeira vez parecia estar sentindo com a mão a desordem da peruca. Tentava reposicioná-la reta sem tirar a peruca. Marathe tentou não imaginar o que o seu ESA tinha feito com o cabelo castanho masculino natural de Steeply, para acomodar a complexa peruca. Steeply disse: "Pode ser difícil pra vocês entenderem direitinho o que é que isso tem de tão precioso pra nós, olhando aí do outro lado desse abismo de valores diferentes que separa os nossos povos".

Marathe estava abrindo e fechando a mão. "Talvez porque é tão geral e abstrato. Na prática, contudo, você pode me forçar a entender."

"A gente não força. É exatamente uma questão de *não* forçar, o gênio da nossa história. Vocês têm direito aos valores de vocês de prazer máximo. Enquanto você não foder com os meus. Você está entendendo?"

"Talvez me ajude a entender por dados práticos. Um exemplo. Suponha que você pode num momento aumentar seu prazer próprio, mas que o custo disso é a desprazerosa dor de outrem? A desprazerosa dor de outro sagrado indivíduo."

Steeply disse: "Bom mas é bem isso que deixa a gente com faniquitos por causa da AFR, por isso que é tão importante eu acho lembrar o quanto a gente vem de culturas e sistemas de valores diferentes, Rémy. Porque no nosso sistema de valores dos EU, qualquer pessoa que obtenha um aumento de prazer da dor de outra pessoa é um pervertido, um sádico doente, e fica portanto excluído da comunidade do direito de todos de perseguir a sua melhor relação de prazer-e-dor. Esses doentes merecem compaixão e o melhor tratamento exequível. Mas eles não são parte do quadro mais amplo".

Marathe se conteve para não se erguer nos cotos de novo. "Não, mas não a dor de outrem como fim prazeroso em si. Eu não quis dizer onde meu prazer está em tua dor. Como dizer melhor. Imagine que surge uma situação em que tua privação ou dor é meramente a consequência, o preço, de meu próprio prazer."

"Você quer dizer que você está falando de uma situação de escolhas-difíceis, tipo de recursos ilimitados."

"Mas nos exemplos mais simples. O caso mais pueril." Os olhos de Marathe momentaneamente brilharam de entusiasmo. "Suponha que eu e você, nós dois queremos tomar uma boa tigela quente da *soupe aux pois* Habitant."

Steeply disse: "Você quer dizer…".

"Mas sim. Sopa de ervilha de tipo canadense-francês. *Produit de Montréal. Saveur Maison. Prête à Servir*".[171]

"Mas *qualé* a de vocês com esse negócio?"

"Nesse caso imaginar que tanto você quanto eu estamos muito desejantes dessa sopa Habitant. Mas só que há uma lata, do tipo pequeno e bem conhecido chamado Porção-Individual."

"Uma invenção americana, diga-se de passagem, a porção individual, só pra acrescentar aqui."

A parte da mente de Marathe que pairava no alto e observava friamente, ela não sabia dizer se Steeply estava sendo deliberadamente parodicamente burro e irritante,

436

para levar Marathe a algum furor revelador. Marathe fez seu gesto rotatório de impaciência, lentamente. "Mas o.k.", ele disse neutramente. "Simplesmente está lá. Nós dois queremos a sopa. Então eu, meu prazer de comer a *soupe aux pois* Habitant tem o preço de tua dor de não comer sopa quando você deseja muito." Marathe estava tateando os bolsos em busca de alguma coisa. "E o contrário, se é você quem come a porção. Pelo gênio EUA de para cada um *"poursuivre le bonheur"*,[172] então, quem pode decidir quem vai receber esta sopa?"

Steeply ficou parado com o peso do corpo numa só perna. "O exemplo é meio simplificado demais. A gente dá lances pela sopa, quem sabe. A gente negocia. De repente a gente divide a sopa."

"Não, pois o engenhoso tamanho-Porção-Individual da porção é notoriamente só para uma pessoa, e nós dois somos indivíduos EUA grandes e vigorosos que passaram a tarde vendo homens imensos com roupas acolchoadas e capacetes se jogarem uns em cima dos outros na Alta Definição da InterLace, e nós dois estamos famintos pela saciação de uma porção completa quentinha. Meia porção só ia atormentar esse desejo que eu tenho."

A sombra veloz de dor pelo rosto de Steeply mostrou a Marathe que a escolha do exemplo tinha sido inteligente: o homem EUA divorciado tem muita experiência com o tamanho pequeno dos produtos em Porção-Individual. Marathe disse:

"O.k. O.k., sim, porque deveria eu, como o indivíduo sagrado, dar metade de minha sopa? Meu *próprio* prazer acima do tormento é o que é bom, pois eu sou um leal EUA, um gênio desse desejo individual."

A fogueira lentamente estava ganhando corpo. Outra cruz de luzes coloridas circulou a área aeroportuária de Tucson. Os movimentos de Steeply para alisar a peruca e torcer os dedos por entre os emaranhamentos de cabelo ficavam talvez mais abruptos e frustrados. Steeply disse: "Bom mas a sopa é legalmente de quem? Quem foi que comprou a sopa?".

Marathe deu de ombros. "Não é relevante para a minha pergunta. Suponha que um terceiro, ora infelizmente falecido. Ele aparece em nosso apartamento com uma lata de *soupe aux pois* para comer enquanto assistimos esportes EUA gravados e de repente está apertando o coração e cai no tapetamento falecido, segurando a sopa de que nós dois agora estamos tão desejantes."

"Aí nós damos lances pela sopa. Quem tiver o maior desejo pela sopa e estiver disposto a pagar o preço mais alto compra a metade do outro, aí o outro simplesmente salta fora — salta ou dá uma corridinha até um Safeway e compra mais sopa. Quem estiver disposto a pôr dinheiro pra acabar com a fome fica com a sopa do defunto."

Marathe sacudia a cabeça sem nenhum calor. "A loja Safeway e o leilão, esses também não são relevantes para minha pergunta que eu espero que o exemplo da sopa de ervilha levante. Que talvez seja uma pergunta boba."

Steeply estava com as mãos na peruca, para ajeitar. Ex-perspiração tinha achatado seu formato de um lado, bem como pequenas sujeiras e pequenos matinhos da queda em sua descida para o afloramento. Tudo indicava que não havia pentes ou escovas em sua pequena bolsa de vestido de noite. A parte de trás do vestido estava suja. As alças do sutiã da sua prótese estavam cruelmente cravadas na carne das costas e dos ombros dele. De novo lá estava para Marathe o retrato de algo macio sendo espremido.

Steeply estava respondendo: "Não, eu sei muito bem o que você quer levantar. Você quer falar de política. Escassez, alocações e escolhas difíceis. Tudo bem. Política a gente pode discutir. Eu aposto que eu sei onde você está nessa — você quer levantar a questão de qual seria a impossibilidade para que 310 milhões de perseguidores individuais americanos da felicidade saíssem todos por aí sentando a borduna na cabeça alheia e pegando um a sopa do outro. O estado de natureza. O meu próprio prazer e que tudo o mais vá pro inferno".

Marathe estava com o lenço na mão. "O que isso deseja dizer, isso de *borduna*?"

"Porque esse exemplo simplístico mostra simplesmente o quanto estão distantes os valores dos nossos povos de cada lado desse abismo, amigão." Steeply estava dizendo isso. "Porque uma certa quantidade básica de respeito pelos desejos das outras pessoas é necessária, é em meu benefício, pra poder preservar uma comunidade em que os meus próprios desejos e interesses são respeitados. O.k.? A minha felicidade total final é maximizada quando eu respeito a sua santidade individual e não saio simplesmente chutando o seu joelho e correndo com a sopa." Steeply olhou Marathe assoar uma narina no lenço. Marathe era um dos tipos raros que não examinavam o lenço depois de assoar. Steeply disse:

"E mas aí eu já posso prever alguém aí do seu lado do abismo retorquindo com alguma coisa tipo, abre aspas, Sim meu bom *ami*, mas e se o seu rival pela sopa prazerosa é algum indivíduo *fora* da tua comunidade, por exemplo, vocês vão dizer, vamos só imaginar que ele seja um desafortunado canadense, estrangeiro, "*un autre*", separado de mim por um abismo de história, língua, valores e profundo respeito pela liberdade individual — aí nesse exemplo completamente ao acaso não haveria constrições de tipo comunitário para o meu impulso natural de sentar a borduna na sua cabeça e tomar posse da desejada sopa, já que o coitadinho do canadense está fora da equação de "*poursuivre le bonheur*" de cada indivíduo, já que ele não é parte da comunidade de cujo ambiente de respeito mútuo eu dependo para a minha busca do meu interesse de máxima relação prazer-dor."

Marathe, durante esse tempo, estava sorrindo para o alto e para a esquerda, norte, mexendo a cabeça como um cego. O lugar favorito pessoal dele de folga--de-trabalho na cidade EUA de Boston era o Passeio Público do verão, um declive amplo e desarvorado que levava para o *lac des canards*, o lago dos patos, um triângulo gramado que dá para o sul e o oeste de modo que a grama da encosta vai ficando de um verde-claro e depois dourada quando o sol circula sobre a cabeça, a água do lago fresca e lamacenta-verde e toldada de salgueiros impressionistas, pessoas além dos salgueiros, também pombos, e patos com rijas cabeças esmeralda deslizando em círculos, com olhos de pedras redondas, movendo-se como sem esforço, deslizando pela água como se despernados por baixo. Como idílios cinematográficos em cidades no momento anterior ao estrondo nuclear, em filmes antigos de morte e horror EUA.

Ele estava perdendo dessa vez em Boston, MA, dos EUA o reenchimento do lago para a volta dos patos, os salgueiros verdejando, a luz de vinho de um crepúsculo do norte que se curva doce para aterrissar sem explosão. Crianças empinavam pipas esticadas e adultos se estendiam supinos na encosta absorvendo o bronzeamento, olhos fechados como que em concentração. Ele estava dando um sorrisinho contido e desolado, como de fadiga. O relógio de seu pulso estava iniluminado. Steeply arremessou uma guimba sem se desviar de Marathe para vê-la cair.

"E você vai me acusar de você vai dizer que não só eu vou meter um dedo no olho dele e tomar posse da porção toda da sopa para mim", Steeply disse, "mas vou, depois de comer, eu vou dar a tigela suja, a colher e talvez até a lata Habitant reciclável pra ele ter que lidar com tudo, vou entupir o cara dos resíduos da minha cobiça, tudo sob algum acordo fajuto de aspas Interdependência que na verdade é só um esquema nacionalista tosco pra eu me permitir a minha própria orgia prazerosa EUA individual sem as complicações ou as encheções de saco de considerar os desejos e os interesses de algum vizinho."

Marathe disse "Você vai perceber que eu não com sarcasmo digo: 'E láááá vamos nós nessa de novo', que você gosta de dizer."

O uso que Steeply fazia do corpo para proteger o fósforo aceso não era feminino também. Sua paródia do sotaque de Marathe soava gutural e cajun-EUA com o cigarro na boca. Ele olhava além da chama. "Mas não? Estou muito errado?"

Marathe tinha um jeito quase budista de ficar examinando o cobertor que tinha no colo. Por alguns segundos ele agiu como se quase adormecido, oscilando muito lento com a ascensão e a queda dos pulmões. Os ponderosos retângulos de luz se-movente dentro da noturna extensão de Tucson eram "Barcas de Terra" fornecendo matéria para ninhos de lixeiras nas partes mais fundas da noite. Partes de Marathe sempre sentiam quase um desejo de matar pessoas que antecipavam suas respostas, inseriam palavras e diziam que elas eram de Marathe, sem deixar ele falar. Marathe suspeitava que Steeply sabia disso, sentindo isso em Marathe. Todos os dois irmãos mais velhos de Marathe desde a infância se dedicaram a isso, discutindo por ambos os lados e silenciando Rémy ao inserir suas palavras. Ambos tinham beijado o rosto de trens antes de chegar a uma idade em que poderiam casar;[173] Marathe esteve na plateia da morte do melhor deles. Parte dos detritos das Barcas de Terra seria vetorializada para a região de Sonora do México, mas muito seria embarcado rumo norte para o lançamento de deslocamento para o Reconvexo. Steeply estava olhando para ele.

"Não, Rémy? Eu estou muito errado em termos do que você diria?"

O sorriso em torno da boca de Marathe lhe custou todo seu treinamento de contenção. "As latas com a Habitant, elas dizem expressamente 'Veuillez Recycler Ce Contenant'. Você não está falso, talvez. Mas eu acho que estou perguntando menos de nações brigando e mais pelo exemplo de você e eu só, nós dois, se nós fingimos que somos ambos de seu tipo EUA, cada um separado, ambos sagrados, ambos desejantes de soupe aux pois. Eu estou perguntando como é a comunidade e seu respeito parte de minha felicidade nesse momento, com a sopa, se eu sou uma pessoa EUA?"

Steeply passou um dedo por baixo da alça do sutiã para aliviar a pressão espremente. "Eu não estou entendendo."

"Bom. Nós dois desejamos muito toda inteira a lata reciclável de Porção-Individual dessa lata de Habitant." Marathe fungou. "Em minha cabeça eu sei que é verdade que não posso simplesmente fazer uma bordunagem de tua cabeça e levar a sopa embora, porque minha felicidade geral de prazer do longo prazo precisa de uma comunidade de *"pas de bordunance"*.[174] Mas isso é o longo prazo, Steeply. Isso é lá na frente para minha felicidade, esse respeito de você. Como eu calculo esse local distante de longo prazo em minha ação deste momento, agora, com nosso camarada morto agarrado à sopa e todos nós dois com baba no queixo enquanto olhamos para a sopa? Minha pergunta está tentando dizer: se o máximo de prazer agora, *en ce moment*, está na porção inteira de Habitant, como pode meu eu abandonar o desejo desse momento de bordunar você e pegar essa sopa? Como eu sou capaz de pensar além da sopa para o futuro de sopas no meu prazo?"

"Em outras palavras satisfação postergada."

"Bom. Isso é bom. Satisfação postergada. Como pode meu tipo EUA conseguir em minha mente calcular meu prazer geral de longo prazo e aí decidir sacrificar esse intenso desejo de sopa desse momento em nome do longo prazo e do geral?"

Steeply soltou duas presas firmes de fumaça pelas narinas do nariz. Sua expressão era de paciência junto com polida impaciência. "Eu acho que o nome disso é simplesmente ser um americano adulto e maduro em vez de ser um americano imaturo e infantiloide. Um termo que a gente podia usar aqui podia ser 'interesse próprio esclarecido'."

"*D'éclaisant.*"

Steeply, ele não devolveu o sorriso. "Esclarecido. Por exemplo o seu exemplo de antes. O menininho que vai comer doce o dia inteiro porque é o que é mais gostoso em cada momento individual."

"Mesmo que ele saiba dentro de sua mente que aquilo vai machucar o estômago e apodrecer suas presinhas."

"Dentes", Steeply corrigiu. "Mas veja que aqui não pode ser uma coisa fascista de gritar com o menino ou de lhe sapecar uns choques elétricos toda vez que ele se refestela com os doces. Você não consegue induzir uma sensibilidade moral do mesmo jeito que treina um rato. O menino tem que aprender com sua própria experiência a aprender a equilibrar a busca de curto e de longo prazo do que ele deseja."

"Ele deve ser *livremente* esclarecido para si próprio."

"Esse é o cerne do sistema educacional que você acha tão monstruoso. Não ensinar o que desejar. Ensinar a ser livre. Ensinar a fazer escolhas bem informadas sobre prazer e postergação e os interesses máximos distantes do garoto."

Marathe peidou delicadamente na almofada, aquiescendo como quem está pensando.

"E eu sei o que você vai dizer", Steeply disse, "e não, o sistema não é perfeito.

440

Existe cobiça, existe crime, existem drogas, crueldade, ruína, infidelidade, divórcio, suicídio. Assassinato."

"Bordunar cabeças."

Steeply mais uma vez meteu o dedo na alça. Ele abria o fecho da bolsa, aí se detinha para mover a alça justa do sutiã, aí remexia na bolsa, que soava femininamente cheia e bagunçada. Ele disse: "Mas isso é só o preço. É o preço da busca livre. Nem todo mundo aprende na infância a equilibrar seus interesses".

Marathe tentou imaginar homens magros com óculos de aros de chifre e blazers esporte com ombros naturais ou jalecos brancos do laboratório, cuidadosamente enchendo de bagunças a bolsa de um agente-de-campo para criar o efeito feminino. Agora Steeply estava com seu maço de cigarros Flamengos e com o dedo minguinho no buraco do maço, evidentemente tentando avaliar quantos restavam. Vênus estava baixo na borda nordeste. Quando a esposa de Marathe nasceu como bebê sem crânio, primeiro houve a suspeita de que a causa seria que os pais dela fumavam cigarros como de hábito. A luz das estrelas e a da lua tinham se tornado taciturnas. A lua ainda não tinha se posto. Parecia como se às vezes a fogueira da juvenil celebração estava lá e aí quando os olhos se desviavam no momento seguinte não estava lá. O tempo passava silente. Steeply estava usando uma unha para extrair lentamente um dos cigarros. Marathe, quando criança, pequeno e com pernas, sempre desgostou das pessoas que faziam comentários sobre os outros fumarem. Steeply agora tinha aprendido exatamente como ficar para manter o fósforo vivo. Um pouco do vento havia morrido, mas vinham esparsas rajadas geladas que aparentemente surgiam do nada. Marathe fungou tão fundo que aquilo virou suspiro. O fósforo riscado soou alto; não houve eco.

Marathe fungou de novo e disse:

"Mas esses tipos de suas pessoas — os tipos diferentes, o maduro que vê o prazo, o tipo pueril que come doce e sopa só no momento. *Entre nous*, aqui nesta pedra, Hugh Steeply: qual deles você acha que descreve os EUA da ONAN e do Grande Reconvexo, esses EUA que você sente dor porque outros querem ferir?" Mãos que apagam fósforos agem sempre como se tivessem se queimado, esse gesto brusco. Marathe fungou. "Você está entendendo? Eu estou perguntando só cá entre nós. Como seria possível que a maldade da AFR conseguisse ferir toda a cultura EUA tornando disponível algo tão passageiro e livre como a escolha de ver apenas este único Entretenimento? Você sabe que não se pode forçar alguém a assistir uma coisa. Se nós disseminarmos o *samizdat*, a escolha vai ser livre, não? Livre de constrições, não? Sim? Escolhida livremente?"

M. Hugh Steeply do ESA estava então parado com o peso num lado do quadril e com sua aparência mais feminil quando fumava, com o cotovelo no braço e a mão na boca, o dorso da mão virado para Marathe, um tipo de tédio atarantado que fazia Marathe lembrar de mulheres com chapéu e ombreiras em filmes em preto e branco, fumando. Marathe disse:

"Você acha que nós estamos subestimando ao ver vocês todos como egoístas e decadentes. Mas a questão foi levantada: será que nós células do Canadá achamos isso sozinhas? Você não tem medo, você com seu governo e seus gendarmes? Se não, seu ESA, por que fazer tanta força para evitar a disseminação? Por que fazer de um simples entretenimento, por mais que sejam sedutores seus prazeres, um *samizdat* e proibido em primeiro lugar, se vocês não temem que tantos EUAs não consigam fazer as escolhas esclarecidas?"

Isso agora era o mais perto que o corpulento Steeply tinha chegado de ficar sobre Marathe para olhar do alto, acima dele. O ascendente corpo astral vênus iluminava seu lado esquerdo do rosto até a cor de um queijo pálido. "Caia na real. O Entretenimento não é docinho ou cerveja. Dê uma olhada em Boston neste exato momento. Você não pode comparar esse tipo de processo insidioso de escravização com esses casos bobinhos de açúcar e de sopa."

Marathe sorria gelidamente para a carne chiaroscura daquele rosto EUA redondo e glabro. "Talvez os fatos sejam verdades, depois da primeira vez que você assiste: aí então parece que não há escolha. Mas decidir ser tão prazerosamente entretido para começo de conversa. Isso ainda é uma escolha, não? Sagrada para o eu espectante, e livre? Não? Sim?"

Durante aquele último ano pré-subsídio, depois da perfunctória final de cada torneio, na pequena entrega de prêmios com baile pós-final, Eric Clipperton comparecia desarmado e comia talvez umas fatias de peru no bufê e resmungava alguma coisa pelo canto daquela boca-risco para Mario Incandenza, e ficava ali inexpressivo, recebia seu exagerado troféu de primeiro lugar entre aplausos murchamente breves e esparsos, e derretia na multidão logo depois, se desmaterializava para sabe-se lá onde morava, e treinava e praticava a mira. Clipperton a essa altura devia ter uma lareira e mais uma estante cheias de troféus grandes da ATEU, sendo cada troféu da ATEU composto de uma base de plástico marmorizado com um menino alto de metal em cima arqueado a meio-saque, mais parecendo um noivo de bolo de casamento com um belo serviço com efeito. Clipperton devia estar entupido de latão e plástico, mas ele simplesmente não tinha nenhum ranqueamento: como a Glock 9 mm e as suas intenções públicas ficaram instantaneamente lendárias, a ATEU considerava que ele nunca teve uma vitória legítima, nem mesmo uma partida legítima, em jogos oficiais. Às vezes alguém do Circuito jr. perguntava a Mario se era por isso que Eric Clipperton estava sempre com uma cara tão pavorosamente triste e recolhida e fazia tanta questão de se materializar e desmaterializar nos torneios, isso da própria tática que lhe dava as vitórias para começo de conversa impedir que as vitórias, e de certa maneira o próprio Clipperton, fossem tratadas como reais.

Tudo isso até a ereção da ONAN e a adoção, no décimo oitavo verão de Clipperton, do Tempo Subsidiado, o anunciado Ano do Whopper, quando a ATEU virou ATONAN e algum analista de sistemas mexicano — que mal falava inglês, nunca tinha nem alisado uma bolinha e entendia de exatamente lhufas além de mexer

442

com dados crus — esse cara de repente era o gerente do centro de computação e ranqueamento da ATONAN em Forest Lawn, NNY, e não viu motivos para não tratar a enfiada de seis vitórias em grandes torneios jr. de Clipperton naquela primavera como oficiais e reais. E quando a primeira edição do trilíngue *North American Junior Tennis* que substituiu o *American Junior Tennis* chega ao mercado lá está um certo E. R. Clipperton, Proveniência "Ind.", no nº 1 do ranking Continental Masculino Sub--18; e sobrancelhas esportivas ascenderam em todas as latitudes; e mas todo mundo da ATE, de Schtitt para baixo, acha engraçadíssimo, e alguns deles ficam pensando se de repente agora Eric Clipperton vai despir aquela couraça psíquica e correr riscos competitivos desarmados com o resto dos meninos, agora que recebeu o que seguramente era seu desejo ardente e o levou a se manter como refém por tanto tempo, um nº 1 real e oficial; e a temporada de saibro do Jr. Continental está chegando na semana seguinte, em Indianápolis, IN, e o pequeno Michael Pemulis de Allston pega o seu PowerBook e o seu software estatístico e ganha uma grana com as apostas no frenesi dos debates de vestiário para saber se Clipperton vai se dar ao trabalho de se materializar em Indy agora que sua extorsão lhe rendeu o topo oficial da tabela que ele deve ter querido com tanta vontade, ou se ele vai se aposentar do Circuito agora e ficar deitado se masturbando com a Glock numa mão e a última edição do *NAJT* na outra.[175] E aí todo mundo fica surpreso quando Eric Clipperton justo ele em pessoa aparece no portão levadiço da frente da ATE num fim de tarde quente e chuvoso dois dias antes do saibro, com um casaco tipo capa de chuva com a barra puída, tênis com os bicos gastos e com cinco dias de uma barbicha adolescente meio sovaquenta, mas sem raquetes ou qualquer coisa que lembrasse equipamento de competição, nem o estojo personalizado de madeira da sua Glock 17, e ele faz o porteiro-levadiço de olhos gelados que veio daquele lugar ali no pé do morro e trabalha meio período praticamente deitar em cima do botão do intercom, pedindo entrada e conselhos — ele está horrível, é o diagnóstico pelo intercom do porteiro-levadiço — e as regras que regem a permanência de jogadores jr. não matriculados no terreno da academia são estritas e complexas, e mas o pequeno Mario Incandenza vem balouçante pela trilha íngreme que leva ao portão levadiço sob a chuva quente, interfaceia com Clipperton por entre as grades, manda o porteiro segurar o botão do intercom para ele e pessoalmente solicita que Clipperton seja aceito sob um codicilo especial não desportivo nos regulamentos, dizendo que o garoto está mesmo num buraco psíquico desesperador, Mario falando primeiro com Alice Moore Lateral e depois com o tal pró-reitor Cantrell e aí com o próprio Diretor enquanto Clipperton encara sem abrir a boca as raquetinhas de ferro forjado que servem de pontas no alto do portão levadiço e das grades que cercam a ATE, com uma expressão tão negramente apavorada que até o casca-grossa do porteiro disse para algumas pessoas lá na casa de recuperação depois que a figura espectral encasacada tinha lhe dado os piores faniquitos da sobriedade até aqui; e J. O. Incandenza finalmente deixa Clipperton entrar atropelando as objeções veementes de Cantrell e depois de Schtitt quando fica claro que Clipperton deseja apenas uns minutinhos em particular para pedir aconselhamento ao próprio

Incandenza Sênior — de quem acho que podemos supor que Mario falou elogiosissimamente para Clipperton — e Incandenza, ainda que não exatamente sóbrio, está lúcido, e tem um ponto de fusão muito baixo no que se refere a compaixão por traumas ligados ao sucesso precoce; e então lá se abre a porta, e o Clipperton e os dois Incandenza vão no fim da tarde para um quarto vazio do último andar do Subdormitório C da Casa Leste, a estrutura mais próxima do portão, para alguma espécie de sessão de reanimação cardiorrespiratória psicoexistencial ou coisa assim — Mario nunca falou do que assistiu, nem à noite com Hal quando Hal está tentando dormir. Mas está registrado que num dado momento primeiro a psicóloga da ATE, Dolores Rusk, recebeu um bipe de Sipróprio na sua casa em Winchester e depois o bipe para ela foi cancelado e outro foi passado para Alice Moore Lateral com o pedido de que fosse com a devida velocidade pegar Lyle na sala de musculação/sauna e o levasse para a Casa Leste tipo já-já, e que num dado momento enquanto Lyle estava se deslotusificando de cima do armário e abrindo caminho com Alice Lateral para esse convescote de emergência, num dado momento desse intervalo — diante de um dr. James O. Incandenza e de um Mario cuja minúscula Bolex H128 emprestada e presa à cabeça Incandenza tinha exigido que Clipperton autorizasse para gravar digitalmente toda essa conversa-de-crise, para proteger a ATE dos kafkianos regulamentos da ONAN quanto ao recebimento irregistrado de qualquer tipo de aconselhamento nas academias dos EU — num dado momento, c/ Lyle a caminho, Clipperton puxa de vários bolsos de seu molhado e complicado casaco um exemplar elaboradamente alterado do relatório quinzenal de ranqueamento do *NAJT*, um retrato sépia do casamento de algum casal caipira com cara de coalhada, e a horrenda Glock 17 9 mm semiautomática com seu cano rombudo, que no exato momento em que os dois Incandenza jogam as mãos para o céu Clipperton encosta na têmpora direita — não esquerda —, tipo com a mão direita e destra, fecha os olhos, contrai o rosto, estoura seus lídimos miolos para valer e para sempre, erradica o seu mapa e com sobras; e fica só uma sujeirada ali que não é de-Deus, e os Incandenza respectivamente balouçam e cambaleiam para sair da sala verdes e respingados de vermelho, e — como relatos da presença de Lyle fora da sala de musculação em posição ereta e caminhando pela academia já se espalharam e causaram uma empolgação enorme e fotografias estudantis — é porque foi bem quando Lyle e A. Moore L. chegaram ao corredor do último andar que eles se escafederam do quarto num miasma de pólvora e respingos pavorosos que eles estão preservados em diversas fotos em que parecem mineiros de algum tipo bem macabro de carvão.

O pessoal da comunidade do tênis júnior de competição de alguma maneira considerou saudável o fato de que o sorriso perfeitamente alinhado de Mario Incandenza nunca vacilou nem em meio às lágrimas no enterro de Clipperton. O enterro atraiu pouca gente. Acaba que Eric Clipperton vinha de Crawfordsville, Indiana, onde a mãe dele era uma viciada em Valium já no fundo do poço e seu pai um ex- -plantador-de-soja que perdeu a vista nas infames tempestades de granizo de 94 AS, agora passava o dia todo todo dia brincando com uma dessas raquetinhas de madeira com uma bola vermelha de borracha presa por um elástico, raquetebol, com compreensível falta de sucesso; e os tranquilizados e cegos Clipperton não tinham ideia de onde Eric se metia quase todo fim de semana e engoliram a explicação dele de que os troféus grandões vinham de um trabalho que ele tinha arranjado depois da escola como designer freelancer de troféus de tênis, sendo que os pais aparentemente não eram exatamente as duas lâmpadas mais claras do grande espetáculo feérico da família americana. Eles realizaram a inumação sob ameaça de chuva em Veedersburg, IN, onde há um cemitério econômico, e Sipróprio foi a Indianápolis e levou Mario para o primeiro enterro da sua vida até ali; e foi provavelmente emocionante Incandenza ter acatado o pedido de Mario de que nada fosse filmado ou documentado, no enterro, para o documentário de Sipróprio sobre o tênis jr. Mario provavelmente contou tudo de tudo para Lyle, lá na sala de musculação, mas pode apostar que ele nunca contou a Hal ou à Mães; e Sipróprio já estava numa de entrar e sair de clínicas de reabilitação e mal podia ser considerado uma fonte digna de crédito sobre qualquer coisa a essa altura. Mas Incandenza pelo menos deixou Mario insistir que ninguém podia limpar a cena no Subdormitório C depois que a Polícia de Enfield tinha vindo, olhado em volta, desenhado um ectoplasma de giz em torno da forma estatelada de Clipperton e escrito coisas nuns caderninhos espirais que eles ficavam comparando um com o outro com uma atenção de dar nos nervos, e aí os enfermeiros tinham passado o zíper num sacão de borracha com o Clipperton dentro e levado o menino para baixo e para fora numa maca dobrável com pernas retráteis que eles tinham que retrair em todas as escadas. Lyle a essa altura já tinha desaparecido fazia tempo. O bradicinético Mario consumiu duas noites e dois frascos de Ajax Plus para limpar o quarto com seus bracinhos minúsculos e contraturados e seus pés quadrados; as meninas do sub-18 que estavam nos quartos dos dois lados ouviam o barulho dele caindo e se levantando, caindo e se levantando; e o quarto finalmente imaculado em questão estava trancado desde então, com sua placa sensabor — só que G. Schtitt tem uma chave especial, e quando um ATE jr. choraminga demais por causa de alguma vicissitude tenística ou da dureza de alguma situação, ele é convidado a ir dar uma meditada lá na Suíte Clipperton, para de repente pensar um pouquinho em algumas outras formas de obter sucesso, além da devotada autotranscendência, da cabeça erguida e do esforço diário e puxado rumo a uma meta distante que você até talvez possa, se chegar lá, aceitar.

Foi Annie P., Diretora Assistente da Ennet, quem cunhou a expressão de que Don Gately "faz hora-extra-extra". Cinco manhãs por semana, esteja ou não saindo do plantão noturno na Casa, ele tem que estar na Linha Verde sentido centro às 0430h para aí pegar mais dois trens para seu outro emprego no Abrigo Shattuck para Homens Sem-Teto lá na detonada Jamaica Plain. Gately tornou-se, na sobriedade, um zelador. Ele esfrega amplos pisos cobertos de catres com solventes antifúngicos e despiolhantes. E as paredes. E lava privadas. A relativa limpeza dos banheiros do

Shattuck pode parecer surpreendente até você seguir para a área dos chuveiros, com o seu equipamento e a sua máscara. Metade dos caras do Shattuck sempre é de incontinentes. Tem excremento humano nos chuveiros todo santo dia. Stavros deixa ele ligar uma mangueira industrial num chuveirinho e lavar o grosso da merda de longe antes de Gately ter que entrar lá de escovão, escova e solvente, e de máscara.

Limpar o Shattuck leva só três horas, depois que ele e o seu parceiro acertaram bem a rotina. O parceiro de Gately é também o cara que é dono da empresa que é dona da empresa que tem o contrato com a prefeitura para fazer a manutenção do Shattuck, um cara tipo quarenta, cinquenta anos, Stavros Lobokulas, um sujeito incômodo com uma piteira comprida e uma coleção imensa de catálogos de sapatos femininos que ele deixa empilhada atrás dos bancos na cabine do seu 4×4.

Então tipo 0800 normalmente eles acabaram e pelo contrato firmado ainda podem cobrar oito horas de serviço (Stavros L. só paga três para Gately, mas isso é sub-panos), e Gately se manda de volta para o Government Center para pegar o Verdinho rumo oeste subindo a Commonwealth para a Ennet para colocar aquela coisa meio máscara tapa-olho preta e dormir até 1200h e o turno da tarde. O próprio Stavros L. consegue mais umas horas de folga para folhear calçados (Gately precisa muito contar que seja só isso que ele faz com os catálogos, só folhear), aí tem que seguir para o Pine Street Inn, o maior e mais imundo abrigo de sem-tetos da cidade de Boston, onde Stavros e dois outros manés falidos e desesperados de outra casa de recuperação onde Stavros pesca mão de obra barata vão passar quatro horas limpando e aí cobrar seis do Estado.

Os internos do Shattuck sofrem de todo tipo de dificuldade física, psicológica, viciosa e espiritual que você pode imaginar na vida, e se especializam nas bem nojentas. Há bolsas de colostomia, jatos de vômito, secreções cirróticas, membros amputados, cabeças deformes, incontinência, sarcoma de Kaposi, chagas supuradas e tudo quanto é nível diferente de fragilidade, aleijão e déficit-de-controle-de-impulsos. Esquizofrenia é tipo regra. Os caras com tremens tratam os aquecedores como TVs e deixam umas pinturas expressionistas abstratas de café nas paredes dos alojamentos. Tem uns baldes industriais para o vômito matinal que parece que eles tratam como os golfistas tratam a bandeira tipo num campo de golfe, mirando vagamente naquela direção, e bem de longe. Tem um tipo de canto isolado e mais escondido, ali pertinho da fileira de cofres para os bens de valor, que sempre tem esperma descendo devagar pela parede. E esperma demais pra ser só de um ou dois caras, também. Aquilo tudo tem um cheiro de morte por mais que você se foda limpando. Gately chega ao abrigo tipo às 0459.9h e simplesmente desliga a cabeça como se a cabeça dele tivesse um tipo de chave de controle. Ele bloqueia input o tempo todo com toda a força. Os catres do alojamento fedem a urina e têm uma observável atividade entomológica. Os empregados do Estado que supervisionam o abrigo à noite têm olhos mortiços e ficam assistindo fitas pornô-light atrás do balcão e são todos mais ou menos do tamanho e do porte de Gately, e ele já recebeu convites para quem sabe trabalhar aqui também, à noite, de supervisor, mais de uma vez, e disse Mas Valeu, e

446

sempre se manda direto dali às 0801h e pega o verdinho de novo morro acima com as baterias-de-gratidão plenamente recarregadas.

Zeladorar o Shattuck para Stavros Lobokulas foi o emprego ancilar que Gately tinha encontrado a apenas três dias do fim do seu prazo para encontrar algum trabalho honesto, como residente, e ele ficou nesse emprego desde então.

Os homens do Shattuck têm que estar de pé e na rua às 0500h independente do tempo ou do tremens, para deixar Gately e Stavros L. limparem. Mas tem uns que nunca se mandam na hora — e esses caras são os piores, os que você não quer nem perto de você, esses que não saem. Eles ficam amontoados atrás de Gately e olham ele borrifar água nas fezes das lajotas dos chuveiros, tratando aquilo como um esporte e dando gritos encorajadora e palpitisticamente. Eles murcham e puxam saco quando o supervisor se arrasta de má vontade para ir dizer para eles saírem e aí quando ele zarpa eles não saem. Eles ficam deitados nos catres e têm alucinações, se batem e berram nos catres, derrubam cobertores de campanha no chão que Gately está tentando esfregar. Eles voltam cabisbaixos lá para o cantinho escuro e espermoso assim que Gately termina de limpar o esperma da noite, se afasta e volta a inspirar fundo.

Talvez o pior seja que tem sempre um ou dois caras no Shattuck que Gately conhece pessoalmente, dos tempos de vício e Invasão de Domicílio, de antes dele chegar ao ponto sem-escolha e se dobrar à necessidade de ficar sóbrio a todo custo. Esses sujeitos têm sempre 25-30 e cara de 45-60 e são uma propaganda melhor da sobriedade a todo custo do que a que qualquer agência poderia conceber. Gately dá uns cinquinho pra eles ou um maço de Kool e de repente às vezes tenta meter uma conversa de AA com eles, se eles estiverem com jeito de que de repente estão prontos para desistir. Com todos os outros no Shattuck, Gately adota uma expressão que deixa bem claro que ele vai ignorar os caras totalmente desde que eles fiquem longe, mas é uma expressão que diz *Safo* e diz *Cadeia* e diz pra não foderem com ele. Se eles atrapalham o trabalho, Gately fica encarando firmemente um ponto logo atrás da cabeça deles até eles se afastarem. A máscara de proteção facial ajuda.

A grande ambição de Stavros Lobokulas — sobre a qual ele fala regularmente com Gately quando eles estão limpando o mesmo alojamento — o sonho de Stavros é empregar sua combinação singular de impulsos empreendedores, manhas faxineirais e talentos para formas criativas de cobrar pelos serviços e achar uns caras desesperados de casas de recuperação que esfregam merda por quase nada, para juntar $ para abrir uma loja de sapatos femininos em alguma área socialmente ascendente de Boston em que as mulheres sejam saudáveis, classe alta, tenham pés bacanas e possam gastar dinheiro para cuidar dos pés. Gately passa boa parte do tempo em que está com Stavros balançando a cabeça e sem dizer muita coisa no geral. Por que no fundo o que é que você vai dizer sobre ambiciosos sonhos profissionais com relação a pés? Mas Gately vai ficar pagando restituição determinada pelo tribunal até bem além dos trinta anos se ficar sóbrio, e precisa daquele emprego. Com pés ou sem pés. Stavros supostamente está limpo há oito anos, mas Gately tem lá as suas dúvidas sobre a qualidade espiritual da sobriedade em questão. P. ex. tipo o Stavros sai facinho do sério com os caras do Shattuck que não conseguem levantar e sair dali como teriam que fazer e se mandar, e quase todos os dias ele faz uma puta cena, joga o esfregão no meio do piso, joga a cabeça para trás e grita: "Por que é que vocês não *vão pra casa*, seus merdinhas do cacete?" que até aqui por mais de treze meses ele não deixou de achar hilária, a sua própria piadinha, o Stavros.

Mas toda a saga de Clipperton ressalta o fato de que há certos jogadores juvenis muito talentosos que simplesmente não conseguem manter o queixo firme e o motor funcionando se um dia atingem o topo do ranking ou ganham um evento importante. Depois de Clipperton, o caso mais historicamente tenebroso dessa síndrome envolveu um menino de Fresno, na CA central, também um garoto sem academia (o pai dele, um arquiteto ou desenhista industrial ou coisa assim, funcionava como técnico dele; o pai tinha jogado a Copa Davis-ou-Irvine ou uma coisa dessas; a equipe toda da ATE enfatiza bem que neste caso também se tratava de um menino s/ o apoio de uma academia e s/ perspectivas), que, depois de derrotar dois cabeças de chave e de ganhar o torneio de Quadra Dura do Litoral Pacífico no sub-18 e de tomar um megaporre na cerimônia-e-baile pós-torneio e sair carregado nos ombros do pai e dos colegas de equipe de Fresno, volta tarde da noite para casa e toma um copão de Quik batizado com o cianeto de sódio que o pai dele sempre tinha por ali para desenhar, bebe o Quik cianítico e capota morto, de cara azul e ainda com a boca pavorosamente cheia do Quik letal, e aparentemente o pai dele ouve o baque do garoto capotando, vai correndo para a cozinha de roupão e chinelinho de couro e tenta ressuscitar o garoto com respiração boca a boca, e mas fica com um pouquinho de Quik + NacN na boca, vindo do garoto, e também capota, fica azul-clarinho e morre, e aí a mãe entra correndo de máscara-de-lama e pantufinha felpuda, vê os dois ali azuizinhos e ficando duros, e ela tenta fazer uma boca a boca no pai arquiteto e logo, logo já está ali também capotada e azul, em todas as partes que não estão com cor de lama, por causa da máscara, e mas enfim mortinha da silva. E como a família tem mais seis filhos de várias idades que noite adentro chegam de encontros ou descem as escadas de pijaminha com fofíssimos pés-de-pijama costurados, atraídos pelo barulho e pelo capotamento cumulativo, fora que eu devia mencionar o bizarro gorgolejo estertoroso, e mas como todos os seis meninos fizeram um curso de quatro horas de reanimação cardiorrespiratória patrocinado pelo Rotary na YMCA de Fresno, no fim da noite a família inteira está estendida ali azuladinha e dura igual pedra, com quantidades incrementalmente mais minúsculas do Quik letal borrando-lhes a boca contorcida em ricto; e em suma esse exemplo todo de trauma-da-falta-de-preparo-para-o-objetivo-atingido é incrivelmente lúgubre e triste, e é um dos motivos históricos para todas as academias de tênis oficialmente reconhecidas terem que ter um conselheiro com ph.D. como membro permanente da equipe de funcionários, para tentar detectar nos atletas-alunos possíveis reações letais à possibilidade deles um dia atingirem o nível que estão objetivando há anos. A conselheira contratada pela ATE é a dra. Dolores Rusk, MS, Ph.D, com a sua cara de ave de rapina, e os meninos a consideram qualquer coisa um tantinho menos ruim que inútil. Você vai lá com um Problema e a única coisa que ela faz é montar uma jaula com as mãos, ficar olhando desligada por cima da jaula para você, pegar a última oração subordinada de qualquer coisa que você disser e repetir para você com uma toada interrogativa — "Possível atração homossexual pelo seu parceiro de duplas?" "Toda a noção que você tem de você mesmo como atleta determinado está bagunçada?" "Ereção incontrolável durante as semis em Cleveland?" "Te deixa louco quando as pessoas só te papagaiam em vez de responder?" "Está difícil não arrancar essa minha cabeça de passarinho que nem se fosse de galinha?" — tudo com uma expressão que ela provavelmente acha que parece serenamente profunda mas que na verdade lembra perfeitamente a cara de uma menina que está dançando com você mas na verdade preferia estar dançando com qualquer outro presente. Só os mais novos entre os novatos da ATE vão falar com Rusk, e não dura muito, e ela passa seus períodos imensos de tempo livre no seu escritório do Com.-Ad. fazendo complexos acrósticos e trabalhando em algum tipo de manuscrito de psicologia popular cujas quatro primeiras páginas Axford e Shaw arrombaram a fechadura dela para ver, tendo contado 29 aparições do prefixo *auto-*. Lyle, uma carmelita desvelada que trabalha no turno da manhã da cozinha, ocasionalmente Mario Incandenza e muitas vezes a própria Avril dão conta de toda a sobrecarga psíquica, para todos os fins, entre os ATEs que sabem o que fazem.

É possível que os únicos tenistas jr. que podem vencer até chegar ao topo e ficar lá sem endoidecer são os que já são doidos, ou ainda os que parecem ser simplesmente máquinas sérias à la John Wayne. Wayne está sentado bem reclinado no refeitório com os outros canadenses, olhando para a tela e apertando uma bola sem nenhuma expressão legível no rosto. Os olhos de Hal estão febris e rolando em sua cabeça. E a bem da verdade a essa altura vários olhos da plateia do Dia-I perderam um pouco daquele brilho festivo. Embora ainda reste uma certa inércia de risadinha das comparações autocriminais Gentle/Clipperton no filme, aquela coisa Boato-do-amor-de--Rodney-Tine-e-Luria-P.-e-Tine-como-Benedict-Arnold parece bisonhamente lenta e digressiva.[176] Fora que rola certa desorientação retroativa, porque sabe-se historicamente que o advento do Tempo Subsidiado foi uma resposta financeira aos custos alucinantes da doação reconfigurativa dos EU, o que quer dizer que ele tem que ter surgido depois da formalização da Interdependência, e de fato no filme ele vem depois, mas o negócio é que a cronologia de certas partes do fim faz parecer que Tine convenceu Johnny Gentle de todo esse esquema de capitalização de patrocínio-sino-temporal em algum momento do primeiro ano de atletismo universitário de Orin Incandenza em Boston, que terminou no Ano do Whopper, mais que obviamente um ano Subsidiado. A essa altura os ATEs estão comendo mais devagar, brincando daquele jeito pós-prandial vago com os laivos de alimento, e os chapéus das pessoas estão fazendo a cabeça das pessoas comichar, e ainda todo mundo está meio que em baixa glicêmica; e um dos meninos bem pequenininhos da ATE engati-

449

nhando com um pote de cola embaixo das mesas deu com a cabeça na quina de uma cadeira acadêmica e está no colo de Avril I. chorando com uma histeria desolada de fim de dia que faz todo mundo se sentir meio sofrido.

GENTLE À SOLTA! — Manchete; VISITA FRONTEIRA DA NOVA "NOVA-NOVA" INGLATERRA COM SEGURANÇA PESSOAL REFORÇADA — Lide; ESTOURA GARRAFAS DE CHAMPANHE CONTRA IMENSAS MURALHAS DE ACRÍLICO AO SUL DO QUE ANTES ERA SYRACUSE, CONCORD, NH, SALEM, MA. — Sublide em corpo 10.

GENTLE MAIS OU MENOS À SOLTA: ASSISTE DE DENTRO DE UM BOLHAMÓVEL OXIGENADO A VITÓ-RIA DE CLEMSON SOBRE A BOSTON UNIV. NO FORSYTHIA BOWL DE LAS VEGAS — Lide Daquele Cara Que Agora Está Limitado a Redigir Manchetes para o *Eagle* de Rantoul, IL.

BEBÊS CRANIALMENTE ESPECIAIS E ACROMEGÁLICOS PERDIDOS NA BAGUNÇA EXPERIALISTA? Títu-lo de Editorial do *Daily Odyssean* de Ithaca, NY.

GABINETE DE GENTLE VAI PROPOR REFORMA DO ORÇAMENTO DEPOIS DE ANGÚSTIA EM WALL STREET POR CAUSA DOS CUSTOS DA "RECONFIGURAÇÃO TERRITORIAL." — Lide; CABEÇAS DA ADMINISTRAÇÃO SE REÚNEM PARA ANALISAR GASTOS COM INVERSÃO DE MÍSSEIS, CUSTOS DE REA-LOCAÇÃO, PERDA DE RENDA VINDA DA QUASE TOTALIDADE DE QUATRO ESTADOS — Sublide.

GENTLE [substancialmente abafado tanto pela máscara de microfiltragem Fukoama quanto pela porta-bolha oxigenada de acrílico]: Galera.
TODOS OS SECRETÁRIOS A NÃO SER O SEC. MEX. E O SEC. CAN. [As bonecas das meninas Motown do gabinete, trajando o melhor do brega-chique, estão todas com terninhos sensacionais com o cabelo puxado para trás e imensos bigodões de capitães-de-indústria, bigodes que até poderiam ser mais retos mas que no geral são uns bigodes bem impres-sionantes, para bonecos de mulheres]: Chefia.
SEC. DEF.: Mas aí como é que foi o jogão, sr. presidente?
GENTLE: Meu amigo Ollster, galera: seminal, visionário. Uma experiência marcante. Eu agora digo coisas como *marcante* em vez de *show*. Mas também seminal. Ollie, meu chapa, eu vi uma coisa marcantemente visional e seminária ontem. Eu não estou me referindo ao jogo de futebol. Eu normalmente nem curto muito esse lance de futebol. Aquele povo grunhindo. Lama pra tudo quanto é lado. Não é o meu lugar preferido normalmente. A coisa mais divertida do jogo inteiro foi o punter de um dos times. Um carinha magrelo com uma perna enormona e um braço muito pouco menos enormão. Nunca vi um punt que desse pra ouvir na vida. *Vuum. Blam.* Eu comi um cachorro--quente inteiro de proa a popa enquanto um dos punts estava no ar. As pessoas ficavam ali em volta conversando, zoando, indo ao banheiro e voltando, comendo, tudo, en-quanto os punts desse carinha ainda estavam no ar. Como que era mesmo o nome do carinha, R. T.?
SEC. INT.: Posso perguntar respeitosamente se a reunião inclui almoço, sr. presidente? É

por isso que esses jogos americanos de papel tipo zodíaco-e-calendário-chinês-do-ano-do-
-tigre-e-tipo-do-rato-do-restaurante-de-Sichuan estão na nossa frente do lado das jarras de
água? A gente vai ganhar uma boia chinesa, chefia?

[O pano de fundo auditivo de Mario vira algo como uma corneta ríspida, e rolam uns
estalos de dedo enluvados de J.G.V.V., que caiu num devaneio visionário.]

SEC. TRANSP.: Sempre fui mais fã do frango do General Tsu, se é que...

RODNEY TINE, CHEFE, ESCRITÓRIO DE ASSUNTOS ALEATÓRIOS DOS ESTADOS UNIDOS: O presidente Gentle pediu para virmos todos aqui esta manhã para reunirmos nossas expertises
coletivas sobre uma questão a respeito da qual nós dos Serviços Aleatórios acreditamos
que ele teve uma série de insights realmente seminais.

GENTLE: cavalheiros, nos deixa felizes e preocupados relatar que o nosso experimento
seminal de Reconfiguração Territorial da ONAN[177] foi um megagolpe logístico. Mais ou
menos. Delaware parece que está meio lotado, e um ou dois animais de chifres curvilí-
neos aparentemente foram abatidos pelos esquadrões táticos, e está rolando um tantinho
menos de boa vontade geral na região sul de Nova Nova York do que a gente queria ver,
mas no geral eu acho que "megagolpe" não seria um erro enquanto termo pra descrever
esse tipo de sucesso.

TINE: Agora é a hora de pagar.

TODOS OS SECS.: [Rígidas viradas para olhar uns para os outros, ajeitadas de gravatas e
bigodes, sons de engolir em seco.]

GENTLE: O Rod me informa que o Marty já está com as cifras preliminares dos custos
brutos e que os meninos do Chet arranjaram pra nós umas projeções de perdas brutas de
renda por causa da Reconfiguração de territórios tributáveis, casas, empresas e coisa e tal.

SEC. TRANSP. & SEC. TES.: [Passam pela mesa grossas pastas encadernadas, cada uma or-
nada do rubro crânio bocejante que orna todos os memorandos com más notícias da
administração Gentle. Pastas abertas e examinadas por TODOS OS SECS. Sons de queixos
caindo no tampo da mesa. Um ou outro bigode simplesmente cai de vez. Ouve-se um
SEC. perguntar se pelo menos existe nome para um número com tantos zeros. A porta-bolha de GENTLE é atingida bem em cima do seu corpete plastificado por uma uvinha-passa
semimastigada, para empolgação meia-bomba da plateia. Outra boneca Motown travestida está passando um minúsculo laço de barbante sobre uma viga nos fundos da Sala de
Gabinete forrada de veludo.]

GENTLE: Galera. Pessoal. Antes de alguém precisar de oxigênio aqui [estendendo uma
apaziguadora mão espalmanda contra o vidro da bolha], vamos deixar o nosso amigo
Rod explicar que apesar de um lado quantitativo meio brochante nessas cifras, isso aí é
só o que o Rod podia chamar de um exemplo exagerado de um problema quadrienal
que qualquer administração que tenha uma visão profética vai ter que encarar um dia de
qualquer maneira. Aliás, o rosto desconhecido mas bem-vindo aqui à minha esquerda é
o do sr. P. Tom Veals, da agência publicitária Veals Associates, de Boston, EUA, NA.

TODOS OS SECS.: [Resmungos de cumprimentos não exatamente apaziguados para Veals.]

451

SR. P. TOM VEALS [Um minúsculo corpo de bonequinho caucasoide de palito de pirulito com um rosto enorme que é quase só dentes da frente e óculos]: Opa.

TINE: E à esquerda do Tom eu também posso apresentar a charmosa e encantadora srta. Luria P____ [indicando com uma vareta uma boneca de uma megapulcritude simplesmente além de qualquer conta; a mesa de conferência da sala de gabinete parece subir um pouquinho quando Luria P____ levanta uma rija sobrancelha feita a lápis].

AINDA TINE: Cavalheiros, o que o presidente está articulando é que o que nós estamos encarando aqui é um exemplo microcósmico do infame Beco-Sem-Duas-Saídas da democracia, que já foi enfrentado por visionarianos de FDR e JFK para baixo. O eleitorado americano, no seu pleno direito, de um lado exige o tipo de manobra política e visão milenar — ações decisivas, escolhas difíceis, montes de programas e serviços — vejam por exemplo a Reconfiguração Territorial por exemplo — que há de levar uma comunidade renovada rumo a toda uma nova era de escolha e liberdade interdependente.

GENTLE: Tirei aqui o chapeuzinho retórico pra você, bicho.

TINE [Levantando, com os olhos agora transformados em dois pontinhos vermelhos cintilantes no meio do feltro de seu rosto redondo, as duas lampadinhas de detector de fumaça dos olhos se alimentam de uma única pilha AAA grudada com fita adesiva na parte de trás do avental cirúrgico do boneco]: Agora, falando em termos bem gerais mesmo, se a visão do presidente dita a difícil decisão de cortar certos programas e serviços, o nosso pessoal da estatística prevê com razoável certeza indutiva que o eleitorado americano vai choramungar.

VEALS: Choramungar?

LURIA P_____ [PARA TINE]: Essa é uma expressão canadense, chéri.

VEALS: E quem que é essa mina?

TINE [Com expressão momentaneamente vaga]: Desculpa, Tom. Expressão canadense. Choramungar. Reclamar. Pedir reformas. Fazer manifestações. Marchar naquelas fileiras de cinco em protesto. Sacudir punhos erguidos em uníssono. Choramungar [indicando fotos em tripés atrás deles de vários grupos de direitos e pressão histórica choramungando].

SEC. TES.: E a gente já sabe bem demais o que é que vai acontecer se a gente tentar qualquer tipo de acréscimo convencional de renda.

SEC. ESTADO: Rebelião fiscal.

SEC. S.-ED.-BEM-EST.: Um choramungo só, chefia.

SEC. DEF.: Tea-party.

GENTLE: Na mosca. Choramungância. Um choramunguicídio político. Uma grave mancha tipo brochante no mandato. A gente já prometeu que não ia mais rolar acréscimo. Eu disse pra eles no Dia da Posse. Eu disse olhem nos meus olhos: chega de acréscimos. Eu apontei os olhos lá em cima e disse que essa era uma decisão difícil que não ia cortar o barato de ninguém. O Rod, o Tom e eu tínhamos uma demonstração da plataforma com três tabuinhas. Um: lixo. Dois: sem mais acréscimos. Três: achar alguém fora das fronteiras da nossa própria comunidade para culpar.

TINE: Então aí um beco sem saída, até aqui, com choramungos potenciais dos dois lados.

SEC. TES.: E no entanto as comunidades financeiras exigem um orçamento federal equilibrado. O Banco Central só falta insistir num orçamento equilibrado. O nosso saldo comercial com o punhadinho de nações com que a gente ainda tem um comércio exige uma moeda estável e portanto um orçamento equilibrado.

TINE: O terceiro flanco, Chet, que fecha o nosso beco-sem-duas-saídas. Saídas exigidas, entradas restritas, equilíbrio exigido.

GENTLE: O clássico dilema de cornos cerbéreos do ramo executivo. O espinho no tendão de aquiles do processo democrático. Aliás alguém aqui está ouvindo uma coisa que parece um apito?

TODOS OS SECS.: [Trocam olhares vagos.]

VEALS: [Assoa o nariz em volume alto.]

GENTLE [Batendo experimentalmente nas superfícies internas da porta-bolha]: Tudo bem que é verdade que eu às vezes escuto um apito num registro bem alto fora da audição de quase todo mundo, mas esse aqui parece um tipo diferente de apito.

TODOS OS SECS.: [Ajustes de nós de gravatas, exame atento do tampo envernizado da mesa.]

GENTLE: Isso é um não pra coisa do apito, então.

VEALS: Será que dava pra acelerar isso pelo menos pra um trote ligeiro, galera?

TINE: Talvez seja o singular som agudo que às vezes precede o momento em que o senhor se prepara para anunciar algum insight seminal, visionário, a que o senhor chegou sobre o antes intratável beco-sem-duas-saídas, presidente.

GENTLE: Bicho, Rod, na lata de novo. Cavalheiros: deem uma espiadela nesses objetos de restaurante com o esquema calendário sino-epitético.

TINE: Ou seja, é claro, esses jogos americanos aqui, que dizem respeito diretamente à visão orçamentária do presidente.

GENTLE: Cavalheiros, como vocês todos sabem eu acabei de voltar, em velocidade extremamente alta, arrotando umas salsichas que eu tenho quase certeza que deviam estar fervilhando de tudo quanto é micróbio que faz essas barraquinhas públicas de comida serem um flagelo e uma ameaça que…

TINE: [Sinal manual nananínico.]

GENTLE: Mas então cavalheiros eu cheguei agorinha de uma aparição de relações-públicas num jogo de futebol pós-universitário. No qual eu ingeri as supramencionadas vininhas. Mas a questão mesmo aqui é: por acaso algum de vocês aqui sabe o *nome* desse jogo de futebol universitário?

SEC. HAB.-DES.URB.: A gente achava que o senhor tinha dito que era o Forsythia Bowl, chefia.

GENTLE: Isso, sr. Sivnik, isso era o que eu achava que o nome era mesmo, a caminho, quando a gente tinha interfaceado naquela coisa encriptada. Era esse o nome quando eu cantei o hino lá em 91.

LURIA P____ [Erguendo um jogo americano zodiacalizado com uma leve mancha coronal-sebosa de Sopa Agripicante no canto superior esquerdo]: Talvez fosse a horra de dizer ao seu gabinê o nome do champeoná de fut, M. Président.

GENTLE: [Com uma olhadinha cênica para VEALS, que está futucando no diastema entre seus incisivos gigantes com os cartões de visitas dos presidentes da Pillsbury e da Pepsico]: Galera, eu ouvi punts, arrotei doguinhos, cheirei espuma de cerveja e fugi de banheiros públicos no Ração-K-Nina-Magnavox-Seguros-Kemper Forsythia Bowl.

O
ANO DA FRALDA GERIÁTRICA DEPEND

Numa Promessa do Grupo Bandeira Branca no Grupo Que Peninha Mas Mesmo Assim Você Ainda Não Pode Beber lá em Braintree em julho deste ano, Don G., lá no púlpito, revelou publicamente o quanto tinha vergonha de ainda não ter uma compreensão sólida de um Poder Superior. O $3^{\underline{o}}$ dos 12 passos do AA de Boston sugere que você entregue a sua vontade Doente à orientação e ao amor de "Deus como você O entender". Supostamente essa é uma das maiores vantagens do AA, você poder escolher o seu próprio Deus. Você pode chegar à sua própria compreensão de Deus, ou Poder Superior, ou O Quê/Quem Quiser. Mas Gately, com tipo dez meses limpo, no púlpito do QPMMAVANPB em Braintree, opina que nesse momento da vida ele está tão totalmente perdido e desorientado que está achando que de repente era melhor pedir pros Crocodilos do Bandeira Branca agarrarem ele pela lapela e lhe dizerem de uma vez qual Deus do AA ele devia compreender, e lhe darem ordens totalmente secas e dogmáticas sobre como entregar a sua vontade Doente para seja lá qual for esse Poder Superior. Ele comenta que já observou que alguns católicos e fundamentalistas que agora estão no AA têm uma compreensão que lhes vem da infância, de um Deus de um tipo Severo e Castigador, e Gately ouviu esse pessoal manifestar uma Gratidão incrível pelo fato do AA permitir que eles finalmentissimamente largassem aquilo e passassem a uma compreensão de um Deus de Amor, Perdão, Consolo. Mas pelo menos esse povo começou com *alguma* ideia sobre Ele/Ela/Isto, fodida e pirada ou não. Você podia pensar que ia ser mais fácil se você Entrasse com 0 no quesito histórico-denominacional ou preconcepções religiosas, você podia pensar que ia ser mais fácil meio que inventar um Deus Poder-Suprêmico do nada e aí tipo erigir uma compreensão, mas Don Gately reclama que não foi assim com ele até aqui. A sua única experiência até este momento é que ele aceita uma das raríssimas sugestões específicas do AA e cai de joelhão de manhã, pede Ajuda, aí cai de joelhão de novo na hora de dormir e diz Obrigado, acredite ele ou não que está falando com Algo/Alguém, e ele de alguma maneira consegue atravessar o dia limpo. Isso, depois de dez meses de uma concentração e reflexão de fazer sair fumacinha das orelhas, ainda é tudo que ele acha que "compreende" da "Questão Deus". Em público, diante de uma plateia AA muito dura e com cara de fodona, ele meio que simultaneamente confessa e reclama que se sente como um rato que aprendeu uma rota pro labirinto até o queijo e percorre essa rota de um jeito rático e tudo mais. C/ a coisa de Deus sendo o queijo da metáfora. Gately ainda sente que não tem nenhum acesso ao Quadro Geral espiritual das coisas. Ele se sente em relação ao ritual diário das orações de *Por favor* e *Obrigado* mais ou menos como um batedor que está numa maré boa e não troca de meia ou de cueca ou de rotina pré-jogo enquanto estiver nessa maré. C/ a sobriedade sendo a maré boa e coisa e tal, ele explica. Todo o porão da igreja está literalmente azul de fumaça. Gately diz que sente que essa é uma compreensão bem boiola e mané de um Poder Superior: um presente-quêijico ou roupa de baixo sem lavar. Ele diz que mas quando ele tenta ir além dessas coisas mais básicas e automáticas tipo me-ajude-a-passar-pelo-dia-de-hoje-por-favor, quando ele se ajoelha em outras ocasiões e reza ou medita ou tenta alcançar uma compreensão espiritual do Quadro Geral e de Deus como ele O pode compreender, ele sente Nada — não nada mas *Nada*, um vazio sem bordas que de alguma maneira parece pior que o tipo de ateísmo impensado com que ele Entrou. Ele diz que não sabe se alguma coisa ali está sendo entendida ou fazendo sentido ou se é tudo só sintomático de uma vontade e de um "espírito" entre aspas totalmente Doente. Ele se vê contando para a plateia do Que Peninha Mas Mesmo Assim Você Ainda Não Pode Beber ideias obscuras e incertas que não teria nem ousado contar para o Francis Furibundo cara a cara, cacete. Ele não consegue nem olhar para o F. F. na fileira dos Crocodilos enquanto diz que neste momento a coisa da compreensão de Deus meio que faz ele querer vomitar, de medo. Uma coisa que não dá pra ver ou ouvir ou tocar ou cheirar: beleza. Tudo bem. Mas uma coisa que não dá nem pra *sentir*? Porque é isso que ele sente quando tenta compreender alguma coisa para receber as suas orações sinceras mesmo. Um nada. Ele diz que quando tenta rezar ele fica com tipo essa imagem na cabeça das ondas cerebrais ou sei lá mais o quê das orações dele saindo sem parar, e nada pra impedir elas de sair, saindo, saindo, radiando assim pro espaço e vivendo mais que ele e ainda indo embora e nunca dando em Nada lá fora, muito menos Algo que tenha ouvidos. Muito *muito* menos Algo que tenha ouvidos e que pudesse dar a mais mínima bola. Ele está tanto puto quanto envergonhado de estar falando disso em vez de de como é completamente genial simplesmente estar passando cada dia sem ingerir uma Substância, mas é isso. É isso que está rolando. Ele não está mais perto de dar conta da sugestão do 3º Passo do que no dia em que o carinha da Convencional o levou do xilindró do Peabody pra sua casa de recuperação. A ideia toda dessa coisa de Deus faz ele vomitar ainda. E ele está com medo.

E a mesma porra acontece hoje de novo. O QPMMAVANPB, durão e fumando um atrás do outro, levanta todinho e aplaude e os caras assoviam com dois dedos na boca, e as pessoas aparecem no intervalo para a rifa para apertar bem forte a manzorra dele e até às vezes tentar lhe dar um abraço.

Parece que toda vez que ele perde o controle e divulga aos quatro ventos o quanto ele está se fodendo com a sobriedade os AAs de Boston se viram do avesso para lhe dizer como foi bom ouvi-lo e para ele pelo amor de Deus Continuar Vindo, por eles se não por ele mesmo, seja lá a merda que isso possa querer dizer.

O Grupo Que Peninha Mas Mesmo Assim Você Ainda Não Pode Beber parece ser composto de mais de 50% de motoqueiros e motoqueiras, ou seja, padrão colete de couro e botas com salto 10, fivelas de cinto com umas faquinhas em formato de espada saindo por uma fenda lateral, tatuagens que são mais uns murais, uns peitos de respeito dentro de umas regatinhas de algodão, barbões, roupas Harley, fósforos de madeira pelos cantos das bocas e assim por diante. Depois do Pai-Nosso, quando Gately e os outros oradores do Bandeira Branca estão aglomerados fumando na frente da porta do porão da igreja, o som das motos de alta-cc dando a partida é de sacudir obturações. Gately não consegue nem começar a imaginar como é que deve ser ser um motoqueiro sóbrio e não drogado. É meio uma coisa assim tipo pra quê. Ele imagina aquelas pessoas lustrando aqueles couros que nem loucas e tipo jogando muita sinuca de precisão.

Um determinado motoqueiro sóbrio que não pode ser muito mais velho que Gately e é quase do tamanho de Gately — se bem que com uma cabecinha bem pequenininha e um queixo pontudo que faz ele parecer um pouco um louva-deus bonitão — quando eles estão reunidos em volta da porta ele encosta uma moto do tamanho de um carro ao lado de Gately. Diz que foi bom ouvir ele falar. Aperta a mão dele daquele jeito complicado de Pretos e Harleyros. Ele apresenta seu nome como sendo Robert F., ainda que a lapela do seu colete de couro diga BOB MORTE. Uma motoqueira está com os braços em volta da cintura dele por trás, como de praxe. Ele diz para Gately que foi bom ouvir uma pessoa nova dividir do fundo do coração alguma coisa das suas lutas com o fator divino. É esquisito ouvir um motoqueiro usar a palavra *dividir*, do AA de Boston, que dirá *fator* ou *coração*.

Os outros Bandeiras Brancas pararam de conversar e estão olhando os dois caras meio constrangidos e ali parados, o motoqueiro abraçado por trás e montado na Harley pulsante. O cara está de perneiras de couro e com um colete de couro sem camisa, e Gately percebe que o cara tem uma tatuagem de prisão com a insígnia esquisitinha do AA, de um triângulo dentro de um círculo num ombro imenso.

Robert F./Bob Morte pergunta a Gately se por acaso ele ouviu aquela do peixe. Glenn K. com a porra daquele manto ouve, e claro que tem que meter sua colherona, e interrompe e pergunta a todo mundo se eles já ouviram aquela do O que foi que o cego disse quando passou pela peixaria, e sem esperar diz Ele solta um "Boa tarde, senhoras". Uns homens do Bandeira Branca se racham de rir, e Tamara N. dá um tapa atrás do capuz pontudo na cabeça de Glenn K., mas sem muita ênfase, assim tipo o que é que se há de fazer com um bostinha desse.

Bob Morte sorri imperturbável (os motoqueiros da South Shore sempre têm que ser extremamente imperturbáveis em tudo que fazem), manipula um fósforo de madeira com o lábio e diz: Não, não essa do peixe. Ele tem que adotar meio que um grito-de-bar para superar o barulho da Harley em ponto morto. Ele se inclina mais na direção de Gately e grita que a de que ele estava falando era: Um peixe sábio, velho e de longas barbas vai nadandinho até três peixes mais jovens e diz: "Bastarde, gurizada, comé que tá a água?" e vai embora; e os três peixes mais jovens ficam olhando ele nadar e olham um para o outro e dizem: "Mas que porra que é água?" e vão embora.

O jovem motoqueiro se recosta, sorri para Gately, dá de ombros afavelmente e sai estrepitoso, com tetas envoltas em algodão espremidas nas costas dele.

A testa de Gately ficou enrugada de dor emocional durante todo o caminho de volta pela Rte. 3. Eles estavam nos fundos do carro velho do Francis Furibundo. Glenn K. tentava perguntar qual era a diferença entre uma garrafa de Hennessey 15 anos e uma vagina feminina humana. O Crocodilo Dicky N. no assento do passageiro disse para o merda do Glenn tentar lembrar que havia senhoras presentes. O Francis Furibundo continuava mexendo o palito de um lado da boca para o outro e olhando para Gately no retrovisor. Gately queria tanto chorar quanto bater em alguém. O manto barato e pseudodemoníaco tinha o vago cheiro oleoso de um pano de pia. Era proibido fumar dentro do carro: o Francis Furibundo tinha um tanquezinho de oxigênio que ele tinha que carregar e uma coisinha tipo um tubinho de plástico azul-claro que ficava embaixo do nariz dele. A única coisa que ele jamais disse sobre o tanque e o tubo é que eles não eram vontade pessoal dele mas que ele tinha se rendido aos conselhos e agora era isso, ele ainda chupando ar e se mantendo rabidamente Ativo.

Uma coisa que aparentemente eles deixam de mencionar no AA de Boston quando você é novo e está fora de casinha de tanto desespero e pronto para eliminar o seu mapa e eles te falam como tudo fica cada vez melhor no que você se abstém e se recupera: eles de alguma maneira deixam de mencionar que o caminho dessa melhora gradual é a dor. Não contornando a dor ou apesar da dor. Eles deixam isso de fora e preferem falar de Gratidão e Libertação das Compulsões. Mas rola uma dor pesada na sobriedade, você descobre, depois de um tempo. Aí agora que você está limpo e nem tem mais muita vontade de ingerir Substâncias e está querendo chorar e pisotear alguém até fazer patê, por causa da dor, esses AAs de Boston começam a te dizer que você está exatamente onde devia estar e a te dizer pra lembrar da dor sem sentido do vício ativo e a te dizer que pelo menos essa dor sóbria agora serve pra alguma coisa. Pelo menos essa dor significa que você está indo a algum lugar, eles dizem, em vez da repetitiva rodinha-de-hamster da dor do vício.

Eles simplesmente não te dizem que depois que a necessidade de ficar alto some como que por mágica e você está des-Substanciado há coisa de seis ou oito meses, você vai começar a "Entrar em Contato" com os motivos que te levaram a usar as Substâncias pra começo de conversa. Você vai começar a sentir por que foi que você ficou dependente do que era, no fim das contas, um anestésico. "Entrar em Contato Com Seus Sentimentos" é outro clichê tipo bordado-em-ponto-cruz que acaba mascarando algo pavorosamente profundo e real no fim.[178] Começa a parecer que no fim quanto mais insípido for o clichê do AA, mais pontudos são os caninos da verdade real que ele encobre.

Perto do fim do seu período de residente na Casa Ennet, com tipo oito meses de sobriedade e praticamente livre de qualquer compulsão química, indo para o Shattuck toda manhã, trabalhando com os Passos, se mantendo Ativo e batendo cartão nas reuniões que nem um maluco, Don Gately subitamente começou a lembrar coisas que preferiria não ter. Lembrado. A bem da verdade *lembrar* provavelmente não é a melhor palavra. Foi mais que ele começou a quase reviver coisas de que mal tinha estado consciente para viver, em termos de emocionalmente, pra começo de conversa. Boa parte era umas merdinhas nada dramáticas, mas ainda assim meio dolorosas. P. ex. tipo quando ele estava de repente com uns onze anos, fingindo assistir TV com a mãe e fingindo ouvir o monólogo noturno cotidiano dela, uma litania de queixas e arrependimentos cujas consoantes iam ficando cada vez mais enroscadas. Na medida em que Gately tenha direito de diagnosticar o alcoolismo de qualquer outra pessoa, sua mãe era bem definitivamente alcoólica. Ela tomava vodca Stolichnaya na frente da TV. Eles não tinham cabo, por motivos de $. Ela bebia nuns copinhos finos com pedacinhos de cenoura e de pimenta que ia derrubando na vodca. O nome de solteira dela era Gately. O pai tipo orgânico de Don era um imigrante estoniano, forjador de ferro, que é tipo um soldador com mais ambição. Ele tinha quebrado a mandíbula da mãe de Gately e ido embora de Boston quando Gately estava na barriga da mãe. Gately não tinha irmãos ou irmãs. A mãe dele posteriormente se envolveu com um amante-residente, um ex-membro da Companhia de Polícia Naval que batia nela em horários regulares, acertando sempre regiões entre virilha e seios para nada dar na cara. Uma habilidade que ele tinha desenvolvido como guarda de convés e patrulheiro de litoral. Depois de 8-10 Heinekens ele costumava do meio do nada arremessar a *Reader's Digest* contra a parede, catava a mulher e começava a lhe dar socos calculados, ela caía no chão do apartamento e ele batia naquela região escondida, encaixando os golpes entre os movimentinhos dos braços dela — Gately lembrou que ela tentava evitar as pancadas com um gesto descendente e trêmulo de braços e mãos, como se estivesse apagando uma chama. Gately ainda não juntou determinação para ir lá ver a mãe sob Custódia do Estado naquela Clínica Pública de Longo Prazo. A língua do PN estava no canto da boca e o rosto de olhos miúdos dele tinha uma expressão de grande concentração, como se estivesse desmontando ou remontando alguma coisa delicada. Ele ficava em cima dela ajoelhado com um joelho no chão e aquela cara de sóbria resolução-de-problemas, encaixando os golpes, pancadas abruptas e rápidas, ela se contorcendo e tentando espantá-las. As pancadas rápidas. Do meio do nada psíquico, lembranças muito detalhadas dessas brigas vieram à tona no meio de uma tarde quando ele estava se ajeitando para ir cortar o gramado da Ennet para a Pat em maio do AFGD, quando o H. S. P. da Marina de Enfield cortou os serviços de manutenção em represália pelas contas atrasadas. Depois da cabaninha de praia meio podre em Salem com Herman o Teto que Respirava, as cadeiras boas da sala de jantar da casinha de conjunto habitacional perto da casinha de conjunto habitacional da sra. Waite tinham umas pernas caneladas e Gately havia riscado *Donad* e *Donold* em cada perna com um alfinete, bem lá embaixo. Mais no alto das pernas, os arranhões ganharam uma ortografia correta. É como se um monte de lembranças da juventude dele tivesse afundado sem deixar bolhas quando ele saiu da escola e aí depois só na sobriedade reborbulhado para onde ele podia Entrar em Contato com elas. A mãe dele chamava o PN de *fidaputa* e às vezes fazia *uuf* quando ele acertava uma na região. Ela tomava vodca com vegetais boiando, um hábito que tinha adquirido com o estoniano perdido, cujo primeiro nome, Gately leu num papel rasgado e depois fodidissimamente grudado com durex que estava na caixa de joias dela depois da hemorragia cirrótica da mãe, era Bulat. A Clínica Pública de Longo Prazo era longe pra caralho pra lá da ponte de Yirrell Beach em Point Shirley do outro lado da água na frente do aeroporto. O ex-PN entregava queijo, aí depois trabalhou numa fábrica de sopa, tinha uns pesos na garagem da casa de Beverly, bebia cerveja Heineken e anotava cada cerveja que tomava cuidadosamente num caderninho espiral que usava para monitorar sua ingestão de álcool.

O sofá especial da mãe dele ver TV era de uma chita vermelha caroçuda, e quando ela mudava de sentada reta para deitada de lado com o braço entre a cabeça e o paninho que protegia o braço do sofá e o copo mantido adernante no pequeno espaço que os seios dela deixavam na borda da almofada, era sinal que ia apagar. Gately com tipo dez, onze anos ficava fingindo ouvir e ver TV no chão mas na verdade estava dividindo a atenção entre quanto sua mãe estava perto da inconsciência e quanta Stolichnaya ainda restava na garrafa. Ela só tomava Stolichnaya, que ela chamava de Camarada e dizia Só o Camarada vai resolver o problema. Depois que ela apagava de vez e que ele tinha tirado cuidadosamente o copo adernado da mão dela, Don pegava a garrafa, misturava as primeiras vodcas com Diet Coke e bebia algumas dessas até parar de arder e aí bebia pura. Isso era tipo uma rotina. Aí ele largava a garrafa quase vazia perto do copo dela com os vegetais ficando escuros na vodca embebida, e ela acordava no sofá de manhã sem ideia de que não tinha bebido tudo. Gately tinha o cuidado de sempre deixar o bastante para ela dar um golinho para acordar direito. Mas esse gesto de deixar um pouco, Gately agora percebeu, não era só bondade filial dele: se ela não tivesse seu golinho para acordar ela não ia sair do sofá vermelho o dia todo, e aí não ia ter outra garrafa à noite.

Isso foi aos dez, onze anos de idade, como ele lembra agora. Quase toda a mobília era plastificada. O tapete era peludo e de um laranja-queimado que o senhorio vivia dizendo que ia arrancar para botar um piso de madeira. O PN trabalhava de noite ou saía quase toda noite, e aí ela tirava o plástico do sofá.

Por que o sofá tinha paninhos de proteção nos braços quando normalmente ficava coberto de plástico Gately não consegue se lembrar nem explicar.

Por um tempo em Beverly eles tiveram Nimitz, o gatinho.

Isso tudo veio numa só lufada oleaginosa até a superfície da memória durante duas ou três semanas de maio, e agora mais e mais coisas vêm subindo como bolsões de ar, para Gately Contatar.

Sóbria, ela chamava o filho de Goizinho ou Goi porque tinha ouvido que seus amiguinhos o chamavam assim. Ela não sabia que o cognome intervizinhos vinha de um acrônimo para "Gigante Otário Indestrutível". A cabeça dele era imensa na infância. Totalmente desproporcional, ainda que sem nada de especialmente estoniano que ele pudesse ver. Ele se incomodava muito com isso, da cabeça, mas nunca disse para ela não chamá-lo de Goi. Quando estava bêbada e consciente ela o chamava de Dochka, ou Dotchka, uma coisa assim. Às vezes, já bem torto ele também, quando desligava a televisão menos-cabo e a cobria com a manta, ajeitando devagar a garrafa quase vazia de Stoly de novo na mesinha do *Guia da TV* ao lado do potinho de pimentas picadas que iam escurecendo, a sua inconsciente Mãe grunhia, dava risadinhas e dizia que ele era o Dochka dela, o seu Cavaleiro Errante e o seu último e único amor, e pedia pra ele não bater mais nela.

Em junho ele Entrou em Contato com lembranças de que a escadinha da entrada da casa deles em Beverly era de um cimento esburacado pintado de vermelho até nos buracos. A caixa de correio deles fazia parte de toda uma colmeia de caixas de correio do conjunto habitacional num postinho tipo bem pequeno, de aço escovado e cinza com uma águia postal em cima. Precisava uma chavinha pra pegar a correspondência, e por um tempão ele achou que o que aquela placa dizia era "*Correio do Eu*", tipo *eu* em vez de *EU*. O cabelo da mãe dele era de um branco-louro seco com raízes escuras que nunca aumentavam ou sumiam. Ninguém te diz quando diz que você está com cirrose que num dado momento você de repente vai começar a se afogar no teu próprio sangue. Isto se chama *hemorragia cirrótica*. O teu fígado não processa mais o sangue e ele aspas *age como um shunt* para o sangue, que te sobe pela garganta num jato de alta pressão, foi o que disseram para ele, e foi por isso que ele achou primeiro que o PN tinha voltado e cortado a Mãe dele ou lhe dado uma facada, quando ele entrou, depois do futebol, o último ano em que ele jogou, com dezessete anos. Ela tinha recebido o diagnóstico havia anos. Ela ia a umas Reuniões[179] por algumas semanas, depois ficava bebendo no sofá, calada, dizendo pra ele que se o telefone tocasse ela não estava em casa. Depois de umas semanas assim ela passava um dia inteiro chorando, batendo no corpo como se ele estivesse em chamas. Aí ela voltava pras Reuniões por mais um tempo. Chegou uma hora que o rosto dela começou a inchar e ela ficou com olhos suínos e com seus grandes seios apontados para o chão e ficou da cor do amarelo-escuro de um melão de qualidade. Isso tudo tinha a ver com o Diagnóstico. No início Gately simplesmente não conseguia ir até a Clínica de Longo Prazo, não conseguia ver a mãe lá. Não aguentava. Aí depois que um tempo passou ele não conseguia ir porque não conseguia encarar a mãe para tentar explicar por que ele não tinha ido antes. Dez anos e tanto haviam se passado assim. Gately provavelmente não tinha pensado conscientemente nela por três anos, antes de ficar careta.

Logo depois que a vizinha, a sra. Hespera, foi encontrada morta pelo cara que foi ler o relógio de luz, então ele devia ter nove anos, quando sua Mãe recebeu o primeiro Diagnóstico oficial, Gately bagunçou na cabeça o Diagnóstico com o Rei Arthur. Ele andava num cavalo de cabo de escovão e brandia uma tampa de lata de lixo e um Sabre de Luz sem pilhas e dizia pros garotos do bairro que ele era Sir Hose Patick, o mais terrivelmente leal e o mais feroz vassalo de Arthur. Desde o verão agora, quando esfrega o chão do Abrigo Shattuck, ele ouve o pocotó que fazia com sua linguona quadrada de Sir Hose, naquela época, cavalgando.

E os sonhos dele naquela noite, depois da Promessa de Braintree/Bob Morte,

460

parecem colocá-lo sob algum mar, a profundidades pavorosas, com a água em torno dele silente e escura e da mesma temperatura do corpo.

BEM NO FIM DE OUTUBRO DO AFGD

Hal Incandenza tinha um sonho recorrente novo e horrendo em que estava perdendo os dentes, em que os dentes dele tinham ficado como xisto e lascavam quando ele tentava mastigar, se fragmentavam e derretiam e viravam areia dentro da boca; no sonho ele estava andando por aí apertando uma bola e cuspindo fragmentos e areia, ficando cada vez com mais fome e com mais medo. Tudo lá dentro afrouxado por uma grande podridão oral que o Teddy Schacht do pesadelo não queria nem ver, dizendo que estava atrasado para a próxima consulta, com todo mundo que Hal via vendo os dentes destruídos de Hal e olhando para o relógio e dando desculpas vagas, uma atmosfera geral de que os dentes lascados eram um sintoma de algo bem mais grave e desagradável que ninguém queria comentar com ele. Ele estava vendo preços de dentaduras quando acordou. Era coisa de uma hora antes dos treinos. As chaves dele estavam no chão ao lado da cama com os livros do exame da Universidade. A grande cama de ferro de Mario estava vazia e bem-arrumadinha, com todos os cinco travesseiros empilhados direitinho. Mario tinha passado as últimas noites lá na CD, dormindo num cobertor inflável na sala de estar na frente do receptor Tatsuoka de Tavis, ouvindo a wYYY-109 madrugada adentro, estranhamente agitado por causa do sabático não anunciado de Madame Psicose daquela coisa da meia-noite do *Sessenta Minutos +/–* em que ela tinha sido uma presença invariável seg.-sex. por vários anos, parecia. A wYYY tinha sido evasiva e pouco receptiva sobre essa história toda. Por dois dias alguma pós-graduanda contralto tinha tentado ocupar o lugar dela, se apresentando como Miss Paranoia, lendo Adorno e Horkheimer tendo como fundo uma trilha da Família Dó-Ré-Mi tocada em velocidade baixa, até aquilo virar um zumbido narcotizante. Em momento algum alguém com um tom ou um timbre administrativo mencionou Madame Psicose ou qual era a história com ela ou a data em que ela deveria regressar. Hal tinha dito a Mario que o silêncio era um sinal positivo, que se ela tivesse saído do ar para sempre a emissora teria que dizer alguma coisa. Hal, o Técnico Schtitt, e a Mães, todos eles tinham percebido o estranho humor de Mario. Mario via de regra era praticamente inagitável.[180]

Agora a wYYY tinha voltado a transmitir *Sessenta Minutos +/–* sem ninguém no comando. Nas últimas várias noites Mario ficou lá deitado dentro de um saco de dormir sarcofagamente afilado de GoreTex e recheado de fibra ouvindo enquanto eles tocavam as estranhas músicas-ambiente estáticas que Madame Psicose usa como trilha, mas agora sem voz nenhuma falando em primeiro plano; e a música estática, desprovida de momentum, como tema em vez de ambiente é de alguma maneira algo terrivelmente perturbador: Hal ouviu alguns minutos da coisa e disse ao irmão que parecia o som de alguém ensandecendo bem diante das tuas orelhas.

9 DE NOVEMBRO
ANO DA FRALDA GERIÁTRICA DEPEND

A Academia de Tênis Enfield tem capacidade oficial para 148 jogadores juvenis — dois quais 80 devem ser homens — mas uma população outonal real no AFGD de 95 alunos pagantes e 41 bolsistas, portanto 136, dos quais 72 são mulheres, neste exato momento, por aguma razão, o que significa que ainda que haja vagas para mais 12 jogadores (de preferência pagando suas mensalidades), deveria idealmente haver 16 homens a mais do que há, o que significa que Charles Tavis & Cia. estão querendo preencher todas as doze vagas disponíveis com homens — fora que eles não iam exatamente se incomodar, pelo que diz a fofocaria generalizada, se coisa de seis das melhores meninas saíssem antes da formatura e tentassem entrar no Circuito, simplesmente porque acomodar 68 meninas significa pôr algumas nos dormitórios masculinos, o que cria tensões e problemas com licenças e pais conservadores, uma vez que banheiros mistos nos corredores não são uma boa ideia com todas aquelas glândulas adolescentes disparando pra tudo quanto é lado.

Isso também significa que, como dois terços dos pró-reitores são homens, os treinos da manhã têm que ser complexamente mancos, os meninos em dois grupos de 32, as meninas em 3 de 24, o que cria problemas nas primeiras aulas da manhã para as meninas mais mal ranqueadas dos pelotões C, que treinam por último.

Matrículas, cotas de gênero, recrutamento, auxílio financeiro, distribuição de quartos, refeições, ranqueamentos, horários de aulas v. horários de treinos, contratação de pró-reitores, acomodamento de mudanças nos horários dos treinos em consequência da movimentação de um jogador no seu pelotão, para cima ou para baixo. É tudo aquele tipo de coisa desinteressante a não ser que você seja o responsável por elas, quando fica tudo estressante e complexo a ponto de alterar taxas de colesterol. O estresse de todas as complexidades e prioridades que é necessário triar e aí ponderar contrastivamente tira Charles Tavis da cama na Casa do Diretor num horário desgraçado quase todo dia, com seu rosto ainda inchado de sono se contorcendo com permutações. Ele fica parado de chinelinhos de couro à janela da sala de estar, olhando para o sudeste, para além das Quadras Oeste e Centrais, vendo o grupo de jogadores das equipes A se reunirem lentos naquele brilho cinzento, carregando equipamento de cabeça baixa e alguns ainda dormindo de pé, com o primeiro pedacinho da fuça do sol protuberando através do horizontezinho da cidade bem longe deles, os reflexos alumínicos de rio e mar, a leste, as mãos de Tavis se mexendo nervosas em volta da xícara de descafeinado de avelã que lhe fumega rosto acima, cabelo descomposto e caindo num lado, testa alta contra o vidro da janela de modo que ele sente o frio cruel da manhã lá fora, com os lábios se mexendo levemente e sem som, a coisa que não é inteiramente impossível que ele tenha gerado adormecida lá perto do sistema de som com as garras sobre o peito e quatro travesseiros para uma respiração que sofre com a bradipneia que soa como suaves repetições das palavras *cais* ou *quis*, sem fazer nenhum som desnecessário, sem ter muita vontade de acordar a coisa e ter que interfacear com ela e ver ela olhando para ele com a cabecinha erguida com uma calma terrível e uma compreensão tolerante dos fatos que é bem possível que seja apenas fruto da imaginação de Tavis, então lábios se mexendo s/ som mas alento e vapor da xícara se espalhando sobre o vidro, e minúsculas estalactites do gelo que a chuva de ontem derreteu pendendo das calhas anodizadas logo acima da janela e vistas por Tavis como um distante horizonte urbano de cabeça para baixo. No céu que fica claro as mesmas duas ou três nuvens parecem andar de um lado para o outro como sentinelas. O calor vem com um vuump distante e o vidro contra a sua testa treme levemente. Um zumbido grave de estática do alto-falante que a coisa tinha dormido sem desligar. O grupo das equipes A não para de se alterar e redistribuir enquanto eles esperam por Schtitt. Permutações de complicações.

Taviz observa os meninos se alongarem e conversarem e beberica o que tem na xícara em suas mãos, com as preocupações do dia se reunindo numa espécie de diagrama-de-árvore de problemas. Charles Tavis sabe que James Incandenza não teria dado a mínima: a chave para a bem-sucedida administração de uma academia júnior de tênis de alto nível é cultivar uma espécie de budismo-do-avesso, um estado de Preocupação Total.

Assim a maior vantagem dos melhores jogadores da ATE é que eles são arrancados da cama ao nascer do sol, ainda remelentos e pálidos de sono, para treinar no primeiro turno.

Os treinos da aurora são, claro, a céu aberto até eles erigirem e inflarem o Pulmão, o que Hal Incandenza espera que seja logo. A circulação dele é ruim por causa do tabaco e/ou da marijuana, e mesmo com sua calça DUNLOP-nas-duas-pernas, uma blusa de gola alta e a jaqueta de tênis grossa de alpaca branca que tinha sido do pai e precisa ter as mangas enroladas, ele está macambúzio e gelado, o Hal, e quando eles dão as corridinhas pré-alongamento subindo e descendo o morro da ATE quatro vezes, sacudindo as raquetes para tudo quanto é lado que nem uns alucinados e (por decreto de A. deLint) fazendo vários barulhos marciais com pouca convicção, Hal está tanto gelado quanto suado, e seu tênis pia com o orvalho enquanto ele saltita no lugar e fica olhando a respiração, arrepiando quando o ar frio bate naquele dente estragado.

Quando eles já estão todos se alongando, alinhados em fileiras que seguem as linhas de saque e de fundo, se dobrando e se curvando, em genuflexões para o nada, mudanças de postura regidas por um apito, a essa altura o céu já está mais claro, da cor de Pepto-Bismol. Os ventiladores ATHSCME estão parados e os ATES conseguem ouvir pássaros. A fumaça das chaminés do complexo Sunstrand fica fracamente iluminada no que paira em plumas, completamente imóvel, como que pintada no ar. Gritinhos minúsculos e um berro repetitivo pedindo ajuda vêm de algum lugar morro abaixo para leste, pressupostamente a Marina de Enfield. Essa é a única hora do dia em que o Charles não parece azul-brilhante. Os pássaros dos pinheiros não soam nada mais felizes que os jogadores. Os não pinheiros da academia estão nus e adernados em tortuosos ângulos declinosos por toda a face do morro morro acima e morro abaixo quando eles correm de novo, mais quatro vezes, e aí nos dias ruins mais quatro ainda, talvez a parte mais odiada do condicionamento do dia. Alguém sempre vomita um pouquinho; é como o toque de despertar do treino. O rio ao nascer do sol é uma faixa do lado mais fosco da folha de flandres. Kyle Coyle fica dizendo que está fri-i-íu. Todos os jogadores mais fracos ainda estão na cama. Hoje a êmese é generalizada, por causa dos doces de ontem à noite. A respiração de Hal paira diante do rosto dele até ele atravessá-la. As corridas produzem o som nauseabundo de lama chapinhada; todo mundo deseja que a grama do morro morresse.

Vinte e quatro meninas são treinadas em grupos de seis em quatro Quadras Centrais. Os 32 meninos (menos, algo ominosamente, J. J. Penn) são divididos mais ou menos por idade em grupos de quatro e ocupam oito instáveis Quadras Leste. Schtitt está lá no seu cesto de gávea, uma espécie de abside no fim do gio de ferro que os jogadores chamam de Torre que se estende leste-oeste sobre o centro dos três conjuntos de quadras e termina c/ o cesto bem acima das Quadras de Exibição. Ele tem uma cadeira e um cinzeiro lá em cima. Às vezes das quadras pode-se vê-lo inclinado sobre a balaustrada, batendo na extremidade do megafone com a sua vareta de meteorologista; das Quadras Oeste e Centrais o sol nascente por trás dele dá um halo róseo à sua cabeça embranquecida. Quando ele está sentado só dá pra ver anéis deformes de fumaça saindo do cesto e se afastando com o vento. O som do megafone dá mais medo quando ele está invisível. As escadas de ferro quadriculadas que levam ao gio ficam a oeste das Quadras Oeste, lá do outro lado em relação à gávea, então às vezes Schtitt fica andando de um lado para o outro pelo gio com a vareta atrás das costas, a bota ressoando contra o ferro. Schtitt parece imune a qualquer clima e sempre usa a mesma roupa nos treinos: agasalho e bota. Quando os golpes ou o jogo dos ATES estão sendo filmados para análise, Mario Incandenza se posiciona na balaustrada do cesto de Schtitt, inclinado bem para fora e filmando lá embaixo, com a trava policial protuberando no ar vazio, com alguém corpulento encarregado de ficar às costas dele agarrando a parte de trás do colete de velcro: Hal sempre se mija de medo porque nunca dá para ver Dunkel ou Nwangi atrás de Mario e sempre parece que ele está se inclinando para se jogar de Bolex sobre a rede da Quadra 7.

A não ser durante períodos de condicionamento disciplinar, os treinos de aurora a céu aberto são assim. Um pró-reitor fica em cada quadra relevante com dois cestos amarelos marca Pula-Bola de bolas usadas mais uma máquina de bolas, máquina esta que parece um armarinho de guardar tênis aberto e com um cano curto numa ponta mirado por cima da rede contra um quarteto de meninos e conectado por longos cabos industriais alaranjados a uma tomada externa de três pinos na base de cada poste de luz. Alguns postes de luz projetam longas sombras delgadas sobre as quadras assim que o sol está forte o bastante para haver sombras; no verão os jogadores tentam meio que se aglomerar nas delgadas linhas de sombra. Ortho Stice não para de bocejar e estremecer; John Wayne enverga um sorrisinho frio. Hal saltita no lugar dentro da jaqueta volumosa e da blusa roxa de gola alta, observa sua respiração e tenta à la Lyle se concentrar atentamente na dor do dente sem pensar se ela é boa ou ruim. K. D. Coyle, que saiu da enfermaria depois do fim de semana, opina que não entende por que o prêmio para os melhores jogadores que atingiram os níveis mais altos seja treinar na aurora enquanto por exemplo o Pemulis e o Vikinguezinho et al. ainda estão na horizontal contando carneirinhos. Coyle fala isso todo dia. Stice lhe diz que está surpreso com a pouca falta que ele fez. Coyle vem do pequeno subúrbio de Tucson, AZ, chamado Erythema e diz ter o sangue fino do deserto e uma sensibilidade especial ao frio úmido das auroras de Boston. O WhataBurger Jr. Invitational é uma espécie de boas-vindas de dois gumes em pleno período de Ação de Graças para Coyle, que com treze anos foi pescado da Academia de Golfe e Tênis Rancho Vista de Tucson com promessas de autotranscendência feitas por Schtitt.

Os treinos são assim. Oito ênfases diferentes em oito quadras diferentes. Cada quarteto começa numa quadra diferente e roda por todas. Os top 4 tradicionalmente começam os treinos na primeira quadra: backhands na paralela, dois meninos de cada lado. Corbett Thorp coloca quadrados de fita isolante nos cantos da quadra e eles são veementemente encorajados a acertar as bolas nos quadrados. Hal troca bolas com Stice, Coyle com Wayne; Axford foi mandado para o grupo de Shaw e Struck por algum motivo. Segunda quadra: forehands, mesma coisa. Stice consistentemente erra o quadrado e recebe uns comentários de pH baixo de Tex Watson, deschapelado e com uma calvície de senhor com vinte e sete. O dente de Hal está doendo, o tornozelo está duro e as bolas frias deixam as cordas com um som morto tipo *tonc*. Minúsculas bratwursts de fumaça ascendem ritmicamente do cestinho de Schtitt. A terceira quadra é das "Borboletas", um negócio complicado em termos de VAVS em que Hal manda um backhand na paralela para Stice enquanto Coyle manda de forehand para Wayne e aí Wayne e Stice devolvem na diagonal para Hal e Coyle, que têm que trocar de lado sem trombar um com o outro e devolver na paralela para Wayne e Stice, respectivamente. Wayne e Hal se divertem fazendo as suas diagonais colidirem no ar uma vez a cada cinco mais ou menos — isso na ATE é chamado de "colisão de partículas" e é compreensivelmente difícil de fazer — e as bolas que colidem voam doidas para outras quadras de treino, e Rik Dunkel acha menos graça que Wayne e Hal, então, agora já bem aquecidinhos e com os braços cantando, eles são rapidamente shunteados para a quarta quadra: voleios fundos, depois angulados, depois lobs e smashs, treino este, o último, que pode ser transformado numa vomitança disciplinar se um pró-reitor estiver te passando os lobs: os treinos de smashs são chamados de "Toque & Pique": Hal vai andando em marcha a ré, terrivelmente consciente do tornozelo, pula, chuta o ar, crava o lob de Stice e aí tem que correr e tocar a fita da rede com a cabeça da Dunlop enquanto Stice manda outro lob profundo, e Hal tem que marcharrezar de novo, pular, chutar e cravar, e assim por diante. Aí Hal e Coyle, os dois puxando fôlego depois de vinte e tentando se manter de pé, mandam lobs para Wayne e Stice, nenhum dos quais é fatigável até onde se percebe. Você tem que chutar o ar nos smashs pra não perder o equilíbrio no salto. No alto, Schtitt usa um megafone sem amplificação e uma pronúncia cuidadosa para comunicar a todos os interessados que o sr. Zumbi Hal Incandenza estava deixando a bola chegar um tantinho atrás dele nos smashs, medo do tornozelo quem sabe. Hal ergue a raquete em sinal de aceitação sem olhar para cima. Aguentar aqui além dos catorze anos de idade é ficar imune à humilhação provocada pela equipe técnica. Coyle diz a Hal entre os lobs que soltam que ele ia adorar ver o Schtitt ter que fazer vinte Toques & Piques um atrás do outro. Eles estão todos tão vermelhos que brilham, todo o frio já apagado, narizes escorrendo livremente e cabeças vascularizadamente vibrantes, o sol bem acima da luz fosca do mar e começando a derreter os restos enlameados da nevasca com chuva do Dia-I que os zeladores da noite varreram em pequenos montinhos alinhados às cercas longitudinais, cunhas sujas que agora começam a derreter e escorrer. Ainda não há movimento das plumas das chaminés da Sunstrand. Os pró-reitores observadores relaxam com as pernas abertas e os braços cruzados sobre a cabeça das raquetes. As mesmas três ou quatro nuvens com formato de catota parecem passar de um lado a outro no alto, e quando elas encobrem o sol a respiração das pessoas ressurge. Stice sopra na mão da raquete e conclama num gritinho abafado a inflação do Pulmão. O sr. A. F. deLint patrulha por trás da cerca com prancheta e apito, assoando o nariz. As meninas atrás dele estão aglomeradas demais para valer a pena ficar olhando, os cabelos presos por elásticos em rabinhos saltitantes.

Quinta quadra: saques nos dois cantos das duas áreas, pegar o serviço do outro e depois sacar. Primeiros serviços, segundos serviços, saques com slice, saques curtos e dorsalmente torturantes saques tipo American Twist de que Stice implora para ser dispensado, dizendo ao pró-reitor — Neil Hartigan, que tem 2 m de altura e é de tão poucas palavras que todo mundo tem medo dele por default — que está sofrendo de espasmos lombares por causa de uma cama mal posicionada. Aí Coyle — com sua bexiga pequena e suas secreções suspeitas — recebe permissão para ir até a linha de vegetação leste fora do campo de visão das meninas e mijar, então os outros ganham três minutos para dar uma corrida até o pavilhão e ficar parados com as mãos nos quadris, respirar e tomar Gatorade nuns copinhos cônicos de papel que você não pode largar antes de esvaziar. O jeito de você enxaguar uma boca amarrada entre treinos é pegar um golão de Gatorade e inflar as bochechas para formar um globo de líquido que você açoita com os dentes e a língua, aí se inclinar, cuspir na grama e tomar outro gole de verdade. A sexta quadra é de devoluções de serviços na paralela, no centro da quadra, diagonais profundas, e aí diagonais colocadas, aí colocadas profundas, c/ mais quadradinhos de fita; aí devoluções chapadas e diagonais contra um sacador que sobe à rede. O sacador treina meios-voleios com as bolas chapadas, embora Wayne e Stice sejam tão rápidos que já estão em cima da rede quando a bola chega até eles e podem volear tranquilamente na altura do peito. Wayne treina com a parcimônia despreocupada de quem está mais ou menos em segunda marcha. Os copinhos dos bebedouros não podem ficar em pé, o fundo deles é pontudo e eles derramam qualquer líquido que ainda reste neles, por isso você tem que esvaziar. Entre os pelotões os caras do Harde varrem dúzias de cones do pavilhão.

Aí, abençoadamente, na sétima quadra, treinos fisicamente complacentes de finesse. Deixadinhas, deixadinhas anguladas, lobs com topspin, ângulos radicais, deixadinhas com ângulos radicais, aí um tranquilo microtênis, tênis dentro das áreas de saque, muito delicado e preciso, ângulos radicais sendo especialmente encorajados. No que se refere a pegada e toque artístico ninguém chega perto de Hal no microtênis. A essa altura a gola alta de Hal está empapada embaixo da jaqueta de alpaca, e trocá-la por um moletom da sacola de equipamentos é meio que uma renovação. O pouco vento que existe aqui embaixo vem do Sul. A temperatura agora está provavelmente pouco acima de 10°C; o sol já nasceu há uma hora, e quase dá para ver as sombras dos postes de luz e do gio girando lentamente a noroeste. As plumas das chaminés da Sunstrand estão lá retas como cigarros, sem parecer nem que se abrem no topo; o céu está ficando de um azul vítreo.

Não há necessidade de bolas (de tênis) na última quadra. Corridas de fôlego. Provavelmente é melhor falar o mínimo possível das corridas de fôlego. Aí mais Gatorade, que Hal e Coyle agora estão respirando pesado demais para achar bom, enquanto Schtitt desce lentamente do gio. Demora um pouco. Dá pra ouvir a bota de bico de aço batendo em cada degrau de ferro. Há algo medonho num velho muito em forma, isso pra nem mencionar a bota de montaria c/ o agasalho Fila de seda cor de clarete. Ele está vindo para cá, com as mãos atrás das costas e a ponta da vareta aparecendo lateralmente. O rosto e o cabelo raspado de Schtitt são nacarados no que ele se move rumo leste pela luz cada vez mais amarela da manhã. Isso é meio que o sinal para que todos os quartetos se reúnam nas Quadras de Exibição. Atrás deles as meninas ainda estão trocando bolas em combinações abarrocadas, com muitos gemidinhos agudos e o *tonc* inerte das bolas batidas a frio. Mandam três sub-14 rodinharem o derretimento mais invasivo de volta para as pequenas banquisas de folhas congeladas ao longo da cerca. No horizonte ao norte um bulboso cone de nuvens pícricas vai ficando mais alto a cada hora que passa na medida em que os pantagruélicos efetuadores na fronteira Methuen-Andover forçam os óxidos combinados da região norte de MA contra alguma espécie de resistência de camadas superiores de ar, ao que parece. Dá pra ver umas purpurinas de vidro estilhaçado do monitor entre as coisas congeladas junto às cercas atrás da linha 6-9 de quadras e uma ou duas lascas curvas de floppy, e elas são uma visão incômoda, com Penn ausente entre incômodos boatos ortopédicos, o Postal com dois olhos roxos e o nariz coberto com umas faixas horizontais que estão começando a afrouxar e se enrodilhar nas pontas por causa do suor, e Otis P. Lord supostamente tendo que voltar para o pronto-socorro do St. Elizabeth ontem à noite com o monitor Hitachi na cabeça, ainda, sendo que a sua remoção, com todos aqueles dentes pontudos do vidro partindo da tela e apontando para pontos-chave da garganta de Lord, aparentemente necessitava do tipo de expertise bizarra que você tem que mandar vir com um jatinho médico, segundo Axford.

Eles todos emborcam três cones de Gatorade, recurvados ou agachados, puxando ar, enquanto Schtitt fica parado numa posição meio Descansar com a vareta de meteorologista atrás das costas e compartilha com os jogadores impressões gerais sobre o trabalho matutino até aqui. Certos jogadores são escolhidos para menções ou humilhações especiais. Aí mais corridas de fôlego. Aí uma rápida coisa tipo uma clínica-estratégica com Corbett Thorp sobre como as paralelas não são sempre a melhor estratégia tática para preparar a subida à rede, e por quê. Thorp é uma mente tenística de primeira, mas sua terrível gagueira deixa os meninos tão incomodados que eles acham difícil ouvir.[181]

Todo o primeiro grupo na oitava quadra para os últimos treinos de condicionamento.[182] Primeiro são os Treinos em Estrela. Mais de uma dúzia de meninos de cada lado da rede, atrás das linhas de fundo. Formar uma fila. Ir um de cada vez. Vai: corra pela linha lateral, toque a rede com raquete, aí volte para o canto externo da área de saque e aí para a frente para tocar a rede de novo; para trás até o meio da área de saque, para a frente para tocar a rede; atrás até a marquinha do meio da linha de fundo, na frente na rede; outro canto externo da área de saque, rede, canto da linha de fundo, rede, aí dê a volta e corra igual um demente até o canto em que você começou. Schtitt fica com um cronômetro. Tem um balde faxineiral[183] colocado no corredor de duplas perto da linha de chegada, para distúrbios eventuais. Cada um tem que fazer o Treino em Estrela três vezes. Hal marca 41 segundos, 38 e 48, o que é mediano não só para ele como para qualquer garoto de dezessete anos com uma frequência cardíaca em repouso pouco abaixo de 60. O melhor resultado de John Wayne com 33 ocorre na sua terceira Estrela, e ele para abruptamente na linha de chegada e sempre fica só ali parado, sem nunca se dobrar ou andar para recuperar o fôlego. Stice consegue 29 e todo mundo fica muito empolgado até Schtitt dizer que demorou para disparar o cronômetro: artrite num polegar. Todo mundo menos Wayne e Stice usa o balde-de-hugo de uma maneira meio pró-forma. Petropolis Kahn, de dezesseis anos, vulgo "ML" para abreviar "Mamute Lanoso", por ser tão peludo, marca 60, depois 59 e aí tomba de cara no piso duro e resta ali bem imóvel. Tony Nwangi manda todo mundo contornar o corpo dele.

O grand-finale cardiovascular é com o Lado-a-Lado, concebido por Van der Meer nos anos 60 AS e diabólico em sua simplicidade. Novamente divididos em grupos de quatro em oito quadras. Para os melhores do sub-18, o pró-reitor R. Dunkel na rede com uma braçada de bolas e mais num cesto ao seu lado, mandando bolas medidas, uma para o lado do forehand, aí outra para o lado do backhand, aí mais longe no forehand e assim por diante. E assim por diante. Espera-se que Hal Incandenza pelo menos encoste a raquete em cada bola; para Stice e Wayne as expectativas são mais elevadas. Um treinozinho bem desagradável em termos de fadiga, e para Hal também em termos de tornozelo, com esse monte de paradas e reversões de trajetória. Hal está usando duas bandagens num tornozelo esquerdo cujos pelos ele raspa com mais frequência que os do bigode. Em cima das bandagens vai um suporte inflável Estribo de Ar que é muito leve mas parece um pouco um aparelho medieval de tortura. Foi num movimento de parada-e-reversão muito similar aos do Lado-a-Lado[184] que Hal rompeu todos os tecidos moles de tornozelo esquerdo que possuía, com quinze, no tornozelo, no Easter Bowl de Atlanta, na terceira rodada, que ele estava perdendo mesmo. Dunkle pega bem leve com Hal, pelo menos nas primeiras duas rodadas, por causa do tornozelo. Hal vai ser pelo menos cabeça-de-chave nº 4 no WhataBurger

468

Inv. daqui a algumas semanas, e coitadinho do pró-reitor que deixar Hal se machucar como Hal deixou alguns de seus Amiguinhos se machucarem ontem.

O que é potencialmente diabólico no Lado-a-Lado é que a duração do treino, a velocidade e o ângulo das bolas que você tem que perseguir de um lado para o outro ficam inteiramente ao gosto do pró-reitor. O pró-reitor Rik Dunkel, um ex-vice--campeão de duplas sub-16 no torneio júnior de Wimbledon e um sujeitinho bem decente, filho de algum tipo de magnata dos sistemas-de-embalagem-plástica lá de South Shore, empatado com Thorp na disputa de pró-reitor mais inteligente (mais ou menos por falta de concorrência), considerado uma espécie de místico porque às vezes encaminha gente para o Lyle e já foi visto sentado em reuniões comunitárias com os olhos fechados mas sem estar dormindo... mas a questão é: sujeitinho bem decente mas que não era lá de dar muita moleza. Parece que ele recebeu instruções para pegar especialmente pesado com Ortho Stice dessa vez, e na sua terceira rodada Stice está tentando chorar sem fôlego e miando os nomes das tias.[185] Mas enfim todo mundo passa pelo Lado-a-Lado três vezes. Até Petropolis Kahn passa aos trancos e barrancos, ele que depois das Estrelas teve que ser meio carregado por Stephan Wagenknecht e Jeff Wax com o tênis Nike arrastando atrás de si, a cabeça balançando solta no pescoço, e teve que ganhar tipo um empurrão de balança de parquinho pra se ligar. Hal tem pena de Kahn, que não é gordo mas é do molde de Schacht, muito pesado e sólido, só que também com todo um peso extra em termos de pelos nas pernas e nas costas, e que sempre cansa fácil por mais que se prepare bem. Kahn passa pelo treino, mas fica lá dobrado em cima do balde para distúrbios ainda muito depois da terceira rodada, encarando o balde, e fica daquele jeito enquanto todos os outros tiram camadas inferiores de roupa empapada e aceitam toalhas limpas de uma menina negra da casa de recuperação que trabalha meio período com o carrinho de toalhas, e pegam bolinhas do chão.[186]

São 0720h e eles acabaram a parte ativa dos treinos da aurora. Nwangi, no começo da encosta, está apitando para começarem as corridas do início do próximo turno. Schtitt compartilha mais impressões gerais enquanto auxiliares minimamente-assalariados distribuem lenços e cones de papel. A voz fanhosa de Nwangi se faz ouvir de longe, ele está dizendo ao pessoal do B que só quer ver cus e cotovelos nessas corridas. Hal não entende bem o que isso poderia significar. O pessoal do A formou de novo aquelas fileiras serrilhadas atrás da linha de fundo, e Schtitt anda de um lado para o outro.

"Vendo treinares preguiçosos, de homens preguiçosos. Sem querer insulto. Este é o fato. Sem empenho. Mínimo esforço. Frio, sim? Mãos frias e nariz com muco? Pensamentos de acabar, entrar, chuveiro quente, água muito quente. Comida. Pensamentos fugindo para conforto de fim. Frio demais para exigir o total, sim? Mestre Chu, frio demais para tênis do alto nível, sim?"

Chu: "Parece mesmo que está bem friozinho, senhor."

"Ah." Andando de um lado para o outro dando meias-voltas a cada dez passos, cronômetro pendurado no pescoço, cachimbo, saco de fumo e vareta nas mãos atrás das costas, assentindo sozinho com a cabeça, nitidamente desejando ter uma terceira mão para poder afagar seu queixo encanecido, fingindo meditar. Toda manhã é essencialmente a mesma coisa, a não ser quando Schtitt cuida das meninas e os meninos são comandados por deLint. Os olhos de todos os meninos mais velhos estão apagados de tanta repetição. O dente de Hal solta pequenas fagulhas elétricas a cada inalação, e ele está se sentindo vagamente mal. Quando ele mexe a cabeça de leve a purpurina dos cacos do vidro de monitor se desloca e dança na cerca do outro lado de um jeito meio nauseante.

"Ah." Virando-se seco para eles, olhando brevemente para o céu. "E quando está quente? Muito bem quentinho para o eu total em quadra? O outro ponteiro do espectro. Ach. É sempre alguma coisa que é *muito*. Mestre Incandenza que não consegue chegar rápido na descida do lob para o peso poder seguir *prrafrrente* no overhand,[187] por favor diga o seu pensamento: está sempre quente ou frio, sim?"

Um sorrisinho. "É meio que a opinião geral aqui, senhor."

"Aí então então aí, Mestre Chu, das temperanças regiões de Califórnia?" Chu baixa o lencinho. "Acho que a gente tem que aprender a se acomodar às condições, senhor, acho que é isso que o senhor está dizendo."

Uma meia-volta plena e violenta para encarar o grupo. "É o que eu *não* estou dizendo, jovem LaMont Chu, é por que você deixa de parecer dar esforço total do eu desde que começou a recortar figuras de grandes figuras profissionais para sua fita adesiva e parede. Não? Porque, cavalheiros e meninos privilegiados que eu estou dizendo, é sempre alguma coisa que é *demais*. Frio. Calor. Úmido e seco. Sol muito forte e vocês veem os pontos roxos. Muito forte e quente e vocês não têm sal. Fora é vento, os insetos que gostam do suor. Dentro é cheiro de aquecedores, eco, ficar amontoados, a parede ficar perto demais da linha de fundo, não tem espaço, as campainhas dentro dos clubes que batem na hora muito alto e distraem, o estrondo das máquinas que vomitam cola doce por moedas. Teto interno baixo demais para lob. Luz ruim, então. Ou fora: o piso ruim. Ah não olha só: mato nas frestas da linha de fundo. Quem pode dar total, com mato. Olha aqui é rede baixa rede alta. Os pais do adversário palpitam, adversário trapaceia, juiz de linha de semifinal é cego ou trapaceia. Você está com dor. Você está com a contusão. Joelho ruim ou as costas. Machucou área da virilha porque não alongou que nem mandaram. Dores do cotovelo. Cílio no olho. A garganta raspando. Uma menina bonita demais na plateia, olhando. Quem é que pode jogar assim? Plateia grande demais assusta ou pequena demais para inspirar. Sempre alguma coisa."

As reviravoltas como os passos dele são bruscas e empregadas como ênfases verbais. "Acomodar. Acomodar? Ficar *igual*. Não? Não é ficar igual? Está frio? Está vento? Frio e vento é o mundo. Fora, sim? Na quadra de tênis o você o jogador: ali não é onde tem vento frio. Eu estou dizendo. Mundo diferente *dentro*. Mundo erguido lá dentro frio lá fora mundo de vento bate o vento, protege o jogador, você se você ficar igual, ficar dentro." Andando aos poucos mais rápido com as reviravoltas ficando piruéticas. Os meninos mais velhos olham reto para a frente; alguns mais novos acompanham cada gesto da vareta com uns olhos enormes. Trevor Axford está abaixado com as mãos no joelho e mexendo levemente a cabeça, tentando fazer que o suor que lhe escorre do rosto escreva alguma coisa no chão. Schtitt fica calado por duas meias-voltas velozes, marchando diante deles, batendo no queixo com a vareta. "Nunca eu penso esse acomodar. A quê, esse acomodar? Esse mundo de dentro é o mesmo, sempre, se você ficar. Isso é o que nós estamos fazendo, não? Cidadão novo tipo. Não de frio e vento fora. Cidadãos desse abrigado segundo mundo que nós estamos fazendo força para mostrar a vocês toda manhã cedo, não? Para fazer essa apresentação de vocês." Os Amigões traduzem o Schtitt numa língua acessível aos menores, é uma parte relevante da tarefa deles.

"Os limites da quadra de simples sr. Rader são quais."

"Vinte-e-quatro por oito, senhor", soando rouco e murcho.

"Então, segundo mundo sem frio ou pontinhos roxos de brilhar para vocês tem 23,8 metros, 8 eu acho ,2 metros. Sim? Naquele mundo há alegria porque lá há abrigo de *alguma coisa mais*, de meta além do preguiçoso eu e reclamações de desconforto. Eu estou falando para não apenas LaMont Chu do mundo da temperança. Vocês têm uma oportunidade de *ocorrer*, quando jogam. Não? De fazer para vocês esse segundo mundo que é sempre o mesmo: há neste mundo vocês, e na mão uma ferramenta, e sempre só dois de vocês, você e esse outro, dentro das linhas, sempre com o objetivo de manter esse mundo vivo, sim?" Os movimentos varetais durante isso tudo ficam orquestrais e intricados demais para descrever. "Esse segundo mundo dentro das linhas. Sim? Isso é *acomodar*? Isso não é acomodar. Isso não é acomodar para *ignorar* o frio e vento e cansado. Não ignorar 'e se'. *Há* vento nenhum. *Há* frio nenhum. Nenhum vento frio onde vocês *ocorrem*? Não? Não 'acomodar às condições'. Façam esse segundo mundo dentro do mundo: aqui não *há* condições."

Olha em volta.

"Então larguem mão de reclamar da merda do frio", diz deLint, com a prancheta embaixo do braço e aquelas mãos tamanho-estrangulador no bolso, saltitando um pouco no lugar.

Schtitt está olhando em volta. Como a maioria dos alemães fora do entretenimento popular, ele fala mais baixo quando quer impressionar ou ameaçar. (A bem da verdade são bastante raros os alemães gritalhões.) "Se está duro", ele diz baixo, duro de ouvir por causa do vento que aumenta, "difícil, para você se mover entre os dois mundos, do vento quente frio e do sol para esse espaço de dentro dentro das linhas onde está sempre igual", ele diz parecendo agora analisar a vareta de meteorologista que segura com as mãos estendidas, "nós podemos dar um jeito para os cavalheiros nunca mais saírem, sempre aqui, neste mundo dentro das linhas da quadra. Vocês sabem. Podem ficar aqui até ter cidadania. Bem aqui." A vareta fica apontando para os lugares onde eles estão respirando, enxugando o rosto e assoando o nariz. "Podemos hoje erguer Pulmão de TesTar, para abrigo do mundo. Sacos de dormir. Comida de trazer. Nunca do outro lado das linhas. Nunca sair da quadra. Estudar aqui. Um balde para necessidades higiênicas. No Gymnasium Kaiserslautern onde eu sou menino privilegiado que resmunga de vento frio, nós moramos dentro de quadra meses, para aprender a viver dentro. Dias de muita sorte quando traziam comida. Não possível atravessar uma linha por meses de vida."

O canhoteiro Brian van Vleck escolhe um mau momento para soltar um peido.

Schtitt dá de ombros, meio que lhes virando as costas para olhar para algum ponto distante. "Ou deixar aqui no grande mundo externo onde há frio e dor sem objetivo ou ferramenta, cílio no olho e menina bonita — não se preocupar mais sobre como *ocorrer*." Olha em volta. "Ninguém é prisioneiro aqui. Quem gostaria de escapar para grande mundo. Mestre Sweeney?"

Olhozinhos abaixados.

"Sr. Coyle, com sempre fri-íu demais para dar total?"

Coyle examina a vascularização do lado interno do cotovelo com profundo interesse enquanto sacode a cabeça. John Wayne está jogando a cabeça para todo lado como uma cabeça de boneco de engonços, alongando os mecanismos pescoçais. John Wayne é notoriamente travado e não consegue encostar em nada para baixo dos joelhos com as pernas retas nas sessões de alongamento.

"Sr. Peter Beak com sempre o choro para os em casa no telefone?"

O menino de doze aninhos diz Eu Não Senhor várias vezes.

Hal muito sutil mete um naco pequeno de Kodiak na boca. Aubrey deLint está com os braços cruzados sobre a prancheta olhando em volta com os olhinhos apertados como um corvo. Hal Incandenza sente uma repulsa quase obsessiva por deLint, que ele diz a Mario que às vezes nem consegue acreditar direito que seja uma pessoa de verdade, e de quem tenta ficar ao lado, para ver se deLint tem mesmo uma coordenada no eixo z ou é só um recorte ou uma projeção. Os meninos do próximo turno estão caminhando morro abaixo, correndo para cima, caminhando para baixo, soltando gritos marciais sem convicção. Os outros pró-reitores homens estão tomando cones de Gatorade, aglomerados no pequeno pavilhão, pés sobre cadeiras de piscina, os olhos de Dunkel e Watson fechados. Neil Hartigan, com sua tradicional camisa taitiana e suéter com motivo gauguinesco, tem que ficar sentado para caber sob o toldo da Gatorade.

"Simples." Schtitt dá de ombros, de modo que a vareta verticalizada parece cutucar o céu. "Batam", ele sugere. "Corram. Viajem desbagajados. Ocorram. Sejam *aqui*. Não na cama ou no chuveiro ou cheiro de bacon na mente. Sejam *aqui* em total. É mais nada. Aprendam. Tentem. Bebam o seu suco verde. Façam os exercícios borboleta em todas essas oito quadras, por favor, para desaquecer. Sr. deLint, por favor desaqueça os rapazes, não deixe de alongar as virilhas. Cavalheiros: batam em bolas de tênis. Disparem quando quiserem. Usem uma cabeça. Vocês não são braços. Braço no tênis real é como roda de veículos. Não motor. Pernas: não também. Onde é que se pede cidadania no segundo mundo sr. consciência do tornozelo Incandenza, nosso zumbi?"

Hal consegue se inclinar para a frente e cuspir de um jeito que não é insolente. "Cabeça, senhor."

"Desculpe?"

"A cabeça humana, senhor, se eu entendi o seu objetivo. Onde eu vou ocorrer como jogador. O mundo das duas cabeças do jogo. Um mundo só, senhor."

Schtitt varre com a vareta um icônico arco em diminuendo e ri em voz alta.

"Podem jogar."

Parte do trabalho de Don Gately como funcionário residente é que ele tem que se mandar pela cidade para resolver determinadas coisas para a Casa Ennet. Ele faz o jantar comunitário nos dias de semana,[188] o que quer dizer que faz as compras semanais da Casa, o que quer dizer que pelo menos umas duas vezes por semana ele pode pegar o Ford Aventura preto 1964 de Pat Montesian e ir até o Mercado Suprema Pureza. O Aventura é uma variação antiga do Mustang, o tipo de carro que você normalmente só vê encerado e estático em salões do automóvel com alguém de biquíni apontando para ele. O da Pat funciona e está recém-recondicionado — sendo que o obscuro marido dela com coisa de dez anos de sobriedade é megafã de carros — com uma pintura em múltiplas camadas tão foda que é de um preto que tem a qualidade infinita da água noturna. O carro tem dois sistemas de alarme diferentes e uma barra de metal vermelha que era para você travar o volante quando sai. O som do motor parece mais o de um motor a jato que de pistões, fora que tem um calombo saindo periscopicamente do capô, e para Gately o veículo é tão tremendamente perfeito e elegante que é como ser amarrado a um míssil e lançado para o destino de uma tarefa doméstica. Ele mal cabe no assento do motorista. O volante é quase do tamanho de um volante antigo de fliperama, e a fina alavanca inclinada do câmbio de seis marchas fica envolta por uma coberturinha de couro vermelho com um cheiro forte de couro. A altura do teto do carro atrapalha a postura de Gately ao dirigir, e o pernil direito dele ultrapassa o assento e se espreme contra a alavanca de câmbio de modo que trocar de marcha belisca o seu quadril. Ele não liga. Alguns dos sentimentos espirituais mais profundos da sua sobriedade até aqui são por esse carro. Ele dirigiria esse carro mesmo que o assento do motorista fosse só uma vara pontuda afiada, ele disse para Johnette Foltz. Johnette Foltz é a outra funcionária residente, ainda que entre uma atividade ultrarrábida nas Promessas da NA e um noivo NA meio problemático que ela passa bastante tempo empurrando por aí numa cadeira de rodas de vime, ela ande cada vez menos presente na Ennet, e já haja um murmúrio falando de uma possível substituta, que Gately e os residentes masculinos heterossexuais rezam diariamente para ser a ex-aluna pernuda e conselheira de meio período Danielle Steenbok, que também se diz à boca pequena que frequenta um grupo doze-passos de viciados em Sexo e Amor, o que detona plenissimamente a imaginação de todo mundo.

É um sinal de grande consideração e de bom senso questionável a Diretora Pat M. deixar Don Gately dirigir seu Aventura preciosíssimo, nem que seja só até o Mercadinho Metropolitano ou ao Suprema Pureza, porque Gately perdeu a carteira mais ou menos permanentemente lá no Ano do Lava-Louças Quietinho Maytag por cair numa blitz de lei-seca em Peabody com uma carteira que já tinha sido suspensa por dirigir embriagado em Lowell. Essa não foi a única Perda que Don Gately sofreu enquanto suas carreiras químicas seguiam na direção do seu clímax inversor de vida. Uma vez a cada dois meses agora, ainda, ele tem que vestir sua calça elegante marrom e um blazer verde ligeiramente irregular da Roupas para Homens Grandes e Gordos Brighton Budget e pegar o trem até determinadas sedes do Judiciário em North Shore e se encontrar com vários DPs, OCs e Assistentes Sociais e às vezes dar as caras rapidinho diante de juízes e Juntas de Avaliação para reexaminar a evolução da sua sobriedade e das suas reparações. Quando chegou à Casa Ennett no ano passado, Gately tinha acusações de Cheques-sem-Fundo e Falsificados, fora duas prisões por entrar em confusão embriagado e uma acusação fajuta de Micção em Público lá em Tewksbury. Ele tinha uma Invasão de Domicílio de uma mansão em Peabody com alarme silencioso onde ele e um colega foram pegos antes de poder afanar qualquer coisa. Ele tinha uma Posse com Intenção de 38 comprimidos de 50 mg de Demerol[189] num desses tubinhos de bala com cabeça de personagens de cartoon que ele tinha enfiado no vão do assento de trás da viatura dos policiais de Peabody, mas que acabou sendo encontrado mesmo assim na revista rotineira de viaturas que todos os tiras realizam quando as pupilas do detido não respondem nem a luz nem a tapas na testa.

Havia também, é claro, uma certa questão mais negra, vis-à-vis certa aristocrática residência de Brookline cujo falecido proprietário tinha recebido um elogio fúnebre de extensão assustadora e com tamanho de manchete tanto no *Globe* quanto no *Herald*. Depois de oito meses de indescritível pavor psíquico, esperando que o pezão da lei caísse sobre a questão do canadôncio VIP — mais no fim do seu período de uso de drogas Gately tinha ficado desleixado e maluco e se atinha imbecilmente a um método de usar um *shunt* direto no relógio de luz que tinha aprendido no presídio de Billerica e tinha quase certeza que àquela altura era um modus operandi personalizado de Gately, já que o cara mais velho que tinha ensinado para ele na oficina de metalurgia de Billerica acabou saindo, indo para Utah e morrendo de overdose de morfina (e tipo quem é o idiota que acha que vai conseguir heroína de verdade na porra de Utah, meu?) faz mais de dois anos — depois de oito meses de pavor e roer de unhas, os dois meses finais do tormento na Ennett House — apesar da licença da Casa com a Div. de Servs. de Ab. de Substs. a deixar fora da jurisdição de qualquer membro das forças da lei sem a presença física e a permissão com firma reconhecida de Pat Montesian — depois de ele já estar nas cutículas dos dez dígitos, Gately abordou muito discretamente um certo estenógrafo de tribunal devoto de Oxycontin para quem uma ex-namorada outrora traficou, e fez o cara fazer umas investigações igualmente discretas, e descobriu que a investigação potencialmente homicídio-culposa daquele roubo que saiu pela culatra[190] tinha sido assumida — malgrado os uivos altos de raiva de certo PPA e imisericordioso de Revere — por alguma coisa federal que o estenógrafo carcomido chamou de "Escritório de Serviços Randômicos", quando então o caso desapareceu de tudo quanto era cena investigativa que o estenógrafo pudesse inquirir, ainda que um rumor muito contido dissesse que as suspeitas atuais estavam se dirigindo a certos obscuros grupos canado-políticos lá no distante Québec, bem para o norte da Enfield MA onde Gately estava indo apavorado a reuniões noturnas do AA com os dedos enfiados na boca.

Quase todos os casos que Gately tinha em aberto o seu DP conseguiu fechar Sem Solução,[191] condicionados ao fato de que Gately entraria em tratamento de longo prazo, manteria abstinência de substâncias, se submeteria a urinálises aleatórias e faria pagamentos quinzenais de reparações com os contracheques patéticos que recebia de Stavros Lobokulas e agora também como funcionário residente da Casa Ennet. A única questão não resolvida via Arquivo Azul era a coisa de dirigir com um carteira suspensa por embriaguês. No Estado de MA, essa questão acarreta uma sentença compulsória de noventa dias, tipo uma pena escrita direto na letra da lei; e o PD desse caso foi superfranco com o Gately sobre ser uma questão de tempo até que as lentas engrenagens da justiça girem e algum juiz ponha a decisão e o caso em Arquivo Vermelho e Gately tenha que cumprir a sentença em algum lugar de segurança mínima tipo Concord ou Deer Island. Gately não morre de medo de puxar noventa dias. Com vinte e quatro ele tinha puxado dezessete meses em Billerica por agredir dois leões de chácara numa balada — a bem da verdade ele meio que tinha batido no segundo leão de chácara com o corpo inconsciente do primeiro — e sabia muito bem que consegue encarar uma cadeia do Estado. Ele era grande demais para foderem ele ou com ele e não estava interessado em foder com ninguém: ele cumpriu sua pena honradamente e não deu motivo para ninguém se sentir ofendido; e quando os primeiros caras durões foram atrás dele para pegar os seus cigarros no refeitório ele tinha rido daquilo com uma felicidade feroz, e quando eles chegaram pela segunda vez Gately bateu nos caras quase até matar no corredor atrás da sala de musculação onde podia ter certeza de que vários outros caras iam ouvir, e depois que esse incidente foi superado ele simplesmente pôde passar o tempo sem ninguém foder com ele. Gately agora só morria de medo da perspectiva de ter só uma ou duas reuniões do AA por semana na cadeia — as únicas reuniões que os detentos sóbrios conseguem ver são quando um Grupo da região vai para uma Promessa Penal, de que Gately já participou — quando é quase mais fácil conseguir Demerol e Talwin e a boa e velha maconha na cadeia que no mundo aqui de fora. Gately ficava apavorado agora só ao pensar no Sargento-de-Armas, no pastor com jeito elegante. Voltar a ingerir Substâncias tinha se tornado seu maior medo. Até Gately pode ver que se trata de uma grande reviravolta psíquica. Ele já diz de cara para os novos residentes que o AA de alguma maneira o pegou pelas guedelhas mentais: ele agora literalmente vai fazer de Tudo para ficar limpo.

Ele lhes diz já de cara que de início veio para a Ennet só para não ir para a cadeia, e não tinha muita esperança quanto a realmente ficar sóbrio por algum tempo relevante; e tinha sido superfranco com Pat Montesian sobre isso durante a sua entrevista de entrada. A honestidade curta e grossa sobre esse desinteresse e essa desesperança foi uma das razões que levaram Pat a incluir uma figura tão nitidamen-

475

te chave-de-cadeia na Casa com nada além de uma indicação nada entusiasmada de um OC lá do escritório do 5º DP em Peabody. Pat disse a Gately que honestidade curta e grossa e desesperança eram as únicas coisas necessárias para você começar a se recuperar de um vício em Substâncias, mas que sem essas coisas você estava totalmente no penico. Desespero também quebrava um belo galho, ela disse. Gately coçou a barriga do cachorro dela e disse que não sabia bem se estava desesperado por alguma coisa a não ser por querer de alguma maneira parar de se encrencar por causa de coisas que depois ele normalmente nem conseguia lembrar que fez. O cachorro tremeu, se sacudiu e os olhos dele rolaram para cima quando Gately, que tinha sido avisado dessa necessidade de Pat de ver seus cães acariciados, esfregou sua barriga sarnenta. Pat tinha dito tipo tudo bem isso bastava, essse desejo de acabar com a merdarada.[192] Gately disse que o cachorro dela estava na cara que gostava de carinho na barriga, e Pat explicou que o cachorro era epilético, e disse que só o desejo de parar de apagar já era mais que suficiente para começar. Ela puxou um estudo estatal de Vício em Substâncias lá de dentro de uma pasta preta de plástico que estava numa longa estante preta de plástico cheia de pastas pretas de plástico. No fim de contas Pat Montesian gostava pacas da cor preta. Ela estava usando — o que era meio que um exagero fashion numa casa de recuperação — calças de couro preto e uma camisa preta de seda ou de alguma coisa sedosa. Do outro lado da bay window um trem da Linha Verde estava se matando para subir o primeiro morro de Enfield sob a chuva de fim de verão. A visão morro abaixo da bay window sobre a mesa preta de laca ou algum esmaltado de Pat era tipo a única coisa espetacular na Ennet, que fora isso era um cafofo bem nojentinho. Pat fez um barulhinho contra a pasta com uma unha postiça Svelte e disse que neste estudo estatal bem aqui, conduzido no Ano do Emplastro Medicinal Tucks, mais de 60% dos detentos que cumpriam prisão perpétua no inferno que era o presídio de Walpole e que não discutiam ter feito o que tinham feito para estar ali não lembravam de ter feito aquilo, fosse lá o que aquilo fosse. Nem a pau. Lhufas. Gately precisou que ela repassasse aquilo com ele mais umas vezes antes de conseguir separar o que ela queria dizer. Eles estavam apagados. Pat disse que um apagão era quando você continuava a funcionar — às vezes de maneira desastrosa — mas não tinha consciência depois do que tinha feito. É como se a sua mente não estivesse de plena posse do corpo, e isso normalmente era provocado pelo álcool mas podia também ser provocado pelo uso crônico de outras Substâncias, entre elas os narcóticos sintéticos. Gately disse que não lembrava de ter tido um apagão na vida, e Pat M. entendeu a piada mas não riu. O cachorro arfava e tremia com as pernas apontando para os quatro cantos do mundo e meio que espasmando, e Gately não sabia se parava de esfregar o bicho. Para falar a verdade ele não sabia o que era epilepsia mas suspeitava que Pat não estava se referindo ao depilador de pernas de mulher que a sua antiga namorada totalmente alcoólica Pamela Hoffman-Jeep usava no banheiro e ficava gritando. Tudo que pertencia ao mundo mental para Gately ficou meio nublado e inclinado à descompreensão até bem para lá do meio do seu primeiro ano limpo.

Pat Montesian era bonita e não era. Ela estava talvez com quase quarenta. Ela supostamente tinha sido uma socialite jovem, bonita e rica lá no Cabo até o marido pedir divórcio por ela ser uma alcoólica de quatro costados, o que parecia abandono e não melhorou um nadinha do quanto ela bebeu depois. Ela ficou entrando e saindo de reabilitações e recuperações antes dos trinta, mas aí foi só depois que quase morreu de derrame durante um episódio de delirium tremens matinal que conseguiu se Entregar e Entrar com o desespero desesperançado de praxe etc. Gately não se abalou quando ouviu falar do derrame de Pat porque a mãe dele não tinha tido tremens nem um derrame clássico, e sim uma hemorragia cirrótica que fez ela se afogar, deixou o cérebro dela sem oxigênio e vegetabilizou o cérebro dela irreparavelmente. Os dois casos eram totalmente, tipo, nada a ver na cabeça dele. Pat M. nunca esteve nem perto de ser uma figura materna para Gately. Pat gostava de sorrir e de dizer, quando os residentes reclamavam e resmungavam por causa das suas próprias Perdas na Reunião Comunitária Semanal da Casa, ela balançava a cabeça, sorria e dizia que para ela o derrame tinha sido de longe e estourado a melhor coisa que aconteceu porque lhe deu a possibilidade de finalmente se Entregar. Ela tinha chegado à Ennet numa cadeira de rodas elétrica com trinta e dois anos e incapaz de se comunicar a não ser piscando em código morse ou coisa assim durante os primeiros seis meses,[193] mas mesmo sem conseguir mexer os braços demonstrou a disposição de tentar comer uma pedra quando o fundador, o Cara Que Nem Usava O Primeiro Nome disse para ela tentar, usando o torso e o pescoço para tipo cutucar a pedra e lascando os dois incisivos (ainda dá para ver as jaquetas nos cantinhos). E tinha ficado sóbria e casado de novo com um outro e mais velho tipo trilionário da South Shore com o que parecia serem uns filhos psicóticos, e mas recuperou uma parcela inesperada das suas capacidades, e trabalhava na Casa desde então. O lado direito de seu rosto ainda estava bem repuxado para trás numa espécie de ricto, e Gately precisou se acostumar um pouco com a fala dela — parecia que ela ainda estava bebaça o tempo todo, uma fala engrolada meio extracuidadosa. A metade do rosto dela que não era rictizada era muito bonita, e ela tinha um cabelo ruivo bonito e bem comprido, e um corpo sexualmente de-responsa mesmo que o braço direito dela estivesse atrofiado numa espécie de semigarra[194] e a mão direita presa num suporte preto de plástico para evitar que aqueles dedos de unhas postiças cravassem na palma; e Pat andava com um passo digno mas horrorosamente manco, arrastando uma perna direita assustadoramente fina dentro da calça preta de couro atrás dela como alguma coisa pendurada nela de que estivesse tentando fugir.

Durante a sua residência, ela tinha ido pessoalmente com Gately à maioria das audiências mais importantes, levando ele de carona até North Shore no super-Aventura com placa de Deficiente — ela por causa da coisa neurológica da perna direita era literalmente pé de chumbo e dirigia o tempo todo que nem uma alucinada, e Gately normalmente quase se mijava na Rte. 1 — e ela meteu todo o substancial respeito e o peso da Casa Ennet atrás dele com Juízes e Juntas, até que toda questão que podia ser resolvida sem solução foi para o Arquivo Azul. Gately ainda não conseguia

477

sacar por que toda essa ajuda e essa atenção especiais. Era como se ele fosse o grande favorito de Pat. M. entre os residentes daquele ano. Ela tinha lá os seus favoritos e não favoritos; era provavelmente inevitável. Annie Parrot, os conselheiros e a Gerente da Casa sempre tiveram seus favoritos particulares, também, então tudo tendia a funcionar direitinho.

Coisa de quatro meses depois do começo da sua residência na Casa Ennet, o desejo agonizante de ingerir narcóticos sintéticos tinha sido magicamente removido de Don Gately, bem que nem o Pessoal da Casa e os Crocodilos do Grupo Bandeira Branca tinham dito que ia acontecer se ele não largasse mão das reuniões toda noite e se mantivesse aberto e disposto a pedir persistentemente a algum Poder Superior extremamente vago que o removesse. O desejo. Eles disseram para ele ranger os joelhos gigantes matutinamente todo dia, se ajoelhar e pedir a Deus Como Ele O Compreendia que removesse o desejo agonizante, e para cair de joelhão de novo à noite antes de apagar e agradecer a essa figura Deusal pelo dia sem Substâncias que vinha de acabar, se ele conseguisse atravessar o dia. Eles sugeriram que ele guardasse o sapato e o chaveiro embaixo da cama para ajudar a lembrar de se pôr de joelhos. As únicas vezes em que Gately já tinha ficado de joelhos tinha sido para vomitar, copular ou fazer um *shunt* num alarme baixo na parede, ou se alguém dava sorte numa treta e acertava uma perto da virilha de Gately. Ele não tinha nenhuma formação prévia nisso de Deus ou de J. C. e a coisa dos joelhos parecia tipo a coisa mais mané e mais bundona do mundo, e ele se sentia um verdadeiro hipócrita só de macaquear as ajoelhações como fazia religiosamente toda manhã e toda noite, sem falha, motivado por um desejo de se chapar tão horrível que ele muitas vezes se via humildemente rezando para que a sua cabeça simplesmente explodisse de uma vez para acabar com aquilo tudo. Pat tinha dito que não fazia diferença àquela altura o que ele achava, acreditava ou até dizia. A única coisa que fazia diferença era o que ele *fazia*. Se ele fizesse as coisas certas, e continuasse fazendo por bastante tempo, o que Gately achava e acreditava ia mudar magicamente. Até o que ele dizia. Ela tinha visto isso acontecer montes de vezes, e com alguns candidatos bisonhamente improváveis à mudança. Ela disse que tinha acontecido com ela. O lado esquerdo do rosto dela era muito vivo e generoso. E o conselheiro de Gately, um ex-cocainômano e vigarista de telefone cuja orelha esquerda tinha sido uma das Perdas, tinha atacado Gately bem no começo com a infame analogia do bolo do AA de Boston. O filipino grisalho vinha se encontrando com o residente Don G. uma vez por semana, andando com Gately por Brighton-Allston em círculos sem-rumo num Subaru 4×4 customizado bem igual aos que Gately levava com ligação-direta e afanava para usar nas invasões de domicílio. Eugenio Martinez tinha essa coisa excêntrica em que ele defendia que só conseguia estar em contato com o seu Poder Superior quando estava dirigindo. Lá bem pertinho das docas para carretas da DRE para lá do Allston Spur uma noite ele pediu para Gately pensar no AA de Boston como uma caixa de mistura para bolo Betty Crocker. Gately tinha se dado um tapa na testa com mais essa analogia tortuosa-mané de Gene M., Gene este que já tinha marretado a paciência dele várias vezes com tropos entomológicos para pensar na Doença. O conselheiro tinha deixado ele soltar a franga um pouco, fumando enquanto seguia em marcha lenta por trás de carretas alinhadas para descarregar. Ele disse para Gately imaginar só por um segundo que estava segurando uma caixa de mistura para Bolos Betty Crocker, que representava o AA de Boston. A caixa vinha com instruções na lateral que qualquer criancinha de oito anos conseguia ler. Gately disse que estava esperando pela menção a alguma merda de um inseto dentro da mistura para bolo. Gene M. disse que Gately só precisava era se dar uma porra de uma folga uma vez na vida, descansar, relaxar e calar a merda dessa boca e só seguir as instruções na lateral da bosta da caixa. E não fazia um pentelhésimo de diferença se Gately *acreditava* que um bolo surgiria dali ou se ele *entendia* tipo a merda da química de *como* é que ia surgir um bolo dali: se ele só seguisse o caralho da porra das instruções, e tivesse o bom senso de pedir ajuda a uns confeiteiros um pouquinho mais experientes pra não foder com as instruções se por acaso desse um jeito de se confundir, mas basicamente a questão ali era que se ele só seguisse as instruções infantiloides, ia sair um bolo. Ele ia ficar com o bolo. A única coisa que Gately sabia de bolos era que a cobertura era a melhor parte, e ele achava que Eugenio Martinez era um filho de uma puta, se-achão e metido — fora que ele sempre desconfiou tanto de orientais quanto de cucarachos, e Gene M. dava um jeito de parecer as duas coisas — mas ele não se arrancou da Casa nem fez nada que pudesse dar numa Expulsão, e foi às reuniões toda noite, e disse mais ou menos a verdade, e fez aquela coisa de pôr o sapato embaixo da cama toda manhã/noite todo santo dia, e aceitou a sugestão de entrar para um Grupo e se fazer rabidamente Ativo, limpar cinzeiros e sair para falar nas Promessas. Ele não tinha nada que se referia a um conceito-de-Deus, e naquele momento talvez até menos que nada em termos de interesse por aquilo tudo; ele tratava a oração como a regulagem da temperatura de um forno segundo as instruções de uma caixa. Pensar naquilo como conversar com o teto era de alguma maneira melhor que imaginar falar com Nada. E ele achava constrangedor se ajoelhar de cueca, e como os outros caras do quarto ele sempre fingia que o tênis estava lá bem embaixão da cama e que ele tinha que ficar ali um tempo para achar, quando rezava, mas rezava, e implorava ao teto e agradecia ao teto, e depois de talvez cinco meses Gately estava pegando o Verdinho às 0430 para ir limpar cagalhões humanos no chuveiro do Shattuck e assim do meio do nada percebeu que vários dias tinham se passado desde a última vez em que havia pensado em Demerol, em Talwin ou até em maconha. Não só meramente atravessar aqueles últimos dias — as Substâncias nem tinham lhe *ocorrido*. I. e. o Desejo e a Compulsão foram Removidos. Mais semanas se passaram, uma nuvem de Promessas, reuniões, fumaça de cigarro e clichês, e ele ainda não sentia nada como aquela sua velha necessidade de se chapar. Ele estava, de certa maneira, Livre. Era a primeira vez que se via fora daquele tipo de jaula mental desde que tinha sei lá dez anos. Ele não conseguia acreditar. Estava muito mais meio que suspeitando daquilo tudo, daquela Remoção, do que se sentindo Grato. Como é que algum Poder Superior em que ele nem acreditava podia magicamente tirar ele da jaula quando Gately tinha sido um completo hipócrita e até pedido que uma coisa em que ele não acreditava o tirasse de uma jaula de que ele tinha tipo nenhuma esperança de ser solto? Quando ele só conseguia ficar de joelhos para as orações pra começo de conversa se fingisse que estava procurando o sapato? Ele não tinha nem a mais remota sombra de uma *porra* de uma ideia de como é que aquela coisa funcionava, aquela coisa que estava funcionando. Isso deixava ele doido. Com coisa de sete meses, na reuniãozinha de Iniciantes de domingo, ele chegou a ponto de rachar um dos tampos da mesa de imitação de madeira do Providência batendo a cabeçorra quadrada contra ele.[195]

O Bandeira Branca Francis ("Furibundo") Gehaney, um dos mais antigos e encarquilhados Crocodilos, tinha cabelo branco raspado, um bonezinho, suspensórios por cima da camisa de flanela que lhe revestia a pança, uma napa imensa com formato de pepino em que dava até para ver um monte de artérias na pele, uns dentes marrons e atarracados, enfisema, tipo um tanquinho portátil de oxigênio cujo tubo azul ficava preso sob a napa com fita adesiva franca e aquele branco do olho bem clarinho que acompanhava a baixíssima frequência cardíaca em repouso de um cara com quantidades geológicas de tempo de sobriedade no AA. Francis Furibundo G., cuja boca jamais se via despalitada e que tinha no antebraço direito uma tatuagem desbotada de copo-de-martíni-e-moça-nua da safra da Guerra da Coreia, que tinha ficado sóbrio na administração Nixon e que se comunicava por meio dos epigramas obscenos mas antiquados que todos os Crocos usavam[196] — F. F. tinha levado Gately para tomar quantidades de café de fazer os olhos pularem na cabeça, depois do incidente com a mesa e a cabeça. Ele tinha ouvido com o ligeiro tédio da Identificação distanciada as queixas de Gately de que não tinha como uma coisa que ele não entendia nem a ponto de começar a acreditar fosse ficar seriamente interessada em ajudar a salvar a pele dele, mesmo que Ele/Ela/Aquilo de algum jeito existisse mesmo. Gately ainda não sabe exatamente por que ajudou, mas de algum jeito ajudou quando Francis Furibundo sugeriu que de repente qualquer coisa que fosse merdinha a ponto de poder ser entendida por Don Gately provavelmente não ia ser fodona a ponto de salvar a pele fodida de Gately do elegante Sargento-de-Armas, mas não é?

Isso foi meses atrás. Gately normalmente não dá mais muita bola para entender ou não. Ele faz a coisa de joelho-e-teto duas vezes por dia, e limpa merda, ouve sonhos, fica Ativo, diz a verdade aos residentes da Ennet e tenta ajudar alguns se eles vêm até ele querendo ajuda. E quando Francis Furibundo G. e os Bandeiras Brancas lhe ofereceram, no domingo de setembro que marcava o seu primeiro ano de sobriedade, um bolo com uma velinha, impecavelmente assado e pesadamente coberturado, Don Gately chorou na frente de não parentes pela primeira vez na vida. Ele hoje nega que tenha mesmo chegado a chorar, dizendo alguma coisa sobre fumaça de vela nos olhos e tal. Mas chorou.

Gately é uma escolha imprevista para chef de cozinha da Casa Ennet, já que viveu os últimos doze anos quase exclusivamente de sandubas de segunda e de comidas prontas consumidas sempre em movimento. Ele tem 188 centímetros, 128 quilos e nunca tinha comido brócolis ou uma pera até o ano passado. Cheficamente, ele oferece sem exceção uma rotina de: salsicha cozida; um bolo de carne denso e úmi-

480

do com pedacinhos de queijo de supermercado e meia caixa de flocos de milho em cima, para dar aquela textura; sopa de creme de galinha sobre macarrõezinhos em formato de espiroqueta; coxas de galinha pré-temperadas ominosamente escuras e ressecadas; hambúrgueres nojentinhamente malpassados; e espaguete com molho de hambúrguer cuja massa ele ferve por quase uma hora.[197] Só os mais safos residentes da Ennet arriscariam uma gracinha declarada sobre a comida que aparece toda noite em cima da longa mesa de jantar ainda nas imensas panelas fumacentas em que foi feita, com o rostão de Gately pairando lunar sobre elas, vermelho e molhado sob o chapéu moloide de chef que Annie Parrot tinha lhe dado como uma piada cruel que ele não havia entendido, com os olhos cheios de ansiedade e da esperança de que todos gostassem bastante, basicamente parecendo uma noiva nervosa que serve seu primeiro prato ao marido, só que as mãos dessa noiva são do mesmo tamanho dos pratos da Casa e têm tatuagens de presidiário, e essa noiva ao que parece não precisa de luvas de forno quando coloca as panelas imensas sobre os panos que precisam ser estendidos para evitar que o tampo de plástico da mesa derreta. Quaisquer comentários culinários têm sempre que ser extremamente oblíquos. Randy Lenz lá no canto noroeste gosta de erguer a lata de água tônica e dizer que a comida de Don é o tipo de comida que te ajuda a apreciar bem a bebida que você está tomando junto. Geoffrey Day fala como é uma mudança revigorante sair da mesa de jantar sem se sentir entupido. Wade McDade, um jovem alcoólico do tipo que carregava garrafinhas no bolso lá em Ashland, KY, e Doony Glynn, que ainda está meio bambo e adoentado depois de um golpe horrível contra um sindicato que deu todo errado no ano passado, que vive enjoado e que provavelmente vai ser expulso por perder o emprego ancilar lá na Cercas & Arames Brighton sem nem fingir que está procurando outro — os dois têm essa tiradinha para as noites de espaguete em que McDade entra na sala de estar logo antes do rancho e diz: "Dia daquele eis-paghetti finíssimo, Doonster", e Doony Glynn diz: "Uuu, será que vai estar bem gostosinho e bem molinho?", e McDade diz: "Pó dexá os dente em casa, rapá" na voz de um policial do interior, levando Glynn até a mesa pela mão como se Glynn fosse uma criança retardada. Eles têm o cuidado de fazer isso enquanto Gately ainda está na cozinha montando a salada e se preocupando com a apresentação dos pratos. Se bem que o Míni Ewell nunca deixa de agradecer a Gately pela refeição, e April Cortelyu se derrama em elogios, e Burt F. Smith sempre revira os olhinhos de prazer e faz barulhinhos de satisfação toda vez que consegue pôr o garfo na boca.

PRÉ-AURORA, 1º DE MAIO — AFGD
AFLORAMENTO A NOROESTE DE TUCSON AZ, EUA, AINDA

"Você lembra de ter ouvido falar", Hugh Steeply do ESAEU disse, "no teu país, no fim acho que dos anos 70 AS, de um programa experimental, uma experiência biomédica, que envolvia a ideia de implantes elétricos no cérebro humano?" Steeply, na borda da saliência, virou-se para olhar. Marathe meramente lhe devolveu o olhar. Steeply disse: "Não? Algum tipo de avanço radical. Estereotaxia. Tratamento de epilepsia. Eles propunham implantar uns eletrodos minúsculos tipo fio-de-cabelo no cérebro. Algum superneurologista canadense — Elder, Elders, alguma coisa assim — naquela época tinha encontrado provas de que certas estimulações minusculamente pequenas em certas áreas do cérebro podiam evitar uma convulsão. Assim, convulsão epilética. Eles implantam os eletrodos — fio-de-cabelo mesmo, só uns milivolts ou…"

"Eletrodos de Briggs."

"Como é que é?"

Marathe tossiu levemente. "Também o tipo usado em marca-passos do coração."

Steeply passou um dedo pelo lábio. "Eu estou aqui pensando que eu acho que lembro de uma bioentrada bem vaga que dizia que o seu pai tinha um marca-passo."

Marathe tocava distraído o próprio rosto. "A pilha de bateria de plutônio-239. O eletrodo de Briggs. O circuito DC Kenbeck. Eu estou relembrando termos e instruções. Evitar todos os fornos de micro-ondas e muitos transmissores. Cremação para enterro proibida — isso por causa do plutônio-239."

"Aí mas você sabe desse programa antigo dos epiléticos? Essas experiências que eles achavam que podiam evitar a cirurgia ablativa pra epilepsia grave?"

Marathe não disse nada e fez o que pode ser considerado um ligeiro sacudir de cabeça.

Steeply se virou para olhar para leste com as mãos atrás das costas, querendo falar daquilo de um jeito ou de outro, Marathe percebia.

"Eu não estou conseguindo lembrar se eu li ou se eu ouvi uma palestra sobre isso, ou sei lá o quê. Os implantes eram uma ciência bem inexata. Era tudo experimental. Tinham que implantar um montão de eletrodos numa área incrivelmente pequena do lobo temporal e torcer pra encontrar os terminais nervosos que enviam convulsões epiléticas, era coisa de tentativa e erro, estimular cada eletrodo e verificar a reação."

"Lobos temporais do cérebro", Marathe disse.

"O que aconteceu foi que esse Olders e os neurocientistas canadenses descobriram por acaso, durante todo esse processo de tentativa e erro, que ativar certos eletrodos em certas partes dos lobos dava ao cérebro intensas sensações de prazer." Steeply olhou por cima do ombro para Marathe. "Assim… a gente está falando aqui de prazer *intenso*, Rémy. Eu estou lembrando que o Olders chamou essas faixas de tecido prazeroso estimulável de terminais-*p*."

"'P' querendo significar 'o prazer'."

"E que a localização deles parecia ser insanamente inexata e imprevisível, mesmo nos cérebros da mesma espécie — um terminal-*p* aparecia bem do lado de um outro neurônio cuja estimulação causava dor, ou fome, ou sabe Deus o quê."

"O cérebro humano é muito denso, essa é que é a verdade."

"A questão é que eles não estavam fazendo em humanos ainda. A coisa era considerada superexperimental. Eles usaram animais e lobos-cerebrais-animais. Mas logo o fenômeno da estimulação do prazer já era uma experiência à parte, enquanto a neuroequipe B ficou com os bichos epiléticos. O Older — ou Elder, algum nome anglo-canadense — liderou a equipe que iria mapear esses que ele chamou entre aspas de 'Rios de Recompensa', os terminais-*p* dos lobos."

Marathe distraidamente tateava os rolinhos de algodão nos bolsos de algodão da parca, aquiescendo simpaticamente. "Um programa experimental do Canadá, você declarou."

"Eu até lembro. O Centro Psiquiátrico Brandon."

Marathe fingiu tossir, se lembrando. "É um hospital mental. O norte distante de Manitoba. Terras vazias e sinistras. O meio do nada."

"Porque a teoria deles era que esses 'rios' entre aspas ou terminais também eram os receptores do cérebro para coisas como as betaendorfinas, L-Dopa, Q-Dopa, serotonina, todos os vários neurotransmissores do prazer."

"O Departamento da Euforia, por assim dizer, dentro do cérebro humano." Ainda não havia suspeita ou sugestão de aurora ou de luz.

"Mas não em humanos ainda", Steeply disse. "Os primeiros testes do Older foram com ratos, e os resultados aparentemente preocupantes. Os canadô — os canadenses descobriram que se preparassem uma alavanca de autoestimulação, o rato ficava apertando a alavanca para estimular o terminal-*p* sem parar, milhares de vezes por hora, sem parar, ignorando a comida e as ratas no cio, completamente fixado na estimulação da alavanca, dia e noite, parando só quando o rato finalmente morria de desidratação ou de fadiga pura e simples."

Marathe disse: "Mas não do próprio prazer".

"Desidratação, acho. Eu estou meio sem lembrar direito do que que o rato morria."

Marathe deu de ombros. "Mas a inveja de todos os ratos de laboratório, esse rato, eu acho."

"Aí também implantes e alavancas pra gatos, cachorros, porcos, micos, macacos, até um golfinho."

"Subindo a escala evolutiva, terminais-*p* em cada um deles. Todos morreram?"

"Acabaram morrendo", Steeply disse, "ou tiveram que passar por uma lobotomia. Porque eu lembro que mesmo se o eletrodo do prazer fosse removido, a alavanca de estimulação removida, o animal ia ficar correndo que nem louco apertando tudo que pudesse ser apertado ou acionado, tentando conseguir mais uma dose."

"O golfinho, provavelmente ele saía nadando para fazer isso, acho."

"Parece que você está achando isso divertido, Rémy. Isso era totalmente um circo canadense, essa aventurazinha neuroelétrica."

"Eu me divirto enquanto você abre o caminho para o que quer dizer tão lento."

"Porque aí um dia claro que Elder e companhia limitada quiseram testar em humanos, pra ver se o lobo humano tinha terminais-*p* e assim por diante; e por causa das preocupantes consequências para os animais testados no programa eles não podiam usar legalmente prisioneiros ou pacientes, eles tinham que tentar conseguir voluntários."

"Por causa de um risco", Marathe disse.

"A coisa toda aparentemente foi um pesadelo de legislações e estatutos no Canadá."

Marathe cerrou os lábios: "Tenho dúvidas em minha mente: Ottawa podia facilmente ter pedido a sua então CIA, qual é o termo, 'Pessoas de Dispensabilidade' do sudeste da Ásia ou Negros, os indivíduos usados pelos EUA em seu inspirador MK-Ultra".[198]

Steeply preferiu ignorar isso, remexendo na bolsa. "Mas o que aparentemente aconteceu foi que de alguma maneira vazou lá em Manitoba alguma notícia da descoberta dos terminais-*p* e das experiências — algum funcionário de baixo escalão do Brandon furou a segurança e vazou a notícia."

"Muito pouca coisa a se fazer no norte de Manitoba além de vazar e fofocar."

"... E de repente a neuroequipe do Brandon chega um dia pra trabalhar e encontra voluntários humanos formando uma fila que literalmente dava a volta na quadra na frente do hospital, canadenses sãos e eu devo lembrar de mencionar basicamente jovens, fazendo fila e literalmente se pisoteando no seu desejo de se inscrever como voluntários para implante e estimulação de eletrodos nos terminais-*p*."

"Sabendo plenamente da morte do rato e do golfinho, de apertar a alavanca."

O pai de Marathe sempre tinha deixado para Rémy, seu filho mais novo, a tarefa de entrar em algum restaurante ou loja públicos para verificar a presença de um micro-ondas ou de um transmissor tipo GC. De especiais preocupações eram as lojas com instrumentos para deter um ladrão de produtos, os instrumentos que gritam na porta.

Steeply disse: "E claro que essa ansiedade pelos implantes deu todo um novo toque perturbador ao estudo do prazer e do comportamento humanos, e toda uma nova equipe do Hospital Brandon foi montada às pressas para estudar os perfis psicológicos de todas essas pessoas que estavam se dispondo a se pisotear umas às outras para passarem por uma cirurgia neurológica invasiva e pelo implante de um objeto estranho...".

"Para ficar como ratos enlouquecidos."

"... tudo só pela oportunidade desse tipo de prazer, e os testes de MMPI, de Millon e de Aprocepção em todas essas hordas de voluntários potenciais — disseram para as hordas que aquilo era parte do processo de seleção — os resultados vieram fascinantes, arrepiantemente típicos, normais."

"Em outras palavras nenhum *desviante*."

"Não anormal em tudo que era eixo que eles podiam ver. Só gente jovem normal — jovens canadenses."

"Se apresentando como voluntários para vício fatal em prazer elétrico."

"Mas Rémy aparentemente o prazer mais puro, mais refinado que se possa imaginar. O destilado neuronal de, digamos, orgasmos, iluminações religiosas, drogas extáticas, shiatsu, uma lareira crepitante numa noite de inverno — a soma de todos os prazeres possíveis refinados em forma de corrente pura e obtível com um toque numa alavanca manual. Milhares de vezes por hora, à vontade."

Marathe lhe deu um olhar vazio.

Steeply examinou uma cutícula. "Por livre escolha, claro."

Marathe adotou uma expressão que caricaturava um simplório fazendo força para pensar. "Assim, mas quanto tempo para esses vazamentos e boatos de terminais- -*p* chegarem à Ottawa do governo e estar públicos, para o governo do Canadá reagir horrorizado diante dessas perspectivas."

"Ah, e não só Ottawa", Steeply disse. "Você bem pode ver as implicações se uma tecnologia como a do Elders realmente ficasse disponível. Eu sei que Ottawa informou Turner, Bush, Casey, sei lá quem era na época, e todo mundo em Langley roeu unha aterrorizado."

"A CIA comeu a mão?"

"Porque com certeza você pode ver as implicações para qualquer sociedade industrializada, de mercado, consumidora-de-grandes-fatias-de-verbas."

"Mas ia ser ilegalizado", Marathe disse, anotando mentalmente que devia lembrar as diversas rotinas de movimentos que Steeply fazia para se manter quente.

"Pare com essa brincadeirinha de gato-e-rato", Steeply disse. "Ainda havia a perspectiva de um mercado negro exponencialmente mais pernicioso que o de narcóticos ou LSD. A tecnologia de eletrodos e alavanca parecia cara na época, mas era fácil prever que uma demanda enorme e generalizada fizesse o preço baixar até o ponto em que os eletrodos não fossem mais caros que uma seringa."

"Mas sim, mas cirurgia, isso ia ser uma coisa diferente para implantar."

"Vários cirurgiões já estavam dispostos a realizar procedimentos ilegais. Abortos. Implantes penianos elétricos."

"As cirurgias do MK-Ultra."

Steeply riu sem alegria. "Ou amputações não registradas para corajosos cultuadores de trens, não?"

Marathe assoou só uma narina do nariz. Era o estilo québecois: uma narina de cada vez. A geração do pai de Marathe, eles se abaixavam e assoavam essa uma narina na sarjeta na rua.

Steeply disse: "Imagine milhões de norte-americanos típicos e não anormais, todos com eletrodos de Briggs implantados, todos com acesso eletrônico aos seus próprios terminais-*p*, sem nunca sair de casa, manuseando aquelas alavancas de estimulação pessoal sem parar".

"Estendidos em seus divãs. Ignorando as fêmeas ciosas. Tendo rios de recompensa sem fazer por merecer a recompensa."

"De olho saltado, babando, gemendo, tremendo, incontinentes, desidratados. Sem trabalhar, sem consumir, sem interagir ou participar da vida comunitária. Finalmente capotando de mera…"

Marathe disse: "Entregando almas e vidas pela estimulação do terminal-*p*, você está dizendo".

"Talvez você esteja enxergando a analogia", Steeply disse por sobre os ombros para sorrir de um jeito safado. "No Canadá, meu amigo, foi isso."

Marathe fez uma versão muito ligeira do seu gesto giratório de impaciência: "Dos anos 1970 AS do tempo. Isso nunca veio a ser. Não teria havido o desenvolvimento do Adesivo Feliz…".

"Nós dois entramos nessa. As nossas nações."

"Em segredo."

"Primeiro Ottawa cortando o financiamento do programa de Brandon, o que gerou estrilos selvagens do Turner ou do Casey, ou sei lá quem na época — a nossa velha CIA queria o procedimento desenvolvido e aperfeiçoado, e aí Ocultado — uso militar ou alguma coisa assim."

Marathe disse: "Mas os guardiães civis do estar do público tinham outras ideias".

"Acho que eu estou lembrando que o Carter era o presidente. As nossas duas nações combinadas transformaram isso numa prioridade de Segurança, acabar com o projeto. A nossa velha NSA, a sua velha C7 com os montadinhos."

"Jaquetas vermelhas e chapéus de aba larga. Nos anos 1970 ainda a cavalos."

Steeply virou a abertura da bolsa a meio caminho das luzes de Tucson, procurando alguma coisa. "Eu lembro que eles entraram direto. Assim, de armas na mão. Derrubaram portas. Desmontaram o laboratório. Deram tiros de misericórdia em golfinhos e bodes. O Olders desapareceu sabe lá para onde."

O lento gesto circular de Marathe. "O que você está finalmente tentando dizer é que os canadenses, também, nós íamos escolher morrer por isso, o prazer total do bode passivo."

Steeply virou-se, mexendo com uma lixa de unha. "Mas você não está vendo uma analogia mais específica com o Entretenimento?"

Marathe cutucou com a língua a parte de dentro da bochecha. "Você está dizendo o Entretenimento, uma forma de algum modo óptica de estimular os terminais-p? Um jeito de nem precisar de eletrodos de Biggs para prazeres de orgasmo-e-massagem?"

O ruído seco do lixamento de uma unha. "Eu só estou falando de uma analogia. Um precedente na sua própria nação."

"Nós, a nossa nação é a nação do Québec. Manitoba é…"

"Eu estou dizendo que se a gente conseguisse ir além do desejo cego de prejudicar os EU, o seu M. Fortier podia ser levado a ver exatamente o que é que ele está propondo soltar da jaula." Ele estava tão bem treinado que conseguia lixar sem observar o procedimento. Pois a tática de entrevista mais eficiente de Steeply era olhar de cima no rosto da pessoa sem nenhum tipo de emoção. Pois Marathe se sentia mais desconfortável por não saber se Steeply acreditava numa coisa do que se a emoção de rosto de Steeply mostrasse que ele não acreditava.

Aí hoje de noite, diante da perspectiva de salsichas cozidas, os dois residentes mais novos vieram com aquela história supertípica de residente novato tipo a-princesa-e-a-ervilha de querer comidinha especial: Amy J. que entrou hoje mesmo e só fica lá sentada no sofá de vinil tremendo igual vara verde e fazendo neguinho pegar café pra ela e acender os cigarrinhos dela e que só faltava estar com uma placa *VÍTIMA INDEFESA: POR FAVOR AFAGUE* pendurada no pescoço e agora dizendo que o corante Vermelho nº 4 lhe dá "enxaquecas em salvas" (Gately dá tipo uma semana estourando pra essa menina virar um risco de vapor no caminho de volta ao Frontal;[199] está na cara dela), e a estranhamente familiar mas sotaquisticamente sulina daquela menina Joelle van D. com aquele corpaço inconcebível e o rosto de linho anunciando que era vegetariana e preferia "comer um inseto" que chegar a menos de dez metros de uma salsicha. E mas num lance incrível Pat M. pediu para Gately, tipo às 1800h, dar uma corridinha até o Suprema Pureza lá em Allston e pegar uns ovos e uns pimentões pras duas novatas e seus estomagozinhos delicados para elas mesmas poderem preparar uma quiche ou coisa assim. Do ponto de vista de Gately, isso parece ser o equivalente de alimentar de bandeja exatamente aquela clássica necessidade de ser considerado especial e único entre os viciados que supostamente é obrigação da Pat ajudar a eliminar. A menina Joelle v. D. parece ter tipo um peso imediato desmedido e um status de peixinho total com a Pat, que já anda falando de isentar a menina da obrigatoriedade de um emprego ancilar e quer que Gately procure um tipo maluco de uma água tônica Big Red Soda pra menina, que aparentemente ainda está desidratada. Isso está com certeza bem longe de fazer alguém comer feldspato. Gately já parou faz tempo de tentar entender Pat Montesian.

É uma noite com um tempo doido, trovejando e cuspindo neve ao mesmo tempo. Gately finalmente tinha conseguido distinguir trovões genuínos dos sons enfieldianos dos ventiladores ATHSCME e catapultas da DRE, isso depois de nove meses usando um impermeável doado todo dia para pegar o trem das 0430 da Green Line.

Um dos possíveis pontos fracos do programa de recuperação AA de rigorosa honestidade pessoal que Gately estabeleceu é que depois que ele se trancou dentro do Aventura negro-como-a-água e viu o spoiler pulsar quando ele acelera o motor carnívoro do carro etc., ele muitas vezes se vê fazendo um caminho um tantinho menos direto do que poderia até o destino de dada missão da Casa. Se tivesse que ir direto ao cerne a questão era que ele gostava de passear pela cidade com o carro de Pat. Ele consegue minimizar o tempo suspeito que qualquer passeiozinho extra acrescente às suas missões basicamente dirigindo que nem um lunático: ignorando sinais, cortando as pessoas, rindo das contramãos, cantando pneus nas curvas, fazendo pedestres largarem coisas e se jogarem na calçada, se debruçando numa buzina que soa como uma sirene de ataque aéreo. Você pensaria que se trata de uma coisa judicialmente insana em termos de não ter carteira e de estar encarando já uma sentençazinha penal por dirigir sem carteira, mas o fato é que esse tipo de condução a-caminho--do-PS-com-uma-passageira-em-trabalho-de-parto normalmente nem faz a polícia de Boston olhar torto, já que eles já têm mais do que o suficiente com que se incomodar, nesses tempos complicados, e já que todo mundo na Grande Boston dirige do mesmo jeito sociopata, inclusive a própria polícia, então o único risco pessoal que Gately está correndo é em relação à sua própria noção de rigorosa honestidade pessoal. Um clichê que ele achou especialmente útil no assunto Aventura é que a Recuperação é uma Questão de Progresso e não de Perfeição. Ele gosta de fazer uma bela curva à esquerda para entrar na Commonwealth e esperar até sair da vista da bay window da Casa e aí soltar o que imagina ser um Grito Primal e acelerar com tudo pelo serpeante e arborizado bulevar da Ave. no que ela se infiltra por partes lúgubres de Brighton e Allston, através da Univ. Boston e na direção da grande placa de neon do CITGO e da Back Bay. Ele passa pelo clube A Vida Insondada, aonde não vai mais, às 1800h já pulsando com as vozes e os baixos sob sua incessante garrafa de neon, e depois pelas grandes torres grises numeradas dos Conjuntos Habitacionais de Brighton, aonde ele definitivamente não vai mais. O cenário começa a ficar borrado e distendido a 70 km/h. A Comm. Ave. separa Enfield-Brighton-Allston do lado norte e decadente de Brookline à direita. Ele passa pelas fachadas cor de carne de anônimos cortiços de Brookline, o Mercado Pai & Filho, um ninho de lixeiras, Burger Kings, Bebidas Blanchard, uma loja da InterLace, uma carreta ao lado de outro ninho de lixeiras, bares de esquina e clubes — Toca De Novo Sam, Harper's Ferry, Bunratty, Rathskeller, Father's First I e II — uma CVS, duas lojas da InterLace uma bem do ladinho da outra, a placa ELLIS THE RIM MAN, a loja de bebidas Marty's que eles reconstruíram que nem formiguinhas uma semana depois que um incêndio destruiu tudo. Ele passa pelo hediondo Rosbife Riley's onde o Grupo de Allston se reúne para entornar café antes das Promessas. A placa gigante e distante da CITGO parece uma estrela guia triangular. Ele está a 75 km numa pista reta, andando lado a lado com um trem da Linha Verde sentido centro que voa morro abaixo no trilho levemente elevado que divide as pistas da Comm. duas pra cá, duas pra lá. Ele gosta de acompanhar um trem da Verde a 75 km até o ζ integral da Commonwealth e ver se consegue cruzar na frente do trem para atravessar o trilho na Brighton Ave. É um vestígio. Ele admitiria que é como um vestígio negro dos seus antigos comportamentos pró-suicidas de baixa autoestima. Ele não tem carteira, o carro não é dele, é um carro que é um objeto de arte inestimável, é o carro da chefe, a quem ele deve a vida e meio que de repente ama, ele está indo comprar verdura pra uns cacos destruídos de umas recém-chegadas que acabaram de sair da desintoxicação com os olhos girando dentro da cabeça. Será que alguém já mencionou que a cabeça de Gately é quadrada? É quase perfeitamente quadrada, imensa, pesadona e misticeticamente rombuda: a cabeça de alguém que parece que vai baixar a cabeça e atacar. Ele tinha mania de deixar as pessoas abrirem e fecharem portas de elevador na cabeça dele, quebrarem coisas na cabeça dele. O "Indestrutível" no seu cognome pueril se referia à cabeça. Sua orelha esquerda parece um pouco a orelha esquerda de um boxeador. O topo da cabeça é quase plano, então o cabelo dele, comprido atrás mas com uma franjinha curta tipo Príncipe Valente na frente, parece meio que uma sobra de carpete que alguém jogou na cabeça dele e deixou cair um pouquinho para trás.[200] Ninguém que mora nesses prédios velhos e marrons manchados de guano da Comm. Ave. com grades nas janelas mais baixas jamais[201] entra ali, ao que parece. Mesmo com trovoadas e asteriscos

488

de chuva, tudo quanto é tipo de espanhóis cor de azeitona e de irlandeses cor de vômito estão pelas esquinas, falando merda e tentando dar a impressão de que está ali à espera de alguma coisa importante e bebendo no gargalo de umas latas grandes bem embrulhadinhas em sacos de papel pardo. Uma estranha concessão à discrição, os sacos, tão apertadinhos que não tem como não ver o contorno das latas. Cria da região de Shore, Gately nunca tinha usado um saco de papel em volta das latas de esquina: é uma coisa da cidade. O Aventura chega a 80 km/h em terceira. O motor nunca faz força ou geme, só começa a soar hostil, é quando você sabe que precisa machucar o quadril e trocar de marcha. O painel de instrumentos do Aventura parece mais o painel de uma aeronave militar. Alguma coisa sempre está piscando e Indicando; uma das luzes piscantes supostamente te diz quando trocar de marcha; Pat disse para ele ignorar o painel. Ele adora fazer o vidro do lado do motorista descer e descansar o cotovelo esquerdo na janela que nem motorista de táxi.

Ele ficou preso atrás de um ônibus cujo bundão quadrado está nas duas pistas e ele não consegue passar a tempo de tomar a frente do trem, no entanto, e o trem ultrapassa o ônibus com um troar daquela buzina peidorrenta e o que Gately vê como um certo exibicionismo no seu sacolejar pelo trilho da rua. Ele consegue ver gente sacudindo dentro do trem, agarrada em tiras e barras. Logo abaixo do cruzamento da Comm. ficam a Univ. Boston, a Kenmore e o Fenway, a escola de música Berklee. A placa da CITGO ainda está bem longe lá na frente. Você tem que andar um pedaço impressionante pra chegar de verdade na placona, que todo mundo diz que é oca e que você pode entrar lá e meter a cabeça num mar pulsante de neon mas ninguém jamais esteve lá em cima.

De braço pra fora que nem o braço de um profissa, Gately dispara pela área da U. B. Tipo área de mochilinhas, estéreos pessoais e calças militares de marca. Meninos de rostos macios com mochilas, cabelões montados e testas sem vincos. Testas tranquilas e totalmente desenrugadas que nem requeijão ou um lençol passado a ferro. Todas as lojas aqui são de roupas ou cartuchos de TP ou de pôsteres. Gately teve rugas naquela testona dele desde que tinha tipo doze anos. É aqui especialmente que ele gosta de fazer as pessoas jogarem pacotes para cima e mergulharem na calçada. As meninas da U. B. têm cara de quem só comeu laticínios a vida inteira. Meninas que fazem step. Meninas com cabelo bom, comprido, limpo e penteado. Meninas não viciadas. Aquela estranha *desesperança* no coração da volúpia. Gately não transa há quase dois anos. No fim do Demerol ele fisicamente não conseguia. Aí no AA de Boston eles te dizem pra não fazer, não no primeiro ano limpo, se você quer garantir que vai Aguentar Firme. Mas eles tipo omitem de te dizer que depois que aquele ano passou você vai ter esquecido até como é que se fala com uma menina a não ser sobre Entrega, Negação e como era Lá Fora na jaula. Gately nunca transou sóbrio ainda, nem dançou, nem segurou a mão de alguém a não ser pra rezar um Pai-Nosso num grande círculo. Ele voltou a ter sonhos molhados com vinte e nove anos.

Gately descobriu que pode fumar no Aventura sem ninguém perceber se abrir também o vidro do passageiro e cuidar pra não deixar cair cinza em lugar nenhum.

O vento cruzado dentro do carro é brutal. Ele fuma mentolados. Ele trocou pros mentolados depois de quatro meses limpo porque não suportava os mentolados e as únicas pessoas que ele conhecia que fumavam aquilo eram os pretos e ele tinha sacado que se ele só se permitisse fumar mentolados ia ser mais fácil largar. E agora ele só suporta os mentolados, que Calvin T. diz que fazem ainda mais mal porque têm lá umas coisinhas amiantosas no filtro e sei lá mais o quê. Mas Gately já estava morando no quartinho de funcionário lá no porão perto do telefone público de áudio e das máquinas de refri fazia tipo dois meses antes do cara da saúde aparecer pra inspecionar e acabar dizendo que todos aqueles canões do teto do quarto eram isolados com um amianto das antigas que estava se desintegrando e amiantificando o quarto, e Gately teve que levar toda a sua tralha mais a mobília para o porão aberto e uns caras de roupa branca com uns tanques de oxigênio entraram, rasparam tudo dos canos e passaram no quarto um negócio que pelo cheiro era um lança-chamas. Aí levaram o amianto podre lá pra DRE num tambor soldado que tinha uma caveira. Aí Gately sacou que os cigarros com mentol são provavelmente o menor dos problemas pulmonares dele a essa altura.

Dá para chegar na Storrow 500[202] saindo da Comm. Ave. por baixo da Kenmore via uma longa rua estreitosa toldada por uma passarela que atravessa o Fens. Basicamente a Storrow 500 é uma via expressa urbana que corre ao lado do azul-clarinho do Chuck por todo o espinhaço de Cambridge. O Charles é brilhante mesmo sob pesados céus de trovoada. Gately decidiu comprar as coisas da omelete das recém-chegadas na Pão & Circo da Inman Square, em Cambridge. Isso ia explicar o atraso e ia ser uma sutil deixa não verbal sobre solicitações alimentícias singulares em geral. A Pão & Circo é uma confeitaria caríssima e socialmente hiper-responsável cheia de comedores de granola do Partido Verde de Cambridge, e tudo lá é tipo microbiótico e fertilizado só com genuíno cocô orgânico de lhama etc. O banco baixo do motorista no Aventura e aquele para-brisa imenso conferem ao sujeito meditabundo uma visão algo maior do céu do que ele gostaria de ter. O céu está baixo, gris e frouxo e parece pendurado. Há algo *baggy* no céu. É impossível dizer se a neve ainda está caindo de verdade ou se só uma nevinha que já caiu é que está sendo soprada de um lado para o outro. Para chegar à Inman Square você atravessa três pistas para deixar a Storrow 500 na Saída da Morte da Prospect St. e fazer um slalom entre os buracos e ir para a direita, norte, e pegar a Prospect para atravessar a Central Square e seguir rumo norte através de uma etnicidade pesada até quase chegar a Somerville.

A Inman Square, também, é um lugar aonde Gately raramente volta, porque fica na Pequena Lisboa de Cambridge, densamente portuguesa, o que também significa brasileiros com aquelas calças boca de sino e paletós de lapela larga que eles nunca largam, e onde tem brasileiros discotéquicos a cocaína e os narcóticos nunca hão de estar mui distantes. Os brasileiros da região são outro fundamento silogístico que leva à necessidade de dirigir em velocidades exageradas, para Gately. Fora que Gately é solidamente pró-americano, e a norte da barafunda e da gritalhada da Central Square a Prospect St. é um estirão comprido e despoliciado por arrepiantes terras alienígenas: outdoors em espanhol, madonas de gesso em jardins cercados, latadas intricadamente entrelaçadas que pareciam atacadas e agarradas, agora, por redes de vides nuas amadeiradas da espessura de um dedo; anúncios de loterias numa coisa que não era bem espanhol, todas as casas pintadas de cinza mais madonas de plástico com roupas freirísticas em varandas descascadas, lojas, bodeguitas e carros com suspensão rebaixada estacionados em fila tripla, uma cena meio de presépio inteirinha com todo o elenco em ação pendurada em uma sacada de segundo andar, varais estendidos entre as casas, casas cinza em fileiras espremidas umas contra as outras em longas fileiras com uns jardinzinhos minúsculos cobertos de brinquedos, e altas, as casas, como se o apertão dos dois lados as espichasse. Umas lojas canadenses e canadôncias misturadas aqui e ali, entre as propínquas casas espanholas de três andares, com cara de subjugadas e exiladas e etc. A rua toda emerdada de lixo e de buracos. Esgotos insuficientes. Meninas com uns bundões enormes enfiados como salsicha embutida numas calças jeans tipo cigarette sempre aos trios e ao pôr do sol com aqueles cabelos louro-castanhos esquisitos de que as portuguesas tingem o cabelo. Uma loja no bom e velho inglês anunciando Galinhas Frescas Mortas Todo Dia. O bar tipo pub metido do Ryle's Jazz Club, uns caras com bonezinhos de tuíde e cachimbos de sarça em bocas anguladas falando o dia inteiro com um pint de stout. Gately sempre achou que cerveja preta tinha gosto de rolha. Um intrigante prédio de um só andar com cara de clínica e uma espécie de tímpano acima da porta de vidro fumê com um anúncio dizendo TOTAL DESTRUIÇÃO DE REGISTROS CONFIDENCIAIS em que Gately sempre quis meter o cabeção para dar uma olhada no que diabos eles podiam estar aprontando ali dentro. Uns mercadinhos portugueses com umas comidas que não dá nem pra dizer de que espécie vêm. Uma vez num restaurantinho português lá no extremo leste da Inman Square uma puta cocainômana tentou fazer Gately comer um negócio que tinha tentáculos. Gately agora simplesmente corta a Inman, a caminho da P&C lá no lado noroeste e chique mais perto de Harvard, com todos os sinais subitamente verdes e simpáticos, a esteira dos dez cilindros do Aventura erguendo um estranho tornadinho de filipetas jogadas na rua, sacos plásticos, sacos de lanches empresariais, uma seringa vazia, guimbas de cigarro sem filtro, uma melecada generalizada e um copo achatado de Refri 2000, tipo vendido na rua, que rodopia soprado pelo escapamento, o tornado de lixo movendo-se atrás dele enquanto a última curva perolada do sol visto entre nuvens frouxas é devorada pelas incontáveis Santas Fulanas e depois pelos florões no teto de caiadas igrejas protestantes mais a oeste, mais perto de Harvard, a 60 quilômetros mas sustentado em seu remoinho pela forte brisa oeste enquanto o resto do sol se vai e uma sombra negra-azul calada preenche o cânion da Prospect, cujos postes não funcionam pelos mesmos motivos municipais da rua estar numa situação tão fuleira; e um dos itens da sujeira que Gately levantou e fez girar atrás de si, um copinho grosso e achatado de R2K, apanhado numa súbita rajada enquanto cai, rodopiando, é apanhado em algum ângulo de aeródino e soprado girando até chegar à fachada de uma certa "Entretimento"Antitoi[203] no lado leste da rua, e bate, com o fundo encerado fazendo um baque, bate no vidro da porta trancada da frente da loja com um som igualzinho ao da articulação de um dedo, de modo que num minutinho uma figura corpulenta e barbada, totalmente canadense, com uma dessas camisas de flanela xadrez canadalmente inevitáveis surge da luz fosca no quarto dos fundos da loja, limpa a boca primeiro numa manga, depois na outra, abre a porta da frente com um estrepitoso guincho das dobradiças e olha em volta um pouco, videlicet para descobrir quem tinha batido na porta, com uma cara não exatamente satisfeita por ter sido interrompido no que suas mangas traem como sendo um jantar estrangeiro, e também, sob aquela expressão atormentada, com uma aparência irritadiça e emocionalmente pálida, o que poderia explicar o X de cinturões de munição de armas pequenas que lhe cruza o peito axadrezado e o revólver .44 algo absurdamente grande enfiado na, e alargando a, cintura da sua calça jeans. O parceiro igualmente corpulento e irmão de Lucien Antitoi, Bertraund — no momento ainda lá atrás no quartinho dos fundos em que eles dormem em camas de campanha que cobrem um arsenal de respeito, ouvem a rádio da CQBC, fazem planos, fumam uma maconha hidropônica EUA do mal, cortam e encaixam vidro, costuram bandeiras e cozinham num fogareiro com uns apetrechos de camping L. L. Bean superchiques, ele está lá atrás tomando *soupe aux pois* Habitant e comendo pão com melaço da Pão & Circo e um tipo de uns hamburguerezinhos oblongos com umas veias azuis que um americano em sã consciência nem ia tentar identificar — Bertraund fica eternamente rindo em québecois e dizendo para Lucien que mal pode esperar para morrer de rir no dia em que Lucien esquecer de verificar a trava daquele colt enorme antes de enfiar no cós da calça e sair se arrastando pela loja com aquela botas de sola de prego fazendo qualquer item refletivo e de vidro soprado guardado ali reluzir e tilintar. O revólver inautomático é um suvenir de quando eles viraram membros. Uma ou duas vezes fazendo trabalhinhos de membros com a Separatista/Anti-ONANita FLQ, eles são basicamente uma célula insurgente nada aterradora, os Antitoi, fundamentalmente lobos solitários, autodelimitados, uma célula monomitótica, excêntrica e quase totalmente incompetente, protegida gentilmente pelo falecido padrinho regional deles, M. Guillaume DuPlessis, da península Gaspé, abandonada pela FLQ depois do assassinato de DuPlessis e também ridicularizados pelas células anti-ONAN mais malignas. Bertraund Antitoi é o comando, o cérebro do grupo, basicamente por falta de concorrência, já que Lucien Antitoi é um dos pouquíssimos nativos de *Notre Rai Pays* em todos os tempos que não consegue entender francês, simplesmente não pegou, e assim tem poderes de veto consideravelmente limitados, mesmo no que se refere a planos bertraundais tão patuscos quanto pendurar uma bandeira com uma flor-de-lis que tinha uma espada no lugar do cabo no nariz de uma estátua de um herói da Guerra Civil dos EUA na Boylston St. quando ela seria simplesmente cortada pelos gendarmes *chiens-courants* ONAN-itas de saco cheio na manhã seguinte, ou grudar tijolos com durex nos cartões de campanha com a postagem paga para a resposta do partido PEUL do *Sans-Christe* do Gentle, ou fabricar capachos de porta de grama artificial com a imagem do *Sans-Christe* do Gentle e distribuí-los grátis para lojas de artigos do lar por toda a malha insurgencial deles —

gestos pueris e no quadro geral das coisas bem tristinhos que M. DuPlessis teria proibido com um riso alegre e uma mão amiga naquela bola de boliche que era o ombro de Bertraund. Mas M. DuPlessis tinha sido martirizado, um assassinato que só a ONAN teria a estupidez de acreditar que o Command teria a estupidez de acreditar que era só um infeliz infortúnio de assalto-e-muco. E Bertraund Antitoi, depois da morte de DuPlessis e da rejeição da FLQ deixado por sua própria conta conceitual pela primeira vez desde que o veículo off-road dos dois foi entupido de vidraria exótica refletiva de qualidade da Van Buskirk de Montreal, de equipamentos para soprar vidro, vassoura, artilharia, apetrechos de camping, cartões-postais bacaninhas, sabonetes falsos de couro preto, uns cartuchos breguinhas e pouco solicitados da 3ª malha da InterLace, uns daqueles negocinhos que dão choque quando você aperta a mão de alguém e óculos de raio X fraudulentos mas sedutores e eles foram enviados através do que restava da Autoroute Provincial 55/USA com trajes de proteção de que se livraram e que enterraram logo depois do checkpoint ONANita ao sul do Reconvexo em Bellow's Falls VT, enviados como uma espécie primitiva de organismo bicelular para estabelecer uma fachada respeitável, gerar mais células malignas e para se insurgir e aterrorizar de maneiras tristinhas e antiexperialistas, agora Bertraund mostrou uma quedinha antes DuPlessismente restrita por perdas de tempo imbecis, inclusive essa ramificação dos negócios para lidar com fármacos danosos como um ataque contra a fibra moral da juventude da Nova Nova Inglaterra — como se a juventude dos EUA já não fosse mais do que desfibrada, na calada opinião de Lucien. Bertraund tinha até chegado a demonstrar credulidade com uma pessoa cabeluda e enrugada de idade provecta com um paletó sem lapela também de grande idade e um boné intrigante com um esqueleto tocando violino bordado, na frente, que também usava uns oclinhos redondos de metal dos mais idiotas com lentes cor de salmão, e que também não parava de formar a letra V com os dedos da mão e de apontar essa letra V para Bertraund e Lucien — Bertraund achou que o gesto era uma afirmação sutil de solidariedade com a Luta patriótica em todo o mundo e representava *Victoire*, mas Lucien suspeitava de uma obscenidade EUA risonhamente mostrada para pessoas que não compreendiam sua ofensa, exatamente como um dos tutores sádicos de école--spéciale lá em Ste.-Anne-des-Monts tinha passado anos na Segunda Série ensinando Lucien a dizer "*Va chier, putain!*" que ele (o tutor) dizia que significava "Olha, mamãe, eu sei falar francês e assim posso finalmente expressar meu amor e minha devoção por você" — Bertraund tinha sido otário a ponto de aceitar trocar com a pessoa uma lâmpada de lava antiga e um espelho de boticário tingido de lavanda por dezoito pastilhinhas com a cara mais normal do mundo e ainda por cima velhas que a pessoa velha e cabeluda tinha dito numa mistureba danada de francês com sotaque do oeste da Suíça que eram 650 mg de um fármaco danoso trop-formidable que não se podia mais comprar e que sem dúvida nenhuma ia produzir a experiência psicodélica mais alucinante da pessoa parecer um dia nas mesas de massagem de uma estância de águas termais em Basel, mandando junto um saco de lixo de cozinha cheio de uns cartuchos somente-leitura velhos, craquentos, mofados e bucaneiros, sans nenhum rótulo, que pareciam ter ficado guardados no quintal de alguém e aí ter passado por uma secadora gasosa de roupas, como se Lucien já não tivesse um montão de cartuchos velhos e craquentos que Bertraund pegava das lixeiras da InterLace ou levava numas trocas safadas e trazia para a loja para ser trabalho de Lucien assistir e rotular e organizar os cartuchos para armazenamento e nunca eram comprados a não ser um ou outro cartucho em português, ou pornográfico. E a pessoa de idade tinha se mandado dali de bonezinho e sandalinha com uma lâmpada e um espelho de boticário que eram particularmente muito caros a Lucien, especialmente o espelho lavanda, fazendo aquela obscenidade disfarçada daquele V e com sorrisos dizendo para os irmãos escreverem seus nomes e endereços na palma das mãos com a tinta à-prova-de-suor-empapante antes de tomarem um daqueles ditos *"tu-sais-quoi"*, se eles eram as pessoas que iam ingerir as pastilhas.

A porta da frente range alto na dobradiça e Lucien a refecha e trava a trava: *range*. A dobradiça superior range por mais lubrificada que esteja, assim como a loja deixa Lucien louco ficando novamente empoeirada toda vez que abrem a porta para a sujeira da rua, e por causa do pó do beco com tantas lixeiras atrás do quarto dos fundos cuja porta de serviço de ferro Bertraund se recusa a não abrir, para cuspir. Se bem que o rangido funciona no lugar de uma campainha para anunciar os clientes. A batida na porta fechada da frente é mais uma vez claramente criancinhas brasileiras bundudas com essas brincadeirinhas sem graça. Ele não ergue a persiana, mas agarra sim a roliça e confiável vassoura feita em casa com que passa o dia varrendo a loja e fica ali parado, roendo ansioso a unha de um polegar, olhando para fora. Lucien Antitoi gosta de ficar à janela da porta e de olhar com uma cara vazia para a leve neve de poeira que brilha contra o crepúsculo toldado de azul que devora a rua americana lá fora. A porta continua a ranger vagamente mesmo depois dele ter passado a tranca. Ele pode ficar ali feliz por horas a fio, apoiado na roliça vassoura que tinha entalhado em um ramo quebrado pela neve quando menino durante as terríveis nevascas de Gaspé no Québec de 1993 AD e ao qual tinha prendido palha de milho e afiado a outra ponta, como uma espécie de arma doméstica, mesmo naqueles tempos, antes que a taxação experialista ONANita tornasse qualquer luta ou sacrifício desse tipo remotamente necessários, quando menino calado, agudamente interessado em armas e munições de todo tipo diferente. Que além da coisa do tamanho ajudava com as provocações. Ele pode e efetivamente fica ali horas a fio, complexamente iluminado na contraluz, transparentemente refletido, olhando o trânsito e o comércio forâneos. Ele tem aquela rara apreciação medular pela beleza do prosaico que a natureza parece conferir aos que não têm palavras nativas para o que veem. "Range." O grosso do que se oferece aos olhos na Entretimento Antitoi é devotado ao vidro: eles têm espelhos curvos e planares em ângulos específicos em que cada parte do cômodo se reflete em todas as outras, o que deixa os clientes afobados e desorientados e mantém os níveis de pechinchagem no mínimo. Numa espécie de corredor artificial estreito atrás de um trilho de vidro angulado fica seu estoque de pegadinhas, piadas, cartões irônicos e também cartões sentimentais não irônicos.[204] Flanqueando um outro estão

494

montes de prateleiras de cartuchos piratas de entretenimento digital da InterLace e independentes e até feitos em casa, sem nenhuma ordem aparente, já que Bertraund cuida das aquisições e Lucien fica encarregado dos inventários e da organização. Mesmo assim, depois de ter assistido nem que seja só uma vez, ele consegue identificar qualquer cartucho usado do estoque e o indica aos raros clientes com a ponta afiada de pinho da sua vassoura feita em casa. Alguns cartuchos nem têm rótulo, de tão obscuros ou ilícitos que são. Para não ficar para trás de Bertraund, Lucien tem que assistir às novas aquisições no monitorzinho barato ao lado do caixa manual enquanto varre a loja com a imponente vassoura que ama e mantém afiada, envernizada e livre-de-fiapos-de-chão desde a adolescência, e com a qual ele às vezes imagina que está conversando, bem baixinho, dizendo para ela *va chier putain* em tons surpreendentemente delicados e doces para um terrorista tão grandão. A tela do monitor tem algo errado na Definição e uma oscilação que faz com que todos os atores dos cartuchos que estão do lado esquerdo pareçam ter a síndrome de Tourette. Os cartuchos pornográficos ele acha bestas e assiste adiantando para acabar logo com aquilo. Aí mas ele só não conhece as cores e as tramas visuais das aquisições mais recentes, mas algumas ainda não têm etiqueta. Ele ainda não pôde ver e guardar muita coisa da carga imensa que Bertraund trouxe para casa no off-road sob a chuva gelada de sábado, vários cartuchos antigos de exercícios e de filmes que uma lojinha de TelEntretenimento da Back Bay estava descartando como coisa fora-de-moda. Também tinha um ou dois que Bertraund dizia que tinha pegado literalmente na rua lá no centro perto do ponto da estátua embandeirada de Shaw de uns displays comerciais não vigiados que estupidamente continham cartuchos destacáveis que qualquer um podia destacar e levar para casa na chuva. Os cartuchos dos displays ele tinha visto imediatamente, pois embora estivessem desetiquetados a não ser por um slogan comercialístico numas letrinhas minúsculas em relevo de IL NE FAUT PLUS QU'ON POURSUIVE LE BONHEUR — o que para Lucien Antitoi significava lhufas — cada um também estava marcado com um círculo e um arco que se assemelhavam a um sorriso incorpóreo, o que fez o próprio Lucien sorrir e metê-los direto no monitor, para descobrir para seu desapontamento e impaciência com Bertraund que eles estavam virgens, não tinham nem estática de HD, exatamente como as fitas trocadas com a pessoa velha e grossa que ele tinha tirado do saco de lixo em que estavam guardadas para ver tinham se revelado, virgens sem estática, para satisfação do nojo de Lucien.[205] Pelo vidro da porta, faróis de passagem iluminam uma pessoa aleijada numa cadeira de rodas que está tentando com dificuldade passar pela calçada toda quebrada na frente da mercearia portuguesa bem diante da fachada da Entretimento Antitoi. Lucien esquece que estava comendo pão com melaço chique e *soupe aux pois*; ele esquece que está comendo no exato momento em que o gosto da comida abandona sua boca. A mente dele normalmente é tão limpa e transparente quanto qualquer objeto da loja. Ele dá uma varrida, distraído, diante da janela, olhando o reflexo do seu rosto balançando contra a noite que enegrece lá fora. Uma leve neve quase quica de um lado a outro do cânion da Prospect. As cerdas da vassoura dizem "Shh, shh". O som de lata-e-estática da CQBC foi silenciado, ele pode ouvir Bertraund andando por ali abalando algumas panelas, derrubando uma, e Lucien emprega sua vassoura de ponta afiada contra os azulejos portugueses lascados do chão de não madeira. Ele é um doméstico de talento, o melhor doméstico de 125 quilos que já usou barba e suspensórios de balas de artilharia ligeira. A loja, entupida até o forro de isolamento acústico e sem um grão de pó, parece o depósito de lixo de um retentivo anal. Ele balança e varre, e feixes balouçantes de luz do espelho brilham e dançam, destacados pela noite, no vidro da porta trancada. A figura da cadeira de rodas ainda está lidando com as rodas, mas parece, estranhamente, ainda estar onde estava antes, diante da mercearia portuguesa. Indo para mais perto da vidraça, de modo que a imagem transparente do seu rosto preenche o vidro e ele agora pode ver com clareza do outro lado, Lucien vê que o negócio é que é uma figura diferente numa cadeira de rodas diferente da outra de antes, o rosto dessa nova figura também abaixado e estranhamente mascarado, se esforçando para contornar os buracos rasgados na calçada; e que não muito longe dessa figura sentada está mais uma figura numa cadeira de rodas, vindo para cá; e no que Lucien Antitoi gira a cabeça e aperta a bochecha peluda contra o vidro da porta rangente — só que agora como é que pode que a dobradiça da porta está rangendo bem alto se a porta está bem fechadinha e a tranca passada com o sólido *snick* de uma bala de .44 se encaixando na câmara de um revólver? — olhando bem a sudeste pela Prospect, Lucien pode ver as variegadas cintilações dos faróis de carrocerias baixas que passam em toda uma longa coluna de rodas de metal brilhantes que giram fleumaticamente, sendo empurradas por mãos escuras dentro de luvas sem dedos para cadeiras de rodas. "Range." *"Range."* Lucien estava ouvindo rangidos havia vários minutos que tinha ingenuamente como um bebê presumido que eram da dobradiça superior da porta. Essa dobradiça de fato range.[206] Mas Lucien agora ouve sistemas inteiros de rangidos, rangidos lentos e suaves mas não furtivos, os rangidos de cadeiras de rodas pesadas seguindo lenta, implacável, calma e eficientemente e no entanto de maneira ameaçadora, seguindo com a indiferença das coisas que estão bem no alto da cadeia alimentar; e agora, ao se virar, ouvindo o coração na cabeça, pode agora ver, nos ângulos cuidadosamente dispostos dos espelhos em exposição, raios de luz rebatidos por metal giratório rodando perto da altura da cintura de um homenzarrão imenso de pé c/ uma vassoura apertada contra um peito tamanho-barril, há grandes quantidades quietas de pessoas em cadeiras de rodas se movendo dentro do cômodo com ele, na loja, movendo-se calmamente para tomar posição atrás de balcões da altura da sua cintura cheios de pegadinhas maluconas. A rua lá fora está flanqueada nas duas calçadas por paradas de pessoas cadeirantes com cobertores no colo, cujos rostos estão obscurecidos pelo que parecem folhas de árvore, grandes e pintadas de neve, e as persianas da mercearia portuguesa foram abaixadas e uma placa que diz ROPAS foi pendurada por um circunflexo de barbante na vidraça da porta da frente. Assassinos Cadeirantes. Tinham mostrado a Lucien o glifo de uma cadeira de rodas de perfil com uma enorme caveira com ossos cruzados por baixo. É a pior situação possível; é de longe pior que os gendarmes ONANitas: choramingando

496

AFR para a vassoura, Lucien libera o mastodôntico colt da calça e descobre que um pedaço de linha preta da frente do jeans que rodeia seu zíper ficou enroscado na lâmina de mira do cano e vem desfiando com um longo rangido barulhento da calça com a força convulsiva do saque da arma, de modo que sua calça se abre num rasgo junto ao zíper e a força da sua mastodôntica pança canadense estende o rasgo por toda a parte da frente de modo que o fecho desfecha e a calça se rompe e cai imediatamente aos seus tornozelos, empoçada em torno da bota de pregos, revelando uma ceroula vermelha por baixo e forçando Lucien a dar uns passinhos nada dignos e alucinados na direção do quarto dos fundos enquanto tenta com o Colt que mordeu a linha cobrir cada partezinha do movimento à altura da cintura que as lascas de luz dos espelhos revelam na loja enquanto ele dispara com toda a velocidade que o jeans tombado lhe possibilita na direção do quarto dos fundos para alertar, não verbalmente, usando o tipo de carantonha de olhos endemoninhados com a língua de fora, rígida, torturada e estrangulada que uma criancinha faz de olhos escancarados quando é sua vez de ser *Le Monstre*, para alertar Bertraund de que *Eles* chegaram, não gendarmes bostonianos ou chiens ONANitas de roupas brancas mas *Eles, Os Próprios, Les Assassins des Fauteuils Rollents*, AFRs, aqueles que vêm sempre ao pôr do sol, rangendo implacáveis, e não dão ouvidos à razão ou a ofertas de compensação, que não têm dó nem piedade, nem medo (exceto pelo boato de uma fobia de morros íngremes), e eles estão todos aqui por toda a loja como uns ratos sem rosto, os hamsters do demônio, se movendo com plácidos rangidos logo além do limite do campo de visão das periferias espelhadas da loja, majestaticamente serenos; e Lucien, com a vassourona numa mão e o Colt preso na teia de linha na outra, tenta cobrir sua fuga passinhante com um disparo tonitruante que sai alto e estilhaça um espelho planar de corpo inteiro angulado na porta, espirrando vidro anodizado e substituindo o reflexo de um AFR com cobertorzinho no colo com uma máscara plástica de flor-de-lis-com-cabo-de-espada no rosto com um buraco irregularmente esteliforme, por lascas purpurinadas e pó de vidro no ar por tudo e com os imperturbáveis rangidos "range *range range range*", é uma coisa medonha — soando por sobre todo o estrondo, o tilintar e as frenéticas passadas pregadas, e por sobre o vidro que voa, mirando para tudo quanto é lado atrás dele, Lucien irrompe quase caindo por entre as cortinas, de olhos escancarados, estrangulado e preso numa teia de linha, para alertar Bertraund facialmente de que o disparo significava AFRs e pegue correndo o arsenal subcatre e se prepare para se entrincheirar e aguentar o cerco, apenas para ver horrendamente a porta de serviço dos fundos da loja escancarada numa brisa empoeirada e Bertraund ainda sentado à mesa de baralho que eles usam para jantar — usavam — com sopa de ervilha e perturbadores hamburguerezinhos ainda na sua bandeja de rancho, sentado, olhando em frente praticamente zarolho com um cravo de ferrovia atravessando-lhe um olho. O cravo, com uma ponta tanto abobadada quanto quadrada, e também enferrujada, protubera da órbita do ex-olho azul do seu irmão. Há talvez coisa de seis ou nove AFRs aqui na corrente de ar do quarto dos fundos, calados como sempre, sentados sobre rodas imóveis, cobertores de flanela obscurecendo uma ausência de pernas, também é claro camisas de flanela, mascarados com íris de mescla sintética de bandeira heráldica com cabos flamejantes e *transperçant* no queixo, fendas nos olhos e redondos buracos ocos para a boca — todos menos um determinado AFR, com um blazer esporte despretensioso, gravata e com a pior máscara de todas, um simples círculo amarelo de polirresina com um rosto sorridente obscenamente simples em finas linhas negras, que está especulativamente mergulhando a ponta de uma baguete na tigela de sopa metálica de Bertraund e metendo o pão no buraco feliz da sua máscara com uma mão elegantemente enluvada de cereja. Lucien, de olhos esbugalhados diante do único irmão que teve na vida, está parado muito imóvel, com o rosto ainda involuntariamente teratoide, a vassoura angulada na mão, o Colt balançando pendurado ao lado da perna, e a longa linha negra do zíper que ele puxou do zíper presa agora de alguma maneira, enrolada no polegar e caída se arrastando pelo chão imaculado com uma folga entre arma e dedão, calça amarfanhada em volta dos tornozelos lanosos vermelhos, quando ouve um rangido rápido e eficiente e sente por trás uma tremenda cacetada atrás dos joelhos que o joga de joelhos no chão, com a .44 se empinando no que descarrega por reflexo no azulejo português imitação de madeira, de modo que ele está numa posição de suplicante sobre os joelhos vermelhos, circundado por *fauteuils de rollents*, ainda segurando a vassoura mas agora mais embaixo, perto do arame que prende a palha de milho; seu rosto agora está na mesma altura do rosto amarelo, vazio, sorridente e masticante do AFR no que esse líder — tudo nele irradia uma autoridade desprovida de dó e arrependimento — roda uma roda direita para se aproximar e com três rotações irrangentes está com aquele hediondo sorriso negro e vazio a cm do rosto de Lucien Antitoi. O AFR lhe diz "'n soir, 'sieur", que não significa nada para Lucien Antitoi, cujo queixo despencou e cujos lábios tremem, ainda que seus olhos não estejam o que se pode chamar de petrificados ou aterrorizados. O perfil perfurado e rígido do irmão de Lucien está visível sobre o ombro esquerdo do líder. O sujeito ainda está com um pouco de pão-molhado-na-sopa na luva da mão esquerda.

"Malheureusement, ton collégue est décédé. Il faisait une excellente soupe aux pois." Ele parece estar se divertindo. *"Non? Ou c'était toi, faisait-elle?"* O líder se inclina para a frente daquele jeito gracioso com que as pessoas que ficam sempre sentadas sabem se inclinar, revelando um cabelo duro e uma careca pequena estranhamente banal no topo da cabeça, e delicadamente retira o revólver quente da mão de Lucien. Ele prende a trava sem nem precisar olhar o revólver. Ouve-se vagamente uma música em espanhol vinda de algum ponto beco acima. O AFR olha calidamente nos olhos de Lucien por um momento, e aí com um gesto súbito e profissionalmente mau mete a arma na cabeça perfilada de Bertraund, atingindo Bertraund na lateral da cabeça; e Bertraund balança para longe e depois para cá e para a frente e escorrega para a frente esquerda da cadeirinha vagabunda de acampamento e com um baque pavoroso e úmido descansa descadeirado mas ereto, com o lado esquerdo do quadril no chão, a ponta grossa do roliço cravo ferroviário do olho presa na beira da mesa de baralho e inclinada para cima enquanto a mesa se inclina para baixo e

a louça escorre nauticamente dela para o piso enquanto o peso do grande tronco de Bertraund é de alguma maneira sustentado pelo cravo e a mesa inclinada. O rosto do seu irmão agora está desviado de Lucien, e a postura geral dele é a de uma pessoa dobrada de tanto rir ou de arrependimento — ou talvez de tanta cerveja — um homem subjugado. Lucien, que nunca entendeu o que é trava de segurança ou onde ela fica, acha um pequeno milagre o Colt .44 com sua cauda de linha não descarregar de novo quando esbofeteia a têmpora de Bertraund, cai nas lajotas lisas e escorrega para sumir debaixo de uma cama de campanha. Em algum lugar da casa alta logo ao lado ouve-se uma descarga, e os canos do quarto dos fundos cantam. A linha preta continuou enroscada na lâmina da mira do Colt e no meio se prendeu de algum jeito na orelha de Bertraund; a outra ponta continua presa a Lucien por uma lasca persistente no seu roidíssimo polegar direito, de modo que um filamento negro ainda conecta o genuflexo Lucien a seu revólver oculto, com uma surreal quebra angulada na orelha de seu *frère* subjugado.

O líder AFR de sorriso mascarado, educamente ignorando o fato de que o esfíncter de Lucien decepcionou a todos naquele quartinho, depois de cumprimentar os dois pela artesania de certos objetos de vidro soprado da loja, dá uma ajeitada nas luvas de veludo e diz a Lucien que coube a ele, Lucien, levá-los diretamente a um item de entretenimento que eles vieram aqui adquirir. E exigir esse item copiável. Eles estão aqui a negócios, *ne pas plaisanter*, isso não é a visita social. Eles vão adquirir essa coisa e aí *iront paître*. Eles não têm nenhum desejo de perturbar a refeição de ninguém, mas a AFR teme que seja temerariamente urgente e central, esse item Máster que eles agora exigem sem demora ou delongas de Lucien — *entend-il*?

O vigor com que Lucien sacode a cabeça para os sons sem sentido do líder só pode ser mal interpretado, provavelmente.

Tem esta loja o TP com drive de 585-rpm em algum lugar por aqui, para tocar Másteres?

Mesma vigorosa negação de compreensão com cara de negativa.

Será que um sorriso de máscara pode se abrir ainda mais?

Da parte da frente da loja vêm sinfonias inteiras de rangidos, graves *r* vibrantes e os sons de uma área densamente abarrotada sendo velozmente desmontada e revistada. Alguns homens sem pernas e de braços grossos sobem nas estantes com as mãos e se penduram perto das alturas do teto por meio de equipamentos especiais de escalada e de ventosas presas aos cotos, braços marrons ocupados nos andares superiores das estantes, desmontando e revistando de cabeça para baixo como obscenos insetos industriosos. O contorno da boca trêmula de Lucien está sendo traçado por um AFR de torso mastodôntico com um colarinho de jesuíta que segura a fiel vassoura de Lucien invertida e se inclina na cadeira para acariciar os lábios cheios e Gaspé-mente provincianos de Lucien (os lábios estão trêmulos) com a ponta cruel do cabo, que é agudamente branca, desbastada da pátina de terra-de-siena do verniz de cabo de vassoura que recobre todo o resto do grande cabo. Os lábios de Lucien estão trêmulos não tanto por medo — ainda que haja algum medo — mas não tanto por medo quanto por uma tentativa de formar palavras.[207] Palavras que não são e nunca poderão ser palavras são intentadas por Lucien aqui no que ele imagina que sejam os movimentos maxilofaciais da fala, e há um páthos infantil nos movimentos que talvez o líder da AFR com seu sorriso rígido consiga perceber, e talvez seja por isso que seu suspiro é sincero, e sincera sua queixa quando se queixa que o que se seguirá vai ser *inutile*, o não auxílio de Lucien vai ser *inutile*, nada vai ganhar com isso, há várias dúzias de indivíduos cadeirantes motivados e muito bem treinados aqui que vão encontrar o que quer que procurem e mais, enfim, talvez seja sincero, o gálico dar-de-ombros e o cansaço da voz que sai pelo buraco da máscara do líder, no que a cabeça leonina de Lucien é virada para trás por uma mão no seu cabelo e sua boca, bem aberta por dedos calejados que aparecem pelo alto e pelos lados da sua cabeça por trás e escancaram-lhe a boca tão aberta que os tendões da sua mandíbula se rompem audivelmente e os primeiros sons de Lucien se reduzem de uivos a um gorgorejo puerperal no que a pálida ponta cruel da vassoura que ele adora é inserida, a madeira com gosto de pinho e aí uma dor branca e insípida no que a vassoura é empurrada para dentro e abruptamente para baixo pelo grande e jesuítico AFR, enfiada mais e mais com golpes rítmicos que acompanham cada sílaba da enfadonha repetição de um *"In-U-Tile"* do entrevistador técnico, pela larga garganta de Lucien e mais além, pequenos gritos natais escapando em volta da haste amarronzada, os estrangulados sons bloqueados da afonia absoluta, os engasgos de peixe-fora-d'água que acompanham a falta de voz nos sonhos, o AFR de gola de padre encaixando já metade do comprimento da vassoura, subindo nos cotos para obter mais força vertical enquanto as fibras que protegem o limite esofagal resistem e aí cedem com um estalo quebrado e um borrão vermelho que banha os dentes e a língua de Lucien e faz de si próprio um esguicho no ar, e os sons gorgorejados de Lucien soam agora afogados; e por trás de pálpebras palpitantes o afrásico insurgente hemicelular que adora apenas varrer e dançar num vidro limpo vê agora os morros redondos do seu Gaspé nativo, lindos cachos de fumaça nas chaminés, o avental de linho da mãe, seu rosto bondoso e corado sobre o berço dele, patins e cidra feitos em casa, os lagos das Chic-Choc se estendendo numa visão que se afasta das encostas de Cap-Chat que eles desciam esquiando para ir à missa, os ruídos do rosto vermelho que ele sabe pelo tom que são doces, além de berço e janela orlada os lagos e lagos da Gaspésie acesos pelo sol quase ártico e se alongando para a distância do sudeste quais lascas de vidro partido jogadas para que se espalhem pelo branco mundo das Chic-Choc, reluzindo, e o rio St.-Anne uma fita de luz, inefavelmente pura; e enquanto o cabo culcado cruza o canal inguinal e o sigmoide com uma estranha titilação quente, funda e plena, e com um ronco e um empurrão completa sua passagem e forma obsceno calombo erétil nos fundilhos das ceroulas vermelhas ensopadas, rasgando então a lã e riscando lajota e piso no ângulo inclinado de uma trava policial para mantê-lo ereto de joelhos, completamente atravessado, e enquanto as atenções dos AFRs no quartinho se desviam dele para as estantes e os baús das tristes vidas insurgentes dos Antitoi, e Lucien finalmente morre, bem depois de ter parado de tremer como um peixe que tomou uma pancada e lhes parecido morrer, quando finalmente se despe da roupa corpórea, Lucien encontra de novo garganta e entranhas e de novo inteiras, limpas e desimpedidas, e está livre, catapultado para casa sobre ventiladores e as paliçadas de vidro do Reconvexo em velocidades desesperadas, pairando rumo norte, soando uma convocação às armas, assustada, límpida como um sino e quase maternal, em todas as línguas mais conhecidas do mundo.

O

PRÉ-AURORA, 1º DE MAIO DO AFGD.
AFLORAMENTO A NOROESTE DE TUCSON, AZ, EUA, AINDA

M. Hugh Steeply falou baixo, depois de prolongado silêncio dos dois agentes cada um sozinho com seus pensamentos, sobre esta montanha. Steeply encarava ainda o horizonte, parado na beira do afloramento, braços nus em volta do corpo para se esquentar um pouco, com as costas sujas do vestido viradas para Marathe. Em volta da fogueira, bem lá longe no chão do deserto, rodava um anel de fogos menores e atrofiados, pessoas carregando tochas ou fogos.

"Você chega a pensar em assistir?"

Marathe não respondeu. Não era impossível que as pessoas carregando as tochas estivessem dançando.

"A AFR recuperando um dia ou não essa suposta cópia Máster do roubo de Du-Plessis", Steeply disse baixo; "ainda assim, vocês têm uma cópia somente-leitura, pelo menos uma, você disse pra gente, não?"

"Temos."

"Ninguém tem essa misteriosa Máster, mas todos nós temos somente-leituras — todas as células anti-ONAN têm pelo menos uma somente-leitura, a gente tem quase certeza."

Marathe disse: "M. Brullîme, ele diz a Fortier que acha que os CPCP de Alberta não têm cópia".

"Fodam-se os albertanos", Steeply disse. "Quem é que está preocupado com os albertanos? A ideia dos albertanos de um soco no plexo dos EU é eles explodirem umas pastagens em Montana. Eles são doidos."

"Eu não me senti tentado", Marathe disse.

O som de Steeply parecia que ele não ouviu. "A gente tem mais de uma. Cópia. Lógico que a gente pode pressupor que os teus rapazes sabem disso."

Marathe secamente riu. "Confiscadas de capadas em Berkeley, Boston. Mas quem pode saber o que existe nelas? Quem pode estudar o Entretenimento sem se envolver?"

O arranhão no braço de Steeply tinha ficado inchado da noite para o dia, e havia hachuras entrecruzadas por ele ter coçado. "Mas só entre nós dois, então. Tête para tête. Você nunca sentiu nem a menor tentação? Eu quero dizer pessoalmente. A

501

pessoa você. Dane-se a situação da patroa. Danem-se as crianças. Só por um segundo, dar uma escapadinha pra sei lá onde é que vocês guardam o cartucho, carregar o monitor e dar uma olhadinha? Ver qual é o motivo do falatório, a tal atração irresistível da coisa toda?" Ele girou num calcanhar, olhou e inclinou a cabeça para um lado de uma maneira cínica que parecia a Marathe consumadamente EUA.

Marathe tossiu delicadamente na mão fechada. O marca-passo Kenbec do seu próprio falecido pai, ele tinha sido danificado acidentalmente por um pulso de ondas videofônicas. Isso de uma chamada telefônica da companhia telefônica, uma chamada em vídeo, anunciando a videofonia. M. Marathe tinha atendido o telefone que tocava; o pulso videofônico, ele tinha vindo; M. Marathe tinha caído, ainda segurando um telefone que ninguém jamais havia dito para Rémy atender antes, para verificar. A propaganda, que era pré-gravada, tocou sua parte audível ali no chão ao lado da orelha do pai, audível entre os gritos da mãe de Marathe.

Steeply se erguia e se baixava na ponta do sapato. "Nós, Rodão o Fodão Tine botou os caras do I/O do Tom Flatto pra fazer testes sem parar. 24 agá barra 7 dias."

"Flatto, Thomas M. Diretor de testes de Input/Output no BSS, residente na comunidade de Falls Church, viúvo com três filhos, um com fibrose cística."

"Mais engraçado que um folículo espremido, Rémy. E é claro que as células insurgentes devem estar fazendo cada uma o seu próprio trabalho, vocês lá com o seu dr. Brullent ou sei lá mais quem, tentando descobrir qual pode ser o encanto do Entretenimento sem sacrificar um dos seus homens." Steeply novamente se virou; ele fazia isso para dar ênfase. "Ou quem sabe vocês estão sacrificando os seus homens. Sim? Matando voluntários em cadeiras. Sacrificando o eu pelo Bem-Maior e coisa e tal. Por escolha adulta e coisa e tal. Só para fazer mal para nós. Não quero nem *pensar* em como é que a AFR ia conduzir os testes dessa coisa."

"*C'est ça.*"

"Mas não tanto o conteúdo", Steeply disse. "Os testes exaustivos do pessoal do Input/Output. O Flatto botou eles pra trabalhar em condições e ambientes que possibilitem o exame não letal. Certos departamentos em Virgínia, lá a teoria que está se desenvolvendo é de que se trata de holografia."

"O *samizdat*."

"O cineasta foi um especialista óptico de vanguarda. Holografia, difração. Ele tinha usado holografia algumas vezes, e no contexto de uma espécie de ataque fílmico contra o espectador. Ele era da Escola Hostil ou uma merda assim."

"Também um construtor de painéis refletores para armas térmicas, e um importante *Annulateur*, também, e recolhedor de capital do mundo óptico, antes da hostilidade e do cinema", Marathe disse.

Steeply se abraçou. "A teoria pessoal do Tom Flatto é que o encanto tem alguma coisa a ver com densidade. A compulsão visual. A teoria é que com um holograma bem sofisticado você ia obter a densidade neural de uma peça teatral de verdade sem perder o realismo seletivo de uma tela de monitor. Que a densidade mais o realismo podiam ser além da conta. O Dick Desai da Produção de Dados quer entrar com

ALGOL pra ver se tem alguma equação de Fourier no ALGOL do código-raiz, o que significaria uma atividade hologramatical rolando ali."

"M. Fortier acha as teorias de conteúdo irrelevantes."

Steeply punha a cabeça de lado às vezes de um jeito que era tanto feminino quanto passerídeo. Ele fazia isso mais durante os silêncios. E também mais uma vez ele removeu algo pequeno do seu lábio pintado. E também ele falava com uma inflexão mais feminina. Marathe guardou isso tudo nas memórias.

INVERNO, 1963 AS, SEPULVEDA, CA

Lembro[208] que estava almoçando e lendo alguma coisa chata de Bazin quando meu pai entrou na cozinha e fez uma bebida com suco de tomate para tomar e disse que assim que eu tivesse terminado ele e a minha mãe precisavam da minha ajuda no quarto deles. Meu pai tinha passado a manhã no estúdio publicitário e ainda estava todo de branco, com a peruca e o cabelo branco duro e dividido, e ainda não tinha retirado a maquiagem televisiva que dava a seu rosto real um tom alaranjado à luz do dia. Apressei-me, terminei o almoço, enxaguei os pratos na pia e segui pelo corredor até a suíte máster. Meus pais estavam ambos lá. As cortinas de sanefa da suíte máster e as pesadas cortinas à prova de luz atrás delas estavam todas abertas, as venezianas erguidas e a luz do sol estava muito forte no quarto, cuja decoração era branca e azul e azul-bebê.

Meu pai estava inclinado sobre a grande cama de meus pais, que estava sem a roupa de cama até chegar no protetor do colchão. Ele estava recurvado, empurrando o colchão com a base das mãos. Os lençóis, travesseiros e a colcha azul-bebê da cama estavam todos empilhados no carpete ao lado da cama. Aí meu pai me passou seu copo de suco de tomate para segurar para ele, subiu de vez na cama e se ajoelhou nela, pressionando vigorosamente o colchão com as mãos, colocando nele todo seu peso. Ele comprimia bem uma área específica do colchão, aí desistia e girava levemente sobre o eixo dos joelhos e comprimia com vigor comparável uma área diferente do colchão. Ele fez isso por toda a cama, às vezes efetivamente andando pelo colchão de joelhos para atingir áreas diferentes do colchão, e aí comprimindo cada uma. Lembro de pensar que a ação de compressão parecia muitíssimo com as manobras de pressão sobre o peito de um paciente. Lembro que o suco de tomate de meu pai tinha grãos de um material pimentístico flutuando na superfície. Minha mãe estava parada junto da janela do quarto, fumando um cigarro longo e olhando para o jardim, que eu tinha regado antes de almoçar. A janela descoberta era face sul. O quarto explodia de luz.

"Eureca", meu pai disse, comprimindo várias vezes um determinado ponto.

Perguntei se eu podia perguntar o que estava acontecendo.

"A maldita dessa cama está rangendo", ele disse. Ele ficou de joelhos sobre o dito ponto determinado, comprimindo-o repetidamente. Havia agora um som rangido que vinha do colchão quando ele comprimia o ponto. Meu pai ergueu os olhos para minha mãe perto da janela do quarto. "Você está ou não está ouvindo isso?", ele disse, comprimindo e soltando. Minha mãe bateu as cinzas do longo cigarro num cinzeiro raso que segurava na outra mão. Ela ficou olhando meu pai apertar o ponto rangente.

O suor escorria em escuras linhas alaranjadas pelo rosto de meu pai vindo debaixo de sua rígida peruca branca profissional. Meu pai cumpriu dois anos como O Homem Feliz, representando o que então era a Cia. Feliz de Receptáculos Plásticos Flácidos de Zanesvilee, Ohio, via uma agência publicitária com sede na Califórnia. A túnica, a calça justa e a bota que a agência fazia ele usar também eram brancas.

Meu pai girou no eixo dos joelhos, impulsionou o corpo, saiu do colchão, pôs a mão na lombar e se endireitou, continuando a olhar para o colchão.

"Essa porra dessa cama do caralho que sua mãe achou que tinha que manter e trazer com a gente pra cá pelo entre aspas valor sentimental começou a ranger", meu pai disse. O fato dele dizer "sua mãe" indicava que ele estava se dirigindo a mim. Ele estendeu a mão para pedir o copo de suco de tomate sem precisar me olhar. Ele encarava sombriamente a cama. "A gente está ficando louco com essa merda."

Minha mãe equilibrou o cigarro no cinzeiro estreito, largou o cinzeiro no parapeito da janela, se curvou sobre o pé da cama, comprimiu o ponto que meu pai tinha isolado, que rangeu de novo.

"E de noite esse único pontinho que nós isolamos e identificamos parece que se espalha e se metastatiza até a porra da cama inteira ficar entupida de rangidos." Ele bebeu um pouco de seu suco de tomate. "Áreas que tagarelam e rangem", meu pai disse, "até nós dois acharmos que estamos sendo comidos por ratos." Ele passou a mão pela linha do queixo. "Hordas fervilhantes de ratos de rapina ruidosos rangentes e tagarelantes", ele disse, quase tremendo de irritação.

Olhei para o colchão, para as mãos de minha mãe, que tendiam a escamar em climas secos. Ela andava com um pote de creme hidratante o tempo todo.

Meu pai disse: "E eu estou de saco cheio dessa história". Ele secou a testa na manga branca.

Lembrei a meu pai que ele tinha mencionado que precisava de minha ajuda com alguma coisa. Naquela idade eu já era mais alto que meus dois pais. Minha mãe era mais alta que meu pai, mesmo quando ele estava de bota, mas boa parte da estatura dela estava nas pernas. O corpo de meu pai era mais denso e mais substancial.

Minha mãe foi até o lado do meu pai na cama e pegou a roupa de cama do chão. Ela começou a dobrar os lençóis com extrema precisão, usando os braços e o queixo. Ela empilhou a roupa de cama dobrada bem direitinho em cima da cômoda, que lembro que era laqueada de branco.

Meu pai olhou para mim. "O que nós temos que fazer aqui, Jim, é tirar o colchão e o suporte com as molas aqui da estrutura da cama", meu pai disse, "e expor a estrutura." Ele se deu ao trabalho de explicar que o colchão inferior da cama era rígido e conhecido normalmente como suporte. Eu estava olhando para o meu tênis e deixando meus pés alternadamente valgos e varos sobre o carpete azul do quarto. Meu pai bebeu um pouco de seu suco de tomate, olhou para a borda da estrutura metálica da cama e passou a mão pelo contorno da mandíbula, onde sua maquiagem de estúdio publicitário acabava abruptamente na gola alta da túnica publicitária branca.

"A estrutura dessa cama é velha", ele me disse. "Provavelmente mais velha que você. Eu estou achando que os parafusos dessa coisa podem ter começado a afrouxar, e que é isso que anda tagarelando e rangendo de noite." Ele terminou o suco de tomate e estendeu o copo para eu levar e deixar em algum lugar. "Então a gente precisa tirar toda essa porra aqui de cima do caminho, totalmente" — ele gesticulou com um braço — "tirar isso totalmente do caminho, do quarto, expor a estrutura e ver se talvez a gente não precisa só apertar os parafusos."

Eu não sabia bem onde pôr o copo vazio de meu pai, que tinha resíduos de suco e grãos de pimenta por toda a parte de dentro. Cutuquei um pouco o colchão e o suporte com o pé. "O senhor tem certeza que não é só o colchão?", eu disse. Os parafusos da estrutura da cama me pareciam uma explicação de primeira ordem das mais exóticas para os rangidos.

Meu pai gesticulou de forma ampla. "A sincronia me cerca. Consonância", ele disse. "Porque é isso que sua mãe acha também." Minha mãe estava usando as mãos para tirar as fronhas azuis dos cinco travesseiros deles, de novo usando o queixo como sargento. Os travesseiros eram todos desse tipo extrafofo recheado de fibras de poliéster, por causa das alergias de meu pai.

"Mentes superiores pensam parecido", meu pai disse.

Nenhum de meus pais tinha qualquer interesse pela ciência dura, embora um tio-avô tivesse acidentalmente se eletrocutado com um gerador de séries de campos que estava tentando patentear.

Minha mãe empilhou os travesseiros em cima da roupa de cama bem dobradinha sobre a cômoda. Ela teve que ficar na ponta dos pés para colocar as fronhas dobradas em cima dos travesseiros. Eu tinha começado a sair do lugar para ir ajudá-la, mas não conseguia decidir onde pôr o copo vazio de suco de tomate.

"Mas vocês só querem desejar que não seja o colchão", o pai disse. "Ou o suporte."

Minha mãe sentou ao pé da cama, pegou outro cigarro longo e acendeu. Ela andava com um estojinho de curvim tanto para os cigarros quanto para o isqueiro.

Meu pai disse: "Porque uma estrutura nova, mesmo se a gente não conseguir dar um jeito nos parafusos dessa aqui e eu tiver que ir atrás de uma nova. Uma estrutura nova. Não ia ser má ideia, não, sabe. Até as estruturas de camas de alto nível não são assim tão caras. Mas um colchão novo é uma coisa indecente de cara". Ele olhou para a minha mãe. "E eu estou dizendo indecente pra *caralho*." Ele olhou para a nuca de minha mãe. "E nós compramos um suporte novo pra essa bostinha dessa cama não tem nem cinco anos." Ele olhava de cima para a nuca de minha mãe como se quisesse confirmar que ela estava ouvindo. Minha mãe tinha cruzado as pernas e olhava com alguma concentração ou para ou pela janela da suíte máster. Toda a subdivisão da nossa casa se espalhava por uma encosta árida, o que significava que a vista do quarto de meus pais no primeiro andar era só céu e sol e um declive de gramado escorçado. O gramado ficava inclinado a um ângulo médio de 55° e tinha que ser aparado horizontalmente. Ainda nenhuma das subdivisões gramadas tinha árvores. "Claro que isso foi durante um momento pouco discutido da vida em que sua mãe teve que assumir o fardo de assumir a responsabilidade das finanças da casa", meu pai disse. Ele agora suava bem forte, mas ainda estava com a peruquinha profissional e ainda olhava para minha mãe.

Meu pai representou, durante nossa estada na Califórnia, o papel tanto de símbolo quanto de porta-voz da Divisão de Saquinhos de Sanduíche Individuais da Cia. Feliz de R. P. F. Ele foi o primeiro de dois atores que encarnaram o Homem Feliz. Ele era inserido diversas vezes por mês na reprodução do interior de um carro, onde seria filmado num plano fixo transpara-brisa recebendo uma convocação emergencial por rádio para alguma residência que estava tendo um problema de armazenamento de comida portátil. Ele então era inserido diante de uma atriz num cenário de interior de cozinha genérico, onde explicava como determinado tipo de Saquinho de Sanduíche Feliz era exatamente o ó do borogodó para resolver aquele problema específico de armazenamento de comidas portáteis em tela. Com seu uniforme vagamente médico todo branco, ele tinha um ar de autoridade e de grande convicção transparente, e ganhava o que sempre entendi ser um salário de respeito, para aqueles tempos, e recebia, pela primeira vez em sua carreira, cartas de fãs, algumas das quais eram quase perturbadoras, e que ele às vezes gostava de ler em voz alta à noite, sentado com um coquetel de boa-noite e cartinhas de fãs bem depois que minha mãe e eu tínhamos ido dormir.

Perguntei se podia pedir licença um momento para levar o copo de suco de tomate vazio de meu pai para a pia da cozinha. Eu estava com receio de que os resíduos por toda a parte interna do copo enrijecessem e virassem o tipo de precipitado que ia ser duro de lavar.

"Pelo amor de Deus Jim só largue isso aí", meu pai disse.

Larguei o copo no carpete do quarto lá mais perto do pé da cômoda de minha mãe, apertando para criar um tipo de encaixe circular para ele no carpete. Minha mãe levantou e voltou à janela do quarto com seu cinzeiro. Pode-se dizer que ela se afastou para abrir espaço para nós.

Meu pai estralou os dedos e analisou o caminho entre a cama e a porta do quarto.

Eu disse que entendia que o meu papel ali era ajudar o meu pai a tirar o colchão e o suporte de cima da estrutura suspeita e levar tudo para bem longe. Meu pai estralou os dedos e respondeu que eu estava ficando quase assustadoramente rápido e perspicaz. Ele deu a volta passando entre o pé da cama e minha mãe na janela. Ele disse: "Vamos só empilhar isso tudo no corredor, tirar essa bosta daqui pra ter uma área de manobra aqui".

"Certo", eu disse.

Meu pai e eu estávamos agora um de cada lado da cama de meus pais. Meu pai esfregou as mãos uma na outra, se abaixou, enfiou as mãos entre o colchão e o suporte e começou a erguer o colchão de seu lado da cama. Quando o lado dele do colchão tinha subido até a altura dos ombros, ele de alguma maneira inverteu as mãos e começou a empurrar seu lado para cima em vez de levantar. O topo de sua peruca desapareceu por trás do colchão ascendente, e o lado dele se ergueu num arco até quase a altura do teto branco, ultrapassou 90°, tombou, e começou a cair na minha direção. O movimento todo do colchão era como a crista de uma onda quebrando, eu lembro. Abri bem os braços e amorteci o impacto do colchão com o peito e o rosto, apoiando o colchão angulado com o peito, os braços estendidos, e o rosto. Tudo que eu via era um close-up radical do padrão floral campestre do protetor do colchão. O colchão, um Sono de Beleza Simmons cuja etiqueta dizia não poder ser removida por força de lei, formava agora a hipotenusa de um triângulo diedral reto cujos catetos eram eu mesmo e o suporte de molas da cama. Lembro de ter visualizado e avaliado esse triângulo. Minhas pernas tremiam sob o peso enviesado do colchão. Meu pai me exortava a segurar e apoiar o colchão. Os cheiros respectivamente ácido-plástico e carnoso-humano do colchão e do protetor eram muito distintos porque meu nariz estava enfiado neles.

Meu pai veio até o meu lado da cama, e juntos nós empurramos o colchão de volta até ele estar de novo a 90°. Fomos cuidadosamente nos separando e cada um pegou uma ponta do colchão verticalizado e começamos e conduzi-lo para fora da cama e pela porta do quarto para o corredor sem carpete.

Aquilo era um colchão Sono de Beleza Simmons king-size. Era imenso mas tinha muito pouca integridade estrutural. Ficava se curvando, se enroscando, balançando. Meu pai exortava tanto a mim quanto ao colchão. Era flácido e frouxo no que tentávamos conduzi-lo. Meu pai teve dificuldades especiais com sua metade do peso vertical do colchão por causa de uma antiga lesão dos seus tempos de tênis de competição.

Enquanto nós o conduzíamos de lado para fora da cama, o pedaço do colchão na extremidade onde estava meu pai escorregou, dobrou e caiu sobre um par de luminárias de leitura de aço, uns cubos reguláveis de aço escovado presos por parafusos de asas-de-mosca à parede branca sobre a cabeceira da cama. As luminárias tomaram uma bela pancada do colchão, e um dos cubos deu um giro completo em torno do parafuso de modo que a parte aberta onde ficava a lâmpada apontava agora para o teto. A articulação e o parafuso emitiram um doloroso rangido enquanto o cubo era torcido para cima. Foi quando me dei conta de que até as luminárias de leitura ficavam acesas no quarto à luz do dia, porque um tênue quadrado de luz-de-lâmpada direta, com os quatro lados ligeiramente concavados pela distorção da projeção, apareceu no teto branco acima do cubo virado. Mas as luminárias não caíram. Elas permaneceram presas à parede.

"Cacete de merda", meu pai disse enquanto recobrava o controle da sua ponta do colchão.

Meu pai também disse "Filho de uma puta do c..." quando a espessura do colchão dificultou a tentativa de espremê-lo pela porta ainda segurando-o pela ponta.

Depois de algum tempo conseguimos levar o colchão gigante de meus pais para o estreito corredor que ficava entre a suíte máster e a cozinha. Ouvi mais um rangido terrível no quarto quando minha mãe tentou realinhar a lâmpada de leitura cujo cubo tinha sido invertido. Gotas de suor caíam do rosto de meu pai no seu lado do colchão, escurecendo parte do tecido do protetor. Meu pai e eu tentamos encostar o colchão num ligeiro ângulo de apoio de uma das paredes do corredor, mas como o piso do corredor não era acarpetado e não oferecia resistência suficiente, o colchão não parava de pé. A parte de baixo foi escorregando para longe da parede por toda a largura do corredor até encontrar o rodapé da parede oposta, e a parte de cima do colchão vertical escorregou parede abaixo até que todo o colchão ficou caído num ângulo cavo e extremamente côncavo, com uma área do protetor de colchão floral campestre esticada como a pele de um tambor sobre o vinco cavo e as molas possivelmente danificadas pela concavidade deformadora.

Meu pai olhou o colchão enviesado e côncavo caído e cobrindo toda a largura do corredor, empurrou um pouco um canto dele com o bico da bota, olhou para mim e disse: "Foda-se".

Minha gravata-borboleta estava amarrotada e torta.

Meu pai teve que andar instavelmente sobre o colchão com sua bota branca para chegar até o meu lado do colchão e ao quarto atrás de mim. Enquanto atravessava ele parou e tocou pensativamente o queixo, a bota afundada bem fundo em algodão floral campestre. Ele disse "Foda-se" mais uma vez, e lembro de não ter compreendido plenamente a que ele se referia. Aí meu pai se virou e começou a voltar instavelmente por onde viera sobre o colchão, com uma mão na parede para se apoiar. Ele me deu instruções para ficar bem ali no corredor um instante enquanto ele dava um pulo na cozinha do outro lado do corredor para resolver uma coisinha. Sua mão esquerda apoiante deixou quatro marcas borradas na tinta branca da parede.

O suporte de molas da cama de meus mais, igualmente king-size e pesado, tinha logo abaixo da sua cobertura sintética um quadro de madeira que dava ao suporte sua integridade estrutural, e ele não se dobrava nem mudava de formato, e depois de outro momento de dificuldade para meu pai — que era meio volumoso na região abdominal, mesmo com a cinta profissional por baixo da sua roupa Feliz — depois de outro momento de dificuldade para meu pai espremer sua ponta do suporte pela porta do quarto, nós conseguimos levá-lo para o corredor e apoiá-lo verticalmente um pouco mais de 70° contra a parede, onde ficou retinho sem problemas.

"É assim que ele quer ficar, Jim", meu pai disse, me dando um tapa nas costas exatamente daquele jeito ebuliente que tinha me levado a pedir que minha mãe comprasse um suporte atlético cranial elástico para os meus óculos. Eu tinha dito a minha mãe que precisava do suporte para fins tenísticos, e ela não fez perguntas.

A mão de meu pai ainda estava em minhas costas quando voltamos à suíte máster. "Então tá!", meu pai disse. O humor dele estava acelerado. Houve um breve instante de confusão à porta quando cada um de nós tentava dar um passo atrás para deixar o outro entrar primeiro.

Só restava a estrutura suspeita ali onde antes estivera a cama. Havia algo de exoesquelético e frágil naquela estrutura, um simples retângulo de aço negro e baixa razão altura-base. Em cada canto do retângulo havia um rodízio. As rodas dos rodízios tinham se afundado no carpete grosso sob o peso da cama e dos meus pais e estavam quase completamente submersas nas fibras do carpete. Cada lado da estrutura tinha um estreito apoio de aço soldado num ângulo de 90° em relação a sua base interior, de modo que um único apoio estreito e retangular perpendicular ao retângulo da estrutura corria por todo o interior da estrutura. Esse apoio estava ali obviamente para sustentar os ocupantes e o suporte com colchão king-size da cama.

Meu pai parecia congelado no lugar. Não consigo lembrar o que minha mãe estava fazendo. Pareceu haver um longo intervalo de silêncio em que meu pai olhava atentamente para a estrutura exposta. O intervalo tinha o silêncio e a imobilidade dos quartos empoeirados banhados de sol. Imaginei brevemente cada peça de mobília do quarto coberta por lençóis e o quarto desocupado por anos enquanto o sol nascia, cruzava e descia do outro lado da janela, a luz do dia no quarto ficando cada vez mais rançosa. Eu estava ouvindo dois cortadores de grama motorizados com tons ligeiramente diferentes que vinham de algum ponto da rua da nossa subdivisão. A luz direta que atravessava a janela da suíte máster fervilhava de colunas rotatórias de poeira levantada. Lembro que me pareceu o momento ideal para um espirro.

Um pó grosso cobria a estrutura e até pendia do apoio interno da estrutura como barbinhas cinzentas. Era impossível ver quaisquer parafusos na estrutura.

Meu pai mata-borrou o suor e a maquiagem molhada da testa com a parte de trás da manga, que agora estava com o laranja-escuro da maquiagem. "Jesus, olha o estado que está isso aqui", ele disse. Ele olhou para a minha mãe. "Jesus."

O carpete do quarto de meus pais era grosso e de um azul mais escuro que o azul-clarinho do resto do padrão cromático do quarto. Lembro do carpete como sendo mais de um azul-real, com um nível de saturação em algum ponto entre moderado e forte. O pedaço retangular de carpete azul-real que tinha ficado escondido embaixo da cama estava ele próprio acarpetado por uma camada espessa de poeira amontoada. O retângulo de pó era branco-acinzentado, espesso e disposto em camadas irregulares, e o único indício da presença do carpete do quarto abaixo dele era um vago tom azulado e meio nauseabundo na camada de poeira. Parecia que o pó não tinha vagado para baixo da cama e se acomodado no carpete dentro da estrutura mas sim de alguma maneira criado raízes e crescido ali, nela, como o bolor se enraíza e gradualmente cobre um pedaço de comida estragada. A própria camada de pó parecia um pouco comida estragada, queijo cottage podre. Era nojento, um pouco da topografia irregular da camada de pó era causada por certos objetos do tipo perdido-e-descartado que foram se metendo embaixo da cama — um mata-moscas, uma revista mais ou menos tamanho-*Variety*, algumas tampinhas de garrafa, três lenços de papel embolados e o que provavelmente era uma meia — e ficaram cobertos e texturizados de pó.

Havia também um leve odor, azedo e micótico, como o cheiro de um tapete de banheiro usado tempo demais.

"Jesus, está até cheirando", meu pai disse. Ele fez uma cena inalando pelo nariz e entortando a cara. "Essa merda está até *cheirando*." Ele mata-borrou a testa, passou a mão pelo queixo e olhou firme para minha mãe. O humor dele não estava mais acelerado. O humor de meu pai o cercava como um campo e afetava qualquer cômodo que ele ocupasse, como um odor ou um certo tom na luz.

"Quando foi a última vez que limparam aqui embaixo?", meu pai perguntou a minha mãe.

Minha mãe não abriu a boca. Ela estava olhando para meu pai enquanto ele empurrava um pouquinho a estrutura de aço com a bota, o que levantou ainda mais poeira na luz do sol que entrava pela janela. A estrutura da cama parecia bem levinha, indo para lá e para cá sem ruídos sobre as rodas submersas dos rodízios. Meu pai com frequência movia objetos levinhos distraidamente com o pé, mais ou menos como outros homens rabiscam ou examinam as cutículas. Tapetes, revistas, cabos telefônicos e elétricos, o próprio sapato retirado do pé. Era uma das maneiras de meu pai meditar ou pôr as ideias em ordem ou tentar controlar seu humor.

"No mandato de que presidente fizeram uma faxina geral neste quarto, eu me vejo aqui inclinado a pensar em voz alta", meu pai disse.

Olhei para minha mãe para ver se ela ia retrucar alguma coisa.

Eu disse para meu pai: "Sabe, já que a gente está falando de camas rangentes, minha cama também está rangendo".

Meu pai estava tentando se agachar para ver se conseguia localizar algum parafuso na estrutura e falando alguma coisa sozinho e bem baixo. Ele pôs as mãos na estrutura para se equilibrar e quase caiu para a frente quando a estrutura deslizou com seu peso.

"Mas acho que eu não tinha me dado conta de verdade até a gente começar a falar desse assunto", eu disse. Olhei para minha mãe. "Acho que nem está me incomodando", eu disse. "Pra falar a verdade, acho que eu até gosto. Acho que fui me acostumando de um jeito que já é quase agradável. Por enquanto", eu disse.

Minha mãe olhou para mim.

"Eu não estou reclamando", eu disse. "A discussão só me fez pensar nisso."

"Ah, mas a gente escuta a sua cama, não tenha dúvida", meu pai disse. Ele ainda estava tentando se agachar, o que fazia subir seu corpete e a barra da túnica, deixando que a parte de cima do rego de sua bunda aparecesse acima do cós da calça branca. Ele mudou um pouco o ponto de apoio para apontar para o teto da suíte máster. "É só você se virar na cama ali em cima que a gente escuta aqui." Ele pegou um lado de aço do retângulo e sacudiu a estrutura vigorosamente, levantando uma mortalha de pó. A estrutura da cama parecia quase sem peso nas mãos dele. Minha mãe fez um bigodinho com o dedo para segurar um espirro.

Ele sacudiu de novo a estrutura. "Mas não enche o saco da gente como esse murino filho-de-uma-puta aqui."

Comentei que eu não achava ter ouvido nem uma vez a cama deles ranger, lá de cima. Meu pai deu um jeito de virar a cabeça para tentar olhar para mim lá de baixo enquanto eu continuava parado atrás dele. Mas eu disse que sem dúvida eu tinha ouvido e podia confirmar a presença de um rangido quando ele tinha pressionado o colchão, e podia assegurar que o rangido não era coisa da imaginação de ninguém.

Meu pai ergueu uma mão para me fazer um sinal de por-favor-pare-de-falar. Ele continuou agachado, balançando um pouquinho sobre os calcanhares, usando a estrutura semovente para manter o equilíbrio. A carne do alto da bunda e da região regal dele protuberava sobre o cós da calça. Também havia fundas pregas vermelhas em sua nuca, sob a borda abrupta da peruca, porque ele estava olhando para cima, para minha mãe, que estava apoiando o cóccix contra o parapeito da janela, ainda segurando seu cinzeirinho raso.

"Talvez fosse uma boa ideia ir pegar o aspirador", ele disse. Minha mãe largou o cinzeiro no parapeito e saiu da suíte máster, passando entre mim e a cômoda coberta de roupa de cama. "Se você conseguir… se você conseguir lembrar onde ele está!", meu pai gritou enquanto ela ia saindo.

Eu ouvia minha mãe tentando passar pelo colchão king-size atravessado diagonal e frouxamente no corredor.

Meu pai estava balançando mais violentamente sobre os calcanhares, e agora o balanço tinha as características oscilantes e de pra-lá-e-pra-cá de um navio em alto-mar. Ele chegou bem perto de perder o equilíbrio no que se inclinou para a direita para pegar um lenço no bolso de trás da calça e começou a usá-lo para tirar um pouco de pó de alguma coisa num canto da estrutura da cama. Depois de um instante ele apontou para baixo, perto de um rodízio.

"Parafuso", ele disse, apontando para a lateral de um rodízio. "Bem ali tem um parafuso." Inclinei-me por cima dele. Pingos da perspiração de meu pai produziam pequenas moedas negras no pó da estrutura. Só havia a superfície negra, lisa e leve para onde ele estava apontando, mas logo à esquerda de onde ele estava apontando eu via o que podia ter sido um parafuso, uma pequena estalactite de pó acumulado pendendo de uma leve protuberância. As mãos de meu pai eram largas e os dedos, grossos. Outro possível parafuso ficava vários centímetros à direita de onde ele apontou. Seu dedo tremia feio, e acho que o tremor podia ser por causa da tensão muscular nos joelhos machucados, tentando segurar tanto peso novo agachado por um longo tempo. Ouvi o telefone tocar duas vezes. Tinha sido um silêncio prolongado, com meu pai apontando para nenhuma das duas saliências e eu tentando me inclinar por cima dele.

Aí, ainda agachado, meu pai colocou as mãos na lateral da estrutura e se inclinou de lado para dentro do retângulo de pó dentro da estrutura e teve o que de início soou como uma crise de tosse bem feia. Suas costas arqueadas e bunda levantada me impediam de vê-lo. Lembro de ter concluído que o motivo de a estrutura não estar deslizando sob a pressão das mãos dele era meu pai estar pondo uma parte muito grande do peso sobre ela, e que talvez a reação do sistema nervoso de meu pai ao excesso de poeira fosse um sinal-de-tosse em vez de um sinal-de-espirro. Foi o som molhado do material que atingiu o pó dentro do retângulo mais o odor que subiu que me mostraram que, em vez de tossir, meu pai tinha passado mal. Os espasmos daquilo faziam as costas dele subir e descer e a bunda tremer sob a calça branca comercial. Não era incomum meu pai passar mal logo depois de chegar do trabalho para relaxar, mas agora ele parecia estar passando mal mesmo. Para lhe dar certa privacidade, contornei a estrutura até o lado que ficava mais perto da janela onde havia mais luz direta e menos odor e examinei outros rodízios da estrutura. Meu pai sussurrava consigo mesmo breves frases expletivas entre os espasmos de seu mal-estar. Agachei com facilidade e afastei o pó de uma pequena área da estrutura e limpei o pó no carpete perto de meu pé. Havia um pequeno parafuso de máquina de cada lado da plaquinha que prendia o rodízio à estrutura da cama. Ajoelhei e tateei um dos parafusos. Sua cabeça redonda e lisa impossibilitava que fosse afrouxado ou apertado. Encostando o rosto no carpete e examinando a parte de baixo do pequeno apoio horizontal soldado à lateral da estrutura, observei que o parafuso parecia bem rosqueado, atravessando todo o furo, e concluí que era improvável que algum parafuso das placas dos rodízios estivesse produzindo os sons que para meu pai evocavam roedores.

Bem nessa hora, eu me lembro, houve um som violento e a minha área da estrutura saltou de repente quando o mal-estar de meu pai o fez desmaiar, e ele perdeu o equilíbrio, caiu para a frente, ficou em decúbito ventral e desmaiado sobre seu lado da estrutura da cama, que enquanto eu me afastava da estrutura e me punha de joelhos vi que estava ou quebrada ou bem torta. Meu pai tinha caído de cara na mistura do pó espesso do retângulo com o material que havia regurgitado de seu estômago desarranjado. A poeira que seu desmoronamento levantou era muito grossa, e à medida que a nova poeira subia e se espalhava ela atenuava a luz da suíte máster tão decisivamente como se uma nuvem tivesse passado na frente do sol que entrava pela janela. A peruca profissional de meu pai tinha se deslocado e estava com o escalpo virado para cima na mistura de pó e material estomacal. O material estomacal me parecia consistir basicamente de sangue gástrico até eu me lembrar do suco de tomante que meu pai tinha bebido. Ele estava caído de cara, com a bunda para cima, sobre a lateral da estrutura da cama, que seu peso tinha partido em duas. Entendi que havia sido essa causa do som violento e súbito.

Saí do caminho do pó e da luz poeirenta da janela, passando a mão pelo queixo e examinando meu pai caído de longe. Lembro que a respiração dele era regular e úmida, e que a mistura de pó meio que fazia bolhas. Foi então que me ocorreu que quando eu estava sustentando o colchão erguido da cama com o peito e o rosto preparando a sua remoção do quarto, o ângulo diedral que eu tinha imaginado o colchão formando com o suporte de molas e meu corpo não tinha sido realmente uma figura fechada: o suporte de molas e o chão em que eu estava não constituíam um plano contínuo.

Aí ouvi minha mãe tentando fazer o pesado aspirador vertical passar pelo Simmons Sono de Beleza angulado no corredor, e fui ajudá-la. As pernas de meu pai estavam esticadas por cima do carpete azul limpo entre seu lado da estrutura e a cômoda branca de minha mãe. As botas nos pés dele estavam num ângulo valgo, e o rego da bunda inteirinho até o ânus propriamente dito estava agora visível porque a força da queda tinha baixado ainda mais sua calça branca. Pisei cautelosamente entre as pernas dele.

"Licença", eu disse.

Consegui ajudar minha mãe dizendo para ela desconectar os apetrechos do aspirador e passá-los um por um para mim por cima do colchão entortado, onde os segurei. O aspirador de pó era fabricado pela Regina, e sua parte vertical, que continha o motor, o saco e o ventilador de exaustão, era muito pesada. Montei de novo o aspirador de pó e o fiquei segurando enquanto minha mãe ia atravessando o colchão, e aí lhe entreguei de novo o aspirador, me encolhendo contra a parede para deixá-la passar a caminho da suíte máster.

"Obrigada", minha mãe disse quando passou.

Fiquei ali ao lado do colchão entortado enquanto transcorria um longo período de um silêncio tão completo que eu podia ouvir os cortadores de grama da rua lá no corredor, depois ouvi o som de minha mãe puxando o cabo retrátil do aspirador de pó e conectando-o à mesma tomada ao lado da cama em que estavam ligadas as luminárias de leitura.

Abri caminho por cima do colchão angulado e velozmente corredor abaixo, virei num ângulo reto na entrada da cozinha, atravessei o saguão que levava à escada e subi correndo para meu quarto, pulando vários degraus, com pressa de ficar longe do aspirador de pó, porque o som da aspiração sempre me apavorou do mesmo jeito irracional com que aparentemente um rangido na cama apavorava meu pai.

Subi, virei à esquerda no patamar do primeiro andar e entrei no meu quarto. No quarto estava minha cama. Era uma cama estreita, meio-casal, com uma cabeceira de madeira e estrutura e estrado de madeira. Eu não sabia de onde ela tinha vindo, originalmente. A estrutura mantinha o suporte de molas estreito e o colchão muito mais acima do chão do que a cama de meus pais. Era uma cama antiquada, tão distante do chão que você tinha que pôr um joelho em cima do colchão para subir nela, ou então dar um pulo.

Foi o que eu fiz. Pela primeira vez desde que tinha ficado mais alto que meus pais, eu dei vários passos, correndo desde a porta, passei pelas prateleiras com minha coleção de prismas, lentes e troféus de tênis, pelo meu modelo de magneto em escala, pela minha estante de livros, pelos pôsteres com stills de *A tortura do medo* nas paredes, pela porta do closet e pulei na cama, num verdadeiro salto de piscina. Aterrissei com o peso do corpo sobre o peito e com os braços e as pernas estendidos em cima do cobertor índigo da minha cama, amassando a gravata e entortando um pouquinho as hastes dos óculos. Estava tentando fazer a cama produzir um rangido alto, porque no caso da minha cama eu sabia que ele era causado por qualquer atrito lateral entre as tábuas do estrado e o apoio-prateleira das tábuas no interior da estrutura.

Mas durante o salto e o mergulho, meu braço exageradamente longo acertou o pesado poste metálico da luminária vertical de alta intensidade que ficava ao lado da cama. A luminária balançou violentamente e começoua tombar de lado, para longe da cama. Ela caiu com uma espécie de lentidão majestosa, parecendo uma árvore serrada. Quando a luminária caiu, sua pesada haste de ferro atingiu o puxador de latão da porta do meu closet, batendo no puxador. O puxador redondo e metade do seu parafuso sextavado interno caíram e bateram no piso de madeira do quarto com grande estrondo e começaram a rolar por ali de uma maneira impressionante, com a ponta cortada do parafuso sextavado estacionária e o puxador redondo rolando sobre sua circunferência, circundando-a numa órbita esférica, descrevendo dois movimentos perfeitamente circulares em dois eixos distintos, uma figura não euclidiana numa superfície plana, i. e., um cicloide sobre uma esfera:

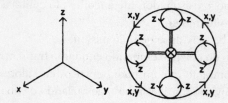

A analogia mais próxima que eu conseguia derivar para aquela figura era um cicloide, a solução de L'Hôpital para o famoso Problema da Braquistócrona de Bernoulli, a curva traçada por um ponto fixo na circunferência de um círculo que rola por um plano contínuo. Mas como aqui, no chão do quarto, um círculo estava rolando pelo que já era por si só a circunferência de um círculo, as equações paramétricas padrões do cicloide não se aplicavam mais, transformando-se aqui as expressões trigonométricas dessas equações em equações diferenciais de primeira ordem.

Em função da falta de resistência ou de atrito no piso nu, o puxador ficou rolando por um longo tempo enquanto eu assistia na beirada do cobertor e do colchão, segurando os óculos e completamente distraído do guincho em ré menor do aspirador lá embaixo. Então me ocorreu que o movimento do puxador amputado representava perfeitamente uma pessoa tentando dar saltos mortais com uma mão pregada ao chão. Foi assim que fiquei originalmente interessado nas possibilidades da anulação.

Na noite seguinte ao piquenique gelado e meio constrangedor de celebração conjunta do Dia da Interdependência para a Casa Ennet de Recuperação de Drogas e Álcool de Enfield, da Phoenix House de Somerville e da tristeza que era a reabilitação juvenil Nova Escolha de Dorchester, a funcionária da Ennet Johnette Foltz levou Ken Erdedy e Kate Gompert com ela para uma Discussão para Novatos da NA em que o tema era sempre a maconha: como cada viciado da reunião tinha se arranjado problemas terríveis de vício da maconha já desde o primeiro baseado, ou como tinham ficado ligados a drogas mais pesadas e tinham tentado mudar para a erva para largar as drogas originais e mas aí tinham ficado com problemas ainda mais terríveis com a erva do que tinham com as coisas pesadas originais. Essa era supostamente a única reunião do NA da Grande Boston explicitamente devotada à maconha. Johnette Foltz disse que queria que Erdedy e Gompert vissem o quanto estavam completamente não isolados e não solitários em termos da Substância que tinha derrubado os dois.

Havia coisa de talvez duas dúzias de viciados novatos em recuperação ali na sacristia anecoica de uma igreja chique do que Erdedy imaginou só podia ser ou West Belmont ou East Waltham. As cadeiras estavam dispostas no tradicional círculo amplo do NA, sem mesas e com todo mundo equilibrando cinzeiros no colo e acidentalmente chutando copinhos de café. Todo mundo que levantava a mão concordava sobre as formas insidiosas com que a maconha tinha detonado seu corpo, mente e espírito: a maconha destrói *lenta* mas *totalmente* era o consenso. O pé balouçante de Ken Erdedy derrubou o seu café não uma mas duas vezes enquanto os NAs se revezavam para concordar sobre a pavorosa decadência psíquica que tinham suportado tanto durante a dependência ativa da maconha quanto durante a desintoxicação de maconha: o isolamento social, a lassidão angustiada e a hiperautoconsciência que então reforçava a antissocialidade e a angústia — a alienação emocional cada vez maior, a pobreza afetiva e depois a catalepsia emocional plena —, a análise obsessiva de tudo e finalmente a estase paralítica que resulta da análise obsessiva de todas as implicações possíveis tanto de levantar do sofá quanto de não levantar do sofá — e aí a dura via sintomática infinda da Abstinência de delta-9-tetra-hidrocanabinol: i. e. desintoxicação de ganja: a perda de apetite, a mania, a insônia, a fadiga crônica, os pesadelos, a impotência, a interrupção de ciclos menstruais e da lactação, a arritmia circadiana, os súbitos suores tipo-sauna, a confusão mental, os tremores motores finos, o excesso particularmente desagradável de produção de saliva — vários novatos ainda segurando copinhos institucionais de baba embaixo do queixo —, a angústia generalizada, os agouros, o pavor e a vergonha de sentir que nem os drs. nem os próprios NAs das drogas pesadas tinham muita empatia ou compaixão pelo "viciado" derrubado pelo que todos achavam ser o barato mais modesto da mãe natureza, a Substância mais benigna que existia.

Ken Erdedy percebeu que ninguém ia lá de uma vez e empregava os termos *melancolia* ou *anedonia* ou *depressão*, muito menos *depressão clínica*; mas esse, o pior dos sintomas, esse logaritmo de todo o sofrimento, parecia, conquanto tácito, pender como uma névoa logo acima das cabeças do cômodo, vagar entre as colunas do peristilo e sobre os astrolábios e velas decorativas que ficavam em longos braços de castiçal, imitações medievais e declarações emolduradas dos princípios dos Cavaleiros de Colombo, um plasma gasoso tão temido que novato nenhum suportava olhar para cima e dar-lhe um nome. Kate Gompert ficava olhando para o chão e fazendo um revólver com o indicador e o polegar e se dando tiros na têmpora, depois soprando pólvora de brincadeirinha da ponta do cano até Johnette Foltz sussurrar para ela parar com aquilo já.

Como era costume dele nas reuniões, Ken Erdedy não abriu a boca e ficou observando todo mundo muito atentamente, estralando os dedos e balançando o pé. Como no NA um "Novato" é tecnicamente qualquer um com menos de um ano de sobriedade, havia graus variados de negação, perturbação e falta de noção generalizada nessa acolhedora sacristia chique. A reunião tinha a seção demográfica ampla de sempre, mas a maioria desse pessoal destruído pela erva lhe parecia urbana, dura, ferrada e vestida sem nenhuma noção de cores, gente que você não tinha dificuldade para imaginar esbofeteando o filho num supermercado ou à espreita com um porrete feito em casa na escuridão de uma ruela do centro. Igual no AA. A desrespeitabilidade mais variegada era tipo norma ali, além de olhos vidrados e excesso de cuspe. Alguns novatos ainda estavam com as pulseirinhas de identificação de plástico leitoso das alas psiquiátricas que tinham esquecido de cortar ou que ainda não tinham reunido forças para cortar.

Ao contrário do AA de Boston, o NA de Boston não tem pausa para a rifa no meio da reunião e dura só uma hora. No encerramento da Reunião de Novatos de Segunda-Feira todo mundo levantou, se deu as mãos em círculo e recitou o "Só Hoje" aprovado pela Conferência do NA, depois todos recitaram o Pai-Nosso, não exatamente em uníssono. Kate Gompert depois jurou que ouviu nitidamente o cara mais velho e esfarrapado ao lado dela dizer "E não nos deixeis cair nessa Estação" durante o Pai-Nosso.

Aí, que nem no AA, a reunião do NA terminou com todo mundo gritando para o ar em frente Continue Voltando porque Funciona.

Mas aí, de um jeito meio pavoroso, todos lá dentro começaram a andar por ali de maneira confusa, que nem uns malucos, se abraçando. Foi como se alguém tivesse ligado um botão. Não tinha nem muita conversa. Eram só abraços, até onde dava para Erdedy ver. Uma abraçação descontrolada e indiscriminada, cujo objetivo parecia ser abraçar a maior quantidade possível de pessoas por mais que você nunca as tivesse visto na vida. Neguinho ia de pessoa em pessoa, de braços abertos, se chegando. As pessoas grandes se dobravam e as baixinhas ficavam na ponta do pé. Mandíbulas roçavam mandíbulas. Os dois gêneros abraçavam os dois gêneros. E os abraços homem-homem eram abraços puros, abraços sem os vigorosos tapinhas nas costas que Erdedy sempre tinha visto como uma espécie de requisito necessário para os abraços homem-homem. Johnette Foltz era quase um borrão. Ela ia de pessoa em pessoa. Ela contabilizava uma quantidade significativa de abraços. Kate Gompert estava com a sua cara desbeiçada de sempre, de uma insatisfação macambúzia, mas até ela deu e recebeu alguns abraços. Erdedy porém — que nunca tinha gostado muito de abraços — foi para bem longe da multidão, para perto da mesa de Textos-Aprovados-pela-Conferência-do-NA, e ficou ali sozinho com as mãos nos bolsos, fingindo examinar a cafeteira com grande interesse.

Mas aí um camarada afro-americano bem alto e pesado com um incisivo de ouro e um cilindro perfeitamente vertical de cabelo afro se destacou de uma espécie de abraço grupal ali perto, ele tinha detectado a presença de Erdedy, e o camarada veio e se postou bem diante de Erdedy, abrindo os braços da jaqueta camuflada para um abraço, curvando-se levemente e se aproximando da região torácica pessoal de Erdedy.

Erdedy ergueu as mãos num gesto inane de Não Obrigado e se afastou ainda mais até espremer a bunda contra a borda da mesa de Textos-Aprovados-pela-Conferência.

"Valeu, mas eu não gosto muito de abraço", disse.

O camarada teve que meio que engatar uma ré na sua aproximação pré-abraço e ficou ali paralisado de um jeito inibido, com os braços ainda estendidos, o que Erdedy percebeu que devia ser constrangedor e vergonhoso para o camarada. Erdedy se viu tentando calcular que região subasiática remota estaria ao maior número possível de km de distância daquele ponto preciso naquele momento preciso enquanto o camarada continuava ali parado, braços estendidos e o sorriso lhe escorrendo rosto abaixo.

"Como é que é?", o camarada disse.

Erdedy lhe ofereceu a mão. "Ken E., Ennet, Enfield. Como vai. A sua graça?"

O camarada foi abaixando os braços devagar mas só olhava para a mão que Erdedy oferecia. Uma única piscada estíptica. "Roy Tony", disse.

"Roy, como vai?"

"Qual é", Roy disse. O grandão agora estava com a mão que deveria ser apertada atrás do pescoço e fingia tatear a nuca, o que Erdedy não sabia que era uma megaofensa.

"Então Roy, se é que eu posso te chamar de Roy, ou sr. Tony, se você preferir, a não ser que seja um primeiro nome composto, com hífen, "Roy-Tony", e depois vem um sobrenome, mas então esse negócio de abraços, Roy, não é nada pessoal, fica tranquilo."

"Fica tranquilo?"

O melhor sorriso desamparado de Erdedy e um dar de ombros pesaroso do anoraque de GoreTex. "É só que eu não gosto muito de abraço. Não sou de dar abraço. Nunca fui. Era até motivo de piada na minha fam…"

Agora um ominoso indicador de agressão-de-rua apontado, esse tal de Roy indicando primeiro o peito de Erdedy, depois o seu: "Então, meu, quer dizer que cê tá dizendo que eu sou de dar abraço? Cê tá dizendo que eu ando dando abraço por aí?".

As mãos de Erdedy estavam com as palmas viradas para cima e se sacudiam num gesto de bonomia, de quem quer eliminar qualquer possibilidade de mal-entendidos: "Não mas ó a questão aqui é que eu não ia me dar esse direito de te classificar como quem gosta ou não gosta de abraço porque eu não te conheço. Eu só estou dizendo que não é nada pessoal, que tenha a ver com você enquanto indivíduo, e eu vou ficar mais do que satisfeito de apertar a tua mão, até com um desses apertos de mão étnicos complicadões com as duas mãos e tal se você aguentar a minha inexperiência nesse tipo de aperto, mas é que eu simplesmente não fico à vontade com essa coisa de abraços".

Quando Johnette Foltz conseguiu se liberar e ir até eles, o camarada estava segurando Erdedy pela lapela impermeável do anoraque e inclinando o rapaz por cima da borda da mesa com os textos de modo que a bota de trilha de Erdedy estava fora do chão e a cara do camarada bem em cima do rosto de Erdedy numa claríssima demonstração de agressividade.

"Você acha que eu *gosto* dessa porra de ficar abraçando essa negadinha daqui? Você acha que *alguém* aqui *gosta* dessa *merda*? A gente faz o que eles mandam a gente fazer. Eles dizem que aqui é Orgulho sem Bagulho, aqui. A gente *entregou* a porra da nossa vontade aqui, mano", Roy Tony disse. "Bichinha", acrescentou. Roy enfiou a mão entre eles para apontar o próprio peito, o que significava que ele agora estava segurando Erdedy no ar apenas com uma mão, fato que não passou despercebido pelo sistema nervoso de Erdedy. "Eu tive que dar quatro abraços na minha primeira noite aqui, e aí eu saí correndo pra porra do lixo e vomitei. *Vomitei*", disse. "Não tá à von*ta*de? Quem é que você tá *pensando* que é, meu? Nem venha *tentar* me vim com essa de dizer que eu tou aqui à von*ta*de com isso de tentar abraçar essa tua caveira de mané com esse cheirinho de loção de barba Calvin Klein e essas roupinhas James River Traders do caralho."

Erdedy observou uma das mulheres afro-americanas que estava olhando bater as mãos e gritar "Ai, *doeu*!".

"E agora você vem me desrespei*tar* na frente de toda a minha galera limpa e *só*bria bem quando eu tinha ido correr o risco de dividir a minha vulnerabili*da*de e o meu descon*so*lo com você?"

Johnette Foltz estava meio que dando tapinhas nas costas da jaqueta camuflada de Roy Tony, estremecendo mentalmente ao pensar como ficaria no Registro de Funcionários um relatório de um residente da Ennet atacado numa reunião do NA aonde ela o tinha levado pessoalmente.

"*Agora*", Roy disse, puxando a mão livre e apontando para o chão da sacristia com um gesto que era uma estocada, "agora", ele disse, "você vai correr o risco da vulnerabilidade e do desconsolo e vai abraçar o meu caveirão, ou eu vou ter que arrancar a porra da tua cabeça e dar um cagão no teu pescoço?"

Johnette Foltz segurava o casaco do dito Roy com as mãos, tentando arrancar o camarada dali, derrapando de Keds no parquê, tentando conseguir apoio, dizendo: "Ô Roy T. chegado, susse aí, véio, Meu, Chapa, Cupincha, Mano, Dez, Do-Bem, De-Casa, Mó-Legal, Irmão mesmo, ele só é novo e tal; mas a essa altura Erdedy estava com os braços em volta do pescoço do cara e lhe dava um abraço tão vigoroso que Kate Gompert depois disse a Joelle van Dyne que parecia que Erdedy estava tentando escalar o sujeito.

"Nós já perdemos alguns", Steeply admitiu. "Durante os testes. Não só voluntários. Algum estagiário idiota da Análise de Dados cedeu à tentação, quis ver qual era, pegou o cartão de autorização de entrada no laboratório de I/O do Flatto, entrou e assistiu."

"Dentre as muitas cópias somente-leitura do estoque de vocês do Entretenimento."

"Nenhuma grande perda — perder um estagiário, um menino idiota. *C'est la guerre*. A verdadeira perda foi que o supervisor dele tentou ir atrás dele e tirar ele dali. O nosso próprio diretor de Análise de Dados."

"Hoyne, Henri ou pronunciado 'Henry', inicial média de F., com a esposa, com a diabete adulta que ele controla."

"Contro*lava*. Vinte anos de casa. Um sujeito excelente. Amigo meu. Agora está amarrado numa cama. Alimentação por sonda. Sem desejos e até sem vontades básicas tipo de sobrevivência para qualquer coisa que não seja assistir."

"Aquilo."

"Eu tentei fazer uma visita."

"Com a sua saia sem mangas e peitos diferentes."

"Eu não consegui nem ficar no mesmo quarto, ver o cara daquele jeito. Implorando só mais uns segundos — um trailer, um trecho da trilha, qualquer coisa. Os olhos dele pulando que nem os de um recém-nascido viciado em drogas. De partir a porra do coração, meu. Na cama do lado, amarrado, o idiota do estagiário: *aquilo* ali é que era o tipo de criança egoísta e sem disciplina de que você gosta de falar, Rémy. Mas o Hank Hoyne não era criança. Eu vi esse cara largar mão de vez do açúcar e dos docinhos quando recebeu o diagnóstico. Simplesmente abandonar tudo e dar as costas. Sem nem resmungar nem olhar pra trás."

"Uma vontade férrea."

"Um adulto americano com um autocontrole e um juízo exemplares."

"Não se pode brincar loucamente com o *samizdat*, então. Nós também perdemos gente. É coisa séria."

As pernas da constelação de Perseu foram amputadas pelo horizonte da terra. Perseu, ele usava o chapéu de um jogral ou de um bobo. A cabeça de Hércules, essa cabeça era quadrada. Não estava muito longe da aurora também porque a 32° N Pólux e Cástor ficaram visíveis. Eles estavam sobre o ombro esquerdo de Marathe, com uma das pernas de Cástor redobrada de um modo feminino.

"Mas você já chegou a cogitar?" Steeply acendeu mais um cigarro.

"Fantasias, você quer significar."

"Se é tão absorvente assim. Se de alguma maneira ele aborda desejos que são totais", Steeply disse. "Nem sei se eu consigo imaginar que tipo de desejos tão totais e plenos seriam." Sobe e desce no sapato. Girando acima da cintura apenas para olhar para Marathe atrás de si. "Você já pensou como é que seria, já especulou?"

"Nós, a gente pensa para que fins pode servir o Entretenimento. Nós achamos a eficácia dele tentatora. Vocês e nós somos tentados de maneiras diferentes." Marathe não conseguia identificar outras constelações do Sudoeste dos EUA a não ser a Caçarola que a essa latitude parecia ligada à Ursa Maior para formar uma coisa que se assemelhava a um "Grande Balde" ou a um "Grande Berço". A cadeira emitia pequenos rangidos quando ele mudava o peso do corpo de lugar.

Steeply disse: "Bom, eu não posso dizer que eu tenha me sentido tentado no sentido mais estrito da palavra *tentado*".

"Talvez nós estejamos significando coisas diferentes com ele."

"Francamente, quando eu penso nisso eu fico tão aterrorizado quanto intrigado. O Hank Hoyne virou uma casca vazia. A vontade férrea, a esperteza analítica. O amor que ele sentia por um belo charuto. Tudo sumiu. O mundo dele parece que sumiu num pontinho brilhante. Mundo interior. Sumiu pra nós. Você olha nos olhos dele e não tem nada lá de reconhecível. Coitada da Miriam." Steeply massageou um ombro nu. "O Willis, do noturno do I/O, inventou um termo para os olhos deles. 'Desprovidos de Desígnios.' Apareceu até num memorando."

Marathe fingiu fungar. "A tentação da Recompensa passiva do terminal p, isso tudo parece complexo para mim. O terror parece parte da tentação para vocês. Nós da causa do Québec, nós nunca sentimos essa tentação pelo Entretenimento, ou saber. Mas respeitamos seu poder. Assim, nós não brincamos loucamente."

Não era tanto que o céu estivesse ficando mais claro, a luz das estrelas é que tinha empalidecido. Sua luz se cobria de uma aura taciturna. Agora, também, insetos EUA de aparência estranha zumbiam ativamente ao passar de vez em quando, movendo-se em ângulos velozes e fazendo Marathe pensar em fagulhas sopradas pelo vento.

10 DE NOVEMBRO
ANO DA FRALDA GERIATRICA DEPEND

As seguintes coisas no cômodo eram azuis. Os quadrados azuis no carpete grosso quadriculado de azul e preto. Duas das seis cadeiras estofadas institucionais do cômodo, cujas pernas eram tubos de aço dobrados para formar grandes elipses, que oscilavam, de modo que enquanto as cadeiras não podiam ser realmente balançadas dava para alguém meio que se sacudir nelas, o que Michael Pemulis estava fazendo distraído enquanto esperava e dava uma olhada num printout do complexo diretório base ESKHAX do Eskhaton, i. e., sacudindo na cadeira, o que produzia uma espécie de veloz rangido murino que provocava faniquitos ululantes em Hal Incandenza, sentado ali na diagonal em relação a Pemulis, também esperando. O printout fica girando nas mãos de Pemulis. Cada cadeira tinha uma luminária de leitura de 105 watts presa ao espaldar por uma haste metálica flexível que permitia que a luminária se curvasse por trás da pessoa que estava esperando e iluminasse qualquer revista que ela estivesse olhando, mas como as luminárias curvadas provocavam a insuportável sensação de alguém febril lendo bem ali por cima do seu ombro, as revistas (algumas cujas capas envolviam a cor azul) tendiam a permanecer ilidas e ficavam bem espalhadinhas em forma de leque sobre uma mesinha de centro baixa de cerâmica. O carpete era produzido por alguma coisa chamada Antron. Hal via estrias lívidas onde alguém tinha aspirado a contrapelo.

Ainda que a mesa de centro das revistas fosse não azul — de um vermelho esmalte-de-unha-úmido com *ATE* numa espécie de brasão cinza — duas das perturbadoras luminárias presas que mantinham suas revistas ilidas e bem espalhadinhas em forma de leque eram azuis, embora as duas luminárias não fossem as luminárias presas às duas cadeiras azuis. O dr. Charles Tavis gostava de dizer que se podia conhecer muito de um administrador pela decoração da sua sala de espera. A sala de espera do Diretor fazia parte de um pequeno corredor no canto sudoeste do saguão do Com.-Ad. As violetas prematuras num ramo assimétrico dentro de um vaso com formato de bola de tênis em cima da mesinha de centro eram verossimilmente da família do azul. E também o azul superintensificado do céu do papel de parede, cujo esquema era composto de fofos cúmulos dispostos sem nenhum padrão contra um céu azul superintensificado, um papel de parede incrivelmente desorientador que por uma desagradável coincidência era também o papel de parede do consultório em Enfield de um certo dr. Zegarelli, odontólogo, de onde Hal acabava de chegar depois de uma extração: o lado esquerdo do rosto dele ainda está parecendo grande e morto, com uma persistente sensação de que ele está babando sem conseguir sentir ou parar. Ninguém sabe ao certo o que deveria ser comunicado pela escolha desse papel pelo C.T., especialmente para pais que vêm com filhos prospectivos a reboque para dar uma sondada na ATE, mas Hal detesta o papel de parede de céu com nuvens porque faz ele se sentir em elevadas altitudes e desorientado e às vezes em queda livre.

Os caixilhos e as travessas das duas janelas da sala de espera sempre foram de um azul-escuro. Havia um debrum de alamares azul-marinho em volta da aba do alegre boné de iatista de Michael Pemulis. Hal confiava que Pemulis iria retirar o despreocupado bonezinho assim que eles fossem convocados no que presumivelmente seria a chincha.

Também azuis: as fatias de céu nas bordas superiores das fotos informais emolduradas de alunos da ATE que estavam nas paredes;[209] o chassi do processador de texto Intel 972 c/ modem mas s/ driver de cartuchos de Alice Moore; também as pontas dos dedos e os lábios de Moore. A recepcionista e assistente administrativa da ATE é conhecida entre os jogadores como Alice Moore Lateral. Na juventude Alice Moore Lateral tinha sido piloto de helicóptero e repórter aérea cobrindo o trânsito urbano para uma grande rádio de Boston até que uma trágica colisão com outro repórter aéreo de trânsito urbano da emissora — fora depois a cataclísmica queda nas seis pistas da Jamaica Way da hora do rush logo abaixo — a deixou com uma falta crônica de oxigênio e um problema neurológico que a obrigava a se mover apenas de um lado para o outro. Então daí o cognome Alice Moore Lateral. Um jeito genial de matar o tempo enquanto você está ali sentado esperando qualquer administrador que te tenha convocado é pedir para a Alice Moore Lateral bater rapidamente no peito e fazer imitações das suas antigas reportagens de trânsito da hora do rush de Boston com voz gaguejada e helicopteriana de repórter. Nem Hal, continuamente verificando a presença de baba no queixo, nem Pemulis, lendinho e se sacudindo, nem Ann Kittenplan nem Trevor Axford — nos quais não havia hoje nem sinal da cor azul — estão com cabeça para esse tipo de coisa agora, esperando o que imaginam ser algum tipo terrível de consequências administrativas decorrentes do pavoroso fiasco do Eskhaton de domingo. Imaginam isso baseados em terem sido eles as pessoas convocadas para vir aqui esperar.

Os dois escritórios de tamanhos diferentes que comunicam com a sala de espera (através de cuja única outra porta, aberta, o carpete azul noturno da Mannington no saguão do Com.-Ad. fica visível) pertencem ao dr. Charles Tavis e à sra. Avril Incandenza. A porta externa do escritório de Tavis é de carvalho de verdade e tem o nome, o título e o grau de formação dele em letras (não azuis) tão grandes que a identificação total invade as margens da porta. Há também uma porta interna.

Avril, cujas opiniões sobre confinamento são bem conhecidas, não tem portas no seu escritório. O escritório dela é maior que o de C.T., no entanto, e tem uma mesa de reunião que sempre ficou óbvio que ele cobiça. O carpete xadrez preto e branco de Avril é mais grosso que o peludo da sala de espera, portanto a fronteira entre os dois é como um gramado cortado v. não cortado. Avril cumpre (não remuneradamente) o papel de Gestora de Questões Acadêmicas e Gestora das Alunas na ATE. Ela está ali não confinada neste exato momento com basicamente toda e qualquer aluna da ATE com menos de treze anos, exceto Ann Kittenplan, cujos dedos tatuados estão machucados e que parece de alguma maneira travestida com um vestido e uma boininha (não azul). Avril tem um cabelo vividamente branco — desde poucos meses antes do ato final de Sipróprio — que parece nunca ter passado pelo estágio grisalho (e basicamente não passou) e pernas cujo formato afilado dá para ver que T. Axford está avaliando com a candura da adolescência enquanto ela marcha um pouco diante da mesa de reunião cheia de gente, plenamente à vista ainda que meio obliquamente das pessoas na sala de espera.[210] Conquanto não esteja tecnicamente na sala de espera com Hal, a caneta hidrográfica de ponta fina que Avril bate profissionalmente contra os incisivos enquanto marcha e reflete é: azul.

A administração das academias de tênis da América do Norte tem realizado exames-de-indecência desde o infame caso do técnico R. Bill Philey (o "Mãozinha") na Academia Rolling Hills da Califórnia, cujo diário capilarmente arrepiante, coleção de telefotos e minicalcinhas — descobertos somente depois de ele ter sumido na região montanhosa de Humboldt County com uma acompanhante de treze anos — criou o que se pode conservadoramente chamar de um clima de preocupação nos pais tenísticos da nação. Na Academia de Tênis Enfield, nos últimos quatro anos, a dra. Dolores Rusk tem que manter uma espécie de reunião comunitária feminil com todas as jogadoras consideradas ingênuas e tontinhas o suficiente para serem alvos potenciais de indecências — a mais jovem é a nativa de Rhode Island Tina Echt, do tamanho de um dedal, com meros sete anos mas uma verdadeira canibal no backhand — para interfacear num ambiente coletivo discreto mas acolhedoramente incentivador etc., e cortar quaisquer Phileyismos potenciais pela raiz. Os exames-de--indecência mensais estão no contrato de Rusk porque estão na licença da ATE junto à ATONAN.

A gestora das alunas Avril M. Incandenza preside o exame-de-indecência quando a dra. Rusk tem outros compromissos, e a Rusk tão rarissimamente tem compromissos legítimos que o fato de ser a Mães fazendo a prevenção de indecências hoje leva Hal a temer que a Rusk esteja talvez ali no escritório do Diretor se preparando para estar na vindoura cena de disciplina: C.T. teria que estar realmente chateado para querer incluir Rusk; Rusk pode estar lá mais pelo C.T do que por qualquer psiquismo discente.

O Aiquefoda está de olhos fechados e repetindo um poeminha mnemônico sobre o Ângulo de Brewster para o colóquio Quadrivial de Leith chamado "Reflexões sobre a Refração". Michael Pemulis ainda está dando uma olhada num rolo serrilhado de $Pink_2$ com axiomas de EndStat, que parece ser só matemática e colchetes angulosos, e se sacudindo, ignorando os olhares assassinos de Ann Kittenplan e seus pigarreios tuberculosos por causa dos rangidos da sacolejante cadeira azul dele. Dá para saber que Pemulis está estudando mesmo porque ele fica virando alguma coisa de cabeça para baixo e aí de cabeça para cima. Hal declina de dividir com Michael Pemulis suas preocupações tipo Rusk-lá-dentro-com-o-Tavis não só porque Hal evita mencionar o nome de Rusk mas também porque Pemulis odeia Rusk com uma chama firme e quase pétrea, e ainda que nunca fosse admitir, já está nitidamente nauseado de medo de ficar com a maior parte da culpa pelo sofrimento de Lord e Possalthwaite e não só receber um castigo corretivo em-quadra mas talvez ver negado seu lugar na viagem para o WhataBurger de Tucson, ou coisa pior.[211]

Avril é indireta mas sintaticamente claríssima com as dúzias de menininhas ali, para sondá-las. Os trajes das meninas têm azul em vários níveis de tons e intensidades em combinações variadas. A voz de Avril Incandenza é um registro mais alto do que se esperaria de uma mulher tão imponentemente alta. É alta e meio aérea. Estranhamente insubstancial, é o consenso na ATE. Orin diz que um dos motivos de Avril não gostar de música é que quando cantarola ela soa como uma doida.

A ausência de uma porta no escritório da Mães significa que dava na mesma você estar lá dentro, em termos da sua capacidade de ouvir o que está rolando. Ela quase não tem noção de privacidade espacial ou de fronteiras, tendo ficado tanto tão sozinha quando criança. Alice Moore Lateral está usando uma espécie de combinação surreal de laicra preta e tule verde diáfano. Os fones de ouvido tipo aparelho-de--som-portátil que ela usa — ao digitar o que parecem ser macros de respostas para + de 80 convites recebidos para o WhataBurger Invitational da semana que vem — são azul-bebê. Ela tecla nitidamente em sincronia com a batida de alguma música. Os lábios e os extremos das bochechas dela têm o vago tom ovo-de-tordo da cianose.

O motivo exato de Michael Pemulis detestar a dra. Rusk é incerto e parece meio variável; Hal recebe uma resposta diferente de Pemulis toda vez. O próprio Hal se sente pouco à vontade perto de Dolores Rusk e evita sua companhia mas não tem consciência de nenhum motivo particular para não se sentir à vontade perto dela. Mas Pemulis positivamente abomina Rusk. Foi Pemulis quem invadiu à noite o escritório da doutora e conectou uma bateria Delco à maçaneta interna de latão, com quinze anos de idade, na porta do escritório da Rusk, a primeira porta lá no outro corredorzinho do canto NE do saguão, perto do escritório das enfermeiras de plantão e da enfermaria, saindo então do escritório de Rusk por uma janela e por sobre uma moita de espinhos, e Pemulis teve a imensa sorte de que ninguém além de Hal e Schacht, e talvez quem sabe Mario, soubesse que era ele o autor da maçanetagem, porque a coisa toda rapidamente virou um desastre, porque foi uma velhusca faxineira irlandesa de Brighton quem chegou primeiro à maçaneta eletrificada, tipo às 0500h, e aconteceu que Pemulis tinha subcalculado violentamente a voltagem envolvida na transmissão maçanetal da Delco, e se a faxineira não estivesse usando luvas amarelas de borracha de faxineira ela teria acabado com coisa bem pior do que a permanente permanente e os olhos vesgos irreversíveis com que recobrou a consciência, e o Manda-Chuva da região eleitoral da faxineira era o infame F. X. ("Siga Aquela Ambulância") Byrne de Upper Brighton, o devorador de processos de lesões profissionais entre os juízes, e as franquias dos seguros de pessoal contratado da Academia dispararam, e a coisa toda ainda estava nos tribunais.

Avril evitava uma porta no seu escritório mesmo antes do buzunho com a faxineira, por simples motivos de isolamento.

Pernas recruzadas e uma inspeção mais atenta revelam que a meia do pé esquerdo de Trevor Axford, embora não a do pé direito, é azul.

Sinistro, com falta de dedos na mão direita desde um acidente com fogos de artifício há três Dias da Interdependência, o Aiquefoda é vários cm mais baixo que Hal Incandenza e é um vero ruivo, com cabelo cor de cobre e aquela pele úmida entupida de sardas que mesmo sob duas camadas de lustra-móveis de verão só fica vermelha e descasca, fora o problema dos lábios enormes e eternamente rachados; e como jogador de tênis ele é tipo uma versão menos eficiente de John Wayne — só sabe mandar pancadas da linha de saque, s/ qualquer spin que se possa perceber. Ele é um jogador jr. de Short Beach CT, está sob imensa pressão familiar para prosseguir a tradição dos homens Axford de frequentar Yale e é academicamente tão marginalmente desimportante que sabe que sua única chance de entrar em Yale é jogar tênis por Yale, o que absolutamente acabaria com qualquer chance de um futuro num nível de Circuito, e está bem ranqueado mas fechou sua mira competitiva em nada que não seja uma oferta de bolsa para Yale. Ainda que Ingersoll esteja informalmente no contingente do grupo de Amigão de Hal, tecnicamente ele está no do Aiquefoda, os dois sabem disso; e Hal está um pouco incomodado com o seu alívio por nenhuma das verdadeiras vítimas do Eskhaton serem tecnicamente seus Amiguinhos.[212] A única coisa de verdade que Axford e Hal têm em comum é o curioso hábito de se recusarem a pedir ajuda das outras quadras quando as bolas deles se perdem.[213]

Pemulis finalmente parou de se sacudir, dobrou o printout do $Pink_2$ num quadradão serrilhado, foi se chegando de lado até a mesa em formato de ferradura de Alice Moore Lateral e está jogando conversa fora com ela de maneira bastante despreocupada, olhando para todos os lados enquanto joga conversa fora, tentando sutilmente sondá-la para saber se de repente um desses convites para o WhataBurger Jr. Invitational empilhados cruciformes, femininos de través sobre masculinos, na caixa de Entrada da Alice Lateral diz respeito a alguém com as iniciais masculinas

524

M. M. P., por acaso. Pemulis e Moore seriam menos unha e carne se ela soubesse que ele invadia ali à noite e usava o WATS e o modem dela, ainda que ela seja muito tranquilona e boa-praça e nadinha parecida com a coisa emoldurada ao lado da placa com o seu nome na mesa, que tem uma mulher de cara fechada dizendo EU SÓ TENHO UM NERVO SOBRANDO E VOCÊ ESTÁ PISANDO BEM NELE. O cartunzinho é só uma piadinha típica de gente que trabalha em escritório. Ela tinha tirado todos eles da Sexta Aula com o mesmo sistema vetusto de intercomunicador-e-microfone de que Troeltsch et al. podem tomar posse para a rádio-ATE dos sábados (Troeltsch teve que ser proibido de brincar com a cadeira dela), e a sua voz transmitida não tinha sido desprovida de delicadeza. O lado esquerdo do rosto de Hal parece bizarramente inflado, mas aí quando ele passa a mão direita para ver está sempre do tamanho oficial. Assistentes administrativos que valem o seguro-saúde que recebem são evoluídos sinapticamente a ponto de conseguirem jogar conversa fora, aceitar elogios sobre o conjuntinho de laicra e tule, esquivar-se automaticamente de sondagens não autorizadas em busca de informação, ouvir alguma coisa com baixos pesados em fones de ouvido tipo aparelho-de-som-pessoal e digitar automaticamente no ritmo dos fones, tudo simultaneamente. As pontas azuladas dos dedos de Alice Moore Lateral fazem das suas unhas pintadas dez pequenos crepúsculos. As rodas da cadeira da mesa da Alice Moore Lateral se encaixam num sistema de trilhos com um terceiro trilho eletrificado, para ela poder deslizar de um canto do arco da ferradura para outro — algo mais ou menos lateralmente — ao toque de um botão cereja na mesa. Por motivos jurídicos pós-incidente-Delco, a placa com o nome dela na mesa da recepção traz CUIDADO: TERCEIRO TRILHO em vez do nome Alice Moore Lateral.

Hal ouve Avril dizendo: "Então. Se eu falar com vocês todas de um jeito bem tranquilo sobre alguma pessoa grande encostar em vocês de algum jeito meio desconfortável, vocês vão saber do que eu estou falando? Será que alguma de vocês andou levando algum beijo, algum cheiro, algum abraço, um esfregão, um beliscão, um cutucão, um carinho ou qualquer tipo de toque físico de uma pessoa grande de algum jeito que deixou vocês desconfortáveis?". Hal vê uma das pernas da Mães de meia fina, terminando num tornozelo elegante e num tênis Reebok muito branco, projetando-se das cochias do lado esquerdo para o quadro do limiar vazio, o Reebok batendo paciente no chão, um braço cruzado sobre o peito de Avril, o cotovelo do outro braço apoiado naquele braço e penetrando trêmulo no campo de visão e saindo dele enquanto Avril bate nos dentes com uma caneta azul.

"A vó me belisca a bochecha", uma menina arrisca. Ela tinha até levantado a mãozinha para pedir licença, aquele pulso com uma tocante munhequeirazinha (azul). Hal não via tantos rabos de cavalo, narizinhos arrebitados e boquinhas de morango reunidas num só cômodo fechado fazia sabe-se lá quanto tempo. Pouquíssimos pés calçados com tênis chegam direito até o carpete grosso lá de dentro. Muito sacudir de pernas e balançar distraído e incomodado de tênis. Um que outro dedo na narina em distraída contemplação. Ann Kittenplan, na sua cadeira azul, está calmamente avaliando as tatuagenzinhas laváveis que aplica diariamente nas juntas dos dedos.

525

"Não é exatamente do que a gente está tentando falar reunidas aqui, Erica", de algum lugar acima do pé percussivo e do braço entra-e-sai. Hal conhece o registro e as inflexões da voz de sua mãe tão bem que quase se sente mal com isso. O tornozelo esquerdo dele solta um rangido nauseabundo quando ele o dobra. Tendões no seu antebraço esquerdo se levantam e murcham enquanto ele aperta sua bola de tênis. O lado esquerdo do rosto dele parece algo longínquo que lhe quer mal e está chegando cada vez mais perto. Ele só consegue distinguir as fricativas assobiadas da voz distante de Charles Tavis de trás das portas duplas do escritório dele; de alguma maneira soa como se ele estivesse falando com mais de uma pessoa ali dentro. A porta interna do escritório de Charles Tavis também tem a identificação DR. CHARLES TAVIS, e embaixo disso o seu moto da ATE sobre o homem que conhece suas limitações não ter nenhuma.

"Ela faz bem fortão", replica alguém que deve ser Erica Siress.

"Eu já vi ela fazer isso", o que soa como Jolene Criess confirma.

Outra: "Eu odeio isso".

"Eu odeio quando algum adulto dá tapinha na minha cabeça que nem se eu fosse um schnauzer."

"O próximo adulto que me chamar de lindinha vai tomar um susto bem grande, vai por mim."

"Eu odeio quando bagunçam ou alisam o meu cabelo."

"A Kittenplan é grande. A Kittenplan esfrega o braço da gente até arder depois que apaga a luz."

Avril lhes dá espaço verbal, tenta delicadamente levar o tópico para algo mais próximo do verdadeiro Phileyismo; ela é sutil e muito boa com crianças pequenas.

"… que o meu pai me dá uns empurrõezinhos bem de leve assim nas costas quando ele quer que eu entre em algum lugar. Parece que ele tipo me *influencia* pra dentro dos lugares por trás. Esse empurrãozinho irritante, isso me faz querer dar uma na canela dele."

"Mmmmmm-hmm", Avril pondera.

É impossível não ficar ouvindo, porque as coisas lá na sala de espera neste momento estão tão comparativamente quietas a não ser pelo minúsculo zumbido dos fones de ouvido soltos de Alice Moore Lateral e o murmúrio conspiratório de Michael Pemulis tentando fazer ela bater no peito e descrever o acesso Neponset ao sul da I-93 como um grande estacionamento muito estreito. As coisas estão muito quietas porque o nível de ansiedade na sala de espera de Tavis é alto.

"Vocês todos vão ganhar umas vomitanças ferradas é o que eu prevejo aqui", Ann Kittenplan tinha dito a Pemulis quando todos eles atenderam à convocação do intercomunicador, que foi também mais ou menos quando Pemulis começou com o rangido catedrático murino que fez metade do rosto de Kittenplan sofrer espasmos.

Uma das coisas complicadinhas e sinistras no que se refere à disciplina corretiva numa academia de tênis é que os castigos podem assumir a forma do que poderia parecer simplesmente condicionamento físico. Q.v. o sargento do pelotão dizendo

526

para o recruta cair no chão e mandar cinquenta flexões etc. Aí mas é por isso que Gerhardt Schtitt e os seus pró-reitores são bem mais temidos que Ogilvie ou Richardson-Levy-O'Byrne-Chawaf ou qualquer um dos acadêmicos regulares. Não é só que a reputação corporal de Schtitt tenha chegado antes dele até aqui. É que Schtitt e deLint elaboram os planos diários para os treinos matutinos e os jogos vespertinos e o treino de resistência e as corridas de condicionamento. Mas especialmente os treinos matutinos. Certos treinos todo mundo sabe que não passam de corretivos-posturais, concebidos para não fazer mais que diminuir a qualidade-de-vida por alguns minutos. Brutais demais para serem exigidos no ritmo diário que contribuiria para um legítimo condicionamento aeróbico, treinos como a versão disciplinar do Toque & Pique[214] são conhecidos pelos meninos simplesmente como Vomitanças. Os treinos tipo Vomitança não têm outro objetivo senão te fazer mal e te fazer pensar bastante e bem dedicadamente antes de repetir seja lá o que for que você tenha feito para merecer aquilo; mas eles ainda ficam para todos os efeitos e aparências isentos de qualquer protesto que recorra à Oitava Emenda ou de ligações choraminguentas para os pais em casa, insidiosamente, já que podem ser descritos para pais e polícia[215] também como simples treinos passados para o desenvolvimento cardiovascular geral deles, com todo o sadismo efetivo completamente embaixo da mesa.

A previsão de Kittenplan de que os veteranos vão ficar com todo o capacete fecal por causa do forrobodó do Eskhaton pode quiçá ter esperança de se ver rebatida pela observação de Pemulis de que o impulso extracurricular e a estrutura do Eskhaton estavam firmemente estabelecidos antes de qualquer um deles se matricular. A única coisa que Michael Pemulis fez foi codificar princípios básicos e impor uma espécie de matriz de estratégias escolhíveis. Talvez ajudar a criar certa mitologia e estabelecer, basicamente pelo exemplo pessoal, um determinado nível de expectativa. A única coisa que Hal tinha feito fora agir como amanuense de um manualzinho ordinário. Os Combatentes do Dia-I estavam lá fora por vontade própria. Pemulis e Axford tinham feito Hal escrever praticamente tudo isso na mais elevada dicção retórica, que Pemulis então tinha inserido num printout de Pink$_2$ para poder andar com aquilo e estudar e estar com tudo na ponta da língua antes que Tavis tentasse qualquer sentada de pua. A estratégia é deixar Pemulis falar mas deixar Hal interpolar à vontade, a voz da razão, tira-bom/-mau. Axford recebeu instruções de contar as fibras sintéticas entre os pés dele durante todo o tempo em que estiverem lá dentro.

Hal não faz ideia do que pode significar a convocação do Diretor não ter chegado antes de quase 48 horas. Pode ser estranho que não lhe tenha ocorrido falar com Tavis pessoalmente ou ir até a CD falar com a Mães para pedir intercessões ou informações. Não é que ele tenha tido a vontade e resistiu a ela; nem lhe passou pela cabeça.

Para alguém que não apenas mora no mesmo terreno institucional com a sua família mas também tem todos os seus treinamento, educação e basicamente toda a sua raison d'être diretamente supervisionada por parentes, Hal devota uma parte incomumente pequena de cérebro e tempo para nem sequer pensar nas pessoas da sua família enquanto família. Às vezes quando está jogando conversa fora com alguém nas infindáveis filas de registro num torneio ou num baile pós-torneio ou coisa assim e alguém diz alguma coisa do tipo "Como é que anda a Avril?" ou "Eu vi o Orin acabar com a raça de uma bola no cartucho de melhores momentos da LFONAN da semana passada", rola um estranho momento de tensão em que a cabeça de Hal fica completamente vazia e a boca, frouxa e mole, se mexendo sem som, como se os nomes fossem palavras ali na pontinha da língua. A não ser pelo Mario, sobre quem Hal fala até te deixar de orelha inchada, quase parece que alguma ponderosa máquina enferrujada tem que ligar e esquentar antes de Hal sequer pensar nos membros da sua família imediata como pessoas que tenham alguma relação com ele. É um dos possíveis motivos por que Hal evita a dra. Dolores Rusk, que sempre quer sondá-lo sobre questões de espaço e autodefinição e algo que ela vive chamando de "Complexo de Coatlicue".[216]

Charles Tavis, o meio-tio materno de Hal, parece um pouco o falecido Sipróprio na medida em que o CV de Tavis é uma mistura alternada mas não indecisa de atletismo e ciência dura. Um bacharelado e um doutorado em engenharia, um mestrado em administração esportiva — na sua juventude profissional Tavis tinha conciliado essas duas linhas como engenheiro civil, tendo por especialidade a acomodação de tensão dos materiais através de uma dispersão regular, i. e., distribuir o peso de plateias espectatoriais monstruosas em eventos esportivos. I. e., dizia ele, ele cuidava de grandes eventos; lá do jeitinho dele ele tinha sido um pequeno pioneiro do cimento reforçado por polímeros e dos fulcros móveis. Ele tinha feito parte das equipes de projetistas de estádios, centros cívicos, arquibancadas e superdomos de aparência micológica. Ele admitia com toda a franqueza que era um engenheiro que funcionava bem melhor em equipe do que ali na boca-de-cena sob as luzes da ribalta arquitetônica. Pedia profusas desculpas quando você não tinha ideia do que aquela frase queria dizer e dizia que talvez a distorção tenha sido inconscientemente deliberada, movida por algum tipo de constrangimento por causa da sua primeira e última supervisão arquitetônica iluminada desde a ribalta, lá em Ontario, antes da ascensão da Interdependência ONANita, quando ele tinha projetado o inovador e comentadíssimo complexo SkyDome de estádio e hotel dos Toronto Blue Jays. Porque tinha sido Tavis a ficar com o grosso da pressão quando se revelou que os espectadores das arquibancadas dos Blue Jays, muitos deles criancinhas inocentes de bonés batendo palmas com as luvinhas que tinham comprado na esperança de nada mais exótico que uma bola que voasse para o público, que os espectadores num número incomodamente elevado de pontos diferentes das duas linhas laterais podiam ver diretamente as janelas dos hóspedes que faziam sexo variado e por vezes exótico nos quartos do hotel logo acima do muro central. A maior parte dos pedidos pela cabeça de Tavis tinha vindo, ele te dizia, quando o câmera que cuidava do placar com Replay-Instantâneo do SkyDome, enfadado ou profissionalmente suicida, ou ambos, começou a focar a câmera nas janelas dos quartos e a transmitir as imagens coitais multiposicionais daí resultantes para a tela de 75 metros do placar etc. Às vezes em câmera lenta e com múltiplos replays etc. Tavis admite sua relutância em falar do assunto, ainda, depois de tanto tempo. Ele confessa que o seu resumo-de-carreira-anterior mais comum é simplesmente dizer que ele se especializava em ambientes esportivos que pudessem abrigar com segurança e conforto quantidades enormes de espectadores, e que o mercado para os seus serviços tinha minguado na medida em que cada vez mais eventos eram concebidos para disseminação por cartuchos e espectação privada em casa, o que ele aponta não ser tecnicamente uma inverdade mas sim uma coisa não completamente aberta e sincera.

Alice Moore Lateral está imprimindo RSVPs do WhataBurger. O Intel 972 é top de linha, mas ela não larga uma hedionda impressora matricial antiga que ela se recusa a substituir enquanto Dave Harde conseguir mantê-la funcionando. É a mesma coisa com o sistema do intercomunicador e o seu antigo suporte de microfone de ferro que Troeltsch diz que é uma afronta a toda a profissão de locutor. Alice Lateral tem estranhos bolsões de excentricidade, intransigência e luditismo, devidos possivelmente ao acidente de helicóptero e aos déficits neurológicos dela. O som agulhento da impressora ocupa toda a sala de espera. Hal descobre que só consegue ter confiança sobre a simetria e a saliva do seu rosto quando fica ali sentado com a mão direita na bochecha esquerda. Cada linha da resposta impressa de Alice soa como algum tipo de tecido supostamente inrasgável sendo rasgado, repetidamente, um som dental e anulador-de-vida.

Para Hal, a questão geral com o seu tio materno é que Tavis é terrivelmente tímido perto dos outros e tenta esconder esse fato sendo muito aberto, expansivo, palavroso e áspero, e que é torturante ver isso de perto. A visão de Mario é que Tavis é muito aberto, expansivo e palavroso, mas tão claramente emprega essas qualidades como uma espécie de escudo protetor que isso acaba traindo uma vulnerabilidade amedrontada de que é quase impossível não ter pena. De um jeito ou de outro, o que é incômodo em Charles Tavis é que ele é possivelmente o homem mais aberto de todos os tempos. A opinião de Orin e Marlon Bain sempre foi que C.T. era mais tipo uma seção transversal de uma pessoa do que propriamente uma pessoa. Hal lembrava que até a Mães relatava anedotas de quando, na adolescência, quando ela levava o pequeno C.T. para passear ou estava com ele em festas ou em reuniões québecoises que envolvessem outras crianças, o pequeno C.T. era autoconsciente e sem-jeito demais para se juntar direto com qualquer grupo de crianças aglomeradas por ali, conversando ou tramando coisas, ou sei lá o quê, e aí Avril dizia que ficava olhando ele simplesmente vagar de grupo em grupo e espreitar de um jeito meio medonho pelas beiradas, ouvindo, mas que ele sempre acabava dizendo, bem alto, em alguma pausa da conversa do grupo, alguma coisa do tipo: "Acho que eu sou autoconsciente demais pra entrar de verdade aqui, então eu só vou ficar espreitando de um jeito meio medonho pelas beiradas pra ouvir, se não for problema, só pra vocês saberem", e assim por diante.

Mas a questão é que Tavis é um espécime estranho e delicado, simultaneamente ineficaz e de certa maneira amedrontador como Diretor, e ser parente não garante nenhum grande lampejo preditivo ou nenhuma folga, a não ser que certas conexões maternais sejam exploradas, uma ideia que literalmente não passa pela cabeça de Hal. Esse estranho vazio no que se refere à sua família pode ser uma forma de lidar com uma vida em que as autoridades domésticas e vocacionais como que se contaminam. Hal aperta sua bola de tênis que nem um doido, sentado ali com as agulhas da impressão, palma da mão direita contra a bochecha esquerda e cotovelo escondendo a boca, querendo muitíssimo ir antes até a Sala da Bomba e aí escovar vigorosamente os dentes com a Oral-B portátil dobrável. Uma mascadinha rápida de Kodiak está fora de questão por diversas razões.

A única outra vez neste ano em que Hal tinha sido convocado oficialmente para a sala de espera do Diretor tinha sido em fins de agosto, logo antes da Convocação e durante o período de Orientação, quando os calouros do AFGD estavam chegando e andando por ali sem-noção, morrendo de medo etc., e Tavis quis que Hal se incumbisse temporariamente de um menino de nove anos que vinha de algum lugar chamado Philo IL, que era supostamente cego, o menino, não o lugar, e aparentemente tinha problemas cranianos, por ter sido originalmente um dos nativos infantis de Ticonderoga, NNY, evacuados tarde demais, e tinha vários olhos em variados estágios de desenvolvimento evolucionário na cabeça mas era legalmente cego, mas ainda assim um jogador extremamente sólido, o que por si só já é meio que uma história comprida, visto que o crânio dele tinha aparentemente consistência de siri-mole mas a própria cabeça era tão imensa que fazia Bubu parecer microcefálico, e o menino tinha aparentemente domínio tenístico apenas em uma mão porque a outra tinha que ficar puxando atrás dele uma espécie de suporte rolante de soro-EV com uma braçadeira de metal com formato de auréola soldada a ele na altura da cabeça, para se encaixar na, e apoiar a, cabeça dele; mas enfim de qualquer maneira Tex Watson e Thorp tinham vencido as resistências de C.T. à admissão e à bolsa de estudos para o garoto, e C.T. agora sacou que o menino ia precisar para dizer o mínimo de uma ajudazinha extra de orientação (literalmente), e queria que Hal fosse o carinha que ia levá-lo pela mão (de novo literalmente). Ocorreu que uns dias depois o menino teve algum tipo de crise ou familiar ou de fluido-cérebroespinal em casa na região rural de IL e não ia mais se matricular antes do semestre de Primavera. Mas lá em agosto Hal tinha estado na mesma cadeira em que agora Trevor Axford está cabeceando, bem no fim do dia, tipo crepúsculo mesmo, depois de uma partida amistosa informal com um profissional letão do Circuito Satélite que estava visitando a academia que ele levou a um encorajador terceiro set naquela tarde, de modo que tinha perdido os pimentões recheados da sra. C. no jantar, com o estômago fazendo aqueles barulhos de cadê-a-comida lá pelo cólon transverso, sozinho na sala azul, esperando, a cadeira sacudindo meditativa, com Alice Moore Lateral já em casa no seu longo apartamento com cômodos de apenas 2 m de largura em Newton e uma coisa opaca de plástico contra poeira bem embrulhadinha por cima do processador Intel, do console do intercomunicador e da luzinha vermelha de Perigo na placa **PERIGO: TERCEIRO TRILHO** não acesa, e as únicas luzes além do fraco crepúsculo lá fora eram as lâmpadas quentes de 105W da medonha luminária de leitura de cúpula azul do encosto da cadeira, fora as múltiplas luminárias no escritório de Charles Tavis (Tavis tem um lance fóbico com a iluminação de teto) enquanto Tavis fazia uma entrevista de Admissão de fim-de-dia com uma impossivelmente minúscula Tina Echt, que tinha acabado de se matricular naquele outono com sete anos de idade. As portas dele estavam abertas porque se tratava de um agosto cruel e F. D. V. Harde tinha dado um jeito de regular a ventarola do ar-condicionado de Alice Lateral para ela soprar pacas. A porta externa do escritório de Tavis abria para fora enquanto a porta interna abria para dentro, o que dava ao seu pequeno vestíbulo interportas meio que um jeitão mandibular, quando exposto.

Agosto do AFGD tinha sido quando o tornozelo esquerdo crônico de Hal quase passou pelo seu pior momento de todos tempos, depois de um circuito de verão florescente mas torturante chegando pelo menos até as Quartas de quase tudo, quase só em piso duro,[217] e ele conseguia sentir o coração batendo nos vasos e nos ligamentos magoados do tornozelo enquanto ficava ali sentado virando as páginas brilhantes de um número novo da *World Tennis* e vendo os cartõezinhos publicitários caírem e esvoaçarem pelo ar; mas ele também não podia deixar de explorar a visão via mandíbulas abertas de uma seção substancial de Charles Tavis sentado à sua escrivaninha, com a aparência de sempre, estranhamente escorçada e pequena e com as mãos juntas sobre o tampo imenso diante de uma visão de meio perfil de uma menina que não parecia ter mais de cinco, seis anos, que se preparava para receber os formulários de Admissão enquanto ouvia Tavis. Não havia pais ou responsáveis Echtianos à vista. Algumas crianças simplesmente são largadas ali. Às vezes os carros dos pais mal param, só diminuem a velocidade, espirrando pedrisco no que aceleram ao sair. As gavetas da mesa de Tavis têm rodízios rangentes. O Lincoln da família de Jim Struck nem tinha diminuído muito a velocidade. Struck tinha sido reerguido e levado imediatamente para o vestiário para tirar o pedrisco do cabelo. Hal havia sido o responsável pela Orientação dele, também, quando Struck veio transferido, expulso da Academia Palmer depois que sua tarântula de estimação (chamada Simone — outra história comprida) fugiu e não teria nem *sonhado* em morder a esposa do Diretor se ela não tivesse gritado, desmaiado e caído bem em cima dela, Struck explicou enquanto Hal apanhava malas caídas pela entrada.

Como muitos burocratas de talento, Charles Tavis, o irmão adotivo da mãe de Hal, é fisicamente pequeno de uma forma que parece menos endócrina que perspectival. A pequeneza dele evoca a pequeneza de algo que está mais distante do que você desejaria, além de continuar se afastando.[218] Essa estranha aparência de uma deriva recessiva, junto com os movimentos manuais compulsivos que se seguiram ao seu abandono do cigarro anos atrás, contribuíam para uma qualidade de perpétuo frenesi no sujeito, uma espécie de pânico locacional que é fácil de ver que explica não só a compulsiva energia de Tavis — ele e Avril, basicamente a Dupla Dinâmica da compulsão, os dois juntos, dormem, nos seus quartos no segundo andar da Casa do Diretor — quartos separados — tendem a dormir, juntos, mais ou menos o mesmo que uma vítima normalzinha de insônia — mas que também de repente contribui para a franqueza patológica do comportamento dele, aquele jeito de pensar em voz alta sobre pensar em voz alta, um comportamento que Ortho Stice consegue imitar tão perfeitinho que ele acabou sendo proibido pelos caras do sub-18 de fazer essa imitação de Tavis na frente dos jogadores mais novos, de medo que os mais novinhos achem impossível levar o Tavis de verdade a sério nas ocasiões em que é necessário levá-lo a sério.

Quanto aos meninos mais velhos, Stice consegue fazer eles se mijarem de rir agora meramente toldando os olhos com a mão e adotando uma expressão de quem procura no horizonte toda vez que Tavis surge ao longe, parecendo se afastar mesmo quando se aproxima.

C.T. como diretor sempre tem diversas perguntas introdutórias para os matriculantes, e Hal, agora, em novembro, não consegue lembrar com qual delas Tavis iniciou a conversa com Echt, mas lembra de ver o pirulitinho da menina varrer o ar e um brinco de pressão de plástico do Sr. Pula-Pula[219] balançar loucamente quando ela sacudia a cabeça. Hal tinha ficado encantado com o tamanho dela. Como é que alguém tão pequenininho podia ter um ranking, mesmo regional, no sub-12?

E aí sim o suntuoso rangido da grande cadeira alga marinha de Tavis voltando a se adiantar no que os cotovelos dele recebiam o seu peso e ele enlaçava os dedos através de vários metros de tampo de xisto reforçado por polímeros, projeto customizado. O sorriso do Diretor no que se reclinava novamente, ainda que ocultado de Hal por causa da sombra do enorme StairBlaster[220] do escritório era contudo audível por causa daquela coisa com os dentes de Charles Tavis, sobre a qual de repente é melhor falar o menos possível. Dando uma discreta olhadinha para dentro, Hal tinha sentido uma involuntária onda de afeto por C.T. O cabelo do seu tio materno era extremamente liso e precisamente penteado para cobrir a careca, e o seu bigodinho nunca estava bem simétrico. Um olho também ficava num ângulo ligeiramente diferente do do outro, de modo que além de erguer a mão para olhar o horizonte Stice também virava a cabeça levemente de lado quando C.T. se aproximava. O sorriso involuntário de Hal é torto e só meio sentido, agora, quando lembra disso. O Aiquefoda está ali sentado largadão, com o queixo sobre a mão fechada, uma postura que ele acha que o deixa com uma cara meditativa mas que na verdade o faz parecer estar *in utero*, e Kittenplan está roendo as tatuagens das juntas dos dedos, que é o que ela faz em vez de lavar.

Aí Ortho Stice tinha entrado na sala de espera, de camiseta molhada e com o cabelo curtinho empapado das quadras, rebocando suas Wilsons, e ido direto para a ventarola do AC que soprava na frente do pequeno vestíbulo de Tavis. As roupas de Stice eram grátis, Fila, e quando ele jogava em qualquer tipo de partida oficial só usava preto, e na ATE e no circuito era conhecido como Trevas. Ele raspava o cabelo bem curto e tinha uma papada incipiente. Ele e Hal trocaram os acenos de cabeça muito curtos que as pessoas usam quando gostam uma da outra bem além da necessidade da educação. Eles tinham um jogo semelhante, ainda que o toque refinado de Stice aparecesse mais na rede. Stice ergueu uma das mãos até os olhos e virou a cabeça levemente de lado na direção da luz das luminárias do escritório.

"O sujeitinho vai demorar muito ali?"

"Você ainda pergunta?"

Tavis estava dizendo "O que a gente faz por vocês aqui na verdade é fragmentar vocês de uns jeitos escolhidos a dedo, te desmontar como menininha e montar de novo como uma tenista que pode entrar em quadra contra qualquer menininha da América do Norte sem medo de limitações. Com uma perspectiva não deformada pelos cílios de quaisquer bolsões que você tenha trazido. Uma menininha que agora pode considerar a quadra como um espelho cujo reflexo não te apresenta ilusões ou temores."

"Agora o negócio do crânio", Stice disse. Hal tinha ficado vendo uma pele de galinha se erguer nos braços e nas pernas de Stice no que ele se punha sob o ar frio, olhava para cima e respirava, abraçado ao equipamento.

"Uma forma possível de expor isso é dizer que nós vamos desmontar o teu crânio muito cuidadosamente e resconstruir um crânio para você que vai ter um calombo de claridade muito desenvolvido e uma pequena reentrância côncava onde o instinto-de-medo ficava. Eu estou fazendo o melhor para colocar isso tudo em termos com que você se sinta à vontade agora, Tina. Ainda que eu tenha que te dizer que fico pouco à vontade quando ajusto uma apresentação para a altura ou a baixura de alguém em qualquer medida, já que eu sou terrivelmente vaidoso, tanto como homem quanto como educador, no que se refere à minha fama de ser sempre franco", Tavis disse. O sorriso audível. "É uma das minhas limitações."

Stice se retirou sem precisar dizer tchau para Hal. Eles estavam completamente em casa um com o outro. Tinha sido um pouco diferente no ano anterior, quando Hal ainda estava no sub-16. Hal ouviu Stice dizer alguma coisa para alguém lá no saguão. Parte da impressão de distância logo além do limite do comprimento focal dos olhos causada por C.T. era o fato de que os dois lados do rosto dele não combinavam exatamente. Não era tão drástico quanto o rosto de uma vítima de derrame ou uma deformidade; a sutileza fazia parte do efeito, da vagueza essencial sobre si próprio que Tavis combatia meio que descascando o crânio e expondo o cérebro para você sem nenhum tipo de aviso prévio ou de convite; era parte do frenesi de preocupações do sujeito.

Entre a saída de Ortho Stice e a entrada da Mães Hal tinha ficado dobrando o tornozelo e vendo o inchaço mudar ligeiramente de lugar sob múltiplas meias. Ele levantou e pôs o peso do corpo sobre o tornozelo experimentalmente algumas vezes e aí sentou de novo e mexeu o pé, olhando o inchaço com muita atenção. O jeito dele ficar sabendo repentinamente que ia descer e ficar chapado em segredo na Sala da Bomba antes de tomar um banho foi que não tinha lhe passado pela cabeça falar com o Trevas para marcar alguma coisa para eles comerem juntos, já que Stice também tinha perdido o jantar. As vísceras dele estavam soltando o som de uma dessas chaleiras que não têm apito e portanto só ribombam ao ferver. Um atleta competitivo não pode pular refeições sem distúrbios metabólicos terríveis.

Depois de um tempinho Avril Incandenza, gestora de Assuntos acadêmicos da ATE, tinha baixado a cabeça sob o lintel da sala de espera e entrado, de cara refrescada e totalmente intocada pelo calor. Ela estava com um dos pacotes de Orientação na sua pastinha vermelha-e-cinza de sempre.

A Mães sempre teve mania de se estabelecer no *centro exato* de qualquer cômodo em que estivesse, de modo que de qualquer ângulo ela estava de alguma maneira na linha de todos os olhares. Era parte dela, e assim nessa medida era algo caro a Hal, mas era perceptível e meio inquietante. Seu irmão Orin, durante uma rodada madrugueira de Trívia da Família, uma vez tinha descrito Avril como O Buraco Negro da Atenção Humana. Hal estava andando de um lado para o outro, se levantando na ponta do pé esquerdo, tentando avaliar o exato nível de desconforto físico que sentia. Foi quando ela entrou. Hal e a Mães sempre se cumprimentavam de maneira algo extravagante. Quando Avril entrava numa sala, qualquer espécie de andar de um lado para o outro se reduzia a orbitação, e o andar de Hal foi se tornando vagamente circular em torno do perímetro da sala enquanto Avril apoiava o cóccix na mesa da recepcionista, cruzava os tornozelos e pegava a cigarreira. Os modos dela ficavam sempre muito informais e quase meio masculinos quando ela e Hal estavam sozinhos numa sala.

Ela ficou olhando ele andar. "O tornozelo?"

Hal se odiou por exagerar o quanto mancava mesmo que só um pouquinho. "Sensível. Dolorido no máximo. Mais pra sensível."

"Não, ora, ora não precisa *chorar*", C.T. estava exclamando enquanto se ajoelhava ao lado da cadeira da qual as perninhas pendiam e onde elas se sacudiam em espasmos. "Eu não quis dizer *literalmente*, assim quebrar a tua *cabeça*, Tina. Por favor me permita reconhecer que isso aqui é *totalmente* culpa minha querida por apresentar o que nós vamos fazer aqui *exatamente* do ângulo errado."

Avril tinha tirado um careta de 100-mm do estojo chato de metal e batido com ele contra uma junta não enrugada da mão. Hal não puxou isqueiro algum. Nenhum deles tinha olhado na direção da bocarra do escritório de Tavis. O vestido tipo avental de Avril era de algodão azul, com um tipo de rendinha escalopada branca em volta dos ombros e meia branca com tênis de trilha Reebok dolorosamente branco.

"Eu estou *horrorizado* por ter feito você chorar desse jeito." A voz de Tavis tinha assumido aquele tom tenso de um som que sai do extremo de um longo corredor. "Só por favor saiba que um colinho totalmente não ameaçador está à tua disposição se você quiser um colinho, é a única coisa que eu consigo pensar em dizer."

Avril sempre fumava com o braço-fumante erguido e o cotovelo descansando na dobra do outro braço. Ela frequentemente ficava segurando um careta bem desse jeitinho sem acender ou sequer colocá-lo na boca. Ela se permitia fumar apenas no seu escritório na ATE e no estúdio da CD e num ou noutro local dotado de equipamento de filtragem de ar. Sua postura, naquela noite, semissentada em alguma coisa e olhando para baixo no comprimento das pernas, era incomodamente parecida com o jeito de Sipróprio ficar parado. Ela indicou a porta de C.T. com a cabeça.

"Imagino que ele já esteja ali há um bom tempo."

Hal desprezou até a vaguíssima suspeita de um choramingo que saiu com: "Eu estou esperando aqui já vai fazer uma hora". E que ele gostou um pouquinho que ela tenha ficado com cara da pânico por ele quando as minúsculas sobrancelhas dela (ela não fazia as sobrancelhas, que só eram naturalmente minúsculas e arqueadas) subiram.

"Então você ainda não comeu nada?"

"Eu fui *convocado*."

A voz de Tavis lá dentro: "Eu vou te convidar agora mesmo para sentar no meu colinho e me deixar fazer uns sons reconfortantes como Calma Calma Calma."

"Quero a Mamãe e o *Papai*."

Avril disse "É o nosso amigo estômago fazendo esses barulhos então, e não o ar--condicionado?" com aquele sorriso que era também um tipo de crispação.

"Eu não consigo nem *começar* a descrever os barulhos que estão vindo aqui de baixo, tipo aquela chaleira sem apito que Sipróprio deixava no fogo quando…"

Uma maçã surgiu de um bolso fundo do avental dela. "Por acaso eu estou com uma Granny Smith aqui, pra dar forças à alma enquanto a gente espera."

Ele sorriu cansadamente para a grande maçã verde. "Mães, é a tua maçã. É a única coisa que você vai comer entre 12 e 23, por acaso eu sei."

Avril fez um gesto amplo. "Entupida. Um almoço enorme com uns pais de alunos não tem nem três horas. Estou rolando até agora." Olhando para a maçã como se não tivesse ideia de seu lugar de origem. "Provavelmente eu vou jogar isso aqui fora."

"Vai nada."

"Por favor", levantando da borda da mesa sem parecer usar músculos, maçã estendida como algo desagradável, cigarro ao lado do corpo onde estaria abrindo um buraco no avental se aceso. "Seria um favor para nós dois."

"Isso me deixa maluco. Você sabe que isso me deixa maluco."

O termo de Orin e Hal para essa rotina é Roleta Usa-e-Abusa. Essa coisa da Mães que faz você se odiar por ter dito a verdade sobre qualquer tipo de problema por causa de quais consequências isso vai ter para ela. É como se relatar qualquer espécie de necessidade ou problema equivalesse a assaltá-la. Orin e Hal brincavam às vezes, durante a Trívia da Família: "Por favor, eu não estou usando mesmo este oxigênio". "Como, essa perna à toa? Pode levar. Vive me atrapalhando. Leva." "Mas que cocô mais *lindo*, Mario — o tapete da sala de estar estava *precisando* de alguma coisa, eu não sabia o que era até este exato momento." O arrepio faniquítico especial de se sentir simultaneamente cúmplice e em dívida. Hal desprezou a sua reação de sempre, pegar a maçã, fingindo fingir que a sua relutância em comer o jantar dela era falsa. Orin achava que ela fazia isso tudo de propósito, o que era algo simples demais. Ele dizia que ela andava com os sentimentos bem na frente do corpo com um braço em volta da traqueia dos sentimentos e uma Glock 9 mm na têmpora dos sentimentos como um terrorista com um refém, desafiando você a atirar.

A Mães estendeu a pasta vermelha para Hal sem se mover. "Você viu os pacotes novos da Alice?" A maçã estava boa-azedinha mas perfumada do bolso do avental da

535

Mães, e estimulou uma torrente de saliva. A pasta tinha diferentes fotografiazinhas informais e de jogos das paredes da sala de estar, cópias de recortes de imprensa, três argolas para o pacote de diretrizes e os deveres do Código de Honra, tudo enfeitado por Moore numa letra gótica em itálico.

Hal ergueu os olhos da pasta, indicando o escritório de C.T. com a cabeça. "Você mesma vai mostrar tudo pra menininha?"

"Nós estamos animadoramente mal de funcionários. Thierry e Donni passaram pelo qualifying em Hartford, então eles vão ficar por lá." Ela se inclinou bem para a frente e deu uma olhada em C.T. para ele ver que ela estava lá fora. Ela sorriu.

Hal seguiu o seu olhar. "O nome da menininha é Tina alguma coisa e ela bate no teu joelho."

"Echt", Avril disse, olhando para alguma coisa num printout.

Hal ficou olhando para ela enquanto mastigava. "Você já não gostou dela?"

"Tina Echt. Pawtucket. Pai aparentemente algum tipo de padeiro ázimo, mãe RP do time de beisebol A. A. A. dos Red Sox por lá."

"Hal teve que enxugar o queixo enquanto sorria. "Triplo-A. Não A. A. A."

Avril estava inclinada para a frente desde a cintura com a pasta contra os seios daquele jeito com que as mulheres seguram coisas chatas, ainda tentando chamar a atenção do Diretor.

Hal disse: "Finalmente o Troeltsch tem um adversário no departamento de sobrenomes nojentos".

"Meu Jesus como ela é pequenininha, né?"

"Eu não acho que ela possa ter mais que uns cinco anos."

"Ai cacilda vejamos: sete anos, QI elevado, um MMPI meio pobrinho, jogava na Providence Racquet and Bath de East Providence. Trigésima primeira do ranking sub-12 do Leste em junho."

"Ela não tem como ser muito mais alta que a raquete lá fora, cacete, quando joga. O Schtitt vai manter ela aqui por quanto tempo, doze anos?"

"O pai da menina está telefonando pra pedir uma matrícula pra ela faz mais de dois anos, o Charles disse."

"Ele estava falando aquilo de desmontar crânios e ela berrou que nem uma desesperada."

O começo da risada de Avril era agudo, alarmante e distintivo, então agora pelo menos o C.T. ia saber com certeza que a Mães estava aqui fora esperando e ia dar uma apressada lá nas coisas e de repente chegar ao Hal para o Hal poder ir ficar chapado em segredo. "Bom, certa ela", Avril disse.

A órbita o levava em torno da mesa de Alice Moore Lateral numa espécie de elipse espessa. Toda vez que seu pé esquerdo tocava o chão ele ou se abaixava ou se erguia brevemente na ponta do pé, mexendo o tornozelo. "Dez anos aqui e ela vai perder o juízo. Se ela começar com sete ela ou vai estar pronta pro Circuito com catorze ou vai começar a ficar com aquela cara detonada que faz você querer sacudir a mão na frente da cara dela."

536

"Veio o som do Nunn Bush rangente no pé direito de Tavis caminhando mais rápido, o que significava uma verdadeira conclusão. "Eu vou prever aqui que é provavelmente difícil você se ver como uma grande atleta neste estágio, Tina, sem poder ainda enxergar por cima da rede, mas possivelmente é até mais difícil se ver como alguém que propicia entretenimento, que prende a atenção dos outros. Como um objeto de alta velocidade em que as pessoas podem se projetar, esquecendo seus próprios limites diante do potencial quase ilimitado que alguém tão jovem como você representa."

A maçã gerava quantidades incríveis de saliva. "Ele vai colocar a menina no Circuito antes dela menstruar, vai rolar um superfalatório e muito cartucho alugado com os jogos de uma menina menor que a raquete detonando umas lésbicas eslavas peludonas, e aí com catorze ela vai ser que nem carvão antigo no fundo de uma churrasqueira de quinta." Uma velha piadinha de capistas sobre maçãs ficava se repetindo. Coma a maçã, mas Foda-se o Miolo. Hal não lembrava o que exatamente aquilo queria dizer.

A Mães estava estalando os dedos silenciosamente e franzindo a testa. "Tem uma palavra em inglês para o carvão que virou resíduo depois de ficar um dia inteiro na churrasqueira. Eu estou tentando pensar."

Hal odeia isso. "Clinker", ele disse instantaneamente. "De *klinker*, baixo alemão, e *klinckaerd*, holandês antigo, soar, tilintar, nominalizado em torno de 1769: massa rígida formada pela fusão de escórias terrosas de materiais como carvão, minério de ferro, calcário." Ele odiava que ela ousasse sonhar que ele tinha caído nessa do cenho afásico e dos dedinhos estalantes, e aí ele sempre ficava muito contentinho de entrar na brincadeira. Será que é exibicionismo se você odeia?

"Clinker."

"Uma churrasqueira não ia ficar com *clinkers*. O carvão é refinado pra queimar até virar pó de uma vez. *Clinker* é um negócio meio metálico eu acho. Veja por exemplo a etimologia de som-barra-tilintar."

"Eu gosto de suspeitar que é por isso que tantos dos nossos jogadores mais velhos gostam de ter uma projeção de mim como uma persona estraga-prazeres com umas planilhinhas de custos rodando nos olhos, o fato de eu ser franco com todos os novos membros da nossa família sobre ser daqui que provêm os recursos para o tênis profissional, e para o sistema norte-americano jr. de desenvolvimento para crianças talentosas que querem atingir os píncaros do profissionalismo ou uma carreira universitária competitiva, e assim no final das contas para as consideráveis despesas operacionais de uma Academia como esta, e para bolsas como a parcial que nós ficamos muito satisfeitos de poder oferecer aos teus pais para você."

"Então talvez você não se incomode de jantar conosco. Nós também vamos estar com a srta. Echt se ela conseguir ficar acordada assim até tão tarde."

O miolo fez um som de prato-muito-abafado no fundo do cesto de lixo de Alice Moore Lateral. "Eu não posso escapar dos matutinos. O Wayne e eu vamos jogar contra o Slobodan[221] e o Hartigan em alguma coisa tipo espetáculo-empresarial em Auburndale logo depois do almoço."

"Você pediu para o Barry conversar com o Gerhardt sobre esse tornozelo que não melhora?"

"O saibro vai ser melhor. O Schtitt sabe tudo do tornozelo."

"Bom, então boa boa-sorte pra vocês dois." A bolsa de Avril parecia mais uma mala mole que uma bolsa. "Posso te dar a chave da cozinha, então?"

É sempre por cima do ombro esquerdo da Mães que Hal olha, sempre que fica orbitando, e os planos dele emergiram entre os convites de Avril para que ele aceitasse algum tipo de ato de polidez. "O Trevas e eu íamos dar uma corrida morro abaixo pra comer alguma coisa se e quando eu conseguir sair daqui."

"Ah."

Aí ele ficou pensando apavorado que Stice podia ter dito alguma coisa pra ela na entrada, sobre jantares. "De repente o Pemulis também, acho que o Pemulis disse."

"Bom, por favor em hipótese alguma você se divirta."

Echt e Tavis estavam os dois de pé, agora, lá dentro. O aperto de mãos deles fazia parecer, na fração de segundo em que ele olhou, que C.T. estava se masturbando e a menininha estava mandando um *Sieg Heil*. Hal achou que talvez estivesse começando a perder o juízo. Até a carne da Granny Smith tinha cheiro de perfume.

Três meses depois, hoje mais cedo, antes de ser convocado, no dentista, o consultório do dentista tinha tido um estranho cheiro doce forte e limpo, o equivalente olfativo da iluminação fluorescente. Hal tinha sentido a pontada gelada na gengiva e aí o lento congelamento radial, o rosto inflando para virar um dos cúmulos congelados contra o azul-loção-pós-barba do céu do papel de parede odontológico. O dr. Zegarelli tinha olhos verde-escuros secos saltados por cima da máscara azul-piscina, assim tipo umas azeitonas onde deviam estar os olhos, no que ele se inclinava para trabalhar, com a sua corola odontológica de luz sobre a cabeça lhe dando uma dessas auréolas medievais desperspectivadas que parecem estar empinadas. Mesmo mascarado, o hálito de Zegarelli é infame — ATEs forçados pela primeira vez pelo Plano Coletivo de Saúde da ATE a se reclinar sob Zegarelli recebem conselhos sobre como respirar, para inalar quando Zegarelli inala e exalar bem junto com ele, para evitar duplicar a quantidade de sofrimento por que Hal já passou, só hoje.

Charles Tavis não é um bufão. A coisa que manteve as coisas tão tensamente calmas aqui agora entre todo esse azul da sala de espera é que há historicamente pelo menos dois Charles Tavis, os três meninos mais velhos sabem. A persona publicamente seção-transversálica e associação-lívrica e de braços que acenam lá do horizonte perspectivo, a persona hesitante que contorce as mãozinhas em Preocupação-Total é na verdade a versão de compostura social de Tavis, o modo dele tentar se dar bem com você. Mas pode perguntar a Michael Pemulis, cujos tênis já andaram tanto pelo carpete de Tavis que deixaram uma impressão inaspirável no Antron xadrez: quando Tavis perde a compostura, quando a integridade ou o funcionamento tranquilo da Academia ou a sua inquestionada posição atrás do leme da ATE se veem Deus-me-livre ameaçados, o tio publicamente ajustável de Hal vira um homem diferente, um cara que não tolera baixaria. Não é necessariamente pejorativo comparar

538

um burocrata acuado a um rato acuado. O sinal de perigo em que você deve prestar atenção é se Tavis de repente fica muito quieto e muito imóvel. Porque aí ele parece, perspectivamente, crescer. Ele parece, sentado ali, vir correndo para cima de você, dopplerante e num zumbido. Quase montando em você lá de cima de uma mesa imensa. Se a água bate na bunda administrativa, as crianças que saem do seu escritório de portas mandibulares surgem pálidas e esfregando os olhos, não por causa de lágrimas mas por essa distorção perspectiva de profundidade que o C.T. subitamente produz, quando dá merda.

Outro alerta é quando Alice Moore Lateral é formalmente avisada pelo intercomunicador para levar você e os outros até lá, em vez das portas do escritório se abrirem por dentro, e quando ela levanta e sai de lado para te fazer entrar como se você fosse algum tipo de vendedor de chapéu-na-mão, sem nem uma vez olhar nos teus olhos, como se houvesse vergonha. Uma grande família.

Parece que o exame de indecência degenerou numa situação em que as meninas todas ficaram muito empolgadas e estão trocando dados sobre que tipos de animais determinados membros das suas respetivas famílias biológicas ou imitam ou lembram fisicamente, e Avril não está à vista, está calada e aparentemente deixando as meninas ficarem um pouco soltas e diminuírem a tensão, Hal fica checando baba queixal com as costas da mão. Pemulis, com uma camiseta com um escrito em cirílico, tira o boné, olha em volta e faz movimentos reflexos de quem arruma a gravata, dando mais uma última olhada no printout enquanto Axford fica ali precisando de três tentativas para fazer a maçaneta externa funcionar. Ann Kittenplan, por outro lado, está com uma expressão de calma quase aristocrática, e precede aos meninos na passagem pela porta interna como alguém descendo de um dossel.

E também parece algo sinistro que ela tenha estado ali aparentemente o tempo todo, essa tal de Clenette, uma das empregadas de meio período com contratos de nove meses lá de morro-abaixo, de olhos bonitos e tão preta que tem um tom azulado, com o cabelo passado a ferro e depois preso para cima e com o macacão ciano de zíper que é padrão do pessoal zelatorial da ATE, esvaziando os cestos de lixo de latão pessoais de Tavis no seu grande carrinho com laterais de lona. Aquele jeito dela ficar encarando um ponto logo ao lado do olhar do próprio Hal enquanto ela e seu carrinho ficam esperando junto à porta interna de C.T. que Hal e os outros sejam introduzidos de lado por Alice Moore lateral. O carrinho, como o próprio carrinho de mestre-do-jogo de Otis Lord, tem uma rodinha solta e faz um pouco de barulho até enterrado no carpete, tentando manobrar para contornar Moore enquanto ela volta sobre os próprios passos ao longo da parede do vestíbulo. Nem Schtitt nem deLint estão ali, mas pelo sibilar do ar inalado por Pemulis Hal sabe dizer que a dra. Dolores Rusk está na sala antes até de tirar os olhos de um C.T. que ainda está pulsando com uma proximidade inflada na sua cadeira giratória alga marinha e tendo quase terminado de transformar um clipe de papel gigante numa espécie de cardioide ou de círculo mal-ajambrado: a sombra de Tavis que a janela projeta agora se estende até além do StairBlaster chegando à otomana de tecido vermelho-e-cinza ao longo da parede leste, em que sim com certeza está sentada Rusk, com um fio corrido na meia e uma cara que não trai nada; e lá perto dela está o coitadinho do Otis P. Lord, com o monitor Hitachi ainda na cabeça como o elmo de um cavaleiro high-tech bem grotesco, desanimado e com um pé de tênis apontando para o outro sobre o carpete azul-e-preto, mãos no colo, dois buracos toscamente recortados para os olhos na caixa preta de plástico da base do monitor, Lord sem olhar nos olhos de Pemulis, e com umas lascas pendentes e amedrontadoras do vidro da tela em que ele caiu apontando para — algumas quase tocando, até — o seu pescoço e garganta fininhos, de modo que ele tem que manter a cabeça bem parada, apesar dos solavancos do seu peito raso, com a enfermeira do turno diurno da ATE parada atrás dele para segurar o monitor muito cuidadosamente no lugar, com a inclinação produzindo uma visão de decote que Hal ficaria muito feliz de ser o tipo de pessoa que não percebe. Os olhos de Lord se movem para Hal e piscam dolentes pelos buraquinhos, e ele pode ser ouvido fungando umidamente lá dentro, complexamente ensurdinado; e Pemulis está acabando de colocar os pés precisamente nas suas já familiares impressões no carpete do escritório quando C.T., parecendo apavorantemente levantar da cadeira sem se pôr de pé, pede tranquilamente que o último ocupante da sala — o urologista todo limpinho de nariz arrebitado com um blazer da ATONAN, cuja visita à ATE está seriamente atrasada, sentado lá atrás na sombra da porta interna aberta do canto sudeste da sala, de modo que está oculto bem atrás dele desde o começo e rola a oportunidade de uma cara tipo incriminadora de rodopio-e-buzunho de Axford e Hal no que eles ouvem Charles Tavis se dirigir ao urinólogo atrás deles, pedindo muito tranquilamente para ele fechar as duas portas.

PRÉ-AURORA E AURORA, 1º DE MAIO DO AFGD
AFLORAMENTO A NOROESTE DE TUCSON, AZ, EUA, AINDA

"Você não pode dizer que é só uma coisa dos EU", Steeply disse de novo. "Eu fui à escola quando o multiculturalismo era inescapável. A gente leu que os japoneses e os indianos, por exemplo, têm lá uma figura mítica. Esqueci o nome. Um mito oriental. É uma mulher coberta de cabelo louro e comprido. Inteira. O corpo todo dela com uma penugem loura por tudo que é lugar."

"Esse tipo de tentação passiva, parte disso parece incluir uma sentida falta. Uma percebida privação. Os orientais não são uma cultura corporalmente peluda."

"Esses mitos orientais multiculturais sempre tinham uns caras jovens orientais que encontravam com ela perto de algum curso d'água, penteando o cabelo e cantando. E eles fazem sexo com ela. Aparentemente ela é simplesmente exótica e intrigante ou sedutora demais pra eles resistirem. Até os jovens orientais que conhecem os mitos não conseguem resistir, segundo os mitos."

"E ficam paralisados com estase graças a esse ato íntimo", Marathe disse. Quando agora ele sonhava com o pai, era com os dois patinando, o jovem Marathe e M.

540

Marathe, num rinque a céu aberto em St. Remi-d'Amherst, com a respiração de M. Marathe visível e o seu marca-passo formando um calombo quadrado no cardigã brunswickiano.

"Morrem de cara, normalmente. O prazer é intenso demais. Nenhum mortal aguenta. Eles morrem. *M-o-r-t-s.*"

Marathe fungou.

"A parte análoga é como até os que sabem que o prazer daquilo vai ser a morte, eles vão em frente mesmo assim."

Marathe tossiu.

Alguns insetos que voavam por ali tinham múltiplos pares de asas e eram bioluminescentes. Eles pareciam muito determinados, passando voando pelo afloramento e seguindo num veloz zigue-zague a caminho de algo urgente. O som deles, dos insetos, fazia Marathe pensar em cartas de baralho nos raios de bicicleta da bicicleta de um menino com pernas. Os dois homens estavam calados. Esse é o momento das falsas auroras. Vênus se movia para leste, para longe deles. A luz mais suave que se pudesse imaginar se infiltrava pelo deserto e se espalhava para os estranhos panoramas castanhos em torno deles, algo se aquecendo logo abaixo do anel da noite. O seu cobertor do colo estava coberto de cardos e sementinhas com espinhos de certas espécies. O deserto EUA começava a fervilhar de uma vida cuja maior parte permanecia oculta. No céu americano, as estrelas tremulando como chamas mortiças sobre um vazamento de brilho de baixa resolução. Mas nada do roseamento da legítima aurora.

Tanto o Escritório EUA de Serviços Aleatórios quanto *les Assassins des Fauteuils Rollents* esperavam ansiosos por esses encontros entre Marathe e Steeply. Eles conseguiam pouco progresso. Era já o quinto ou sexto. Encontro. Steeply tinha se voluntariado para ser o contato da traição de Marathe, apesar da língua.[222] A AFR acreditava que Marathe funcionava como agente triplo, fingindo trair sua nação pela esposa, memorizando cada detalhe dos encontros com o BSS. Segundo Steeply, os superiores de Steeply no BSS não sabiam que Fortier sabia que Steeply sabia que ele (Fortier) sabia que Marathe estava aqui. Steeply não expôs esse fato aos seus superiores. Satisfazia algum desejo EUA não expor alguma coisa pequena aos superiores, Marathe sentia. A não ser que Steeply estivesse enganando Marathe sobre isso. Marathe não sabia. M. Fortier não sabia que Marathe tinha chegado à escolha interna de que amava sua esposa Gertraud Marathe sem crânio e com um coração defeituoso mais do que amava a causa separatista e anti-ONAN da nação Québec, o que deixava Marathe não melhor que M. Rodney "Fodão" Tine. Se Fortier soubesse disso, ele compreensivelmente enfiaria um cravo de ferrovia no olho direito desossado de Gertraud, matando tanto ela quanto Marathe.

O Marathe verdadeiro gesticulou para longe na direção do brilhante mas arróseo leste. "Uma falsa aurora."

"Não", Steeply disse, "mas o próprio mito francófono de vocês da Odalisca de Teresa."

"*L'Odalisque de Sainte Thérèse.*" Marathe raramente cedia à tentação de corrigir Steeply, cuja pronúncia horrenda assim como a sintaxe Marathe nunca conseguia

541

determinar com certeza se eram ou não intencionalmente irritantes, com o objetivo de desconcertar Marathe.

Steeply disse: "Sendo o mito multicultural de que a Odalisca é tão linda que os olhos québecois mortais não conseguem aguentar. Quem olha para ela se transforma num diamante ou numa gema".

"Na maioria das versões uma opala."

"Uma Medusa do avesso, pode-se dizer."

Ambos os homens, bem versados nisso, sem alegria, riram.[223]

Marathe disse: "Os gregos, eles não temiam a beleza. Eles temiam a feiura. Daí eu acho que beleza e prazer, eles não eram tentações fatais para o perfil grego".

"Ou tipo uma mistura de Medusa e Circe, essa Odalisca de vocês", disse Steeply. Ele estava fumando ou o seu último ou um dos últimos cigarros do maço da bolsa — o costume do americano de jogar as bitucas dali do alto do afloramento tinha impedido Marathe de contar as bitucas consumidas. Marathe sabia que Steeply sabia que os filtros dos cigarros não são biodegradáveis no ambiente. Os dois homens, a essa altura, cada um conhecia o outro.

Um pássaro oculto piou.

"A personalidade mítica grega, ela também tinha gravidez por chuva e estupro por aves."

"E como a gente evoluiu", Steeply disse ironicamente.

"Essa ironia e esse desprezo pelo eu. Isso também é parte da tentação de seu perfil EUA, eu acho."

"Enquanto o seu perfil é o do homem apenas de ações, finalidades", Steeply disse, com Marathe não sabia dizer se ironia ou talvez não.

O chão do deserto estava ficando mais claro em graus imperceptíveis, com sua superfície já da cor de um couro extracurtido. Os cactos saguaros tom-de-réptil. Formas potencialmente jovens em sacos de dormir de plumas em torno dos restos negros da fogueira da noite. O ar cheirava a madeira verde. Um odor insípido de pó. As escavadeiras da distante construção tinham cor de urina e pareciam congeladas em meio a ações várias. Ainda estava frio. Os dentes de Marathe estavam cobertos por uma película palpável, de talvez uma pasta de pó, especialmente os dentes da frente. Nenhum arco superior de sol estava aparecendo, e Marathe ainda não conseguia projetar nenhuma sombra no xisto atrás deles.

A taxa de batimentos cardíacos de Rémy Marathe em repouso era muito baixa: sem pernas que exigissem sangue do coração. Ele muito raramente sentia dores-fantasmas, e só no coto da esquerda. Todos os AFRs têm braços imensos, particularmente os antebraços. Marathe era canhoto. Steeply manipulava o cigarro com a mão esquerda e usava o braço direito para aninhar o cotovelo esquerdo. Mas Marathe sabia muito bem que Steeply era canhoto. Os foliculinhos da eletrólise da sua persona-de-campo agora brilhavam róseos contra o palor do rosto de Steeply, que parecia tanto inchado quanto abatido.

O céu sem nuvens sobre as montanhas de leste da cadeia Rincon era do tênue rosa nauseante de uma queimadura que não sarou. Toda a cena imperceptivelmente clareante dos panoramas tinha em si uma imobilidade que sugeria a fotografia. Marathe havia muito tinha colocado o relógio no bolso da parca, para não ficar mais continuamente verificando. Steeply gostava de imaginar que essa interface ditava seus próprios período e tempo; Marathe tinha escolhido lhe dar esse direito.

Marathe percebeu a respeito de si próprio que um pouco da sua fungação falsa era com o propósito de alertar Steeply da irrupção de um silêncio. "Você podia sentar-se brevemente, se tem fadiga. As tiras do sapato…" Ele gesticulou contidamente.

Steeply olhou para baixo e cutucou a poeira da pedra castanha com a ponta do sapato. "Parece que pode ter umas coisinhas."

"Eu devo logo partir." A mão de Marathe estava gravada com a textura do cabo texturizado da Sterling. "Foi bom ficar ao ar livre por uma noite. Logo devo partir."

"Rastejando por aí. A saia, você fica sensível a essa ideia de simplesmente se largar onde der vontade. A possibilidade das coisinhas… subindo." Ele olhou para Marathe. Parecia triste. "Eu nunca tinha me dado conta."

0450H, 11 DE NOVEMBRO
ANO DA FRALDA GERIÁTRICA DEPEND,
ESCRITÓRIO DA FRENTE, CASA ENNET DE RDA., ENFIELD, MA

"Não sabia se me cagava ou rezava um Pai-Nosso depois que o treco disparou. E a *cara* do sujeito."

"Uma vez pra mim foi que eu estava lá num bar em Lowell com uns caras que andavam comigo na época e a gente estava lá com uns outros caras, só sacaneando os trouxas de Lowell, aqueles bêbados novinhos que já estão pra virar aqueles bêbados tipo trabalhador que só vai dar uma paradinha depois do trabalho pra tomar uma ou duas mas só vai pra casa depois que fecha. Só tomando submarino, jogando dardo e coisa e tal. Aí um cara do pessoal começa a dar em cima da mina de um cara lá, um cara supernormal que está lá com a mina dele e um dos nossos caras começa assim coisa e tal com ela, tentando pegar a mina, e o cara que estava com ela ficou muito puto, sabe, quem é que pode jogar a primeira pedra, e xinga daqui, xinga de lá, e assim por diante, e a gente lá com o primeiro cara, tipo no nosso grupo, era ele que estava passando a conversa na mina desse cara mas ele era dos nossos, a gente estava todo mundo no mesmo barco, aí a gente caiu em cima do cara que estava com a mina e deu uns trancos nele, sabe como é, tipo que ele estava falando merda pro nosso amigo, ele leva umas pancadas, uns tapas, nada tipo radical ou com sangue, a gente dá umas bifas nele um pouquinho, joga o cara pra fora do bar e faz a mina tomar uns submarinos com a gente e o cara que estava dando em cima dela lá no começo convence a mina a jogar strip-dardos, tipo ir tirando peças da roupa pelos pontos dos dardos, que o cara do bar não acha assim o máximo mas os caras são freguês, é tipo família. A gente está supertravado e jogando strip-dardos."

"Saquei. Parece uma imagem linda."

"Só que quando eu fiquei um pouquinho mais esperto depois eu aprendi que num bar desses de bairro você nunca fo... você nunca sacaneia um cara dali que está com a menina, humilha ele na frente da menina e aí fica onde a coisa rolou se ele sair, porque esse tipo de cara sempre volta."

"Você aprendeu a ir embora."

"Porque esse cara tipo meia hora depois ele me volta coberto. *Coberto* quer dizer que rolou uma Máquina aí, sabe."

"Máquina?"

"Uma arma. Não era das grandes, pelo que eu lembro era uma 25 mais ou menos, desse tipo, mas ele entra e vai direto lá no jogo de dardo e na mina que já está de combinação, puxa o ferro e sem dizer nada me vai lá e manda bala no nosso amigo, que tinha pegado a mina dele e humilhado ele, dá um tirão bem na cabeça, bem na nuca dele."

"O cara era mais louco que barata de banheiro público."

"Bom né Joelle ele tinha sido humilhado na frente da mina dele, e a gente ficou, e ele voltou e meteu uma azeitona na nuca do cara."

"E acabou com a raça dele."

"Não assim de cara ele não morreu. A parte mais negativa pra mim é o que a gente fez. A gente todo mundo ali com o cara que morreu. A gente estava muito travado a essa altura. Eu lembro que a coisa não parecia real. O cara do bar está ocupadão ligando pros Homens, o cara larga a máquina e o cara do bar agarrou ele e cobriu ele atrás do balcão do bar, chamou os Homens e deixou o cara ali atrás do balcão, acho que mais pra evitar que a gente eliminasse o mapa do cara ali mesmo, de vingança. A gente estava tudo bêbado-zumbi a essa altura. A mina tinha sangue na parte toda ali do lado da combinação dela. E está lá o nosso amigo com uma bala na cabeça, o cara tinha atravessado a nuca dele pelo lado, e tem sangue por todo lugar. Você sempre de repente pensa assim nas pessoas sangrando de um jeito, tipo contínuo. Mas quando sangra de verdade, vem com o pulso, se você não sabia. O negócio tipo jorra, morre, jorra."

"Você não precisa me dizer."

"Bom eu não te conheço, não é verdade, Joelle? Eu não sei o que você já viu ou o que você sabe."

"Eu vi um velho cortar a mão fora com uma motosserra limpando mato na beira do Cumberland quando eu estava pescando com o meu Papai. Ia ter sangrado até morrer bem ali. O meu Papai teve que usar o cinto. Antes de ele fazer um torniquete o sangue saía desse jeito aí, com o pulso. O meu Papai levou ele pro hospital no nosso carro, tipo salvou a vida mesmo. Ele era até treinado. Ele sabia salvar vida mesmo."

"Quer saber, o que ainda me deixa louco é que a gente estava tão bêbado que a gente meio que nem levou aquilo a sério, porque parecia tudo um filme quando eu ficava bem bebão. Eu ainda queria era que a gente tivesse levado o cara pro hospital imediatamente. A gente podia ter catado ele dali. Ele ainda não estava morto por mais que a coisa estivesse feia. A gente nem estendeu o cara direito no chão, a gente teve uma ideia, um dos caras começou a fazer ele andar por ali. A gente ficou fazendo ele andar em círculos tipo uma overdose, achando que se a gente pudesse fazer ele ficar andando até a viúva-alegre chegar ele ia ficar legal. No fim a gente estava arrastando o cara, acho que aí ele estava morto. Todo mundo coberto de sangue. A arma era só tipo uma 25 velha. Neguinho ficava gritando pra gente catar o cara e levar pro hospital, mas a gente estava encasquetado com essa ideia de fazer o cara andar, de segurar ele em pé e fazer ele andar em círculos, a menina lá gritando, tentando colocar a meia e a gente berrando com o cara que tinha dado o tiro nele que a gente ia sumir com o mapa dele e assim por diante, até que o cara do bar chamou uma ambulância, eles chegaram e ele estava mortinho da silva."

"Gately, que pesado mesmo isso."

"Por que que você está aqui de pé, você não tem que trabalhar."

"..."

"..."

"Eu gosto quando neva assim bem cedo. Aqui é a melhor janela. Mas você aprendeu uma lição."

"O nome dele era Chuck ou Chick. O cara que tomou o tiro essa vez."

"Você ouviu aquele McDade na hora da janta? Sabe aqueles carinhas que têm uma perna mais curta que a outra?"

"Eu não escuto as merdas desses caras."

"Foi bem lá na ponta da mesa da janta. Ele estava contando pra mim e pro Ken que ele tinha uma conselheira quando ele estava na juvenil em Jamaica Plain, ele tinha uma conselheira ele disse que ela tinha cada perna mais curta que a outra."

"..."

"..."

"Não sei se eu estou sacando bem, Joelle."

"Cada perna da mulher era mais curta que a outra."

"Como é que pode uma perna que é mais curta que a outra perna ser mais comprida que a outra perna?"

"Ele estava sacaneando a gente. Ele disse que era assim tipo uma coisa do AA, que desafiava o bom senso e as explicações e que você simplesmente tinha que aceitar por fé. O horroroso daquele Randy de perucão branco estava atrás dele dando a maior força, supersério. O McDade disse que ela andava que nem um metrônomo. Ele estava rindo da nossa cara, mas eu achei graça mesmo assim."

"E se você me falasse aí desse teu véu, então, Joelle, já que a gente está falando de bom sensos desafiados."

"Beeeem pra cá. Aí beeeem pra lá."

"Sério. Vamos interfacear de verdade já que você está aqui. Como é que pode isso do véu?"

"Coisa de noiva."

"..."

"Noviça muçulmana."

"Eu não quis me meter. Você pode só me dizer se for o caso que você não quer falar do véu."

"Eu estou também numa outra fraternidade, quase quatro anos já."

"OFIDE."

"É a Organização dos Feios e Inconcebivelmente Deformados. O véu é meio que um ornato da irmandade."

"Renato de renascido, assim?"

"Todo mundo usa. Quase todo mundo, que já está faz tempo lá."

"Mas se não for abuso perguntar, por que que você está lá? OFIDE? Você é deformada como? Não é nada que dê muito na cara, pelo que eu posso ver. Você, tipo, não tem alguma parte?"

"Tem uma cerimônia bem curta. É mais ou menos que nem quando eles distribuem fichas lá na reunião do Antes Tarde Do Que Nunca, com os Períodos Diferentes. Os OFIDES novatos ficam de pé, recebem o véu, envergam o véu, ficam ali de pé e recitam que o véu que envergaram é um Sinal e um Símbolo, e que estão escolhendo de livre e espontânea vontade se obrigar a usar sempre aquele véu — um dia de cada vez — na luz e nas trevas, na solidão e diante dos olhos dos outros, e assim com estranhos como com amigos familiares, e até Papais. Que mortal algum haverá de vê-lo deposto. Que eles portanto declaram abertamente que querem se esconder de todos os olhares. Fecha aspas."

"..."

"Eu também tenho uma carteirinha que diz direitinho tudo que você pode querer saber, e um pouco mais."

"Só que eu perguntei pro Pat e pro Tommy S. e ainda assim a coisa que eu não entendo é por que entrar numa fraternidade só pra se esconder? Eu até entendo se o cara é tipo — você sabe, hediondamente — e aí ele passou a vida se escondendo no escuro, e quer Entrar e fazer parte de uma fraternidade em que todo mundo é igual e todo mundo consegue se Identificar porque todo mundo passou a vida toda se escondendo também, e aí você entra numa fraternidade pra poder sair do escuro, entrar no grupo, receber apoio e finalmente se mostrar sem olho ou com três pei... braços ou sei lá o quê e ser aceito por um pessoal que sabe exatamente como é que é, e que nem no AA eles dizem que vão te amar até você conseguir se amar e se aceitar, aí você não liga mais pra o que as pessoas veem ou pensam, e você pode finalmente sair da jaula e parar de se esconder."

"O AA é isso?"

"Mais ou menos, um pouquinho, acho."

"Bom sr. Gately o que as pessoas não sacam de ser feio ou inconcebivelmente deformado é que a vontade de se esconder é contrabalançada por uma sensação gigantesca de vergonha da tua vontade de se esconder. Você está numa festa de degustação de vinhos com o pessoal da pós-graduação e é inconcebivelmente deformada e você é alvo de olhares fixos que as pessoas tentam esconder porque elas têm vergonha de querer te encarar, e você só quer é se enfiar num buraco pra se esconder dos olhares disfarçados, pra apagar a tua diferença, se enfiar embaixo da toalha da mesa ou meter a cara embaixo do braço, ou rezar pra rolar um blecaute e descer esse tipo de escuridão total libertadora e igualitária pra você ficar reduzida a nada além de uma voz entre outras vozes, invisível, igual, como todos, oculta."

"Isso é igual aquilo que eles falaram que as pessoas odiaram a própria cara nos videofones?"

"Mas Don você ainda é um ser humano, você ainda quer viver, você precisa desesperadamente de relações e de sociedade, você sabe que intelectualmente você não merece menos relações e sociedade que qualquer outro simplesmente por causa da tua aparência, você sabe que se esconder por medo dos olhares na verdade é ceder a uma vergonha que não é necessária e que vai impossibilitar você de ter o tipo de vida que você merece tanto quanto qualquer menina, você sabe que não pode evitar ter a cara que você tem mas que em princípio você devia poder evitar *dar importância* à cara que tem. Em princípio você devia ser forte e exercer algum tipo de controle sobre a tua necessidade de se esconder, e você está tão desesperada pra sentir alguma espécie de controle que acaba aceitando só a *aparência* do controle."

"A tua voz fica diferente quando você fala dessa porra toda."

"O que você faz é *esconder* a tua necessidade profunda de se esconder, e você faz isso por uma necessidade de *parecer* pros outros uma pessoa que é forte e não liga pra *aparência* que tem pros outros. Você enfia a tua cara hedionda bem lá no meio do moedor-de-carne visual da degustação de vinho, você sorri tão aberto que dói, estende a mão, é extragregária e extrovertida e faz uma força enorme pra parecer totalmente inconsciente das batalhas faciais das pessoas que estão tentando não fazer uma careta ou te encarar ou deixar você ver que elas enxergam que você é hedionda, inconcebivelmente deformada. Você finge aceitar a tua deformidade. Você pega o teu desejo de se esconder e oculta embaixo de uma máscara de aceitação."

"Use menos palavras."

"Em outras palavras, você esconde que se esconde. E você faz isso por vergonha, Don: você tem vergonha de querer se esconder dos olhares. Você tem vergonha da tua necessidade incontrolável de sombras. O Primeiro Passo da OFIDE é a admissão da impotência diante da necessidade de se esconder. A OFIDE permite que os membros sejam francos sobre a sua necessidade essencial de ocultamento. Em outras palavras nós envergamos o véu. Nós envergamos o véu e usamos o véu com orgulho e nos pomos bem eretos e caminhamos firmemente para onde quisermos, velados e ocultos, e mas agora completamente francos e desavergonhados quanto ao fato de que a nossa aparência para os outros nos afeta profundamente, quanto ao fato de que queremos nos proteger de todos os olhares. A OFIDE nos apoia na nossa decisão de nos ocultarmos abertamente."

"Você parece que varia de jeitos de falar. Às vezes parece que você não quer que eu te entenda."

"Bom eu estou numa vida nova em folha, recém-saída da embalagem, que todo mundo me diz que vai levar um tempo pra lassear."

"Então eles te ensinam a aceitar a não aceitação, essa Organização, você estava dizendo."

"Você entendeu tudo bem direitinho. Você não precisava de menos palavras. Se você não se incomodar, a minha impressão é que você acha que não é inteligente mas não é."

"Não inteligente?"

"Eu me expressei mal. Você não é *não* inteligente. Assim tipo você não tem razão quando acha que não tem nada nada no sótão."

"É uma questão de autoestima, então, que você está vendo em mim depois de tipo três dias aqui, então. Eu sinto baixa-estima nisso de eu achar que não sou inteligente que nem certas pessoas."

"O que tudo bem, a OFIDE diria, pra ilustrar a abordagem da OFIDE versus uma abordagem aparentemente mais AA. A OFIDE diria que tudo bem você se sentir inadequado e com vergonha de não ser tão inteligente quanto esse ou aquele, mas que o ciclo se torna anular e insidioso se você começa a ficar com *vergonha* de que ser desinteligente te envergonha, se você tenta esconder que se sente mentalmente inadequado, e aí sai por aí fazendo piadinhas sobre a tua própria lerdeza e fazendo de conta que isso nem te incomoda, fingindo que você não dá bola se os outros te acham desinteligente ou não."

"Me dá uma dor aqui na frente da cabeça tentar seguir isso aí."

"Bom você passou a noite em claro."

"Aí agora eu tenho que ir pra porra do meu outro emprego."

"Você é bem mais esperto do que acha, Don G., por mais que eu ache difícil que alguma coisa que alguém diga aqui consiga penetrar no lugarzinho atormentado e esfarrapado em que você acha que é lerdo e bobo."

"E de onde que você acha que eu acho que eu não sou inteligente, a não ser que o que você está dizendo é que é óbvio pra todo mundo que eu não sou inteligente?"

"Eu não quis me meter. Só me diga se não quiser falar disso com alguém que você mal conhece."

"Agora você está sendo sarcástica com o que eu falei antes."

"…"

"Eu fui expulso do time de futebol no décimo ano porque eu reprovei em inglês."

"Você jogava futebol americano?"

"Eu era bom até eles me expulsarem. Eles me deram um professor particular e mesmo assim eu reprovei."

"Eu rodopiava varinha no intervalo. Eu fui pra um acampamento especial seis férias consecutivas."

"…"

"Mas pra um monte de formas de se odiar não existe véu. A OFIDE ensinou muitos de nós a agradecer que pelo menos existe um véu pra nossa forma."

"Então o véu é um jeito de não se esconder."

"De se esconder abertamente, é mais isso."

548

"…"

"Eu já estou percebendo que é bem diferente do plano de recuperação das drogas, do programa do AA e do NA."

"Eu posso perguntar qual que é a tua deformidade?"

"O melhor é quando o sol está nascendo bem no meio da neve e tudo fica muito branquinho."

"…"

"Eu quase esqueci por que eu vim aqui, que aquela Kate disse que o Ken E. só faltou ser assassinado por um filho da puta aí ontem de noite naquela coisa do NA de Waltham e que eles querem que alguém diga pra Johnette não fazer eles voltarem lá de novo se eles não quiserem."

"…"

"…"

"Uma coisa é que a Kate e o Ken podem falar eles mesmos com a Johnette e eu não preciso me meter nisso e você não precisa *mesmo* se meter nisso e resgatar alguém aqui. Outra coisa é que do meio do nada você está falando diferente de novo, e quando você estava falando do véu você não parecia você pra mim. E outra ainda é nem pense que eu não estou percebendo que você está escapando de fininho pela tangente de quando eu perguntei se eu podia te perguntar de qual deformidade que você não está escondendo o fato de que está se escondendo aí embaixo desse negócio. A parte Funcionário de mim quer te dizer que se você não quiser responder é só dizer, mas não tente escapar assim e achar que pode me enrolar pra eu esquecer o que eu te perguntei."

"A parte OFIDE de mim diria que você está preso na vergonha da vergonha, em resposta a você, e que o círculo vergonhoso não te deixa estar *presente* de verdade pras tuas tarefas de Funcionário, Don. Você está mais encucado com a possibilidade de eu estar te tratando como alguém desinteligente e distraível do que com a incapacidade de uma residente se expor de uma vez e exercer abertamente o seu direito de se recusar a responder a uma pergunta incrivelmente íntima e sem relação com as drogas."

"E lá vem ela de novo falando que nem a porra de uma professorinha. Mas ignore essa parte. Não é isso. Olha só como você está tentando fazer o nosso diálogo ficar todo distraído com vergonhas e eus de novo em vez de dizer Sim ou Não pra minha pergunta Você pode me dizer o que te falta aí embaixo desse véu."

"Ah, mas o senhor é bom de se esconder, sr. G., o senhor é *bom*. Assim que a gente começa a futucar qualquer inadequação de que você se envergonha, olha lá, você se esconde atrás dessa máquina protetora de Funcionário da Casa e começa a futucar áreas que você *sabe* que eu não posso ter a capacidade de tratar com franqueza — já que você me fez contar tudo sobre a filosofia de ocultamento da OFIDE — de modo que a tua própria sensação de inadequação fique ou soterrada ou usada como uma retroiluminação pra destacar a minha própria incapacidade de ser aberta e franca. A melhor defesa é um bom ataque não é Sr. Futebol Americano."

"Hora da aspirina, agora, com esse monte de palavras. Você ganhou. Vá ficar vendo a neve cair em outro lugar."

"O negócio, sr. Funcionário, é que eu já me abri completamente sobre a minha vergonha e a minha incapacidade de ser aberta e franca sobre isso. Você está expondo uma coisa que eu já mostrei direto. É a tua vergonha de ter vergonha do que você teme que possa ser visto como falta de inteligência que está conseguindo ficar soterradinha por esse cachorro morto da minha deformidade em que você está tentando bater."

"E aí enquanto isso você ainda não disse um Sim ou um Não diretos pra Posso perguntar o que tem aí atrás, você é vesga ou tem tipo uma barba, ou você tem uma pele bem ruim aí embaixo apesar que a tua pele em tudo que é lugar que não está escondido é uma…"

"É uma o quê? A minha pele não oculta é uma o quê?"

"Está vendo, é assim que você fica tentando desviar em vez de simplesmente dizer Não pra Posso perguntar. É só dizer Não. Tente. É legal. Não vai acontecer nada ruim. Só tente e diga direto."

"Maravilha. Você ia dizer que cada pedacinho visível da minha pele é uma loucura de tão perfeito."

"Jesus, por que eu ainda estou aqui? Por que é que você não interfaceia sozinha se você acha que conhece todos os meus problemas, as minhas vergonhas e tudo que eu vou dizer? Por que não aceitar a sugestão de dizer Não? Por que vir aqui? Fui eu que fui atrás de você pra conversar? Será que eu não estava só sentadinho aqui tentando ficar acordado, escrever no Registro e me preparando pra ir limpar merda com um tarado por sapato e foi ou não foi que você entrou aqui toda faceira, sentou e veio falar comigo?"

"Don, eu sou perfeita. Eu sou tão linda que eu deixo qualquer um dotado de um sistema nervoso completamente louco. Depois de me ver o sujeito não consegue pensar em mais nada e não quer olhar pra mais nada e para de cuidar das suas responsabilidades normais e acha que se só ficar ali comigo o tempo todo tudo vai dar certo. Tudo. Tipo que eu sou a solução da profunda necessidade babujenta que eles têm de ficar unha e carne com a perfeição."

"E agora o sarcasmo."

"Eu sou tão bonita que sou deformada."

"Agora essa tiradinha desrespeitosa de me tratar como se eu fosse estúpido por tentar fazer ela encarar o medo de me dizer um Não direto, o que ela não está disposta a fazer."

"Eu sou deformada pela beleza."

"Quer ver a minha cara profissional de Funcionário então está aqui a minha cara de Funcionário. Eu sacudo a cabeça e sorrio, eu te trato como alguém que eu tenho que dar corda, sacudindo a cabeça e sorrindo, e por trás da cara eu estou dando voltinhas com o dedo em volta da têmpora tipo Coisa mais maluca, tipo Cadê a camisa de força."

"Acredite no que você quiser. Eu não tenho poder de mudar o que você pensa, eu sei."

"Veja o Funcionário profissional escrevendo no Registro de Medicamentos: 'Seis aspirinas extrafortes para Funcionário depois de sarcasmo e recusa esquivada de encarar medos e tiradinha sarcástica de novata que acha que sabe dos problemas de todo mundo'."

"Em que posição você jogava?"

"... que o Funcionário ficou pensando por que é que ela está aqui em tratamento então, se sabe tanta coisa."

Está começando a correr à boca pequena pela Casa Ennet que Randy Lenz encontrou seu próprio jeito de lidar com as bem conhecidas questões de Fúria e Impotência que acometem o viciado em drogas nos seus primeiros meses de abstinência.

As reuniões noturnas do AA ou do NA terminam às 2130h ou 2200h, e o toque de recolher é só às 2330, e todos os residentes da Casa Ennet em geral voltam de carona para a casa com quaisquer residentes que tenham carros, ou alguns deles saem de carro para ingerir doses maciças de sorvete e café.

Lenz é um dos uns que têm carro, um Duster velho muito modificado, com o que parecem disparos de calibre 12 de ferrugem em cima dos paralamas, com pneus traseiros enormes e um motor tão mexido para alcançar velocidades de tirar o fôlego que é um pequeno milagre ele ainda ter a documentação.

Lenz põe o primeiro mocassinzinho para fora da Casa Ennet só depois do pôr do sol, e aí só com a peruquinha e o bigode brancos e um sobretudão enfunado de lapela alta, e só vai às reuniões noturnas obrigatórias; e o negócio é que ele nunca vai com o seu carro para as reuniões. Ele sempre pega carona com alguém e aumenta a lotação do carro deles. E aí ele sempre tem que sentar no canto mais ao norte do carro, por algum motivo, usando uma bússola e um guardanapo para traçar a rota daquela noite e seu sentido geral de orientação e aí determinar em que assento ele vai ter que ficar para ficar maximizadamente setentrional. Tanto Gately quanto Johnette Foltz já tiveram que estabelecer uma rotina noturna de lembrar aos outros residentes que Lenz está lhes propiciando valiosas lições de paciência e tolerância.

Mas aí depois que a reunião acaba, Lenz nunca pega carona com ninguém. Ele sempre volta a pé para a Casa depois das reuniões. Ele diz que a questão é que ele precisa do ar, depois de ter ficado trancado na Casa cheia de gente o dia todo e evitando as portas e janelas, se escondendo dos dois lados do Sistema de Justiça.

Aí numa quarta-feira depois da reunião do AA Jovem de Brookline perto de Chestnut Hill ele leva até 2329 para chegar em casa, quase duas horas, ainda que seja uma meia horinha a pé e até Burt Smith tenha feito o trajeto em setembro em menos de uma hora; Lenz volta bem no toque de recolher e sem dizer uma palavra para ninguém entra direto no quarto dele, de Glynn e de Day, sobretudo Polo enfunado e peruca empoada soltando pó, suando, fazendo um estardalhaço inaceitável de sapato de classe subindo correndo a escada desacarpetada da ala dos homens, coisa que Gately não teve tempo de subir para corrigir por ter que lidar com o fato de que Bruce Green e Amy J. separadamente perderam ambos o toque de recolher.

Lenz à solta na noite urbana, solo, quase toda noite, às vezes levando um livro.

Os residentes que parecem fazer questão de sair muitas vezes sozinhos recebem uma marquinha vermelha na Reunião de Quinta de Todos os Funcionários no escritório da Pat como claros riscos de recidiva. Mas eles fizeram urinas-surpresa no Lenz cinco vezes, e nas três vezes em que o laboratório não ferrou com o teste de TIEM a urina de Lenz deu limpa. Gately basicamente decidiu simplesmente deixar Lenz em paz. O Poder Superior de alguns novatos é tipo a Natureza, o céu, as estrelas, o cheiro de moeda fria no ar do outono, vai saber.

Então Lenz à solta na noite, desacompanhado e disfarçado, aparentemente passeando. Ele dominou a malha viária estrábica das ruas em torno de Enfield-Brighton-Allston. South Cambridge, East Newton, North Brookline e o horrendo Spur. Ele volta das reuniões para casa por ruelas menores, basicamente. Ruas de casas baratas e entupidas de lixeiras e entradas de conjuntos habitacionais que viram becos, passagens sebosas por trás de lojas, lixeiras, depósitos e docas de carga e hangares-baleias da Deslocamento de Resíduos Empire etc. O mocassim dele tem um brilho desgraçado e faz um elegante estalido dançarino no que ele caminha com as mãos nos bolsos e sobretudo aberto e esvoaçante, procurando. Ele passa várias noites procurando até perceber por que ou o que pode estar buscando.[224] Ele se move noturnamente pelo território dos animais urbanos. Gatos domésticos libertados e vira-latas hard-core se expurgam das sombras e nelas se dissolvem, sussurram nas lixeiras, fodem e lutam com ruídos infernais em torno dele enquanto ele caminha com os sentidos muito aguçados na noite classe baixa. Rola rato, camundongo, cachorro de rua de língua de fora e costelas visíveis. De repente um ou outro hamster e/ou guaxinim selvagem. Tudo esquivo e furtivo depois do sol-posto. Também cachorros com dono que estalam as correntes ou uivam ou avançam, quando ele passa pelos quintais que têm cães. Ele prefere se mover rumo norte mas aceita se mover rumo leste ou oeste pelos lados bons das ruas. O estalido elegante do seu sapato o precede por várias centenas de metros sobre cimentos de texturas várias.

Por vezes perto de canos de esgoto ele vê ratos de respeito, ou por vezes perto de lixeiras desgatificadas. A primeira coisa consciente que ele fez foi com um rato uma vez que ele deu com uns ratos num beco largo L-O perto das docas de carga lá atrás da Cia. de Unhas Svelte logo a leste de Watertown na N. Harvard St. E que noite aquela. Foi na volta de East Watertown, o que significava Mais Será Revelado do NA com Glynn e Diehl em vez do Antes Tarde Do Que Nunca do AA no St. E. com o resto do rebanho da Casa, então era segunda. Então numa segunda-feira ele estava passeandinho lá por esse tal beco, com os passos ecoando tremulantes nas laterais de cimento das docas e no muro norte que ele acompanhava de perto, procurando

552

sem saber o que buscava. Lá na frente tinha a forma estegossáurica de uma lixeira da Cia. Svelte assim tipo versus a lixeira normal tipo DRE. Vinham uns sons secos e macambúzios da sombra da lixeira. Ele não tinha conscientemente sacado nada. A superfície do beco estava se desintegrando e Lenz mal perdeu seu passo dançarino ao apanhar um pedaço de concreto rajado de asfalto. Eram ratos. Dois ratos grandes atacavam uma salsicha semicomida numa bandejinha de papel mostardejado que havia caído de um furgão de comida de rua ali num recesso entre o muro norte e a alça da lixeira. Aqueles rabos rosa horríveis espetados na luz fraca do beco. Eles não se mexeram quando Lenz surgiu por trás deles nas pontinhas dos mocassins. Os rabos deles eram carnudos, carecas e meio que se contorciam de um lado para o outro, se contorciam entrando e saindo da fraca luz amarela. O pedação de superfície achatada caiu em cima de um rato quase inteiro e em uma parte do outro. Houve uns guinchos-piadinhos horrorosos, mas o impacto principal no primeiro rato também fez um barulho sólido e significativo, uma combinação auditiva de um tomate arremessado contra a parede e um relógio de bolso sendo atacado com um martelo. Saiu um material pelo ânus do rato. O rato ficou caído de lado num estado clínico grave, com o rabo se contorcendo e com o material anal, e havia uns pontinhos de sangue nos bigodes dele que pareciam pretos, os pontinhos, sob as luzes de segurança de sódio ao longo do teto da Cia. Svelte. O flanco do rato arfava; as pernas de trás se mexiam como se ele estivesse correndo, mas aquele rato não ia a lugar algum. O outro rato tinha desaparecido embaixo da lixeira, arrastando sua região traseira. Havia mais pedaços desmantelados de rua por toda parte. Quando Lenz soltou outro na cabeça do rato ele conscientemente descobriu que o que gostava de dizer no momento de resolução dos problemas era: "*Isso*".

Desmapear ratos virou o jeito de Lenz resolver problemas tipo internos naquelas primeiras semanas, indo a pé para casa no escuro verminoso.

Don Gately, chef e responsável pelas compras da Casa, compra umas caixas enormes tamanho econômico de sacos Hefty[225] que ficam guardadas embaixo da pia da cozinha para quem quer que tenha ficado com o Lixo como tarefa da semana. A Casa Ennet gera detritos em quantidade respeitável.

Então depois que as pragas urbanas começaram a ficar meio nada-a-ver e insignificantes, Lenz começa a afanar um desses sacos que ficam embaixo da pia e a levar o saco com ele para as reuniões e para caminhada de volta com ele. Ele guarda um saco de lixo bem dobradinho num bolso interno do sobretudo, um modelo Lauren-Polo enfunado e de lapela alta que ele adora e no qual usa um papa-fiapos diário. Ele também leva com ele um pouco do atum da Reserva de Provisões da Casa num saquinho Zip-loc em outro bolso, sendo que o drogado médio tem alta competência em enrolar saquinhos em forma cilíndrica para eles ficarem bem fechados e inodoros.

Os residentes da Casa Ennet chamam os sacos Hefty de "Mala de Irlandês" — até o McDade — é um termo de rua.

Randy Lenz descobriu que se conseguir chegar perto o bastante de um gato urbano com um pouco de atum estendido na mão ele consegue meter o saco por cima do bicho e catar aquilo tudo por baixo para o gato ficar no ar e no fundo do saco, e aí conseguia amarrar bem direitinho o saco com o araminho de torcer que vinha junto com cada saco. Ele podia colocar o saco fechado perto do muro ou cerca ou da lixeira mais setentrionais da vizinhança e acender um careta e se agachar perto do muro para ficar assistindo à variedade de formas mutáveis que o saco assumia enquanto o gato agitado ia ficando com menos ar. As formas ficavam cada vez mais violentas e retorcidas e em-pleno-ar com a passagem de um minuto. Depois que ele parava de assumir formas Lenz punha um dedo salivado na ponta da bituca para guardar o resto para mais tarde, levantava, soltava o araminho, olhava para dentro do saco e dizia: "*Isso*". O "*Isso*" acabou se revelando crucial para a sensação de estilhaçamento, resolução e finalização de problemas de fúria impotente e medo ineficaz que tipo iam crescendo em Lenz o dia inteiro por ficar preso nas porções nordeste de uma casa de recuperação miserável o dia inteiro com a vida em risco, Lenz sentia.

Acabou se criando para Lenz uma certa hierarquia de esportista dos tipos de gatos e bairros de tipos desses gatos à solta; e ele se torna um expert em gatos da mesma maneira que um mergulhador que pratica caça-submarina conhece as espécies de peixes que lutam mais violenta e empolgantemente por suas vidas marinhas. Os melhores e mais furiosamente vivos dos gatos normalmente conseguiam rasgar uma saída no saco, no entanto, o que criava um certo paradoxo em que os que mais valia a pena ver assumindo posições ensacadas eram os com que Lenz arriscava não ver os seus problemas resolvidos. Ver um gato gritante de pelo eriçado em lanças correr se retorcendo ainda meio embrulhado num saco plástico fazia Lenz admirar o espírito de luta do bicho mas ainda se sentir irresolvido.

Então o próximo estágio é que Lenz dá à srta. Charlotte Treat ou à srta. Hester Thrale um pouco do seu próprio $ quando elas vão até o Palace Spa ou ao Pai/Filho para comprar cigarros ou balinhas e faz elas começarem a comprar para ele uns sacos de lixo Hefty especiais SteelSak,[226] reforçados com fibras para aquelas necessidades lixísticas especialmente pontiagudas ou rebeldes, descritos por Ken E. como "Louis Vuitton de Irlandês", extrarresistentes e de um tom sério e profissional de cinza-revólver. Lenz tem uma tamanha panóplia de estranhos hábitos compulsivos que um pedido de SteelSaks mal faz alguém ali erguer uma sobrancelha.

E então ele dobra os sacos reforçados especiais e emprega limpadores de charuto versão industrial como araminhos, e aí agora os gatos mais rascantes e salutares fazem os sacos dobrados assumirem tudo quanto é forma retorcida amalucadamente abstrata, até às vezes levando os sacos fechados alguns m beco abaixo de uma maneira fortuita e saltitante, até que finalmente o gato fica sem combustível e se apaga junto com os problemas de Lenz numa única forma noturna.

O intervalo preferido de Lenz para isso é o intervalo de 2216h a 2226h. Ele não sabe conscientemente por que esse intervalo. Anchovas acabam se revelando mais eficientes que atum. Um Programa de Atração, ele relembra tranquilamente, passeandinho. Suas rotas setentrionais de volta à Casa são restritas pela prioridade que é manter o display de Hora e Temperatura do teto do banco Brighton Best Savings visível sempre que possível. O BBS mostra tanto o horário da Costa Leste quanto a referência de Greenwich, o que Lenz aprova. Os dados de cristal líquido meio que sobem derretidos para o display e aí somem de baixo para cima e são substituídos por novos dados. O sr. Doony R. Glynn disse na Reunião Comunitária de Segunda na Casa uma vez que uma vez em 1989 AD depois de ter tomado uma quantidade imprudente de um alucinógeno a que ele se referia apenas como "A Madame" ele tinha passado várias semanas subsequentes andando sob um céu de Boston que em vez de ser uma abóbada azul docemente curva com aquelas nuvens, estrelas e o sol e tal era uma malha plana quadrada e gelidamente euclidiana com eixos negros e um xadrez de linhas finíssimas que criava como que coordenadas numa malha, com toda a malha da mesma cor de um monitor HD de DEC quando o monitor está desligado, aquele tipo de verde-acinzentado morto de águas profundas, com o contador do DOW correndo para cima por um lado da malha e o Índice NIKEI correndo para baixo pelo outro, e a Hora e a Temp. Celsius tipo em muitos pontos decimais que piscavam pelo eixo de baixo da tela do céu, e toda vez que ele ia até um relógio de verdade ou pegava um *Herald* e verificava tipo o DOW a malha do céu revelava estar totalmente precisa; e que várias semanas ininterruptas desse céu sobre ele tinham deixado Glynn primeiro no sofá-cama do apartamento da mãe em Stoneham e depois no Metropolitan State Hospital para um monte de Haldol[227] e tapioca, para sair debaixo do céu preciso, malhado e vazio, e diz que ele fica com a bunda molhada até hoje só de pensar no período-da-malha; mas Lenz tinha achado aquilo legal pacas, o céu como um relógio digital. E também entre 2216 e 2226 os ventiladores ATHSCME gigantes e audíveis lá no Sunstrand Plaza normalmente ficavam desligados para a retirada diária de fiapos, e tudo ficava quieto a não ser pelo grande Ssshhh do tráfego veicular de toda uma cidade urbana, e de repente um ou outro veículo aéreo da DRE catapultado rumo-ao-Recôncavo, com aquela fieirazinha de luzes num arco noroeste; e claro também as sirenes, tanto as eurotrocaicas das ambulâncias quanto as normais com som dos EUA, Protegendo e Servindo, mantendo os cidadãos à distância; e o mais cativante das sirenes na noite urbana é que a não ser que elas estejam bem pertinho já onde as luzes te mergulham no vermelho-azul-vermelho elas sempre soam como se estivessem terrível e dolorosamente longe, e se afastando, te conclamando por sobre um abismo que se abre. Ou isso ou elas estão na tua cacunda. Não há distância média com as sirenes, Lenz reflete, caminhando e procurando.

Glynn não tinha vindo assim do nada e dito *euclidiano*, mas Lenz tinha entendido direitinho. Glynn tinha cabelo ralo, uma invariável barbinha grisalha de três dias e uma diverticulite que fazia ele ficar meio dobrado, e sequelas tipo físicas mesmo de uma carga de tijolos que caiu na cabeça dele de um golpe no Seguro de Saúde da construtora que deu com os urros n'água que incluíam olhos vesgos que Lenz entreouviu aquela menina velada Joe L. dizer para Clenette Henderson e Didi Neaves que o cara era tão vesgo que podia ficar parado na quarta-feira e enxergar os dois domingos.

Lenz ficou chapado de cocaína orgânica, duas ou três, quem sabe coisa de meia dúzia de vezes no máximo, em segredo, desde que entrou na Casa Ennet no verão, só um número de vezes que evitasse que ele pirasse completamente, utilizando carreiras de um estoque particular de emergência que ele guarda numa espécie de bunker retangular cortado a navalha de cerca de trezentas e tantas páginas do colossal volume de letras grandes dos *Princípios de Psicologia e As Conferências Gifford sobre Religião Natural* do Bill James. Essas ingestões de substâncias assim tão totalmente ocasionais numa casa detonada e mal provida de relógios onde ele está mocozado e sofrendo um estresse terrível o dia todo todo dia, se escondendo de ameaças provindas de duas direções legais diferentes, com, lá no primeiro andar o tempo todo, clamando por ele, um estoque de 20 gramas do pouco noticiado golpe de mão-dupla no South End cujo próprio destino infeliz tinha forçado ele a se esconder na miséria e a coabitar com gentinha como o merda do Geoffrey D. — uma ingestão de cocaína assim tão ocasional e tábua-de-salvação é uma redução tão considerável nos padrões de Uso & Abuso de Lenz que se trata de um milagre digno de beatificação e claramente constitui uma sobriedade tão miraculosa quanto a abstinência total seria para uma outra pessoa sem as sensibilidades singulares e a constituição psicológica de Lenz e aquela merda daquele estresse insuportável todo dia e a dificuldade de relaxar, e ele aceita as suas fichas mensais de consciência limpa e com a cabeça nada turva de dúvidas: ele sabe que está sóbrio. E ele lida com isso de um jeito inteligente: ele nunca ingeriu cocaína nas caminhadas solo das reuniões para casa, que é quando os Funcionários esperam que ele fosse ingerir se ele fosse ingerir. E nunca na própria Ennet, e só uma vez no proibido nº 7 do outro lado da estradícula. E qualquer pessoa que tenha meia-noção é capaz de passar a perna num exame de urina de TIEM: uma xícara de suco de limão ou de vinagre goela abaixo vai ferrar com as leituras todas do laboratório; um vestigiozinho de alvejante em pó na ponta dos dedos e deixar o jato brincar morninho na ponta dos dedos no caminho do pote enquanto você tagarela com Don G. Um cateter externo é um saco de encontrar xixi para pôr dentro e de usar, fora que o tamanho indecente do receptáculo daquela coisa para a Unidade dele deixa Lenz com problemas de inadequação, e ele só usou aquilo duas vezes, nos dois casos quando Johnette F. colheu a urina e ele conseguiu fazer ela ficar com vergonha e olhar para o outro lado. Lenz tem um externo desses desde a sua última casa de recuperação em Quincy, no que Lenz lembra como Ano do Quietão Maytag.

E aí aconteceu que, quando um gato irritou Lenz arranhando o seu pulso de maneira particularmente hostil a caminho do receptáculo, que SteelSaks Hefty duplos eram uns produtos tão bem reforçados que conseguiam conter uma coisa com garras de navalha e freneticamente móvel e ainda sobreviver a uma pancada direta lançada contra uma placa de ESTACIONAMENTO PROIBIDO ou um poste telefônico sem se dilacerar, mesmo quando o que estava lá dentro se dilacerava bem direitinho; e então essa técnica foi implantada em torno do Dia das Nações Unidas, porque mesmo sendo rápida demais e menos meditativa ela permitia que Randy Lenz tomasse parte mais ativamente do processo, e a sensação de (temporária, noturna) resolução de problemas era mais definitiva quando Lenz podia golpear firmemente um poste com um fardo de dez quilos e dizer: "*Isso*", e ouvir um som. Em noites bônus o saco duplo continuava por um breve período de tempo a passar por um sutil fluxo de formas menores, mais sutis e gourmets, mesmo depois do som melancioso do impacto duro, junto com outros sons menores.

Aí descobriu-se que resolver essas coisas diretamente dentro dos quintais e varandas das pessoas que eram suas donas propiciava maior excitação adrenal e assim uma sensação maior do que o Bill James chamava de uma *Catarse* de resolução, com o que Lenz sentia que podia concordar. Uma latinha de óleo no seu próprio saquinho, para portões rangentes. Mas como os sacos de lixo SteelSak — e aí ainda atum misturado com anchovas e mata-formigas Raid tirado de trás da geladeira dos residentes da Ennet — geravam um excesso de ruídos resultantes que não permitia acender um careta e se agachar para assistir meditativamente, Lenz desenvolveu o hábito de dar início à resolução e aí se mandar do quintal rumo à noite urbana, sobretudo Polo enfunado, saltando cercas e correndo por sobre os capôs dos carros e etc. Por um certo período durante o intervalo de duas semanas de dar-atum-envenenado-e-correr Lenz recorreu brevemente a um frasquinho tipo spray de querosene da marca Caldor, fora claro o isqueiro; mas numa noite de quarta em que o gato aceso correu (como gatos acesos hão de correr, pra diabo) mas correu atrás de *Lenz*, aparentemente, saltando as mesmas cercas que Lenz pulava e ficando na cola dele e não só fazendo um estardalhaço inaceitável e chamador-de-atenção mas também iluminando Lenz para os olhos escopofóbicos dos lares do caminho até ele finalmente decidir cair no chão e expirar e virar brasa ali mesmo — Lenz considerou este o seu único momento de risco e pegou uma rota enorme e parcialmente não setentrional para casa, com tudo quanto era sirene soando bem ali do ladinho da sua caveira pessoa, e mal conseguiu chegar às 2330h, e correu direto para o quarto masculino de 3. Foi nessa noite que Lenz teve que recorrer mais uma vez à cavidade ocada no seu *Princípios de Psicologia e As Conferências Gifford sobre Religião Natural* depois de chegar em cima da hora para o toque de recolher em casa, porque quem é que não ia precisar de uma relaxada depois de uma situação estressante tipo de-risco com um gato em chamas correndo atrás de você e gritando de um jeito que fez tudo quanto era luz de varanda acender por toda a Sumner Blake Rd.; só que mas em vez de ser uma relaxada as coisas de poucas carreirinhas de Bing não malhado nessa ocasião provaram ser uma *des*-relaxada — o que acontece, às vezes, dependendo tipo da condição espiritual da pessoa quando ela ingere aquilo através de uma nota de dólar enrolada em cima da tampa da privada no banheiro dos homens — e Lenz mal conseguiu trocar o carro estacionado de vaga às 2350h antes da torrente verbal começar, e depois da hora de apagar as luzes mal tinha chegado aos oito anos na autobiografia oral que se seguiu no quarto de 3 quando Geoff D. ameaçou descer para ir buscar Don G. e fazer alguém amordaçar o Lenz à força, e Lenz ficou com medo de descer para encontrar alguém para ouvir e assim pelo resto da noite teve que ficar ali deitado no escuro, mudo, com a boca se contorcendo e se revirando — ela sempre se contorcia e se revirava nas vezes em que o Bing se provava um espevitador em vez de um aparador-de-arestas — e fingindo que estava dormindo, com fosfenos que nem chamas altas que saltavam e dançavam por trás das pálpebras trêmulas, ouvindo os gorgorejos úmidos da apneia de Day e pensando que cada sirene à solta lá fora na cidade urbana estava atrás dele e chegando mais perto, com o mostrador iluminado do relógio de Day na porra da gaveta da mesinha de cabeceira em vez de estar fora onde alguém com um pouquinho de estresse e ansiedade pudesse ver as horas de tempo em tempo.

Então depois do incidente com o gato em chamas dos infernos e antes do Dia das Bruxas Lenz tinha dado um passo à frente e além para a Browning X444 Serrilhada que ele até tinha um coldre de ombro, da sua vida anterior Lá Fora. A Browning X444 tem um comprimento total de 25-cm, com um cabo de nó de nogueira com arremate de latão e uma ponta tipo clipe que Lenz tinha afiado quando comprou e uma lâmina Bowie de um gume com serrilhas de 0,1-mm para as quais Lenz tem um amolador e que ele testa barbeando a seco um pedacinho do seu antebraço bronzeado, coisa que ele adora.

A Browning X444, combinada com blocos do portabilíssimo bolo de carne guarnecido de flocos de milho de Don Gately, era para cães, que esses cães urbanos tendiam a ser não selváticos e podiam ser encontrados dentro dos limites do confinamento estabelecido pelas cercas dos quintais dos donos de um jeito mais regular que as espécies de gatos urbanos, e suspeitam menos da comida e, se bem que eles são mais tipo um risco de ferimento pessoal quando você chega perto, não arranham o prato em que comem.

Pois quando o denso quadrado de bolo de carne é retirado e desembrulhado de dentro do Zip-loc e oferecido da beirinha do quintal por cima da cerca da calçada, o cachorro em questão invariavelmente para de latir e/ou saltar contra a cerca e o nariz dele se abre e ele fica totalmente acínico e amistoso e vem até onde a corrente deixa ele chegar ou a cerca onde Lenz está e faz uns barulhos de quem está interessado e se Lenz segurar o item carnudo em questão logo além do limite do cachorro o cachorro se a corda ou a corrente permitirem vai se pôr nas patas traseiras e meio que tocar a cerca como se fosse um piano com as patas da frente, pulando ansioso, enquanto Lenz sacode a carne.

Day tinha um livrinho que ele estava lendo disso de Problemas-de-Recuperação que Lenz deu uma olhada uma noite no quarto deles quando Day estava no térreo com Ewell e Erdedy contando aquelas histórias da carochíssima lá deles, deitado no colchão de Day sem tirar o sapato e tentando peidar no colchão o máximo possível: uma frase do livro tinha chamado a atenção de Lenz: alguma coisa sobre que quanto mais basicamente Impotente o indivíduo se sente, maior a propensão dele para gestos violentos — e Lenz viu que a observação era justa.

A única dificuldade complexa para a utilização da Browning X444 é que Lenz tem que tomar cuidado e se colocar atrás do cachorro antes de cortar a garganta do cachorro, porque o sangramento é de grande escopo no que se refere à sua intensidade, e Lenz já está no segundo sobretudo R. Lauren e na terceira calça de lã escura.

Aí uma vez perto do Halloween num beco atrás da loja de bebidas Blanchard's perto da Union Square de Allston Lenz topa com um bêbado de rua com um casacão velho com cara de mastigado na ruela deserta dando uma mijada pública na lateral de uma lixeira, e Lenz envisualiza o velho tanto todo retalhado quanto em chamas e dançando saltitante e batendo nas roupas enquanto Lenz diz *"Isso"*, mas isso foi o mais perto que Lenz chegou desse tipo de resolução; e é talvez um crédito para ele o fato dele ter ficado meio fora da onda psíquica uns dias depois desse momento de risco, e inativo com bichinhos perto das 2216h.

Lenz não tem nada muito contra esse outro novo residente, Bruce Green, e quando um domingo à noite depois do Bandeira Branca Green pergunta se pode voltar a pé com Lenz na caminhada de volta depois do Pai-Nosso Lenz diz Cê que Sabe e deixa Green caminhar com ele, e fica inativo também durante o intervalo das 2216 dessa noite. Só que depois de umas noites de Green passeandinho com ele na volta para casa, primeiro depois do Bandeira Branca e depois do São Columba na terça e na sessão dupla de 1900-2200 do Carinho É Dividir do NA do St. E. e depois do JdeB na qua., Green andando atrás dele que nem um terrier de reunião em reunião e aí para casa, começa tipo a emergir em Lenz que Bruce G. está começando a tratar essa coisa de andar-pela-noite-urbana-com-Randy-Lenz como uma coisa tipo normal, e Lenz começa a surtar, pelos problemas irresolvidos de Fúria Impotente que o negócio agora é que ele ficou de um jeito que ele está acostumado a resolver meio que toda noite, então ficar incapaz de se ver livremente sozinho para estar ativo com a Browning X444 ou até com um SteelSak durante o intervalo 2216h-2226h faz essa pressão aumentar que nem quase uma pressão nível Abstinência. Mas pelo segundo lado, andar com Green tem lá os seus lados positivos também. Tipo que o Green não reclama de desvios compridos para manter fundamentalmente uma orientação norte/nordeste nas caminhadas sempre que possível. E Lenz gosta de ter um ouvido tolerante e ouvinte por perto; ele tem numerosos aspectos e experiências para refletir e problemas para organizar e refletir, e (como muitas pessoas pré-programadas para estimulantes orgânicos) falar é meio que o jeito de Lenz pensar. E mas quase todos os ouvidos dos outros residentes da Ennet são não só intolerantes como estão pendurados do lado de umas boconas orais boquejantes que ficam buzinando no meio da conversa com as opiniões e os problemas e aspectos da própria boca — a maioria dos residentes é o pior tipo de ouvinte que Lenz já viu na vida. Bruce Green, pelo lado positivo, mal abre a boca. Bruce Green é calado como certos sujeitos tipo boa-praça que você quer ter ali com você do seu lado se começar uma treta são quietos, tipo contidos. E ao mesmo tempo Green não é tão calado e irresponsível tipo que nem certas pessoas quietas que você começa a pensar se elas estão ouvindo com um ouvido tolerante ou se estão viajando geral com os seus próprios pensamentos autocentrados e não estão nem ouvindo o Lenz etc., tratando o Lenz como uma rádio que dá para sintonizar e dessintonizar. Lenz tem uma antena afiada para achar esse tipo de gente e as ações deles vivem em baixa no seu mercado. Bruce Green insere afirmações contidas e "Não-fodes" e "Do-caralhos" etc., bem na hora certa para comunicar a sua atenção a Lenz. O que Lenz admira.

Então não é que Lenz só queira se livrar de Green e mandar ele ir cuidar da vida e deixar ele sozinho, caralho, depois das Reuniões para ele poder andar solo. A coisa tinha que ser feita de um jeito mais diplomático. Fora que Lenz se vê nervoso diante da possibilidade de ofender Green. Não é que ele tenha medo de Green em termos de tipo fisicamente. E não é que ele fique preocupado que Green seja o tipo à la Ewell ou Day que você tem que ficar estressado se preocupando se eles não vão de repente ir dedar o lugar dos paradeiros de Lenz para os Homens e coisa e tal. Green tem um fortíssimo ar de não dedurância que Lenz admira. Então não é que ele tenha medo de se livrar de Green; é mais complicado e tenso.

Fora que Lenz fica agitado com essa sensação de que na boa nem ia fazer tanta diferença para Green de um jeito ou de outro, e que Lenz sente que está consumindo todo esse estresse se preocupando tensamente com esse lado de uma coisa em que Green mal ia pensar por mais de uns segundos, e Lenz fica enfurecido por poder saber na sua cabeça que a preocupação tensa sobre como diplomatizar o Green para ele se mandar é desnecessária e uma perda de tempo e de tensão e ainda assim não consegue parar de se preocupar com isso, que isso tudo junto só aumenta a sensação de Impotência que Lenz não tem potência para resolver com a Browning e o bolo-de--carne enquanto Green continuar a voltar para casa com ele.

E os gatos esquizoides de pelo emaranhado que espreitam a Ennet tudo enco-lhidos e neuróticos e com medo da própria sombra são arriscados demais, porque as residentes vivem formulando afeições por eles. E os golden retrievers da Pat M. se-riam o equivalente de um araqueri jurídico. Num sábado c. 2221h, Lenz encontrou um passarinho em miniatura que tinha caído de algum ninho e estava lá careca e com um pescoço de lápis no gramado da Unidade nº 3 batendo as asas sem efeito, e entrou com Green e despistou Green e saiu de novo para o gramado da nº 3, pôs a coisinha no bolso, entrou e meteu o bicho no ralo do triturador da pia da cozinha, mas ainda ficou se sentindo basicamente impotente e irresolvido.

Fora o escritório dianteiro com bay window de Pat Montesian e o escritório dos fundos da Gerente da Casa, que tem o tamanho de uma cabine telefônica, e os dois quartos dos Funcionários lá no porão, nenhuma das portas dentro da Casa Ennet tem fechaduras, por motivos previsíveis.

COMEÇO DE NOVEMBRO
ANO DA FRALDA GERIÁTRICA DEPEND

A única coisa efetivamente chantageável de Rodney Tine, Chefe, Escritório de Serviços Aleatórios dos EU: sua régua métrica especial. Em uma gaveta trancada dos armários do banheiro da sua casa na Connecticut Ave., NW, no Distrito fica guardada uma régua métrica especial, e Tine mede o pênis toda manhã, como um relogi-nho; desde os doze anos; ainda faz. Fora um modelo especial telescópico de viagem da régua que ele leva nas viagens, para medições penianas matutinas na-estrada. O

560

presidente não tem uma ASN[228] propriamente dita. Tine está na Grande Boston por causa das implicações tipo SN do motivo original deles terem vindo aos Serviços Aleatórios dois anos atrás, tanto o cabeça do DEA quanto o presidente da Academia de Artes e Ciências Digitais, agora os dois estavam se mexendo irrequietos e retorcendo as abas dos chapéus. Esse cartucho-de-Entretenimento underground inassistível que de início parecia estar pipocando ao acaso em pontos quaisquer? Um filme com certas deu-se-lhe a entender nos relatórios "qualidades" tais que quem o assistia não queria mais nada da vida além de assistir de novo, e aí de novo, e assim por diante. Ele tinha aparecido em Berkeley, NCA, na casa de um acadêmico cinematográfico e do seu companheiro, nenhum dos quais apareceu nos compromissos de vários dias seguintes; e agora perdidos para toda e qualquer atividade humana dotada de sentido daqui por diante, por tudo que se possa determinar, o acadêmico e o companheiro, os dois policiais que foram enviados até a casa deles em Berkeley, os seis policiais enviados depois que os dois policiais não deram retorno do Código-Cinco, o sargento de plantão e o parceiro enviados em busca deles — dezessete policiais, paramédicos e técnicos de teleputação ao todo, até que a letalidade da coisa qualquer que eles tivessem entrevisto se apresentou com clareza suficiente para que alguém pensasse em dar a volta pelos fundos e cortar a luz da casa de Berkeley. O Entretenimento tinha aparecido em New Iberia, LA. Tempe AZ tinha perdido dois terços dos frequentadores de um festival de cinema de vanguarda no anfiteatro de Estudos de Entretenimento da Univ. Arizona State antes de um zelador de cabeça-fria desligar a luz do prédio todo. J. Gentle tinha sido informado da situação só depois que ele tinha aparecido e eliminado um adido médico do Oriente Próximo e uma dúzia de vítimas colaterais aqui em Boston, MA, agora no fim da primavera. Pessoas essas agora todas sob cuidados médicos. Dóceis e continentes mas vazias, como que ocadas em algum nível profundo cérebro-reptiliano. Tine tinha visitado uma ala psiquiátrica. O sentido da vida das pessoas tinha se reduzido a um foco tão estreito que nenhuma outra atividade ou conexão conseguia prender a atenção delas. Dotadas basicamente das energias mentais/espirituais de uma mariposa, agora, segundo o diagnóstico de um médico do CCD. O cartucho de Berkeley tinha desaparecido de uma Sala de Provas da polícia de São Francisco onde um exame de microscopia-de-elétrons revelou fibras de flanela. O DEA tinha perdido quatro pesquisadores de campo e um consultor antes de se curvar aos problemas incontornáveis que a tentativa de fazer alguém assistir ao cartucho confiscado em Tempe e articular os encantos letais daquela coisa envolvia. O uso dos termos mais fortes que se possam imaginar tinha sido necessário para conter um certo cantor de Voz de Veludo que queria empreender uma análise pessoal das qualidades da coisa. Nem o CCD nem os profissionais do ramo do entretenimento queriam participar de qualquer tipo de testes de espectação controlada. Três membros da academia de ACD tinham recebido cópias sem etiquetas pelo correio, e o único que realmente sentou para dar uma olhada agora precisava de um receptáculo embaixo do queixo o tempo todo. Relatos da coisa aparecendo mais uma vez na Grande Boston, MA, permaneciam inconclusivos. Tine foi enviado para cá em parte para coordenar a verificabilização. Há também a planilha especial espiral de bolso em que ele regis-tra as medições penianas matinais, diariamente, ainda que para os não iniciados o caderninho de couro possa parecer absolutamente qualquer coisa estatística. A essa altura várias cobaias do USO, voluntários dos sistemas penais federal e militar, foram perdidos em tentativas de produzir uma descrição dos conteúdos do cartucho. Os cartuchos de Tempe e New Iberia estão sob custódia, em cofres. Um Anspeçada sociopata e mentalmente retardado de Leavenworth, amarrado a uma maca com apliques de eletrodos e um gravador preso à cabeça, foi capaz de relatar que a coisa aparentemente se abre com uma tomada cinematográfica atraente e de alta quali-dade de uma mulher velada passando pela porta giratória de um grande edifício e entrevendo brevemente outra pessoa na porta giratória, alguém cuja visão faz seu véu se enfunar, antes que as energias mentais e espirituais do sujeito abruptamente declinassem a ponto de que mesmo voltagens quase-fatais transmitidas pelos ele-trodos não desviavam sua atenção do Entretenimento. Dúzias de sugestões tinham passado pelo crivo da equipe de Tine antes de se decidir que o nome econômico que a comunidade de Inteligência daria ao entretenimento supostamente escravizador seria "o *samizdat*". As tomografias dos sujeitos sacrificados revelaram uma atividade de ondas nada incomum, com uma quantidade de sinos alfa que estava longe de indicar a hipnose ou de induzir grandes influxos de dopamina. Tentativas de deduzir a matriz do *samizdat* sem assisti-lo —indutivamente, a partir de códigos de endere-çamento postal, microscopias-e dos envelopes de papel pardo forrados com plástico bolha, imolação e cromatografia dos estojos não etiquetados dos cartuchos, extensas e enlouquecedoras entrevistas com os civis expostos — determinam que o ponto provável de disseminação está em algum lugar ao longo da fronteira norte dos EU, com pontos de distribuição na Grande Boston/New Bedford e/ou em algum local do sudoeste deserto. O problema canadense dos EU é província especial da Agência An-tiatividades-Anti-ONAN[229] do ESAEU. Por assim dizer. A possibilidade do envolvimento canadense na disseminação do Entretenimento letalmente atraente é o que trouxe à Grande Boston Rodney Tine, seu séquito e sua régua.

FIM DA NOITE. SEGUNDA-FEIRA 9 DE NOVEMBRO ANO DA FRALDA GERIÁTRICA DEPEND

Por motivos de que Pemulis não fazia nem a mais remota, Ortho Stice aparen-temente estava lá dentro da sala da dra. Dolores Rusk, interfaceando com a dra. Rusk bem depois do expediente. Pemulis se deteve diante da porta no que passava.

"... liação técnica, depois de tudo que a gente já trabalhou no teu medo de al-tura, seria que esse pequeno distúrbio atual, Ortho, como no caso de muitos homens e atletas, vem de você estar sofrendo de uma contrafobia."

"Medo de linóleo?" Era inequivocamente aquele tom anasalado do Trevas ali do outro lado da porta de madeira.

"No nível dos objetos e de uma projetada onipotência pueril em que você vivencia um pensamento mágico sobre o seus pensamentos e o comportamento da relação dos objetos com os seus desejos narcisísticos, a contrafobia se apresenta como a ilusão da presença de algum agente especial de controle que compensasse algum trauma interior reprimido como chaga que tenha que ver com ausência de controle."

"Do linóleo?"

"A minha sugestão aqui pode ser esqueça o linóleo e os objetos em geral. Num modelo por exemplo analítico, os tipos de traumas que as reações contrafóbicas podem cobrir são quase sempre pré-edipianos, um estágio em que a catexia dos objetos é edipiana e simbólica. Por exemplo as bonecas e os bonequinhos das crianças pequenas."

"Eu não brinco com bonequinho, cacete."

"O GI Joe tipicamente é catexizado como uma imagem de um pai poderoso mas antagonístico, o homem "militar", onde o "GI" representa ao mesmo tempo a "Grande Incerteza" que é a "arma" que a criança edipiana simultaneamente cobiça e teme e um acrônimo médico bem conhecido para o sistema gastrointestinal, com todas as angústias que o acompanham e requerem repressão durante o desejo da fase edipiana de controlar o sistema digestório para impressionar ou entre aspas "ganhar" a mãe, de quem a Barbie pode ser vista como a mais obviamente redutora e falocêntrica redução da mãe a um arquétipo de função e disponibilidade sexual, a Barbie como imagem da mãe edipiana *como imagem*."

"Então você está dizendo que eu estou *super*estimando os objetos?"

"Eu estou dizendo que tem um Ortho bem novinho aí dentro com alguns problemas bem reais sobre a questão do abandono e que precisa de um pouco de carinho e de uma defesa do Ortho mais velho em vez dele se entregar a fantasias de onipotência."

"Eu não sou onipotente e não quero garfar nenhuma merda de uma Barbie." Aí a voz do Trevoso ficou bem aguda e rachou enquanto ele dizia alguma coisa sobre a sua cama.

A porta da sala da dra. Rusk tinha uma bainha isolante na maçaneta, o nome, o grau e o título da dra. Rusk, um bordado em ponto-cruz com um coraçãozinho dentro de um coraçãozão e uma exortação cursiva *Defenda Hoje Uma Criança Interior*, que os meninos menores da ATE achavam instigante e inquietante. Pemulis, se detendo por hábito diante primeiro da porta trancada da enfermaria silenciosa e depois da porta de Rusk com luz pela fresta de baixo enquanto atravessava o saguão do Com.-Ad., vestia a roupa mais insolente que conseguiu montar. Estava com uma calça de paraquedista castanho-avermelhada com frisos verdes laterais. A bainha da calça estava presa numa meia fúcsia acima de um antiquado Wallabee Clarks radicalmente velhusco com as solas sujas de uma borracha de pré-escola. Ele estava usando gola rulê laranja imitando seda por baixo de um casaco esporte com corte inglês de um xadrez roxo e bege. Usava dragonas de alamares navais no nível do brasão. Estava usando seu boné de iatista, mas com a aba dobrada para cima num ângulo acaipirado. Ele parecia mais malvestido que simplesmente insolente. A porta da dra. Rusk era fresca contra a sua orelha. Jim Troeltsch estava descendo o corredor do B bem quando Pemulis estava saindo e disse que Pemulis estava parecendo uma ressaca. Através da porta, Rusk encorajava Stice a dar nome a suas raivas e Stice estava propondo batizar a raiva dele de Horace em homenagem ao falecido pointer do seu velho que tinha caído numa armadilha de coiote quando o Trevas tinha nove aninhos e fazia muita falta para todo o clã dos Stice lá no Kansas. O Wallabee velho era da incompleta carreira do irmão mais velho de Pemulis no sistema público de educação e tinha uns ornatinhos catotentos de borracha suja em todo o perímetro da sola. A meia pertencia a Jennie Bash e ela deixou bem claro que a queria de volta lavada. As mangas axadrezadas do casaco eram vários cm curtas e expunham ribanas de brilhantes ésteres de acetatos laranja.

O térreo do edifício Comunitário & Administrativo estava bem quieto. Eram tipo 2100h, supostamente período de Estudo Compulsório, e o pessoal do Harde tinha ido para casa mas o turno madrugueiro do pessoal da zeladoria ainda não tinha começado. Pemulis se movia sem ruídos num eixo NE-SO através do carpete felpudo do saguão. Exceto por linhas de luz artificial sob algumas portas o saguão da ATE estava imerso na escuridão total, e as portas externas da Academia, trancadas. Havia uma estranha forma veicular junto à estante de troféus da parede norte que Pemulis não se deteve para investigar. Ele a ergueu de leve para evitar que a porta do pequeno corredor SO não rangesse quando ele a abria e entrou na área da recepção administrativa, estalando os dedos baixinho, sozinho. Uma música tranquila soava na sua cabeça. A área da recepção de Tavis estava vazia e escura, as nuvens do papel de parede eram agora de um preto tempestuoso. Não estava totalmente quieto. Vinha uma luz do limiar da sra. Inc e da fresta debaixo da porta de Tavis. Alice Moore Lateral tinha ido para casa. Pemulis ativou o Terceiro Trilho dela e brincou com a cadeira enquanto fazia uma rapidíssima revista do material sobre a escrivaninha. Ativar o microfone do PA estava totalmente fora de questão. Duas das cinco gavetas dela ainda estavam trancadas. Pemulis deu uma olhada atrás de si, pegou mais uma mentinha e sentou calmamente por um momento enquanto a cadeira de Moore deslizava para a frente e para trás pelo trilho, com os dedos abobadados sob o nariz, refletindo.

Brilhava uma luz pela fresta da porta interna de Tavis porque a externa estava aberta. Pemulis nem precisava pôr nenhuma espécie de ouvido na madeira da porta interna. Dava para ouvir o zumbido e o mecanismo veloz do StairBlaster de Tavis, e a arfante voz recessiva de Tavis. Dava para saber que não tinha mais ninguém lá. Dava para saber que Tavis estava sem camisa, com uma toalha da ATE em volta do pescoço e com o cabelo numa cortina suarenta de um lado da cabecinha enquanto corria para manter o passo daquilo que fazia todo mundo lembrar de uma escada rolante da Filene tomada pelo dianho. Ele estava se exortando numa espécie de cantarolar rítmico e rápido que para Pemulis soava ou como "Só tenha medo só tenha medo" ou "Não tenha medo não tenha medo" & c. Pemulis conseguia visualizar a barriga redonda e os peitinhos gordos de Tavis pulando com a ação do StairBlaster. Dava para ouvir a surdina súbita de quando ele provavelmente pegava a toalha para enxugar seu bigode enviesado. A maçaneta de Tavis não tinha bainha isolante, Pemulis percebeu.

O cinto do traje de Pemulis era uma coisa de plástico com umas continhas bem bregas que imitavam o estilo navajo, adquirida pelo pequeno Chip Sweeny numa das barraquinhas de lembranças do WhataBurger do ano passado e posteriormente transferida para Pemulis durante um exercício de Amigão sobre tênis-como-jogo-de-azar. Os padrões de contas eram de um laranja monstro-de-gila e preto, o laranja de um tom diferente do da gola rulê de Pemulis.

Ele nunca conseguia resistir e não morder uma mentinha que já tinha ficado de certos tamanho e textura.

O escritório sem-portas da Pró-Reitora de Questões Acadêmicas era um fulgurante retângulo de luz. A luz não transbordava para muito longe na área de recepção, no entanto. De perto, saíam sons do escritório, mas não exatamente palavras. Pemulis verificou a braguilha, estalou os dedos embaixo do próprio nariz, assumiu um passo de homem sério e bateu com firmeza no batente desportado sem perder o passo. O carpete azul mais denso do próprio escritório ralentou-o um pouquinho. Ele parou assim que tinha entrado completamente. John Wayne do 18-A e a Mamicucha do Hal estavam ambos na parte da frente do escritório. Eles estavam talvez a dois metros um do outro. A sala era iluminada por quatro luminárias verticais que se refletiam no teto. A mesa de reuniões e as cadeiras projetavam uma sombra intricada. Dois pompons feitos-em-casa de papel de trituradora e do que pareciam cabos amputados de raquetes de tênis de madeira estavam em cima da mesa de reunião, que de resto estava nua. John Wayne usava um capacete de futebol americano, ombreiras leves, um suporte atlético Russell, meia, tênis e nada mais. Ele estava agachado na clássica postura de três-apoios do futebol dos EU. A incrivelmente alta e bem preservada mãe de Hal, a dra. Avril Incandenza, estava usando uma roupinha verde-e-branca de líder de torcida e tinha um dos apitões de latão de deLint pendurado no pescoço. Ela soprava o apito, que parecia não conter a pelotinha interior porque dele som nenhum de apito saía. Ela estava a coisa de dois metros de Wayne, virada para ele, fazendo semiespacatos no carpete peludo, com um braço erguido e fingindo soprar o apito enquanto Wayne produzia os clássicos sons de rugidos abaritonados do futebol americano. Pemulis fez um gesto bem exagerado ao empurrar o boné de iatista com aba de capiau para trás para coçar a cabeça, piscando. A sra. Inc era a única pessoa que olhava para ele.

"Acho que não vou nem gastar o tempo de ninguém aqui perguntando se estou interrompendo", Pemulis disse.

A sra. Inc parecia congelada no lugar. Aquela uma mão dela ainda estava erguida, com belos dedos à mostra. Wayne guindou o pescoço para olhar para Pemulis por sob o capacete sem sair dos três-apoios. Os ruídos futebolescos foram morrendo. Wayne tem um nariz estreito e olhos próximos e bruxais. Ele estava com um protetor de dentes de plástico. A musculatura de suas pernas e nádegas estava nitidamente delineada no que se agachava inclinado para a frente com o peso do corpo sobre os nós dos dedos. O tempo passava bem mais devagar no escritório do que parecia.

565

"Queria só um segundinho do seu tempo", Pemulis disse à sra. Inc. Ele estava parado reto como um aluninho, mãos acanhadamente juntas sobre a braguilha, só que no Pemulis essa postura conseguia parecer insolente.

Wayne se endireitou e se moveu na direção de suas roupas com uma dignidade considerável. Seu agasalho estava bem dobradinho na mesa da Gestora na parte de trás do escritório. O protetor de dentes ficava preso na grade do capacete e pendia dela quando retirado. A alça do capacete tinha vários pinos que Wayne precisava soltar.

"Capacete bacana", Pemulis lhe disse.

Wayne, puxando com força as calças do agasalho para fazer elas passarem por cima do tênis, não respondeu. Ele estava tão em forma que as tiras do suporte nem lhe deixavam marcas na bunda.

A sra. Incandenza removeu o apito mudo. Ela ainda estava em espacato no chão. Pemulis fez questão de deixar bem claro que estava olhando ao sul do rosto dela. Ela fez um biquinho para soprar o cabelo dos olhos.

"Eu estou prevendo aqui que isso não vai levar mais que dois minutos", Pemulis disse, sorrindo.

QUARTA-FEIRA, 11 DE NOVEMBRO
ANO DA FRALDA GERIÁTRICA DEPEND

Lenz usa um sobretudo de lã, calça escura e mocassim brasileiro com um brilho de centenas de watts e um disfarce que o deixa parecido com uma versão bronzeada de Andy Warhol. Bruce Green está com uma jaqueta barata e meio brega de um couro duro e barato que faz a jaqueta ranger quando ele respira.

"Aí é que você meu aí é que você descobre tipo o teu caráter de verdade, é quando aquilo está apontado bem na tua cara e tem um cucaracho desgraçado que está a menos de cinco luvinhas[230] de distância apontando, e eu foi esquisito mas eu fiquei supercalmo sabe e disse aí eu disse Pepito eu falei Pepito meu você me faça o que você precisa fazer meu anda e atira meu mas é *melhor* sério cara é *melhor* você me matar com o primeiro tiro cara ou não vai dar pra dar outro eu falei. Nem brincadeira meu sério foi assim tipo eu descobri ali na horinha mesmo que aquilo era sério. Sabe como é?" Green acende os cigarros dos dois. Lenz solta o ar com aquele sibilo das pessoas que estão correndo para dizer o que querem. "Sabe como é?"

"Não sei."

É a noite de um novembro urbano: últimas das últimas folhas no chão, grama seca, cinza e cabeluda, arbustos ásperos, árvores banguelas. A lua nascente parece não estar se sentindo muito bem. O estalido do mocassim de Lenz e o baque esmagante da velha bota de espalhador de asfalto de Green com grossas solas pretas. Os barulhinhos de atenção e anuência de Green. Ele diz que foi derrubado pela vida, e só vai dizer isso, assim pessoalmente. O Green. A vida encheu ele de porrada, e ele está reagrupando as tropas. Lenz gosta dele, e é sempre como se o medo que ele sente quando gosta de alguém fosse uma lasca de unha pendurada, que não cai. É como se alguma coisa terrível fosse acontecer a qualquer momento. Menos medo que um tipo de tensão na região da barriga e da bunda, um aperto no corpo todo. Decidir ir em frente de uma vez e decidir que alguém é boa gente: é como se você derrubasse alguma coisa, você desiste de todo o seu poder sobre aquilo: tem que ficar ali impotente esperando que ela venha ao chão: a única coisa que dá pra você fazer é se segurar e sentir o aperto. Lenz meio que fica puto por gostar de alguém. Simplesmente não haveria como dizer nada dessas coisas para Green assim em voz alta. À medida que passa das 2200h e o bolo de carne no saquinho dentro do bolso dele foi ficando escuro e duro pelo desuso a pressão para explorar o intervalo de c. 2216 para a resolução cresce até um nível agudíssimo, mas Lenz ainda não consegue juntar a devida coragem para pedir para Green voltar por outro caminho pelo menos assim de vez em quando. Como é que ele faz uma coisa dessas e ainda mantém Green achando que ele é legal? Mas você não me vem com essa de de repente dizer mesmo pra alguém que acha essa pessoal legal. Quando é uma menina que você está só tentando X é outra coisa, mais dirética; mas por exemplo pra onde é que você olha com os olhos quando fala pra alguém que gosta dessa pessoa e fala a sério? Não dá pra olhar direto pra pessoa, porque aí e se os olhos dela olham pra você enquanto você olha pra eles e vocês ficam assim olhos nos olhos enquanto você está falando, e aí ia rolar tipo uma energia ou uma voltagem imensa ali, parada entre vocês. Mas não dá pra ficar tipo parecendo nervoso, que nem um menino nervoso pedindo pra moça sair com ele ou sei lá o quê. Não dá pra você sair por aí se entregando assim desse jeito. Fora saber que a porra da coisa toda não vale esse tipo de aperto e de estresse: a coisa toda é de emputecer. Na tarde de hoje antes de agora coisa de 1610h Lenz tinha espirrado spray de cabelo masculino marca RIJID na cara de um gato vira-latas caolho da Casa Ennet que tinha entrado por azar dele no banheiro masculino do primeiro andar, mas o resultado: insatisfatório. O gato simplesmente tinha corrido para o térreo, e só deu uma topada na balaustrada. Lenz aí ficou com diarreia, coisa que sempre deixa ele com nojo, e teve que ficar no banheiro, abrir a janelinha empenada de vidro jateado e ligar o chuveiro no F até eliminar os indícios do cheiro, com o merda do Glynn esmurrando a porta e atraindo a atenção berrando tipo quem que estava afogando ganso ali aquele tempo todo e se por acaso não é o Lenz. Mas aí como é que ele podia agir dali em diante com o Green se mandasse ele pastar e dissesse pra ele deixar ele andar solo na volta pra casa? Como é que ele ia ter que agir se ficasse parecendo que ele tinha dispensado o Green? O que é que ele diz daqui em diante se passar pelo Green no corredor do supermercado ou se os dois quiserem pegar o mesmo sanduíche na pausa-para-a-rifa do Bandeira Branca, ou se se virem ali parados seminus de toalha no corredor esperando alguém sair do chuveiro? E se ele tipo dispensa o Green e o Green acaba no quarto masculino de 3 enquanto o Lenz ainda está lá e eles têm que ficar no mesmo quarto e interfacear constantemente? E se o Lenz tentar dar uma temperada na dispensa dizendo pro Green que gosta dele, pra onde é que ele tem que virar a porra dos olhos quando falar? Se estivesse tentando X um espécime feminino Lenz não teria nullo problemo com isso de pra onde olhar. Ele não ia ter o menor problema de olhar bem no fundo dos olhos de uma cadela dessas e fazer uma cara tão sincera que parece que ele está morrendo por dentro dele. Ou tipo garantir pra um brasileiro de pele ruim que ele não malhou aquele meio--quilo três vezes seguidas com Inositol.[231] Ou chapado: zero problema. Se estivesse chapado, ele não tinha nenhum problema de dizer pra alguém que gostava dessa pessoa se ele gostasse mesmo dessa pessoa. Porque isso dava ao espírito dele uma voltagem que mais que compensava sei lá qual voltagem perturbadora que pudesse ficar no ar entre alguéns. Umas carreiruchas e não ia mais ter estresse pra dizer pro Bruce G. com todos os respeitos ir se catar, vai catar coquinho na ladeira, vai ver se eu estou na esquina, vai brincar com uma motosserra, vai procurar cabelo em ovo, que sem desrespeitos mas o Lenz precisava de um voo solo aqui na noite urbana. Então depois do incidente com o gato, da diarreia e de umas palavras mais duras com D. R. Glynn, que estava todo encolhido segurando o abdome encostado na parede sul do corredor do primeiro andar, Lenz decide que deu pra bolinha, vai lá e tira um quadradinho de papel-alumínio do rolo industrial que Don G. guarda embaixo da pia da Ennet, vai e pega um meio-grama, de repente um grama no máximo do estoque de emergência da coisa tipo um cofre que ele fez com navalha nas *Conferências dos Princípios Naturais*. Longe de caber numa ideia de recaída, o Bing é um apoio medicamentoso pra ele compartilhar assertivamente com Green a sua necessidade de sozinhidade, de modo que certas questões desses primeiros tempos de sobriedade possam ser resolvidas antes de acabarem atrapalhando o crescimento espiritual — Lenz vai usar a cocaína precisamente para auxiliar a própria sobriedade e o seu crescimento.

Aí então tipo estrategicamente, na R. do Juvenil de Brookline lá na Beacon perto da linha Newton numa quarta, na pausa-para-a-rifa, às 2109h, Lenz dá uma umedecida no seu meio careta, o recoloca cuidadosamente no maço, boceja, se alonga, dá uma verificadinha rápida no pulso, levanta e saltarela como quem não quer nada para o banheiro dos aleijados com a porta que tranca e aquele negócio tipo um berção em volta da privada propriamente dita pro aleijado se acomodar no banheiro, bate tipo duas, quem sabe três carreiras generosas de Bing em cima do tanque da descarga, e limpa o topo do tanque tanto antes quanto depois com toalhas de papel molhadas, ironicamente enrolando a mesma nota novinha que tinha trazido para a coleta da reunião e utilizando aquela mesma, limpando a nota direitinho com o dedo, esfregando a gengiva com o dedo e aí erguendo bem a cabeça na frente do espelho para verificar as narinas de formato renal de seu belo nariz aculino em busca de provas pendentes nos pelos cortados lá do fundo, sentindo o gosto amargo no fundo da garganta congelada, pegando a nota limpa enrolada e desenrolando-a para ficar lisinha e batendo com o punho nela na borda da pia, dobrando-a direitinho pela metade do seu tamanho original do Dep. do Tes. de modo que qualquer prova de que alguém um dia pudesse sequer ter pensado vagamente em enrolar a notinha para formar um tubo rígido seja, tipo, *aniquelada*. Aí ele saltarelou de volta com a cara mais santa desse mundinho, sabendo exatamente para onde olhar a todo momento e disfarçadamente dando uma erguidinha nas bolas antes de sentar de volta.

E aí fora um ocasionalíssimo hemiespasmo da boca e do olho direito que ele esconde via bons e velhos óculos escuros e tática da tosse fingida a segunda metade da infindável oratória da reunião vai na boa, ele imagina, muito embora ele tenha realmente fumado quase um maço inteiro de caretas dispendiosos em 34 minutos, e os AAS Juvenis hipercertinhos lá no que deveriam ser as filas de cadeiras de não fumantes perto da parede leste à direita dele tenham ficado sapecando umas olhadas tipo negativas quando por algum acaso calhou dele descobrir que estava com um aceso no cinzeirinho de lata e dois ao mesmo tempo acesos na boca, mas Lenz conseguiu lidar com aquilo tudo com um aplomb totalmente fleumático, sentadinho ali com aqueles óculos de piloto de pernas cruzadas e com os braços sobretudados descansando nos encostos das cadeiras vazias de cada lado.

Os barulhos noturnos da noite metropolitana: vento do porto que guincha no cimento inclinado, o chio do rio de carros que reluz nos elevados, riso de TPs em cômodos interiores, o uivo da vida felina irresolvida. Buzinas que blateram pelo porto. Sirenes que se vão. Gritos de confusas gaivotas em-terra. Vidro partido distante. Buzinas de carros engarrafados, discussões em idiomas, mais vidro partido, sapatos que correm, o riso ou o grito de uma mulher de sabe-se lá se longe, vindo da malha. Cães defendendo quaisquer quintais caninos por que eles passam, sons de correntes e de pelos eriçados. O estalo e o baque podiátricos, o alento visível, estralo de pedrisco, rangido do couro de Green, o *zip* de milhões de isqueiros urbanos, os gázeos zumbires longínquos dos ATHSCMEs apontados direto para o norte, os trancos e tinidos de coisas que caem nas lixeiras, farfalhos de coisas nas lixeiras que se acomodam, o guincho do vento nas bordas agudas das lixeiras, os trancos inconfundíveis, os tinidos dos pescadores-de-lixeiras e mineiradores-de-latinhas revirando latas e garrafas das lixeiras, o Centro de Reciclagem do distrito lá em West Brighton e na verdade até corajosamente dividindo a fachada com uma loja de bebida, de modo que os mineradores podem tipo fazer uma viagem só para reciclar e comprar mais. O que Lenz acha repulsivo ao extremo, e divide esses sentimentos com Green. Lenz observa para Green como são miriademente irônicos os meios pelos quais a promessa do homem da Voz de Veludo de Limpar Nossas Cidades Urbanas acabou sendo cumprida. Os ruídos se paralaxando sobre toda a malha piscante da cidade, à noite. A névoa lanosa dos monóxidos. Vem aquele vago fedor de boceta da baía. Os pequenos crucifictos das luzes de pouso dos aviões bem na frente do próprio barulho que eles produzem. Corvos nas árvores. Vêm aqueles farfalhares crepusculares de sempre. Janelas acesas de pisos térreos estendendo tapetinhos de luz nos seus quintais. Luzes de varandas que acendem automaticamente quando você passa passeando. Uma trenodia de sirenes em algum ponto ao norte do Charles. Árvores nuas rangendo no vento. O Pássaro Símbolo de Massachusetts, ele divide com Green, é a sirene de polícia. Projeção da Ululação. Os gritos e berros que vêm sabe-se lá de quantas quadras de distância, sabendo-se lá a intenção também dos gritos. Por vezes o fim do grito já está no som do princípio do grito, ele opina. O alento visível e os anéis arco-íris dos postes das ruas e faróis que atravessam o alento. A não ser que os gritos na verdade sejam risos. A risada da própria mãe de Lenz soava como se ela estivesse sendo comida viva.

Só que — depois de quem sabe cinco carreiras ao todo aspiradas com um objetivo totalmente determinado, médico e não recreativo — só que aí em vez de deixar bem claro para Green que ele é ponta-firme na avaliação de Lenz mas por favor vá pastar e deixe Lenz ir pra casa solo com o seu bolo de carne e as suas intenções, eventua-se que Lenz mais uma vez calculou mal o efeito que a hidrólise[232] do Bing acaba tendo, ele sempre tipo previsiona que o efeito vai ser o de um manso sangue-frio verbal descoladaço, mas em vez disso Lenz na volta para casa se vê sob imensa compulsão hidrolítica de ter o Green bem aí ao seu lado — ou basicamente qualquer um que não possa se mandar ou não queira se mandar — bem ali com ele, e de dividir com Green ou com qualquer ouvido tolerante basicamente toda e qualquer experiência ou ideia que já teve na vida, dar forma e um alento visível e a todo e qualquer dado do caso de R. Lenz enquanto sua vida inteira (e mais um pouco) passa alucinada pelo horizonte ártico da sua mente, deixando uma trilha de fosfenos.

Ele conta para Green que seu medo fóbico de relógios vem do seu padrasto, um condutor de trens da Amtrak com problemas profundos e irresolvidos que ele fazia o Lenz dar corda no relógio de bolso dele e limpar a chatelaine todo dia com um paninho de camurça e toda noite confirmar que a hora do relógio estava correta até nos segundos ou ele sentava o braço no Randy-miniatura com um exemplar enrolado do *Trilho e Flange*, um periódico profissional tipo mesinha-de-centro, lustroso e pesado pacas.

Lenz conta para Green como a sua falecida mãe era espetacularmente obesa, usando os braços para ilustrar dramaticamente as dimensões em questão.

Ele respira a cada três ou quatro fatos, *ergo* coisa de uma vez em cada quadra.

Lenz conta a Green as tramas de vários livros que leu, confabulando.

Lenz não percebe que o rosto de Green meio que desmorona esvaziado quando Lenz menciona a questão das mães falecidas.

Lenz euforicamente conta a Green como ele um dia cortou fora a ponta do dedo da mão esquerda na corrente de uma minibicicleta uma vez e como mas depois de dias de intensa concentração o dedo tinha crescido de novo e se regenerado que nem rabo de lagarto, deixando as autoridades doutorais desorientadas. Lenz diz que esse foi o incidente da sua juventude que o levou a entrar em contato com a sua incomum força vital e *energois de vivre* e saber e aceitar que ele de alguma maneira não era como o comum dos mortais, e começar a aceitar essa singularidade e tudo que ela acarretava.

Lenz dá o bisu para Green de que é um mito que o crocodilo do Nilo seja a mais temida espécie de crocodilo, que o temido crocodilo-poroso de hábitat marinho é um bilhão de vezes mais temido por quem entende do riscado.

Lenz teoriza que a sua necessidade compulsiva de saber a hora com precisão microscópica é também uma função do abuso disfuncional do seu padrasto em relação ao relógio-de-bolso e ao *Trilho e Flange*. Isso emenda com uma análise do termo *disfunção* e a sua relevância para as distinções entre, digamos, a psicologia e a religião natural.

Lenz conta que uma vez na Back Bay na frente do Bonwit em Boylston um vendedor de próteses insistente encheu o saco dele por causa de uma peça de joalheria de olho-de-vidro e detonou os problemas irresolvidos dele e aí em outro ponto da fila de vendedores de próteses um outro mascate simplesmente não aceitava nenhuma espécie de Não para um frasco de Substituto Salivar Xero-Lube aprovado pela ADA com um confabulado depoimento-de-celebridade de J. Gentle a Voz de V. na embalagem e Lenz empregou técnicas de aikidô para quebrar o nariz do cara com um só golpe e aí empurrar as lascas e os fragmentos de osso para dentro do cérebro do cara com a base da mão, uma manobra conhecida pelo antigo termo secreto chinês que significa O Velho Um-Dois, eliminando o mapa do cara da saliva ali mesmo, de modo que Lenz tinha conhecido a letalidade da sua faixa seja-lá-o-que-fica-depois--da-preta em aikidô e a efetividade de suas mãos como armas mortais quando alguém mexia com os seus problemas e ele conta a Green que tinha feito um juramento solene naquele mesmo momento, correndo que nem um doido por Boylston rumo ao ponto do T do Auditorium para escapar de seus persecutores, jurou nunca mais usar suas habilidades letalmente comprovadas em aikidô a não ser nas situações mais compulsórias de defesa dos inocentes e/ou fracos.

Lenz conta a Green que ele uma vez foi a uma festa de Dia das Bruxas em que uma mulher hidrocefálica estava usando um colar feito de gaivotas mortas.

Lenz divide um sonho rescorrente em que está sentado sob um ventilador de teto tropical numa cadeira de vime usando um chapéu de safári L. L. Bean e segurando uma valise de ráfia no colo, e só, e é esse o sonho rescorrente.

Na quadra dos 400 na W. Beacon, perto de 2202h, Lenz demonstra para Bruce Green o 1-2 secreto de aikidô com que tinha desmapeado o mascate de saliva, dividindo o golpe em seus movimentos constitutivos em câmera lenta para que o olhar não treinado de Green consiga acompanhar tudo. Ele diz que tem um outro pesadelo rescorrente sobre um relógio com os ponteiros congelados eternamente nas 1830 que é tão medonho assim de borrar a calça mesmo que ele não vai nem sobrecarregar o psiquismo frágil de Green com os detalhes explícitos.

Green, acendendo os cigarros dos dois, diz que ou não lembra os seus sonhos ou não sonha.

Lenz ajeita a peruca e o bigode brancos na vitrine escurecida de uma loja da InterLace, faz um pequeno alongamento de t'ai-chi e assoa o nariz na sarjeta entupida da W. Beacon à moda europeia, uma narina de cada vez, arqueado para manter a frente do sobretudo bem longe do que expele.

Green é um desses fortões de camiseta que carregam o próximo careta enfiado atrás da orelha, o que o uso de RIJID ou de outras marcas de fixadores capilares de qualidade torna impossível pelo motivo de que resíduos do produto no cigarro fazem o mesmo explodir inesperadamente e se incendiar em vários pontos da sua

571

extensão. Lenz se regala como naquela Festa de Dia das Bruxas com o colar de aves havia também um suposto bebê refugiado do Recôncavo, lá na festa, na casa de um ortodontista do sul de Boston que vendia lidocaína para atacadistas de Bing por baixo dos panos receituarísticos,[233] um bebê de tamanho normal e não selvagem mas totalmente desprovido de crânio, vivendo numa espécie de plataforma ou estrado elevado perto da lareira com a região encefálica disforme e descraniada suportada e, tipo (estremecendo), *contido* por um tipo de uma caixa plástica sem tampa, e que os olhos dele ficavam bem afundados no rosto, que tinha tipo consistência de areia movediça, o rosto, um nariz côncavo, a boca pendurada dos dois lados da cara desossada, e o todo da cabeça tinha tipo se *conformado* ao interior da caixa continente que a continha, a cabeça, e parecia basicamente quadrada nos contornos gerais, a cabeça, e a mulher com o *lei* de cabeças de gaivota e outras pessoas fantasiadas tinham ingerido alucinógenos e bebido mescal e comido os verminhos do mescal e tinham realizado rituais circulares em torno da caixa e da plataforma cerca de 2355h, adorando o bebê, ou como eles se referiam simplesmente O *Bebê*, como se só houvesse Um.

Green informa a hora a Lenz a intervalos de cerca de dois minutos, mais ou menos uma vez por quadra, com o seu relógio barato mas digital, quando o crítico display de cristal líquido do BBS fica obscurecido pelo horizonte passeante da noite urbana.

As contorções labiais de Lenz ocorrem piormente em ditongos que envolvem sons de *o*.

Lenz dá o bisu para Green de que o AA/NA funciona direitinho mas que ele não tem a menor sombra de uma merda de dúvida de que aquilo é uma seita, ele e Green aparentemente se enfiaram numa situação em que a única saída para a queda-livre da adição é se alistar numa porra de uma seita e deixar eles tentarem fazer uma lavagem cerebral no caveirão de cada um deles, e que a primeira pessoa que tentar botar um vestido laranja ou um pandeirinho no Lenz vai ser um cabaiero de figura mui trista, só isso.

Lenz diz lembrar de certas experiências que ele diz que lhe ocorreram *in vitro*.

Lenz diz que os ex-internos da Ennet que muitas vezes voltam e ocupam espaço na sala de estar sentados comparando histórias de horror sobre antigas seitas religiosas em que tinham tentado entrar como parte da sua luta para tentar largar as drogas e o álcool não são desprovidos de um certo encanto ingênuo mas são basicamente ingênuos. Lenz relata detalhadamente que os vestidos coloridos, os casamentos em massa, as cabeças raspadas, a panfletagem em aeroportos, a venda de flores na rua e isso de entregar heranças e nunca mais dormir e casar com quem eles te mandam casar e aí nunca mais ver com quem você casou é bolinho em termos de normas de bizarria sêitica. Lenz diz a Green que conhece pessoas que ouviram umas coisas que iam fazer o cabeção de Green pirar e rodopiar lá dentro.

Na hora do almoço, Hal Incandenza estava deitado na cama em pleno sol que entrava pela janela com as mãos entrelaçadas sobre o peito, e Jim Troeltsch meteu a cabeça pela porta e perguntou a Hal o que ele estava fazendo, e Hal disse fotossíntese e aí não disse mais nada até Troeltsch ir embora.

Aí, 41 respirações depois, Michael Pemulis enfiou a cabeça onde a de Troeltsch estivera.

"Cê já comeu?"

Hal fez o estômago saltar e lhe deu tapinhas, ainda olhando para o teto. "A besta matou e se saciou e ora se estende à sombra do baobá."

"Saquei."

"Contemplando seu bando fiel."

"*Eu* saquei."

Mais de 200 respirações depois, John ("N.a.V.") Wayne abriu a porta entreaberta mais um pouco, pôs a cabeça inteira para dentro e ficou assim, com só a cabeça para dentro. Ele não disse nada, Hal não disse nada, e eles ficaram assim por um tempo, e aí a cabeça de Wayne se retirou mansamente.

Sob um poste na Faneuil St. esquina com a W. Beacon, Randy Lenz divide uma coisa pessoal e vulnerável e inclina a cabeça para trás para mostrar a Bruce Green onde antes ficava o seu septo.

Randy Lenz regala Bruce Green com a história de certas seitas imobiliárias do sul da Califórnia e da Costa Oeste. De delawareanos que ainda acreditavam que a pornografia de Realidade-Virtual muito embora já tivessem provado que ela causava sangramento pelo canto dos olhos e impotência permanente no mundo-real era a chave de Xanguirlá e acreditavam que algum tipo de obra perfeita de dígito-holografia pornográfica estava circulando por aí sob a forma de um disquete de software pirata com Bloqueio-de-Gravação e devotavam toda a sua vida seital a ficar bisbilhatando por aí tentando conseguir pôr a mão no kamassupra virtual do disquete e se reunindo em locais escuros da região de Wilmington e falando muito enviesadamente de boatos de onde e exatamente como era o software e como estavam andando as bisbilhatâncias deles, e assistindo filmes firtuais de fodelança e enxugando o canto do olho etc. Ou de uma coisa chamada Seitismo Esteliforme sobre a qual Bruce Green não está nem perto de estar pronto para ouvir falar, Lenz opina. Ou tipo p. ex. de uma seita canadôncia suicida de uns canadôncios que idolatravam uma forma de roleta-russa que envolvia pular na frente de um trem e ver qual canadôncio conseguia chegar mais perto da frente do trem sem ser desmapeado.

O que soa como Lenz mascando chiclete na verdade é Lenz tentando falar e ranger os dentes ao mesmo tempo.

Lenz relembra oralmente que a pança envolvida pelo colete azul do padrasto sempre chegava vários segundos antes de seu condutor no recinto, chatelaine reluzente sobre a sinistra fenda do relógio de bolso. Como a mãe de Lenz lá em Fall River fazia questão de empregar a Greyhound para jornadas e estadas, basicamente para emputecer o maridrasto.

Lenz discute o fato de que uma séria desvantagem para o trafica de Bing é o hábito que os clientes têm de bater na tua porta às 0300 contando flunfa em termos de recursos, te abraçando as canelas e os tornozelos e implorando só um meio-graminha ou um décimo de grama e oferecendo dar a Lenz os seus filhos, como se Lenz quisesse ter qualquer porra a ver com os filhos de alguém, cujas cenas essas eram sempre um peso constante no estado de espírito lá dele.

Green, que já tinha cheirado o que lhe cabia na vida, diz que a cocaína sempre parecia uma coisa que te agarrava pelo pescoço e não largava, e que ele conseguia entender por que os AAs de Boston chamam o Bing de "Elevador Direto Para o AA."

Num beco forrado de lixeiras entre a Faneuil St. e a Brighton Ave., em Brighton, logo depois de Green quase pisar no que ele tem quase certeza que era vômito humano, Lenz prova logicamente por que é mais que provável que o residente da Ennet Geoffrey D. agasalhe o quibe em segredo.

Lenz relata que já foi abordado com convites para ser modelo e ator, mas que a profissão dramato-modelar basicamente fervilha de agasalhadores enrustidos, e que aquilo não é trabalho para um homem que já confrontou os cantos recônditos do seu próprio caráter.

Lenz especula abertamente que supositamente tem aí manadas e altifas inteiras de animais selvagens agindo gafanhoticamente na abundância rítmica de partes do grande Recôncavo no seu extremo nordeste, que aparentemente descendem de animais domésticos abandonados durante a transição relocacional para um mapa ONANita, e que equipes de pesquisadores profissa, exploradores amadores e corações intrépidos e seitistas já se aventuraram a nordeste dos postos de fronteira pelos muros acrilados e ATHSCMulados e nunca mais voltaram, desaparecendo in totó das frequências EM de ondas-curtas, tipo assim sumindo do radar.

Acontece que Green não tem concepções ou opiniões sobre as questões da fauna do Recôncavo. Ele literalmente diz que nunca nem pensou naquilo mesmo.

Seitas inteiras na NNI e subseitas esteliformes, Lenz relata existirem em torno de sistemas de crenças acerca da metafísica do Recôncavo e da fusão anular e de uma fauna radioativizada tipo cartucho-B-anos-50-BS e da hiperfertilização e florestas verdejantes com oásises periódicos de supósitos desertos e tudo que ficou para leste da antiga área de Montpelier VT de onde o anulado rio Shawshine dá no Charles e o tinge com o mesmíssimo tom de azul do azul das caixas de SteelSaks da Hefty e das ideias de manadas vourazes de bichinhos domésticos domesticados selvagens e de insetos gigantes que não só estavam ocupando as casas abandonadas de americanos relocados mas na verdade se instalando e cuidando da manutenção das casas e dos pagamentos das prestações, dizem, e da ideia de bebês do tamanho de animais pré-históricos que vagavam pelos hiperfertilizados quadrantes leste do Recôncavo, deixando imensos monturos de excrementos e chorando pelos pais abortados que os abandonaram ou perderam na baderna geopolítica da migração em massa e de fazer as malas rapidinho, ou, como alguns dos seitistas mais de uma era-Limbaugh compartilhadamente acreditam, originando-se de abortos largados às pressas em barris nas valetas que se romperam e misturaram seus conteúdos pavorosos com os de outros barris que reanimaram os fetos abortados e os levaram a uma espécie repulsiva de vida monstruosa tamanho-cartucho-B troando rumo norte de onde este que vos fala e Green passeavam pela malha urbana. De um ramo subterrâneo esteliforme e local dos rastafáris adoradores de Bob Hope que fumavam uns baseadões imensos e trançavam o cabelo negroide em maços de charutos molhados que nem os rastafáris mas em vez de rastafáris esses pós-rastas idolatravam O Bebê e todo Ano-Novo eles envergavam jaquetas de batik e sapatões de neve feitos de papelão e se aventuravam rumo norte, deixando uma trilha de fumaça para além dos muros e dos ventiladores do Posto de Fronteira Pongo para antigas áreas de VT e NH, procurando *O Bebê* como eles diziam, como se só existisse Um, e arrastando uma parafernália para realizar um ritual sêitico a que eles se referiam em tom baixo como *Oferendas aO Bebê*, uma montoeira desses seitistas esteliformes dO Bebê, maconhados e regueiros, desaparecendo para sempre do radar da raça humana todo inverno, para nunca mais serem ouvidos ou cheirados, considerados pelos outros seitistas como mártires e/ou cordeiros, possivelmente entorpecidos demais pelos baseadões tamanho-zepelim para achar o caminho para sair do Recôncavo e mortos de frio, ou renxameados por manadas de bichinhos selvagens, ou abatidos por insetos que zelam pelo valor das suas propriedades, ou… (rosto cor de ameixa, finalmente respirando) coisa pior.

Lenz estremece só com a ideia da furiosa impotência que sentiria, ele compartilha, perdido e desorientado, errando em círculos em locais congelados brancos que chegam a cegar bem ao norte de todos os homens domesticados, nem pense em saber as horas, sem nem saber que merda de *dia* era, com o alento formando uma barba de gelo, tendo que viver só com a pederneira, a inteligência e o caráter, armado só de uma lâmina Browning.

Green opina que se o AA de Boston é uma seita que te faz tipo uma lavagem cerebral, ele acha que se pôs numa situação em que o seu cérebro bem que precisa de uma boa lavada, o que Lenz sabe que não é uma opinião original, sendo exatamente o que o cabeçudo do Don Gately repete coisa de uma vez por diem.

TRECHOS ESCOLHIDOS DOS MOMENTOS DE INTERFACE-INFORMAL-INDIVIDUAL-
-COM-RESIDENTES DE D. W. GATELY, FUNCIONÁRIO-RESIDENTE,
CASA ENNET DE RECUPERAÇÃO DE DROGAS E ÁLCOOL, ENFIELD, MA,
AQUI E ALI DESDE LOGO DEPOIS DA REUNIÃO DO GRUPO JOVEM DE BROOKLINE DO AA
ATÉ CERCA DE 2329H, QUARTA-FEIRA 11 DE NOVEMBRO DO AFGD

"Eu não sei por que essa merda de querer ficar falando de futebol o tempo todo. E eu não vou fazer porra nenhuma de muquinho. É muito bobo."

"Beleza."

"É *inadequado*, já que você gosta dessas palavras."

"Mas esse cara da Promessa do Carinho É Dividir, o presidente, do Grupo

Meias-Medidas Não Dão Em Nada de Sudbury, ele tinha uma certa força. O presidente, ele disse que era auditor nuclear. Da indústria da Defesa. Um cara que era bem caladão e parecia destruído, paternal, estranho. Ele tinha meio que uma autoridade destruída."

"Eu sei como é. Eu me identifico."

"... que de algum jeito parecia *paternal*."

"Tipo padrinho. O meu padrinho é assim Joelle, no Bandeira Branca."

"Posso perguntar? Se o teu próprio Paizinho pessoal ainda está vivo?"

"Não sei."

"Ah. Ah. A minha mãe morreu. Comendo grama pela raiz. Mas o meu próprio Paizinho pessoal ainda está puxando ar. É assim que ele fala — ainda puxando ar. No Kentucky."

"..."

"Mas a minha mãe pasta raiz faz tempão já."

"Mas aí o que é que foi desse cara do Meias-Medidas que pegou tão forte pra você?"

"Pegou muito forte. Ai, malandrão."

"Superengraçado."

"Don sei lá começou assim ele estava falando dele mesmo como se ele fosse outra pessoa. Tipo outra pessoa mesmo. Ele disse que ele usava um terno de quatro peças e que a quarta era ele."

"Um cara do Grupo de Allston conta essa o tempo todo, essa piada."

"Ele estava com uma camisa branca de algodão bem grossa, bem bacana, de colarinho aberto e com uma calça cor de trigo e um mocassim sem meia, que eu já estou aqui tem dez anos Don e eu ainda não entendo direito esse negócio aqui que o pessoal todo mundo usa uns sapatos legais e aí detona o sapato usando sem meia."

"Joelle, você deve ser a última pessoa pra fazer o inventário de alguém por causa do jeito esquisito da pessoa se vestir, aí embaixo, de repente."

"Vá tomar no meio do seu cuzinho, de repente."

"Não deixa eu esquecer de registrar aqui como é superpositivo ver você sair aí dessa tua concha."

"Bom e eu tenho lá as minhas reservas quanto a isso Don mas o Diehl e o Ken ficam me mandando vir falar com você sobre essa coisa do que está tipo ocorrendo lá que o Erdedy diz que é coisa pros Funcionários e blá-blá-blá, blá-blá-blá."

"Andou tomando um pouco de café hoje né Foss?"

"Bom Don e tipo você sabe e blá-blá-blá."

"Dá um tempinho. Inspire e sopre. Eu não vou sair daqui."

"Bom Don eu odeio comedor-de-queijo tanto quanto qualquer um aí mas o Geoff D. e a Nell G. estão lá na sala de estar indo falar com tudo que é novato e dizendo pra eles pensarem se o Poder Superior deles é onipotente a ponto de fazer uma mala que seja pesada demais pra ele erguer. Eles estão fazendo isso com todo mundo que é novo. E aquele guri mocozado lá o Dingley..."

"Tingley. O novato."

"Bom Don ele está sentado no armário de roupa de cama com as pernas pra fora do armário de roupa de cama de olho saltadão e tipo fumaça saindo pela orelha e blá-blá-blá, blá-blá-blá dizendo tipo Ele Consegue mas Não Consegue mas Consegue a respeito da tal da mala e blá-blá-blá, blá-blá-blá, e o Diehl diz que é coisa pros Funcionários, que é uma coisa negativa que o Day está fazendo e o Erdedy diz que eu sou Residente Sênior e é pra ir nos Funcionários e mandar ver no queijão."

"Merda."

"O Diehl disse que um caso negativo desses e blá-blá-blá, blá-blá-blá, nem a pau que é comer queijo."

"Não, eu que agradeço. Não é comer queijo."

"Fora que eu trouxe tipo essas bolachas de manteiga tipo Nestlé que o Hanley fez uma fornada, que o Erdedy diz que não é tanto puxar saco mas é mais tipo uma coisa decente comum mesmo."

"Erdedy é um pilar da comunidade. Eu tenho que ficar aqui com o telefone. De repente você podia mandar o Geoff e a Nell darem uma aparecida aqui se der pra eles tirarem uma folga da tortura dos novatos."

"É bem capaz de eu deixar a parte da tortura de fora se tudo bem com você, Don."

"Que por falar nisso eu estou aqui olhando esse biscoito ainda na tua mão, se você perceber."

"Jesus amado, a bolacha. Jesus amado."

"Tenta dar uma relaxada, guri."

"Eu tenho que ficar aqui com os telefones até as 2200h. Tenta um desentupidor e me avisa que eu posso ligar pra Manutenção."

"Eu estou aqui pensando que ia ser uma mão na roda se os Funcionários dessem a dica pra todo mundo que entra que a torneira Q do chuveiro que o Q na verdade signica *Que Frio do Cacete*."

"Por acaso você está dizendo de um jeito meio matreiro que está rolando um probleminha com a temperatura da água no banheiro, McDade?"

"Don, eu estou dizendo só o que eu vim aqui dizer. E será que eu posso por falar nisso dizer bela camisa. O meu pai jogava boliche, quando ainda tinha dedão."

"Não faz a menor diferença o que essa pessoa demente te disse, Yolanda. Ficar de joelhos de manhã para Pedir Ajuda não quer dizer ficar de joelhos de manhã enquanto esse doente desse bostinha fica na tua frente, abre a braguilha e você Pede Ajuda dentro da braguilha dele. Eu estou rezando pra não ser mesmo um residente homem que disse isso. É bem por causa desse tipo de coisa que sugerem que os padrinhos sejam sempre do mesmo sexo. É que tem uns filhos da puta bem doentes por esses quartos aí, sabe como? Qualquer AA que diga pra uma novata no programa usar a Unidade dele de Poder Superior, eu mandava esse cara fazer um passeio por um lugar bem tranquilo. Sabe como é?"

"E eu ainda nem te disse como é que ele sugeriu que era pra eu agradecer o Poder Superior de noite."

"Eu atravessava uma rua larga pra evitar um AA que nem esse cara, Yolanda."

"E que ele disse que eu sempre tinha que ficar ao sul dele, tipo ficar do lado sul dele, e tinha que comprar um relógio digital."

"Santo Deus é o Lenz. É do Lenz que você está falando?"

"Eu não vou dar nomes aqui não. Só vou te dizer que ele parecia superboa-gente e descolado assim de cara, e prestativo, quando eu cheguei, esse cara que eu não vou usar nomes aqui não."

"Você está tendo problemas com aquela parte do Segundo Passo que lida com a insanidade e você está usando o *Randy Lenz* de padrinho?"

"O Programa aqui é nomônimo, sabe como?"

"Jesus amado, menina."

Orin ("O.") Incandenza está de pé, abraçado a uma putativa modelo-de-mãos suíça num quarto alugado. Eles se abraçam. O rosto deles vira um rosto sexual. Parece nítida prova de uma espécie de fado ou espírito-mundo benigno que esse incrível espécime tenha surgido no Aer. Int. Sky Harbor bem quando Orin estava de pé com sua bela testa contra o vidro do Portão que dava para o asfalto depois de se oferecer para levar Helen Steeply pelo caminho infernal da I-17/-10 até o pavoroso aeroporto reluzente e inavegável e a Cobaia pareceu, no carro, não apenas não especialmente grata, e não tinha deixado nem ele colocar uma mão amistosa e de apoio no seu quadríceps inacreditável durante toda a viagem, mas tinha sido irritantemente objetiva e profissional e continuado a perseguir linhas de interrogatório tipo roupa-suja-da-família que ele só faltou implorar para ela parar de impor aquela inadequação toda a ele[234] — que, enquanto ele ficava ali parado depois de ter recebido pouco mais que um sorriso frio e uma promessa de tentar mandar um oi pro Hallie com a testa no vidro da porta dos fundos de Weston — ou na verdade na janela do Portão da Delta — esse incrível espécime tinha — inopinada, inestrategicadamente — vindo até ele e puxado conversa num exuberante sotaque estrangeiro e revelado mãos profissionalmente lindas enquanto fuçava na bolsa de tripolímero para lhe pedir para autografar para o *filino pequenino* dela uma bola de merchandising dos Cardinals que ela tinha *bem ali* (!) na bolsa, junto com o passaporte suíço — como se o universo estivesse estendendo uma mão para arrancá-lo da borda do abismo do desespero com que qualquer tipo real de rejeição ou frustração da sua necessidade de alguma Cobaia que tinha encontrado sempre o ameaçava, como se ele estivesse balançando com os braços rodopiando em grande altitude sem nem aquelas asas vermelhas imbecis presas nas costas e o universo estivesse mandando aquela linda mão esquerda de apoio para arrancá-lo delicadamente dali e abraçá-lo e nem tanto consolá-lo quanto lembrar a ele quem e o que lhe interessava, ali de pé abraçado a uma Cobaia com um rosto sexual em vez do rosto dele mesmo, sem mais falar, bola e caneta sobre a cama bem-arrumada, os dois abraçados entre cama e espelho com a mulher virada para a cama, portanto Orin pode ver além da cabeça dele o grande espelho pendente e as pequenas fotos emolduradas da família suíça dela dispostas ao longo da cômoda com textura de madeira sob a janela,[235] o sujeito com cara roliça e os meninos que pareciam suíços todos sorrindo confiantes para um nada em algum ponto acima e à direita deles.

Eles entraram em modo sexual. As pálpebras dela palpitam; as dele se fecham. Há um concentrado langor tátil. Ela é canhota. Não se trata de consolo. Eles começam aquela coisa com os botões do outro. Não se trata de conquista ou de captura forçada. Não se trata de glândulas, de instintos ou do estremecer e do fragor de uma fração de segundo em que você sai do corpo; não se trata de amor ou de qual amor você bem-no-fundo deseja, de quem você sente que te traiu. Não e nunca amor, que mata o que precisa dele. Parece para o punter na verdade que se trata de esperança, uma imensa esperança do tamanho do céu, de encontrar um algo no rosto palpitante de cada Cobaia, um algo sempre o mesmo que preste tributo, de alguma maneira, faça uma oferenda, à necessidade de saber ao certo que por um momento ele *tem* aquela mulher, que agora ele a *ganhou* como que de alguém ou de alguma coisa, algo diferente dele, mas que ele a *tem* e é o que ela vê e tudo que ela vê, que não é uma conquista mas uma rendição, que ele é tanto ataque quanto defesa e ela nenhuma das duas, nada além desse amor de um segundo por ela, *dela*, girando no que segue em arco, não o amor dele mas o *dela*, que ele tem *isso*, esse amor (agora sem camisa, ele no espelho), que por um segundo ela o ama demais para poder suportar, que ela *precisa* (ela sente) tê-lo, *precisa* colocá-lo dentro de si ou vai se dissolver em menos que nada; que tudo o mais se foi: que o senso de humor dela se foi, suas pequenas mágoas, triunfos, lembranças, mãos, carreira, traições, as mortes de bichos de estimação — que agora há dentro dela uma vividez que paira num vácuo de tudo que não o nome dele: O., O. Que ele é Único.

(É por isso, talvez, que uma Cobaia nunca baste, porque séries de mãos têm que descer para arrancá-lo da queda infinda. Pois houvesse para ele uma só, agora, especial e única, o Um não seria ele nem ela mas o que houvesse entre eles, a obliterante trindade de Você e Eu em Nós. Orin sentiu isso uma vez e nunca mais se recuperou, e nunca vai sentir de novo.)

E de desprezo, de um tipo de ódio, também, além de esperança e necessidade. Porque ele precisa delas, precisa dela, porque precisa dela ele a teme e assim a odeia um pouco, odeia todas elas, um ódio que surge disfarçado de um desprezo que ele disfarça na meiga atenção com que faz aquela coisa com os botões dela, toca na blusa como se também fosse parte dela, e dele. Como se pudesse sentir. Eles já se despiram inteiros. A sua boca está grudada na dele; ela é o alento dele, os olhos dele fechados contra a visão dos dela. Eles estão despidos no espelho e ela, numa espécie de Charleston virtuosístico que é 100% Novo Mundo, usa os ombros desiguais de O. como apoio para saltar e circundar o pescoço dele com as pernas, e ela arqueia as costas e é apoiada, o peso dela, por apenas uma mão na curva das costas no que ele a carrega para a cama como carregaria um garçom uma bandeja.

"*Ruumpf.*"

"*Rerrmmp.*"

"Mui mais de mil perdões pela minha colisão."

"Arslanian? É você?"

"É mesmo eu, Idris Arslanian. Quem este outro é?"

"É o Ted Schacht, Id. Por que a venda?"

"Aonde cheguei, por favor. Tornei-me desorientado numa escadaria. Tornei-me em pânico. Quase removi minha venda. Onde estamos nós? Detectei muitos odores."

"Você está bem na frente da sala de musculação, no saguãozinho do túnel que não é o saguãozinho que vai dar na sauna. Mas por que a venda?"

"E a origem deste som de choro histérico e gemidos, será…?"

"É o Anton Doucette ali. Ele está ali dentro clinicamente deprimido. O Lyle está tentando animar o menino. Tem uns caras dos mais cruéis ali assistindo como se fosse um entretenimento. Eu fiquei com nojo. Um cara sofrendo não é entretenimento. Eu fiz as minhas séries, agora virei fumaça."

"Você se transformou em vapor?"

"Sempre bom topar com você, Id."

"Aguarde. Por favor me conduza para o primeiro andar ou para o vestiário para uma visita ao toalete. A venda que eu estou usando é experimental da parte de Thorp. Disseram para você do jogador visualmente prejudicado que vai se matricular?"

"O carinha cego? Tipo de Cudomundolândia, Iowa? Dempster?"

"Dymphna."

"Ele só vem no semestre que vem. Ele teve que segurar, o Inc disse que eles disseram. Edema dural ou alguma coisa assim."

"Ainda que de idade apenas nove, ele é na sua região do Meio-Oeste como abaixo de doze anos muito bem ranqueado. O Técnico Thorp diz isso."

"Bom, eu diria que pra um cara cego e de crânio mole ele tem um ranking bem legal, Id, isso mesmo."

"Mas Dymphna. Eu ouço Thorp dizer que a altitude do ranking pode ser devida à própria cegueira. Thorp e Texas Watson foram os olheiros que acharam esse jogador."

"Eu não mencionaria o nome *Watson* perto daquela sala de musculação ali se eu fosse você."

"Thorp diz que a excelência de jogo dele pelos olheiros será a antecipação dele. Assim sendo o jogador Dymphna chega na localização necessária bem antes da bola do jogador adversário, por antecipação."

"Eu sei o que é antecipação, Id."

"Thorp me diz que essa excelência de antecipação nos cegos é por causa de audição e sons, porque os sons são meramente… ó. Por favor leia comentário que cuidadosamente anotei nesse pedaço de papel dobrado."

"'Som Meramente "Variações De Intensidade" — Throp.' Throp?"

"Era sentido de *Thorp*, em empolgação. Ele diz que se pode, quiçás, julgar os vavs[236] do jogador adversário com mais detalhe pelo ouvido que pelo olho. Isto é teoria experimental de Thorp. Isso explicando por que o bem ranqueado Dymphna parece sempre ter chegado flutuando como por mágica ao ponto necessário onde uma bola há de logo cair. Thorp diz isso de maneira convincente."

"Quiçás?"

"Que esse cego consegue julgar o ponto necessário de aterragem da bola pela intensidade do som da bola contra a corda do jogador adversário."

"Em vez de olhar o contato e aí imaginativamente estender o princípio do voo, como os coitados de nós que somos dotados de visão."

"Eu, Idris Arslanian, fico empolgado com o dito de Thorp."

"O que ajuda a explicar a venda."

"Eu portanto experimento a cegueira voluntária. Treinar o ouvido para os graus de intensidade no jogo. Hoje contra Whale eu estava usando a venda no jogo."

"Como é que foi?"

"Não tão bem quanto eu esperava. Frequentemente virei para o lado errado da quadra. Frequentemente julguei pela intensidade das bolas rebatidas em quadras adjacentes e corri para quadras adjacentes, atrapalhando o jogo."

"A gente meio que ficou imaginando o que podia ser o bafafá lá na região dos sub-14."

"Thorp diz que treinar o ouvido é um processo de tempo, para encorajar."

"Bom, té mais, Id."

"Pare. Aguarde antes de sair. Por favor me conduza para um toalete. Ted Schacht? Você está neste momento aqui?"

"…"

"Você está neste momento aqui? Eu preciso…"

"*Uuffff* olha por onde anda garoto pelo amor de Deus."

"Quem é por favor."

"Troeltsch, James L., ligeiramente dobrado em dois."

"É mesmo eu, Idris Arslanian, usando um lenço de raiom como venda sobre meu semblante. Estou desorientado e desejando intensamente um toalete. Imaginando também o que está transcorrendo na sala de musculação, onde Schacht alega que vocês estão todos assistindo Doucette chorar de depressão clínica."

"Bu*zuuuuu*nho! Só de sacanagem, Ars. É o Mike Pemulis."

"Então você, Mike Pemulis, pode neste momento estar questionando por que está uma venda em Idris Arslanian."

"Que venda? Ars, não fode, você também está usando uma venda?"

"Você, Mike Pemulis, também está usando venda?"

"Só te buzunhando aqui, mermão."

"Eu me tornei desorientado numa escada, aí dialoguei com Ted Schacht. Estou desconfiando que não confio o bastante no seu senso de riso para me conduzir de volta para primeiro andar."

"Você devia dar uma tateada lá dentro só um segundinho pra ver que quantidade de suor estressadão que o Lyle está tirando do Anton ("Catota") Doucette ali dentro, Ars."

"Doucette é o jogador de backhand com duas mãos cuja verruga parece ser material de narina, deprimindo clinicamente Doucette pela aparência dela."

"Na mosca quanto à verruga. Só que não é isso que está deprimindo o Melecão dessa vez. Nessa aqui a gente decidiu que era melhor descrever o cara como mais deprimido-angustiado que deprimido-deprimido."

"A pessoa pode ficar deprimida de vários tipos?"

"Meu, como você é novinho, Ars. O Catotão se convenceu que vai tomar um pé-na-bunda acadêmico. Ele está meio que na condicional esse ano, aparentemente por algum problema no ano passado com a trigonometria cubular do Thorp..."

"Estou empatizando com isso in toto."

"... e mas só que agora ele diz que está quase reprovando naquela matéria ridícula de introdução à Energia do Watson, o que obviamente ia dar num pezão no fim do semestre, se ele reprovar mesmo. Ele se enfiou num trava-cérebro de angústia. Ele está lá dentro agarrando o cabeção enquanto fala com o Lyle e o Mario, e tem uns caras menos bacanas lá dentro que estão apostando pra ver se o Lyle consegue tirar o menino da beira do precipício."

"Texas Watson o pró-reitor, ensinando de energia em modelos de escassez-de-recursos e abundância-de-recursos."

"Ars, eu estou balançando a cabeça afirmativamente aqui. Combustíveis fósseis até ciclos de fusão/fissão anular, litiumização-DT, coisa e tal e tal e coisa. Tudo num nível megassuperficial, já que o Watson basicamente tem um furúnculo cheio de líquido no alto da coluna vertebral onde devia estar o cérebro."

"Texas Watson não sobrepuja em brilho, é verdade."

"Mas o Doucette está convencido de que tem lá um bloqueio conceitual intransgulável que impede ele de sacar a anulação, nem que fosse superficialmente."

"Depois de diálogo você vai me conduzir à micturição, por favor."

"É o mesmo tipo de bloqueio que algumas pessoas têm com o Teorema do Valor Médio. Ou em Óptica quando a gente chega nos campos de cores. Num certo nível de abstração é como se o cérebro refugasse."

"Causando dor de impacto dentro do crânio, o que resulta na mão levada à cabeça."

"O Watson fez um esforço extra com ele. O Watson é tudo menos duro de coração. Ele tentou memorex, rimas mnemônicas, até uns filminhos de bonecos de massinha lá da Especial Rindge & Latin."

"Você está dizendo que em vão."

"Eu estou dizendo que aparentemente o Catota só fica lá sentado na aula, com uns olhão desse tamanho, o estômago tudo retorcido, sendo estapeado pela angústia. Eu estou dizendo congelado."

"Você está dizendo refugando."

"O lado direito do rosto dele com um tique de angústia. Vislumbrando qualquer carreria possível no tênis assim com umas asinhas, voando. Falando tudo quanto é tipo de coisa autoviolenta de depressão-angustiada. Começou tudo com ele, o Mario e eu na sauna, ele desmontando, eu e o Mario tentando fazer ele sair dessa conversa maluca de estar acabado com quinze, o Mario explorando uma conexão terapêutica prévia com o menino por causa da coisa da verruga, aí com euzinho aqui colocando a anulação-DT em termos bem amplos e gerais que uma merda de um *invertebrado* podia ter entendido pelo amor de Deus. Quase desmaiando de excesso de sauna enquanto isso. Finalmente levando o cara pro Lyle mesmo com os caras do 18 ainda fazendo exercício lá. O Lyle está trabalhando com o Ranhoso agora. Com a angústia e uma maratona de sauna aquilo virou um verdadeiro festim pro nosso amigo Lyle vai por mim."

"Eu também confesso experiências de angústia pela anulação com Tex Watson, embora eu tenha Trivialmente treze e ainda não precise dar conta de ciência dura."

"O Mario na sauna ficava dizendo pro Doucette simplesmente imaginar alguém dando saltos mortais com uma mão pregada no chão, que por favor né onde já se viu, e nossa que surpresa não ajudou nada o Catota."

"Não abriu o véu de Maya."

"Não abriu porra nenhuma."

"Os ciclos de energia anular são intensamente abstratos, minha nação natal acredita."

"Mas a minha mensagem pro Ranho foi que os ciclos-DT não são assim tão fodidos se você não paralisar o teu cérebro com cartuns-cerebrais de carreiras-aladas. A coisa da reação de reprodução em altíssimas temperaturas e da litiumização é bem cabeluda, mas o negócio todo de anulação de detritos em fusão/fissão in toto dá pra você imaginar como um triângulo retângulo enorme."

"Você está pressagiando dar a palestra resumida."

"Coloque este simples modelinho nas suas células-RAM paquistanesas e você vai passar bailando pela física-pra-criacinhas do Watson e até a Óptica, que é onde o bicho abstrato-conceitual pega feio mesmo, garoto, vai por mim."

"Eu sou um dos parcos da minha nação natal cujos talentos são fracos em ciência, malgrado."

"Por isso é que Deus também te deu umas mãos rápidas e um lob de backhand desgraçado de bom. Só imagine tipo um triângulo retângulo imenso e pseudocartográfico.[237] Tem essas instalações centrais da ONAN-Sunstrand, impregnavelmente defendidas e geradoras de montes de resíduos no que antes era Vermont, no Recôncavo. De Montpelier os resíduos do processo são mandados por tubos pra dois lugares, um dos quais é aquele brilho azulado à noite perto do Complexo-de-Ventiladores de Methuen, logo ao sul do Recôncavo, bem encostadinho no Muro e no Posto-de--Fronteira Pongo..."

"Que nossos elevados ventiladores e insoniadores da nossa região são apontados para soprar para longe do Sul."

"... na mosca, onde o fluoreto de plutônio dos resíduos da toxofusão é refinado em plutônio-239 e urânio-238 e fissionado num sistema-reprodutor-padrão ainda que seja radioativo e perigoso, que gera basicamente detritos de U-239, que são catapultados ou levados por longos caminhões reluzentes para o que antigamente era a BFA Loring — a Base da Força Aérea perto do que antigamente era Presque Isle Maine — onde deixam ele decair naturalmente pra neptúnio-239 e aí plutônio-239 e aí ele é acrescentado aos resíduos fracionais UF4 que também saem de Montpelier por tubulações, e aí é fissionado de um jeito propositadamente feio de modo a criar tipo quantidades monstruosas de resíduos radioativos extremamente tóxicos, que são misturados com água-pesada e enviados por tubulações de zircônio especialmente aquecidas defendidas por grandes contingentes de novo para Montpelier como material de base para os tóxicos monstruosos que são necessários para a litiumização tóxica, o alto nível de resíduos e a fusão anular."

"Minha cabeça está girando sobre seu eixo."

"É só um ciclo móvel triângulo-retangular de interdependência e criação/utilização de detritos. Sacou? E quando é que a gente vai te ver lá no nosso mapinha do Eskhaton pra uns conflitozinhos geopolíticos hein, Ars, com essas mãos aí e esse lob do mal? E por falar nisso, o som arrítmico de pancadas carnais é o Catota socando a coxa e o peito lá dentro, autoviolência que é um sintoma clássico de um episódio de depressão angustiada."

"Com isso posso criar empatia. Pois, confusamente para mim, a fusão não produz lixo. Isso nos ensinam na ciência da minha nação natal. Essa é a própria essência da promessa da atração da fusão para uma nação densamente povoada e com excesso de lixo como a minha, nos ensinam que a fusão é uma perpetuação autossuficiente e sem lixo. Mas, ai de mim, minha necessidade de visitar o toalete está se tornando distendida."

"Só que não, embora esse tenha sido exatamente o piquete na estrada que levava à anulação, e que tinha que ser ultrapassado, e foi ultrapassado, ainda que de uma maneira tão anti-intuitiva e abstrato-conceitual que é bem aqui que o seu sistema educacional terceiro-mundista está sofrendo de uma necessidade melancólica de um up generalizado nas cartilhas mais atuais etc. Também é bem nesse ponto do problema da fusão-falta-de-lixo que o nosso glorioso e óptico fundador, o ex-pai do Inc, aquele que a ex-sra. Inc corn..."

"Sei quem você refere."

"O próprio, bem neste ponto, faz a sua última contribuição duradoura para o desenvolvimento da ciência depois que parou de projetar refletores de difusão de nêutrons pra Defesa. Você viu a plaquinha de coprólito no escritório do Tavis. Aquilo é da CEA, pro pai do Incster, tipo pela contribuição duradoura à energia do lixo."

"O propósito pelo qual eu estava na escada e me tornei desorientado era visitar um toalete. Isso foi muito tempo atrás."

"Segura a cascata aí um segundo que não demora mais que isso. Você não ia nem *estar* aqui se não fosse o pai do Inc, sabe. O que o cara fez foi que ele ajudou a projetar essas conversões holográficas especiais pro pessoal que estava trabalhando na anulação poder estudar o comportamento subatômico em ambientes tremendamente tóxicos. Sem se intoxicar."

"Eles assim estão estudando conversões holográficas dos tóxicos em vez dos tóxicos."

"Me Insana Incorpóreo Plano, Ars. Tipo uma daquelas caixas de vidro com luvas encaixadas, mas em termos ópticos. O profilático definitivo."

"Por favor me conduza."

"Tipo mas por exemplo e por acaso a tua nação sabia que toda a teoria anular por trás de um tipo de fusão que consegue produzir um lixo que é o combustível de um processo cujo lixo é combustível pra fusão: que toda a teoria por trás dessa física toda vem das drogas?"

"Isso significa o quê? Cientistas drogados?"

"Drogas tipo remédios, Ars. A tua parte do mundo agora pode dar de barato a medicina anular, mas a ideia toda de tratar o câncer fazendo as próprias células cancerosas desenvolverem câncer era anatemática umas décadas atrás."

"Anatemática?"

"Tipo radical, marginal. Pirada. Motivo de piada de fazer a ciência entre aspas tradicional e fundamentada rachar de rir. Aquele pessoal que achava que tratamento era tipo envenenar o corpo inteiro e ver o que sobrava. Se bem que a quimioterapia anular começou meio doida. Dá pra você ver aquelas primeiras microfotos que o Schacht tem naquele pôster que ele não tira nem quando a gente enjoa daquele negócio, as primeiras microfotos de células de câncer recebendo rações forçadas de quantidades microgigantes de bife bem passado com refri diet, forçadas a fumar um atrás do outro, com uns Marlboros microscópicos perto de uns telefoninhos celulares…"[238]

"Eu estou comprimido aqui."

" — só que e corolarizando a coisa a partir do modelo micromédico veio essa ideia igualmente poderosa de que de repente dava pra atingir uma fusão anulante com produção de altos níveis de resíduos bombardeando partículas tóxicas extremamente tóxicas com doses gigantes de coisas ainda mais tóxicas que as partículas radioativas. Uma fusão que se alimenta de venenos e produz o relativamente estável fluoreto de plutônio e tetrafluoreto de urânio. Acaba que a única coisa que você precisa é ter acesso a volumes alucinantes de material tóxico."

"Colocando portanto o ponto natural para a fusão no Grande Recôncavo."

"Na mosca e *Jawohl*. Aqui as coisas ficam bicho-pegantemente abstratas e eu só vou passar rapidinho pelo fato de que o único buzunho do processo todo em termos ambientais é que a fusão resultante se provou tão cobiçosamente eficiente que ela chupa toda e qualquer toxina e veneno que ainda restem no ecossistema circunstante, todos os inibidores de crescimento orgânico em centenas de km radiais em tudo quanto é direção."

"Daí o Recôncavo Leste de angústia e de mito."

"Você acaba com um ambiente circunstante tão fertilmente viçoso que é praticamente insuportável pra viver."

"Uma floresta tropical que tomou anaboides esterolizantes."

"Quase isso."

"E logo hamsters selvagens voragens, insetos tamanho-fusca, giganticismo infantil e regiões infacaozáveis das florestas do mítico Recôncavo Leste."

"Isso Ars e você acaba descobrindo que precisa continuar jogando toxinas regularmente pra evitar que o ecossistema sem freios se espalhe e domine áreas ecologicamente mais estáveis, exaurindo os venenos da atmosfera e fazendo a coisa toda hiperventilar. E por aí vai. Então é por isso que o grosso da catapultagem da DRE sai da área metropolitana logo ao norte."

"Para o Recôncavo Leste, para manter afastada."

"Viu como tudo se encaixa?"

"O sr. Thorp há de demonstrar aguda decepção se eu recorrer à remoção da venda para localizar um toalete."

"Ars, eu estou te ouvindo. Eu ouço muito bem. Não tem por que ficar repetindo sem parar. O que você precisa ter em mente pra se você tiver que fazer a aula do Watson são os efeitos cíclicos das remessas de lixo e de fusão. Em que dias caem as grandes catapultagens?"

"As datas que em cada mês são números primos até a meia-noite."

"O que erradica a abundância vegetal até as toxinas serem fundidas e utilizadas. O panorama por satélite é que a parte leste da Malha 3 vai de exuberante a desértica a exuberante várias vezes por mês. Com a primeira semana do mês sendo especialmente infértil e a última sendo uma coisa sem igual."

"Como se o próprio tempo fosse vastamente acelerado. Como se a própria natureza tivesse desesperadamente que visitar o toalete."

"Fenômenos acelerados, o que na verdade é o equivalente de um tempo incrivelmente *mais lento*. A riminha mnemônica que o Watson tentou fazer o Ranhento decorar é 'Se tudo recomeça, o tempo vai sem pressa'."

"Tempo desacelerado, eu saquei você."

"E é isso que o Ranho está dizendo que está acabando mais com ele, conceitualmente. Ele diz que está ferrado se não conseguir meter o conceito de tempo em fluxo na cabeça, conceitualmente. Isso detona o menino pra todo o modelo geral da anularidade. Tudo bem que é abstrato. Mas você precisava ver o cara. Metade do rosto dele está tipo espasmando sem parar enquanto a metade com a verruga só fica lá moloide te olhando que nem um coelhinho que você está prestes a atropelar. O Lyle está tentando repassar com ele bem devagarinho os princípios mais física-de-criancinha da relatividade do tempo em ambientes orgânicos radicais. Entre as viagens do Meleca de volta pra sauna. A ironia pro Catota é que você não precisa saber tanta coisa assim dessas coisas de fluxo-temporal, já que a testa do Watson fica toda pintadinha e com cara de caroço de pêssego quando ele mesmo tem que pensar nisso."

"Não por favor necessite imploração minha, de Idris Arslanian."

"Já que o Recôncavo Leste é claro que é outras cinco centenas totalmente diferentes do que o Inc chama de as terras Elioticamente devastadas no Recôncavo Oeste, vai por mim.

"Eu entendo tudo que você me disser ao lado da porcelana de um toalete."

"Um passinho de dança interessante esse aí, Id, isso eu sou obrigado a reconhecer."

"Eu imploro sem frequência. Minha cultura natal considera implorar uma coisa de castas baixas."

"Hmm. Ars, eu estou aqui pensando se a gente de repente não podia chegar a um acordo."

"Eu não vou cometer atos ilegais ou degradantes. Mas, se forçado a tal, implorarei."

"Esquece isso. Eu só estou pensando. Você é muçulmânico, não é verdade?"

"Devoto. Eu rezo cinco vezes por dia conforme prescrito. Eu evito a arte representacional e a carnalidade em todas as suas quatro-mil-quatrocentas-e-quarenta-e--quatro formas e disfarces."

"Corpo é um templo e coisa e tal."

"Evito. Nem estimulantes nem compostos depressivos passam pelos meus lábios, como está determinado pelos santos ensinamentos da minha fé."

"Eu estou imaginando se você tinha algum plano específico pra essa urina de que você quer tanto se livrar, Ars, então."

"Eu não estou compreendendo."

"Que tal a gente discutir isso tudo na porcelana, então, meu irmão."

"Mike Pemulis, você é em gestos tal um príncipe e no repouso tal um sábio."

"Meu irmão, vai nevar no equador no dia em que esse carinha aqui estiver em repouso."

Era o estranho dos estranhos; era quase como se os fanzocos sem pernas e patologicamente tímidos de alguma maneira tivessem medo da Junesca srta. Steeply da *Moment* — Orin tinha visto a última cadeira de rodas dele um dia antes de ela surgir, e agora (ele percebeu, no carro) era poucas horas depois de ela ter saído que eles estavam de volta, com os seus tímidos ardis. O ciclo de Excitação-Esperança-Aquisição-Desprezo da sedução sempre deixava Orin atordoado e exausto e não nos seus melhores momentos em termos de processamento de dados. Foi só depois dele ter se lavado, se vestido e trocado os cumprimentos e as garantias de praxe, embarcado na cápsula de vidro do elevador para descer pelo alto núcleo redondo e vítreo do hotel rumo ao saguão, passado pela porta giratória pressurizada para a rajada de calor de Phoenix que lhe fazia o escalpo crepitar, esperado que o AC direcional do carro tornasse o volante tocável, e aí se injetado pelas artérias lotadas da Rt. 85 e da Bell Rd. Oeste, de volta ao caminho que leva à Cidade do Sol, ruminando enquanto dirigia, que lhe buzunhou o fato de que o sujeito aleijado diante da porta do quarto do hotel estava numa cadeira de rodas, que era a primeira cadeira de rodas que ele via desde que Hal tinha vindo com aquela teoria lá dele, e que o inspecionador sem-pernas tinha (mais estranho) o mesmo sotaque suíço da modelo-de-mãos.

En route, a boca de R. Lenz se contorce, ele coça o vermelhãozinho rinofímico, funga terrivelmente e reclama de terríveis alergias pós-outonais a mofo de folha de árvore, esquecendo que Bruce Green sabe muito bem quais são os sintomas da hidrólise da coca por ter ele mesmo batido lá suas tantas carreiras naquele tempo em que a vida com M. Bonk era uma grande festa.

Lenz explica detalhadamente que o véu da novata vegetariana Joel é por causa daquela doença que dá nas pessoas que ela só tem um olhão enorme que fica bem no meio da testa, de nascença, que nem um cavalo-marinho, e pede para Green nem pensar em perguntar como ele sabe disso.

Enquanto Green age como sentinela enquanto Lenz se alivia contra uma lixeira da Market St., Lenz faz Green jurar que nunca vai contar que a coitadinha da adoentada e sofrida da Charlotte Treat tinha feito ele jurar que nunca ia contar o seu (dela) sonho secreto de sobriedade, que era um dia tirar um diploma e virar higienista dental, especializada em educar jovenzinhos com pavor patológico da anestesia odontológica, porque o sonho dela era ajudar os jovenzinhos, e mas como ela temia que o seu Vírus tenha posto o seu sonho para sempre num lugar impossível.[239]

Por todo o caminho que passava pela Harvard St. no Spur rumo à Union Square, num vetor que mal era NO, Lenz consome vários minutos e menos de vinte respirações para dividir com Green certas dolorosas Questões tipo Família-de-origem sobre como a mãe de Lenz, a sra. Lenz, tridivorciada Processadora de Dados, era tão indizivelmente obesa que tinha que fazer os seus próprios vestidos-saco com cortinas de brocado e toalhas de mesa de algodão e nunca foi ao Dia da Família na Pré-Escola Bispo Anthony McDiardama em Fall River, MA, porque os pais e as mães tinham que sentar nas mesinhas com tampo articulado dos pequenos durante as apresentações e as pecinhas do Dia da Família, e na única vez em que a sra. L. se arrastou até a PEBAM para o Dia da Família e tentou se sentar à mesa do pequeno Randall entre a sra. Lamb e a sra. Leroux ela fez a carteira virar serragem e precisou de quatro papais fortões plantadores de oxicoco e de um pequeno guindaste pra voltar a se erguer do chão da sala, e nunca mais voltou, mirabolando desculpas furadas de que estava ocupada com

588

o Processamento de Dados e basicamente desinteressada do rendimento escolar de Randy L. Lenz compartilha como na adolescência (dele) sua mãe morreu porque um dia estava indo num ônibus Greyhound de Fall River, MA, rumo norte para Quincy, MA, visitar o filho num estabelecimento penal para jovens em que Lenz estava fazendo uma pesquisa para um possível roteiro, e durante a viagem de ônibus ela teve que ir fazer caquinha, e estava na minúscula privada da traseira do ônibus cuidando dos seus negócios mais particulares de fazer caquinha, como posteriormente ela testemunhou, e muito embora fosse o auge do inverno ela estava com a pequena janela da privada aberta, por motivos que Lenz prevê que Green não quer ouvir, no ônibus rumo norte, e como isso foi num dos últimos anos da datação anual ordinal não Subsidiada, e no último ano fiscal em que efetivas obras de manutenção tinham sido executadas nas inférnicas seis pistas da Route 24, assolada por um tráfego intenso, que ia de Fall River até a South Shore de Boston pelo Departamento de Estradas de Rodagem do pré-ONA-Nita Governador Claprood, e o ônibus Greyhound deu com uma área EM OBRAS mal sinalizada onde a 24 estava toda rasgada com a camada de ferro subjacente exposta e portanto estriada de fazer bater os dentes dos motoristas, esburacada, detonada e simplesmente assim em geral uma porcaria, e os detritos mal sinalizados e sem sujeitinhos com bandeirolas fora que a velocidade excessiva do ônibus que seguia rumo norte fez com que ele tranqueasse bisonhentamente, o ônibus, e guinasse violentamente pra frente e pra trás, lutando por se manter sobre o que ainda havia da estrada, e passageiros foram arremessados violentamente dos assentos, durante isso tudo, lá na privadinha traseira tamanho-armário, a sra. Lenz, bem no meio do processo de fazer caquinha, foi arremessada do banheiro pela primeira guinada e como que virou uma bola de pinball humana de alta velocidade e coberta de excremento humano, quicando nas paredes plásticas da privada; e quando o ônibus finalmente recobrou o total controle e retomou sua trajetória a sra. Lenz tinha, por mais bizarro que possa parecer, acabado seu pinball humano com o derrière desnudo e indizivelmente ingente entalado na janela aberta da privada, tão forçosamente intricado no receptáculo que ela era incapaz de extricá-lo, e o ônibus continuou na sua estada rumo norte pelo que faltava da 24 com o derrière desnudo da sra. Lenz protuberando da janela entalejante, gerando buzinaços dos carros e uma oratória derrisória dos outros veículos; e os gritos lamuriosos de ajuda da sra. Lenz foram desaproveitados pelos passageiros que estavam se levantando do chão e esfregando as cacholas doloridas e ouvindo os gritos mortificados da sra. Lenz por trás da porta plástica reforçada da privada, mas eram incapazes de excertejá-la porque a porta da privada trancava por dentro com uma tranca deslizante que fazia a parte de fora da porta dizer OCCUPIED/OCUPADO/OCCUPÉ, e a porta estava trancada, e a sra. Lenz estava entalada lá onde seus braços não podiam chegar até a tranca por mais que ela estendesse lamuriosa seu braço pantagruélico com pelancas gordejantes; e, como 88% de todos os americanos clinicamente obesos, a sra. Lenz tinha um diagnóstico de claustrofobia patológica e tomava medicamentos de tarja preta para ansiedade e fobias relativas a entalamentos, e acabou abrindo e ganhando uma ação de Sete-Dígitos contra as Greyhound Lines e o quase-defunto Departamento de

Estradas de Rodagem por traumas psiquiátricos, humilhação pública e congelamento parcial das nádegas, e recebeu uma indenização tão morbidamente obesa estabelecida pelo 18º tribunal destretal nomeado ainda por Dukakis que quando o cheque chegou, num envelope extralongo pra acomodar tanto zero, a sra. L. perdeu toda a vontade de Processar Dados, de cozinhar, de limpar, de maternar e finalmente de até se mexer, simplesmente restando reclinada numa poltrona reclinável customizada de 1,5 m de largura assistindo Romances Góticos na InterLace e consumindo quantidades pantagruélicas de doces com elevados teores de lipídios que lhe eram trazidos em salvas de ouro por um confeiteirozinho que ela tinha contratado para estar 24 horas a sua disposição e que era dotado de um bipe celular, até que quatro meses depois da imensa indenização ela rebentou e morreu, com a boca tão entupida de torta de pêssego que os paramédicos foram infortunados de aplicar a reanimação cardiorrespiratória, que Lenz diz que sabe aplicar, aliás — reanimação cardiorrespiratória.

Quando eles chegaram ao Spur, sua rota noroeste foi gradualmente se abrindo para a direita até ficar mais veramente norte. A senda deles por aqui é um Mondrian de ruelas estreitadas quase até virarem gargantas por causa das lixeiras. Lenz vai primeiro, picando a abertura. Lenz dá umas olhadas meio gosmentas para toda e qualquer mulher que passe à vista. O vetor deles é agora quase sempre N/NO. Eles passam tranquilos em meio ao odor vigoroso de fumaça de escapamento que sai dos fundos de uma lavanderia automática na esquina da Dustin com a Comm. A cidade que é a Grande Boston MA à noite. Sinetas e estrondos dos Verdinhos das linhas B e C que sobem o morro da Comm. Ave., a oeste. Bêbados de rua sentados com as costas contra paredes fuliginosas, aparentemente analisando o colo em grande detalhe, descolorida até a névoa da respiração deles. O chio sobreposto de freios de ônibus. As sombras entrecortadas que se alongam à passagem dos faróis. Música latina pairando pelos Conjuntos Habitacionais do Spur, entrelaçada com alguma coisa afro-5/4 que vem de um estéreo portátil lá para os lados do Feeny Park, e entre eles um plasma assombroso de música à la havaiana que soa ao mesmo tempo tonitruante e muito distante. As vagas cadências polinésias salteriadas fazem o rosto de Bruce Green se distender numa máscara achatada de dor psicológica que ele nem sente que está lá, e aí a música some. Lenz pergunta a Green como é trabalhar com gelo o tempo todo na Gelos Hora do Lazer e aí teoriza ele mesmo sobre como deve ser, ele é capaz de apostar, com aquele gelo moído e os cubinhos de gelo dentro daqueles sacos plásticos azul-clarinhos com um grampo em vez de araminho e gelo seco nas calhas de madeira jorrando fumaça branca e aí aqueles blocos enormes de gelo industrial embrulhados na serragem aromática, os blocões enormes de gelo tamanho-pessoa flamejantes de rachaduras internas. Aquelas picaretas, machadinhas e umas tenazes imensas, dedos avermelhados, janelas cobertas de geada e um vago cheiro amargo de freezer com uns polacos funguentos com casacos xadrezes e gorrinhos cônicos, os mais velhos cronicamente adernados pra um lado de tanto carregar gelo.

Eles esmigalham iridescentes pedaços do que Lenz identifica como um para-brisas estourado. Lenz divide seus sentimentos sobre o fato de que entre três ex-maridos e advogados selvagens e um confeiteiro que usou sua dependência de doces para moldá-la e torcê-la até ela corromper um testamento em benefício do chef e com Lenz graças ao seu excesso de profissionalismo ainda na detenção de menores em Quincy e numa situação juridicamente pouco vantajosa, o testamento da rebentada sra. L. tinha lhe deixado a ver navios tendo que se autovirar com sua inteligência urbana enquanto ex-maridos e patissiers se espichavam em cadeiras de praia na Riviera se abanando com cédulas de altos valores, todas coisas com cujas Questões decorrentes Lenz diz que tem que lidar tipo todo dia; deixando uma brecha para Green fazer ruídos compreensivos. A jaqueta de Green range no que ele respira. O vidro de para-brisas está numa ruela cujas saídas de incêndio estão cobertas pelo que parecem ser lonas úmidas congeladas. As lixeiras acumuladas da ruela e suas portas de metal sem maçaneta e o preto-fosco do encardido total. A fuça truncada de um ônibus protubera para dentro do quadro do fim da ruela, em ponto morto.

O lixo das lixeiras não tem apenas um cheiro, varia. O lume urbano deixa a noite urbana apenas semiescura, como alcaçuzenta, uma luminescência logo abaixo da pele das trevas, que incha. Green os mantém atualizados sobre a hora. Lenz começou a se referir a Green como "irmão". Lenz diz que tem que mijar que nem cavalo de corrida. Ele diz que o melhor da cidade urbana é que se trata de um grande penico. O jeito de Lenz pronunciar *brother* envolve apenas um *r*. Green segue adiante para se pôr na boca da ruela, olhando para lá, dando um pouco de privacidade para Lenz várias lixeiras atrás. Green fica lá parado no começo da sombra da ruela, na cálida esteira do ônibus, com os cotovelos apontando para fora e as mãos nos bolsinhos da jaqueta, olhando para lá. Não está claro se Green sabe que Lenz está afetado pelo Bing. A única coisa que ele sente é um momento de profunda perda torturante, de querer que se chapar ainda fosse agradável para ele para ele poder se chapar. Essa sensação vem e vai o dia inteiro ainda. Green tira um careta detrás da orelha, acende e põe um novo a postos atrás da orelha. Union Square, Allston: Me dá um beijo lá na fedidinha, ela disse, aí eu levei ela pra Allston, fecha aspas. As luzes da Union Square pulsam. Toda vez que alguém para de tocar a buzina outra pessoa começa a tocar a buzina. Lá estão três chinesas esperando no sinal pra atravessar a rua e vir pra onde está o cara com as lagostas. Cada uma está com uma sacola de compras. Um fusca velho como o fusca de Doony Glynn em ponto morto des-silenciadorizado na frente do Rosbife do Riley, só que o motor do fusca do Doony fica exposto porque o capô traseiro foi retirado pra expor as entranhas do fusca. É tipo impossível achar uma chinesa numa rua de Boston que tenha menos de sessenta ou mais de 1,5 m ou não esteja carregando uma sacola de compras, e jamais duas sacolas de compras. Se você fechar os olhos numa calçada urbana movimentada os sons dos passos dos calçados diferentes de todo mundo postos todos juntos soam como algo que esteja sendo mascado por alguma coisa imensa, incansável, paciente. Os fatos aterradores do caso das mortes dos pais naturais de Bruce Green quando ele era criancinha estão tão profundamente reprimidos dentro de Green que estratos e substratos inteiros de silêncio e de sofrimento animalesco e mudo terão que ser escavados e processados um

Dia de cada Vez na sobriedade para que Green sequer possa lembrar como, na sua 5ª Véspera de Natal, em Waltham, MA, o Pápis dele tinha puxado o pequeno Brucie Green que tinha na época a altura de um hidrante e lhe dado, para que ele desse de Natal para sua adorada Mâmis, uma lata de macadâmias polinésias da marca Mauna Loa[240] gaiamente coloridas à moda de Gauguin, lata cilíndrica esta em questão que foi depois levada balouçantemente para cima pela criança e cuidadosissimamente embrulhada em tanto papel laminado que o presente embrulhado final parecia um linguicinha gigante que tinha necessitado primeiro ser marretado e depois atado nas duas pontas com dois rolos de cada lado de fita durex e alegres fitas fúcsia para ser amansado, embrulhado e colocado sob o pinheiro gaiamente iluminado, e mesmo então o pacote parecia polpudamente revoltado enquanto os substratos de papel se mexiam e se acomodavam.

O sr. Green, o Pápis de Bruce Green um dia fora um dos mais influentes instrutores de aeróbica da Nova Inglaterra — chegando até a coestrelar duas vezes, na década que antecedeu à disseminação digital, na alugadíssima série de vídeos *Bumbum de a*ço, para aeróbica em casa — e tinha sido muito solicitado e muito influente até que, para seu horror, antes ainda de fazer trinta anos, no absoluto apogeu da vida funcional de um instrutor de aeróbica, ou uma das pernas do sr. Green começou espontaneamente a crescer ou a outra perna começou espontaneamente a se retrair, porque em questão de semanas uma perna estava subitamente quinze centímetros mais comprida que a outra — a única lembrança visual irreprimida que Bruce Green tem dele é de um homem que progressiva e periculosamente se *inclinava* enquanto manquitolava de um especialista para outro — e ele teve que passar a usar uma bota ortopédica especial, negra como piche, que parecia ser 90% sola, lembrava a botina pesada de um espalhador de asfalto, pesava vários quilos e ficava ridícula com leggings de laicra; e para encurtar a história o negócio é que o Pápis de Brucie Green foi aerobicamente finalizado pela perna e pela bota, e teve que trocar de carreira, e foi amargamente trabalhar numa empresa de novidades e surpresas de Waltham, alguma coisa com um & no nome, Novidades & Surpresas Acme, coisa assim, onde o sr. Green concebia itens meio sádicos para pegadinhas, especializando-se nas linhas de produtos Choca-Aqui e Charutos Um-Estouro, com um interesse paralelo por cubos de gelo entomológicos e caspa artificial etc. Um trabalhinho desmoralizador, sedentário, de perverter o caráter da pessoa, é o que uma criança maior teria podido compreender, ao espiar da porta iluminada por uma lampadinha de segurança do seu quarto e ver um homem com a barba por fazer que passava as horas mortas de todas a noites caminhando sincopadamente pela sala de estar, com o passo de um contramestre em mares encapelados, vez por outra mandando um agachamento com chutinho para forçar os glúteos, quase caindo, resmungando amargamente, carregando uma latona de cerveja Falstaff.

Algo tocante num presente que uma criancinha hiperembrulhou tão excessivamente faz uma sra. Green de um palor doentio, algo neurastênica mas amantíssima, a adorada Mâmis de Bruce, escolher primeiro o presente tipo cilindro-de-papel-la-

592

minado-como-um-linguicinha-atado, claro, para abrir, na manhã de Natal, quando eles estão sentados diante de uma lareira crepitante em cadeiras diferentes próximas de janelas diferentes com vista da leve neve de Waltham, com tigelinhas de doces de Natal e canecas de chocolate quente e descafeinado de avelã com o logo da Acme com o & e ficam uns olhando os outros enquanto se revezam uns e outros para abrir os presentes. O rostinho de Brucie reluz à luz das chamas enquanto o desembrulhar das nozes prossegue por camadas e estratos, tendo a sra. Green algumas vezes que empregar os dentes nas bordas da fita. Finalmente a última camada se vai e a lata de cores gaias fica à vista. Mauna Loa: a guloseima especial favorita e mais decadente da sra. Green. O alimento mais calórico do mundo fora tipo banha pura. Nozes tão deliciosas que deviam se chamar Pecado, ela diz. Brucie empolgadamente balançando na cadeira, derramando chocolate quente e Gummy Bears, uma criancinha encantadora, mais empolgada com a recepção que teve o seu presente do que com o que ela mesma vai ganhar. As mãozinhas da mãe juntas na frente do peito encavado. Suspiros de deleite e protestos. E uma tampinha mole de abrir, na lata.

Cujo conteúdo, da tal lata rotulada macadâmias, na verdade é uma serpente espiralada de tecido com uma mola ejaculatória. A cobra mole pula enquanto a sra. G. berra, mãozinha na garganta. O sr. Green urra com amargo prazer profissional de pegadinhas, se chega manquitola e dá um tapão tão forte nas costas do pequeno Brucie que Brucie expele um Gummy Bear de limão que estava chupando — esta também uma lembrança visual, descontextualizada e medonha — que corre em arco pela sala de estar e aterrissa no fogo da lareira com um verde *siss* chamejante. O arco da cobra de pano acabou terminando no candelabro de imitação de cristal sobre eles, onde a cobra fica presa e de onde pende como trêmula mola no que o candelabro balança, tilinta e o riso estapeante que atinge as coxas do sr. Green leva um tempo para murchar mesmo quando a mão da Mâmis de Brucie que está na sua delicada gargantinha se faz em garra e ela agarra a garganta, gorgoreja e desmorona a estibordo com um infarto fatal, boca cianótica ainda aberta e espantada. Nos primeiros poucos minutos o sr. Green acha que ela está brincando com eles e fica dando notas para o desempenho dela numa Escala de Pegadinhas interdepartamental Acme que vai de 1-8 até finalmente ficar puto e começar a dizer que ela está exagerando na brincadeira, que ela vai assustar o filhinho deles que está sentado ali sob o cristal balouçante, de olhos arregalados e calado.

E Bruce Green não soltou nenhuma palavra em voz alta a mais até seu último ano de escola primária, quando já estava morando com a irmã da falecida mãe, uma Adventista do Sétimo Dia decente mas com cara de camponesa-maltratada-pelas-intempéries que nunca tentou fazer Brucie falar, provavelmente movida pela compreensão, provavelmente empatizando com a dor aterradora que a criança de olhos opacos deve ter sentido não apenas ao dar um presente letal de Natal para a Mâmis mas ao ter então tido que ver seu assimétrico Pápis enviuvado desmontar psicologicamente depois do velório, ver o sr. Green andar/manquitolar pela sala de estar a noite toda toda noite depois do trabalho e de um jantar-para-dois que ficava menos tempo do que devia no micro-ondas, com aquela bota frankensteiniana, manquitolando em círculos, coçando lento o rosto e os braços até parecer menos flagelado que urticado, e em resmungos livre-associados xingando Deus, a si próprio, a Acme Nozes & Cobras ou sei lá o quê, e deixando a cobra fatal pendurada no lustre de cristal falso até todas as luzinhas de Natal queimarem e os fios de pipoca ficarem pretos e duros e a tigela de água da cômoda evaporar e matar os espinhos da árvore que caíram marrom-mente sobre o resto dos presentes de Natal ainda por abrir amontoados sob ela, sendo que um deles era um pacote de bifes de gado alimentado com milho em Nebraska cujo papel com padrão de querubins estava começando a inchar de maneira ominosa…; e aí por fim a dor infantil ainda mais aterradora da detenção pública e do escândalo de mídia e das Audiências de Sanidade Mental e do julgamento no Meio-Oeste quando ficou estabelecido a posteriori que não é que um sr. Green pós-Natal — cujo único sinal encorajador de ter mantido uns poucos restos esfiapados de si próprio em ordem depois do enterro tinha sido ele ainda ir piamente todo dia trabalhar na Acme Inc. — tinha enchido uma caixa totalmente aleatória dos Charutos Um-Estouro da companhia com explosivos violentos compostos de tetril, e um Veterano de Guerra, três Rotarianos e 24 Shriners tinham sido grotescamente decapitados em todo o sudeste de Ohio antes que a a ATF federal conseguisse seguir a pista dos macabros fragmentos analisados no laboratório e chegar ao laboratório Um-Estouro do sr. Green Sênior, em Waltham; e aí a extradição e a Audiência de Sanidade Mental horrivelmente complicada e o julgamento e a controversa sentença; e aí os recursos, e o corredor da morte e a Injeção Letal, com a tia de Bruce Green entregando cópias vagabundas de tratados de W. Miller para as multidões que se aglomeravam na frente da prisão de Ohio enquanto o relógio fazia a contagem regressiva para a Injeção, com o pequeno Bruce a reboque, com um olhar vazio assistindo a tudo, a multidão de ativistas da mídia e do anticapitalismo e de piqueniqueiros tipo Mme. Defarge num agito e rebuliço, muita camiseta à venda, e os sujeitos de cara vermelha com blazers esporte e fez, ah aquelas caras contorcidas de raiva com o mesmo vermelho dos fezes no que os sujeitos zuniam de um lado para o outro de carro, formações inteiras de Shriners motorizados passando pelas portarias da Prisão de Segurança Máxima e gritando *Manda Bala Nesse Monstro* ou o mais adequado *Manda Injeção Letal Nesse Monstro*, a tia de Bruce Green com o cabelo dividido no meio visivelmente encanecendo sob o chapeuzinho de Jackie Kennedy e o rosto obscurecido pelos três meses ohianos atrás da rede negra do véu que tremulava pendurado do chapéu, apertando a cabecinha de Bruce contra o seio barbatanado dia após dia até que o rosto vazio dele ficou mossado de um lado… A culpa, a dor, o medo e o ódio que Green sentia de si próprio durante anos de medicamentos sem receita foram todos comprimidos a tal ígneo ponto que ele apenas sabe que evita compulsivamente qualquer produto ou serviço com um ☉ no nome, sempre dá uma olhada na palma da mão de alguém antes de cumprimentar, anda quadras a mais para desviar qualquer parada que envolva carros de gente com fezes e tem essa muda Gestalt de fascínio e horror substratificada sobre tudo que sequer pareça polinésio. É provavelmente a música distante e atenuada de luau que ecoa erraticamente de um lado para o outro pelas quadras anguladas de cimento de Allston que deixa Bruce Green pensando como que mesmerizado desde a Union Square e por todo o caminho pela Comm. Ave. rumo a Brighton e até tipo a esquina da Comm. Ave. com a Brainerd Road, sede do clube noturno A Vida Insondada com sua garrafa inclinada reluzente de neon azul sobre a entrada, antes dele perceber que Lenz não está mais ao seu lado perguntando as horas, que Lenz não tinha vindo atrás dele morro acima apesar de Green ter ficado lá parado na boca da ruela da Union Square bem mais tempo do que qualquer um teria necessitado para dar um mijão legítimo.

Ele e Lenz se separaram, ele percebe. Agora já bem a sudoeste da Union na Comm., Green fica olhando em volta o trânsito, os trilhos do T, os clientes dos bares e o piscar do neon fraco da imensa garrafa do AVI. Ele fica pensando se de alguma maneira se livrou de Lenz ou se Lenz se livrou dele, e é só isso que ele pensa, é esta a complexidade total que assume sua especulação, é nisso que ele pensa naquele minuto. É como se todos os traumas de nozes-e-charutos tivessem sido drenados por uma fossa durante a sua puberdade, sumido e deixado apenas um borrão oleoso que reflete a luz de maneiras distorcidas. A trinada música polinésia está bem mais nítida por aqui. Ele começa a subir o morro íngreme da Brainerd Rd., que acaba na linha Enfield. Talvez o Lenz simplesmente não possa andar direto rumo sul depois de uma certa hora. O aclive não pega leve com as botas de espalhador de asfalto. Depois da fase inicial tipo hamster-alucinado-dentro-do-cérebro do começo da Abstinência e da desintoxicação, Bruce Green agora voltou a seu estado cerebral psicorreprimido normal em que tem cerca de uma ideia plenamente desenvolvida a cada sessenta segundos, e só uma de cada vez, uma ideia, cada uma delas se materializando totalmente desenvolvida e ficando ali paradinha e aí sumindo como num lânguido monitor de cristal líquido. O conselheiro dele na Ennet, o extremamente ríspido Calvin T., reclama que ficar ouvindo o Green é como ouvir uma torneira que pinga muito lentamente. O resumo da ópera dele é que Green não parece sereno ou desconectado da realidade mas totalmente desligado, desassociado, e Calvin T. tenta semanalmente fazer Green se ligar deixando ele puto. A próxima ideia plena de Green é a percepção de que muito embora a hedionda música havaiana tivesse soado como se estivesse subindo rumo norte lá do Spur de Allston, fica um pouco mais alta agora quanto mais ele se move para oeste na direção da esquina aguda da Cambridge St. de Enfield e do Hospital St. Elizabeth. A Brainerd entre a Commonwealth e a Cambridge St. é uma onda senoidal de morros de arrebentar os pulmões do indivíduo através de vizinhanças que o Míni Ewell tinha descrito como Depressivamente Residenciais, fileiras infindas de casas de três andares todas grudadinhas com aquelas tristes diferençazinhas arquitetônicas que parecem sublinhar a mesmice essencial, com varandas empenadas e uma tinta psoriática nas paredes ou nos revestimentos de alumínio todos carbunculosos por causa das violentas alterações de temperatura, lixo nos quintais, pratos, uma grama calva, bichinhos cercados, brinquedos de crianças jogados por ali como que descartados, ecléticos cheiros de comida, cortinas com padrões alucinadamente diferentes ou persianas nas diferentes janelas de uma casa devido que essas casas velhas são divididas por dentro em apartamentos para tipo alunos alienados da Uni. B ou famílias canadenses, ou concavidadianas removidas, ou alunos ainda mais alienados do Boston College, ou provavelmente parece que quase todos esses locatários são umas figuras Green-e-Bonkescas, baladeiras, jovens e classe operária que têm pôsteres dos Demônios em Forma Humana, ou dos Fidasputas Exigentes, ou do Focinho, ou dos Cinco Biodisponíveis[241] no banheiro, luzes negras no quarto, manchas de trocas de óleo na calçada e que jogam os pratos da janta no quintal, compram pratos novos no Caldor em vez de lavar os pratos e que ainda, com vinte e poucos anos, ingerem Substâncias toda noite, usam o verbo *festar*, colocam os alto-falantes dos sistemas de som nas janelas dos apartamentos virados para fora, detonam o volume motivados por pura pentelhice de gente animada porque ainda têm aquelas namoradas com que mandar umas brejas e em cujas bocas fazer peruanas com maconha e sobre várias partes de cujos corpos nus cheirar carreiras de Bing, e ainda mandar breja, fumar de bong e bater carreira divertido e se divertir toda noite depois do trabalho, detonando aquelas músicas pelo ar da vizinhança. As árvores nuas da rua são densamente galhadas, são um certo tipo de árvore, elas parecem umas vassouras de cabeça pra baixo nas trevas residenciais, Green não sabe muito nome de árvore. A música havaiana foi o que o atraiu para sudoeste, ele descobre: ela está surgindo de algum lugar nesta precisa vizinhança aqui em algum ponto da W. Brainerd, e Green segue rio acima na direção do que soa como a fonte do som com um fascínio horrorizadamente vazio. Quase todos os quintais são cercados por uma malha de aço inoxidável, e um ou outro cachorro quintaleiro choraminga ou mais comumente late, rosna e salta territorialmente em Green por trás das cercas, cercas que estremecem com o impacto e têm os elos da malha amassados para fora por impactos prévios contra prévios passantes. O pensamento de que ele não tem medo de cachorro se desenvolve e se recolhe no mesencéfalo de Green. Sua jaqueta range a cada passo. A temperatura cai sem parar. Os quintaizinhos cercados são do tipo semeado de brinquedos e latas de cerveja em que uma grama castanha cresce em tufos irregulares e as folhas não veem ancinhos e estão empilhadas em linhas de força feitas pelo vento junto à base da cerca e das sebes sem poda e dos cestos de lixo transbordantes e há sacos de lixo desbocados na varanda empenada porque ninguém se deu ao trabalho de levá-los para a lixeira da DRE na esquina e o lixo dos receptáculos transbordantes sai voando pelo quintal e se mistura às folhas junto à base da cerca e um pouco vem para a rua e nunca é catado e acaba virando parte da composição da rua. Uma caixa de M&M não amendoística está tipo marchetada no concreto da calçada sob Green, tão coarada pelos elementos que ficou de um branco ósseo e mal é identificável como uma caixa de M&M não amendoística, por exemplo. E, erguendo os olhos depois de ter identificado a marca da caixa de M&M, Green agora detecta Randy Lenz. Green topou com Lenz, lá bem adiante na Brainerd, agora andando num passo mais apertado sozinho adiante de Green, nada próximo mas visível sob um poste funcional coisa de uma quadra morro acima na Brainerd. Há certo desincentivo a chamar em voz alta. A inclinação dessa quadra não é tão ruim. Agora já está frio a ponto da respiração dele ter a mesma aparência esteja ele fumando ou não. Os altos postes curvos aqui parecem para Green iguaizinhos à parte armada das naves marcianas que disparavam raios fatais na sua conquista do planeta num antigo cartucho de que Tommy Doocy nunca se cansava que ele rotulava o cartucho de "Guerra dos Orsons". A música havaiana domina a paisagem acústica neste ponto, agora, vinda de algum local próximo de onde ele vê as costas do sobretudo de Lenz. Alguém colocou alto-falantes de música polinésia na janela, pode apostar. Um violão medonho com afinação aberta ocupa aos poucos o escuro da rua, ribomba nas fachadas vergadas do outro lado, é Don Ho e os Sol Hoopi Players, o som de saias-de-mato-e-ondas-espumantes que faz Green meter os dedos na orelha enquanto ao mesmo tempo se move com mais pressa na direção da fonte da música havaiana, uma casa de três andares rosa ou verde-água com uma lucarna no segundo andar e teto de telhas vermelhas com uma bandeira quebecôncia azul e branca num mastro que protuberava de uma janela na lucarna e uns alto-falantes JBL de respeito virados pra fora nas duas janelas que cercavam a bandeira, com as telas removidas pra dar pra ver os woofers pulsando como barrigas morenas no hula, banhando a quadra dos 1700 da W. Brainerd de medonhos uqueleles e percussões em troncos ocos. A única coisa que os dedos rombudos que ele põe na orelha conseguem fazer é acrescentar o rangido do coração de Green e o som submarino da sua respiração à música, no entanto. Figuras vestidas de flanela xadrez ou ainda camisas havaianas floridas e aqueles colares de flores surgem e submergem no campo iluminado de visão atrás e por cima dos janelo-falantes com os trejeitos moles da diversão química de grandes grupos, de dança e intercurso social. As janelas iluminadas projetam longilíneos retângulos de luz sobre o gramado, gramado este que está um chiqueiro. Algo nos movimentos de Randy Lenz lá na frente, o passo macabro na ponta dos pés e com os joelhos bem altos de um vilão de vaudeville que está pra aprontar alguma, impede que Green chame o seu nome mesmo que pudesse se fazer ouvir sobre o que para ele é um troar de sangue, alento e Ho. Lenz atravessa o cone de luz do único poste funcional da rua cruzando a calçada e chegando à malha inoxidável daquela mesma casa quebecôncia, estendendo alguma coisa pra um cachorro do tamanho de um pônei cuja coleira está presa a uma coisa de plástico fluorescente que meio que parece corda de varal por uma polia, e pode deslizar. Está frio, o ar é ralo e cortante e os dedos dele estão gelados nas orelhas, que doem de frio. Green fica olhando, arrebatado em níveis que nem sabe que tem, lentamente atraído, mexendo a cabeça lateralmente para evitar perder Lenz na névoa do alento, sem chamar, mas transfixado. Green, Mildred Bonk e o outro casal com quem eles dividiam um trailer junto com T. Doocy tinham uma vez passado por uma fase em que entravam de penetras em várias festas universitárias e se misturavam com os universitários riquinhos, e uma vez num mês de fevereiro Green se viu num dormitório da Uni. Harvard onde eles estavam dando uma Festa Temática Praiana, com um caminhão de areia pelo chão da sala comunitária e todo mundo com corais de flores e pele bronzeada de creme ou de visitas a salões de UV, todos aqueles caras

597

lourinhos de camisas florais por fora da calça andando por ali com uma cara séria tipo *noblesse te-oblige* e bebendo bebidinhas com guarda-chuvas nos copos ou ainda de sunga, sem camisa e nem uma porra de uma espinha em nenhum lugar das costas, fingindo surfar numa prancha que alguém tinha pregado numa onda corcovada feita de papel machê azul e branco com um motor dentro que fazia a onda fajuta meio que ondular, e todas as meninas com saias de mato deslizando pela sala tentando dançar hula de um jeito meio arrasta-pé que mostrava as cicatrizes de Lipo das coxas delas por entre o mato arrastante das saias, e Mildred Bonk tinha metido uma saia de mato e a parte de cima de um biquíni que ela pegou da pilha ao lado dos barris de chope e apesar de estar com quase sete meses de gravidez tinha deslizado e arrastado os pezinhos bem rumo ao meio do centro do núcleo da coisa, mas Bruce Green tinha se sentido constrangido e deslocado com sua jaqueta de couro barato e um cabelo que ele tinha tingido de laranja com gasolina quando teve um blecaute e o aplique FODAM-SE OS RICOS que ele tinha perversamente deixado Mildred Bonk costurar na virilha da calça de policial, e aí eles finalmente tinham cansado do tema de "Havaí Cinco-0" e começado com os CDs de Don Ho e os Sol Hoopi, e Green tinha ficado tão desconfortavelmente fascinado, enojado e paralisado pelas musiquinhas polinésias que tinha montado uma cadeirinha de armar bem do lado dos barris e tinha ficado ali abusando da alavanca dos barris e virando um copo plástico de espuma de cerveja atrás do outro até ficar tão torto de bêbado que seu esfíncter cedeu e ele não só tinha se mijado mas chegado a *cagar* nas calças, pelo que era somente a segunda vez na vida, e a primeira vez em público, e ele ficou mortificado por uma vergonha em complexas camadas, e teve que escapar muito cautelosamente para o banheiro mais logo-ali, tirar a calça e se limpar que nem a porra de um nenê, tendo que fechar um olho para saber ao certo qual dos eles que estava vendo era ele, e aí não havia mais o que fazer com a calça de policial suja a não ser entreabrir a porta do banheiro, estender um braço tatuado com a calça na mão e enterrá-la na areia da sala de estar que nem na caixa de areia de um gatinho, e aí claro o que é que ele ia vestir se quisesse um dia sair daquele banheiro ou daquele dormitório, pra ir pra casa, então ele teve que manter um olho fechado e estender de novo um braço pra fora e tipo se esticar mesmo pra alcançar a pilha de saias de mato e partes de cima de biquíni e passar a mão numa saia de mato, vestir e se mandar do dormitório havaiano por uma portinha lateral sem deixar ninguém ver, e aí pegar a Linha Vermelha e o Verdinho da C e aí um ônibus até conseguir chegar em casa em fevereiro com uma jaqueta de couro barato, bota de espalhador de asfalto e uma saia de mato, cujo mato entrava nas partes de uma maneira horrorizante, e ele tinha passado os três dias seguintes sem sair do trailer no Spur, numa depressão paralisante de etiologia desconhecida, deitado no sofá cascudo e manchado de Tommy D., bebendo Southern Comfort direto da garrafa e vendo as cobras de Doocy não se mexerem por três dias, no terrário, e Mildred tinha ficado dois dias buzinando em altos brados no ouvido dele primeiro por ter ficado antissocialmente emburrado ali do lado do barril e depois por ter se mandado e abandonado ela com sete meses numa sala arenosa cheia de louras bronzeadamente anêmicas que diziam coisinhas maldosas sobre as tatuagens dela e de carinhas medonhos que falavam sem mexer o queixo e perguntavam umas coisas tipo onde ela passava a temporada e ficavam lhe oferecendo conselhos sobre fundos financeiros e convidando ela pra subir e dar uma olhada nas gravuras de Dürer que eles tinham e dizendo que achavam as mulheres com excesso de peso tremendamente atraentes pelo que demonstravam de desafio às normas culturo-ascéticas, e Bruce Green ficou ali deitado com a cabeça cheia de Hoopi e de dores irresolvidas e não abriu a boca nem chegou a ter uma ideia plenamente desenvolvida por três dias, e tinha escondido a saia de mato embaixo da sanefa do sofá e depois destroçado violentamente a saia e salpicado os fiapos sobre o empreendimento de maconha hidropônica de Doocy na banheira, de adubo. Lenz entra e sai no foco visual de Green várias vezes com uma dúzia de passos allegretto, ainda lá na frente da casa tipo refugiados-canadenses que atraiu Green, Lenz segurando uma latinha de alguma coisa por cima de um dos lados do portão da cerca, derramando alguma coisa no portão, segurando uma outra coisa que de repente monopoliza a atenção do cachorro. Por algum motivo Green pensa em dar uma olhada no relógio. A corda de varal rosa ou laranja vibra no que a polia da guia corre por ela no que o cão se adianta para ir ter com Lenz na frente do portão que ele abriu lentamente. O cachorro imenso não parece nem simpático nem antipático a Lenz, mas sua atenção está monopolizada. A guia e a polia jamais poderiam detê-lo se ele decidisse que Lenz era comida. Tem um material de orelha com cheiro amargo no dedo de Green, que ele não consegue não cheirar. Ele esqueceu e deixou o outro dedo na orelha. Ele agora está bem perto, parado na sombra de uma caminhonete logo antes da pirâmide de luz de sódio do poste, tipo a duas casas da fonte do som apavorante, que subitamente está em silêncio entre faixas de um dos primeiros Hos, *Don Ho: Do Havaí Com Todo O Meu Amor*, de modo que Green consegue ouvir barítonas vozes festeiras canadianas pelas janelas abertas e também as lentas lalações de algum tipo de nenezês que vem de Lenz, "Cassolinho bunitinho" e coisa e tal, presumivelmente dirigidas ao cão, que está se aproximando de Lenz de uma maneira meio neutramente cautelosa mas atenta. Green não faz a menor ideia da raça daquele cachorro, mas o bicho é grande. Green lembra não a imagem visual mas os dois diferentíssimos sons dos passos do seu Pápis o falecido sr. Green caminhando pela sala de estar de Waltham, o farfalhar do saco de papel em volta da latona de cerveja na sua mão. Já passa bastante das 2245h. A guia do cão desliza zumbindo até o fim da corda fluorescente e detém o cachorro a uns passos de chegar ao portão, onde Lenz está parado, inclinado daquele jeito levemente adiantado de quem está falando língua de nenê com um cachorro. Green vê que Lenz está com um quadrado meio roído do duro e velho bolo de carne de Don G. estendido a sua frente, mostrando para o cachorro que puxa a guia. Lenz está com o olhar vazio e determinado de um homem de cabelo curtinho com um contador Geiger nas mãos. O hediondamente atraente Ho começa de novo com a total abruptude que faz os CDs serem tão medonhos. Green está com um dedo numa orelha, se mexendo um pouco para evitar que a sombra do poste de Lenz lhe tape a vista. A música se espalha e ribomba. Os canadôncios meteram o volume no talo para "My Lovely Launa-Una Luau Lady", uma música que sempre fez Green querer enfiar a cabeça numa vidraça. Parte do instrumental parece uma harpa que tomou ácido. A percussão em tronco oco é como o coração naqueles piores tipos de terrores. Green acha que pode ver as janelas das casas da frente vibrarem com a horrenda vibração. Green está tendo bem mais que uma ideia p/m agora, com o ranger da rodinha de hamster começando a surgir bem no fundo dele. O tremor ondulante é um violão com afinação aberta que enche a cabeça do Brucie de areia branca, barriguinhas ondulantes e cabeças que parecem balões subsidiados de desfile de Ano-Novo, imensas e brilhantes cabeças moles, brilhantes, frouxas, enrugadas e sorridentes que aquiescem e sacodem enquanto eles as inflam até tomarem a forma de uma cabeça gigante, inclinada para a frente, puxando as cordas que as arrastam. Green não assiste a um desfile de Ano-Novo desde o do Ano do Emplastro Medicinal Tucks, que tinha sido obsceno. Green já está tão perto que consegue ver que a casa canadôncia havaianizada é o 412 da W. Brainerd. Carros tipo classe operária, 4×4s e caminhonetes cobrem toda a rua amontoados em atitudes de alguma maneira festeiras, como que estacionados com pressa, alguns deles com siglas canadenses nas placas. Adesivos de flor de lis e slogans em canadense em certos vidros também. Um velho Montego rebaixado com o comando de válvulas de um dragster está estacionado bem na frente do 412 de uma forma meio ameaçadora com duas rodas em cima do meio-fio, um círculo de flores alègremente lhe decorando antena, e as elipses de desbotamento fosco na pintura do capô mostrando que o motor foi mexido e que o capô esquenta pacas, e Lenz põe um joelho no chão e parte um pouco do bolo de carne que joga à socapa no chão dentro do raio de alcance da guia. O cão se aproxima e baixa a cabeça sobre a carne. O nítido som do bolo de carne de Gately sendo mastigado mais o pavoroso troar trinado e salteriante da música. Lenz se põe de pé e os movimentos dele no quintal têm um jeito fluido e espectral sob os diferentes tons de sombra. A janela iluminada mais distante da bandeira flácida tem sólidos caras amorenados com uns barbões e camisas gritantes passando de um lado para o outro estalando os dedos sob os cotovelos com mulheres cobertas de flores a reboque. Muitas cabeças estão jogadas para trás e conectadas a garrafas de Molson. A jaqueta de Green range no que ele tenta respirar. A cobra tinha saltado da lata com um som tipo: *spronnnnng*. A tia dele no cantinho de tomar café da manhã em Winchester, sob a atordoante luz da aurora de inverno, calada fazendo um caça-palavras. Duas janelas das lucarnas estão semibloqueadas pelos retângulos pulsantes dos JBLs. Green é o tipo de cara que consegue reconhecer um alto-falante JBL e uma garrafa verde-Molson a grandes distâncias.

Uma ideia desenvolvida ganha forma: a voz de Ho tem algo de um tipo de: *unto*.

Qualquer cabeça canadôncia deslocada e cabeluda naquelas janelas que calhasse de olhar para o quintal lá fora agora provavelmente via Lenz depositar outro pedaço de carne na frente do cachorro deles e retirar algo de perto do ombro embaixo do sobretudo enquanto está fluidamente se esgueirando pra ficar atrás do cachorro pra meio que montar no cachorrão por trás, soltando o resto do bolo na frente do cachorro, o cachorrão abaixado, o crocar das coberturas de flocos de milho do Don e o som babujento de um cachorro comendo carne institucional. O braço sai de sob o sobretudo e sobe com algo que parece que iria brilhar se a luz das janelas no quintal chegasse tão longe. Bruce Green fica tentando afastar com as mãos a respiração do caminho. O sobretudo de qualidade de Lenz se enfuna em torno dos flancos do cão enquanto Lenz pega embalo, se curva e cata o cachaço do bicho curvado com uma mão, se endireita com um megapuxão gemido que põe o animal nas patas traseiras enquanto suas pernas dianteiras escavam alucinadas o ar vazio, e o choramingo do cão traz uma forma de *lei* e camisa de flanela para o espaço iluminado sobre um dos falantes no alto. Green nem pensa em gritar do seu ponto na sombra, e o momento paira no ar com o cachorro de pé e Lenz atrás dele, levando a mão erguida para baixo e com força cruzando a garganta do cão. Surge um arco opaco do ponto que a mão de Lenz atravessou; o arco respinga o portão e a calçada da frente. A música infla sem parar mas Green ouve Lenz dizer o que soa como "O que é *isso*" com grande ênfase enquanto larga o cachorro no chão enquanto um agudo som masculino vem da forma na janela, o cachorro cai e bate no chão de lado com o baque carnudo de um saco de 32 quilos de cubinhos para festa, com as quatro patas nadando cachorrinho em vão, a superfície negra do gramado pretejando numa curva pulsante diante de suas mandíbulas que abrem e fecham. Green saiu irrefletidamente da sombra da caminhonete na direção de Lenz e agora pensa e para entre duas árvores na rua na frente do 416 querendo chamar Lenz e sentindo a afasia estrangulada que as pessoas sentem nos sonhos ruins, e assim só fica ali entre os troncos com um dedo numa orelha, olhando. O jeito de Lenz ficar sobre a carcaça do cachorrão é como você se põe sobre uma criança castigada, totalmente ereto e irradiando autoridade, e o momento paira ali distendido daquele jeito até que vem o grito de janelas há muito fechadas que se abrem sobre o Ho e o som terrível de numerosas botas de lenhador em compasso acelerado que correm escada abaixo pelo 412. O solteirão arrepiantemente simpático que era vizinho da tia dele tinha dois cachorrões bem escovados e quando Bruce passava pela casa as unhas dos pés dos cachorros garatujavam a madeira da varanda e eles corriam com as caudas no ar até a cerca anodizada enquanto Bruce passava e pulavam e meio que *tocavam* a cerca de metal como se fosse um instrumento, agitados por vê-lo. Só de pôr os olhos nele. O braço de Lenz com a faca está erguido de novo e irreluzente sob a luz da luz do poste enquanto Lenz usa a outra mão no alto da cerca para saltar a cerca meio de lado e disparar morro acima pela Brainerd Rd. Na direção sudoeste de Enfield, com o mocassim fazendo um som de qualidade na calçada e o casaco aberto se inflando como uma vela. Green se recolhe atrás de uma das árvores enquanto formas massudas com camisas de flanela e *leis* que largam pétalas, soltando palavras resmungo-estrangeiras e inconfundivelmente canadenses, um ou outro com uqueleles, jorram como formigas sobre a varanda envergada e o jardim, rebuliço e falatório, um e outro se ajoelha ao lado da forma do ex-cachorro. Um cara barbado tão imenso que uma camisa havaiana parece justa nele pegou o saquinho do bolo de carne. Outro cara sem muito cabelo pega o que parece ser uma lagarta branca da grama escura e a segura delicadamente entre o polegar e o indicador, olhando para ela. Ainda outro cara imenso de suspensórios deixa cair a cerveja e pega o cachorro flácido que repousa entre os seus braços de costas com a cabeça bem para trás como uma mocinha desmaiada, pingando e com uma perna ainda se mexendo, e o cara está ou berrando ou cantando. O canadôncio imenso original com o saquinho agarra a cabeça para demonstrar agitação enquanto ele e mais dois outros canadôncios correm pesadamente na direção do Montego rebaixado. Uma luz do primeiro andar da casa do outro lado da Brainerd se acende e ilumina por trás uma figura com algum tipo de terno e numa cadeira de rodas de metal sentada bem encostada à janela daquele jeito lateral das cadeiras de rodas que querem ficar bem encostadas em alguma coisa, examinando a rua e o jardim encanadonciado. A música havaiana aparentemente cessou, mas não abruptamente, não é como se alguém tivesse desligado no meio. Green se recolheu atrás de uma árvore, que ele meio que abraça com um braço só. Uma moça volumosa com uma saia horrorosa de mato está dizendo "Diú!" várias vezes. Há palavrões e frases feitas com sotaque pesado tipo "Pare!" e "Ele foi por ali!", com dêixis. Vários caras estão correndo pela calçada atrás de Lenz, mas eles estão de bota e Lenz está bem na frente e agora desaparece ao dar uma guinada de jogador de futebol americano para a esquerda e desaparecer no que é ou uma ruela ou uma entrada de casa das bem grandes mesmo, embora ainda dê pra ouvir seu sapato de qualidade. Um dos caras chega mesmo a sacudir um punho cerrado enquanto o persegue. O Montego com o motor mexido revela problemas de escapamento, descamba do meio-fio e grava dois parênteses no que dá um 180 profissional no meio da rua e se manda na direção de Lenz, um carro muito baixo e veloz e coisa-séria, com o alegre *lei* da antena deformado pela velocidade numa elipse repuxada e deixando uma esteira de pétalas brancas que levam uma eternidade para parar de cair. Green pensa que o seu dedo pode estar congelado grudado na parte de dentro da orelha. Ninguém parece estar gesticulando nada sobre talvez quem sabe um cúmplice. Não há indícios de que eles estejam olhando em busca de qualquer terceiro coadjuvante culpado involuntário. Outra forma de cadeira de rodas apareceu logo atrás e à direita da primeira sentada iluminada por trás do outro lado da rua, e elas estão ambas em posição de ver Green ali contra a árvore com a mão no ouvido de um jeito que parece que ele talvez esteja recebendo comunicados por algum tipo de monitor auricular. Os canadôncios ainda estão num rebuliço no jardim que tem um jeito indescritivelmente estrangeiro enquanto aquele um canadôncio cambaleia em círculos com o peso do cachorro que expirou, dizendo alguma coisa para o céu. Green está ficando bem íntimo dessa árvore ali, estatelado contra o seu lado de sotavento e respirando contra a casca da árvore para o seu alento exalado não fazer fumaça por trás da árvore e ser visto como o alento de um cúmplice, potencialmente.

O aniversário de dezenove anos de Mario Incandenza vai ser na quarta-feira, dia 25 de novembro, véspera de Ação de Graças. A insônia dele piora quando a folga de

Madame Psicose entra na sua terceira semana e a WYYY tenta colocar de novo no ar a pobre Miss Paranoia, que começou agora com uma leitura do Apocalipse de João na língua do Pê que te deixa tão constrangido por ela que chega a ser desconfortável. Por algumas noites na sala de estar da CD ele tenta pegar no sono ouvindo a WODS, um grupo alternativo de AM que toca narcotizantes arranjos orquestrais de antigas canções dos Carpenters. Só fica pior. É estranho sentir saudade de alguém que você nem sabe se conhece.

Ele queima feio a pélvis ao se apoiar contra um fogão quente de metal conversando com a sra. Clarke. O quadril dele fica enfraldado de ataduras por baixo da calça velha de veludo de Orin, e rola um barulhinho chupado de pomada quando ele anda, tarde da noite, sem conseguir dormir. A deficiência derivada do parto que só foi diagnosticada definitivamente quando Mario já estava com seis anos e que tinha deixado Orin tatuar o seu ombro com a resistência rubra de um rabo-quente é chamada de Síndrome de Riley-Day, um déficit neurológico que faz com que ele não consiga sentir dor direito. Vários meninos da ATE sacaneiam Mario dizendo que queriam ter problemas desse tipo, e até Hal de vez em quando já sentiu uma pontada de inveja disso, mas o defeito é um incômodo sério e na verdade é bem perigoso, veja-se por exemplo a pélvis queimada, que não foi nem descoberta até a sra. Clarke achar que estava sentindo cheiro de beringela queimada.

Na CD ele fica deitado no colchão de ar dentro de um saco de dormir de plumas bem justo à beira da luz ultravioleta das plantas com o vento sacudindo as grandes janelas leste, ouvindo violinos amanteigados e o que soa como um saltério. Às vezes vem um grito lá de cima, agudo e prolongado, de onde ficam os quartos do C.T. e da Mães. Mario ouve atentamente para ver se o som termina com Avril rindo ou Avril gritando. Ela tem terrores noturnos, que são parecidos com pesadelos, só que piores, e afligem crianças pequenas e aparentemente também adultos que fazem a maior refeição do dia logo antes de ir para a cama.

As orações noturnas dele levam quase uma hora e às vezes mais e não são uma obrigação. Ele não se ajoelha; é mais tipo uma conversa. E ele não é louco, não é como se ele ouvisse alguém ou alguma coisa dialogando com ele também, Hal estabeleceu.

Hal tinha perguntado quando ele ia começar a voltar para o quarto deles na hora de dormir, o que fez Mario se sentir bem.

Ele fica tentando imaginar Madame Psicose — que ele imagina como sendo bem alta — deitada numa cadeira de praia GG na praia sorrindo e sem dizer nada por dias a fio, descansando. Mas não funciona muito bem.

Ele não consegue saber se Hal está triste. Ele está tendo cada vez mais dificuldade para entender os estados de espírito de Hal ou se ele está de bom humor. Isso incomoda. Ele conseguia meio que saber não verbalmente em seu estômago geralmente onde Hal estava e o que ele estava fazendo, mesmo que Hal estivesse bem longe e jogando ou que Mario estivesse longe, e agora não consegue mais. Sentir. Isso incomoda e parece aquela hora que você perdeu alguma coisa importante num sonho e não consegue nem lembrar o que era mas é importante. Mario ama tanto Hal que o coração dele bate bem forte. Ele não precisa ficar pensando se a diferença agora é dele ou do irmão porque Mario nunca muda.

Ele não tinha dito pra Mães que ia dar uma voltinha depois que saiu do gabinete dela depois da interface: Avril sempre tenta de alguma forma não intrusiva desencorajar Mario a dar voltinhas à noite, porque ele não enxerga direito à noite, e as áreas em torno do morro da ATE não são o melhor ambiente do mundo, e não se pode fingir que Mario não seria presa fácil para praticamente qualquer pessoa, fisicamente. E, conquanto uma vantagem decorrente da Síndrome de Riley-Day seja um relativo destemor físico,[242] Mario se mantém num território bem limitado durante esses passeios insones, em deferência à preocupação de Avril.[243] Ele às vezes anda pelo terreno no HSP da Marina de Enfield no pé do lado leste do morro porque ele é bem cercado, o terreno, e ele conhece alguns seguranças da ME de quando o pai dele os fez representar a polícia de Boston no seu excêntrico *Disque c para concupiscência*; e ele gosta do terreno da ME à noite porque a luz das janelas das diferentes casas de tijolos é luz de lâmpadas amarelas[244] e ele consegue ver as pessoas nos térreos todas juntas jogando baralho ou conversando ou assistindo TP. Ele também gosta de tijolos caiados não importa o seu estado de conservação. E tem muita gente naquelas diversas casas de tijolos que é defeituosa ou torta e quase cai pra um lado ou se contorce o tempo todo, pela janela, e ele consegue sentir o coração tocando o mundo graças a elas, o que é bom para a insônia. Uma voz de mulher, pedindo socorro sem nenhuma urgência real — não como os gritos que representam a Mães rindo ou gritando de noite — sons de uma janela superior escura. E do outro lado da ruazinha que fica entupida de carros que todo mundo tem que trocar de lugar às 0000h fica a Casa Ennet, onde a Diretora tem uma deficiência e mandou instalarem uma rampa pra cadeira de rodas e convidou duas vezes Mario para entrar durante o dia e tomar um Refri 2000 Sem-Cafeína, e Mario gosta dali: é sempre cheio, barulhento e nenhuma peça da mobília tem capa de plástico, mas ninguém nota ninguém nem fica comentando deficiências e a Diretora é boazinha com as pessoas e as pessoas choram na frente das outras. Lá dentro tem cheiro de cinzeiro, mas Mario se sentiu bem nas duas vezes em que esteve na Casa Ennet porque é muito de verdade; as pessoas ficam chorando, fazendo barulho e ficando menos infelizes, e uma vez ele ouviu alguém dizer *Deus* com a maior seriedade e ninguém ficou olhando nem baixou os olhos nem sorriu de jeito nenhum em que desse para você ver que eles estivessem preocupados por dentro.

Só que gente de fora não pode ficar lá depois das 2300, porque eles têm toque de recolher, então Mario só passa cambaleante pela calçada detonada e dá uma olhada pelas janelas do térreo pra ver aquele pessoal diferente. Todas as janelas estão acesas e algumas estão meio abertas, e tem um barulho na frente de uma casa cheia de gente. De uma das janelas do primeiro andar que dão pra rua vem uma voz dizendo: "Dá isso aqui, dá isso aqui". Alguém está chorando e tem mais alguém ou rindo ou tossindo bem forte. A voz de um sujeito irritado de uma janela da cozinha na lateral acabou de dizer alguma coisa pra alguma outra pessoa tipo "Então ponha dentadura", seguida por palavrões. Outra janela do primeiro andar, lá na lateral perto da rampa de cadeira de rodas e da janela da cozinha onde a terra é macia a ponto de aguentar direitinho a força de uma trava policial com bloco de chumbo direitinho, a janela de cima está com uma bandeira comprida desfraldada em vez de cortina e com um adesivo velho de para-choque no vidro meio arrancado que daí só diz *UM DIA DE* em letra cursiva, e Mario fica é detido pelo som suave mas inconfundível de uma gravação de uma transmissão de *Sessenta Minutos Mais ou Menos com Madame Psicose*, que Mario nunca gravou esse programa porque ele sente que não ia ser legal pra ele mesmo mas fica estranhamente empolgado ao ouvir que alguém na Ennet gosta tanto que grava e repete. O que está vindo de trás da janela aberta com uma bandeira desfraldada em vez de cortina é um dos antigos, do Ano do Frango-Maravilha, o ano de estreia da Madame, quando ela às vezes falava uma hora inteira e tinha sotaque. Um duro vento leste sopra o cabelinho fino de Mario todo para trás. O ângulo dele de pé é de 50°. Uma menina com um casaquinho de pele, calça jeans com uma cara desconfortável e sapato alto passa estalando os saltos na calçada e sobe a rampa para entrar pelos fundos da casa sem dar sinal de ter visto alguém com uma cabeça grande pacas parado apoiado numa trava policial no gramado na frente da janela da cozinha. A moça estava com tanta maquiagem que parecia meio doente mas a esteira que ela deixa tem um cheiro muito bom. Por alguma razão Mario sentia que a pessoa atrás da bandeira na janela também era mulher. Mario achou que talvez não estivesse fora de cogitação ela emprestar umas fitas pra um colega fã se ele conseguisse pedir. Ele normalmente verifica questões de etiqueta com Hal, que é incrivelmente bem informado e esperto. Quando ele pensa em Hal o coração dele bate e a pele grossa da sua testa fica enrugada. Hal também vai saber o nome dessas fitas particulares de coisas transmitidas no rádio. Talvez a moça tenha múltiplas fitas. Essa aqui é do primeiro ano de *Sessenta Minutos +/−*, quando Madame ainda tinha um leve sotaque e muitas vezes falava no programa como se estivesse falando exclusivamente com uma pessoa ou com um personagem que era muito importante pra ela. A Mães revelou que se você não é louco aí falar com alguém que não está ali se chama *apóstrofe* e é uma forma válida de arte. Mario tinha se apaixonado pelos primeiros programas de Madame Psicose porque sentia que estava ouvindo uma pessoa triste ler em voz alta umas cartas amareladas que tinha tirado de uma caixa de sapatos numa tarde chuvosa, umas coisas de corações partidos e de mortes de gente de que você gostava e de dor americana, umas coisas de verdade. É cada vez mais difícil achar formas válidas de arte que sejam sobre coisas que são de verdade assim desse jeito. Quanto mais velho Mario fica, mais confuso fica sobre o fato de que todo mundo na ATE acima da idade de mais ou menos um Kent Blott acha incômodas as coisas que são de verdade de verdade e fica constrangido. Parece que tem alguma regra que as coisas de verdade só podem ser mencionadas se todo mundo revira os olhinhos e ri de um jeito que não é feliz. A coisa pior que aconteceu hoje foi na hora do almoço quando Michael Pemulis contou para Mario que estava com uma ideia de montar um serviço de Orações-por-Telefone para ateus em que o ateu disca o número e a linha só fica tocando e ninguém atende. Era uma piada e era das boas, e Mario entendeu; o que foi desagradável foi que Mario foi o único de toda uma mesa grande cuja risada foi uma risada feliz; todos os outros meio que ficaram olhando para baixo como se estivessem rindo de alguém com uma deficiência. A coisa toda estava muito acima do limite da inteligência de Mario, e ele não conseguia entender as respostas de Lyle quando tentava mencionar essa confusão. E Hal dessa vez não foi de grande ajuda, porque parecia ainda mais desconfortável e constrangido que os caras da hora do almoço, e quando Mario mencionava coisas de verdade Hal o chamava de Bubu e agia como se ele tivesse feito xixi na calça e Hal fosse ser muito paciente na hora de ajudá-lo a se trocar.

Um monte de gente surgindo do escuro e passando por ele pra entrar antes do toque de recolher. Todos parecem amedrontados e carrancudos pra fingir que não são tímidos. Os homens estão com as mãos no bolso do casaco e as mulheres estão com as mãos na garganta do casaco, pra manter fechado. Uma pessoa mais nova que Mario nunca viu vê ele se batendo com a trava policial e o ajuda a soltar a barra e colocar o bloco de chumbo na mochila. Só aquela ajudinha que já faz a diferença. Mario de repente fica com tanto sono que não sabe se vai conseguir subir o morro pra voltar pra casa. As músicas que tocavam no começo da carreira de Madame Psicose são exatamente as mesmas que tocaram até o fim, o que parece inaceitável demais sem ela ali.

A inclinação de Mario para a frente é perfeita pra subir morros, no entanto. O emplastro da pélvis dele faz um barulhinho mas não machuca. Na grande janela projetada do escritório da Diretora da Casa Ennet que dá para a Avenida, a janela, e os trilhos do trem e a mercearia limpinha Pai e Filho dos Ng, onde eles dão chá amarelo para Mario de manhã quando ele aparece quando está frio, a última coisa que Mario consegue ver, antes que as árvores do morro se fechem atrás dele e reduzam a Casa Ennet a um lampejo amarelo estilhaçado, é um menino grandalhão de cabeça quadrada curvado sobre alguma coisa que está escrevendo na escrivaninha preta da Diretora, lambendo a ponta do lápis e corcovado todo desconfortável com um braço enroscado em volta do que está escrevendo, que nem um menino lentinho lidando com um exercício na Especial Rindge & Latin.

As tarefas noturnas dos Funcionários-Residentes dividem-se bem equilibradamente entre nugas e nojos. Alguém tem que dar uma passada nas reuniões da área pra confirmar a presença dos residentes, enquanto outro alguém tem que perder uma reunião de uma noite pra ficar na Casa vazia cuidando dos telefones e das nugas em torno do Registro Diário. Depois que as reuniões vão acabando, Gately deve fazer uma contagem dos presentes a cada hora e registrar oficialmente quem está lá e o que está rolando. Gately precisa fazer uma Patrulha-de-Tarefas-Domésticas, Registrar o Cumprimento-de-Tarefas-Domésticas e fixar a distribuição-de-Tarefas-Domésticas de amanhã na planilha semanal. Os residentes precisam ter tudo que se espera deles bem explicadinho previamente pra eles não poderem resmungar se forem expulsos por alguma coisa. Aí neguinho que não cumpriu a sua Tarefa-Doméstica tem que ficar sabendo que tomou uma Restrição de uma semana, o que tende a ser meio desagradável. Gately precisa destrancar os armários de Pat, pegar a chave do armário de medicamentos e abrir o armário de medicamentos. Os residentes que estão tomando medicação reagem ao som do armário de medicamentos como um gato reage ao som de um abridor de latas. Eles simplesmente meio que se materializam. Gately tem que administrar insulina oral, medicamentos pra Vírus, contra espinhas, antidepressivos e lítio pros residentes que se materializam esperando medicamentos, e aí tem que anotar tudo no Registro Médico, R. Méd. este que está uma zona do cacete. Ele tem que pegar o livro A-Semana-Resumida da Pat e imprimir os compromissos dela pro dia seguinte numa folha de papel com letras maiúsculas, porque a Pat acha impossível ler a sua própria caligrafia paralisada. Gately tem que conferir com Johnette Foltz como diferentes residentes se comportaram no Carinho É Dividir de St. E., no GJB de Brookline e numa feminina do NA lá em East Cambridge aonde eles deixam algumas mulheres mais veteranas ir, e aí Registrar todos os dados. Gately tem que ir dar uma olhada em Kate G., que disse estar mal demais pra ir de novo pro AA hoje à noite e está de cama no quarto dela mais ou menos direto tem três dias, lendo alguém chamado Sylvia Plate. Subir pro lado feminino do primeiro andar é um puta pé no saco porque ele tem que destrancar uma jaulinha de aço em cima de um botãozinho no pé da escada delas do lado do escritório dos fundos e apertar o botão pra tocar uma campainha lá em cima e gritar "Homem no andar" e aí dar o tempo que seja necessário pras residentes ficarem decentes ou sei lá o quê antes de subir. Subir lá tem sido educativo pro Gately porque ele sempre teve essa ideia de que as áreas das mulheres eram essencialmente mais limpas e mais agradáveis que as dos homens. Ter que verificar as Tarefas-Domésticas nos dois banheiros femininos destroçou essa duradoura ilusão de que as mulheres não vão ao banheiro com o mesmo vigor atordoante dos homens. Gately tinha passado algum tempo limpando a sujeira da mãe, mas nunca tinha pensando nela muito como uma mulher. Então essa coisa toda do nojo foi uma educação.

Gately tem que dar uma olhada em Doony Glynn, que tem uma diverticulite recorrente e tem que ficar deitado em posição fetal no beliche quando tem uma crise e precisa que levem Ibuprofeno e um shake dietético que Gately teve que fazer com um leite 2% porque não tinha mais desnatado, e aí bolachinhas de caridade e uma tônica lá da máquina do porão quando Glynn não consegue beber o shake 2%, e aí Registrar os comentários e a condição de Glynn, ambos nada bons.

Alguém fez aquelas coisinhas grudentas daqueles floquinhos de arroz meio marshmellentos na cozinha e não limpou depois, e Gately tem que sair batendo pé pra descobrir quem é o responsável por aquilo e fazer neguinho limpar a sujeira, e o código de honra da dedurância entre os residentes é tão ferrado que era de pensar de repente que ele tinha virado policial da narcóticos. A pentelhação diária aqui é densa tipo floresta tropical e menos uma irritação que um esvaziamento da alma; um turno duplo aqui agora já o deixa oco ao nascer do sol, bem na horinha de cuidar da merda de verdade. Não era assim no começo, isso do esvaziamento da alma, e Gately de tantos em tantos minutos fica de novo pensando o que é que ele vai acabar indo fazer quando chegar ao fim esse seu ano de Funcionário e a alma dele estiver esvaziada e ele estiver sóbrio mas sem grana e ainda sem noção e tiver que sair daqui e fazer alguma coisa Lá Fora.

Kate Gompert, quando ele tocou a campainha e subiu até o quarto Feminino pra 5 pra dar uma olhada, tinha feito um possível comentário lateral sobre se auto-machucar,[245] e Gately tem que ligar pra Pat em casa por causa disso, e ela não está ou não quer atender, então aí ele tem que ligar pra Gerente da Casa e transmitir o comentário verbatim e deixar que ela interprete e diga a Gately que providências tomar e como o comentário se coloca em relação ao Contrato de Suicídio de Gompert e como a coisa toda tem que ser Registrada. Uma residente da Ennet tinha se enforcado num cano de aquecimento no porão uns anos antes de Gately chegar, e agora há uns procedimentos abarrocados pra monitorar ideações entre os residentes com problemas psi. O número da 5-East no St. Elizabeth está numa ficha vermelha no Rolodex da Pat.

Gately tem que coletar os relatórios dos conselheiros da semana anterior e coligir e reunir as fichas dos residentes e imprimir e arquivar quaisquer atualizações ou mudanças pra Reunião Geral da Equipe de amanhã, em que a Equipe se reúne no escritório da Pat e interfaceia sobre como parece estar cada residente. Os residentes têm uma ideia bem clara de que os seus conselheiros veteranos basicamente papam queijo in toto em cada Reunião de Equipe, o que é o motivo das sessões de aconselhamento tenderem a ser tão incrivelmente chatas que só veteranos realmente gratos e caridosos da Ennet têm disposição de trabalhar como conselheiros. A organização dos arquivos é uma das nugas, e pra Gately usar o aparato de TP do escritório dos fundos pra imprimir essas coisas é quase um nojo, basicamente porque cada dedo dele cobre quase três teclas do teclado e ele tem que bater em cada tecla cuidadosamente com a ponta de uma caneta, que às vezes ele esquece de recolher a ponta da caneta, deixando manchas azuis nas teclas que a Gerente da Casa sempre faz ele pagar via torração de saco.

E Gately tem que receber cada residente mais novo no escritório por pelo menos uns minutos pra tipo marcar presença e ver como eles estão e deixar claro que alguém considera que eles existem pra eles não poderem simplesmente se fundir na decoração da sala de estar e desaparecer. O cara mais novo ainda está sentado no armário de roupa de cama dizendo que fica mais confortável ali com a porta aberta e a nova "desamparada" Amy Johnson ainda não voltou. Uma residente novinha-em--folha que chegou por determinação judicial, Ruth van Cleve, que parece uma dessas pessoas que a gente vê em fotos de carestias africanas, tem que preencher os formulários de Admissão e passar pela Orientação, e Gately repassa as regras da Casa com ela e lhe dá uma cópia do Guia de Sobrevivência da Casa Ennet, que algum residente anos atrás tinha escrito pra Pat.

Gately tem que atender o telefone e dizer pras pessoas que ligam pro escritório procurando um residente que os residentes podem receber chamadas só no telefone público do porão, que ele tem que dizer que sim que normalmente está ocupado direto. A casa proíbe celulares/móveis e tem um Limite no que se refere ao telefone do escritório pros residentes. Gately tem que chutar os residentes de lá quando outros residentes em fila vêm reclamar que eles passaram dos cinco minutos. Isso também tende a ser meio nojinho: o telefone público lá embaixo é indigital e indesativável e uma constante fonte de atritos e tretas; todas as conversas são vida-ou-morte; a crise por ali é 24 horas por dia 7 dias por semana. Existe um jeitinho especial de chutar alguém de um telefone público que é respeitoso e não humilhante mas também firme. Gately foi ficando bom em adotar uma expressão impassível quando os residentes começam a xingar. Existe uma expressão de experiência enfadada que os Funcionários da Casa cultivam, e aí têm que esticar o rosto pra se livrar dela quando estão de folga. Gately foi ficando tão estoico diante de xingamentos que um residente tem que chegar a efetivamente mencionar atos bisonhos em conexão com o nome dele pra Gately registrar o xingamento e passar uma Restrição. Ele é respeitado e estimado por quase todos os residentes, o que a Gerente da Casa diz que causa certa preocupação entre os Funcionários mais antigos, porque o emprego de Gately não é ser o melhor amigo desse pessoal o tempo todo.

Aí na cozinha com a porra das tigelinhas de flocos de arroz e panelas ainda toda zoneada Wade McDade e mais uns residentes estavam parados esperando várias coisas torrarem e ferverem e McDade estava usando o dedo pra empurrar a ponta do nariz tão pra cima que as narinas dele ficavam encarando todo mundo. Ele estava olhando suinamente em volta e perguntando se as pessoas conheciam alguém que o nariz dele era bem daquele jeito assim, e algumas pessoas diziam sim, claro, por quê. Gately deu uma olhada na geladeira e mais uma vez viu indícios de que o seu bolo de carne especial tinha um admirador secreto, parecia, com mais outro retangulão cortado dos restos que ele tinha embrulhado cuidadosamente e deixado na prateleira mais firme lá dentro. McDade, que Gately faz tanta força todo dia para conter a gana de sovar tanto o McDade que só ia sobrar olho e nariz em cima daquela botinha de caubói, o McDade está contando pra todo mundo que está gerando uma Lista de Gratidão por sugestão nada-delicada de Calvin T. e ele diz que decidiu que uma das coisas pelas quais ele é grato é pelo nariz dele não ser bem daquele jeito assim. Gately tenta não tirar conclusões baseado em quem ri e quem não ri. Quando o telefone da Pat toca e Gately sai, McDade está estrunfando o lábio superior com a mão e perguntando se alguém conhece gente com fenda palatina.

Gately tem que monitorar tipo o barômetro emocional da Casa e erguer um dedinho molhado pra sentir o vento de conflitos, problemas e boatos potenciais. Uma arte delicada aqui é assegurar o acesso à rádio-peão das fofocas dos residentes e se manter atualizado sobre os boatos sem dar a impressão de estar induzindo um residente a passar dos limites e chegar de fato a comer queijo sobre outro residente. A única coisa sobre a qual um residente é efetivamente encorajado a ratear outro residente aqui é começar com uma Substância. Todos os problemas de-outros-típicos a princípio é dever da Equipe sacar, sondar etc., pra chegar ao decocto de infrações legítimas a partir das marés de falatório e bobajada das reclamações que + de 20 pessoas safas, entediadas e empilhadas que estão se desintoxicando de vidas destruídas podem gerar. Boatos de que fulana-de-tal chupou sicrano-de-tal no sofá às 0300, que beltrano-de-tal tem uma faca, que X estava usando o que só podia ser algum tipo de código no telefone público, que Y voltou a usar um pager, que sicrano-de-tal está corretando apostas em jogos de futebol lá no Masculino pra 5, que a Belbin tinha feito o Diehl acreditar que ela ia limpar tudo se ele fizesse os flocos de arroz e aí tinha dado pra trás, e etc. Quase tudo nugas e, com o tempo, à medida que vai se somando, um nojo.

Raramente uma sensação de tristeza direta e imaculada propriamente dita, depois — só uma súbita perda de esperança. Fora que tem o desprezo que ele desmente tão bem com gentileza e carinho durante aquele período de barulhinhos e acomodações físicas.

Orin só consegue dar, e não receber, prazer, e isso faz com que um número desprezável delas ache que ele é um amante incrível, quase um amante dos sonhos; e isso alimenta o desprezo. Mas ele não consegue demonstrar o desprezo, já que isso bem obviamente ia minorar o prazer da Cobaia.

Como o prazer que a Cobaia sente com ele tornou-se o alimento dele, Orin é consciencioso na consideração e na gentileza que demonstra pós-coito, deixando claro seu desejo de ficar ali bem pertinho e na intimidade, quando tantos outros amantes, dizem as Cobaias, parecem depois ficar incomodados, cheios de desprezo, ou distantes, rolando de lado para ficar encarando a parede ou puxando um cigarro ainda antes de elas pararem de estremecer.

A modelo-de-mãos lhe contou em tom bem baixinho como o grande marido suíço rosado da fotografia pós-coito se destacava de cima dela e ficava lá aturdido sob o peso da própria pança, com os olhos transformados em estreitos risquinhos suínos e um vago esgar sorridente no rosto que era o de um predador saciado: não como aquele punter: desatencioso. Como era padrão com as Cobaias ela ficou então brevemente abatida e angustiada e disse que *ninguém* jamais poderia saber, que ela ia perder os filhos. Orin administrou as garantias verbais de sempre com uma voz íntima e muito baixa. Orin era retumbantemente delicado e atencioso depois, como ela de alguma maneira podia só intuitivamente *dizer* que ele seria. Era verdade. Ele extraía muito prazer de dar essa impressão de atenção e intimidade nesse intervalo; se alguém perguntasse qual era a parte favorita dele no tempo anticlimático depois que a Cobaia deitava de costas e se abria reluzente e ele podia ver os olhos dela que o continham inteiro, Orin diria que o seu favorito nº 2 era esse intervalo pós-seminal de vulnerabilidade carente de parte da Cobaia e de delicada atenção íntima, dele.

Quando a batida na porta soou pareceu uma bênção bônus, porque a Cobaia estava com um cotovelo apoiado na cama, exalando finas presas de marfim de cigarro pelo nariz e começando a pedir para ele lhe contar coisas da sua família, e Orin estava afagando-a muito carinhosamente, observando as curvas gêmeas de fumaça se empalidecerem e se espalharem e tentando não tremer ao pensar na aparência que deveria ter o interior do belo nariz da Cobaia, que emaranhados branco-acinzentados de meleca necrótica deviam pender e se imbricar ali dentro, por causa da fumaça, se ela tinha estômago para olhar para um lencinho que tinha usado ou se embolava aquilo e jogava para longe com o tipo de tremor que O. sabia que *ele* ia sentir; e quando a ríspida ação de masculinos nós digitais soou contra a porta do quarto ele viu o rosto dela embranquecer da testa para baixo enquanto ela implorava que ninguém podia saber dela fosse quem fosse lá fora e apagava o cigarro e mergulhava embaixo das cobertas enquanto ele pedia paciência para a porta e desviava para o banheiro para enrolar uma toalha na cintura antes de ir até ela, aquele tipo neutro de porta de hotel em que você usava um cartão e não uma chave. Os conspurcados, culpados e assustados pulso e mão da modelo-de-mão casada protuberaram por um momento da borda da roupa de cama e tatearam o chão em busca de sapatos e roupas, a mão se movendo como uma aranha cega e sugando coisas para baixo das cobertas. Orin não perguntou quem era à porta; *ele* não tinha o que esconder. O humor dele à porta se tornou extremamente bom. Quando a esposa e mãe tinha apagado todas as provas da sua própria presença e amontoado a roupa de cama sobre si mesma para poder ficar ali fungando cinzamente e imaginando que estava bem escondida, só uma parte calombuda da cama amarfanhada de um solteirão sonecante, Orin deu uma olhada no olho-mágico grande-angular da porta, viu apenas a parede bordô do outro lado do corredor e abriu a porta com um sorriso que sentia até lá na sola dos pés descalços. Cornos suíços, furtivos adidos médicos do Oriente-próximo, jornalistas bem fornidas: ele estava se sentindo pronto para qualquer coisa.

O homem à porta no corredor era aleijado, deficiente, cadeirante, olhando para ele de um ponto bem abaixo da mira do olho-mágico, cabelo desgrenhado e praticamente só nariz e olhando para cima rumo aos morros dos peitorais de Orin, sem nenhuma tentativa de ver o quarto atrás dele. Um dos inválidos. Orin baixou o olhar e se sentiu tanto desapontado quanto quase tocado. A cadeira de rodas do sujeitinho brilhava, o colo dele estava coberto e aquela gravatinha de caubói, semiescondida pela prancheta que ele segurava contra o peito com um braço enroscado e maternal.

"Pesquisa", o sujeito disse, e mais nada, balançando um pouco a prancheta como um bebê, apresentando-a como prova.

Orin estava imaginando a Cobaia aterrorizada lá deitada escondida e tentando ouvir, e apesar de uma espécie de leve desapontamento ele se sentia tocado por fosse lá qual fosse essa desculpa tímida esfarrapada para se aproximar da perna e de um autógrafo dele. Ele sentia pela Cobaia aquele tipo de desprezo clínico que você sente por um inseto que viu ao baixar os olhos e sabe que vai torturar por um tempinho. Pelo jeito dela fumar e realizar certas outras operações manuais, Orin tinha notado que ela era canhota.

Ele disse para o sujeito da cadeira de rodas: "Beleza".

"Amostragem com margem de erro de três por cento."

"Sempre bom poder colaborar."

O sujeito da cadeira de rodas inclinou a cabeça daquele jeito dos cadeirantes. "Estudo acadêmico universitário."

"Joia." Recostado no batente da porta de braços cruzados, vendo o sujeito tentar processar a dissimilaridade entre os tamanhos dos membros dele. Canelas ou extremidades nenhumas, nem das mais murchas, estendiam-se além da borda do cobertor da cadeira de rodas. O cara era tipo totalmente despernado. O coração acelerado de Orin saiu voando.

"Pesquisa da Câmara de Comércio. Avaliação sistemática de um grupo de veteranos preocupados. Operação de avaliação de tendências de defesa do consumidor. Três pontos percentuais para cima ou para baixo na questão."

"Supimpa."

"Pesquisa geral de um grupo de defesa do consumidor. Bem rapidinho. Estudo do governo. Estimativa demográfica do conselho publicitário. Estimativa. Anonimato aleatório. Mínimo em termos de tempo ou incômodo."

"Eu estou limpando a mente aqui pra ser o mais útil que eu puder."

Quando o sujeito puxou a caneta com um floreio e baixou os olhos para a prancheta Orin pôde dar uma olhada no solidéu de pele no centro da cabeça do sujeito sentado. Havia algo quase insuportavelmente tocante na calvície de um aleijado.

"Do que você sente falta, por favor?"

Orin sorriu de um jeito descolado. "De muito pouca coisa, eu gosto de achar."

"História. Cidadão EUA?"

"Sim."

"Possui quantos anos?"

"Idade?"

"Você possui qual idade?"

"A idade é vinte e seis."

"Mais de vinte e cinco?"

"Por consequência." Orin estava esperando o truquezinho com a caneta que ia fazer ele ter que assinar alguma coisa para o fã-clube supertímido conseguir o autógrafo que queria. Ele tentou lembrar da infância de Mario quanto tempo debaixo das cobertas antes de ficar insuportavelmente quente e de você começar a sufocar e se debater.

O sujeito fingia anotar. "Empregado, autônomo, desempregado."

Orin sorriu. "A primeira."

"Por favor liste do que você sente falta."

O sussurro da ventarola, o silêncio do corredor cor de vinho, o vaguíssimo sussurro de lençóis farfalhando atrás dele, imaginando a crescente bolha de CO_2 sob os lençóis.

"Por favor liste elementos de estilo de vida da sua vida EUA que você lembra, e/ou no momento presente sente falta deles."

"Não sei se eu estou entendendo."

O homem virou uma página para verificar. "Saudade, prantos, nostalgia, afetos. Garganta com nó." Passando mais uma página. "Melancolia também."

"Você quer dizer tipo lembranças de infância. Você quer dizer tipo chocolate quente com marshmallows semiderretidos em cima numa cozinha com azulejo xadrez aquecida por um fogão a gás esmaltado, esse tipo de coisa. Ou portas onissentes nos aeroportos e supermercados Star que de algum jeito sabiam quando você estava lá e abriam deslizantes. Antes delas sumirem. Onde é que foram parar essas portas?"

"*Esmaltado* é com *e*?"

"E como."

O olhar de Orin agora estava no forro acústico do teto, o disquinho piscante do detector de fumaça do corredor, como se as lembranças fossem sempre mais leves que o ar. O sujeito sentado encarava inalterado o pulsar da veia jugular interna de Orin. O rosto de Orin mudou um pouco. Atrás dele, sob as cobertas, a mulher não suíça restava muito calma e pacientemente de lado, respirando silenciosamente com a máscara portátil c/ tanque de O_2 que tinha tirado da bolsa ao seu lado, com uma mão dentro da bolsa segurando a submetralhadora miniatura Schmeisser GBF.

"Eu sinto falta da TV", Orin disse, olhando de novo para baixo. Ele não estava mais sorrindo daquele jeito descolado.

"A antiga televisão da transmissão comercial."

"Sinto mesmo."

"Motivo em várias palavras ou menos, por favor, para o campo depois de MO-TIVO", mostrando a prancheta.

"Putz, meu." Orin voltou a olhar para cima e para longe para o que parecia ser nada, sentindo com os dedos na maxila o pulso muito mais minúsculo e vulnerável da retromandibular. "Pode parecer meio bocó, isso. Eu tenho saudade de comerciais com volume mais alto que o dos programas. Eu tenho saudade das frases 'Ligue antes da meia-noite de hoje' e 'Economize até cinquenta por cento ou mais'. Eu tenho saudade de ouvir que as coisas eram filmadas diante de uma plateia ao vivo no estúdio. Eu tenho saudade de hinos de fim de programação e imagens de bandeiras, caças e caciques de pele seca de couro curtido chorando por causa do lixo jogado na rua. Eu sinto falta da 'Missa na TV', dos 'Cânticos', daquelas listras coloridas e de me dizerem em quantos mega-hertz o transmissor de alguma coisa estava operando." Ele passava os dedos pelo rosto. "Eu tenho saudade de ridicularizar alguma coisa que eu adorava. Como a gente adorava se reunir na cozinha de azulejos xadrez na frente daquela Sony velha quadradona de raios catódicos cuja recepção era sensível a aviões e ridicularizar aquela programação insípida."

"Insípeda", fingindo anotar.

"Eu tenho saudade de uns programas tão nivelados por baixo que eu conseguia assistir e saber o que as pessoas iam dizer antes delas dizerem."

"Emoções de domínio, controle e superioridade. E prazer."

"Pode apostar, rapaz. Eu tenho saudade das reprises de férias. Eu sinto saudade das reprises enfiadas às pressas pra preencher os intervalos das greves de roteiristas, greves do Sindicato de Atores. Saudade da Jeannie, da Feiticeira, do Sam e da Diane, do Gilligan, do Hawkeye, da Hazel, do Jed, de todos os fantasmas que assombravam as matinês de reprises. Sabe como? Eu tenho saudade de ver as mesmas coisas sem parar."

Vieram dois espirros abafados da cama atrás dele e o aleijado nem percebeu, fingindo escrever, relando no balançar da gravata de caubói o tempo todo enquanto escrevia. Orin tentou não imaginar a topografia dos lençóis em que a Cobaia tinha espirrado. Ele não estava mais gostando do truquezinho. Mas ainda se sentia enternecido, de alguma maneira, pelo sujeito.

O homem tendia a olhar para ele como as pessoas com pernas olham para prédios e aviões. "Claro que você pode assistir aos entretenimentos sem parar quantas vezes quiser em discos de armazenamento e execução de TelEntretenimento."

O modo de Orin olhar para cima enquanto lembrava não tinha nada a ver com o modo do sujeito sentado olhar para cima. "Mas não é a mesma coisa. A escolha, sabe. Estraga tudo. Com a televisão você ficava *sujeitado* à repetição. A familiaridade era infligida. Agora é diferente."

"Infligida."

"Acho que eu nem sei direito", Orin disse, repentinamente aturdido de um jeito vago e triste por dentro. Aquela sensação terrível como nos sonhos, de alguma coisa vital que você esqueceu de fazer. A calva da cabeça inclinada era sardenta e bronzeada. "Tem mais algum item?"

"Coisas para me contar que você não sente falta, delas."

"Pra dar uma simetria."

"Equilíbrio de opiniões."

Orin sorriu. "Pra cima ou pra baixo."

"Exatamente", o sujeito disse.

Orin resistia a uma vontade intensa de colocar a mão carinhosamente no arco do crânio do inválido. "Bom mas quanto tempo isso ainda leva?"

O aspecto queixo-caído-diante-de-arranha-céu era só quando o olhar do sujeito ia além do pescoço de Orin. De qualquer maneira não eram tímidos nem indiretos nem eram os olhos de alguém inválido, foi o que depois Orin achou estranho — além do sotaque suíço, da ausência de um truquezinho-de-autógrafo, da paciência da Cobaia com a espera e da ausência de uma respiração afogueada quando O. puxou as cobertas abruptamente depois. O homem tinha olhado para Orin e dado uma olhada rápida atrás dele, para o quarto de chão sem calcinhas e cobertas empilhadas. Era para Orin ver esse olhar atrás dele. "Posso retornar em ocasião posterior que nós especificarmos. Você está, *comme on dit*, ocupado?"

O sorriso de Orin não foi tão descolado quanto ele pensou quando disse para a figura sentada que isso era questão de opinião.

Em todas as instalações de recuperação reconhecidas pela DSAS, o toque de recolher para os residentes da Casa Ennet é às 2330h. Das 2300 às 2330, o Funcionário que está no plantão noturno tem que fazer contagens e ficar sentado que nem uma mãezona esperando que diferentes residentes cheguem. Sempre tem uns que sempre gostam de chegar na tampa e brincar com a ideia de serem Expulsos por uma coisa bem insignificante pra não ser culpa deles. Hoje Clenette H. e a detonadíssima Yolanda W. chegam de volta do Pegadas[246] coisa de 2315 de saia roxa, batom roxo, cabelo passado a ferro, equilibradas em saltos altos e dizendo uma para a outra que tinham se divertido pacas. Hester Thrale entra ondulante com uma jaqueta de pele falsa de raposa às 2320 como sempre mesmo que tenha que estar de pé tipo 0430 para o turno do café da manhã no Lar Providência e às vezes tome café com Gately, os dois com o rosto pendendo perigosamente perto dos Frosted Flakes. Chandler Foss e a ectoplasmicamente magra April Cortelyu entram vindo de algum lugar com posturas e expressões que provocam comentários e forçam Gately a Registrar um possível problema referente a um relacionamento entre-residentes. Gately tem que dar boa-noite para duas ex-residentes morenas de caras encovadas que tinham passado a noite inteira plantadas no sofá falando de seitas. Emil Minty, Nell Gunther e às vezes Gavin Diehl (que uma vez Gately puxou três semanas de uma pena municipal, com ele, na Concord Farm) fazem questão de toda noite ir fumar lá fora na varanda e entrar só depois que Gately fala duas vezes que precisa trancar a porta, só como um gesto mané de rebeldia. Hoje eles são seguidos de perto por um abigódico Lenz que meio que se infiltra pela porta bem quando Gately está mexendo no chaveiro para achar a chave para trancar, e meio que passa num zás e sobe para o masculino de 3 sem abrir a boca, o que ele anda fazendo muito ultimamente, o que Gately tem que Registrar, fora o fato de que agora já passa das 2330 e ele não sabe do paradeiro da seminovata Amy J. nem — o que é mais preocupante — de Bruce Green. Aí o Green bate na porta da frente às 2336 — Gately tem que Registrar a hora exata e aí é ele quem decide se destranca a porta. Depois do toque de recolher os Funcionários não têm que destrancar a porta. Muito residente chave-de-cadeia acaba sendo efetivamente dispensado desse jeito. Gately deixa ele entrar. Green nunca chegou nem perto de passar da hora antes e está com uma cara horrorosa, pele branca-de-batata e olhos vazios. E um rapaz grandão e calado é uma coisa, mas Green fica olhando para o chão do escritório de Pat como se aquilo fosse uma criatura amada enquanto Gately torra-lhe merecidamente o saco; e Green acata a temida e devida Restrição Doméstica Plena[247] de uma semana de um jeito tão inexpressivo e abandonado, e é tão estupidamente vago quando Gately pergunta se por acaso ele quer dizer onde foi que esteve e por que não conseguiu chegar antes das 2330 e se tem alguma coisa dando problema que de repente ele queria dividir com a Equipe, tão irresponsivo que Gately sente que não tem escolha senão mandar uma urina imediata no Green, o que Gately odeia fazer não só porque joga baralho com Green e sente que colocou o Green embaixo da boa e velha asa gatelyana e que é provavelmente a coisa mais parecida com um mentor que o rapaz tem mas também porque as amostras de urina recolhidas depois do fe-

615

chamento da clínica da Unidade nº 2[248] precisam ser armazenadas durante a noite na geladeirinha miniatura dos Funcionários que fica no quarto de Gately no porão — a única geladeira da Casa que nenhum residente podia ter chance de arrombar — e Gately odeia ter um potinho morno de tampa azul com a porra da urina de alguém na geladeirinha dele junto com as peras e a seltzer Polar que são dele etc. Green aceita a presença de braços cruzados de Gately no banheiro masculino enquanto produz uma urina tão eficiente e com tão pouca pentelhação que Gately consegue pegar o potinho tampado entre o polegar enluvado e o indicador idem, levar para baixo, etiquetar, Registrar e meter na geladeirinha a tempo de não se atrasar para trocar os carros dos residentes de lugar, o maior pé-no-saco do plantão noturno; mas aí a contagem final dele às 2345 lembra a Gately que Amy J. não voltou, e ela não ligou, e Pat disse para ele que a decisão de Expulsar depois de alguém perder o toque de recolher é dele, e às 2350 Gately toma a decisão, e tem que pedir para Treat e Belbin irem até o quarto feminino de 5 e empacotarem as coisas da menina com a mesma mala-de-irlandês com que ela trouxe tudo na segunda-feira, e Gately tem que pôr os sacos de lixo na varanda da frente com um bilhetinho rápido que explica a Expulsão e deseja boa-sorte para a menina, e tem que ligar para a secretária digital de Pat em Milton e deixar avisado que houve uma Expulsão compulsória por toque de recolher às 2350h, para a Pat poder ficar sabendo logo de manhã cedo e agendar entrevistas para ocupar a cama disponível o quanto antes, e aí com um xingamento sibilado Gately lembra dos abdominais antibarrigão-pendurado que ele jurou que ia fazer toda noite antes das 0000, e são 2356, e ele tem tempo de fazer só vinte com aqueles tênis desbotados imensos encaixados embaixo do sofá de vinil preto do escritório antes de ser inevitavelmente hora de supervisionar a troca de lugar dos carros dos residentes.

O antecessor de Gately como Funcionário Residente, um viciado em drogas sintéticas que agora (via Reabilitação de Massachusetts) está aprendendo a consertar motores a jato na AeroTech da Costa Leste, uma vez descreveu os carros dos residentes para Gately como um perene furúnculo na bunda da Equipe noturna. A Casa Ennet permite que qualquer residente com um veículo legalmente registrado e segurado deixe o carro na Casa, se eles quiserem, durante a residência, para ser usado no trabalho e para as reuniões noturnas etc., e o Hospital de Saúde Pública da Marina de Enfield vai nessa, só que eles colocaram as vagas para os clientes de todas as Unidades lá na ruelinha que fica bem na frente da Casa. E desde os sérios problemas fiscais de Boston no terceiro ano do Tempo Subsidiado rola um acordo municipal infernal em que só um lado de cada rua é de estacionamento permitido, e o lado permitido muda abruptamente à 0000h, e viaturas e guinchos municipais espreitam pelas ruas a partir de 0001h, aplicando multas de noventa e cinco dólares e/ou rebocando veículos subitamente estacionados em locais proibidos para uma região do South End tão ferrada e perigosa que nenhum taxista que tenha alguma coisa que o prenda a esta vida vai aceitar ir até lá. Então o intervalo entre 2355h-0005h em Boston é um momento de comunidade total e não muito espiritual, com carinhas de pijamão e senhoras com máscaras de lama saindo bocejantes para as lotadas ruas

616

da meia-noite, desacionando alarmes, dando partidas, todo mundo tentando sair, dar meia-volta e achar uma vaga para estacionar virado para o outro lado. Não tem nada de muito misterioso no fato de que os índices de lesões corporais e de homicídios durante esse intervalo de dez minutos sejam os mais altos per diem, de modo que ambulâncias e camburões fiquem especialmente espreitantes nessa hora, também, aumentando o entupimento e o enfurecimento generalizados.

Como os catatônicos e fragilizados das Unidades do HSPME raramente possuem veículos registrados, geralmente é bem fácil achar vagas na ruelinha para trocar, mas é um constante ponto sensível entre Pat Montesian e o Quadro de Regentes do HSPME que os residentes da Casa Ennet não possam deixar os carros durante a noite no grande terreno interno ao lado do prédio condenado do hospital — as vagas do terreno ficam reservadas para toda a equipe profissional das diversas unidades a partir das 0600h, e a segurança da ME ficou de saco cheio das reclamações da equipe sobre os carros malconservados daqueles drogados que ainda estavam lá ocupando as vagas deles de manhã — e que a Segurança não aceita considerar mudar a troca-de-lados cotinoturna da ruelinha da ME para 2300h, antes do toque de recolher da Casa Ennet, determinado pela DSAS; o Quadro da ME diz que se trata de uma determinação municipal com que não se pode esperar que eles fiquem mexendo só para agradar a um inquilino, enquanto os memorandos de Pat continuam lembrando que o Complexo Hospitalar da Marina de Enfield é estadual e não municipal e que os residentes da Casa Ennet são os únicos inquilinos que enfrentam o problema noturno de mover os carros, já que praticamente todos os outros são catatônicos ou fragilizados. E assim por diante.

Mas portanto toda noite tipo às 2359 Gately tem que trancar os armários, as gavetas da Pat e a porta do escritório da frente, ligar a secretária eletrônica do console telefônico e escoltar pessoalmente todos os residentes que possuem carros para o mundo exterior pós-toque-de-re-recolher e a ruelinha inominada, e para alguém com as habilidades realmente limitadas de gerenciamento de Gately as dores de cabeça que isso provoca são tremendas: ele tem que pastorear os residentes veiculares todos juntos até a porta trancada da frente; tem que ameaçar os residentes que arrebanhou para que fiquem todos juntos enquanto ele sobe mal-humorado para pegar um ou dois motoristas que sempre esquecem e caem no sono antes da 0000 — e isso de coletar os tresmalhados é um pé-no-saco se o tresmalhado é mulher, porque ele tem que destrancar e apertar o botão Homem No Andar perto da cozinha, e a "campainha" soa mais como uma buzina, e acordar as residentes mais putinhas com uma onda medonha de adrenalina, e Gately enquanto sobe mal-humorado as escadas vai sendo azucrinado por todas as cabeças com máscaras de lama que pipocam no corredor feminino, e ele pelo regulamento não pode entrar no quarto da dorminhoca mas tem que bater na porta e ficar gritando o seu gênero e pedir para uma das colegas de quarto acordar a dorminhoca, fazer ela se vestir e ir até a porta do quarto; então ele tem que recolher os tresmalhados, torrar a paciência deles e ameaçar todo mundo tanto com uma Restrição quanto com um possível rebocamento enquanto pastoreia todo mundo a passo acelerado pela escadaria para que se juntem ao rebanho principal de proprietários de automotores o mais rápido possível antes que o rebanho principal possa tipo se dispersar. Eles sempre dispersam se ele demora demais para pegar os tresmalhados; eles se distraem ou ficam com fome ou precisam de um cinzeiro ou simplesmente ficam impacientes e começam a ver aquela coisa toda de tirar-os-carros-depois-do-toque-de-recolher como um abuso do tempo livre deles. A Negação dos primeiros tempos da recuperação torna impossível eles imaginarem que os seus próprios carros podem ser guinchados em vez de, digamos, o carro de outra pessoa. É a mesma Negação que Gately vê nos alunos mais jovens da Uni. B ou do Boston C. quando vai com o Aventura da Pat até o Mercadinho ou ao Suprema Pureza quando eles entram direto na frente da porra do carro, cujos freios felizmente estão perfeitos. Gately se tocou que gente de uma certa idade e de um certo nível de tipo experiência na vida acha que é imortal: universitários e alcoólicos/viciados são os piores: eles acreditam bem no fundo que estão isentos das leis da física e das estatísticas que ferreamente governam todas as outras pessoas. Eles resmungam e reclamam até você ficar enjoado se alguém foder com as regras, mas bem no fundo eles não se consideram sujeitos a elas, às mesmas regras. E eles são constitucionalmente incapazes de aprender com a experiência de outra pessoa: se um aluno-pedestre-imprudente da U.B. realmente for esmigalhado na Comm. ou se algum residente da Casa efetivamente tiver o carro guinchado às 0005, a reação dos outros alunos ou viciados vai ser ponderar qual será exatamente a imponderável diferença que possibilita que aquele outro cara seja esmigalhado ou guinchado e não ele, o ponderoso. Eles nunca duvidam da diferença —apenas ponderam sobre ela. É tipo um tipo de idolatria da unicidade. É invariável e meio estraga-humor para um Funcionário ver que a única forma de um viciado um dia aprender alguma coisa é na porrada. Tem que acontecer com *eles* pra tipo detonar a idolatria. Eugenio M. e Annie Parrot sempre recomendam deixar todo mundo ser guinchado pelo menos uma vez, bem no começo do período de residência, para ajudar a criar crentes em termos de leis e regras; mas Gately por algum motivo nos seus plantões noturnos não consegue fazer isso, não consegue *suportar* deixar um merdinha dos seus residentes ser guinchado enquanto houver alguma coisa que ela possa fazer para evitar, e aí fora que se eles forem guinchados mesmo tem a pentelhação e a roeção de unhas de ter que arrumar um jeito deles irem até o pátio da prefeitura no South End no dia seguinte, fazer ligações para chefes vários e fornecer confirmação do descarramento do residente em termos de chegar na hora para o trabalho sem deixar o chefe saber que o empregado descarrado é residente de uma casa de recuperação, que é totalmente informação privada sagrada e privada dos residentes, eles que decidem dizer ou não — Gately começa a suar em tudo quanto é lugar só de pensar nas dores de cabeça gerenciais envolvidas na merda de um guinchamento, então ele passa lá o seu tempo arrebanhando, recolhendo e torrando o saco desligado de residentes que Gene M. diz que têm uns sacos tão calejados que ainda assim Gately está é perdendo tempo e espírito: tem que deixar eles aprenderem sozinhos.[249]

Gately alerta Thrale, Foss, Erdedy, Henderson[250] e Morris Hanley, e arrasta o novato Tingley para fora do armário de roupa de cama, e Nell Gunther — que está largada e babando no sofá, contra a porra das regras — e deixa todo mundo pegar casacos e arrebanha todo mundo junto diante da porta trancada da frente. Yolanda W. diz que deixou itens pessoais no carro da Clenette e será que ela pode ir junto. Lenz tem um carro mas não responde ao berro de Gately escada acima. Gately diz para o rebanho ficar paradinho ali e que se alguém sair do rebanho ele vai ficar pessoalmente interessado no desconforto do indivíduo. Gately sobe mal-humorado as escadas e entra no quarto masculino de 3, concebendo diferentes maneiras divertidas de acordar Lenz sem deixar machucados visíveis. Lenz não está dormindo mas está usando fones de ouvido estéreo pessoais, além de um suporte atlético, fazendo flexões de braço de cabeça para baixo apoiado na parede perto da cama de Geoffrey Day, com a bunda a meras polegadas do travesseiro de Day e peidando ritmicamente com as descidas das flexões, enquanto Day jaz ali de pijamão e máscara do Cavaleiro Solitário para dormir, as mãos dobradas sobre o peito pulsante, lábios se movendo mudos. Gately pode até ter sido meio ríspido ao pegar a canela de Lenz, erguê-lo do chão e usar a outra manzorra no quadril de Lenz para fazer ele rodopiar como o rifle de um sargento de ordem unida, mas o grito de Lenz é de uma saudação extraefusiva, não de dor, mas faz tanto Day quanto Gavin Diehl acordarem de um salto, e aí eles xingam quando Lenz chega ao chão. Lenz começa a dizer que tinha perdido a noção do tempo completamente e não sabia que horas eram. Gately está ouvindo o rebanho lá perto da porta da frente no pé da escada raspando os cascos e bufando, se preparando para quiçá se dispersar.

Assim de perto, Gately nem precisa do seu bizarro sétimo sentido de Funcionário para perceber que Lenz está nitidamente ligadão seja com drinas, seja com Bing. Que Lenz recebeu uma visita do Sargento-de-Armas. O globo ocular direito de Lenz está tremendo dentro da órbita, sua boca se contorce daquele jeito e ele está com aquela aura nietzschiana sobrecarregada de um sujeito ligadão, e durante todo o tempo em que está metendo calça, sobretudo e peruca incognitificante e quase sendo arremessado de cabeça escada abaixo por Gately ele fica contando uma lorota insana sem parar para respirar de que uma vez cortaram o dedo dele fora e aí o dedo se recheierou de novo, e sua boca está se contorcendo daquele jeito meio peixe-no-anzol que é uma marca clássica de um fluxo de L-Dopa, e Gately quer fazer um exame de urina imediato, *imediato*, mas enquanto isso as bordas do rebanho dos carros estão começando a se alargar daquela maneira que precede a distração e a dispersão, e eles estão com raiva não de Lenz por ter tresmalhado mas de Gately por se incomodar com ele, e Lenz mimica a postura da Cegonha Serena Mas Mortal do aikidô para Ken Erdedy, e é 0004h, e Gately pode ver guinchos à espreita lá na Comm. Ave., vindo para cá, e ele sacode o chaveiro, destrava todas as três travas de toque de recolher da porta da frente e manda todo mundo pro frio encolhescroto de novembro e calçadinha afora até a linha dos seus carros na ruelinha e fica ali na varanda olhando só em mangas alaranjadas de camisa, se certificando de que Lenz não vai zarpar antes dele poder fazer um exame de urina, arrancar uma confissão e Expulsar o cara oficialmente, sentindo uma pontadinha na consciência por querer tanto meter um pé administrativo na bunda de Lenz, e Lenz matraqueando sem parar com quem quer que esteja mais perto dele enquanto se dirige ao seu Duster, e todo mundo vai até o seu carro, e o ar que escorre da casa em volta de Gately pela porta é quente e as pessoas na sala de estar oferecem comentários em altos brados sobre o vento que entra pela porta, o céu lá no alto imenso e dimensional e a noite tão limpa que dá pra ver as estrelas penduradinhas meio que numa gosma lacteana, e lá na ruelinha umas portas de carros rangem e batem e umas pessoas conversam e postergam só para fazer o Funcionário esperar ali em mangas de camisa na varanda fria, um pequeno gesto cotinoturno de rebeldia torradora de saco, quando o olhar de Gately cai no fusca velho preto-empoeirado e profissionalmente estripado de Doony R. Glynn estacionado com os outros carros no lado ora ilícito da rua, com as entranhas do motor traseiro todas à reluzente mostra sob os postes da ruelinha, e Glynn lá em cima na cama hoje lidimamente prostrado pela diverticulite, o que por motivos de seguro quer dizer que Gately tem que voltar e pedir para algum residente com carteira de motorista vir pôr o fusca de Glynn no outro lado da rua, o que é humilhante porque significa admitir em público para aqueles animais que ele, Gately, não tem uma carteira válida, e o súbito calor da sala de estar desorienta os arrepios de sua pele, e ninguém na sala de estar admite ter carteira de motorista, e acaba que o único residente licenciado que ainda está na vertical e no térreo é Bruce Green, que está na cozinha mexendo inexpressivamente um café com uma quantidade enorme de açúcar com o dedão rombo mergulhado na xícara, e Gately se vê tendo que pedir auxílio gerencial a um rapaz de que ele gosta e que acabou de azucrinar fazendo lhe dar urina, que o Green minimiza essa humilhação toda se voluntariando para ajudar no exato momento em que ouve as palavras *Glynn* e *merda de carro*, e vai para o armário da sala de estar para pegar a sua jaqueta de couro barata e as luvas sem dedos, mas Gately agora tem que deixar os residentes lá fora ainda sem supervisão por um segundo para ir subindo mal-humorado as escadas e verificar que tudo beleza com o Glynn se Bruce Green trocar o carro dele de lado.[251] O quarto masculino de 2 para os mais veteranos tem um monte de adesivos velhos de para-choque do AA e um pôster caligráfico que diz TUDO DE QUE EU LARGUEI MÃO NA VIDA FICOU COM MARCAS DE UNHA, e a resposta à batida de Gately é um gemido, e o abajurzinho de mulher-pelada de Glynn que ele trouxe com ele está aceso, ele está na cama enroscado de lado agarrando o abdome como um cara que tomou um chute. McDade está ilicitamente na cama de Foss lendo uma das revistas de motos de Foss e bebendo o Refri 2000 de Glynn com fones de ouvido, e ele apressadamente apaga o cigarro quando Gately entra e fecha a gavetinha da mesa de cabeceira em que Foss guarda o cinzeiro como todo mundo.[252] O barulho da rua lá fora parece Daytona — um viciado em drogas é tipo fisicamente incapaz de dar partida num carro sem acelerar até o fim. Gately dá uma olhada rápida pela janela oeste por cima da cama de Glynn para verificar que todos os faróis não supervisionados que passam pela ruelinha estão meia-voltando e parando imediatamente reestacionados. A testa de Gately está úmida e ele começa a sentir uma dor de cabeça sebosa por causa da tensão gerencial. Os olhos vesgos de Glynn estão vidrados e febris e ele está cantando baixinho a letra de uma música dos Fidasputas Exigentes com uma melodia que não é a melodia da música.

"Doon", Gately sussurra.

Um dos carros está voltando pela rua meio rápido demais para o gosto de Gately. Tudo que se relaciona com os residentes e acontece no terreno da Casa depois do toque de recolher é responsabilidade dele, a Gerente da Casa deixou claro.

"Doon."

É o olho de baixo, grotescamente, que se revira para cima e para Gately. "Don."

"*Doon*."

"Don Doon morreu a bruxa."

"Doon, tudo azul se eu deixar o Green tirar o teu carro?"

"Veículo é preto, Don."

"*Tudo bem* se eu deixar o Brucie Green pegar a tua chave pra poder trocar o teu carro de lado, mano? É meia-noite."

"Meu fuscão preto. Meu nenê. O Baratão. A caranga do Doon. A mobilidade. O nenê expostinho. A fatia da Torta Americana. Simonize o meu nenê quando eu morrer, Don Doon."

"Chave, Doony."

"Pega. Pó pegá. Quero que fique pra você. Único amigo de verdade. Me trouxe bolachinhas Ritz e soda. Trate aquele carrinho como a dona Baratinha. Brilhante, preto, duro, móvel. Precisa de aditivada e de uma encerada por semana."

"Doon. Você tem que me mostrar cadê as chaves, mano."

"E as tripas. Tem que lustrar os canos das tripas toda semana. Exposto à vista. Com um paninho macio. O Baratastro. O Tripomóvel."

O calor que sai de Glynn é de gelar o rosto.

"Você acha que está com febre, Doon?" Num dado momento certos elementos da Equipe acharam que Glynn podia estar se fazendo de doente para se livrar de ter que procurar emprego depois de perder o seu emprego ancilar na Cercas & Arames Brighton. A única coisa que Gately sabe de diverticulite é que a Pat disse que é intestinal e às vezes os alcoólicos ficam com isso na recuperação por causa das impurezas das marcas mais baratas que o corpo está tentando eliminar. Glynn teve problemas físicos durante todo o seu período de residência, mas nada igual isso aqui. O rosto dele está cinza e lívido de dor e tem uma crosta amarelada nos lábios dele. Glynn está com uma adtorsão séria, e o olho de baixo está revirado para Gately com um brilho delirante horrível, com o olho de cima se revirando que nem um olho de vaca. Gately ainda não consegue pôr a mão na testa de outro homem. Ele chega a um meio-termo dando uns tapinhas no ombro de Glynn.

"Você acha que a gente tem que te levar pro St. E. pra dar uma olhada no teu intestino, Doon, será?"

"Duendo, Don."

"Você acha que…"

Como ele estava preocupado com a possibilidade de um residente comar ou morrer no turno dele, e aí sentindo vergonha por ser essa a sua preocupação, a ficha do grito dos freios e do barulho das vozes falando alto lá na frente não tinha caído direto para Gately, mas a do inconfundível grito em si# agudo de Hester Thrale — i. e., a ficha — cai, e agora uma correria pesada na escada:

O rosto de Green na porta, rubro em pontos redondos altos nas bochechas: "Vem aqui".

"Que porra que tá rolando lá…"

Green: "Vem *agora* Gately".

Glynn sotto: "Mãe".

Gately nem chega a poder perguntar de novo que porra era aquela na escada porque Green já desceu e saiu pela porta numa velocidade… a merda da porta da frente tinha ficado aberta aquele tempo todo. A aquarela de um cachorro labradoresco aderna e aí cai da parede da escada por causa das vibrações de Gately descendo de dois em dois os degraus. Ele não se detém para pegar o casaco no sofá da Pat. Ele só está com uma camisa de boliche alaranjada de doação com o nome *Alce* bordado em letra cursiva no peito e SHUCO-MIST SPM numas horrorosas caixas-altas verde-água nas costas,[253] e ele sente cada folículo do corpo saltar de novo quando o frio o envolve na varanda e na rampa para cadeira de rodas que desce até a calçadinha. A noite está gelada e limpa como glicerina e bem tranquila. Sons muito distantes de buzinas de carro e vozes falando alto na Comm. Green vão sumindo na corrida pela ruelinha rumo a um espetáculo de luzes altas que se difrata nas nuvens da respiração de Gately, então ainda enquanto Gately anda com passo apertado[254] na esteira com cheiro de couro de Green na direção de um tumulto crescente de xingamentos, da voz acelerada de Lenz e dos gritos de estilhaçar vidro de Thrale e de Henderson e Willis sendo grossos com alguém ao som da cabeça velada de Joelle v.D. numa janela do primeiro andar que não é a do quarto feminino de 5 gritando alguma coisa para Gately lá embaixo no que ele surge na rua, ainda enquanto ele vai se aproximando leva um tempo para tirar o decocto da cena da neblina da sua respiração e seus feixes de cor móveis contra os faróis. Ele passa pelo fusca estripado e ilicitamente estacionado de Glynn. Vários carros dos residentes estão em ponto morto em ângulos aleatórios de meia-voltação no meio da rua, e na frente deles está um Montego escuro mexido com faróis altos e rodas traseiras gigantes e o ponto morto carnívoro de um turbo. Dois caras barbados de dimensões quase gatelyanas com camisas frouxas tipo de boliche com flores ou sóis desenhados e umas coisas que parecem uns colares veadinhos de flores em volta do que seria o pescoço deles se eles tivessem pescoço estão perseguindo Randy Lenz em volta desse Montego. Um outro cara de colar e com um casaco de tuíde xadrez está mantendo o resto dos residentes afastados no gramado da nº 4 com uma Máquina[255] que maneja como um profissional. Tudo agora se ralenta levemente; ao ver uma Máquina apontada para os seus residentes rola quase que um clique mecanicizado quando a mente de Gately entra num registro diferente. Ele fica muito calmo e lúcido, a dor de cabeça some e sua respiração fica mais lenta. Não é tanto como se as coisas ralentassem mas mais como se se dividissem em quadros.

O esporro acordou a velha enfermeira da nº 4 que Pede Socorro, e a figura fantasmática dela está estatelada de camisolinha contra uma janela do primeiro andar da nº 4 berrando "*Sucuooooorro!*". Hester Thrale agora está com as mãos de unhas rosa em cima dos olhos e fica gritando sem parar para ninguém machucar ninguém especialmente ela. É a Máquina Bulldog que prende a atenção de todo mundo. Os dois caras que perseguem Lenz em volta do Montego estão desarmados mas parecem friamente determinados de um jeito que Gately reconhece. Eles também não estão de casaco mas não parecem estar com frio. Toda essa avaliação está levando apenas segundos; é só que demora pra listar tudo. Eles têm barbas vagamente não EUA e cada um mais ou menos 4/5 do tamanho de Gately. Eles se revezam dando a volta no carro e passando pela luz dos faróis e Gately vê que têm caras estrangeiras similares, sapudamente beiçudas. Lenz está falando com os caras sem parar, basicamente imprecações. Eles estão os três dando voltas e mais voltas no carro que nem num desenho. Gately ainda está caminhando quando vê isso tudo. Fica óbvio depois de uma breve avaliação que os caras estrangeirosos não são lá muito inteligentes porque eles estão perseguindo o Lenz juntinhos em vez de andar em volta do carro cada um pra um lado pra prender o sujeito que nem uma pinça. Todos os três param e recomeçam, Lenz do outro lado do carro. Alguns residentes à-distanciados estão berrando com Lenz. Como quase todo traficante de coca Lenz é bom de corrida, com o sobretudo se enfunando e aí pousando quando ele para. A voz de Lenz não para — ele fica alternadamente incitando o cara a realizar ações impossíveis e lançando explicações abarrocadas de que seja lá o que eles acham que ele fez não tem nem como ele ter estado na mesma zona de CEP de sei lá o que que aconteceu que eles acham que ele fez. Os caras ficam correndo como se quisessem alcançar Lenz só pra calar a boca dele. Ken Erdedy está com as mãos erguidas e a chave do carro na mão; pelas pernas dele parece que ele está prestes a se mijar. Clenette e a nova garota negra, nitidamente veteranas na etiqueta das armas apontadas, estão em decúbito ventral no gramado com os dedos trançados na nuca. Nell Gunther assumiu a velha postura da Cegonha das artes marciais de Lenz, as mãos retorcidas em garras planas, de olho na .44 do cara, que fica fazendo uma panorâmica tranquila de um lado a outro dos residentes. Esse cara menorzinho fica com mais quadros e mais lentos. Ele está com um boné xadrez de caçador que impede Gately de ver se ele também é estrangeiro. Mas o cara está segurando a arma na clássica postura Weaver de alguém que sabe atirar de verdade — pé esquerdo ligeiramente adiantado, levemente corcovado, segurando a arma com as duas mãos e o braço direito com o cotovelo para fora de modo que a Máquina fica bem na frente da cara do cara, na altura do olho de mira. É assim que os policiais e os mafiosos do North End atiram. Gately sabe bem mais de armas que de sobriedade, ainda. E a Máquina — se o cara puxa o gatilho em algum residente o tal residente já era —, a Máquina é uma versão meio customizada de um Bulldog Special .44 dos EUA, ou de repente um clone canadôncio ou brasileiro, grosso, feio e com um calibre tipo a boca de uma caverna. O alcoólico gordinho do Tingley está com as mãos nas bochechas e 100% à distância. O queimante tinha sido modificado, Gately avaliava. Abriram uma brecha no cano perto da boca para cortar o famoso coice do Bulldog, o cão tinha sido limado, e a coisa tem uma coronha gorda MagNaPort ou clonada como as que os Homens da Grande Boston preferem. Não se trata de uma Máquina de mercenário de fim de semana ou de assaltante de lojinha; essa tinha sido feita muito especificamente para colocar projéteis dentro das pessoas. Não é semiau-tomática mas foi modificada pra usar a porra de um carregador, que não dá pro Ga-tely ver se o cara está com um carregador embaixo da camisa florida frouxa mas é obrigado a admitir que o cara tem uma quantidade quase infinita de disparos com um carregador. Os Homens da North Shore por outro lado envolvem as coronhas com uma coisa tipo gaze que suga suor. Gately tenta lembrar as insuportáveis palestras de um antigo associado seu sobre munições quando estava bêbado — esses Bulldogs e os clones podem usar qualquer coisa de cargas leves de tiro ao alvo e wadcutters até dum-duns de ponta mole e coisa pior. Ele aposta que aquela coisa ia derrubá-lo com um tiro só; mas não tem certeza. Gately nunca tomou tiro mas viu gente tomar. Ele sente algo que não é nem medo nem empolgação. Joelle van D. está gritando umas coisas que não dá pra entender, e Erdedy à distância no gramado está gritando pra ela tirar a cabeça daquela cena toda. Gately está se aproximando durante todo esse breve intervalo, tanto vendo a respiração quanto a ouvindo, batendo os braços no peito para manter alguma sensação nas mãos. Quase daria pra você chamar o que ele está sen-tindo de um tipo de calma alegre. Os caras não americanos correm atrás de Lenz e aí param do outro lado do carro olhando para ele por um segundo, aí ficam furiosos de novo e correm atrás dele. Gately acha que ele devia era agradecer que o terceiro cara não venha de uma vez dar um tiro nele. Lenz põe as mãos em qualquer parte do carro em que ele para e manda boca-sujices por cima do carro para os outros caras. A peruca branca de Lenz está torta e ele está sem bigode, dá pra ver. A segurança da ME, normalmente tão escrupulosa com aquela porra daqueles guinchos às 0005h, não está nem por perto, reforçando mais um clichê. Se você perguntasse a Gately o que ele estava sentindo naquele exato momento ele não ia nem ter ideia. Ele está com uma mão em aba sobre os olhos e vai se aproximando do Montego enquanto as coisas vão se clareando. Um dos caras agora dá pra ver que está com o bigode do disfarce de Lenz entre dois dedos e fica erguendo aquilo e sacudindo contra Lenz. O outro cara solta umas ameaças truncadas mas elaboradas com um sotaque canadense, de modo que fica claro para Gately que eles são canadôncios. Gately toma uma onda negra de Naqueles-Tempos-D'Outrora, o quebequense tagarela de cabeça pontuda que ele ti-nha matado ao amordaçar um cara que estava com uma gripe feia. Essa linha de pensamento é intolerável. O grito de Joelle no alto de Pelo amor de Deus alguém ligue pra Pat entra e sai da mistura de gritos das moças. Ocorre a Gately que a velhi-nha do Socorro gritou Lobo tantos anos que gritos reais de socorro vão todos ser igno-rados. Os residentes todos olham para Gately enquanto ele atravessa a rua diretamen-te rumo ao jorro de luz do Montego. Hester Thrale grita Ó a Máquina. O canadôncio

624

de boné xadrez dá uma panorâmica rígida e trava a mira em Gately, com o cotovelo na altura da orelha. Gately pensa que se você dispara com uma Máquina assim bem na altura do olho daquele jeito se por acaso você não vai ficar com a cara cheia de cordite. Vem uma pausa na ação circular em torno do carro pulsante quando Lenz grita *Don* com grande volúpia exatamente quando a dona Socorro pede Socorro. O canadôncio da Máquina deu vários passos para trás para manter os residentes na sua visão periférica enquanto fecha a mira em Gately e o canadense imenso que está segurando o bigode do outro lado do carro diz a Gately que se fosse ele voltava para onde veio, ele, para evitar problemas. Gately concorda com a cabeça e dá um sorriso largo. Os canadôncios falam mesmo com aquele sotaque dos filmes. Tanto o carro quanto Lenz estão entre Gately e os canadôncios grandões, Lenz de costas para Gately. Gately fica parado quietinho, desejando não se sentir assim quanto à treta potencial, não tão quase alegre. Nos últimos tempos das carreiras de Gately nos ramos de Substâncias, Furtos e Roubos, quando ele tinha se sentido tão mal, ele tinha umas fantasias pervertidas em que salvava alguém que ia se dar mal, alguma figura inocente, e era morto no processo e eulogiado longuissimamente numa cópia negritada do *Globe*. Agora Lenz se afasta do capô do carro, dispara na direção de Gately e dá a volta atrás dele para ficar atrás dele, abrindo bem os braços para pôr uma mão em cada ombro de Gately, usando Don Gately de escudo. A postura de Gately tem aquele tipo de firmeza fatigada tipo Você Vai Ter Que Passar Por Cima de Mim. A única parte angustiada dele pode ver a entrada que ele vai ter que escrever no Registro se algum residente se der fisicamente mal no plantão dele. Por um momento ele quase consegue sentir o cheiro dos cheiros da penitenciária, sovacos, brilhantina, comida azeda, madeira da mesa de baralho, baseado, água de escovão, o denso cheiro de mijo da jaula dos leões de um zoológico, o cheiro das barras nas quais você entrança as mãos e fica ali, olhando pra fora. Essa linha de pensamento é intolerável. Ele não está nem arrepiado nem suando. Seus sentidos não ficavam aguçados desse jeito havia mais de um ano. As estrelas nadando na sua geleca, a luz de sódio suja dos postes e as alvas protuberâncias córneas da luz dos faróis estatelando-se contra diferentes ângulos dos residentes. Céu lotado de estrelas, a respiração dele, buzinas distantes, grave trinado dos ATHSCME bem ao norte. Ar frio, fino e cortante no nariz bem aberto dele. Cabeças imóveis nas janelas da nº 5.

O duo canadôncio florido que estava perseguindo Lenz vem para este lado e agora se separa do carro em direção a eles. Agora Hester Thrale na periferia direita de Gately se separa do grupo e dispara noite adentro pelo gramado e para trás da nº 4, sacudindo os braços e gritando, e Minty, McDade, Parias-Carbo e Charlotte Treat aparecem pela porta dos fundos da Casa Ennet do outro lado da sebe e se batem e se acotovelam entre os escovões e os móveis velhos da varanda dos fundos da Ennet, assistindo, e alguns dos catatônicos mais semoventes aparecem na varanda do Depósito do outro lado da ruelinha, olhando fixamente a ODE, tudo isso desorientando o carinha menor que agora fica sacudindo a Máquina velozmente daqui para lá, tentando manter muito mais gente à potencial distância. Os dois estrangeiros de fora que querem o mapa de Lenz vêm se aproximando lentamente sob a luz dos faróis do Montego na direção de onde Lenz está segurando Gately de escudo. O maior deles que é tão grande que a camisa luauzenta dele nem abotoa até o fim segurando o bigode adota o tom excessivamente razoável que sempre precede uma treta das graves. Ele lê a camisa de boliche de Gately com a luz dos faróis e diz razoavelmente que o Alce ainda tem uma chance de ficar de fora dessa que eles não têm treta com ele, eles. Lenz fica soltando um jorro diarreico de poréns e vai-nessas na orelha direita de Gately. Gately dá de ombros para os canadôncios tipo ele não tem escolha a não ser estar lá. Green fica só olhando para eles. Ocorre a Gately por sugestão Bandeira Branca que foda-se o que alguém pudesse achar que ele devia era cair de joelhos bem aqui mesmo no asfalto iluminado pelos faróis e pedir orientação sobre isso para algum Poder Superior. Mas ele fica ali parado, com o Lenz papagaiando à sombra dele. As unhas da mão de Lenz no ombro de Gately têm ferraduras de sangue seco nos vincos entre unha e dedo, e Lenz está soltando um cheiro cúpreo que não é só de medo. Ocorre a Gately que se ele tivesse mandado aquele exame de urina imediato que tinha querido mandar no Lenz essa merdarada toda de repente não ia estar acontecendo. Um dos canadôncios está segurando e apontando o bigode de disfarce de Lenz para eles como uma lâmina. Lenz não perguntou as horas nenhuma vez, diga-se de passagem. Aí o outro canadôncio desceu a mão ao lado do corpo e aparece o brilho de uma lâmina de verdade naquela mão com o manjadíssimo *snick*. Com o som da lâmina a situação fica ainda mais automática e Gately sente o calor da adrenalina se espalhar pelo corpo enquanto o seu hardware subdural se encaixa bem mais firme numa trilha bem das antigas. Sem escolha agora de não lutar as coisas se simplificam radicalmente, as divisões desmoronam. Gately é só uma parte de algo maior que não pode controlar. O rosto dele sob a luz do farol da esquerda se acomodou na sua expressão-de-luta de furibunda animação. Ele diz que é responsável por aquelas pessoas dentro daquela área particular naquela noite e que ele é parte daquilo quer ele queira quer não, e será que eles não podem resolver aquilo conversando porque ele não quer brigar com eles. Ele diz duas vezes bem claramente que não quer brigar com eles. Ele não está mais dividido a ponto de pensar se aquilo é verdade mesmo. Os olhos dele estão nas fivelas de folha de bordo dos cintos dos dois caras, a parte do corpo em que você não pode ser engambelado por uma finta. Os caras sacodem as jubas e dizem que vão instripar esse *bâtard* desgraçado aí que nem esse *bâtard sans--Christe* matou alguém que eles ficam chamando de Pépé ou Bébé, e que se o Alce tem algum interesse próprio ele vai dar uma ré pra longe de onde nem a pau que é dever dele tomar uns tapas ou uns topos por causa de um *bâtard* EUA doente e cagão com essa peruca de mulher. Lenz, aparentemente pensando que eles são brasileiros, mostra a cabeça de trás de Gately chama os caras de *maricones* e diz que eles podem chupar o *bâtard* dele isso é o que eles podem fazer. Gately tem só um restinho de divisão que lhe permite desejar não estar sentindo esse calor tão grande de familiaridade, uma onda de uma competência quase sexual, enquanto os dois gritam por causa das provocações de Lenz, se separam e vêm chegando até eles separados por pouco mais de um metro, caminhando cada vez mais rápido, tipo uma inércia impossível de deter, mas imbecilmente próximos demais um do outro. A dois metros deles eles atacam, derrubando pétalas e unissonamente berrando alguma coisa em canadense.

É sempre que tudo sempre acelera e fica lento também. O sorriso de Gately se abre no que ele é empurrado ligeiramente para a frente por Lenz no que Lenz recua se apoiando nele para correr do ataque gritante dos caras. Gately aproveita o vetor do empurrão e dá um tranco no canadôncio imenso com o bigode na mão que o joga em cima do canadense com a lâmina na mão, que cai com um *euf* de ar expelido. O primeiro canadôncio segurou a camisa de boliche de Gately que ele rasga e depois soca Gately na testa e audivelmente quebra a mão, soltando Gately para agarrar a mão. O soco faz Gately parar de pensar em quaisquer termos espirituais que ainda restassem. Gately pega o braço da mão quebrada do cara que ele ainda está estendendo e com os olhos no outro canadôncio do chão quebra o braço em cima do joelho, e enquanto o cara cai de joelho Gately pega o braço e dá um giro torcendo o braço quebrado atrás das costas do cara e planta o tênis nas costas floridas do cara e empurra o sujeito para a frente de um jeito que faz um estalo doente e ele sente o braço sair do encaixe no ombro, e vem um agudo grito estrangeiro. O canadôncio da lâmina que estava caído corta a panturrilha de Gately por baixo da calça jeans enquanto o cara rola graciosamente para a esquerda e começa a se erguer, um joelho no chão, faca à frente, um cara que entende de facas e não pode ser abordado de perto enquanto estiver com a lâmina erguida. Gately faz uma finta com o corpo, dá um passo gigante e põe todo o peso do corpo num chute de cancã que entra bem alto embaixo do queixo da barba do canadôncio e audivelmente quebra o dedão de Gately dentro do tênis e manda o cara todo torto de volta para o esplendor das luzes altas, e vem um estrondo metálico quando ele aterrissa no capô do Montego e o estalo e o atrito da lâmina aterrissando em algum ponto da rua longe do carro. Gately num pé só, segurando o dedão, e a sua panturrilha cortada está quente. Seu sorriso é largo mas impessoal. É impossível, fora do mundo coreografado do entretenimento, lutar com dois caras juntos ao mesmo tempo; eles vão te matar; o negócio pra lutar com dois é garantir que um fique fora de combate tempo suficiente pra ficar fora da equação tempo suficiente pra você botar o outro cara fora de combate. E esse primeiro cara maior com gravíssimos problemas ortopédicos está se contorcendo rolando no chão, tentando se levantar, ainda segurando perversamente o bigode branco. Dá pra saber que se trata de uma treta de verdade porque ninguém está abrindo a boca e os sons de todo mundo se recolheram aos sons que as plateias das arquibancadas fazem e Gately sai aos pulinhos e usa o pé bom pra chutar o canadôncio duas vezes na lateral da cabeçona e aí com a cabeça totalmente vazia de ideias desce um pouco mais, se alinha e cai com um joelho com todo o peso em cima da virilha do cara, resultando num som indescritível vindo do cara e num grito de J.v.D. lá no alto e num estalido seco no gramado e Gately toma uma pancada tão dura no ombro que gira em cima daquele joelho e quase cai de costas e o ombro fica quentemente amortecido, o que diz a Gately que ele tomou um tiro e não uma pancada no ombro. Ele nunca tinha tomado tiro. BALEADO NA SOBRIEDADE em manchete negritada em caixa-alta atravessa a imaginação dele como um trem lento no que ele vê o terceiro canadôncio com o boné puxado para trás e a cara canadôncia contorcida de cordite na sua postura profissional com o cotovelo de novo erguido mirando uma segunda azeitona na testa quadrada de Don lá do gramado da nº 4 com o olho fosco do cano e um púbico cachinho de fumaça saindo pela abertura lateral, e Gately não consegue se mexer e esquece de rezar, e aí o cano zagueando para cima e para longe quando explode em flores rubras quando o bom e velho Bruce Green segurou o canadôncio por trás num sossega-leão com a mão no colar de flores e com a outra mão está forçando o cotovelo erguido para baixo e a Máquina para o céu e longe da cabeça de Gately no que ela explode em flores com aquele estalido seco de um cano aberto. A primeira coisa que alguém que leva um tiro quer fazer é vomitar, o que aliás o canadôncio maiorzinho com a virilha marretada embaixo de Gately está fazendo em cima da barba e do colar de flores e da coxa esquerda de Gately enquanto Gately oscila sobre um joelho que ainda está em cima da virilha do cara. A velhinha berra Socorro. Agora um baque carnudo quando Nell Gunther no gramado salta vários metros rodopiantes e chuta o canadôncio que Green está sossega-leãozando no meio da cara com o salto daquela bota de paraquedista dela, e o boné do cara sai voando e a cabeça dele estala quando vira para trás e acerta a cara de Green, e vem o barulho do nariz de Green quebrando mas ele não solta, e o cara está dobrado pra frente na semirreverência parkinsoniana de alguém que está tomando um sossega-leão de qualidade, com o braço da mão da Máquina do cara ainda no ar com o braço de Green como se eles estivessem dançando, e o bom e velho Green não solta pra segurar o nariz que está jorrando, e agora que o canadôncio está contido, diga-se de passagem, lá vem o Lenz gritando alucinado saindo das sombras da sebe e pulando e ele dá um tranco tanto no canadôncio quanto no Green, e eles viram uma montoeira de roupas e pernas no gramado, sem que se veja a Máquina. Ken Erdedy ainda está com as mãos erguidas. Gately, ainda ajoelhado baleado em cima da virilha nauseabundamente amolecida do cara, Gately ouve o segundo canadôncio tentando escorregar do capô do Montego e vai torto e cambaleante até lá. Joelle v.D. continua gritando alguma coisa monossilábica do que não tem como ser a janela dela. Don vai até o para-choque dianteiro do Montego e soca o grandão cuidadosamente nos rins com o braço bom e pega o cara pelo cabelo estrangeiro grosso, empurra ele capô acima e começa a bater a cabeça dele no para-brisa do Montego. Ele lembra como ficava em apês mobiliados de luxo da North Shore com G. Fackelmann e T. Kite e aí eles aos poucos iam depenando tudo e vendendo as coisas até estarem dormindo num apartamento totalmente depenado. Green se ergueu com a cara ensanguentada, e Lenz está no gramado com o sobretudo inflado cobrindo a ele e ao terceiro canadôncio, e Clenette H. e Yolanda W. estão agora a postos e não à distância circulando os dois e mandando sólidos chutes de salto alto nas costelas do canadôncio e às vezes tomara nas de Lenz, recitando "Fida*puta*" e acertando um chute toda vez que chegam no *pu*. Gately adernado todo para um lado, metodicamente bate a cabeça desgrenhada do canadôncio contra o para-brisa com tanta força que estrelas aracnoides estão aparecendo no vidro à prova de estilhaços até que alguma coisa na cabeça cede com uma espécie de estraçalhar líquido. Há pétalas do colar do cara por todo o capô e a camisa rasgada de Gately. Joelle v.D. com o roupão felpudo e o véu de gaze e ainda segurando uma escova de dentes pulou para a sacadinha da janela do quarto feminino de 5 e para um ailanthus bem magrelinho logo ao lado e está descendo mostrando coisa de dois metros de coxa espetacularmente indeformada, gritando o primeiro nome de Gately, o que ele acha bacana. Gately deixa o canadôncio maior de bruços no capô em ponto morto, com a cabeça repousando num recesso embaçado de estilhaços e com formato de cabeça do para-brisa. Ocorre a Ken Erdedy, olhando para o carvalho acima das suas mãos erguidas, que aquela menina velada e deformada gosta de Don Gately de uma maneira extracurricular, ao que parece. Gately, com ou sem dedão e ombro, estava com uma cara estritamente de homem de negócios o tempo todo. Ele projetava uma espécie de atitude classe alta de competência animada e sangue-frio. Erdedy descobriu que até que gosta de ficar ali com as mãos para cima num gesto de postura não combativa enquanto as afro-americanas xingam e chutam e Lenz continua a rolar por ali com o cara inconsciente, batendo nele e dizendo "Isso, *isso*", e Gately agora recua entre o segundo cara no para-brisa e o primeiro cara que ele tinha originalmente desarmado, com o sorriso agora vazio como o esgar de uma abóbora. Chandler Foss está provando o boné de caçador do terceiro cara. Vem um som da nº 4 de alguém tentando forçar uma janela empenada. Um VDR da Empire é lançado com uma espécie de baque de mola e assovia pelo alto, subindo, embalado em luzes de alerta como lâmpadas de Natal piscando rubras e verdes no que Don Gately começa a vir na direção do gramado e do cara que aparentemente acertou o braço dele e aí dá uma guinada súbita e muda de direção e em três saltinhos de quase meio metro vai até o primeiro canadôncio coberto de vômito, o cara que tinha chamado Gately de Alce e lhe dado um soco na testa. Vem o lento estrondo do T Verde e as exortações de Minty enquanto Gately começa a pisotear o rosto supinado do canadôncio com o salto do pé bom como se estivesse matando baratas. O braço móvel do cara está balançando pateticamente no ar em volta do sapato de Gately que sobe e desce. Todo o lado direito da horrenda camisa laranja rasgada de Gately está escuro e o braço direito dele pinga negro e parece estranhamente deslocado no ombro. Lenz está de pé ajustando a peruca e se espanando. A menina velada chegou num pedaço difícil coisa de três metros acima do chão e está pendurada num galho esperneando, com Erdedy encarando copernicamente pelo robe aberto dela. O menino novo Tingley está sentado de perninhas cruzadas na grama e se balança enquanto as negras continuam pisoteando o canadôncio inerte. Dá pra ouvir Emil Minty e Wade McDade exortando Yolanda W. a usar o salto fino. Charlotte Treat está recitando a Oração da Serenidade sem parar. Bruce Green está com a cabeça para trás e o dedo como um bigode embaixo das narinas. Hester Thrale ainda é audível bem longe na Warren Street, se afastando, quando Gately cambaleia para longe do mapa do canadôncio e senta pesadamente na ruelinha, na sombra a não ser pela cabeça imensa sob a luz dos faróis do carro, sentado ali com a cabeça nos joelhos. Lenz e Green se aproximam dele com os movimentos cautelosos de quem chega perto de um animal grande que está ferido. Joelle van Dyne cai de pé. A velhinha na janela alta e empenada pede Socorrossocorrossocorrossocorrossocorro*socorro*. Minty e McDade descem da varanda dos fundos, finalmente, McDade por algum motivo armado de um esfregão. Todo mundo menos Lenz e Minty está com uma cara transtornada.

Joelle corre que nem menininha, Erdedy nota.[256] Ela passa pelos carros multiangulados e chega à rua bem quando Gately decide deitar.

Não parece um desmaio. É só uma decisão que Gately toma de deitar com os joelhos dobrados e apontados para as profundezas do céu, que parece se inchar e encolher com a pulsação do seu ombro direito, que agora ficou gelado, o que quer dizer que logo-logo vai rolar dor, ele prevê.

Ele dispensa as preocupações com um gesto da mão e diz "Ferimento superficial" no exato momento em que os pés descalços e a barra do roupão de Joelle ficam à vista.

"Puta que o *pariu*, caralho."

"Ferimento superficial."

"Meu, como você está *sangrando*."

"Valeu a informação."

Dá pra ouvir Henderson e Willis bem no fundo da ação ainda dizendo "*pu*".

"Acho que dá pra dizer pra elas que ele provavelmente está abatido, já", Gately apontando para o que acha que é a direção do gramado da nº 4. Estar deitado reto lhe dá uma papada, ele pode sentir, e faz seu rosto enorme virar um sorriso. O seu grande medo atual é vomitar na frente e talvez parcialmente em cima de Joelle v.D., cujas pernas ele notou.

Agora o mocassim de pele de lagarto de Lenz com manchas de grama no bico. "Don o que é que eu posso te dizer."

Gately faz força para sentar de novo. "Tem canadôncios armados atrás de você *também*, caralho?"

Revelando uma espécie de uma coisa meio quimonosa meio preta por baixo, Joelle tirou o roupão felpudo e dobrou o roupão meio que numa almofada trapezoidal e está ajoelhada em cima do ombro de Gately, montada no braço dele, apertando a almofada com as duas mãos.

"Ui."

"Lenz ele está sangrando feio aqui."

"Eu estou sem saber até o que começar a dizer, Don."

"Você está me devendo urina, Lenz."

"Acho que tem dois deles aqui que, tipo, falsearam." A bota desamarrada de Wade McDade, com a voz dele ofegante de pasmo.

"Ele está sangrando feio pacas eu disse."

"Você quer dizer faleceram."

"Tem um sapato delas na porra do olho do cara, meu."

"Manda o Ken baixar as mãos pelo amor de Deus."

"Ai meu *Deus*."

Gately sente os olhos ficando e desficando vesgos por conta própria.

"Ele tá tudo empapado meu olha só essa merda."

"O cara precisa é de uma ambulância."

Alguma outra mulher diz Deus de novo e a audição de Gately oscila um pouquinho quando Joelle grita para ela calar a boca. Ela se abaixa e se aproxima, de modo que Gately enxerga o que parece um queixo humano feminino normal e um lábio inferior sem maquiagem sob a barra enfunada do véu. "A gente liga pra quem?", ela pergunta a ele.

"Liguem pra secretária da Pat e pro Calvin. Tem que discar 9. Diz pra eles virem aqui."

"Eu vou vomitar."

"Airdaddy!" Minty está gritando para Ken E.

"Diz pra eles ligarem pra Annie e lá pro escritório da ME e fazerem alguma coisa tipo estratégica."

"Cadê a porra da Segurança quando não é só um monte de carros inocentes sendo guinchados?"

"E liga pra Pat", Gately diz.

Uma floresta de calçados, pés descalços e tornozelos em volta dele, e cabeças altas demais pra ele poder ver. Lenz gritando pra alguém na Casa: "Chame a porra da ambu*lân*cia de uma vez".

"Regule essa voz, meu."

"Cacete, chame tipo *cinco* ambulâncias de uma vez."

"Fida*pu*ta."

"Ssshh."

"Cara, eu *nunca* vi uma coisa dessas."

"Nn-nn", Gately cospe, tentando levantar e decidindo que prefere ficar deitadinho. "Não chamem pra mim."

"Isso que é o caminho da salvação?"

"O beu dariz tá ótibo."

"Ele não *quer*, ele que falou."

As botas de Green e de Minty, o chinelo de chuveiro de plástico roxo de Treat. Alguém passou Clearasil, ele está sentindo o cheiro.

"Já vi muita surra na vida, mano, mas…"

Um homem grita nos fundos à direita.

"Só não tentem me fazer andar por aí", Gately diz com um sorriso.

"Merdinha."

"Ele não pode dar entrada num PS com um ferimento de bala", Minty diz para Lenz, cujo sapato não para de se mover para colocá-lo ao norte de todo mundo.

"Alguém podia desligar aquele carro?"

"Eu acho melhor não encostar em nada."

Gately se concentra no ponto onde estariam os olhos dessa Joelle. As coxas dela estão bem abertas para cobrir o braço dele, que está amortecido e não parece ser dele. Ela está apertando. O cheiro dela é estranho mas é bom. Ela está com todo o peso em cima da almofada de roupão. Ela pesa cerca de nada. As primeiras linhas de dor estão começando a se irradiar do ombro, pelo lado do corpo e para o pescoço. Gately não olhou para o ombro, de propósito, e tenta enfiar o dedo da mão esquerda embaixo do ombro para ver se alguma coisa saiu do outro lado. A noite está tão limpa que as estrelas brilham até atravessar a cabeça das pessoas.

"Green."

"Eu dão tou ecostão ẽ dada, dão se preocupe."

"Olha a *cabeça* dele."

Os ombros do quimono dela estão curvados e parecem de um preto vítreo com a luz dos faróis do Montego. O cérebro de Gately não para de querer ir embora para dentro dele. Quando você começa a se sentir profundamente frio é o choque e a perda de sangue. Gately meio que se força a continuar ali, olha por cima da mão de Joelle para o belo sapato de Lenz. "Lenz. Você e o Green. Me ponham pra dentro."

"Green!"

O círculo de rostos das cabeças das estrelas no alto é todo sem rostos por causa das sombras dos faróis. Alguns motores dos carros desligaram, alguns não. Um dos carros está com a correia da ventoinha frouxa. Alguém está sugerindo telefonar para os Homens de verdade — Erdedy — o que todo mundo recebe com desprezo pela sua ingenuidade. Gately está imaginando que a Equipe do Depósito ou do nº 4 ligou pra eles ou pelo menos chamou a Segurança. Quando ele tinha dez anos só o minguinho dele cabia nos buracos do disco do antigo telefone de princesa da mãe; ele emprega força de vontade para desvesgar os olhos e ficar bem ali; ele nem a pau quer ficar ali deitado baleado em estado de choque tentando lidar com os Homens.

"Acho que um desses caras, tipo, entrou em óbito."

"Não me diga Shylock."

"*Ninguém telefona.*" Gately solta um berro para cima e para longe. Ele está com medo de vomitar quando eles o puserem de pé. "Ninguém telefona pra ninguém antes de vocês me colocarem pra dentro." Ele consegue sentir o cheiro da jaqueta de Green no alto. Pedacinhos de grama e umas coisinhas vêm pairando lá de onde Lenz ainda está espanando as roupas, e moedas de sangue na rua, do nariz de Green. Joelle diz a Lenz que se ele não parar com alguma coisa ela vai acabar com a raça dele. Todo o lado direito de Gately ficou gelado. Para Joelle ele diz: "Eu estou sob Supervisão. Eu vou pra cadeia, certeza".

"Você tem testemunha ocular saindo pelas orelhas aqui com você, meu chapa", McDade ou Glynn diz, mas não pode ser Glynn, por alguma razão que ele fica tentando puxar de dentro dele. E parece que a voz de Charlotte T. está dizendo que o Ewell está tentando entrar no escritório da Pat pra telefonar mas que o Gately trancou a porta da Pat.

"Ninguém telefona pra *ninguém*!", Joelle grita para cima e para longe. O cheiro dela é bom.

"Eles estão telefonando!"

"Tira ele do telefone! Diz que é trote pelo amor de Deus! Vocês estão me ouvindo?" O quimono dela tem um cheiro bom. A voz dela tem uma autoridade meio de Funcionário. A cena aqui mudou: Gately está no chão, Madame Psicose está no comando.

"A gente vai levantar ele e a gente vai pôr ele pra dentro", ela diz para o círculo. "Lenz."

Vem um iminente farfalhar de estática e o som de um chaveiro grande pacas. A voz dela é a voz daquela moça Madame na rádio aberta, assim do nada ele subitamente tem certeza, foi onde ele ouviu aquela estranha voz semissotaqueada antes.

"Siguraança! Pó pará *aê*! É pelo menos felizmente um dos caras da segurança da ME que jogavam futebol, um que passa metade do turno no Vida e aí fica subindo e descendo a ruelinha a noite toda brincando com o cassetete e cantando umas toadas de marinheiro desafinadas, que está tipo muitíssimo bem qualificado para Entrar no AA com eles.

Joelle: "Erdedy — cuida desse cara aí".

"Como é que é?"

"É o bebum", Gately consegue dizer.

Joelle está olhando para um putativo Ken E. "Vai lá e faz cara de classe alta e de sujeito respeitável. Verbalize com ele. Distraia o cara enquanto a gente põe ele pra dentro antes dos caras de verdade chegarem."

"Como é que eu vou explicar esses caras todos largados em cima dos carros?"

"Pelo amor de Deus Ken o cara não é um gigante intelectual — distrai o sujeito com alguma coisa reluzente, sei lá. Larga mão de ser palerma e anda de uma vez."

O sorriso de Gately chegou aos olhos. "Você é a Madame da FM, daí que eu te conhecia."

O sapato rangente de Erdedy, o rádio e as chaves do guarda obeso. "Parar o quê? Deter alguma coisa?"

"Sigur*ança* eu disse pó p*ará*!"

Green e Lenz se curvando, respiração enevoada por tudo ali e o nariz de Green pingando com o mesmo cheiro de cobre de Lenz.

"Eu sabia que eu te conhecia", Gately diz a Joelle, cujo véu permanece inescrutável.

"Se o senhor me permite perguntar parar o quê?"

"Pegue as costas dele aqui primeiro", Green diz a Lenz.

"Não sou muito fã desse montão de sangue", Lenz está dizendo.

Muitas mãos deslizam por sob as costas dele; o ombro explode em flores de um fogo incolor. O céu parece tão 3-D que dava pra você mergulhar nele. As estrelas se distendem e brotam em pontas. As pernas quentes de Joelle se mexem com o peso dela para manter a pressão sobre a almofada. O som empapado Gately sabe que significa que o robe encharcou. Ele quer que alguém o cumprimente por não ter vomitado. Dá pra ver que umas estrelas estão mais perto e outras longe, lá longe. O que Gately sempre considerou o Grande Ponto de Interrogação na verdade é a Ursa Maior.

"Eu tou *determinando* pra vocês desisti até o encarregado preu podê relatá a *sitação*." O segurança está travado, o nome dele é Sidney ou Stanley e ele usa o boné de Segurança e o cassetete quando faz compras no Suprema Pureza e sempre pergunta a Gately como é que anda tudo. As laterais do sapato dele estão detonadas na parte de dentro dos pés como ficam as dos gordos que precisam andar bastante; os rolos de gordura e a barrigona mole de ex-jogador são um dos grandes motivadores de Gately para os abdominais noturnos. Gately vira a cabeça para vomitar um pouquinho tanto no Green quanto na Joelle, que ignoram, ambos.

"Ah desculpa. Ah que merda eu odeio isso."

Joelle v.D. passa uma mão pelo braço molhado de Gately que deixa um rastro morno, a mão, e aí aperta toda a parcela do pulso que consegue contornar com a mão. "E Eis Que", ela diz baixinho.

"Jesus a perna dele também tá toda ensanguentada."

"Meu eu conheço um monte de gente que adorava esse teu programa." Um nadinha a mais de vômito.

"Agora a gente vai levantar ele bem devagar e passar os pés por baixo."

"Aqui Green meu chapa chega aqui mais no sul beleza."

"Eu tou determinando que a sitação tudo é pa pará *já* aí mesmo."

Os sapatos de Lenz e Green se juntando e se separando de cada lado de Gately, rostos descendo numa grande-angular, erguendo:

"Vamos?"

O

Ano da Fralda Geriátrica Depend: InterLace TelEntretenimento, 932/1864 RISC power-TPs c/ ou s/ console, Pink$_2$, disseminação DSS pós-Primestar, menus e ícones, Fax por Internet despixelado, tri- e tetramodems c/ baud regulável, Malhas-de-Disseminação pós-Web, telas tão HD que dava na mesma você estar lá, conferências videofônicas de custo acessível, CD-ROM Froxx interno, alta-costura eletrônica, consoles tudo-em-um, nanoprocessadores cerâmicos Tutikaga, cromatografia laser, cartões de mídia com Capacidade Virtual, pulso de fibra óptica, encriptação digital, aplicativos matadores; neuralgia carpal, enxaqueca fosfênica, hiperadiposidade glútea, estresse lombar. Metade de todos os bostonianos metropolitanos hoje trabalha em casa através de algum link digital. 50% de toda a educação pública é disseminada por pulsos encriptados credenciados, absorvíveis em casa, no sofá. O programa imensamente popular da srta. Tawny Kondo disseminado espontaneamente todo dia em todos os três fusos da ONAN às 0700h, uma combinação de aeróbica de baixo impacto, calistênica da Força Aérea Canadense, e do que poderia ser chamado de "psicologia cosmética" — mais de sessenta milhões de norte-americanos diariamente dando chutinhos e fazendo genuflexões com Tawny Kondo, uma coreografia de massas de certa forma similar àqueles obrigatórios exercícios matutinos de tai-chi em câmera lenta de grandes grupos na China pós-Mao — só que os chineses se reúnem publicamente, todos juntos. Um terço desses 50% de bostonianos metropolitanos que ainda saem de casa para trabalhar podia trabalhar em casa se quisesse. E (saca só) 94% do entretenimento ONANita pago é agora absorvido em casa: pulsos, cartuchos de armazenamento, displays digitais, decoração doméstica — um mercado de entretenimento composto de sofás e de olhos.

Dizer que isso é ruim é como dizer que o trânsito é ruim, ou o valor do plano de saúde, ou os riscos da fusão anular: só uns ripongos luditas comedores de granola iam dizer que é ruim aquilo cuja ausência é já inimaginável.

Mas então um monte de espectação particular de telas customizadas por trás de cortinas fechadas na onírica familiaridade do lar. Um mundo flutuante e não espacial de espectação pessoal. Uma nova era milenar novinha em folha, com Gentle e Lace-Forché. Liberdade total, privacidade, escolha.

Daí a nova paixão desse milênio pelo testemunho ao vivo. Toda uma agenda secreta de oportunidades-de-espectação públicas, "ODES", a chance inestimável de fazer parte de uma plateia, ao vivo, assistindo. E logo os Congestionamentos Curiosos em acidentes de trânsito, explosões de gás-de-esgoto, assaltos, furtos, um ou outro VDR da Empire com um vetor incompleto que se estatela nos subúrbios e bairros planejados da North Shore, as pessoas saindo pela porta da frente de casa de boca aberta na pressa de sair, se espremer lá fora e espectar o círculo de resíduos espalhados que atrai multidões sóbrias e atentas, se acotovelando em anéis em torno do impacto, comparando com toda a honestidade suas notas mentais sobre o que exatamente é que estão vendo. Daí a apoteose e a intricada ordem hierárquica dos músicos de rua de Boston, os melhores dentre os quais agora vão trabalhar dirigindo carros importados. A chance cotinoturna de puxar as cortinas de lado e ficar olhando as ruas à 0000h, quando todos os veículos estacionados na rua têm que trocar de lado e todo mundo fica doido e se acotovela, ou trocando de lado ou assistindo. Brigas de rua, confrontações no caixa do supermercado, leilões da Receita, gente em excesso de velocidade sendo parada para levar multa, touretteiros coprolálicos nas esquinas do centro da cidade, tudo atraindo fluidas multidões. A irmandade e a comunhão anônima de ser parte de uma plateia, uma massa de olhos todos fora de casa, todos lá no mundo e apontados na mesma direção. Q.v. as dores de cabeça do controle-de-multidões em cenas de crime, incêndios, demonstrações, comícios, passeatas, demonstrações de insurgência canadense; multidões que se reúnem tão velozmente, velozes demais até para serem vistas, uma espécie de inversão visual de ver alguma coisa derreter, as multidões se formam e são mantidas coesas por uma força de aparência quase nucleica, assistindo juntas. Quase qualquer coisa serve. Os camelôs estão de volta. Veteranos do exército sem-teto e figuras contorcidas em cadeiras de rodas com plaquinhas feitas à mão que esboçam seus direitos. Malabaristas, monstros, mágicos, mímicos, pregadores carismáticos com PAS portáteis. Mendigos hardcore brotam como se estivessem vendendo remédios para as pequenas multidões; os melhores mendigos de hoje chegam quase a ser cômicos profissionais, e são recompensados por plateias imensas. Seitas açafrão com muita percussão e panfletos impressos a laser. Até alguns euro-mendigos à moda antiga, umas pessoas de cara fechadíssima com umas leggings listradas, caladas e alheadas. Até candidatos locais, ativistas, advogados e assistentes políticos voltaram às origens no cepo da praça pública — a plataforma decorada com bandeirinhas, a tampa de lixeira, capotas de veículos, toldos, tudo que esteja no alto, tudo que esteja erguido diante de um panorama público capaz de reunir multidões: as pessoas trepam e declamam, atraindo multidões.

Uma das maiores ODES públicas da Back Bay todo mês de novembro é ver sujeitos inexpressivos trajando branco federal e azul-acinzentado municipal drenarem e esfregarem o laguinho de patos artificial do Passeio Público para o inverno que chega. Eles drenam o lago em algum momento de novembro todo ano. Não é anunciado publicamente; não há uma agenda fixa; longos caminhões brilhantes apenas aparecem de repente num anel em torno da beira do lago; é sempre num dia de semana c. do meio de novembro; é também sempre de algum jeito um dia cinza, cru, triste e ventoso de Boston, com gaivotas derrapando num céu da cor de um vidro sujo, gente encachecolada e com suas luvas novas. Não o dia ideal tipo árcade para matar tempo de maneira convencional ou espectar em público. Mas uma multidão imensa sempre se forma e se adensa num anel cerrado ao longo das margens do lago do Passeio Público. O lago tem patos. O lago é perfeitamente redondo, com a superfície arrepiada em pele de elefante pelo vento, geometricamenre redondo e cercado de uma grama de nível jardim-doméstico e uns arbustos em capões distribuídos equalitariamente, com bancos tipo de praça entre os arbustos protegidos por salgueiros de casca branca que agora já choraram o seu joio amarelado e outonal sobre os bancos verdes e as margens gramadas onde um arco de multidão ora se forma e se adensa, assistindo enquanto autoridades devidamente autorizadas começam a drenar o lago. Alguns patos mais volúveis do lago já levantaram acampamento para pontos ao sul, e outros partem seguindo alguma deixa filogênica exatamente quando os caminhões brilhantes encostam, mas o rebanho principal fica. Dois aviões particulares voam em preguiçosas elipses logo abaixo da cobertura de nuvens no alto, com faixas estendidas atrás deles anunciando quatro níveis diferentes de conforto e proteção com Depend. O vento fica soprando as faixas de lado, moebiuzando cada uma delas e aí endireitando de novo com o estalo forte de bandeiras que se desfraldam. Do chão os motores e os estalos das faixas são baixos demais para serem ouvidos por sobre o barulho da multidão, dos patos e do assovio violento do vento. O vento rodopiante na altura do chão é tão forte que o Chefe dos Serviços Aleatórios dos EU Rodney Tine, parado com as mãos nas costas diante de uma janela no oitavo andar do Anexo do Palácio do Governo na esquina da Beacon com a Joy St., olhando para sudoeste e para baixo para ver os anéis concêntricos de lago, multidão e caminhões, consegue enxergar

636

folhas sopradas pelo vento e poeira de rua rodopiando bem em frente e batendo nessa mesma janela diante da qual ele está, massageando o cóccix.

O dr. James O. Incandenza, cineasta e quase um escopófilo no que se refere a ODES e multidões, nunca deixou de vir ao espetáculo quando estava vivo e na cidade. Hal e Mario estiveram os dois em vários. Assim como vários residentes da Ennet, ainda que alguns não estivessem exatamente em posição de poder lembrar. Parece que todo mundo na Grande Boston viu pelo menos uma drenagem do lago. É sempre o mesmo tipo de dia feio com vento nordeste de novembro em que se você estivesse em casa ia estar tomando sopas com tons terrosos numa cozinha cálida, ouvindo o vento e feliz com o lar e o conforto. Todo ano em que Sipróprio vinha era a mesma coisa. As árvores caducas estavam sempre esqueléticas, os pinheiros como que paralisados, os salgueiros fustigados pelo vento e esfiapados, a grama parda e crocante sob os pés, os ratos-d'água sempre vendo primeiro o quadro geral da drenagem e deslizando que nem uns doidos para as margens de cimento para fugir. Sempre uma multidão em anéis que se adensam. Sempre rollers nas trilhas do Passeio, namorados ligados pelas mãos, frisbee à distância na beira da vertente do morro do outro lado do Passeio, que fica de costas para o lago.

O Chefe dos Serviços Aleatórios dos EU Rodney Tine está parado diante da janela não limpa quase durante toda aquela manhã, meditativo, com a postura de um descansar marcial. Uma estenógrafa, um assistente, o vice-prefeito e o diretor da Divisão de Serviços de Abuso de Substâncias de Massachusetts, e os agentes regionais dos Serviços Aleatórios Rodney Tine Jr.[257] e Hugh Steeply[258] estão todos sentados em silêncio na sala de reuniões atrás dele, a caneta Gregg da estenógrafa detida a meio ditado. A vista da janela do oitavo andar vai até a elevação do morro no outro extremo do Passeio. Dois frisbees e o que parece ser um anel estripado de brisbee ficam voando de um lado para o outro ao longo dessa elevação, poeticamente flutuando daqui para lá, às vezes caindo atrás da elevação e se perdendo, por um momento, para a visão especular de Tine.

Tentando ao mesmo tempo dar à sua pele ruim um pouco de UV e o ressecamento de um bom friozinho, o engenheiro pós-graduando estagiário da WYYY-109 do MIT está deitado de peito nu sobre um prateado cobertor espacial lembrança-da-NASA, supino e cruciforme mais ou menos no ângulo de uma poltrona reclinável de sala de estar na encosta mais distante do Passeio Público. Isso fica lá para a Arlington St., no canto sudoeste do Passeio, escondido pelo morro da bacia ao lado, da cabine com pavilhão de turismo, dos nós de trilhas radiais e das gigantes estátuas verdetes de patinhos enfileirados que homenageiam o amado e imortal *Make Way for Ducklings* de Robert McCloskey. A única outra encosta do Passeio é hoje o recôncavo do antigo lago. A inclinação gramada do morro, não muito íngreme, corre em ângulo de cunha para a Arlington St. e é apenas um amplo relvado, livre de excrementos caninos porque os cães não gostam de ir ao banheiro em terrenos inclinados. Frisbees flutuam pela encosta atrás da cabeça do engenheiro, e quatro meninos ágeis na encosta jogam um jogo com uma bolinha pequena cheia de arroz e com pés descalços azulados.

637

Está fazendo 5ºC. O sol tem aquela qualidade outonal atenuada de algo que parece estar sendo visto por trás de várias camadas de vidro. O vento é cortante e fica abanando trechos não ancorados de cobertor da NASA para cima de trechos do corpo do engenheiro. Arrepios e espinhas disputam espaço na carne exposta. O torso nu e o cobertor espacial metálico do estudante de engenharia são os únicos da colina. Ele jaz ali estatelado, todo aberto para o sol fraco. O estudante de engenharia da WYYY é uma de cerca de três dúzias de formas humanas espalhadas pela colina íngreme, uma coleção humana sem padrões de coesão ou qualquer coisa que a una, parecendo mais um monte de lenha que ainda não foi recolhida. Sujeitos fuliginosos bronzeados pelo vento com jaquetas sem zíper e sapatos de pares diferentes, alguns residentes permanentes do Passeio, dormindo ou em transes de origem vária. Enroscados de lado, joelhos encolhidos, não abertos a nada. Em outras palavras amontoados. Da grande altura de um dos prédios de escritórios da Arlington St., as formas parecem coisas largadas sobre o morro de uma grande altura. Um veterano lá do alto teria chances de enxergar um aspecto de campo-de-batalha-pós-batalha naquela disposição de formas. Fora o engenheiro da WYYY, todos os homens estão texturizados de gosma urbana, barba-por-fazer, dedos amarelos e bronzeados excessivos. Eles têm casacos e sacos de dormir com cobertores, sacolas velhas de compras com alças de barbante, sacos Feliz para latinhas e garrafas recicláveis. Também mochilas enormes de campista sem nenhuma cor. As roupas e os apetrechos deles são da mesma cor dos homens, em outras palavras. Uns poucos têm carrinhos de supermercado de metal cheios de suas posses e calçados pelos corpos dos proprietários para não descerem o morro. Um dos proprietários de carrinhos vomitou dormindo, e o vômito seguiu uma trajetória lávica na direção da forma encolhida de outro homem enroscado logo abaixo dele. Um dos carrinhos de supermercado, da elegante Pão & Circo, tem uma calculadorazinha engenhosamente conveniente na barra, projetada para permitir que os compradores vão somando as mercadorias enquanto as selecionam. Os homens têm unhas sépia e parecem todos desdentados tenham eles dentes ou não. De vez em quando um frisbee aterrissa entre eles. A bolinha mole faz um som de saco de arroz contra os pés dos jogadores acima e atrás deles. Dois meninos magrelos e com gorrinhos de lã descem para bem perto do engenheiro, cantarolando bem baixo "Cigarrinho", ignorando todas as outras formas, que qualquer um poderia ver que não têm recursos financeiros para adquirir Cigarrinhos. Quando os olhos dele estão abertos ele é o único ali na encosta a ver as barrigas redondas dos patos ascendentes passarem baixas no alto, pegando uma térmica que sai da encosta e subindo para girar para a esquerda, rumo sul. Sua camiseta da WYYY-109, a bombinha de asma, os óculos, o Refri 2000 e a cópia com a lombada rachada de *Metalurgia dos isótopos anulares* estão bem ao lado da borda do cobertor refletivo. Seu torso é pálido e costeludo, com o peito coberto por botõezinhos duros de cicatrizes de acne. A grama da encosta ainda está bem viável. Uma ou duas formas fetais espalhadas têm latas pretas de Sterno consumido ao lado. Pedacinhos da encosta se refletem nas fachadas das lojas e janelas de escritórios e nos vidros dos carros que passam pela Arlington. Uma van branca nada incomum tipo

Chevrolet ou Dodge se destaca no trânsito da Arlington e faz uma baliza bem impressionante no meio-fio que fica ao pé da encosta. Um sujeito com um antiquíssimo casacão de lã da OTAN está de quatro à esquerda baixa do engenheiro, vomitando. Pedaços de quimo pendem de sua boca e se negam a despegar. Há neles marquinhas de sangue. Sua forma corcovada parece algo canina na colina irregular. A figura fetal entalada inconsciente sob as rodas dianteiras do carrinho de supermercado mais próximo do engenheiro está só com um pé de sapato, e esse pé de sapato não tem cadarço. A meia exposta é cor de cinzas. Além da placa onde se lê DEFICIENTE, as únicas coisas incomuns na van que agora está em ponto morto no meio-fio lá embaixo são as janelas pintadas e o fato da van ser imaculada e reluzente de cera até mais ou menos a metade da lataria, porém acima dessa linha, poeirenta, enferrujada e com uma aparência vergonhosa de abandono. O engenheiro virava a cabeça para lá e para cá, tentando se bronzear uniformemente na mandíbula toda. A van do meio-fio está em ponto morto num pontinho distante entre os seus calcanhares. Algumas das formas da encosta se enroscaram em volta de garrafas e cachimbos. Um cheiro vem delas, forte e agricultural. O estudante de engenharia normalmente não tenta bronzear e ressecar a pele ao mesmo tempo, mas as oportunidades de ressecamento andam sendo raras: desde que a Madame Psicose do *60 +/–* tirou aquela licença médica repentina, o estudante de engenharia nunca mais teve ânimo de sentar lá no teto convoluto do Diretório e monitorar os programas substitutos.

O engenheiro move o rosto virado para cima para lá e para cá. Primeiro, Madame foi substituída por uma pós-graduanda do Mass Comm. que se revelou uma tremenda decepção como Miss Paranoia; aí a Madame foi publicamente considerada insubstituível pela gerência, e o engenheiro agora é simplesmente pago para soltar a música de fundo dela e aí ficar sentado monitorando um microfone aberto por sessenta minutos sem som, o que quer dizer que ele tem que ficar na sua cabine mantendo os níveis com um microfone aberto e não pode subir com os seus receptor e cigarros nem que quisesse. O estudante gerente da estação deu instruções escritas para o engenheiro sobre o que dizer quando as pessoas telefonam durante aquela hora para inquirir e desejar uma rápida recuperação a Psicose de quaisquer males que a estejam afligindo. Ao mesmo tempo negando e encorajando boatos de suicídio, internamento, crise espiritual, retiro silencioso, peregrinação para o Oriente coberto de neve. O desaparecimento de alguém que foi apenas uma voz é de alguma maneira pior em vez de ser melhor. Um silêncio terrível agora nas noites dos dias de semana. Um silêncio totalmente diferente do silêncio tipo silêncio-de-rádio que normalmente ocupava metade do programa dela toda noite. Silêncio de presença v. silêncio de ausência, quem sabe. Os silêncios das fitas são os piores. Alguns ouvintes chegaram mesmo a ir até lá e descer pelo córtex profundo e até o próprio e gélido estúdio cor-de-rosa, para inquirir. Alguns para apaziguar uma firme convicção de que a Madame ainda estava na verdade dando as caras e sentada ali junto ao microfone mas sem abrir a boca. Outro dos homens que dormiam ali por perto fica socando o ar enquanto dorme. Quase todas as inquirições pessoais madrugueiras são de ouvintes de alguma maneira tortos, errados, com problemas de fala, sorrisos vagos, gente de alguma maneira defeituosa. O tipo cujos óculos foram consertados com fita isolante. Inquirições tímidas. Desculpas por estar incomodando alguém que eles podem nitidamente ver que nem está ali. Antes das instruções escritas do estudante gerente, o estudante de engenharia tinha dirigido mudamente a atenção deles para o biombo tríptico da Madame, desprovido de uma silhueta por trás. Outra van Dodge branca, com as mesmas janelas opacas e a mesma limpeza irregular, apareceu no morro acima e atrás das formas espalhadas pela encosta. Ela não projeta uma sombra visível. Um anel de frisbee roça a grade limpa do focinho dela. Ela fica em ponto morto, com a porta deslizante virada para o declive e para a porta deslizante da outra van bem lá embaixo. Um inquiridorzinho hediondo tinha um chapéu com uma lente e parecia prestes a cair para a frente no colo do engenheiro. O cuidador dele queria um endereço para onde pudessem mandar algo carinhoso e floral. O revestimento aluminoide micronizado do cobertor da NASA é concebido para refratar todo e qualquer raio UV para a pele nua do estudante de engenharia. O engenheiro sabe da ambulância, da UTI do Brigham and Womens's e dos cinco dias na ala de reabilitação graças àquela menina pesada e morena, Notkin, aquela do chapeuzinho vergonhoso e da carteira do Dep. Cinemat. que desceu pelo elevador basilar bem tarde da noite para pegar uma fitas antigas do programa para uso e audição pessoal da Madame, ela disse, e tinha a sorte de conhecer a Madame na vida real, ela disse. O termo é *Tratamento*, Madame Psicose está em *Tratamento* de longo prazo em alguma coisa que a menina barbada com o chapeuzinho fuliginoso evasivamente descreveu como uma casa recuperada em algum ponto incrivelmente desagradável e de baixa-renda da Grande Boston. Esse é o total absoluto do que o engenheiro da WYYY sabe. Ele em breve terá a oportunidade de desejar ter sabido muito mais. Q.v. a rampa acneica de aço que agora protubera da rangente porta deslizante da van no morro acima e atrás dele. Q.v. a total escuridão dentro da van em ponto morto lá junto ao meio-fio da Arlington St., cuja porta deslizante também foi aberta por dentro. A encosta sudoeste é despoliciada: o pelotão dos Homens da MDC está todo com os seus carrinhos de golfe envenenados perto do laguinho drenado, atirando pedaços curvos de doughnut com cobertura nos arbustos dos patos e dizendo a uma multidão basicamente já dispersada que por favor fosse andando. Os frisbees e os futsaqueiros do morro subitamente desapareceram; há agora uma macabra imobilidade como a de um recife de corais quando um tubarão vai passando; a bocarra aberta e negra da van em ponto morto do morro, sua língua prateada.

Q.v. também a cadeira de rodas que agora subitamente dispara pela rampa da van encosta abaixo como um borrão ensandecido rangente e cor de bronze, com uma coisa tipo um limpa-neve tipo meio que um cesto soldado na frente dela raspando o chão e jogando aparas da faixa de grama que está cortando, vindo a uma velocidade tremenda, de freios soltos, a figura sem pernas subida nos cotos musculosos na cadeira mascarada de flor-de-lis-com-espada-no-cabo e curvada bem para a frente para a pura velocidade do esquiador, as figuras fetais encolhidas da encosta a cadeira veloz desvia, os vagos movimentos rebrilhantes de preparação para recepção bem no fundo da van do meio-fio no pé da inclinação íngreme, o engenheiro arqueando o pescoço bem para trás para capturar o sol nos buracos escarificados da parte de baixo do queixo, o carrinho de supermercado com a calculadora raspado por uma rangente roda emborrachada de passagem e mandado para longe num estardalhaço morro abaixo, arremessando posses, o sapato sem-teto a que ele estava atado saltitando vazio atrás dele e o proprietário inconsciente e agora dessapatado do carrinho só balançando os braços no ar na frente do rosto enquanto dorme como se estivesse num pesadelo tipo tremens de sapato e bens materiais perdidos, o carrinho calculador se estabacando contra o homem redobrado vomitando e virando e quicando várias vezes e o vomitante rolando e berrando, vulgaridades ecoando, o engenheiro da WYYY agora é visto erguendo-se sobre um cotovelo assustado e avermelhado pelo frio e sustentando-se para se virar e olhar para cima e para trás de si lá no alto do morro bem quando a cadeira de rodas veloz com a figura curvada chega até ele e a pá da cadeira varre engenheiro, cobertor da NASA, camisa e livro e passa por cima dos óculos e da garrafa da Refri 2000 com uma roda e leva o engenheiro no limpa-neve embora e morro íngreme abaixo na direção da van em ponto morto lá embaixo, uma van cuja própria rampa angulada agora desliza para fora como uma língua ou o recibo de transação de um caixa automático, o cobertor da NASA voando para longe da forma que se esbate do engenheiro mais ou menos na metade da descida e subitamente decolando numa térmica da encosta e sendo soprado lá para o distante trânsito da Arlington St. pelo cortante vento de novembro, a cadeira de rodas insanamente rangente decolando por sobre os magnatas da encosta e descendo de novo e subindo mais uma vez, o engenheiro sequestrado na pá da cadeira parecendo para as figuras despertadas da encosta basicamente um espernear alucinatório de membros nus e de gritinhos estranhamente chiados de Socorro ou pelo menos de Cuidado Aí Embaixo, tudo enquanto a cadeira modificada range frenética em linha reta pela linha de descida mais eficiente da encosta na direção da van com a rampa agora já engrenada, a fumaça do seu escapamento batendo na rua num compasso de espera de alto rpm, o cobertor da NASA se retorcendo coruscante no ar bem alto sobre a rua, e as figuras despertadas pelos gritos na encosta ali deitadas ainda curvadas e mal se mexendo, duras de frio e da dor geral, exceto o sujeito corcovado, o homem que passava mal e tinha sido atingido pelo carrinho deslocado, que rolou até parar e está se batendo no chão, segurando as partes que foram atingidas.

11 DE NOVEMBRO
ANO DA FRALDA GERIÁTRICA DEPEND

1810h, 133 meninos e treze membros variados da equipe de funcionários sentados para o jantar, o refeitório da ATE ocupando quase todo o primeiro andar da Casa Oeste, uma espécie de sala comum meio tipo átrio ventilado, ampla e coberta de painéis enodados de pinho, com a parede leste imensamente fenestrada e colunas percorrendo todo o salão pelo centro, com ventiladores de teto bem no alto fazendo circular o aroma denso e levemente azedo da comida feita em grandes quantidades, o som oceânico da conversa de vinte mesas diferentes, o tinido seco de talheres nos pratos, muita mastigação, os estalos e tilintares da esteira que leva as louças para a máquina atrás da janela para entrega das bandejas com a sua plaquinha *SUA MÃE NÃO MORA AQUI; ENTREGUE A SUA BANDEJA*, os gritos abafados dos trabalhadores da cozinha no vapor. Os melhores entre os veteranos ficam com a melhor mesa, uma tradição tácita, a que se situa mais perto da lareira a gás no inverno e da saída do AC em julho, aquela cujas cadeiras são todas mais ou menos parelhas, com assentos e encostos de almofadas finas de veludo no vermelho e cinza da ATE. Os pró-reitores têm sua própria mesa permanente perto do bufê de carboidratos; o Satélite Sírio e a imensa entrevistadora da *Moment* com sua saia de camponesa estão com eles.

Os jogadores todos comem como profissas, alguns ainda abrigados nos abrigos suarentos com o cabelo duro de sal, famintos demais depois de vespertinas de três sets para tomar banho antes de reabastecer. Mesas mistas são silenciosamente desencorajadas. O sub-18 masculino e a nata do sub-16 estão todos na melhor mesa. Ortho ("Trevas") Stice, A-1 do sub-16 da ATE, nesta mesma tarde levou Hal Incandenza, dezessete, segundo melhor masculino geral da ATE, a um terceiro set, chegando a um 7-5 no terceiro num joguinho meio exibicionista extraoficial não registrado que o Schtitt fez eles jogarem nas Quadras Oeste naquela tarde por motivos que ninguém ainda identificou. O público da partida foi crescendo continuamente enquanto os outros jogos iam acabando e as pessoas vinham da sala de musculação e dos chuveiros. A notícia de que Stice tinha passado muito perto de vencer um Inc que ninguém além de John Wayne tem sido capaz de vencer caminhou como um sinal de infinito pelas mesas, pela fila do bufê e das saladas, e vários meninos mais novos ficam olhando para a melhor mesa e para Stice, dezesseis anos, cabelo raspado e ainda com o abrigo Fila preto sem camisa sob a blusa de zíper aberto, montando um complexo sanduíche no prato, e eles deixam os olhos se abrirem e as posturas se desmancharem para transmitir reverência: respeito é para quem pode.

Stice, desligado, morde o sanduíche como se fosse o pulso de um inimigo. O único som à mesa nos primeiros minutos é de garfamentos, masticâncias e dos ligeiros sons engasgados de quem tenta respirar enquanto come. Neguinho raramente fala nos primeiros minutos aqui, comendo. O jantar é supersério. Tem gente que até começa a atacar as bandejas ainda na fila do leite. Agora Coyle dá a sua mordida. Wayne abriu caminho no seu sanduíche, se curva e morde. Os olhos de Keith Freer estão semicerrados enquanto os músculos de sua mandíbula saltam e se afrouxam. Fica difícil ver a cabeça inclinada de alguns jogadores por sobre a altitude da comida nos pratos. Struck e Schacht, lado a lado, mordem em sincronia e mastigam. A única pessoa da mesa que não está comendo como um refugiado é Trevor Axford, que quando era pequeno lá em Short Beach, CT, uma vez caiu de cabeça da bicicleta e sofreu uma pequena lesão cerebral tipo traumática depois da qual toda comida ficou com um gosto horroroso para ele. A sua explicação mais clara do gosto que a comida tem para ele é que ela tem o gosto do cheiro de vômito. Ele não é muito encorajado a falar durante as refeições e segura o nariz enquanto come e come com a expressão neutra e desprovida de prazer de alguém que está colocando combustível no carro. Hal Incandenza desmantela o formato de molde esteliforme em que vem o purê de batatas da ATE, misturando batatinhas cozidas com o purê. Petropolis Kahn e Eliot Kornspan comem com uma volúpia de prisioneiros de guerra tão horrenda que ninguém quer sentar com eles — eles estão sozinhos numa mesa pequena atrás de Schacht e Struck, talheres reluzindo no meio de uma espécie de névoa ou garoa fina. Jim Troeltsch fica erguendo um copo transparente com leite para as lâmpadas de espectro pleno do teto e girando o copo sob a luz, olhando para ele. Pemulis mastiga com a boca aberta, gerando barulhinhos úmidos, um costume tão entranhado-desde-a-vida-em-família que não há pressão dos pares que o faça mudar.

Finalmente O Trevas limpa a garganta para falar. No chuveiro ele tinha chegado até a metade de uma estória de Natal sobre uma das brigas épicas de seus pais. Os pais dele tinham se conhecido e se apaixonado num bar country/western em Partridge, KS — logo ao lado de Liberal, KS, na fronteira com Oklahoma —, se conhecido e se apaixonado alucinadamente num bar, jogando um conhecido jogo-de-bar-c/w do Kansas em que as pessoas colocam os antebraços nus lado a lado, põem um cigarro aceso no valezinho entre a carne dos dois antebraços e ficam imóveis até um deles finalmente puxar o braço dali e sair se contorcendo e segurando o braço. O sr. e a sra. Stice descobriram um no outro alguém que não puxava e se contorcia, Stice explicou. Os antebraços deles até hoje eram cobertos de umas lesminhas brancas de queloides de queimadura. Eles tinham caído como pinheiros abatidos por lenhadores, um pelo outro, assim de cara, Stice explicou. Eles tinham se divorciado e se recasado quatro ou cinco vezes, dependendo de como você definisse certos preceitos jurídicos. Quando estavam em bons termos domésticos eles ficavam no quarto dias a fio numa rangeção de molas de cama com a porta trancada a não ser por breves demandas de gim Beefeater e comida chinesa de entrega em caixinhas brancas de papelão com alcinhas de arame, com as crianças Stice andando perdidas como fantasmas pela casa de madeira com fraldas cheias ou ceroulas de lã e sobrevivendo à base de batatas fritas de uns sacões tamanho-família maiores que a maioria delas, as crianças Stice. As crianças se davam fisicamente um pouco melhor durante os períodos de querelas nupciais, quando um sr. Stice de cara fechada batia a porta da cozinha e saía todo dia para vender seguros agrícolas enquanto a sra. Stice — que tanto o sr. Stice quanto o Trevas chamavam de "A Noiva" — enquanto A Noiva passava o dia e a noite inteiros preparando intricadas refeições de múltiplos pratos de que servia alguns bocados para As Crias (Stice se refere tanto a si próprio quanto aos seus seis irmãos como "As Crias"), que depois mantinha quentes em panelas de tampas suavemente chocalhantes e que depois arremessava contra as paredes da cozinha quando o sr. Stice chegava em casa cheirando a gim, com marcas de cigarro e uma eau de toalete que não era a d'A Noiva. Ortho Stice adora loucamente os pais, mas não é cego, e depois de cada feriado que passa em Partridge, KS, ele memoriza alguns dos melhores momentos das batalhas conubiais dos dois para poder encantar os veteranos da ATE com eles, especialmente durante as refeições, depois que os garfamentos e os engasgos iniciais morreram e as pessoas retornaram a níveis suficientes de açúcar no sangue e de consciência do ambiente circunstante para serem encantadas. Alguns ouvem, às vezes se distraindo. Troeltsch e Pemulis estão discutindo se por acaso o pessoal da cozinha da ATE começou a tentar passar leite em pó para eles à socapa. Freer e Wayne ainda estão corcovados e masticantes, mui determinados. Hal está fazendo uma espécie de estrutura com a sua comida. Struck mantém os cotovelos na mesa o tempo todo e os talheres nos punhos cerrados como a paródia de um homem comendo. Pemulis sempre ouve as estórias de Stice, muitas vezes repetindo pequenas frases, sacudindo a cabeça admirado.

"Cara, eu simplesmente vou me recusar a comer alguma coisa mais aqui com um talher que foi jogado no lixo." Schacht está erguendo um garfo com dentes tortos. "Dá só uma olhada nisso aqui. Quem é que consegue comer com um negócio desses."

"O velho é um filho da puta de um cara calmo sob pressão, no que se refere À Noiva", Stice diz, se inclinando para morder e mastigar. A tendência na ATE é pegar a entrada e a menos que seja uma entrada úmida pegar pão de centeio e fazer um sanduíche com ela, pelos carboidratos extra. Como se Pemulis não conseguisse sentir o gosto da comida de verdade se não achatasse a dita contra o céu da boca. O pão de centeio da Academia é trazido de bicicleta por uns caras com umas sandálias Birkenstock da Pão & Circo Alimentos de Qualidade em Cambridge, porque tem que ser não só sem açúcar mas também com pouco glúten, que Tavis e Schtitt acreditam que produz torpor e excesso de muco. Axford, que perdeu para o Vara-Paul Shaw sem ganhar um set e se perder de novo para ele amanhã cai para o nº 5-A, fica petreamente encarando o espaço, com movimentos que são mais os de alguém imitando os gestos de comer do que os de alguém que está comendo. Hal fez uma intricada estrutura fortificada com a comida, com torreões, seteiras e tudo, e embora não esteja comendo muito nem bebendo seus seis sucos de oxicoco ele fica engolindo sem parar, examinando a estrutura. À medida que a comilança diminui de ímpeto na melhor mesa os mais observadores entre eles dão minúsculas olhadelas de lado para Hal e Axford, com os CPUs dos diversos jogadores zumbindo nas Árvores de Decisão da possibilidade de que um cara-a-cara ainda não discutido em público mas já comentado por aí com o dr. Tavis e um sujeito da urologia da ATONAN, mais agora essa derrota para o Shaw e a quase-derrota para Ortho Stice, podem ter balançado o Inc e o Aiquefoda em alguma falha tipo geológica do terreno psíquico competitivo, caras diferentes com rankings diferentes calculando as permutas das vantagens que lhes decorrem de Hal e Axford terem uma semana profundamente tensa e angustiada. Embora Michael Pemulis, o outro putativo urologizado da ATONAN, ignore completamente a expressão de Axford e o excesso de saliva de Hal, embora possa estar ativamente ignorando, encarando meditativamente os rodos[259] retirados da parede e

644

apoiados contra a lareira apagada, com os dedos formando uma abóbada diante dos lábios, escutando Troeltsch, que assoa o nariz com uma mão e sacode o copo de leite pela metade em cima da mesa com a outra.

Pemulis sacode a cabeça muito seriamente para Troeltsch. "Nem a pau, mano."

"Eu estou te dizendo mano que esse leite aqui é em pó." Troeltsch olhando para dentro do copo, cutucando a superfície do leite com um dedo grosso. "Cara eu sei reconhecer leite em pó. Eu tenho traumas domesticamente confirmados por ter crescido com leite em pó. Do dia em que a mãe anunciou que o leite era pesado demais para ficar trazendo lá da loja e mudou pro leite em pó, com a permissão do pai. O pai cedendo que nem o Roosevelt em Ialta. A minha irmã mais velha fugiu de *casa*, e o resto ficou todo mundo traumatizado com isso, com essa mudança de leite, que é inconfundível se você sabe o que procurar."

Freer faz um barulho como quem ronca.

"E eu sei o que procurar, pra verificar." Troeltsch é rouco, e uma dessas pessoas que falam com mais de uma pessoa ao mesmo tempo olhando de uma pessoa para a outra e para a outra; ele não nasceu para falar em público. "Nomeadamente esses resíduos característicos ao longo das laterais do copo, quando você agita." C/ grandes agitos floreados do leite.

"Só que Troeltsch você pode olhar para trás e ver os caras descarregando a merda dos sacos de leite na máquina ali a cada vinte minutos. Sacos de leite. Com *LEITE* escrito nos sacos. Uma coisa líquida, moloide, difícil de carregar. É leite."

"Você vê uns sacos, você vê a palavra *LEITE*. Eles estão contando com a embalagem. Gerenciamento de imagem. Gerenciamento sensório." Respondendo a Pemulis mas olhando para Struck. "Parte de algum buzunho mais amplo e generalizado. Possível punição pela coisa do Eskhaton." Olhos se dirigindo brevemente a Hal. "Vitaminas disfarçadas possivelmente no horizonte. E nem vamos pensar em salitre. Deixe de lado as deduções feitas a partir de sacos só um instante. Eu estou me atendo aos fatos. Fato: isso é verificavelmente leite em pó."

"Você está dizendo que eles misturam leite em pó e aí tentam virar tudo dentro de uns sacos de leite só pra disfarçar?"

Schacht limpa a boca e engole poderosamente. "O Tavis não consegue nem rejuntar os azulejos do vestiário sem convocar uma Reunião Comunitária ou nomear uma comissão. A Comissão de Rejunte está se arrastando desde maio. De repente eles estão manipulando trocas secretas de leite às 0300? Não cola muito não, Jim."

"E o Troeltsch está gripado, ele disse", Freer observa, indicando o frasquinho de Teldane perto da bola-de-apertar de Troeltsch, ao lado do prato. "Não dá nem pra sentir o gosto, Troeltsch se você está com uma gripe de verdade."

"O Trevor é que devia ficar gripado, Aiquefoda, né?, Schacht diz, derrubando cápsulas carminativas do frasco âmbar na palma da mão.

Com o jantar eles podem escolher leite ou ainda suco de oxicoco, o mais pleno de calorias derivadas de carboidratos entre todos os sucos, que fica rubramente espumando na sua máquina própria perto do bufê de saladas. A máquina de leite encontra-se sozinha contra a parede oeste, uma coisa imensona de 24 litros que comporta três sacos, com o leite inserido em sacos mamários ovaloides no seu gabinete refrigerado de aço escovado, com três receptáculos para copos e três alavancas para fornecimento controlado. São duas alavancas para desnatado e uma para um suposto achocolatado desnatado com altos teores de lecitina, que todo novo ATE prova exatamente uma vez e descobre que tem gosto de desnatado com um giz de cera marrom derretido dentro. Tem uma placa em grosseiras maiúsculas de um funcionário de cozinha grudada na frente da máquina que diz LEITE ALIMENTA; BEBA O QUE PEGOU. A placa antes dizia LEITE ALIMENTA, BEBA O QUE PEGOU até que a vírgula foi pontivirgulificada com a inserção de um ponto azul por uma pessoa bem óbvia.[260] A fila para repetir as entradas agora já passa da máquina de leite. A melhor coisa da saciação e de diminuir o ritmo de comer é se recostar e sentir a autólise começar no que você comeu e cuidar dos dentes enquanto você olha em volta do salão arejado os grupos e montes de gente, observando comportamentos e patologias com uma cabeça limpa e saciada. Os meninos menores correm em círculos apertados tentando seguir a sombra do ventilador do teto. Meninas rindo amarrotadas contra os ombros das pessoas que estão ao lado delas. Gente protegendo os pratos. A sexualidade obscura e as atitudes indecisas da puberdade. Dois caras marginalmente importantes do sub-16 estão com a cabeça direto dentro das tigelas do bufê de saladas, e algumas moças em torno comentam. Meninos diferentes ilustram certas questões com gestos diferentes. John Wayne e Keith Freer marcham determinados pela serpentina multidão e até a ponta da fila da Repetição e se metem na frente de um menininho que está rasgando um bagel que tem nas mãos com grandes movimentos violentos de cabeça e pescoço. Os As do sub-18 conseguem frentinhas de graça: respeito é para quem literalmente pode, na ATE. Jim Struck espeta um dos tomates-cereja da tigela de salada de Hal com um gesto selvagem do garfo; Hal não comenta nada.

Troeltsch passou o dedo grosso pela parte interna do copo e está mostrando o dígito para rapazes diferentes na mesa. "Percebam uma certa nuance azulada. Marcas e vestígios. Uma espuma suspeita. Grânulos de matéria pulverizada particulada que não se dissolveram perfeitamente. O leite em pó sempre deixa sinais característicos."

"A porra da tua cabeça é que é um grânulo, Troeltsch."

"Tira esse dedo daqui."

"Tentano *cumê* aqui."

"Paranoia", Pemulis diz, catando ervilhas extraviadas com a lâmina da faca.

"Isso sem nem mencionar a anuidade básica de 21 700 patacas, aqui", Troeltsch diz, mexendo o dedo para a frente e para trás no ar — o material naquele dedo, admita-se, não tem lá uma cara muito apetitosa — "e por outro lado percebam que o Pulmão ainda não está montado apesar do tempo bisonho e de dores de aquiles, e o almoço de hoje total déjà-vu do de ontem, e os pães e os bagels que eles começaram a dar pra gente são tudo dormido com aqueles adesivinhos amarelos no saco, e tem bandejinhas de café da manhã nos túneis, placas de forro acústico nos corredores, cortadores de grama na cozinha, tripés no gramado, rodinhos na parede, e a cama do

Stice fica andando sozinha, e tem uma *máquina de bolas* no vestiário das meninas, relata a Longley, que por esse tipo de custo nada disso a equipe consegue limpar ant…"

A cabeça de Stice se ergueu repentina, com vestígios de purê no nariz. "Quem foi que disse que a minha cama anda sozinha? Como é que você sabe alguma coisa de alguma cama que anda sozinha?"

Mas é verdade. O tripé Husky VI do encontro quase fatal de Mario com a Fragata Millicent Kent foi só o início. Começando com a misteriosa e ininterrupta queda de placas de forro acústico de vários pontos do teto dos subdormitórios, objetos inanimados tinham ou sido postos ou simplesmente aparecido do meio do nada em lugares totalmente inadequados da ATE nos últimos meses num ciclo cada vez mais acelerado e inquietante. Na semana passada um cortador de grama do pessoal da jardinagem limpinho e calado e de certa forma com uma postura ameaçadora no meio da cozinha de manhã bem cedo causou faniquitos na sra. Clarke e resultou em berinjela à parmigiana duas vezes seguidas no jantar, o que provocou ondas de choque generalizadas. Ontem de manhã tinha uma canhonesca máquina de bolas — que não é bolinho levar de um lado pro outro ou de passar pelas portas — na Sauna Feminina, máquina esta que algumas meninas mais veteranas tinham achado com gritinhos quando foram tomar as saunas matutinas que ajudam a aliviar algum vago problema feminil que nenhum dos caras entende direito. E duas negras da equipe do café da manhã aparentemente encontraram uns rodinhos na parede norte do refeitório, a vários metros de altura e pendurados cruzados numa espécie de sautor, postos lá por indivíduos incertos e não sabidos. A equipe matinal de A.C.I. Harde aparentemente tirou os trecos de lá, e agora eles estão apoiados na lareira. Os inadequados objetos encontrados tinham um aspecto tectítico e sinistro: nada do odor alegrinho das sacanagens estudantis; eles não eram engraçados. Em variados graus eles causaram faniquitos em todo mundo. A sra. Clarke tinha tirado a manhã de folga de novo, por isso o almoço de repeteco. Os olhos de Stice estão de volta no prato, que está quase limpo. Ninguém menciona o fato de que Schacht e o Vara-Paul Shaw na hora do almoço foram até todo o trecho da parede norte em que as negras disseram ter achado os rodinhos e não encontraram nem pregos nem buracos de pregos, tipo nenhuma forma preênsil possível. A coisa toda é alvo de um silêncio determinado, o que acresce o desconforto de todo mundo diante das ríspidas reclamações de Troeltsch sobre mensalidades, que variam nos seus detalhes mas fora isso são rotineiras.

"E aí agora a cagada nutricional final: tentativa de leite em pó."

"De impingir, você quer dizer."

"Eu quero dizer é e a gente aqui fazendo o quê?"

"Fingindo que está resfriado e ficando de cama brincando de narrador na frente do TP, como protesto?", diz Pemulis.

Troeltsch usa o frasco de Teldane para apontar enfaticamente. "A gente não quer nem saber. A gente olha pro outro lado com a cabeça enfiada na areia."

"Deve doer pra caralho."

"Vá achar umas merdas de uns sinônimos pra *perdeu*."

Stice dá uma engolida imensa: "Nunca abra os olhos embaixo da terra: ditado do meu velho".

"E aí a gente se distrai", Troeltsch diz; "a gente engole."

Pemulis faz um som de *k*. "A questão de verdade é a seguinte: quanto o Troeltsch é estúpido?"

"O Troeltsch é tão estúpido que ele acha que papel pardo é uma chance de interpretar Otelo."

"Troeltsch, que cor era o cavalo branco de Napoleão?"

Kyle Coyle diz que certeza que eles já ouviram aquela de o que que as canadenses põem atrás da orelha pra atrair os caras. John Wayne lhe dá um não-olhar. Wayne está olhando dentro do copo, onde de fato parece haver uma espécie de resíduo. Há fragmentos de alface nos cílios dele. As bochechas de Ortho Stice estão entupidas de comida, ele, com os olhos nos restos da sua própria salada, expressão abstraída e cerrada. Um tipo terrível de energia comunal em todo aquele refeitório, uma espécie de carpete sonoro de angústia sob o marulho de vozes e estalidos de louça, e o Trevas está em algum obscuro centro dessa energia, de alguma maneira, dá pra sentir. Nem Wayne nem Hal estiveram vulneráveis o outono todo, na quadra. Os meninos das outras mesas dizem coisas baixinho para os outros ao lado deles, e aí os outros ao lado deles olham disfarçadamente para a mesa de Stice. Com a testa roxamente cerrada, Stice encara rigidamente a salada e tenta bloquear os dados que lhe chegam da sua visão periférica. Dois sub-14 estão brigando por uma torrada. Petropolis Kahn está se preparando para catapultar uma ervilha em alguém. Jim Struck aponta Bridgette Boone e a Fragata Millicent Kent voltando do que Struck conta como uma quarta ida ao bufê, e Stice bloqueia essa visão. O crepusculozinho triste sobre os morros de Newton não pode ser visto porque as janelonas do salão dão para leste, por sobre a encosta e o complexo da Marina de Enfield que a Academia cobriu de sombra, de modo que as luzes externas da ME já estão acesas, e altos pedaços cubistas da velha metrópole atrás dela, a leste, com sombras que se infiltram. A tarde que acaba de acabar foi uma glória, limpa e fresca e sem vento, nada de nuvens, o sol um disco firme, o céu uma abóbada, encharcado de luz, até os horizontes setentrionais límpidos como o som de um sino contra um vago tom amarelo-esverdeado. Schacht tem coisa de oito frascos âmbar de vários medicamentos para a sua doença de Crohn, e todo um ritual de administração. Algumas negras que trabalham na cozinha e em turnos diurnos de zeladoras podem ser vistas contra a sombria linha de árvores, abrindo caminho íngreme ladeira abaixo pela trilha não autorizada que desce para aquela tal de casa-de-recuperação para os desgraçados que sobem aqui para trabalhar meio período. As jaquetas baratas e coloridas das meninas são vívidas na sombra e no emaranhado das árvores. As meninas estão tendo que andar de mãos dadas por conta da inclinação, caminhando de lado e pisando pesado a cada passo. A negra Clenette em que Hal tinha lido medo quando ela saía do escritório de C.T. com o lixo dele agora está com uma mochila bem cheia nas costas, tipo cheia talvez de saque de lixeira,[261] com os braços bem esticados entre a outra negra Didi e as árvores que ela agarra e meio escorregando de lado a cada passo, a hesitação de íngremes ladeiras escuras, cheias de raízes e de não poucos espinheiros.

Uma menina de franja levanta e peteleca o copo com uma colher para fazer um anúncio; ninguém dá a mínima.

Agora consuetudinariamente Kahn tem direito de vir sentar com eles à melhor mesa, pós-prandialmente.

Wayne e Stice estremecem ao mesmo tempo que a luz do teto de repente se torna a fonte primária de luz do salão.

Rola uma discussão curta e meio ignorante sobre por que as meninas que têm backhands de uma mão só parecem ter tendência a desenvolver seios de tamanhos diferentes. Hal recorda o barato de fins de colegial do seu irmão de ver se conseguia levar uma menina para um lugar público e aí conhecer e fazer sexo escondido com uma outra menina diferente enquanto ainda estava com a primeira. Isso foi depois que a menina por quem Orin tinha sido loucamente apaixonado e que Sipróprio tinha usado compulsivamente em filmes tinha sido desfigurada. Orin mantinha um registro de Cobaias que era meio que uma cruza de planilha e diário. Ele costumava vir para casa e deixar aquilo largado pedindo para ser lido. Isso foi quando o seu irmão Orin só precisava da relação sexual com elas em vez de fazer com que elas se apaixonassem tão terrivelmente por ele que nunca mais conseguiriam querer outra pessoa. Ele tinha feito uns cursos obscuros de massagem e psicologia e lido livros tântricos cujas ilustrações pareciam para Hal tão sensuais quanto uma partida de twister.

Coyle diz "O tornozelo delas"; todo mundo o ignora. Wayne já saiu da mesa.

O pequeno sub-14-C Bernard Makulic, a duas mesas da máquina de leite e constitucionalmente delicado e que não vai durar muito na ATE, vomita uma sedosa catarata castanha no chão ao lado de sua cadeira, e vem o grito dos pés das outras cadeiras sendo arrastados num padrão esteliforme para longe da mesa, e as vogais prolongadas de crianças enojadas.

Struck, Pemulis, Schacht e Freer já tiveram relações sexuais. Coyle é uma aposta razoavelmente segura, mas é reticente. Axford tem dificuldade até para tomar banho na frente dos outros, que dirá se submeter à inspeção feminina em pelo. Hal é talvez o único aluno homem da ATE para quem a virgindade vitalícia é uma meta consciente. Ele meio que sente que O. já está garantindo índices coitais acrobáticos para os três. Freer tem até tipo um colposcópio de brinquedo aparafusado no lado de dentro da porta do armário dele no vestiário onde outrora estivera uma pin-up, e Pemulis e Struck supostamente já frequentaram a Zona de Combate depois que a cidade fiscalmente apertada tinha dado um jeito e reformado os bordéis da Zona de Combate, a leste do Common. Mas Jim Troeltsch e sexo: nem fodendo. E com Wayne e Stice a questão parece de alguma maneira irrelevante. A boca de Hal parece estar transbordando de saliva. Ele devia com toda justiça ter perdido para Stice hoje, e sabe disso. Stice estava controlando fisicamente o terceiro set. Stice travou só porque ainda não acreditava que podia ganhar de Hal, bem no fundo, desde a explosão competitiva

649

de Hal. Mas a crise de fé que custara o jogo a Stice se referia a um Hal diferente, Hal pode ver. Agora é um Hal novo em folha, um Hal que não fica chapado nem se esconde, um Hal que em vinte e nove dias vai entregar a sua urina pessoal para figuras de autoridade com um sorriso largo, uma postura exemplar e sem um pensamento secreto na cabeça. Ninguém exceto Pemulis e Axford sabe que foi um Hal novo em folha e quimicamente livre que devia com toda justiça ter perdido para um carinha de dezesseis anos ali em público no que acabou sendo um lindo dia de outono da NNI.

Wayne tinha levantado e guardado a bandeja no meio daquela patacoada de peitos. Ortho ("Trevas") Stice ainda está encarando a salada. Se desse para abrir a cabeça de Stice você ia ver engrenagens dentro de engrenagens, pinos e polias sendo ajustados. Stice tem uma suspeita secreta sobre um segredo que tem mais a ver com a mesa propriamente dita do que com as pessoas à mesa. Vários caras interpretam essa intensa distração com o fato de Stice ainda estar na Zona mágica em que é impossível errar por causa do jogo da tarde.

"A ideia é que as canadôncias só conseguem atrair os caras sendo superfáceis de X, que é a piada", Coyle diz no barulho.

Aí rola uma breve calmaria de águas crespas no refeitório todo quando Evan Ingersoll emerge da Fila das Entradas de muletas, gesso novo e branco como chapéu de marinheiro, sem assinaturas, com o pró-reitor Tony Nwangi atrás dele com o rosto de traços talhados a machadadas todo pétreo, carregando a bandeja do menino para ele. A intranquilidade do salão é quase visível, uma corona em torno de Ingersoll e do tendão patelar rompido que vai lhe custar pelo menos seis meses de desenvolvimento competitivo. Penn, cuja fratura femoral vai lhe custar um ano, ainda nem voltou da ortopedia do St. E. Mas pelo menos Ingersoll voltou. Hal levanta para ir até lá, com Troeltsch levantando para acompanhá-lo depois de uma longa olhada para Trevor Axford, o Amigão oficial de Ingersoll, que está sentado na sua cadeira com os olhos bem fechados, incapaz de qualquer gesto conciliatório. Um Hal dolorido depois do jogo, não coxeante mas com as pernas duras e os ombros balançando um pouco no que ele e Troeltsch se movem serpenteantes em torno das mesas, desviando dos baldes faxineirais de aço fosco com rodinhas e do esfregão que espalha e dilui o quimo de Makulic num círculo rarefaciente que esvazia três mesas, que Hal e Troeltsch evitam com curvas bem treinadas em torno de mesas cujo leiaute eles todos conhecem bem, Hal para dizer Oi e Como é que está o Membro, Troeltsch para dizer Oi e ficar basicamente aliviado por se afastar de uma discussão de mulheres como objetos sexuais. Troeltsch nunca chegou perto nem de um encontro sentimental. Tem uns caras aqui que nunca chegam lá. É a mesma coisa em todas as academias, com esse contingente assexuado. Alguns jogadores juniores não têm mais energia emocional depois do tênis para encarar o que um namoro requer. Uns caras ousados e gélidos em quadra que afrouxam e empalidecem diante da ideia de se aproximar de uma mulher em qualquer contexto social. Certas coisas não só não podem ser ensinadas como podem ser retardadas por outras coisas que podem. Todo o programa Tavis/Schtitt aqui é supostamente uma progressão rumo ao esquecimento do eu; tem gente

650

que acha que toda essa questão feminina faz eles se verem face a face com alguma coisa dentro deles que eles precisam acreditar que ficou para trás para não desistirem e continuarem. Troeltsch, Shaw, Axford: qualquer tipo de tensão sexual faz eles sentirem que precisam de mais oxigênio do que está à disposição naquele momento. Algumas meninas da ATE são meio vagabas, e alguns caras mais agressivos tipo o Freer conseguem acabar com as resistências de algumas meninas e fazer elas transarem — o que não falta aqui é tempo e proximidade. Mas a ATE é em geral um lugar comparativamente assexuado, talvez surpreendentemente assexuado, considerando-se o rugido e o gorgulho constante de glândulas adolescentes aqui, a ênfase na fisicalidade, os medos da mediocridade, as lutas vacilantes contra o ego, a solidão e a proximidade extrema. Há laivos de homossexualismo, quase sempre emocional e não consumado. A teoria preferida de Keith Freer é que a maioria das mulheres da ATE é de lésbicas incipientes que ainda não sabem disso. Que como qualquer atleta feminina séria elas são básica e vigorosamente masculinas por dentro, e portanto pró-sáficas. As que chegarem ao Circuito da WTA[262] provavelmente vão ser aquelas que descobrem o que são, ele acha — ou seja, sapatas. O resto vai casar e passar a vida inteira ao lado da piscina pensando por que os pelos das costas dos maridos delas lhes dão arrepios. P. ex., a Fragata Millicent Kent, dezesseis anos e um fenômeno dos abdominais, com seios que parecem de artilharia e uma bunda que são dois buldogues numa sacola (expressão de Stice, que pegou), já parece uma Carcereira de Presídio Feminino, Freer gosta de observar. E ninguém gosta que Carol Spodek carregue e cuide zelosamente da mesma raquete Donnay de cabo grosso por quase cinco anos direto já.

Ortho Stice do sudoeste do Kansas ergue brevemente os olhos para a partida de Hal e Troeltsch antes de voltar a sua atenção novamente para um certo tomate-cereja empoleirado de alguma maneira a meio caminho do raso declive da sua tigela de salada. É possível que o tomate-cereja esteja grudado a meio caminho do declive por um pouquinho de molho adesivo de iogurte em vez de simplesmente estar ali desafiando a gravidade por conta própria. Stice não usa o dedo para mexer no tomate e verificar essa hipótese. Ele está usando o poder concentrado da vontade. Está tentando fazer o tomate-cereja rolar pela sua própria força objética inclinação abaixo para o centro da tigela. Ele fica encarando o tomate-cereja com uma concentração imensa, mastigando o seu sanduíche de filé-de-frango-sem-pele de três andares. A mastigação faz com que placas parcialmente sobrepostas de músculos em todo um lado do rosto e do escalpo raspado dele saltem e rolem. Ele está tentando flexionar algum tipo de músculo psíquico que nem sabe ao certo se tem. O cabelo raspado deixa sua cabeça com aparência de bigorna. A concentração total deixa seu rosto redondo, vermelho e carnudo com um jeito amarfanhado. Stice é um desses atletas cujo corpo você sabe que é um presente divino injusto, porque a conjunção dele com o rosto é bem incongruente. Ele parece uma montagem fotográfica ruim, uma persona sobre-humana de papelão com um buraco para você pôr nele o seu rosto humano. Um lindo corpo atlético, ágil e esguio, uniformemente musculoso e liso — como o corpo de um Policleto, Hermes ou de um Teseu antes de suas agruras — em cujo gracioso pescoço prende-se o rosto de um Winston Churchill devastado, ancho e chato, rubicundo, carnudo, de poros abertos, com uma testa salmilhada sob a linha em V do cabelo raspado, bolsas sob os olhos e umas bochechonas pendentes que toda vez que ele se mexe de repente ou agilmente fazem meio que um barulho staccato e carnudo de cachorro molhado se sacudindo todo para secar. Tony Nwangi está dizendo algo acerbo para Hal, que parece estar ajoelhado penitentemente diante de Ingersoll, com todos às mesas circunstantes se inclinando muito sutilmente para longe de Hal. Troeltsch está assinando o gesso de Ingersoll enquanto fala no punho fechado. Fora das quadras, a cabeça raspada chata de Ortho Stice e sua quedinha por calças jeans com barra dobrada e camisas de manga curta axadrezadas vem direto da caipirolândia. O enfarruscamento facial que decorre da concentração acresce fendas, vincos e um rubor irregular à cara de buldogue. As bochechas dele estão entupidas de comida no que ele encara o tomate-cereja empoleirado, tentando respeitar aquele objeto com toda a sua força. Invocando aquele tipo de reverência coercitiva que tinha sentido naquela tarde quando as curvas súbitas anômalas contra o vento e os seus próprios vetores que certas bolas tinham feito quase convenceram Stice de que elas tinham se tornado capazes de antever os seus desejos, em momentos cruciais. Ele tinha errado um voleio cruzado e visto a dita bola seguir rumo a uma área distante até da linha de duplas e aí se dobrar como uma deixadinha entupida de spin para aterrissar bem no cantinho da quadra de simples, e isso num momento em que os pinheiros da academia atrás de Hal Incandenza se inclinavam com a brisa exatamente na direção oposta. Hal tinha meio que dado uma olhada para Stice naquela. Stice por fim não conseguiu saber se Hal tinha percebido alguma coisa estranha com as curvas misteriosas e as quedas inesperadas que pareciam favorecer apenas ao Trevas; Hal tinha jogado com a cara esbugalhada mas desconcentrada de um tenista bem à beira de desmontar, lá fora, e no entanto estranhamente inabalado, como se bem no fundo de algum poço dos seus próprios problemas pessoais; e Stice faz força de novo para não se deixar imaginar o que tinha acontecido com o diretor e o urologista da ATONAN, cujo furgão surgido com equipamento laboratorial no estacionamento da ATE ontem à tarde tinha gerado um tsunâmi de pânico logo antes do jantar, especialmente porque Pemulis e o seu suprimento de frasquinhos de Visine destinados ao laboratório não estavam à vista.

Mesmo entre o estreito círculo dos que sabem que Hal se chapa em segredo, não faz muito sentido que a infelicidade de Hal tenha origens Tavísticas ou urológicas, já que Pemulis nunca pareceu mais animado que hoje; e se alguém fosse tomar um pé-na-bunda, por motivos químicos ou não, não ia ser o parente da administração da ATE e seu segundo melhor jogador.

Tanto Hal quanto seu irmão Mario sabem que o leite desnatado da ATE é leite em pó pré-preparado desde que Charles Tavis assumiu o comando há quatro anos e disse para a sra. Clarke que queria ver cortada pela metade a ingestão de gordura animal dos meninos num mês de qualquer modo ou maneira. O pessoal da madrugada da cozinha mistura o leite na batedeira numas vasilhas imensas de aço e aí peneira a espuma e verte o leite em sacos de leite de leite-de-verdade pra meio que um efeito placebo; basicamente é só o *conceito* do leite em pó que enoja as pessoas.

Struck trocou o seu prato limpo reluzente pelo prato do ausente Incandenza, estruturado em forma de uma fortificação iningerida de filés, pão com baixo teor de glúten, broa de milho, batatinhas cozidas, uma caçarola de ervilha e grão-de-bico, meio melão fresco, purê de batatas num molde gelatinoso esteliforme e uma tigelinha rasa de tzimmes de sobremesa que basicamente consistiam de ameixas, pelo jeito. Hal ainda está com um joelho no chão ao lado da cadeira de Ingersoll, com os cotovelos no joelho, ouvindo por sobre Ingersoll e um Idris Arslanian o que Tony Nwangi diz. Keith Freer comenta maliciosamente como Hal parece meio esquisito hoje, verificando se rola alguma reação de Stice. Struck solta truísmos sobre desperdício de comida e fome global com a boca cheia. Struck está usando um boné dos Sox de lado de modo que a aba encobre metade do seu rosto. O pão não pega leve com o aparelho dele. Freer está usando o colete de couro sem camisa por baixo, que é o que ele escolhe depois que a musculação encheu seu torso de ar. Stice passou por uma experiência psíquica traumática com catorze anos, quando regulou o peso da máquina de puxada dorsal acima do seu limite, e a dra. Dolores Rusk autorizou que ele fosse liberado de toda e qualquer musculação além do mínimo necessário durante a resolução do seu medo de pesos. A piadinha na ATE é que para Stice, que certamente vai acabar no Circuito depois da formatura, o medo de altura não é um peso, mas o medo dos pesos vai às alturas. Keith Freer, embora seja um jogador júnior meio de segundo nível, de fato fica lindo com aquele colete de pelica — o rosto e o corpo dele combinam. Troeltsch quer uma carreira de narrador, mas Freer é que é o ATE com a aparência que a InterLace preferiria. Freer do interior de Maryland, originalmente, vem de uma família de riches nouveaux, uma Amway familiar que fez um puta sucesso nos anos 90 AS com uma invenção do seu já falecido pai, uma novidade tipo Pedra-de-Estimação que ganhou ubiquidade nas meias de dois natais pré-milenares seguidos — o chamado Fio-Sem-Telefone. Stice lembra vagamente do seu velho colocando um Fio-Sem-Telefone na meia dele, ostentosamente embalado, no primeiro Natal lembrável de Ortho, lá em Partridge, KS, com o velho erguendo uma sobrancelha e A Noiva rindo e dando tapões no joelho gordo dela. Ninguém agora nem entende direito a graça, no entanto, de tão poucas coisas que agora precisam de fios. Mas o velho de Freer tinha investido seus lucros sabiamente.

1º DE MAIO DO AFGD
AFLORAMENTO A NOROESTE DE TUCSON, AZ, USA

"O meu próprio pai", Steeply disse. Steeply de novo encarava o horizonte, com o quadril requebrado e uma das mãos nas cadeiras. O arranhão em seu tríceps estava feio e inchado. Além disso, uma área do dedo esquerdo de Steeply estava mais branca que a pele em volta. A remoção de um anel de universidade, ou mais provavelmente uma aliança. Parecia curioso para Marathe que Steeply fosse passar por eletrólise mas não se desse ao trabalho de dar um jeito no palor do anular.

Steeply disse: "O meu próprio pai, em algum momento da meia-idade dele. Nós vimos ele ser consumido por uma espécie de entretenimento. Não foi bonito. Eu nunca soube direito como começou ou de que se tratava".

"Você agora está comunicando uma anedota pessoal de você", Marathe declarou.

Steeply não deu de ombros. Estava fingindo examinar algo em particular lá no chão do deserto. "Mas nada como esse tipo de Entretenimento — um simples programa velho de televisão."

"Televisão de transmissão e — como pode-se expressar? — a passividade."

"Isso. TV aberta. O programa em questão se chamava *M*A*S*H*. O título era um acrônimo em inglês. Eu lembro de não saber do quê, quando era pequeno."

"Eu sou sabente da transmissão histórica dos EUA do programa cômico de televisão *M*A*S*H*", Marathe declarou.

"Aquela merda nunca acabava, parecia. O programa que não morria. Anos 70 e 80 AS até o negócio finalmente morrer, graças a Deus. Era num hospital militar durante a ação americana na Coreia."

Marathe permaneceu sem expressão. "Ação Policial."

Muitos pequenos pássaros da montanha do afloramento tinham começado a assoviar e a piar em algum ponto acima e atrás deles. Também talvez o chocalhar hesitante de alguma serpente. Marathe fingiu procurar o relógio no bolso.

Steeply disse: "Agora, nada prima facie excepcional em ficar ligado num programa de televisão. Deus sabe que eu fui ligado a não poucos programas. E começou só assim. Uma ligação ou um hábito. Quinta à noite às 2100h. *Nove Horas na Costa Leste, Oito Horas Central e Montanhas*. Eles transmitiam isso, pra te alertar quando era para assistir, ou se você fosse gravar". Marathe ficou olhando o homenzarrão dar de ombros por trás. "Então o programa era importante pra ele. Então, beleza. O.k. Então ele se divertia com o prazer. Deus sabe que o cara merecia — ele trabalhou que nem um condenado a vida inteira. Então o.k., então no começo ele agendava a quinta-feira dele em função do programa, em certa medida. Era difícil pôr o dedo em alguma coisa errada ou consumptiva. Ele chegava em casa, sim, todo dia do trabalho às 2050h às quintas-feiras. E sempre jantava vendo o programa. Parecia quase fofo. A Mamucha ficava brincando com ele, achando aquilo encantador."

"A fofura paterna é coisa de rareza." Nem a pau Marathe ia abordar a óbvia expressão infantil EUA *Mamucha*.

"O meu velho trabalhava pra uma distribuidora de óleo de aquecimento. Óleo de aquecimento doméstico. Os arquivos de vocês têm isso? Um factoide para M. Fortier: EAAEUA Steeply, H.H.: pai falecido fornecedor de óleo de aquecimento, Cheery Oil, Troy, Nova York."

"Estado de Nova York, EUA, anteriormente à Reconfiguração."

Hugh Steeply se virou mas não de todo, coçando distraidamente seus frunchos. "Mas aí: reprises. *M*A*S*H*. O programa era incrivelmente popular, e depois de

654

uns anos na quinta à noite começou a passar diariamente, durante o dia, ou tarde da noite, às vezes, no que eu lembro bem demais que se chamava *reprise*, em que as emissoras locais compravam episódios antigos, picotavam, entupiam de anúncios e passavam. E isso, perceba, enquanto os episódios novinhos do programa ainda apareciam nas quintas às 2100. Acho que foi aí que começou."

"A fofura, ela acabou."

"O meu velho começou a achar essas reprises extremamente importantes pra ele, também. Assim tipo imperdíveis."

"Muito embora ele os tivesse visto e com eles se divertido antes, esses reprisados."

"A porra do programa passava em duas emissoras locais diferentes no Distrito da Capital. Albany e cercanias. Durante um tempo teve uma emissora que até teve uma hora $M^*A^*S^*H$, dois episódios, um atrás do outro, toda noite, a partir das 2300. Fora outra meia hora no comecinho da tarde, pros desempregados ou sei lá o quê."

Marathe disse: "Virtualmente um bombardeio desse programa de comédia transmitida dos EUA".

Depois de uma breve pausa de atenção a certos frunchos do rosto, Steeply disse: "Ele começou a levar uma televisãozinha pro trabalho. Lá na distribuidora".

"Para a transmissão da tarde."

Steeply parecia a Marathe não estar calculando suas afirmações. "As TVs de antena, no fim eles faziam umas bem pequenininhas. Meio que uma tentativa patética de conter o cabo. Tinha umas que eram pequenas tipo do tamanho de uma mão fechada. Você era novo demais pra lembrar."

"Eu lembro bem da televisão pré-digital." Marathe, se a anedota de si próprio de Steeply tinha um sentido ou communiqué político, Marathe ainda não podia determinar isso.

Steeply passou o fedorento cigarro belga para a mão direita para bater as cinzas no espaço lá embaixo. "Progrediu muito lentamente. Essa imersão gradual. Essa fuga da vida. Eu lembro que os caras do time de boliche dele ligavam, dizendo que ele tinha parado. A nossa Mamucha descobriu que ele tinha saído dos Cavaleiros de Colombo. Às quintas as piadinhas e a fofura cessavam — ele todo corcovado na frente da TV, quase sem comer da bandeja. E toda noite tarde da noite, naquela hora noturna, o velho acordadíssimo, e corcovado daquele jeito esquisito, de cabeça espichada, como que atraído pela tela."

"Eu também já vi essa postura de espectação", Marathe disse lúgubre, lembrando seu segundo mais-velho-irmão e os Canadiens da L.N. de H.

"E ele ficava angustiado, desagradável, se alguma coisa fazia ele perder nem que fosse um só. Um só episódio. E ele ficava desagradável se você lembrava que ele já tinha visto quase todos umas sete vezes. A Mamucha começou a ter que mentir pra escapar de compromissos dos dois que teriam sido uma violência. Nenhum deles falava do assunto. Eu não lembro de nenhum de nós tentando mencionar aquilo abertamente — aquela mudança terrível na ligação dele com o programa $M^*A^*S^*H$."

"O organismo da família simplesmente se modificou para acomodar."

"E nem era um entretenimento assim tão absorvente", Steeply disse. Ele soava para Marathe não calculado e algo mais jovem. "Quer dizer, era legal e tal. Mas era TV aberta. Pastelão e claque."

"Eu estou bem lembrante desse programa reprisável, não se preocupe comigo", disse Marathe.

"Foi em algum momento dessa mudança gradual que o caderninho apareceu. Ele começou a tomar notas num caderninho enquanto assistia. Mas só quando estava assistindo *M*A*S*H*. E nunca deixava o caderninho largado aberto onde você pudesse dar uma olhadinha. Ele não o mantinha abertamente em segredo; não dava nem pra apontar aquilo e dizer que tinha alguma coisa errada. O caderninho do *M*A*S*H* simplesmente parecia que nunca estava largado."

Com a mão que ainda não estava embaixo do cobertor segurando a Sterling UL35, Marathe estendia o polegar e o indicador contra o borrão vermelho que se via logo acima das Montanhas de Rincon e entortando o pescoço para ver sua própria sombra atrás deles na encosta.

Steeply requebrou para o outro lado, de pé, jogando o peso do corpo no outro quadril. "Quando eu era pequeno, foi quando ficou impossível ignorar o cheiro de obsessão da coisa toda. O segredo sobre o caderninho e o segredo sobre aquilo ser um segredo. O registro escrupuloso de detalhes minúsculos, cuidadosamente organizados, com objetivos que dava para você ver que eram tanto urgentes quanto furtivos."

"Isso é desequilíbrio", Marathe endossou. "Essa atribuição de excessiva importância."

"Jesus amado, você não sabe da missa a metade."

"E para você também", Marathe disse, "excessivo desequilíbrio. Pois seu pai progride morro abaixo nessa obsessão, mas sempre tão lento que sempre você podia se questionar, se não era talvez você a pessoa no desequilíbrio, dando importância demais a qualquer pequena coisa — um caderno, uma postura. Enlouquecente."

"E o custo pra Mamucha."

Marathe tinha virado a cadeira num leve ângulo para poder ver sua sombra, que parecia truncada e deformada pela topografia da íngreme encosta acima do afloramento, e em geral patética e pequena. Não haveria o titânico ou ameaçador *Bröckengespenstphänom* com o nascer do sol da aurora. Marathe disse: "Todo o organismo da família torna-se fora do equilíbrio, questionando suas percepções".

"O velho — aí ele começou a desenvolver um hábito de citar falas e ceninhas de *M*A*S*H*, pra ilustrar alguma ideia, dizer alguma coisa numa conversa. No começo do hábito parecia uma coisa casual para ele, como se os trechinhos e as cenas simplemente ocorressem para ele. Mas isso mudou, mas devagar. Fora que eu lembro que ele começou a procurar filmes que também tivessem os atores do programa de televisão."

Marathe fingiu fungar.

"Aí em algum momento era como se ele não conseguisse mais conversar ou se comunicar sobre qualquer assunto sem relacioná-lo com o programa. O assunto. Sem um sistema de referências ao programa." Steeply dava pequenas indicações de estar prestando atenção nos rangidinhos no que Marathe virava sua cadeira levemente para este lado e para aquele lado, atingindo diferentes ângulos de visão da sua pequena sombra. Steeply exalou ar pelas narinas com um som vigoroso. "Se bem que ele não era totalmente acrítico a respeito disso tudo."

Às vezes do meio do nada ocorria a Marathe que ele não desgostava desse Steeply, ainda que *gostar* ou *respeitar* já fosse fazer força demais com a mão, se dizer.

"Não era aquele tipo de obsessão por aquilo, aquilo, você está dizendo."

"Foi gradual e lento. Ele começou em algum momento eu me lembro a se referir à cozinha como a Barraca do Rancho e ao seu estúdio como o Pântano. Eram locais ficcionais do programa. Ele começou a alugar filmes até com pontinhas ou aparições dos atores do programa como figurantes. Ele comprou o que então se chamava de Betamixer,[263] uma espécie de gravador de vídeo magnético primitivo. Ele iniciou a prática de gravar magneticamente cada uma das vinte e nove reprises ou transmissões da semana. Ele guardava as fitas, organizando todas em sistemas abarrocados de referência cruzada que não tinham nada discernivelmente a ver com as datas de gravação. Lembro que a Mamucha não disse nada quando ele levou a roupa de cama e começou a dormir a noite toda na espreguiçadeira do estúdio, o Pântano. Ou a fingir. Que dormia."

"Mas você tinha suas suspeitas de não sono real."

"Foi aos poucos ficando óbvio que ele ficava vendo aquelas gravações magnéticas do programa *M*A*S*H* a noite toda, provavelmente sem parar, usando um fone de ouvido tosco de plástico branco para esconder o barulho, anotando alucinadamente no caderninho."

Em contraste com a violência e a punção *transperçant* do crepúsculo, o sol da aurora parecia lentamente exalado pela saliência mais arredondada das Montanhas de Rincon, seu calor um calor mais úmido e a luz do vago vermelho de um tipo de sentimento cálido; e a sombra de Steeply do EAAEU ficava projetada sobre o afloramento na direção de Marathe atrás dele, tão perto que se Marathe esticasse o braço poderia tocar a sombra.

"Dá pra você ver que eu não tenho uma lembrança exata do progresso da coisa toda", Steeply disse.

"O gradual."

"O que eu sei é que a Mamucha, eu lembro que um dia na lata de lixo da garagem lá atrás da casa ela encontrou várias cartas endereçadas a um personagem de *M*A*S*H* chamado — isso é certeza pra caralho que eu lembro — Major Burns. Ela encontrou."

Marathe não se permitiu a risadinha. "Enquanto revistava dentro da lata de resíduos nos fundos. Em busca de provas de desequilíbrio."

Steeply dispensou Marathe com um gesto. Ele era incapaz de ser divertido. "Ela não revistou o lixo. A Mamitucha tinha classe demais pra isso. Ela provavelmente esqueceu e jogou fora o *Troy Record* do dia antes de recortar os cupons de comida. Ela era uma recortadora de cupons inveterada."

Isso foi antes dos dias das leis norte-americanas de recircular[264] os jornais."

Steeply não dispensou com um gesto nem deu uma olhada firme. Ele estava com a aparência concentrante. "Esse personagem — isso eu lembro, mais do que bem — era representado por eu lembro que era o ator Maury Linville, um empregado velho e apagado da 20th Century Fox."

"Que depois deu originação à quarta rede das Grandes Quatro."

A macabra maquiagem escorrida de Steeply por causa do calor do dia que passou agora tinha com a noite endurecido numa configuração de quase horror. "Mas as cartas, as cartas eram endereçadas ao Major Burns. Não a Maury Linville. E não a/c Fox Studios ou sei lá onde, mas endereçadas a um complexo endereço militar, com um código de área de Seul."

"Na Coreia do Sul da história real."

As cartas eram hostis, selvagens e abundantemente descritivas. Ele tinha passado a achar que o personagem do Major Burns no programa encarnava algum tipo de cataclismo, um tema tipo armagedom que estava lentamente tomando forma no programa e progressivamente sendo mencionado cifradamente e emergindo na sucessão gradual das temporadas desse *M*A*S*H*. Steeply tateou o lábio. "Eu lembro que a Mamucha nunca mencionou as cartas. Do lixo. Ela apenas deixou as cartas largadas onde a minha irmã caçula e eu pudéssemos ver."

"Você não está dizendo que a sua irmã tinha esse nome estranho."

Steeply não estava provocável para alguma emoção diferente, contudo, Marathe observou. "Irmã mais nova. Mas o meu velho, a progressão do programa passando de diversão a obsessão — distinções cruciais tinham desmoronado, eu acho agora. Entre o Burns ficcional e aquele Linville que representava o Burns."

Marathe levantou uma sobrancelha para aquiescer: "Isso é significante de uma severa perda de equilíbrio".

"Eu lembro de alguma coisa tipo que ele parecia acreditar que o nome do personagem Burns também tinha alguma ligação oculta com o verbo inglês *queimar* e a promessa do fogo destruidor do apocalipse."

Marathe fez uma cara intrigada ou pode ser que tenha só fechado um pouco os olhos por causa do sol nascente. "Mas ele jogou as cartas no receptáculo de resíduos, você declarou, em vez do correio do velho."

"Ele já tinha começado a faltar semanas a fio no trabalho. Ele estava na Cheery havia décadas. Estava só a poucos anos de se aposentar."

Marathe olhava para as cores cada vez mais vivas do xadrez do seu cobertor.

Mo Cheery e o velho — eles jogavam boliche juntos, eles foram membros dos Cavaleiros de Colombo juntos. Faltar a tantas semanas de trabalho deixava todo mundo sem graça. O Mo não queria chutar o velho. Ele queria que o velho fosse conversar com alguém."

"Uma pessoa profissional."

"Durante muito disso eu nem estava lá. Essa coisa do $M*A*S*H$. Eu estava na faculdade na época em que as distinções cruciais mesmo desmoronaram."

"Estudando as culturas múltiplas."

"A minha irmã caçula tinha que me manter atualizado sobre o que acontecia nesse meio-tempo. O bom e velho Mo Cheery passava lá em casa, via fitas magnéticas do programa com o velho por um tempo, ouvindo as teorias e as opiniões do velho, e aí na saída ele garfava a Mamucha e levava ela pra garagem e conversava com ela bem baixinho sobre o velho estar num mergulho psíquico de ângulo agudo e precisar com todo respeito na opinião dele conversar com alguém tipo imediatamente mesmo. A minha irmã caçula disse que a Mamucha sempre agia como se não tivesse ideia do que o Mo Cheery estava falando."

Marathe alisou o cobertor.

"Sendo que *Mamucha* era meio que um apelido de família", Steeply disse com uma cara meio de embaraçado.

Marathe concordou com a cabeça.

"Eu estou tentando reconstruir isso tudo de memória", Steeply disse. "O velho a essa altura está basicamente incapaz de conversar sobre qualquer coisa que não seja o programa televisivo $M*A*S*H$. A teoria do tema desse apocalipse Burns-barra--*queimar* agora meio que se espalha pra gerar umas teorias imensas e complexas sobre temas de espectro amplo e profundamente ocultos que têm a ver com a morte e o tempo no programa. Como provas de certos tipos de comunicação criptografada com alguns espectadores sobre um fim do nosso tempo-mundial familiar e o advento de toda uma nova ordem de tempo-mundial."

"Sua mãe continua a representar a normalidade, contudo."

"Eu estou tentando reconstruir coisas que não foram nem claras na época", Steeply disse, com sua maquiagem molhada e depois seca agora grotesca em sua concentração sob o nascer do sol, como uma máscara de um palhaço com uma doença mental. Ele disse: "Uma teoria envolvia o fato, que o velho achava extremamente significativo, de que a Ação Policial das Nações Unidas na Coreia da história real durou só coisa de dois anos e pouco, mas que o próprio $M*A*S*H$ já estava àquela altura tipo no sétimo ano de episódios inéditos. Alguns personagens do programa estavam ficando com o cabelo grisalho, perdendo cabelo, passando por plásticas. O velho estava convencido de que isso significava temas intencionais. Segundo a minha irmã caçula, que aguentava a maior parte do tempo com ele, assistindo", Steeply disse, "as teorias do velho eram quase inconcebivelmente complexas e amplas. À medida que os anos de novas temporadas iam passando e alguns atores se aposentavam e os personagens eram substituídos por outros personagens, o velho gerava teorias barrococós sobre o que tinha acontecido entre aspas '*de verdade*' com os personagens ausentes. Aonde eles tinham ido parar, onde estavam, o que tudo aquilo augurava. Aí a coisa seguinte foi que uma ou duas das cartas começaram a aparecer, carimbadas e devolvidas, marcadas como não entregáveis ou com endereços que eram não apenas inexistentes mas absurdos".

"Cartas desequilibradas não estavam mais sendo descartadas como resíduos, mas agora postadas."

"E a Mamucha sem reclamar durante tudo isso. Era de te rasgar o coração. Ela era uma rocha. Ela começou, é verdade, a tomar medicação pesada antiansiedade."

Terra dos livremente bravos: Marathe não disse isso em voz alta. Ele olhava para o relógio do bolso e tentava lembrar um tempo em que tivesse com Steeply tido que considerar a etiqueta das despedidas.

Steeply, neste momento, dava a impressão de alguma maneira de estar com vários cigarros acesos ao mesmo tempo. "Em algum ponto já do fim da progressão o velho informou a todos que estava trabalhando num livro secreto que revisava e explicava boa parte da história militar, médica, filosófica e religiosa do mundo através de analogias com certos códigos temáticos sutis e complexos de M*A*S*H." Steeply ficava num pé para erguer o outro pé e olhar os danos infligidos a um sapato, todo o tempo fumando. "Mesmo quando ele ia trabalhar, dava problema. Consumidores de óleo de aquecimento que ligavam pedindo entregas ou informações ou sei lá o quê começaram a reclamar que o velho ficava tentando fazer eles se interessarem por bizarras discussões teóricas sobre os temas de M*A*S*H."

"Porque é necessário que eu logo parta, um ponto central deve logo estar emergente", Marathe introduziu com a maior elegância possível.

Steeply pareceu não ouvir aquele outro homem. Ele parecia não só não calculado e autoemaranhado; seu próprio comportamento parecia mais jovem, o de uma pessoa jovem. Isso a não ser que isso fosse parte de alguma atuação além da compreensão de Marathe, Marathe sabia que devia considerar.

"Aí o golpe duplo", Steeply disse. "Em 1983 AS. A minha lembrança é bem clara sobre isso. A Mamucha abriu uma carta alarmante dos advogados da CBS e da 20th Century Fox. Certas cartas aparentemente tinham sido reencaminhadas por funcionários dos correios metidos a bonzinhos. O velho estava tentando se corresponder com diversas personas presentes e passadas de M*A*S*H em cartas que a família nunca viu serem postadas mas cujos conteúdos, os advogados diziam, provocavam entre aspas graves preocupações e podiam entre aspas constituir bases para rigorosas providências jurídicas." Steeply ergueu o pé para olhar, o rosto mergulhado em dor. Ele disse: "Aí passou o último episódio do programa. Fim do outono de 1983 AS. Eu estava viajando com a banda marcial do programa de treinamento do Exército para o Forte Ticonderoga. A minha irmã caçula, que a essa altura também tinha saído de casa, e quem é que podia culpar a menina, ela relatou que a Mamucha estava falando muito por acaso e sem reclamar que o velho agora se recusava a sair do estúdio".

"Essa, a delimitação final da obsessão."

Steeply olhou por cima do ombro num só pé desajeitado para olhar ligeiramente para Marathe. "Assim tipo nem pra ir ao banheiro, agora, isso de não sair."

"As medicações de sua mãe evitaram alguns episódios de grande ansiedade, eu acho."

"Ele tinha mandado instalar um cabo ACDC especial que trazia mais reprises.

660

Quando nada estava passando, as fitas videomagnéticas rodavam sem parar. Ele estava abatido e espectral e sua espreguiçadeira praticamente irreconhecível. A Cheery Oil ainda mantinha ele na folha de pagamento até ele chegar aos trinta anos com a idade de sessenta. A minha irmã caçula e eu começamos relutantemente a discutir uma intervenção com a Mamucha para ela intervir com o velho e forçá-lo a conversar com alguém."

"Vocês mesmos, vocês não podiam falar com ele."

"Ele morreu logo antes do aniversário. Morreu na espreguiçadeira, totalmente reclinada, assistindo um episódio em que o Hawkey do Alda não consegue parar de andar enquanto dorme e fica com medo de estar pirando até que um terapeuta militar profissional o tranquiliza, eu lembro."

"Eu, eu também vi esse episódio se reprisando em minha infância."

"A única coisa que eu consigo lembrar é desse profissional militar dizendo pro Alda não se preocupar, que se ele fosse louco de verdade ele ia dormir que nem um recém-nascido, como dormia o notório Burns-barra-Linville."

"O personagem Burns no programa dormia excepcionalmente bem, eu lembro."

"O manuscrito do livro secreto dele tinha pilhas de caderninhos. Era isso que afinal estava nos caderninhos. Um armário do estúdio teve que ser aberto à força. Caiu um monte de caderninhos. A coisa toda estava escrita numa espécie de código de aparência médica-barra-militar, no entanto, indecifrável — a maninha, o primeiro marido dela e eu passamos algum tempo tentando decodificar aquilo. Depois da morte dele na cadeira."

"Esse desequilíbrio de tentação custou a vida dele. Um programa de resto inofensivo da televisão aberta EUA lhe tirou a vida, por causa da obsessão consuminte. Essa é a sua anedota."

"Não. Foi um infarto transmural. Explodiu um ventrículo inteiro. A família toda dele tinha histórico: cardíaco. O patologista disse que era impressionante ele ter durado tanto tempo."

Marathe deu de ombros. "Os obcecados frequentemente resistem."

Steeply sacudiu a cabeça. "Deve ter sido um inferno pra coitada da Mamucha."

"Mas ela nunca reclamou."

O sol já estava no céu e pulsava. A luz corria por sobre tudo de uma maneira nauseabundamente amarela, como um molho. Todos os pássaros e animais vivos tinham sido calados, já atordoados pelo calor, e as coloridas escavadeiras que ali estavam ainda não tinham sido postas em movimento. Tudo era calma. Tudo era brilho. A sombra de Steeply no afloramento era atarracada e truncada, já mais curta que a figura viva do próprio Steeply, que se inclinava para a frente para achar um ponto lá embaixo que sujar com uma embalagem belga amassada já sem, rezava-se, mais o que fumar.

Marathe tirou o relógio do bolso da parca.

Steeply deu de ombros. "Acho que você tem razão, isso faz parte tanto do horror quanto da atração. Quando eu estou no leste, pensando no laboratório do Flatto e meio que olho para o alto e me vejo tentado."

"Sobre o Entretenimento de agora."

"E eu meio que semi-imagino Hank Hoyne na espreguiçadeira do velho, corcunda e escrevendo alucinadamente."

"Em código militar."

"Os olhos dele, eles ficavam daquele jeito também, os olhos do velho, do jeito dos do Hoyne. Periodicamente."

O calor começou a rebrilhar, também, no chão de pele de leão do deserto. Algarobas e cactos balançavam, e Tucson, AZ, adotou mais uma vez a aparência da miragem, como tinha aparecido quando Marathe chegou e achou sua sombra tão fascinante por seus tamanho e alcance. O sol da manhã não tinha facas radiais de luz. Parecia brutal, eficaz e doloroso de olhar. Marathe se permitiu alguns segundos de distração olhando as Montanhas dos Rincons e suas sombras que se derretiam lentas de volta à base das Montanhas dos Rincons. Steeply pigarreou e cuspiu, ainda segurando o último maço amassado de cigarros Flamengos.

"Meu tempo é agudamente finito de permanecer." Marathe disse isso. Cada mudança de postura dele trazia pequenos rangidos de couro e de metal. "Eu sentiria gratidão se você partisse antes."

Steeply entendeu que Marathe queria que ele não tivesse ideia de como ele subia e descia, entrava e saía. Sem nenhum objetivo real; questão de orgulho pessoal. Steeply se agachou para ajustar as tiras do sapato de salto. As próteses dele ainda não estavam bem alinhadas. Ele falava com aquela qualidade vagamente sem fôlego dos homens grandes que tentam se dobrar:

"Bom. Rémy, mas eu não acho que o 'desprovido de desígnios' do Dick Willis sirva tão bem. Que pegue a coisa. Esse fator ocular. O Hoyne, o internista árabe. O velho. Não para uns olhos desses."

"Você diria que não captura a expressão desses olhos."

Olhar para cima ainda agachado, isso fazia o pescoço de Steeply parecer grosso. Ele olhava além de Marathe, para o xisto. Ele disse: "As expressões parecem mais — caralho, como é que eu posso dizer. Caralho", Steeply disse concentrado.

"Petrificadas", Marathe disse. "Ossificadas. Inanimadas."

"Não. Não inanimadas. Mais tipo o contrário. Mais como que... *travadas* de alguma maneira."

O pescoço do próprio Marathe estava duro de tanto tempo olhando para longe e para baixo de grande altura. "O que é que isto aqui pretende dizer? Encalhadas?"

Steeply estava fazendo alguma coisa com o esmalte rachado de uma unha do pé. "Travadas. Fixas. Atadas. Presas. Tipo presas em alguma espécie de meio de caminho. Entre duas coisas. Puxadas por coisas em direções opostas."

Os olhos de Marathe reviravam o céu, que já estava azul-claro demais para o seu gosto, peliculado com uma espécie de pleura albuminácea de calor. "Querendo dizer entre desejos diferentes de grande intensidade, isso."

"Nem necessariamente tantos desejos. Mais vazio que isso. Como se eles estivessem travados pensando. Como se tivesse alguma coisa que eles tivessem esquecido."

"Extraviado. Perdido."

"Extraviado."

"Perdido."

"Extraviado."

"Como você quiser."

13 DE NOVEMBRO
ANO DA FRALDA GERIÁTRICA DEPEND

0245h, Casa Ennet, as horas realmente mortas. Eugenio M., voluntariamente substituindo Johnette Foltz no Turno de Morfeu, está lá no escritório jogando algum tipo de game esportivo que solta blips e pios. Kate Gompert, Geoffrey Day, Ken Erdedy e Bruce Green estão na sala de estar com as luzes quase todas apagadas e o velho monitor DEC de imagem pulada ligado. Os cartuchos são proibidos depois da 0000h, para encorajar o sono. Viciados em cocaína e estimulantes sóbrios dormem bem direitinho já no segundo mês, os alcoólicos simples só no quarto. Viciados abstinentes de maconha e de tranquilizantes podem basicamente esquecer isso de dormir no primeiro ano. Embora Bruce Green esteja dormindo e fosse violar a regra de não-deitar-no-sofá se suas pernas não estivessem retorcidas e os pés no chão. A única coisa que o monitor da Casa Ennet recebe na Disseminação Espontânea é a InterLace básica, e das 0200 às 0400 a InterLace NNI carrega as disseminações do dia seguinte e corta todas as transmissões exceto as quatro redissems. seguidas na linha de *O Programa Diário do Sr. Pula-Pula*, e quando o sr. Pula-Pula aparece com a sua velha fralda de pano, alfinete de segurança, sua barrigona e máscara de bebê de borracha ele não é nem de longe uma figura tranquilizadora ou agradável para o adulto insone. Ken Erdedy começou a fumar cigarros e fica sentado fumando, balançando um chinelinho de couro. Kate Gompert e Geoffrey Day estão no sofá de não couro. Kate Gompert está sentada de pernas cruzadas no sofá com a cabeça bem para a frente de modo que a testa está tocando o pé. Parece uma espécie de ioga espiritualmente avançada ou um exercício de alongamento, mas é pura e simplesmente o jeito de Kate Gompert ficar sentada no sofá a noite toda desde o forrobodó feio da quarta-feira com Lenz e Gately na ruelinha, por causa do qual a casa toda ainda está tonta e espiritualmente paralisada. Os tornozelos nus de Day são completamente glabros e parecem meio absurdos com sapato social, meia preta e um roupão de veludo, mas Day já demonstrou ser meio que admiravelmente resistente à tendência de se importar com o que as outras pessoas estão pensando, de certa forma.

"Até parece que você está se importando." A voz de Kate Gompert é plana e difícil de ouvir por estar saindo de um círculo formado por suas pernas cruzadas.

"Não é questão de eu me importar ou não me importar", Day diz baixinho. "Eu só quis dizer que me identifico até certo ponto."

O sopro sarcástico de Gompert ergue uma parte de sua franja suja.

663

Bruce Green não ronca, nem com o nariz quebrado e todo hachurado de fita branca. Nem ele nem Erdedy estão ouvindo os dois.

Day fala baixo e não descruza as pernas para se inclinar lateralmente para ela. "Quando eu era pequenininho..."

Gompert sopra de novo.

"... bem pequenininho com um violino, um sonho e caminhos tortuosos especiais quando ia para a escola que evitavam os meninos que pegavam o estojo do meu violino e ficavam segurando ele acima da minha cabeça e tal, numa tarde de verão eu estava no primeiro andar no quarto que eu dividia com o meu irmão mais novo, estudando violino. Estava muito quente e tinha um ventilador elétrico na janela, soprando para fora, funcionando como um exaustor."

"Pode crer que eu entendo pacas de exaustor."

"A direção do ar é irrelevante. Estava ligado, e a posição dele na janela fazia o vidro do painel erguido vibrar um pouquinho. Aquilo produzia uma estranha vibração aguda, invariante e constante. Por si só ela era estranha mas benigna. Mas naquela tarde, as vibrações do ventilador se combinaram com algum certo conjunto de notas que eu estava treinando no violino, e as duas vibrações detonaram uma ressonância que fez alguma coisa acontecer na minha cabeça. É impossível explicar de verdade, mas foi uma certa qualidade dessa ressonância que gerou aquilo."

"A coisa."

"Quando as duas vibrações se combinaram, foi como se uma grande forma negra e enfunada entrasse se enfunando por algum canto da minha mente. Eu não consigo ser mais preciso do que dizer *grande*, *negra*, *forma* e *enfunando*, o que veio se debatendo de algum recanto da minha psique que eu não tinha a menor ideia nem de que estava lá."

"Mas estava dentro de você, isso."

"Katherine, Kate, foi o horror total. Foi todo o horror de todas as partes, destilado e recebendo uma forma. Aquilo cresceu em mim, de mim, invocado de alguma maneira pela esquisita confluência do ventilador e daquelas notas. Aquilo cresceu, ficou maior e se tornou um vórtice e mais horrível do que eu jamais vou ter capacidade de descrever. Eu larguei o violino e saí correndo do quarto."

"Era triangular? A forma? Quando você diz *se enfunando*, você quer dizer que nem um triângulo?"

"Não tinha forma. A ausência de formato era uma das coisas horríveis daquilo. Eu posso dizer e querer dizer só *forma*, *negra* e ou *enfunar* ou *se bater*. Mas como o horror retrocedeu no exato momento em que eu saí do quarto, em poucos minutos aquilo tinha se tornado irreal. A forma e o horror. Pareceu ter sido a minha imaginação, algum caso aleatório de flatulência psíquica, uma anomalia."

Uma risada desprovida de alegria contra o tornozelo. "Alcoólicos Anômalos."

Day não mudou a cruzada de pernas nem se mexeu, e não está olhando para a orelha nem para o topo da cabeça dela, que estão à vista. "Bem que nem qualquer criança vai cutucar uma ferida ou levantar uma casquinha de machucado eu voltei logo para o quarto e o ventilador e peguei o violino de novo. E produzi a ressonância de novo imediatamente. E imediatamente de novo a forma negra enfunada cresceu na minha mente de novo. Era um pouco como uma vela ou uma parte pequena da asa de alguma coisa grande demais para ser vista na sua totalidade. Era o horror psíquico total: morte, podridão, dissolução, espaço frio, vazio, malévolo, solitário e oco. Foi a pior coisa que eu já confrontei."

"Mas você ainda esqueceu, voltou lá pra cima e trouxe aquilo de volta. E estava dentro de você."

De maneira totalmente incongruente, Ken Erdedy diz: "A cabeça dele tem formato de cogumelo". Day não tem ideia de a que ele estava se referindo ou falando.

"Libertada de alguma maneira por aquela ressonância de um só dia entre violino e ventilador, a forma negra começou a crescer no canto da minha mente por conta própria. Eu larguei o violino de novo e saí correndo do quarto mais uma vez, agarrando a cabeça na frente e atrás, mas dessa vez a coisa não retrocedeu."

"O horror triangular."

"Era como se eu tivesse acordado aquilo e agora aquilo estivesse ativo. Ficou indo e vindo um ano inteiro. Eu vivi aterrorizado por aquilo por um ano, quando era pequeno, sem nunca saber quando aquilo ia crescer se enfunando e tapar a luz toda. Depois de um ano aquilo retrocedeu. Acho que eu tinha dez. Mas não tudo. Eu tinha acordado aquilo de algum jeito. De vez em quando. De poucos em poucos meses aquilo crescia dentro de mim."

Não parece uma interface ou uma conversa de verdade. Day não parece estar se dirigindo a uma pessoa em particular. "A última vez que aquilo cresceu se enfunando foi no meu segundo ano de universidade. Eu cursei a Brown em Providence, RI, me formei *magna cum laude*. Uma noite do segundo ano aquilo veio do nada, a forma negra, depois de tantos anos."

"Mas rolou uma sensação de inevitabilidade naquilo também, quando veio."

"Foi a sensação mais horrível que eu podia imaginar, que dirá sentir. Simplesmente não tem como a morte ser uma sensação tão ruim assim. Aquilo cresceu. Foi pior agora que eu era mais velho."

"Nem me fale…"

"Eu achei que ia ter que me jogar da janela do meu dormitório. Eu simplesmente não conseguia viver com aquela sensação."

A cabeça de Gompert não está totalmente erguida, mas agora está como que a meio caminho; a testa dela tem uma funda impressão rubra do osso do tornozelo. Ela está olhando meio que entre em-frente e Day ao seu lado. "E tinha uma ideia assim por trás, de que você tinha causado aquilo, que você tinha acordado aquilo. Você voltou pro ventilador naquela segunda vez. Você tipo se desprezava por ter acordado aquilo."

Day está olhando fixamente em frente. A cabeça do Sr. Pula-Pula de maneira alguma tem forma de cogumelo, ainda que seja grande e — com aquela máscara de bebê de borracha — possa parecer meio grotesca para o espectador adulto. "Algum carinha que eu mal conhecia do quarto embaixo do meu me ouviu andando de um lado pro outro e chorando a plenos pulmões. Ele subiu e ficou comigo até aquilo passar. Levou quase a noite toda. A gente não conversou; ele não tentou me confortar. Ele falou muito pouco, só ficou sentado acordado comigo. A gente não ficou amigo. Na formatura eu tinha esquecido o nome e o curso dele. Mas naquela noite ele parecia o único pedacinho de barbante que me mantinha pendurado acima do próprio inferno."

Green adormecido grita alguma coisa que soa como "Pelo amor de Deus não sr. Ho não acenda esse negócio!". Os olhos roxos e inchados dele e os non sequiturs de REM, fora o bebê saltitante de cento e trinta quilos no monitor, fora Day e Gompert conversando enquanto os dois olham para o nada, tudo isso apoiado pelos arrotos e trancos do game de Gene M. no escritório, dão à sala de estar escura uma atmosfera onírica e quase surreal.

Day finalmente descruza as pernas e troca a posição delas. "Nunca mais voltou. Faz mais de vinte anos. Mas eu não esqueci. E os piores momentos que eu senti depois daquilo foram tipo um dia na massagem de pés comparados com a sensação da vela ou asa negra crescendo dentro de mim."

"Se enfunando."

"Não nas bolas Jesus amado não nas *bolasss*."

"Eu entendi a palavra *inferno* depois daquele dia de verão e daquela noite no dormitório da universidade. Eu entendi o que as pessoas queriam dizer com *inferno*. Elas não estavam falando da vela negra. Elas estavam falando das sensações associadas."

"Ou do canto de que aquilo surgiu, lá dentro, se era de um lugar que elas estavam falando." Kate Gompert está olhando para ele agora. O rosto dela não parece melhor mas parece diferente. O pescoço dela nitidamente está duro por ter ficado contorcido.

"Daquele dia em diante, podendo ou não podendo articular aquilo satisfatoriamente", Day diz, segurando o joelho da perna recém-cruzada, "eu entendi num nível intuitivo por que as pessoas se matavam. Se eu tivesse que continuar algum tempo com aquela sensação eu certamente ia me matar."

"Tempo à sombra da asa da coisa grande demais para poder ver, crescendo."

"Ah meu Deus por favor", Green diz muito nitidamente.

Day diz: "Nem a pau que podia ser pior".

11 DE NOVEMBRO
ANO DA FRALDA GERIÁTRICA DEPEND

Aparentemente alguém das altas tinha mandado Mary Esther Thode com a sua Vespinha amarela com a ordem para o jogo entre eles; ela tinha parado ao lado de Stice e Wayne bem quando eles estavam saindo da área do campo de golfe Hammond. Hal um bom meio quilômetro atrás deles com os galunfantes Kornspan e Kahn. Schtitt foi inescrutável sobre aquilo tudo. O jogo não era tipo um desafio de ranqueamento; Stice e Hal estavam em divisões etárias diferentes neste ano. O jogo era mais tipo de repente uma exibição, e lá pelo segundo set, quando as pessoas acabaram na sala de musculação e nos chuveiros, teve a plateia de uma. Exibição. Helen Steeply da *Moment*, dotada de certo charme truculento mas longe de ser a perfuradora de pericárdio que Orin tinha descrito, para Hal, ficou sentada vendo aquilo tudo, acompanhada durante o primeiro set por Aubrey deLint antes de Thierry Poutrincourt roubar o lugar dele na arquibancada. Foi o primeiro jogo de tênis juvenil de alto calibre que ela viu, ela disse, a jornalista imensa. Eles jogaram na nº 6, a melhor das Quadras de Exibição leste. Também a cena de parte da mais grave carnificina envolvida no recente Eskhaton. Era um dia cheio de condicionamento, com uma agenda bem leve de jogos. Trouxas de fumaça eram arrotadas com regularidade lá da gávea de Schtitt no alto, e às vezes dava para ouvir a varetinha de meteorologista batendo distraída no ferro do gio. A única coisa ali perto era lá na nº 10, um desafio do sub-14 feminino, duas jogadoras de fundo mandando parábolas de lá para cá: rabinhos de cavalo, um ar de refrega de fundo, o arco alto pesado da bola era o de um catarro cuspido à distância. Shaw e Axford também estavam lá longe na nº 23, se aquecendo. Ninguém dava muita bola para eles ou para as sub-14. As arquibancadas atrás da Quadra de Exibição foram se enchendo sem parar. Schtitt mandou Mario filmar o primeiro set inteiro lá de cima, quase dependurado na grade do gio com Watson ancorado e agarrando o colete dele por trás, a trava policial de Mario protuberando e lançando uma estranha sombra aculeiforme angulada a nordeste da rede da Quadra 9.

"Esse é o primeiro jogo que eu vejo, depois de ouvir falar tanto do circuito júnior", Helen Steeply disse a deLint, tentando cruzar as pernas na arquibancada lotada a algumas fileiras do alto. O sorriso de Aubrey deLint era notoriamente ruim, seu rosto parecendo se desmontar em crescentes e lascas, totalmente desprovido de alegria. Era quase mais um esgar. As ordens para que deLint mantivesse a jornalista gigante diretamente à vista a todo momento foram explícitas e enfáticas. Helen Steeply tinha um caderninho, e deLint estava preenchendo os nomes dos dois jogadores em mapas de performance que Schtitt nunca deixa ninguém ver.

A tarde caminhava rápido de um entardecer friozinho e nublado para a cerúlea glória outonal, mas no primeiro set ainda estava bem frio, com o sol ainda pálido e parecendo esvoaçar como se estivesse mal fixado. Hal e Stice não precisavam se alongar e mal chegaram a se aquecer depois da corrida. Eles tinham trocado de roupa e estavam ambos inexpressivos. Stice estava todo de preto, Hal com um abrigo da ATE e a gáspea do tênis inchada, distendida em volta do suporte Estribo de Ar.

Jogador de rede nato, Ortho Stice jogava com uma graça meio rígida, compacta, como uma pantera com um colete ortopédico. Ele era mais baixo que Hal porém mais forte e com pés mais rápidos. Um canhoteiro com um W de fábrica na sua Wilson proStaff 5.8 si.

Hal também era canhoto, o que complicava as estratégias e as percentagens de um jeito medonho, deLint disse à jornalista ao seu lado.

O movimento de saque do Trevas era da linhagem McEnroe-Esconja, pernas bem abertas, pés paralelos, uma figura de um friso egípcio, tão severamente de lado para a rede que ele está quase olhando para longe dela. Os dois braços esticados e duros no downswing do saque. Hal ficava se balançando um pouco de um lado para o outro no lado vantagem a favor da quadra, esperando. Stice iniciou o seu movimento de saque em pequenos segmentos — parece um pouco uma animação ruim — aí ele fez uma careta, lançou a bola, girou na direção da rede e sacou com um *spang* seco e duro bem aberto no forehand de Hal, deslocando bastante Hal. O final do giro de Stice permite que a inércia do gesto o leve naturalmente para a rede depois do serviço. Hal se atirou atrás do saque, mandou um forehand fraquinho na paralela e voltou correndo direto para a quadra. A devolução foi rabuda, uma bolinha mansa que mal passou da fita da rede, tão curta que Stice teve que dar um meio-voleio na linha de serviço, ainda em movimento, com um backhand de duas mãos e desajeitado para meios-voleios; ele teve um pouco que varrer a bola do chão e bater para cima sem força para ela não voar longa. Axioma: o cara que levantou uma bola na rede vai tomar uma passada. E o meio-voleio de Stice caiu no lado vantagem a favor da quadra todo molenga e lento e ficou ali paradinho para Hal, que estava esperando. A raquete de Hal estava recolhida para o forehand, à espera, e houve um momento de total mentação quando a bola pairava no ar. Estatisticamente, Hal tinha quase obrigação de mandar uma passada com um voleio de esquerda cruzado numa bola tão pronta como essa, embora ele sempre adorasse um bom lob humilhante com topspin, e a chance fracional que Stice tinha de salvar o ponto era adivinhar o que Hal faria — Stice não podia subir afobado à rede porque Hal ia colocar a bola por cima dele; ele ficou a algumas raquetes de distância da rede, inclinado para uma cruzada. Tudo parecia pairar esticado no ar agora de tão lavado que o céu parecia depois das nuvens. As pessoas nas arquibancadas podiam sentir Hal sentir Stice desistindo do ponto, por dentro, entendendo que estava perdido, sabendo que podia apenas chutar e tentar adivinhar, na esperança. Pouca esperança de Hal foder com aquilo: Hal Incandenza não fode com uma passada com um voleio frouxo daqueles. A preparação do forehand de Hal estava bem disfarçada, pronta tanto para o lob quanto para a passada. Quando ele bateu com tanta força que a musculatura do seu antebraço se levantou nitidamente foi uma passada mas não cruzada; ele pegou de dentro para fora, um forehand chapado com toda a força que ele conseguiu meter de um golpe do meio da linha de fundo de volta na direção da linha lateral de iguais de Stice. Stice tinha finalmente imaginado um lob no começo do golpe e tinha dado uma meia-volta para correr para onde a bola ia cair, e a passada de dentro para fora o pegou no contrapé; ele só podia ficar ali travado olhando a bola novinha cair um metro dentro da quadra para levar Hal de novo a iguais no quinto game. Houve um aplauso de trinta mãos para o ponto como um todo, que foi irretocável e, da parte de Hal, imaginativo, contraintuitivo. Um dos pouquíssimos pontos totalmente inspirados de Incandenza, a planilha de deLint mostraria. O rosto de nenhum dos jogadores se moveu quando algumas pessoas gritaram o nome de Hal. A UEAR[265] básica de dez níveis da Arquibancadas Universal e Cia. ficava logo atrás da quadra. No começo era quase só a equipe de funcionários e os As que corriam por ali quando Thode trouxe a Stice e Hal a diretriz de jogo. Mas a plateia foi aumentando à medida que corria pelos vestiários a notícia de que o Trevas estava encarando o A-2 do sub-18 totalmente de igual para igual no primeiro set de um jogo que Schtitt tinha chegado até a mandar uma motoneta encomendar. Os ATEs da arquibancada se inclinavam para a frente com as mãos aquecidas na dobra entre jarretes e panturrilhas, ou enluvados, encasacados e esticados com cabeças, bundas e pés em três níveis diferentes, vendo tanto o céu quanto o jogo. Os losangos de sombra das grades das cercas da quadra se alongavam no que o sol girava para oeste pelo sudoeste. Vários pares de pernas e tênis pendiam balouçantes do gio no alto. Mario se deu o direito de pegar várias imagens de reações da equipe e dos torcedores nas arquibancadas. Aubrey deLint passou o set todo com a entrevistadora catexizada do punter, que supostamente tinha vindo falar com Hal apenas sobre Orin mas que Charles Tavis não estava deixando ver Hal ainda, nem acompanhada, sendo os motivos de Tavis para essa reticência detalhados demais para que Helen Steeply pudesse compreender, provavelmente, mas ela estava assistindo lá da fileira mais alta da arquibancada, dobrada sobre um caderninho, usando um gorrinho de esqui fúcsia com um enfeite tipo penacho de galo em vez de pompom, soprando nas mãos, com o peso dela fazendo a arquibancada abaixo empenar e inclinando deLint estranhamente para ela. Para os espectadores que não estavam empoleirados no gio do alto, os jogadores pareciam como que wafflezificados pelas malhas de metal da cerca. Os paraventos verdes que acabavam com a espectação eram usados só na primavera nas semanas que se seguiam imediatamente à desmontagem do Pulmão. DeLint não tinha parado de falar na orelha da moça enorme.

Todos os jogadores da ATE adoravam as Quadras de Exibição 6-9 porque adoravam ser assistidos, e também odiavam as Quadras de Exibição porque a sombra gaveada do gio cobria a metade norte das quadras perto do meio-dia e por toda a tarde ia girando gradualmente para leste como uma presença móvel, sombria, gigante e encapuzada, meditando. Às vezes só a visão da sombra da cabecinha de Schtitt podia fazer um menino mais novo nas Quadras de Exibição se dobrar ao meio e travar. Na altura do sétimo game de Hal e Stice, o céu estava sem nuvens e a monolítica sombra do gio, negra como tinta, causava faniquitos em todos que assistiam no que se alongava ao longo das redes, obscurecendo completamente Stice quando ele subia atrás do serviço. Outra vantagem do Pulmão era que ele não propiciava uma visão do alto, mais uma razão para a equipe esperar o máximo possível sua ereção. Não havia nenhuma indicação de que Hal sequer a visse, a sombra, curvado e esperando Stice.

O Trevas rígido escancarado no lado iguais da linha central, entrando aos trancos no seu movimento de saque. Ele exagerou no primeiro serviço, que saiu longo, e Hal descartou a bola devagar para fora da quadra, dando dois passos à frente para a segunda bola. Stice mandou o segundo serviço com toda a força que conseguiu de novo, cravou na rede e cerrou um pouco os lábios grossos enquanto caminhava para a sombra da rede para ir buscar a bola, e Hal deu uma corridinha até a cerca atrás da próxima quadra para pegar a bola que ele havia descartado.

Bem nesse momento, @1200 metros a leste morro abaixo e um nível de subsolo abaixo, o Funcionário Residente da Casa Ennet Don Gately jaz num sono profundo com sua máscara tipo Cavaleiro Solitário para poder dormir, seus roncos sacudindo os canos não isolados ao longo do teto do seu quartinho.

A coisa de quatro km a noroeste no banheiro masculino da Biblioteca da Fundação Armênia, bem pertinho das cúpulas de cebola do Watertown Arsenal, o Coitado do Tony Krause sentado encolhido num cubículo com aqueles suspensórios medonhos e o boné roubado, cotovelos nos joelhos e rosto nas mãos, ganhando toda uma nova perspectiva do tempo e das várias passagens e personae do tempo.

M. M. Pemulis e J. G. Struck, de cabelos molhados depois das corridas vespertinas, tinham passado a conversa na funcionária para entrar na biblioteca da Faculdade de Farmácia da U.B. a 2,8 km dali na Commonwealth na esquina da Comm. com a Cook St. e estavam sentados a uma mesa da Sala de Referência, com o boné de iatista de Pemulis empurrado bem para trás para acomodar suas sobrancelhas erguidas, lambendo os dedos para virar as páginas.

O sedã verde de H. Steeply com seu anúncio neurálgico frontal de Nunhagen na porta estava numa vaga de Convidado Autorizado no estacionamento da ATE.

Entre compromissos com hora marcada,[266] num escritório cujas janelas oeste não lhe permitiam ver o jogo, Charles Tavis estava com a cabeça enfiada no braço estofado do sofá, com o braço sob os babados cinza-e-vermelhos, passando a mão ali embaixo em busca da balança de banheiro que mantém ali.

O paradeiro de Avril Incandenza no terreno da Academia durante todo esse intervalo foi desconhecido.

Bem nesse momento, no horário das Montanhas, Orin Incandenza estava mais uma vez nos braços de uma certa modelo de mãos "suíça" diante de uma janela que ocupava toda a parede de uma suíte alugada a meia-altura de um outro (de antes) hotel alto em Phoenix, AZ. A luz da janela era furiosamente quente. Bem lá embaixo, tetinhos minúsculos dos carros brilhavam tanto com a luz refletida que suas cores ficavam obscurecidas. Pedestres se encolhiam e saíam disparados entre diferentes áreas de sombra e refrigeração. O vidro e o metal do panorama da cidade cintilavam mas pareciam moles — a vista toda parecia de alguma maneira atordoada. O ar fresco que entrava pelas aberturas de ventilação do quarto sussurrava. Eles tinham largado os copos com gelo, se reunido de pé e se posto um nos braços do outro. Não parecia um abraço. Não havia conversa — o único som era a entrada de ar e a respiração deles. O joelho enlençolado de Orin sondou a bifurcação deltoide das pernas separadas da modelo de mãos. Ele deixou a "suíça" se esfregar contra o joelho musculoso da sua perna boa. Eles ficaram tão próximos que a luz não passava entre eles, e se esfregavam juntos. As pálpebras dela tremulavam; as dele, fechadas; a respiração deles ficou de alguma maneira criptográfica. De novo o concentrado langor tátil do registro sexual. De novo eles despiram um ao outro até a cintura e ela, com o mesmo passinho de jitterbug de que eles não tinham fôlego para rir, pulou em cima dele e garfou da mesma maneira os ombros dele com as pernas, se arqueou para trás até que o braço dele impedisse a sua queda e ele a sustentasse assim, com a mão esquerda córnea de antigos calos na curva das costas acetinadas, e a carregasse.

Às vezes é difícil acreditar que o sol é o mesmo sol em diferentes partes do planeta. O sol da NNI estava neste momento cor de maionese e não gerava calor. Entre os pontos, tanto Hal quanto Stice passavam a raquete para a mão direita e prendiam a mão esquerda com força embaixo do braço para evitar que ela perdesse a sensibilidade no frio. Stice estava cometendo mais duplas-faltas do que sua média porque estava tentando explorar bastante o segundo serviço para poder subir à rede com alguma chance. DeLint calculou que estava registrando para Stice uma dupla-falta a cada 1,3 game e que o índice de a./d.-f.[267] dele era um irrelevante 0,6, mas ele, deLint, disse a Helen Steeply da *Moment*, toda espalhada ali ao lado dele na terceira fileira de cima para baixo e usando estenografia Gregg, deLint disse a essa srta. Steeply que Stice mesmo assim estava sendo inteligente ao forçar o segundo serviço e engolir uma que outra dupla-falta. Stice preparava o saque com o corpo tão travado, com um movimento tão dentado e serial, que a jornalista disse a deLint que para ela Stice parecia ter aprendido a sacar estudando fotos dos diversos estágios do movimento, sem querer ofender. Não havia nada do fluxo líquido dos gestos de alta velocidade real antes dos últimos momentos, quando Stice então girava na direção da rede e parecia meio que cair para dentro da quadra, com a raquete de tênis zumbindo atrás de suas costas e saltando para cima para atacar a bola amarela que pairava bem na altura do ponto máximo a seu alcance, e vinha um sólido *pock* quando esse Stice cravava uma bola chapada no corpo do irmão de Orin, acertando Hal em velocidades tais que o movimento da bola se apresentava apenas como uma imagem retardada, o denso rastro retinal de uma coisa que se move a uma velocidade impossível de acompanhar. A devolução desajeitada de Hal saiu com slice demais, subiu, e Stice disparou para volear na altura do peito, mandando a bola bem fechada na quadra aberta para um winner inquestionável. Houve aplausos moderados. DeLint convidou Helen Steeply a perceber que o Trevas na verdade ganhou aquele ponto no saque. Hal Incandenza andou até a cerca para pegar a bola, impassível, esfregando o nariz na manga do abrigo; vantagem Stice. Hal estava na frente por 5-4 no primeiro set e tinha salvado três vantagens do quinto game com serviço de Stice, duas com duplas-faltas; mas deLint ainda insistia que Stice estava certo.

"Hal chegou ao ponto no último ano em que a única chance de verdade do jogador é pressionar totalmente, atacar o tempo todo, forçar o saque, correr pra rede, assumir o papel do agressor."

"Por acaso Herr Schtitt usa maquiagem nos olhos?", Helen Steeply perguntou. "Eu estava percebendo."

"Se você fica no fundo contra esse tal desse Hal, se você tenta pensar mais rápido que ele e jogar ele de um lado pro outro, ele vai te sacudir pra lá e pra cá, te mastigar, cuspir de volta e pisar nos teus restos. A gente passou anos levando ele a esse ponto. Ninguém que fica atrás controla o Incandenza.

Fingindo virar uma página nova, Helen Steeply derrubou a caneta, que caiu nos vigotes e suportes da arquibancada com o estardalhaço que só uma coisa derrubada em arquibancadas de metal consegue fazer. O barulho prolongado fez Stice dar umas quicadas a mais antes de sacar. Ele quicou a bola várias vezes, inclinado para a frente, se alinhou escancarado e violentamente de lado. Ele começou sua estranha preparação segmentada; Helen Steeply tirou outra caneta do bolso do casaco com recheio de fibra; Stice cravou uma bola chapada no centro da quadra, tentando um ace no T das linhas de saque. Ela passou por Hal implausível e literalmente perto demais para alguém saber. Não há juízes de linha nos jogos internos da ATE. Hal olhou na linha onde a coisa tinha batido e derrapado, esperando antes de indicar sua decisão, a mão na bochecha indicando deliberação. Ele deu de ombros, sacudiu a cabeça e estendeu uma mão espalmada no ar à sua frente para demonstrar a Stice que reconhecia a bola como boa. Isso significou game para Stice. O Trevas caminhava para a rede, massageando o pescoço, olhando para o lugar onde Hal ainda estava parado.

"A gente pode tirar uma negra", Stice disse. "Eu também não vi."

Hal se aproximava mais de Stice porque estava indo para o poste da rede pegar sua toalha. "Não é tua função ver essas coisas." Ele estava com uma cara infeliz e tentava sorrir. "Você bateu uma bola tão forte que não deu pra ver, você merece o ponto."

Stice deu de ombros e concordou com a cabeça, mastigando. "Você fica com a próxima dúvida então." Ele mandou duas bolas lentas com slice para elas pararem de rolar perto da outra linha de fundo, onde Hal podia usá-las para sacar. O Trevas ainda fazia imensas caras mandibulares de mastigação em quadra mesmo que ele tivesse sido proibido de mascar chiclete durante os jogos depois de ter inalado chiclete por acidente e precisar ser Heimlichado pelo adversário nas semifinais do Easter Bowl do ano passado.

"Ortho está dizendo que a próxima bola discutível vai imediatamente para Hal, eles não vão tirar a negra", deLint disse, escurecendo meios-quadradinhos nas duas planilhas.

"Tirar a negra?"

"Jogar um let, querida. Tirar a dúvida. Dois saques: um ponto." Aubrey deLint era um sujeito com leves marcas de acne e muito cabelo amarelo num penteado capacetoso de âncora de TV e um rubor hipertensivo, e olhos, ovais, próximos e foscos, que pareciam um segundo par de narinas no rosto dele. "Vocês cobrem muita coisa de esportes na *Moment* por acaso?"

"Então eles estão sendo cavalheirescos", Steeply disse. "Generosos, justos."

"Nós inculcamos isso como uma prioridade aqui", deLint disse, com um gesto vago para o espaço à roda deles, cabeça inclinada sobre as planilhas.

"Eles parecem amigos."

"O enfoque aqui pra *Moment* podia ser o enfoque bons-amigos-fora-das-quadras-e-inimigos-duros-e-impiedosos-nas-quadras."

"Eu quero dizer que eles parecem amigos até quando estão jogando", Helen Steeply disse, olhando Hal secar o grip de couro com uma toalha branca enquanto

Stice ficava dando pulinhos no mesmo lugar lá no seu canto de iguais, com uma mão na axila.

A risada de deLint soava para o ouvido atento de Steeply como a risada de um homem bem mais velho e menos em forma, a risada mucoidal de punho-no-peito de um velhinho com cobertor no colo numa cadeira de jardim no seu quintalzinho coberto de pedrisco em Scottsdale, AZ, ao ouvir o filho dizer que sua esposa afirmava não saber mais quem ele era. "Não se engane, querida", deLint conseguiu dizer. As gêmeas Vaught na arquibancada abaixo deles olharam para cima e fingiram mandar ele ficar quieto, com a boca esquerda sorrindo, deLint com aquele sorriso feio lascado de olhos gelados de volta para elas enquanto Hal Incandenza quicava a bola três vezes e começava o seu movimento de saque.

Vários menininhos ainda estavam enfileirados atarefadíssimos nas laterais de um pequeno túnel funcional vinte e seis metros abaixo das Quadras de Exibição.

O rosto de Steeply parecia demonstrar que a jornalista estava tentando pensar em imagens evocativas para descrever um movimento tão assingular e fluido como o do saque de Hal Incandenza. No começo um violinista talvez, parado alerta com a cabeça lustrosa de lado, a raquete à frente e a mão com a bola no coração da raquete como um arco. A descida-dos-braços-subida-dos-braços de downswing e toss podia ser uma criancinha fazendo anjos na neve, bochechinhas rosadas e olhos virados para o céu. Mas o rosto de Hal era pálido e totalmente desinfantil, com um olhar que de alguma maneira se estendia apenas meio metro diante dele. Ele não se parecia nada com o punter. O meio do movimento do saque podia ser um homem num precipício, caindo para a frente, cedendo docemente ao próprio peso, e o término e ataque do serviço um homem que martela, com o prego em mira bem no extremo do seu escopo ali estendido sobre a ponta dos pés. Mas tudo isso eram apenas partes e faziam o movimento parecer segmentado, quando o menino queixudo menor e de cabelo raspado é que era o sujeito dos movimentos tartamudeantes, o homem feito de partes. Steeply tinha jogado tênis só algumas vezes, com a esposa, e tinha se sentido desgracioso e simiesco lá fora. Os discursos do punter sobre o jogo tinham sido longos mas não muito úteis. Era improvável que qualquer jogo em particular tivesse grande proeminência no Entretenimento.

O primeiro serviço de Hal Incandenza era um golpe taticamente agressivo mas não imediatamente identificável como tal. Stice queria sacar tão forte que pudesse se preparar para acabar com o lance no próximo golpe, lá na rede. O saque de Hal parecia disparar um mecanismo muito mais complexo, que precisava de diversas trocas de bola para se revelar na sua agressividade. O primeiro serviço dele não tinha tanta velocidade quanto o de Stice, mas andava bastante, fora um topspin que Hal conseguia arqueando as costas e com uma ligeira esfregada nas costas da bola que fazia o saque se curvar visivelmente no ar, ovalado pelo spin, para cair bem fundo na área de saque e pular bem alto, de modo que Stice só podia devolver um backhand de bate-pronto na altura do ombro, e aí não podia seguir uma devolução que tinha sido privada de toda e qualquer velocidade. Stice se moveu para o centro da linha de fundo enquanto

673

o bate-pronto seguia leve para Hal. O giro do corpo de Hal o colocou exatamente em posição de devolver com um forehand[268] outra bola de efeito encharcada de spin, bem no mesmo canto em que tinha sacado, portanto Stice teve que parar e disparar para o mesmo lugar de onde tinha saído. Stice mandou um backhand com força na paralela para o forehand de Hal, uma pancada absurda que fez a plateia inspirar, mas quando o outro filho do diretor do *samizdat* deslizava alguns passos à esquerda Steeply viu que ele agora tinha toda uma quadra aberta para acertar na diagonal, depois de Stice ter devolvido com tanta força que tinha pulado um pouco para trás com o golpe e agora estava recuperando o passo para sair do canto iguais, e Hal mandou a pancada clássica chapada na diagonal rumo ao espaço verde delimitado, com força mas sem exagero, e a diagonal da bola a manteve seguindo longe depois de bater na linha lateral de Stice carregando-a para longe da raquete preta esticada do menino, e por um segundo pareceu que Stice correndo desesperadamente poderia colocar as cordas na bola, mas a bola se manteve tantalizantemente intocável, ainda viajando numa diagonal fechada pela quadra, e passou pela raquete de Stice meio metro longe, e a inércia de Stice o levou até quase a metade da quadra ao lado. Stice diminuiu o passo para um trote para ir pegar a bola. Hal jogou o peso do corpo ligeiramente para o lado da vantagem, esperando que Stice voltasse para ele poder sacar de novo. DeLint, cujas acuidade e disfarce de visão periférica eram lendárias na ATE, observou a jornalista grandalhona mascar a ponta da caneta um segundo e aí anotar nada mais que o ideograma do sistema Gregg para *bonito*, sacudindo o gorro fúcsia.

"Não foi bonito isso?", ele disse maliciosamente.

Steeply estava procurando um lencinho. "Não exatamente."

"A essência de Hal é a de um torturador, se você quiser a essência dele como jogador, em vez de um matador direto como Stice ou o canadense Wayne", deLint disse. "É por isso que você não fica no fundo nem cai num jogo defensivo com o Hal. Esse jeito de mandar uma bola que parece possível de alcançar, de te deixar tentando, correndo. Ele te joga de um lado pro outro. Sempre dois ou três lances na frente. Ele ganhou aquele ponto no forehand profundo depois do saque — no momento em que ele pegou o Stice no contrapé deu pra ver o ângulo se abrindo. Ainda que o saque tenha começado a coisa toda antes, e sem o risco de uma força exagerada. O garoto não precisa de força, a gente ajudou ele a descobrir."

"Quando é que eu posso ter a chance de falar com ele?"

"O Incandenza precisou de muita orientação. Ele não tinha um jogo assim tão completo pra conseguir fazer isso. Fatiar a quadra toda em seções e frestas, aí de repente você vê a luz passar por uma das frestas e vê que ele estava preparando esse ângulo desde o começo do ponto. Faz a gente pensar em xadrez."

A jornalista assoou o nariz vermelho. "'Xadrez em Movimento.'"

"Bela expressão."

Hal começou o seu movimento de saque no lado da vantagem.

"Os alunos jogam xadrez aqui?"

Uma risada sem alegria. "Não dá tempo."

"Você joga xadrez?"

Stice mandou um winner de backhand no segundo serviço de Hal; leves aplausos.

"Eu não tenho tempo pra jogar nada", deLint disse, preenchendo um quadradinho. Dava pra ver pelo som que a raquete do outro menino tinha as cordas mais tensas que a de Hal.

"Quando é que eu vou poder sentar com o próprio Hal?"

"Não sei. Acho que não vai."

O veloz movimento de cabeça da jornalista reconfigurou-lhe a carne do pescoço. "Como é que é?"

"Não é uma decisão minha. O meu palpite é que não vai dar. O dr. Tavis não te falou?"

"Definitivamente não deu pra dizer o que ele estava me dizendo."

"Nunca nenhum dos nossos alunos foi entrevistado. O Fundador deixava vocês entrarem no terreno da academia versus o Tavis que isso é uma exceção você entrar aqui."

"Eu estou aqui só por causa do contexto, do ex-aluno de vocês, o punter."

DeLint mantinha os lábios de um jeito que parecia que ele estava assobiando muito embora som nenhum de assobio emergisse. "Nós nunca deixamos ninguém fazer qualquer tipo de entrevista com um menino daqui enquanto ele ainda está passando por treinamento e inculcação."

"E o aluno tem algum direito de determinar com quem ele fala e por quê? E se o garoto quiser bater um papo comigo sobre a transição do irmão do tênis para o futebol americano?"

DeLint mantinha a concentração no jogo e na planilha de uma maneira cujo objetivo era te mostrar que você tinha uma parcela muito pequena da atenção dele. "Fale com o Tavis sobre isso."

"Eu fiquei lá dentro mais de duas horas."

"Você pega o jeito de perguntar as coisas pra ele depois de um tempo. O Tavis você tem que encurralar num canto tipo sim-ou-não em que você pode finalmente dizer Eu preciso de um Sim ou de um Não. Leva coisa de vinte minutos se você for bom. Mas é assim que você ganha a vida, conseguindo respostas das pessoas. A resposta não é minha oficialmente, mas eu estou chutando que vai ser Não. Os caras da imprensa de Boston aparecem aqui depois de todo grande evento, eles pegam os resultados dos jogos, os dados físicos, as cidades de origem de cada um e mais nada."

"A *Moment* é uma revista nacional para pessoas excepcionais e sobre pessoas excepcionais, não um redatorzinho de esportes de charuto com horário de fechamento."

"É uma decisão do comando, querida. Eu não estou no comando. Eu sei que eles ensinam a gente a ensinar que o objetivo desse lugar aqui é ver e não ser visto."

"Eu estou aqui só pelo ângulo de interesse humano de um menino talentoso sobre a corajosa transição do seu talentoso irmão para um grande esporte em que ele se mostrou ainda mais talentoso. Um irmão excepcional falando de outro. O Hal não é o foco do texto."

"Encurrale o Tavis direitinho que ele te fala tudo isso de ver e não ser visto. Esses meninos, os melhores deles estão aqui para aprender a ver. A coisa com o Schtitt é autotranscendência através da dor. Esses meninos..." — gesticulando para Stice que corre alucinadamente para pegar uma deixadinha de voleio que parou de rolar ainda dentro da linha de saque; aplausos leves — "eles estão aqui para se perder numa coisa maior que eles. Para manter as coisas como eram quando eles começaram, o jogo como algo maior, de início. Aí eles dão mostras de talento, começam a ganhar, viram peixes grandes no lago, lá fora nas cidades deles, param de conseguir se perder no jogo e de ver. Talento. É uma coisa que fode com a cabeça de um júnior. Eles pagam altas granas pra vir pra cá e voltarem a se sentir peixinhos, serem trucidados, se sentirem pequenos, verem e se desenvolverem. Pra esquecerem de si próprios como objetos de atenção por uns anos e verem o que conseguem fazer quando os olhares saírem de cima deles. Eles não vieram para cá para virar texto de revista ou contexto. Querida."

DeLint interpretou a expressão de Steeply como alguma espécie de tique. Um tufinho minúsculo de pelo de narina protuberava de uma das narinas dela, o que deLint achou repulsivo. Ela disse: "Nunca escreveram sobre você, como jogador?".

DeLint sorriu friamente para as planilhas. "Eu nunca tive o tipo de ranqueamento ou de potencial pra essa questão um dia aparecer pra mim."

"Mas alguns deles têm. O irmão de Hal tinha."

DeLint passou o lápis pelo contorno do lábio, fungou. "Orin era bonzinho. Orin era essencialmente um jogador de uma nota só. E apenas entre nós dois e essa cerca ele era meio tantã. O jogo dele saiu daqui na descendente. Agora o irmão mais novo tem futuro no tênis se quiser. E o Ortho. O Wayne com certeza. Uma ou duas meninas — Kent, Caryn O' e Diva Dee aqui", indicando a aparição-Vaught abaixo deles. "Os superdotados de verdade, aqueles que conseguem sair daqui ainda na ascendente, se eles chegarem ao Circuito..."

"Você quer dizer se profissionalizar."

"No Circuito eles vão obter o que eles quiserem disso de virar estátuas pras pessoas olharem, cutucarem, discutirem, e mais um pouco. Por enquanto eles estão aqui pra serem as pessoas que olham, veem e esquecem de ser vistas, por enquanto nada de show."

"Mas até você se refere a isso como um show. Eles vão ser artistas de entretenimento."

"Pode apostar o teu couro como eles vão ser."

"Então a plateia vai ser a finalidade. Por que não prepará-los também pras tensões de entreter uma plateia, fazer eles se acostumarem a ser vistos?"

Os dois meninos estavam no poste da rede mais próximo, Stice assoando o nariz numa toalha. DeLint guardou a prancheta com um gesto meio exagerado. "Considere equivocadamente por um momento que eu possa falar pela Enfield Academy. Eu estou dizendo que você não sacou. A questão aqui pros melhores alunos é inculcar neles a noção de que a questão nunca é estar sendo visto. Nunca. Se eles conseguirem incorporar isso, o Circuito não vai foder com a cabeça deles, o Schtitt acha. Se eles conseguirem esquecer tudo menos o jogo quando todos vocês lá fora do outro lado da cerca veem só eles e querem só eles e o jogo é incidental pra vocês, pra vocês a questão é entretenimento e personalidade, é a estátua, mas se eles conseguirem absorver direitinho eles nunca vão ser escravos da estátua, nunca vão estourar os miolos depois de ganhar um evento quando ganharem, ou pular de uma janela do terceiro andar quando começarem a parar de ser cutucados ou entrevistados, quando a flor deles começar a fenecer. Querendo ou não, querida, vocês mastigam esses meninos, é isso que vocês fazem."

"A gente mastiga estátuas?"

"Querendo ou não. Vocês, a *Moment*, a *World Tennis*, a *Self*, a InterLace, as plateias. O público na Italia *literalmente*, caralho. É da natureza do jogo. É a máquina em que todos eles estão morrendo de vontade de se atirar. Eles não conhecem a máquina. Mas a gente conhece. O Gerhardt está ensinando esses meninos a verem a bola de um lugar lá de dentro que não pode ser mastigado. Leva tempo e pede concentração total. O cara é uma merda de um gênio. Entreviste o Schtitt, se é pra entrevistar alguém."

"E eu não vou ter o direito nem de perguntar aos alunos como que é lá, nesse lugar interno imastigável. É um lugar secreto."

Hal errou um segundo serviço que triscou na moldura da raquete e foi parar lá onde as meninas estavam trocando gritinhos e lobs, e Stice agora tinha quebrado um serviço dele e estava com 6-5, e os murmúrios nas arquibancadas eram como um tribunal diante de uma revelação desagradável. DeLint arredondou os lábios e fez um tipo de som bovino na direção de Ortho Stice. Hal mandou as bolas pela linha de fundo e fez alguns pequenos ajustes nas cordas entrecruzadas enquanto caminhava para trocar de lado. Alguns meninos mais cruéis aplaudiram a bola errada de Hal, um pouquinho.

"Pode ser sardônica o quanto quiser comigo. Eu já disse que a decisão de comando não é minha. Mas eu não seria sardônico com o Tavis."

"Mas e se fosse. Seu, o comando."

"Minha senhora, se fosse eu você estaria espremendo o seu nariz entre as barras do portão lá fora, era só até lá que você ia entrar. Você está entrando numa pequena fatia de espaço e/ou tempo que foi recortada para proteger crianças talentosas exatamente do tipo de atividade que vocês vêm aqui fazer. Por que o Orin, afinal? O cara aparece quatro vezes por jogo, nunca toma pancada nem usa ombreira. Um jogador de uma nota só. Por que não o John Wayne? Uma história mais dramática, geopolítica, privação, exílio, drama. Um jogador ainda melhor que o Hal. Um jogo mais completo. Mirado que nem a porra de um míssil direto no Circuito, quem sabe Top Cinco se ele não foder com tudo ou se acabar. O Wayne é o seu grupo-alimentar ideal. Por isso é que a gente vai manter você longe dele enquanto ele estiver aqui."

A entrevistadora olhou em volta para os escalpos e joelhos nas arquibancadas, as sacolas de equipamento esportivo e para uma ou outra lata incongruente de lustra-móveis. "Mas fatiado de onde, no entanto, esse lugar?"

677

Da Mesa de Helen Steeply
Editora Contribuinte
Revista *Moment*
13473 Blasted Expanse Blvd.
Tucson, AZ, 857048787/2

Sr. Marlon K. Bain
Saudações Saprogênicas, Ltda.
BPL- Ed. Waltham
1214 Totten Pond Road
Waltham, MA, 021549872/4.
Novembro do AFGD

Caro sr. Bain:

Em Phoenix por outros motivos, tive a felicidade de encontrar seu amigo de adolescência, o sr. Orin J. Incandenza, e de ter ficado intrigada com as possibilidades de um perfil da família Incandenza e de suas realizações não apenas nos esportes mas em tópicos amplamente variados tais como o cinema independente circa Grande Boston, passado e presente.

Estou escrevendo para pedir sua cooperação para contatá-lo com perguntas que o senhor poderia responder por escrito, já que o sr. Orin Incandenza me informa que o senhor não aprecia encontrar pessoas fora de seu lar e escritório.

Espero contar com uma resposta sua a essa solicitação assim que lhe for possível,

Etc. etc. etc.

Saudações Saprogênicas*
QUANDO VOCÊ É TÃO ATENCIOSO QUE PEDE PARA UM PROFISSIONAL DIZER POR VOCÊ

* Orgulhosamente membro da Família ACMÉ de Pegadinhas & Piadinhas, Emoções Pré-Fabricadas, Tiradas e Surpresas e Disfarces de Beleza

Srta. Helen Steepley
E Coisa e Tal
Novembro do AFGD

Cara srta. Steepley:

Manda brasa.

ATT

MK Bain
Saudações Saprogênicas/ACMÉ

Da Mesa de Helen Steeply
Editora Contribuinte
Revista *Moment*
13473 Blasted Expanse Blvd.
Tucson, AZ, 857048787/2

Sr. Marlon K. Bain
Saudações Saprogênicas, Ltda.
BPL- Ed. Waltham
1214 Totten Pond Road
Waltham, MA, 021549872/4.
Novembro do AFGD

Caro sr. Bain:

P, P, P (P, P[P], P, P, P), P, P (P), P, P.[269]

Entalhados em xisto sedimentar e granito ferroso e em uma massa mórfica genérica — mais ou menos ao mesmo tempo que o calombo do topo do morro foi podado, limado e aplainado para o tênis — ficam os abundantes túneis da ATE. Há túneis de acesso e túneis-corredor, com salas e laboratórios e o nexo-Pulmonar da Sala da Bomba dos dois lados, túneis funcionais, túneis de armazenagem e pequenos túneis truncados que conectam uns túneis a outros. Talvez coisa de dezesseis túneis diferentes ao todo, num formato que é em geral mais ovoide que qualquer outra coisa.

11/11, 1625h, LaMont Chu, Josh Gopnik, Audern Tallat-Kelpsa, Philip Traub, Tim ("TP hibernando") Peterson, Carl ("Baleia") Whale, Kieran McKenna — o grosso dos deambulantes Eskhatonistas masculinos sub-14 — fora Kent Blott com seus dez aninhos — estão vinte e seis metros diretamente abaixo da Quadra de Exibição do jogo Hal/Trevas com sacos de lixo Feliz com alça de fecho[270] e lanterninhas mercúricas compactas de baixa difusão da B. P. Fora que o Chu está com uma prancheta que tem uma caneta presa ao prendedor com barbante. Os sons de movimentos competitivos de solas de tênis e de rangidos espectatoriais nas arquibancadas da superfície, viajando através de metros de massa compactada e de teto tunelístico de cimento polimerizado c/ camada de gesso, soam algo como o patinhar seco e furtivo de roedores, pragas. E isso dá destaque à empolgação que é parte do motivo real deles estarem aqui.

Parte da razão deles estarem aqui embaixo é que os menininhos dos EU parecem ter um fetiche por descer para as fundações fechadas sob as coisas — túneis, cavernas, poços de ventilação, as horrendas regiões sob as varandas de madeira — mais ou menos como os meninos dos EU mais velhos gostam de grandes alturas perspectivísticas e vistas espetaculares que abrangem imensas fatias de território, fetiche posterior este que explica por que o topo do morro da ATE é um dos trunfos da academia na guerra de recrutamento com Port Washington e outras academias do litoral leste.

Outra parte é uma tarefa de limpeza semipunitiva em que certos jogadores — considerados como envolvidos na recente debacle do combate não estratégico do Eskhaton, mas que estão isentos de ferimentos[271] e não se encontram na situação bem mais severa em que estão os Amigões presentes na ocasião — foram enviados ao subterrâneo em turnos vespertinos do que supostamente constituiria uma tarefa desagradável, para verificar a rota tuneliforme que os caras profissionais da TesTar Estruturas Infláveis Térmicas vão ter que seguir quando tirarem da Sala de Armazenamento Pulmonar as vigas e colunas de fibra de vidro e as dobras de dendriuretano que compõem o Pulmão, para a ereção do Pulmão, quando a administração da ATE finalmente decidir que o clima de fins de outono passou do limite da formação-de-caráter e se tornou um obstáculo para o desenvolvimento e o moral. Isso vai ser logo. Como os pró-reitores moram em quartos que dão para os túneis maiores e os caras da Manutenção e Serviços Gerais de A. C. I. Harde têm os escritórios e os equipamentos deles aqui embaixo, e como as antigas instalações ópticas e de edição do dr. James Incandenza ficam aqui num dos túneis principais e são usadas para as aulas de Leith/Ogilvie sobre produção de entretenimento e para tutoriais de ciência óptica etc., e como alguns túneis menores secundários são usados para armazenagem temporária por alunos formados que não conseguem levar nas costas seus oito ou mais anos de coisas acumuladas numa única leva pós-formatura — especialmente se vão de avião para algum circuito Satélite de noviciado profissional durante o verão, como isso significa viagem aérea, duas malas mais o equipamento, e olhe lá — alguns dos túneis ficam tremendamente entulhados na estação mais quente, com material tipo lixo mesmo. E às vezes rola um transbordamento de grandes quantidades de bens dos tuneizinhos curvos de armazenagem que saem do corredor dos pró-reitores. Os meninos menores são perfeitos para operações de reconhecimento em túneis baixos e estreitos parcialmente bloqueados por escória, e mesmo que não seja um segredo na ATE que os meninos menores passam não pouco tempo lá nos túneis de um jeito ou de outro, certo aspecto punitivo contamina essa operação de reconhecimento ao fazer com que os meninos levem os sacos de lixo para limpar folhas de prova, relatórios de laboratório jogados pelo chão, baterias de calculadora, cascas de banana, latas de tabaco-sem-fumaça Kodiak, espirais de corda sintética de raquete e as nojentas bitucas de charuto dos caras da Manutenção — O TP Dormente acha dois coloridos pacotinhos Trojan bem na entrada do túnel-corredor dos pró-reitores, e aí alguns metros mais à frente no chão o brilho vermiforme de uma camisinha de fato, e rola certo debate nos registros mais agudos sobre aquela ser uma camisinha usada ou não, e o coitado do Kent Blott é finalmente encarregado de pegar aquilo e colocar num saco de lixo, só para garantir, caso fosse uma camisinha usada — e caixas vazias de equipamento oficial gratuito, caixas cheias de material boiolinha ou de má absorção, que ninguém quer, rótulos de latas Habitant, baús de ex-alunos, frigobares tamanho-dormitório-estudantil etc.: e também tirar todas as caixas que conseguirem erguer, para elas não ficarem na rota de acesso dos caras da TesTar rumo às Salas da Bomba e de Armazenagem Pulmonar; e LaMont Chu deveria registrar a localização de quaisquer caixas ou objetos pesados demais para eles retirarem, e uns zeladores parrudos serão posteriormente enviados para cuidar deles como julgarem melhor.

Por isso um número razoável dos menores alunos masculinos da ATE não vê Stice ganhar um set de Hal Incandenza e quase vencê-lo, por terem sido mandados lá para baixo por Neil Hartigan logo depois da chuveirada pós-condicionamento.

Como previamente registrado, eles não ligam muito não, para isso de estarem aqui, agora num dos túneis laterais de diâmetro infantiloide entre o corredor dos pró-reitores e a Sala de Armazenagem Pulmonar. Os Eskhatonitas passam um monte de tempo aqui embaixo mesmo. Na verdade os ATEs do sub-14 historicamente têm uma espécie de Clube dos Túneis. Como muitos clubes de meninos pequenos, a raison d'être unificadora do Clube dos túneis é meio vaga. As atividades do Clube dos Túneis basicamente envolvem a congregação informal, o ato de desmontar as mentirinhas dos outros sobre suas vidas e carreiras pré-ATE e a recapitulação do Eskhaton mais recente (normalmente só uns cinco por semestre); e a única atividade formal do Clube é sentar com uma cópia amarelada das *Regras de Robert* e refinar e emendar infinitamente as regras de quem pode e quem não pode entrar para o Clube dos

Túneis. Fiel ao modelo dos clubes de menininhos, a menos vaga das raison d'êtres do Clube dos Túneis se refere à exclusão. A vital exclusão feminina é a única parte ferreamente inamovível da constituição do Clube dos Túneis.[272] A não ser por Kent Blott, cada menino aqui desta equipe é Eskhatonita e membro do Clube dos Túneis. Kent Blott, inelegível para o Eskhaton por ser um menino mais das humanas e ainda não ter feito nem a Álgebra quadrivial, e excluído do Clube sob qualquer encarnação dos requisitos de elegibilidade até o momento, está aqui embaixo unicamente porque ouviram ele dizer durante o almoço que ele estava na parte norte do túnel principal entre os vestiários do Com.-Ad. e a lavanderia subterrânea naquela manhã, cortando caminho para voltar para o seu quarto na Casa Oeste depois dos treinos e de uma sauna, e disse ter avistado — rastejando para longe da sua luz mercúrica na direção de um dos túneis secundários que levam aos subdormitórios C e D e às Quadras Leste e a essa mesmíssima região tunelística em que eles ora estão — ter enxergado o que era ou um rato ou, ele disse, o que parecia ainda mais um hamster selvagem reconcavitoso. Então os Eskhatonitas estão também entusiasmados por estarem aqui numa potencial operação de reconhecimento de roedores, verificando a veracidade das declarações de Blott, e trouxeram o que é ou um nervosíssimo ou um empolgadíssimo Blott para cá com eles para poderem refazer as possíveis rotas que Blott diz que viu o roedor possivelmente seguir, enchendo os sacos Feliz e registrando itens pesados pelo caminho, e também para poderem imediatamente cercar e disciplinar Kent Blott se se revelar que ele estava sacaneando os outros.

Fora que eles fazem Blott ser o cara que pega os sacos de lixo cheios, ata as alças e arrasta os sacos para onde a expedição começou — a entrada do grande túnel principal lisinho que fica perto da sauna dos meninos — já que nenhum deles gosta de arrastar sacos de lixo cheios sozinho por túneis escuros com o guincho roedorístico do jogo e da espectação lá em cima. Chu está segurando uma minilanterna entre os dentes e vai anotando as coisas pesadas. Eles encheram vários sacos e foram empilhando as coisas mais leves mais para os cantos para criar uma rota estreita que vai quase direto até a Sala da Bomba, sala em torno da qual paira um estranho cheiro doce e rançoso que nenhum deles consegue identificar. O aplauso quando Hal Incandenza ganha por pouco o primeiro set lá em cima soa aqui embaixo como uma chuva distante. O túnel lateral é escuro como o fundo de um bolso, mas quente e seco, e há uma quantidade surpreendentemente pequena de poeira. Dutos e coaxiais que correm pelo teto fazem Whale e Tallat Kelpsa terem que se abaixar quando seguem na vanguarda, tirando caixas do caminho e tentando sem sucesso mover frigobares para longe. Há vários bolsões de pequenos mas pesados frigobares Maytag tamanho-dormitório, revestidos de um plástico escuro com veios de madeira, alguns deles modelos antigos com tomadas de três pinos em vez de carregadores. Alguns frigobares vazios foram limpos de maneira negligente, estão com a porta entreaberta e cheiram mal. Quase todo o inventário de Chu para remoção por adultos parrudos são ou frigobares ou baús trancados cheios do que soa como revistas e oito anos de acúmulo de moedinhas. O guincho surdo e roedorístico das solas dos tênis bem lá no alto excita os meninos do Clube dos Túneis e os deixa acelerados. Philip Traub fica fazendo barulhinhos rangentes e escondidamente cocegando a nuca dos outros, causando enorme perturbação, muitas interrupções, reinícios de caminhada e rodopios severamente delimitados por paredes, até que Kieran McKenna captura Traub cocegando Josh Gopnik com o feixe claro da sua lanterna e Gopnik dá um soco no nervo radial de Traub, e Traub agarra o braço, choraminga e diz que não quer mais e que vai voltar pra cima — Traub é o menino mais novo aqui com exceção de Kent Blott e é lançador-reserva em estágio probatório na maioria dos Eskhatons — e eles têm que parar e deixar Chu registrar e marcar dois frigobares descartados enquanto Peterson e Gopnik tentam distrair e divertir Traub para ele ficar e não recuar para onde está Nwangi para cagar com tudo em tons agudos.

Frigobares descartados, caixas vazias, baús imexíveis e com complexas etiquetas de endereço, fita cirúrgica e bandagens Ace usadas, um ou outro frasco vazio de Visine (que Blott guarda no bolso-canguru do seu abrigo, para o próximo concurso de Pemulis), fichas de laboratório de Óptica I & II, máquinas de bolas quebradas e bolas de tênis perdidas mortas demais até para a máquina de repressurização, cartuchos de TP quebrados ou descartados com filmes de análise de golpes ou entretenimentos velhuscos, um par descasado de copos de milk-shake, cascas de frutas e embalagens de barras energéticas AminoPal que o próprio Clube tinha largado ali depois das reuniões, espirais descartadas de grip e de cordas tênseis, diversas presilhas tic-tac incongruentes, diversas antigas televisões comuns que alguns meninos mais velhos gostavam de ter por perto para ficar olhando a estática, e, ao longo da emenda parede-de-piso, cascas secas de lustra-móveis com formato de membros humanos, pedaços de braços e pernas já semidecompostos em poeira cheirosa — o que compreendia a maior parte da massa de materiais ali embaixo, e os meninos não ligam muito para isso de examinar, inventariar e ensacar tudo aquilo, porque a cabeça deles está distraída com algo diferente e muito empolgante, uma espécie de possível raison d'être para o próprio Clube, a não ser que Blott estivesse só inflando bolsa escrotal, e nesse caso te cuida Blott, é o consenso.

Gopnik para um fungante Traub, enquanto Peterson ilumina com a lanterna a prancheta de Chu: "Mary tinha um carneirinho, de lã eletrostática/ E onde quer que Mary fosse, a luz ficava errática".

Carl Whale finge ser imensamente gordo e anda grudado à parede com zepelínicos passos de pernas escanchadas.

Peterson para Traub, enquanto Gopnik segura a lanterna: "John Wayne joga muito bem/ Transou com Herr Schtitt num trem/ E transou na cozinha também/ E como transa bem, o tal John Wayne", o que os meninos um pouco mais velhos acham mais divertido do que o Traub.

Kent Blott pergunta por que um babão sem pinto que nem o Phil pode entrar no Clube dos Túneis enquanto a inscrição dele vive sendo recusada, e Tallat-Kelpsa corta a conversa fazendo alguma coisa com ele no escuro que faz o Blott dar um gritinho.

Está completamente escuro a não ser pelos discos tamanho-moedinha das B. P. de baixa difusão deles, porque eles deixaram as lâmpadas nuas do teto dos túneis apagadas, porque o Gopnik, que vem do Brooklin e sabe um monte sobre roedores, diz que só um imbecil de um comedor de ranho ia sair atrás de ratos com a luz acesa, e parece razoável concordar que hamsters selvagens, também, têm uma atitude basicamente ratística para com a luz.

Chu manda Blott ver se ele consegue erguer um micro-ondas velho e sem porta, todo grandalhão, que está caído de lado perto de uma parede, e Blott tenta, mal consegue tirá-lo do chão, e reclameja, Chu marca o forno para os adultos virem pegar, fala pra Blott largar mão, sugestão que Blott aceita literalmente, e o estrondo e os tinidos enfurecem Gopnik e McKenna, que dizem que procurar roedores com Blott é que nem pescar com um epilético, o que dá uma animadinha no Traub.

Hamsters selvagens — em quociente de bicho-papãozidade eles estão logo ali com bebezinhos de mais de um quilômetro de altura, espectros privados de crânios, flora carnívora e gás dos pântanos que te derrete o rosto e te deixa com uma musculatura facial cinza-e-vermelha exposta pelo resto da tua vida de pária fantasmático em termos de narrativas noturnas arrepiantes do Recôncavo — raramente são vistos ao sul dos muros de acrílico e dos postos de fronteira ATHSCMEificados que delimitam o Grande Recôncavo, e só muitíssimo de vez em quando em qualquer ponto ao sul tipo do novo burgo fronteiriço de Methuen, MA, cuja Câmara de Comércio a chama de "A Cidade Que a Interdependência Reconstruiu", e de qualquer maneira malgrado as teorias de Blott quase nunca são vistos solo, sendo o tipo de criatura gafanhotesca e edaz dada a movimentações-em-massa que os agrônomos canadenses chamam de "Piranhas das Planícies". Uma infestação de hamsters selvagens no terreno rico em resíduos da Grande Boston, para não falar dos túneis entulhados da ATE, seria quase um desastre de saúde pública de grande escala, geraria simplesmente uma quantidade inenarrável de adultos correndo em círculos e mordendo os nós dos dedos e consumiria megacalorias de estresse pré-adolescente deslocado nos jogadores da ATE. Cada menino de orelhas em pé, olho esbugalhado e sacola em riste no túnel lateral na tarde de hoje está torcendo muito por um hamster, com exceção de Kent Blott, que está simples e ferventemente torcendo por alguma espécie de avistamento roedorístico vultoso ou uma amostra de dejetos que o livre de ser disciplinarmente pendurado de cabeça para baixo num cubículo do banheiro para ficar gritando até um membro da equipe de funcionários encontrá-lo. Ele lembra aos carinhas do Clube dos Túneis que não é que ele tenha dito que avistou a coisa rastejando naquela direção, ele só tinha visto a coisa rastejando de um jeito que parecia sugerir uma *tendência* ou tipo uma *probabilidade* de vir naquela direção.

Uma caixa inteira caída de lado com a fita que a fechava rasgada derramou parte de uma carga de antigos cartuchos de TP, velhos e quase todos sem etiquetas, no chão do túnel num padrão léquio, e Gopnik e Peterson reclamam que os cantos pontudos dos estojos dos cartuchos estão fazendo buracos nos sacos Feliz deles, e Blott é enviado com três sacos de cartuchos e cascas de frutas, cada um cheio apenas pela metade, de volta ao vestíbulo iluminado lá na entrada do túnel do Com.-Ad, onde uma respeitável pilha de sacos está começando a se acumular odoriferamente.

Fora que um avistamento confirmado de hamsters, Chu, Gopnik e "TP.H" Peterson concordam, podia muito bem distrair o escritório do Diretor de represálias pós-Eskhaton contra os Amigões Pemulis, Incandenza e Axford, que a facção Eskhatonita do Clube não quer ver sofrendo represálias, particularmente, ainda que o consenso seja que ninguém ia dar muita bola caso visse a maléfica Ann Kittenplan ferrada de diversas maneiras. Fora que incursões hamsterianas poderiam ser aventadas como explicações para a esotérica aparição de grandes e incongruentes objetos da ATE em locais inadequados, que começou em agosto com as milhares de bolas de treino encontradas espalhadas por todo o carpete azul do saguão e a pirâmide cuidadosamente arrumada de barrinhas energéticas AminoPal encontrada na Quadra 6 nos treinos da aurora em meados de setembro e que ganhou corpo de um jeito que ninguém acha nada legal mesmo — sendo que hamsters selvagens são notórios arrastadores e redispositores de coisas quando não conseguem comê-las mas se sentem compelidos a foder com elas de qualquer maneira — e assim aliviar a semi-histeria comunal que os objetos causaram entre os funcionários aborígines classe operária e também entre os sub-16 da ATE. O que faria dos caras do Clube dos Túneis meio que heróis, putativamente.

Eles andam pelo túnel, com as luzes mercúricas se xizificando, se separando e formando ângulos entrecortados, tintos de um vago rosa.

Mas até um rato inquestionável seria um grande golpe. A sra. Inc, Gestora de Assuntos Acadêmicos, tem uma coisa fóbica violenta com pragas, resíduos, insetos e a higiene geral das instalações, e uns caras da Orkin com umas panças de cervejeiros e jogando baralho com umas cartas de mulher pelada e sapato de salto no verso (diz o McKenna) passam spray até nos sovacos da ATE duas vezes por semestre. Nenhum menino mais novo da ATE — eles têm o mesmo fetiche pós-latência por pragas que têm por acessos subterrâneos e Clubes excludentes — nenhum deles jamais chegou a ver ou capturar um rato ou uma barata ou nem mesmo uma tracinha comum em qualquer lugar por ali. Então o consenso tácito é que um hamster seria o melhor dos mundos mas que eles aceitavam um rato na boa. Só um ratinho miserável já ia dar ao Clube todo uma legítima *raison*, uma finalidade explicável para eles se congregarem no subterrâneo — todos eles se sentem meio incomodados com isso de gostarem de se congregar no subterrâneo sem nenhuma razão boa ou clara.

"Ô Hibernante, cê acha que dá pra você erguer aquilo ali e tirar dali?"

"Chu, eu não ia nem chegar perto daquilo lá, meu, sei lá o que que é aquilo, muito menos encostar naquele treco."

Os passos e o assobio monótono de Blott podem ser ouvidos ao longe, voltando, e o rangido distante das solas no solo.

Gopnik para e a luz dele dá uma panorâmica, brincando sobre os rostos. "Beleza. Alguém peidou."

"Que que é aquilo ali pertinho, ô Hibernante?" Chu recuando para ampliar seu feixe de luz projetado sobre alguma coisa ancha, atarracada, escura.

686

"Será que dava pra dar uma iluminada aqui, galera?"

"Por que por acaso alguém aí me resolveu *morder o gorgonzola* aqui nesse lugarzinho apertado e sem ventilação?"

"Chu, é uma geladeira de quarto, só isso."

"Mas é maior que as geladeiras dos quartos."

"Mas não é do tamanho de uma geladeira de verdade."

"É uma coisa de meio-caminho."

"Mas que eu estou sentindo um cheiro aqui lá isso eu estou, Gop, eu admito."

"*Está* rolando um cheiro. Se alguém peidou, diga agora."

"Senão é um *cheiro*."

"Nem tente descrever."

"Ô Dormente, isso aí não é nenhum peido humano que eu já senti, viu."

"É forte demais pra ser peido."

"De repente o Teddy Schacht estava tendo um ataque e veio aqui aos trambolhões só pra largar um."

Peterson centra sua luz na geladeira marrom de tamanho médio. "Vocês por acaso não acham…"

Chu diz: "Nem a pau. Nem a pau".

"*O quê?*", Blott diz.

"Nem pense nisso", Chu diz.

"Eu acho que nem algum tipo de *mamífero* era capaz de peidar tão fedido, Chu."

Peterson está olhando para Chu, ambos de rosto pálido sob a luz mercúrica. "Nem a *pau* que alguém ia se formar, se mandar e botar a geladeira aqui embaixo sem tirar a comida."

Blott fala: "É isso, o cheiro?".

"Será que era a geladeira do Pearson no ano passado?"

O T. P. Hibernando se vira. "Quem é que está sentindo, tipo, um cheiro de alguma coisa meio podre?"

Luzes no teto do túnel por causa das mãos que se erguem.

"O quórum é pró-cheiro-tipo-podre."

"Será que a gente devia dar uma olhada?", Chu diz. "O hamster do Blott pode estar ali."

"Roendo alguma coisa indescritível, de repente."

"Você quer dizer tipo abrir?"

"O Pearson tinha uma geladeira maior que o normal."

"*Abrir?*"

Chu coça atrás da orelha. "Eu e o Gop vamos iluminar, o Peterson abre."

"Por que eu?"

"Você está mais perto, Hibernante. Prenda a respiração."

"Jesus amado. Bom vocês se mandem daqui pra eu poder pular pra trás se alguma coisa tipo sair voando."

"Ninguém ia ser tão sacana assim. Quem é que ia se mandar e deixar uma geladeira cheia?"

"Recuando bem recuadinho aqui, com muito prazer", diz Carl Whale, com sua luz se afastando.

"Nem o Pearson ia ser tão sacana de deixar comida numa geladeira desligada."

"Isso ia mais do que explicar a atração dos roedores."

"Agora todo mundo se liga... pronto?... *hummff.*"

"Au! Puta que pariu!"

"Põe a luz naq... ai meu Deus."

"Iiiiiiiuu"

"Hhhhwwwww."

"Ai meu *Deus.*"

"Bllaaaaarrr."

"Que fedor mais fedorento!"

"Tem *maionese*! Ele deixou *maionese* aí dentro."

"Por que a tampa está inchada desse jeito?"

"A caixa estufada de suco de laranja!"

"Nada ia conseguir morar aí dentro, roedor ou não roedor."

"Então por que que aquele presunto está se mexendo?"

"Larvinhas?"

"Larvinhas!"

"Fecha isso aí! Ô Hibernante! Dá um bico e fecha essa porta!"

"Isso aqui é exatamente o quanto eu vou chegar perto dessa geladeira de novo na vida, Chu."

"O cheiro está se expandindo!"

"Dá pra sentir daqui!": a voz distante do Whale.

"Eu não estou gostando nadinha disso tudo."

"Isso é a Morte. Ai de vós que contemplardes a Morte. Tá na Bíblia."

"O que que é larvinha?"

"Será que a gente não devia correr bem rápido pro outro lado?"

"Tô nessa."

"Foi provavelmente esse cheiro que o rato ou o hamster sentiu", Blott arrisca.

"Corre!"

Vozes agudas que se afastam, luzes trepidantes, a luz de Whale bem na frente.

Depois que Stice e Incandenza levaram um set cada e Hal deu uma corrida no vestiário no intervalo entre os sets para pôr um colírio nos olhos que estavam incomodando e deLint fez uns barulhos empenados e estrondosos nos assentos enquanto descia as arquibancadas e ia dar uma palavrinha com Stice, que estava agachado contra o poste da rede mantendo o braço esquerdo erguido como um cirurgião antessala--de-operações e aplicando uma toalha no braço, o lugar de deLint ao lado de Helen

Steeply foi ocupado pela pró-reitora Thierry Poutrincourt, recém-saída do banho, com seu rosto longo, não cidadã-EUA, uma quebequense alta e ex-profissional Satélite com oclinhos sem aro e um gorro de esqui violáceo afastado só a quantidade suficiente de tons do gorro da jornalista para fazer as pessoas atrás delas fingirem que estavam tapando os olhos por causa do choque cromático. A suposta mulher-de-imprensa se apresentou e perguntou a Poutrincourt quem era o menino de sobrancelhas pesadas na ponta da última fileira das arquibancadas atrás delas, corcovado, gesticulando e falando dentro da sua mão vazia.

"James Troeltsch de Filadélfia é melhor deixar em paz para brincar de narrador sozinho. Ele é um estranho e infeliz", Poutrincourt disse, com seu rosto longo e de bochechas cavernosas, ele próprio de aparência não terrivelmente feliz. Os leves dares-de-ombros dela e o seu jeito de olhar para longe enquanto falava não eram muito diferentes dos de Rémy Marathe. "Quando nós ouvimos que você era a jornalista de uma revista hebdomadária perfumada de modas e tendências nós ouvimos para ser inamistosos, mas eu, eu acho que sou amistosa." O sorriso dela era ríctico e mostrava dentes confusos. "Os queridos de minha família são também de grandes tamanhos. É difícil ser grande."

A decisão pré-missão de Steeply tinha sido deixar passar toda e qualquer referência ao seu tamanho como se houvesse alguma capacidade de filtrar qualquer referência a tamanhos ou diâmetros, que se originara possivelmente na adolescência. "O seu amigo deLint certamente se manteve distante."

"DeLint, quando sugerem que os pró-reitores façam uma coisa, ele se pergunta apenas: como posso fazer perfeitamente essa coisa para superiores sorrirem de prazer para deLint." O antebraço direito de Poutrincourt era quase o dobro do tamanho do esquerdo. Ela estava usando tênis branco e um abrigo Donnay de um azul-nêutron reluzente que entrava em choque violento com os gorrinhos das duas. Os círculos sob os olhos dela também eram azuis.

"Por que as instruções pra vocês serem inamistosos?"

Poutrincourt sempre balançava um pouco a cabeça antes de responder alguma coisa, como se as coisas tivessem que passar por vários circuitos de tradução. Ela balançou a cabeça e coçou a mandíbula, pensando. "Você está aqui para fazer publicidade um jogador menino, uma de nossas étoiles,[273] e dr. Tavis, ele está como se diz dileto…"

"Delito. Desconfiado. Com reservas."

"Não…"

"Confuso. Dividido. Num dilema."

"Dilema é como. Porque aqui é bom lugar, e Hal é bom, melhor desde antes do presente, talvez agora seja étoile." Um dar de ombros, longos braços na cintura. Hal reemergiu do Com.-Ad. e, com ou sem tornozeleira, demonstrou um trote lento e solto de cavalo de raça passando pelo pavilhão e as arquibancadas até chegar ao portão na cerca sul da nº 12, agindo como se não estivesse sendo observado pelas pessoas nas arquibancadas, e bateu duas das suas raquetes de cabeça grande uma na outra para ouvir o tom das cordas, trocando umas palavras neutras com deLint, que estava parado com Stice na beira da sombra do gio, Stice caindo numa semigargalhada por causa de alguma coisa, girando a raquete e voltando para sacar enquanto Hal pegava uma bola no pé da cerca norte. As raquetes dos dois jogadores tinham cabeça grande e molduras grossas. Thierry Poutrincourt disse: "E por natureza que não deseja a atenção de fotos, que as revistas com perfume nas páginas dizem que este é étoile, que Academia de Tênis Enfield ela é boa?".

"Eu estou aqui pra fazer um perfil nada ofensivo do irmão dele, com o Hal sendo mencionado apenas como parte de uma família americana excepcional em vários aspectos. Eu não vejo o que possa ser dilemático para o dr. Tavis nisso tudo." O sujeitinho minúsculo, subserviente e roliço que parecia estar o tempo todo com um telefone enfiado embaixo do queixo, o tipo de hipercooperação alucinada que é o pior pesadelo de um entrevistador-técnico num interrogatório; o monólogo do sujeitinho tinha feito no cérebro de Steeply o que uma lâmpada faz nos olhos da gente, e se ele tinha explicitamente lhe negado acesso ao irmão então a negação tinha sido enfiada depois que ele cansou Steeply.

Veio o leve balançar tipo serrote sacudido das arquibancadas quando deLint subiu de novo, planilhas empilhadas apertadas contra o peito como os livros de uma aluninha de escola, com um sorriso para a jogadora québecoise no lugar dele como se nunca a tivesse visto antes, acomodando-se pesadamente do outro lado de Steeply, dando uma olhada para onde a jornalista tinha parentesificado certas notas sobre os possíveis sons que uma bola atingida pelas cordas emite no ar gelado: *cot, quim, pim, pons, poc, cop, thwa, thwat*.

O outro filho do diretor do Entretenimento *samizdat* triscou uma devolução que pegou na fita, ficou ali um momento e caiu de volta.

"*Veux que nous nous parlons en français? Serait plus facile, ça?*" Esse convite porque os olhos de Poutrincourt tinham ficado toldados no exato momento em que aquele tal de deLint se juntou a elas.

O dar de ombros de Poutrincourt foi blasé: os francófonos nunca ficam impressionados quando os outros sabem francês. "Pois muito bem, então veja só": ela disse (Poutrincourt disse, em québecois), "estrelas pubescentes não são novidade nesse esporte. Lenglen, Rosewall. Em 1887 AD uma menina de quinze anos ganhou Winbledon, ela foi a primeira. Evert nas semifinais do Aberto dos EU com dezesseis, em 71 ou 72. Austin, Jaeger, Graff, Sawamatsu, Venus Williams. Borg. Wilander, Chang, Treffert, Medvedev, Esconja. Becker dos anos 80 AD. Agora esse novo argentino Kleckner."

Steeply acendeu um cigarro Flamengo que fez a cara de deLint se alargar de nojo. "Você compara é como a ginástica, patinação artística, o nadar de competição."

Poutrincourt não comentou a sintaxe de Steeply. "Isso mesmo, então. Bom."

Steeply estava acomodando a longa saia de camponesa e cruzando as pernas para ficar inclinado para longe de deLint, encarando uma espécie de verruga translúcida na bochecha comprida de Poutrincourt. Os grossos oclinhos sem aros de Pou-

690

trincourt eram como os de uma freira assustadora. Ela parecia mais homem do que qualquer coisa, longa, dura e sem-seios. Steeply tentava exalar para longe de todo mundo. "Que o tênis platô-mundial não é preciso ter nem o tamanho e músculo do hóquei nem do basquete nem do futebol americano, por exemplo."

Poutrincourt balançou a cabeça. "Mas sim, nem a precisão milimétrica das rebatidas do beisebol, nem como os italianos dizem *senza errori*, a consistência sem desvios, que impede que os golfistas atinjam o pleno domínio do esporte antes dos trinta ou mais." A pró-reitora passou rapidamente para o inglês, possivelmente para dar uma colher de chá para deLint: "Seu francês é parisiense mas aceitável. Mim, o meu é québecois".

Steeply agora pôde fazer o mesmo gesto gálico azedo ao dar de ombros. "Você está me dizendo que o tênis sério não requer de um atleta nada que um adolescente já não tenha, se eles são excepcionais nisso."

"Os medicinistas da ciência esportiva sabem muito bem o que o top tênis requer", Poutrincourt disse, de novo em francês: "Bem demais, que são a agilidade, os reflexos,[274] a velocidade em trechos curtos, o equilíbrio, certa coordenação entre a mão e o olho, e muita resistência. Um pouco da força, com particular importância para o homem. Mas todas essas coisas são atingíveis já no período da puberdade, para alguns. Mas sim, mas espere", ela disse, colocando uma mão no caderninho quando Steeply começava a fingir anotar. "A coisa que você pôs como questão para mim. É por isso o dilema. Os jogadores jovens, eles têm a vantagem na psique também."

"O poder da mentalidade", Steeply disse, tentando ignorar o menino que falava dentro da mão vários lugares acima. DeLint parecia ignorar tudo em torno de si, absorto no jogo e nas suas estatísticas. As mãos da pró-reitora canadense se moviam em círculos miúdos diante dela para demonstrar seu envolvimento na conversa. As mãos conversacionais dos americanos ficam imóveis como pães de fôrma quase o tempo todo, Rémy Marathe tinha comentado uma vez.

"Mas sim, então, o formidável poder mental das psiques dele ainda não serem adultas de todas as maneiras — portanto, então, eles não sentem a ansiedade e a pressão como são sentidas pelos jogadores adultos. Essa é todas as histórias de um adolescente que surge de locação nenhuma para derrubar o adulto famoso num jogo profissional — os efebos, eles não sentem a pressão, eles conseguem jogar com entrega, eles são sem medo." Um sorriso frio. A luz do sol explodia nas lentes dela. "No começo. No começo eles são sem pressão nem medo, e eles irrompem de aparentemente locação nenhuma para o palco profissional, étoiles instantâneas, fenomenais, destemidas, imunizadas para a pressão, surdas para a ansiedade — de início. Eles parecem ser como os jogadores adultos só que melhorados — melhorados em emoção, mais entregues, não humanos para o estresse, a fadiga, as viagens avionais sem fim, a publicidade."

"A expressão inglesa da criança na loja de doces."

"Aparentemente insensíveis da solidão e da alienação e todo mundo quer alguma coisa da étoile."

691

"O dinheiro também."

"Mas é logo que você começa a ver a acabação que o lugar como o nosso está esperando prevenir. Você lembra Jaeger, acabada com dezesseis, Austin com vinte. Arias e Krickstein, Esconja e Treffert, machucados demais para jogar no fim dos anos de adolescência. A mais-que-promissora Capriati, a tragédia consabida. Pat Cash da Austrália, quarto na terra com dezoito, desaparecido com vinte de idade."

"Para não estar mencionando o grande dinheiro. Os patrocínios e eventos."

"Sempre assim, para a jovem étoile. E agora pior no hoje, que os patrocinadores têm a transmissão para anunciar. Agora o efebo que é famosa étoile, que está nas revistas e nas notícias esportivas *aux disques*, ele é perseguido para virar o *Cartaz Que Anda*. Use isso, vista aquilo, por dinheiro. Milhões jogados para você antes de você poder dirigir os carros que compra. A cabeça incha do tamanho de um balão, por que não?"

"Mas será que a pressão pode estar muito longe?", Steeply disse.

"Muitas vezes a mesma coisa. Ganhar dois e três jogos virados, se sentir de repente tão amado, tantos falando com você como se houvesse amor. Mas sempre a mesma coisa, aí. Pois aí você desperta para o fato de que você é amado por vencer apenas. As duas e três vitórias criaram você para as pessoas. Não é que as vitórias tenham feito elas reconhecerem alguma coisa que existia irreconhecida antes dessas vitórias viradas. A vitória de lugar-nenhum *criou* você. Você tem que continuar vencendo para continuar a existência do amor e dos patrocínios e das revistas coloridas que querem o seu perfil."

"E lá vem a pressão", Steeply disse.

"Pressão como a que não se pode imaginar, agora que para manter você precisa vencer. Agora que vencer é o *esperado*. E totalmente só, nos hotéis e aeroplanos, com qualquer outro jogador com quem você podia conversar sobre a pressão de existir querendo ganhar de você, querendo ser o existir acima e não abaixo. Ou os outros, querendo de você, e só enquanto você jogar com entrega, vencendo."

"Daí os suicídios. A acabação. As drogas, a autocomplacência, a estragação."

"O que é a instrução se nós dermos forma ao efebo gerando o atleta que consegue ganhar destemidamente para ser amado, mas não preparamos para o tempo depois que o medo vem, não?"

"Portanto a terrível pressão aqui. Eles estão passando pela têmpera. Endurecendo no forno."

Hal sacou aberto e dessa vez foi para a rede, dando um passo hesitante na linha de fundo. O corpo de Stice pareceu se alongar quando ele estendeu o braço e passou a raquete por cima da devolução, mandando um forehand. Hal soltou um voleio muito curto e deu uns passos para longe da rede quando Stice subiu, tomando embalo para uma passada fácil. Hal arriscou um lado e disparou para a esquerda, e o Trevas mandou um lob bem por cima dele e bateu a base da mão contra as cordas quando Hal desistiu a meio caminho, Stice sem querer humilhar mas se exortando. O suor de Hal era bem mais pesado que o do kansassense, mas o rosto de Stice estava quase marrom de tão corado. Cada jogador girou a raquete na mão enquanto Hal voltava para pegar a bola. Stice tomou sua posição no lado de iguais, puxando as meias para cima.

"Ainda assim esperteza do Hal ir para a rede depois do saque num game ou outro", deLint disse no ouvido de Steeply.

Irritante do começo ao fim foi o menino James Troeltsch de sobrancelhas pesadas e narinas vermelhas falando na mão fechada, primeiro de um lado do punho, depois do outro, fingindo ser duas pessoas:

"Incandenza o controlador. Incandenza o tático.

"Um raro deslize tático de Incandenza, subir para a rede depois do saque quando finalmente acabou de estabelecer o controle trocando bolas na linha de fundo.

"Dá só uma olhada no Incandenza ali parado esperando Ortho Stice acabar de mexer nas meias para ele poder sacar. A semelhança com as estátuas de Augusto de Roma. O porte aristocrático, o contorno da cabeça, o rosto impassivo e emanando comando. Os gélidos olhos azuis.

"Aquela gélida película reptiliana de concentração nos frios olhos azuis, Jim.

"O Halster está com certas dificuldades para controlar os voleios.

"Por mim, Jim, eu acho que ele estava melhor com aquela raquete média antiga de grafite lá dele do que com essa de cabeçona que aquele sujeito horroroso da Dunlop convenceu ele a adotar.

"Stice, por ser o mais novo lá fora, ele cresceu com a cabeça extragrande. Uma cabeça grande é tudo que o Trevas conhece.

"Dá pra dizer que o Trevas nasceu com uma cabeça grande e que Incandenza é um jogador que adaptou o seu jogo a uma cabeça maior.

"A carreira de Hal afinal data de antes das nossas amigas resinas de policarbonato mudarem toda a matriz de força do jogo juvenil, Jim.

"E que dia para o tênis.

"Que dia para a diversão em família, de tudo quanto é tipo.

"Essa Bud é Tamanho-Família. É o Jogo Budweiser da Semana. Um oferecimento de.

"Incandenza até já disse que modificou a sua pegada, tudo para acomodar a cabeça grande.

"E pela família multiphasix de resinas de policarbonato reforçadas de qualidade, Ray.

"Jim, Ortho Stice — impossível até mesmo visualizar o Stice sem a sua fiel cabeça grande.

"Eles só conhecem esse mundo, esses meninos."

DeLint se espichou, apoiou o cotovelo na arquibancada de cima e mandou James Troeltsch regular o volume ou ele ia se aplicar pessoalmente para garantir que Troeltsch sofresse.

Hal quicou a bola três vezes, lançou, caiu mais para trás com o toss e simplesmente cravou o saque, sem spin e com um ângulo aberto feroz, Stice grotescamente

693

desequilibrado, passando da linha da bola e batendo um backhand travado, paralelo e curto. Hal foi para a linha de saque para pegar, abaixado e com a raquete pronta atrás do corpo, com uma aparência algo entomológica. Stice permaneceu no meio da linha de fundo esperando um golpe longo e ficou perdido quando Hal encurtou a bola e mandou uma diagonal fechada sem peso, que mal tinha passado da rede distorcida de backspin caiu no meio metro de espaço de quadra que o ângulo lhe permitia.

"Hal Incandenza é quem tem o maior cérebro tenístico", Poutrincourt disse em inglês.

Hal mandou um ace em Stice no meio da quadra para ficar 2-1 ou 3-2 no terceiro.

"O negócio que você tem que saber do Hal, querida, é que ele tem um jogo completo", deLint disse enquanto os meninos trocavam de lado na quadra, Stice segurando duas bolas na frente do corpo equilibradas na raquete. Hal foi pegar a toalha de novo. As crianças no primeiro degrau da arquibancada estavam se inclinando para a direita e para a esquerda sincronizadamente, se divertindo. A aparição com lente e vara de metal tinha sumido, lá no alto.

"O que você precisa saber, vendo juvenis desse nível", deLint diz, ainda recostado sobre um cotovelo de modo que o torso dele ficava fora do campo de visão e ele era só pernas e uma voz na orelha gelada de Steeply. "Cada um tem uma força diferente, áreas do jogo em que eles são melhores, e você pode se afundar nisso de descrever um jogo ou um jogador em termos de forças diferentes e do número de forças individuais."

"Eu não estou aqui para descrever o menino", Steeply disse, mas em francês de novo.

DeLint o ignorou. "Não é só isso das forças e da quantidade de forças. É como elas se juntam para produzir um jogo. Quanto o menino é completo. Será que ele tem um jogo. Aqueles meninos na hora do almoço que você encontrou."

"Mas não pude falar com eles."

"O menino com aquele chapéu imbecil, o Pemulis, o Mike tem uns voleios geniais, ele nasceu pra jogar na rede, uma coordenação olho-mão genial. A outra força do Mike é que ele tem o melhor lob dos juvenis da costa leste, não tem pra ninguém. Essas são as forças dele. A razão desses dois meninos que você está vendo nesse exato momento aqui conseguirem acabar com a raça do Pemulis é que as forças do Pemulis não lhe dão um jogo completo. Voleios são um golpe ofensivo. Um lob é uma arma de jogador de fundo, um contragolpe. Não dá pra você ficar lobando na rede ou voleando da linha de fundo."

"Ele está dizendo que as competências de Pemulis se cancelam",[275] Poutrincourt disse na outra orelha.

DeLint fez o pequeno salaam da iteração. "As forças do Pemulis se cancelam. Agora Todd Possalthwaite, o menino menorzinho com a bandagem no nariz por causa daquela coisa de escorregar no sabonete no banho e tal, o Possalthwaite também tem um grande lob, e por mais que o Pemulis fosse ganhar dele agora puramente pela idade e pelo vigor Possalthwaite é que é o jogador tecnicamente superior com um futuro melhor, porque o Todd construiu um jogo completo em cima do lob."

"Isso deLint está errado", Poutrincourt disse em québecois, sorrindo ricticamente sobre Steeply para deLint.

"Porque o Possalthwaite não sobe pra rede. O Possalthwaite fica no fundo a qualquer custo, e ao contrário do Pemulis ele trabalha para desenvolver as bolas longas que permitem que ele fique no fundo e atraia o outro cara e use aquele lob venenoso."

"O que quer dizer que com catorze anos o jogo dele, ele nunca vai mudar ou crescer, e se ele ficar forte e quiser atacar nunca vai conseguir", Poutrincourt disse.

DeLint demonstrou tão pouca curiosidade sobre o que Poutrincourt inseriu ali que Steeply ficou imaginando se ele não sabia lá o seu francês oculto, e marcou um ideograma particular que registrava isso. "O Possalthwaite é um estrategista defensivo puro. Ele tem uma Gestalt. O termo que a gente usa aqui pra um jogo completo é ou *gestalt* ou *jogo completo*."

Stice mandou outro ace aberto em cima de Hal na quadra de vantagem de novo, e a bola ficou presa no diamante intersticial da cerca de malha, e Hal teve que largar a raquete e usar as duas mãos para forçar a coisa a sair dali.

"De repente para o seu artigo, por outro lado, o resumo desse garoto, o irmão do punter — o Hal não tem nem metade do lob do Possalthwaite, e comparado com o Ortho ou o Mike o jogo de rede dele é simplório. Mas ao contrário do irmão quando estava aqui, olha só, as forças do Hal começaram a se encaixar. Ele tem um puta saque, uma puta devolução de saque e uns golpes de fundo geniais mesmo, com um controle e um toque finíssimos, um puta controle de toque e de spin; e ele consegue pegar um jogador defensivo e sacudir o garoto de um lado pro outro com esse controle superior, e consegue pegar um jogador ofensivo e usar a força das bolas do cara contra ele."

Hal mandou uma passada de backhand na paralela, a bola tinha toda a cara de que ia cair dentro, e aí no último segundo possível ela desviou, uma curva abrupta e fechada para fora da linha como se alguma rajada doida tivesse aparecido do nada e soprado a bola, e Stice ficou com uma cara mais surpresa do que Hal. O rosto do irmão do punter não registrava nada enquanto ele ficou ali parado no canto de vantagem, ajustando alguma coisa nas cordas.

"Mas quem sabe chegue-se a isso, para vencer. Imagine você. Você se torna exatamente o que deu a vida para ser. Não meramente bom mas o melhor. A boa filosofia daqui e de Schtitt — eu acredito que essa filosofia de Enfield é mais canadense que americana, então você pode ver que eu tenho preconceito — é que você também precisa ter — então, deixe de um lado por um momento o talento e o trabalho para virar a melhor — que você está condenado[276] se não tiver também por dentro alguma capacidade de transcender o objetivo, transcender o sucesso do melhor, se chegar lá."

Steeply podia ver, lá no estacionamento atrás do horrendo cubão neogeorgiano do prédio Comunitário-Administrativo, vários menininhos carregando e arrastando sacos plásticos brancos para o ninho de lixeiras que ficava no limite dos pinheiros nos fundos do estacionamento, crianças pálidas e de olhos estalados conversando entre si e dando olhadas ansiosas por todo o terreno para a plateia atrás da Quadra de Exibição.

"Então", Poutrincourt disse, "e para os que de fato se tornam as étoiles, os de sorte ganham matérias e fotografias para leitores e na religião dos EUA *dão certo*, eles devem ter alguma coisa embutida neles ao longo do caminho que vai permitir que transcendam isso tudo, ou estão condenados. Nós vemos isso na experiência. Vê-se isso em todas as culturas de busca obsessivamente centradas em objetivos. Veja os *japonois*, as taxas de suicídio dos últimos anos deles. Essa tarefa de nós na Enfield é ainda mais delicada, com as étoiles. Pois, você, se você atinge seu objetivo e ainda não conseguiu achar alguma maneira de transcender a experiência de ter aquele objetivo como a sua existência total, sua *raison de faire*,[277] então, aí, uma de duas coisas nós vamos ver que vai acontecer."

Steeply tinha que ficar respirando na caneta para evitar que a ponta congelasse.

"Uma, é que você atinge o objetivo e percebe a chocante percepção de que atingir o objetivo não completa nem redime você, não deixa tudo em sua vida 'OK' como, em sua cultura, você é educado para presumir que vai, o objetivo, fazer isso. E aí você enfrenta esse fato de que o que você tinha achado que ia ter o sentido não tem o sentido quando consegue, e você é empalado pelo choque. Nós vemos suicídios na história das pessoas nesses pináculos; as crianças aqui são bem versadas no que se chama a saga de Eric Clipperton."

"Com dois *p*?"

"Bem assim. Ou a outra possibilidade condenada, para as étoiles que atingem. Elas atingem objetivo, assim, e investem tanta paixão em celebrar o atingimento quanto tinham investido na busca do atingimento. Isso se chama aqui a Síndrome da Festa Infinita. A celebridade, dinheiro, comportamentos sexuais, drogas e substâncias. O brilho. Eles se tornam celebridades em vez de jogadores, e como são celebridades só enquanto alimentam a fome da cultura-de-objetivo pelo *dar-certo*, a vitória, eles estão condenados, porque você não pode ao mesmo tempo celebrar e sofrer, e jogar é sempre sofrer, bem assim."

"O nosso melhor menino é melhor que o Hal, você vai ver ele jogar amanhã se quiser, John Wayne. Nada a ver com o John Wayne de verdade. Um compatriota aqui da nossa Terry." Aubrey deLint estava sentado reclinado ao lado deles, com o frio dando às suas bochechas esburacadas um segundo rubor, dois febris ovais arlequinados. "John Wayne tem uma gestalt porque Wayne simplesmente tem tudo, e tudo com ele tem o tipo de velocidade que um cara de toque refinado e um pensador como o Hal simplesmente não consegue encarar."

"Essa era a filosofia do fundador, também, da condenação, o pai do punter Incandenza, que também pelo que me dizem se meteu com cinema?", Steeply perguntou à canadense.

O dar de ombros de Poutrincourt pode ter significado coisas demais para uma simples anotação no caderninho. "Eu cheguei depois. M. Schtitt, o objetivo diferente dele para as étoiles é caminhar entre eles." E Steeply também não percebeu direito as mudanças de dialeto da mulher. "Mapear algum caminho entre precisar do sucesso e fazer zombaria do sucesso."

DeLint se aproximou. "O Wayne tem tudo. A força do Hal veio a ser saber que ele não tem tudo, e construir um jogo tanto a partir do que lhe falta quanto do que ele tem."

Steeply fingiu rearrumar o gorro mas na verdade estava ajeitando a peruca. "Soa tudo incrivelmente abstrato pra uma coisa tão física."

O dar de ombros de Poutrincourt lhe empurrou um pouco os óculos. "É contraditório. Dois eus, um não aqui. M. Schtitt, quando o Fundador da Academia morreu…"

"O pai do punter, que se metia com cinema." O suéter de mangas raglã de Steeply tinha sido da mulher dele.

De novo balançando neutramente a cabeça, Poutrincourt: "Esse Fundador acadêmico, M. Schtitt conta que esse Fundador era um pesquisador de tipos de visão".

DeLint disse: "Os únicos limites possíveis do Wayne são também a sua força, uma aplicação e uma determinação de aço-tungstênio, a insistência em impor o jogo e a vontade dele sobre o outro cara, totalmente avesso a mudar o ritmo do jogo se não estiver se saindo bem. O Wayne tem o toque e os lobs para ficar no fundo num dia mais fraco, mas não faz isso — se ele estiver atrás ou as coisas não estiverem dando certo, ele simplesmente bate mais forte. A velocidade das bolas dele é tão absurda que ele consegue ser inflexível e atacar sempre contra os juvenis da América do Norte. Mas no Circuito, porque o Wayne vai se profissionalizar quem sabe até já no ano que vem, no Circuito a flexibilidade é mais importante, ele vai ver. Como dizer, uma humildade."

Poutrincourt estava olhando para Steeply quase descuidadamente, quase parecia. "A pesquisa não era tanto de como se vê uma coisa, mas desta relação entre si e o que se vê. Ele traduziu isso numerosamente por vários campos diferentes, M. Schtitt diz."

"O filho descreveu o pai entre aspas como 'vítima de disforia de gênero'."

Poutrincourt pôs a cabeça de lado. "Isso não parece coisa de Hal Incandenza."

DeLint fungou carnudamente. "Mas a maior vantagem da gestalt de Wayne sobre Hal é a cabeça. Wayne é pura força. Ele não sente medo, pena, remorsos — quando um ponto acaba, parece que ele nunca existiu. Para o Wayne. O Hal na verdade tem golpes de fundo melhores que os do Wayne, e podia ter a velocidade das bolas do Wayne se quisesse. Mas o motivo de o Wayne ser Três continentalmente e o Hal ser Seis é a cabeça. O Hal parece totalmente morto lá fora, mas ele é mais vulnerável em termos de tipo, do emocional. Hal lembra dos pontos, sente tendências dentro de um jogo. O Wayne não. Hal é suscetível a flutuações. Desencorajamento. Lapsos de concentração que duram um set inteiro. Tem dias em que quase dá pra ver o Hal acender e apagar durante o jogo, como se uma parte dele fosse embora e voasse pelo ar e aí voltasse."

O tal do Troeltsch disse *"Pela* madrugada."

"Então sobreviver aqui para depois é, finalmente, ter as duas coisas", Thierry Poutrincourt disse baixo, num inglês quase sem sotaque, como que para si própria.

"Essa suscetibilidade emocional em termos de esquecer sendo mais comumente uma coisa feminina. Schtitt e eu achamos que é uma questão de disposição. Disposições mais suscetíveis são mais comuns nas melhores meninas daqui. Vemos isso na Longley, na Millie Kent e na Frannie Unwin. Nós não vemos essa disposição desligada nas Vaughts, ou na Spodek, que você pode ver jogar se quiser."

O tal do Troeltsch disse: "Será que dava pra gente ver esse lance de novo, Ray?".

Steeply estava olhando para o perfil de Poutrincout enquanto deLint do outro lado dizia: "Mas quem mais tem isso é o Hal".

14 DE NOVEMBRO
ANO DA FRALDA GERIÁTRICA DEPEND

O Grill Nau Pirata na Prospect: Matty sentado no estrondo cálido do restaurante português com as mãos no colo, olhando para o nada. Um garçom trouxe a sopa. O garçom tinha pontinhos ou de sangue ou de sopa no avental, e por nenhum motivo claro estava de fez. Matty tomou a sopa sem fazer um só ruidinho. Ele era o cara que comia direito na família. Matty Pemulis vivia de prostituição e hoje estava fazendo vinte e três anos.

O Grill Nau Pirata fica na Prospect Street em Cambridge e pelas janelas da frente tem vista para o pesado tráfego pedestre entre as praças Inman e Central. Enquanto Matty esperava pela sopa ele tinha visto do outro lado do restaurante e do vidro da janela da frente uma velhinha tipo sacolinha de supermercado com várias camadas de roupas erguer a saia, se abaixar na calçada e fazer seu intestino velho e crafulento funcionar bem ali diante de todos os olhos de passantes e clientes do restaurante ao mesmo tempo, aí juntar as sacolinhas de supermercado, sair estólida e sumir. A pilha de excremento ficou ali na calçada, soltando um pouquinho de vapor. Matty tinha ouvido os universitários da mesa ao lado dizerem que não sabiam se morriam de nojo ou corriam de noia.

Um menino grande e taludo, com uma cara grande e comprida, um cabelinho curto e cerrado e um sorriso e um queixo de fazer a barba duas vezes por dia desde os catorze. Agora perdendo delicadamente o cabelo atrás e com uma testa alta e limpa. Um sorriso permanente que parecia sempre que ele estava tentando mas simplesmente não conseguindo evitar. O Paiê dele sempre antigamente dizendo para ele Cortar Essa.

Inman Square: Pequena Lisboa. A sopa tem pedacinhos de lula que fazem os músculos do rosto dele saltarem ao mastigar.

Agora dois brasileiros de bocas-de-sino e sapatos altos pela calçada do outro lado da janela por cima da cabeça dos fregueses, o que podia ser uma briga de rua incipiente, um caminhando para a frente e o outro para trás, se encarando enquanto andam, cada um deles passando perto da bolota de excremento na calçada, falando português-de-rua em altos brados, abafado pelas janelas e o estrondo cálido, mas cada um deles olhando em volta aí apontando para o próprio peito tipo: "Você está dizendo essa merda aí pra *mim*?". Aí o cara que ia para a frente disparando de repente e levando os dois para fora do quadro da janela.

O Paiê do Matty tinha chegado num barco de Louth em Lenster em 1989. Matty tinha três ou quatro anos. O Paiê trabalhou nas docas da região sul, enrolando umas cordas da grossura de um poste de telefone para formar uns cones bem altos, e morreu quando o Matty tinha dezessete anos, de problemas pancreáticos.

Matty ergueu os olhos do pãozinho que estava molhando na sopa e viu duas moças inter-raciais abaixo do peso passarem pela janela, uma negra, nenhuma delas sequer olhando para a merda de que todo mundo está desviando; aí alguns segundos atrás delas o Coitado do Tony Krause, que por causa da calça e do boné Matty nem reconheceu como o Coitado do Tony Krause até ter baixado os olhos e aí erguido de novo: o Coitado do Tony Krause estava com uma cara pavorosa: chupada, olhos fundos, mais que doente, pé-na-cova, a pele do rosto dele era do branco-esverdeado da vida marítima de profundidades extremas, mais morta-viva que viva, identificável como o coitado do Coitado do Tony Krause só pelo boá, o casaco de couro vermelho e uma certa maneira de manter a mão no oco da garganta enquanto andava, aquela maneira de andar que Equus Reese sempre disse que sempre fazia ele se lembrar das estrelas do tempo do preto e branco descendo escadarias curvas para entrar em alguma festa black-tie, o Krause nunca andava de verdade mas fazia era uma série infinita de entradas triunfais em cada pequena região de espaço, um porte altivo de rainha que agora era ao mesmo tempo nauseabundo e atordoante dado o estado fantasmático de Krause, passando pela janela do Grill, com os olhos nas ou olhando além das duas magrelinhas que marchavam diante dele, seguindo as duas até saírem pela direita da janela.

O Paiê tinha começado a foder o cu de Matty quando Matty tinha dez anos. Uma *foda da bunda*. Matty lembrava nos mínimos detalhes a coisa toda. Ele tinha visto casos em que pessoas que passaram por coisas desagradáveis quando eram crianças bloqueavam as coisas desagradáveis na mentalidade lá delas de adultas e esqueciam. Não o Matty Pemulis. Ele lembrava de cada centímetro e de cada verruguinha de cada uma das vezes. O pai dele na frente do quartinho em que Matt e Micky dormiam, tarde da noite, o risco olho-de-gato de corredor iluminado pela fresta da porta que o Paiê tinha aberto, a porta de dobradiças bem lubrificadas abrindo com a lentidão implacável de uma lua que sobe no céu, a sombra do Paiê se alongando pelo chão e aí o homem em si próprio se infiltrando por trás dela, atravessando o piso enluarado com uma meia cerzida e aquele cheiro que depois Matty veio a saber que era cerveja pesada mas que naquela idade ele e o Mickey chamavam de outra coisa, quando sentiam. Matty ficou deitado fingindo dormir; ele não sabia por que nessa noite fingiu não saber que ele estava ali; ficou com medo. Mesmo na primeira vez.

O Micky tinha só cinco anos. Todas as vezes foi a mesma coisa. O Paiê bêbado. A rota pelo piso do quarto. Uma certa furtividade. Dando um jeito qualquer de nunca quebrar o pescoço nos caminhões e carrinhos de brinquedo espalhados pelo chão, que estavam ali naquela primeira vez por acaso. Sentando na beira da cama de modo que o seu peso mudava o ângulo da cama. Um sujeito grande cheirando a tabaco e algo mais, com a respiração sempre audível quando bebia. Sentado na beira da cama. "Acordando" Matty aos sacudões até um ponto em que Matty tinha que fingir que acordava. Perguntando se ele estava dormindo, no soninho, ali, por acaso. Ternura, carícias que de alguma maneira passavam um nadinha da vera linha da afeição paterna étnico-irlandesa, a liberalidade emocional de um sujeito sem Green Card que se arrebentava todo dia para ganhar o sustento da família. Carícias que ficavam de alguma maneira muito vaga algo logo além daquele limite e da liberalidade emocional de outra coisa, embriagada, quando todas as regras de comportamento eram suspensas e você nunca sabia de um minuto para o outro se ia ganhar um beijo ou um tabefe — impossível de dizer e até de saber como elas passavam por pouco esses limites. Mas passavam, as carícias. Ternura, carícias, hálito baixo, delicado, quente, doce demais, ruim demais, desculpas baixinhas por algum rompante de selvageria ou de disciplina no dia que passou. Um jeito de cobrir a bochecha e o queixo ainda quentes do travesseiro com a palma da mão, o dedo mínimo imenso riscando o oco entre garganta e queixo. Matty se encolhia: tá tímido filhinho tá com medo? Matty se encolhia mesmo depois de saber que o medo e o encolhimento eram parte do que causava aquilo, pois o Paiê ficava bravo: mas tá com medo de quem? Quem é que cê é, um filho meu, pra ficar com medo do próprio pai? Como se o Paiê que se arrebentava diariamente não fosse mais que um. Será que um Paiê não pode demonstrar um pouco de amor pelo filho sem ser considerado um. Como se o Matty pudesse ficar ali com aquela comida dentro dele embaixo de um cobertor que ele tinha comprado e pensar que o Paiê dele não era melhor que um. É de uma foda que cê tá com medo, então. Cê acha que um pai que vem falar com o filho e dá um abraço nele como pai só tá pensando em foda? Como se o filho fosse uma putinha de quarenta dólares do cais do porto? Como se o pai fosse um. É isso que cê acha que eu sou. É isso que cê acha que eu sou então. Matty se encolhendo num travesseiro achatado que o Paiê tinha comprado, as molas da cama de armar cantando sob seu medo; ele tremia. Ora mas então eu tou bem a fim é de te dar bem isso que te dá medo. Que cê me considera. Matty soube logo cedo que esse medo dava combustível àquilo de alguma maneira, fazia o Paiê querer. Ele não conseguia não sentir medo. Ele tentava e tentava, se xingava de covarde e dizia que merecia, tudo menos chamar o pai de. Levou anos para ele se ligar que o Paiê ia ter feito *foda* com ele de qualquer jeito. Que o evento estava todo traçado antes da primeira linha estreita de luz da porta se abrir, e que o que quer que Matty sentisse ou traísse não fazia diferença. Uma vantagem de não bloquear é que você pode se tocar das coisas depois, sob um ângulo mais maduro; pode sacar que filho nenhum neste planeta podia de qualquer maneira causar aquilo, não mesmo. Numa certa idade posterior ele começou a ficar ali deitado quando o seu Paiê o sacudia e fingir que continuava dormindo, mesmo quando os sacudões chegavam ao ponto de fazer os dentes dele baterem numa boca que estava com o leve sorriso que Matty tinha decidido que o rosto das pessoas que dormiam de verdade sempre tinha. Quanto mais seu pai o sacudia, tanto mais Matty apertava os olhos e tanto mais rígido ficava o leve sorriso e mais altos os ruídos do ronco de desenho animado que ele alternava com assovios alternados. Mickey lá no berço ao lado da janela sempre quieto como um túmulo, de lado, de rosto para a parede e escondido. Nunca uma só palavra entre eles sobre qualquer coisa além das chances de ganhar um beijo v. um tabefe. Finalmente o Paiê agarrava os ombros dele e o virava com um barulho de nojo e frustração. Matty achava que só o cheiro do medo de repente já bastava para ele merecer aquilo, até que (mais tarde) ele atingiu uma perspectiva mais madura. Ele lembrava o som oval da tampa saindo do pote de vaselina, aquele plop especial de pedra-na-lagoa daqueles potinhos (que não eram à-prova-de-crianças nem numa era de tampas à-prova-de--crianças), ouvindo o Paiê resmungar enquanto passava a vaselina em si próprio, sentindo o horrendo dedo gelado no meio do corpo enquanto o Paiê lambrecava aquilo grosseiramente em volta do botão de rosa de Matty, sua estrela negra.

Foi somente o ponto de vista mais maduro de anos e experiência que permitiu a Matty achar algo que agradecer, que o Paiê pelo menos tinha usado um lubrificante. As origens da nítida familiaridade do homenzarrão com aquilo e o seu uso noturno nem mesmo a perspectiva adulta conseguia iluminar, deixar Matty se ligar, ainda, agora, com vinte e três.

Se você ouve, digamos, *cirrose* e *pancreatite aguda*, você pensa no indivíduo agarrando o meio do corpo que nem um ator de filme antigo que tomou um tiro na barriga e caindo silenciosamente de lado para o descanso eterno de pálpebras cerradas e rosto composto. O pai de Matty tinha morrido afogado com o sangue que aspirou, um verdadeiro chafariz do sangue mais escuro que existe, Matty coberto como que de um spray ferrugem no que segurava os pulsos amarelos do sujeito e a Manhê se arrastava pesada pelo hospital para chamar o pessoal da emergência. Partículas aspiradas que eram tão terrivelmente finas, tipo quase atomizadas, que podiam pairar no ar como o próprio ar sobre a cama de grades em que o sujeito expirou, olhos de um amarelo felídeo bem abertos e rosto contorcido no mais pavoroso esgar rictificado de dor, desconhecidos (se é que os houve) seus últimos pensamentos. Matty ainda brindava à última lembrança do sujeito com sua primeira dose, sempre que se permitia.[278]

11 DE NOVEMBRO
ANO DA FRALDA GERIÁTRICA DEPEND

Assim que acaba o jantar Hal vai até a sala de Schtitt que dá para o saguão do Com.-Ad. para fazer de conta que quer saber o que foi que deu tão errado contra o Stice. Também de repente para ter uma luzinha do motivo dele ter jogado com o Trevas em público em primeiro lugar, tão perto do WahatBurger. I. e., tipo o que

701

podia ter significado aquele amistoso. Essa tensão infinita entre os ATES sobre como os técnicos veem você, avaliando o teu progresso — são as tuas ações subindo ou descendo. Mas A. deLint é a única pessoa ali, trabalhando num mapa meio planilhístico gigante, deitado de bruços e sem camisa no chão nu com o queixo na mão e um pincel atômico de cheiro forte, e diz que Schtitt saiu de moto para comprar doce em algum lugar, mas senta aí. Parece que se referindo a uma cadeira. Então Hal se vê sujeito a vários minutos da visão de deLint sobre o jogo, com estatística e tudo mais, direto da cabeça do pró-reitor. As costas de deLint são pálidas e consteladas com furinhos vermelhos de antigas espinhas, embora as costas não sejam nada comparadas às costas de Struck ou Shaw. Há uma cadeira de vime e uma cadeira de madeira. A tela de cristal líquido do laptop de deLint pulsa cinzenta no chão ao lado dele. A sala de Schtitt é excessivamente iluminada e não há sinal de pó, nem nos cantinhos. As luzes do sistema de som de Schtitt estão acesas mas nada está tocando. Nem Hal nem deLint mencionaram a presença da jornalista de Orin nas arquibancadas durante o jogo, nem a longa conversa da mulherona com Poutrincourt, que foi conspícua. Os nomes de Stice e de Wayne estão no alto de um grande mapa no chão, mas o nome de Hal não está. Hal comenta que não sabe dizer se cometeu algum tipo de erro tático fundamental ou se simplesmente ele não estava lá essas coisas hoje ou sei lá o quê.

"Você simplesmente não chegou a acontecer de verdade lá fora, garoto", deLint avalia para ele. Ele puxou umas cifras para confirmar isso, esse não acontecimento. Essa escolha de palavras faz Hal gelar até os ossos.

Depois disso, durante o que deveria ser o período compulsório de estudo noturno, e apesar dos três capítulos de estudo que a sua agenda de estudo exige, Hal fica sentado sozinho na Sala de Vídeo 6, com a perna ruim esticada sobre o sofá em que está sentado, dobrando o tornozelo ruim distraído, segurando a outra perna contra o peito, apertando uma bola mas com a mão com que não joga, mascando Kodiak e cuspindo direto num cesto de lixo sem saco dentro, expressão neutra, assistindo alguns cartuchos dos entretenimentos de seu falecido pai. Qualquer pessoa que desse uma olhada nele ali nesta noite diria que Hal estava deprimido. Ele assiste diversos cartuchos todos um atrás do outro. Assiste *O século americano visto por um tijolo* e *Acordo pré-nupcial do céu e do inferno* e aí um pedaço de *Um valioso cupom foi removido*, que é de enlouquecer porque é só um monólogo de um sujeitinho de óculos contemporâneo de Miles Penn e Heath Pearson que era quase tão ubíquo quanto Reat e Bain na obra de Sipróprio mas cujo nome neste exato momento Hal não consegue nem a pau lembrar. Ele assiste pedaços de *Morte em Scarsdale* e *União dos publicamente ocultos em Lynn*, *Várias pequenas chamas* e *Tipos de dor*. A Sala de Vídeo tem um revestimento de isolamento por trás do papel de parede e é essencialmente à prova de som. Hal assiste metade daquela coisa de "*A Medusa v. a Odalisca*" mas tira o cartucho de repente quando as pessoas na plateia começam a virar pedra.

Hal tortura a si próprio imaginando figuras amorenadas de olhares enviesados ameaçando torturar várias pessoas queridas se Hal não conseguir lembrar o nome do menino de *Um valioso cupom* e *Civismo de baixa temperatura* e *Tchau-tchau, burocrata.*

Há dois cartuchos nas prateleiras de vidro da sv6 com Sipróprio sendo entrevistado em vários fóruns tipo de cabo comunitário, que Hal declina ver.

O trépido tremular da luz e a vaga alteração na pressão da sala são as fornalhas da ATE entrando em funcionamento bem lá embaixo nos túneis sob o Com.-Ad. Hal muda de posição inquieto no sofá, cuspindo na lata de lixo. O vaguíssimo aroma de poeira queimada vem também da fornalha.

Um pequeninho e didático que Hal curte e vê duas vezes seguidas é *Tchau--tchau, burocrata*. Um burocrata em algum tipo de complexo de escritórios estéril e de lâmpadas fluorescentes é um trabalhador fantasticamente eficiente quando está acordado, mas tem dificuldades terríveis para acordar de manhã, e sempre chega atrasado ao trabalho, o que numa burocracia é idiossincrático, fora-da-ordem e totalmente inaceitável, e vemos esse burocrata ser chamado para o cubículo de vidro marchetado do seu supervisor, e o supervisor, que usa um terninho severamente demodê com o colarinho da camisa saindo por cima das duas lapelas cor de ferrugem, diz ao burocrata que ele é um bom trabalhador e um homem de respeito, mas que esse atraso crônico matutino simplesmente não rola aqui, e que se isso acontecer só mais uma vez o burocrata vai ter que encontrar outro complexo de escritórios com lâmpadas fluorescentes para trabalhar. Não é por acaso que numa burocracia ser demitido se chama ser "cortado", como uma eliminação ontológica, e o burocrata sai do cubículo do supervisor devidamente abalado. Naquela noite ele e sua esposa reviram a casa Bauhaus deles reunindo todos os despertadores que possuem, todos eles elétricos, digitais e extremamente precisos, e entopem o quarto de despertadores, até haver coisa de doze relógios todos com seus alarmes digitais programados para 0615h. Mas naquela noite há um apagão, e todos os relógios perdem uma hora ou só ficam lá piscando 0000h sem parar, e o burocrata também dorme além do devido na manhã seguinte. Ele acorda tarde, fica ali um momento encarando o 0000 piscante. Dá um gritinho, agarra a cabeça, veste qualquer roupa amarrotada, amarra o sapato no elevador, faz a barba no carro, furando sinais vermelhos até chegar à estação de trem. O trem das 0816 para a Cidade encosta no nível inferior da estação bem quando o carro do burocrata alucinado canta os pneus no estacionamento da estação, e o burocrata consegue ver o topo do trem ali parado do outro lado do estacionamento. É o último dos últimos trens temporalmente viáveis: se o burocrata perder esse trem vai chegar atrasado de novo e ser cortado. Ele encosta numa vaga para Deficientes, deixa o carro ali todo torto, salta a catraca e desce a escada que leva à plataforma de sete em sete degraus, suarento e de olhos esbugalhados. As pessoas gritam e pulam para sair do caminho dele. Enquanto dispara pela longa escadaria ele conserva os olhos alucinados nas portas abertas do trem das 0816, querendo mantê-las abertas por mais um segundo com a força da vontade. Finalmente, filmado numa câmera lenta glacial, o burocrata salta do sétimo degrau de baixo para cima e se atira na direção das portas abertas do trem, e bem a meio-arremesso tromba de cara com um menininho de rosto simpático, óculos grossos, gravatinha-borboleta e esses shortinhos de estudante nerd que vem cambaleando pela plataforma sob uma alta braçada de pacotes cuidadosamente embrulhados. Catrunsk, eles colidem. Burocrata e menino ficam tontos com o impacto. Os pacotes do menino saem voando pra tudo quanto é lado. O menino recupera o equilíbrio e fica ali atordoado, óculos e gravatinha-borboleta enviesados.[279] O burocrata olha enlouquecidamente do menino para a bagunça de pacotes e para as portas do trem, ainda abertas. O trem vibra. O seu interior tem lâmpadas fluorescentes e montes de burocratas empregados e ontologicamente seguros. Dá para ouvir o locutor no PA da estação dizendo alguma coisa miudinha e embolada sobre partidas. O fluxo de tráfego pedestre da plataforma se cinde em torno de burocrata e menino atordoado e bagunça de pacotes. Ogilvie uma vez passou uma aula inteira palestrando sobre o personagem desse menino como um exemplo da diferença entre antagonista e deuteragonista no drama moral; ele tinha mencionado o nome do ator mirim trocentas vezes. Hal tenta se dar pancadas bem acima do olho direito várias vezes, para soltar o nome preso ali. Os olhos saltados do burocrata do filme ficam indo de um lado para o outro entre as portas abertas do trem e o menino, que olha fixamente para ele, quase analítico, com olhos grandes e líquidos por trás das lentes. Hal não lembra quem fazia o burocrata, também, mas é o nome do menino que o deixa louco. O burocrata está se inclinando na outra direção, bem mais para perto das portas do trem, como se até suas células estivessem sendo sugadas naquela direção. Mas ele fica olhando para o menino, para os pacotes, lutando consigo mesmo. É nitidamente um momento de conflito interno, um dos pouquíssimos nos filmes de Sipróprio. Os olhos do burocrata de repente se recolhem aos seus lugares normais dentro das órbitas. Ele dá as costas para as portas fluorescentes, se inclina para o menino, pergunta se ele está bem e diz que tudo vai ficar bem. Ele limpa os óculos do menino com o lenço que traz no bolso, pega os pacotes do menino. Mais ou menos na metade dos pacotes o PA emite algo definitivo e as portas do trem se fecham com um zumbido pressurizado. O burocrata delicadamente recarrega o menino de pacotes, bem ajeitadinhos. O trem parte. O burocrata fica vendo o trem partir, sem nenhuma expressão. Vá lá saber o que ele está pensando. Ele ajeita a gravatinha-borboleta do menino, ajoelhado como os adultos fazem quando estão cuidando de uma criança, e diz que lamenta o encontrão e que está tudo bem. Ele se vira para ir embora. A plataforma agora está quase vazia. Agora o momento esquisito. O menino estica o pescoço pela lateral dos pacotes, ergue os olhos para o sujeito quando ele começa a se afastar:

"Senhor?", o menino diz. "O senhor é Jesus?"

"Bem que eu gostaria", o ex-burocrata diz por cima do ombro, se afastando, enquanto o menino dá uma rearrumada nos pacotes e libera uma mãozinha para dar adeus para as costas do sobretudo do sujeito enquanto a câmera, que agora se revela estar presa à traseira do 0816, recua da plataforma e ganha velocidade.

Tchau-tchau, burocrata continua sendo o favorito de Mario entre todos os entretenimentos do falecido pai deles, possivelmente por causa da sua sinceridade anticool. Ainda que para Mario ele sempre sustente que aquilo é basicamente brega, Hal secretamente gosta, também, do cartucho, e gosta de se projetar imaginariamente no personagem do ex-burocrata no tranquilo caminho de volta para casa e para o corte ontológico.

Como uma espécie estranha de autopunição, Hal também planeja se sujeitar aos horríveis *Diversão mordaz* e *Fotos de ditadores famosos quando bebês*, e aí finalmente a um dos sucessos póstumos de Sipróprio, um cartucho chamado *Irmã de Sangue: uma freira de matar* que ele sempre achou meio que gratuitamente sujo e complicado demais, mas que Hal não tem ideia de que esse entretenimento específico na verdade germinou da única, breve e desagradável experiência de James O. Incandenza com o AA de Boston, no meio dos anos 90 AS, quando Sipróprio durou dois meses e meio e aí foi gradualmente se afastando, desanimado com a teologia simplística e os dogmas disfarçados. Des-Bob-Hopificado, Hal cospe bem mais do que é sua norma, agora, e também gosta de estar com a lata de lixo bem pertinho caso precise vomitar. Naquela tarde ele teve lhufas de sentido cinestésico: não conseguia sentir a bola na raquete. A náusea dele não tem nada a ver com ter assistido os cartuchos do pai. Nesse último ano o braço dele foi uma extensão da mente e a raquete uma extensão do braço, agudamente sensível. Cada cartucho é um disquete preto cuidadosamente rotulado; o empréstimo de cada um deles foi devidamente registrado na prancheta perto da estante de livros ovaloide e eles estão carregados nos slots à espera de cair, um por um, e ser digitalmente decodificados.

14 DE NOVEMBRO
ANO DA FRALDA GERIÁTRICA DEPEND

C. do T. Krause: N. Cambridge: aquela infame sensação enganosa de bem-estar pós-convulsão. Aquela sensação de leveza de uma febre que diminui, tipo uma virada do destino, depois de um evento neuroelétrico. O Coitado do Tony Krause acordou na ambulância deslagartado, continente e se sentindo uma maravilha. Ficou ali deitado e flertou com o paramédico reclinado sobre ele com a barba por fazer, certos duplos-sentidos lúbricos quanto a expressões como *sinais vitais* e *dilatação* até que o paramédico passou um rádio para o P. Socorro do Cambridge City para eles cancelarem a equipe de emergência. Manipulou seus braços esqueléticos numa paródia de Mínimo Mambo, ali deitado. Blablablou o aviso do paramédico de que as sensações de bem-estar pós-convulsão eram notoriamente enganosas e passageiras.

E aí também a pouco mencionada vantagem de ser miserável e estar de posse de um Cartão de Saúde que expirou e que não está nem no teu nome: os hospitais te mostram um tipo de respeito ao contrário, um lugar como o Cambridge City cede graciosamente à tua vontade de ir embora; eles assim subitamente se dobram ao teu conhecimento diagnóstico subjetivo do que te aflige, condição pós-convulsão esta que você está sentindo que dobrou a esquina rumo a melhoras: eles cedem à tua vontade quixotesca: você não pode pagar o hospital e eles não querem pagar pra ver: eles respeitam os teus desejos, elogiam o teu mambo e dizem Vai com Deus.

Mas que bom que você não está vendo com que cara está.

E a serendipidade do Cambridge City ser logo a oito quadrinhas de distância na Cambridge St. e aí rumo sul pela Prospect, atravessando o ar mentolado do outono, pela Inman Square e até a Entretenimento Antitoi, talvez o último dos últimos lugares em que um sujeito com disforia de gênero renovado, pós-convulso, na maré-enchente diagnóstica conquanto ainda meio sacudido pode esperar contar com alguma bondade, crédito farmacológico, depois das questões com Wo, a Biblioteca Copley e o coração.

O tijolão do prédio do hospital atrás de Krause no crepúsculo roxo. Os ríspidos estalos de seus saltos na calçada, boá semiformalmente frouxo sobre os ombros e correndo pelos braços, mão segurando colarinho de couro vermelho fechado na garganta, cabeça erguida e se mantendo assim por conta própria, olhos firmes encarando com dignidade blasé os olhos de quem quer que passe. A dignidade de um homem que se ergueu pela força da vontade das cinzas da Abstinência e agora está na maré-enchente e cheio de perspectivas e de canadenses potencialmente atenciosos pela frente. Uma criatura encantadora e potencialmente mais uma vez no futuro não tão distante encantadora com os apetrechos renovados com que olhar nos olhos dos pedestres da Inman Sq. que se desviavam em ângulos agudos dos odores residuais de cubículo de banheiro masculino e vômito de metrô, as cinzas de que ele tinha sido resgatado e se erguido uma vez mais, se sentindo mais que uma maravilha. Uma lasca de unha de lua pendendo de lado sobre uma igreja tetrapinaculada. E as estrelas emergentes são ioiôs, você sente, depois de uma convulsão: o Coitado do Tony sente que poderia expulsá-las, reconvocá-las, a seu bel-prazer.

A maneira com que o Coitado do Tony Krause, Lolirmã e Susan T. Queijo se tornaram coadjuvantes mercenários de algo que o severo Bertraund Antitoi tinha pedido que elas chamassem de *"Front-Contre-ONANisme"* era que, em troca de uma trouxinha hipermalhada para dividir em seis, Lolirmã, Susan T. Queijo, C. do T. Krause, Bridget Furiquinho, Equus Reese e o falecido Stokely ("Estrela Negra") McNair tinham que usar casacos idênticos de couro vermelho, perucas castanhas, saltos altos e ir ficar à toa na frente do saguão do Hotel Sheraton Commander da Harvard Square com seis mulheres masculinizadas com as mesmas perucas e casacos enquanto um/a andrógino/a quebequense insurgente que enchia casaco de um jeito que fez a Bridget Furiquinho enfiar as unhas nas palmas das mãos de pura inveja verdinha de raiva passava pelas portas giratórias de acrílico do Commander e caminhava decididamente para o Salão de Baile Epaulet lotado de gente e jogava resíduos violeta nojentos e semilíquidos na cara do ministro canadense de Comércio Inter-ONAN, que estava dando uma coletiva para a imprensa dos EU num parlatório com formato de folha. Esperava-se então que os chamarizes ficassem correndo histericamente pelo saguão, os doze, e aí corressem para as portas giratórias e se dispersassem em doze vetores diferentes enquanto a andrógina figura quebequense se mandava do Salão de Bailes

Epaulet e do saguão perseguida por homens de macacões brancos com fones de ouvido e subautomáticas Cobray M-11, para os caras da segurança verem idênticos vultos epicenos correndo de salto alto em diferentes direções e ficarem perdidinhos sobre quem deveriam perseguir. Susan T. Queijo e o Coitado do Tony tinham conhecido os maninhos Antitoi — dos quais só um sabia ou queria falar, e que estavam encarregados de táticas diversionárias da operação Sheraton Commander, e claramente estavam subordinados ainda a outros quebequenses de QIs bem mais altos — Krause e S. T. Q. tinham falado com eles na Taverna Ryle's da Inman Square, que tinha uma Noite da Disforia de Gênero quarta sim quarta não, e atraía gente formosa e durona, e por onde o Coitado do Tony estava passando agora (a taverna), logo depois do Grill Nau Pirata, agora só a coisa de uma quadra da lojinha de vidrarias e pegadinhas dos Antitoi, se sentindo não exatamente mal de novo mas simplesmente muito cansado depois de só cinco ou seis quadras — aquele cansaço pós-febre tipo durma-uma-semana — e está debatendo consigo se tenta ou não catar as bolsas das duas mulheres jovens e feinhas que caminham só uns passos na frente dele, ambas as bolsas pendendo apenas das mais fininhas alças tipo vestido-de-baile de ombros caídos, inter-racial, o duo, o que é raro e inquietante na Grande Boston, a negra falando a mil por hora e a branca sem responder, com aquele passinho estólido e exausto e o ar de desatenção que praticamente imploram por um roubo de bolsa, as duas com um ar de vitimização rotineira, o tipo de lassidão desmoralizada que o Coitado do Tony achava que sempre garantia um mínimo de protesto ou perseguição — se bem que a branca estava com um tênis de corrida com uma cara incrível sob a saia de tartan. De tão dedicado que o Coitado do Tony Krause estava à logística e às implicações das possíveis bolsas sacudidas diante dele como que por Deus — que diferença chegar na porta dos Antitoi com bens líquidos, para solicitar uma transação em vez de pura caridade, mais quase uma visita social que um choramingo Abstinente desprezível em busca de compaixão — de tão dedicado ao dar um passinho de lado e desviar de uma pilha impressionante de cocô de cachorro e passar pelas grandes janelas do Nau Pirata ele nem viu seu antigo colega Matty "Louca" Pemulis, uma fonte segura de compaixão, olhando para a frente, para longe e para baixo e de novo para a frente, chocado com o reconhecimento do que o Coitado do Tony chegou pelo corredor a parecer.

Geoffrey Day percebeu que a maioria dos residentes homens da Ennet tem cognomezinhos especiais para a genitália. P. ex. "Bruno", "Jake", "Presa" (Minty), "O Monge Caolho", "Fritz", "Nicanor o Músculo do Amor". Ele especula que pode ser uma coisa de classe social: nem ele nem Ewell nem Ken Erdedy deram nome para suas Unidades. Como Ewell, Day registra uma certa quantidade de dados de natureza comparativa no seu diário. Doony Glynn chamava o pênis de "Pobre Ricardinho"; Chandler Foss confessou adotar o apelido "Bam-Bam". Lenz se referia à sua própria Unidade como "O Porco Medonho". Day ia morrer antes de admitir que sentia falta ou de Lenz ou de seus solilóquios sobre o Porco, que eram frequentes. O pênis em questão era aqueles curiosos dois ou três tons mais escuro que o resto de Lenz que os pênis das pessoas às vezes são. Lenz brandia aquilo para os colegas de quarto sempre que queria enfatizar algo que dizia. Era curto, grosso e rombudo, e Lenz descrevia o Porco como um exemplo cabal do que ele chamava de Praga Polonesa, a saber, comprimento medíocre mas circunferência considerável: "Não machuca o fundo mas detona com as laterais, mano". Era essa a descrição dele da Praga Polonesa. Uma parcela surpreendente do Diário de Recuperação de Day está preenchida com citações de R. Lenz. A dispensa de Lenz tinha promovido o advogado tributarista Míni Ewell para o masculino de 3 com Day. Ewell era o único cara aqui com quem se podia ter uma conversa de qualquer tipo remoto de profundidade, então Day ficou embasbacado ao se ver, depois de algumas longas noites, quase com saudade de Lenz, da obsessão dele pelas horas, do falatório, daquela maneira de se apoiar na parede de cabeça-para-baixo só de cuecas ou de brandir o Porco.

E no que se refere à residente da Casa Ennet Kate Gompert e essa questão da depressão:

Alguns pacientes psiquiátricos — fora uma certa percentagem de pessoas que ficaram tão dependentes de químicos para obter sensações de bem-estar que quando é necessário abandonar os químicos elas passam por um trauma-de-perda que cala bem fundo nos sistemas centrais da alma — essas pessoas sabem de primeira mão que há mais de um tipo da dita "depressão". Um tipo é coisa-pouca e às vezes é chamado de *anedonia*[280] ou *melancolia simples*. É uma espécie de torpor espiritual em que você perde a capacidade de sentir prazer ou afeição por coisas anteriormente importantes. O ávido jogador de boliche larga o campeonato e fica em casa à noite encarando inerte uns cartuchos de kick-boxe. O comilão perde o apetite. O sexual descobre que sua amada Unidade de repente é só um pedaço de cartilagem sem sensações, só pendurado ali. A esposa e mãe devotada acha a ideia da família dela tão comovente, de repente, quanto um teorema de Euclides. É um tipo de xilocaína emocional, essa forma de depressão, e por mais que não seja francamente doloroso esse amortecimento é desconcertante e… enfim, deprimente. Kate Gompert sempre pensou nesse estado anedônico como uma espécie de abstração radical de todas as coisas, um ocamento das coisas que antes tinham conteúdo afetivo. Termos que os não deprimidos soltam a três por quatro e dão de barato como coisas plenas e carnudas — *felicidade, joie de vivre, preferência, amor* — são despidos até virarem apenas esqueletos, e reduzidos a ideias abstratas. Eles têm, por assim dizer, denotação mas não conotação. A pessoa anedônica ainda consegue falar de felicidade e sentido et al., mas se tornou incapaz de sentir qualquer coisa nessas palavras, de entender algo nelas, de ter alguma esperança em relação a elas ou de acreditar que elas existem como qualquer outra coisa além de conceitos. Tudo se torna um contorno da coisa. Objetos viram esquemas. O mundo vira um mapa do mundo. Uma pessoa anedônica navega, mas não tem localização. I. e., o anedônico fica, no jargão do AA de Boston, Incapaz de se Identificar.

708

Vale a pena notar que, entre os ATES mais jovens, a visão-padrão sobre o suicídio do dr. J. O. Incandenza atribui o fato de ele ter posto a cabeça no micro-ondas a esse tipo de anedonia. Isso pode ser porque a anedonia frequentemente se associa a crises que afligem pessoas extremamente focadas nos objetivos que pretendem alcançar e chegam a uma certa idade tendo alcançado tudo ou mais do que tudo que desejavam. A crise de meia-idade tipo o-que-isso-tudo-significa dos americanos. Na verdade isso na verdade não foi nem de longe o que matou Incandenza. Na verdade a presunção de que ele tinha alcançado todos os seus objetivos e descoberto que isso não conferia sentido ou alegria à sua existência diz mais dos alunos da ATE do que do pai de Orin e Hal: ainda influenciados pelas filosofias deLintianas tipo cenoura-e-porrete dos técnicos lá nas suas cidades natais em vez da escola mais paradoxal de Schtitt/Incandenza/Lyle, os atletas mais jovens que não conseguem evitar a medição de tudo o que valem segundo a sua posição num ranqueamento ordinal usam a ideia de que alcançar seus objetivos e encontrar a torturante sensação de falta de valor ainda lá no âmago de cada um como uma espécie de bicho-papão psíquico, algo que eles podem usar para justificar parar no caminho para os treinos da aurora para cheirar as flores pelas trilhas da ATE. A ideia de que alcançar os objetivos não confere automaticamente um valor interior, para eles, é, ainda, nessa idade, uma abstração, mais ou menos como a perspectiva de sua própria morte — "Sócrates É Mortal" e assim por diante. Bem no fundo, todos eles ainda veem a cenoura competitiva como o graal. Eles estão em geral só papagaiando quando invocam a anedonia. Eles são em geral criacinhas, não esqueça. Ouça qualquer tipo de conversa sub-16 que você encontra na fila do banheiro ou da comida: "E aí, como é que cê tá?", "Número oito essa semana, é aí que eu estou". Eles todos ainda veneram a cenoura. Com a possível exceção do atormentado LaMont Chu, todos eles endossam a ideia ilusória de que o segundo lugar da lista continental do masculino sub-14 sente que vale exatamente duas vezes mais que o nº 4 do continente.

Ilusório ou não, ainda é uma sorte viver assim. Mesmo que seja temporário. Pode muito bem ser que os meninos com ranqueamento mais baixo na ATE sejam proporcionalmente mais felizes que os meninos mais bem ranqueados, já que nós (que em geral não somos criancinhas) sabemos que é mais revigorante *querer* do que *ter*, ao que parece. Se bem que de repente isso é só o avesso da mesma ilusão.

Hal Incandenza, embora não tenha ideia de por que de verdade o seu pai pôs a cabeça num forno de micro-ondas especialmente alterado no Ano do Sorvete Dove Tamanho-Boquinha, tem quase certeza de que não foi por causa da anedonia-padrão dos EU. O próprio Hal não tem uma genuína emoção tipo intensidade-da-vida-interior desde que era pequenininho; ele acha que termos como *joie* e *valor* são apenas variáveis em equações rarefeitas, e consegue manipulá-los direitinho a ponto de garantir a todo mundo menos ao próprio Hal que está ali, dentro da sua carcaça, enquanto ser humano — mas na verdade ele é bem mais robótico que John Wayne. Um dos problemas dele com a sua Mães é Avril Incandenza achar que o conhece do avesso enquanto ser humano, e além de tudo um ser humano internamente valioso, quando na verdade dentro de Hal basicamente não há nada, ele sabe. A sua Mães Avril ouve os seus próprios ecos dentro dele e acha que o que está ouvindo é ele, e isso faz Hal sentir a única coisa que sente até o fim, ultimamente: solidão.

É questão de certo interesse perceber que as artes populares dos EUA da virada do milênio tratam a anedonia e o vazio interno como coisas descoladas e *cool*. De repente são vestígios da glorificação romântica do *Weltschmerz*, que significa estar cansado do mundo, ou um tédio elegante. De repente é o fato de que quase todas as artes aqui são produzidas por gente mais velha cansada do mundo e sofisticada e aí consumida por pessoas mais jovens que não apenas consomem arte mas a examinam em busca de pistas de como ser chique, cool — e não esqueça que, para os jovens em geral, ser chique e cool é o mesmo que ser admirado, aceito e incluído e portanto assolitário. Esqueça a dita pressão-dos-pares. É mais tipo uma *fome*-de-pares. Não? Nós entramos numa puberdade espiritual em que nos ligamos ao fato de que o grande horror transcendente é a solidão, fora o enjaulamento em si próprio. Depois que chegamos a essa idade, nós agora daremos ou aceitaremos qualquer coisa, usaremos qualquer máscara para nos encaixar, ser parte-de, não estar Sós, nós os jovens. As artes dos EU são o nosso guia para a inclusão. Um modo-de-usar. Elas nos mostram como construir máscaras de tédio e de ironia cínica ainda jovens, quando o rosto é maleável o suficiente para assumir a forma daquilo que vier a usar. E aí ele se prende ao rosto, o cinismo cansado que nos salva do sentimentalismo brega e do simplismo não sofisticado. Sentimento é igual a simplismo neste continente (ao menos desde a Reconfiguração). Uma das coisas de que os espectadores sofisticados sempre gostaram em *O século americano visto por um tijolo* de J. O. Incandenza é a sua tese nada sutil de que o simplismo é o último pecado realmente terrível na teologia da América da virada do milênio. E como o pecado é o tipo de coisa de que se pode falar apenas figuradamente, é natural que o cartuchinho pessimista de Sipróprio fosse basicamente sobre um mito, a saber, o mito americano bizarramente persistente de que o cinismo e o simplismo são mutuamente excludentes. Hal, que é vazio mas não é besta, teoriza privadamente que o que passa pela transcendência descolada do sentimentalismo é na verdade algum tipo de medo de ser realmente humano, já que ser realmente humano (ao menos como ele conceitualiza essa ideia) é provavelmente ser inevitavelmente sentimental, simplista, pró-brega e patético de modo geral, é ser de alguma maneira básica e interior para sempre infantil, um tipo de bebê de aparência meio estranha que se arrasta anacliticamente pelo mapa, com grandes olhos úmidos e uma pele macia de sapo, crânio enorme, baba gosmenta. Uma das coisas realmente americanas no Hal, provavelmente, é como ele despreza o que na verdade gera a sua solidão: esse horrendo eu interno, incontinente de sentimentos e necessidades, que lamenta e se contorce logo abaixo da máscara vazia e descolada, a anedonia.[281]

A imagem-chave mais central e famosa de *O século americano visto por um tijolo* é uma corda de piano vibrando — um ré agudo, ao que parece — vibrando e produzindo um solo sem enfeites e bem doce mesmo, e aí um polegarzinho entra no quadro, um dedão rombudo, úmido, pálido e no entanto craquento, com umas coisas suspeitas incrustadas num dos cantos da unha, pequeno e sem rugas, claramente um polegar infantil, e no que ele toca a corda de piano o som doce e agudo imediatamente morre. E o silêncio que se segue é dolorosíssimo. Num momento posterior do filme, depois de muito seguirmos panorâmica, didática e causticamente aquele tijolo, voltamos à corda de piano, o dedão é retirado e o doce som agudo recomeça, extremamente puro e solo, no entanto agora de alguma maneira, quando o volume vai aumentando, agora com algo de podre sob a superfície, há algo de enjoadamente doce, quase passado e potencialmente pútrido naquele ré agudo e límpido enquanto o seu volume sobe cada vez mais, o som ficando mais puro, mais alto e mais disfórico até depois de surpreendentemente poucos segundos nós nos vermos bem no meio do puro som sem surdina desejando e talvez até rezando pelo retorno do dedão natal, para acabar com aquilo.

Hal ainda não tem idade para saber que isso se deve ao fato de que o vazio inerte não é o pior tipo de depressão. A anedonia de olhos mortos é apenas a rêmora do flanco ventral do verdadeiro predador, o Grande Tubarão Branco da dor. As autoridades chamam essa situação de *depressão clínica* ou *involucional*, ou *transtorno disfórico unipolar*. Ao contrário de apenas uma incapacidade de sentir, um amortecimento da alma, a depressão calibre-predador que Kate Gompert sempre sente quando entra em Abstinência da marijuana secreta é *ela* própria uma sensação. Ela recebe muitos nomes — *angústia*, *desespero*, *tormento*, ou p. ex. a *melancholia* de Burton ou a mais oficial *depressão psicótica* de Yevtushenko — mas Kate Gompert, entrincheirada na batalha, a conhece apenas como *Ela*.

Ela é um nível de dor psíquica totalmente incompatível com a vida humana como a concebemos. *Ela* é uma sensação de um mal radical e onipresente não só como característica mas como a essência da existência consciente. *Ela* é uma sensação de envenenamento que toma todo o eu nos seus níveis mais elementares. *Ela* é uma náusea das células da alma. *Ela* é uma intuição ininerte em que o mundo é plenamente rico e dotado de ânimo e não mapístico e também completamente doloroso, maligno e antagônico ao eu, eu deprimido este em torno do qual *Ela* se enfuna e se coagula e que envolve em suas pregas negras e absorve completamente, de modo que se atinge uma unidade quase mística com um mundo que em cada partícula sua deseja o mal e a dor do eu. O caráter emocional d'*Ela*, a sensação que Gompert descreve que *Ela* é, é provavelmente praticamente indescritível a não ser como uma espécie de beco-sem-saída lógico em que qualquer/todas as alternativas que associamos à ação humana — sentar ou ficar de pé, fazer ou repousar, falar ou ficar calado, viver ou morrer — são não apenas desagradáveis mas literalmente horríveis.

Ela também é solidão num nível que não pode ser comunicado. Nem a pau Kate Gompert poderia sequer começar a fazer outra pessoa entender a sensação da depressão clínica, nem mesmo outra pessoa que esteja também clinicamente deprimida, porque uma pessoa nesse estado é incapaz de empatizar com qualquer coisa viva. Essa Incapacidade anedônica de se Identificar também é parte integrante d'*Ela*.

Se uma pessoa com uma dor física acha difícil cuidar de qualquer outra coisa fora aquela dor,[282] uma pessoa clinicamente deprimida não consegue nem perceber qualquer outra pessoa ou coisa como independende da dor universal que a está digerindo célula a célula. Tudo é parte do problema, e não há solução. É um inferno de uma só pessoa.

O termo oficial *depressão psicótica* faz Kate Gompert se sentir especialmente só. Especificamente a parte *psicótica*. Pense nisso nos seguintes termos. Duas pessoas estão gritando de dor. Uma delas está sendo torturada com uma corrente elétrica. A outra, não. A gritadora que está sendo torturada com corrente elétrica não é psicótica: seus gritos são circunstancialmente adequados. A pessoa que grita sem estar sendo torturada, por outro lado, é psicótica, já que os terceiros que farão os diagnósticos não podem ver eletrodos ou uma amperagem mensurável. Uma das coisas menos agradáveis de se ser psicoticamente deprimido numa enfermaria cheia de pacientes psicoticamente deprimidos é perceber que nenhum deles é de fato psicótico, que os gritos deles todos são completamente adequados a certas circunstâncias cujo encanto especial é serem parcialmente indetectáveis por qualquer terceiro. Daí a solidão: é um circuito fechado: a corrente é tanto aplicada quanto recebida internamente.

A pessoa dita "psicoticamente deprimida" que tenta se matar não o faz por entre aspas "desesperança" ou por qualquer convicção abstrata de que os ativos e os débitos da vida não batem. E certamente não porque a morte pareça subitamente atraente. A pessoa em que a agonia d'*Ela* atinge um certo nível insustentável vai se matar exatamente como uma pessoa encurralada vai acabar pulando da janela de um arranha-céu em chamas. Não se iluda sobre as pessoas que pulam de janelas em chamas. O pavor que elas têm de cair de grandes alturas ainda é tão grande quanto seria para você ou para mim ali parados especulativamente na mesma janela só dando uma olhada na vista; ou seja, o medo de cair é uma constante. A variável aqui é o outro terror, as chamas do incêndio: quando as chamas chegam perto demais, cair para a morte se torna um terror algo menos terrível que o outro. Não é desejar a queda; é o pavor das chamas. No entanto ninguém que esteja lá na calçada, olhando para cima e gritando "Não faça isso!" e "Força!" entende o salto. No fundo. Você teria que ter estado pessoalmente acuado e sentindo as chamas para entender de verdade um terror bem maior que a queda.

Mas e então a ideia de uma pessoa que está nas garras d'*Ela* ser obrigada por um "Contrato de Suicídio" que certa bem-intencionada casa de recuperação de abuso de Substâncias faz ela assinar é simplesmente absurda. Porque um contrato como esse vai ter força sobre essa pessoa exatamente até que as mesmas circunstâncias psíquicas que tornaram o contrato necessário para começo de conversa se estabeleçam, invisível e indescritivelmente. Que os bem-intencionados Funcionários da casa de recuperação não entendam o terror primordial d'*Ela* só deixa o residente deprimido se sentindo mais sozinho.

Outro paciente psicoticamente deprimido que Kate Gompert conheceu no Hospital Newton-Wellesley em Newton dois anos atrás era um homem de seus cinquenta anos. Ele era um engenheiro civil cujo hobby eram trenzinhos elétricos — tipo da Lionel Trains etc. — para os quais ele erigia sistemas incrivelmente intricados de trilhos e entroncamentos que ocupavam toda a sua sala de recreação no porão. A esposa dele trazia fotos dos trens e das redes de treliças e trilhos para a enfermaria trancada por fora, para ajudá-lo a lembrar. O homem dizia que estava sofrendo de depressão psicótica havia dezessete anos direto, e Kate Gompert não tinha razão para não acreditar nele. Ele era atarracado e moreno com cabelo ficando ralo e mãos que mantinha bem imóveis no colo quando estava sentado. Vinte anos atrás ele tinha escorregado numa mancha de óleo marca 3-In-1 dos trilhos dos trenzinhos e dado com a cabeça no chão de cimento da sua sala do porão em Wellesley Hills, e quando acordou no PS ele estava deprimido além de qualquer limite humano, e assim ficou. Ele nunca tentou suicídio, embora confessasse que ansiava pela inconsciência sem--fim. A esposa dele era muito devotada e carinhosa. Ela ia à Missa católica todo dia. Era muito devota. O homem clinicamente deprimido, também, ia diariamente à Missa quando não estava internado. Ele rezava pedindo alívio. Ele ainda tinha um emprego e um hobby. Ia trabalhar regularmente, tirando licenças médicas apenas quando o tormento invisível ficava ruim demais e ele não podia mais confiar em si próprio, ou quando havia algum tratamento novo radical que os psiquiatras queriam que ele tentasse. Eles tinham tentado tricíclicos, IMAOs, choques-insulínicos, inibido-res seletivos de receptação de serotonina,[283] os novos tetracíclicos cheios de efeitos co-laterais. Tinham tomografado os lobos e as matrizes afetivas dele em busca de lesões e cicatrizes. Nada deu certo. Nem mesmo a ECT de alta amperagem aliviou *Aquilo*. Isso às vezes acontece. Alguns casos de depressão estão além da capacidade humana. O caso do homem causava faniquitos ululantes em Kate Gompert. A ideia daquele cara indo trabalhar, indo à missa e construindo redes ferroviárias miniaturizadas dia após dia enquanto sentia qualquer coisa parecida com o que Kate Gompert sentia naquela enfermaria estava simplesmente além da sua capacidade de imaginação. A parte raciono-espiritual dela sabia que esse homem e sua esposa deviam ser dotados de uma coragem bem acima de qualquer escala de coragem conhecida. Mas na sua alma intoxicada Kate Gompert sentia apenas um horror paralisante diante da ideia do homem atarracado e de olhos mortos montando trilhos de brinquedo lenta e cuidadosamente no silêncio do seu porão coberto de painéis de madeira, um silêncio total a não ser pelos sons dos trilhos sendo lubrificados, encaixados e dispostos, a ca-beça do homem cheia de veneno e de bichos e cada célula do corpo dele aos gritos pedindo alívio de chamas que ninguém mais podia mitigar nem sequer sentir.

O homem em permanente depressão psicótica acabou sendo transferido para um hospital de Long Island para ser avaliado como candidato a um novo tipo de psicocirurgia em que eles supostamente te abriam e arrancavam fora todo o teu sis-tema límbico, que é a parte do cérebro que causa todos os sentimentos e sensações. O maior sonho do homem era a anedonia, o completo amortecimento psíquico. I. e., a morte em vida. A perspectiva da psicocirurgia radical era a cenoura balançada à sua frente que Kate achava que ainda dava à vida do homem um resto de sentido que permitia que ele se agarrasse à janela com as unhas, que provavelmente estavam pretas e contorcidas por causa das chamas. Isso e a esposa: ele parecia genuinamente amar a esposa, e ela a ele. Ele ia para a cama toda noite em casa abraçado a ela, chorando para que aquilo acabasse, enquanto ela rezava ou fazia aquela coisa devota com as continhas.

O casal tinha conseguido o endereço da mãe de Kate Gompert e mandado um cartão de Natal para Kate nos últimos dois anos, o sr. e a sra. Ben Allegri de Wellesley Hills, MA, que diziam que ela estava nas orações deles e lhe desejando toda a alegria disponível. Kate Gompert não sabe se o sistema límbico do sr. Ben Allegri foi ou não foi arrancado fora. Se ele atingiu a anedonia. Os cartões de Natal tinham dolorosíssimas aquarelas de locomotivas. Ela mal conseguia aguentar pensar neles, nem nos melhores dias, que não eram os atuais.

14 DE NOVEMBRO
ANO DA FRALDA GERIÁTRICA DEPEND

Primeiro dia da srta. Ruth van Cleve fora da Restrição Doméstica de três dias dos residentes novos. Agora com o direito de ir a reuniões fora de Enfield desde que acompanhada por algum residente mais veterano que os Funcionários considerem seguro. Ruth van Cleve de salto agulha caminhando ao lado de uma Kate Gompert psicoticamente deprimida na Prospect logo ao sul da Inman Square, Cambridge, um pouco depois das 2200h, matraqueando sem parar.

Ruth van Cleve está se revelando um puta pé-no-saco para Kate Gompert. Ruth van Cleve é de Braintree na South Shore, está muitos quilos abaixo do peso, usa um batom cor de latão e tem um cabelo seco que ela ergue segundo a moda do cabelão de décadas atrás. O rosto dela tem a aparência insétil e côncava dos viciados terminais em Ice.[284] Seu cabelo é uma nuvem seca emaranhada, com olhos e ossos minúsculos e um biquinho se projetando por baixo. Joelle v.D. tinha dito que quase parecia que a cabeça de Ruth van Cleve é que crescia no cabelo em vez do contrário. O cabelo de Kate Gompert parece cortado a faca e tem uma cor reconhecível, pelo menos.

Kate Gompert não dorme há quatro noites, e o avanço corcovado dela pela calçada da Prospect parece o singrar preguiçoso de um barco sem pressa. Ruth van Cleve fala sem parar na orelha direita dela. São cerca de 2200h de um sábado e as lâmpadas de sódio da rua ficam acendendo e apagando com um zumbido diafragmático, alguma conexão solta em algum ponto delas. O tráfego pedestre é denso, e os mortos-vivos e bêbados que moram nas ruas que cercam a Inman Square também atafulham os cantos da calçada, e se Kate G. olha as imagens dos passantes nas vitrines escuras eles se tornam (os pedestres e dingos mortos-vivos) somente cabeças que parecem flutuar por cada uma das vitrines desconectadas de tudo. Tipo cabeças flutuantes desconectadas. Nas portas das lojas há pessoas incompletas em cadeiras de rodas com criativos receptáculos onde os membros deveriam estar e pedidos manuscritos de ajuda.

Uma narrativa oral começa a emergir. A srta. Ruth v.C. foi enviada à Ennet pelo DSS e a Vara da Família depois que seu bebê recém-nascido foi encontrado num beco de Braintree, MA, embrulhado em folhetos publicitários do WalMart cujas Promoções Especiais Harvest Moon tinham expirado no dia 01/11, um domingo. Ruth van Cleve tinha um tanto ineptamente deixado a pulseirinha do hospital com a D.d.N. e o nome e nº da Carterinha de Saúde dela própria no pulso do bebê descartado. A criança agora parece que está na incubadora de um hospital da South Shore, conectada a máquinas e tendo aos poucos diminuída a dose de clonidina[285] que recebeu por causa do vício intrauterino em Substâncias que Kate Gompert mal pode imaginar.[286] O pai do filho de Ruth van Cleve, ela relata, está sob proteção e cuidados do Sistema Penitenciário de Norfolk County, esperando uma sentença por algo que Ruth van Cleve descreve várias vezes como operar uma companhia farmacêutica sem licença.

O que é notável para Kate Gompert é que ela parece capaz de seguir adiante sem nenhuma espécie de volição consciente tipo siga-em-frente. Ela põe o pé esquerdo na frente do direito, aí o pé direito na frente do esquerdo, e está seguindo em frente, ela toda, quando a única coisa em que consegue se concentrar é num pé e depois no outro. Cabeças passam deslizantes pelas vitrines escuras. Alguns homens latinos nas cercanias delas dão meio que uma sacada sexual quando elas passam — conquanto abaixo do peso, de cabelo seco e cara meio de bruxa, os modos e o figurino de Ruth van Cleve e o cabelão anunciam que ela é toda sexualidade e sexo.

Uma coisa negativa de você escolher se recuperar no NA em vez de no AA é a disponibilidade de locais de reunião. Em outras palavras menos reuniões do NA. Num sábado à noite você podia ficar de pé no telhado da Casa Ennet em Enfield e não ia ser mole cuspir pra qualquer lado sem acertar um grupo do AA ali perto. Enquanto a reunião mais próxima no sábado à noite do NA é a do Grupo Limpo e Sereno de N. Cambridge, infame por causa de suas discussões e arremessos de cadeiras, e a Reunião de Novatos deles vai das 2000 às 2100h e a normal das 2100 às 2200h, propositadamente tarde, para evitar a fissura de sábado à noite que tantos viciados em drogas sofrem semanalmente, sendo ainda o sábado a noite mítica especial das baladas até para quem há muito tempo parou de poder curtir qualquer coisa além de baladas 24 horas por dia 7 dias por semana o ano todo. Mas da Inman Square de volta à Ennet é um estirão desgraçado — subir a pé a Prospect até a Central Sq. e pegar a Linha Vermelha lá até a estação Park Street e aí o enlouquecedor Trem B da Linha Verde toda vida rumo oeste na Comm. Ave. — e já passa das 2215h, o que significa que Kate Gompert tem setenta e cinco minutos para estar, ela e essa hedionda, desesperífera, essa putinha matraqueante dessa novata, de volta antes do toque de recolher. O palavrório de Ruth van Cleve é mais independente do interesse de quem ouve do que qualquer coisa que Kate Gompert tenha ouvido depois que Randy Lenz foi convidado a ir ingerir Substâncias e maltratar animais alhures, e foi, o que aconteceu sabe lá há quantos dias ou semanas.

As duas vão entrando e saindo de cones de luzes epiléticas dos postes tremulantes. Kate Gompert tenta não estremecer quando Ruth van Cleve lhe pergunta se ela sabe de algum lugar em que dê pra conseguir uma boa escova de dentes baratinha. Toda a energia espiritual e a atenção de Kate Gompert estão concentradas primeiro no pé esquerdo e depois no direito. Uma das cabeças que ela não chega a ver, flutuando pelas vitrines com a sua própria cabeça irreconhecível e a nuvem de cabelo de Ruth van Cleve, é a esquálida, fantasmática e vidrada cabeça do Coitado do Tony Krause, que está vários passos atrás delas, imitando o trajeto algo serpentino das duas passo a passo, de olho em bolsas de alças finas que ele imagina conterem mais que o dinheiro para o trem e uns chaveiros de Novato do NA.

O vaporizador borbulha, ferve e faz as janelas do quarto chorarem enquanto Jim Troeltsch insere um cartucho de luta profissional no pequeno monitor do TP, enverga seu blazer mais cafona, penteia bem o cabelo molhado para ficar peruquístico e se acomoda de volta no beliche, cercado por frascos de Teldane e lenços faciais de camada dupla, se preparando para narrar. Os colegas de quarto dele há muito sacaram o que ia rolar e se mandaram.

Na ponta dos pés no corredor curvo do Subdormitório B usando o cabo de uma raquete de tênis invertida cuja capa de vinil ele pode distraidamente zipar e dezipar enquanto mexe o cabo de um lado para o outro, Michael Pemulis está delicadamente erguendo um dos painéis do forro e empurrando-o para cima do vigote de alumínio, mudando sua posição sobre o vigote de quadrada para adiamantada, com cuidado para não deixar que ele caia.

Lyle paira de pernas cruzadas apenas alguns milímetros acima do tampo do armário de toalhas na sala de musculação de luzes apagadas, olhos brancos revirados, lábios quase imóveis e sem emitir sons.

O técnico Schtitt e Mario disparam morro abaixo na W. Commonwealth com a velha BMW de Schtitt, seguindo rumo aos Doces de Baixa Temperatura Evangeline no Newton Center, logo no pé do que normalmente é chamado de Morro da Desilusão, Schtitt com uma expressão intensa e se inclinando para a frente como um esquiador, com a echarpe branca vergastando o ar e vergastando a cara de Mario, no sidecar, enquanto Mario também se inclina bem para a frente naquela fuga morro abaixo, se preparando para soltar um gritinho feliz quando eles baterem no terreno plano.

A sra. Avril Incandenza, que parece de alguma maneira estar com três ou quatro cigarros acesos ao mesmo tempo, consegue com as Informações o telefone e o e-mail de um endereço de uma empresa jornalística no Blasted Expanse Blvd de East Tucson, az, e aí começa a discar, usando a proa de uma caneta hidrocor azul para bater nas teclas do console.

"Iyaah!" grita o homem que corre para cima da freira, segurando uma furadeira elétrica.

A freira com cara de durona grita "Iyaah" para ele também enquanto o acerta com um chute de expert, com o panejamento do hábito fustigando complexamente o ar em torno dela. Os combatentes ficam se circundando cuidadosos no depósito abandonado, os dois grunhindo. O véu da freira está torto e sujo; o dorso de sua mão, estendido numa posição laminar de artes marciais, ostenta parte de uma tatuagem desbotada, alguma ave de rapina com garras terríveis. O cartucho abre assim, in medias et violentas res, aí congela no meio do salto para o chute da freira, e o título, *Irmã de Sangue: uma freira de matar*, entra como uma fusão na tela e sangra uma luz macabra cor de sangue sobre os créditos que passam no pé da tela. Bridget Boone e Frances L. Unwin vieram sem ser convidadas, se juntaram a Hal na sv6 e estão enroscadas contra os braços da única outra recumbência da sala, com os pés de solas encostadas, Boone comendo um não autorizado frozen iogurte de uma embalagem cilíndrica. Hal baixou bem o reostato, e o título e os créditos do filme já fazem o rosto deles brilhar vermelho. Bridget Boone estende a embalagem de doce na direção de Hal de uma maneira tentadora, e para indicar sua recusa Hal aponta para o naco de Kodiak na bochecha e ostentosamente se inclina para cuspir. Ele parece estar examinando muito atentamente os créditos que vão passando.

"E aí, o que é isso aí?", Fran Unwin diz.

Hal olha para ela muito lentamente, depois ainda mais lentamente ergue o braço direito e aponta em volta da bola de tênis que está apertando para o monitor onde o título em corpo 50 do cartucho ainda está escorrendo rubramente sobre os créditos e a cena congelada.

Bridget Boone dá uma olhada pra ele. "O que é que deu no camarada aí?"

"Eu estou me isolando. Eu vim pra cá pra ficar sozinho."

Ela tem um jeitinho que irrita Hal de pegar o iogurte de chocolate com a colher e aí inverter a colher, virando a colher, de modo que ela sempre entre na boca de cabeça para baixo e a língua dela possa tocar o doce imediatamente, sem a mediação da colher gelada, e por alguma razão isso sempre deu nos nervos de Hal.

"Então aí você devia ter trancado a porta."

"Só que não tem tranca na porta das sv,[287] como você sabe muito bem."

O rosto redondo de Frannie Unwin diz "Chhhh".

Depois também às vezes a Boone brinca com a colher cheia, faz ela ficar voando na frente da cara que nem um aviãozinho de criança antes de inverter e enfiar para dentro. "De repente isso é um pouco porque isso aqui é uma sala pública, pra todo mundo, onde uma pessoa com juízo não ia querer se isolar."

Hal se inclina para cuspir e deixa o cuspe ficar pendurado um pouco antes de soltar, pra ele ficar ali pendurado se esticando.

Boone retira a colher limpa com a mesma lentidão. "Por mais que a tal pessoa possa estar tristinha e emburrada pelo jeito que ela jogou ou quase perdeu bem na cara de um monte de gente naquele dia, pelo que me disseram."

"Bridget, eu esqueci de te dizer que eu vi que a Rite-Aid está com uma puta liquidação de eméticos. Se eu fosse você eu dava uma chegada lá."

"Você é nojento."

Bernadette Longley mete a longa cabeça quadrada pela porta, vê Bridget Boone, diz "Bem que eu *achei* que tinha escutado você aqui" e entra sem ser convidada trazendo Jennie Bash a reboque.

Hal resmunga.

Jennie Bash olha para a tela grande. A música tema do cartucho é um coral feminino e muito forçada e irônica nos descantos. Bernadette Longley olha para Hal. "Você sabe que tem uma senhora superimensona andando por aí atrás de você, com um caderninho e uma cara bem decidida."

Boone rola a colher para a frente e para trás distraidamente. "Ele está se isolando. Ele não responde e está cuspindo de um jeito extranojentinho pra deixar isso bem claro."

Jennie Bash diz: "Você não tem que entregar um trabalho monstro pra Thierry amanhã? Dava pra ouvir os gemidos no quarto do Struck e do Shaw".

Hal soca o tabaco para baixo com a língua. "Já fiz."

"Devia ter imaginado", Bridget Boone diz.

"Fiz, refiz, formatei, imprimi, revisei, reli, grampeei."

"Revisou até não sobrar mais nada", Boone diz, fazendo a colher girar num tunô lento. Hal vê que ela andou dando umas bolas. Ele está olhando fixamente para a tela na parede, apertando a bola com tanta força que seu antebraço vai inchando até dobrar de tamanho.

"Fora que eu ouvi dizer que o teu melhor amiguinho de todos fez uma coisa bem louca hoje", Longley diz.

"Ela está falando do Pemulis", Fran Unwin diz a Hal.

Bridget Boone faz barulhos de bombardeiro e passa a colher para lá e para cá. "Parece uma história boa demais pra eu não querer esperar e deixar a minha vontade de ouvir crescer cada vez mais até chegar a hora que eu finalmente tenho que ouvir ou vou cair mortinha ali mesmo."

"Que é que deu nele?", Jennie Bash pergunta a Fran Unwin. Fran Unwin é uma menina meio com cara de hanuman com o torso e o tronco coisa de duas vezes mais longos que as pernas e um estilo de jogo corridinho, vagamente simiesco. Bernadette Longley está usando calça com bengalinhas de açúcar e uma blusa de malha com a parte peludinha virada para fora. Todas as meninas estão de meias. Hal nota que as meninas sempre parecem largar o sapato quando adotam qualquer espécie de postura espectatorial. Oito pés de tênis brancos vazios jazem agora mudos e esquisitos em vários pontos, levemente afundados na pelagem do carpete. Não há nem dois pés de tênis apontando exatamente para a mesma direção. Os jogadores homens, por outro lado, tendem a manter o calçado quando entram e sentam em algum lugar. As meninas literalmente corporificam a ideia de se sentir em casa. Os homens, quando entram em algum lugar e sentam, projetam um ar transiente. Eles ficam armados e a postos. É a mesma coisa toda vez que Hal entra e senta em algum lugar em que já há pessoas reunidas. Ele tem consciência de que elas sentem que ele de alguma maneira está ali apenas num sentido estritamente técnico, que ele tem um ar de prontidão imediata para sair. Boone estende sua embalagem de OMIC[288] para Longley de maneira tentadora, até inclinando-a tentadoramente para lá e para cá. Longley infla as bochechas e sopra com um som exausto. Pelo menos três cheiros diferentes de perfume e creme hidratante lutam para se destacar aqui. Os dois pés do tênis LA Gear que Bridget Boone ganhou dos patrocinadores estão de lado por causa da força com que foram quase chutados dos pés dela. O cuspe de Hal faz um barulho no fundo do cesto de lixo. Jennie Bash tem braços maiores que os de Hal. A Sala de Vídeo está vermelhamente escura. Bash pergunta a Unwin o que eles estão assistindo.

Irmã de Sangue: uma freira de matar, um dos poucos sucessos comerciais de Sipróprio, não teria feito nem metade do dinheiro que fez se não tivesse se saído bem justamente quando a InterLace estava começando a comprar lançamentos originais para os seus menus de aluguel e dando um gás para esses cartuchos com Disseminações Espontâneas únicas. Era o tipo de filme meio pé-sujo de violência barata que teria ficado duas semanas passando nos multiplex com oito salas ou mais, e aí ido direto para as caixinhas marrons sem-graça do limbo do videomagnético. A opinião crítica de Hal sobre o filme é que Sipróprio, em certos momentos negros em que questões teóricas abstratas pareciam proporcionar uma fuga do trabalho criativo bem mais torturante de fazer cartuchos humanamente verdadeiros ou divertidos, tinha feito filmes de certos gêneros tipo comercial que exageravam tão grotescamente os cacoetes formulaicos dos gêneros que se tornavam paródias metacinemáticas dos gêneros, "sub/in-versões dos gêneros", diziam os eruditos que caíam nessa. A própria ideia da paródia metacinemática era por si própria distante e espertinha-demais, na opinião de Hal, e ele não se sente à vontade com o quanto Sipróprio parecia se deixar seduzir pelas mesmas fórmulas comerciais que estava tentando inverter, especialmente a forma sedutora da vingança violenta, i. e. o banho de sangue catártico, i. e. o herói tentando com cada fibra moral escapar do mundo de porrete e pancada mas levado por circunstâncias injustas de volta à violência, para o banho de sangue catártico final que a plateia é levada a aplaudir ao invés de lamentar. O melhor de Sipróprio nesse filão era *A noite usa sombrero*, um metafaroeste languiano mas também um faroeste dos bons, com cenários vagabundos feitos em casa nas internas mas externas de tirar o chapéu filmadas perto de Tucson, AZ, uma história de filho ambivalente-mas-no--fim-vingativo encenada contra céus cor de terra e grandes ângulos de montanhas cor de carne, fora que tinha um mínimo de sangue, sujeitos baleados apertando o peito e caindo deliciosamente de lado, todos os chapéus no lugar o tempo todo.

Irmã de Sangue: uma freira de matar era supostamente uma caricatura irônica dos ensanguentados filmes de sacerdotes vingativos do fim dos anos 90 AS. E Sipróprio também não ganhou grandes amigos em nenhum dos lados do Recôncavo ao tentar filmar aquele negócio no Canadá.

Hal tenta imaginar a forma cegonhenta, alta, corcunda e trêmula de Sipróprio inclinado num ângulo osteoporótico sobre equipamentos digitais de edição por horas a fio, deletando e inserindo códigos, dando a *Irmã de Sangue: uma freira de matar* a forma de uma subversão-inversão, e não consegue evocar nem uma vaga ideia do que Sipróprio podia estar sentindo enquanto se esforçava pacientemente naquilo. Talvez fosse esse o sentido da metabobagem daquele negócio, não ter nada efetivamente de sentido rolando.[289]

Jennie Bash deixou boquiaberta a porta da SV6, e Idris Arslanian, Todd ("Postal") Possalthwaite e Kent Blott entram todos como poeira soprada e sentam como índios num frouxo hemisfério sobre o carpete grosso entre a recumbência das meninas e a recumbência de Hal, e ficam mais ou menos atenciosamente quietinhos. Eles todos ficam de tênis. O nariz do Postal é uma coisa proboscidoide imensa cheia de ataduras. Kent Blott está usando um boné de pescador profissional com uma aba extremamente comprida. Aquele estranho cheiro vago de cachorro-quente que parece seguir Idris Arslanian começa a penetrar nos perfumes da sala. Ele não está usando o lenço de raiom como venda mas ainda o mantém atado no pescoço; ninguém pergunta sobre isso. Todos os meninos menores são espectadores de primeira e são imediatamente atraídos pela narrativa em curso de *Irmã de Sangue,* e as meninas mais velhas parecem ter recebido alguma deixa psíquica dos menininhos, se acalmam, também, e assistem, até que depois de um tempo Hal é a única pessoa na sala que não está 100% mergulhada.

O que desengatilha o entretenimento é que uma menina durona tipo-motoqueira das cruéis ruas de Toronto é encontrada em overdose, surrada, molestada, e sem sua jaqueta de couro na frente do portão levadiço de um convento no centro da cidade e é resgatada, tratada, tomada como amiga, guiada espiritualmente e convertida — *"salva"* é o fraco duplo-sentido de que se abusa bastante nas falas do primeiro ato — por uma freira durona mais velha que se descobre depois tinha sido, ela revela (a freira mais velha), ela mesma arrancada de uma vida de Harleys, tráfico e vício em narcóticos por uma freira ainda mais durona e mais velha, uma freira que tinha *ela própria* sido salva por uma freira durona ex-motoqueira, e assim por diante. A motoqueira mais recentemente salva se torna uma freira durona e descolada naquela mesma ordem urbana, e é conhecida nas cruéis ruas como Irmã de Sangue, e apesar do véu ainda anda de motoca de paróquia em paróquia, ainda sabe seu aikidô e é melhor não foder com ela, é o que se diz nas ruas.

O ponto crucial aqui é que quase toda essa ordem de freiras é composta de freiras que foram salvas das ruas cruéis e sem-saída de Toronto por outras freiras duronas salvas e mais velhas. Aí, infindas novenas mais tarde, a Irmã de Sangue acaba sentindo esse impulso transitivo espiritual de sair em busca de uma adolescente problemática para chamar de sua, para "salvar" e trazer para a ordem, pagando assim a dívida de sua alma para com a velha freira durona que tinha salvado a *ela*. Por obscuros processos (algum tipo de lista torontense de adolescentes problemáticas--mas-salváveis?, Bridge Boone dá uma de esperta), a Irmã de Sangue acaba adotando uma adolescente meio punk com cicatrizes de queimadura e profundamente problemática que é macambúzia e, sim, decentemente durona, mas também é vulnerável e emocionalmente atormentada (o rosto brilhante, róseo e queimado da menina tende a se contorcer de desespero toda vez que ela acha que a Irmã de Sangue não está olhando) pelas terríveis predações que sofreu como resultado de seu vício rapacíssimo e insuperável em freebase, o tipo de bazuco que você mesma prepara para fumar, e com éter, que é supercombustível e que neguinho usava antes de alguém descobrir que bicarbonato de sódio e uma fonte térmica davam na mesma, o que data do período cronológico AS do filme ainda mais claramente que o penteado roxo esteliforme da menina punk durona e torturada.[290]

Mas aí a Irmã de Sangue acaba deixando a menina limpa, cuidando dela durante a Abstinência numa sacristia trancada; e a menina fica menos macambúzia em graus que quase fazem barulhinhos quando passam — a menina para de arrombar a porta do armarinho do vinho sacramental, para de peidar de propósito durante as matinas e as vésperas, para de ir até os trapistas que às vezes passam pelo convento para lhes perguntar que horas são e outras coisinhas safadas para tentar fazer eles se distraírem e falarem em voz alta etc. Algumas vezes o rosto da menina se contorce de tormento emocional e vulnerabilidade mesmo quando a Irmã de Sangue está olhando. A menina corta o cabelo de um jeito seriíssimo e meio lesbiônico, e suas raízes se mostram suavemente castanhas. A Irmã de Sangue, revelando uns bíceps que não são brincadeira não, ganha da menina na queda de braço; as duas riem; elas comparam tatuagens: isso marca o começo de um clipe tipo Vamos-nos-Conhe-cer-e-Ganhar-Confiança brutalmente alongado, uma convenção do gênero, sendo que esse clipe envolve passeios de Harley em velocidades em que a menina tem que manter as mãos na cabeça da Irmã de Sangue para evitar que o véu da I. de S. saia voando, longas caminhadas conversacionais filmadas em grande-angular e prolongados e basicamente inganháveis jogos de charadas com os trapistas, fora umas cenas rápidas da Irmã de Sangue achando os Marlboros e o isqueiro imitação de consolo no cesto de lixo, da menina que cumpre tarefas domésticas imacambuziamente sob os olhos de má-vontademente aprovadores de I. de S., de sessões de estudos das escrituras à luz de velas com o dedo da menina sob cada palavra que vai lendo, ou da menina cuidadosamente cortando as últimas pontinhas roxas duplas do seu macio cabelo castanho, ou de freiras duronas mais antigas dando conspiradores soquinhos no ombro da Irmã de Sangue enquanto os olhos da menina começam a ficar com aquele brilho de conversão-iminente, aí, por fim, da Irmã de Sangue com a menina comprando hábitos, o queimado queixo prognata e a glabra testa prometeica da menina congelados num take ao ar livre para o clímax do clipe sob as asas de gaivota do véu do noviciado — tudo acompanhado por — sem sacanagem — "Getting to Know

You", o que Hal imagina que a Cegonha justificou para si próprio como algo subversivamente meloso. Isso tudo leva coisa de meia hora. Bridget Boone, da arquidiocese de Indianápolis, começa a perorar brevemente contra a irônica subtese anticatólica de *Irmã de Sangue: uma freira de matar* — de que a "salvação" da drogada deformada aqui parecia simplesmente a troca de um "hábito" apagador da vontade da pessoa por outro, substituir um tipo de decoração de cabeça bisonha por outro — e toma um beliscão de Jennie Bash e um cala-boca de praticamente todas as pessoas na sala exceto Hal, que podia passar por alguém adormecido não fossem as breves adernadas a estibordo para o cesto de lixo, para cuspir, e que na verdade está sentindo um pouco da radical perda de capacidade de concentração que aflige a Abstinência de THC e está pensando em outro, ainda mais familiar, cartucho de J. O. Incandenza mesmo estando vendo esse aqui com os outros ATES. Esse outro objeto de atenção é a dita "inversão" que o falecido Sipróprio operou no gênero da política empresarial, *Civismo de baixa temperatura*, uma novelona de executivos de terno cheia de disputas por poder, cargos, de tímidos adultérios, martínis e executivas malignamente lindas com elegantes roupas justas tipo vestida-para-detonar que põem suas contrapartes masculinas pançudas e bocós no bolso político. Hal sabe que *CdeBT* estava longe de ser uma inversão ou uma caricatura, mas provinha direto do período negro dos anos 80 AS em que Sipróprio tinha trocado de carreira do serviço público para o empreendedorismo particular, quando uma súbita injeção de rendas de patentes o deixara se sentindo pós-cenouricamente anedônico e existencialmente à deriva, e Sipróprio tirou um ano inteiro de folga para beber Wild Turkey e assistir novelões magnatas televisivos como *Dinastia* da Lorimar et al. num isolado spa no litoral noroeste do Canadá, onde ele supostamente conheceu e ficou amigo de Lyle, ora sito na sala de musculação da ATE.

O que é intrigante mas desconhecido de todos na SV6 é como a opinião de Boone sobre a opinião de Sipróprio sobre a interpretação tipo substituição-de-uma-muleta-por-outra da substituição da dependência química pela devoção católica é extremamente próxima de como muitos recém-chegados-ainda-não-suficientemente-desesperados do AA de Boston veem o AA de Boston como exatamente uma troca da dependência escravizadora da garrafa/cachimbo pela dependência escravizadora de reuniões e xiboletes banais e uma devoção robótica, uma "Atitude de Platitude", e usam essa ideia de que ainda se trata de uma dependência escravizadora como desculpa para parar de tentar o AA de Boston e para voltar à dependência escravizadora da Substância original, até que aquela dependência finalmente os reduz a um desespero sem-saída tão total que eles finalmente e com o rosto escorrendo do crânio imploram que alguém lhes diga exatamente quais as platitudes que devem berrar e em que altura ajustar seus sorrisos vazios.

Alguns dependentes de substâncias, no entanto, já estão tão destruídos na primeira vez em que Entram que não ligam para coisas como substituições ou banalidades, eles dariam o testículo esquerdo para trocar a dependência original por platitudes robóticas e discursos motivacionais. São os que estão com a arma apontada para a cabeça, os que ficam e Continuam. Ainda não ficou estabelecido se Joelle van Dyne, cuja primeira aparição num projeto de James O. Incandenza ocorreu exatamente nesse *Civismo de baixa temperatura*, é uma dessas pessoas que entraram no AA/NA abaladas a ponto de resistir, mas ela está começando a se identificar cada vez mais com os oradores das Promessas que ouve e que entraram suficientemente abalados para saber que é questão de ficar sóbrio ou morrer. Um quilômetro e meio em linha reta morro abaixo da ATE, Joelle está comparecendo ao Grupo A Realidade É Para Quem Não Encara As Drogas, uma reunião da facção NA chamada Cocaína Anônima,[291] basicamente porque a reunião é no Grande Auditório do Hospital St. Elizabeth, a poucos andares de onde Don Gately, que ela acaba de visitar e cuja imensa testa inconsciente acaba de enxugar, está estendido na Ala de Trauma num estado de dar dó. As reuniões do CA têm um longo preâmbulo e infinitas formalidadezinhas xerocadas que eles leem em voz alta no começo, um dos motivos por que Joelle evita o CA, mas a parte da abertura já acabou quando ela chega, entra, pega um cafezinho queimado na cafeteira gigante e encontra um assento vago. Os únicos assentos vagos estão na fila dos fundos — "A Seção da Negação", eles chamam as fileiras dos fundos — e Joelle está cercada de recém-chegados catéxicos que cruzam e descruzam as pernas de poucos em poucos segundos, fungam compulsivamente e parecem estar trajando tudo que possuem no mundo. E ainda tem a fileira de homens de pé — há um certo tipo duro de homens nas irmandades de Boston que se recusa a sentar nas reuniões — ficando parados de pé atrás da última fileira, de pernas bem separadas, braços cruzados e falando um com o outro de canto de boca, e ela pode ver que os caras de pé estão olhando para os seus joelhos nus por cima do ombro dela, fazendo comentariozinhos sobre os joelhos e o véu. Ela pensa com um sentimento amedrontado[292] em Don Gately, com um tubo na garganta, devastado por febre, culpa e dor no ombro, a quem médicos bem-intencionados mas sem noção ficam oferecendo Demerol, entrando e saindo de estados de delírio, devastado, convencido de que certos caras de chapéu queriam acabar com ele, olhando para o teto da sua semienfermaria como se o teto fosse comê-lo se ele baixasse a guarda. O grande quadro-negro lá no palco diz que o Grupo A Realidade É Para Quem Não Encara As Drogas agradece a vinda dos oradores de hoje, do Grupo Acesso Livre de Mattapan, que fica bem no meio da região de-cor de Boston onde o Cocaína Anônimos tende a se concentrar mais pesadamente. O orador que está só começando lá no púlpito quando Joelle senta é um sujeito alto meio amarelado com corpo de levantador de pesos, olhos de dar medo, abrunho e como que de um marrom tânico. Ele está no CA há sete meses, ele diz. Ele pula as estórias-de-guerra normais do droguilóquio macho da CA e vai direto ao seu Fundo, o lugar de onde ele iria pular. Joelle vê que ele está tentando dizer a verdade e não só fazendo pose e encenando como tantos CAs parecem fazer. A história dele é cheia de expressões coloridas e daqueles gestinhos e movimentos de mãos irritantes das pessoas de-cor, mas para Joelle não parece que ela dê mais muita bola. Ela consegue Identificar-se. A verdade tem como que uma irresistível atração inconsciente nas reuniões, não importa qual seja a cor da irmandade. Até a Seção da Negação e os caras de pé estão concentrados na história do sujeito de-cor. O sujeito de-cor diz que o negócio é que ele tinha mulher e uma filhinha em casa no Conjunto Habitacional de Perry Hill em Mattapan, e outro bebê por chegar. Ele tinha dado um jeito de não perder o seu empreguinho ancilar de assistente de rebitador nas Arquibancadas Universal logo ali na esquina em Enfield porque o vício dele em cocaína tipo crank não era coisa de todo dia; ele fumava tipo aos montes, mas basicamente só no fim de semana. Mas fumava que nem um psicopata endiabrado que quisesse detonar toda a conta bancária. Era que nem se amarrar num míssil da Raytheon e aí você só para quando o míssil parar, Jim. Ele diz que a mulher dele quebrava um galho de faxineira, mas quando ela trabalhava eles tinham que pôr a menininha numa creche que praticamente comia o salário dela. Então o ordenado dele era tipo a grana toda que eles tinham e esses surtos de fim de semana com o cachimbo de vidro lhes causavam tudo quanto era Insegurança Financeira, que ele pronuncia errado. O que o leva ao seu último surto, o Fundo, que, previsivelmente, ocorreu no dia de receber o salário. O cheque dele simplesmente *tinha* que ir para compras e aluguel. Eles estavam dois meses atrasados, e não tinha porra nenhuma para comer na casa. Numa pausa para um cigarrinho na Arquibancadas Universal ele tinha cautelosamente comprado só uma dose, só dez paus, pra um consolinho de domingo à noite depois de um fim de semana de abstinência, compras e de tempo passado com a esposa grávida e a filhinha. A esposa e a filhinha iriam encontrá-lo depois do trabalho bem no ponto de ônibus do Brighton Best Savings, bem embaixo do relógião, para "ajudar" ele a depositar o salário ali mesmo. Ele tinha deixado a esposa combinar o encontro no banco porque sabia de um modo autoenojado mesmo naqueles dias que havia esse risco de incidentes que envolviam o salário graças a surtos de consumo em que ele tinha mergulhado no passado, e a Insegurança Financeira deles agora já era sei lá uma palavra que seja pior que *fodida*, e ele sabia bem pra c*aralho* que não podia ferrar com tudo dessa vez.

Ele diz que era assim que ele pensava nisso quando pensava sozinho: ferrar com as coisas.

Ele nem chegou ao ônibus depois de bater cartão, ele disse. Dois outros Chagados[293] da rebitagem tinham três doses cada um, doses essas que eles ficaram tipo *sacudindo* na cara dele, e ele tinha a dose dele no monte porque duas doses e um terço v. uma dosezinha de merda no domingo-à-noite era coisa que só um idiota completo totalmente sem ideia do conceito de tipo aproveitar-as-oportunidades podia desprezar. Em resumo foi a loucura de sempre de dinheiro no bolso e nenhuma defesa contra as pulsões, e a ideia da mulher dele com a menininha deles com aquele gorrinho e aquelas luvinhas de crochê paradas embaixo do relógião no gélido crepúsculo de março não foi nem empurrada de lado mas como que encolheu até virar um retrato tamanho-camafeu no centro da parte dele que ele e os Chagados estavam aplicadíssimos em matar com o cachimbo.

Ele diz que nem chegou ao ônibus. Eles passaram uma garrafa de uísque de um para o outro no velho Ford Mystique que um dos Chagados tinha descolado e mandaram ver, no carro mesmo, e depois que ele mandou ver com $ no bolso a gordona com o capacetinho de chifre já tinha era *cantado*, Jim.[294]

O sujeito segura as laterais do púlpito e descansa o peso nos braços de cotovelos travados em 90° de um jeito que transmite ao mesmo tempo infâmia e coragem. Ele pede aos CAs tipo vamos por favor puxar a cortina da caridade sobre o resto da cena daquela noite, que depois da parada para descontar o cheque ficou nublada de fumaça de míssil mesmo; mas aí ele finalmente conseguiu chegar em casa em Mattapan na manhã seguinte, sábado de manhã, enjoado, amarelo-esverdeado e naquela draga ferrada pós-crank, morrendo por mais um, disposto a matar por mais e no entanto tão mortificado e envergonhado de ter ferrado com as coisas (de novo) que só subir de elevador até o apartamento foi talvez a coisa mais corajosa que ele já tinha feito na vida, até aquele momento, ele sentiu.

Era tipo 0600 da manhã e elas não estavam. Não tinha ninguém em casa, e daquele tipo de jeito que meio que o vazio do apartamento pulsava e respirava. Um envelope tinha sido posto embaixo da porta pela AHB,[295] não o papel salmão de uma Nota de Despejo mas um Último Aviso verde sobre o aluguel. E ele foi para a cozinha e abriu a geladeira, se odiando por torcer para ter uma cerveja. Na geladeira tinha um pote de geleia de uva quase vazio e meia lata de massa de biscoito, isso mais um cheiro azedo de geladeira vazia, e só, Jim. Um potinho plástico de manteiga de amendoim sem rótulo do pessoal da Caridade tão vazio que as laterais estavam arranhadas de faca por dentro e uma caixinha empelotada de sal era só o que havia no resto todo da cozinha.

Mas o que arrancou totalmente a cara dele do crânio e o partiu em dois, no entanto, foi o que ele disse quando viu a fôrma de biscoito reluzente de óleo de canola em cima do fogão e o anel plástico do lacre de segurança da manteiga de amendoim em cima do monturo que enchia o cesto de lixo. O retratinho de camafeu do fundo da mente dele inchou e virou uma cena bem focada da esposa e da filhinha dele com o seu filho ainda por nascer comendo o que ele agora podia ver que elas deviam ter comido, ontem à noite e hoje de manhã, enquanto ele estava lá fora consumindo as compras e o aluguel. Foi essa a sua beira de precipício, a sua interseção de escolha pessoal, parado ali de cara frouxa na cozinha, passando o dedo em uma fôrma lustrosa sem uma migalha de biscoito. Ele sentou no piso da cozinha com seus olhos amedrontadores fechados mas ainda vendo o rosto da filhinha. Elas tinham comido biscoitos com manteiga de amendoim de caridade em cima acompanhados por água da torneira e uma careta.

O apartamento deles ficava no sexto andar do Ed. 5 de Perry Hill. A janela não abria mas dava pra quebrar se você pegasse embalo.

Mas ele não se matou, ele diz. Ele só levantou e saiu andando. Ele não deixou um bilhete para a mulher. Nada. Ele saiu e caminhou os quatro km até o Abrigo Shattuck em Jamaica Plain. Ele sentiu tipo a certeza de que elas estariam melhor sem ele, ele disse. Mas disse que não sabia por que não se matou. Mas não se matou. Ele imagina que deve ter rolado alguma presença de Deus, enquanto estava ali sentado no chão. Ele simplesmente decidiu ir até o Shattuck, se Entregar, ficar sóbrio e nunca, nunca mais ver a carinha contorcida da menininha dele naquela cabeça ressacada na vida inteira, James.

E o Abrigo Shattuck — por coincidência — que costumava ter uma lista de espera todo mês de março até começar a esquentar, eles tinham acabado de dar um pé na bunda de alguma figura lastimável por ter defecado no chuveiro, e eles receberam o cara, o orador. Ele pediu uma Reunião do CA imediatamente. E um Funcionário do Shattuck chamou um afro-americano com bastante tempo de sobriedade na recuperação, e o orador foi levado à sua primeira Reunião do CA. Isso faz 224 dias hoje. Naquela noite, quando o Crocodilo de-cor do CA largou ele de volta no Shattuck — depois de ele ter chorado na frente de outros homens de-cor na sua primeira reunião e de ter dito a uns caras que nunca tinha visto mais gorda a estória do relogião, do cachimbo de vidro, do salário, dos biscoitos e da cara da sua menininha — e depois de ter voltado ao Shattuck, de lhe abrirem a porta automática e de soar a campainha da janta, acabou — por coincidência — que a janta da noite de sábado no Shattuck foi café com sanduíche de manteiga de amendoim. Era o fim da semana e a comida doada ao Abrigo tinha acabado, eles só tinham M. de A. num pãozinho branco fuleiro e café solúvel Sunny Square, daquele baratinho que nem dissolve direito até o fim.

Ele tem esse estilo dos oradores autodidatas de dar umas pausas dramáticas que não parecem forçadas. Joelle faz mais um risco no copinho de isopor de café com a unha e escolhe conscientemente acreditar que não é forçado, o drama emocional da história toda. Ela parece estar com areia nos olhos por esquecer de piscar. Isso sempre acontece quando você não espera, quando é uma reunião a que você tem que se forçar a ir e tem quase certeza que vai ser uma merda. O rosto do orador perdeu cor, formato, tudo que fosse distintivo. Alguma coisa pegou a cremalheira bem apertadinha da barriga de Joelle e lhe deu três voltas para o lado bom. É a primeira vez que ela se sente certa de que quer ficar sóbria a qualquer custo. Mesmo que Don Gately tome Demerol ou vá para a cadeia ou a rejeite se ela não puder lhe mostrar o rosto. É a primeira vez em muito tempo — hoje, 14/11 — em que Joelle até considerou quem sabe mostrar o rosto a alguém.

Depois da pausa o orador diz que todos os outros desgraçados lamentáveis do Abrigo Shattuck ali começaram a resmungar tipo qual era essa agora, manteiga de amendoim na merda da janta e tal. O orador diz que a coisa qualquer pra quem ele agradeceu em silêncio por aquele sanduíche em particular que ele estava segurando e mastigando, acompanhado pelo seu café Sunny Square cheio de pó, que aquela coisa se tornou o seu Poder Superior. Ele agora está com mais de sete meses de sobriedade. As Arquibancadas Universal o demitiram, mas ele está com um emprego firme na Logan, empurrando um esfregão noturno, e um Chagado do grupo dele também está no Programa — por coincidência. A esposa grávida dele, no final, tinha ido para um Abrigo de Mães Solteiras com a Shantel naquela noite. Ela ainda estava lá. O DSS não deixava ele recorrer contra a Ação Cautelar de Afastamento da esposa para ver a Shantel, mas ele conseguiu falar com a sua menininha por telefone ainda no mês passado. E ele agora está sóbrio, por ter Desistido e entrado para o Grupo Acesso Livre, ficado Ativo e aceitado as sugestões voluntárias da Irmandade da Cocaína Anônima. A esposa dele ia ter o bebê perto do Natal. Ele disse que não sabia o que ia acontecer com ele ou com a sua família. Mas diz que recebeu certas promessas da sua nova família — o Grupo Acesso Livre da Cocaína Anônima — e portanto que tinha certas emoções meio esperançosas ligadas ao futuro, no fundo. Ele não chegou exatamente a concluir nem fez a referência obrigatória à Gratidão ou a qualquer daquelas merdas de sempre mas só agarrou o púlpito, deu de ombros e disse que tinha começado a sentir agorinha no mês passado que a escolha que tinha feito ali no chão da cozinha era a escolha certa, pessoalmente falando.

Em termos de entretenimento, as coisas ganham rapidamente ares de carnificina assim que a menina que a Irmã de Sangue parecia ter salvado é encontrada azulmente morta no seu catre de noviça, com os bolsos internos do hábito entupidos de tudo quanto é tipo de substância e de parafernália de drogas e com o braço transformado num verdadeiro seringal. Plano fechado da I. de S., rosto roxamente contorcido, encarando a ex-ex-punk. Suspeitando de alguma sujeira em vez de de um recidivismo espiritual, a Irmã de Sangue, desconsiderando primeiro os ensinamentos pios tipo Outra-Face, depois os apelos apaixonados e depois as ordens diretas da Vice-Madre-Superiora — que calha agora de ser a freira que tinha salvado a Irmã de Sangue, lá atrás —, começa a voltar aos seus hábitos anteriores pré-salvação de motoqueira durona das ruas cruéis de Toronto: dessilenciadorizando a Harley, tirando uma jaqueta motociclística de couro com tachas de metal e desbotada pelo tempo de um depósito e a espremendo sobre o hábito peitoralmente inflado, desbandajando as tatuagens mais tétricas, sacudindo ex-coroinhas para conseguir informação, mostrando o dedo para motoristas que ficam no caminho da moto, se encontrando com antigos contatos dos tempos de rua em bares escuros e virando dosadores e mais dosadores até com os mais cirróticos deles, surrando, caceteando, aikidozando, desarmando bandidos com furadeiras, vingando a dessalvação e o desmapeamento da sua jovem protegida, determinada a provar que a morte da garota não era acidente nem recaída, que a Irmã de Sangue não tinha fracassado com a alma que tinha escolhido salvar para pagar a dívida da sua alma para com a velha Vice-Madre Superiora durona que tinha salvado a ela, Irmã de Sangue, há tanto tempo. Vários dublês com cara de bandido e incontáveis litros de tiocianato de potássio[296] depois, a verdade efetivamente vem à tona: a noviça tinha sido assassinada pela Madre Superiora, a maior e mais durona das freiras da ordem. Essa M. S. é a freira que tinha salvado a Vice-M. S. que tinha salvado a Irmã de Sangue, o que significa, ironicamente, que as provas de que a Irmã de Sangue precisa para provar que a sua dívida de salvação realmente foi paga são também provas contrárias aos interesses legais da freira durona a quem a própria salvadora da Irmã de Sangue deve obediência, portanto a Irmã de Sangue vai ficando cada vez mais torturada e mal-humorada à medida que as provas da culpa da Madre Superiora vão se somando. Numa cena ela diz *merda*. Em outra brande um turíbulo como se fosse uma maça e arranca os miolos de um sacristão velho que era um dos capangas da Madre Superiora, cortando-lhe a cabeça desdentada. Aí, no Terceiro Ato, uma verdadeira orgia de vingança se segue ao surgimento pleno da sórdida verdade: parece que a velha Vice-Madre Superiora durona, isto é, a freira que tinha salvado a Irmã de Sangue na verdade *não* tinha sido salva, de fato, afinal — tinha na verdade, durante + de 20 anos de exemplar comportamento repetidor de novenas e assador de hóstias, estado em meio a uma espécie de apodrecimento recidivista degenerativo oculto, da alma, e tinha retomado, a Vice-M.S., mais ou menos quando a Irmã de Sangue tinha envergado o hábito da freirice plena, tinha não apenas retomado a dependência de Substâncias mas na verdade começado a traficar quantidades consideráveis do que fosse que na época dava mais lucro (o que depois de + de 20 anos tinha mudado de heroína marselhesa para Bing Crosby colombiana de qualidade freebaseável) para bancar o seu próprio vício oculto, coordenando à sorrelfa uma enorme operação varejista que operava nos pouco usados confessionários da Missão de Resgate Comunitário da ordem. A superiora dessa freira, a mega Madre Superiora durona, ao tropeçar com a venda de drogas depois que o sacristão ora desmapeado tinha lhe informado que uma quantidade suspeita de limusines andava descarregando pessoas com correntes de ouro e sem grandes caras contritas na Missão de Resgate Comunitário da ordem, e desastrosamente incapaz de juntar a pia humildade necessária para aceitar o fato de que tinha fracassado, aparentemente, em salvar de verdade e para sempre a ex-trafica de cuja salvação a Madre Superiora necessitava para pagar a dívida para com a freira octogenária ora aposentada que tinha salvado a *ela* — essa Madre Superiora foi pessoalmente quem matou a noviça ex-punk da Irmã de Sangue, para silenciar a menina. O que vem à tona é que o point onde a punk viciada da Irmã de Sangue descolava suas Substâncias, quando estava Lá Fora na pré-salvação, era nada menos que a infame Missão de Resgate Comunitário da Vice-Madre. Em outras palavras, a freira que tinha salvado a Irmã de Sangue mas que estava ela mesma secretamente não salva era a trafica de Bing da menina durona o que era o motivo da menina durona não católica curtir tanto o Confiteor. A Madre Superiora da ordem tinha sacado que seria só questão de tempo antes da conversão e da salvação da menina chegarem àquelas alturas espirituais em que o silêncio contido dela se desmantelaria e ela contaria à Irmã de Sangue a maculada verdade sobre a freira que ela (Irmã de Sangue) achava que tinha salvado ela (Irmã de Sangue). Então ela (a Madre Superiora) tinha eliminado o mapa da menina — ostensivamente, disse ela (a Madre Superiora) para a sua lugar-tenente, a Vice-Madre Superiora, para salvar a ela (a Vice-Madre Superiora) da delação e da excomunhão e talvez de coisa pior, se a menina não fosse calada.[297]

Esse material narrativamente prolixo e convoluto é todo explicado num volume quase de kabuki durante um fudevu aterrador no escritório da Madre Superiora que não tinha salvado a Vice-M. S. que tinha salvado a Irmã de Sangue, com as duas freiras veteranas — que tinham sido duronas e não salvas no passado ontariano em

728

que os homens eram homens e as motoqueiras viciadas também eram — se juntando para cobrir a Irmã de Sangue de porrada, uma cena de luta que é um borrão de hábitos rodopiantes e artes marciais de respeito contra o pano de fundo pontualmente iluminado do imenso crucifixo de mogno decorativo da parede, com a Irmã de Sangue se virando bem direitinho mas ainda assim tomando todas no véu e finalmente, depois de levar diversas voadoras na testa, começando a dar adeus ao seu mapa corpóreo e a se encomendar aos braços de Deus; até que a Vice-Madre Superiora recidivista não salva que tinha salvado a Irmã de Sangue, enxugando o sangue dos olhos depois de uma cabeçada e vendo a Madre Superiora prestes a decapitar a Irmã de Sangue com uma machadinha de suvenir das antigas que os Huron que tinham sido salvos pela fundadora original da ordem salvadora de meninas duronas de Toronto tinha usado para decapitar missionários jesuítas antes dela (a freira durona Huron) ter sido salva, vendo a machadinha erguida com as duas mãos na frente do rosto de olhos normalmente pios da velha Madre Superiora — um rosto agora transformado numa coisa indescritível em todos os aspectos pela ausência de humildade e pela paixão silenciadora da verdade que geram uma maldade pura e radical — vendo agora a machadinha erguida e o rosto demonizado da M. S., a Vice-freira não salva tem um momento de epifânica e antirrecidivista lucidez e evita o desmapeamento da Irmã de Sangue saltando do outro lado do escritório e apagando de vez a Madre Superiora com um grande objeto decorativo cristão de mogno tão simbolicamente óbvio que nem precisa ser mencionado, com a falta de sutileza simbólica do objeto fazendo tanto Hal quanto Bridget Boone se contorcerem. Agora a Irmã de Sangue está com a machadinha das antigas, e elas ficam se encarando por sobre a barafunda horizontal dos panejamentos da Madre Superiora, peitos arfantes, e a Vice-M. S. está com uma expressão retorcida sob o véu torto tipo *Anda, torna o círculo recidivista de retribuição contra a freira que você achou que tinha te salvado mas que no fim das contas não conseguiu nem se salvar completo, completa o circuito lapsariano* coisa e tal. Elas ficam se encarando durante uma sequência interminável de quadros, com a parede atrás delas no escritório cruciformemente pálida onde o objeto não mencionado estava pendurado. Aí a Irmã de Sangue dá de ombros resignada, larga a machadinha, se vira e com uma irônica reverenciazinha sai pela porta do escritório da Madre Superiora, atravessa a pequena sacristia, passa pelo altar e pela pequena nave do convento (botas de motoqueira ecoando nos ladrilhos, enfatizando o silêncio) e cruza as grandes portas cujo tímpano no alto tem o entalhe de uma espada, um enxadão, uma seringa, uma concha de sopa e o lema *CONTRARIA SUNT COMPLEMENTA*, que é tão pesado que faz Hal se contorcer tão fortemente que é Boone quem tem que dar a tradução que Kent Blott solicita.[298] Na tela, nós ainda acompanhamos a freira durona (ou ex--freira). O fato de que a machadinha que ela resignadamente largou deu uma bela de uma pancada na horizontal Madre Superiora nos é apresentado como claramente acidental... porque ela (a Irmã de Sangue) ainda está se afastando do convento, movendo-se enfaticamente num foco que vai se aprofundando. Coxeando duronamente rumo leste e à pipilante aurora de Toronto. A sequência final do cartucho a mostra montada na Harley na rua mais cruel de Toronto. A ponto de recair? Voltar aos seus hábitos pré-salvação? Não fica claro de um jeito que supostamente seria rico de significados: ela com uma expressão que na melhor das hipóteses é agnóstica, mas com a imensa placa de uma loja de silenciadores baratos de Harley se projetando bem no horizonte para onde ela segue troante. Os créditos finais têm o estranho verde-limão dos insetos esmagados num para-brisa.

Difícil dizer se o aplauso de Boone e Bash é sarcástico. Vem aquela movimentação pós-entretenimento de posições mudadas, membros esticados e tiradinhas críticas. Do meio do nada Hal lembra: Smothergill. Possalthwaite disse que ele e o Id ali tinham trazido Blott para conversar com Hal sobre alguma coisa perturbadora que eles tinham encontrado na tarefa disciplinar deles de limpeza nos túneis naquela tarde. Hal ergue uma mão pedindo aos meninos que aguentem aí, repassando estojos de cartuchos para ver se *Civismo de baixa temperatura* está aqui. Todos os estojos estão claramente etiquetados.

A aparição sumiu, com o vermelho de seu casaco se encolhendo contra o panorama oscilante de Prospect St., calçada, lixeiras e fachadas altas, Ruth van Cleve no seu tétrico encalço também sumindo, gritando palavras de gíria urbana que se tornavam mais engolidas que abafadas. Kate Gompert ficou segurando a cabeça machucada e ouviu seu troar. A perseguição de Ruth van Cleve era ralentada por seus braços, que se sacudiam no ar enquanto ela gritava; e a aparição sacudia as bolsas dela para abrir um caminho na calçada à sua frente. Kate Gompert via pedestres saltando para a rua bem lá na frente para evitarem tomar um tranco. Toda a cena visual parecia tinta de violeta.

Uma voz de sob um toldo de fachada logo ali ao lado em algum lugar disse: "Eu vi!".

Kate Gompert se inclinou mais um pouco e segurou a parte da cabeça que circundava o olho. O olho estava palpavelmente se fechando, e toda a visão dela estranhamente violeta. Um som na cabeça como o de uma ponte levadiça se erguendo, implacáveis baques e rangidos. Uma saliva quente e aguada lhe inundava a boca, e ela ficava engolindo para evitar a náusea.

"Se vi! Pode apostar a porra da tua *vida* que eu vi!" Uma espécie de gárgula pareceu se destacar de um mostruário de ferramentas na vitrine de uma loja e se aproximar, movendo-se de uma forma estranhamente entrecortada, como num filme com falta de quadros. "Vi tudinho!", a forma disse, e aí repetiu. "Eu sou testemunha!", disse.

Kate Gompert estendeu o outro braço para se apoiar num poste e se pôs quase de pé, olhando para a forma.

"Testemunha da merda *toda*", a forma disse. No olho que não estava fechando por causa do inchaço a coisa se revelou violentamente um homem barbado com um casaco do Exército e um casaco do Exército sem mangas por cima daquele casaco, com baba na barba. Um olho tinha um sistema de artérias explodidas. Ele tremia como uma máquina velha. Rolava um cheiro. O velho chegou bem perto, crescendo, de modo que os pedestres tinham que se afastar dos dois ao mesmo tempo em suas curvas. Kate Gompert sentia o coração bater no olho.

"Testemunha! Testemunha *ocular*! Tudinho!" Mas ele estava olhando para outro lugar, tipo mais em volta para as pessoas que passavam. "Se eu vi? Vi *tudo*!" Sem saber direito para quem estava gritando. Não era para ela, e os passantes prestavam aquele tipo estudado e civilizado de não atenção enquanto rompiam fileiras e se fundiam em torno deles no poste e aí se reagrupavam. Kate Gompert teve a ideia de que se apoiar no poste evitaria que ela vomitasse. *Concussão* é só outro nome para um machucado no cérebro. Ela tentou não pensar a respeito, que o impacto de repente tinha feito uma parte do cérebro dela dar uma trombada no crânio, e agora aquela parte estava inchando roxamente, achatada contra a parte interna do crânio. O poste que ela usava para se manter de pé era o que a tinha atingido.

"Camarada? *Eu* é que sou o seu camarada. Testemunha? Vi tudinho!" E o camarada velhusco estendia uma trêmula mão espalmada bem embaixo da cara de Kate Gompert, como se quisesse que ela vomitasse ali. A palma era violeta, com manchas de algum tipo de podridão quiçá micótica, e com negras linhas ramificadas onde as róseas linhas da palma das mãos das pessoas que não moram numa lixeira normalmente estão, e Kate Gompert ficou examinando distraída aquela palma e o bilhete da GIGABUCKS,[299] descorado pelo tempo na calçada abaixo dela, a palma. O bilhete parecia sumir numa névoa violeta e aí voltar à superfície. Os pedestres mal lançavam um olhar aos dois aí olhavam detidamente para outro lugar: uma menina pálida com cara de bêbada e um vagabundo de rua mostrando alguma coisa para ela na mão. "Testemunhei a coisa toda sendo cometida", o homem comentou com um passante com um celular preso ao cinto. Kate Gompert não conseguia reunir as forças necessárias para mandar ele vazar. Era assim que se dizia aqui na cidade real, Vai, vaza, com um gestinho veloz do polegar. Ela não conseguia nem dizer Vá embora, ainda que o cheiro do homem piorasse tudo, a náusea. Parecia terrivelmente importante não vomitar. Ela conseguia sentir o coração batendo no olho em que o poste tinha batido. Como se o esforço de vomitar pudesse agravar o arroxamento esponjoso da parte do cérebro dela que o poste tinha machucado. A ideia fez ela querer vomitar naquela palma horrorosa que não ficava quieta. Ela tentou raciocinar. Se o homem tinha testemunhado a coisa toda então como é que podia achar que ela tinha moedas para pôr na mão dele. Ruth van Cleve estava listando alguns apelidinhos mais engraçados usados pelo pai encarcerado do seu filho quando Kate Gompert sentiu uma mão a golpear nas costas e se fechar em volta da alça da bolsa. Ruth van Cleve tinha gritado enquanto a aparição do que era simplesmente a mulher mais repulsiva que Kate Gompert já tinha visto irrompeu entre as duas, jogando cada uma para um lado. A alça de vinil da bolsa de Ruth van Cleve cedeu imediatamente, mas a alça estreita e densamente macramificada de Kate Gompert ficou presa ao seu ombro e ela foi puxada luxantemente para a frente pela inércia da aparição feminil no que tentava sair correndo pela Prospect St., e a bruxa rubra foi puxada luxantemente para trás quando a alça da bolsa de macramê trançado 100% algodão e de boa qualidade da Filene aguentou firme, e Kate Gompert deu uma cheirada numa coisa mais fedida que o mais fedido esgoto municipal e uma olhada no que parecia ser uma barba de cinco dias na cara da bruxa enquanto a safa Ruth van Cleve agarrou o casaco dela/dele/daquilo, proclamando ser o ladrão um fidapu dum disgaçá. Kate Gompert estava sendo arrastada aos trancos, tentando tirar o braço do laço da alça. Os três seguiam em frente dessa maneira. A aparição deu violenta meia-volta, tentando se livrar de Ruth van Cleve, e o giro dela/daquilo com a bolsa fez Kate Gompert (que não pesava grandes coisas) dar uma enorme volta circular (ela teve um flashback de reminiscências de brincadeiras com cordas nos rinques de patinação do Clube de Wellesley Hills para "minipatinadores" na Hora das Criancinhas, quando era pequena), ganhando velocidade, e aí um poste esgravatado de ferrugem, encravado na beira da calçada, veio rotacionado na direção dela, também ganhando velocidade, e o som foi algo entre um *bonk* e um *clang*, e o céu e a calçada trocaram de lugar, e um sol violeta explodiu para fora, e a rua ficou toda violeta e balançou como um sino badalando; e aí ela se viu sozinha e desbolsada, observando os dois sumirem como se estivessem pedindo ajuda aos berros.

14 DE NOVEMBRO
ANO DA FRALDA GERIÁTRICA DEPEND

Já que a desvantagem disso da cocaína ingerida nasalmente é que num certo momento logo depois da crista da onda da euforia — se você não teve o bom senso de parar e simplesmente pegar a onda, e em vez disso continuou mandando ver, nasalmente — ela te leva a regiões de frio e amortecimento nasal quase interestelares. Os seios faciais de Randy Lenz estavam congelados dentro do crânio, amortecidos e cobertos de uma geada cristalizada. Suas pernas pareciam terminar nos joelhos. Ele estava seguindo duas chinesas de tamanho bem reduzido enquanto elas arrastavam imensas sacolas de papel rumo leste na Bishop Allen Dr. por baixo da Central. O coração dele soava como um sapato na secadora do porão da Casa Ennet. As chinesas passinhavam num ritmo espantoso, dados seu tamanho reduzido e o tamanho das sacolas. Era c. 2212:30-40h, bem no meinho do antigo Intervalo de Resolução de Questões. As chinesas não estavam exatamente andando, elas muito mais passinhavam a uma velocidade meio entomológica, e Lenz está se esfalfando para ao mesmo tempo não perdê-las de vista e caminhar num passo despreocupado, amortecido dos joelhos para baixo e das narinas para trás. Elas fizeram a curva para a Prospect St. duas ou três quadras abaixo da Central Square, na direção da Inman Square. Lenz seguia dez ou vinte passos atrás, de olho nas alças de barbante das sacolas de compras. As chinesas tinham mais ou menos o tamanho de um hidrante de incêndio e se moviam como se tivessem mais que a quantidade normal de pernas, conversando naquela língua natal delas, de pios de macaco. A evolução provava que as tais línguas orientoides eram mais próximas das tais das línguas primatais que tudo. De início, nas calçadas de pedra do trecho da Mass. Ave. entre Harvard e Central, Lenz tinha achado que *elas* é que podiam estar seguindo *ele* — ele já tinha sido seguido várias vezes na vida, e como o bem lido Geoffrey D. ele sabia muito bem muito obrigado que os tipos mais amedrontadores de vigilância eram executados por pessoas de aparência improvável que te seguiam caminhando na tua frente com uns espelhinhos nas têmporas dos óculos ou com elaborados sistemas de comunicadores celulares para se manter em contato com o Comando Central — ou ainda por helicópteros, também, que voavam alto demais para você poder ver, pairando, com o zunido minúsculo dos rotores disfarçado no som do teu próprio coração acelerado. Mas depois que ele tinha tido sucesso em se livrar das chinesas duas vezes — na segunda vez com tanto sucesso que teve que sair disparado por ruelas e saltar cercas de madeira para alcançar as duas de novo umas quadras mais ao norte na Bishop Allen Dr., passinhantes, matraqueantes — ele tinha sossegado na sua convicção de quem estava seguindo quem ali. Assim tipo quem tinha o poder de controle da situação geral. A expulsão da Casa, expulsão esta que de início tinha parecido meio que uma sentença de morte em vida, no final foi a melhor coisa do mundo. Ele tinha tentado Andar na Linha e a única coisa que conseguiu foi ser ameaçado e mandado embora sem nenhum respeito; ele tinha feito tudo que podia, e na maior parte do tempo de uma maneira bem respeitável; e tinha sido mandado Embora, Só, e agora pelo menos podia se esconder abertamente. R. Lenz vivia da sua esperteza aqui fora, profundamente disfarçado, nas amônimas ruas de N. Cambridge e Somerville, sem jamais dormir, sempre em movimento, escondido sob luzes fortes e na cara das pessoas, no último lugar em que Eles iam pensar em procurá-lo.

Lenz usava calça de neve amarelo-fluorescente, paletó ligeiramente brilhante de um smoking de cauda longa, um sombrero com bolinhas de madeira pendendo da aba, imensos óculos de casco de tartaruga que escureciam automaticamente em reação a luzes fortes e um bigode preto reluzente afanado do lábio superior de um manequim da Lechmere's em Cambridgeside — sendo o conjuntinho resultado de ousadas operações de saque-e-fuga por todo o Charles noturno, quando ele tinha voltado à Superfície a nordeste de Enfield vários dias e tantos mais atrás. O absoluto negror do bigode de manequim — mui seguramente preso com Super Bonder afanada e tornado ainda mais brilhante pelo corrimento de um nariz que Lenz não consegue sentir que está escorrendo — dá à sua palidez um aspecto quase fantasmático sob a sombra portátil do sombrero — outra tanto vantagem quanto desvantagem da cocaína nasal é que comer vira uma coisa inane e opcional, e você esquece por longos períodos de tempo de comer — com esse exuberante pastiche de um disfarce ele passa facinho por um dos sem-teto e dos loucos errantes da Grande Boston, os mortos e moribundos vivos, e todos que passam passam longe. O truque, ele descobriu, é não dormir nem comer, ficar de pé e se mover o tempo todo, alerta em todas as seis direções a todo momento, rumando para a cobertura propiciada por uma estação de

T ou por um shopping fechado sempre que o zunir cardíaco dos rotores invisíveis traísse a vigilância de altitude.

Ele logo se familiarizou com as redes de ruelas, gios e terrenos baldios enlixados da Pequena Lisboa e sua (cada vez menor) população de gatos e cães selvagens. A área era fértil em relógios altos de bancos e igrejas, ditando os movimentos. Ele levava sua Browning X444 Serrilhada no seu coldre de ombro preso dentro da única meia logo acima das polainas do sapato social que ele tinha tirado do mesmo manequim do casaco do smoking na entrada da Uma Questão de Formalidade Ltda. Seu isqueiro ficava num bolso-faca fluorescente de zíper; sacos de lixo de qualidade abundavam em lixeiras e caminhões de lixo parados nos sinais. Os *princípios James das conferências Gifford*, com o coração receptaculado a navalha agora bem mais perto de estar vazio do que Lenz gostaria de contemplar diretamente, ele levava na mão enfiado embaixo de um braço formal. E as chinesas passinhavam centopeicamente lado a lado, com as sacolonas gigantes nas mãos direita e esquerda, respectivamente, de modo que as sacolas iam emparelhadas entre elas. Lenz diminuía a distância entre eles, mas aos poucos e com não pouca ardilosidade desinteressada, considerando que era difícil andar ardilosamente quando você não consegue sentir os pés e quando os seus óculos escureciam automaticamente sempre que você passava embaixo de um poste e aí demoravam um pouco para clarear de novo, depois, portanto nada menos que dois vitais sentidos safos de Lenz estavam desorientados; mas ele ainda assim dava um jeito de seguir tanto ardiloso quanto desinteressado aquelas duas. Ele não tinha a menor ideia da sua aparência de verdade. Como muitos malucos itinerantes da Grande Boston, ele tendia a confundir distância com invisibilidade. As sacolas pareciam pesadas e impressionantes, com o seu peso fazendo as chinesas adernarem levemente uma para a outra. Digamos 2214:10h. As chinesas e aí Lenz passaram todos por uma mulher de cara cinza agachada entre duas lixeiras, com as múltiplas saias erguidas. Veículos estavam estacionados com os para-choques colados por todo o meio-fio, com uma pletora de filas duplas também. As chinesas passaram por um sujeito perfilado no meio-fio com um arco e flecha de brinquedo, e quando os óculos desescureceram Lenz pôde vê-lo também quando ele também passou — o cara estava com um terno cor de rato e disparando uma flecha com ventosa contra a lateral de um imóvel Para Alugar, aí ia lá e desenhava um circulozinho miniatura de giz no tijolo em volta da flecha, aí outro círculo em volta daquele círculo e etc., que nem um como é que chama. As mulheres não prestaram nenhuma atenção orientoide nele. A gravata fininha do terno também era de tonalidade marrom, diferente da cauda de um rato. O giz de parede dele era mais meio rosa. Uma das mulheres piou alguma coisa, como uma exclamação para a outra. Os exclamatórios dessas tais línguas de macaco têm lá um som ricocheteado meio explosivo. Como que um *boing* em todas as palavras. Uma janela lá do outro lado da rua estava produzindo o Hino Americano esse tempo todo. O sujeito estava com uma gravata de cordão e umas luvinhas sem dedos, deu uns passos para longe da parede para examinar os seus círculos cor-de-rosa e quase colidiu com Lenz, e os dois se olharam e sacudiram a cabeça tipo Olha esse filho de uma puta urbanoide com que eu tenho que dividir a rua.

Era universalmente bem sabido que os tais tipos orientoides básicos carregavam toda a soma total dos seus bens pessoais com eles o tempo todo. Assim tipo na própria pessoa deles enquanto passinhavam por aí. A religião orientoide proibia bancos, e Lenz tinha visto gigantescas sacolas de compras de alça de barbante tamanho-família com uma quantidade significativa demais de mãos de chinesas por aí para não ter deduzido que a espécie feminina chinesa do oriental usava sacolas de compras para carregar seus bens pessoais. Ele sentia a energia necessária para um saque-e-fuga aumentar agora a cada passo, se aproximando como quem não quer nada, capaz agora de distinguir diferentes padrões nas bandeirolas transparentes que nem de plástico elas usavam para embrulhar aquele cabelinho. As chinesas. Os batimentos cardíacos dele aceleraram até alcançar um galope firme de aquecimento. Ele começou a sentir os pés. A adrenalina do que em breve ocorreria secou seu nariz e ajudou sua boca a parar de ficar se mexendo no rosto. O Porco Medonho não estava e jamais estaria amortecido, e agora ele se sacudiu dentro da calça de neve levemente com a excitação da esperteza e a emoção da caçada. Nem de longe aquilo era vigilância de alto nível: a carapuça estava no pé errado: as ingênuas orientais não tinham ideia do que as esperava, atrás delas, não tinham ideia de que ele estava lá atrás vigiando as duas e diminuindo a distância fortuita, tropeçando só um pouquinho depois de cada poste de luz. Ele estava no total controle daquela situação. E elas nem sabiam que havia uma situação. Na mosca. Lenz endireitou o bigode com um dedo e deu um minúsculo pulinho sincopado à la Dorothy de pura alegria controlada, com a adrenalina invisível para todos.

Há dois modos de proceder, e *Les Assassins des Fauteuils Rollents* estavam dispostos a seguir os dois. Menos melhor era a rota indireta: vigilância e infiltração dos comparsas sobreviventes do *auteur* do Entretenimento, sua atriz e suposta performer, parentes — se necessário, pegar eles e levar eles para entrevistas técnicas, levando esperançosamente ao original cartucho do entretenimento do *auteur*. Isso tinha riscos, os expunha e era considerado *abeyant* até que a rota mais direta — localizar e se apropriar de uma cópia Máster própria do Entretenimento — tivesse se esgotado. Foi dessa forma que assim eles ainda estavam aqui, na loja dos Antitoi de Cambridge, para — *comme on dit* — não fazer esforços medidos.

14 DE NOVEMBRO
ANO DA FRALDA GERIÁTRICA DEPEND

O segredo de correr de salto alto, o Coitado do Tony Krause sabia, era correr na pontinha dos pés, inclinado bem para a frente, com tanta inércia pra frente que você ficava bem de ponta e os saltos nunca entravam em cena. Evidentemente a Criatura desgraçada atrás dele também conhecia esse segredo profissional. Eles zuniram pela Prospect, a mão em garra da Criatura a mms de distância do boá volante. O Coitado do Tony segurava as duas bolsas juntas grudadas ao flanco do corpo como uma bola de futebol americano. Os pedestres se afastavam com maestria, bem treinados. O Coitado do Tony via os rostos dos pedestres com muita clareza à medida que seu odor chegava antes dele como uma onda de choque. Um sujeito com um casaco elegante fez cara de fedor e executou uma graciosa verônica para deixar as duas passarem. A respiração do Coitado do Tony saía em grandes engasgos rascantes e esgarçados. Ele não tinha contado com perseguição-pela-vítima. Ele sentia a mão da Criatura tentando agarrar os restos do boá. O boné irlandês saiu voando e sua perda não foi pranteada. A respiração da Coisa também era rascante, mas as obscenidades que ela lançava ainda vinham do diafragma, com convicção e vigor. A outra Coisa tinha trombado com um poste com um som carnudo que Tony tinha tremido ao ouvir. O seu próprio pai tinha batido na cabeça e nos ombros enquanto lamentava o filho simbolicamente morto. Exatamente depois da trombada e que a alça cedeu, Tony estava na pontinha dos pés e em plena fuga, sem contar com a perseguição desta outra, essa Criatura preta gritando e grudada nele. Nas primeiras quadras a Criatura ficou gritando *Socorro* e *Parem Aquela Puta*, e o Coitado do Tony, naquele momento com uma dianteira razoável, tinha contra-atacado também gritando *Socorro!* e *Pelo Amor de Deus Segurem Essa Mulher*, desorientando quaisquer eventuais cidadãos. Um antigo segredo profissional do pessoal da Harvard Square. Mas agora a Criatura preta tinha chegado a mm e agora estava segurando firme o boá no que eles zuniam respirando em plena velocidade na ponta dos pés, e Krause desenlaçou aquela coisa do pescoço com um floreio e ofereceu o boá em sacrifício à Coisa, mas a mão odiosa da Criatura voltou imediatamente, agarrando o ar logo acima da sua gola de couro, com aquela respiração rascante no ouvido dele, xingando. O Coitado do Tony lamentou entre uma passada e outra quando pensou que a Coisa sem dúvida tinha simplesmente jogado o boá sem mais nem menos de lado na rua ou na sarjeta. Os bicos dos sapatos delas formavam complexos e variados ritmos na calçada; às vezes os pés batiam em sincronia, e depois não mais. A Coisa ficava agonizantemente logo atrás dele. Placas com letras grandes que anunciavam FRANGO ABATIDO AGORINHA e TOTAL DESTRUIÇÃO passavam num zás; a Entretenimento Antitoi ficava a apenas duas longas quadras norte-sul de distância. Krause e perseguidora atravessaram entre os carros de um cruzamento engarrafado. O Coitado do Tony gritava *Socorro!* e *Por Favor!* A mão e a respiração sibilante logo atrás dele eram como um desses sonhos simplesmente pavorosos em que alguma coisa inimaginável está te perseguindo por km e km e logo antes das garras dela se fecharem na parte de trás da tua gola você acorda sentando de salto; só que essa situação pavorosa de mão-de-Criatura-com-garras-logo-atrás-dele não acabava mais, fachadas, meios-fios, pedestres aos pulos, tudo se fundindo perifericamente à sua direita. A discreta porta dos fundos da Ent. Antitoi era acessível por uma ruela que servia de estacionamento e saía do lado oeste da Prospect logo antes da Broadway e seguia rumo oeste para intersectar uma ruela norte-sul menor forrada de lixeiras, uma de cujas lixeiras (em que o Coitado do Tony às vezes dormia quando ficava até tarde na rua e estava curto de grana para pagar o trem) ficava à distância de um lançamento manual da saída dos fundos dos irmãos. O Coitado do Tony, bolsas sob o braço e a outra mão segurando firme a peruca, calculou que se conseguisse abrir uma distância razoável para a Criatura quando eles chegassem à ruela menor as lixeiras impediriam que aquele Bicho visse por qual porta dos fundos oxalá aberta o C. do T. tinha entrado em busca de um bondoso abrigo humano. Ele fintou as frutas expostas diante de uma bodega e deu uma olhadinha rápida para trás, torcendo para que a Criatura trombasse e descambasse por cima das frutas empilhadas. Não trombou. Continuava bem ali, respirando. O seu pulinho sincopado para contornar dois níveis de caixas de papelão com oxicocos do Cabo foi desanimadoramente hábil. Aquela Coisa clarissimamente já tinha perseguido gente antes. A respiração dela tinha uma implacabilidade rascante. Ela clarissimamente não ia parar tão cedo. Ela não estava mais gritando *Pare* ou xingamentos de baixo nível. Quando o Coitado do Tony respirava ele sentia como que chamas. Soava quase como se ele estivesse chorando. Ele tentou gritar Socorro! e não conseguiu; ele não tinha sobra de respiração; partículas negras passaram flutuando pelo campo de visão dele; só alguns postes de luz estavam funcionando; seus batimentos cardíacos estavam *zuckungzuckungzuckung*. O Coitado do Tony saltou um display de papelão bisonhamente disposto que anunciava algo cadeirante e ouviu a Criatura saltar também e aterrissar com leveza na ponta dos pés. As gáspeas dela não eram de tirinhas e não machucavam como as daqueles Aigner de qualidade; Tony sentia o sangue nos pés. A entrada da ruela que servia de estacionamento a oeste ficava entre um Contador e outra coisa; era logo ali; Krause estreitou os olhos; as partículas pretas eram uns anéis minúsculos com centros opacos e passavam flutuando para o alto pelo campo de vista dele como balões, preguiçosamente; o Coitado do Tony estava pós-convulso, enfermo, para nem falar da Abstinência; sua respiração saía em rasgos e semissoluços; ele mal conseguia se manter na ponta dos pés; ele não tinha consumido comida desde antes do cubículo do banheiro dos homens da biblioteca, que foi sei lá quantos dias antes; deu uma examinada nas fachadas borradas que iam passando; uma pessoa de mais idade caiu fazendo ruído quando a Criatura abriu caminho com o braço esticado; em algum lugar soou um apito de chamar a polícia; o Contador tinha o estranho anúncio ON PARLE LE PORTUGAIS ICI na fachada. O dedo da mão do Bicho batia na orla da gola de couro de Tony a cada passada até que subiu e o Coitado do Tony sentiu os dedos no cabelo do chignon que ele usava preso firme à cabeça pela mão. O pai do Coitado do Tony costumava chegar em casa no 412 da Mount Auburn Street em Watertown no encerramento de um longo dia de cesarianas e ficar sentado numa cadeira da cozinha que ia escurecendo, coçando a cabeça onde as tiras verdes da máscara tinham lhe machucado a cabeça. Os dedos de unhas indubitavelmente medonhas de tão compridas estavam tentando se entrançar no cabelo da peruca dele quando eles chegaram ao Contador e Tony guinou bruscamente à direita, quebrando um salto na curva mas ganhando vários passos de vantagem enquanto a inércia da

Criatura a levava além da boca embutida da ruela. Krause choramingou rascante e fugiu para oeste, nas pontas ensanguentadas dos pés, ouvindo a respiração que ecoava nos dois lados da ruela, evitando cacos de vidro e sem-tetos em decúbito dorsal, ouvindo o Bicho vários passos atrás dele gritando um Para Filhadaputa *Para!* Encorpado pelo eco, com uma pessoa em decúbito dorsal que Krause saltou erguendo uma cabeça apodrecida do chão da ruela para replicar com: *Vai.*

Tendo localizado — através de estrênua entrevista técnica com o especialista sartorialmente excêntrico em dor craniofacial, a quem eles tinham localizado através da infelizmente fatal entrevista técnica com o jovem ladrão[300] cuja tolerância aos picos elétricos se mostrou consideravelmente menor que a do maquinário computacional do seu quarto — tendo localizado as suas melhores chances de uma cópia no desafortunado estabelecimento dos Antitoi, a AFR tinha levado vários dias para achá-lo ali, o verdadeiro Entretenimento.

O líder da célula EUA da AFR, Fortier, filho de um soprador de vidro de Glen Almond, não tinha permitido que nenhum espelho fosse quebrado ou desmontado. Em todos os outros aspectos, a busca tinha sido metódica e profunda. Foi uma busca bem-feita e ainda organizada, sem pressa. Como o monitor da loja era visualmente disfuncional, foi necessária a aquisição de um TP de varejo que foi preparado para espectação voluntária na sala de depósito nos fundos da loja. Cada cartucho das exaustivas prateleiras da loja foi avaliado por um voluntário, depois descartado num dos imensos *coffre d'amas* metálicos que ficavam na ruela da porta dos fundos da loja. Uma equipe tinha recebido a missão de enrolar os extintos irmãos Antitoi em plástico de construção civil e colocá-los numa sala de depósito que dava para a dos fundos. Isso para propósitos higiênicos. Uma equipe também tinha obtido um blecaute de oleado para o vidro da porta da frente, e também umas placas impressas que diziam FECHADO, ROPAS e RELACHE. Pessoa nenhuma tinha batido na porta depois das primeiras horas assim.

Rapidamente, no primeiro dia, numa caixa de bebidas que estava úmida e cheirando mal, eles tinham achado um exemplo dos cartuchos de displays urbanos da rival FLQ, com a sua carinha feliz mal impressa e o "IL NE FAUT PLUS QU'ON PURSUIVE LE BONHEUR" gravado nela. E o jovem Tassigny, com característico brio, se apresentou como voluntário para ser levado à sala de depósito e amarrado à cadeira para poder verificar isso, e Fortier permitiu isso. Todos eles tinham erguido o gesto de um brinde para Tassigny e prometido cuidar do pai idoso e das armadilhas dele, M. Fortier tinha abraçado o jovem voluntário, beijado as bochechas das duas faces dele enquanto o empurravam e ele era preparado por M. Broullîme, com cabos de EEG, e atado à cadeira diante do monitor colocado na sala de depósito.

Aí acabou que o cartucho do display de rua estava vazio, branco. Aí outro daquela caixa, também úmida: vazio também. Dois vazios. *Donc. D'accord.* Fortier, filosófico, aconselhou contra desapontamento ou dano causado por uma frustração — ele e Marathe tinham aconselhado o tempo todo que os displays da FLQ do Entretenimento e do cadeirante eram provavelmente a fraude, instilantes de apenas terror. O fato dos displays incluírem cadeiras de rodas, um tabefe nos testículos da AFR — isso foi ignorado. A AFR queria apenas tomar posse dessa cópia do Entretenimento. E também, principalmente, agora determinar: será que essa cópia de DuPlessis podia ela própria ser copiada? Esse era o verdadeiro objetivo: um cartucho Máster.[301] Ao contrário da FLQ, os *Assassins des Fauteuils Rollents* não tinham interesse em chantagem ou extorsões cartográficas pela devolução do Reconvexo. Nem na re-reconfiguração da ONAN nem na dissolução da sua constituição. A AFR estava interessada apenas em dar o tipo de *frappé* testicular na barriga dos interesses egoístas dos EUA que faria com que o próprio Canadá não estivesse disposto a encarar a retaliação dos EUA — se a AFR conseguisse obter, copiar e disseminar o Entretenimento, Ottawa não apenas permitiria mas exigiria a secessão do Québec, para que eles encarassem por conta própria a ira de um vizinho derrubado por sua incapacidade de dizer *"Non"* para prazeres fatais.[302]

Fortier pediu que a AFR metodicamente prosseguisse com a busca. Voluntários mais jovens eram empurrados para a sala de depósito alternadamente para examinar cada conjunto de cartuchos. Fora certos resmungos por causa da pornografia portuguesa, o revezamento continuou com brio e atenção. Os cadáveres embrulhados em plástico começaram a inchar, mas o plástico mantinha as condições higiênicas adequadamente para se examinar amostras dos muitos cartuchos na sala de depósito. A busca e o inventário prosseguiam de maneira detalhada e lenta.

M. Fortier precisou se ausentar por um tempo, no meio da busca, para ajudar a agilizar as operações no sudoeste, a infiltração nos círculos daquele parente do *auteur* que parecia mais fortemente (segundo Marathe) ter conhecimento ou posse de uma cópia duplicável. Havia motivos para pensar que M. DuPlessis tinha recebido suas cópias originais deste parente, um atleta. Marathe achava que o ESAEU achava que essa pessoa podia ter responsabilidade pelos pegamentos e capamentos de Berkeley e Boston, EUA. O agente de campo dos americanos, coberto de próteses, andava grudado nessa pessoa como um cheiro ruim.

A nação EUA tratava os cadeirantes com a solicitude que os fracos usam em lugar do respeito. Como se ele fosse uma criança adoentada, Fortier. Os ônibus se ajoelhavam, rampas suaves flanqueavam as escadas, comissários o empurravam para o avião diante de todos os solícitos olhos dos que se punham sobre pernas. Fortier possuía pernas destacáveis de resinas polímeras cor de carne cujos circuitos interiores respondiam a estímulos neurais de grandes fascículos de seus tocos, que com muletas metálicas canadenses cujos braceletes se prendiam aos pulsos dele lhe davam como que uma paródia balouçante da perambulação. Mas Fortier, ele raramente usava as próteses, não nos EUA, e nunca para trânsito público. Ele preferia a condescendência, a falsa "percepção" institucional do seu "direito" a "pleno acesso"; isso dava mais gume a sua noção de objetivos. Como todos eles, Fortier estava disposto a se sacrificar.

14 DE NOVEMBRO
ANO DA FRALDA GERIÁTRICA DEPEND

Depois de tanto tempo sem pensar, e aí agora o pensamento volta num soco e vira tão fácil uma preocupação obsessiva na sobriedade. Alguns dias antes da debacle em que Don Gately se feriu, Joelle tinha começado a se preocupar obsessivamente com os dentes. Fumar cocaína freebase come os dentes, corrói os dentes, ataca diretamente o esmalte. Chandler Foss tinha explicado tudo isso pra ela na hora da janta, mostrando a ela seus cotocos corroídos. Na sua bolsa de pano latina ela agora carregava uma escova de dentes de viagem e uma pasta de dentes cara com supostos revitalizadores de esmalte e anticorrosivos. Vários residentes da Ennet que tinham chegado ao fundo com o cachimbo de vidro ou não tinham dentes ou tinham dentes enegrecidos e desintegrantes; a visão dos dentes de Wade McDade ou Chandler Foss dava faniquitos em Joelle mais do que qualquer coisa nas reuniões. A pasta de dentes só recentemente ficou disponível sem receita e estava um furo inteiro em potência e custo acima da pasta normal de fumantes.

Ali deitada na sua cama, ao lado do beliche vazio de Kate Gompert, com a borda do véu bem presa entre travesseiro e queixo, e Charlotte Treat também adormecida do outro lado do quarto iluminado, Joelle sonha que Don Gately, sem ferimentos e com um sotaque do centro-sul, está cuidando dos dentes dela. Ele está paramentado de branco odontológico, cantarolando baixinho, com ágeis manzorras no que pega instrumentos na bandeja reluzente ao lado da cadeira. A cadeira dela é odontológica e inclinada para trás, entregando-lhe o rosto dela, de pernas bem fechadas e esticadinhas na frente do corpo. Os olhos do dr. Don são distraidamente gentis, preocupados com os dentes dela; e os dedos grossos dele, enquanto insere coisas para mantê-la aberta, são desluvados e têm um gostinho quente e limpo. Até a luz parece esterilmente limpa. Não há assistente; o dentista trabalha solo, inclinado sobre ela, cantarolando acordes distraídos enquanto escarafuncha. A cabeça dele é imensa e vagamente quadrada. No sonho ela se preocupa com os dentes e sente que Gately também tem essa preocupação. Ela acha bom ele não ficar de conversinha e provavelmente nem saber o nome dela. Há muito pouco contato visual. Ele está completamente concentrado nos dentes dela. Está ali para ajudar como for possível, é a mensagem de todos os gestos dele. O babador dele pende de um colar de bolinhas minúsculas de aço que não tinha como ser mais branco, a cabeça dele está aureolada por uma tira e um disco de metal polido preso à tira logo acima dos olhos dele, um minúsculo espelho de aço inoxidável, limpo como a bandeja dos instrumentos; e a qualidade relaxada e confiante de calma do sonho é minada apenas pela visão do rosto dela no espelho da auréola, o disco como um terceiro olho na testa larga e limpa de Gately: porque ela pode ver seu rosto, convexamente distorcido e destruído por anos de cocaína e de não dar bola, o rosto dela só olhos saltados e bochechas encavadas, borrões fuliginosos sob os olhos estanhados; e quando os dedos quentes e grossos do dentista delicadamente abrem seus lábios ela

740

olha para o espelho da cabeça dele e vê fileiras de dentes todos caninos, afilados e pontiagudos, com então mais fileiras de caninos por trás, de reserva. As incontáveis fileiras de dentes são todas pontiagudas e fortes e não enegrecidas mas tintas nas pontas de um estranho tipo de vermelho, como que de sangue velho, os dentes de uma criatura que descuidadamente rasga carne. São esses os dentes que andaram aprontando coisas de que ela não ficou sabendo, ela tenta dizer em volta dos dedos. O dentista cantarola, escarafunchante. No sonho Joelle ergue os olhos para o disco do espelho odontológico da testa de Don Gately e é tomada por um medo de seus dentes, um terror, e quando sua boca abre ainda mais para gritar de medo a única coisa que ela consegue ver no espelhinho redondo são as infindas fileiras de dentes manchados de rubro que levam para longe e para o fundo de um cano atro, e a imagem de todas essas fileiras de dentes no disco apaga o rosto bondoso do grande dentista enquanto ele cutuca com um gancho e diz que garante que ela não vai perder aqueles ali.

Aí, quando Fortier pôde retornar à loja desmontada, eles tinham localizado um terceiro cartucho marcado com o sorriso gravado e letras que desfaziam da necessidade da busca feliz, e, depois de algumas lamentáveis baixas, tinham garantido e verificado que era o cartucho *samizdat* do Entretenimento ladroado da morte de DuPlessis.

Contaram a história a Fortier. O jovem membro da célula Desjardins estava no seu revezamento na espectação, sentado com o jovem Tassigny na sala de depósito durante as horas da aurora da manhã, examinando as raspas do tacho de entretenimentos encontrados em sacos de lixo de cozinha no mesmo armário em que os cadáveres dos Antitoi estavam inchando. Desjardins logo antes tinha reclamado do tempo perdido que eram os cartuchos destinados ao coffre d'amas.

Tassigny, que estava na sala de depósito com Desjardins, então foi salvo pela necessidade de sair da sala para trocar a bolsa de sua colostomia parcial. Mas, Marathe relatou, eles tinham perdido Desjardins, e o mais velho e brioso Joubet também, que entrou contra as ordens na sala de depósito para ver por que Desjardins não estava mandando as fitas para fora e pedindo mais fitas para examinar. Ambos se foram. Eles não tinham perdido mais somente porque alguém tinha pensado em acordar Broullîme, que Fortier tinha instruído com cuidado sobre os procedimentos para se o verdadeiro Entretenimento fosse encontrado por esse exame. Mas dois se foram — Joubet o pau-pra-toda-obra de barba ruiva, que adorava dar empinadinhas, e o jovem Desjardins, tão cheio de idealismo e tão jovem que ainda sentia as dores-fantasmas nos tocos. Rémy Marathe relatou que os dois tinham sido colocados em conforto depois de perdidos, com direito a permanecerem na sala de depósito trancada vendo o Entretenimento sem parar, em silêncio atrás da porta a não ser quando a equipe de observação relatou ter ouvido gritos de impaciência contra o rebobinador, que rebobinava. Marathe relatou que eles tinham declinado sair para pegar água ou comida, ou Joubet — que era diabético — sua insulina. M. Broullîme estimava que seria questão de horas agora para Joubet, talvez quem sabe um ou dois dias para Desjardins. Fortier tinha tristemente dito "Bôf" e dado de ombros resignadamente: todos sabiam dos sacrifícios que podiam ser necessários: todas as equipes de espectação tinham corrido seus riscos aleatoriamente no revezamento espectativo.

No retorno de Fortier, Marathe deu também as esperadas más notícias do achamento: não havia ainda necessidade de um equipamento de duplicação de alta rotação: a cópia encontrada era somente-leitura.[303]

Filosófico, Fortier lembrou aos AFR que eles agora encorajadoramente sabiam que um Entretenimento de tal poder de fato existia, por conta própria, e podiam assim reunir suas coragem e fortaleza para a tarefa mais indireta de abandonar esperanças de obter uma cópia Máster e em vez disso tentar obter o Máster original, o cartucho do próprio *auteur*, de que todas as cópias somente-leitura ao que tudo indicava tinham sido feitas.

Assim, ele disse, agora a tarefa mais árdua e arriscada de levar para entrevistas técnicas pessoas sabidamente associadas ao Entretenimento e localizar a cópia Máster duplicável do criador original. Nada disso teria merecido tais riscos não tivessem eles determinado, graças aos heroicos sacrifícios de Joubet e Desjardins, que o dispositivo para estender a lógica autodestruidora da ONAN até sua conclusão final estava ao árduo alcance deles.

Fortier deu numerosas ordens. O pelotão dos AFR permaneceu na loja fechada dos Antitoi, por trás da sua cortina língue. A vigilância sobre o *bureau centrale* da odiada FLQ, na indisciplinada casa da Rue de Brainerd de Allston — esta foi suspensa, com as equipes dos AFR retiradas e relocadas para esta loja ocupada na Inman Square, onde Fortier, Marathe e M. Broullîme coordenavam fases de atividade nesta mais árdua e indireta fase, e também repassavam táticas.

Os colegas e parentes do falecido *auteur* estavam sob consistente vigilância. A concentração de lugar deles trabalhava a favor disso. Uma empregada da Academia de Tênis de Enfield tinha sido recrutada e se juntado à instrutora e ao aluno canadenses já presentes para uma vigilância mais próxima. No Deserto, a temível Mlle. Luria P___ estava conseguindo necessárias confidências com sua alacridade de praxe. Uma dispendiosa fonte no antigo departamento da Universidade MIT da Cobaia em questão tinha relatado o último emprego conhecido da provável performer do Entretenimento — a pequena estação de rádio de Cambridge que Marathe e Beausoleil pronunciaram *Weee* — onde ela havia envergado o desfigurante véu da deformidade ONANita.

As atenções deviam ficar concentradas na performer do cartucho e na Academia de Tênis de propriedade do *auteur*. O fato de que os jogadores da Academia iriam jogar contra uma equipe provincialmente selecionada do Québec teria sido mais facilmente explorável se os AFR possuíssem um jogador de tênis dotado de talento e extremidades inferiores. Investigações sobre a composição e a viagem da equipe québecoise estavam sendo realizadas por fontes domésticas em Papineau.

No dia do regresso de Fortier também, o engenheiro técnico do programa de rádio da performer tinha sido obtido numa operação pública mas de baixo risco cujo sucesso tinha levantado ânimos esperançosos da aquisição de pessoas mais diretamente aparentadas com o Entretenimento nessa próxima fase. Essa pessoa do rádio EUA tinha divulgado tudo que professava saber sob a mera ameaça descritiva dos procedimentos da entrevista técnica. Marathe, o melhor juiz da veracidade dos americanos que a célula possuía, acreditou na veracidade do engenheiro; mesmo assim uma entrevista técnica foi conduzida, justificavelmente, para verificar. O relato do indivíduo jovem e pontilhado de erupções se manteve consistente mesmo dois níveis acima da resistência EUA média, sendo que a única variabilidade envolvia diversas alegações curiosas de que o Massachusetts Instituto da Tecnologia era defensivo na cama.

Hoje, o próprio Fortier, Marathe, o jovem Balbalis, R. Ossowiecke — todos que têm um inglês melhor — estavam assim agora portanto passando por todas as instituições de Reabilitação de Dificuldade com Substâncias em hospitais, clínicas psiquiátricas e *maisons récuperées* num raio de 25-km. Os procedimentos de expansão do raio de investigação por fatores de dois ou três tinham sido pré-formulados, com equipes reunidas, falas ensaiadas. Joubet e aí Desjardins tinham sucumbido e sido transportados para norte de van assim como os restos dos restos dos Antitoi. O estudante de engenharia radial EUA, cuja veracidade de cujas limitadas assertivas a respeito do paradeiro da Cobaia Broullîme tinha verificado até a +/– (.35) de certeza bem antes de níveis de interrogatório incompatíveis com a existência física, tinha recebido várias horas para se recuperar, depois tinha vindo a calhar como primeira Cobaia nos testes de campo que os AFR realizaram sobre o escopo motivacional do cartucho *samizdat*. A sala de depósito mais uma vez foi utilizada para isso. Com a cabeça imobilizada por algumas tiras, a Cobaia do teste tinha visto o Entretenimento duas vezes de livre e espontânea vontade, sem a aplicação de qualquer instrumento motivacional. Para determinar o grau de motivação que o cartucho geraria, M. Broullîme tinha entrado vendado na sala de depósito segurando uma serra ortopédica e informado à Cobaia do teste que, a partir de começar de agora, cada reespectação subsequente do Entretenimento teria como preço um dos dígitos das extremidades da Cobaia. E entregado à Cobaia a serra ortopédica em questão, também. A explicação de Broullîme a Fortier foi que assim poder-se-ia criar uma matriz para computar a relação estatística entre (n) o número de vezes que a Cobaia reassistia o Entretenimento e (t) a quantidade de tempo que levava para decidir e remover um dígito para cada espectação subsequente (n+1). O objetivo era confirmar com certeza estatística o desejo da Cobaia de rever e rever como algo incapaz de satisfação. Não poderia haver um índice de satisfação diminuente como na econometria das mercadorias EUA normais. Para que o encanto do Entretenimento *samizdat* fosse macropoliticamente letal, o nono dígito das extremidades tinha que sair tão rápida e prontamente quanto o segundo. Broullîme, ele tinha algum ceticismo quanto a isso. Mas essa era a função de Broullîme em seu papel na célula: expertise combinada com um ceticismo *de coeur*.

E aí naturalmente também uma seleção mais ampla de Sujeitos de testes de campo seria então necessária, para confirmar que as reações dessa Cobaia não eram meramente subjetivas e típicas apenas de uma certa sensibilidade do consumidor de entretenimento. A janela do ônibus dava um vago e fantasmático reflexo de Fortier, e, através dessa visão vaga, as luzes da vida urbana do lado de fora do ônibus. A pessoa administrativa da Casa Phoenix de Somerville Massachusetts, EUA, tinha ouvido a pronúncia de Fortier com demonstrações de grande compaixão, e aí explicado com paciência que eles não tinham como aceitar pessoas viciadas para as quais o inglês fosse língua secundária. *D'accord*, embora ele estivesse fingindo desapontamento. Fortier tinha conseguido ver os viciados aceitos na Casa Phoenix numa reunião na sala de estar diante da porta do escritório: pessoa alguma usava um véu de ocultação facial, e então *c'est ça*. Quatro pequenas equipes estavam neste momento rodando pelas ruelas, pequenas ruas e becos do desagradável distrito do estabelecimento dos Antitoi, com o propósito de obter Cobaias adicionais para M. Broullîme para o momento em que acabassem os dígitos da Cobaia. As Cobaias de aceitabilidade tinham que ser passivamente indefesas a ponto de poderem ser obtidas publicamente com tranquilidade, mas no entanto não danificadas nos miolos ou sob a influência dos muitos compostos intoxicantes do distrito. Os AFR eram altamente treinados em paciência e para serem disciplinados.

O ônibus que seguia rumo sul, vazio e (o que ele detestava) iluminado por lâmpadas fluorescentes, sobe um ralo morro de Winter Park, norte de Cambridge, seguindo para as praças Inman e Central. Fortier olha as luzes que passam. Ele sente o cheiro da neve por vir; vai logo nevar. Ele vê na imaginação dois terços da maior cidade urbana da NNI inertes, sibariticamente hipnotizados, fitando, sem movimentos corpóreos, presos ao lar, sujando os divãs e as cadeiras que podem reclinar. Ele vê o distrito de torres comerciais dos prédios e apartamentos de luxo estriados enquanto dois em cada três andares escurecem num negror sem luz. Com aqui e ali o tremeluzir vagamente azulado de dispendiosos equipamentos de entretenimento digital tremeluzindo do outro lado de janelas escuras. Ele imagina M. Tine segurando a mão que segura a caneta do presidente J. Gentle enquanto o presidente ONANita assina a declaração de Guerra. Imagina xícaras de chá batendo fracas sob mãos trêmulas nos recessos interiores dos recônditos do poder de Ottawa. Ele ajeita a lapela do blazer sobre o suéter e alisa o cabelo duro que tende a saltar desalisado em torno da calva. Observa a nuca do motorista do ônibus enquanto o motorista olha direto em frente.

E claro que as chinocas eram fracotes e levinhas, voaram para os lados que nem duas bonequinhas, e as sacolas delas de fato eram pesadas de tesouros, difíceis de carregar; mas enquanto Lenz descia pelo beco norte-sul ele podia segurar as sacolas pelas alças de barbante um tiquinho na frente do corpo, de modo que o momento gerado pelo peso delas meio que o arrastava. Os becos cruciformes que passavam pelas quadras entre a Central e a Inman na Pequena Lisboa eram uma espécie de segunda cidade. Lenz corria. Sua respiração vinha fácil e ele sentia a si mesmo desde o escalpo até as solas. Lixeiras verdes e verdes-e-vermelhas forravam as duas paredes e estreitavam o caminho. Ele saltou duas figuras sentadas de cáqui dividindo uma lata de Sterno no chão do beco. Ele pairou pelo ar fedorento sobre elas, intocado por ele. Os sons atrás dele eram o eco das passadas dele no ferro de lixeiras e saídas de incêndio. A mão esquerda estava doendo bem por segurar a alça de uma sacola e o seu volume de letras grandes. Uma lixeira na frente tinha sido acoplada a um caminhão da DRE e simplesmente largada ali: provavelmente fim de expediente. Os caras da Empire tinham um sindicato incrível. No recôndito da barra de acoplagem uma pequena chama azul tremia e morria. Isso era a uma dúzia de lixeiras lá na frente. Lenz diminuiu o passo para um andar acelerado. O sobretudo dele tinha escorregado um pouco de um dos ombros mas ele não tinha mão livre para ajeitar e não ia parar para largar uma sacola. A mão esquerda estava meio travada. Era algum momento vago entre 2224 e 2226. O beco estava escuro como a noite. Um pequeno estrondo em algum lugar ao sul naquela rede de becos era na verdade o Coitado do Tony Krause rolando o barril de lixo de aço que derrubou Ruth van Cleve. A minúscula chama azul voltava, resistia imóvel, tremia, movia-se, ficava ali parada, sumia de novo. O brilho dela era de um azul-escuro contra o fundo do imenso caminhão da DRE. Os caminhões da Empire era indepenáveis, os engates eram valiosos mas ficavam presos com uma coisa de kriptonita que você tinha que usar um maçarico pra tirar. Do recôndito do engate vinham uns barulhinhos. Quando o isqueiro acendeu de novo Lenz estava quase em cima deles, dois meninos no engate e dois agachados perto do engate virados para ele, quatro, uma escada retrátil de saída de incêndio esticada como uma língua e pendurada logo acima deles. Nenhum dos meninos tinha mais que tipo doze anos. Eles estavam usando uma garrafa de Refri 2000 em vez de cachimbo, e o cheiro de plástico queimado pairava misturado ao aroma docenjoado da pedra hipercarbonatada. Os meninos eram todos pequenos, levinhos e ou pretos ou cucarachos, avidamente curvados sobre a chama; pareciam ratos. Lenz os manteve na visão periférica enquanto marchava aceleradamente, carregando as sacolas, espinha ereta e transbordando uma objetividade digna. O isqueiro apagou. Os meninos no engate olharam as sacolas de Lenz. Os meninos agachados viraram a cabeça para olhar. Lenz os manteve na visão periférica. Nenhum deles usava relógio. Um deles usava um boné de lã e vigiava atentamente. Ele olhou no olho esquerdo de Lenz, fez um revólver com a mãozinha fina, fingiu disparar uma lenta azeitona. Como quem encena diante de outros. Lenz passou com dignidade urbana, como se tanto os visse como não. O cheiro era intenso mas bem local mesmo, de pedra e garrafa. Ele teve que dar uma guinada para desviar do espelho lateral do caminhão da Empire no seu suporte de aço. Ouviu os meninos dizerem coisas enquanto a grade do caminhão ficava para trás, e risos nada generosos, e aí algo clamou num jargão minoritário que ele não conhecia. Ele ouviu a pederneira do isqueiro. Pensou sozinho Cuzões. Ele estava procurando algum lugar vazio e um pouco mais iluminado para ver o que tinha nas sacolas. E mais limpo que esse beco norte-sul aqui, que cheirava a lixo passado e pele podre. Ele ia separar os bens de valor dos bens de não valor das sacolas e transferir os de valor para uma só sacola. Ia achar um intrujão para comprar os bens de valor não negociáveis na Pequena Lisboa e reencher o receptáculo do seu dicionário médico, comprar um sapato mais melhorzinho. O beco estava livre de felinos e roedores; ele não parou para refletir por quê. Uma pedra ou um pedacinho de tijolo cortesia dos cracaditos juniores lá atrás aterrissou atrás dele, passou quicando, soou contra alguma coisa e alguém gritou alto, uma figura sem sexo deitada contra de repente uma bolsa militar ou um pacote contra uma lixeira, a mão se movendo furiosamente na virilha, os pés apontados para o beco e virados que nem os de um defunto, com sapato de dois pés diferentes, um cabelo que era uma bola emaranhada em volta da cara, olhando enquanto Lenz passava pela tênue luz de uma interseção com um beco mais largo à frente, cantarolando baixinho o que Lenz pôde ouvir enquanto passava cautelosamente sobre as pernas que fediam a podridão como "Linda, linda, linda". Lenz sussurrou sozinho: "Meu Deus mas que bando de *mané* comedor de cu do *caralho*".

"A nossa seita queimava dinheiro em vez de combustível."

"Tipo cédulas mesmo."

"A gente usava as de Um. O Semidivino defendia a parcimônia. A gente levava as notas pra Ele no fogão. Só tinha um fogão. A gente tinha que levar as notas pra Ele de joelhos que nenhuma parte do pé da gente podia encostar no chão. Ele ficava sentado do lado do fogão com os cobertores da gente e dava as notas de Um. A gente ganhava um tapa a mais se as cédulas fossem novas."

"Assim tipo novinhas mesmo."

"Era uma purificação. Alguém sempre tocava um tambor."

"O Líder por escolha Divina da nossa seita andava de Rolls-Royce. Em ponto morto. A gente empurrava o carro sempre que ele era Chamado tipo pra algum lugar. Ele nunca ligava. O Rolls. Eu fiquei todo musculoso."

"Aí no verão eles faziam a gente rastejar de barriga. A gente tinha que celebrar a nossa natureza ofídia. Era tipo uma purificação."

"Assim tipo rastejar."

"Rastejar mesmo. Eles pegavam uns arames e amarravam as mãos e as pernas da gente."

"Pelo menos o arame de vocês não era farpado."

"Eu finalmente comecei a me sentir purificado demais pra ficar."

"Tipo extrapuro, eu consigo me Identificar totalmente."

"Era tipo amor demais pra gente suportar."

"Eu estou tipo sentindo direto a Identificação, isso assim é…"

"Fora que eu estava em coisa de três trouxinhas por dia, no fim."

"E aí os nossos Esquadrões do Amor Escolhidos pela Divindade faziam a gente rachar lenha com os dentes quando ficava frio. Assim tipo inverno abaixo de zero mesmo."

746

"Os de vocês deixavam vocês ficarem com os dentes ainda?"

"Só os de roer. Ó."

"Uica."

"Só os de roer."

Rémy Marathe estava sentado, velado e com seu cobertor no colo, na lotada noite da sala de estar dessa casa Casa Ennet de Recuperação de Drogas e Álcool, a última *maison récuperée* da sua parcela da lista para o dia de hoje. Os morros da parte alta de Enfield, eles eram *de l'infere* de dificuldade, mas a *Maison récuperée* propriamente dita tinha uma rampa. Uma pessoa com autoridade estava conduzindo entrevistas para preencher algumas vagas de tempos recentes no escritório do lugar, de onde a porta fechada era visível do ponto de ver dele. Marathe e outros foram convidados a se sentar na sala de estar com uma xícara de café desagradável. Incitado a fumar se quisesse. Todos os outros fumavam. A sala de estar tinha cheiro de cinzeiro, e o teto era amarelo como os dedos dos fumantes de muito tempo. Também a noite na sala de estar lembrava um formigueiro que tinha sido cutucado com uma vara; estava cheia demais de pessoas, todas inquietas e faladoras. Havia pacientes da *maison récuperée* vendo um cartucho de conflito de artes marciais, ex-pacientes e pessoas da área alta de Enfield coabitando sobre a mobília, dialogando. Uma mulher aleijada, também de *fauteuil de rollent* como Marathe, largada *inutile* perto do monitor de cartuchos, enquanto uma pessoa masculina de adiantado palor replicava os chutes e golpes das artes marciais perto da cabeça imóvel da mulher, tentando fazer ela se mexer ou gritar. Também um homem sem mãos e pés tentando vencer a escada. Outras pessoas, putativamente viciadas, esperando na sala para obter recepção vomitando nos arbustos logo na frente da janela. A cadeira de Marathe estava ancorada perto do braço de um divã e diretamente diante de uma janela. A janela, podia-se desejar que ela estivesse mais aberta que uma fresta, ele sentia. Sobre o carpete de cor fosca um homem de aparência tormentosa rastejando como o câncer enquanto dois vândalos de couro brincavam cruelmente de pular por cima dele. Pessoas lendo revistas de quadradinhos e pintando as unhas das extremidades delas. Uma mulher de cabelo montado levou o pé à boca para soprar os dedos. Outra jovem pareceu retirar o olho da cabeça e o colocar na boca. Ninguém mais na sala estava usando o véu da organização da performer do Entretenimento OFIDE. O cheiro de cigarros USA permeava o véu dele e fazia os olhos de Marathe lacrimejarem, e ele pensou em vomitar também. Duas janelas adicionais estavam abertas, mas a sala não tinha nenhum ar.

Durante o tempo da sentação dele, várias pessoas se aproximaram de Marathe, mas elas diziam para ele apenas os sussurros "Faça carinho nos cachorros" ou "Não esqueça de fazer carinho nos cachorros". Essa expressão idiomática não constava do conhecimento de Marathe dos idiomatismos EUA.

Também uma pessoa se aproximou com um rosto cuja pele parecia estar caindo apodrecida do rosto de alguma maneira e perguntou se ele, se Marathe estava ali por *sentença judicial*.

Marathe era uma das poucas pessoas que não estavam fumando. Ele percebeu que nenhuma das pessoas da sala parecia considerar o véu de morim que ele usava sobre o rosto como algo incomum, curioso ou questionável. O blazer velho que ele usava sobre um suéter de gola alta feito pelos Desjardins tornava Marathe mais formalmente vestido que outros inscritos para tratamento. Dois dos atuais pacientes da *maison récuperée* Casa Ennet estavam de gravata, no entanto. Marathe ficava fingindo fungar; ele não sabia por quê. Ele estava sentado perto de um divã de veludo falso em cujo extremo ao lado dele duas mulheres que tinham previamente procurado tratamento para vícios em seitas religiosas estavam se apresentando e falando juntas sobre suas não prazerosas existências quando estavam nas seitas.

Para quem quer que se aproximasse, Marathe cuidadosamente recitava as falas introdutórias que ele e M. Fortier rapidamente tinham desenvolvido: "Boa noite, eu sou viciado e deformado, em busca de tratamento residencial para adição, desesperadamente". As reações das pessoas a essas falas introdutórias eram difíceis de interpretar. Um dos homens mais velhos de gravata, que tinha se aproximado, ele tinha estalado uma mão para a macia bochecha do seu rosto e dito "Mas que coisa mais sensacional pra você", em que Marathe detectou sarcasmo. As duas mulheres com experiência em seitas estavam inclinadas bem próximas uma da outra no divã. Elas tocavam no braço uma da outra várias vezes numa espécie de empolgação enquanto conversavam. Quando elas riam de deleite pareciam mastigar o ar. A risada de uma delas envolvia também um barulho meio roncado. Um estrondo e dois gritinhos: esses vieram de um extremo da sala de jantar, na planta baixa da *maison récuperée* uma grande cozinha. Os sons foram seguidos por uma turva nuvem de vapor, com palavrões repetidos por pessoas invisíveis. O riso de um grande negro careca com uma camiseta-de-baixo de algodão branco virou uma tosse que não cessava. Os dois pacientes de gravata e a menina cujo olho podia ser retirado conversavam juntos intensivamente e talvez audivelmente no extremo do outro divã.

"Mas considere esse elemento de portabilidade em relação a, digamos, um carro. Um carro é portátil? Em relação a um carro é mais como se *eu* fosse portátil."

"Eles são portáteis quando estão numa dessas jamantas onde eles empilham os carros novos com o preço na janela que nem coisa de mais de uma dúzia dessas jamantas que sacodem que nem o diabo na I-93 inteira e fazem você ficar achando que os carros vão tudo começar a cair pela estrada quando você está esperando pra tentar passar."

O mais gordinho que tinha sido irônico com Marathe, ele estava concordando com a cabeça: "Ou, digamos, também, em relação a um guincho ou um reboque, se você sofrer um colapso. Pode-se dizer que um carro desativado pode ser bem portátil, mas em relação a um carro funcional sou eu que sou portátil".

A aquiescência da menina fez com que o olho particular rodasse nauseantemente em sua órbita. "Essa eu engulo, Day."

"Se a gente está pingando todos os is de precisão no que se refere a *portátil*, então."

O outro homem continuamente esfregava o seu brilho do sapato com um lencinho, fazendo com que a gravata tocasse o chão.

748

Esses dialogantes formavam uma tríade sobre um divã desigualmente inclinado de plástico cor de couro do outro lado da sala, que agora estava mais sem ar ainda por causa do vapor turvo que vinha da cozinha, se infiltrando. Diretamente em frente de Marathe numa cadeira amarela contra a parede perto do divã desses dialogantes mais diretamente do outro lado da sala de estar em que Marathe estava havia um viciado esperando para buscar tratamento via ingresso. Esse, ele parecia ter vários cigarros queimando ao mesmo tempo. Ele segurava um cinzeiro de metal no colo e sacudia a bota da perna cruzada com vigor. Para Marathe, não era difícil ignorar o fato de que o viciado estava olhando direto para ele. Ele registrou, e não entendeu por causa de que o homem o encarava, mas estava despreocupado. Marathe estava preparado para morrer violentamente a qualquer momento, o que o deixava em liberdade para escolher entre as emoções disponíveis. M. Steeply do ESA dos EUA tinha confirmado que os EUA não compreendiam nem apreciavam isso; era alheio a eles. O véu concedia a Marathe a liberdade de encarar calmamente também o viciado sem conhecimento do homem, o que Marathe descobriu que apreciava. Marathe estava tomado pela náusea, pela fumaça da sala enfumaçada. Marathe um dia, criança, com pernas, tinha se curvado por sobre e virado um tronco que apodrecia nas florestas da região de Lac de Deux Montaignes da sua infância com quatro membros, antes de *Le Culte du Prochain Train*.[304] A palidez das coisas que se contorciam e rastejavam sob o tronco úmido era o palor desse viciado, que usava um quadrado de barba entre lábio inferior e queixo e também tinha uma agulha passada pela carne do alto de uma orelha, agulha que reluzia e não reluzia rapidamente em sucessão enquanto vibrava com o sacudir da bota que se sacudia. Marathe o encarou calmamente através do véu enquanto ensaiava suas falas preparadas dentro da cabeça. O mais idiomático seria que a agulha sacudia simpaticamente com o sacudir da bota, que era de um preto fosco e tinha salto quadrado, a bota de motocicleta das pessoas que não possuíam motocicletas mas usavam a bota das pessoas que possuíam.

O viciado se levantou lentamente e se aproximou de Marathe com o cinzeiro, tentando se ajoelhar. O Blue Jeans da Levi nº 501 dele estava estranhamente rasgado em certos pontos com esfiapados fios brancos que mostravam o palor dos joelhos; os buracos rasgados tinham o tamanho e o dano perimetral de buracos que Marathe reconhecia terem sido feitos por disparos de espingarda de alto calibre. Marathe estava mentalmente memorizando cada detalhe de todas as coisas, para os dois relatórios que faria. O viciado ajoelhado diante dele, ele se inclinou mais para perto, tentando remover algo que acreditava estar no seu lábio. De perto, a expressão que através do véu parecia a de um olhar hostil se corrigiu: a expressão era mais verdadeiramente que os olhos do homem tinham a intensidade vazia daqueles que morreram violentamente.

O homem sussurrou: "Cê é de verdade?". Marathe olhou através do véu o quadrado peludo. "Você é de verdade?", novamente o homem sussurrou. Sempre se inclinando cada vez mais perto, lentamente.

"Você é de verdade dá pra ver né", o homem sussurrou. Rapidamente ele olhou atrás de si para a sala tonitruante antes de se inclinar mais uma vez perto. "Escuta eles."

Marathe mantinha as mãos calmamente no colo, com a submetralhadora presa seguramente ao toco direito sob o cobertor. Os dedos inquiridores do homem sussurrante estavam deixando marquinhas de sujeira no lábio.

"'ses coitado tudo fodido" — o homem gesticulou ligeiramente com indicação da sala — "quase ninguém é de verdade. Então cuide dos teus seis. Quase todo mundo aqui é...: de metal."

"Eu sou suíço", Marathe disse experimentalmente. Era a segunda das suas falas de introdução.

"Andando por aí, a gente pensa que eles estão vivos." O viciado tinha o costume com sutileza de olhar para todos os lados que Marathe associava a profissionais das agências de inteligência. Um dos olhos dele tinha uma veia explodida. "Mas isso é só a camada", ele disse. Ele se inclinou para tão perto que Marathe podia ver os poros através do véu. "Tem uma camada microfina de pele. Mas por baixo é metal. Cabeça cheia de engrenagem. Embaixo de uma camada orgânica microfina." Os olhos de homens mortos violentamente eram também o olho de um peixe no gelo moído de um vendedor, examinando nada. O cheiro do homem sugeria gado num dia quente, um quase bode, mesmo através da fumaça da sala. O ácido trans-3-metil-2 hexenoico era um material, M. Broullîme tinha ensinado para passar tempo em longas vigilâncias, um material químico no suor da grave doença mental. Marathe, ele não tinha dificuldade em sincronizar a respiração para suas exalações baterem com as do viciado, que se inclinava para mais perto.

"Tem um jeito de saber", ele disse. "Chegue bem pertinho. Tipo assim coladinho: dá pra ouvir um zumbido. Microleve. O zumbido. É as engrenagens do processador. É o defeito deles. As máquinas sempre zumbem. Eles são bons. Eles conseguem diminuir o zumbido."

"Eu não tenho seis."

"Mas eles não conseguem — *não* conseguem — eliminar."

"Eu sou suíço, procurando tratamento residencial com desespero."

"Não por baixo aquela camada de tecidos microfina, não conseguem." Se não fosse vazio o olhar seria macabro, assustado. Marathe distantemente lembrava a emoção medo.

"Você ouviu o que ela disse?", o irônico do divã riu. "*Potável* quer dizer bebível. Não é nem a mesma *raiz*. Você ouviu o que ela disse?"

O hálito do homem, ele cheirava a ácido trans-3-metil também. "Eu tou te dando o bisu", ele sussurrou. "Eles tão aqui pra te enrolar. Os de verdade que nem nós a gente tá sendo *enrolado*. Mais de noventa e nove por cento do tempo." A carne dos joelhos através dos buracos do Blue Jeans era do branco da morte antiga. "Mas você, deu pra eu ver que você era de verdade." Ele indicou o véu. "Sem a camada microfina. Os de metal — eles têm rosto." A fumaça do cigarro dele no cinzeiro se erguia num movimento de sacar a rolha. "Que é bem por isso" — tateando no lábio — "por isso que os que tão no T ou na rua — eles não te deixam chegar bem pertinho. É do programa deles. Eles sabem fazer cara de assustados e — tipo —

750

ofendidinhos e se afastar e mudar de lugar. Os mais avançados mesmo, eles te dão um trocado, até, pra você deixar eles se mandarem. Tente. Chegue assim — bem — desse jeito — pertinho mesmo." Marathe continuava calmo por trás do véu, sentindo o véu se mover com a respiração do homem, esperando pacientemente para inalar. As mulheres com as experiências em seitas tinham sentido o cheiro do cheiro de trans-3 do homem e se relocado para mais longe no divã. O rosto do homem sorria com apenas um lado safo da boca, percebendo o afastamento delas. Ele estava tão perto que o nariz dele tocava o véu quando Marathe finalmente inalou. Marathe estava preparado para todo tipo de morte. Os cheiros eram de trans-3-metil-2 e de queijo digerido e do embaixo de um braço, da pele facial. Marathe ignorou impulsos de lhe empalar as órbitas com um único gesto de dois dedos. O homem estava com a mão junto da orelha numa mímica de quem ouve atentamente. O sorriso dele revelava o que um dia podem ter sido dentes. "Nada", ele sorria. "Eu sabia. Nem um barulhinho."

"Na Suíça, nós somos pacatos e reservados. Além disso, eu sou deformado."

O homem acenou impaciente com o cigarro. "Escuta aqui. É por isso. Você que é o motivo de eu estar aqui. Eu só achei que era o vício. Eles sabem te *enrolar*." Ele esfregou o lábio da sua boca. "Eu estou aqui pra te avisar. Escuta. Você não tá aqui."

"Eu emigrei de minha Suíça natal."

Ainda sussurrando: "Cê não tá *aqui*. Esses merdinhas são de *metal*. Nós — a gente que é de verdade — não tem muita gente — eles tão *enrolando* a gente. A gente tá todo mundo numa sala. Os de verdade. Uma sala só o tempo todo. Tudo é pro — jetado. Eles conseguem fazer com umas máquinas. Eles pro — jetam. Pra enrolar a gente. As pinturas nas paredes mudam pra gente achar que tá saindo do lugar. Aqui e ali, isso e aquilo. Isso é só que eles mudam as pro — jeções. É tudo o mesmo lugar o tempo todo. Eles enrolam a tua cabeça com umas máquinas pra você pensar que está andando, comendo, pipando, fazendo isso e aquilo."

"Eu cheguei desesperadamente aqui."

"O mundo de verdade é uma sala só. Essas supostas pessoas, supostas" — com de novo o floreio — "elas são todo mundo que você conhece. você já viu elas, centenas de vezes, com rosto diferente. Só tem vinte e seis no total. Elas representam cada hora um papel, que você acha que conhece. Elas usam um rosto diferente pra cada pintura que eles pro — jetam na parede. Sacou?"

"Essa Casa de Recuperação foi recomendada altamente."

"Cê tá entendendo? Conte. Coincidência? Tem vinte e seis aqui, contando aquele sem pé ali na escada. Coincidência? Acaso? Isso aqui é todas as máquinas que já representaram todo mundo que cê já viu na vida. Cê tá me ouvindo? Eles enrolam a gente. Eles pegam as máquinas da sala dos fundos e eles — tipo…"

A porta visível do escritório trancado abriu e uma paciente viciada emergiu com uma pessoa de autoridade segurando uma prancheta. A paciente viciada mancava e se inclinava bastante para um lado, embora fosse atraente segundo o estereótipo louro da cultura-da-imagem EUA.

"... *transformam*. As camadas orgânicas fininhas. Todas as pessoas diferentes que você conhece. Supostas. Elas são as *mesmas máquinas*."

"Pessoa estrangeira fisicamente desafiada com nome impronunciável!", a autoridade chamou com a prancheta.

"Eu estou sendo indicado", Marathe disse, se curvando para soltar as travas das rodas do seu *fauteuil*.

"... por isso que eu tou nessa pro — jeção, pra te dar o bisu. Que agora você já sabe." Marathe manipulou o *fauteuil* para a direita com sua fiel roda esquerda. "Eu devo pedir licença para solicitar tratamento."

"Chegue bem pertinho."

"Boa noite", por cima do ombro esquerdo. A mulher *inutile* parecia se contorcer levemente no seu pesado *fauteuil* no que ele passava.

"Você só acha que está indo em algum lugar!", o viciado gritou, ainda semiajoelhado.

Marathe rodou até a pessoa de autoridade o mais lentamente que pôde, profundamente enfiado no blazer e pateticamente bordejante. Com significatividade, a mulher grande e pranchetada pareceu sem alteração diante do véu de OFIDE. Marathe estendeu uma manzorra em saudação que ele fazia tremer. "Boa noite."

O homem com cheiro de louco no carpete gritou ainda: "Não esqueça de fazer carinho nos cachorros!".

Joelle gostava de ficar bem doida e aí fazer faxina. Agora ela estava descobrindo que gostava só de fazer faxina. Ela estava tirando o pó do tampo da cômoda de compensado que ela e Nell Gunther dividiam. Tirou o pó do topo da moldura oval do espelho da cômoda e limpou o espelho o melhor que pôde. Ela usava lenços de papel e a água parada de um copo que estava ao lado da cama de Kate Gompert. Estava se sentindo estranhamente contrária à ideia de pôr meias e tamancos e descer até a cozinha para pegar equipamentos de limpeza de verdade. Ela ouvia o barulho de todos os residentes, visitantes e candidatos noturnos pós-reunião lá embaixo. Podia sentir as vozes deles no chão. Quando o pesadelo odontológico rasgou o seu sono e a projetou sentada sua boca estava aberta para gritar, mas o grito era a Nell G. lá na sala de estar, cuja risada sempre soava como se ela estivesse sendo eviscerada. Nell tornou supérfluo o próprio grito de Joelle. Aí Joelle fez faxina. Fazer faxina é talvez uma forma de meditação para os viciados que ainda são novos demais na recuperação para ficar sentados quietinhos. O piso de madeira escarificada do feminino de 5 estava tão coberto de uma areia grossa que ela podia formar uma pilha de areia só varrendo com um adesivo-de-para-choque não aplicado que ela tinha ganhado no GJB. Ela só estava com a luminariazinha da cama de Kate G. acesa e não estava ouvindo fitas da YYY, em consideração a Charlotte Treat, que não estava bem e perdeu sua Reunião do Porque Hoje É Sábado com um OK da Pat e agora estava dormindo, usando uma máscara mas não os tapa-ouvidos de espuma. Cada novo residente ganhava tampões de ouvido de espuma expansível por motivos que os Funcionários diziam que iam ficar claros rapidinho, mas Joelle detestava usar aquelas coisas — elas bloqueavam o barulho exterior, mas deixavam audível o pulso da tua cabeça, e a tua respiração soava como a de alguém que está com roupa de astronauta — e Charlotte Treat, Kate Gompert, April Cortelyu e a antiga Amy Johnson, todas achavam a mesma coisa. April dizia que os tampões de ouvido de espuma lhe davam coceira no cérebro.

Começou com Orin Incandenza, isso da faxina. Quando as relações estavam tensas, ou ela estava tomada de ansiedade diante da seriedade e da possível impermanência daquilo tudo no apê de Back Bay, o negócio de ficar doida e fazer faxina virou um exercício importante, tipo visualização criativa, uma prévia da disciplina e da organização com que ela poderia viver sozinha se chegasse a esse ponto. Ela ficava doida e se visualizava solitária num espaço atordoantemente limpo, com todas as superfícies reluzentes, cada bem material no seu lugar. Ela se via sendo capaz de pegar, digamos, uma pipoca caída no tapete e ingeri-la com total confiança. Uma aura de independência férrea a cercava quando faxinava o apê, mesmo com as lamúrias e os gemidinhos angustiados que saíam de sua boca contorcida quando fazia faxina doida. O apartamento tinha sido providenciado quase de graça por Jim, que disse tão pouca coisa para Joelle nas primeiras várias vezes em que eles se viram que Orin ficava tendo que garantir para ela que aquilo não era desaprovação — Sipróprio carecia da parte do cérebro humano que permitia a capacidade de ter consciência suficiente dos outros para poder desaprovar alguém, Orin disse — ou não gostar de alguém. Era simplesmente como a Cegonha Demente era. Orin se referia a Jim como "Sipróprio" ou "Cegonha Demente" — apelidos de família, que, ambos, deixavam Joelle arrepiada já naquela época.

Foi Orin quem lhe apresentou os filmes do pai. A Obra àquela altura era tão obscura que nem os estudantes locais de cinema sério conheciam o nome dele. O motivo de Jim viver criando suas próprias companhias de distribuição era garantir a distribuição. Ele só se tornou notório depois que Joelle o conheceu. Aí ela já era mais próxima de Jim do que Orin jamais tinha sido, o que em parte causou parte das tensões que mantinham o apê tão terrivelmente limpo.

Ela mal tinha pensado conscientemente em nenhum dos Incandenza por quatro anos antes de Don Gately, que por algum motivo ficava fazendo eles reemergirem na cabeça dela. Eles eram a segunda família mais triste que Joelle tinha visto na vida. Orin achava que Jim não gostava dele na mesmíssima proporção em que Jim se dava conta da existência do filho. Orin falava da família longamente, normalmente à noite. Sobre como sucesso nenhum no futebol americano podia apagar a mácula psíquica do desamor paterno básico, do fracasso em ser visto ou reconhecido. Orin não tinha ideia de como eram banais e típicas essas questões com o genitor de mesmo sexo; ele achava que elas eram alguma coisa hedionda e excepcional. Joelle soube que sua mãe não gostava muito dela desde a primeira vez que o seu próprio Papaizinho pessoal lhe disse que preferia levar a Pokie ao cinema sozinho. Boa parte do que Orin dizia da família dele era tediosa, rançosa depois de anos sem ter a coragem de dizer. Ele dava a Joelle crédito por alguma estranha generosidade que a levava a não sair correndo e gritando do quarto quando ele revelava as coisas banais. *Pokie* era o apelido familiar de Joelle, embora sua mãe só a chamasse de Joelle. O Orin que ela conheceu de início achava que a mãe era o coração e o centro da família, um raio de luz feito de carne, com uma profundidade de amor e uma preocupação maternal suficientes para quase compensar um pai que mal existia, parentalmente. A vida interna de Jim era para Orin um buraco negro, Orin disse, o rosto do pai se tornando a quinta parede de qualquer cômodo. Joelle tinha feito força para ficar acordada e atenta, ouvindo, deixando Orin soltar aquelas coisas rançosas. Orin não fazia ideia do que seu pai pensava ou sentia sobre qualquer coisa. Ele achava que Jim ficava com a expressão facial vazia que a mãe dele às vezes em francês jocosamente chamava de *Le Masque*. O homem era tão vácua e irrecuperavelmente oculto que Orin disse que tinha chegado a concebê-lo como algo autista, quase catatônico. Jim se abria apenas com a mãe. Eles todos, ele disse. Ela estava lá para todos eles, fisicamente. Ela era a luz, o coração e o centro que mantinha coesa a família. Joelle sabia bocejar na cama sem dar mostras de que estava bocejando. O nome que as crianças deram à mãe era "a Mães". Como se ela fosse mais de uma. O irmão mais novo dele era um retardado total, Orin disse. Orin lembrava que a Mães dizia que o amava coisa de cem vezes por dia. O que quase compensava o olhar vazio de Sipróprio. A lembrança infantil básica que Orin tinha de Jim era de um olhar inexpressivo vindo de uma grande altura. A mãe dele era bem alta também, para uma mulher. Ele disse que achava secretamente estranho que nenhum dos irmãos fosse mais alto. O irmão retardado não passou do tamanho mais ou menos de um hidrante, Orin relatou. Joelle limpou atrás do radiador imundo do quarto até onde alcançava, com cuidado para não encostar no radiador. Orin descrevia a mãe da sua infância como o seu sol emocional. Joelle lembrava de T. S, tio do seu próprio Papai pessoal, falando de como o seu próprio Papai pessoal achava que a sua própria Mama era "Maior que a Porra da Lua", ele disse. Os radiadores da ala feminina da Ennet ficavam ligados o tempo todo, 24 horas por dia mesmo. De início Joelle pensou que o amor materno de alta voltagem da sra. Avril Incandenza tinha feito mal a Orin ao destacar mais claramente a afastada autoconcentração de Jim, que teria parecido, em comparação, negligência ou desamor. Que isso tinha deixado Orin dependente demais da mãe — por que outro motivo ele teria ficado tão traumatizado quando repentinamente surgiu um irmão mais novo, com dificuldades especiais desde o parto e que precisava de mais atenção materna que Orin? Orin, tarde da noite uma vez, no futon do apê, lembrou a Joelle que um dia se esgueirou arrastando um cesto de lixo que inverteu ao lado do bercinho especial do irmão bebê, segurando uma pesada caixa de Aveia Quaker bem acima da cabeça, se preparando para desmiolar o bebezinho carente. Joelle tinha tirado 10 em psicologia do desenvolvimento no semestre anterior. E também psicologicamente dependente, Orin, parecia, ou até metafisicamente — Orin disse que cresceu, primeiro numa casa normal em Weston e depois na Academia em Enfield, cresceu dividindo o mundo humano entre os que eram abertos, legíveis, confiáveis v. aqueles tão fechados e ocultos que você não tinha ideia do que eles achavam de você mas podia imaginar muito que bem que não podia ser lá alguma coisa muito maravilhosa senão por que esconder? Orin contou que tinha começado a se ver ficando fechado, vazio e oculto daquele jeito, como jogador de tênis, mais para o fim da sua carreira juvenil, apesar de todas as alucinadas tentativas da Mães de afastá-lo do ocultamento. Joelle tinha pensado no apoio abertamente urrado das trinta mil vozes do Nickerson Field da Uni. B, cujo som se erguia com o punt até uma espécie de pulsar amniótico de puro ruído positivo. Versus o aplauso contido e sóbrio do tênis. Tinha sido tão fácil entender e ver tudo, naquele tempo, ouvindo, amando Orin e se apiedando dele, coitadinho, tão rico e tão talentoso — tudo isso foi antes dela conhecer Jim e a Obra.

Joelle esfregou o quadrado descolorido de digitais em torno do interruptor até o lencinho molhado se desintegrar e virar grunhos.

Nunca confie num cara no que se refere aos pais dele. Por mais que um sujeito possa parecer alto e basso por fora, mesmo assim ele ainda vê os pais da perspectiva de uma criancinha, e sempre há de. E quanto mais infeliz tiver sido a sua infância, mais limitada vai ser sua perspectiva dela. Ela aprendeu isso por pura experiência.

Grunhos era a palavra da própria mãe dela para os pedacinhos de gosma de soninho que ficavam no canto do teu olho. O próprio Papai pessoal dela chamava aquilo de "ranhodolho" e tirava as partículas com o cantinho torcido do lenço.

Se bem que não dá exatamente para confiar nos pais no que se refere também à lembrança que eles têm dos filhos.

A vítrea cúpula barata sobre a lâmpada do teto estava negra de sujeira interna e insetos mortos. Alguns insetos pareciam ser de espécies há muito extintas. Só a sujeira solta encheu meia caixa vazia de Carefree. O encardido mais entranhado ia precisar de uma esponja e amônia. Joelle deixou a cúpula de lado para quando fosse dar uma corrida até a cozinha para jogar fora várias caixas de sujeira e de lencinhos sujos e pegar uns equipamentos de verdade tipo Tarefa-Doméstica embaixo da pia.

Orin disse que ela era a terceira pessoa mais certinha que ele conhecia depois da sua Mães e de um ex-jogador que tinha jogado com ele e que tinha transtorno obsessivo-compulsivo, um diagnóstico duplo de que estava coalhado o universo da OFIDE. Mas naquela época o peso disso havia lhe escapado. Naquela época nunca tinha lhe ocorrido que a atração de Orin por ela pudesse ter qualquer coisa pró ou contra a ver com a mãe dele. O maior medo dela era que Orin se sentisse atraído apenas pela aparência dela, que o próprio Papai pessoal dela já tinha avisado que as caldas mais doces atraem as moscas mas nojentas, e para ela tomar cuidado.

Orin não era nada parecido com o próprio Papai pessoal dela. Quando Orin não estava com ela aquilo nunca parecia um alívio. Quando ela estava em casa, o seu próprio Papai pessoal nunca parecia estar fora do cômodo em que ela estava por mais de alguns segundos. A mãe dela dizia que nem tentava falar muito com ele quando a Pokie estava em casa. Ele meio que ficava andando atrás dela de cômodo em cômodo, meio pateticamente, falando de bastões e química de baixos pHs. Era como se ele inalasse quando ela exalava e vice-versa. Ele estava por toda parte, estava

755

hiperpresente o tempo todo. A presença dele se impregnava num cômodo e permanecia ali mais que ele. A ausência de Orin, fosse por aula ou por treino, esvaziava todo o apê. O lugar parecia aspirado e esterilizado ainda antes da faxina começar, quando ele saía. Ela não sentia solidão ali sem ele, mas se sentia sozinha, o que seria se sentir sozinha, e ela, que não era tonta nem nada,[305] estava erigindo fortificações desde bem cedo para se defender.

Foi Orin, claro, que apresentou um ao outro. Ele tinha essa ideia entranhada de que Sipróprio ia querer usar Joelle. Na Obra. Ela era bonita demais para alguém não querer dispor, capturar. Melhor Sipróprio que algum acadêmico sem queixo. Joelle protestou contra aquilo tudo. Ela tinha o desconforto das moças inteligentes sobre a própria beleza e o seu efeito nas pessoas, uma cautela intensificada pelos repetidos avisos do seu Papai pessoal. Ainda mais atinente ao ponto em tela, os interesses cinematográficos dela estavam atrás da câmera. Ela é que ia capturar coisas por aí, muito obrigada. Ela queria fazer as coisas, não aparecer nelas. Tinha o vago desdém dos cineastas pelos atores. Pior, o verdadeiro projeto por trás da ideia de Orin era psicologicamente óbvio: ele achava que podia dar um jeito de chegar até o pai através dela. Que ele imaginava a si próprio tendo profundas conversas por entre pontas de dedos unidas com o sujeito, sendo os temas a aparência e o desempenho de Joelle. Uma ligação trivalente. Isso a deixava bem desconfortável. Ela teorizava que Orin inconscientemente queria que ela fosse a mediação entre o próprio Orin e o próprio "Sipróprio", exatamente como parecia que a mãe dele tinha desejado. Ela ficava desconfortável com a forma empolgada com que Orin previa que o seu pai não ia conseguir "resistir" à tentação de usá-la. Ficava extradesconfortável com o jeito de Orin se referir ao pai como "Sipróprio". Parecia dolorosamente gritante, em termos de retardo de desenvolvimento. Fora que ela achava — só um tantinho menos do que fez parecer, no futon à noite, protestando — que ia se sentir desconfortável diante da perspectiva de qualquer tipo de ligação com o cara que tinha machucado tanto Orin, um sujeito tão monstruosamente alto, frio e distantemente oculto. Joelle ouviu um uivo e um estrondo na cozinha, seguido pela risada tubercular de McDade. Duas vezes Charlotte Treat se sentou na cama, brilhando de febre, e disse com uma voz oca e morta alguma coisa que soava absolutamente como "Transes em que ela não respirava", e aí caiu de novo para trás, apagada. Joelle estava tentando localizar um cheiro estranho de canela rançosa que vinha de trás do armário entupido de malas. Era especialmente difícil limpar quando você a princípio não podia encostar nas coisas de outro residente.

Ela podia ter visto na Obra. A Obra do sujeito era amadoresca, ela viu, quando Orin pediu que o irmão — o que não era retardado — emprestasse para eles algumas cópias somente-leitura da Cegonha Demente. Será que *amadoresca* era a palavra certa? Era mais tipo a obra de um óptico e técnico brilhante que era amador em qualquer espécie de comunicação real. Tecnicamente linda, a Obra, com uma iluminação e uns ângulos planejados quadro a quadro. Mas estranhamente oca, vazia, sem uma sensação de *vetorialidade* dramática — sem um movimento narrativo na direção de uma estória real; sem movimento emocional na direção de uma plateia. Como conversar com um prisioneiro através de uma janela de plástico usando fones de ouvido, a veterana Molly Notkin tinha dito dos primeiros esforços de Incandenza. Joelle achava que os filmes eram mais tipo uma pessoa muito inteligente dialogando sozinha. Ela ficava pensando no quanto era significativo o apelidinho "Sipróprio". Frio. *Acordo pré-nupcial do céu e do inferno* — mordaz, sofisticado, sarcástico, chique, cínico, tecnicamente alucinante; mas frio, amadoresco, oculto: nenhum risco de criar empatia com o protagonista, um quase Jó, que ela sentia que a plateia era induzida a considerar como alguém sentado numa dessas plataformas, prestes a ser derrubado num tanque d'água. Os pastiches de gêneros "invertidos": maliciosamente engraçados e às vezes brilhantes mas sempre com ar de coisa provisória, como os exercícios para os dedos de alguém promissor que se recusava a sentar de verdade e tocar alguma coisa para testar essa promessa. Mesmo na graduação Joelle já estava convicta de que os parodistas não eram nada mais que imitadores baratos com máscaras irônicas, sendo as sátiras normalmente obra de gente que não tinha coisas novas para dizer.[306] "A *Medusa v. a Odalisca*" — frio, alusivo, autocentrado, hostil: o único sentimento pela plateia era o de desprezo, sendo a metaplateia do teatro do filme apresentada como objetos já bem antes de ser transformada em pedra cega.

Mas havia lampejos de coisa diferente. Mesmo nos primeiros filmes, antes de Sipróprio fazer o salto para o melodrama narrativamente anticonfluencial mas a-irônico cujo arco ela ajudou a prolongar, onde ele largou mão das pirotecnias formais e tentou fazer os personagens caminharem, ainda que sem rumo certo, e demonstrou coragem, abandonou tudo que fazia bem e voluntariamente e correu o risco de parecer amadoresco (o que tinha contecido). Mesmo nos primeiros momentos da Obra — lampejos de alguma coisa. Muito ocultos e fugazes. Quase furtivos. Ela só os percebia quando estava sozinha, assistindo, sem Orin e o seu reostato tipo dimmer, com as luzes da sala bem acesas como ela gostava, gostava de ver a si própria e tudo mais que estivesse na sala com o monitor — Orin gostava de ficar no escuro e entrar no que estava assistindo, com o queixo caindo aos poucos, uma criança criada com TV a cabo de múltiplos canais. Mas Joelle começou — ao assistir repetidamente com o objetivo original de estudar como o sujeito tinha eliminado certas cenas, para um curso de Storyboard Avançado em que se esforçou mais do que na média — começou a ver pequenos lampejos de alguma coisa. Os três cortes rápidos para a lateral dos rostos lindos das combatentes em *M v. O*, irreconhecivelmente contorcidos com alguma espécie de tormento. Cada corte para um lampejo de um rosto sofrido se seguia ao estrondo de uma espectadora petrificada que desmoronava na cadeira. Três frações de segundos, não mais que isso, de entrevisões de dor facial. E não era dor das feridas — elas nunca tocavam uma na outra, rodopiando com espelhos e lâminas; as defesas de ambas eram impenetráveis. Mais como se o que a beleza delas estava fazendo àqueles atraídos ao espetáculo as estivesse comendo vivas, ali no palco, os lampejos pareciam sugerir. Mas só três relances, cada um deles quase subliminarmente breve. Acidentes? Mas nenhum take ou corte naquele filme estranho e frio era acidental — a coisa era nitidamente planejada em storyboard quadro a quadro. Deve ter levado centenas de horas. Uma analidade técnica espantosa. Joelle ficava tentando pausar o cartucho nos lampejos de tormento facial, mas isso era nos primeiros dias dos cartuchos da InterLace, e a Pausa ainda distorcia a tela exatamente o suficiente para impedir que ela visse o que queria analisar. Fora que ela ficava com a medonha sensação de que o sujeito tinha aumentado a velocidade do filme naqueles lampejos humanos de poucos quadros, para frustrar exatamente esse tipo de exame. Era como se ele não pudesse evitar colocar esses lampejos humanos, mas quisesse se livrar deles o mais rápido e o mais inexaminavelmente possível, como se eles o comprometessem de alguma maneira.

Orin Incandenza tinha sido só o segundo garoto a abordá-la de uma maneira macho-fêmea.[307] O primeiro tinha um queixo reluzente e estava meio cego de tanto ponche de Everclear, zagueiro mais que kentuckiano dos Bácoros Ferozes de Shiny Prize lá em Shiny Prize, KY, num tipo de churrasco para o qual os caras tinham convidado as líderes de torcida e as meninas dos bastões; e o zagueiro parecia um menininho tímido enquanto confessava, à guisa de desculpa por quase ter espirrado um pouquinho nela quando vomitou, que ela era simples e petrificantemente bonita demais cacete para você abordar de qualquer maneira que não fosse mamado até o ponto de não se aterrorizar mais. O zagueiro tinha confessado o horror paralisante de todo o time diante da beleza da melhor baliza da equipe universitária, Joelle. Orin confessou o nome particular que dava a ela. A lembrança daquela tarde escolar continuava bem forte. Ela podia sentir o cheiro da fumaça de algaroba, dos pinheiros azuis e do repelente YardGuard, ouvir os gritinhos do gado que eles matavam e limpavam em simbólica preparação para o primeiro jogo da temporada contra os Ribeirinhos da Escola Técnica de N. Paducah. Ela ainda conseguia ver o zagueiro encantado, de lábios molhados em confissão, mantendo-se ereto contra um pinheiro azul imaturo até que o tronco do pinheiro azul finalmente cedeu com um estalo e caiu.

Até aquele churrasco e confissão ela de alguma maneira tinha pensado que era o seu próprio Papai pessoal, de alguma maneira, quem desencorajava as abordagens macho-fêmea. A coisa toda tinha sido esquisita, e solitária, até ela ser abordada por Orin, que não fez nenhum segredo de ter colhões de aço irrejeitável no que se referia a meninas horrificantemente lindas.

Mas não era nem a identificação subjetiva que ela sentia, assistindo, ela sentia, de alguma maneira, com os lampejos e aparentes non sequiturs que traíam algo mais que a fria abstração técnica chique. Tipo p. ex. o take imóvel contra-plongé de duzentos e quarenta segundos do Êxtase de St. Teresa de Gian Lorenzo Bernini, que — sim — travava completa e irritantemente o movimento dramático do "Acordo…" e não acrescentava nada que uma imagem imóvel de quinze ou trinta segundos não teria acrescentado igualmente bem; mas na quinta ou sexta reprise Joelle começou a ver o take imóvel de quatro minutos como algo importante pelo que deixava de fora: o filme todo era do P. de V.[308] de um vendedor alcoólico de saquinhos plásticos, e o vendedor alcoólico de saquinhos plásticos — ou na verdade a cabeça dele — estava na tela a todo momento, mesmo quando a tela se dividia entre ela e a titânica maratona celeste de pôquer tipo seven-card-stud com baralho de tarô — os olhos revirados, as bossas das têmporas e o rosário do lábio superior do vendedor eram impostos ininterruptamente à tela e ao espectador... a não ser durante os quatro minutos da narrativa em que o vendedor alcoólico de saquinhos plásticos ficou na sala Bernini da Vittoria, e em que a arrebatada estátua encheu a tela e se espremeu contra seus quatro cantos. A estátua, a presença sensórea da estátua, permitiu que o vendedor alcoólico de saquinhos plásticos escapasse de si próprio, da sua ubíqua cabeça convoluta e cansativa, ela via, era por isso. O take mudo de quatro minutos não era só um gesto artístico de mão pesada ou uma sacanagem com a plateia. A liberdade da nossa própria cabeça, do nosso inescapável P. de V. — Joelle começou a ver aqui, oblíquo a ponto de estar oculto, um golpe emocional, já que a transcendência mediada do eu era só o que a estátua aparentemente decadente da freira orgástica reclamava como seu tema. Aqui então, depois de detidas (e confessadamente meio tediosas) reprises, estava uma tese a-irônica e quase *moral* por trás daquele cartucho mordaz e sarcasticamente abstrato: a estase da estátua arrebatada do filme apresentava o sujeito teórico como um efeito emocional — o autoesquecimento como o Graal — e — num gesto disfarçado e quase moralista, Joelle pensou enquanto olhava rapidamente para a tela iluminada pelo ambiente, muito doida, boca se contorcendo enquanto faxinava — apresentava o autoesquecimento do álcool como algo inferior ao da religião/arte (como o consumo de burbom fazia a cabeça do vendedor inchar progressiva e horrendamente, até que no fim do filme suas dimensões escapavam do enquadramento, e ele teve grande e humilhante dificuldade de enfiar a cabeça pela porta da frente da Vittoria).

Mas não fez mesmo tanta diferença depois que ela conheceu a família toda. A Obra e as reprises eram só uma pista — normalmente percebida nos pedacinhos de cocaína que a ajudavam a ver melhor, mais profundamente, e portanto talvez nem objetivamente acessíveis na Obra propriamente dita — uma intuição no fundo da barriga de que a perspectiva ferida que o punter tinha do pai era limitada e comprometida e quem sabe irreal.

Com Joelle demaquilada e sóbria de doer e com o cabelo preso num nó desleixado, o jantar introdutório com Orin e Sipróprio nos Frutos Legais do Mar lá em Brookline[309] não traiu grandes coisas, a não ser que o diretor parecia mais do que capaz de resistir à tentação de "usar" Joelle de qualquer maneira que fosse — ela viu toda a estatura do sujeito desmanchar e se encolher quando Orin lhe disse que a +BODE estava se formando em C&C[310] — Jim lhe disse depois que ela lhe pareceu bonita de um jeito convencional e comercial demais para ele considerar usá-la em quaisquer Obras daquele período, parte de cujo projeto teórico era militar contra as convenções estabelecidas da beleza convencional dos EU — e que Orin ficava tão tenso na presença de "Siprópio" que não havia espaço para qualquer outra emoção na mesa, Orin gradualmente começando a preencher os silêncios com um falatório ininterrupto cada vez maior até que tanto Joelle quanto Jim ficaram constrangidos com o fato do punter não ter nem encostado na garoupa no bafo nem dado espaço para ninguém mais encaixar uma palavra em resposta.

Jim depois disse a Joelle que ele simplesmente não sabia falar com os dois filhos não defeituosos sem a presença e a mediação da mãe dos meninos. Orin você não conseguia fazer calar a boca, e Hal ficava tão completamente recolhido na presença de Jim que os silêncios eram torturantes. Jim disse que suspeitava que ele e Mario se davam tão bem porque o menino tinha tido tantos problemas e dificuldades que não conseguiu nem falar antes dos seis anos, de modo que tanto ele quanto Jim tinham tido chance de se acostumarem com o silêncio recíproco, embora Mario de fato tivesse um interesse por lentes e cinema que não tinha nada a ver com pais ou necessidades de agradar, portanto o interesse era realmente algo a se dividir entre os dois; e mesmo quando Mario recebia autorização para trabalhar na equipe de alguma das Obras mais recentes de Jim era sem nada do tipo de pressão para interagir ou se relacionar via cinema que tinha havido com Orin e Hal e o tênis, em que Jim (Orin lhe informou) tinha sido um juvenil de apogeu tardio mas um universitário top.

Jim se referia aos vários filmes da Obra como "entretenimentos". Ele fazia isso ironicamente mais ou menos em metade das ocasiões.

No táxi (que Jim tinha conseguido para eles), voltando do Frutos para casa, Orin tinha batido sua bela testa contra a divisão plástica e chorado por aparentemente não conseguir se comunicar com Sipróprio sem a presença e a mediação da mãe. Não ficava claro como a Mães mediava ou facilitava a comunicação entre diferentes membros da família, ele disse. Mas ela fazia isso. Ele não tinha nem uma merda de uma ideia sobre como Sipróprio se sentia sobre ele ter abandonado uma década de tênis pelo futebol, Orin chorava. Ou sobre o fato de Orin ser bom pacas naquilo, em alguma coisa, finalmente. Será que ele se orgulhava, ou se sentia ciumentamente ameaçado, ou lamentava Orin ter abandonado o tênis, ou o quê?

Os colchões do feminino de 5 eram magrelos demais para as camas, e as bordas das camas entre as ripas do estrado estavam apavorantemente cobertas de pó, com cabelo feminino enrolado em poeira, de modo que custou um lencinho inteiro só para molhar tudo aquilo e vários secos para esfregar e arrancar a gosma. Charlotte Treat tinha estado mal demais para tomar banho havia dias, e era difícil chegar perto do estrado e das ripas.

Na primeira interface de Joelle com toda aquela triste unidade familiar — Ação de Graças, Casa do Diretor, ATE, seguindo direto pela Comm. Ave. em Enfield — a Mães de Orin, a sra. Incandenza ("Por favor me chame de Avril, Joelle") tinha sido afável, receptiva e atenta sem se intrometer, e se esforçou muito sem-se-intrometer-mente para deixar todo mundo à vontade, facilitar a comunicação e fazer Joelle se sentir uma parte bem-vinda e estimada da reunião familiar — e alguma coisa naquela mulher fazia cada folículo do corpo de Joelle se arrepiar e se distender. Não era por Avril Incandenza ser uma das mulheres mais altas que Joelle já vira, e definitivamente a mulher mais alta bonita, mais velha e com postura imaculada (o dr. Incandenza era corcunda pra chuchu) que ela já tinha visto. Não era porque a sintaxe dela era tão espontânea, fluida e imponente. Nem por causa da limpeza quase-estéril do térreo da casa (o vaso sanitário parecia não só esfregado mas lustrado até brilhar muito). E não

760

que a afabilidade de Avril fosse fajuta de alguma maneira convencional. Demorou bastante para Joelle até mesmo começar a sacar o que a fazia ter faniquitos ululantes em relação à mãe de Orin. O próprio jantar — nada de peru; alguma piadinha política interna da família sobre não se comer peru no dia de Ação de Graças — foi delicioso sem ser grandioso. Eles nem se sentaram para comer até as 2300. Avril bebeu champanhe num copinho estriado cujo nível de alguma maneira nunca descia. O dr. Incandenza (nenhum pedido para ser chamado de Jim, ela percebeu) bebia num copo de três faces uma coisa que fazia o ar acima dele tremular um pouco. Avril deixou todo mundo à vontade. Orin fez imitações razoáveis de figuras famosas. Ele e o pequeno Hal riram sarcasticamente da pronúncia canadense de certos ditongos de Avril. Avril e o dr. Incandenza se revezaram para cortar o salmão de Mario. Joelle teve uma estranha semivisão de Avril erguendo a faca de cabo na mão e mergulhando-a no seio de Joelle. Hal Incandenza mais dois outros meninos descompensadamente musculosos da escola de tênis comeram como refugiados de guerra e foram observados com leve diversão. Avril limpava a boca de um jeito aristocrático depois de cada garfada. Joelle estava com roupa de mocinha, com o decote bem fechado. Hal e Orin se pareciam vagamente. Avril dirigia um em cada quatro comentários a Joelle, para incluí-la. Mario, o irmão de Orin, era mirrado e complexamente deformado. Havia um pratinho de cachorro imaculado embaixo da mesa. Mas nenhum cachorro e nenhuma menção em momento algum a um cachorro. Joelle percebeu que Avril também dirigia um em cada quatro comentários a Orin, Hal e Mario, como num ciclo inclusivo igualitário. Havia vinho branco de Nova York e champagne de Alberta. O dr. Incandenza bebia sua bebida em vez do vinho, e se levantou várias vezes para ir reabastecer o copo na cozinha. Um jardim suspenso imenso atrás das cadeiras de capitão de Avril e Hal recortava complexas sombras na luz UV que fazia as velas da mesa brilharem num estranho azul-claro. O diretor era tão alto que parecia nunca parar de se erguer quando se levantava com seu copo. Joelle tinha a estranhíssima e indefensável sensação de que Avril lhe queria mal; ela ficava sentindo diferentes regiões capilares se arrepiar. Todo mundo se enchia de porfavores e muitobrigados de uma maneira que era puro mundo WASP ianque. Depois da sua segunda viagem à cozinha, o dr. Incandenza moldou suas batatas duplamente assadas numa intricada paisagem urbana futurística e súbito se pôs a discursar animadamente sobre a dissolução em 1946 do monolítico Studio System hollywoodiano e a subsequente ascensão dos atores de Método como Brando, Dean, Clift et al., defendendo uma conexão causal. A voz dele era de registro médio, suave e desprovida de sotaque. A Mães de Orin tinha que ter mais de dois metros de altura, bem mais alta que o próprio Papai pessoal de Joelle. Joelle de alguma maneira via que Avril era o tipo de mulher que devia ter sido desgraciosa quando criança, depois desabrochou e mas que só foi ficar bonita de verdade mais tarde, tipo com uns trinta e cinco. Ela chegou à conclusão que o dr. Incandenza parecia uma cegonha ecologicamente envenenada, ela lhe disse depois. A sra. Incandenza deixava todo mundo à vontade. Joelle a imaginou com uma batuta de regente. Ela nunca chegou a dizer a Jim que Orin o chamava de Cegonha Demente ou Gemente. Toda a mesa de Ação de Graças se inclinava sutilimamente para Avril, muito leve e sutilmente, como heliotrópios. Joelle se viu fazendo isso também, se inclinando. O dr. Incandenza ficava protegendo os olhos da luz botânica UV com um gesto que lembrava uma continência. Avril se referia às suas plantas como seus Bebês Verdes. Num dado momento do meio do nada o pequeno Hal Incandenza, talvez com dez aninhos, anunciou que a unidade básica de intensidade luminosa era o Candela, que ele definiu para ninguém em particular como a intensidade luminosa de 1/600 000 de um metro quadrado de uma cavidade na temperatura de congelamento da platina. Todos os homens da mesa usavam paletó e gravata. O maior dos dois colegas de tênis de Hal passou um estimulador dental e ninguém tirou sarro dele. O sorriso de Mario parecia tanto obsceno quanto sincero. Hal, por quem Joelle não era exatamente louca, ficava perguntando se ninguém ia perguntar a ele a temperatura de congelamento da platina. Joelle e o dr. Incandenza se viram numa conversinha sobre Bazin, um teórico do cinema que Sipróprio detestava, fazendo caretas torturadas quando ouvia o nome. Joelle intrigou o cientista óptico e diretor ao explicar que Bazin, ao denegrir a expressão autoconsciente do diretor, estava se vinculando ao Realismo neo-Tomista dos *Personalistes*, uma escola estética de grande influência sobre os intelectuais franceses circa 1930-40 — muitos professores de Bazin tinham sido eminentes *Personalistes*. Avril encorajou Joelle a descrever o interior do Kentucky. Orin fez uma longa imitação do falecido astrônomo pop Carl Sagan manifestando pasmo televisivo diante da escala do cosmos "Bilhões e bilhões", ele disse. Um dos amigos tenísticos arrotou de um jeito horrível, e ninguém reagiu ao som de maneira alguma. Orin disse *"Bilhões e bilhões e bilhões"* na voz de Sagan. Avril e Hal tiveram uma breve discussão cordial sobre se o termo *circa* podia qualificar um intervalo ou somente um ano específico. Aí Hal pediu vários exemplos de uma coisa chamada haplologia. Joelle ficava resistindo ao impulso de dar um tabefe na cabeça do menininho metido e arrumadinho com tanta força que a gravata-borboleta dele ia girar. "O universo:" — Orin continuou bem depois que a graça tinha se esgarçado — "frio, imenso, incrivelmente universal." Os temas relativos a tênis, rodopio de bastão e punts nunca aparecem: esportes organizados não ganham uma única menção. Joelle percebeu que ninguém parecia olhar diretamente para o dr. Incandenza a não ser ela. Um curioso domo mamário branco e frouxo cobria parte do terreno da Academia do outro lado da janela da sala de jantar. Mario enfiou seu garfo especial na paisagem urbana batatal do dr. Incandenza, para aplausos generalizados e certos trocadilhos cáusticos sobre o termo *desconstrução* feitos pelo insuportavelzinho daquele Hal. Os dentes de todos estavam atordoantes à luz das velas e do UV. Hal enxugou a fuça de Mario, que parecia escorrer continuamente. Avril convidou Joelle a nem pensar duas vezes se quisesse fazer um telefonema de Ação de Graças para a sua família no interior do Kentucky. Orin disse que a Mães era do interior do Québec. Joelle estava no seu sétimo copo de vinho. O fato de Orin ficar passando os dedos pelo seu meio-Windsor parecia cada vez mais um sinal para alguém. Avril instou o dr. Incandenza a encontrar um jeito de incluir Joelle numa produção, já que ela era tanto aluna de cinema quanto agora uma adição honorária extremamente bem-vinda à família. Mario, tentando pegar salada, caiu da cadeira e foi ajudado por um dos tenistas entre muita hilaridade. As deformidades de Mario pareciam variadíssimas e difíceis de nomear. Joelle concluiu que ele parecia um cruzamento de fantoche com um desses carnívoros cabeçudos das velhas orgias de efeitos especiais reptilianas de Spielberg. Hal e Avril discutiam se *desinterferir* era um verbo de pleno direito. A cabeça alta e estreita do dr. Incandenza ficava se inclinando para o prato e aí se erguendo lentamente de volta de uma maneira que era ou meditativa ou bêbada. O sorriso largo do deformado Mario era tão constante que dava para você pendurar coisas nos cantinhos dele. Com um sotaque fajuto de donzela sulista que nitidamente não era um cutucão em Joelle, mais tipo um sotaque de Scarlett O'Hara, Avril disse que deveras declarava que a champanhe de Alberta sempre lhe dava "vapores". Joelle percebeu que praticamente todo mundo na mesa estava sorrindo, larga e constantemente, com olhos que brilhavam sob a esquisita luz das plantas. Ela também estava, percebeu; os músculos de seu rosto estavam começando a doer. O amigo mais corpulento de Hal deu um tempo no seu estimulador dental. Ninguém estava usando seu estimulador dental, mas todo mundo segurava um educadamente, como se prestes a usá-lo. Hal e os dois amigos faziam espasmódicos movimentos unimanuais de quem aperta alguma coisa, periodicamente. Ninguém parecia perceber. Nem uma única vez na presença de Orin alguém mencionou a palavra *tênis*. Ele tinha passado metade da noite anterior acordado, vomitando de ansiedade. Agora estava desafiando Hal a mandar o ponto de congelamento da platina. Joelle não conseguia lembrar nem a pau o nome de nenhum dos trecos dinossáuricos computadoramente tratados do pobre Spielberg, embora o seu próprio Papai tenha ido pessoalmente com ela ver os dois. Num dado momento o pai de Orin levantou para encher o copo e não voltou mais.

Um pouco antes da sobremesa — que estava em chamas — a Mães de Orin perguntou se eles podiam quem sabe se dar as mãos secularmente um momento e simplesmente agradecer por estarem juntos. Ela fez questão especialmente de pedir que Joelle juntasse suas mãos às mãos-dadas. Joelle segurou a mão de Orin e a mão do amigo menor de Hal, que era tão calejada que parecia algum tipo de crosta. A sobremesa eram cerejas flambadas com um sorvete gourmet de New Brunswick. A ausência do dr. Incandenza da mesa não foi mencionada, quase não foi percebida, parecia. Tanto Hal quanto o seu amigo não estimulante suplicaram por um pouco de Kahlua, e Mario estapeava pateticamente o tampo da mesa imitando os dois. Avril fez uma grande cena imitando horror ao ver Orin puxar um charuto e um cortador. Tinha também manjar branco. O café era descafeinado com chicória. Quando Joelle olhou de novo, Orin tinha guardado o charuto sem acender.

O jantar terminou com uma espécie de explosão de boa vontade.

Joelle se sentia semienlouquecida. Ela não conseguia detectar nada de falso na afabilidade e na animação daquela senhora na direção dela, na boa vontade. E ao mesmo tempo tinha certeza no mais fundo das entranhas que a mulher podia ter ficado ali sentadinha cortando o pâncreas e o timo de Joelle para picar tudo, fazer

763

petiscos, comer tudo friamente e limpar a boquinha sem nem piscar. E sem que ninguém dos que se inclinavam para ela percebesse.

Na volta para casa, num táxi de uma empresa cujo número Hal tinha sacado da memória, Orin largou a perna sobre as pernas cruzadas de Joelle e disse que se dava para contar com alguém para ver que a Cegonha precisava usar Joelle de alguma maneira, era a Mães. Ele perguntou a Joelle duas vezes o que tinha achado dela. Os músculos do rosto de Joelle estavam doendo pra chuchu. Quando eles voltaram ao apê naquela última noite de Ação de Graças pré-Subsídio foi o primeiro momento histórico em que Joelle intencionalmente bateu carreiras de cocaína para não dormir. Orin não conseguia ingerir nada durante a temporada mesmo que quisesse: os times dos esportes principais na U.B. eram Testados aleatoriamente. Então Joelle estava acordada às 0400, limpando atrás da geladeira pela segunda vez, quando Orin gritou no meio do pesadelo que ela de alguma maneira achou que devia ter sido dela.

Abalante para a confiança do seu julgamento dessas pessoas, aquela que Marathe tinha acreditado ser uma viciada desesperada revelou ser a mulher de autoridade na *maison récuperée* de Ennet. A mulher de prancheta era mera subalterna. Marathe muito raramente se equivocava ao julgar pessoas ou seus papéis.

A mulher de autoridade foi negativa no telefone. "Não, não. Não", ela disse para o telefone. "Não."

"Desculpa", ela disse para Marathe sobre o fone sem colocar a mão da privacidade sobre o fone. "Vai ser bem rapidinho. Não ela *não pode*, Mars. Promessa não faz a menor diferença. Ela já prometeu. Quantas vezes. Não. Mars, porque vai acabar machucando a gente e só dando força pra ela." A voz do homem do outro lado saiu alta, e a autoridade deteve um soluçar com a parte de trás do pulso, aí enrijeceu. Marathe observava desexpressivamente. Ele tinha a grande fadiga, um momento em que o inglês era tensionante. Havia cães sobre o chão. "Eu sei, mas não. Por hoje, não. Na próxima vez que ela ligar, diga pra ela me ligar aqui. Isso."

Ela desativou essa transmissão e ficou encarando o tampo da sua mesa por um momento. Dois cães estavam estendidos no chão entre a cadeira dela e o *fauteuil* de Marathe, um cão dos quais lambendo seus órgãos privados. Marathe conteve um estremecimento e puxou um pouco o cobertor, encurvado para minimalizar a musculatura de saúde de seu torso superior também.

"Boa noite…", Marathe começou. "Bom, não vá embora", a mulher de autoridade ejaculou por sair da sua reverie de tristeza, dando à sua poltrona a rotação para encará-lo. Ela tentou sorrir da maneira profissional EUA. "Depois de você ter esperado tanto tempo lá fora. Eu vi você dividindo com o Selwyn. O Selwyn tende a dar as caras toda vez que a gente faz essas entrevistas de grupo."

"Eu, eu acho que ele sofre com doença mental." Marathe percebeu que uma perna da mulher era mais magra de longe que a outra perna dela. Estava sendo tirado do sério também pelo seu hábito de fingir fungar. Os fungos falsos vinham do nada.

764

Ela cruzou essas pernas. Duas buzinas de veículos poderosamente sopraram sobre a avenida bem além da janela côncava da mesa dela.

"Esse Selwyn, ele me aconselhou a fazer carinho em seus animais, o que eu lamento mas não vou fazer."

Essa mulher riu baixinho e se inclinou para a frente sobre as pernas cruzadas. Em adição, um dos cães tinha flatulência. "Você marcou que a sua cidadania é suíça."

"Eu sou um alien residente viciado na marrom, no pó, e em H, buscando desesperadamente o tratamento residencial."

"Mas residente legal? Com green card? Um Código de Residência do SINO?"[311]

Marathe do seu blazer puxou os documentos que M. DuPlessis tinha preparado com grande antevisão no passado distante.

"Aleijado também. Também deformado", Marathe disse, dando estoicamente de ombros, inclinando o véu para o carpete escuro.

A mulher estava examinando os seus documentos do SINO com uma boca franzida e o rosto para pôquer das autoridades ONAN em todas as partes. Uma das mãos dela estava retorcida à maneira de uma garra. "Nós todos entramos aqui com os nossos problemas, Henry", ela disse.

"Henri. Pardon. Henri."

Alguma mulher logo na frente da porta perto da porta da frente da *maison récuperée*, ela riu à maneira de uma arma automática. Sons úmidos eram audíveis de sob a perna traseira do cão com órgãos privados, do qual a cabeça se escondia sob a perna erguida. A mulher de autoridade teve que apoiar o corpo colocando as mãos na mesa para se levantar e destrancar e erguer a porta de um arquivo preto de metal sobre o seu TP e o console da mesa. A porta de velho metal preto levantava para fora. Marathe decorou os números de modelo desse teleputador, que era indonesiano e de custo barato.

"Então, Henri, a Casa Ennet, nos anos em que eu faço parte aqui da Equipe de Funcionários, a gente já aceitou estrangeiros, estrangeiros residentes, gente com um inglês bem pior que o seu assim de longe." Ela ficou apoiada na perna mais grossa para buscar alguma coisa bem no fundo desse arquivo. Marathe aproveitou a oportunidade da desatenção dela para memorizar os fatos do escritório. A porta do escritório tinha uma decoração de um triângulo dentro de um círculo, e sem chave tétrica para trancar, mas meramente uma fechadurinha triste e barata na maçaneta. Nenhures o pequeno bico de um alarme padrão de micro-ondas de 10525 GHz. As grandes janelas não tinham pontinhas de arames nos caixilhos. Isso deixava a possibilidade apenas de um alarme de contato magnético, que se fosse era mais difícil de desabilitar mas também possível. Marathe se sentia com intensa saudade da esposa, o que sempre era sinal da sua fadiga profunda. Duas vezes ele fungou.

A mulher estava falando dentro do arquivo com ele: "… pedir pra você assinar umas autorizações pra mim pra gente poder xerocar os seus comprovantes do SINO e pedir um formulário de Alta por fax lá da sua desintoxicação que foi em…?".

"Na Fazenda de Reabilitação Chit Chat do estado Pensilvânia. Mês passado." O contato logístico da AFR em Montreal tinha prometido acertar toda a documentação sem certa demora.

"Em, onde, Wernersdale, coisa assim?"

Marathe pôs a cabeça velada quase nada de lado. "Wernersberg da Pensilvânia."

"Bom a gente conhece a Chit Chat, a gente já recebeu uns ex-Chit Chats aqui na Casa. O maior... respeito." A cabeça dela estava dentro do arquivo, com um braço. Parecia difícil para ela revirar o arquivo e manter ao mesmo tempo o equilíbrio. Concluindo que as bay windows eram a perfeita entrada para o escritório caso viesse a ser necessário, Marathe olhou para a tentativa da mulher de se equilibrar e para o arquivo velho. Aí piscou lentamente. Nesse arquivo visivelmente, em pilhas gêmeas perto da frente do arquivo aberto, estavam muitos cartuchos de entretenimento de TP.

A mulher disse: "E a gente está preparado pra atender deficientes desde o começo. Só uma meia dúzia de Casas da região metropolitana está plenamente equipada para aceitar clientes deficientes, acho que eles te disseram isso na Chit Chat". A parede tremia com o impacto da rudidade da sala ali na frente, e alguém ou ria ou estava com dor. Marathe fungou. A mulher continuava a falar: "... por isso eu vim pra cá de saída. Que eu vim de cadeira de rodas, também, originalmente, aliás". Ela saiu meio saltitante do arquivo com uma pasta de papel mulato. "Naquela época eu declarava aos quatro ventos que era deficiente demais para me ajoelhar e rezar, pra te dar uma ideia de onde eu estava." Ela riu animada. Era atraente.

"Eu", Marathe respondeu, "eu vou tentar rezar imediatamente se mandarem." Auxiliando o ardil da entrevista, ele e Fortier descobriram, havia que a recuperação EUA das adições era algo paramilitar por natureza. Havia ordens e obedecimento de ordens. A AFR tinha analisado cartuchos de antiga programação EUA, que tinham encontrado por sorte no inventário dos Antitoi, e ele tinha assistido para aprender muitas coisas. Mas erguer desesperadamente o rosto velado ao dizer permitia que Marathe pudesse correr os olhos pelos estojos plásticos de lombadas de cartuchos. Entre os títulos da fonte pequena tais como *Parâmetros de distância focal X-XL* e *Deixadinha de voleio ex. II* havia dois estojos de plástico marrom simples, sem marcas, a não ser — era por isso que seu véu, ele permanecia inclinado para cima tanto mais tempo que ele estava preocupado que essa mulher de autoridade — a não ser — mas era difícil de certeza, pois a luz do escritório era da mortal fluorescência EUA, e a boca do arquivo à sombra da tampa e o véu de morim faziam menor seu foco — a não ser talvez por minúsculas carinhas redondas de sorrisos gravados nos estojos marrons. Marathe sentiu subitamente a empolgação de si próprio — a expressão de M. Hugh Steeply para isso tinha sido *decaído dos céus*.

A autoridade falou também: "Pra nem falar de membros da OFIDE, talvez você queira saber". Gesticulando então para o véu de Marathe que nenhum deles estava mencionando. A mulher tentou fixar uma folha de tôner desbotado a um quadro, com um clipe. "Na verdade nós estamos com um membro da OFIDE ainda no começo do período de residência agora mesmo."

Marathe piscou duas vezes mais. Ele disse: "Eu sou deformado, eu".

"Ela podia te ajudar a se acostumar, se identificar. Ia ser bom pra ela também."
Marathe tinha começado a queimar na RAM todo e qualquer detalhe de todo e qualquer momento desde sua entrada na *maison récuperée* de Casa Ennet. Ele em outra parte de seu cérebro considerava se ia fazer um relato vero primeiro para M. Fortier ou para Steeply do ESAEU, cujo número de contato tinha sempre o prefixo 08000, ele tinha brincado. Em outra parte estava se devia parecer ansioso por conhecer aqui já a performer do Entretenimento, colega de véu. Pensar o que causaria ansiedade num viciado desesperado. Marathe estava durante todo esse pensar sorrindo largo para a mulher, esquecendo que ela não o podia testemunhar. "Isso é feliz", finalmente ele disse.

"Os seus problemas faciais…" a pessoa declarou, se inclinando por sobre as pernas cruzadas na cadeira. "Eles têm ligação com o uso e o abuso de Substâncias? Eles trabalharam com vocês essas coisas de progressão, QUASES[312] e encarar as consequências na Chit Chat?"

Marathe estava meio apressado agora para poder sair e retornar para chez Antitoi. Ele utilizou suas habilidades para recitar complexas falas de estória falsa sobre vício enquanto também ao mesmo tempo repassava a memorização do rosto e das localizações de cada pessoa da Casa Ennet que tinha visto. Pois eles voltariam aqui, os AFR, e talvez os Serviços Desprovidos de Especificidade de Steeply e Tine também. Ele tinha a habilidade de dividir o pensamento da mente por várias faixas paralelas.

"As pernas — eu fiz uma overdose em Berna, que é meu lar na Suíça, enquanto sozinho, e eu caí de cara para baixo enquanto minhas pernas, elas continuam como se diz embaraço, embaraçadas na cadeira em que ocorreu essa injeção, pico. Um estúpido. Eu fico ali sem o consciente ou se mexer por muitos dias, e minhas pernas, elas — *comment-on-dit?* — elas ficam com sono, perdem o circular, sofrem gangrena, ficam infecciosas." Marathe fungou enquanto estoicamente dava de ombros. "Igualmente o nariz e a boca, do espremer facial de ficar de cara para baixo em posição sem consciente por dias. Eu morro quase. Tudo é amputado, por minha vida. Eu me retiro da marrom, do pó e H, em *l'infirmière*. Um resultado de abuso das drogas."

"É a sua estória. É o seu primeiro passo."

Marathe deu de ombros. "Minhas pernas, meu nariz e oral. Tudo como consequência da progressão. No Chit Chat, eu admito tudo, eu percebo que estou viciado desesperadamente." Marathe estava tentando decidir se achava maneiras de fazer a mulher de autoridade sair brevemente do escritório, para Marathe poder escalar rapidamente com os braços o armário para examinar os estojos sorridentes de cartucho de perto antes do fechamento do arquivo. Ou se em vez também retornar com algum pretexto para permanecer e ficar pertamente na sala de estar para pessoas que esperam, para encontrar um relance de quem é essa residente mencionada com o véu feminino OFIDE; pois esse é o objetivo de vir às *maisons récuperées* que M. Fortier deu. Marathe podia dar o fato dos cartuchos para Fortier e a moça velada para Steeply, ou opostamente. A fadiga retornou. Mas Steeply, antes de se decidir pela ação aberta, vai querer confirmação de que aqueles no arquivo eram os itens do vero Entretenimento, não os displays vazios e piadísticos da FLQ. Havia mesmo um vago ruído de zumbido que vinha da cabeça, ele imaginou. A arma de Marathe estava no coldre sob o assento, escondida pelo cobertor xadrez de seu colo. Matar facilmente a pessoa de autoridade era *inutile* nesse momento de não relancear a moça, ele tinha decidido, além de imprático por testemunhas circunstantes. O *fauteil* de Marathe podia viajar a 45 km/h numa superfície plana por curta distância. A figura de autoridade gostava de pentear no cabelo brilhante com aquela garra da mão deformada. Ela estava contando a Marathe o falso viciado que ela achava a honestidade dele encorajadora e dizendo para assinar esses formulários, para autorização. Enquanto Marathe assinava lentamente o nome de um falecido administrador de Indenizações de Saúde na *Caisse de Dépôt et Placement*,[313] a mulher começou a perguntar até onde ele estava disposto a ir.

A família toda estava coalhada de segredos, ela tinha concluído, era parte da tristeza do jantar sem peru. Um do outro, deles próprios, dela própria, família. Sendo um dos grandes esse fingimento de que excentricidade aberta era o mesmo que estar aberto. I. e. que eles eram todos "exatamente tão loucos quanto parecem" — na expressão do punter.

Nós todos somos bem mais intuitivos sobre a família de quem nós amamos do que sobre a nossa própria, ela sabia. O rosto de Charlotte Treat reluzia; as fundas cicatrizes da bochecha dela eram de um vermelho mais violento que o resto. As costelas dela sob a úmida camiseta Michelob Dry começavam a apontar, o pescoço a ganhar aquela aparência esquálida e esticada da catexia. Ela parecia uma ave caçada e destroçada. A cama de Kate Gompert estava desfeita, com um exemplar de algum livro de bolso amarelado chamado *Sentindo-se bem* aberto virado para baixo no colchão e começando a se enrolar. Joelle estava com um estranho medo de que Gompert, que nas melhores ocasiões deixava Joelle extremamente nervosa, chegasse em casa, entrasse e encontrasse Joelle fazendo faxina com o cabelo preso num lenço e o véu todo empapado e grudado no rosto. Ela usou o último lencinho do quarto para tirar o pó de todas as cinco mesas de cabeceira, esfregando em anéis cuidadosos em torno de objetos que não devia tocar.

Houve então certo desconforto na situação quando a mulher da *maison récuperée* ofereceu um oferecimento de uma vaga para Marathe. O desesperadamente viciado suíço Henri podia dormir no Convertissofá do escritório dos fundos hoje mesmo, ela disse, se estivesse disposto a encarar a bagunça e às vezes insetos do escritório dos fundos. A mulher tinha um ponto frágil de *sympathique* pelos deficientes, Marathe podia ver. Para desconfortamento naquela situação, Fortier não havia preparado falas para indeferir essa oferta da abertura de uma oportunidade de tratamento na *maison récuperée*. A mulher de autoridade sorriu que podia ver no ato dele ficar remexendo nas rodas do *fauteuil* a luta viciada entre desespero e negação, ela disse. Marathe estava rapidamente calculando se devia falsamente aceitar e permanecer aqui uma noite para observar por conta própria a descrição da paciente velada da OFIDE, contra se devia sair e rodar como correndo para o mais próximo local de telefone para alertar os AFRs na loja que aqui nesta *maison récuperée* havia de possibilidade cartuchos reais do Entretenimento, talvez inclusive um Máster duplicável do cartucho-remédio anti-*samizdat* da alegação da FLQ, retornar chez Antitoi e retornar mais tarde com rangentes acompanhantes para a *maison récuperée* e adquirir tanto os cartuchos quanto a performer velada, se o paciente de tratamento da OFIDE se revelasse ser a performer disfarçada. O engenheiro de rádio tinha falado loquazmente do véu e biombo dessa pessoa. Ou calculando também se devia telefonar não para a Entretenimento Antitoi mas para o prefixo gratuito 24-horas de M./Mlle. Steeply e transmitir a mesma informação também, finalmente, primeiro para o *Bureau des Services sans Spécificité*, apostando na ONAN e contra Fortier, ficando finalmente apenas de um lado, trazendo sua esposa restenótica e seus filhos famintos por entretenimento lá das terras devastadas pelo Reconvexo de St.-Remid'Amherst para viver com ele o resto da vida deles aqui entre a confusão de escolhas EUA, exigindo proteção oculta de Steeply e cuidados médicos de alta-renda para os problemas de coração e cabeça da adorada Gertraude.

Ou dizer para essa figura de médica autoridade olhar para trás por causa de uma grande aranha e assim partir com uma só mão seu pescoço fino e usar o console telefônico do escritório para convocar Fortier e uma equipe de elite da AFR diretamente a esta *maison récuperée*. Ou ainda convocar diretamente Steeply e as forças de alvos macacões da ONAN. A autoridade fez uma abóbora com os dedos sob o queixo e ficou olhando a cabeça posta de lado de Marathe com um rosto de respeito e empatia mas não de solicitude, também o que fez quebrar o pescoço dela parecer uma escolha triste para Marathe. Ele fingiu que era necessário fungar. Mssrs. Fortier e Broullîme, os outros AFRs que ele conhecia bem desde os tempos em que ficavam juntos tensionados nos cruzamentos de muitos trens sob a lua do céu — nenhum deles sentia verdadeiramente que Marathe tinha perdido a barriga para esse tipo de trabalho. Que Marathe, ele teve que lutar com a náusea do estômago enquanto empurrava o cabo afiado do cabo de vassoura da *manche à balai* pelas entranhas de Antitoi durante a entrevista técnica de Antitoi, e depois tinha vomitado no beco em segredo. Um dos cães do escritório mascava a anca com grande ferocidade, em sofrimento. Nos EUA da ONAN, M./Mlle. Hugh/Helen Steeply do clandestino ESAEU/BSSEU esconderia a família de Marathe em locais suburbanos, com documentos de identidade forjados por especialistas em acima de críticas e sem suspeitas; e Marathe, sua familiaridade com o conhecimento da insurgência québecoise seria confortavelmente recompensada uma vez que *Notre Rai Pays* conseguisse a secessão para atrair sozinho a ira da fúria do *chanteur-fou* Gentle. O triunfo dos AFRs em disseminar o letal Entretenimento garantiria a valiosa recepção de Marathe por Gentle e os tratamentos adorados de sua esposa para o ventrículo e a falta de crânio. Marathe imaginava já Gertraude com um capacete e um gancho de ouro, respirando com facilidade por tubos dispendiosos. A variável de cálculo era quanto tempo permanecer e trabalhar pela disseminação contra quando saltar para a segurança da recepção americana. A ira de Fortier seria implacável diante de Marathe *"perdant son coeur"*,[314] e podia ser bem mais inteligente esperar até o Québec ser expulso e os AFRs estarem plenamente ocupados para revelar seu trabalho quádruplo para a ONAN, Marathe.

Batendo na porta do Escritório ao mesmo tempo que entrava veio uma moça sem dentes, radiando frieza do exterior fora da *maison récuperée*, colocando apenas a metade de cima de seu corpo no escritório pela porta que tinha aberto.

"Batendo cartão aqui, chefia", a moça declarou com a nasalidade fanha de Boston EUA.

A mulher de autoridade sorriu de volta. "Mais duas entrevistas, Johnette, aí eu zarpo."

"Tadinha."

"Você abre a porta pro pessoal do Depósito quando eles vierem pegar a sra. Lopate?"

A moça jovem e inclinada fez que sim com a cabeça estreita. Numa narina um alfinete de fralda genérico estava *transpercé*, que reluzia sob a fluorescência da luz enquanto ela fazia que sim. "E a Janice diz que está se mandando agora e se tem algum recado pra ela antes dela ir." A autoridade negaceou com a cabeça isso. A moça da porta olhou para Marathe e disse "Oi" ou "Oh" numa saudação de neutras emoções. Marathe sorriu com desespero e fingiu fungar. Odor de fumaça visível vinha pela porta aberta da ruidosa sala do outro lado. Marathe decidiu firmemente contra partir quaisquer pescoços nesta visita, por causa de corpos inclinados com subitaneidade no escritório inesperadamente. O torso da pessoa começou a se recolher quando repentinamente a autoridade ergueu os olhos e declarou: "Ah, e Johnette?".

A porta abriu mais uma vez enquanto a metade superior retornada respondia "Opa".

"Me faz um favor? A Clenette H. trouxe uns cartuchos dadinhos da ATE hoje de tarde?"

"Não me diga."

"Os nativos estão inquietos." A autoridade riu em voz alta. "Coisa nova."

O torso riu também. "Você viu o McDade assistindo aquela coisa coreana *de novo* lá fora?"

"Então será que dá pra você dar uma olhada neles depois da hora de dormir, quantos você conseguir, pra verificar ver se tudo bem?"

"Sem nudez, sem substâncias, só consumo leve de álcool", a moça disse à maneira de alguém que repassa o ensaio de algo que aprendeu.

"Quantos você conseguir, daí deixe na mesa da Janice que eu peço pra ela colocar os cartuchos no começo do turno amanhã de manhã."

A mão de autoridade substituta fez um curioso círculo com dois dedos no ar da porta. Algum tipo de sinal manual para a autoridade chefe. Cada dedo da mão da moça usava um anel de tipo diferente. "Os nativos vão agradecer, pra dar uma variada."

"Os cartuchos estão no arquivo com os formulários", a autoridade lhe disse.

"Eu assisto no Turno de Morfeu, quantos der pra ver."

"E, Johnette?"

Mais uma vez o torso se reestendeu para dentro.

A mulher de autoridade disse: "Não deixe o Emil e o Wade atormentarem o David K., tudo bem?".

Marathe sorriu largo enquanto a porta fechava inteiramente e a autoridade fazia um pequeno movimento de desculpas por ser interrompida. "Eu não tenho esses significados *dadinhos* e *nativos*, se posso ousar perguntar", ele disse. "Nem *ateé.*"

Uma risada de amistosidade. Ocorreu a Marathe que esta era uma pessoa feliz. "Dadinhos são as coisas doadas pra nós. E a gente depende delas mais do que gostaria de depender. Os residentes e ex-alunos estão sempre de olho. Às vezes a gente chama os residentes atuais de nativos; é carinhoso. Aquela era a Johnette ela é funcionária reverente.[315] A gente tem dois reverentes, funcionários que são ex-internos da casa. Um está meio mal, mas a Johnette é... você vai gostar da Johnette. A Johnette é de ouro. *ATE* são as letras A-T-E."

Marathe fingiu rir em voz alta. "Eu peço um perdão, pois pensei em algum tipo de lugar de ateus."

A autoridade sorriu compreensiva. "A ATE é uma escola particular. Nós normalmente colocamos alguns residentes lá, meio período. É logo ali no morro." Vendo a profunda entrada no véu que sua inalação causou por um momento apenas, a autoridade manifestou surpresa do rosto e disse: "Mas você sabia que a Ennet é uma casa de trabalho. Os residentes têm um mês pra achar um emprego, normalmente".

Exalando com cuidado, Marathe gesticulou vagamente tipo Mas claro.

11 DE NOVEMBRO
ANO DA FRALDA GERIÁTRICA DEPEND

Parte das filmagens de Mario para o documentário que vão deixar ele fazer sobre esse outono da ATE consiste de Mario simplesmente andando por partes diferentes da Academia com a câmera Bolex H64 atada à cabeça e presa por um coaxial ao pedal, que ele segura contra o peito sueterado com uma mão e opera com a outra. Às 2100 da noite está frio. As Quadras Centrais estão bem iluminadas, mas só uma quadra está sendo usada, Gretchen Hole e Jolene Criess ainda enroladas num amistoso meio maratona que começou à tarde, com as mãos em volta dos grips já azuladas e o cabelo suado congelado em espetos eletrificados, parando entre os pontos para assoar o nariz na manga, usando tantas camadas de roupas de malha que parecem ter forma de barril lá fora, e Mario nem se dá ao trabalho de mudar a velocidade do filme que seria necessária para gravar as duas pela janela embaçada da sala de Schtitt, onde está. O barulho na sala é ensurdecedor.

O quarto do técnico Schtitt é o 106, perto do escritório dele no primeiro andar do Com.-Ad., depois do escritório da dra. Rusk e descendo um corredor que se entronca em T com o saguão.

É um grande quarto vazio, feito para acomodar o sistema de som. Piso de madeira maciça pedindo uma lixada, uma cadeira de madeira e uma de vime, uma cama de campanha. Uma mesinha baixa onde só cabe o porta-cachimbos de Schtitt. Uma mesa de baralho dobrável, dobrada e encostada na parede. Revestimento acústico em todas as paredes e nada de decorativo pendurado ou preso às paredes. Revestimento acústico no teto também, com uma lâmpada descoberta com uma corrente comprida que está encaixada num ventilador sujo de teto com uma corrente curtinha. O ventilador nunca gira mas às vezes emite um som de fiação com problemas. Há um vago odor de pincel atômico no quarto. Nada ali é estofado, nada de travesseiros na cama, nada macio para absorver ou defletir o som do equipamento empilhado no chão, a germanidade negra de um equipamento de som de primeira, um alto-falante tamanho-Mario em cada canto do quarto sem a tela de tecido de modo que o cone de cada woofer fica exposto e pulsa poderosamente. O quarto de Schtitt é à prova de som. A janela dá para as Quadras Centrais, o gio e o observatório diretamente acima delas e embaralhando as sombras nas luzes das quadras. A janela fica bem acima do radiador, que quando o estéreo está desligado faz estranhos sons ocos, estalados e ressonantes como se alguém bem no subterrâneo estivesse batendo nos canos com um martelo. A janela fria acima do radiador está embaçada e treme ligeiramente com o baixo wagneriano.

Gerhardt Schtitt está dormindo na cadeira de vime no meio do quarto vazio, com a cabeça jogada para trás e os braços dependurados, mãos arvoradas de artérias onde dá para ver o batimento cardíaco dele ralentando. Seus pés estão firmes no chão, joelhos bem separados, como Schtitt sempre tem que sentar, por conta da varicocele. A boca está entreaberta e o cachimbo lhe pende do canto num ângulo alarmante. Mario grava o técnico dormindo um pouco, com uma aparência muito velha, branca e frágil, mas também obscenamente em forma. O que está tocando e fazendo a janela vibrar e gotinhas condensadas se reunirem e correrem em pequenas linhas baliformes pelo vidro é um dueto que fica subindo em altura melódica e emotiva: um segundo tenor alemão e uma soprano alemã estão ou muito felizes ou muito infelizes ou as duas coisas ao mesmo tempo. O ouvido de Mario é extremamente sensível. Schtitt só dorme em meio a óperas europeias torturantemente tonitruantes. Ele compartilhou com Mario várias estórias diferentes de lúgubres experiências de infância numa Akademie austríaca patrocinada pela BMW e com uma orientação voltada para o "Controle de Qualidade" para explicar suas peculiaridades de REM. A soprano deixa o barítono e sobe para um ré agudo e fica lá, simplesmente, ou destroçada ou estática. Schtitt não se move, nem mesmo quando Mario cai, duas vezes, estrondosamente, tentando chegar até a porta com as mãos sobre as orelhas.

As escadarias do prédio Comunitário-Administrativo são estreitas e totalmente pragmáticas. Corrimãos vermelhos de ferro frio cujo vermelho é de uma demão de primer. Degraus e paredes de cimento bruto de cor crua. O tipo de eco arenoso ali que faz você subir ou descer as escadas o mais rápido possível. A pomada faz um barulhinho chupado. Os saguões superiores estão vazios. Vozes baixas e luzes por baixo das portas no segundo andar. 2100 ainda é Período de Estudo compulsório. Não vai ter nenhuma grande movimentação até as 2200, quando as meninas vão ficar andando de quarto em quarto, se congregando, fazendo sei lá o quê que bandos de meninas de roupão e chinelinhos felpudos fazem tarde da noite, até o deLint cortar a luz de todos os dormitórios na chave geral perto das 2300. Movimento isolado: uma porta no corredor abre e fecha, as irmãs Vaught estão descendo o corredor até o banheiro lá do outro lado, usando apenas uma toalha imensa, com uma das cabeças usando bobes. Uma das quedas no quarto do sr. Schtitt tinha sido em cima do quadril queimado, e a pomada que se filtra pela bandagem está começando a escurecer a calça de veludo daquele lado da pélvis, conquanto a dor seja zero. Três vozes tensas atrás da porta de Carol Spodek e Shoshana Abram, listas de graus e distâncias focais, um grupo de estudos para a prova de amanhã de "Reflexões sobre a Refração" do sr. Ogilvie. A voz de uma menina de ele não sabe dizer que quarto diz "Íngreme quente praia mar" duas vezes bem nitidamente e aí se cala. Mario está encostado numa parede do corredor, fazendo panorâmicas descomprometidas. Felicity Zweig emerge da sua porta perto da escadaria carregando uma saboneteira e usando uma toalha atada na altura dos seios, como se houvesse seios, andando na direção de Mario a caminho do banheiro. Ela estende a mão direto para a câmera da cabeça dele, como que um distante braço travado enquanto passa:

"Eu estou de toalha."

"Tudo bem", Mario diz, usando os braços para se virar e apontar a lente para uma parede nua.

"Eu estou de *toalha*."

Ásperos sons controlados de vômito detrás da porta de Diane Prin. Mario filma alguns segundos de Zweig fugindo com a toalha, minúsculos passinhos de ave, parecendo terrivelmente frágil.

As escadas têm o cheiro do cimento de que são feitas.

Atrás do 310, a porta de Ingersoll e Penn, há o vago rangido borrachento de alguém se movendo de muletas. Alguém no 311 está gritando: "Verificação de ereção! Verificação de ereção!". Boa parte do terceiro andar é de meninos abaixo de catorze anos. O carpete do corredor aqui tem manchas ectoplásmicas, os pedaços de parede entre as portas são cobertos de pôsteres de jogadores profissionais anunciando equipamento esportivo. Alguém desenhou um cavanhaque e uns caninos compridos num antigo pôster Donnay de Mats Wilander, e o pôster de Gilbert Treffert está desfigurado com xingamentos anticanadenses. A porta de Otis Lord traz a palavra *Enfermaria* ao lado do nome dele na plaquinha da porta. O nome da plaquinha da porta do quarto de Penn também tinha *Enfermaria*. Sons de alguém falando baixinho com alguém que está chorando no quarto de Beak, Whale e Virgilio, e Mario resiste a um impulso de bater. A porta de LaMont Chu logo ao lado está toda coberta de fotos de jogos em revistas. Mario está se inclinando para trás para conseguir filmar a porta quando

773

LaMont Chu sai do banheiro daquela ponta com um roupão felpudo, chinelo de borracha e com o cabelo molhado, literalmente saltitante.

"Mario!"

Mario o filma se aproximando, pernas lisas e musculosas, água-de-cabelo pingando nos ombros do roupão a cada passo. "LaMont Chu!"

"Que é que tá rolando?"

"Nada está rolando!"

Chu fica ali parado bem a uma distância conversacionalmente limítrofe. Ele é só um pouquinho maior que Mario. Uma porta no corredor se abre, uma cabeça aponta para fora, dá uma olhada geral e aí se recolhe.

"Bom." Chu endireita os ombros e olha para a câmera sobre a cabeça de Mario. "Quer que eu diga alguma coisa pra posteridade?"

"Lógico!"

"O que é que eu digo?"

"Pode dizer o que quiser!"

Chu fica bem ereto e faz uma cara penetrante. Mario verifica o mostrador no cinto e usa o pedal para diminuir a distância focal e ajustar o ângulo da lente da câmera ligeiramente para baixo, bem no Chu, e vêm pequenos sons de ajustes da Bolex.

Chu ainda está ali parado. "Eu não consigo pensar em nada."

"Isso vive acontecendo comigo."

"Assim que o teu convite virou oficial a minha cabeça ficou vazia."

"Acontece."

"Agora só tem tipo um campo vazio estatiquento aqui dentro."

"Eu sei bem do que você está falando."

Eles ficam ali em silêncio, com o mecanismo da câmera emitindo um leve zumbido.

Mario diz: "Você acabou de sair do chuveiro, dá pra ver".

"Eu estava conversando com o nosso amigo Lyle lá embaixo."

"O Lyle é genial!"

"Eu ia só correr direto pro chuveiro, mas o vestiário está tipo com um cheiro."

"É sempre legal conversar com o nosso amigo Lyle."

"Aí eu vim pra cá."

"Tudo que você está dizendo é bem bacana."

LaMont Chu fica ali um momento olhando para Mario, que está sorrindo e Chu vê que ele quer acenar vigorosa e confirmativamente com a cabeça, mas não pode, porque precisa manter a Bolex bem firme. "O que eu estava fazendo, é que eu estava passando pro Lyle os detalhes da debacle do Eskhaton, contando tudinho pra ele sobre a falta de dados mais sólidos, os boatos disparatados que andam correndo por aí, de como a Kittenplan e um ou outro Amigão vão levar a culpa. Sobre o castigo que vai ter pros Amigões."

"O Lyle é um cara superlegal quando a gente está com algum problema", Mario diz, lutando para não balançar furiosamente a cabeça.

774

"A cabeça do Lord, a perna do Penn, o nariz quebrado do Postal. O que que vai acontecer com o Incster?"

"Você está totalmente natural. Muito bom."

"Eu estou perguntando se você soube pelo Hal o que eles vão fazer, se o Tavis está culpando ele. O Pemulis e a Kittenplan tudo bem, mas eu estou achando difícil aceitar a ideia do Struck ou do teu irmão levando algum castigo pelo que rolou lá fora. Eles foram estritamente espectadores da coisa toda. O amigão da Kittenplan é a Spodek, e ela nem estava lá."

"Eu estou pegando tudo, aqui, você vai gostar de saber."

Chu agora está olhando para Mario, o que para Mario é estranho porque ele está olhando pelo visor, pelos olhos da lente, o que significa que quando Chu baixa os olhos da lente para olhar para Mario parece para Mario que ele está olhando alguma coisa no tórax de Mario.

"Mario, eu estou te perguntando se o Hal te falou o que eles vão fazer com os caras."

"Isso é o que você está dizendo ou você está me perguntando?"

"Perguntando."

O rosto de Chu parece algo oval e convexo na grande angular da lente, como que se projetando. "Mas e se eu quiser usar isso que você está dizendo no documentário que me pediram pra fazer?"

"Meu Deus, Mario, use o que você quiser. Eu só estou dizendo que a minha consciência não está de boa com a ideia do Hal e do Troeltsch. E nem parecia que o Struck estava consciente durante a debacle propriamente dita."

"Eu tenho que te dizer que eu acho que a gente está pegando um LaMont Chu totalmente real aqui."

"Mario, esquece a câmera, que eu estou aqui pingando pra te perguntar o que é que o Hal achou de quando o Tavis chamou os caras, assim tipo se ele te passou algumas impressões. O Van Vleck na hora do almoço disse que viu o Pemulis e o Hal saindo do escritório do Tavis com o cara da urina da Associação segurando os dois pela orelha. O Van Vleck disse que a cara do Hal estava cor de leite de magnésia."

Mario aponta a lente para o chinelo de banho de Chu para poder olhar o Chu por cima do visor. "Você está dizendo isso ou foi isso que aconteceu?"

"Isso é o que eu estou perguntando pra *você*, Mario, se o Hal te disse o que aconteceu."

"Entendi o que você está dizendo."

"Então você perguntou se eu estava perguntando, e eu estou te perguntando isso." Mario fecha bem o zoom: a compleição de Chu é de um verde meio cremoso, sem um só folículo à vista. "LaMont Chu, eu vou te procurar e te digo tudo que o Hal me disser, isso aqui está ótimo."

"Mas então você ainda não falou com o Hal?"

"Quando?"

"Meu Deus, Mario, às vezes conversar com você é que nem falar com uma pedra."

"Isso está ficando bem legal!"

Uns gargarejos. A voz de Guglielmo Redondo recitando o rosário, parece, bem próxima da porta dele e de Esteban Reynes. A Suíte Clipperton na Casa Leste ficou com uma faixa amarelo-viva de plástico da polícia de Boston por mais de um mês, ele lembra. A porta do Quarto Masculino de um tipo diferente de madeira das dos quartos. A Suíte Clipperton tinha uma foto colada de Ross Reat fingindo beijar o anel de Clipperton na rede. O rugido de uma privada e o rangido da porta de um cubículo. O encanamento da Academia é de alta pressão. Mario demora mais para descer um lance de escada que para subir. O primer vermelho mancha sua mão, tão forte que ele tem que agarrar o corrimão.

O silêncio abafado característico do carpete do saguão e cheiros de cigarros marca Benson & Hedges na área da recepção que dá para o saguão. As portinhas dos corredores que estão sempre fechadas e nunca trancadas. As coberturas de borracha nas maçanetas. Um maço de Benson & Hedges custa 5,60 dólares ONAN na loja Pai & Filho no pé do morro. A luz de CUIDADO: TERCEIRO TRILHO da placa da mesa da Alice Moore Lateral está desiluminada e o aparelho de processamento de textos dela enverga sua capa de plástico opaco. As cadeiras azuis trazem marcas tênues de bundas. A sala de espera está vazia e escura. Um pouco de luz nas quadras acesas lá fora. De sob portas duplas luz de lâmpadas, muito mitigada pelas portas duplas, do escritório do Diretor, que Mario não explora; o nervosismo de Tavis perto de Mario o leva a um gregarismo tal que constrange todos os envolvidos.[316] Se você perguntasse ao Mario se ele se dava bem com seu Tio C.T. ele ia dizer: Lógico. O fotômetro da Bolex está na área Nem A Pau. Quase toda a luz da região da sala de espera vem do desportado escritório da Gestora das Meninas. O que significa que a Mães está: Lá.

Carpetes de pelo alto são especialmente traiçoeiros para Mario quando o centro de gravidade dele subiu por causa do equipamento. Avril Incandenza, louca por luz, está com toda a fileira do teto acesa, duas arandelas e alguns abajures, e um cigarro B&H em chamas no cinzeirão de barro que Mario tinha feito para ela na Escola Rindge & Latin. Ela está rodopiada na cadeira que rodopia, olhando pela grande janela de trás da mesa, ouvindo alguém no telefone, segurando o transmissor à la violinista embaixo do queixo e segurando um grampeador, verificando se está abastecido. Sua mesa tem o que parece ser o perfil de uma cidade formado por pastas de arquivos e livros em pilhas organizadas entrecruzadas; nada balança. O livro aberto sobre a mesa de frente para Mario é a seminal *Introdução à semântica de Montague*, de Dowty, Wall e Peters,[317] que tem umas ilustrações bem fascinantes que Mario não olha dessa vez, tentando filmar o ângulo da cabeça da Mães e a antena estendida do fone contra o cúmulo do cabelo dela visto de trás, filmando as desatentas costas dela.

Mas o som de Mario entrando mesmo num cômodo com carpete grosso é inconfundível, fora que ela vê o reflexo dele na janela.

"Mario!" Os braços dela se erguem num V, grampeador aberto numa mão, de frente para a janela.

"A Mães!" São bons dez metros além da mesa de reuniões e do monitor com seu teclado portátil até a parte mais afastada do escritório onde fica a mesa, e cada passo no carpete fundo é precário, Mario parecendo um homem muito velho de ossos quebradiços ou alguém carregando uma pilha de coisas quebráveis por um morro escorregadio.

"O-i!" Ela está se dirigindo ao reflexo dele na janela esquartejada, olhando enquanto ele larga cuidadosamente o pedal na mesa e luta com a mochila que tem nas costas. "Não é você", ela diz ao telefone. Ela aponta o grampeador para a imagem da Bolex na imagem da cabeça dele. "A gente está No-Ar?"

Mario ri. "Você quer?"

Ela diz ao telefone que ainda está aqui, que Mario entrou.

"Eu não quero interceptar o teu telefonema."

"Não diga bobagem." Ela fala por cima do fone e para a janela. Ela gira a cadeira para encarar Mario, com a antena do receptor descrevendo uma meia-lua e agora apontando para a parte de cima da janela atrás dela. Há duas cadeiras azuis como cadeiras da recepção na frente da mesa dela; ela não indica para Mario sentar. Mario fica mais confortável de pé apoiado no suporte da trava policial que está tentando soltar do plastrão de lona e pôr no chão, se livrando ao mesmo tempo da mochila. Avril olha para ele como o tipo de mãe estelar que se sente alegre apenas de olhar para o filho. Ela não se oferece para ajudá-lo com o suporte de chumbo da trava na mochila porque sabe que ele ia se sentir completamente confortável para pedir ajuda se precisasse. É como se ela sentisse que esses dois filhos são as pessoas da sua vida com quem tão pouca coisa importante precisa ser dita que ela adora que seja assim. A Bolex, a canga de apoio e o visor por cima da testa deixam Mario com uma aparência submarina. Os movimentos dele, ajeitando e prendendo sua trava policial, são ao mesmo tempo desajeitados e hábeis. As Quadras Centrais iluminadas, agora vazias, são visíveis do lado esquerdo da janela de Avril, se você se inclinar bem para olhar. Alguém esqueceu uma sacola de equipamento e uma pilha de raquetes ao lado do poste da rede da Quadra 17.

Os silêncios entre eles são totalmente confortáveis. Mario não consegue dizer se a pessoa no telefone ainda está falando ou se Avril simplesmente não largou o telefone morto. Ela ainda está segurando o grampeador preto. Sua bocarra está aberta e ele parece crocodiliano na mão dela.

"Isso aqui é você passando pela vizinhança e dando as caras pra dizer oi? Ou eu sou cobaia esta noite?"

"Você pode ser cobaia, Mães." Ele faz um exausto círculo com a cabeçona. "Eu canso de usar isso aqui."

"Fica pesado. Eu já segurei isso."

"É bom."

"Eu lembro dele fazendo isso aí. Ele fazia com tanto cuidado. Acho que foi a última vez em que ele se divertiu com alguma coisa de verdade."

"É genial!"

"Ele levou semanas pra montar tudo."

Ele gosta de olhar para ela, também, se inclinando para perto e deixando ela ver que ele gosta de olhar. Eles são as duas pessoas menos constrangíveis que eles conhecem. Ela raramente está aqui assim tão tarde; ela tem um grande escritório na CD. A única coisa que às vezes mostra que ela está cansada é que o cabelo dela fica tipo com um topetão imenso, tipo uma grande vaga oceânica de cabelo, e só de um lado, o lado com o fone, de pé, tocando na antena. O cabelo dela é de um branco puro desde as primeiras lembranças que Mario tem de vê-la pelo vidro da incubadora. As fotos do cabelo do pai dela eram assim. Ele desce pelo meio das costas dela contra a cadeira e pelos dois braços, pendendo dos braços perto do cotovelo. A divisão expõe o couro cabeludo cor-de-rosa. Ela mantém o cabelo muito limpo e bem penteado. Está com um daqueles apitões do sr. deLint pendurado no pescoço. O topetão projeta uma sombra curva na soleira da janela. Há uma bandeira com folha de bordo e uma bandeira com cinquenta estrelas dos EUA penduradas flácidas em mastros de metal de cada lado da janela; bem num cantinho há flâmulas de flor-de-lis em longas varetas pontudas e lixadas. O escritório do C.T. tem uma bandeira da ONAN e uma dos EUA com quarenta e nove estrelas.[318]

"Eu tive uma bela de uma interface com o LaMont Chu no andar de cima. Mas eu deixei aquela Felicity, a bem magrinha — ela ficou chateada. Ela só estava com uma toalha."

"A Felicity vai ficar legal. Você só está passeando. Filmagem peripatética." Ela se recusa a adequar a sintaxe, a de qualquer maneira tratá-lo como inferior, não estaria à altura dele, embora ele pareça não se incomodar quando quase todo mundo faz isso, tratá-lo como inferior.

E ela também não vai perguntar da queimadura na pélvis dele a não ser que ele mencione. Ela toma cuidado para manter a colher fora das questões de saúde de Mario a não ser que ele mencione alguma coisa, movida por um receio de que isso possa ser visto como intrusão ou superproteção.

"Eu vi a tua luz. Por que que a Mães ainda está aqui, eu fiquei pensando." Ela fez como quem agarra a cabeça. "Nem queira saber. Eu vou começar a choramungar. Amanhã vai ser superagitado." Mario não ouviu ela dizer tchau para o cara quando desligou o telefone de modo que a antena agora aponta para o peito de Mario. Ela está apagando a bituca do Benson & Hedge's contra a crista-de-galo que ele tinha espremido e karatezado no meio da vasilha, quando fez, depois que ela disse que queria que fosse um cinzeiro. "Você me deixa tão contente aí de pé, todo arrumadinho pra trabalhar", ela disse. "À espreita." Ela triturava fagulhas individuais na vasilha. Ela pensava que fumar perto de Mario o deixava preocupado, embora ele nunca tivesse falado nada nem que sim nem que não. "Eu tenho um compromisso no café da manhã às 07, o que quer dizer que eu tenho que terminar de gramar e pastar pras aulas da manhã agora, então eu dei uma corridinha aqui pra fazer isso tudo em vez de ficar carregando tudo de um lado pro outro."

"Você está cansada?"

Ela só sorriu para ele.

"Isso aqui está desligado." Apontando para a cabeça. "Eu desliguei."

Olhando para elas, você nunca ia imaginar que essas duas pessoas eram parentes, uma sentada e uma de pé adernada para a frente.

"Você vai comer com a gente? Eu não tinha nem pensando em jantar até ver você. Eu nem sei o que pode estar no cardápio do jantar. Maravilhas Mil.[319] Cartilagem de peru. A tua mala está do lado do rádio. Você vai passar a noite de novo? O Charles ainda está em reunião, eu acho, ele disse."

"Sobre isso da debracle com o Eskhaton e o nariz do Postal?"

"Uma pessoa de uma revista veio fazer um artigo sobre o seu irmão. O Charles está falando com ela em vez de um dos alunos. Você pode falar com ela sobre o Orin se quiser."

"Ela anda à espreita do Hal, o Ortho disse."

Avril tem um certo jeito de inclinar a bela cabeça para ele. "O coitado do seu Tio Charles está com a Thierry e essa pessoa da revista desde a tarde."

"Você conversou com ele?"

"Eu estou tentando um dedo de prosa com o seu irmão. Ele não está no quarto de vocês. Aquele tal de Pemulis a Mary Esther viu saindo com o caminhão deles antes do Período de Estudo. Será que o Hal está com ele, Mario?"

"Eu não vejo o Hal desde a hora do almoço. Ele disse que estava com uma coisa no dente."

"Eu só fiquei sabendo que ele tinha ido ver o Zeggarelli hoje."

"Ele perguntou como está a queimadura da minha pélvis."

"O que eu não vou fazer a não ser que você queira discutir a situação."

"Está tudo bem. Fora que o Hal disse que queria que eu voltasse a dormir aqui."

"Eu deixei dois recados pedindo para ele me dizer como estava o dente. Anjinho, eu estou me sentindo mal por não ter estado lá quando ele precisou de mim. O Hal e esses dentes dele."

"O C.T. te contou o que aconteceu? Ele estava chateado? Era o C.T. no telefone com você?" Mario não entende por que a Mães iria ligar para o C.T. quando ele estava bem ali do outro lado do saguão atrás das portas. Quando ela não fumava muitas vezes ela ficava segurando uma caneta na boca; Mario não sabia por quê. A caneca universitária dela tem tipo cem canetas azuis dentro, em cima da mesa. Ela gosta de se pôr a prumo na cadeira, sentada extrarreta e agarrando os braços da cadeira numa postura imponente. Ela parece alguma coisa que Mario não consegue identificar quando faz isso. Ele fica pensando na palavra *magmata*. Ele sabe que ela não está tentando conscientemente ser imponente para ele.

"Como é que foi o seu dia, eu queria saber."

"Ô, Mães?"

"Eu resolvi anos atrás que a minha posição tinha que ser a de confiar nos meus filhos, e nunca considero diz que diz que de terceira mão quando as linhas de comunicação com os meus filhos são tão abertas e livres de censura quanto eu tenho a felicidade de que elas sejam."

"Parece uma posição bem boa. Ô, Mães?"

"Então eu não tenho nenhum problema de esperar pra ficar sabendo do Eskhaton, de dentes e da urina do seu irmão, que vai vir falar comigo assim que for adequado ele vir a mim."

"Ô, Mães?"

"Eu estou bem aqui, Anjinho."

Magnata é a palavra que aquele jeito imponente de sentar sugere, agarrando a cadeira, com uma caneta presa entre os dentes como o charuto de um empresário. Havia outras marcas na pelagem densa do carpete.

"Mães?"

"Diga."

"Posso te perguntar uma coisa?"

"Por favor."

"Isso aqui está desligado", de novo apontando para o aparato silencioso na cabeça.

"É uma coisa confidencial, então?"

"Não tem nenhum segredo. O meu dia foi eu pensando uma coisa. Na minha cabeça."

"Eu estou aqui pra te ouvir a qualquer hora do dia ou da noite, Mario, como você está pra mim, como eu estou pro Hal e nós estamos um pro outro." Ela gesticula de um jeito difícil de descrever. "Bem aqui."

"Mães?"

"Eu estou bem aqui com a minha atenção completamente mirada em você."

"Como é que você sabe quando alguém está triste?"

Um sorriso rápido. "Você quer dizer se alguém está triste."

Um sorriso de volta, mas ainda sério: "Fica bem melhor assim. *Se* alguém está triste, como é que você pode saber com certeza?"

Os dentes dela não são desbotados; ela faz limpeza no dentista o tempo todo por causa do cigarro, um vício que ela despreza. Hal herdou os problemas dentais de Sipróprio; Sipróprio tinha problemas odontológicos horríveis; metade dos dentes dele eram pontes móveis.

"Você não é exatamente insensível no que se refere às pessoas, Anjinho", ela diz.

"Mas e se você, tipo, só *suspeitar* que alguém está triste. Como é que você reforça a suspeita?"

"Confirma a suspeita?"

"Na sua cabeça." Algumas das marcas na pelagem densa ele pode ver que são pegadas, e outras são diferentes, quase parecem mãos. A postura lordótica dele o transforma num observador acurado de coisas como marcas de carpete.

"Como é que eu, por minha conta, confirmaria uma suspeita de tristeza em alguém, você quer dizer?"

780

"Isso. Assim. Certo."

"Bom, a pessoa em questão pode chorar, soluçar, soltar lágrimas furtivas ou, em certas culturas, urrar, uivar ou rasgar as roupas."

Mario aquiesce encorajadoramente, de modo que o aparato da cabeça dele estala um pouco. "Mas digamos num caso em que ela não chora nem rasga. Mas você ainda fica com uma suspeita de que ela está triste."

Ela usa uma mão para girar a caneta na boca como um charuto de qualidade. "Ele ou ela pode alternativamente suspirar, ficar cabisbaixo, cerrar o cenho, sorrir amarelo, parecer macambúzio, murcho, olhar pro chão mais do que o devido."

"Mas e se não for assim?"

"Bom, ele ou ela pode demonstrar tristeza parecendo desligado, perdendo o entusiasmo por interesses prévios. A pessoa pode ostentar o que parece ser preguiça, letargia, fadiga, lerdeza, uma certa relutância passiva em conversar com você. Torpor."

"Que mais?"

"Eles podem parecer incomumente mansos, quietos, literalmente 'minguados'."

Mario apoia todo o peso na trava policial, o que faz sua cabeça se projetar, com uma expressão que é meio um misto que exprime desorientação, uma tentativa de racionalizar algo difícil. Pemulis chamava aquilo de Cara de Banco de Dados do Mario, o que Mario achava legal.

"E se às vezes eles agissem menos minguados que o normal. E mesmo assim essas suspeitas ficassem na tua cabeça."

Ela tem mais ou menos a mesma altura sentada que tem Mario de pé e inclinado para a frente. Agora nenhum deles está exatamente olhando para o outro, os dois só alguns graus desviados. Avril bate a caneta nos dentes da frente. A luz do telefone dela está piscando, mas ele não toca. A antena do fone da coisa ainda aponta para Mario. As mãos dela não têm a sua idade. Ela arrasta ligeiramente para trás a cadeira de executivo para cruzar as pernas.

"Você se sentiria à vontade para me dizer se nós estamos discutindo uma pessoa em particular?"

"Ô, Mães?"

"Será que você está intuindo tristeza de alguém específico?"

"Mães?"

"O problema é o Hal? Por acaso o Hal está triste e por algum motivo ainda não está conseguindo falar disso?"

"Eu só estou perguntando como ter certeza assim em geral."

"E você não faz ideia de se ele está aqui ou saiu da Academia triste hoje?"

O almoço hoje foi exatamente o mesmo almoço de ontem: massa com atum e óleo, um pão grosso e triguento, a salada obrigatória, leite ou suco e peras em calda num prato. A sra. Clark tinha tirado uma manhã de folga porque quando ela chegou hoje de manhã o Pemulis na hora do almoço disse que uma das meninas do café da manhã tinha dito que havia umas vassouras na parede num X de vassouras, do meio do nada, na parede, quando ela tinha chegado bem cedo pra ligar o caldeirão de

Wheatina, e ninguém sabe como as vassouras estavam lá ou por que ou quem tinha colado elas ali tinha dado uma virada nos nervos da sra. Clark, que estava com os Incandenza desde bem antes da ATE, e tinha nervos.

"Eu não vi o Hal depois do almoço. Ele estava com uma maçã que ele cortou nuns pedações e encheu de manteiga de amendoim, em vez das peras com calda."

Avril balança vigorosamente a cabeça.

"O LaMont também não sabia. O sr. Schtitt está dormindo na cadeira do quarto dele. Ô, Mães?"

Avril Incandenza consegue trocar uma Bic de um lado para o outro na boca sem usar a mão; ela nunca sabe que está fazendo isso quando está fazendo isso. "Estejamos nós ou não discutindo alguém em particular, então."

Mario sorri para ela.

"Hipoteticamente, então, você pode estar captando em alguém um certo tipo estranho de tristeza que parece ser uma espécie de dissociação de si próprio, quem sabe, Anjinho."

"Eu não conheço *dissociação*."

"Bom, meu anjo, mas você conhece a expressão 'estar diferente' — 'fulano hoje está alterado', por exemplo", dobrando e desdobrando dedos para formar aspas de cada lado do que diz, o que Mario adora. "Há, aparentemente, pessoas que têm um medo profundo das próprias emoções, especialmente as dolorosas. Mágoa, arrependimento, tristeza. Tristeza especialmente, talvez. A Dolores descreve essas pessoas como gente que tem medo da obliteração, da expunção emocional. Como se alguma coisa verdadeira e profundamente sentida não tivesse fim nem fundo. Fosse virar infinita e expungir a pessoa."

"*Expungir* significa *obliterar*."

"Eu estou dizendo que essas pessoas normalmente têm uma noção muito frágil de si próprias enquanto pessoas. Da existência mesmo. Essa interpretação é 'existencial', Mario, o que quer dizer vaga e levemente frouxa. Mas eu acho que pode ser verdade em certos casos. O meu próprio pai me contava estórias do pai dele, cuja fazenda de batatas era em St. Pamphile e muito maior que a do meu pai. O meu avô teve uma colheita maravilhosa num certo ano, e quis investir o dinheiro. Foi no começo dos anos 20, quando dava pra ganhar muito dinheiro com companhias novas e produtos americanos recém-criados. Ele aparentemente fechou as possibilidades em torno de duas possibilidades — o ponche da marca Delaware ou um obscuro substituto doce e gaseificado do café que vendia em fontes nas farmácias e que diziam ter vestígios de cocaína, o que deu motivo para muita controvérsia naqueles tempos. O pai do meu pai escolheu o ponche Delaware, que aparentemente tinha gosto de suco de oxicoco azedado, e cujo fabricante foi à falência. E aí as duas próximas safras de batata dele foram dizimadas pelo míldio, o que resultou na venda forçada da fazenda. A Coca-Cola hoje é a Coca-Cola. O meu pai dizia que o pai dele demonstrava muito pouca emoção, raiva ou tristeza sobre isso, no entanto. Que ele de alguma maneira não conseguia. O meu pai disse que o pai dele era travado e só conseguia sentir

782

emoções quando estava bêbado. Ele parece que ficava bêbado quatro vezes por ano, chorava pela vida, jogava o meu pai pela janela da sala de estar e desaparecia por vários dias, andando a esmo pelo interior da província de L'Islet, bêbado e enfurecido."

Ela não está olhando para Mario o tempo todo, apesar de Mario estar olhando para ela.

Ela sorriu. "O meu pai, claro, só conseguia ele próprio contar essa estória quando *ele* estava bêbado. Ele nunca jogou ninguém pela janela. Ele simplesmente ficava sentado na cadeira, bebendo cerveja e lendo o jornal, horas a fio, até cair da cadeira. E aí um dia ele caiu da cadeira e não levantou mais, e foi assim que o seu avô materno faleceu. Eu nunca teria podido ir pra Universidade se ele não tivesse morrido quando eu era menina. Ele acreditava que a educação era um desperdício para as meninas. Era função dos tempos; não era culpa dele. A herança que ele deixou pro Charles e pra mim bancou a universidade."

Ela esteve sorrindo amavelmente o tempo todo, jogando a bituca que estava no cinzeiro no cesto de lixo, limpando a parte de dentro da vasilha com um Kleenex, ajeitando pilhas ajeitadinhas de pastas sobre a mesa. Algumas tiras estranhas e compridas de papel de um estralejante vermelho-vivo caíam pela lateral do cesto, que normalmente ficava totalmente vazio e limpo.

Avril Incandenza é o tipo de mulher alta e linda que nunca foi linda tipo primeiro-nível, tipo capa de revista, mas que desde cedo atingiu um nível bem considerável na escala de lindura e se manteve bem nesse ponto enquanto envelhecia e muitas outras mulheres lindas envelheciam também e ficavam menos lindas. Ela tem cinquenta e seis anos, e Mario fica feliz só de olhar para a cara dela, ainda. Ela não se acha bonita, ele sabe. Orin e Hal, ambos têm partes da beleza dela de maneiras diferentes. Mario gosta de olhar para Hal e para a mãe deles e tentar ver exatamente quais estreitamentos e espaçamentos dos traços fazem o rosto de uma mulher ser diferente do de um homem nas pessoas atraentes. Um rosto masculino versus um rosto que você simplesmente vê que é de uma mulher. Avril acha que é alta demais para ser bonita. Ela parecia muito menos alta quando comparada a Sipróprio, que era alto pacas. Mario usa um sapatinho especial, quase perfeitamente quadrado, com pesos nos saltos e tiras de velcro em vez de cadarços, e uma calça de veludo que Orin Incandenza usou na escola primária, que Mario ainda prefere e usa em vez da calça novinha que lhe deram, e um suéter quentinho de gola careca listrado que nem um besourinho.

"O que eu estou querendo dizer aqui é que certos tipos de pessoa morrem de medo até de colocar um dedo do pé num arrependimento ou numa tristeza genuinamente sentidos, ou de ficar com raiva. Isso quer dizer que elas têm medo de viver. Elas estão aprisionadas em alguma coisa, eu acho. Congeladas por dentro, emocionalmente. E por que isso? Ninguém sabe, Anjinho. Às vezes as pessoas chamam de 'supressão'", com os dedos de novo do lado. "A Dolores acredita que se origina de um trauma infantil, mas eu suspeito que nem sempre. Pode haver certas pessoas que nasceram aprisionadas. A ironia, claro, é que o mesmo aprisionamento que proíbe a expressão da tristeza deve ser intensamente triste e doloroso. Pra pessoa hipotética em questão. Pode haver gente triste bem aqui na Academia que é desse jeito, Mario, e talvez você perceba isso. Você não é exatamente insensível no que se refere às pessoas."

Mario coça o lábio de novo.

Ela diz: "Eu vou fazer o seguinte", se inclinando para a frente para escrever alguma coisa num Post-It com uma caneta diferente da que tem na boca, "eu vou escrever pra você as palavras *dissociação*, *expunção* e *supressão*, que eu vou pôr do lado de outra palavra, *repressão*, com um sinal de diferente sublinhado entre elas, porque elas denotam coisas completamente diferentes e não devem ser consideradas sinônimas".

Mario se move ligeiramente para a frente. "Às vezes eu fico com medo quando você esquece que tem que falar mais simples comigo."

"Bom então eu tanto lamento isso quanto agradeço você poder me dizer que se sente assim. Eu realmente esqueço certas coisas. Particularmente quando estou cansada. Eu esqueço e vou no embalo." Alinhando bem as bordas, dobrando o bilhetinho adesivo pela metade, aí pela metade de novo e largando no cesto de lixo sem ter que olhar para saber onde está o cesto. A cadeira dela é uma bela executiva giratória de couro mas range um pouco quando ela se inclina para a frente ou para trás. Mario vê que ela está se obrigando a não olhar para o relógio, o que tudo bem.

"Ô, Mães?"

"As pessoas, então, quando ficam tristes, mas as pessoas que não conseguem se deixar ficar tristes, ou expressar, essa tristeza, eu estou tentando dizer meio aos pedaços, essas pessoas podem causar uma impressão, em alguém que é sensível, de não estarem exatamente bem. Não estarem bem ali. Vazias. Distantes. Cinzas. Distantes. *Desligadas* era um termo da minha infância. Frias. Amortecidas. Desconectadas. Distantes. Ou elas podem beber álcool e usar outras drogas. As drogas tanto anestesiam a tristeza real quanto permitem que uma versão meio torta da tristeza tenha algum tipo de expressão, como jogar alguém por uma janela de sala de estar em cima dos canteiros de flores que a pessoa tinha consertado tão cuidadosamente depois do último incidente."

"Mães, acho que eu saquei."

"É melhor isso, então, que a minha tergiversação ininterrupta?"

Ela levantou para pegar café do último restinho preto no bule.

Portanto ela está quase de costas para ele ali parada diante do pequeno aparador. Uma velha calça de futebol dos EUA e um capacete estão em cima de um dos arquivos junto à bandeira. A única lembrança que ela guarda de Orin, que não fala com eles nem entra em contato de maneira alguma. Ela tem uma caneca velha com uma caricatura de uma pessoa com um vestido, pequena e perspectivalmente distante num campo de trigo ou de centeio que lhe vai até o joelho, que diz *PARA UMA MULHER QUE SE DESTACA NO SEU CAMPO*. Um blazer azul com a insígnia da ATONAN está pendurado com muito cuidado e bem retinho num cabide de madeira da árvore de metal do cabideiro do canto. Ela sempre tomou o seu café na caneca do *CAMPO DE DESTAQUE*, mesmo em Weston. A Mães pendura coisas como camisas e blazers de um jeito mais retinho e mais sem rugas do que o de qualquer pessoa viva neste mundo. A caneca tem uma rachadura marrom da grossura de um fio de cabelo de um lado, mas não está suja nem manchada, e ela nunca fica com batom na borda do jeito que outras mulheres com mais de cinquenta cor-de-rosificam as bordas das xícaras.

Mario foi involuntariamente incontinente até o começo da adolescência. O pai dele e depois Hal trocaram a roupa dele por anos, sem jamais criticar, torcer o nariz ou agir de forma aborrecida ou triste.

"Mas só que, ô, Mães?"

"Eu ainda estou bem aqui."

Avril não conseguia trocar fraldas. Ela tinha ido falar com ele às lágrimas, ele tinha sete anos, e explicado, e pedido desculpas. Ela simplesmente não conseguia lidar com fraldas. Ela simplesmente não encarava. Tinha soluçado e pedido que ele a perdoasse e lhe garantisse que entendia que aquilo não significava que ela não morria de amor por ele ou que o achava repulsivo.

"Dá pra você ser sensível a uma coisa triste mesmo que o próprio cara não esteja diferente de si próprio?"

Ela especialmente gosta de segurar a caneca de café com as duas mãos. "Como assim?"

"Você explicou muito bem. Ajudou bastante. Só que e se for o caso que a pessoa está *mais* como sempre do que o normal? Do que ela era antes? Se não for que ela está oca ou morta. Se o cara é ele mesmo ainda mais do que antes de uma coisa triste acontecer. E se isso acontecer e você ainda achar que ele está triste, por dentro, em algum lugar?"

Uma coisa que aconteceu quando ela passou dos cinquenta é que ela fica com uma pequena linha vermelha diagonal na pele entre os olhos quando não está te entendendo. A srta. Poutrincourt fica com a mesma linhazinha, e ela tem vinte e oito. "Eu não estou te entendendo. Como é que alguém pode ser demais como sempre foi?"

"Acho que eu queria te perguntar isso."

"Por acaso a gente está falando do Tio Charles?"

"Ô, Mães?"

Ela finge bater na testa por ter sido obtusa. "Mario, Anjinho, é *você* que está triste? Por acaso você está tentando descobrir se eu andei sentindo que *você* mesmo é que está triste?"

O olhar de Mario fica indo de Avril para a janela atrás dela. Ele pode ativar o pedal da Bolex com as mãos, se necessário. Os holofotes altos das Quadras Centrais projetam uma estranha cortina para cima e para a noite. O céu tem um vento, e negras nuvens ralas elevadas cujo padrão de movimento tem como que uma contorção tramada. Tudo isso é visível para além dos tênues reflexos da sala iluminada e, no alto, os lumes estranhos das luzes do tênis como pontos que se entrecruzam.

"Se bem que é claro que o sol ia abandonar o meu céu se eu não pudesse contar com o fato de que você ia simplesmente vir me contar que estava triste. Não ia ser necessária intuição nesse caso."

785

E fora que aí para o leste, além de todas as quadras, dá pra você ver algumas luzes nas casas do Complexo da Marina de Enfield lá embaixo, e atrás delas os faróis dos carros, as luzes das lojas da Commonwealth e a estátua de cara cabisbaixa da moça de túnica em cima do Hospital St. Elizabeth. À direita rumo norte sobre montes de outras luzes resta a rubra ponta rotatória do transmissor da WYYY, com seu rubro anel de giro refletido no visível rio Charles, o Charles túmido de chuva e neve derretida, iluminado em trechos pelos faróis na Memorial e na Storrow 500, o rio se desenrolando, pleno e corcovado, sobre ele um mosaico-íris de óleos e ramos mortos, gaivotas que dormem ou cismam, oscilam, cabeça sob a asa.

O escuro tinha uma forma indistante. O teto do quarto podia até ser de nuvens.
"Skkkkk."
"Bubu?"
"Skk-kkk."
"Mario."
"Hal!"
"Você estava dormindo aí, Bu?"
"Acho que não."
"Porque eu não quero te acordar se você estava."
"Está escuro ou é impressão minha?"
"Ainda vai demorar um tempo pro sol nascer, acho."
"Então está escuro daí."
"Bubu, é que eu acabei de ter um sonho desgraçado."
"Você estava dizendo 'Obrigado Senhor será que eu posso ganhar outra' várias vezes."
"Desculpa Bu."
"Numerosas vezes."
"Desculpa."
"Acho que eu dormi direto."
"Meu Deus, dá pra ouvir o Schacht roncando lá do outro lado. Dá pra sentir as vibrações do ronco no tronco todo."
"Eu dormi direto. Nem ouvi você entrar."
"Uma surpresa bem boa entrar aqui e ver o bom e velho contorno multitravesseirado do Mario de novo na cama."
"…"
"Tomara que você não tenha trazido a mala de novo pra cá só porque pode ter parecido que eu estava pedindo pra você. Trazer."
"Eu achei alguém com umas fitas da Psicose das antigas, pra até ela voltar. Eu preciso que você me mostre como é que eu peço pra alguém que eu não conheço pra me emprestar as fitas, se nós dois somos fãs."
"…"

786

"Ô, Hal?"

"Bubu, eu sonhei que eu estava perdendo os dentes. Eu sonhei que os meus dentes tinham apodrecido de algum jeito e virado tipo xisto e lascavam quando eu comia ou falava e eu estava largando fragmentos por tudo quanto é lugar, e teve uma cena longa em que eu estava comprando dentaduras."

"Ontem de noite a noite toda tinha gente vindo cadê o Hal, você viu o Hal, o que aconteceu com o C.T. e o médico da urina e a urina do Hal. A Mães me perguntou cadê o Hal, e eu fiquei surpreso com isso por causa de como ela sempre faz questão de não ficar perguntando."

"Aí, sem nenhum tipo de sequência onírica, eu estou sentado numa sala fria, mais pelado que vedete, numa cadeira de material anti-inflamável, e fico recebendo contas de dentista pelo correio. Um carteiro fica batendo na porta, entrando sem ser convidado e me apresentando várias contas de dentista."

"Ela quer que você saiba que ela confia em você sempre e que você é confiável demais pra ela ficar se preocupando com você ou perguntando sempre."

"Só que não são de algum dente meu, Bu. As contas são dos dentes de *outra* pessoa, não dos meus, e não tem jeito de eu fazer o carteiro se convencer disso, que não é dos meus dentes."

"Eu prometi pro LaMont Chu que eu ia passar toda a informação que você me desse, de tão preocupado que ele estava."

"As contas vêm nuns envelopinhos com janelas plastificadas que mostram a parte da conta que tem o destinatário. Eu coloco eles no colo até que a pilha fica tão grande que eles começam a escorregar lá do alto e cair no chão."

"O LaMont e eu tivemos um diálogo inteiro sobre as preocupações dele. Eu gosto bastante do LaMont."

"Bubu, você lembra o que aconteceu com o S. Johnson?"

"S. Johnson era o cachorro da Mães. Que faleceu."

"E você lembra como ele morreu, então."

"Ô Hal, você lembra uma época lá em Weston quando a gente era pequenininho que a Mães não ia em lugar nenhum sem o S. Johnson? Ela levava ele com ela para o trabalho, e tinha aquela cadeirinha especial pra pôr ele no carro quando ela estava com o Volvo, antes de Sipróprio sofrer o acidente com o Volvo. A cadeirinha era da Fisher-Price. A gente foi ver a estreia de *Tipos de luz* de Sipróprio na Hayden[320] que não deixava entrar cigarro nem cachorro e a Mães levou o S. Johnson com uma coleira-arnês de cão-guia que dava a volta no peito dele com aquela barra quadradona em vez de guia e a Mães estava de óculos de sol e olhava pra cima e pra direita o tempo todo pra parecer que ela era legalmente cega pra eles deixarem o S. J. entrar na Hayden com a gente, porque ele tinha que estar lá. E como Sipróprio só fez foi dizer que era uma boa contra a Hayden, ele disse."

"Eu fico pensando no Orin e em como ele ficou lá na boa e mentiu pra ela sobre a eliminação do mapa do S. Johnson."

"Ela ficou triste."

"Eu ando pensando compulsivamente no Orin desde que o C.T. chamou todo mundo lá. Quando você pensa no Orin o que é que você pensa, Bu?"

"O melhor de tudo era lembrar quando ela tinha que pegar avião e não queria pôr ele na gaiolinha e eles não deixavam nem cão-guia entrar no avião e aí ela deixava o S. Johnson e fazia o Orin pôr um telefone lá fora com a antena erguida durante o dia lá onde o S. Johnson estava amarrado no Volvo e ela ligava naquele telefone e deixava ele tocar perto do S. Johnson porque ela dizia que o S. Johnson conhecia o toque único e singular dos telefonemas dela, ia ouvir o toque e saber que estavam pensando nele e cuidando dele de longe, ela dizia?"

"Ela era bem anormal no que se referia ao cachorro, eu lembro. Ela comprava alguma comida exótica pra ele. Lembra quantas vezes ela dava banho nele?"

"…"

"Qual que era a dela com aquele cachorro, Bu?"

"E aquele dia que a gente tava batendo bola na entrada, o Orin e o Marlon estavam lá, o S. Johnson estava na entrada amarrado no para-choque com o telefone bem ali e o telefone ficou tocando e tocando sem parar e o Orin atendeu, latiu que nem cachorro, bateu o telefone e desligou?"

"…"

"Pra ela pensar que era o S. Johnson? A piada que o Orin achou que era tão boa?"

"Cacilda, Bu, eu não lembro nada disso não."

"E que ele disse que a gente ia ganhar uns croques se a gente não fingisse que não sabia do que ela estava falando se e quando ela perguntasse pra gente dos latidos no telefone quando chegasse em casa?"

"Dos croques eu lembro bem mais do que eu queria."

"Era pra gente encolher os ombros e olhar pra ela como se ela não estivesse com todos na casinha, senão?"

"O Orin mentia com uma intensidade patológica, quando a gente era novo, é o que eu estou lembrando aqui."

"Mas ele vivia fazendo a gente morrer de rir. Eu tenho saudade dele."

"Eu não sei se tenho saudade dele ou não."

"Eu tenho saudade da Trívia da Família. Você lembra que quatro vezes ele deixou a gente ficar vendo quando eles jogavam Trívia da Família?"

"Você tem uma memória bizarra pra essas coisas, Bu."

"…"

"Você deve estar achando que eu estou aqui pensando por que você não me pergunta da coisa toda com o C.T. e o Pemulis e a urina de improviso, depois da debacle do Eskhaton, que o urologista levou a gente direto pro banheiro administrativo e ia ficar olhando pessoalmente enquanto a gente enchia os copinhos, tipo olhar ela sair, a urina, pra ter certeza que vinha da gente pessoalmente."

"Acho que eu tenho uma memória especialmente bizarra pras coisas que eu lembro que eu gostava."

"Você pode perguntar, se quiser."

"Ô, Hal?"

"O elemento-chave é que o cara da ATONAN não chegou de fato a extrair amostras de urina da gente. A gente pôde ficar com a nossa urina, como a Mães sem dúvida sabe mais do que bem, não tenha dúvida, pelo C.T."

"Eu tenho uma memória bizarra pras coisas que me fazem *rir* isso é o que eu acho."

"Que o Pemulis, sem se rebaixar ou sem conceder qualquer coisa que pudesse nos comprometer, conseguiu fazer o cara dar trinta dias pra gente — o evento de Arrecadação, o Whataburger, as férias de Ação de Graças, e aí o Pemulis, o Axford e eu mijamos que nem cavalo de raça em receptáculos do tamanho que ele quiser, foi o que a gente combinou."

"Eu estou ouvindo o Schacht, você tem razão. Os ventiladores também."

"Bu?"

"Eu gosto do som dos ventiladores de noite. Você gosta? Parece que alguém bem grande lá longe fica tipo: tudoOKtudoOKtudoOKtudoOK, sem parar. Bem longe mesmo."

"O Pemulis — o cara que supostamente tem estômago fraco e é moloide — o Pemulis mostrou uns colhões de respeito ali sob pressão, parado na frente daquele mictório. Ele botou o cara da ATONAN no bolso direitinho. Eu me vi quase com orgulho dele."

"…"

"Você pode achar que eu estou aqui pensando por que você não está me perguntando por que trinta dias, por que era tão importante extrair trinta dias do cara de blazer azul antes de um exame GC/MS. Assim tipo medo de quê, você pode perguntar."

"Hal, meio que a única coisa pra mim é que eu te amo e fico bem feliz de ter um irmão superexcelente assim, Hal."

"Meu Deus, às vezes com você é que nem falar com a Mães, Bu."

"Ô Hal?"

"Só que com você dá pra ver que é de verdade."

"Você está apoiado no cotovelo. Você está de lado, olhando pra cá. Dá pra ver a tua sombra."

"Como é que alguém com uma constituição panglossiana como a tua percebe se estão mentindo pra você, às vezes eu fico pensando, Bubu. Tipo quais os critérios. Intuição, indução, redução ou o quê?"

"Você sempre fica difícil de entender quando você está assim de lado apoiado no cotovelo."

"De repente nem chega a te ocorrer. Nem a possibilidade. De repente você nunca sacou que uma coisa estava sendo forjada, fingida, falseada. Ocultada."

"Ô Hal?"

"E de repente a chave é essa. De repente aí tudo que as pessoas te dizem é tão levado a sério que, sei lá, meio que vira verdade no meio do caminho. Vai voando na tua direção, muda de spin e chega em você verdade, por mais que possa ter saído mendazmente da raquete da outra pessoa."

"…"

"Sabe, pra mim, Bu, parece que as pessoas mentem de jeitos diferentes mas definitivos, é o que eu percebi. De repente eu não consigo mudar o spin que nem você, e é só isso que eu fui capaz de fazer, montar meio que um manual de reconhecimento dos tipos diferentes de jeitos."

"…"

"Tem gente, pelo que eu vi, Bu, que quando mente fica bem calma, centrada, com um olhar bem concentrado e bem intenso. Eles tentam dominar a pessoa quando eles estão mentindo. A pessoa pra quem eles estão mentindo. Outro tipo fica tremeliquento e insubstancial e pontilha a mentira com uns gestinhos e uns barulhinhos autodeprecatórios, como se credulidade fosse a mesma coisa que pena. Tem gente que enterra a mentira em tantas digressões e apartes que eles tipo tentam passar a mentira por baixo do pano ali no meio desse monte de dados adventícios que nem um insetinho minúsculo por uma tela de janela."

"Só que o Orin normalmente acabava dizendo a verdade até quando ele não achava que estava."

"Quem dera isso fosse uma marca da família toda, Bu."

"De repente se a gente ligar ele vem pro WhataBurger. Você pode ver ele se quiser se pedir, de repente."

"Aí tem o que eu podia chamar de mentirosos tipo camicase. Esses te contam uma mentira surreal e fundamentalmente inacreditável, aí fingem uma crise de consciência e retiram a mentira original, e aí te oferecem a mentira que eles realmente queriam que você engolisse, que aí a mentira de verdade vai parecer meio que uma concessão, um fazer-as-pazes com a verdade. Esse tipo graças a Deus é mole de derrubar."

"Uma mentira molinha."

"Ou aí o tipo que meio que hiperelabora a mentira, cria umas fortalezas com uns detalhes e umas emendas rococós, e é assim que você sempre mata. O Pemulis era assim, eu sempre achei, até o desempenho dele lá no mictório."

"*Rococós* é uma palavra bonita."

"Aí agora eu estabeleci um subtipo do tipo hiperelaborador. É o mentiroso que era hiperelaborador e mas de algum jeito se ligou que as elaborações rococós entregam a mentira toda vez, aí ele muda e agora mente sucintamente, lapidarmente, parecendo até meio entediado, tipo que o que ele está dizendo é tão obviamente verdade que mal vale a pena perder tempo."

"…"

"Eu estabeleci que isso é meio que um subtipo."

"Parece que você sempre pega."

"O Pemulis podia ter vendido terra pra aquele urologista lá, Bu. Foi um momento de pressão incrivelmente alta. Eu nunca achei que ele aguentava uma dessas.

Ele não tinha nervos e não tinha estômago. Ele estava projetando meio que um pragmatismo enfadado que o urologista achou impossível desconsiderar. O rosto dele era uma máscara de ferro. Foi quase de dar medo. Eu falei pra ele que nunca ia ter acreditado que ele aguentava esse tipo de performance."

"A Psicose ao vivo no rádio ficava lendo um panfleto de beleza da Eve Arden o tempo todo que a Eve Arden dizia: 'A importância de uma máscara é aumentar a sua circulação', fecha aspas."

"A verdade é que ninguém consegue pegar *sempre*, Bu. Tem umas figuras que pura e simplesmente são boas demais nisso, complexas e idiossincráticas demais; as mentiras delas ficam perto demais do coração da verdade pra você poder pegar."

"Eu nunca consigo pegar. Você queria saber. Você tem razão. Nunca me passa pela cabeça."

"…"

"Eu sou o tipo que ia comprar terra, acho."

"Você lembra aquela minha coisa fóbica horrenda com os monstros, quando eu era garoto?"

"E como lembro."

"Bu, acho que eu não acredito mais em monstros tipo rostos no chão, bebês selvagens, vampiros ou sei mais o quê. Acho que com dezessete anos agora eu acredito que os únicos monstros de verdade podem ser o tipo de mentiroso que simplesmente nunca vai ter como pegar. Os caras que não entregam nada."

"Mas aí como é que você sabe que eles são monstros, então?"

"É bem essa a monstruosidade, Bu, eu ando começando a achar."

"Carambolas."

"Que eles estão entre nós. Dão aula pras nossas crianças. Inescrutáveis. Com cara de ferro."

"Posso te perguntar como que é ficar aí nessa coisa?"

"Coisa?"

"Você *sabe*. Não se faça de *bobo* pra me deixar com *vergonha*."

"Uma cadeira de rodas é uma coisa: se você preferir ou não preferir, não há distância. Diferença. Você está na cadeira mesmo se não preferir. Então é melhor preferir, não?"

"Eu não acredito que eu estou *bebendo*. Tem sempre um monte de gente na casa que eles ficam sempre com medo de eu ir *beber*. Eu estou ali pelas *drogas*. Eu nunca *mesmo* que eu tomei mais de uma cerveja na minha *vida*. Eu só entrei aqui pra vomitar depois que eu fui *assaltada*. Tinha um cara de-rua que ficava se oferecendo pra ser testemunha e *não* me deixava em paz. Eu nem tinha *dinheiro*. Eu entrei aqui pra *vomitar*."

"Eu estou entendendo você."

"Como é que é o teu nome mesmo?"

"Eu chamo a mim de Rémy."

"Que *coisa mais linda* como diria a Hester. Eu não estou mais me sentindo um trapo. Ré-mi eu estou me sentindo *melhor* do que eu estou me sentindo, do que eu me sinto faz tanto eu nem sei mais *quanto tempo*. Isso aqui é tipo *xilocaína pra alma*. Eu estou aqui tipo: por que é que eu estava perdendo tanto tempo dando dois se *isso aqui* é o que *eu* chamo mesmo de ficar *legal*."

"Nós, eu não uso drogas nenhumas. Eu bebo infrequentemente."

"Bom você está *compensando o tempo perdido* eu tenho que te dizer."

"Quando eu bebo eu bebo muitas bebidas. É assim que é para o meu povo."

"A minha mãe nem aceitava isso em *casa*. Ela dizia que foi isso que fez o pai dela entrar de carro no *concreto* e detonar a *família inteira* dela. Que tipo eu não aguento mais escutar isso meu. Eu entrei aqui — como é que chama isso aqui?"

"Isto, isto é o Clube de Jazz Riley's da Inman Square. Minha esposa está morrendo em casa em minha província natal."

"Tem isso lá no *Livro* que eles fazem a gente todo domingo que a gente tem que se *arrastar* da cama bem no nascer do *sol* e sentar em círculo e ler o livro e metade das pessoas lá mal sabe *ler* e é uma *tortura* ficar ouvindo aquilo!"

"Você devia deixar sua voz mais baixa, pois nas horas do jazz eles apreciam vozes baixas, vindo aqui pelo silêncio."

"E tem uma coisa de um vendedor de carros que está tentando parar de beber, é sobre o que eles chamam da insanidade do primeiro, gole — ele entra num bar pra pedir um sanduíche e um copo de leite — você está com fome?

"Não."

"O que eu estou dizendo é que eu não tenho *dinheiro*. Eu nem estou com a minha *bolsa*. Esse negócio te deixa burro mas faz você se achar bem *melhoradinha*. Ele não estava pensando em beber e aí de repente ele pensa em beber. O cara."

"Caído dos céus, num instante relampejante."

"*Exatamente*. Mas a insanidade é que depois de tanto tempo em *hospitais* e de perder o *negócio* e a *mulher* por causa da *bebida* ele de repente mete na cabeça que um traguinho não vai fazer mal se ele botar num copo de *leite*."

"Louco da cabeça."

"Aí quando essa figura totalmente *reptiliana* de que você me *salvou* quando sentou ali, veio rolando, sei lá. Des-*cul*-pa. Quando ele me diz que pode me pagar uma bebida o livro estala na minha cabeça e meio que no que eu achei tipo que era uma *piada* eu pedi Kahlua com leite."

"Eu, eu venho aqui à noite quando estou cansado, depois que a música se resguardou, pelo silêncio. Eu uso o telefone aqui também, às vezes."

"Quer dizer até antes do assalto eu estava caminhandinho sobriamente decidindo me matar, então parece meio bobo me preocupar com a bebida."

"Você tem uma certa expressão de semelhança com minha esposa."

"A tua esposa está *morrendo*. Meu Deus do céu eu estou aqui *rindo* e a tua mulher está *morrendo*. Acho que é porque eu não me sentia *decente* fazia um tempo do *cacete*, sabe como? Eu não estou dizendo tipo *bem*, eu não estou dizendo tipo *prazer*, eu não ia querer exagerar também nessa coisa, mas pelo menos tipo no *zero*, até, o que eles chamam de Não Sentir Dor."

"Eu conheço esse sentido. Eu estou passando o dia achando alguém que eu acho que meus amigos vão matar, e o tempo todo eu estou esperando uma chance de trair meus amigos, e eu venho aqui e telefono para trair meus amigos e vejo uma pessoa ferida que lembra intensamente minha esposa. Eu penso: Rémy, é hora de muitas bebidas."

"Bom *eu* te acho *legal*. Eu acho que você acabou de salvar a minha *vida*. Eu passei nove semanas me sentindo tão mal que eu só queria *me matar*, tanto ficando quanto não ficando chapada. O dr. Garton nunca mencionou *isso*. Ele falou um monte de *choque* mas ele nunca nem *mencionou* Kahlua com leite, cacete."

"Katherine, eu vou lhe contar uma estória de se sentir tão mal e salvar uma vida. Eu não te conheço mas nós estamos bêbados juntos agora, e você quer ouvir essa estória?"

"Não é sobre Chegar ao Fundo do Poço por ingerir alguma Substância e tentar Se Entregar, né?"

"Meu povo, nós não afundamos. Eu sou, digamos, suíço. Minhas pernas, elas se perderam nos anos adolescentes pelo impacto com um trem."

"Isso deve ter *doído*."

"Eu teria tentação de dizer que você não faz ideia. Mas estou sentindo que você tem uma ideia de dor."

"Você não faz *ideia*."

"Eu estou em meus vinte anos, sem as pernas. Muitos de meus amigos também: sem pernas."

"Deve ter sido um acidente *horrível* de trem."

"Também meu próprio pai: morto quando o marca-passo Kenbeck dele entrou na área do sinal de um número errado de um telefone celular bem longe em Trois Rivières, numa ocorrência bizarra de tragédia."

"O meu pai abandonou a gente emocionalmente e se mudou pra Portland, que é no Oregon, com a terapeuta dele."

"Também nessa época, minha nação suíça, nós somos um povo forte mas não forte como nação, cercados por nações fortes. Há muito ódio entre nossos vizinhos, e injustiça."

"Tudo começou quando a minha mãe achou uma foto da terapeuta na carteira dele e ela 'O que é que *isso* tá fazendo aqui?'"

"É, para mim, que eu sou fraco, tão doloroso ficar sem pernas com vinte e poucos anos. Você se sente grotesco diante dos outros; sua liberdade ela é restringida. Eu não tenho chances agora de empregos nas minas da Suíça."

"Os suíços têm minas de ouro."

"Pois é. E muito território lindo, que as nações mais fortes da época da minha perda das pernas cometeram atrocidades burocráticas contra a terra de minha nação."

"Fidas*pu*."

"É uma estória comprida lateralmente a essa estória, mas minha parte da nação Suíça é em meu tempo de sem pernas invadida e pilhada por nações mais fortes e odiadas de maldade e vizinhas, que dizem como no *Anschluss* de Hitler que são amigas e não estão invadindo a Suíça mas nos conferindo dádivas de aliança."

"Mó *sacanagem*."

"É lateralmente, mas para meus amigos suíços e para mim sem pernas é um período negro de injustiça e desonra, e de terrível dor. Alguns de meus amigos foram rolando lutar contra a invasão de papel, mas eu, eu sou doloroso demais para me dar trabalho de lutar. Para mim, a luta parece sem útil; nossos próprios líderes suíços se subverteram a fingir que invasão é aliança; nós pouquíssimos despernados e jovens não podemos repelir uma invasão; nós nem podemos fazer nosso governo admitir que existe invasão. Eu sou fraco e, com dor, vejo que tudo é inútil: eu não vejo o sentido de escolher lutar."

"Você está *deprimido* isso sim."

"Eu não vejo útil, não trabalho e não me encaixo em nada; estou só. Penso em morte. Eu não faço nada além de frequente beber, rodar pelo interior saqueado, às vezes me desviando de projéteis cadentes de invasão, pensando em morte, pranteando a depredação das terras suíças, com muita dor. Mas é a mim mesmo que pranteio. Eu tenho dor. Não tenho pernas."

"Eu estou me Identificando com cada momento dessa estória, Ré-mi. Ai *Jesus*, o que foi que eu *disse?*"

"E nós, nosso interior suíço é muito montanhoso. O fauteuil, é difícil de empurrar muitos morros acima, aí fica-se freando com toda força para evitar sair voando descontrolado morro abaixo."

"Às vezes é assim andando, também."

"Katherine, eu estou, em sua língua, *moribundo*. Eu não tenho pernas, não tenho honra suíça, não tenho líderes que vão combater a verdade. Eu não estou vivo, Katherine. Eu rodo de estação de esqui a taberna, frequente bebendo, só, desejando minha morte, preso dentro da dor em meu coração. Eu desejo minha morte mas não tenho a coragem de agir para causar morte. Eu por duas vezes tento rodar para cair de um alto morro suíço mas não consigo me levar a isso. Eu me amaldiçoo de covarde e inutile. Eu rodo por aí, torcendo para ser atingido por um veículo de outrem, mas em último minuto saindo do caminho dos veículos nas Autoroutes, pois sou incapaz de provocar minha morte. Quanto mais dor em mim, tanto mais eu fico dentro de mim e não consigo provocar minha morte, eu penso. Eu acho que estou acorrentado a uma jaula de eu, pela dor. Incapaz de cuidar ou de sentir qualquer coisa fora dela. Incapaz de ver qualquer coisa ou de sentir qualquer coisa além de minha dor."

"A asa velejante negra com forma enfunada. Eu estou me Identificando tão tipo totalmente aqui que nem tem *graça* mais."

"Minha estória foi um dia no alto de um morro em cujo topo eu tinha me esforçado para por muitos minutos embrigado tentar chegar, e olhando pela encosta morro abaixo eu vejo uma mulherzinha encurvada com o que eu fico pensando que é um chapéu de metal bem lá embaixo, tentando a travessia da Autoroute Provincial suíça lá embaixo, no meio de Autoroute Provincial, essa mulher, parada e olhando aterrorizada um dos odiados caminhões compridos e brilhantes de muitas rodas de nossos invasores, vindo para ela em altas velocidades pela pressa de vir pilhar parte da terra suíça."

"Tipo um desses capacetes suíços de metal? E ela está correndo que nem doida pra sair do caminho?"

"Ela está parada transfixada de terror do caminhão — identicamente como eu estava imóvel e transfixado pelo terror dentro de mim, incapaz de mover, um dos muitos alces da suíça transfixados pelos faróis de um dos muitos caminhões madeireiros da Suíça. O sol se reflete enlouquecidamente no chapéu de metal dela no que ela sacode a cabeça apavorada e ela está agarrando seu… pardon, mas seu seio feminil, como se o coração dela fosse explodir de pavor."

"E você pensa Ah *puta que pariu*, maravilha, outra coisa horrível que eu vou ter que ficar aqui parado testemunhando e aí vai me gerar um monte de dor."

"Mas a grande dádiva dessa vez hoje no alto do morro acima da Autoroute Provincial é que eu não penso em mim. Eu não conheço essa mulher nem amo, mas sem pensar eu solto o freio e disparo para baixo morro abaixo, quase me acabando por causa dos calombos e pedras da encosta do morro, e como nós dizemos na Suíça eu *schüss* com uma velocidade suficiente para chegar até minha esposa e arrancar esposa do chão para a cadeira e cruzar a Autoroute Provincial até o acostamento do outro lado logo antes do focinho do caminhão, que não tinha diminuído de velocidade."

"Cara, me pendure de cabeça pra baixo e me foda pela *orelha*. Você se livrou de uma depressão clínica virando *herói*, caralho."

"Nós saímos capoteando pelo acostamento do lado distante da Autoroute, fazendo com que minha cadeira virasse e machucando um toco de mim, e arrancando o grosso chapéu de metal dela."

"Caralho, você salvou a *vida* dela, Ré-mi. Eu dava o meu testículo esquerdo pra ter uma chance de me livrar da sombra da asa assim desse jeito, Ré-mi."

"Você não está entendendo isso. Foi essa mulher congelada de pavor que me salvou a vida. Pois isso salvou minha vida. Aquele momento rompeu meus grilhões moribundos, Katherine. Num instante e sem pensamento eu escolhi alguma coisa para ser mais importante que eu pensar em minha vida. Ela, ela me permitiu essa vontade sem pensar. Ela de uma só pancada rompeu os grilhões da jaula de dor de meu meio-corpo e meia-nação. Quando eu me arrastei de volta para o fauteuil e ajeitei meu fauteuil virado e estava de novo sentado eu percebi que a dor de dentro não me doía mais. Eu virei, então, adulto. Me foi permitido abandonar a dor da minha perda e da dor no alto do Mont Papineau da Suíça."

"Porque de repente você viu a menina sem o chapéu de metal e sentiu uma onda de afeto violento, se apaixonou perdidamente por ela, quis casar e sair rodando para a m…"

"Ela não tinha crânio, essa mulher. Depois eu estou aprendendo que ela era uma das primeiras crianças suíças do sudoeste da Suíça a se tornar nascida sem crânio, pelas toxicidades em associação com a invasão de papel de nosso inimigo. Sem o confinamento do chapéu de metal a cabeça caía nos ombros como bexiga meio cheia ou saco vazio, com os olhos e a cavidade oral grandemente distendidos por esse caimento, e sons saindo dessa cavidade que eram difíceis de ouvir."

"Mas ainda assim, alguma coisa nela te levou a se apaixonar perdidamente. A gratidão, a humildade e a aceitação que ela mostrou e esse tipo de dignidade silenciosa que esses aleij... que as pessoas com defeitos de nascença bem terríveis normalmente têm."

"Eu não me perdi. Eu já tinha escolhido. Soltar os freios do fauteuil e aquele *schüss* para a Autoroute — ali estava o amor. Eu tinha escolhido amar a mulher acima de minhas pernas perdidas e desse meio-eu."

"E ela olhou e nem viu os membros que você não tinha e te escolheu também — resultado: amar perdidamente."

"Não havia para essa mulher no acostamento escolha possível. Sem o capacete continente todas as energias dela estavam ocupadas dando forma à cavidade oral numa forma que permitisse respiração, que era tarefa de grande enormidade, pois a cabeça dela ela também não tinha nem músculos nem nervos. O chapéu especial tinha se visto amassado de um lado, e eu não tinha a habilidade de conformar a cabeça de minha esposa numa forma em que pudesse enfiar o saco da cabeça dela no chapéu, e escolhi carregar a esposa nas costas numa cadeirada de alta velocidade até o hôpital suíço mais próximo que se especializava em deformidades de natureza grave. Foi ali que fiquei sabendo dos outros problemas dela."

"Acho que eu vou querer mais uns Kahluas com leite."

"Havia o problema do tratamento digestório. E convulsões também. Havia a progressiva piora de circulação e dos vasos, que se chama restenose. Havia o número maior que o padrão aceitado normalmente de olhos e cavidades em muitos estágios diferentes de desenvolvimento em partes diferentes do corpo dela. E os estados de fuga, as fúrias e frequência de comas. Ela estava perdida de uma instituição pública suíça de saúde caridosa. O pior de escolher amar eram os fluidos cérebro-e-espinais que escorriam os tempos todos da cavidade oral distendida."

"E mas a paixão de vocês um pelo outro secava a baba cerebroespinal dela, deu fim nas convulsões e tinha uns chapéus que deixavam ela tão bonita que você simplesmente ficou perdidamente apaixonado? Foi assim?"

"Garçom!"

"A parte da paixão total está chegando?"

"Katherine, eu acreditava também que não havia amor sem paixão. Prazer. Isso era parte da dor de sem-pernas, esse medo de que para mim não haveria paixão. Esse medo da dor é multiplicadamente pior que a dor da dor, n'est-ce...?"

"Ré-mi, acho que eu não estou achando *mesmo* que isso aí é uma história que vai me deixar muito melhor não."

"Eu tentei abandonar a mulher de cabeça mole e incontinência cerebroespinal, m'épouse au future, atrás do hospital de natureza grave e sair rodando para minha nova vida de aceitação desenjaulada e escolha. Eu ia entrar de cadeira na batalha da luta por minha nação saqueada, pois agora via o útil não de vencer mas de escolher meramente lutar. Mas eu tinha viajado não mais que algumas revoluções do fauteuil quando o velho desespero de antes de escolher essa criatura de sem-crânio se ergueu de novo dentro de mim. Depois de várias revoluções não havia mais útil nem pernas, e só o medo da dor que me fazia não escolher. A dor me fez cadeirar de volta para aquela mulher, minha mulher."

"Você está dizendo que isso é *amor*? Isso não é amor. Eu vou saber quando for amor por causa do que a gente *sente*. Não vai ser uma coisa de fluido espinal e desespero pode *crer*, Camarada. Vai ser uma coisa de olhos se encontrando em algum lugar e aí os joelhos dos dois ficando fracos e daquele segundo em diante você sabe que não vai mais estar *sozinha* e no *inferno*. Você não é nem metade do cara que eu tinha começado a achar que você podia ter sido, Ré."

"Eu tive que encarar: eu tinha escolhido. Minha escolha, isso era amor. Eu tinha escolhido acho o jeito de escapar das correntes da jaula. Eu precisava dessa mulher. Sem ela para escolher em vez de me escolher, só existia dor e não escolha, cadeirar embriagado e criando fantasias de morte."

"Isso é amor? É como se você estivesse *acorrentado* nela. É como se se você tentasse seguir com a tua própria vida a dor da depressão clínica voltasse. É como se a depressão clínica fosse a espingarda que ia te cutucando pra você ir pro altar. Teve casamento? Ela conseguia pelo menos andar pela nave?"

"O capacete nupcial de minha esposa era do melhor níquel mineirado e moldado por amigos nas minas de níquel do sudoeste da Suíça. Cada um de nós, nos fomos cadeirados pela igreja em veículos especiais. A dela com potes e drenos especiais, para os fluidos. Foi o dia mais feliz para mim, desde o trem. O sacerdote perguntou se eu escolhia aquela mulher. Houve um longo tempo de silêncio. Todo meu ser chegou a um instante de faca naquele momento, Katherine, com minha mão segurando ternamente o gancho de minha esposa."

"*Gancho?* Assim tipo *capitão gancho* mesmo?"

"Eu tenho sabido desde a noite de núpcias que a morte dela estava chegante. A restenose do coração dela, ela é irreversível. Agora a minha Gertraude, ela está em estado comatoso e vegetativo há quase um ano. Esse coma não tem saída, diz-se. O avançado Coração Artificial Exterior Jaarvik IX os cardiologistas do sistema público suíço dizem que é a chance dela de viver. Sem ele eles dizem que minha esposa não pode viver mais muitos anos em estado comatoso e vegetado."

"Então você está aqui tipo fazendo pressão no pessoal da Jaarvik IX em Harvard ou alguma coisa assim."

"É por ela que eu traio meus amigos na célula, a causa de minha nação, que agora que a vitória e a independência dos vizinhos é possível eu estou traindo."

"Você está espionando e traindo a Suíça para tentar manter viva uma pessoa com um gancho, um fluido espinal, sem crânio e num coma irreversível? E eu que achava que *eu* é que era doida. Você está me fazendo repensar totalmente a minha ideia de *doidice*, amigo."

"Eu não estou contando para endoidar você, pobre Katherine. Eu estou falando de dor e de salvar uma vida, e de amor."

"Bom, Ré, eu é que não vou me meter a me meter aqui, mas isso aí não é amor: isso é baixa autoestima, autoabuso e Se Conformar com Menos, escolher um coma em vez dos teus companheiros. Isso se você não está mentindo descaradamente pra me levar pro *celeiro* ou alguma outra coisa doida e fodida da cabeça tipo isso."

"Isso…"

"Porque eu tenho que te dizer, me falar que eu sou *parecida* com ela não é exatamente o melhor jeito de me derrubar, sabe como é?"

"Isso é o que é difícil de contar. De pedir para alguém enxergar. Não é escolha. Não é escolher Gertraude em vez da AFR, meus companheiros. Em vez das causas. Escolher Gertraude para amar como minha esposa foi necessário para as outras, essas outras escolhas. Eu tentei abandonar no começo. Só consegui dar pouquíssimas revoluções com o fauteuil."

"Parece mais uma *arma na tua cabeça* que uma escolha. Se você não pode escolher o contrário, não tem escolha."

"Não, mas essa escolha, Katherine: fui eu que fiz. Ela me acorrenta, mas as correntes fui eu que escolhi. As outras correntes, não. As outras eram as correntes da não escolha."

"Por acaso você tem um irmão gêmeo que cabou de entrar e sentou bem do teu lado esquerdo mas também está tipo um terço sobreposto?"

"Você está meramente embriagada. Isso acontece rapidamente se você é desacostumada com álcool. A náusea muitas vezes acompanha essa sensação. Não fique assustada se houver redobro visual, perda de equilíbrio e náusea do estômago."

"O preço de ter tipo um trato digestório humano completo. Eu vomitava toda manhã sem beber. Fizesse chuva ou sol."

"Você acha que não existe amor sem o prazer, o impulso não escolhível da paixão."

"Cara, obrigada pela *bebida* e tudo mais, mas acho que eu não vou decorar uma aula sobre *amor* de um sujeito que casa com alguém que tem cérebro-fluido jorrando pela *boca*, sem querer ofender, tá."

"Como você quiser. Minhas opiniões são só que o amor cujo vocês desse país falam não gera nada do prazer que vocês procuram no amor. Sendo essa ideia toda de prazer e sensações boas o que vocês escolhem. Para se entregar a isso. Que todas as escolhas para vocês levam a isso — esse prazer de não escolher."

"Não vem me querer tirar um mínimo de bem-estar, justo você, Ré, cuzão, bostinha, suiçarrento."

"…"

"É melhor vomitar já de cara ou tentar esperar antes de vomitar, Senhor Especialista em Carraspana?"

"Eu estou pensando: e se eu dissesse que nós podemos sair daqui e eu podia te levar a um lugar só a três quadras daqui e te mostrar uma coisa com essa promessa: você ia sentir mais sensações boas e prazer do que nunca para você: você nunca mais ia sentir tristeza ou pena ou a dor das correntes e da jaula de nunca escolher. Eu estou pensando nessa oferta: você ia responder para mim o quê?"

"*Eu ia dá côme hrespôste que* eu já ouvi essa, cuzão, e de... de uns caras com mais coisa assim tipo ao sul da cintura, se é que você me entende."

"Eu não entendo."

"O que eu ia responder é que eu sou uma *trepada de merda*. Tipo *na cama*. Eu só sexualizei duas vezes, e nas duas foi uma bosta, e o Brad Anderson quando eu liguei e disse por que você não ligou de novo o Brad Anderson sabe o que que ele me disse? Ele me disse que eu era uma *trepada horrorosa* e que a minha *buça* era grande *pacas* pra uma mina com uma *bundinha achatada* dessa, o Brad Anderson disse."

"Não. Não. Você não está entendendo."

"Foi bem o que *eu* disse."

"Você está dizendo Não Muito Obrigada, você está dizendo, mas isso é porque você não ia acreditar no que eu digo."

"..."

"Se o que eu digo fosse verdade, você diria sim, Katherine, não?"

"..."

"Sim?"

"Agora você não está mais de lado, Hal, dá pra ver. Quando você está de costas você fica sem sombra."

"..."

"Ô, Hal?"

"Quê, Mario."

"Desculpa se você está triste, Hal. Você está parecendo triste."

"Eu fumo Bob Hope com alto teor de resina em segredo sozinho lá na Sala da Bomba do túnel secundário de manutenção. Eu uso Visine, pasta de dentes de menta e tomo banho com Irish Spring pra esconder de quase todo mundo. Só o Pemulis sabe a extensão real da coisa."

"..."

"Não sou eu que o C.T. e a Mães querem mandar embora. Não é de mim que eles suspeitam. O Pemulis publicamente chapou o adversário dele em Port Washington. Não tinha como não ver. O cara era um mórmom devoto. Não tinha como não ver que ele chapou o cara. As vendas de frasquinhos de Visine com urina pré-adolescente durante os exames bimestrais foram registradas, no fim, e classificadas como produto das atividades do Pemulis."

"Vender frascos de Visine?"

"Eu ia ficar imune à expulsão de qualquer maneira, obviamente, como parente da Mães. Mas eu sou suspeito só de uma paralisia moral malvista lá fora no Dia-I. A minha urina e a do Aiquefoda são só pra estabelecer um contexto de objetividade pra urina do Pemulis. É o Pemulis que eles querem. Eu tenho quase certeza que eles vão dar um pé na bunda do Pemulis até o fim do semestre. Não sei se o Pemulis sabe disso ou não."

"Ô, Hal?"

"Normalmente eles vão atrás de esteroides, sintéticos endócrinos, drinas leves, quando fazem esses testes. O cara da ATONAN deu indicações de que aqui ia ser um exame de espectro total. Cromatografia a gás seguida de bombardeio de elétrons, com leituras de espectrômetro dos fragmentos de matéria resultantes. Coisa séria. Que nem no Circuito."

"Ô, Hal?"

"O Mike ali parado dizendo e se hipoteticamente alguém tivesse dormido na casa de alguém que usa substâncias e tivesse sido exposto desse jeito e coisa e tal. Levantou vagas lembranças de um bagel com sementes de papoula. Não só o tipo rococó normal das mentiras do Pemulis. Aquela ali tinha meio que uma franqueza exausta. O cara do blazer disse que então ia dar trinta dias pra gente antes de um exame total. O Mike tinha apontado que tinha uma moça enorme da *Moment* que ia chegar e fuçar em tudo, e que então era uma hora bem desgraçada pra qualquer chancezinha de um escândalo inesperado pra alguém. Parecia que o cara mal precisava de incentivo pra dar um tempo pra gente limpar o sistema. A ATONAN não quer pegar ninguém, no fim. Diversão de qualidade e sem sujeira e coisa e tal."

"…"

"A camada engenhosa da mentira foi que o cara achou que a misericórdia de trinta dias era pro Pemulis. Que era o que o Pemulis precisava. O Pemulis podia passar num exame de urina pendurado de cabeça pra baixo e com vento forte. Com ou sem neguinho olhando. Ele tem uma puta técnica desagradável de cateterização que você nem quer saber. Ele já conferiu. E Hipofagin aparentemente é tipo o carro tipo Indy das drinas, ele diz; a urina dele pode ficar toda inocentinha e pálida com dois dias de antecedência, desde que ele fique longe do Bob."

"…"

"Bubu, os trinta dias na verdade eram pra mim, e o Mike me deixou ficar ali parado com a Unidade na mão e nem abrir a boca enquanto ele vendia terrenos e assinaturas de revista e facas Ginsu pro cara. Ele fez por mim, e nem sou eu que eles querem."

"Você pode me contar tudo que você disse."

"O que eu faço em segredo, Bu, o Mike diz que não mais que trinta dias dão conta de tudo sem erro. Suco de oxicoco, chá verde, água com vinagre. Uma margem de erro de uns dois dias. O Bob Hope que eu fumo e escondo, Bu, é solúvel em gordura. Ele fica ali, na gordura corporal."

"A sra. Clarke disse pra Bridget que o cérebro humano tem bastante gordura, a Bridget disse."

"Mario, se me pegarem. Se me pegam com urina suja na frente da ATONAN, o que é que o C.T. ia fazer? Não é nem que eu ia perder o meu ano par no sub-18. Ele ia ter que me dar um pé na bunda se ele meteu a ATONAN na estória toda. E a memória de Sipróprio? Eu sou diretamente ligado a Sipróprio. Pra não falar do Orin. Enquanto isso tem aí essa mulher da *Moment* procurando a roupa-suja da família."

"O Troeltsch diz que ela só quer reportar o perfil do Orin."

"O horroroso da coisa é como ia ser gritante, se eu dançasse num exame de urina. A ATE ia ficar publicamente mal. E daí a memória de Sipróprio, e daí Sipróprio."

"…"

"E ia *acabar* com a Mães, Mario. Ia ser um buzunho horrível pra Mães. Não tanto o Hope. O *segredo*. Eu ter escondido dela. Ela sentir que eu escondi dela."

"Ô, Hal?"

"Vai acontecer alguma coisa terrível se ela descobrir que eu escondi dela."

"Trinta dias é um mês inteiro de chá-verde e suquinho, você está dizendo."

"De chá, vinagre e abstinência total. De Substância zero. De abrupta e total abstinência enquanto eu tento chegar nas semis do WhataBurger e de repente ser oferecido de bandeja pro Wayne no evento de Arrecadação. E aí o teu aniversário é daqui a duas semanas."

"Ô, Hal?"

"Meu Deus e aí o vestibular em dezembro, eu vou ter que acabar de estudar pras provas e aí fazer as provas ainda numa abstinência abrupta."

"Você vai gabaritar. Todo mundo está apostando que você vai gabaritar. Eu escutei eles falarem."

"Maravilha. É bem o que eu precisava ouvir."

"Ô, Hal?"

"E claro que você também está magoado, Bubu, que eu tentei esconder tudo de você."

"Eu estou zero por cento magoado, Hal."

"E claro que você está pensando por que eu não te contei simplesmente se é claro que você sabia mesmo, sabia alguma coisa, aquelas vezes todas pendurado de cabeça pra baixo na sala de musculação com uma testa de que o Lyle não queria nem chegar perto. Você ali sentado me deixando dizer que eu só estava muito cansado e cheio de pesadelos."

"Eu acho que você sempre me diz a verdade. Você me diz quando for a hora certa."

"Maravilha."

"Eu acho que você é a única pessoa que sabe quando é certo dizer. Eu não posso saber por você, então por que que eu ia ficar magoado."

"Seja uma porra de um ser *humano* uma vez na vida, Bu. Eu durmo com você, escondi de você e deixei você ficar se preocupando e magoado que eu estava tentando esconder."

"Eu não estava magoado. Eu não quero que você fique triste."

801

"Você pode ficar magoado e puto com as pessoas, Bu. Taí uma puta novidade quase aos dezenove anos, guri. Isso é ser uma pessoa. Você pode ficar puto com alguém e isso não quer dizer que ele vai se mandar. Você não tem que dar uma de Mães com essa confiança e esse perdão sem exceção. *Uma* mentirosa já está bom."

"Você está com medo que o teu xixi ainda não esteja legal depois de um mês inteiro."

"Meu Deus parece que eu estou falando com o pôster enorme de uma carinha sorridente. Você está aí *dentro*?"

"E você não pode usar um frasco de Visine porque o cara vai estar bem ali olhando pro teu pênis, e pros pênis do Trevor e do Pemulis."

"..."

"O sol está pensando em aparecer na janela. Dá pra ver."

"Deu tipo quarenta horas sem Bob Hope e eu já estou pirando por dentro e não consigo mais dormir sem ter sonhos horrendos. Parece que eu estou entalado numa chaminé."

"Você ganhou do Ortho e a tua dor de dente passou."

"O Pemulis e o Aiquefoda dizem que um Mês vai ser bico. A única preocupação do Pemulis é se esse DMZ que ele descolou pro WhataBurger é detectável. Ele se enfia na biblioteca e estuda. Ele está plenamente alerta e funcional.[321] Parece que comigo é diferente, Bu. Eu estou sentindo um buraco. Vai ser um buracão enorme num mês. Um buraco bem maior que um Hal."

"Então o que é que você acha que você devia fazer?"

"E o buraco vai ficar todo dia maior até eu sair voando pra tudo quanto é lado. Eu vou me despedaçar no ar. Eu vou me despedaçar no Pulmão, ou em Tucson a 200 graus na frente de um monte de gente que conhecia Sipróprio e acha que eu sou diferente. Pra quem eu menti, e gostei de mentir. Vai vir tudo à tona mesmo, com ou sem o xixi do bem."

"Ô, Hal?"

"E vai acabar com ela. Eu sei que vai. Vai acabar totalmente com ela, Bubu, eu acho."

"Ô, Hal? O que é que você vai fazer?"

"..."

"Hal?"

"Bubu, eu estou apoiado no cotovelo de novo. Me diz o que você acha que eu devia fazer."

"Eu te dizer?"

"Eu sou todíssimo ouvidos bem aqui na tua frente, Bu. Escutando. Porque eu não sei o que fazer."

"Hal, se eu te disser a verdade, você vai ficar puto e me mandar ser uma porra?"

"Eu confio em você. Você é esperto, Bu."

"E aí, Hal?"

"Me diz o que eu devia fazer."

"Acho que você acabou de fazer. O que você devia fazer. Acho que agora mesmo."
"..."
"Sacou o que eu estou querendo dizer?"

17 DE NOVEMBRO
ANO DA FRALDA GERIÁTRICA DEPEND

Na ausência médica de Don Gately, Johnette F. trabalhou cinco noites seguidas no Turno de Morfeu e estava no escritório principal logo depois das 0830 registrando a noite passada no Livro, tentando pensar em sinônimos para *tédio* e periodicamente mergulhando um dedo no café que estava pelando para ficar acordada, além de ouvir descargas distantes de privada, zumbidos de chuveiros, residentes tropeçando sonolentos pela cozinha e pela sala de jantar e todo esse tipo de coisa, quando alguém de repente começa a bater na porta da frente da casa, o que queria dizer que a pessoa era tipo recém-chegada ou desconhecida, já que as pessoas que fazem parte da comunidade de recuperação da Casa Ennet sabem que a porta da frente é destrancada às 0800 e sempre fica completamente aberta para todos menos a Lei a partir das 0801.

Os residentes hoje em dia todos sabem que não devem abrir eles mesmos a porta quando alguém bate.

Portanto no começo Johnette F. pensou que podia ser mais um desses policiais[322] de terno e gravata vindo colher mais depoimentos de residentes que testemunharam a merdarada toda Lenz-Gately-e-canadenses e coisa e tal; Johnette pegou a pranchetinha com os nomes de todos os residentes com problemas jurídicos não resolvidos que precisavam ser colocados no primeiro andar longe dos olhos antes de qualquer policial entrar no ambiente. Alguns residentes da lista estavam na sala de jantar bem à vista, comendo cereal e fumando. Johnette carregava a prancheta como uma espécie de emblema de autoridade enquanto ia até a janela ao lado da porta da frente para verificar o batedor de porta e coisa e tal.

E mas aquele garoto ali na porta nem a pau que era polícia ou gente da justiça, e Johnette abriu a porta destrancada e deixou ele entrar, sem se dar ao trabalho de explicar que ninguém precisava bater. Era um garoto riquinho mais ou menos da idade de Johnette ou um pouco menos, tossindo por causa da névoa de fumaça matutina do hall, dizendo que queria falar em relativo particular com alguém que tivesse algum tipo de autoridade aqui, ele disse. O tal garoto tinha o brilho meio de alumínio de um garoto riquinho, um garoto ou com um bronzeado esquisito ou com um bronzeado desses de mormaço em cima de um normal, e simplesmente o tênis Nike de cano alto mais branco que Johnette já tinha visto e calça jeans passadinha, assim tipo com um vinco na frente, e uma jaqueta esquisitona de um branco felpudo com um ATE vermelho numa manga e cinza na outra, e um cabelo escuro penteado pra trás que estava molhado, assim tipo de banho e não de óleo, e que tinha meio que congelado, o cabelo, no frio do começo da manhã lá fora, e estava bem de pé e congelado na frente, o que fazia a cara dele ficar pequena. As orelhas pareciam inflamadas por causa do frio. Johnette avaliou o menino com frieza, futucando a orelha com um minguinho. Ela estava olhando a cara do menino quando David Krone veio se arrastando como um siri e piscou para o menino de cabeça-para-baixo algumas vezes e saiu se arrastando escada acima, com a testa trombando em cada degrau. Estava bem na cara que o menino não era tipo chegado ou namorado de algum residente que tinha vindo dar uma carona pro trabalho e coisa e tal. O jeito do menino ficar olhando ali parado, falando e coisa e tal emanava um garoto bem--cuidado, privilégios e uma escola em que ninguém andava armado, basicamente um planeta diferente em termos de privilégios do planeta de Johnette Marie Foltz criada em South Chelsea e depois na Instituição para Meninas Demonstravelmente Incor-rigíveis Honorabilíssimo Edmund F. Heany lá em Brockton; e no escritório da Pat, com a porta só semifechada, Johnette pôs no rosto a expressão vazia e hostil que usava com meninos riquinhos sem tattoos e com todos os dentes que fora do NA não iam se interessar por ela ou podiam considerar o fato dela não ter os dentes da frente e ter um piercing no nariz como prova de que eles eram melhores que ela e coisa e tal, de algum jeito. Acabou que o tal garoto não parecia ter força emocional suficiente pra se interessar em criticar ninguém nem pra notar as pessoas, de qualquer forma. Ele falava de um jeito meio borbulhante e supersalivento que Johnette conhecia mais do que bem, aquele jeito de alguém que acabou de largar a marica e/ou o bong. O cabe-lo do menino estava começando a derreter com o calor do escritório de Pat, a pingar e cair em cima da cabeça dele que nem um pneu rasgado, fazendo a cabeça dele ficar maior. Ele parecia um pouco o que a quarta sra. Foltz chamava de meio virado. O menino ficou ali bem eretinho com as mãos atrás das costas e disse que morava ali perto e fazia algum tempo que ele estava interessado assim meio de um jeito à toa e basicamente especulativo em considerar de repente dar uma passada em alguma reunião tipo Substâncias Anônimas e coisa e tal, basicamente só pra ter alguma coisa para fazer, a mesmíssima parolagem tortuosa de Negação das pessoas sem dente, e disse mas que ele não sabia onde é que eram, as Reuniões, ou quando, mas sabia que A Casa Ennet[323] ficava pertinho, que lidava diretamente com organizações Anônimas desse tipo, e estava ali pensando se de repente podia pegar — ou emprestar, xerocar e devolver rapidamente ou pelo correio e/ou fax ou Registrado, como eles preferis-sem — alguma agenda de reuniões relevantes. Ele pedia desculpas por se intrometer assim e disse que não sabia a quem recorrer. O tipo de cara que nem o Ewell, o Day e aquele Ken E. seboso tipo nem-te-olho-se-você-não-for-modelo-profissional que sabia fazer divisões compridas e usar *cujo* mas não sabia procurar merda nenhuma nas Páginas Amarelas.

Bem depois, à luz dos eventos posteriores, Johnette F. se lembraria nitidamente da visão do cabelo congelado do menino se acomodando lentamente, de como o menino tinha dito *cujo* e da visão da límpida saliva riquinha quase escorrendo pelo lábio inferior dele enquanto ele lutava para pronunciar a palavra sem engolir.

Os Entrevistadores Técnicos sob o comando do Chefe de Serviços Aleatórios R. ("F-ão") Tine[325] fazem mesmo isso, trazem uma luminária portátil de alta wattagem, plugam na tomada e ajustam o pescoço dela para que a luz caia diretamente no rosto da cobaia entrevistada, cujo homburg e sobrancelhas umbelíferas tinham sido removidos depois de polidas mas enfáticas solicitações. E foi isso, a luz violenta sobre seu rosto pós-marxista totalmente exposto, mais do que qualquer pressão durona embasada no mundo *noir* de R. Tine Jr. e do outro entrevistador técnico, que levou Molly Notkin, doutoranda do MIT com créditos completos, recém-saída do trem de alta-velocidade de NNYC, sentada na cadeira diretoresca com formato de Sidney Person entre malas abandonadas na sala de estar escura e arrombada do seu apartamento, a soltar o verbo, rolar de barriguinha para cima, comer queijo, cantar que nem canarinho, dizer tudo que achava que sabia:[326]

— Molly Notkin diz aos agentes do ESAEU que até onde ela sabe o negócio com o entretenimento letal que é *Graça infinita* (V ou VI) do Auteur de après-garde J. O. Incandenza é que ele apresenta Madame Psicose como alguma espécie de instanciação materna da arquetípica figura da Morte, sentada nua, corporeamente linda, encantadora, imensamente grávida, com seu rosto hediondamente deformado ou velado ou apagado por quadrados coloridos ondulantes gerados por computador ou anamorfizado até ficar irreconhecível como qualquer tipo de rosto pela lente aparentemente muito estranha e inovadora da câmera, sentada ali desnuda, explicando numa linguagem muito simples e infantilizada a quem quer que a câmera do filme represente que a Morte é sempre mulher e que essa mulher é sempre materna. I. e. que a mulher que te mata é sempre a tua mãe na próxima vida. Isso, que Molly Notkin disse que não fez muito sentido para ela também, quando ela ouviu, era a suposta essência da cosmologia-de-Morte que Madame Psicose aparentemente pronunciava num monólogo lalante para o espectador, mediada por uma lente muito especial. Ela podia ou não estar segurando uma faca durante esse monólogo, e o grande gancho técnico do filme (os filmes desse Auteur sempre envolviam alguma espécie de gancho técnico) envolvia algum tipo muito incomum de lente monobjetiva no suporte da Bolex H32,[327] e eram inquestionavelmente os efeitos que deixavam Madame Psicose grávida, porque a Madame Psicose da vida real nunca tinha estado visivelmente grávida, Molly Notkin tinha visto a moça nua,[328] e sempre dá para ver se uma mulher já carregou alguma coisa além do primeiro trimestre se você olha para ela nua.[329]

— Molly Notkin lhes diz que a mãe da própria Madame Psicose tinha se matado de um jeito bem grotesco com um aparelho comum desses de triturar lixo na véspera do Dia de Ação de Graças do Ano do Emplastro Medicinal Tucks, coisa de quatro meses e pouco antes do próprio Auteur do filme ter se matado, também com um eletrodoméstico, também grotescamente, o que ela diz que no entanto qualquer conexão Lincoln-Kennedy entre os dois suicídios vai ter que ser descoberta pelos entrevistadores sozinhos, já que até onde Molly Notkin sabe os dois pais diferentes nem sabiam um da existência do outro.

— Que a câmera Bolex H32 digital do cartucho letal — já ela própria um amálgama Rube-Goldbergesco de várias melhorias e adaptações digitais sobre a já hipermodificada e clássica Bolex H16 Rex 5 — uma linha canadense, diga-se de passagem, preferida durante toda sua carreira pelo Auteur porque o seu suporte podia aceitar três lentes C diferentes e adaptadores — que a de *Graça infinita* (V) ou (VI) tinha sido preparada para uma lente extremamente estranha e meio extrusiva, e ficava durante as filmagens largada ou no chão ou tipo numa cama ou catre, a câmera, com Madame Psicose como figura de Mãe-Morte inclinada sobre ela, parturiente e nua, falando com ela com um olhar *superior* — nos dois sentidos do termo, o que de uma perspectiva crítica introduziria no filme uma espécie de calembour sinestésico que envolvia a perspectiva tanto auditiva quanto visual da câmera subjetiva — explicando para a câmera enquanto sinédoque-da-plateia que era por isso que as mães eram tão obsessivas, sufocantes, obstinadas no amor por você, filho delas: as mães estão alucinadamente tentando compensar um assassinato que nenhum de vocês recorda bem.

— Molly Notkin diz a eles que ela podia ser bem mais útil e voluntariamente detalhada se eles só desligassem essa lâmpada horrível ou levassem para outro lugar, o que é de uma falsidade cara-de-pauzíssima e como tal é tratada por R. Tine Jr., e assim a luz permanece bem em cima do rosto glabro e infeliz de Molly Notkin.

— Que Madame Psicose e o Auteur do filme não estiveram sexualmente envolvidos, e por motivos que iam além do fato de que a crença do Auteur num total-mundial finito de ereções disponíveis o tornava quase sempre impotente ou torturado pela culpa. Que na verdade Madame Psicose tinha amado e se envolvido sexualmente apenas com o filho do Auteur, que, embora Molly Notkin não o tivesse jamais encontrado pessoalmente e Madame Psicose tivesse o cuidado de nunca falar mal dele, era claramente um dos maiores merdinhas possíveis de se encontrar em todo o cânon masculino e branco de lubricidade, covardia moral, ardis emocionais e merdinhice.

— Que Madame Psicose não esteve presente nem no suicídio nem no enterro do Auteur. Que ela tinha perdido o enterro porque seu passaporte tinha vencido. Que Madame Psicose também não esteve presente na leitura do testamento do falecido Auteur, apesar de ser uma das beneficiárias. Que Madame Psicose nunca tinha mencionado o destino ou a localização atuais do cartucho não comercialmente lançado intitulado ou *Graça infinita* (V) ou *Graça infinita* (VI), e tinha descrito o cartucho apenas do ponto de vista da experiência de atuar nele, nua, e nunca tinha visto o cartucho, mas tinha grande dificuldade em acreditar que ele nem sequer fosse interessante, que dirá letalmente interessante, e tendia a acreditar que ele representasse pouco mais que os gritos mal disfarçados de um homem no ponto final da sua linha existencial — tendo o Auteur aparentemente sido muito próximo da sua própria mãe na infância — e que sem dúvida tinha sido reconhecido como tal pelo Auteur — que apesar de não ser exatamente a mais completa coleção de parafusos encefálicos na caixa de ferramentas da psicologia foi em muitos aspectos um leitor e um crítico cinematográfico perspicaz, e teria sido capaz de distinguir o ó cinematográfico do borogodó de uns gritos patéticos velados em forma de filme por mais que suas porcas e arruelas estivessem voando pra tudo quanto era lado, na linha que chegava ao fim, e com toda a probabilidade teria destruído a Cópia Máster da obra de arte fracassada, exatamente como tinha supostamente destruído as primeiras quatro ou cinco tentativas de realizar a mesma obra, obras que é bem verdade contavam com atores de menor mística e de menores encantos.

— Que o enterro do Auteur tinha pelo que lhe dizem ocorrido na Province de L'Islet do Nouveau Québec, província natal da viúva do Auteur, consistindo de um enterro de fato e não de uma cremação.

— Que longe dela querer ensinar o padre a rezar missa aqui, mas por que não irem direto até a viúva de J. O. I. verificar diretamente a existência e a localização do suposto cartucho?

— ...

— Que parecia bem improvável para ela, Molly Notkin, que a viúva do Auteur tivesse quaisquer ligações com quaisquer grupos, células ou movimentos antiamericanos, apesar do que os documentos reunidos sobre a indiscreta juventude dela pudessem sugerir, já que por tudo que Molly Notkin sabia a mulher não tinha grandes interesses em quaisquer projetos mais amplos que os seus próprios projetos pessoais individualmente neuróticos, mesmo que tenha vindo toda delicada e solícita para cima de Madame Psicose. Que Madame Psicose tinha confessado a Molly Notkin que a viúva lhe parecia possivelmente a Morte em carne e osso — com um sorriso constante que era o sorriso ríctico de alguma espécie de figura tanatóptica — e que para Madame Psicose tinha parecido bizarro que fosse ela, Madame Psicose, que o Auteur ficava escalando como várias instanciações femininas da Morte quando tinha a coisa propriamente dita bem debaixo do nariz, e eminentemente fotogênica além do mais, a futura-viúva, aparentemente uma beleza daquelas de calar restaurantes mesmo com seus quarenta e tantos.

— Que o Auteur tinha parado de ingerir álcoois destilados como condição pessoal de Madame Psicose para ela consentir aparecer no que ela sabia ser o seu cartucho final mas não sabia ser o de J. O. I., e que o Auteur tinha, aparentemente, incrivelmente,[330] cumprido sua parte da barganha — possivelmente porque tinha ficado tão comovido com o consentimento de M. P. em aparecer novamente diante da câmera mesmo depois do terrível acidente e da deformação que ela sofreu e do merdinha do filho dele ter sido um nojento e abandonado o relacionamento com a desculpa de acusar Madame Psicose de estar sexualmente envolvida com o pai deles — e aqui Molly Notkin disse que ela claro quis dizer *dele* —, o Auteur. E que o Auteur aparentemente tinha ficado livre-de-álcool durante os três meses e meio seguintes, do Natal do Ano do Emplastro Medicinal Tucks até 1º de abril do Ano do Sorvete Dove Tamanho-Boquinha, data do seu suicídio.

— Que o problema de abuso de substâncias completamente secreto e oculto, aquele que agora colocara Madame Psicose numa instituição particular de elite para o tratamento de dependência que era tão de elite que nem os amigos mais próximos de M. P. sabiam onde ficava além de saberem apenas que era em algum lugar distante, bem distante, que o problema de abuso só podia ter sido consequência da terrível culpa que Madame Psicose sentia pelo suicídio do Auteur, e constituía uma nítida compulsão inconsciente de se castigar com o mesmo tipo de abuso de substâncias que tinha coagido o Auteur a abandonar, meramente empregando narcóticos no lugar do Wild Turkey, que Molly Notkin podia atestar que era uma bebidinha com um gosto bem safado mesmo.

— Não, que a culpa de Madame Psicose por causa do Auteur atestar contra a própria vida não tinha nada a ver com o supostamente letal *Graça infinita* (V) ou (VI), que até onde Madame Psicose tinha conseguido concluir pelas filmagens era pouco mais que uma olla podrida de conceitos depressivos amarrados com um trabalho exibicionista por trás das lentes e certa inovação perspectival. Que, não, na verdade a culpa dolorosa tinha sido motivada pela condição de que o Auteur suspendesse a ingestão de álcoois, que no fim, M. P. tinha argumentado olhando ilusoriamente para trás, era tudo que estava mantendo a linha do homem contínua, a ingestão, de modo que sem ela ele não conseguiu suportar as pressões psíquicas que o levaram a cair no abismo do que Madame Psicose disse que ela e o Auteur às vezes chamavam de entre aspas "autoapagamento".

— Que não lhe parecia, a ela, Molly Notkin, improvável que a garrafa especial edição limitada em formato de peru de álcoois destilados marca Wild Turkey Blended Whiskey com a fita de presente aveludada cor de cereja em volta do gargalo com o lacinho enfiado embaixo da barbela sobre a pia da cozinha perto do forno de micro--ondas diante do qual o corpo do Auteur tinha sido encontrado numa inclinação tão grotesca tivesse sido posta ali pela futura viúva do cônjuge em questão — que pode muito bem ter ficado enfurecida com o fato do Auteur nunca ter tido a disposição de abandonar os álcoois entre aspas "por ela" mas tinha aparentemente demonstrado essa disposição de abandoná-los entre aspas "por" Madame Psicose e sua presença nua em seu opus final.

— Que por tudo que se sabia a excepcionalmente atraente Madame Psicose tinha sofrido um trauma facial irreparável no mesmo Dia de Ação de Graças em que sua mãe tinha se matado com um eletrodoméstico, deixando-a (Madame Psicose) feia e inconcebivelmente deformada, e que associação dela à organização de autoajuda em 13 passos chamada Organização dos Feios e Inconcebivelmente Deformados não era uma espécie de metáfora ou de ardil.

— Que as intoleráveis tensões que levaram ao autoapagamento do Auteur tinham provavelmente bem menos a ver com arte cinematográfica ou digital — sendo que a abordagem da dita mídia por esse Auteur anticonfluencial sempre parecera a Molly Notkin algo alheada e cerebralmente técnica, isso para nem falar do quanto era ingenuamente pós-marxista na sua autocelebratória combinação de fragmentação anamórfica e estase narrativa antipicaresca[331] — ou com ter alegadamente gerado algum monstro angélico de gratificação das plateias — qualquer um dotado de um sistema nervoso que tenha assistido boa parte da sua oeuvre via que diversão ou o entretenimento estavam bem no fim da lista de prioridades do cineasta — mas muito mais provavelmente tinha a ver com o fato de que a sua futura viúva andava se metendo em envolvimentos sexuais com praticamente qualquer coisa com um cromossomo Y, e isso pelo que soava como muitos anos, incluindo possivelmente o filho do Auteur e amante poltrão da Madame, na infância, já que parecia que o merdinha contava com problemas maternos mal-catexizados suficientes para manter Viena inteira zumbindo de atividade por não pouco tempo.

— Que assim — com a interpretação do suicídio do Auteur baseada em culpa-prometeica seriamente questionada — restavam poucas dúvidas na opinião da quase-doutora Notkin de que todo o mito do entretenimento-perfeito-enquanto-*Liebestod* que cercava o cartucho final supostamente letal não passava de uma clássica ilustração da antinômica função esquizoide do mecanismo capitalista pós-industrial, cuja lógica apresentava as mercadorias como a fuga-das-angústias-da-mortalidade--numa-fuga-que-é-por-si-própria-psicologicamente-fatal, conforme o detalhamento perspicaz que consta do póstumo *O incesto e a vida da morte no entretenimento capitalista* de M. Gilles Deleuze, que ela teria o maior prazer de emprestar para as figuras que estavam de pé em algum ponto acima do fogo brando da lâmpada, uma delas batendo de maneira algo irritante contra a cúpula cônica metálica da lâmpada, se eles prometessem que devolviam sem anotar nas páginas.

— Que — em resposta aos pedidos respeitosos mas incisivos de que ela mantivesse as respostas em algum registro factual e lhes poupasse as abstrações cabeçudas — o trauma deformante de Madame Psicose, em sua combinação de coincidência e intento malévolo, tinha sido algo que parecia ter saído direto de um dos filmes-desastre mais horrenda e irresolvivelmente protoincestuosos, por ex. *A noite usa sombrero, Disque C para concupiscência* e *O infeliz caso de mim*. Que Madame Psicose, filha única, tinha sido extrema e comovedoramente próxima do pai, um químico de baixos pHs que trabalhava para um fabricante de reagentes em Kentucky, que aparentemente tivera uma relação extremamente próxima tipo filho-único, baseada em assistir filmes junto com a própria mãe e que parecia reencenar a proximidade com Madame Psicose, levando-a ao cinema quase diariamente no Kentucky, e levando-a por todo o meio-Sul do país para vários concursos de rodopios de bastão enquanto sua esposa, a mãe de Madame Psicose, uma mulher devotadamente religiosa mas neurastênica com medo de lugares públicos, ficava em casa na fazenda da família, enlatando conservas e cuidando da administração da fazenda etc. mas que as coisas ficaram primeiro estranhas e aí medonhas quando Madame Psicose entrou na puberdade, aparentemente; especificamente que o pai de baixos pHs tinha ficado medonho, parecendo agir como se Madame Psicose estivesse ficando mais nova ao invés de mais velha: levando-a para ver filmes cada vez mais infantis no Cineplex local, recusando-se a reconhecer questões como menstruação ou seios, desencorajando vigorosamente namoros etc. Aparentemente as questões se complicaram porque Madame Psicose emergiu da puberdade como uma jovem quase insanamente linda, especialmente numa parte dos Estados Unidos em que a subnutrição e a indiferença odontológica e higiênica tornavam a beleza física uma condição extremamente rara e meio desorientadora, e de modo algum compartilhada pela edentada mãe de Madame Psicose com seu formato de quibe, que não abria a boquinha enquanto o pai de Madame Psicose ia proibindo tudo, de sutiãs a Papanicolaus, dirigindo-se à núbil Madame Psicose com uma fala progressivamente infantiloide e continuando a usar os seus hipocorísticos de infância como *Pookie* ou *Putti* enquanto tentava dissuadi-la de aceitar uma bolsa para uma universidade de Boston cujo Programa de Estudos Cinematográficos e de Cartuchos estava, ele aparentemente defendia, cheio de entre aspas Pitoquitos Mafuchos e Dudunhos pra Dedéu, fecha aspas, fosse lá o que significava esse pejorativo código familiar.

— Que — para encurtar uma história que as posturas dos entrevistadores com mãos nos quadris e a substituição da lâmpada por uma de wattagem muito mais alta indicava que eles gostariam muito de ver encurtada — como acontece muitas vezes, foi só quando Madame Psicose entrou na universidade e aos poucos conquistou certa distância psíquica e material para comparações emocionais que ela começou a ver o quanto tinha sido medonha a regressão do Papai-reagente, e só quando o autógrafo de um certo filho de um astro esportivo numa bola de futebol americano furada inspirou mais suspeitas e sarcasmos por e-mail do que gratidão vinda de seu lar em KY foi que ela começou a suspeitar que a sua falta de vida social durante toda a puberdade podia ter tido a ver tanto com o intrusivo desencorajamento do Papai quanto com seus acteonizantes encantos pubescentes. Que — detendo-se brevemente para soletrar *acteonizante* — que a merda tinha caído no ventilador psíquico intergeneracional quando Madame Psicose levou o merdinha do filho do Auteur para a casa da família nas campinas do KY pela terceira vez, para o feriado de Ação de Graças do Ano do Emplastro Medicinal Tucks, e testemunhou o tratamento infantilizante que seu pai dedicava a ela e a calada compulsão enlatante e cozinhante da mãe, para não falar da tremenda tensão que surgiu quando Madame Psicose tentou tirar alguns bichos de pelúcia do quarto dela para abrir espaço para o filho do Auteur, em resumo ver sua casa e seu pai pelo filtro comparativo do envolvimento com o filho do Auteur levou Madame Psicose à crise que precipita seu ato de Dizer o indizível; e que tinha sido no Almoço de Ação de Graças, ao meio-dia de 24 de novembro do AEMT, quando o Papai de baixos pHs começou não apenas a cortar o peru de Madame Psicose para ela no pratinho mas a amassá-lo num purê entre os dentes do garfo, tudo diante das comparativas sobrancelhas erguidas do filho do Auteur, que Madame Psicose finalmente pôs no ar a tácita questão de por quê, com ela agora maior de idade, morando com um homem, aposentada dos rodopios da infância e construindo uma carreira adulta de um e potencialmente dos dois lados da câmera cinematográfica, era que o seu próprio Papai pessoal parecia achar que ela precisava de ajuda para comer? A opinião de terceira de Molly Notkin sobre as erupções emocionais que se seguiram não é detalhada, mas ela acha que pode declarar c/ confiança que se trata plausivelmente de um caso de que qualquer espécie de sistema que tenha estado sob enorme e muda pressão durante algum tempo, que quando o sistema finalmente estoura a pressão acumulada é tal que é quase sempre uma erupção total. O imenso estresse do Papai de pH baixo tinha aparentemente entrado em erupção, bem ali na mesa, com a carne branda da filha adulta entre os dentes do garfo dele, na confissão de que ele estava secreta e silentemente apaixonado por Madame Psicose havia muito, muito tempo; que o amor era de verdade, puro, não mencionado, genuflectivo, atemporal, impossível; que ele nunca tinha encostado nela, não faria isso, nem olhado demais, menos pelo horror de ser o tipo de pai do meio-Sul que encosta e fica olhando do que pela pureza de seu amor condenado pela menininha que tinha acompanhado ao cinema com o orgulho que sentia qualquer amado, diariamente; que a repressão e a disfarçabilidade de seu puro amor não tinham sido assim tão difíceis quando Madame Psicose era juvenil e assexuada, mas que com o começo da puberdade e da nubilidade a pressão tinha ficado tão grande que ele só podia compensar regredindo a criança mentalmente a uma idade de incontinência e carne pré-amassadinha, e que sua consciência do quanto deve ter parecido medonha sua negação da maturidade dela — mesmo que nem a filha nem a mãe, mesmo agora mastigando calada um inhame caramelado, tivessem comentado, negação e medonhice, apesar dos adorados pointers do sujeito terem começado a choramingar e arranhar a porta quando a negação foi ficando especialmente medonha (já que os animais são bem mais sensíveis que os humanos a anomalias emocionais, pela experiência de Molly Notkin) — tinha elevado a pressão interna do sistema límbico dele a níveis quase intoleráveis de quilograma-por-metro-quadrado, e que ele estava se segurando por muito pouco já havia bem quase uma década, mas agora que tivera que realmente testemunhar o ato dela retirar o Pooky e o Urso-Fuço et al. do quartinho com papel de parede de bailarina para abrir espaço para um macho maduro não aparentado cujo vigor físico pelo buraquinho da parede o Papai tinha empregado cada grama de força de vontade trêmula que ainda tinha tentando não abrir um buraquinho na parede do banheiro logo acima do espelho da pia cujos canos faziam a parede atrás da cabeceira da cama do quarto de Madame Psicose cantar e estalar, e pelo qual, tarde da noite — dizendo para a Mãe que estava com um piriri devido à começão toda do feriado — subido na pia, toda noite desde que Madame Psicose e o filho do Auteur tinham chegado para dormir na cama desbichodepeluciada de uma infância durante a qual ele tinha sido praticamente torturado pela pureza daquele amor impossível pela…

— Que tinha sido neste momento que o garfo e aí todo o prato da mãe de Madame Psicose tinham caído estrondosamente no chão, e que entre os sons que os pointers faziam embaixo da mesa lutando pelo prato a pressão do sistema de negação da própria mãe explodiu, e ela surtou, anunciando publicamente à mesa que ela e o Papai não tinham se conhecido como homem e mulher nem uma única vez desde a primeira menstruação de Madame Psicose, que ela sabia que algo incrivelmente medonho estava acontecendo mas negou, evacuou as suspeitas e as colocou sob grande pressão na redoma de vidro da sua própria negação, porque, ela admite — *admite* é provavelmente menos acurado que algo como *urra* ou *berra* ou *vocifera* — que o seu próprio pai — um pastor itinerante de acampamentos — tinha molestado tanto a ela quanto à sua irmã durante toda a infância, tinha ficado olhando, tocando e pior, e que tinha sido por isso que ela casou com apenas dezesseis anos, para fugir, e que agora estava claro para ela que ela havia se casado com exatamente o mesmo tipo de monstro, o tipo que desdenha sua parceira legítima e cobiça a filha.

— Que ela tinha dito que talvez fosse ela, ela, a mãe, que era o monstro, e que, se fosse, ela estava cansada de esconder esse fato e de mostrar uma cara falsa diante de Deus e dos homens.

— Que ato contínuo ela havia saído desesperada do seu lugar à mesa, saltado três pointers e corrido até o laboratório de ácidos do Papai no porão, para se desfigurar com ácido.

— Que o Papai mantinha uma coleção soberba de ácidos variados em frascos da marca Pyrex nas prateleiras de madeira lá do porão.

— Que o Papai, o merdinha do filho e finalmente uma Madame Psicose ralentada pelo choque tinham todos corrido para a escadaria atrás da mãe e chegado ao porão bem quando a mulher tinha retirado a tampa de um frasco Pyrex com uma imensa caveira carcomida na frente, o que junto com o pedaço flamejantemente rubro de tornassol que flutuava ali dentro indicava um tipo de ácido de pH incrivelmente baixo e corrosivo.

— Que o nome de Madame Psicose era na verdade Lucille Duquette, e o nome do Papai ou era Earl ou Al Duquette, do extremo sudeste do KY, lá já perto do TN e da VA.

— Que, apesar das profissões de autorrecriminação do merdinha por ter permitido que a deformidade ocorresse e do seu argumento de que os sistemas convolutos de culpa, horror e misericórdia baseada em negação tornaram uma relação de compromisso com Madame Psicose cada vez mais insustentável, você não precisava ser expert em transtornos e fraquezas de caráter para sacar por que o camarada deu um pé na bunda de Madame Psicose meses depois da deformidade traumática, não é.

— Que, bem no ápice histérico em que a fúria internalizada pode se transmudar com tanta facilidade em fúria externalizada, a mãe tinha arremessado o frasco de pH baixo contra o Papai, que por reflexo se abaixou; e que o merdinha, um certo *Orin*, logo atrás, um ex-campeão de tênis com magníficos reflexos de tronco, também instintivamente se abaixou, deixando Madame Psicose — atordoada e bradicinética por causa da repentina liberação de tantos sistemas familiares repressivos de alta-pressão — como alvo facial direto e limpo, resultando na traumática deformidade. E que tinha sido a incapacidade de todos eles de prestar queixa que livrou a mãe da custódia oficial do sudeste do KY e lhe deu acesso novamente à cozinha de sua casa, onde, aparentemente desconsolada, ela cometeu suicídio colocando suas extremidades no triturador de lixo — primeiro um braço e aí, meio milagrosamente se você parar pra pensar, o outro braço.

A mais afastada e obscura Reunião Vespertina de Terça-Feira arrolada no livretinho de Opções de Recuperação da Grande Boston[333] que a menina desincisivada e com o piercing na narina lá da Casa Ennet tinha dado para ele aparentemente era uma coisa exclusivamente masculina às 1730h lá em Natick, quase em Framingham, em algum lugar com um endereço na Route 27 que o livreto das ORRMB arrolava somente como "SRQ–32A". Hal, que não tinha aula no último horário, despachou rapidinho o Shaw por 1-3 nos vespertinos já quando os vespertinos normais estavam começando a se aquecer, aí pulando os circuitos de perna-esquerda na sala de musculação, e também estava pulando o frango ao limão com pãezinhos de batata, tudo para disparar rumo a Natick a tempo de dar uma olhada nessa coisa de Reunião-de-Irmandade-anti-Substâncias. Ele não sabia bem por quê, já que aparentemente não era nenhuma incapacidade babujenta de se manter sem que era o problema — ele não tinha encarado nem um mg de nenhuma espécie de Substância desde o sursis urológico de trinta dias na semana passada. O problema é a sensação horrorosa na cabeça dele, cada vez maior, desde que ele abruptamente Abobonou toda a Hopança.[334] Não eram só pesadelos e saliva. Era como se a cabeça dele se empoleirasse na cabeceira da cama a noite toda agora e de manhãzinha terrivelmente cedo quando os olhos de Hal se abriam de um estalo e imediatamente dissesse que Bom que Você ACORDOU Eu Andava Querendo FALAR Com Você e aí não parasse o dia todo, mandando ver como uma serra elétrica bem acelerada o dia todo até ele finalmente conseguir tentar cair inconsciente, rastejando até a cama desconsolado à espera de mais sonhos ruins. 24 horas por dia 7 dias por semana se sentindo desconsolado e desolado.

O crepúsculo estava chegando mais cedo. Hal pediu autorização no portão levadiço, saiu disparado morro abaixo e foi com o guincho pela Comm. Ave. até o Reservatório C. C. e aí rumo sul pela Hammond, a mesma rota torturante das corridas de condicionamento da ATE, só que quando chegou à Boylston St. ele virou à direita e seguiu rumo oeste. Assim que saía de New Boston, a Boylston St. virava o desvio de pedágio que era a Rte. 9, a principal alternativa para quem vem dos subúrbios do oeste à suicida I-90, e a 9 ia pingando de subúrbio em subúrbio serpentilmente rumo oeste até Natick na Rte. 27.

Hal seguia lento em meio ao trânsito de uma rua movimentada que um dia tinha sido uma trilha de vacas. Quando estava em Wellesley Hills, o laranja combustivo do céu tinha escurecido e virado o carmesim infernal das últimas brasas de uma fogueira. As trevas caíram com um baque logo depois, e o ânimo de Hal junto com elas. Ele estava se sentindo patético e absurdo só de ir dar uma olhada nessa coisa de Reunião dos Narcóticos Anônimos.

Todo mundo sempre dava uma luz alta para o guincho porque os faróis ficavam num lugar imbecilmente alto na grade.

O disk-playerzinho portátil tinha sido desconectado por Pemulis ou Axford e não tinha sido devolvido. A WYYY era um tênue véu de jazz sobre um mar de estática.

No AM só rock de butique e notícias de que a administração Gentle tinha agendado e aí cancelado um discurso especial à nação em Disseminação-Espontânea sobre temas desconhecidos. A rádio pública estava com uma espécie de mesa-redonda sobre temas potenciais — a prótese de laringectomia de George Will dava um som horroroso. Hal preferiu o silêncio e os sons do trânsito. Ele comeu dois dos três muffins integrais de $4,00 que tinha parado rapidinho para comprar numa padaria gourmet de Cleveland Circle, fazendo careta enquanto engolia porque tinha esquecido uma tônica para tomar junto, aí pôs um naco gigante de Kodiak na boca e cuspiu periodicamente no seu copo especial da NASA, que cabia direitinho no porta-copos ao lado da alavanca de câmbio, e passou os últimos quinze minutos do tedioso trajeto considerando a provável carreira etimológica da palavra *Anônimo*, lá desde supunha ele o eólico ονμγα passando pela referência de Thynne de 1580 AS a "anonymall Chronicals", e pela dúvida de se ela se juntava lá atrás em algum momento com a raiz saxônica do Inglês Antigo *on-áne*, que supostamente significava Todos como Um ou Como Um Só Corpo e acabou se tornando a inversão padrão de Cynewulf para o clássico *anon*, de repente. Aí ele projetou na sua tela mnemônica a estória do desenvolvimento desde 35 AS do grupo inicial de Substâncias, o AA, sobre o qual havia uma entrada tão ampla no *OED Discursivo* que Hal nem precisou procurar qualquer banco de dados externo para se sentir mais ou menos preparado para aparecer nesse desdobramento que era o NA e pelo menos dar uma geral para avaliar o negócio. Hal consegue projetar meio que um xerox mental de tudo que já leu na vida e basicamente ler tudo de novo, quando quer, talento este que o Abandono do Hope (até aqui) não comprometeu, sendo os efeitos da abstinência muito mais tipo emocional/salivo-digestivos.

Os rochedos dos dois lados do caminhão quando a 27 atravessa morros pedregosos abertos a dinamite, as pontas das bordas da penumbra das Berkshire, são de granito ou gnaisse.

Hal por um tempo também treina dizer "Meu nome é Mike". "Mike. Oi." "Oi, meu nome é Mike" etc., no retrovisor do caminhão.

A coisa de quinze minutos a leste de Natick fica óbvio que o sucinto SRQ do livretinho designa um lugar chamado Sistemas de Recuperação Quabbin, que é fácil de achar, com placas na beira da estrada começando a anunciar o lugar vários quilômetros antes, cada placa um tantinho diferente das outras e projetada para formar meio que uma narrativazinha que teria a efetiva chegada ao SRQ por clímax. Até o falecido pai de Hal era novo demais para lembrar das placas do Burma-Shave.

Os Sistemas de Recuperação Quabbin ficam bem afastados da margem da Rte. 27 numa tortuosa estradinha de pedrisco bem cuidada flanqueada o tempo todo por classudos postes de luz das antigas cujas cúpulas de vidro são marteladas e facetadas como pratinhos de doce e parecem mais propor um clima que uma iluminação. Aí o caminho de entrada para o local propriamente dito é uma estradinha ainda mais tortuosa que é pouco mais que um túnel por entre meditativos pinheiros e álamos-negros com problemas de postura. Depois de você sair da estrada toda essa

814

cena noturna aqui nos exúrbios — o verdadeiro cu do mundo de Boston — parece fantasmática e circunspecta. Os pneus de Hal esmigalham cones pela estrada. Algum tipo de pássaro caga no para-brisa. A estradinha se alarga aos poucos para virar tipo um delta e aí um estacionamento de pedrisco branco-menta, e o SRQ físico está bem ali, chocando cubular. O prédio é um desses cubos indeformados último modelo de tijolos planos e cunhais de granito. Iluminado cenicamente de baixo por ainda outros postes classudos, ele parece um prédio construído por bloquinhos saídos da caixa de brinquedos de algum titã infantil. As janelas são do tipo marrom-fumê que à luz do dia vira um espelho escuro. O falecido pai de Hal tinha publicamente repudiado esse tipo de vidro para janelas numa entrevista na *Lente & Plano*, quando aquilo foi lançado originalmente. Neste momento, iluminadas por dentro, as janelas têm um aspecto meio sangrento, poluído.

Uns bons dois terços das vagas do estacionamento dizem RESERVADO PARA OS FUNCIONÁRIOS, o que Hal acha esquisito. O guincho tende a dieselar e estrondar depois da designição, finalmente se apagando com um peido estremecido. Está totalmente silencioso aqui a não ser pelo zumbido do tráfego leve na 27 depois das árvores todas. Só os empregados da TP-link ou quem não liga para passar horas no trânsito mora na semirrural Natick. Ou está bem mais frio aqui fora ou uma frente estava chegando enquanto Hal dirigia. O ar pináceo do estacionamento tem o travo etílico do inverno.

As grandes portas e o lintel do SRQ são ainda daquele vidro de sombra reflexiva. Não há uma campainha muito óbvia, mas as portas estão destrancadas. Elas se abrem meio que daquele jeito pressurizado das portas corporativas. O saguão cor de savana é largo e quieto e tem um vago aroma médico/odontológico. O carpete é de uma densa trama baixa de Dacronyl castanho que evacua os sons. Há um posto de enfermagem ou mesa de recepção circular com um balcão alto, mas ninguém ali.

O lugar todo está tão calado que Hal consegue ouvir o guinchar do sangue dentro da cabeça.

O 32A que se segue ao SRQ no livretinho da menina é ao que tudo indica o número de uma sala. Hal está com uma jaqueta não ATE e carrega o copo da NASA em que cospe. Ele teria que cuspir mesmo que não estivesse com o tabaco; o Kodiak é quase tipo um disfarce ou uma desculpa.

Não há nenhum mapa ou orientação visível tipo Você-Está-Aqui no saguão. O calor do saguão é intenso e abafado mas meio poroso; ele está meio que lutando desajeitadamente com o gelo irradiado por todo aquele vidro fumê da entrada. As luzes lá no estacionamento e por toda a estradinha da entrada são borrões de luz sépia pelo vidro. Dentro, uma iluminação embutida nas suturas entre paredes e teto produz uma luz indireta que é sem-sombras e parece surgir dos próprios objetos ali presentes. É a mesma iluminação e o mesmo carpete pele-de-leão no primeiro longo corredor em que Hal entra. Os números das salas vão até 17 e aí depois que Hal dobra uma esquina bem fechada começam no 34A. As portas das salas são de madeira clara falsa mas parecem grossas e privadas, bem encaixadas nos umbrais. Há também um cheiro de café rançoso. O esquema cromático das paredes está em algum ponto da escala que vai do bordô à casca de beringela madura, meio nauseante contra o castanho-arenoso do carpete. Todos os prédios com alguma espécie de tema-de-saúde têm esse vago subaroma odontológico adocicado e enjoado. O SRQ também parece ter alguma espécie de aromatizador balsamiquento rolando pelo sistema de ventilação, também, mas que não chega a cobrir de verdade o fedor médico ou o chocho odor azedo de comida institucional.

Hal não ouviu um só ruído humano desde que entrou. O silêncio ali tem aquele som cintilante do silêncio total. Seus passos não fazem barulho no Dacronyl. Ele se sente furtivo e assaltântico e segura o copo da NASA bem baixo ao lado do corpo e o livreto do NA mais alto e com a capa para a frente como uma espécie de Identificação explicativa. Há paisagens digitalmente retocadas nas paredes, umas mesinhas baixas com panfletos de cuchê, uma gravura emoldurada do *Arlequim sentado* de Picasso, e nada mais que não fosse simplesmente bobajada institucional, Muzak visual. Sem nenhum som nos seus passos é como se os guantes das portas simplesmente fossem passando deslizantes. O silêncio guarda meio que uma ameaça. Todo aquele prédio cubular parece para Hal conter a tensionada ameaça de uma coisa viva que decidiu se manter imóvel. Se você pedisse para Hal descrever suas sensações enquanto procurava pela sala 32A o melhor que ele poderia fazer seria dizer que gostaria de estar em outro lugar e se sentir de uma maneira diferente de como se sentia. Sua boca está jorrando saliva. O copo está um terço cheio e pesado na mão e não é muito legal de olhar. Ele errou o copo algumas vezes e desfigurou o carpete castanho com cuspe escuro. Depois de duas guinadas de 90 graus fica claro que o trajeto do corredor é um perfeito quadrado em torno do térreo do cubo. Ele não viu cadeiras ou entradas para escadas. Ele esvazia o copo da NASA algo melenquentamente na terra de uma árvore de borracha num vaso. O prédio do SRQ pode ser um desses famosos cubos rubikulares que parecem topologicamente indeformados mas que na verdade são impossíveis de transpor. Mas os números depois da terceira esquina começam no 18, e agora Hal ouve vozes ou muito distantes ou muito abafadas. Ele carrega o livreto do NA na frente como um crucifixo. Está com cerca de U$50 e mais $100 em cédulas emblemizadas com águia, folha e vassoura da ONAN, por não ter ideia dos tipos de custos introdutórios que poderiam estar envolvidos. O SRQ não comprou acres disputados em Natick e contratou os serviços radicais de um arquiteto da Escola Minimalista Geométrica de São Paulo só por boa vontade altruísta, isso é certeza.

A porta com textura de madeira da 32A estava tão enfaticamente fechada quanto as outras, mas as vozes abafadas estavam atrás desta aqui. A Reunião segundo o livro começava às 1730, e eram só coisa de 1720, e Hal achou que as vozes podiam ser sinal de alguma espécie de orientação pré-Reunião para as pessoas que estavam vindo pela primeira vez, meio sem convicção, só pra dar uma sondada no barato, então não bateu.

Ele ainda tem o hábito incurável de fazer um gesto como de quem ajeita uma gravata-borboleta antes de entrar num cômodo estranho.

E a não ser pelas capinhas finas de borracha, as maçanetas do Sistemas de Recuperação Quabbin são as mesmas da ATE — barras chatas de latão ancoradas no mecanismo da tranca, de modo que você tem que abaixar a barra em vez de girar alguma coisa para abrir a porta.

Mas a Reunião já estava em curso, aparentemente. Aquilo não era nem perto de ser grande o suficiente para criar um clima de anonimato ou de espectação casual. Nove ou dez homens adultos classe média estão na sala quente em cadeiras de plástico alaranjadas com pernas de tubos de aço moldado.Todos têm barba, todos usam calça esporte e suéter, e todos estão sentados igual, naquele estilo indígena de pernas cruzadas com as mãos nos joelhos, os pés embaixo dos joelhos, e todos de meia, sem nenhum calçado ou casaco de inverno à vista. Hal fecha a porta com cuidado e meio que se esgueira pela parede até uma cadeira vazia, brandindo conspicuamente o livreto de Reuniões o tempo todo. As cadeiras estão dispostas sem nenhuma ordem discernível, e o laranja destoa horrivelmente das cores da própria sala, paredes e teto cor de molho rosê — um esquema cromático com associações indetermináveis mas desconfortáveis para Hal — e mais ainda do carpete de Dacronyl pele-de-leão. O ar quente na 32A está carregado de CO_2 e desagradavelmente aromatizado pelo odor de corpos moles masculinos de meia-idade sem calçado, um cheiro rançoso, carnudo e caseínico, mais nauseante até que o do vestiário da ATE depois de uma fiesta Tex-Mex da sra. Clarke.

O único sujeito na Reunião que dá sinal de ter percebido a entrada de Hal está na frente da sala, um cara que Hal teria que chamar de quase morbidamente rotundo, com um corpo de dimensões quase Leith-anas e globularmente redondo e o menor mas ainda grande globo da cabeça por cima, meias xadrez e pernas não cruzáveis até o fim de modo que parece que ele pode desmoronar desastrosamente para trás a qualquer minuto, sorrindo calidamente para o casaco de inverno e o copo da NASA enquanto Hal se esgueira, senta e afunda na cadeira. A cadeira do redondo está posicionada sob um pequeno quadro-branco, todas as outras cadeiras estão aproximadamente voltadas para ele, e o homem segura um marcador numa mão e o que parece bastante ser um ursinho de pelúcia contra o peito na outra, está usando calça esporte e um suéter norueguês de tricô trançado cor de torrada. Seu cabelo é daquele tipo de louro meio lívido e ele tem sobrancelhas louras, cílios louros medonhos, o rosto violentamente corado do verdadeiro sangue norueguês, e a barbinha dele conta com um bigode imperial e um cavanhaque encerados tão pontudos que parecem uma estrela mutilada. O louro morbidamente rotundo é bem nitidamente o líder da Reunião, possivelmente um empregado de alto coturno dos Narcóticos Anônimos, a quem Hal poderia abordar informalmente sobre textos e manuais que pudesse comprar e estudar posteriormente.

Outro cara de meia-idade perto da frente da sala está chorando e também segura o que parece ser um ursinho.

As sobrancelhas do louro saltitam para cima e para baixo enquanto o líder diz "Eu gostaria de sugerir que nós homens aqui presentes prendêssemos bem a respiração e deixássemos o nosso Bebê Interior acriticamente ouvir o Bebê Interior do Kevin manifestar sua dor e sua perda".

Eles estão todos em ângulos sutilmente diferentes em relação a Hal, que está largado lá perto da parede na penúltima fila, mas acontece que depois de umas esticadas sutis de pescoço, pode crer, todos esses caras de classe média e de pelo menos trinta e poucos anos estão ali sentados e apertando seus ursinhos de pelúcia contra seus peitos de suéter — e ursinhos idênticos, gordinhos, marrons, de membros abertos e com uma linguinha vermelha de veludo que protubera da boca, de modo que todos os ursinhos parecem bisonhamente esgoelados. A sala agora está ameaçadoramente quieta a não ser pela sibilância das aberturas de ventilação e pelo soluçante Kevin, e pelo plip da saliva de Hal batendo no fundo do copo vazio um pouquinho mais alto do que ele desejaria.

A nuca do cara que está chorando vai ficando cada vez mais vermelha enquanto ele se agarra ao ursinho e balança para a frente e para trás.

Hal está sentado de pernas cruzadas tipo tornozelo-bom-em-cima-do-joelho e balança o tênis branco de cano alto, olha para o polegar calejado e ouve o tal Kevin soluçar e fungar. O sujeito enxuga o nariz com a base da mão exatamente como os Amiguinhos menores da ATE. Hal imagina que as lágrimas e os ursos têm alguma coisa a ver com o abandono das drogas e que a Reunião está provavelmente à beira de chegar a falar explicitamente das drogas e de como largar as drogas por um certo período de tempo sem se sentir indescritivelmente desconsolado e desolado, ou de repente pelo menos uns dados sobre quanto tempo você pode esperar que o desconsolo de abandonar as drogas continue antes do bom e velho sistema nervoso e as glândulas salivares voltarem ao normal. Muito embora *Bebê Interior* soe desagradavelmente próximo da temida *Criança Interior* da dra. Dolores Rusk, Hal apostava que aqui o termo é algum tipo de cifra dos Narcóticos Anônimos para algo tipo "componente límbico do SNC" ou "a parte do nosso córtex que não está totalmente desconsolada e desolada sem as drogas que até aqui fizeram a gente encarar de novo cada dia, secretamente" ou alguma coisa afirmativa e encorajadora dessas. Hal se determina a continuar objetivo e a não formar opiniões antes de contar com dados sólidos, torcendo desesperadamente para que algum tipo de sensação de esperança emerja.

O líder biglobular fez uma jaula com as mãos, repousou as mãos na cabeça do ursinho e está respirando lenta e regularmente, olhando para Kevin com candura por sob as sobrancelhas louras, parecendo acima de tudo algum tipo de Buda-enquanto- -surfista-da-Califórnia. O líder inala delicadamente e diz: "As energias que eu estou sentindo no grupo são energias de amor incondicional e de aceitação do Bebê Interior do Kevin". Ninguém mais abre a boca, e o líder não parece precisar que alguém mais abra a boca. Ele olha para a jaula que suas mãos fizeram em cima do ursinho e fica sutilmente mudando o formato da jaula. O tal Kevin, cuja nuca agora está não apenas vermelho-beterraba mas brilhante por causa de um suor constrangido entre o colarinho da camisa e a base do cabelo, soluça ainda mais pesado diante da afirmação de amor e apoio. A voz alta e rouca do rotundo líder tinha a mesma qualidade cinza e bondosamente didática da de Rusk, como que sempre falando com uma criança lá não muito inteligente.

Depois de mais umas jaulices e respirações profundas o líder levanta os olhos, concorda com a cabeça silenciosamente com coisa alguma e diz "De repente todos nós podíamos dar um nome aos nossos sentimentos neste exato momento pelo Kevin e compartilhar o quanto nós pensamos nele e no Bebê Interior dele neste momento, na dor dele".

Diversos caras barbados e de pernas cruzadas se manifestam: "Eu te amo, Kevin".

"Eu não estou julgando você, Kevin."

"Sei exatamente como você e o BI estão se sentindo."

"Eu estou me sentindo bem próximo de você."

"Eu estou sentindo muito amor por você neste momento, Kevin."

"Você está chorando por dois, meu."

"Kevin Kevin Kevin Kevin Kevin."

"Eu não estou achando que o teu choro tem um grama de alguma coisa menos viril ou patética, rapaz." É nesse momento que Hal começa de fato a perder sua objetividade determinada e sua tolerância e a começar a ficar com um pressentimento pessoal meio ruim sobre essa Reunião dos Narcóticos Anônimos ("NA"), que já parece bem encaminhadinha e não se parece nem um pouco com o que ele imaginou que nem uma Reunião antidrogas minimamente esperançosa fosse ser. Parece mais tipo uma espécie de encontro assim de psicologia-cosmética. Nem uma Substância ou sintoma de Privação-de-Substâncias foram mencionados até aqui. E nenhum desses sujeitos tem muita cara de quem já se envolveu com alguma coisa mais substancial que um cooler de vez em quando, se ele tivesse que chutar.

O humor pesado de Hal piora quando o rotundão se inclina perigosamente para a frente e abre uma espécie de caixa de brinquedos sob o quadro-negro junto à sua cadeira e tira um scanner-laser de CD portátil de plástico bem baratinho que coloca em cima da caixa de brinquedo, de onde ele começa a emitir uma espécie de música ambiente baixa e gosmenta tipo shopping center, quase só cello, com esporádicas harpas e carrilhões. O negócio se espalha pela salinha quente que nem manteiga derretida, e Hal se afunda mais na cadeira alaranjada e encara fixamente o emblema de espaço-e-espaçonave do copo da NASA.

"Kevin?", o líder diz sobrepondo-se à música. "Kevin?" A mão do cara soluçante está largada em cima do rosto como uma aranha, e ele só começa a erguer os olhos quando o líder já disse várias vezes muito neutra e muito candidamente "Kevin, você acha que está pronto para olhar para o grupo?".

O pescoço vermelho de Kevin se enruga quando ele ergue os olhos para o líder louro por entre os dedos.

O líder fez a jaula de novo em cima da cabeça esmagada do coitado do ursinho. "Você consegue dividir com a gente o que está sentindo, Kevin?", ele diz. "Consegue dar um nome a isso?"

A voz de Kevin está abafada pela mão atrás da qual ele se esconde. "Eu estou sentindo os problemas de abandono e profundas privações do meu Bebê Interior, Harv", ele diz, puxando fôlegos trêmulos. Os ombros bordôs do seu suéter se sacodem. "Eu estou sentindo o meu Bebê Interior de pé agarrado nas barras do berço e olhando pelo meio das barras... das barras do berço e chorando pedindo pra Mamãe e o Papai virem pra ele ganhar um abraço e um pouco de carinho." Kevin soluça duas vezes de um jeito apneico. Um braço está segurando tão forte o ursinho que ele tem no colo que Hal acha que está vendo um pouco do recheio começar a sair pela boca do bicho em volta da língua, e uma estalactite daquele muco claro e fininho tipo de choro está pendurada no nariz de Kevin a apenas uns mm da cabeça do urso esganado. "E ninguém está *vindo!*", ele soluça. "Ninguém está vindo. Eu estou me sentindo sozinho com o meu ursinho, o meu móbile de aviãozinho e o meu mordedor de borracha."

Todo mundo está assentindo com a cabeça de um jeito afirmativo e sofrido. Não há duas barbas que tenham o mesmo volume e o mesmo padrão. Mais alguns soluços irrompem na sala. Os ursinhos de todo mundo olham para a frente com expressão vazia.

O líder concorda com a cabeça, lenta e meditativamente. "E você consegue dividir as tuas necessidades com o grupo nesse momento, Kevin?"

"Por favor divida, Kevin", diz um cara magro perto de um arquivo preto que está sentado como quem é veterano nisso de sentar tipo índio em cadeiras plásticas duras.

A música ainda prossegue, seguindo rumo a absolutamente nada, como Philip Glass depois de um Mandrix.

"O nosso trabalho aqui", o líder diz sobrepondo-se à música, com uma das mãos pressionada pensativamente contra a lateral do rosto enorme, "é trabalhar a nossa passividade disfuncional e a nossa tendência a ficar quietos esperando que as necessidades do nosso Bebê Interior sejam magicamente atendidas. A energia que eu estou sentindo no grupo agora é que o grupo está apoiando o Kevin e pedindo para ele dar carinho ao seu Bebê Interior listando suas necessidades e dividindo essas necessidades em voz alta com o grupo. E eu estou sentindo o quanto todo mundo aqui está ciente de como esse ato de dar nome às necessidades em voz alta deve parecer arriscado e vulnerável pro Kevin nesse momento."

Todo mundo está com uma puta cara séria. Alguns caras estão esfregando de uma maneira prenhe de sentidos a barriga dos ursinhos. A única coisa realmente infantil que Hal consegue sentir dentro de si é o gorgolejo inguinal de dois muffins integrais bem pesados engolidos em alta velocidade s/ líquidos. O fio de muco do nariz de Kevin treme e balança. O cara mais magro que tinha pedido para Kevin dividir por favor agora está sacudindo os braços do seu ursinho de pelúcia de maneira infantil. Hal sente uma onda de náusea encher sua boca de saliva fresca.

"Nós estamos pedindo para você dar um nome ao que o teu Bebê Interior quer nesse exato momento mais do que tudo no mundo", o líder está dizendo para Kevin.

"*Ser amado e abraçado!*", Kevin urra, soluçando ainda mais. O lacrimuco dele agora é uma exígua linha prateada ligando seu nariz ao topo felpudo da cabeça do ursinho. A cada segundo que passa Hal acha mais medonha a expressão do ursinho. Hal fica pensando qual é a etiqueta no NA para o caso de você levantar e sair bem no meio da revelação infantil das necessidades de alguém. Nesse meio-tempo Kevin diz que o Bebê Interior dele lá dentro sempre esperou que um dia a Mamãe e o Papai fossem cuidar dele, dar um abraço, dar amor. Ele diz que mas desde o começo eles nunca cuidaram de verdade dele, deixando ele e o irmão com umas babás hispânicas enquanto eles se dedicavam aos seus empregos e a vários tipos de psicoterapia e grupos de apoio. Ele leva um tempo para conseguir dizer isso, com toda a devastação de fungadas e espasmos. Aí Kevin diz que mas aí quando ele tinha oito anos eles não estavam mais lá, estrunchados por um helicóptero de trânsito em pane e queda de uma rádio na Jamaica Way quando estavam indo para a Terapia de Casais.

Com isso a cabeça afundada de Hal dá um salto e sua boca fica ovalada de horror. Ele subitamente percebeu que aquele cara que está sentado num ângulo tal que Hal conseguia ver apenas a porção mais oblíqua do seu perfil é na verdade Kevin Bain, irmão mais velho de Marlon Bain, antigo parceiro de duplas e camarada de travessuras químicas do seu irmão Orin na ATE, Kevin Bain, de Dedham, MA, que na última vez que Hal tinha ouvido alguma coisa tinha conseguido um MBA em Wharton e se dado bem com uma rede de jogos de Realidade Simulada espalhada por toda a South Shore, lá durante a mania de Realidade Simulada do Tempo-pré-Subsidiado, antes dos monitores da InterLace e os cartuchos digitais permitirem que você criasse sua própria Simulação em casa, e da novidade passar.[335] O Kevin Bain cujo hobby de infância era memorizar as planilhas de depreciação de capital do Imposto de Renda, cuja ideia adulta de botar pra quebrar[336] era pôr um marshmallow extra no seu chocolate quente da noite e que não ia reconhecer nem a droga mais inocente mesmo que ela fosse lá meter o dedo no olho dele. Hal começa a procurar saídas possíveis. A única porta era aquela por onde ele tinha entrado, que estava bem à vista de quase toda a sala. Não há janela nenhuma.

Hal estremece diante de múltiplas percepções. Isso aqui não é uma Reunião do NA ou anti-Substâncias. Isso aqui é uma daquelas Reuniões tipo problemas-masculinos e do Movimento-Masculinista que o padrasto do K. D. Coyle frequentava e que o Coyle gostava de imitar e parodiar nos treinos, fazendo o cabo da raquete aparecer entre as pernas e berrando "Vem dar um carinho nisso aqui! Honre entrar em contato com isso aqui!".

Kevin Bain está enxugando o nariz com a cabeça do coitado do ursinho e dizendo que não parecia que o seu Bebê Interior um dia fosse ter seu desejo atendido. O cello da música gosmenta soa como uma espécie de vaca mugindo de sofrimento, de repente causado pelo que ela está tendo que ver aqui.

Pode crer que agora o rotundo, cuja mão deixou uma marca na sua bochecha macia, pede pro coitado do Kevin Bain honrar e dar nome ao desejo ferido do seu BI mesmo assim, para ele dizer "Por favor, Mamãe e Papai, venham me abraçar e me amar" em voz alta, várias vezes, o que Kevin Bain vai lá e faz de uma vez, balançando um pouquinho na cadeira, com a voz agora com um tom do bom e velho constran-

821

gimento envergonhado adulto, junto com os soluços violentos. Alguns homens na sala estão enxugando seus olhos bem branquinhos e desdrogados com os braços dos ursinhos. Hal é dolorosamente lembrado dos raros saquinhos herméticos de marijuana hidropônica de Humboldt County que Pemulis de vez em quando descolava via FedEx com sua contraparte mercantil na Academia Rolling Hills, com uns brotinhos curvos e avermelhados tão grandes e cheios de resina de altos teores de Delta-9 que os saquinhos pareciam cheios de braços de ursinhos de pelúcia. Os sons úmidos atrás dele no fim são um cara mais velho e de cara mansa comendo iogurte num copinho plástico. Hal fica reverificando os dados da Reunião do livretinho das ORRMB que a meninha tinha lhe dado. Ele percebe que o livreto tem largas impressões digitais de chocolate em várias páginas e que duas páginas estão firmemente coladas uma à outra com o que Hal teme ser uma antiga catota seca, e agora que a capa do livreto está datada de janeiro do Ano dos Laticínios do Coração da América, i. e. quase dois anos atrás, e que não é impossível que a menina desdentada vagamente hostil d'A Ennet tenha mandado um buzunho ao lhe dar um guia de ORRMB datado e inútil.

Kevin Bain fica repetindo "Por favor, Mamãe e Papai, venham me amar e me abraçar" numa espécie de cantilena de páthos. O ceceio cada vez maior de *abraçar* é aparentemente uma invocação performativa do nosso amigo Bebê Interior. Lágrimas e outros fluidos fluem e rolam. Os olhos do rotundo e cálido líder Harv são de um azul vidrado e aquoso. O cello do scanner de CD está agora numa espécie de momento pizzicato meio jazzístico que parece estulto comparado com o humor predominante na sala. Hal fica captando sopros de um cheiro quente e civetino meio doce-enjoativo que significa que alguém por ali tem certas questões de pé-de-atleta para confrontar, sob as meias. Fora que é atordoante isso da 32A não ter janelas, dada toda a fenestração marrom-fumê que Hal tinha visto lá de fora do cubo do SRQ. A barba do cara que está comendo iogurte é dessas retangulares e pequenas que é a coisa mais fácil manter afastadas da borda do copo. A parte de trás e dos lados do cabelo de Kevin Bain se dividiu em fios arrepiados e empapados de suor, por causa do calor da sala e das emoções do Bebê.

Durante toda a sua bebezice e a sua infância, Hal tinha continuamente sido abraçado, sacudido e ouvido em altos brados que era amado, e ele acha que podia dizer ao Bebê Interior de K. Bain que ser abraçado e ouvir as pessoas dizerem que você era amado não parecia te tornar emocionalmente sólido ou livre de Substâncias. Hal acha que quase inveja um homem que sente que tem algo que explique ele ser todo errado, que pode pôr a culpa nos pais. Nem o Pemulis culpava o seu falecido pai sr. Pemulis, que não soava exatamente como o Fred MacMurray dos pais EU. Tudo bem que o Pemulis não se considerava todo errado ou desprovido de liberdade no que se referia às Substâncias.

O louro e búdico Harv tricotado, sacudindo o ursinho agora no colo, calmamente pergunta a Kevin Bain se o seu Bebê Interior tem a impressão que a Mamãe e o Papai um dia iriam aparecer à beira do berço para atender às suas necessidades.

"Não", Kevin diz bem baixinho. "Não, não tem, Harv."

O líder está inconscientemente dispondo os braços abertos do ursinho em diferentes posições, de modo que parece que o ursinho está ou acenando ou se rendendo. "Você acha que conseguiria pedir a alguma pessoa aqui do grupo hoje que te amasse e te abraçasse então, Kevin?"

A parte de trás da cabeça de Kevin Bain não se mexe. Todo o trato digestivo de Hal tem um espasmo diante da perspectiva de ver dois homens adultos barbados de suéter e meia dedicando-se a um vicário abraço de Bebê Interior. Ele começa a se perguntar por que ele simplesmente não finge um mega-ataque de tosse e desaparece da SRQ-32A com a mão na frente da cara.

Harv agora está sacudindo os braços do ursinho para a frente e para trás e fazendo uma voz aguda e meio de personagem de desenho animado e fingindo que é o ursinho que está perguntando ao ursinho de Kevin Bain se de repente ele queria apontar para o cara do grupo que Kevin Bain mais queria que o abraçasse e lhe desse carinho e amor *in loco parentis*. Hal está cuspindo silenciosamente na lateral interna do copo e meditando desconsoladamente sobre ter viajado cinquenta quilômetros desjantados pra ficar ouvindo um cara globular de meia xadrez fingir que o ursinho de pelúcia dele está falando latim, quando ergue os olhos do copo e estremece ao ver que Kevin Bain foi se sacudindo sentado à la nativo para se virar na cadeira e está segurando o ursinho bem no alto por baixo dos braços, bem como um pai segura uma criancinha para uma ODE ou um desfile, virando o ursinho com cara de esgoelado de um lado para o outro, revistando a sala — enquanto Hal cobre parte do rosto com a mão, fingindo que coça uma sobrancelha, rezando para não ser reconhecido — e finalmente manipulando o braço do ursinho de modo que a mãozinha roliça, marrom, felpuda e desdedada do urso está apontando bem na direção de Hal. Hal se dobra com um espasmo de tosse só semifajuto, percorrendo árvores de protocolos de decisão sobre os vários estratagemas para a fuga.

Exatamente como o seu irmão mais jovem Marlon, Kevin Bain é uma pessoa baixa e atarracada com um rosto escuro amorenado. Ele parece meio que tipo um troll extra-amadurecido. E tem a mesma capacidade para uma constante e inacreditável sudorese que sempre fez Marlon Bain parecer, para Hal, tanto em quadra quanto fora dela, um sapo recurvado molhado e não piscante sob uma sombra úmida. Só que os reluzentes olhinhos Bain de Kevin Bain também estão vermelhos e inchados de chorar em público, e ele está ficando careca nas têmporas de um jeito que o deixa com um topetinho que é de matar, e não parece reconhecer um pós-púbere Hal, e está apontando a mão grossa do ursinho Hal percebe finalmente depois de quase engolir o naco de tabaco não para Hal mas para o cara mais velho de cara mansa e barba quadrada atrás dele, que está segurando uma colher de um iogurte vividamente róseo na frente da boca aberta do seu ursinho, mal tocando-lhe o veludo carmim da língua que se projeta, fingindo que está alimentando o ursinho. Hal muito como quem não quer nada põe o copo da NASA entre as pernas, coloca as duas mãos sob o assento da cadeira e dá saltitos com a cadeira bem aos poucos para longe das linhas de visão e de trânsito entre Kevin Bain e o cara do iougurte. Harv, lá na frente, está fazendo um complexo sinal de mão para o cara do iogurte não falar nem se mexer da sua cadeira alaranjada da última fila aconteça o que acontecer; e aí, enquanto Kevin Bain rodopia de novo de pernas cruzadas para olhar para a frente mais uma vez, Harv inconsutilmente transforma o sinal de mão num movimento de quem ajeita o cabelo. O movimento se torna sincero e ruminativo enquanto o líder respira fundo algumas vezes. A música se reacomodou na sua pesada narcose original.

"Kevin", Harv diz, "como isso aqui é um exercício coletivo sobre passividade e necessidades do Bebê Interior, e como você escolheu o Jim como o membro do grupo de quem você precisa de alguma coisa, a gente precisa que você peça em voz alta que o Jim atenda às tuas necessidades. Peça pra ele vir aqui te abraçar e te amar, já que os teus pais nunca vão chegar. Nunca, Kevin."

Kevin Bain solta um som mortificado e regruda uma mão na carantonha morena.

"Vai nessa, Kev", alguém lá perto do pôster de Bly grita.

"A gente te afirma e te apoia", diz o cara perto do arquivo.

Hal agora começa a rodar uma lista alfabética de lugares distantes em que preferia estar nesse momento. Ele ainda nem chegou a Adis Abeba quando Kevin Bain aquiesce e começa muito baixo e hesitantemente a pedir à cara mansa de Jim, que largou o iogurte mas não o ursinho, que ele por favor vá até ele e o ame e abrace. Quando Hal já está se imaginando caindo pelas quedas de American Falls na borda sudoeste do Recôncavo dentro de um tambor enferrujado de transporte de resíduos tóxicos, Kevin Bain já pediu a Jim onze progressivamente mais sonoras vezes que venha lhe dar carinho e amor, sem resultado. O cara mais velho simplesmente fica ali sentado, agarrado ao ursinho com língua de iogurte, com uma expressão em algum ponto entre mansa e vazia.

Hal nunca viu choro aos jatos na vida. As lágrimas de Bain realmente estão deixando os olhos dele e se projetando a diversos cm de distância antes de começar a cair. A expressão facial dele é a expressão esmagada e arrasada de uma criancinha em total angústia, com os tendões do pescoço saltados e um rosto que vai se ensombrecendo de modo que parece uma espécie de luva imensa de beisebol. Uma capa brilhante de muco pende do seu lábio superior, e o lábio inferior parece estar tendo algum tipo de convulsão epilética. Hal acha meio fascinante a expressão de chilique num rosto adulto. A certa altura a dor histérica se torna facialmente indistinguível da histérica alegria, parece. Hal se imagina observando Bain chorar numa praia escura, ele sentadinho de binóculos na varanda de um fresco e sombreado quarto de hotel em Aruba.

"Ele não *vem*!", Kevin Bain finalmente urra para o líder.

Harv, o líder, faz um sinal com a cabeça, coçando uma sobrancelha, e confirma que parece ser esse o caso mesmo. Ele finge cofiar o cavanhaque intrigado e pergunta retoricamente qual seria o problema, por que o meigo Jim não está indo automaticamente quando chamado.

Kevin Bain está praticamente vivisseccionando o coitado do ursinho de tanta frustração mortificada. Ele parece estar bem metido na sua persona de Bebê agora, e Hal sinceramente espera que esses caras tenham recursos para fazer o Bain voltar pelo menos aos dezesseis antes dele tentar ir de carro para casa. Num dado momento surgiram tímpanos na música do CD, e uma corneta meio insolente, e a música finalmente começou a andar um pouco, na direção do que ou é um clímax ou o fim do disco.

A essa altura vários homens do grupo já começaram a gritar para Kevin Bain que o seu Bebê Interior não estava tendo as suas necessidades atendidas, que ficar ali sentado passivamente pedindo que o carinho levantasse e fosse até ele não ia atender às necessidades, que Kevin devia ao seu Bebê Interior a tentativa de encontrar alguma maneira ativa de atender as necessidades do Bebê. Alguém gritou "Honre esse Bebê!". Outro alguém gritou "Atenda essas necessidades!". Hal está mentalmente passeando pela Ápia sob a clara luz de um euro-sol, comendo um canoli, girando as raquetes Dunlop pela abertura da armação como se fossem revólveres de caubói, curtindo o sol, o silêncio craniano e um fluxo salivar normal.

Logo-logo as exortações de apoio dos caras se destilaram num coro de todos menos Harv, Jim e Hal, entoando "Atenda! Atenda!" com o mesmo metro de multidão masculina exortativa usado para "Segura!" ou "Vitória!".

Kevin Bain enxuga o nariz na manga e pergunta ao rotundíssimo líder Harv o que é que ele pode fazer para conseguir atender as necessidades do seu Bebê se a pessoa que ele escolheu para atender essas necessidades não vem.

O líder enlaçou as mãos sobre a barriga e se recostou na cadeira, a essa altura sorrindo, de pernas cruzadas, de bico fechado. A barba dele repousa sobre a projeção da barriga com as perninhas grossas saindo em linha reta, do jeito que você veria um ursinho sentado numa prateleira. Parece para Hal que o O_2 da 32A agora está sendo consumido num ritmo atroz. Nem de longe parecido com o das frescas brisas com cheiro de ovelha da Ilha de Ascensão no Atlântico Sul. Os homens da sala ainda estão entoando "Atenda!".

"O que você está dizendo é que eu tenho que ir ativamente até o Jim e pedir pra ele me abraçar", diz Kevin Bain, esfregando os olhos com os nós dos dedos.

O líder sorri meigo.

"Em vez de você está dizendo eu ficar passivamente tentando fazer o Jim vir até mim", diz Kevin Bain, cujas lágrimas em grande medida pararam, e cujo suor ganhou o brilho grudento do vero suor-de-medo.

Harv revela ser uma dessas pessoas que conseguem alçar uma sobrancelha e a outra não. "Ia precisar muita coragem, muito amor e muita devoção ao teu Bebê Interior você correr o risco e ir ativamente até alguém que pode te dar o que o teu Bebê Interior quer", ele disse baixinho. O CD player em algum momento passou para uma versão instrumental só de cello de "I Don't Know (How to Love Him)", de uma ópera antiga que o Lyle às vezes emprestava os players dos outros para ouvir a noite inteira na sala de musculação. Lyle e Marlon Bain tinham sido particularmente próximos, Hal lembra.

O trímetro do cântico masculino se reduziu a uma sílaba em volume baixo "Já, Já, Já, Já, Já" enquanto Kevin Bain lenta e hesitantemente descruza as pernas e

825

levanta da cadeira alaranjada, virando-se para Hal e o cara imóvel atrás dele, o tal do Jim. Bain começa a se mover lentamente na direção deles com os passos torturados de um mímico mimicando uma pessoa que anda contra uma ventania tornádica. Hal está se imaginando num preguiçoso nado de costas nos Açores, cuspindo água vítrea pela boca num penacho citológico. Ele está se inclinando quase a ponto de sair da cadeira, o mais longe possível da linha de trânsito de Kevin Bain, examinando a suspensão marrom no fundo do copo. A sua oração que pede que não seja reconhecido por um regressivo Kevin Bain é a primeira oração realmente desesperada e sincera que Hal lembra de oferecer desde que parou de usar pijamas com pezinhos.

"Kevin?", Harv fala com suavidade lá na frente da sala. "É você que está se movendo ativamente na direção de Jim, ou será que devia ser o Bebê dentro de você, aquele que tem as necessidades?"

"Já, Já, Já", os barbados entoam, alguns erguendo ritmicamente os punhos de unhas bem feitas no ar.

Bain está olhando alternadamente para Harv e Jim, mascando o dedo indeciso.

"É assim que um Bebê se move na direção das suas necessidades, Kevin?", Harv diz.

"Vai nessa, Kevin!", grita um cara com uma barba cerrada.

"*Libera* esse Bebê!"

"Deixa o teu Bebê andar, Kev."

Então a lembrança mais nítida que Hal tem da Reunião não anti-Substâncias a cinquenta hipersalivados quilômetros de distância aonde foi por engano vai ser a do irmão mais velho do parceiro de duplas do seu irmão mais velho de quatro sobre o carpete de Dacronyl, com certa dificuldade porque um braço segurava o ursinho contra o peito, de modo que ele meio que subia e descia enquanto engatinhava de três na direção de Hal e do atendedor-de-necessidades atrás dele, com os joelhos de Bain deixando gêmeos rastros pálidos no carpete e sua cabeça sobre um pescoço balouçante e olhando para cima sem ver Hal, com um rosto indescritível.

O teto estava respirando. Inflava e retrocedia. Aumentava e assentava. O quarto era na Ala de Trauma do Hospital St. Elizabeth. Toda vez que ele olhava, o teto inflava e aí murchava, brilhante como um pulmão. Quando Don era uma criancinha imensa a mãe dele tinha posto eles dois numa casinha de praia logo atrás das dunas perto de uma praia pública em Beverly. Ali era barato porque tinha um grande buraco detonado no teto. Origem do buraco incerta. O berço gigante de Gately ficava na salinha de estar da casa de praia, bem embaixo do buraco. O cara que era dono dos chalezinhos atrás das dunas tinha grampeado um poliuretano transparente bem grosso no teto da sala. Era uma tentativa de lidar com o buraco. O poliuretano inflava e se assentava sob o vento da North Shore e parecia tipo um vacúolo monstruoso inalando e exalando direto em cima do pequeno Gately, ali deitado, de olhos esbugalhados. O vacúolo respirante de poliuretano pareceu desenvolver um caráter e uma personalidade à medida que o inverno se aprofundava e os ventos pioravam. Gately, tipo quatro anos de idade, considerava o vacúolo um ser vivo, e lhe deu o nome de Herman, e tinha medo dele. Ele não estava sentindo o lado direito do tronco. Ele não conseguia se mexer em qualquer sentido real da palavra. O quarto de hotel tinha aquele quê de enevoado que têm os quartos das febres. Gately estava de costas. Figuras fantásmicas se materializavam na periferia da sua visão, ficavam paradas e aí se desmaterializavam. O teto inflava e retrocedia. Só a respiração de Gately já machucava sua garganta. A garganta dele parecia como que estuprada. A figura borrada na cama ao lado mantinha-se bem imóvel na cama numa posição sentada e parecia ter uma caixa na cabeça. Gately ficava tendo um terrível sonho repetitivo e etnocêntrico de que estava assaltando a casa de um oriental, amarrou o cara numa cadeira e estava tentando colocar uma venda nele com um barbante postal de qualidade tirado da gaveta sob o telefone da cozinha do oriental. O oriental ficava sempre conseguindo enxergar pelas frestas do barbante e ficava olhando firme para Gately e piscando de maneira inescrutável. Fora que o oriental não tinha nariz nem boca, só um pedaço liso de pele facial inferior, usava um roupão de seda, uns chinelos de dar medo e não tinha pelo nas pernas.

O que Gately registrava como ciclos de luz e eventos totalmente fora da sequência normal era na verdade Gately ganhando e perdendo consciência. Gately não registrava isso. Parecia mais que ele ficava subindo para respirar e aí sendo empurrado de novo para baixo da superfície ou alguma coisa assim. Uma vez quando Gately subiu para respirar ele descobriu que o residente Míni Ewell estava sentado numa cadeira bem grudadinha na cama. A mãozinha minúscula do Míni estava na cerquinha tipo de berço da cama, e o queixo dele descansava na mão, de modo que a cara dele estava logo ali. O teto inflava e retrocedia. A única luz do quarto vazava do corredor noturno. Enfermeiras passavam deslizantes pelo corredor do outro lado da porta com seus sapatos subsônicos. Uma figura fantásmica alta e corcunda apareceu à esquerda de Gately, para lá da cama do menino borrado, sentado com a sua cabeça quadrada, corcunda e trêmula, parecendo repousar o cóccix na soleira da janela escura. O teto desceu se arredondando e aí se assentou de novo plano. Gately revirou os olhos para Ewell. Ewell tinha raspado seu curto cavanhaque branco. O cabelo dele era tão completamente limpo e branco que ficava com um tênue tom róseo por causa do rosa do couro cabeludo por baixo. Ewell estava discursando para ele havia não se sabe quanto tempo. Era a primeira noite completa de Gately na Ala de Trauma do Hospital St. Elizabeth. Ele não sabia que dia da semana era. O ritmo circadiano dele era o menos importante dos ritmos pessoais que tinham sido bagunçados. O lado direito do seu corpo parecia preso num tipo de cimento quente. E também um latejar horrendo no que ele imaginava fosse um dedo do pé. Ele pensou vagamente em ir ao banheiro, se e quando. Ewell estava bem no meio de dizer alguma coisa. Gately não conseguia saber se Ewell estava sussurrando. Enfermeiras deslizavam pela luz do limiar. Os tênis delas eram tão silenciosos que as enfermeiras pareciam ter rodinhas. Uma sombra impassível de alguém com um chapéu se projetava obliquamente sobre as lajotas do piso do corredor logo na frente do quarto, como se uma figura impassível estivesse sentada bem ao lado da porta, contra a parede, de chapéu.

"A palavra que a minha mulher usa para a alma é *personalidade*. Assim tipo 'Tem alguma coisa incorrigivelmente negra na tua personalidade, Eldred Ewell, e o uísque faz isso vir à tona'."

O piso do corredor era quase com certeza de lajotas brancas, com um brilho nublado de excesso de cera sob a forte fluorescência lá de fora. Um tipo de listra vermelha ou rosa percorria o centro do corredor. Gately não sabia dizer se o Míni Ewell achava que ele estava acordado ou inconsciente ou sei lá o quê.

"Foi no segundo semestre da terceira série quando eu era pequeno que eu me vi em más companhias. Era um grupo de carinhas irlandeses durões, filhos de classe operária, que vinham dos conjuntos habitacionais de East Watertown. Nariz escorrendo, cabelo cortado em casa, punho da camisa puído, gente rápida no soco, louca por esportes, que gostava de jogar hóquei de tênis no asfalto", Ewell disse, "e mesmo assim, estranhamente, eu, incapaz de fazer nem que fosse só uma flexão de braços no Teste de Aptidão Física, logo virei o líder do bando que todo mundo acabou formando. Todos os caras classe operária parecia que me admiravam por uns atributos que não ficavam claros. A gente meio que formou um clube. O nosso uniforme era um boné de lã cinza. A sede do nosso clube era o banco de reservas de um campo de beisebol mirim que ninguém usava mais. O nome do nosso clube era Clube dos Ladrões de Grana. Por sugestão minha a gente adotou um nome descritivo em vez de eufêmico. O nome era meu. Os irlandeses aquiesceram. Eles me consideravam o cérebro da operação. Eu era meio que o chefe ali. Isso se devia em grande medida à minha capacidade retórica. Até o irlandês mais durão e mais violento respeita uma língua melíflua. O nosso clube foi formado com o propósito expresso de montar um golpe do vigário. A gente ia na casa das pessoas depois da escola, tocava a campainha e pedia doações para o Hóquei Juvenil Projeto Esperança. Essa organização não existia. O nosso receptáculo para doações era uma lata de Nozes Cobertas de Chocolate com HÓQUEI JUVENIL PROJETO ESPERANÇA escrito num pedaço de fita crepe presa em volta da lata. O cara que fez o receptáculo tinha escrito *PROJETO* com G na primeira versão. Eu ridicularizei o carinha pelo erro, e o clube inteiro ficou apontando pra ele e rindo. De um jeito cruel." Ewell ficava encarando o tosco quadradinho azul e a cruz enviesada de presidiário nos antebraços de Gately. "As nossas únicas credenciais visíveis eram umas joelheiras e uns tacos que a gente tinha afanado da sala de educação física. Por ordem minha, a gente segurava tudo com cuidado para esconder o nome da escola gravado na lateral de cada taco. Um cara tinha uma máscara de goleiro por baixo do boné de lã, o resto ficava de joelheira e com os tacos cuidadosamente ostentados. As joelheiras ficavam viradas do avesso pela mesma razão. Eu não sabia nem andar de patins, e a minha mãe absolutamente proibia essas brincadeiras no asfalto. Eu usava gravata e penteava o cabelo cuidadosamente depois de cada pedido. Eu era o porta-voz. O megafone, os caras malvados diziam. Eles eram todos católicos irlandeses. Watertown de leste a oeste é católica, armênia e misturada. Os meninos de Eastside só faltavam mandar umas genuflexões pros meus dotes de enrolação. Eu era excepcionalmente liso com os adultos. Eu tocava campainhas e os caras se perfilavam atrás de mim na varanda. Eu falava dos jovens com necessidades, do espírito de equipe, do ar fresco, do significado da competição e de alternativas às más companhias das ruas depois do horário da escola. Falava de mães com cintas elásticas, irmãos mais velhos com ferimentos de guerra e complexas próteses torcendo por carinhas com necessidades que iam até a vitória contra times bem mais equipados. Eu descobri que tinha um dom para aquilo, o lado emocional da retórica adulta. Foi a primeira vez que eu senti o poder pessoal. Eu não ensaiava, improvisava e seguia em frente. Proprietários de imóveis linhas duras que vinham atender a porta com camisetinhas sem manga, segurando uma lata de cerveja, com a barba por fazer e umas expressões de caridade zero muitas vezes estavam chorando quando a gente saía da varanda deles. Eles me diziam que eu era um sujeitinho de primeira, um bom menino e um presente para a minha mãe e o meu pai. Mexiam tanto no meu cabelo que eu tinha que levar um espelho e um pente. A lata de café ficava pesada e difícil de carregar de volta até o banco de reservas, onde a gente a escondia atrás de um apoio de banco feito de um bloco de concreto. A gente tinha chegado a um total de mais de cem dólares na época do Dia das Bruxas. Era dinheiro pacas naquele tempo."

O Míni Ewell e o teto ficavam retrocedendo e aí crescendo, inflando-se redondos. Figuras que Gately nem imaginava quem fossem ficavam aparecendo trêmulas no seu campo de visão em diferentes cantos do quarto. O espaço entre sua cama e a outra cama parecia se distender e aí se contrair com um movimento lento meio de poinc. Os olhos de Gately ficavam se revirando na cabeça, seu lábio superior embigodado de suor. "E eu estava adorando aquela fraude, a descoberta do dom", Ewell dizia. "Eu estava entupido de adrenalina. Eu tinha sentido o gosto do poder, da manipulação verbal dos corações humanos. Os caras me chamavam de loroteiro-mestre. Logo a fraude de primeira ordem já não bastava. Eu comecei a sumir em segredo com umas notas da lata do clube. Desvio de verbas. Eu convenci os caras que era arriscado demais deixar a lata no banco de reservas a céu aberto e fiquei pessoalmente encarregado de cuidar da lata. Eu deixava a lata no meu quarto e convenci minha mãe de que ela continha presentes para o Natal e que em circunstância alguma alguém podia mexer ali. Pros meus vassalos do clube eu disse que estava acumulando as moedas e depositando numa conta-poupança de alta rentabilidade que eu tinha aberto pra gente em nome de Franklin W. Dixon. Na verdade eu estava comprando Pez e Milky Ways pra mim, revistas *Mad* e um conjunto de forno e moldes de luxo da marca Creeple Peeple com seis cores diferentes de massinha. Isso foi no começo dos anos 70. De início eu fui discreto. Grandioso mas discreto. De início os desvios eram controlados. Mas o poder tinha despertado alguma coisa negra na minha personalidade, e a adrenalina ia dando gás. Obstinação alucinada. Logo a lata de café do clube estava vazia no fim de cada semana. A carga de cada semana ia pra algum surto descontrolado de consumo pueril no sábado. Eu forjei elaborados extratos bancários pra mostrar pro clube no banco de reservas. Fiquei mais loquaz e mais imperioso com eles. Nenhum dos caras pensou em me questionar ou em questionar o pincel atômico roxo com que os extratos vinham escritos. Eu não estava lidando com gigantes intelectuais aqui, eu sabia. Eles eram só malícia e músculos, a fina flor da ralé da escola. E eu mandava geral. Vassalos. Eles confiavam totalmente em mim, e no talento retórico. Pensando bem eles provavelmente não conseguiam nem imaginar que um aluno sensato da terceira série, de oclinhos e gravata, ia tentar passar a perna neles, dadas as consequências inevitavelmente violentas. Um aluninho *sensato* de terceira série. Mas eu não era mais um aluninho sensato de terceira série. Eu vivia só pra alimentar aquela coisa negra da minha personalidade, que me dizia que toda e qualquer consequência poderia ser evitada pelo meu dom e pela minha aura pessoal grandiosa.

"Mas aí claro que um dia o Natal algures surgiu." Gately tenta parar Ewell e dizer "algures?" e descobre para seu horror que não consegue emitir som algum. "Os caras parrudos e más-companhias do Eastside católico agora queriam se servir da inexistente conta Franklin W. Dixon deles pra comprar cintas elásticas e camisetinhas sem manga pras suas tisnadas famílias classe operária. Eu fui lidando com aquilo o quanto pude com uma parolagem pernóstica sobre taxas administrativas e anos fiscais. Mas o Natal dos católicos irlandeses não é pouca coisa, e pela primeira vez as carinhas tisnadas deles começaram a se fechar pra mim. As coisas na escola foram ficando cada vez mais tensas. Um dia, o cara mais parrudo e mais tisnado de todos se apossou da lata num violento golpe de Estado. Foi um revés de que a minha autoridade jamais se recuperou. Comecei a sentir um medo torturante: o meu estado de negação desmoronou: eu percebi que aos poucos eu tinha desviado muito mais do que um dia eu ia poder compensar. Em casa, comecei a mencionar os méritos dos currículos das escolas particulares à mesa do jantar. As entradas semanais da lata sofreram um grande baque quando os gastos do período das festas foram drenando os trocados e as paciências dos proprietários de imóveis. Essa baixa no mercado da caridade alguns dos caras mais tisnados atribuíram às minhas deficiências. O clube todo começou a resmungar no banco de reservas. Eu comecei a aprender que é possível você suar forte mesmo num banco de reservas a céu aberto sob um frio intenso. Aí, no primeiro dia do Advento, o cara que agora tomava conta da lata mostrou umas cifras infantiloides e anunciou que o clube todo queria a sua parte do butim enriquecido pela conta Dixon. Eu ganhei tempo com vagas alusões a co-assinaturas e uma caderneta que eu não estava achando. Cheguei em casa com os dentes batendo e os lábios lívidos e minha mãe me forçou a tomar óleo de peixe. Eu estava sendo consumido por medo pueril. Eu me sentia pequeno, fraco, mau e consumido pelo pavor da revelação dos meus desvios. Sem falar das consequências violentas. Eu aleguei que estava sentindo um desconforto intestinal e não fui à aula. O telefone começou a tocar no meio da noite. Eu ouvia meu pai dizendo 'Alô? *Alô?*'. Eu não dormia. A parte negra da minha personalidade tinha criado asas de couro e um bico e se virado contra mim. Ainda faltavam vários dias para as férias de Natal.

Eu ficava na cama em pânico durante as horas de aula entre pilhas de revistas *Mad* ilegitimamente adquiridas e bonecos Creeple Peeple e ouvia as solitárias sinetas dos papais-noéis do Exército da Salvação na rua lá fora e pensava em sinônimos para *pavor* e *perdição*. Comecei a conhecer a vergonha, e a conhecer a vergonha como a ajudante de ordens da grandiosidade. A minha doença digestiva não específica foi se prolongando, e os professores mandavam cartões e bilhetinhos preocupados. Em alguns dias a campainha da porta tocava depois do horário das aulas e a minha mãe subia e dizia 'Que *amorzinho*, Eldred', que uns meninos tisnados e de camisas puídas mas visivelmente bondosos com seus bonezinhos de lã cinza estavam na porta perguntando por mim e dizendo que estavam *ansiosamente* esperando me ver de volta na escola. Eu comecei a roer sabonete no banheiro de manhã pra dar motivos convincentes pra ficar em casa. A minha mãe estava assustadíssima com as bolhas que eu vomitava e ameaçou uma consulta com um especialista. Eu me sentia cada vez mais perto de algum abismo em que tudo viria à tona. Queria muito poder me deixar cair nos braços da minha mãe, chorar e confessar tudo. Eu não podia. Por causa da vergonha. Três ou quatro dos casos mais incorrigíveis do Clube dos Ladrões de Grana assumiram postos vespertinos ao lado do presépio no adro da igreja na frente da nossa casa e ficavam encarando petreamente a janela do meu quarto, socando a palma da mão. Comecei a entender como deve se sentir um protestante em Belfast. Mas ainda mais potencialmente pavorosa que as surras dos católicos irlandeses era a possibilidade dos meus pais descobrirem que a minha personalidade tinha uma coisa negra que tinha me levado à grandiosa perversidade e me largarem lá."

Gately não tem ideia do que Ewell acha dele não reagir, se Ewell não está gostando ou nem percebe, ou sei lá o quê. Ele consegue respirar legal, mas alguma coisa na sua garganta estuprada não deixa o treco que tinha que vibrar pra você falar vibrar.

"Por fim, na véspera da minha consulta com o gastroenterologista, quando minha mãe estava lá com o seu espelhinho ginecológico na rua numa festa feminista, eu desci escondido do meu leito de doente e roubei mais de cem dólares de uma caixa de sapato onde estava escrito VERBA MIÚDA REGIONAL 517 IIE no fundo do armário do escritório do meu pai. Eu nunca tinha sonhado em recorrer à caixa de sapato antes. Roubar meus próprios pais. Pra repor fundos que eu tinha roubado de uns meninos bocós com quem eu tinha roubado os fundos de adultos pra quem eu tinha mentido. Meus sentimentos de medo e desprezibilidade só aumentaram. Eu agora me senti realmente doente. Eu vivia e me movia à sombra de algo negro que pairava logo acima da minha cabeça. Eu vomitava sem auxílio de eméticos, agora, mas em segredo, para poder voltar à escola; eu não podia encarar a perspectiva de férias de Natal inteiras pontilhadas por sentinelas tisnadas socando a palma da mão na frente de casa. Converti as cédulas do sindicato do meu pai em trocados, paguei o Clube dos Ladrões de Grana e levei uma surra mesmo assim. Ao que tudo indica, pelos princípios gerais da rafameia. Eu descobri a raiva latente dos seguidores, o destino do líder que perde a estima da patuleia. Tomei uma surra, um puta chá-de-cueca e me penduraram num gancho do vestiário da escola, onde eu fiquei várias horas, inchado e mortificado. E ir para casa era pior; a minha casa não era um refúgio. Pois a minha casa era a cena de um crime de terceira-ordem. Ou roubo ao cubo. Eu não conseguia dormir. Ficava me debatendo. Vieram os terrores noturnos. Eu não conseguia comer, por mais que me deixassem um tempão à mesa depois do jantar. Quanto mais meus pais se preocupavam comigo, maior era a minha vergonha. Eu estava sentindo uma vergonha e uma desprezibilidade pessoal que nenhum aluno de terceira série deveria sentir. As férias não foram animadas. Eu revia mentalmente o outono e não conseguia reconhecer uma pessoa chamada Eldred K. Ewell Jr. Não parecia mais uma questão de insanidade ou das minhas partes negras. Eu tinha roubado dos vizinhos, de gente que morava em cortiços, e da minha família, e comprado doces e brinquedos para mim. Sob qualquer definição possível de *mau*, eu era mau. Resolvi trilhar o caminho da justiça dali por diante. A vergonha e o horror eram terríveis demais: eu tinha que me reconstruir. Decidi que ia fazer o que quer que fosse necessário para me ver como alguém bom, reconstruído. Eu nunca cometi outro delito conscientemente. Todo aquele intervalo vergonhoso do Clube dos Ladrões de Grana foi transportado para um depósito mental e enterrado lá. Don, eu tinha esquecido que isso tinha aconteci- do. Até aquela noite. Don, naquela noite, depois da balbúrdia e da tua demonstração de um relutante *se offendendo*,[337] depois do teu ferimento e de tudo que se seguiu... Don, eu sonhei com todo aquele intervalo louco e reprimido de grandiosa perfídia da terceira série de novo. Vívida e nitidamente. Quando acordei, eu estava de alguma maneira sem cavanhaque e com o cabelo dividido no meio de um jeito que eu não usava tinha quarenta anos. A cama estava empapada, e tinha uma barra do sabonete especial antiacne do McDade com cara de roída na minha mão."

Gately começa lembrar no curto-prazo que lhe ofereceram Demerol-EV para a dor do ferimento de bala imediatamente quando ele deu entrada no PS e que ele recebeu ofertas de Demerol duas vezes, de plantonistas que não se deram ao trabalho de ler O HISTÓRICO DE DEPENDÊNCIA DE NARCÓTICOS PROIBIDOS MEDICS. C-IV + que Gately tinha feito Pat Montesian jurar que ia fazer o pessoal colocar em itálico na ficha dele ou sei lá o quê assim que ele entrasse. A cirurgia de emergência ontem à noite foi paliativa, não extrativa, porque a grande bala da pistola aparentemente tinha se fragmentado ao atingi-lo e passado pelos metros de músculos que cercavam a epífise humoral e o encaixe da escápula de Gately, passando sem atingir o osso mas causando danos consideráveis e variados aos tecidos moles. O traumatologista do PS tinha receitado Toragesic-IM[338] mas tinha avisado que a dor depois que o anestésico geral da cirurgia passasse ia ser diferente de tudo que Gately já tinha imaginado na vida. Quando Gately se deu conta ele estava no primeiro andar num quarto da Ala de Trauma que tremia sob a luz do sol e um dr. diferente estava especulando ou com Pat M. ou com Calvin T. que o corpo estranho invasivo tinha sido tratado com algo impuro, previamente, possivelmente, porque Gately desenvolveu uma infecção viru- lenta, e eles estavam atentos para a possibilidade do que ele ouviu como *Noxzema* mas que na verdade é toxemia. Gately também queria protestar que o seu corpo era 100% americano, mas parecia temporariamente incapaz de vocalizar em voz alta.

Depois já era noite e Ewell estava ali, ladainhando. Era totalmente obscuro o que Ewell queria de Gately ou por que ele estava escolhendo exatamente aquele momento para dividir. O ombro direito de Gately estava quase do tamanho da cabeça dele, e ele tinha que revirar os olhos para trás que nem uma vaca para ver a mão de Ewell na grade e a cara dele flutuando por cima da mão.

"E como é que eu vou administrar o Nono Passo quando chegar a hora de pagar? Como é que eu posso começar a compensar? Nem se eu lembrasse as casas dos cidadãos que a gente fraudou, quantos ainda estariam lá, morando? Os caras do clube sem dúvida se espalharam por vários distritos de periferia e várias carreiras sem esperança. Meu pai perdeu a conta da IIE[339] na administração do Weld e está morto desde 1993. E as revelações iam matar a minha mãe. A minha mãe é muito frágil. Ela usa um andador, e a artrite fez a cabeça dela virar inteirinha pra trás. A minha mulher tem ciúme e protege a minha mãe de todos os fatos desagradáveis a meu respeito. Ela diz que alguém tem que fazer isso. A minha mãe acha que neste exato momento eu estou num simpósio de direito bancário que dura nove meses sob o patrocínio do Banque de Genève, na Alsácia. Ela fica me mandando umas roupas de esqui feitas de tricô, lá do asilo, que não servem.

"Don, esse período enterrado e o fardo que ele me fez carregar podem ter definido a minha vida inteira. Porque o direito bancário me atraiu, isso de ajudar a classe média a pôr um pezinho no conforto. O meu casamento com uma mulher que me olha como se eu fosse uma mancha escura nos fundilhos das calças dos filhos dela. Toda a minha decadência bebendo um-pouco-mais-pesado-que-o-normal pode ter sido uma tentativa instintiva de enterrar sentimentos lá da terceira série, de desprezibilidade, de submergir esses sentimentos num mar cor de âmbar.

"Eu não sei o que fazer", Ewell disse.

Gately estava tomando Toradol-IM suficiente para que os seus ouvidos zunissem, fora um soro com Ciclisan.[340]

"Eu não quero lembrar desprezibilidades sobre as quais eu não posso mais fazer nada. Se isso é uma amostra do 'Novas Revelações Surgirão', eu venho por meio desta registrar uma reclamação. Tem coisa que é melhor deixar submersa. Não?"

E tudo do lado direito dele pegava fogo. A dor estava virando uma dor tipo emergencial, uma dor tipo grite-e-arranque-a-mão-chamuscada-do-fogão. Partes dele ficavam disparando sinalizadores de emergência para outras partes dele, e ele não conseguia nem se mexer nem falar.

"Eu estou com medo." De um ponto que parecia estar em algum lugar acima dele e subindo, foi a última coisa que Gately ouviu Ewell sussurrar enquanto o teto se inflava na direção deles. Gately queria dizer pro Míni Ewell que ele se Identificava total, pra caralho, com os sentimentos de Ewell, e que se ele, o Míni, pudesse só segurar a onda, puxar esse fardo e colocar um sapatinho bem engraxado na frente do outro tudo ia acabar superbem, que o Deus conforme Ewell o Compreendia ia dar um jeito de Ewell ajeitar as coisas, e aí ele ia abandonar esses sentimentos desprezíveis em vez de ficar submergindo tudo com uísque, mas Gately não conseguia ligar o impulso de falar à fala propriamente dita, ainda. Ele achou melhor só tentar estender a mão esquerda e dar uns tapinhas na mão de Ewell sobre a grade. Mas a largura do seu próprio corpo era uma distância grande demais para ele cobrir. E aí o teto branco desceu todo e deixou tudo branco.

Ele pareceu meio que dormir. Sonhou febril com nuvens negras, tempestuosas e contorcidas se contorcendo negras e gritando pela praia em Beverly, MA, com os ventos cada vez mais fortes por cima da cabeça dele até que Herman o vacúolo de poliuretano explodiu com a força, deixando uma esfarrapada goela inalante que sugava os pijaminhas Dr. Denton XXG de Gately. Um brontossauro de pelúcia azul foi sugado do berço e desapareceu na goela, girando. A mãe dele estava tomando uma sova-monstro de um cara com um cajado de pastor na cozinha e não conseguia ouvir os gritos alucinados de Gately pedindo socorro. Ele quebrou as grades do berço com a cabeça, saiu pela porta da frente e correu para fora. As nuvens pretas lá na praia desciam e se agitavam, sugando areia num funil, e enquanto Gately olhava ele viu o bico de um tornado emergir das nuvens e lentamente descer. Parecia que as nuvens estavam ou dando à luz ou cagando. Gately correu pela praia para chegar à água e escapar do tornado. Ele atravessou as vagas enlouquecidas até chegar à água funda e quente, submergiu e ficou lá embaixo até perder o fôlego. Agora não estava mais claro se ele era o Goizinho ou o adulto Don. Ele ficava subindo rapidamente para sugar um bocado enorme de ar e aí voltando para baixo onde estava quente e calmo. O tornado permanecia no mesmo lugar da praia, inflando e retrocedendo, gritando como uma turbina, com uma abertura que era uma goela respirante, relâmpagos saindo da nuvem-funil como se fossem cabelo. Ele ouvia os sonzinhos mirrados e esfiapados da sua mãe chamando o nome dele. O tornado estava bem ao lado da casa de praia e a casa toda tremia. A mãe dele saiu pela porta da frente, com o cabelo desgrenhado e segurando uma faca Ginsu ensanguentada, chamando o nome dele. Gately tentou gritar para ela vir para a água funda com ele, mas nem ele conseguia ouvir os seus próprios gritos contra o grito da tempestade. Ela largou a faca e segurou a cabeça enquanto o funil apontava sua goela pontuda para o lado dela. A casa de praia explodiu e a mãe dele voou pelos ares na direção da entrada do funil, braços e pernas se debatendo, como que nadando no vento. Ela desapareceu na goela e foi sugada rodopiando para o vórtice do tornado. Telhas e tábuas a seguiram. Nem sinal do cajado de pastor do cara que a tinha machucado. O pulmão direito de Gately ardia terrivelmente. Ele viu a mãe pela última vez quando um relâmpago bateu no cone do funil. Ela estava rodando sem parar como uma coisa num ralo, subindo, como que nadando, azulmente iluminada por trás. A luz do relâmpago era o branco do quarto ensolarado quando ele subiu para respirar e abriu os olhos. A imago minúscula da mãe em rotação desbotava no teto. O que parecia uma respiração pesada era ele tentando gritar. Os lençóis ralinhos estavam empapados e ele precisava mijar tipo muito. Era dia e nem a pau que o lado direito dele estava amortecido, e ele imediatamente sentiu saudade da sensação de cimento morno de quando estava amortecido. O Míni Ewell não estava mais lá. Cada batimento cardíaco era um ataque contra o

834

seu lado direito. Ele não achava que podia aguentar aquilo nem mais um segundo. Ele não sabia o que ia acontecer, mas não achava que podia aguentar.

Depois alguém que era ou a Joelle van D. ou uma enfermeira do St. E. com um véu da OFIDE estava passando um pano frio no rosto dele. O rosto dele era tão grande que levava um tempo para cobrir tudo. Parecia uma mão leve demais no paninho para ser uma enfermeira, mas aí Gately ouviu o barulho de alguém trocando ou enfermeirizando os frascos de soro em algum ponto acima e atrás dele. Ele não conseguiu pedir para trocarem os lençóis ou para ir ao banheiro. Algum tempo depois que a moça velada saiu, ele simplesmente largou mão e deixou o xixi sair, e em vez de se sentir molhado ele ouviu o crescente som metálico de algo se enchendo em algum ponto próximo à cama. Ele não conseguia se mexer para erguer a coberta e ver o que estava preso nele. As persianas estavam erguidas e o quarto estava de um branco tão brilhante com a luz do sol que tudo parecia alvejado e fervido. O cara que tinha ou uma cabeça quadrada ou uma caixa na cabeça tinha sido levado para outro lugar, a cama dele estava desfeita e com uma grade de berço abaixada. Não havia figuras fantásmicas nem figuras na névoa. O corredor não estava mais claro que o quarto, e Gately não conseguia ver sombras de ninguém de chapéu. Ele não sabia se a noite passada tinha sido de verdade. A dor ficava fazendo as pálpebras dele estremecerem. Ele não gritava de dor desde que tinha quatro anos. A última coisa que ele pensou antes de deixar as pálpebras ficarem fechadas diante do branco brutal do quarto foi que de repente ele tinha sido castrado, que era como ele sempre tinha entendido o que era uma sonda. Ele podia sentir o cheiro de álcool em gel e meio que um fedor vitamínico, e dele.

Num dado momento uma Pat Montesian provavelmenre real entrou e meteu o cabelo no olho dele quando lhe deu um beijo no rosto e lhe disse que se ele simplesmente conseguisse aguentar firme e se concentrasse em ficar bem tudo ia ficar legal, que tudo na Casa tinha voltado à normalidade, mais ou menos, e estava essencialmente legal, que ela sentia muito que ele tivesse tido que lidar com uma situação daquelas sozinho, sem apoio ou aconselhamento, e que ela percebia muito bem que Lenz e os bandidos canadenses não tinham lhe dado tempo de ligar pra ninguém, que ele tinha feito o melhor que podia com o que tinha à mão e não tinha nada que ficar se sentindo péssimo, pra ele esquecer, que a violência não tinha sido tipo recaída, tipo busca de aventura, mas simplesmente o jeito dele fazer o melhor que podia naquele momento e tentar se defender e defender um residente da Casa. Pat Montesian estava como sempre vestida toda de preto, mas formalmente, tipo pra levar alguém ao tribunal, e a roupa formal dela parecia a de uma viúva mexicana. Ela realmente tinha dito as palavras *bandidos* e *péssimo*. Ela disse pra ele não se preocupar, que a Casa era uma comunidade e cuidava dos seus. Ela ficava perguntando se ele estava com sono. O vermelho do cabelo dela era um vermelho diferente e menos radiante que o do cabelo de Joelle van D. O lado direito do rosto dela era muito bondoso. Gately tinha uma compreensão muito vaga do que ela estava falando. Ele estava meio surpreso que os Homens ainda não tivessem dado as caras. Pat não sabia do PPA imisericordioso ou do canadôncio sufocado: Gately tinha feito bastante força

835

para compartilhar francamente essas catástrofes do seu passado, mas algumas questões ainda pareciam suicidas em termos de compartilhar. Pat disse que Gately estava mostrando uma humildade e uma força de vontade tremendas com isso de manter a sua resolução de nada mais forte que analgésicos não narcóticos, mas que ela esperava que ele lembrasse que ele não era responsável por nada além de se colocar nas mãos do seu Poder Superior e seguir os ditames do coração. Que codeína ou quem sabe Percoset[341] ou quem sabe até um Demerol não fossem uma recaída a não ser que bem no fundo do coração onde ele entende os seus motivos ele achasse que era. O cabelo vermelho dela estava solto e parecia despenteado e achatado de um lado; ela estava descomposta. Gately queria muito perguntar a Pat das consequências jurídicas da bandidança daquela noite. Ele percebeu que ela ficava perguntando se ele estava com sono porque as tentativas que ele fazia de falar pareciam bocejos. Sua incapacidade de ainda falar era como a falta de voz num pesadelo, sem ar e infernal, péssima.

O que tornou toda aquela interface com Pat M. possivelmente irreal foi que bem no fim e sem motivo algum Pat M. caiu no choro, e sem motivo algum Gately ficou tão constrangido que fingiu desmaiar, dormiu de novo e provavelmente sonhou.

Quase certamente sonhado e irreal foi o intervalo em que Gately acordou com um movimento brusco e viu a sra. Lopate, o objê dar do Depósito que eles vinham e instalavam na frente do monitor da Ennet de vez em quando, sentada ali numa cadeira de rodas de bronze, rosto contorcido, cabeça de lado, cabelo esfiapento, olhando não para ele mas mais tipo aparentemente para sei lá que monte de frascos de soro e monitores interpretativos que pendiam acima e atrás do berção dele, então sem falar e nem olhar para ele mas ainda assim em algum sentido ficando ali *com* ele, de alguma forma. Mesmo que nem a pau que ela pudesse de fato estar ali, foi a primeira vez que Gately percebeu que a catatônica sra. L. era a mesma mulher que ele via encostando na árvore do jardinzinho da nº 5 tarde da noite, certas noites, quando virou Funcionário. Que elas eram a mesma pessoa. E que essa percepção era real mesmo que a presença da senhora no quarto não fosse, complexidades que fizeram seus olhos revirar na cabeça de novo enquanto ele desmaiava de novo.

Aí em algum momento depois Joelle van Dyne estava sentada numa cadeira logo ao lado da grade da cama, velada, de calça de moletom e com um suéter que estava começando a desfiar, com um véu de debrum rosa, sem abrir a boca. Provavelmente olhando para ele, provavelmente pensando que ele estava inconsciente com os olhos abertos ou delirando por causa da noxzema. Todo o lado direito dele doía tanto que cada respiração era tipo uma decisão difícil. Ele queria chorar que nem criancinha. O silêncio da menina e a neutralidade daquele véu o fizeram ter medo depois de um tempo, e ele desejou poder lhe pedir que voltasse mais tarde.

Ninguém tinha lhe oferecido comida, mas ele não estava com fome. Havia tubos de soro entrando nas costas das mãos dele e na dobra do cotovelo esquerdo. Outra tubulação lhe saía de um ponto mais lá embaixo. Ele não queria saber. Ficava tentando perguntar ao seu coração se só uma codeína seria uma recaída, na opinião do coração, mas o coração dele estava se negando a responder.

Aí num dado momento o ex-aluno e conselheiro sênior da Casa Ennet Calvin Thrust entrou com estrépito e puxou uma cadeira na qual montou ao contrário como uma stripper das que demoram bastante tempo, largando os braços sobre o encosto da cadeira, gesticulando com um caretão apagado enquanto falava. Ele contou para Gately que puta que pariu ele parecia um monte de merda em que uma coisa pesada tinha caído. Mas ele disse que Gately devia era dar uma olhada nos outros caras, os canadôncios de roupinha polinésia. Thrust e a gerente da Casa Ennet tinham chegado lá antes que a Segurança do HSPME conseguisse fazer os Homens pararem de ficar aplicando multinhas à meia-noite na Comm. Ave., ele disse a Gately. Lenz, Green e Alfonso Parias-Carbo tinha arrastado/carregado um Gately inconsciente para dentro e o colocado no sofá de vinil preto do escritório da Pat, onde Gately tinha acordado e dito a eles que ambulância nem fodendo e por favor que era pra acordarem ele dali a cinco minutinhos, e aí apagou pra valer mesmo. O Parias-Carbo estava com cara de quem tinha sofrido uma pequena hérnia intestinal por arrastar/carregar o Gately, mas ele estava sendo macho e recusou a codeína lá na entrada no PS e estava manifestando gratidão pela experiência de amadurecimento, e o calombo torácico estava diminuindo legal. O hálito de Calvin Thrust cheirava a fumaça e ovos mexidos velhos. Gately uma vez tinha visto um cartucho pirata barato de um jovem Calvin Thrust transando com uma moça que só tinha um braço no que parecia ser um trapézio tosco feito-em-casa. A iluminação e os valores de produção do cartucho eram de superbaixa qualidade, e Gately estava acordando e apagando por causa do Demerol, mas ele tinha 98% de certeza que era o jovem Calvin Thrust. Calvin Thrust contou como bem ali em cima da forma inconsciente de Gately no escritório Randy Lenz tinha começado de cara a dar uma de mulherzinha que era claro que ele, Randy Lenz, ia de algum jeito acabar sendo culpado pela fodeção geral do Gately e dos canadôncios e por que é que eles não acabavam de uma vez com aquilo e lhe davam um pé-na-bunda administrativo agora mesmo sem fingir que iam ter que deliberar. Bruce Green tinha socado o Lenz contra os arquivos da Pat e sacudido o cara que nem uma margarita, mas se recusou a ratear o Lenz ou a dizer por que canadenses iracundos podiam achar que uma figura tão boiola quanto o Lenz podia ter desmapeado o amigo deles. A questão estava em investigação, mas Thrust confessava uma certa admiração pela recusa de Green em comer queijo. Brucie G. tinha sofrido uma fratura no nariz durante a treta e agora estava que era uma beleza com aqueles olhões roxos. Calvin Thrust disse que tanto ele, Calvin Thrust, quanto a Gerente da Casa tinham imediatamente assim que chegaram sacado que o Lenz estava ou chapado de coca ou entupido de drina até as orelhas com alguma drina, e o Thrust disse que precisou de cada miligrama do autocontrole que era uma bênção da sobriedade pra levar tranquilamente o Lenz para o Quarto de Deficiente ali do lado e encobrindo o som de Burt F. Smith tossindo pedacinhos de pulmão enquanto dormia ele disse que tinha bem controladamente dado a Lenz a escolha de abandonar voluntariamente a sua residência na Ennet ali mesmo ou se submeter a um exame de urina e uma revista no quarto dele e tudo mais, fora o interrogatório dos Homens, que bem sem

837

sombra de dúvida estavam agora mesmo a caminho com a frota de ambulâncias pros canadôncios. Enquanto isso, Thrust disse — gesticulando com o charutão e ocasionalmente se inclinando para a frente para ver se Gately ainda estava consciente e para lhe dizer que ele estava com uma cara horrível, enquanto isso —, Gately estava lá apagadão, calçado com dois arquivos para evitar que ele rolasse de um sofá mais estreito que ele, e estava sangrando pacas, e ninguém sabia como, tipo, *afixar* um turnoquete no ombro, e a menina nova com aquele corpão e a máscara de pano estava curvada por cima do braço do sofá aplicando pressão numas toalhas em cima do sangramento do Gately, e o roupão parcialmente aberto dela propiciava uma visão que até fez o Alfonso P.-C. acordar daquela postura fetal herniada no chão, e o Thrust e a Gerente da Casa estavam se revezando em Pedir Ajuda para saber intuitivamente o que deviam fazer com Gately, porque todo mundo sabia que ele estava na condicional de uma sentença pesada, e com todo o devido respeito e toda a confiança no Don não estava claro naquele momento só de olhar pras formas canadenses jogadas em diferentes versões de decúbito dorsal lá na rua quem era que tinha feito o que com quem em defesa de quê ou não, e os Homens tendem a se interessar legal por caras imensos que dão entrada no PS com espetaculares ferimentos de bala, e mas aí quando a Pat M. encostou o Aventura fritando pneu uns minutos depois ela gritou bem inserenamente com o Thrust por não ter se mandado direto pro St. E. com o Don de padiola por conta própria. Thrust disse que tinha dado um desconto pra gritaria da Pat como se aquilo fosse água em pena de pato, revelando que Pat M. andava passando por umas tensões grau-criminoso em casa, que ele sabia. Ele disse que e mas aí o Gately era pesado demais pra alguém carregar ele inconsciente por mais que uns metros, mesmo com a menina de máscara no lugar do Parias-Carbo, e eles mal tinham conseguido levar o Gately pra fora ainda com a camisa de boliche molhada e deitar ele brevemente na calçada e cobrir ele com o casaco de camurça preta da Pat enquanto o Thrust manobrava o seu adorado Corvette o mais perto de Gately possível. Os sons das sirenes pela Comm. Ave. se misturavam com os sons de canadenses severamente fodidos recobrando o que os canadôncios acham que é consciência e pedindo o que eles chamavam de *medecins*, e com o som de esquilo alucinado do Lenz tentando dar partida no seu Duster marrom enferrujadão, que estava com um solenoide ruim. Eles tinham içado o peso morto do Gately para o 'Vette e a Pat M. foi abrindo caminho que nem uma doida com o Aventura turbinado. A Pat deixou a menina mascarada ir com ela porque a mascarada não parava de pedir pra deixarem ela ir também. A Gerente da Casa ficou pra trás pra representar a Ennet pra Segurança do HSPME e os algo menos enroláveis Homens da Polícia de Boston. As sirenes iam ficando cada vez mais próximas, o que aumentava a confusão porque residentes senis e vegetais-móveis tanto da Unidade nº 4 quanto do Depósito tinham sido atraídos para os quintais congelados pela balbúrdia, e a mistura de diversos tipos de sirene não facilitou muito pra eles não, e eles começaram a bater as asas, gritar e correr de um lado pro outro e aumentar a confusão médica da cena toda, que quando ele e a Pat zarparam de lá estava uma zoeira desgraçada e coisa e tal. Thrust pergunta retoricamente quanto o Don *pesa*, mesmo, porque, caralho, empurrar os bancos da frente até lá onde tipo um anão ia usar e colocar a carcaçona do Gately atravessada no banco traseiro do 'Vette exigiu que todo mundo disponível desse uma mão e até que o Burt F. S. desse os cotocos, aquilo tinha sido igual tentar fazer uma coisona gigantuda passar por uma porta que era bem menor que a coisona gigantuda e coisa e tal. Thrust de vez em quando batia no charutão como se achasse que estava aceso. As primeiras viaturas tinham chegado derrapando pela esquina da Warren com a Comm. bem na hora que eles estavam saindo pra Warren. A Pat no carro dela lá na frente tinha feito um gesto com o braço que podia ter sido ou um tchauzinho tranquilo pros Homens que iam passando ou uma intranquila mão na cabeça. Thrust disse será que ele tinha mencionado o sangue do Gately? O Gately tinha sangrado em cima do sofá de vinil inteirinho da Pat e dos arquivos e do carpete, na ruelazinha da ME, na calçada, no casaco de camurça preta da Pat, meio que no sobretudo de todo mundo e no adorado estofamento do adorado Corvette de Thrust, estofamento este que Thurst podia acrescentar que era novo, e caro. Mas ele disse que não era pra se preocupar, o Thrust disse: a porra daquela sangueira toda era o menor dos problemas. Gately não gostou nada de ouvir isso e começou a tentar piscar pra ele numa espécie tosca de código, pra chamar a sua atenção, mas Thrust ou não percebeu ou achou que era tipo um tique pós-operativo. O cabelo de Thrust estava sempre penteado pra trás que nem um gângster. Thrust disse que no PS do St. E. que a equipe do PS tinha sido rápida e engenhosa pra tirar Gately do 'Vette e colocar numa maca de largura dupla, embora eles ainda tivessem tido dificuldade pra erguer a maca e poder meter as pernas com rodinha embaixo dela pros caras de branco conseguirem levar ele pra dentro com mais caras de branco caminhando rapidinho do lado dele, se debruçando em cima dele, aplicando pressão e latindo umas ordens nuns códigos curtinhos que nem eles sempre fazem nos PS e coisa e tal, numa emergência. Thrust diz que ele não conseguiu saber se eles conseguiram saber assim de cara que era um ferimento a bala espetacular, ninguém falou em armas ou coisa assim e tal. Thrust tinha murmurado alguma coisa sobre uma serra elétrica enquanto a Pat balançava furiosamente a cabeça. As duas coisas principais que Gately ficava piscando ritmicamente para tentar descobrir eram: se alguém acabou morrendo, ou seja os canadôncios: e se por acaso uma certa figura tipo PPA que sempre usava chapéu tinha vindo de Essex County ou dado algum sinal de ter ficado sabendo do paradeiro ou do envolvimento de Gately; e — então na verdade são três coisas — e se por acaso algum residente da Ennet que estivera ali na cena do começo ao fim vai ter uma cara respeitável no papel assim pra ter alguma credibilidade como testemunha tipo jurídica. Fora que ele não ia achar nada ruim entender que merda de ideia era aquela do Thrust dar um sustão no Lenz e deixar o cara sumir na noite da cidade deixando o Gately de repente com a carapuça jurídica na mão. Quase tudo que Calvin Thrust sabia de juridicidades vinha de filmes e de delitos pequenos. Thrust acaba descrevendo que um dos golpes-chave de pensamento veloz da Gerente da Casa foi dar uma olhada rapidinha no TP pra descobrir que residentes que estavam lá fora misturados com os catatônicos surtados na rua tinham problemas jurídicos soltos-no-ar de modo que precisassem ser segregacionados na área protegida da Casa longe dos olhos da lei quando os Homens chegassem na cena. Ele diz que na opinião dele foi sorte do Gately ele (o Gately) ser um fidaputa dum gigante daqueles e ter tanto sangue, porque mesmo assim o Gately tinha perdido volumes imensos de sangue em cima do estofamento de todo mundo e estava em estado de choque e tudo e coisa e tal quando conseguiram colocar ele na maca dupla, com uma cara cor-de-queijo e os lábios azuis e murmurando um monte de coisa de gente em estado de choque, mas mesmo assim ele (o Gately) estava, não exatamente pronto pra uma capa da GQ mas ainda respirandinho. Thrust disse que na sala de espera do PS, onde eles não deixavam um sujeito trabalhador fumar lá também não, ele disse aí que a residente nova e arrogantinha com aquele véu branco tinha tentado pagar geral pra cima do Thrust por ter deixado o Randy L. se mandar e levantar acampamento antes de alguém poder resolver que parte ele tinha no embrióglio jurídico do Gately, e que a Pat M. tinha sido bem incondicionalmente amorosa com isso tudo mas que estava na cara que ela também não estava empolgada com a tática de Thrust e coisa e tal. Gately piscou furiosamente para manifestar a sua concordância com a posição de Joelle. Calvin Thrust gesticulou estoicamente com o cigarro e disse que ele tinha dito a verdade para Pat M.: ele sempre dizia a verdade, por mais que fosse ruim para ele, hoje: ele disse que ele tinha dito que tinha encorajado Lenz a zarpar dali porque se não fosse por isso ele tinha medo que ele (Thrust) fosse eliminar o mapa de Lenz ali mesmo, de raiva. O solenoide do Lenz aparentemente estava permanentemente ferrado, porque o Duster enferrujado foi visto pela nova residente Amy J. bem cedinho mesmo na manhã seguinte sendo rebocado da sua vaga do lado errado da rua na frente da nº 3 quando a Amy J. veio se arrastando até a casa toda na fissura e de ressaca pra pegar o seu saco cheio de tralhas pessoais despejadas, tendo o Lenz aparentemente abandonado o carango e aí fugido a pé durante toda a confusão dos Homens e a estática com os motoristas das ambulâncias que nem dá pra pôr a culpa neles mas não queriam pegar os canadenses por causa da burocracia ferrada pra conseguir o reembolso do Seguro de Saúde dos canadôncios. A Gerente da Casa tinha chegado até a se plantar na frente da porta trancada da Casa com os braços nada-pequenininhos estendidos e as pernas abertas, bloqueando a porta, assertivamente afirmando pra qualquer Homem que tentava entrar que a Ennet era Protegida por mandado judicial do Governo de MA e que eles só podiam entrar ali com um Mandado e um aviso prévio compulsório de três dias úteis pra Casa registrar um recurso e aguardar uma decisão, e os Homens e até os manés comedores de meleca da Segurança do HSPME foram efetivamente mantidos longe e afastados, portanto, por ela, sozinha, e a Pat M. estava considerando recompensar a frieza durante a batalha da Gerente da Casa promovendo ela a Diretora Assistente no mês que vem quando o atual Diretor Assistente ia embora pra tirar um diploma de manutenção de motores a jato na Aerotech da Costa Leste com uma bolsa do programa de reabilitação de Massachusetts.

Os olhos de Gately ficavam revirando na cabeça, só em parte por causa da dor.

A menos que de fato estivesse com um careta aceso, Calvin Thrust sempre tem um ar de quem está apenas tecnicamente no lugar em que está. Sempre havia nele um jeito de quem vai fugir, tipo um cara cujo pager está prestes a tocar. É como se um careta aceso fosse um lastro psíquico para ele ou alguma coisa assim. Tudo que ele dizia para Gately parecia que ia ser a última coisa que ele ia dizer antes de olhar pro relógio, dar um tapa na testa e se mandar.

Thrust disse não se sabe com o que o canadôncio que os residentes dizem que atirou nele atirou nele mas era coisa pesada, porque tinha pedacinhos do ombro e da camisa de boliche de Gately pela ruelinha toda do complexo. Thrust apontou para as bandagens imensas e perguntou se eles já tinham dito a Gately se ele ia conseguir não perder o que sobrou do ombro e do braço mutilados. Gately descobriu que o único som audível que ele conseguia fazer parecia um gatinho atropelado. Thrust mencionou que Danielle S. tinha estado no Mass Rehab com Burt F. S. e tinha relatado que eles estavam fazendo umas coisas milagrosas com essas prósfeses hoje em dia. Os olhos de Gately estavam revirando na cabeça e ele estava fazendo uns sonzinhos patéticos aspirados enquanto se imaginava com um gancho, um papagaio e um tapa-olho soltando piráticos sons tipo "Abordar!" no púlpito do AA. Ele sentia uma certeza terrível de que toda a rede de conexão de nervos que ligava o aparelho fonador humano à mente e deixava a pessoa pedir cruciais informações legais e médicas tinha que passar pelo ombro humano direito. Tudo quanto era tipo de *shunt* e de umas interconexões doidas com as porras dos nervos, ele sabia. Ele se imaginou com uma dessas prósfeses elétricas de laringe com bateria solar que você tem que segurar na frente da garganta (de repente com o gancho), pra tentar Levar a Mensagem com ela lá no púlpito, soando como um caixa automático ou uma interface de áudio-ROM. Gately queria saber que dia era amanhã e se algum canadôncio do Lenz tinha sido desmapeado, e qual a posição oficial do cara de chapéu que tinha ficado sentado bem do ladinho da porta do quarto ou ontem ou anteontem de noite, com a sombra do chapéu projetada numa espécie de paralelogramo pela porta aberta, e se o cara ainda estava lá, contando que a visão da sombra enchapelada do cara tivesse sido válida e não fantásmica, e ele ficou imaginando como é que eles faziam pra te algemar se o ombro de um dos teus braços estava mutilado e do tamanho da tua cabeça. Se Gately puxasse qualquer coisa mais relevante que um semifôlego, uma onda de dor de deixar qualquer um maluco percorria seu lado direito. Ele até respirava que nem um gatinho doente, mais tipo latejando que respirando. Thrust disse que Hester Thrale parece que tinha desaparecido em algum momento da balbúrdia e nunca mais voltou. Gately lembrava de ouvir Hester fugindo correndo e gritando para a noite da cidade. Thrust disse que o Alfa Romeo dela foi guinchado na manhã seguinte junto com o Duster ferrado do Lenz, e que as coisas dela tinham sido devidamente ensacadas e estavam na varanda e tudo aquilo de sempre e coisa e tal. Thrust disse que eles acharam uma misteriosa pilha imensa de Malas de Irlandês de boa qualidade durante a revista que os Funcionários fizeram no quarto de Lenz, e que a Casa parece que não ia mais precisar de sacos de lixo e de despejo no próximo ano fiscal. Os bens ensacados dos residentes expulsos ficam na varanda por três dias, e Gately está tentando calcular a data atual a partir desse fato. Thrust diz que Emil Minty pegou uma Restrição Doméstica Total por ter sido observado retirando uma das peças da roupa de baixo de Hester Thrale do saco dela na varanda, por motivos que ninguém meio que quer especular muito não. Kate Gompert e Ruth van Cleve supostamente foram pegar uma reunião do NA na Inman Square e supostamente foram assaltadas e separadas, e aí só a Ruth van Cleve deu as caras de novo na Casa, e a Pat jurou que ia soltar um mandado de busca pra acharem a Gompert por causa dos outros problemas psíquicos e suicídicos da menina. Gately descobre que ele nem dá muita bola pra saber se alguém pensou em ligar pro Stavros L. no Shattuck por causa do emprego de Gately. Thrust ajeitou o cabelo pra trás e disse o que mais a gente vai ver. Johnette Foltz está até agora cobrindo os turnos de Gately e mandou dizer que ele está nas orações dela. Chandler Foss acabou seus nove meses, se formou mas voltou na manhã seguinte e ficou por ali durante a Meditação Matinal, o que tem que ser um bom sinal em termos de sobriedade pro nosso velho amigo Chandulante. Jennifer Belbin acabou sendo mesmo indiciada por causa daquela coisa do cheque sem fundos lá no Tribunal de Wellfleet, mas eles vão deixar ela terminar a residência na Casa antes de levar qualquer coisa a julgamento, que o Defensor Público disse que se formar na Casa com certeza corta a sentença dela pelo menos pela metade. O Diretor Ass. tinha ido levar a Belbin até o tribunal fora do horário de trabalho. Doony Glynn ainda está de cama com aquela divertite lá dele, e não tem como nem convencer nem ameaçar ele pra ele sair daquela posição fetal na cama, e a Gerente da Casa está tentando vencer no peito as resistências do pessoal da Saúde para ver se eles dão um o.k. pra ele ser internado no St. E. apesar dele ter uma fraude de seguro de saúde na ficha criminal dele, coisa da bagagem do passado dele. Um cara que tinha passado pela Casa lá quando Thrust também passou e tinha ficado sóbrio no AA por quatro anos direto assim do meio do nada de repente tropeçou e tomou O Primeiro Gole no mesmo dia da balbúrdia do Lenz, e previsivelmente acabou totalmente travado, e não é que foi cair da ponte Fort Point — tipo literalmente andou até o fim da trilha, pelo que parece — e afundou que nem pedra, e o enterro é hoje, que é por isso que o Thrust vai ter que zarpar daqui a pouquinho daqui, ele diz. Aquele garoto novato, o Tingley, está saindo do armário de roupa de cama tipo uma hora de cada vez já e está comendo e a Johnette parou de fazer força pra mandarem o menino pro Met State. O cara ainda mais novato agora que entrou na vaga do Chandler Foss o nome dele é Dave K. e é uma estória de dar dó meu, Thrust garante, um cara tipo executivo júnior na Deslocamento de Ar ATHSCME, um sujeitinho classe alta com uma casa com cerquinha, filhinhos e uma esposa preocupada com um cabelão armado, e que o fundo do poço desse Dave K. foi que ele tomou meio litro de Cuerva tipo numa festa de Dia da Interdependência no escritório da ATHSCME e coisa e tal e entrou num desafio de bêbado maluco pra dançar tipo aquela coisa de passar embaixo duma vara com um executivo rival e tentou passar por baixo de uma mesa ou de uma cadeira ou de alguma coisa insanamente baixa e fodeu toda a espinha, tipo envaretou pra sempre: então o cara novato mais novato fica se arrastando pela sala de estar da Ennet que nem um siri, com o topo da cabeça encostando no chão e os joelhos tremendo por causa do esforço. A Danielle S. acha que o Burt F. S. pode estar com peleumonia baquiteriana ou alguma coisa tipo uma doença crônica de pulmão, e o Geoff D. está tentando fazer os outros residentes assinarem uma petição pra proibir o Burt de entrar na cozinha e na sala de estar porque o Burt não consegue cobrir a boca com a mão quando tosse, compreensivelmente. Thrust diz que Clenette H. e Yolanda W. estão fazendo as refeições no quarto e têm ordens de não se aproximarem de nenhuma janela, por causa do que aconteceu com o mapa do canadôncio que elas supostamente pisotearam e coisa e tal. Gately mia e pisca que nem louco. Thrust diz que todo mundo está dando a maior força pra Jenny B. e encorajando ela a entregar a indiciação de Wellfleet ao Poder Superior. Os funcionários do Depósito ainda estão empurrando a cadeira de rodas daquela senhora catatônica do Depósito até a Casa em manhãs predeterminadas e Thrust diz que a Johnette teve que anotar uma infração pro Minty e o Diehl por terem posto uma dessas flechas de festa de Dia das Bruxas que são curvas no meio e parece que tem uma flecha atravessando a cabeça da pessoa na cabeça paralisada da catatônica ontem e deixado a mulher largada na frente do TP daquele jeito o dia inteiro. Fora as calcinhas da Thrale; então de repente em doze horas o Minty está a só mais uma ofensa de levar um pé na bunda, que o Thrust já está pessoalmente engraxando o bico do seu sapato mais afiadinho, na esperança. O maior problema na reunião de Reclamações e Azedumes da Casa foi que no começo da semana acaba que a Clenette H. truche uma porrada-monstro de cartuchos que ela disse que eles iam jogar tudo no lixo lá na academia bestinha de tênis que ela trabalha no alto do morro, e ela afanou tudo e levou pra baixo pra Casa, e os residentes estão tudo alucinados porque a Pat diz que os Funcionários têm que ver os cartuchos antes pra ver a adequabilidade e se tem sexo antes de liberar pros residentes, e os residentes estão tudo reclamando que isso não vai acabar nunca e que é só os bostinhas dos Funcionários montando em cima do entretenimento novo quando o TP da Casa só falta estar caído de quatro no deserto do entretenimento morrendo de fome de entretenimento. O McDade reclamou na reunião que se tivesse que assistir A hora do pesadelo XXII: a senectude mais uma vez ele ia decolar do telhado da Casa.

Fora que Thrust diz que Bruce Green não dividiu nem uma só palavra com os Funcionários sobre o que ele sente sobre qualquer coisa que tenha a ver com o embróglio de Lenz ou Gately; que ele só fica ali sentado esperando alguém ler a mente dele; que os colegas de quarto dele reclamaram que ele fica se batendo e gritando coisas sobre nozes e charutos enquanto dorme.

Calvin Thrust, quatro anos de sobriedade, montado na cadeira virada, fica se inclinando cada vez mais para a frente na postura de um sujeito que a qualquer momento vai dar um empurrão na cadeira e partir. Ele relata como algo profundo que um "Míni" Ewell que antes parecia insuperavelmente arrogante parece ter se partido e derretido, falando em termos espirituais: o cara raspou aquela barbinha de coronel

Saunders, ouviram ele chorar no banheiro do masculino de 5, e a Johnette observou ele tirar o lixo da cozinha em segredo muito embora a Tarefa Doméstica dele nesta semana fossem as Janelas do Escritório. Thrust na sobriedade tinha descoberto os prazeres de um bom jantar e está com princípios de uma papada. O cabelo dele fica todo penteado para trás com algum produto inodoro sempre, e ele tem uma ferida mais ou menos permanente no lábio superior. Gately por algum motivo fica imaginando Joelle van Dyne vestida de Madame Psicose sentada numa cadeira simples do feminino de 3 comendo um pêssego e olhando pela janela aberta para o crucifixo em cima do profuso teto do Hospital St. Elizabeth. O crucifixo não é grande, mas fica tão lá em cima que é visível quase que de qualquer lugar de Enfield-Brighton. Ele vê Joelle delicadamente puxando o véu para a frente para colocar o pêssego por baixo. Thrust diz que a contagem de células brancas da Charlotte Treat caiu. Ela está bordando pro Gately um paninho tipo *MELHORE UM DIA DE CADA VEZ DESDE QUE SEJA ESSA A VONTADE DE DEUS*, mas a coisa está indo devagar, porque a Treat ficou com uma infenção no olho que tem a ver com o viro dela que faz ela trombar com tudo que é parede, e a conselheira dela, Maureen N. na Reunião dos Funcionários, quis que a Pat considerasse transferir a Charlotte pra uma casa de recuperação pra HIV lá em Everett que tem uns viciados em recuperação lá. Morris Hanley, por falar em células brancas, fez uns brownies de cream cheese pro Gately como gesto de carinho, mas aí aquelas tansas lá do posto de enfermagem da Ala de Trauma, tipo, *confiscaram* os brownies do Thrust quando ele subiu, mas ele comeu uns quando estava vindo com o 'Vette ensanguentado e podia garantir ao Don que valia a pena até matar um ente querido pelos brownies do Hanley e coisa e tal. Gately sente uma súbita onda de ansiedade quanto à questão de quem está fazendo a janta da Casa na sua ausência, tipo será que eles vão lembrar de pôr flocos de milho no bolo de carne, por causa da textura. Ele acha o Thrust insuportável e deseja que ele desaparecesse de uma porra de uma vez, mas tem que admitir que fica menos consciente da dor horrorosa quando alguém está ali, mas que isso é basicamente porque o pânico afogueado de não conseguir fazer perguntas ou ter qualquer interferência no que a pessoa está falando é tão terrível que meio que abafa a dor. Thrust coloca o careta apagado atrás da orelha onde Gately prevê que o tônico capilar vai deixar aquilo infumável, se inclina até o seu rosto ficar visível por entre duas barras da grade lateral da cama e banha o rosto de Gately com ovos velhos e fumaça no que se aproxima e tranquilamente diz que Gately vai surtar quando souber que todos os residentes que estiveram no embrióglio — menos o Lenz e a Thrale e os que não estão em posição jurídica de se apresentar e tal, diz ele — ele diz que eles quase todos se apresentaram e deram seus depoimentos, que os Homens de Boston, mais uns caras Federais bem mais esquisitões com uns cabelos militares arcaicos superpatetas, provavelmente envolvidos na história por causa do elemento tipo inter-ONAN dos canadôncios — aqui o grande coração de Gately dá um salto e se afunda — apareceram e foram voluntariamente aceitos lá dentro, com um o.k. da Pat por escrito, e eles tomaram os depoimentos, que é tipo um testemunho no papel, e os depoimentos aparentemente são tipo 110% pró-Don Gately e apoiam uma sitação justificável ou de legítima defesa ou de defesa-de-Lenz. Diversos testemunhos indicam que os canadôncios deram a impressão de estar sob a influência de Substâncias de tipo agressivo. O maior problema até aqui, Thrust diz que a Pat disse, é a suposta Máquina que desapareceu. Tipo o .44 que meteu uma azeitona no Gately e que tem destino incerto e não sabido, Thrust diz. O último residente que disse que viu foi o Green, que diz que tirou do canadôncio que as negras pisotearam, outrossim ele, Green, diz que largou a Máquina no gramado. Outrossim ele tipo desapareceu completa e juridicamente. Thrust diz que na sua opinião jurídica a Máquina é a coisa que faz a diferença entre uma sitação inatacável de legítima-defesa e uma de tipo meio que uma treta-monstro em que o Gately misteriosamente levou uma azeitona num momento indefinido enquanto reconfigurava os mapas de uns canadenses com as imensas mãos nuas. O coração de Gately agora está em algum lugar entre suas nuas canelas peludas, diante da menção de cortes militares federais. O seu apelo suplicante para que Thrust diga de uma vez se ele chegou mesmo a matar alguém *mesmo* soa como aquele gatinho amassado de novo. A dor do terror é mais do que se pode suportar e o ajuda a se entregar e parar de tentar, e ele relaxa as pernas e decide que Thrust tem o direito de não dizer o que bem entender, que a realidade neste exato segundo é que ele está mudo e impotente em relação a Thrust. Thrust se inclina, abraça o encosto da cadeira e diz que Clenette Henderson e Yolanda Willis estão em Restrição Doméstica Plena no quarto delas para evitar que elas desçam e de repente se fodam juridicamente num depoimento. Porque o canadôncio do boné xadrez com abas em cima da orelha e a suposta Máquina perdida expirou ali mesmo por causa de um salto agulha que lhe atravessou o olho direito, enquanto ele estava tomando um pisoteio que só as negras sabem dar, e coisa e tal, e Yolanda Willis tinha muito ardilosamente deixado o sapato e o salto agulha bem ali protuberando do mapa do cara com as impressões dedãozais dela por dentro — tudo indica que do sapato — então achar a Máquina ia ser de grande interesse jurídico pra ela, também, na visão analítico-jurídica de Thrust. Thrust diz que a Pat saiu manquitolando e falando diretamente com cada residente, e que todo mundo aceitou mais ou menos voluntariamente passar por uma revista de quarto e de bens e coisa e tal, e que ainda assim nenhuma Máquina de alto calibre apareceu, embora a coleção escondida de facas orientais de Nell Gunther tenha causado uma bela impressão. Thrust prevê que vai ser profundamente do interesse lego-judicial de Gately e coisa e tal revirar os miolos e a mente pra achar onde e com quem ele viu a suposta arma pela última vez. O sol estava começando a descer pelos morros de West Newton através das janelas duplas seladas, agora, tremendo levemente, e a luz da janela contra a parede do outro lado estava ocre e ensanguentada. As saídas de ar do aquecedor ficavam fazendo um som como o de um pai distante que delicadamente acalma um bebê. Quando começa a ficar escuro lá fora é quando o teto respira. E coisa e tal.

Em algum momento depois disso, à noite, retroiluminada pela luz do corredor, está a figura do residente Geoffrey Day, sentado onde Thrust tinha estado mas com a cadeira virada do lado certo e com as pernas comportadamente cruzadinhas, comendo um brownie de cream cheese que ele diz que estão dando de graça pra todo mundo no posto de enfermagem. Day diz que Johnette F. com certeza não é nenhum Don Gately no campo da culinária. Parece que ela tem algum relacionamento tramoiento tipo de comissão com os fabricantes de Spam, diz o Day, é a teoria dele. Pode ser outra noite completamente diferente. O teto noturno não se infla mais convexo com a respiração rasa de Gately, e os sons melhorados que ele agora consegue fazer evoluíram de felinos para mais tipo bovinos. Mas seu lado direito dói tanto que ele mal consegue ouvir. Passou de uma dor ardente a uma dor fria, morta, funda e apertada com um estranho sabor de perda emocional. Bem lá no fundo ele ouve a dor rindo dos 90 mg de Toradol-IM que eles colocaram no soro. Como com Ewell, quando Gately emerge do sono não há como saber há quanto tempo Day está ali, ou por quê, exatamente. Day está mandando ver uma estória comprida parece que sobre o seu relacionamento de juventude com o irmão mais novo. Gately acha bem difícil imaginar Day sendo parente de sangue de alguém. Day diz que o seu irmão era intelectualmente deficiente de algum jeito. Ele tinha uns lábios enormes, frouxos e vermelhos, e usava uns óculos tão grossos que os olhos dele pareciam olhos de formiga, quando eles eram pequenos. Parte da deficiência dele era que o irmão de Day tinha um medo paralisantemente fóbico de folhas, aparentemente. Tipo folhas comuns mesmo, de árvore. Day tomou um tapa na cara de uma lembrança que surgiu na sobriedade, de como ele abusava emocionalmente do irmão mais novo simplesmente ameaçando encostar uma folha nele. Day tem mania de segurar a bochecha e o queixo quando fala como uma foto recortada do falecido J. Benny. Não está nada claro por que Day está querendo dividir essas coisas com um Gately mudo e febrilmente semiconsciente. Parece que Don G. se tornou bem mais popular como par de conversa desde que ficou efetivamente paralisado e mudo. O teto está bem-comportado, mas no cinza do quarto Gately ainda consegue discernir uma figura fantásmica insubstancial estaturalmente alta aparecendo e desaparecendo no meio da periferia do seu campo periférico. Havia alguma relação medonha entre as posturas da figura e o deslizar silencioso das enfermeiras. Estava bem na cara que a tal figura parecia preferir a noite ao dia, embora a essa altura Gately bem podia estar dormindo de novo, enquanto Day começava a descrever diferentes espécies de folhas que dá pra você segurar.

Um pesadelo recorrente que Gately tem desde que decidiu Entrar e ficar sóbrio consiste simplesmente numa oriental minúscula com marcas de acne no rosto olhando para ele com ar arrogante. Não acontece mais nada; ela só fica lá com aquele olhar superior. As marcas de acne dela nem são tão ruins assim. O negócio é que ela é minúscula. É uma dessas orientaizinhas minúsculas que você vê por toda a Grande Boston, sempre parece que carregando numerosas sacolas de compras. Mas no sonho recorrente ela está com um olhar *superior*, do ângulo dele ele está olhando para cima e ela pra baixo, o que significa que Gately no sonho está ou (a) deitado de costas olhando vulneravelmente para ela ou (b) é ele mesmo ainda mais incrivelmente minúsculo que a mulher. Envolvido no sonho também de alguma forma ameaçadora está um cachorro parado rigidamente à distância atrás da oriental, imóvel e rígido, de perfil, ali bem paradinho e ereto como um brinquedo. A oriental não está com nenhuma expressão em especial e nunca abre a boca, embora as marcas do seu rosto tenham um certo padrão esquivo que parece significar alguma coisa. Quando Gately abre os olhos de novo Geoffrey Day se foi, e a cama de hospital dele com as grades e os frascos de soro nos suportes foi trocada de lugar de modo que ele está bem ao lado da cama de seja lá quem for a pessoa na outra cama do quarto, portanto é como se Gately e esse paciente desconhecido fossem um casal velho assexuado dormindo juntos mas em camas separadas, e a boca de Gately fica oval e seus olhos se esbugalham de terror, e o esforço que ele faz para gritar dói tanto que ele acorda, e suas pálpebras se abrem de chofre e se agitam que nem persianas velhas, e a cama de hospital dele está lá bem onde sempre esteve, e uma enfermeira está dando ao anônimo da outra cama algum tipo de injeção madrugueira que dava pra ver que era um narcótico, e o paciente, que tem uma voz muito grave, está chorando. Aí em algum ponto posterior nas poucas horas que antecedem a sinfonia das mudanças de vagas da meia-noite na Washington St. lá fora fica um sonho desagradavelmente detalhado em que a figura fantásmica que anda aparecendo e desaparecendo no quarto finalmente fica num só lugar tempo suficiente para que Gately realmente dê uma sacada no cara. No sonho é a figura de um sujeito muito alto de peito encovado e óculos de aros negros, com camiseta e calça de sarja manchada, recostado meio que despreocupadamente ou talvez mais macambuziamente largado, apoiado de pé contra a grade sussurrante da ventilação da soleira da janela, os braços compridos soltos ao lado do corpo e os tornozelos cruzados descontraidamente de modo que Gately pode até ver o detalhe de que a calça fantásmica de sarja é curta demais para a estatura do vulto, é do tipo que os meninos chamavam de "calça de pescar siri" na infância de Gately — um ou outro chapinha mais selvagem do Goi Gately encurralavam um menino de pescocinho bem fino com aquelas calças curtas demais daquele tipo no parquinho e começavam "E aí rapá cadê esse tal desse *rio*?", e aí jogavam o menino no chão com um tapa na cabeça ou um empurrão no peito de modo que o inevitável violino saía quicando aloprado pelo asfalto, dentro do estojo. O braço da figura fantásmica medonha às vezes, tipo, some e aí reaparece no nariz, empurrando os óculos pra cima com um gesto macambúzio inconsciente e exausto, bem que nem aqueles garotos com calça de pescar siri no parquinho sempre faziam com um jeito macambúzio e fracote que sempre de alguma maneira fazia o próprio Gately querer dar um puta empurrão no peito deles. Gately no sonho sentiu um doloroso relâmpago adrenal de remorso e considerou a possibilidade de que a figura representasse um dos garotinhos violinistas da North Shore que ele nunca tinha evitado que os seus chapinhas selvagens atacassem, agora vindo na condição de adulto quando Gately estava vulnerável e mudo, para cobrar algum tipo de compensação. A figura fantásmica deu de ombros magros e disse Mas não, que nada disso, era só um espectro dos comuns mesmo, sem nenhum tipo de rancor ou de objetivos, só um espectro genérico desses vendidos na esquina. Gately sarcasticamente no sonho achou que Ah bom então se era só um *espectro* desses vendidos na esquina, mesmo, cacilda que *alívio*, caralho. A figura espectral sorriu compungida e deu de ombros, mudando um pouquinho o peso de apoio na grade. Havia um quê estranho nos seus movimentos no sonho: eles eram de velocidade-padrão, os movimentos, mas pareciam estranhamente segmentados e deliberados, como se de alguma maneira estivessem exigindo mais esforço do que o necessário. Aí Gately ponderou que quem é que podia saber o que era necessário ou normal pra um espectro que se autoproclamava genérico num sonho de dor-e--febre. Aí ele considerou que aquele era o único sonho de que ele se lembrava em que mesmo no sonho ele sabia que era um sonho, que dirá ficar ali considerando o fato de que estava considerando a qualidade declaradamente onírica do sonho que estava sonhando. Logo a coisa ficou tão convoluta e confusa que os olhos dele se reviraram na cabeça. O espectro fez um gesto cansado e macambúzio como quem não quer se dar ao trabalho de entrar em alguma controvérsia tipo confundir sonho com realidade. O espectro disse que era melhor Gately parar de tentar entender e simplesmente capitalizar a sua presença, a presença do espectro no quarto ou no sonho, tanto faz, porque Gately, se ele se desse ao trabalho de perceber e de se dar por agradecido, pelo menos não tinha que falar em voz alta pra poder interfacear com a figura espectral; e também a figura espectral disse que aliás estava lhe custando uma paciência e uma fortitude incríveis pra ele (espectro) ficar ali na mesma posição tempo suficiente pra que Gately o visse de verdade e interfaceasse com ele, e o espectro não estava querendo prometer muito sobre quantos meses mais ele (espectro) podia bancar aquilo, já que fortitude nunca tinha sido meio que o ponto forte dele. A soma das luzes noturnas da cidade iluminava o céu do outro lado da janela do quarto levando-o ao mesmo tom rosa-escuro que você vê quando fecha os olhos, o que só fazia aumentar a ambiguidade meio tipo sonho-de-sonho. Gately no sonho tentou o teste de fingir perder a consciência pro espectro ir embora, e aí em algum ponto do fingimento perdeu a consciência e dormiu de verdade, um tempo, no sonho, porque a oriental minúscula e esburacada estava de volta olhando despalavradamente pra ele, fora o cachorro rígido medonho. E aí o paciente sedado na cama ao lago acordou Gately de novo, no sonho original, com algum tipo de gorgolejo narcotizado ou de ronco, e a autodeclarada figura espectral ainda estava ali e estava visível, só que agora parada em cima da grade ao lado da cabeça de Gately, olhando de cima agora de uma estonteante altura de estatura-original-mais-grade, tendo que exagerar a curva natural dos ombros pra não bater no teto. Gately conseguiu uma vista desimpedida de uma impressionante guedelha de pelos de narina, olhando para as narinas do espectro, e também uma olhada desimpedida dos ossos tipo tornozeloides dos tornozelos magrelos do espectro, pontudos dentro de umas meias marrons embaixo da barra da calça de sarja de pescar siri. Por mais que o seu ombro, a panturrilha, o dedo do pé e todo o lado direito do seu corpo estivessem doendo, ocorreu a Gately que normalmente você não pensa em espectros ou em aparições fantasmais como seres altos ou baixos, ou com má postura, ou que eles usam meia dessa ou daquela cor. Muito menos com qualquer coisa tão específica quanto pelos nas narinas. Tinha um certo grau de, sei lá, *especificidade* nessa figura do sonho que Gately achava incômodo. Que dirá ainda com o sonho desagradável da oriental velhusca *dentro* deste sonho aqui. Ele começou a desejar de novo poder chamar ajuda pra que alguém o acordasse. Mas agora nem mugidos nem miados saíam, a única coisa que aparentemente ele conseguia fazer era *ofegar* pesado pacas, como se o ar estivesse totalmente fugindo da laringe dele ou como se a laringe estivesse totalmente desmapeada por causa dos danos neurais do ombro e agora meio que só ficasse lá murchona e seca que nem um ninho velho de vespa enquanto o ar passava correndo pela garganta de Gately, por volta dela toda. A garganta dele ainda não estava normal. Era exatamente a falta de voz sufocada dos sonhos, pesadelos, Gately percebeu. Isso era ao mesmo tempo aterrador e reconfortante, de alguma maneira. Provas de um elemento onírico e assim por diante e tal e coisa. O espectro estava olhando de cima para ele e balançando a cabeça como quem entende. O espectro estava empatizando total, ele disse. O espectro disse que até um espectro genérico podia se mover à velocidade dos quanta e estar em qualquer lugar a qualquer momento e ouvir in toto sinfônico os pensamentos dos homens animados, mas em geral não conseguia afetar ninguém ou nada de sólido, e não conseguia falar direto com ninguém, espectro não tinha voz-alta própria e tinha que usar tipo a voz-cerebral interna da pessoa se queria tentar comunicar alguma coisa, que era por isso que os pensamentos e as ideias que estavam vindo de algum espectro simplesmente pareciam ideias tuas, de dentro da tua cabeça, se um espectro estava tentando interfacear com você. O espectro diz Pra te dar um exemplo considere fenômenos como a intuição ou a inspiração ou os palpites repentinos, ou quando alguém por exemplo diz "Algo me diz que" tal e tal coisa, meio intuitivamente. Gately agora não consegue dar mais que um terço de uma respirada normal sem querer vomitar por causa da dor. O espectro estava empurrando os óculos pra cima e dizendo Além disso, precisava uma disciplina, uma fortitude e um esforço paciente incríveis pra ficar paradinho no mesmo lugar tempo suficiente pra um homem animado poder chegar a ver e ser de alguma maneira afetado por um espectro, e pouquíssimos espectros tinham alguma coisa que fosse importante assim pra eles interfacearem a ponto de ficarem dispostos a ficar parados tanto tempo, preferindo normalmente zumbir de um lado pro outro na invisível velocidade dos quanta. O espectro diz que na verdade não faz diferença se Gately sabe o que o termo *quanta* significa. Ele diz que Espectros em geral existem (esticando lentamente os braços e fazendo uns gestinhos com os dedos tipo de aspas quando disse *existem*) numa dimensão heisenberguiana de velocidade-de-fluxo e de passagem-de-tempo totalmente diferente. Como exemplo, ele continua, as ações e os movimentos normais dos homens animados parecem, pra um espectro, estar se dando mais ou menos na velocidade com que se move o ponteiro das horas de um relógio, e são mais ou menos tão interessantes quanto. Gately estava pensando mas que porra, agora até em sonhos febris desagradáveis outra pessoa está tentando lhe contar os seus problemas agora que Gately não consegue fugir ou dialogar também com coisa nenhuma sobre a sua própria experiência. Ele normalmente não ia conseguir nem a pau botar o Ewell ou o Day sentados pra algum tipo de conversa mútua, real ou honesta, e agora que ele está totalmente mudo, inerte e passivo de repente todo mundo parece vê-lo como um ouvido tolerante, ou nem um ouvido tolerante *de verdade*, mais tipo um entalhe de madeira ou a estátua de um ouvido. Um confessionário vazio. O espectro desaparece e imediatamente reaparece num canto distante do quarto, dando um oizinho de longe. Aquilo lembrava vagamente umas reprises de *A Feiticeira* na infância de Gately. O espectro desaparece de novo e de novo imediatamente reaparece, agora segurando uma das fotos de celebridades recortadas-e-grudadas-com-durex do quarto fuleiro de Funcionário de Gately no porão da Casa Ennet, uma do Líder de Estado dos EU, Johnny Gentle, a Voz de Veludo, no palco, usando de fato veludo, rodopiando um microfone, de lá dos tempos de antes dele adotar uma peruca cor de cobre, quando usava um estrigilo em vez de uma cabine-relâmpago de ultravioleta e era só um cantor de Vegas. De novo o espectro desaparece e imediatamente reaparece segurando uma latinha de Coca, com as boas e velhas ondas brancas-sobre-vermelho da Coca mas com umas letras estranhas e desconhecidas tipo orientais em vez das boas e velhas palavras *Coca-Cola* e *Coke*. O texto desconhecido da latinha de Coca arrisca ser o pior momento do sonho inteiro. O espectro caminha travada e hiperdeliberadamente pelo chão e depois por uma parede, de vez em quando desaparecendo e aí reaparecendo, meio que revoando enevoadamente, e acaba parado de cabeça pra baixo no teto de gesso do quarto do hospital, bem em cima de Gately, aperta um joelho contra o peito encovado e começa a fazer o que Gately saberia que eram piruetas se jamais tivesse sido apresentado ao balé, dando piruetas cada vez mais velozes até elas ficarem tão velozes que o espectro não passa de um longo caule de luz cor-de-malha-e-coca-cola que parece protuberar do teto; e aí, num momento que rivaliza com o momento lata-de-Coca em termos de desagradabilidade, na mente pessoal de Gately, na própria voz-cerebral de Gately mas com uma força urlante e involuntária, surge a palavra *PIRUETA*, em letras maiúsculas, termo este que Gately sabe de certeza que ele não tem ideia do que quer dizer e não tem motivo para estar pensando aqui com uma força urlante, de modo que a sensação é não somente medonha mas meio violadora, uma espécie de estupro lexical. Gately começa a considerar esse sonho se Deus quiser não recorrente como algo ainda mais desagradável que o sonho da oriental minúscula com furos na cara, assim no geral. Outros termos e palavras que Gately sabe que não sabe nem sonhando se aquilo é grego ou sei lá o quê entram estrondando na sua cabeça com a mesma força pavorosamente intrusiva, p. ex. *ACCIACCATURA, ALAMBIQUE, LATRODECTUS MACTANS, PONTO DE DENSIDADE NEUTRAL, CHIAROSCURO, PROPRIOCEPÇÃO, TESTUDINIS, ANULANTE, BRICOLAGEM, CATALÉPTICO, GERRYMANDERING, ESCOPOFILIA, LAERTES* — de repente ocorre a Gately os suprapensados *PROTUBERAR, ESTRIGILO* e *LEXICAL* por si sós — e *LORDOSE, TRIBUTO, SINISTRÓGIRO, MENISCO, CRONAXIA, POBRE*

YORICK, LÚCULO, MONTCLAIR CEREJA e aí *DOLLY GRUA NEORREAIS DE DE SICA* e *CASAMENTOLEVIRATODRAMAPRONTOCIRCUNSTANTE* e aí mais termos e palavras lexicais que se aceleram até virar alvin-e-os-esquilês e aí *HELIADOS* e aí até um ponto em que soam como um mosquito que tomou bolinha, e Gately tenta apertar as duas têmporas só com uma mão e gritar, mas nada sai. Quando o espectro reaparece, está sentado bem atrás dele onde Gately tem que fazer os olhos se revirarem todos na cabeça para poder ver, e acaba que o coração de Gately está sendo medicamente monitorado e o espectro está sentado no monitor cardíaco com uma postura estranha de pernas cruzadas com a barra da calça puxada tão para cima que Gately podia ver até a pele magrela e lisinha da região suprameial dos tornozelos do espectro, brilhando um pouco na luz que transborda do corredor da Ala de Trauma. A lata de Coca oriental agora repousa na larga testa plana de Gately. Ela está fria e tem um cheiro meio esquisito, tipo de maré baixa, a lata. Agora passos e o som de um chiclete no corredor. Um funcionário aponta uma lanterna e passa a luz sobre Gately, o colega de quarto narcotizado e entornos, e faz marcas numa prancheta enquanto estoura uma bola pequena e laranja. Não é que a luz atravesse o espectro ou alguma coisa dramática dessas — o espectro simplesmente desaparece no exato instante em que a luz bate no monitor cardíaco e reaparece no exato instante em que ela se afasta. Os sonhos desagradáveis de Gately definitivamente não têm a tendência de incluir normalmente cores específicas de chiclete, intenso desconforto físico e invasões de termos lexicais de que ele não tem nem a mais remota ideia. Gately começa a concluir que não é impossível que o espectro genérico ali em cima do monitor cardíaco, ainda que não seja convencionalmente real, possa ser uma manifestação meio epifanienta da compreensão pessoalmente confusa que Gately tem de Deus, de um Poder Superior ou coisa assim, de repente meio que tipo a lendária Luz Azul Pulsante que Bill W., o fundador do AA, viu durante sua última desintoxicação, que no final das contas era Deus dizendo para ele ficar sóbrio começando o AA e Levando a Mensagem. O espectro sorri triste e diz algo como Doce ilusão, a nossa, meu jovem. A testa de Gately se enruga enquanto os olhos continuam revirados e faz a lata estrangeira balançar friamente: claro que também tem a possibilidade de que o espectro alto, corcovado e extremamente veloz possa representar o Sargento-de-Armas, a Doença, se aproveitando da segurança relaxada da mente entorpecida pela febre de Gately, se preparando para foder com os motivos dele e convencê-lo a aceitar Demerol só uma vez, só uma última vez, para uma dor médica totalmente legítima. Gately se permite imaginar como seria poder se quantar pra tudo quanto é lado instantaneamente, ficar de pé no teto e provavelmente assaltar como assaltante nenhum jamais sonhou assaltar, mas não poder afetar nada ou interfacear com ninguém, sem ninguém saber que você está ali, vendo a vida corrida normal das pessoas como os movimentos dos planetas e dos sóis, tendo que ficar pacientemente bem quietinho no mesmo lugar um tempão só pra fazer um coitado de um filho da puta todo tonto só começar a se dispor a considerar que de repente você está ali. Ia dar uma puta aparência de liberdade, mas ia ser supersolitário, ele imagina. Gately sabe lá alguma coisa de solidão, ele acha. Será que *espectro* significa tipo fantasma, assim tipo morto mesmo? Será que isso aqui é uma mensagem de um Poder Superior sobre sobriedade e morte? Como é que seria tentar conversar e ver a pessoa pensar que era só a sua própria cabeça que estava falando? Gately podia de repente se Identificar, numa certa medida, ele conclui. Essa é a única vez que ele ficou mudo a não ser por um surtinho curto mas desgraçado de laringite pleurítica que ele teve quando tinha vinte e quatro anos e dormiu na praia fria lá em Gloucester, e ele não curte nadinha isso de ficar mudo. Parece uma combinação de invisibilidade com ser enterrado vivo, em termos de sensações. Parece ser estrangulado em algum lugar mais fundo de você do que no pescoço. Gately se imagina com um gancho pirático, incapaz de falar nas Promessas porque só sabe gorgulhar e arfar, condenado a uma vida de cinzeiros e cafeteiras no AA. O espectro estica o braço e retira a lata de refrigerante não americano da testa de Gately e garante a Gately que consegue mais do que se Identificar com os sentimentos de impotência comunicativa e de estrangulação muda de um homem animado. Os pensamentos de Gately ficam agitados enquanto ele tenta gritar mentalmente que nunca disse nada dessa porra de impo*tência*. Ele está tendo uma visão bem mais direta e desimpedida da situação radical das pilosidades nasais do espectro do que desejaria. O espectro sopesa a lata distraído e diz que vinte e oito anos de idade parece ser o bastante para Gately lembrar das antigas comédias de situações da televisão aberta dos EU nos anos 80 e 90 AS, provavelmente. Gately tem que sorrir da falta de noção do espectro: afinal de contas Gately é um viciado em drogas, caralho, e o segundo relacionamento mais relevante de um viciado em drogas é sempre com a sua unidade de entretenimento doméstico, TV/VK7 ou TPHD. Um viciado em drogas pode bem ser a única espécie humana cuja própria visão pessoal tem um Controle de Vertical, cacete, ele pensa. E Gately, mesmo em recuperação, ainda consegue lembrar grandes trechos verbatim não só de trechos de uma adolescência de viciado ligado em *Seinfeld, Ren & Stimpy, Mé-que-chamo-nome-dele* e *No mundo do fim* mas também as reprises antigas de *A Feiticeira, Hazel* e o ubíquo *M*A*S*H* que ele cresceu monstruosamente vendo, e especialmente o elenco local de *Cheers!*, tanto na versão de tempos das redes com a morena peituda quanto as reprises mais antigas com a lourinha-tábua, que Gately até depois da mudança para a InterLace e a disseminação de TPHD achava que tinha uma relação pessoal especial com *Cheers!* não só porque todo mundo no programa sempre estava com uma cervejinha na mão, bem que nem na vida real, mas porque a maior aposta que Gately fazia de se ver reconhecido na sua imensa infância era baseada na sua bisonha semelhança com o imenso contador Nom, sem pescoço e com cara de símio, que meio que parecia morar no bar, e era rude mas não cruel, e bebia chope em cima de chope sem nunca bater na Mãe de alguém ou cair de lado e desmaiar no vômito que outra pessoa tinha que limpar, e que parecia — até em detalhes como a cabeçona quadrada, a testa de Neanderthal e os polegares tamanho-raquete — bisonhamente o jovem D. W. ("Goi") Gately, gigante, despescoçado e tímido, cavalgando seu cabo de vassoura, Sir Hose Patick. E o espectro em cima do monitor cardíaco olha pensativamente para Gately de cabeça para baixo e pergunta se Gately lembra das multidões de figurantes por exemplo no seu amado *Cheers!*, não os protagonistas Sam, Carla e Nom, mas dos fregueses sem nome sempre nas mesas, mantendo o bar cheio, concessões ao realismo, sempre relegados a pano de fundo e a fundo de cena; e sempre tendo conversas totalmente silenciosas: os rostos deles se animavam e as bocas se moviam realisticamente, mas sem som; só as estrelas de nome no bar propriamente dito podiam audibilizar. O espectro diz que esses atores fracionados, cenário humano, eram vistos (mas não ouvidos) em quase todos os entretenimentos filmados. E Gately lembra deles, dos figurantes nas cenas públicas, especialmente cenas tipo de bares e restaurantes, ou na verdade lembra que não lembra direito deles, que nunca ocorreu à sua mente entorpecida que era mesmo surreal que as bocas deles se mexessem mas nada saísse dali, e que empreguinho desgraçado e pé-sujo aquilo ali devia ser pra um ator, ser meio que mobília humana, *figurantes* o espectro diz que eles se chamam, essas presenças de fundo surrealmente mudas cuja presença na verdade revelava que a câmera, como qualquer olho, tem um canto perceptivo oculto, uma triagem de quem é importante o suficiente para ser visto e ouvido v. apenas visto. Um termo do balé, originalmente, *figurante*, o espectro explica. O espectro empurra os óculos pra cima daquele jeito vagamente resmunguento de um menininho que acabou de levar umas bifas no parquinho e diz que ele em pessoa passou uma parte imensa da sua antiga vida animada como basicamente um figurante, mobília na periferia dos olhos que estavam mais próximos dele, no final das contas, e que é um jeitinho nojento de tentar viver. Gately, cuja crescente autopiedade tem deixado pouco espaço ou pouca paciência para a autopiedade dos outros, tenta levantar a mão esquerda e sacudir o minguinho para indicar a menor viola do mundo tocando o tema de A *tristeza e a piedade*, mas só mexer o braço esquerdo já quase o faz desmaiar. E ou o espectro está dizendo ou Gately está percebendo que você só consegue se dar conta do páthos dramático de um figurante quando percebe o quanto ele está completamente *atado* e *enjaulado* no seu mudo estatuto periférico, porque tipo digamos por exemplo se um dos figurantes do bar de *Cheers!* de repente decidisse que não aguentava mais, levantasse e começasse a gritar e a gesticular ensandecido numa tentativa de conquistar atenção e um estatuto não periférico no programa, a única coisa que ia acontecer é que um dos "nomes" audibilizantes que estrelavam o programa ia saltar da boca do palco e colocar uma camisa de força ou aplicar a manobra de Heineken nele, ou fazer umas manobras de ressuscitação, imaginando que o silente figurante gesticulante estava sufocando com um amendoim ou coisa parecida, e aí o resto todo desse episódio de *Cheers!* ia ser sobre piadinhas sobre o ato de heroísmo do nome-estrela ou ainda sobre a sua tosquice por aplicar a manobra de Heineken em alguém que não estava sufocando com um amendoim. Não tinha como um figurante sair por cima. Nada de voz ou de foco possíveis para o figurante enjaulado. Gately especula brevemente sobre as estatísticas de suicídio entre os atores mais pé-sujos. O espectro desaparece e aí reaparece na cadeira perto da grade da cama, se inclinando para a frente com o queixo nas mãos em cima da grade no que Gately já está considerando a clássica

853

posição narre-os-teus-problemas-para-o-paciente-desacordado-que-não-consegue-interromper-nem-fugir. O espectro diz que ele mesmo, espectro, quando era animado, tinha mexido um pouco com entretenimentos filmados, tipo na produção deles, cartuchos, só pra informar ao Gately acredite se quiser, e mas que nos entretenimentos que o próprio espectro tinha feito, ele diz que ele pode apostar que ele garantiu que ou o entretenimento inteiro era mudo ou que se não fosse mudo que desse pra você ouvir direitinho a voz de todos os atores, por mais que eles estivessem lá na periferia narrativa ou cinematográfica; e que não era só o diálogo sobreposto e autoconsciente de um poseur como o Schwulst ou o Altman, i. e., não era só a imitação forjada do caos auditivo: era a balbúrdia igualitária real dos gupos desfigurantados da vida real, da ágora de verdade do mundo animado, babau[342] dos grupos em que cada membro era o protagonista central e articulado do seu próprio entretenimento. Ocorre a Gately que ele nunca teve um sonho em que alguém diz algo como *periferia narrativa*, muito menos ágora, que Gately interpreta como um agora mais rebuscado. E era por isso, o espectro continua, que o completo realismo auditivo desfigurantado, era por isso que os críticos ortodoxos de entretenimento sempre reclamavam que as cenas de áreas públicas dos entretenimentos do espectro eram sempre incrivelmente tediosas, autoconscientes e irritantes, que eles nunca conseguiam ouvir as narrativas centrais realmente importantes por causa de toda aquela babau do grupo periférico, que eles imaginaram que essa babau(/babel) era alguma pose diretorial hiperartística, autoconsciente e hostil em direção ao espectador, em vez de ser um realismo radical. O sorriso lúgubre do espectro quase desaparece antes de aparecer. O leve sorriso cerrado que Gately lhe devolve é o sinal sempre fiável de que ele não está ouvindo de verdade. Está lembrando que gostava de fingir para si próprio que o contador inviolento e sarcástico, que aquele Nom do *Cheers!* era o pai orgânico do próprio Gately, fazendo força pra segurar o jovem Goizinho no colo e deixando ele desenhar com os dedinhos na condensação do balcão do bar, e quando ele estava puto com a mãe de Gately, sendo sarcástico e espirituoso em vez de jogar ela no chão e lhe aplicar umas surras horrendamente cuidadosas tipo marinha-de-guerra que doíam pra cacete mas nunca deixavam marcas ou mostras. A lata de Coca das estranjas deixou uma rodinha na testa dele que é mais fria que a pele febril à sua volta, e Gately tenta se concentrar no frio da rodinha em vez da fria e morta dor plena de todo o seu lado direito — *DEXTRÓGIRA* — ou na lembrança sóbria da cara-metade da sra. Gately sua mãe, o ex-PN de olhinhos pequenos e cuecão cáqui debruçado bêbado sobre o seu caderninho com o registro das Heinekens do dia, a língua no canto da boca e os olhos apertadinhos enquanto tenta enxergar um caderno unitário o bastante para poder escrever nele, a mãe de Gately no chão tentando rastejar na direção do banheiro com tranca em silêncio para o PN não perceber de novo.

O espectro diz que Só pra dar uma ideia pro Gately, ele, o espectro, pra poder aparecer em forma visível e interfacear com ele, Gately, ele, espectro, está sentado, paradinho da silva, naquela cadeira ao lado de Gately pelo equivalente espectral de *três semanas*, o que Gately nem consegue imaginar. Ocorre a Gately que nenhuma pessoa que apareceu aqui pra lhe contar seus problemas se deu ao trabalho de dizer há quantos dias ele já está na Ala de Trauma, ou que dia vai ser quando o sol nascer, e assim Gately não tem ideia de quanto tempo ele já passou sem uma reunião do AA. Gately deseja que o seu padrinho Francis Furibundo G. desse as caras em vez de uns Funcionários da Ennet que queriam ficar falando de prósfeses e de uns residentes que só vinham pra dividir tralhas do passado com alguém que eles nem achavam que conseguia ouvir, meio que nem um menininho conta segredos pra um cachorro. Ele não se permite nem refletir por que nenhum dos Homens ou dos caras federais de cabelinho militar veio fazer uma visita ainda, se ele está aqui já tem um tempo, se eles já estiveram na Casa que nem uns hamsters em cima de trigo, como o Thrust tinha dito. A sombra sentada de alguém de chapéu ainda está lá fora no corredor, se bem que se esse interlúdio todo fosse um sonho ela não está e jamais esteve, Gately percebe, apertando um pouco os olhos para tentar confirmar se a sombra é a sombra de um chapéu e não de uma caixa de extintor de incêndio na parede do corredor ou coisa assim. O espectro pede desculpa e desaparece mas aí reaparece duas vagarosas piscadas depois, de novo na mesma posição. "Isso não valia um Desculpa Aí?", Gately pensa causticamente para o espectro, quase rindo. A onda de dor desse quase-riso manda os olhos dele lá pra trás da cabeça. A caixa do monitor cardíaco não parece larga o bastante para sustentar a bunda nem de um espectro. O monitor cardíaco é do tipo silencioso. Tem aquela linha branca que se mexe com umas lombadas passando ali para marcar as pulsações de Gately, mas não faz aquele bipe estéril que os monitores antigos de novela de hospital sempre faziam. Os pacientes nas novelas de hospital frequentemente eram figurantes inconscientes, Gately reflete. O espectro diz que acabou de fazer uma visitinha quanticosa ao velho sobradinho imaculado de um certo Francis Furibundo Gehaney em Brighton, e pelo jeito com que o velho Crocodilo está fazendo a barba e colocando uma camiseta branca limpa, diz o espectro, ele prevê que o F. F. em breve fará uma vista à Ala de Trauma para oferecer a Gately empatia e camaradagem incondicionais e acerbos aconselhamentos crocodilianos. A não ser que fosse só o próprio Gately pensando isso tudo pra manter uma coragem ali, Gately pensa. O espectro empurra triste os óculos para cima. Você nunca pensa num espectro com cara triste ou destriste, mas esse espectro-de-sonho demonstra todo um universo de afetos. Gately pode ouvir as buzinas, as vozes altas e os guinchos das meias-voltas automotivas bem lá embaixo na Wash. que indicam que é cerca de 0000h, hora de trocar de lado. Ele fica pensando como soa uma coisa tão breve quanto uma buzinada de carro pra um figurante que precisa ficar três semanas sentado pra poder ser visto. Espectro, não figurante, Gately quis dizer, ele se corrige. Ele está deitado ali corrigindo os seus pensamentos como se estivesse falando. Fica pensando se a sua voz cerebral fala rápido o bastante pro espectro não ter que tipo ficar batendo o pezinho e olhando no relógio entre as palavras. Mas será que aquilo são palavras se fica só na tua cabeça? O espectro assoa o nariz num lencinho que visivelmente já viu melhores eras e diz que ele, espectro, quando estava vivo no mundo dos homens animados, tinha visto o seu próprio rebento mais jovem, um filho, o que mais se parecia com ele, o que lhe parecia mais maravilhoso e assustador, virar um figurante, mais para o fim. O fim dele, não o do filho, o espectro elucida. Gately fica pensando se ofende o espectro quando se refere a ele mentalmente às vezes como *isso*. O espectro abre e examina o lencinho usado bem que nem uma pessoa viva nunca consegue deixar de fazer e diz Horror nenhum na terra ou em outro lugar se compara a ver o teu próprio rebento abrir a boca e nada sair. O espectro diz que isso macula a memória do fim da vida animada dele, esse recuo do filho para a periferia do enquadramento da vida. O espectro confessa que, um dia, culpou a mãe do menino pelo silêncio dele. Mas que bem faz esse tipo de coisa?, ele disse, fazendo um gesto borrado que podia ter sido um dar de ombros. Gately lembra do ex-PN dizendo para a mãe de Gately por que era culpa dela ele ter perdido o emprego na fábrica de chowder. "O Rancor é o Criminoso nº 1" é mais um dos clichês do AA de Boston em que Gately tinha começado a acreditar. Que a atribuição de culpa é um jogo de cartas marcadas. Não que ele não fosse gostar de uns minutinhos em particular a sós numa sala sem portas com Randy Lenz, quando ele estivesse de pé de novo e em ordem, no entanto.

O espectro reaparece largado na cadeira com o peso todo no cóccix e as pernas cruzadas daquele jeito classe alta erdedyano. Ele diz Imagine só o horror de passar toda a tua solitária infância itinerante no Sudoeste e na Costa Oeste tentando sem sucesso convencer o teu pai pelo menos de que você existia, ser bom em alguma coisa a ponto de ser ouvido e visto mas não tão bom pra você virar só uma tela pras projeções dele mesmo (do Pai) do seu próprio fracasso e do ódio que tinha de si próprio, sem nunca conseguir ser visto de verdade, gesticulando insanamente em meio à névoa destilada, de modo que na vida adulta você ainda carregava o peso úmido e flácido do teu fracasso em jamais conseguir fazer ele ouvir você *falar* de verdade, carregava durante todos os teus anos animados sobre os teus ombros cada vez mais caídos — só pra descobrir, perto do fim, que o teu próprio filho também tinha ficado vazio, involuto, silente, assustador, mudo. I. e., que o filho dele tinha virado o que ele (espectro) tinha temido na infância que ele (espectro) fosse. Os olhos de Gately se reviram na cabeça. O menino, que fazia tudo bem e com uma graça descorcunda e natural que o próprio espectro nunca tivera, e que o espectro queria tão terrivelmente ver, ouvir e fazer com que ele (filho) soubesse que era visto e ouvido, o filho tinha se tornado um menino cada vez mais *oculto* mais para o fim da vida do espectro; e ninguém mais na família nuclear do espectro e do menino via ou reconhecia isso, o fato de que o menino gracioso e maravilhoso estava desaparecendo bem na frente deles. Eles olhavam mas não viam a sua invisibilidade. E eles escutavam mas não ouviam os avisos do espectro. Gately está com aquele leve sorriso tenso e ausente de novo. O espectro diz que a família nuclear acreditava que ele (espectro) era instável e estava confundindo o menino com o seu próprio eu (do espectro) da infância, ou com o pai do pai do espectro, o homem oco de madeira que segundo a mitologia familiar tinha "levado" o pai do espectro "para a garrafa" e o potencial não realizado e uma hemorragia cerebral precoce. Mais para o fim, ele tinha começado intimamente a temer que seu filho estivesse mexendo com Substâncias. O espectro fica tendo que empurrar os óculos para cima. O espectro diz quase amargamente que quando ele levantava e sacudia os braços para eles todos prestarem atenção no fato de que o seu filho mais jovem e mais promissor estava desaparecendo, eles pensavam que aquela agitação toda significava que ele tinha pirado por causa da ingestão de Wild Turkey e precisava tentar ficar sóbrio, de novo, mais uma vez.

Isso chama a atenção de Gately. Aqui pelo menos podia haver algum tipo de sentido nesse sonho confuso e desagradável. "Você tentou ficar sóbrio?", ele pensa, revirando os olhos na direção do espectro. "Mais de uma vez, você tentou? Foi De-Vereda?[343] Você chegou a Se Entregar e Entrar?"

O espectro corre os dedos por sua longa mandíbula e diz que passou todos os últimos noventa dias sóbrios da sua vida animada trabalhando incansavelmente para tentar conceber um instrumento via o qual ele e o filho tácito pudessem simplesmente conversar. Inventar algo que o menino talentoso não conseguisse simplesmente dominar e passar adiante, rumo a um novo platô. Algo que o menino amasse tanto que pudesse induzi-lo a abrir a boca e sair — nem que fosse só para pedir mais. Os jogos não tinham dado certo, profissionais não tinham dado certo, a imitação de profissionais não tinha dado certo. Sua última saída: entretenimento. Fazer alguma coisa divertida pra cacete, que reverteria a inércia da queda de uma jovem alma rumo ao útero do solipsismo, da anedonia, da morte em vida. Um brinquedo magicamente divertido pra sacudir na frente dos olhos do bebê ainda vivo naquele menino, pra deixar os olhos dele brilhando e aquela boca sem dentes inconscientemente aberta, para rir. Para deixá-lo "fora de si", como eles dizem. O útero podia ser usado dos dois jeitos. Uma forma de dizer EU SINTO TANTO, TANTO e ser ouvido. O sonho de toda uma vida. Os acadêmicos, as Fundações e os disseminadores nunca viram que o desejo mais sério dele era: entreter.

Gately não está torturado e febril demais para não reconhecer a mais descarada autopiedade quando ouve autopiedade, com ou sem espectros. Que nem no slogan "Ai Que Dose, Ai Que Dose: Mais Uma Dose?". Com todo o respeito, era ruim de acreditar que esse espectro conseguisse ficar sóbrio, se precisava ficar sóbrio, com a mistura de abstração com essa postura oh-ninguém-me-entende que ele está traindo aqui, no sonho.

Ele ficou mais sóbrio que uma bordadeira menonita por oitenta e nove dias, bem no finalzinho da vida, o espectro garante, agora de novo em cima do silente monitor cardíaco, embora o AA de Boston tenha uma fúria evangélica desprovida de senso de humor que manteve os seus índices de presença nas reuniões meio ralos. E ele nunca conseguiu engolir os clichês insípidos e o desprezo pela abstração. Pra nem falar da fumaça de cigarro. A atmosfera das salas de reunião era que nem a de um jogo de pôquer no inferno, tinha sido a impressão dele. O espectro para e diz que aposta que Gately está fazendo força para esconder a sua curiosidade sobre se o espectro conseguiu inventar um entretenimento desfigurantado tão totalmente interessante que ia fazer até um menino figurante e involuto rir e gritar pedindo mais.

Em termos de figuras paternas, Gately tentou o quanto pôde nesses últimos meses de sobriedade afastar lembranças indesejadas das suas próprias conversas e diálogos com o PN.

O espectro em cima do monitor agora se dobra violentamente sobre a cintura, bem lá para a frente até seu rosto ficar de-cabeça-para-baixo a meros cm do rosto de Gately — o rosto do espectro tem mais ou menos metade do tamanho do rosto de Gately, e não tem cheiro — e responde veementemente que Não! *Não! Qualquer* conversa ou diálogo é melhor que nada, absolutamente nada, que era para confiar nele quanto a isso, que o pior tipo de interface intergeracional de dar nos nervos é melhor que a abstenção ou a ocultidade de um dos lados. Aparentemente o espectro não consegue ver diferença entre Gately só pensando sozinho e Gately usando sua voz cerebral para meio que pensar *para* o espectro. O ombro dele de repente envia uma chama de dor tão nauseante que Gately fica com medo de cagar na cama. O espectro engasga e quase cai do monitor como se pudesse totalmente empatizar com a chama dextrógira. Gately fica imaginando se o espectro tem que aguentar a mesma dor que ele para ouvir a sua voz cerebral e manter uma conversa com ele. Até num sonho isso ia ser um preço alto demais pra qualquer um aceitar só por uma interface com D. W. Gately. De repente a dor supostamente daria alguma credibilidade a algum argumento Doente pró-Demerol que o espectro vai inventar. Gately de alguma maneira está se sentindo autoconsciente ou estúpido demais para perguntar ao espectro se ele está aqui em nome do Poder Superior ou de repente da Doença, então em vez de pensar para o espectro ele simplesmente se concentra em fingir pensar sozinho por que o espectro está passando provavelmente meses de tempo-espectral-global pulando de um lado para o outro de um quarto de hospital e fazendo demonstrações piruéticas com fotos de cantores de Vegas e latas de refrigerantes das estranjas no teto de um viciado qualquer que ele nem nunca ouviu falar em vez de se quantar lá pra onde esse suposto filho caçula dele está e ficar bem paradinho por meses-espectrais a fio tentando ter uma interface com a porra do *filho*. Se bem que de repente pensar que estava vendo o seu falecido pai orgânico como fantasma ou espectro podia deixar o caçula lelé, por outro lado, quem sabe. O filho já não soava exatamente como a mão mais firme no joystick da sanidade mental, pelo que o espectro tinha dividido ali com ele. Claro que isso tudo se o tal filho mudo e figurante existia pra começo de conversa, isso tudo se isso ali não era algum jeito bem tortuoso da Doença começar a passar a conversa em Gately para ele sucumbir a uma injeçãozinha de Demerol. Ele tenta se concentrar em tudo isso em vez de lembrar a sensação da onda morna de total bem-estar do Demerol, lembrando do confortável baque do seu queixo contra o peito. Ou em vez de lembrar de qualquer conversa com o companheiro PN aposentado da sua mãe. Um dos preços mais altos da sobriedade era não poder deixar de lembrar coisas que você não queria lembrar, veja por exemplo o Ewell e a coisa da grandiosidade fraudulenta da sua infância ranhenta. O ex-PN se referia a crianças pequenas e bebês como "pirralhos". Não era um termo de afeto sem-jeito. O PN fazia um Don Gately bem novinho ir devolver os cascos de Heineken na loja de bebidas do bairro e aí voltar correndinho com os vales, cronometrando tudo com um relógio da Marinha. Ele nunca encostou um dedo em Gately pessoalmente, até onde Don conseguia lembrar. Mas ele ainda assim tinha medo do PN. O PN batia na mãe dele quase que diariamente. O período mais arriscado para a mãe de Gately era entre oito Heinekens e dez Heinekens. Quando o Polícia a jogava no chão e ajoelhava muito concentrado em cima dela, escolhendo os lugares e batendo nela com muita concentração, ele parecia um pescador de lagostas puxando o cordame. O PN era ligeiramente menor que a sra. Gately mas era largo e muito musculoso, e tinha orgulho dos seus músculos, saindo sem camisa sempre que possível. Ou tipo com aquelas camisetinhas militares cáqui sem mangas. Ele tinha barras, pesos e pranchas, e tinha ensinado ao pequeno Don Gately as bases do treino com halteres, com ênfase especial no controle e nas linhas em oposição a simplesmente sair erguendo do jeito que desse o maior peso possível. Os pesos eram velhos, sebosos e pré-métricos. O PN era muito preciso e controlado nos seus jeitos de fazer as coisas, de um jeito que Gately de alguma maneira veio a associar com todos os homens louros. Quando Gately, com dez anos, começou a conseguir levantar mais peso que o PN, o PN não aceitou isso de bom grado e começou a se recusar a auxiliá-lo nas suas séries. O PN anotava seus pesos e repetições com cuidado num caderninho, parando para fazer isso depois de cada série. Ele sempre lambia a ponta do lápis antes de escrever, um hábito que Gately ainda acha repulsivo. Num caderninho diferente, o PN anotava a data e a hora de cada Heineken que consumia. Ele era o tipo de pessoa que associava registros incrivelmente cuidadosos com controle. Em outras palavras ele era por natureza um tintimportintinista. Gately tinha percebido isso ainda muito novo, e que isso era bobagem e de repente coisa de gente louca. O PN muito possivelmente era louco. As circunstâncias da saída dele da Marinha eram tipo: obscuras. Quando Gately involuntariamente lembra hoje do PN ele também lembra — e fica pensando por que e se sente mal — que nunca fez nem uma pergunta para a mãe sobre o PN e o diabo do motivo dele estar ali pra começo de conversa e se por acaso ela o amava mesmo, e por que ela o amava se ele a jogava no chão e enchia de porrada praticamente todo dia por anos a fio, cacete. As cores de rosa cada vez mais intensas por trás das pálpebras fechadas de Gately vêm do quarto do hospital que fica claro enquanto a luz do outro lado da janela fica cada vez mais alcaçuz e pré-auroral. Gately resta estendido sob o monitor cardíaco desocupado roncando tão pesado que as grades de cada lado da cama estremecem e chocalham. Quando o PN estava dormindo ou não estava em casa, Don Gately e a sra. Gately nunca falavam dele. Nenhuma vez. A memória dele é bem clara sobre isso. Não era só que eles não discutiam esse assunto, ou os cadernos, ou os pesos, ou os cronômetros, ou as surras que ele dava na sra. Gately. O nome do PN nunca chegava a ser mencionado. O PN trabalhava bastante à noite — como motorista de um caminhão de entrega de queijo e ovos para a Cia. Rei do Queijo até ser demitido por apropriação indébita de rodas de Stilton e venda no mercado negro, aí por um tempo numa fábrica de enlatados quase toda automatizada, puxando uma alavanca que soltava chowder da Nova Inglaterra por centenas de torneiras em centenas de latas sem tampa com um som molhado indescritível — e a casa dos Gately era tipo um mundo diferente quando o Polícia estava trabalhando ou não estava lá: era como se a própria ideia do Polícia saísse pela porta com ele, deixando Don e a mãe não só para trás, mas sós, juntos, à noite, ela no sofá e ele no chão, ambos aos poucos perdendo a consciência diante das últimas temporadas da TV aberta. Gately hoje faz uma força especialmente grande para não explorar o porquê de nunca ter lhe ocorrido entrar em cena e arrancar o PN de cima da sua mãe, nem depois de conseguir levantar mais peso do que o PN. As surras diárias e meticulosas sempre lhe pareceram de uma maneira estranhamente enfática um problema que não lhe dizia respeito. Ele raramente sentia alguma coisa, ele lembra, ao vê-lo bater nela. O PN era totalmente não tímido nisso de bater nela na frente de Gately. Era como se todo mundo tacitamente concordasse que a coisa toda não tinha pelotas a ver com o Goizinho. Quando era bem pequeno ele fugia do cômodo e saía gritando, ele acha que lembra. Mas depois de uma certa idade a única coisa que ele fazia era aumentar o volume da televisão, sem nem se dar ao trabalho de olhar para a surra, vendo *Cheers!*. Às vezes ele saía dali, ia para a garagem e levantava pesos, mas quando ele saía nunca era como se estivesse fugindo. Quando era pequeno ele às vezes ouvia as molas e os sons do quarto deles às vezes de manhã e ficava preocupado que o PN estivesse batendo nela na cama, mas num dado momento sem que ninguém o tirasse de lado para explicar as coisas ele percebeu que os sons desses momentos não significavam que ela estava se machucando. A similaridade entre os sons de dor na cozinha e na sala de estar e o sons de sexo através das paredes de compensado revestido de amianto do quarto incomoda Gately, no entanto, quando ele lembra agora, e é um dos motivos por que ele se esquiva das lembranças, desperto.

Sem camisa no verão — e pálido, com a aversão que os louros têm pelo sol — o PN sentava na cozinha pequena, à mesa da cozinha, com os pés chatos nas lajotas imitação-de-madeira, com uma bandana com temas patrióticos em volta da cabeça, registrando Heinekens no seu caderninho. Um morador anterior tinha jogado alguma coisa pesada uma vez pela janela da cozinha, e a tela da janela era toda fodida e não ficava bem aprumada, e as moscas iam e vinham mais ou menos à vontade. Gately, quando era pequeno, ficava ali na cozinha com o PN às vezes; as lajotas eram melhores para a suspensão dos seus carrinhos que o carpete rugoso. O que Gately lembra, dolorosamente, borbulhando logo abaixo da tampa do sono, é a maneira especial e precisa com que o PN lidava com as moscas que entravam na cozinha. Ele não usava um mata-moscas ou um cone de *Herald* enrolado. Tinha mãos velozes, aquele PN, grossas, brancas e rápidas. Ele as acertava assim que pousavam na mesa da cozinha. As moscas. Mas de maneira controlada. Não com uma força que as matasse. Ele era muito controlado e concentrado naquilo. Ele lhes dava só um tapa que as tirasse de combate. Aí pegava as moscas com grande precisão e retirava ou uma asa ou tipo uma perna, alguma coisa importante para a mosca. Ele levava a asa ou a perna para o cesto de lixo bege da cozinha e muito deliberadamente alçava a tampa com o pedal e depositava a asinha ou a perninha no cesto de lixo dobrando a cintura para se abaixar. A lembrança surge sozinha e é bem nítida. O PN lava as mãos na pia da cozinha com um líquido verde genérico de lavar louça. A mosca aleijada propriamente dita ele ignorava e deixava girando em círculos alucinados em cima da mesa até ela ficar grudada num pedaço grudento ou cair da borda no chão da cozinha. A conversa com o PN que Gately revive em minuciosos detalhes oníricos era o PN, com cerca de cinco Heinekens, explicando que aleijar uma mosca era bem mais eficaz do que matar a mosca, pra moscas. Uma mosca estava presa num ponto grudento de Heineken seca e agitava as asas enquanto o PN explicava que uma mosquinha bem aleijada produzia minúsculos gritinhos moscais de dor e de medo. Os seres humanos não conseguiam ouvir os gritos de uma mosca aleijada, mas pode apostar, seu bebezão gordolento, que as outras moscas ouviam, e os gritos das suas colegas aleijadas ajudavam a manter as outras longe. Quando o PN colocava a cabeça em cima dos brações pálidos e puxava um ronquinho entre as garrafas de Heineken na mesa aquecida pelo sol muitas vezes já havia várias moscas presas em meleca ou rodando em círculos em cima da mesa, às vezes dando uns pulinhos esquisitos, tentando voar com uma asa só ou com asa nenhuma. Possivelmente em estado de Negação, essas moscas, quanto tipo à condição delas. As que caíam no chão Gately ia atrás direto abaixado e gatinhando, abaixando bem um dos orelhões vermelhos tipo o mais perto da mosca que desse, ouvindo, com a testona rosa enrugada. O que deixa Gately mais incomodado agora enquanto começa a tentar acordar sob a luz limão da verdadeira manhã hospitalar é que ele não consegue lembrar de dar um golpe de misericórdia nas mosquinhas aleijadas, nunca, depois que o Polícia apagava, não consegue se ver mentalmente pisando nelas ou embrulhando em papel-toalha e dando descarga no banheiro ou sei lá o quê, mas ele sente que deve ter feito isso; parece de alguma maneira vital pacas conseguir lembrar de ter feito mais que só se abaixar com uma cara neutra entre os seus carros Transformers e tentar ver se conseguia ouvir gritinhos minúsculos de agonia, prestando muita atenção. Mas ele não consegue nem a pau lembrar de ter feito qualquer coisa além de ouvir, e o mero esforço cerebral de tentar forçar uma lembrança mais nobre devia ter feito ele acordar, além da dor dextrógira; mas ele só acorda totalmente naquele berção quando o sonho realístico da lembrança invade um sonho ficcional doente em que ele está usando o sobretudo de lã de Lenz e se abaixando bem meticulosa e cuidadosamente sobre a figura em decúbito ventral do canadôncio de roupa havaiana cuja cabeça ele socou repetidamente contra o para-brisa da frente, ele está apoiando todo o peso do corpo inclinado na mão esquerda boa contra o capô quente e pulsante, inclinado bem pertinho mesmo da cabeça aleijada, com o ouvido grudado no rosto que sangra, ouvindo com muita atenção. A cabeça abre sua boca rubra.

O susto molhado com que Gately finalmente acorda lhe sacode ombro e flanco e envia uma onda amarela de dor sobre ele que quase o faz gritar para a luz da janela. Por cerca de um ano uma vez com vinte anos em Malden ele dormiu quase toda noite num mezanino improvisado no dormitório de um certo programa de pós-gradução em enfermagem e cuidados domésticos em Malden, com uma aluna de enfermagem enlouquecidamente viciada, no mezanino, que você precisava de uma escadinha de

861

cinco degraus para subir nesse mezanino e o treco ficava só a coisa de menos de um metro do teto, e toda manhã Gately acordava com algum pesadelo, sentava de chofre e estrondava a cabeça no teto, até que depois de um tempo já tinha uma concavidade permanente no teto e um ponto meio achatado na curva do alto da testa dele que ele ainda consegue sentir, ali deitado piscando e segurando a cabeça com a mão esquerda boa. Por um segundo, piscando e rubro de febre matinal, ele pensa que vê Francis Furibundo G. na cadeira ao lado da cama, de queixo recém-barbeado e pontilhado de pedacinhos de Kleenex, postura fleumática, com aqueles peitinhos murchos de velhusco subindo vagarosos sob uma camiseta branca limpa, sorrindo lugubremente em torno de cânulas azuis e de um charuto apagado entre os dentes e dizendo "Bom garoto pelo menos você ainda está por cima da porra da terra né, acho que você ainda está levando vantagem. E você ainda está sóbrio por enquanto, então?", o Crocodilo diz tranquilamente, desaparecendo e aí não reaparecendo depois de várias piscadas.

As formas e o som do quarto na verdade são só três Bandeiras Brancas que Gately nunca conheceu tão bem assim nem se aproximou demais deles, mas que aparentemente estão aqui de passagem a caminho do trabalho, para demonstrar compaixão e apoio, Bud O., Glenn K. e Jack J. Glenn K. durante o dia usa o macacão cinza e o complexo cinto de ferramentas de um técnico de refrigeração.

"E quem que é o camarada de chapéu ali fora?", ele está perguntando.

Gately grunhe de maneira alucinada que sugere o fonema ü.

"Alto, bem-vestido, resmunguento, cara de metido, com uns olhinhos miudinhos, de chapéu. Cara de barnabé. Meia preta e sapato marrom", Glenn K. diz, apontando na direção da porta onde por vezes houve a ominosa sombra de um chapéu.

Os dentes de Gately têm gosto de quem não vê escova faz tempo.

"Com cara de quem veio pra ficar, cercado de páginas de esporte e da comida de entrega de diversas culturas do mundo, chapinha", diz Bud O., que reza a lenda de antes dos tempos de Gately um dia bateu na mulher com tanta força durante o apagão que fez ele Entrar que quebrou o nariz dela e deixou ele todo virado no rosto, que ele pediu para ela nunca consertar, como um lembrete visual diário das profundezas em que a bebida fez ele afundar, de modo que a sra. O. tinha ficado com aquele nariz todo virado contra a bochecha esquerda — Bud O. tinha mandado um cruzado de esquerda nela — até que a OFIDE a mandou para o Al-Anon, que acabou dando apoio e carinho para a sra. O. até ela mandar Bud O. ir catar coquinho na ladeira e decidir realinhar aquele nariz de novo para a frente e trocar Bud por um Al--Anon que usava chinelinho Birkenstock. O intestino de Gately se liquefez de pavor: ele tem lembranças mais do que nítidas de um certo PPA sem-remorsos de Revere e do seu sapato marrom e olhinhos miúdos, chapéu Stetson c/ pena, e da sua quedinha por comida do Terceiro Mundo. Ele fica grunhindo pateticamente.

Sem saber como dar apoio, por um tempo os Bandeiras tentam animar Gately contando piadas de Primeiros-Socorros. "Primeiros-Socorros" é como eles chamam a Al-Anon, que os AA de Boston conhecem como "Primeiro Me Socorro Depois Me Vingo".

"O que que é uma recaída, pro Al-Anon?", pergunta Glenn K.

"É uma pontada de compaixão", diz Jack J., que tem meio que um tique facial.

"Mas como é que é uma Saudação de Al-Anon?", Jack J. devolve.

Todos os três param, e aí Jack J. coloca as costas da mão na testa e tremelica os cílios martiristicamente olhando para o forro de gesso. Eles riem todos três. Eles não têm a menor ideia de que se Gately chegar mesmo a rir vai romper as suturas do ombro. Um lado do rosto de Jack J. fica entrando e saindo de uma careta torturada que não afeta o outro lado do rosto dele nem de longe, uma coisa que sempre deu faniquitos em Gately. Bud O. está sacudindo um dedo em desaprovação para Glenn K., para representar um aperto de mãos Al-Anon. Glenn K. faz uma longa imitação de uma mãe Al-Anon assistindo o filho num desfile e ficando cada vez mais irritada por todo mundo estar fora do passo menos o filho dela. Gately fecha os olhos e ergue e abaixa o peito algumas vezes numa mímica de risada educada, para eles pensarem que o animaram um pouco e se mandarem. Os pequenos movimentos torácicos fazem as regiões dextrógiras dele fazerem ele querer morder a lateral da mão de tanta dor. É como se uma grande colher de madeira ficasse empurrando ele para logo abaixo da superfície do sono e aí o pescasse de novo para que alguma coisa imensa provasse o gosto dele, repetidamente.

19 DE NOVEMBRO

ANO DA FRALDA GERIÁTRICA DEPEND

Depois que Rémy Marathe, Ossowiecke, e Balbalis também, todos voltaram sem notícias de sinais da tal atriz velada, M. Fortier e Marathe puseram em funcionamento a operação mais finalmente drástica de todas para a localização do Entretenimento Máster. Tratava-se de obter membros da família imediata do *auteur*, quiçá em público.

Marathe ficou encarregado dos detalhes dessa operação, pois M. Broullîme estava agora envolvido eliminando dificuldades para o progresso dos testes de campo de disposição dos espectadores; pois um dos sujeitos de teste recém-obtidos — tratava-se de um sem-casa das ruas vestido de maneira excêntrica e com modos extremamente irritantes dotado de uma peruca branca furtada e de grandes sacolas com material de cozinha estrangeiro e roupas femininas de baixo de tamanho extremamente pequeno — foi descoberto seccionando e empurrando por debaixo da porta fechada da despensa os dedos seccionados do segundo sujeito de teste recém-obtido — tratava-se de um homem transvestido e gravemente enfraquecido ou viciado vestido com as roupas de uma mulher gauche, carregando múltiplas bolsas de natureza suspeita — em vez dos seus próprios dedos, estragando as estatísticas do experimento de campo de Broullîme em tal medida que M. Fortier foi forçado a considerar se deveria permitir que Broullîme conduzisse uma entrevista técnica letal com o substituidor de dígitos emperucado por motivos de apenas raiva. Substancialmente, uma entrevista técnica de mais importância seria conduzida na cidade de Phoenix lá do outro lado do sul dos EU, um nome de cidade com que Fortier tinha diversão, e ele partiu antes do mau-tempo que vinha para auxiliar Mlle. Luria P_____ nessa condução, deixando o confiável Rémy Marathe para encarregar detalhes da obtenção preliminar.

Marathe, que havia tomado sua decisão e feito sua escolha, fez o que pôde. Um ataque frontal contra a Academia de Tênis propriamente dita era impossível. Os AFRs não têm medo de nada neste hemisfério, a não ser encostas íngremes e altas. O ataque deles não poderia ser direto. Assim a preliminar era obter e substituir as crianças tenísticas do Québec, que a AFR sabia estarem naquele exato momento a caminho do território EUA para uma competição de gala com as crianças tenísticas dessa Academia. Marathe selecionou o jovem Balbalis, que ainda tinha ambas as pernas — conquanto paralíticas e grudentamente murchas, elas — para liderar a equipe de campo da AFR que deveria interceptar os jogadores provinciais. Marathe, ele ficou na loja dos Antitoi em Cambridge, recolhendo-se com frequência às noites de jazz ali perto no restaurante Ryle's. Balbalis foi com a van de Dodge modificada para o Norte enfrentando nevasca cada vez mais pesada. Eles desviaram do Posto de Fronteira Pongo em Methuen, MA. Iam colocar um grande espelho na estrada deserta e iludir o ônibus de tênis de que precisava abandonar a estrada para evitar impacto; os seus próprios faróis iludiriam-no. Um velho truque FLQ. Duas equipes nos fundos da van montavam os componentes do espelho. Balbalis não ia permitir parar para essa montagem; a nevasca era pior no Reconvexo por causa dos ventiladores para o Sul. O que era Montpelier em Vermont ficava entre malhas da DRE mas tomava grandes quantidades de resíduos que espirravam da região de Champlain e estava desocupada e fantasmaticamente branca com neve. Balbalis permitiu em Montpelier uma breve parada para a montagem final e para aqueles incontinentes trocarem as bolsas. Balbalis seguiu velozmente para o antigo lugar de St. Johnsbury, onde o espelho foi instalado sobre as pistas rumo sul da Interestadual nº 91 dos EU. Balbalis não reclamou que não houvesse marcas de pneus na neve para seguir. Ele nunca reclamava. Eles chegaram tudo cedo logo ao sul do Posto de Fronteira em que a Autoroute Provincial nº 55 virava a Interestadual nº 91. Houve um breve período da tensão em que pareceu que a adaptação de visão noturna dos binóculos tinha sido perdida. Balbalis continuou calmo e ela foi localizada. O plano era interceptar o time de viajantes jogadores e permitir que os AFRs chegassem ao local em lugar deles. Marathe prometeu conceber um excelente ardil para explicar as cadeiras de rodas e as barbas adultas dos falsos jogadores. Não era permitido fumar na van enquanto eles esperavam que os tenistas infantis de seu país aparecessem no Posto de Fronteira. O ônibus foi forçado a permanecer no Posto por vários minutos. O ônibus era grande e fretado e parecia quente por dentro. Sobre seu para-brisa o retângulo aceso de destino mostrava a palavra inglesa para charter. Se o ônibus sobrevivesse à guinada para se desviar do espelho da estrada, Balbalis dirigiria o ônibus. Houve uma breve discussão sobre quem teria que dirigir a van, pois Balbalis se recusava a deixar a van para trás mesmo que o ônibus estivesse operante. Se o ônibus não estivesse operante, não mais que seis crianças júniores enquanto sobreviventes poderiam ser acomodadas na van. O resto teria que receber autorização de morrer por *leur rai pays*. Balbalis, ele não demonstrava nenhuma preferência por uma coisa ou outra.

Gately sonhou que estava com a residente Joelle van Dyne da Ennet num hotelzinho sulista cuja placa autoritária de cujo restaurante dizia simplesmente COMA, no sul dos EU, em pleno verão, um calor de matar, as plantas que apareciam na tela partida da janela do quarto eram de um cáqui ressequido, o ar vítreo de calor, o ventilador de teto rodando na velocidade de um ponteiro dos segundos, a cama do quarto uma exuberante cama de dossel, alta e empapada, a colcha empelotada, Gately em decúbito dorsal com o flanco em chamas enquanto a recém-chegada Joelle v.D. ergue levemente o véu para lamber-lhe o suor das pálpebras e das têmporas dele, sussurrando de modo que o véu tremula perto dele e o abana, prometendo-lhe uma tarde de prazeres quase terminais, despindo-se ao pé da velha cama alta, lentamente, com aquelas roupas frouxas, leves, úmidas de suor caindo fácil no chão nu, e um corpo feminino incrível, um corpo desumano, o tipo de corpo que Gately só viu na vida com um grampo no umbigo, um corpo como alguma coisa que era de ganhar em rifa; e uma quinta coluna se ergue no meio da cama, por assim dizer, coluna esta cuja altitude havia muito adormecida obscurece a figura da recém-chegada pelada; e aí quando ela contorna a sombra pulsante para se aproximar bem e apertar o rosto daquele corpo desumano bem intimamente perto do dele, ela retira o véu, e em cima deste corpão de matar está a imagem histórica desvelada do porra do *Winston Churchill*, com charuto, bochechão e carantonha de buldogue e tudo mais, e o horror do choque faz o resto do corpo de Gately enrijecer com uma dor que o desperta com uma tentativa espasmódica de sentar que por si só provoca um raio de dor que faz com que ele meio que apague de novo e fique ali com os olhos revirando e a boca arredondada.

Gately também não tem poder sobre as lembranças da senhora mais velha que era vizinha deles quando ele e a mãe dividiram cama e mesa com o PN. Uma certa sra. Hespera. Não havia um sr. Hespera. A janela lambrecada da garagenzinha vazia em que o PN guardava os halteres ficava bem junto do jardinzinho espinhento e abandonado que a sra. Hespera mantinha na estreita faixa entre as duas casas. A casa da sra. Hespera era digamos assim tratada com certa indiferença. A casa da sra. Hespera fazia a casa dos Gately parecer o Taj. Havia algo errado com a sra. Hespera. Nenhum pai dizia o que era, mas nenhum menino tinha permissão para brincar no jardim dela ou tocar a campainha dela no Dia das Bruxas. Gately nunca entendeu direito o que aparentemente havia de errado com ela, mas a psique daquelas vizinhanças empobrecidas latejava por causa de algo terrível sobre a sra. Hespera. Os meninos mais velhos passavam de carro na frente da casa dela e gritavam umas merdas que o Gately nunca chegou a entender direito, de noite. Os meninos mais novos achavam que tinham sacado: eles tinham quase certeza que a sra. Hespera era uma bruxa. É, ela tinha mesmo uma cara meio de bruxa, mas qual adulto com mais de cinquenta anos não tinha? Mas a grande questão era que ela guardava uns potes de umas coisas que ela mesma empotava na garagenzinha da casa dela, uma coisa vegetoide inominada, viscosa e verde-amarronzada, nuns potes de maionese empilhados em estantes de aço e com tampas enferrujadas e barbas de pó. Os meninos menores entraram escondidos, quebraram alguns potes, roubaram um e saíram correndo mortalmente apavorados para quebrar aquele pote longe dali e aí sair correndo de novo. Eles ficavam se provocando para ver quem tinha coragem de passar de bike numas diagonais minúsculas pela beira do gramado dela. Ficavam contando umas estórias de que tinham visto a sra. Hespera com um chapéu pontudo fazendo churrasco de uns meninos perdidos cujos retratos estavam nas embalagens de leite e colocando o caldo nos potes. Alguns meninos maiores até tentaram a pegadinha inevitável de deixar um saco de papel cheio de cocô de cachorro na frente da porta dela e botar fogo. De alguma maneira pesava mais contra a sra. Hespera o fato dela nunca reclamar. Ela raramente saía de casa. A sra. Gately nunca dizia o que havia de errado com a sra. Hespera mas absolutamente proibia Don de foder com ela de qualquer jeito. Como se a sra. Gately estivesse em posição de verificar qualquer, tipo, proibição. Gately nunca fodeu com os potes armazenados da sra. Hespera nem passou pelo gramado dela de bike e nunca caiu muito naquela estória de bruxa, que tipo quem é que precisa de uma bruxa como motivo de medo e de desprezo na vida se você tem o bom e velho PN bem ali na mesa da cozinha? Mesmo assim tinha medo dela. Quando ele uma vez viu o rosto de olhos contorcidos dela contra a janela lambrecada da garagem numa tarde quando tinha deixado o PN surrando a sra. Gately e tinha ido levantar peso ele gritou e quase largou a barra do halter em cima do gogó. Mas no longo-prazo de uma infância com baixos níveis de estímulo na North Shore, ele aos poucos foi desenvolvendo uma ligeira relação com a sra. Hespera. Nunca chegou a gostar muito dela; não que ela fosse tipo uma senhorinha amável mas incompreendida; não que ele saísse correndo até a casa dilapidada dela para trocar confidências ou criar laços. Mas ele foi lá uma ou duas vezes, de repente, em circunstâncias que tinha esquecido, e ficou na cozinha com ela, interfaceando um pouco. Ela era lúcida, a sra. Hespera, e aparentemente continente, e não havia nenhum chapéu pontudo à vista, mas a casa dela tinha um cheiro ruim, e a própria sra. Hespera tinha uns tornozelos inchados e cheios de veias e uns pontinhos daquela papa seca no canto da boca e coisa de um milhão de jornais empilhados e mofando na cozinha inteira, e a velha basicamente irradiava sei lá que mistura de desagradabilidade e vulnerabilidade que faz você querer ser cruel com alguém. Gately nunca foi cruel com ela, mas não era que ele adorasse a mulher ou qualquer coisa assim. Quando Gately foi lá essas poucas vezes foi principalmente quando o PN estava enlatando chowder e a mãe dele tinha apagado em cima de um vômito que esperava que outra pessoa limpasse, e ele provavelmente quis dar voz e vez à sua raiva infantil fazendo alguma coisa que a sra. G. tinha pateticamente tentado proibir. Ele não comia muita coisa do que a sra. Hespera oferecia. Ela nunca lhe ofereceu nenhum material viscoso dos potes. As lembranças de sabe-se lá o quê que eles discutiam são inespecíficas. Ela acabou se enforcando, a sra. Hespera

— tipo eliminou o próprio mapa — e como era outono e estava friozinho só foram achar o corpo coisa de semanas depois. Não foi Gately quem achou. Um cara da companhia elétrica que foi medir a luz encontrou o corpo várias semanas depois do oitavo ou nono aniversário de Gately. O aniversário de Gately era na mesma semana do aniversário de vários outros meninos do bairro, por algum acaso. Normalmente Gately ganhava uma festa com um dos outros meninos que estava fazendo uma festa de aniversário. Chapéus e Twister, vídeos dos X-Men, bolo com pratinho de papel etc. A sra. Gately uma vez ou outra estava decente e conseguia ir. Pensando bem, os pais dos outros meninos deixavam Gately fazer o aniversário com eles porque tinham pena dele, ele percebeu sem querer. Mas na festinha de algum vizinho sóbrio, parte da qual era pelo seu nono ou oitavo aniversário, ele lembra que a sra. Hespera saiu de casa e veio tocar a campainha do vizinho sóbrio e trouxe um bolo de aniversário. Para o aniversário. Um gesto de boa vizinhança. Gately tinha dado com a língua nos dentes sobre a festa coletiva anual numa interface na mesa da cozinha dela. O bolo era torto e meio caído para um lado, mas era de chocolate escuro e estava decorado com quatro nomes em letras cursivas e tinha nitidamente sido feito com carinho. A sra. Hespera tinha poupado Gately da humilhação de colocar só o nome dele no bolo como se o bolo fosse para ele. Mas era. A sra. Hespera tinha poupado dinheiro um tempão para conseguir fazer o bolo, Gately sabia. Ele sabia que ela fumava que nem uma chaminé e tinha largado os cigarros por semanas a fio para guardar dinheiro para alguma coisa; ela não lhe dizia o quê; ela tentou deixar aqueles olhos assustadores brilhando quando não quis dizer; mas ele tinha visto o pote de maionese cheio de moedinhas em cima de uma pilha de jornais e lutado contra a sua vontade de afanar aquilo, e tinha vencido. Mas só havia nove velinhas no bolo quando a Mãe da festinha entrou com ele, e alguns aniversariantes tinham tipo doze anos, foi a diquinha particular sobre quem era o destinatário de verdade do bolo. A Mãe da festinha tinha pegado o bolo na porta e dito Obrigada mas tinha esquecido de convidar a sra. Hespera para entrar. Gately estava numa posição durante o jogo de Twister na garagem em que viu a sra. Hespera voltando para casa do outro lado da rua devagar mas em linha reta, com ar digno, aprumada. Muitas crianças foram até a porta da garagem para olhar: a sra. Hespera raramente tinha sido vista fora de casa, e nunca fora do seu terreno. A Mãe sóbria trouxe o bolo para a garagem e disse que era um Gesto Tocante da sra. Hespera lá do outro lado da rua; mas que ela não ia deixar ninguém comer o bolo ou nem chegar perto dele para soprar as nove velinhas. As velinhas não combinavam todas. As velinhas queimaram tanto que teve um cheiro de cobertura queimada antes delas apagarem. O bolo ficou ali torto sozinho num canto da garagem limpa. Gately não desafiou a Mãe sóbria e nenhuma criança comeu uma fatia do bolo; ele nem chegou perto. Ele não participou das deliciosas discussões sussurradas sobre o tipo de resíduo médico ou de restos de churrasco de criança que estavam no bolo, mas não se ergueu para contradizer as outras crianças sobre o envenenamento, também. Antes da festinha chegar ao clímax e das outras crianças que tinham presentes abrirem os seus presentes, a Mãe sóbria tinha levado o bolo para a cozinha quando achou que ninguém estava olhando e jogado fora no cesto de lixo. Gately lembra que o bolo deve ter caído de cabeça para baixo, porque a parte sem cobertura estava para cima no cesto de lixo quando ele foi até ali escondido e deu uma olhada no bolo. A sra. Hespera já tinha sumido de volta na sua casa quando a Mãe jogou o bolo fora. Nem a pau que ela podia ter visto a Mãe levar o bolo intocado para dentro de casa. Uns dias depois Gately tinha afanado uns maços de Benson & Hedges 100 de uma Store 24 e colocado na caixa de correio da sra. Hespera, onde cartas de propaganda e contas de luz e de água já estavam se acumulando. Ele às vezes tocava a campainha mas nunca a via. A campainha dela era tipo interfone e não campainha, ele lembra. Ela foi encontrada por um frustrado medidor do relógio de luz algumas incertas semanas depois disso. As circunstâncias da morte e da descoberta do corpo dela aumentaram a mitologia negra das crianças mais novas. Gately não curtia tanto se torturar a ponto de pensar que o fato do bolo não ter sido comido e ter sido jogado fora tivesse alguma ligação com o enforcamento da sra. Hespera. Todo mundo tinha lá os seus problemas particulares, a sra. Gately lhe explicou, e mesmo naquela idade ele entendeu o que ela queria dizer. Não que ele tenha tipo ficado de luto pela sra. Hespera ou sentido saudade ou até mesmo pensado nela por muitos anos depois do acontecido.

O que de alguma maneira torna ainda pior que o seu próximo sonho de dor-e-febre ainda mais desagradável com Joelle van Dyne se passe no que é, inequívoca e inevitavelmente, a cozinha da sra. Hespera, bem detalhada, até com a cúpula da lâmpada do teto cheia de insetos mortos, os cinzeiros transbordantes, o gráfico de colunas de pilhas de *Globe*s, o enlouquecedor gotejar arrítmico da pia da cozinha e o cheiro ruim — uma mistura de mofo e fruta podre. Gately está na cadeira de cozinha com uma escada no espaldar em que ele costumava sentar, aquela com um degrau quebrado, e a sra. Hespera está na cadeira na frente dele, sentada na coisa que ele naquele tempo achava que era um doughnut cor-de-rosa esquisito em vez de uma almofada de hemorroidas, só que no sonho os pés de Gately alcançam direitinho as lajotas úmidas do piso, e a sra. Hespera está sendo representada pela velada residente OFIDE da Casa Joelle van D., só que sem o véu, e mais ainda sem roupa nenhuma, tipo em pelo, deslumbrante, com aquele mesmo corpão incrível do outro só que aqui desta vez com a cara não de um primeiro-ministro britânico bochechudo mas de um anjo feminino absoluto, não tanto sexy quanto angelical, como se toda a luz do mundo tivesse se reunido e se disposto na forma de um rosto. Ou alguma coisa assim. Parece alguém, o rosto de Joelle, mas Gately nem ferrando consegue se lembrar de quem, e não é só a distração do corpo nu desumanamente deslumbrante ali embaixo, porque o sonho não é tipo um sonho sexual. Porque neste sonho a sra. Hespera, que é Joelle, é a Morte. Tipo a figura da Morte, a Morte encarnada. Ninguém aparece para dizer isso com todas as letras; mas fica entendido: Gately está sentado aqui nesta cozinha deprimente interfaceando com a Morte. A Morte está explicando que a Morte acontece repetidamente, que você tem muitas vidas e que no fim de cada uma (ou seja, vida) é uma mulher que te mata e te liberta para a próxima vida. Gately não consegue entender direito se aquilo é tipo um monólogo ou se ele está fazendo perguntas e ela está respondendo num esquema meio pingue-pongue. A morte diz que essa certa mulher que te mata é sempre a tua mãe na próxima vida. É assim que funciona: ele não sabia? No sonho parece que todo mundo no mundo sabe fora o Gately, tipo que ele perdeu um dia de aula bem quando explicaram isso, e assim a Morte está sendo obrigada a ficar ali sentada pelada e angelical para explicar para ele, com extrema paciência, mais ou menos uma Aula de Reforço na Escola Beverly. A Morte diz que a mulher que ou consciente ou involuntariamente te mata é sempre alguém que você ama, e ela é sempre a tua mãe na próxima vida. É por isso que as Mães são tão obsessivamente sequiosas, fazem tanta força por mais que tenham os seus próprios problemas ou dificuldades ou vícios particulares, que parece que dão mais valor ao teu bem-estar que ao delas mesmas, e que sempre tem uma leve, meio que uma leve pontada de egoísmo naquele amor materno obsessivo: elas estão tentando compensar um assassinato de que nenhum de vocês lembra direito, a não ser talvez em sonhos. Enquanto a explicação da Morte da Morte prossegue Gately entende cada vez mais umas coisas vagas superimportantes, mas quanto mais ele entende mais triste fica, e quanto mais triste ele fica mais fora de foco e trêmula se torna sua visão da Joelle da Morte sentada nua no anel de plástico rosa, até que perto do fim é como se ele a estivesse vendo através de uma espécie de nuvem de luz, um filtro lácteo que é igual ao borrão trêmulo através do qual um bebê vê um rosto parental que se curva sobre o berço, e ele começa a chorar de um jeito que lhe machuca o peito e pede que a Morte o liberte e seja a sua mãe, e Joelle ou sacode ou balança aquela linda cabeça fora de foco e diz: Espera.

20 DE NOVEMBRO
ANO DA FRALDA GERIÁTRICA DEPEND
GAUDEAMUS IGITUR

Era num zoológico. Não havia animais nem jaulas, mas ainda era um zoológico. Passou perto de ser um pesadelo e me acordou antes das 0500h. O Mario ainda estava dormindo, docemente iluminado pela vista da janela, de minúsculas luzes morro abaixo. Ele estava deitado bem imóvel e sem-sons como sempre, com aquelas mãozinhas largadas no peito, como que à espera de um lírio. Eu peguei um naco de Kodiak. Aqueles quatro travesseiros levavam o queixo do Mario até o peito quando ele dormia. Eu ainda estava produzindo um excedente de saliva, e o meu único travesseiro estava molhado de um jeito que me fazia não querer acender a luz pra investigar. Eu não estava nada bem. Meio que uma náusea cerebral. A sensação parecia pior logo que eu acordava. Eu estava me sentindo fazia uma semana como se precisasse chorar por algum motivo mas as lágrimas de alguma maneira estivessem parando a poucos milímetros dos olhos e ficando ali. E assim por diante.

Eu levantei e passei pelo pé da cama do Mario pra ir até a janela ficar num pé só. Em algum momento da noite tinha começado a cair uma neve pesada. Eu tinha recebido ordens de deLint e Barry Loach de ficar num pé só quinze minutos por dia como terapia pro tornozelo. Os inumeráveis microajustes necessários pra você se equilibrar num pé só exercitavam músculos e ligamentos do tornozelo que ficavam terapeuticamente inacessíveis em qualquer outro método. Eu sempre me sentia meio mané, parado num pé só no escuro sem ter nada pra fazer.

A neve no chão tinha um tom meio roxo, mas a que caía e rodopiava era branca virginal. Branca boné-de-iatista. Eu fiquei no pé esquerdo coisa de talvez cinco minutos no máximo. E as Provas e os TPDNAS[344] eram dali a três semanas às 0800 no auditório da FEB[345] na U.B. Dava pra ouvir um grupo faxineiral noturno empurrando um balde de esfregão em algum lugar de outro andar.

Essa seria a primeira manhã sem treinos da aurora desde o Dia da Interdependência, e todo mundo tinha o direito de dormir até a hora do café. Não haveria aulas no fim de semana todo.

Eu tinha acordado cedo demais ontem também. Tinha ficado vendo Kevin Bain engatinhando na minha direção enquanto dormia.

Ajeitei a minha cama, virei o lado molhado do travesseiro pra baixo e vesti calça de agasalho limpa e umas meias que não estavam fedendo.

O mais perto que Mario chega de roncar é um som fraquinho que ele faz no fundo da garganta. O som é como se ele estivesse preparando o tempo todo a palavra *quis*. Não é um som desagradável. Eu estimei facinho uns 50 cm de neve no chão, e estava caindo pesado. Sob a meia-luz roxa as redes das Quadras Oeste estavam semienterradas. A metade de cima delas tremia com um vento terrível. Em todo o subdormitório dava pra eu ouvir portas sacudindo levemente nos umbrais, como elas só faziam quando ventava forte. O vento dava à nevasca um aspecto giratoriamente diagonal. A neve batia no exterior da janela com um som arenoso. A vista básica da janela era a de um peso de papel que levou um belo sacudão — aquele tipo com o diorama de Natal e a neve sacudível. As árvores, cercas e prédios do terreno da academia pareciam de brinquedo e meio miniaturizados. Na verdade era difícil distinguir a neve nova que caía da neve remanescente simplesmente rodopiando no vento. Só então me ocorreu pensar se e onde jogaríamos as partidas amistosas de hoje. O Pulmão ainda não estava erguido, mas as dezesseis quadras sob o Pulmão teriam acomodado não mais que um encontro só das equipes A mesmo. Uma espécie de esperança gélida se acendeu em mim porque eu percebi que isso podia ser clima pra cancelamento. O rebote dessa esperança foi uma sensação ainda pior que a anterior: eu não me lembrava de já ter torcido tanto pra não ter que jogar. Eu não me lembrava de ter grandes vontades de sim ou de não sobre jogar havia muito tempo, na verdade.

Mario e eu tínhamos começado a criar o hábito de deixar o console do telefone ligado à noite mas de desligar a campainha. O gravador digital do console tinha uma luzinha que piscava uma vez pra cada mensagem que chegava. O piscar duplo da luz do gravador criava um interessante padrão de interferência com a luz vermelha da bateria do detector de fumaça do teto, com as duas piscando em sincronia de sete em sete piscadas fônicas e aí se afastando lentamente num doppler visual. Uma fórmula pra relação temporal entre as duas piscadas não sincopadas geraria espacialmente a fórmula algébrica de uma elipse, dava pra perceber. Pemulis tinha enfiado um volume medonho de matemática pré-Provas na minha cabeça por duas semanas a fio, usando o seu próprio tempo livre e sem pedir nada em troca, sendo quase suspeitamente generoso sobre essa estória. Aí, desde a debacle do John Wayne, as aulinhas particulares acabaram e o próprio Pemulis quase desapareceu, perdendo refeições duas vezes e várias vezes levando o guincho por longos períodos sem perguntar pra ninguém aqui se a gente ia precisar do guincho. Eu nem tentei fatorar também a rápida monopiscada do display de energia na lateral do TP; aí ia virar uma coisa meio de cálculo, e até o Pemulis tinha aceitado que eu não tinha nascido para nada além de álgebra e seções cônicas.

Todo mês de novembro, entre o Dia-I e o WhataBurger em Tucson, AZ, a Academia organiza um encontro amistoso semipúblico "para" os patrocinadores e ex-alunos da ATE e seus amigos da região de Boston. Os amistosos são seguidos por uma festa semiformal e um baile no refeitório, onde os jogadores têm que aparecer banhados e semiformais e estar à disposição dos patrocinadores pra uns intercursos sociais. Tem uns que só faltam olhar os nossos dentes. No ano passado o Heath Pearson apareceu pro baile de gala com um colete vermelho, um chapeuzinho de mensageiro de hotel e um rabo peludo, carregando um realejozinho e convidando os patrocinadores a rodarem a manivela do realejo enquanto ele cabriolava matraqueando por ali. O C.T. descurtiu total. Todo esse evento de arrecadação era uma inovação de Charles Tavis. O C.T. é muito melhor como relações-públicas e estimulador de contribuições financeiras do que era Siproprio. O amistoso e a festa são possivelmente o clímax de todo o ano administrativo do C.T. Ele tinha determinado que meados de novembro era a melhor época para um evento de arrecadação, quando o clima ainda não estava ruim e o ano fiscal estava se encerrando mas a temporada de férias dos EU, com seu próprio sistema de exigências para com a boa vontade ainda por se iniciar. Nos últimos três anos fiscais, os rendimentos do evento de arrecadação tinham praticamente bancado o giro do sudeste na primavera e a maratona europeia de *terre-batue* em junho-julho.

O encontro amistoso envolvia os times A e B dos dois gêneros e era sempre contra alguma equipe júnior estrangeira, pra dar um embalo patriótico à coisa toda do evento. A nobre ficção ali era que o encontro era só uma etapa no caminho da equipe estrangeira para todo um vago giro pelos EU, mas na verdade o C.T. normalmente pagava o voo dos estrangeiros especialmente para isso, e com certo custo. Nós já tínhamos enfrentado equipes de Gales, Belize, do Sudão e de Moçambique. Algum cínico poderia apontar a ausência de grandes potências tenísticas entre os adversários. A coisa com Moçambique no ano passado foi especialmente mosca-morta, 70-2, e rolou um clima pesado xeno-racista entre certos espectadores e patrocinadores, alguns dos quais todos animadinhos comparam o encontro com os tanques de Mussolini atropelando lanceiros etíopes. Os adversários do AFGD seriam as equipes quebequenses da Copa Davis Jr. e da Copa Wightman Jr., e a chegada deles, vindos

871

do AIM-D'Orval[346] era ansiosamente esperada por Struck e Freer, que diziam que as meninas da Wightman Jr. do Québec normalmente eram mantidas concentradas e participavam de pouquíssimos eventos mistos e estariam dispostas a encarar relações interculturais mais amplas de tudo quanto era tipo.

Se bem que era improvável que qualquer coisa fosse pousar na hora no Logan com uma neve dessas.

O vento também produzia um gemido desolado em todos os dutos de ventilação. O Mario dizia "quis" e às vezes "esqui", arrastando as consoantes. Passou pela minha cabeça que sem umas maricas que eu pudesse esperar fumar sozinho no túnel eu estava acordando todo dia com a sensação de que não havia nada no dia que eu pudesse esperar ou que pudesse dar qualquer sentido a qualquer coisa. Eu fiquei num pé só mais uns minutos, cuspindo numa lata de café que tinha deixado no chão perto do fone desde ontem à noite. A questão implícita, então, seria se por acaso o Bob Hope tinha de alguma maneira virado não só o ponto alto do dia mas o seu sentido de verdade. Isso ia ser bem terrível. A Penn 4 que era a minha bola de exercícios manuais de novembro ainda estava na soleira, encostada na janela. Eu não vinha nem carregando nem apertando a minha bola fazia vários dias. Ninguém deu mostras de ter percebido.

O Mario me concede pleno controle da campainha do fone e da secretária eletrônica, já que pra ele é difícil segurar o fone e as únicas mensagens que ele recebe são chamadas Internas da Mães. Eu gostava de deixar umas mensagens diferentes pra quem ligava. Mas sempre me recusei a colocar fundos musicais nas mensagens ou pedacinhos digitalmente alterados de entretenimento. Nenhum fone da ATE tinha equipamento de vídeo — outra decisão do C.T. Sob o comando do C.T. o manual de códigos de honra, regras e procedimentos da Academia tinha quase triplicado de tamanho. Provavelmente a melhor mensagem de todos os tempos do nosso quarto era Ortho Stice fazendo a sua imitação matadora do C.T., levando 80 segundos para listar as razões possíveis pro Mario e eu não podermos atender o fone e esboçando nossas prováveis reações a todas as emoções possíveis pelas quais poderia passar a pessoa que liga por causa da nossa indisponibilidade. Mas com 80 segundos aquilo acabou perdendo a graça depois de um tempo. A nossa mensagem desta semana era uma coisa tipo "Aqui é a voz incorpórea de Hal Incandenza, cujo corpo neste momento não pode...", e assim por diante, e aí o pedido-padrão pra que a pessoa deixasse uma mensagem. Era semana de honestidade e abstinência, afinal, e parecia mais honesto deixar uma mensagem como essa do que a simplória "Aqui é o Hal Incandenza...", já que a pessoa mais do que obviamente ia ouvir uma gravação digital de mim e não a mim. Essa observação tinha uma dívida com Pemulis, que por anos a fio e com vários colegas de quarto diferentes manteve a mesma mensagem recursiva — "Aqui é a secretária eletrônica da secretária eletrônica de Mike Pemulis; a secretária eletrônica de Mike Pemulis lamenta não estar disponível para gravar uma mensagem de primeira-ordem para Mike Pemulis, mas se você deixar uma mensagem de segunda-ordem quando ouvir uma mão batendo palmas, a secretária eletrônica de Mike Pemulis vai...", e assim por diante, o que perdeu tanto a graça que pouquíssimos amigos ou clientes de Pemulis aguentam esperar essa coisa toda pra deixar uma mensagem, o que Pemulis acha simpático, já que ninguém relevante que pudesse ligar ia ser besta de deixar o nome numa secretária do Pemulis mesmo.

Fora que também foi horrível que, quando a resplandecência do rosto se torna o branco esterilizado do teto da Ala de Trauma assim que ele emerge com um susto em busca de ar, a aparentemente real não onírica Joelle van D. está inclinada sobre as grades de berço da cama, molhando a testa enorme e os lábios arredondados de horror de Gately com um pano frio, usando calça de malha e meio que um huipil frouxo de brocado cuja lavanda quase combina com o debrum do véu limpo. A gola do huipil é alta demais pra rolar muito decote quando ela se inclina sobre ele, o que Gately considera provavelmente meio que um gesto de misericórdia. Os dois brownies que estão na outra mão de Joelle (e as unhas dela estão roídas até um sabugo esfiapado, bem que nem as de Gately) ela diz que liberou do posto de enfermagem e trouxe aqui pra ele, já que o Morris H. fez pra ele e eles são dele de pleno direito. Mas ela vê que ele não está em condições de engolir, ela diz. Ela cheira a pêssego e algodão, e há um sopro doce e pérfido dos caretas canadenses baratinhos que tantos residentes fumam, e sob esses aromas Gately detecta que ela passou um perfuminho.[347]

Para fazer ele rir ela diz "*E Eis Que*" várias vezes. Gately faz o peito subir e descer rapidamente para demonstrar que se divertiu. Ele declina de ou mugir ou miar para ela, por constrangimento. O véu dela nesta manhã tem um roxo-claro primaveril em volta da borda, e o cabelo que emoldura o véu parece de um vermelho mais intenso, mais crepuscular, do que quando ela chegou primeiro na Casa e se recusou a comer carne. Gately não era um grande fã da WYYY ou da Madame Psicose, mas às vezes topava com alguém que era — um povo dos Orgânicos, em geral, ópio e heroína marrom, um vinho quente horrível — e ele sente além da dor febril e da medonhidade do espectro anfetamínico e dos sonhos com a Joelle-cara-de-Winston-Churchill e a Joelle-Morte-materna-angelical uma estranha nitidez no próprio cérebro ao ser enxugado e quem sabe até admirado em termos gerais por alguém que é uma celebridade intelectual-barra-artística do cenário cult local. Ele não sabe explicar, tipo se o fato dela ser uma personalidade pública faz ele se sentir de alguma maneira fisicamente acionado, tipo mais *ali-mesmo*, consciente da expressão no rosto dela, hesitando em soltar os seus sons de fazenda, até respirando pelo nariz pra ela não sentir o cheiro dos dentes que ele não escovou. Ele se sente autoconsciente com ela, Joelle percebe, mas o que é admirável é que ele não faz ideia do quanto está com uma aparência heroica ou até romântica, com a barba por fazer e entubado, imenso e indefeso, ferido a serviço de alguém que não merecia o serviço, com meio macaquinho no sótão já por causa da dor e por recusar os narcóticos. O último e praticamente o único homem que Joelle tinha se permitido admirar de uma maneira romântica tinha se mandado e não encarava nem assumir o porquê, erigindo em vez disso uma patética fantasia de ciúmes para si próprio sobre Joelle e o coitado do seu próprio pai, cujo único interesse em Joelle foi primeiro estético e depois antiestético.

Joelle não sabe que pessoas que acabam de ficar sóbrias são tremendamente vulneráveis à ilusão de que as pessoas com mais tempo de sobriedade que elas são românticas e heroicas, em vez de perdidas e amedrontadas e simplesmente se arrastando dia a dia como todo mundo no AA (a não ser quem sabe os porras dos Crocodilos).

Joelle diz que não pode ficar muito tempo dessa vez: todos os residentes desempregados têm que comparecer à reunião de meditação diária da manhã, como Gately sabe perfeitamente bem. Ele não sabe bem o que ela quer dizer com "dessa vez". Ela descreve a bisonha postura resultante de contusão coreográfica do mais novo residente, e como Johnette Foltz tem que cortar a janta desse cara e largar na boca aberta dele pedacinho por pedacinho como um passarinho com um filhote. Erguer o rosto para o teto faz o véu dela se conformar aos traços do rosto que subjaz, boca bem aberta imitando o filhotinho. O huipil meio de gola careca faz os cachos soltos do cabelo dela parecerem escuros e mãos e pulso parecerem pálidos. A pele das mãos dela é tesa, sardenta e arborizada de veias. As grades de metal da cama impedem que os olhos revirados de Gately vejam muito do que está ao sul do tórax dela até que Joelle termina com o paninho e recua para a beirada da outra cama, que em algum momento ficou vazia, teve a ficha do cara chorão retirada e as grades de berço recolhidas, e ela senta na beirada da cama e cruza as pernas, apoiando o salto de um huarache na articulação da grade, revelando que está de meias brancas sob huaraches cor de carne e uma antiquada calça de moletom cor de bétula com UBM escrito numa perna, que Gately tem quase certeza que viu na reunião do Livro de segunda-feira de manhã em Ken Erdedy, e pertencem ao Erdedy, e ele sente uma onda de algo desagradável por ela estar usando a calça do menino riquinho. A luz da manhã lá fora passou de um branco-amarelo ensolarado para agora um tipo de cinza moeda-velha, com o que parece uma ventania braba.

Joelle come os brownies de cream cheese que Gately não pode comer e manobra para arrancar uma coisa meio tipo um cadernão grande da bolsa larga de pano que trouxe. Ela fala da reunião de ontem na São Columba,[348] aonde eles todos tiveram que ir sem acompanhante porque a Johnette F. precisou ficar pra ficar de olho no Glynn que estava doente, no Henderson e no Willis, que estavam de quarentena jurídica no primeiro andar. Gately revira sua RAM para lembrar em que porra de noite rola a reunião de São Columba. Joelle diz que ontem era aquele formato de uma vez por mês na São Colum que em vez de uma Promessa eles faziam aquela discussão revezada em que alguém na sala falava cinco minutos e aí escolhia a próxima pessoa no grupo dos presentes. Tinha um cara do Kentucky lá, e não sei se o Gately lembra que ela era de Kentucky? Um novato do Kentucky, Wayne alguma coisa, um menino com uma puta cara de sofrido que vinha lá do velho estado caipira mas que ultimamente morava num cano de esgoto desconectado de uma central de fornecimento de água lá no Allston Spur, ele tinha dito. Esse carinha, ela disse, disse que tinha dezenove anos ou perto disso, mas parecia ter uns quarenta ou mais, com umas roupas que parecia

874

que estavam decompondo no corpo dele ali mesmo enquanto ele falava no púlpito, tinha um cheiro pesado de esgoto que originou lencinhos puxados até na quarta fileira de cadeiras, que ele explicou esse cheiro admitindo que o seu cano de esgoto residencial era na verdade "praticamente" desconectado, tipo assim pouco usado. A voz de Joelle não tem nada a ver com a voz oca e ressonante do rádio e ela usa bastante as mãos pra falar, tentando recriar aquilo tudo pro Gately. Tentando lhe dar uma reuniãozinha, Gately percebe, com um leve sorriso tenso por não conseguir acreditar que não consegue sacar uma agenda mental de reuniões pra poder saber que dia é hoje.

Tinha gente lá no São Columba dizendo que era o apagão mais comprido que eles já tinham visto. Esse tal de Wayne disse que não fazia ideia de quando, de por que ou de como tinha acabado assim tão ao norte a ponto de parar na Grande Boston dez anos depois da sua última lembrança. O que era mais chamativo, visualmente, é que o Wayne tinha um sulco diagonal bem fundo no rosto, que ia da sobrancelha direita para o canto esquerdo da boca — Joelle marca o comprimento e o ângulo com um dedo de unha esfiapada sobre o véu — que lhe rasgava o nariz e o lábio superior e o deixava tão violentamente vesgo que ele parecia estar se dirigindo aos dois cantos da sala ao mesmo tempo. Esse menino velho desse Wayne tinha meramente insinuado que esse chanfro facial — que Wayne chamava de "a Falha", apontando pra ela quando as pessoas podiam precisar de alguma ajuda pra perceber do que ele estava falando — derivava do seu próprio pai alcoólico pesado & criador de galinha, sob o domínio dos Terrores pós-porre e vendo monstrinhos subjetivos que não acabavam mais, um dia, acabando por acertar o Wayne com nove anos direto na cara com uma machadinha uma vez quando Wayne não sabia lhe dizer onde um certo pote de conservas com álcoois destilados tinha sido escondido no dia anterior, pra evitar a possibilidade dos Terrores. Era só ele, o seu Papai e a Mama — "que era fraca das ideia" — e 7,7 acres de granja, Wayne disse. Wayne disse que a Falha tinha acabado de cicatrizar bem direitinho com ar fresco e bastante exercício quando o Papai, tentando certa tarde de segunda-feira dar cabo de um almoço atrasado de panqueca de milho com calda, não é que me segurou o crânio, ficou vermelho, aí ficou azul, aí ficou roxo, e morreu. O Pequeno Wayne tinha supostamente limpado o rosto dos restos de panqueca, arrastado o corpo pra baixo da varanda da casa, embrulhado com uns sacos de ração de galinha Purina e dito pra sua Mama fraca das ideia que o Papai tinha ido dormir de tão bêbado. O menino com o chanfro diagonal parece que então tinha ido para a escola como sempre, soltando uns discretos anúncios boca a boca, e tinha trazido cada dia um grupo diferente de meninos da escola por quase uma semana pra casa com ele, cobrando cinquinho por cabeça pra eles se meterem embaixo da varanda e olharem um cadalve de verdade. No fim da sexta-feira à tarde, ele recordava, ele tinha se mandado com bastante dinheiro no bolso pro boteco com a sinuca onde os pretos[349] que vendiam os potes de conserva de destilado pro seu falecido Papai ficava, se preparando pra "ficar bebão que nem gambá em dia de festa". A próxima lembrança que esse Wayne diz que tem é de acordar no cano parcialmente desconectado da NNI, uma década milenar mais tarde e com uns problemas médicos "bem ferrados" que o sininho do cara com o cronômetro impede que ele divida em detalhe com todo mundo.

E esse menino envelhecido desse Wayne não é que me aponta pra Joelle ir falar depois dele? "Quase como se ele soubesse. Como se ele tivesse sacado meio que um parentesco, uma afinidade de origem."

Gately soltou um grunhido baixo sozinho. Ele imaginava que um cara com um apagão de dez anos que mora num cano provavelmente só podia mesmo era contar com essas sacações meio intuitivas. Ele sabia que tinha que lembrar que essa menina esquisita só estava limpa fazia coisa de três semanas e ainda estava filtrando as Substâncias dos tecidos e totalmente perdida, mas ele sentia um certo rancor toda vez que lembrava disso. Joelle estava com o grande Livro chato no colo e olhando o polegar que flexionava, olhando as flexões. O que era desconcertante era que quando a cabeça dela estava abaixada o véu pendia solto no mesmo ângulo vertical de quando a cabeça estava erguida, só que agora perfeitamente liso e sem texturas, uma tela lisa e branca sem nada por trás. Um alto-falante no corredor soltou aqueles tinidos de xilofone que significavam sabei-me-lá-Deus que horas do dia.

Quando a cabeça de Joelle subiu de novo, os tranquilizadores vales e morros de traços velados reapareceram por trás da tela. "Eu vou ter que me mandar daqui a pouquinho", ela disse. "Eu podia dar uma passada aqui de novo depois, se você quiser. Eu posso trazer qualquer coisa que você achar que está a fim."

Gately ergueu uma sobrancelha para ela, para fazer ela sorrir.

"Pelo menos já que a tua febre baixou eles disseram que vão decidir se o pior já passou e se eles podem tirar isso aí, finalmente", Joelle disse, olhando para a boca de Gately. "Isso aí deve doer, e a Pat disse que você vai se sentir melhor quando puder começar a entre aspas dividir o que está sentindo."

Gately ergueu as duas sobrancelhas.

"E você pode me dizer o que você quer que eu traga. Quem você queria que vinha. Viesse."

Passar o braço esquerdo pelo peito e pela garganta para fazer a mão esquerda tatear a boca fazia o lado direito inteiro dele cantar de dor. Um tubo plástico quente pela sua carne vinha pelo lado direito e estava grudado na bochecha direita dele com esparadrapo até além de onde os dedos dele conseguiam tatear no fundo da boca. Ele não tinha conseguido sentir aquilo na boca ou lhe descendo pela garganta até onde nem queria saber onde, nem o esparadrapo na bochecha. Ele estava com esse tipo esse tubo na garganta o tempo todo e não sabia. Aquilo estava lá fazia tanto tempo na hora que ele emergiu pra respirar que ele tinha ficado tipo inconscientemente acostumado com aquilo e não tinha nem percebido que estava ali. De repente era um tubo de dar comida. O tubo era provavelmente a razão dele só conseguir miar e grunhir. Ele provavelmente não tinha sofrido danos vocais permanentes. Graças a Deus. Ele pôs maiúsculas no seu pensamento e Agradeceu a Deus várias vezes. Ele se imaginou num exuberante púlpito numa Promessa, tipo numa convenção geral do AA, dizendo de improviso uma coisa qualquer que gerava uma gargalhada imensa.

876

Ou Joelle estava com algum problema no polegar ou ela só estava superinteressada em ficar olhando o dedão se flexionar e contorcer. Ela estava dizendo: "É estranho não saber que é a hora, aí ficar ali de pé pra falar. Gente que você não conhece. Umas coisas que eu não percebo que eu acho até eu dizer. No programa eu sabia bem direitinho o que eu pensava antes de falar. Isso não é assim". Ela parecia estar se dirigindo ao polegar. "Eu segui uma dica do teu manual e dividi a minha reclamação sobre o 'Não Fosse Pela Graça de Deus', e você tinha razão, eles só riram. Mas eu também... eu não tinha percebido até me ver dizendo pra eles que eu tinha parado de ver o 'Um Dia de Cada Vez' e o 'Deixe Por Um Dia' como clichês baratos. Simplórios." Gately notou que ela ainda fala das questões da Recuperação de um jeito rígido, certinho e intelectualoide que ela não usa pra falar de outras coisas. O jeito dela ainda manter aquilo meio afastado. Um polegar mental pra ela fingir que fica olhando enquanto fala. Tudo bem; o jeito de Gately manter isso meio afastado no começo envolvia empurrar com a mão mesmo. Ele imaginou ela rindo quando ele lhe conta essa, o véu se enfunando com força pra dentro e pra fora. Ele sorriu em volta do tubo, o que Joelle viu como encorajamento. Ela disse: "E porque a Pat nas sessões de aconselhamento fica repetindo pra eu só erguer um muro em volta de cada período individual de 24 horas e nem olhar em volta nem pra trás. E pra não contar os dias. Nem quando você ganha uma ficha de 14 dias ou de 30 dias, pra não ficar somando. Nas sessões de aconselhamento eu só sorria e balançava a cabeça. Sendo educada. Mas ali de pé ontem à noite, eu nem dividi em voz alta, mas saquei de repente que era por isso que eu nunca tinha conseguido ficar sem por mais de umas semanas. Eu sempre desmontava, voltava. Freebase". Ela ergueu os olhos para ele. "Eu fumava base, sabe. Você sabia. Vocês todos veem os formulários de Entrada."

Gately sorri.

Ela disse: "Por isso que eu não conseguia largar e ficar sem. Exatamente como o clichê alerta. Eu literalmente não estava deixando por um dia. Eu ficava somando os dias sóbrios na cabeça". Ela deitou a cabeça enquanto olhava para ele. "Você já ouviu falar daquele Evel Knievel? O cara que saltava de moto?"

Gately faz que sim bem de leve, tomando cuidado com um tubo que agora sente. Por isso que a garganta dele estava com aquela sensação de estupro. O tubo. A bem da verdade ele tem uma foto recortada de uma revista antiga, do Evel Knievel histórico, de uma antiga revista *Life*, com uma roupa branca de couro meio Elvis, no ar, flutuando, aureolado de holofotes, ereto na moto, sobre uma fila de caminhões bem polidos.

"Lá na São Colum só os Crocodilos tinham ouvido falar dele. O meu próprio Papai acompanhava as notícias dele, recortava fotos, quando era menino." Gately vê que ela está sorrindo ali embaixo. "Mas o que eu fazia era que eu jogava o cachimbo fora, sacudia o punho pro céu e dizia *Juro por Deus caralho que NUNCA MAIS, que neste exato minuto aqui eu vou LARGAR PRA TODO O SEMPRE.*" Ela também tinha o costume de ficar dando uns tapinhas distraídos no alto da cabeça enquanto falava, onde umas presilhinhas e umas fivelas esponjosas seguram o véu no lugar.

877

"E eu fechava a cara, me fazia de forte e ficava sóbria. E contava os dias. Eu ficava orgulhosa de cada dia que eu passava sem. Cada dia parecia uma prova de alguma coisa, e eu ia contando. Eu somava. Botava assim um atrás do outro. Sabe como?" Gately sabe muito bem mas não concorda com a cabeça, deixa que ela faça isso na sua própria velocidade. Ela diz: "E logo foi ficando... inacreditável. Como se cada dia fosse um carro que o Knievel tinha que saltar. Um carro, dois carros. Quando eu chegava tipo nuns sei lá catorze carros, começava a parecer uma quantidade assustadora. Pular catorze carros. E o resto do ano, olhando pra frente, centenas e centenas de carros, eu no ar tentando saltar todos." Ela deixou a cabeça em paz e a deitou um pouco de lado. "Quem é que ia conseguir? Como é que eu pude achar que alguém ia conseguir desse jeito?"

Gately lembrou umas desintoxicações pessoais bem do mal. Sem grana em Malden. Caindo de pleurisia em Salem. Presídio de Billerica durante uma cana de quatro dias que o pegou desprevenido. Ele lembrava de ficar De-Vereda por semanas a fio no chão de uma cela da cadeia de Revere, cortesia do bom e velho PPA de Revere. Bem trancafiado, com um balde pra usar de banheiro, numa cela quente mas com um vento encanado gelado horroroso perto do chão. Cold Turkey. Abstinência Abrupta. O Peru Gelado. A Ave. Ser incapaz de fazer e no entanto ter que fazer, encanado. Uma jaula de Revere por noventa e dois dias. Sentindo o gume de cada segundo que passava. Levando aquilo um segundo de cada vez. Puxando o tempo pra bem perto do corpo. Largando. Qualquer daqueles segundos: ele lembrava: a ideia de ficar como ele estava naquele segundo por mais sessenta daqueles segundos — ele não aguentava. Nem fodendo ele aguentava aquilo. Ele tinha que erguer um muro em volta de cada segundo só pra encarar aquilo. Aquelas duas primeiras semanas se comprimem na memória dele em tipo um único segundo — menos: o espaço entre duas batidas do coração. Uma respiração e uma segunda, a pausa e a espera entre cada cãibra. Um infindável Agora esticando suas asas de gaivota de cada lado da batida do coração dele. Ele nunca tinha se sentido nem voltou a se sentir tão torturantemente vivo. Vivendo no Presente entre os batimentos. O que os Bandeiras Brancas dizem: viver completamente No Momento. Um dia inteiro de vez parecia baba, quando ele Entrou. Pois ele tinha Aguentado A Ave.

Mas esse Presente interbatimentos, essa noção de um Agora infindável — isso tinha sumido na cela de Revere junto com a ânsia de vômito e os arrepios. Ele tinha retornado a si próprio, ido sentar na beira da cama e deixado de Aguentar porque não precisava mais.

O lado direito dele estava além do suportável, mas a dor não era nada comparada à dor da Ave. Ele fica pensando, às vezes, se é disso que o Francis Furibundo e os outros querem que ele vá se aproximando: aguentar entre as batidas do coração; tentar imaginar que tipo de salto impossível seria necessário para viver assim o tempo todo, por escolha, sóbrio: no segundo, no Agora, murado e contido entre batimentos lentos. O padrinho do próprio Francis Furibundo, o cara quase morto que eles empurram de cadeirinha pro Bandeira Branca e chamam de Sargentão, fala isso o tempo todo: É um presente, o Agora: é o verdadeiro presente do AA: não é acidente eles chamarem isso de *Presente*.

"Mas foi só quando aquele coitado daquele cachimbeiro lá de casa apontou para mim e fez eu me arrastar pra lá e quando eu disse isso que eu saquei", Joelle disse. "Eu não *tenho* que fazer isso desse jeito. Eu posso escolher como fazer, e eles vão me ajudar a não desistir da minha escolha. Eu acho que eu não tinha percebido antes que eu podia — que eu posso fazer isso *mesmo*. Eu posso fazer isso por um dia infindável. Eu consigo. Don."

O olhar que ele estava dando pra ela queria tipo validar aquela revelação dela e dizer que sim sim ela consegue, que ela conseguia enquanto continuasse escolhendo continuar. Ela estava olhando bem pra ele, Gately podia ver. Mas ele também tinha ficado com um arrepio pessoal pinicante no corpo todo pelas coisas que ele mesmo ficou pensando. Ele podia encarar a dor dextrógira do mesmo jeito: Aguentando. Nem um único instante daquilo era insuportável. Olha aqui um segundo bem aqui: ele suportou. O que era inaguentável era a ideia de todos os instantes ali todos enfileiradinhos e se estendendo na distância, reluzentes. E o medo futuro projetado do PPA, estivesse quem estivesse lá fora de chapéu comendo comida barata de Terceiro Mundo; o medo de ser condenado por canadonciocídio, por asfixiação-de-VIP; de uma vida na beira da cama do presídio de Walpole, lembrando. É coisa demais pra você pensar. Pra Aguentar ali. Mas nada disso neste momento é real. O que é real é o tubo, a Noxzema e a dor. E isso ele podia encarar bem que nem a Velha Ave Gélida. Ele podia só se encolher no espaço entre cada batimento e fazer de cada batida uma muralha e viver ali. Não deixar a cabeça espiar por cima. O que é insuportável é o que a cabeça dele podia fazer com aquilo tudo. O que a cabeça dele podia relatar, espiando por cima e lá longe e relatando. Mas ele podia escolher não ouvir; ele podia tratar a cabeça dele como o G. Day ou o R. Lenz: barulho sem-noção. Ele não tinha sacado isso direito antes de agora, como não era só uma questão de esperar o desejo de uma Substância passar por conta própria: tudo de insuportável estava na cabeça, era a cabeça que não estava Aguentando o Presente mas pulando o muro e fazendo uma expedição de reconhecimento e aí voltando com notícias insuportáveis em que você de alguma maneira acreditava. Se Gately saísse dessa, ele decidiu, ia tirar a foto do Knievel da parede, emoldurar e dar pra Joelle, e eles iam rir, e ela ia chamar ele de Don ou de Goizão etc.

Gately revira os olhos para a direita para ver Joelle de novo, que está usando suas duas mãos pálidas para deixar o livrão aberto no colo da calça de moletom. A luz cinza da janela brilha em folhas plásticas como pequenos plastificados dentro daquilo.

"… a ideia de levar isso aqui ontem de noite e estava dando uma olhada. Eu queria te mostrar o meu próprio Papai pessoal", ela diz. Ela está segurando o álbum de fotos pra ele, bem aberto, como uma professora de jardim de infância contando historinha. Gately exagera bastante o ato de apertar os olhos. Joelle se aproxima e apoia o grande álbum sobre a grade de berço de Gately, espiando por cima da borda e apontando para um retrato em seu encaixe quadrado.

"Bem ali, ó, o meu Papai." Em frente de uma cerca baixa branca de varanda, um velho genérico e magro de nariz franzido por estar apertando os olhos por causa do sol e o sorriso composto de alguém que foi convidado a sorrir. Um cachorro esquelético ao lado dele, meio de perfil. Gately está mais interessado em como a sombra de quem tirou a foto está inclinada sobre o primeiro plano da foto, escurecendo meio cão.

"E esse é um dos cachorros, um pointer que foi atropelado logo depois disso por um caminhão da UPS lá na 104", ela diz. "Onde nenhum bicho com um pingo de juízo ia achar que tinha alguma coisa pra fazer. O meu Papai nunca dá nome pros cachorros. Esse aí é chamado só de aquele que foi atropelado pelo caminhão da UPS." A voz dela está diferente de novo.

Gately tenta Aguentar pra ver o que ela está tentando dizer. Quase todas as outras fotos da página são de animais tipo de fazenda atrás de cercas de madeira, com aquela cara das coisas que não sabem sorrir, que não sabem que uma câmera está olhando. Joelle disse que o seu Papai pessoal era químico de baixos pHs, mas que o próprio Papai da sua falecida mãe tinha deixado uma fazenda pra eles, e o Papai da Joelle levou as duas pra lá e ficou fuçando nessas coisas de fazenda, basicamente como uma desculpa pra poder ter vários bichos de estimação e enfiar umas coisas experimentais de pHs baixos na terra.

Num certo momento aqui entra uma enfermeira hiperobjetiva e mexe com os frascos de soro, aí se abaixa e troca o receptáculo da sonda embaixo da cama, e por um segundo Gately quer morrer de vergonha. Joelle parece não estar nem fingindo não perceber.

"E esse bem aqui é um touro que a gente chamava de Senhor Homem." O polegar fino dela passa de uma foto a outra. A luz do sol no Kentuky parece amarelo--mais-clara que a da NNI. As árvores são de um verde mais ferrado e têm umas merdas bisonhas e meio felpudas penduradas. "E essa bem aqui é uma mula chamada Chet que conseguia pular a cerca e pegava as flores de todo mundo pela Rota 45 até o Papai ter que sacrificar. Isso é uma vaca. Isso bem aqui é a mamãe do Chet. É uma égua. Eu não lembro de nenhum nome a não ser 'Mamãe do Chet'. O Papai emprestava ela pros vizinhos que eram fazendeiros de verdade, pra meio que compensar pelas flores do pessoal."

Gately balança concentradamente a cabeça diante de cada foto, tentando Aguentar. Ele não pensou no espectro ou no sonho-de-espectro nenhuma vez desde que acordou do sonho em que Joelle era a sra. Hespera como figura materna da Morte. A Mamãe do Chet na próxima vida. Ele abre bem os olhos para clarear a cabeça. A cabeça de Joelle está abaixada, olhando pro álbum aberto, lá de cima. Seu véu pende frouxo e de novo em branco, tão perto que ele podia levantar a mão esquerda e erguer o véu se quisesse. O livro aberto em que ela está passando a mão dá a Gately uma ideia que ele não consegue acreditar que só está tendo agora. Mas ele fica preocupado porque não é canhoto. Ou seja, *SINISTRO*. Joelle está com o polegar ao lado de uma estranha foto em sépia da bunda e das costas curvadas de um cara que está tentando escalar um telhado íngreme. "O tio Lum", ela diz, "o sr.

Riney, Lum Riney, sócio do meu Papai lá na loja, que respirou alguma fumaça lá na loja quando eu era pequenininha e ficou esquisito, e agora ele sempre tenta escalar as coisas, se você deixar."

Ele se contorce por causa da dor ao mexer o braço esquerdo para pôr a mão no pulso dela para lhe chamar a atenção. O pulso dela é estreito por cima mas estranhamente profundo, parecendo grosso. Gately consegue fazer ela olhar para ele, tira a mão do pulso dela e usa a mão para fazer gestos de quem está escrevendo sem jeito no ar, com os olhos revirando um pouco por causa da dor que isso provoca. É essa a ideia dele. Ele aponta para ela, depois para a janela e volta a mão num giro que retorna para ela. Ele se recusa a grunhir ou mugir para enfatizar alguma coisa. O indicador dele é o dobro do polegar dela enquanto ele mais uma vez faz o gesto de quem segura um instrumento e escreve no ar. Ele cria uma cena tão lenta e tão óbvia porque não consegue ver os olhos dela para ter certeza que ela está entendendo o que ele quer.

Se uma mulher semiatraente só der um sorriso pra Don Gately ao passar por ele numa rua cheia de gente, Don Gately, como basicamente todos os viciados heterossexuais, em poucas quadras já cortejou, juntou trapinhos, casou e teve filhos mentalmente com aquela mulher, tudo no futuro, tudo na cabeça, mentalmente sacudindo um jovem Gately naquele joelhão de pernil de carneiro enquanto essa sra. G. mental entra de supetão com um avental que ela às vezes usa provocativamente à noite sem nada por baixo. Quando ele chega aonde estava indo, o viciado ou já se divorciou mentalmente da mulher e está numa violenta batalha pela custódia dos meninos ou está mental e felizmente ainda com ela nos últimos anos de vida dele, sentados juntinhos entre netinhos cabeçudos num balanço de varanda especial modificado para o tamanho de Gately, as pernas dela numa meia de compressão e num sapato ortopédico ainda bem lindonas, mal precisando falar pra conversar, chamando-se um ao outro de "Mãe" e "Papa", sabendo que vão esticar as canelas umas semanas depois do outro porque nenhum dos dois poderia viver sem o outro, de tão ligados que ficaram com o passar dos anos.

A prospectiva união mental de Gately e Joelle ("M. P.") van Dyne fica naufragando ao topar com a visão de Gately sacudindo no joelhão um menino com um véu imenso de debrum azul ou cor-de-rosa, no entanto. Ou delicadamente retirando as tiras aderentes do véu de Joelle sob a luz da lua tipo na lua de mel deles em Atlantic City e descobrindo só tipo um olhão no meio da testa dela ou uma cara horrorosa de Churchill ou alguma coisa assim.[350] Então a fantasia mental de longo prazo do viciado fica instável, mas ele ainda não consegue deixar de vislumbrar o velho X, com Joelle bem veladinha e gritando alto *E Eis Que!* daquele jeito vazio e atraente no momento do orquiasmo — a vez em que Gately passou mais perto de dar um X numa celebridade foi com a estudante de enfermagem insanamente viciada que tinha o mezanino de bater cabeça e uma semelhança incrível com o jovem Dean Martin. Ver Joelle dividindo retratos pessoais históricos com Gately leva a mente dele a passar direitinho por cima da muralha do segundo para ver Joelle, perdidamente apaixonada pelo heroico Don G., se apresentando como voluntária para sentar uma cacetada na cabeça do cara de chapéu ali na frente do quarto e tirar Gately, tubo e sonda do St. E. dentro de um carrinho de roupa suja ou sei lá o quê, salvando-o dos Homens de Boston ou dos cabelos-raspados Federais ou de sei lá que vingança jurídica horrível o cara de chapéu representava, ou ainda se oferecendo altruisticamente para lhe dar o seu véu e um vestido bem grande e deixar ele segurar a sonda por baixo do vestidão e sair arrastando o pezinho dali enquanto ela se encolhe embaixo dos lençóis imitando Gately, romanticamente pondo em risco suas recuperação e carreira no rádio, tudo por causa de um amor violento tipo *Liebestod* por Gately.

Essa última fantasia o deixa envergonhado, de tão covarde que ela é. E mesmo imaginar uma situação romântica com uma novata perdida é vergonhoso. No AA de Boston, seduzir os novatos é chamado de Décimo Terceiro Passo[351] e é considerado coisa de gente baixa mesmo. É predatório. Os novatos chegam detonados, perdidos e assustados, com o sistema nervoso ainda fora do corpo e latejando por causa da desintoxicação, desesperados para escapar do seu próprio interior, para depositar a responsabilidade pela sua vida aos pés de algo tão sedutor e violento quanto a sua ex-amiga Substância. Para evitar o espelho que o AA enfia na cara deles. Para evitar reconhecer a traição da sua velha amiga Substância e lamentar por ela. Fora que nem é preciso mencionar as questões de espelho-e-vulnerabilidade de uma novata que tem que usar um véu da OFIDE. Uma das sugestões mais vigorosas do AA de Boston é que os novatos evitem toda e qualquer relação romântica por pelo menos um ano. Então alguém com algum tempo de sobriedade predando e tentando seduzir uma novata é quase o equivalente a um estupro, é o consenso geral em Boston. Não que não role. Mas quem faz esse tipo de coisa nunca tem o tipo de sobriedade que os outros respeitam ou desejam. Um adepto do Décimo Terceiro Passo ainda está fugindo do próprio espelho.

Isso sem falar que um Funcionário seduzir uma residente nova que ele devia estar era ajudando seria cagar geral na cabeça da Pat Montesian e da Ennet.

Gately percebe que provavelmente não é nenhum acidente que as suas fantasias mais vívidas com Joelle coincidam com fantasias de fugir-dos-Homens-e-das-responsabilidades-legais. Que a verdadeira fantasia da sua cabeça é que essa novata o ajude a evitar, a fugir e a correr, se juntando a ele depois tipo no Kentucky num balanço de varanda modificado. Ele ainda também é bem novo: querendo que outra pessoa cuide da zona da vida dele, que alguém o mantenha fora das suas várias jaulas. É a mesma ilusão da mesma ilusão básica da Substância viciante, basicamente. Os olhos dele reviram na cabeça de nojo dele mesmo, e por lá ficam.

Eu desci o corredor pra me livrar do tabaco, escovar os dentes e enxaguar a lata de Spiru-Tein, que tinha ficado com uma crosta desagradável nas laterais. Os corredores dos subdormitórios eram curvos e não tinham esquinas propriamente ditas mas dá pra ver no máximo três portas e o batente de uma quarta de qualquer ponto do corredor antes da curva se interpor no teu campo de visão. Eu fiquei pensando um tempinho se era verdade que as crianças pequenas achavam que os pais delas podiam vê-las mesmo do outro lado de esquinas e curvas.

O gemido do vento forte e o chacoalhar das portas estavam piores no corredor sem carpete. Eu podia ouvir os vagos sons dos choros do dia que nasce em certos quartos fora do meu campo de visão. Vários dos melhores jogadores começam a manhã com um rápido ataque de choro, e aí ficam basicamente em forma e bem-prontinhos pro resto do dia.

As paredes dos corredores dos subdormitórios são de um azul-mentinha pós-jantar. As paredes dos quartos propriamente ditos são creme. Todas as madeiras são escuras e envernizadas, assim como o guilhochê que corre sob todos os tetos da ATE; e o odor dominante nos corredores é um misto de verniz e de tintura de benzoína.

Alguém tinha deixado uma janela aberta perto das pias do banheiro masculino, e um monte de neve jazia na soleira, e no chão sob a janela perto da pia da ponta, cujo cano de água quente canta, havia uma poeira parabólica de neve já se derreten-do no ápice. Eu acendi as luzes e o ventilador do exaustor entrou em ação com elas; por algum motivo eu mal conseguia aguentar aquele barulho. Quando pus a cabeça pra fora pela janela o vento vinha de parte nenhuma e de toda parte, a neve rodo-piando em funis e remoinhos, e havia uns grãozinhos de gelo na neve. Estava um frio brutal. Lá pras Quadras Leste, as trilhas estavam apagadas, e os galhos dos pinheiros estavam quase horizontais sob o peso da neve neles. O gio de Schtitt e a sua torre de observação pareciam ameaçadores; ainda estava escuro e sem-neve no lado de sota-vento que dava pro Com.-Ad. A visão de distantes ventiladores ATHSCME deslocando grandes volumes de ar e neve rumo norte é uma das melhores vistas de inverno do topo do nosso morro, mas a visibilidade agora estava ruim demais pra se poder perce-ber os ventiladores, e o silvo líquido da neve era pleno demais pra se poder perceber se os ventiladores sequer estavam ligados. A Casa do Diretor não era muito mais que uma forma corcovada lá perto da linha das árvores ao norte, mas eu podia imaginar o coitado do C.T. à janela da sala de estar com chinelinho de couro e roupão de xadrez escocês, parecendo andar de um lado pro outro até quando estava parado, erguendo e baixando a antena do telefone que tinha na mão, com diversas ligações já para o Logan, o AIM-Dorval, os relatórios atualizados do ClimaTempo-9000, figuras de cara fechada no escritório da ATONAN no Québec, a testa do C.T. uma tábua de lavar roupa e os lábios se mexendo mudos enquanto ele levava a mente via brainstorming a um estado de Preocupação Total.

Eu puxei a cabeça pra dentro quando não estava mais sentindo o rosto. Fiz as minhas abluçõezinhas. Fazia três dias que eu não sentia uma vontade forte de ir ao banheiro.

O mostrador digital perto do intercom do teto dizia **18/11/EST0456**.

Quando o whap-whap da porta do banheiro morreu eu ouvi uma voz baixinha com um tom esquisito lá na frente depois da curva do corredor. Acabou que o bom e velho Ortho Stice estava sentado numa cadeira de um dos quartos, na frente de uma janela do corredor. Ele estava encarando a janela. A janela estava fechada e ele estava com a testa contra o vidro, ou falando ou cantarolando sozinho bem baixinho. Toda a parte inferior da janela estava embaçada com a respiração dele. Eu cheguei por trás, ouvindo. A parte de trás da cabeça dele tinha aquele branco-acinzentado tipo barriga-de-tubarão de um cabelo raspado tão baixo que o couro aparece por baixo. Eu estava mais ou menos bem atrás da cadeira dele. Não conseguia saber se ele estava falando sozinho ou cantarolando alguma coisa. Ele não virou pra trás nem quando eu sacudi a escova de dentes dentro do copo da NASA. Ele estava com os trajes clássicos de Trevas: blusa preta de moletom, calça preta de moletom em que ele tinha mandado fazer um silkscreen vermelho-e-cinza da ATE nas duas pernas. Os pés dele estavam descalços no chão frio. Eu estava bem do lado da cadeira, e ele ainda não me olhava.

"Quem que é agora?", ele disse, olhando diretamente pra frente.

"Oi, Orth."

"Hal. Você levantou meio cedo."

Eu sacudi a escova de dentes um pouco pra indicar um dar de ombros. "Sabe como é. Positivo e operante."

"Que que tá rolando?"

"Como assim?", eu perguntei.

"A tua voz. Cacilda, cê tá chorando? Que que tá rolando?"

A minha voz estava neutra e meio intrigada. "Eu não estou chorando, Orth."

"Então tá." Stice respirou na janela. Ele esticou a mão sem mexer a cabeça e coçou a parte de trás do cabelo raspado. "Positivo e operando. A gente vai ou não vai encarar uns estranja hoje?"

Nos últimos dez dias eu sempre me senti pior no começo da manhã, antes da aurora. Tem alguma coisa atavicamente horrível nisso de acordar antes da aurora. A janela estava desobscurecida acima da linha do alento do Trevas. A neve não estava rodopiando ou socando a janela tanto quanto no lado leste do prédio, mas a ausência eólica do lado de sotavento mostrava exatamente a força com que caía a neve nova. Era como uma cortina branca descendo infindavelmente. O céu estava clareando aqui no lado leste, um branco-acinzentado mais claro, não de todo diferente do cabelo raspado de Stice. Eu percebi que daquela posição ele só conseguia ver respiração condensada na janela, sem reflexos. Fiz umas caretas grotescas, distendidas, de olhos esbugalhados pra ele pelas costas. Elas me deixaram pior.

Eu sacudi a escova. "Bom, se for, não vai ser aí. Está chegando já quase na fita das redes do oeste. Eles vão ter que meter a gente em algum lugar coberto."

Stice respirou. "Não tem lugar coberto com trinta e seis quadras, Inc. O Winchester Club tem doze e arrisca ser o máximo. A porra do Mount Auburn só tem oito."

"Eles vão ter que ir com a gente pra lugares diferentes. É um pé no saco, mas o Schtitt já fez isso antes. Acho que a variável de verdade aqui é saber se os carinhas do Québec chegaram no Logan ontem de noite antes de sei lá quando que isso tudo começou."

"O Logan vai estar fechado cê tá dizendo."

"Mas acho que a gente ia ter ficado sabendo se eles tivessem chegado ontem de noite. O Freer e o Struck estão acompanhando os updates on-line da coisa dos aeroportos desde a hora da janta, o Mario disse."

"Os caras tão a fim de dar um X numas minas estrangeiras meio sonsas e com umas pernas cabeludas, *hein?*"

"O meu palpite é que eles estão presos em Dorval. Aposto que o C.T. está cuidando disso neste exato momento. Vai sair algum anúncio na hora do café, provavelmente."

Isso era uma nítida abertura pro Trevas fazer uma imitaçãozinha rápida do C.T., pensando em voz alta no telefone com o técnico québecois se ele, o C.T., devia pressionar pra eles conseguirem fretar um transporte terrestre de Montreal ou se na verdade os incitava a não correr o risco de atravessar o Recôncavo durante uma tempestade num gesto tão generoso mas desiludido que o québecois ia achar que mandar ver os 400 km de busão pra Boston na nevasca era ideia sua própria, o C.T. totalmente aberto, abrindo todas as diferentes estratégias psicológicas pra que o técnico as inspecione, com o alucinado som embaralhante do dicionário francês-inglês do técnico bem alto no fundo da conversa telefônica. Mas Stice só ficou ali com a testa no vidro. Os pés descalços dele estavam batendo algum ritmo no chão. O corredor estava gelado e os dedos dos pés dele tinham um leve tom azulado. Ele soltou ar pelos lábios num suspiro tenso, fazendo as bochechas gordas baterem um pouco; ele dizia que isso era o seu barulho de cavalo.

"Você estava falando sozinho aqui, ou cantarolando, ou o que que era?"

Um silêncio sobreveio.

"Tem essa piada, sabe", Stice disse por fim.

"Manda aí."

"Quer ouvir?"

"Até que uma risada de qualidade me caía bem agora, Escurão", eu disse.

"Você também?"

Outro silêncio sobreveio. Duas pessoas diferentes chorando baixinho em tons diferentes por trás de portas fechadas. Uma descarga de privada no segundo andar. Um dos chorantes estava quase guinchando, um lamento que não era humano. Não tinha jeito de saber qual aluno da ATE era, qual porta depois da curva do corredor.

O Trevas coçou de novo a parte de trás da cabeça sem mexer a cabeça. As mãos dele pareciam quase luminescentes contra as mangas negras.

"Então três estatísticos foram caçar pato", ele disse. Ele parou. "Eles são tipo estatísticos de profissão."

"Até aqui eu entendi."

"Eles foram caçar pato e se enfiaram na lama atrás de um abrigo de caça, pra caçar, com aquelas calças de vadear rio e de chapéu e tudo, Winchester zero-zero top de linha, e coisa e tal. E eles estão lá grasnando com aqueles kazoos que os caçadores de pato sempre usam pra grasnar."

"Apitos", eu disse.

885

"Isso mesmo." Stice tentou balançar a cabeça contra a janela. "Bom e aí não é que me passa um patinho voando no alto?"

"A presa deles. O objetivo deles estarem lá."

"Pode crer, a *resondete* deles e tudo mais, e eles lá se preparando pra transformar o fidaputa numa montoeira de pena e gosma", Stice disse. "E o primeiro estatístico, o cara me puxa a espingarda e manda brasa, e o coice derruba o safado de bunda tchibum lá na lama, e mas o cara errou o pato, passou bem embaixo, eles viram. Aí o segundo estatístico resolve soltar fogo e aí lá se vai ele de bunda também, essas espingardas têm um coice do caralho, meu, e lá se vai o segundo de bunda, por causa do tiro, e eles viram que o dele passou bem em cima do pato."

"Errou também."

"Errou por pouco. E olha que senão quando aí o terceiro estatístico começa a dar uns gritinhos e pular que nem doido, berrando 'A gente pegou ele, galera, a gente pegou o desgraçado!'."

Alguém estava gritando no meio de um pesadelo e outro alguém urrava pedindo silêncio. Eu não estava nem fingindo rir. Stice não parecia esperar que eu fingisse. Ele deu de ombros sem mexer a cabeça. A testa dele não tinha saído do vidro frio nem uma vez.

Eu fiquei ali com ele em silêncio e segurando o meu copo da NASA com a escova e olhei por cima do topo da cabeça do Stice através da metade superior da janela. A neve caía forte e parecia sedosa. O teto de lona verde do pavilhão das Quadras Leste estava ominosamente curvado, com a logo branca da GATORADE obnubilada. Uma figura estava lá fora, não sob o abrigo do pavilhão mas sentada nas arquibancadas atrás das Quadras de Exibição leste, recostada com os cotovelos num nível e o traseiro no outro e os pés esticadões lá embaixo, sem se mexer, usando o que parecia fofo e colorido o bastante pra ser um casaco, mas sendo enterrada pela neve, só ali parada. Era impossível determinar a idade ou o sexo da pessoa. Espiras de igrejas lá em Brookline se enegreciam enquanto o céu clareava atrás delas. O começo da aurora parecia o luar na neve. Várias pessoas estavam com raspadores nos para-brisas dos seus veículos em toda a Commonwealth Avenue. As imagens delas eram minúsculas e escuras e tremulavam; a linha de carros estacionados inumados na avenida parecia uma série de iglus adjacentes, uma espécie de condomínio esquimó. Nunca tinha nevado desse jeito em meados de novembro. Um trem B coberto de neve se esforçava morro acima como uma lesma branca. Parecia claro que o T suspenderia os serviços logo-logo. A neve e o nascer-frio-do-sol davam a tudo uma cara de cobertura de bolo. O portão levadiço entre a entrada e o estacionamento estava semierguido, provavelmente pra evitar que congelasse fechado. Eu não conseguia ver quem estava na cabine de segurança do portão. Os funcionários nunca esquentavam a cadeira, quase todos eram daquela Casa Ennet, tentando se "recuperar". As duas bandeiras do mastro estavam congeladas e espetadas duras no ar, virando rígidas pra lá e pra cá com o vento, tipo uma pessoa com um colar ortopédico, em vez de se desfraldar. A caixa de correspondência do correio-físico da ATE do lado de dentro do portão levadiço estava com um moicano de

886

neve. A cena toda tinha um páthos indescritível. A respiração embaçada de Stice não me deixava ver nada mais perto que a caixa de correio e as Quadras Leste. A luz estava começando a se difratar em cores nas margens da névoa do bafo de Stice no vidro.

"O Schacht ouviu essa piada lá naquele lugar Craniano de um professor lá da U.B. com uma dor facial horrorosa, ele disse", disse o Stice.

"Cara, eu vou criar coragem aqui e fazer a pergunta."

"É uma piada de estatística. Tem que sacar de mediais médias e modos."

"Eu entendi a piada, Orth. A pergunta por que que você está assim com a testa na janela desse jeito se a tua respiração não te deixa ver nada. O que é que você está tentando olhar? E a tua testa não está ficando meio gelada?"

Stice não concordou com a cabeça. Ele fez o seu barulho-de-cavalo de novo. Ele sempre teve o rosto de um gordo no corpo esguio de um cara bem em forma. Eu nunca tinha percebido que ele tinha uma lagriminha esquisita de carne extra bem embaixo do queixo, tipo um pedacinho de pele com ambições verruguísticas. Ele disse: "A testa parou de ficar gelada faz umas horas, quando eu perdi toda a sensação nela".

"Você está sentado aqui descalço e com a testa no vidro há *horas*?"

"Mais tipo quatro, acho."

Eu ouvia uma equipe faxineiral noturna rindo e batendo balde bem abaixo de nós. Só um ria. Eram Kenkle e Brandt.

"A minha próxima pergunta é bem óbvia, então, Orth."

Ele reagiu com outro dar de ombros desajeitado que não envolveu a cabeça. "Bom. Dá uma certa vergonha, aqui, Inc", ele disse. Ele parou. "O negócio é que grudou."

"A tua testa grudou na janela?"

"Até onde eu consigo lembrar eu acordei, era logo depois de 0100, o porra do Coyle estava com aquele corrimento de novo e durma-se com um barulho desses, meu."

"Eu tremo só de pensar, Orth."

"E o Coyle claro que ele nem acende a luz só pesca um lençol limpo da pilha debaixo da cama e volta dormir que nem um anjinho. E eu acordadão a essa altura, meu, e aí não consegui apagar de novo."

"Não conseguiu pegar no sono."

"Tem alguma coisa muito errada, eu estou te dizendo", o Trevas disse.

"Nervoso antes do evento de Arrecadação? O WhataBurger chegando? Você está sentindo que vai começar a subir um plateau, que está começando a jogar do jeito que você esperava que um dia fosse jogar, e uma parte tua não acredita, parece errado. Eu passei por isso. Acredite em mim, eu enten…"

Stice automaticamente tentou sacudir a cabeça e aí soltou um gritinho de dor. "Não é isso. Nada disso. Uma puta estória comprida. Eu nem sei se quero que alguém acredite. Esquece isso. A questão é que eu estou lá — eu estou lá deitado supersuado, quente e inquietaço. Eu saio da cama, pego uma cadeira e aí truche ela aqui pra ficar num lugar mais fresco."

"E onde você não precisa ficar ali deitado vendo o lençol do Coyle apodrecendo lentamente embaixo da cama dele", eu disse, estremecendo um pouco.

"E está só começando a nevar, essa hora, lá fora. É coisa de tipo 0100. Eu pensei só em me ajeitar e ficar olhando um pouco a neve, baixar a bola e aí ir puxar um ronco na Sala de Vídeo." Ele coçou de novo a parte de trás avermelhada do couro cabeludo.

"E enquanto olhava, você apoiou a cabeça pensativo no vidro só um segundo."

"E passa a régua. Esqueci que a testa estava toda suada. Danou-se. Buzunhei-me a mim próprio mesmo. Só tipo lembra quando o Rader e os caras convenceram o Ingersoll a encostar a língua naquele poste de rede no réveillon do ano passado? Grudado aqui ferrado que nem aquela língua, Hal. E uma área total bem maior, também, que a da merda do Ingersoll. Ele só perdeu aquela pontícula de nada. Inc, eu tentei arrancar ela daqui coisa de 0230, e fez uma porra... de um *barulho*. Um barulho e uma sensação de que a pele vai ceder antes do grude, com certeza. Congelou tudo. E aqui tem tipo mais pele do que eu encaro perder assim na boa, camarada." Ele estava falando logo acima do nível do sussurro.

"Meu Deus e você aí sentado esse tempo todo."

"Porra, eu estava com vergonha. E nunca ficou tão ruim que eu tivesse que gritar. Eu pensava que se piorasse um pouquinho eu ia gritar e pronto. E aí lá pelas 03 eu parei de sentir a testa de vez."

"Você só ficou aqui sentado esperando alguém aparecer. Cantarolando baixinho pra não perder a coragem."

"Eu só estava rezando pra diabo pra não ser o Pemulis. Só Deus sabe o que aquele filho da puta ia ter pensado em fazer comigo aqui indefeso e imobilado. E o Troeltsch está babando feliz bem ali atrás dessa porta, com a porra daquele microfone, do cabo e das ambições. Eu rezava pra ele não acordar. E nem me *fala* daquele filho de uma vaca do Freer."

Eu olhei pra porta. "Mas aquele ali é o single do Aiquefoda. Por que é que o Troeltsch ia estar dormindo no quarto do Aiquefoda?"

Ortho deu de ombros. "Vai por mim que eu tive tempo pacas pra ficar ouvindo e identificar o ronco de um monte de gente, Inc."

Eu olhei do Stice pra porta do Axford e depois voltei. "Então você ficou só aqui sentado ouvindo neguinho dormir e olhando a tua respiração se expandir e congelar na janela?", eu disse. Imaginar essa situação parecia quase insuportável: eu só ali sentado, grudado, muito antes do sol nascer, sozinho, envergonhado demais para gritar, com as minhas exalações maculando a janela e me negando até uma vista pra desviar a minha atenção do horror. Eu fiquei ali horrorizado, admirando a calma corajosa do Trevas.

"Teve uma meia hora tipo bem fodida mesmo quando meu lábio superior não é que me gruda ali também, no embaçado, quando o bafo congelou. Mas eu respirei pra soltar o desgraçado, meu. Eu respirei bem quente e bem rápido. Quase entrei numa porra duma hiperventilação. Eu fiquei com medo de desmaiar e cair de cara e o rosto inteiro ficar grudado. A porra da testa já é foda."

Eu larguei a escova de dentes e o copo da NASA no módulo de ventilação em balanço. A ventilação dos quartos era embutida, a dos corredores, protuberante. O sistema anular de aquecimento da ATE produzia um zumbido lubrificado que eu tinha parado de ouvir de verdade anos atrás. A Casa do Diretor ainda tinha aquecimento a óleo; sempre parecia que um maníaco estava martelando os canos lá embaixo.

"Trevas, se prepare mentalmente aí", eu disse. "Eu vou ajudar a te desgrudar."

Stice não pareceu ouvir isso. Ele parecia estranhamente abstraído pra um sujeito oclusivamente preso a uma janela congelada. Ele estava passando a mão com bastante vigor na parte de trás da cabeça, que era o que ele fazia quando estava pensando. "Você acredita nessas porras, Hal?"

"Que porras?"

"Sei lá. Essas porras de criancinha. Telecinia. Fantasma. Essas porras de parabnormalidade."

"Eu só vou dar a volta aqui por trás de você, dar um puxão e a gente vai te desgrudar direto daí", eu disse.

"Alguém veio aqui", ele disse. "Tinha alguém parado aí atrás faz mais ou menos uma hora. Mas ele só ficou aí. Depois foi embora. Ele ou… aquilo." Um estremecimento em todo o corpo.

"Vai ser que nem aquele último pedacinho de esparadrapo no tornozelo. A gente vai puxar pra trás com tanta força e tão rápido que você nem vai sentir nada."

"Eu estou tendo umas lembranças bem desagradáveis daquele pedacinho da língua do Ingersoll no poste da rede da Nove que ficou lá até a primavera."

"Isso aqui não é uma situação tipo saliva-e-ponto-de-congelamento, Escurão. Isso é um adesivo oclusivo bisonho. Vidro não conduz calor que nem metal conduz calor."

"Não tem muito calor nessa porra dessa janela aqui, camaradinha."

"E não sei se eu entendi o que você falou, *paranormalidade*. Eu acreditava em vampiros quando eu era pequeno. Sipróprio garantia que via o fantasma do pai nas escadas às vezes, mas aí mais pro fim ele via viúvas-negras no próprio cabelo, também, e dizia que eu não estava falando às vezes quando eu estava sentado bem na frente dele conversando com ele. Então a gente meio que dava um desconto. Orth, acho que eu não sei o que pensar dessas porras de paranormalidade."

"Aí fora que eu acho que alguma coisa me mordeu. Aqui meio na nuca, algum bicho que sabia que eu estava indefeso e não conseguia ver." Stice cutucou de novo a área avermelhada atrás da orelha. Tinha um calombinho meio espinhento ali. Não era numa área vampiresca do pescoço.

"E o nosso amigo Mario diz que já viu umas figuras paranormais, e ele não está brincando, e o Mario não mente", eu disse. "Então em termos de crença eu não sei o que pensar. As partículas sub-hadrônicas têm lá um comportamento meio fantasma. Acho que eu suspendo todo e qualquer prejulgamento da coisa toda."

"Então tudo bem. Que bom que foi você que apareceu então."

"O negócio aqui vai ser endurecer esse pescoção aí, rapaz, pra evitar uma lesão. A gente vai te arrancar daí que nem uma rolha de uma garrafa de Moët."

"Tira o meu caveirão desgraçado daqui, Inc, que eu vou te pegar e mostrar umas porras parabnormais que vão te deixar de queixo mais que caído", Stice disse, se preparando. "Falei nadinha pra ninguém só pro Lyle, e eu estou cansado dessa coisa de segredo. Você não vai pré-formulizar um julgamento, Inc, eu sei."

"Vai dar tudo certinho", eu disse. Eu fiquei bem atrás do Stice, me curvei um pouco e passei um braço pelo peito dele. A cadeira de madeira rangeu quando eu apoiei o joelho contra ela. Stice começou a respirar rápido e forte. As bochechas parotidíticas dele estavam quase colabadas. Eu disse que ia puxar quando contasse até Três. Na verdade eu puxei no Dois, pra ele não endurecer. Puxei para trás com toda a força, e depois de um gaguejo de resistência o Stice fez força junto comigo.

Veio um som pavoroso. A pele da testa dele se distendeu enquanto a gente arrancava a cabeça dele dali. Ela esticou e se distendeu até que uma espécie de braço de carne de testa de meio metro se estendeu da cabeça dele até a janela. O som era como um tipo de elástico do demônio. A derme da testa do Stice ainda estava bem grudada, mas a abundância de carne frouxa da cara de buldogue tinha subido e se juntado para se esticar e conectar a cabeça dele à janela. E por um segundo eu vi o que podia ser considerado o rosto real do Stice, a aparência que ele teria se não estivesse envolto por aquela fofa carne bochechuda das campinas: quando cada mm de carne extra foi puxado para a testa dele e esticado, eu vi num relance o Stice como ele ficaria depois de um lifting facial radical: um rosto estreito, de traços delicados, e levemente murino, inflamado por alguma espécie de revelação, olhava para a janela por sob a aba rósea da pele extra esticada.

Tudo isso ocorreu em menos de um segundo. Por apenas um instante nós dois ficamos ali, fazendo força pra trás, ouvindo o barulhinho de Sucrilhos dos feixes de colágeno da pele dele se alongando e rompendo. A cadeira dele estava bem inclinada pra trás apoiada nas pernas traseiras. Aí o Stice urrou de dor: "Jesus amado põe de *volta!*". Os olhinhos daquele segundo rosto protuberaram como olhos de desenho animado. A segunda boca fininha e bem desenhada era uma moeda redonda de dor e de medo.

"Volta volta volta!", o Stice berrou.

Eu não podia simplesmente soltar, com medo que o elástico esticado fosse puxar o Stice pra cima da janela e fazer o rosto dele atravessar o vidro. Fui soltando devagar, olhando as pernas da frente da cadeira irem descendo pro chão; e a tensão da pele da testa diminuiu, o rosto redondo, cheio e carnudo do Stice ressurgiu por cima do pequeno segundo rosto, o cobriu e nós fomos soltando até que só uns poucos centímetros de pele-de-testa descolagenada pendente e frouxa mais ou menos na altura dos cílios restou como prova do horrendo elástico.

"Jesus amado", Stice arquejava.

"Você está total e completamente grudado, Orth."

"Caralhinho *voador*, como isso doeu, meu."

Eu tentei desdar um mau jeito no meu ombro. "A solução vai ser degelar, Escurão."

"Degolar é o cacete, rapá. Eu fico aqui na boa até começar a primavera, pode apostar."

Aí o topetão matinal gigante e depois o rosto e o punho de Jim Troeltsch emergiram do umbral do Axford logo acima do ombro corcovado do Stice. O Stice tinha razão. Estar no quarto de outra pessoa depois do Apagar das Luzes era uma infração; passar a noite ali era doideira demais até pra estar mencionado no regulamento. "Nós recebemos informações sobre gritos aqui no nosso Centro de Imprensa de Testemunhas Oculares", Troeltsch disse no punho.

"Pra puta que te pariu, Troeltsch", Stice disse.

"*Degelar*, Ortho. Água morna. Aquecer a janela. Água quente. Dissolver o grude. Uma bolsa de água. Um rabo quente do escritório do Loach ou alguma coisa assim."

"Não tem como arrombar a porta do Loach", Stice disse. "Não acorde o cara no dia do evento cedo desse jeito."

Troeltsch estendeu o punho. "Notícias de gritos agudos levaram este repórter à cena de uma crise dramática, e nós estamos tentando conversar com o jovem que é o centro de toda a questão."

"Manda ele segurar a onda e voltar pra dentro com essa mãozinha ou eu te juro, Hal."

"O Trevas acidentalmente pôs a testa na janela aqui quando ela estava molhada e ela congelou e ele está aqui grudado a noite toda", eu disse ao Troeltsch, ignorando o punho enorme que ele mantinha na frente do meu rosto. Eu apertei o ombro de Stice. "Eu vou pedir pro Brandt arranjar alguma coisa quente."

Era como se eles tivessem feito um acordo tácito para não mencionar o fato do Troeltsch estar no quarto do Axford ou onde o Axford estivesse. Era difícil saber o que seria mais perturbador, o Axford não ter passado a noite no quarto ou o Axford estar ali atrás da porta entreaberta, o que significaria que o Troeltsch e o Axford passaram os dois a noite num quarto single pequeno que tinha somente uma cama. O universo parecia ter se alinhado de um jeito que até reconhecer a presença do fato já violaria alguma lei tácita. Troeltsch parecia desconsiderar qualquer aparência de inadequação ou de possibilidades inimagináveis. Era difícil imaginar que ele ia ser tão pentelho se achasse que tinha que ser discreto sobre alguma coisa. Ele estava na ponta dos pés pra enxergar por cima da linha-de-bafo da janela, com uma mão em concha sobre a orelha como quem segura um fone de ouvido. Ele assoviou baixinho. "Fora que além disso agora chegam notícias de uma nevasca alucinante aqui no Centro de Imprensa."

Eu catei minha escova de dentes e o copo da NASA na prateleira formada pela ventilação; desde a pegadinha da areca,[352] só o pior tipo de tonto deixa sua escova de dentes por aí na ATE. "Fica de olho no Stice e no meu copo da NASA aqui, Jim, tudo bem?"

"Algum comentário sobre o misto de dor, frio, constrangimento e sensações ligadas ao clima lá fora que o senhor possa estar vivenciando, sr. Stice, é isso mesmo?"

"Não me deixe imobilado com o Troeltsch, meu. Hal... Ele vai me fazer falar na mão."

"Um drama meteorológico está se desenrolando em torno da situação original de um homem constrangido preso pela própria testa", Troeltsch dizia no punho, encarando seu reflexo no espelho, tentando com a outra mão enorme achatar o topete, enquanto eu saí trotando e escorreguei de meia até parar logo depois da porta das escadas.

Kenkle e Brandt eram de idade indeterminada daquele jeito ressequido especial que os zeladores são de idade indeterminada, alguma coisa entre trinta e cinco e sessenta. Eles eram inseparáveis e essencialmente imprestáveis. O tédio anos atrás nos levara às fichas de recursos humanos com criptografia mínima da Alice Moore Lateral, e a ficha de Brandt registrava um QI S-B entre Subcretino-e-Cretino. Ele era careca e dava um jeito de ser ao mesmo tempo obeso e seco. Tanto a têmpora direita quanto a esquerda traziam contorcidas marcas cirúrgicas vermelhas de origem incerta. O escopo das suas emoções consistia de diferentes intensidades de sorriso amarelo. Ele morava com Kenkle numa mansarda em Roxbury Crossing com vista para o playground aferrolhado e cordão de isolamentado da Escola Secundária Madison Park, notório ponto de mutilações rituais ainda não solucionadas no Ano do Frango-Maravilha Perdue. O seu maior atrativo para Kenkle parecia consistir no fato de que ele nem se afastava nem interrompia quando Kenkle estava falando. Já na escada eu podia ouvir Kenkle discursando sobre os planos deles para o Dia de Ação de Graças e conduzindo os trabalhos de esfregão de Brandt. Kenkle era tecnicamente negro, tipo negroide, embora tivesse mais a cor terra-de-siena de uma abóbora estragada. Mas o cabelo dele era o cabelo de um negro, e ele usava dreadlocks grossos que pareciam uma coroa de charutos molhados. Diamante acadêmico da barra-pesadíssima que era Roxbury Crossing, ele tinha recebido o seu doutorado em química de baixas temperaturas na U.Mass com vinte e um anos e assumido uma prestigiosa sinecura no Escritório Americano de Pesquisas Navais, aí com vinte e três tinha passado por uma corte marcial e sido expulso do EPN por ofensas que mudavam cada vez que você perguntava a ele. Algum evento entre os vinte e um e os vinte e três parecia ter quebrado Kenkle em diversos pontos estratégicos, e ele tinha se retirado de Bethesda e voltado pra varanda do seu velho prédio de Roxbury Crossing, onde lia textos bahá'í cujas capas ele cobria com jornais intricadamente dobrados, e cuspia parábolas espetaculares de catarro vibrante na New Dudley Street. Ele tinha sardas negras e carbúnculos e sofria com excesso de catarro. Era um cuspidor incrível, e alegava que os incisivos que lhe faltavam tinham sido removidos para "auxiliar o processo expec-toratório". Todos nós suspeitávamos que ele era hipomaníaco ou viciado em drinas, ou as duas coisas. A expressão dele era extremamente séria o tempo todo. Ele discursava sem parar na orelha do coitado do Brandt, usando o cuspe como uma espécie de conjunção entre as frases. Ele falava alto porque os dois usavam protetores de ouvido de espuma expansível — os gritos de pesadelo das pessoas davam faniquitos nos dois. A técnica faxineiral deles consistia de Kenkle cuspindo com acurácia milimétrica sobre a superfície que Brandt deveria limpar em seguida e Brandt trotando como um belo cão de caça de escarro em escarro, ouvindo e rindo amarelo, rindo quando cabia. Eles estavam se afastando de mim pelo corredor na direção da janela leste do segundo andar, Brandt fazendo grandes arcos reluzentes com seu esfregão cabeça-de-boneca, Kenkle puxando o balde de metal e mandando uns lobs de catarros sugestivos por cima das costas curvadas de Brandt.

"E o Advento, Brandt meu amigo Brandt — o Natal — a manhã de Natal — qual é a essência da manhã de Natal senão o coevo pu-eril da interface venérea, para uma criança? — Um presente, Brandt — Algo que você não fez por merecer e que anteriormente não estava entre as coisas que lhe per-tencem agora é seu — Você consegue ficar aí e me dizer que não existe relação sim-bólica entre desembrulhar um presente de Natal e despir uma moça?"

Brandt se balançava e esfregava, sem saber se devia rir.

Sipróprio tinha conhecido Kenkle e Brandt no T (Kenkle e Brandt aparen-temente andavam de T à noite, por diversão), tentando dar um jeito de chegar à Enfield de Back Bay via Linha Laranja,[353] e meio detonadão. Kenkle e Brandt não só colocaram Sipróprio no trem da cor certa e o mantiveram equilibrado entre eles du-rante todo o trajeto pela eternidade da Comm. Ave, como ainda o ajudaram a descer em segurança as íngremes escadarias de ferro do ponto do T, atravessar a rua e subir a ruelinha serpenteante até o portão levadiço, e foram convidados às 0200 por Sipró-prio a continuar sabe-se lá qual discussão de baixa temperatura ele e Kenkle estavam tendo enquanto Brandt carregava Sipróprio morro acima à la bombeiro (Kenkle lem-bra que a discussão daquela noite teria sido sobre o nariz humano enquanto órgão erétil, mas a única aposta segura é que ela foi unilateral); e o duo acabou escalado como criados tipo-teatro-nô com véus negros em *Cerimônia do chá em gravidade zero* de Sipróprio, e tinham sido empregados ancilares da ATE desde então, ainda que sempre no turno vampiro, já que o sr. Harde nutria um ódio profundo por Kenkle.

Kenkle puxou fundo e acertou uma tirinha de pó na virada entre rodapé e piso que o arco do esfregão tinha deixado passar. "Porque eu sou um homem de família, Brandt, isso é que eu sou — Brandt — tipo ou interface venérea papai-mamãe ou nada e neres e nugas — Sabe como é que é? — Diz aí o que você tem a dizer sobre posições al-ternativas, Brandt — Brandt — Pra mim, pelo menos no meu ponto de vista, eu digo neres e nugas pra entrada pelos fundos ou como você pode ouvir por aí a in-terface canina ou cachorrinho tão privilegiada em taperas, car-tuchos azuis, gravu-ras tân-tricas — Brandt, isso é animalístico — Por quê? — Você pergunta por quê? — Brandt, é um jeito essen-cialmente *corcovado* de fazer uma interface — Ela corcova, você corcova por cima dela — É um despro*pósito* de corcova, na minha modesta…"

Foi o Brandt que me ouviu quando eu me aproximei por trás deles de meia, tentando me manter nos trechos mais secos. Quase escorreguei duas vezes. Ainda estava nevando pesado do outro lado da janela leste.

"Otto Brandt presente!", Brandt gritou pra mim, estendendo a mão, ainda que eu estivesse a vários metros de distância.

Os dreadlocks de Kenkle protuberavam de um boné xadrez. Ele se virou com Brandt e ergueu a mão indigenamente pra me cumprimentar. "Bondoso príncipe Hal. Desperto e vestido ao rrrrai-ar do dia."

"Permita que eu me apresente", Brandt disse. Eu apertei a mão dele.

"De meinha e escova de dentes. O herdeiro da ATE, Brandt, que eu aposto que rrra-ramente corcoveia."

"O Trevas está precisando de vocês lá em cima tipo pra já", eu disse, tentando secar um pé de meia numa perna da calça. "O rosto do Escurão está grudado na janela, ele está com uma puta dor e a gente não conseguiu arrancar e vai precisar de água quente, mas não quente demais." Eu apontei pro balde aos pés de Kenkle. Notei que os pés do sapato de Kenkle não combinavam.

"E nós podemos perguntar o que então é tão divertido?", Kenkle perguntou.

"O meu nome é Brandt e é um prazer conhecer você", Brandt disse, de novo de mão em riste. Ele largou o esfregão onde Kenkle apontou.

"O Troeltsch está com ele agora, mas ele está feio na foto", eu disse, apertando a mão de Brandt.

"Nós estamos a caminho", Kenkle disse, "mas por que a hilaridade?"

"Que hilaridade?"

Kenkle olhou de mim pra Brandt e pra mim. "Que hilaridade ele diz. O seu rosto é um rosto-de-hilaridade. Ele está se mexendo hilariamente. De início parecia meramente diver-*tido*. Agora está cla-ramente *ca*-chinante. Você está quase rolando. Você mal consegue fazer as palavras saírem. Só falta você dar tapinhas no joelho. *Essa* hilaridade, meu bom príncipe herdeiro Hal. Eu achei que todos os jogadores aqui eram compadruchos na vida civil."

Brandt deu um sorriso aberto enquanto voltava pelo corredor. Kenkle empurrou o boné xadrez para coçar uma espécie de erupção na linha do cabelo. Eu me empertiguei todo e conscientemente compus no rosto uma expressão mortalmente séria. "Que tal agora?"

Brandt tinha destrancado o armário faxineiral. Veio o som de um balde de metal sendo enchido na torneira industrial do armário.

Kenkle puxou de volta o boné e me olhou com olhos apertados. Ele se aproximou. Os cílios dele estavam coalhados de uns floquinhos amarelos crocantes. Havia cistos faciais à la Struck em diversos estágios de desenvolvimento. O hálito de Kenkle sempre cheirava vagamente a salada de ovo. Ele passou a mão especulativamente na boca um momento e disse: "Algures agora entre divertido e ca-chinante. Fa-ceiro, quiçá. Os olhos enrugados. As covas da facécia. As gengivas expostas. A gente pode pedir a opinião do Brandt também, se…".

Exatamente acima de nós veio um "GHIAAAAAAÁ" de Stice que sacudiu o teto. Eu estava passando a mão no rosto. Algumas portas abriram pelo corredor, com cabeças protuberando. Brandt estava com um balde de metal cheio e tentava correr para a escadaria, com o peso do balde fazendo seu ombro adernar e a água fumegante esparrinhar no chão limpo. Ele parou com a mão na porta da escadaria e olhou por cima do ombro para nós, relutando em prosseguir sem Kenkle.

"Elejo selecionar *faceiro*", Kenkle disse, dando uma apertadinha no meu ombro enquanto passava por mim. Eu ouvi ele dizer coisas diferentes para as cabeças nos umbrais de todo o corredor.

894

"Jesus", eu disse. Sem nem pensar na minha meia, eu passei pra área esfregada molhada de verdade e tentei discernir a expressão do meu rosto na janela leste. Agora estava claro demais, no entanto, lá fora, por causa de toda aquela neve. Eu parecia um esboço, e frouxo, borrado, hesitante, fantasmático contra todo aquele branco resplandecente.

TRANSCRIÇÃO PARCIAL DE REUNIÃO POSTERGADA POR
PROBLEMAS CLIMÁTICOS ENTRE
(1) O SR. RODNEY TINE SR., CHEFE DE SERVIÇOS
ALEATÓRIOS & CONSELHEIRO DA CASA BRANCA PARA RELAÇÕES
INTERDEPENDENTES; (2) A SRTA. MAUREEN HOOLEY, VICE-PRESIDENTE DE
ENTRETENIMENTO INFANTIL, INTERLACE TELENTRETENIMENTO, INC.;
(3) O SR. CARL E. ("CHEGADO") YEE, DIRETOR DE MARKETING
E PERCEPÇÃO DE PRODUTOS, CORPORAÇÃO GLAD DE
RECEPTÁCULOS FLÁCIDOS; (4) O SR. R. TINE JR., COORDENADOR
REGIONAL ASSISTENTE, ESCRITÓRIO DE SERVIÇOS
ALEATÓRIOS DOS EU; E (5) O SR. P. TOM VEALS, VINEY & VEALS PUBLICIDADE,
ILTDA. 8º ANDAR DO ANEXO DO PALÁCIO DO GOVERNO EM BOSTON, MA, EUA,
20 DE NOVEMBRO — ANO DA FRALDA GERIÁTRICA DEPEND

SR. TINE SR.: Tom. Chegado. Mo.

SR. VEALS: R. o F.

SR. YEE: Rod.

SR. TINE SR.: Galera.

SR. TINE JR.: Boa tarde, chefia!

SR. TINE SR.: Mmmpf.

SRTA. HOOLEY: Que bom que você finalmente conseguiu chegar, Rod. Eu posso te dizer que está todo mundo extremamente empolgado, do nosso lado.

SR. TINE SR.: Nunca vi uma neve dessas. Alguém aqui já viu uma neve que pelo menos chegasse perto de uma coisa dessas?

SR. VEALS: [Espirra.] Merda de cidade.

SR. YEE: Parece uma dimensão extra lá fora. Menos um elemento que a sua própria dimensão.

ALGUÉM: [Sapato faz um barulho esborrachante embaixo da mesa.]

SR. YEE: Com as suas próprias regras, leis. De dar medo. Terrível.

SR. VEALS: Fria. Molhada. Funda. Escorregadia. Mais tipo isso.

SR. TINE JR.: [Batendo com a borda de uma régua no tampo da mesa.] A limusine deles na vinda do Logan fez 180 na Storrow. O sr. Yee estava contando agorinha...

SR. TINE SR.: [Batendo com uma varinha telescópica de meteorologista na borda do tampo da mesa.] Então qual é o galho. O busílis. O nosso assunto aqui?

SRTA. HOOLEY: O comercial está prontinho pra dar uma olhada. A gente precisa da sua liberação. Eu vim de Phoenix com escala em Nova Nova York.

SR. YEE: Eu estou vindo de Ohio. Peguei um helicóptero em NNY com o Mo aqui.

SRTA. HOOLEY: A máster do comercial está no laboratório de pós-produção lá na V&V. Tudo prontinho menos uns probleminhas com a composição digital.

SR. VEALS: A Maureen diz que a gente precisa de um sinal verde teu e do Buster pra disseminar.

SRTA. HOOLEY: Você e o patrocinador principal aqui dão o sinal verde, e a gente pode estar com um produto disseminável no fim no fim de semana.

SR. VEALS: [Espirra.] Isso desde que essa merda dessa neve não acabe com a nossa eletricidade.

SR. TINE SR.: [Fazendo um gesto com a vareta de meteorologista para a estenógrafa do ESA transcrever verbatim.] Cê já viu, Chegado?

SR. YEE: Negativo, Rod. Acabei de chegar com esse pessoal aqui. O Kennedy está completamente travado. O Mo teve que fretar um helicóptero. Eu estou sentado aqui virgenzinho.

SR. TINE JR.: [Batendo com a borda da régua no tampo da mesa.] Como é que deu pro senhor chegar aqui, se não for abuso perguntar?

SR. TINE SR.: A montanha vai a Maomé, hein, Tom?

SR. VEALS: Como é que pode que eu só andei dois km pra chegar aqui e sou eu que estou resfriado?

SR. TINE JR.: Eu também estava aqui em Boston.

SR. VEALS: [Verificando as conexões do Sistema de Monitor e Player Digital Infernatron 210-Y.] Então vamos nessa?

SR. TINE SR.: O.k., só pra constar. Mo. Alvo demográfico?

MS. HOOLEY: Idades de seis a dez, com uma eficácia marginalmente reduzida entre quatro e seis e de dez a treze. Digamos que o alvo é entre quatro e doze, brancos, falantes nativos de inglês, renda mediana e acima, capacidade na Escala Kruger de Abstração acima de três. [Consulta anotações.] Capacidade de concentração publicitariável de dezesseis segundos com uma queda geométrica começando aos treze segundos.

SR. TINE SR.: Duração do comercial?

MS. HOOLEY: Trinta segundos com grafismo traumático aos catorze segundos.

SR. VEALS: [Puxa catarro.]

SR. YEE: Veículo de inserção proposto, Mo?

SRTA. HOOLEY: O "Programa do Senhor Pula-Pula", disseminação espontânea às 1600 de seg. a sex. 1500 fusos Centrais e Montanhas. A nata. 82 de audiência nas recepções espontâneas do comercial.

SR. YEE: Algum dado sobre a percentagem de expectações totais do comercial que são Espontâneas versus cartuchos Gravados?

SRTA. HOOLEY: A gente teve 47% com margem de erro de dois pontos pra cima ou pra baixo no Ano do Tutikaga 2007. É o último ano pro qual os dados foram consolidados.

SR. TINE SR.: Então digamos 40% de espectação total pro comercial.

SR. YEE: Um pouco mais ou menos. Impressionante.

SR. TINE SR.: Portanto números, números, números. A gente tem uma estimativa de custos?

SR. YEE: A produção passou um pouquinho de meio mega. A pós-produção…

SR. VEALS: Lhufas. 150K antes da composição digital.

SR. YEE: Devo acrescentar que o Tom está fazendo como caridade a parte dele da produção.

SR. VEALS: Então está todo mundo pronto pra dar uma olhada ou não?

SRTA. HOOLEY: Como o "Senhor P.-P." assinou um contrato com o veículo que não aceita comerciais de serviços públicos, o preço da disseminação vai bater em 180K por inserção.

SR. YEE: Que a gente ainda está achando que isso está meio salgado.

SR. TINE JR.: O ano que vem é o ano Feliz, Chegado. Você queria o ano. Você quer que o ano Feliz seja o ano em que meio país parou de fazer tudo menos ficar encarando de olho esbugalhadão um cartucho sinistro enquanto vai ficando com umas espirais nos olhos até todo mundo morrer de fome no meio dos seus próprios excr…?

SR. TINE SR.: Cala a boca, Rodney. E para de bater essa reguinha. Eu tenho certeza que o Chegado aqui sabe da imensa boa vontade que está se formando neste exato momento graças ao orgulhoso patrocínio que eles estão oferecendo aos comerciais de utilidade pública mais importantes da história da humanidade, diante da ameaça potencial aqui.

SR. VEALS: [Espirra duas vezes em abrupta sucessão.]

[Comentário ininteligível.]

SR. TINE SR.: [Bate com a vareta telescópica de meteorologista na borda do tampo da mesa.] Então beleza. O comercial propriamente dito, então. A coisa do ícone porta-voz. Ainda é o Kleenex canoro?

SR. YEE: Aquele comé-que-chamava, Chiquinho o Lencinho Obrigadinho, que avisava pras crianças dizerem Não Obrigadinho pra cartuchos sem rótulos ou suspeitos?

SRTA. HOOLEY: [Limpa a garganta.] Tom?

SR. TINE JR.: [Bate com a régua na borda do tampo da mesa.]

SR. VEALS: [Puxa catarro.] Não. A gente teve que jogar fora o Kleenex dançante depois que analisaram os dados de uns testes com grupos. Vários problemas. A própria frase "Não, Obrigadinho" percebida como um arcaísmo. Careta. Adulto-brega. Nova Inglaterra demais ou coisa assim. Invocava imagens de uma velha de cara curtida com o avental todo sujo de ovo. Desviava a atenção deles daquilo que eles tinham que dizer Não, Obrigado. Fora que os dados referentes ao reconhecimento da expressão estavam muito abaixo dos parâmetros de slogan.

SRTA. HOOLEY: Problemas com o ícone propriamente dito.

SR. VEALS: [Assoando o nariz, uma narina de cada vez.] As crianças odiaram o Chiquinho Lencinho. A gente está falando de coisa muito além da ambivalência. Associavam o lencinho com meleca, basicamente. A palavra *ranho* ficava pipocando. E a cantoria não ajudou.

SRTA. HOOLEY: Que é bem por isso nesse caso que graças a Deus existem esses testes de reação.

SR. YEE: Trabalhar com isso envelhece.

SR. VEALS: A gente teve que voltar totalmente e reiniciar da estaca zero.

SR. YEE: Alguém está sentindo um aroma floral meio cítrico engraçado?

SRTA. HOOLEY: Os rapazes do Tom trabalharam nisso vinte e quatro horas, sete dias por semana. A gente está extremamente empolgado com o resultado.

SR. VEALS: Dá pra dar uma olhada mas não está finalizado. Não está ainda bem no ponto. Os primeiros gráficos digitais do Sílvio tinham um bug.

SR. TINE JR.: Sílvio?

SR. VEALS: Um bugzinho de nada, mas ferrado. Umas sobras de um turbovírus no codificador gráfico. A cabeça do Sílvio ficava se soltando e flutuando pra direita. O que está longe de ser um efeito bacana, dada a mensagem que a gente quer passar.

SR. YEE: Parece flor de laranjeira, mas meio que com um cheiro doce enjoativo.

SRTA. HOOLEY: Ai Jesus.

SR. VEALS: [Espirra.] E lidar com isso atrasou um pouco a coisa das fontes, então a gente vai ter que usar um pouco a imaginação aqui. Esse 210 pegou o download de composição esquemática?

SR. TINE JR.: Como é que é? Sílvio?

SR. VEALS: Apresentando Sílvio Sempre Ativo, o jumento dançarino

SRTA. HOOLEY: Mais tipo mula, um burro. Um burrico.

SR. TINE JR.: [Batendo que nem louco.] Um jumento?

SRTA. HOOLEY: Se fosse um cavalo tinha copyright da ChildSearch. Aqueles comerciais do "Pedro o Pônei Que Diz Não Para Estranhos".

SR. TINE JR.: Um jumento dançarino?

SRTA. HOOLEY: A imagem da ingenuidade e da falta de jeito de um ícone muar provocou uma espécie de empatia nos grupos de teste. O Sílvio não vai parecer uma figura tipo autoridade-estraga-prazeres. Mais tipo um amigo. Assim o cartucho que ele alerta pra evitar não ganha aquele estímulo tipo fruto proibido que foi interditado por uma autoridade.

SR. VEALS: Fora que o mercado infantil é um puta massacre. Quase tudo quanto é espécie de produto já tem copyright. Garfield. McGruff o Cachorrão Policial. O Tucano Sam. A ave de rapina da ONAN. E nem me fale de ursinhos e coelhinhos. Era basicamente ou jumento ou barata. Mercado infantil nunca mais pelamordedeus. [Espirra.]

SRTA. HOOLEY: Assim que a gente optou pelo burrico, o Tom decidiu acentuar o fator incompetência-falta-de-jeito. Quase pra ironizar o ícone. Dentuço, vesgo...

SR. VEALS: Loucamente vesgo. Parece que ele acabou de tomar uma chapoletada com uma meia cheia de moedinhas. A resposta visual disparou.

SRTA. HOOLEY: Umas orelhas que não param de pé. As pernas ficam molengando e trançando quando ele tenta dançar.

SR. VEALS: Mas ele dança!

SR. YEE: Mas claro que ele não se apresenta como um jumento. Claro que ele não chega dançandinho e diz: "Acreditem em mim, eu sou um jumento".

SR. VEALS: Um jumento *ativo*.

SRTA. HOOLEY: O Tom teve uma sacada bem inteligente com essa coisa da atividade. A coisa da energia e da verve versus a passividade. Ele nunca é só Sílvio. Ele é Sílvio Sempre Ativo. Ele é um relâmpago das coisas que uma criancinha faz — escola, brincadeira, interface de teleputador, dança. O Tom fez os storyboards de várias aventurazinhas de trinta segundos entupidas de atividade. Ele é um patetão, uma criança icônica, mas ele é *alerta*. Ele representa a atração da capacidade, da ingerência, da escolha. Tipo versus o adulto da animação, que a gente vê numa espreguiçadeira ostensivamente assistindo o cartucho canadense, com umas espiraizinhas entrando e saindo dos olhos dele enquanto o corpo meio que derrete e a cabeça começa a crescer e se distender até que a imagem do espectador adulto passivo é só uma imensa cabeça com barba por fazer na espreguiçadeira, com uns olhos imensos rodopiando.

SR. TINE JR.: [Bate com a régua na borda do tampo da mesa.]

SR. VEALS: Vamos só passar de uma vez pra eles verem, Mo.

SR. TINE SR.: Eu devo dizer que já prevejo algumas dificuldades para convencer um certo Comandante em Chefe a substituir um lencinho canoro por um jumento dançarino.

SRTA. HOOLEY: A mensagem do Sílvio é que nem todo cartucho de entretenimento por aí é necessariamente um bom, velho e seguro produto pré-aprovado da InterLace TelEntretenimento. Ele diz que andou ouvindo falar, durante as suas atividades plenamente funcionais de um dia cheio de diversão, de um certo cartucho safado que até tem uma carinha sorridente no estojo e que quando você começa a assistir ele parece prometer que vai ser mais divertido de assistir que tudo que você já pediu pra uma estrela cadente ou quando soprou uma velinha de aniversário. Num balãozinho de pensamento que fica visível quando as orelhas do Sílvio caem murchas de novo...

SR. VEALS: [Espirra.] A digitalização ainda não está terminada...

SR. TINE SR.: Vocês sabem como ele é com isso dos lencinhos.

SRTA. HOOLEY: ... vai ter uma imagem de um estojo icônico de cartucho com um sorriso amistoso e uns bracinhos e perninhas inofensivos e gorduchos tipo bonequinho de biscoito.

SR. YEE: [Afrouxando o colarinho.] Mas não a animação daquele bonequinho de biscoito oficial com copyright da Pillsbury.

SR. VEALS: Relaxa. Mais tipo uma referência. Uma alusão à gordurinha, à fofura. Membros gorduchos e inofensivos, isso é que importa.

SR. TINE JR.: [Batendo na borda do tampo da mesa com a régua.]

SR. TINE SR.: [Apontando para a régua que bate com a vareta de meteorologista.] Você está bem perto de perder essa mão, rapaz.

SRTA. HOOLEY: [Consultando anotações.] Aí o Sílvio olha pra cima e estoura o balãozinho de pensamento com um alfinete e diz Mas ele é mentiroso, esse cartuchinho sorriso, uma coisa malvada, mentirosa, que nem o desconhecido que abre a janela do carro e te oferece uma carona pra casa, pra te levar pra ver a Mamãe e o Papai, mas que na verdade quer te agarrar e meter aquela mãozona suada em cima da tua boca, te trancar no carro e te levar pra bem longe com ele onde você nunca mais vai ver a Mamãe, o Papai ou o Sr. Pula-Pula, nunquinha.

SR. VEALS: Que é aqui daí que aparece o grafismo traumático aos catorze, um novo balãozinho de pensamento com margens escuras em cima do Sílvio em que agora os membros do cartucho são os de um estivador, é um cartucho tisnado e macabro com presas amarelas e unhas compridas com um boné xadrez e de macacão que está se afastando de carro com uma criança de animação estatelada toda gritando e horrorizada na janela traseira do carro, com umas espirais começando a rodar nos olhos da criança. Espera só pra ver.

SRTA. HOOLEY: É tão medonho que chega a ser fascinante.

SR. VEALS: [Espirra duas vezes.] Uma porra de um pesadelo, meu.

SR. YEE: Uergah. Uergah uergah. Chupliff. *Gaah*. [Cai da cadeira.]

SR. TINE JR.: Crendiospai!

SR. TINE SR.: Chegado? Chegado?

SRTA. HOOLEY: O sr. Yee é epilético. Muito. Intratável. Aconteceu duas vezes na vinda de helicóptero. Estresse ou constrangimento acabam causando isso. Ele volta daqui a pouquinho. Só sejam naturais quando ele voltar.

SR. YEE: [Tacos sapateando nas lajotas de mosaico do piso do Anexo do Palácio do Governo] Akk. Gaah.

SR. TINE SR.: Jesus.

SR. TINE JR.: [Batendo com a régua na borda do tampo da mesa.] Jesusito Amado.

SR. TINE SR.: [Levantando, apontando a régua com uma vareta de meteorologista estendida.] Está certo, caralho. Me dá aqui essa merda. Dá aqui.

SR. TINE JR.: Mas, chefia…

SR. TINE SR.: Você me escutou, caralho. Você sabe que isso me enlouquece. Eu devolvo quando a gente acabar. Me deixa ensandecido. Sempre. Que que você tem com essa reguinha?

SRTA. HOOLEY: Vai voltar direitinho já-já. Nem vai lembrar do ataque. Só não comentem nada. A vergonha do comentário de alguém vai detonar tudo de novo. Por isso que foi duas vezes no helicóptero. Eu aprendi a duras penas.

SR. YEE: Splar. Kahk.

SR. VEALS: [Puxando catarro.] Pelamordedeus.

SRTA. HOOLEY: [Consultando anotações.] Enquanto o cartucho do carro no balãozinho de pensamento leva embora o menino estatelado, o Sílvio dá uma dançadinha e avisa que a gente nem sabe direito do que é que trata esse cartucho que é pra evitar. Ele avisa que a polícia só sabe que é uma coisa que parece que você ia querer *mesmo* assistir. Ele diz que a gente só sabe é que aquilo *parece* superdivertido. Mas que *de verdade* ele só quer acabar com a tua funcionalidade. Ele diz que a gente sabe que é… *canadense*.

SR. VEALS: Por isso o boné xadrez no grafismo traumático. Os dados de reação espectatorial indicam que um bonezinho xadrez com aquelas coisinhas de cobrir as orelhas representa o Grande C pra mais de 70% do target do comercial. O macacão bate o último prego na associação.

SRTA. HOOLEY: Aos dezenove segundos, aí o Sílvio Sempre Ativo dança a sua Dança de Aviso, uma dança tipo metade-indígena-metade-break que a gente está torcendo pra virar moda entre os jovens dançarinos. Retoricamente aqui ele quer é dizer fique funcional e fique na moita e por favor pergunte pra Mamãe e/ou o Papai antes de assistir *qualquer* entretenimento que você ainda não viu. Ou seja não aceite Disseminações Espontâneas e não ponha pra tocar nenhum cartucho que chegar pelo correio sem perguntar pra alguém de autoridade.

SR. TINE JR.: Mas como amigo. Mais tipo "Eu estou aqui pensando que isso era o que *eu* devia fazer, se eu quero continuar funcional".

SR. YEE: [Ereto novamente na cadeira.] Alguém mencionou o merchandising via orelhas frouxas e dentes saltados de plástico.

SR. TINE JR.: Meu Deus, sr. Yee, o senhor tem certeza que está tudo legal?

SRTA. HOOLEY: Penão pemén peciô penê.

SR. YEE: [Empapado de suor, olhando em volta.] Como assim? Por acaso eu…?

SR. TINE SR.: Caralho, Rodney.

SR. YEE: Urgh. Splarg. [Cai da cadeira.]

SRTA. HOOLEY: [Limpa a garganta.] E por fim, gravemente — dá pra dizer gravemente?

SR. VEALS: Isso aos 25,35 segundos.

SRTA. HOOLEY: Avisa enfaticamente que se a Mamãe e/ou o Papai forem pegos sentados na mesma posição diante do monitor de casa por um tempo incomumente longo…

SR. VEALS: … sem falar. Sem reagir a estímulos.

MS. HOOLEY: … ou agindo de um jeito estranho, ou desligado, ou medonho, ou assustador sobre um entretenimento que esteja no monitor…

SR. VEALS: A gente cortou *medonho* na última revisada.

SR. YEE: Sklamp. Nnngg.

MS. HOOLEY: … que a criancinha lúcida *nunca* vai tentar sacudir os dois, e o Sílvio Sempre Ativo chega bem pertinho assim tipo num close de grande angular e diz: "Na-na-nina-*não*", que ela nunca ia ser bobinha de se enfiar passivamente na poltrona pra dar uma olhada no que os pais dela estão tão muda e medonhamente encantados vendo, mas sim abandonar o recinto e sair dançando o mais rápido que puder pra chamar um policial, que vai saber direitinho como é que se corta a energia do recinto pra ajudar a Mâmis e o Pápis.

SR. VEALS: O bordão dele é "Nana-nina-*não*". Ele encaixa isso sempre que dá.

SR. TINE JR.: O equivalente do "Obrigadinho" do Kleenex.

SR. TINE SR.: Já estamos prontos pra ver, acho.

SR. YEE: [Sentado de novo, gravata agora enrolada no pescoço como uma echarpe de aviador.] Ainda estamos acertando o merchandising com a Hasbro et al.

SR. VEALS: Já está no ponto aqui.

SR. TINE SR.: Vamos dar uma olhada de uma vez.

SRTA. HOOLEY: Como o Tom é modesto demais pra dizer, eu preciso dizer que o Tom já fez o storyboard de uma versão extremamente empolgante do Sílvio Sempre Ativo, voltada pros adolescentes, pra disseminação em videoclipes e programas domésticos, com o Sílvio numa muito mais de autoironia e de paródia, e nessa versão o bordão dele é "Quem que é jumento aqui, *meu?*".

SR. TINE JR.: Então vamos olhar essa porcaria de uma vez.

SR. TINE SR.: Garoto, o teu trabalho aqui daqui em diante é segurar a onda, será que dá...?

SR. YEE: Me pediram pra dizer, pra constar dos autos, o quanto a Cia. Feliz de Receptáculos Flácidos está satisfeita, durante um período tão potencialmente preocupante, de ser uma orgulhosa...

SR. VEALS: [Mexendo no Monitor Infernatron 210.] Apaga aí essa luz bem atrás de você, garoto.

SR. TINE JR.: Vai ficar meio difícil pra moça da transcrição transcrever, não vai não?

SR. YEE: Por acaso esse comercial aí não tem pulsos ou estrobos ópticos, né?

SR. VEALS: Tudo pronto?

SR. TINE SR.: Então vamos com essa luz aí de uma vez.

As lembranças que Gately tem do Nom, de *Cheers!*, são mais claras e mais nitidíssimas que qualquer lembrança do sonho-do-espectro ou do espectro rodopiante que disse que a morte era só tudo fora de você ficando bem lento. A implicação de que em qualquer dado momento em qualquer quarto poderia haver enxames de espectros voejando pelo hospital cumprindo suas tarefas, que não podiam afetar nenhum vivo, todos passando rápido demais pra eles poderem ver e dando uma chegada pra ver o peito de Gately subir e descer no compasso do sol, nenhuma dessas fichas caiu a ponto de lhe dar faniquitos, nem como consequência da visita de Joelle e das fantasias de romance e resgate, e da vergonha decorrente. Agora vem um som árido como de uma garoa poeirenta levada pelo vento contra o vidro da janela, o zumbido do aquecedor, sons de armas e de bandas marciais de monitores de cartuchos em outros quartos. A outra cama do quarto ainda está vazia e bem-arrumadinha. O intercomunicador solta aquele ding triplo de poucos em poucos minutos; ele fica pensando se por acaso eles fazem isso só pra encher o saco. O fato dele nem ter conseguido acabar *Ethan From* na aula de inglês da escola e de não ter a menor ideia de onde vêm ou o que querem dizer palavras-fantasmas como *SINISTRÓGIRA* ou *LIEBESTOD*, que dirá *OMATOFÓRICO*, está só começando a gerar uma infiltração na consciência dele quando lhe vem uma mão fria no ombro bom e ele abre os olhos. Isso pra não falar de *palavras-fantasmas*, que é uma palavra superesotérica. Ele estava flutuando logo abaixo da tampa do sono de novo. Joelle van D. foi embora. A mão é a enfermeira que tinha trocado a bolsa da sonda. Ela parece aborrecida e inserena, e um zigoma salta mais longe que o outro, e aquele risco de uma boca que ela tem está com tipo umas ruguinhas verticais em toda a volta de tanto ficar tenso, não muito diferente da boquinha da pra-todos-os-efeitos-falecida sra. G.

"A visita disse que você pediu isso aqui por causa do tubo." É um caderninho de estenógrafo e uma Bic. "Você é canhoto?" A enfermeira quer dizer *sinistro*. Ela tem formato de pinguim e cheira a sabonete barato. O caderninho é *ESTENOGRÁFI-CO* porque as páginas viram para cima em vez de para o lado. Gately sacode a cabeça delicadamente e abre a mão esquerda pra pegar as coisas. Ele se sente bem de novo por Joelle ter entendido o que ele quis dizer. Ela não tinha vindo só pra contar os seus problemas pra alguém que não conseguia soltar ruídos humanos de repreensão. Sacudir a cabeça lentamente permite que ele enxergue além do quadril branco da enfermeira. Francis Furibundo está sentado na cadeira em que o espectro, Ewell e Calvin Thrust todos tinham sentado, perninhas mirradas descruzadas, rugoso, de cabelo raspado e olhos limpos atrás dos óculos e totalmente relaxado, segurando um tanque de O_2 portátil, com o peito subindo e descendo mais ou menos na mesma frequência com que um telefone toca, olhando a enfermeira sair tensamente gingante. Gately vê uma camiseta branca limpa sob os botões da camisa de flanela de Francis Furibundo. Tossir é o jeito que F. F. tem de dizer oi.

"Ainda chupando ar então", Francis Furibundo diz quando o ataque passou, verificando se os tubinhos azuis ainda estão presos embaixo do nariz.

Gately luta com uma mão para abrir o caderno num gesto só e escrever "YO!" em maiúsculas de fôrma. Só que ele não tem nada em que apoiar o caderno para escrever; ele tem que meio que equilibrar aquilo na coxa, e aí não consegue ver o que está escrevendo, e escrever com a mão esquerda faz ele se sentir como deve se sentir uma vítima de derrame, e o que ele ergue para o seu padrinho parece mais tipo 𝖘 𝖑.

"Achou que Deus precisava de uma mãozinha naquela noite então é?", Francis diz, se inclinando bem pra um lado pra tirar de um bolso de trás um lenço vermelho de bandana. "Foi o que me disseram."

Gately tenta dar de ombros, não consegue, sorri fraco. O ombro direito dele está tão densamente enfaixado que parece uma cabeça com turbante. O velho cutuca uma narina e aí examina o lenço interessado, exatamente como o espectro do sonho fez. Os dedos dele são inchados e deformes e as unhas são compridas, quadradas e da cor de um casco de tartaruga envelhecido.

"Coitado daquele doente desgraçado por aí cortando os bichinhos dos outros, cortou o bichinho do pessoal errado. Foi assim que me disseram."

Gately quer contar ao Francis Furibundo como descobriu que nem um único segundo nem de dor de infecção-pós-traumática não narcotizada é insuportável. Que ele consegue Aguentar se for preciso. Ele quer dividir essa experiência com o seu padrinho Crocodilo. Fora que agora que alguém de quem ele se permite precisar está aqui, Gately quer choramingar pela dor e dizer como é forte essa dor, como ele não acha que vai conseguir suportar mais um só segundo.

"Você considerou que estava responsável. Achou que tinha que interferir. Proteger o seu camarada das suas consequências. Qual verdinho coitado da Ennet que foi?"

Gately luta para tentar levantar o joelho e poder enxergar para escrever. "LENZ. PERUCA BRANCA. SEMPRE NORTE. SEMPRE TELEFONE." Mas de novo aquilo sai cuneiforme, ilegível. Francis Furibundo assoa uma narina e recoloca o tubinho. O tanque no colo dele não faz barulho. Tem uma valvulazinha mas não tem mostrador nem ponteiros.

"Você entrou naquilo contra seis havaianos armados, me disseram. Plano Marshall. Capitão Coragem. O xerife pessoal de Deus." F. F. parece soltar ar pelos tubos do nariz numa erupção sem alegria, uma espécie de antirrisada. O nariz dele é grande e tem formato de pepino e poros largos, e basicamente todo o sistema circulatório à mostra. "O Glenny Kubitz me liga e descreve a coisa toda tim-tim por tantã. Diz que eu devia era ver os outros caras. Diz que você quebrou o nariz de um havaiano e enfincou os caquinhos no cérebro dele. O bom e velho golpe do braço duro, ele diz. O Grande Don G. é um fidaputa satanicamente foda: foi a avaliação dele. Disse que do jeito que ele ficou sabendo você briga como quem nasceu numa briga de bar. Eu disse pro Glenny que eu digo que eu tenho certeza que você vai ficar orgulhoso de ouvir ele dizer uma coisa dessas."

Gately estava tentando com enlouquecedor cuidado sinistrógiro escrever "MACHUCOU? MORREU ALGUÉM? HOMENS? QUEM CHAPÉU ALI?" Era mais um desenho que uma escrita, quando sem aviso um dos drs. do período diurno do Trauma entra de roldão, irradiando saúde animada e alegria indolor. Gately lembra de ter lidado com esse dr. tem uns dias numa espécie de névoa cinza pós-cirúrgica. Esse dr. é indiano ou paquistanês e é reluzentemente escuro mas com um tipo de rosto estranhamente classicamente tipo-branco que era fácil de imaginar de perfil numa moeda, fora uns dentes que dava para você ler na frente deles de tanto que eles brilhavam. Gately odeia o cara.

"Então eu e você de novo aqui nesse quarto!", o dr. canta, meio que canta, quando fala. O nome em bordado dourado no jaleco branco dele tem um D e um K e uma porrada de vogais. Gately só faltou ter que esticar a mão e mata-moscar esse dr. depois da cirurgia pra evitar que ele colocasse um soro com Demerol. Isso foi entre digamos quatro e oito dias atrás. É provavelmente Nada mais que pela Graça que o seu crocodiliano padrinho Francis Furibundo G. está sentado aqui olhando calmamente quando o dr. paquistanês entra dessa vez.

Fora que eles todos têm esse jeitinho floreado de dr. de puxar a ficha de Gately da altura do quadril e erguê-la para ler. O paquistanês aperta os lábios, os infla distraído e chupa um pouquinho a caneta.

"Toxemia grau dois. Inflamação sinovial. A dor do trauma está bem pior hoje, não?", o dr. diz para a ficha. Ele ergue os olhos, os dentes emergem. "Inflamação sinovial: feio feio. A dor da inflamação sinovial é comparada na literatura médica à do cálculo renal e à do parto ectópico." Em parte são as trevas do rosto clássico em volta deles que deixa os dentes parecerem tão 100-watts. O sorriso se alarga constantemente sem parecer esgotar os dentes que pode expor. "E então por acaso agora você está pronto pra deixar a gente te dar o nível de analgesia que o trauma exige em vez de Toragesic, um ibuprofeninho simples para dor de cabeça, porque esses remédios são umas crianças fazendo o trabalho de um cara grande aqui, não? Houve alguma reconsideração diante do nível? Não?"

Gately está escrevendo uma imensa vogal no caderno com um cuidado incrível.

"Eu te aviso de analgésicos antipiréticos sintéticos que não vão além de uma Categoria C-III[354] em termos de dependência." Gately imagina o dr. sorrindo incandescentemente enquanto ele lhe desce um cajado de pastor. O cara tem aquele jeitinho esquisito de falar cantado e entrecortado de um magrelão de tanga numa montanha nos filmes. Gately sobrepõe um grande crânio com ossos cruzados ao rosto reluzente, mentalmente. Ele ergue um A aleijado de página inteira e o sacode diante do dr. e aí baixa de novo o caderno e o ergue rapidamente de novo, soletrando, imaginando que Francis Furibundo vai entrar em cena e dar um jeito nesse relações-públicas da Doença de uma vez por todas, para Gately nunca mais precisar ter que encarar esse tipo de tentação paquistanesa de novo de repente sem alguém lhe dando apoio na próxima vez aqui. C-III o cacete. A merda do *Talwin* é C-III também.

"Oramorph SR só pra dar um exemplo. Muito seguro, muitíssimo alívio. Alívio rápido."

Aquilo é só sulfato de morfina com um nome industrial metido, Gately sabe. Esse hinduzinho de merda não sabe com quem ele está lidando aqui, ou com o quê.

"Agora eu devo lhe dizer que eu por mim faria a escolha primeiro do cloridrato de hidromorfona titulado, nesse caso…"

Jesus, isso é Dilaudid. As azuizinhas. O Monte Merda do Fackelmann. A decadência íngreme do Kite também. A morte no Ritz. A Lagoa Azul. O assassino de Gene Fackelmann, de modo geral. E também Gately imagina o bom e velho Nooch, alto, magro Vinnie Nucci, lá da praia de Salem, que dava preferência ao Dilaudid e passou mais de um ano sem nunca tirar o cinto do braço, caindo por claraboias de Osco à noite amarrado numa corda com o cinto já pronto e apertadinho por cima do cotovelo, Nucci sem comer e ficando cada vez mais magro até que parecia ser só dois zigomas que se elevavam a uma grande altitude muda, até o branco dos olhos acabou ficando azul como a lagoa; e o mapa eliminado do Fackelmann depois daquele migué insano pra cima do Sorkin e de duas noites catastróficas de Dilaudid, quando o Sorkin tinha…

"… embora eu diga que sim, é verdade que é um medicamento C-II, e eu quero respeitar todos os desejos e preocupações aqui", o dr. quase canta, inclinado agora sobre a grade de Gately, olhando bem de perto o curativo do ombro mas sem parecer nada disposto a sequer tocá-lo, as mãos atrás das costas. A bunda dele está mais ou menos bem na cara do Francis Furibundo, que está só sentado ali. O dr. nem parece ter consciência da presença dos trinta e quatro anos de sobriedade do Francis Furibundo ali. E o Francis não está dando um pio.

Também ocorre a Gately que *esotérico* é outra palavra-fantasma que ele não tem direito de ficar usando mentalmente.

"Porque eu sou muçulmano, e abstêmio também, pela lei religiosa, no que diz respeito a todos os compostos viciantes", o dr. diz. "No entanto se eu tiver sofrido um trauma, ou o dentista dos meus dentes se propuser a realizar um processo doloroso, eu cedo enquanto muçulmano aos imperativos da minha dor e aceito o alívio, sabendo que Deus nenhum de uma religião estabelecida deseja o sofrimento desnecessário para os Seus filhos."

Gately fez dois trêmulos A juntos na outra folha e está espetando enfaticamente a folha com a Bic. Ele deseja que se o dr. não vai calar a boca que pelo menos ele se afaste, para Gately poder mandar um olhar desesperado tipo Por-Favor-Me-Dá-Uma-Mão pro Francis Furibundo. A questão das drogas não tem nada a ver com Deuses estabelecidos.

O dr. balança um pouco enquanto se inclina, com o rosto se aproximando e depois se recolhendo. "A gente está falando de trauma Nível-II aqui neste quarto. Por favor me permita explicar que o desconforto deste momento só vai se intensificar à medida que os nervos sinoviais começarem a se reanimar. As leis do trauma ditam que a dor vai se intensificar quando o processo de cura começar a iniciar. Eu sou profissional no meu trabalho, senhor, além de muçulmano. Bitartrato de di-hidrocodeína[355] — C-III. Tartrato de Levorfanol[356] — C-III. Cloridrato de oximorfona[357] — é bem verdade, está certo, C-II, mas mais do que indicado pra este grau de sofrimento desnecessário."

Gately agora ouve o Francis Furibundo assoando o nariz de novo atrás do dr. A boca de Gately se inunda de saliva com a lembrança do gosto antisséptico doce enjoativo do cloridrato que sobe à língua com uma injeção de Demerol, o gosto que o Kite e as ladras lésbicas e até o Equus ("Eu Meto Qualquer Coisa Em Qualquer Parte Do Corpo") Reese sempre acharam nojento mas que o coitado do Nooch e o Gene Fackelmann e o próprio Gately adoravam, passaram a amar como a mão morna de uma mãe. Os olhos de Gately saltam e a língua protubera de um canto brilhante da boca enquanto ele desenha uma seringa tosca, o braço e o cinto e aí tenta desenhar um crânio-com-ossos-cruzados sobre todo o trêmulo conjunto, mas o crânio parece mais um simples rostinho de smiley. Ele mostra o desenho para o estrangeiro mesmo assim. A dor dextrógira é tão forte que ele quer vomitar, com ou sem tubo na garganta.

O dr. examina o desenho aleijado, balançando a cabeça exatamente como Gately balançava a cabeça para Alfonso Parias-Carbo, o cubano totalmente inentendível. "Composto de oxicodona e naloxona,[358] com uma meia-vida curta mas só uma avaliação C-III de perigo." Nem a pau que esse cara podia estar fazendo de propósito a voz soar tão sedutora; tem que ser a Doença do próprio Gately. A Aranha. Gately imagina o seu cérebro se debatendo num casulo de seda. Ele fica invocando mentalmente a estorinha de desintoxicação que o Francis Furibundo conta no púlpito das Promessas, de quando eles deram Psicosedin[359] pra ajudar ele a lidar com o desconforto da Abstinência, e de como o Francis diz que ele simplesmente jogou o Psicosedin com força por cima do ombro esquerdo, pra dar sorte, e só teve boa sorte depois daquilo.

"Ou também o clássico lactato de pentazocina, que eu posso oferecer e garantir aqui enquanto muçulmano profissional da área de trauma aqui neste quarto em pessoa com você do lado da sua cama."

Lactato de pentazocina é Talwin, o fiel padrão nº 2 de Gately quando estava Lá Fora, que 120 mg, de barriga vazia era igual flutuar num óleo com a mesmíssima temperatura do teu corpo, bem igual o Percocet,[360] só que sem aquela coceira enlouquecedora no fundo do olho que sempre acabava com o barato do Percocet pra ele.

"Abandone o seu corajoso medo da dependência e deixe a gente exercer a nossa profissão, meu jovem", o paquistanês resume, de pé logo ao lado da cama, o lado esquerdo, com o seu jaleco profissional ocultando F. F., mãos atrás das costas, o brilho opaco do canto metálico da prancheta que segura a ficha de Gately mal visível entre as pernas dele, imaculado em termos de postura, sorrindo animado lá de cima, brancos dos olhos tão medonhamente brancos quanto os dentes. A lembrança do Talwin faz partes do corpo dele que Gately não sabia que podiam babar babar. Ele sabe o que está por vir, Gately. E se o paquistanês continuar e oferecer Demerol mais uma vez Gately não vai resistir. E quem vai ser o filho de uma puta que vai ser capaz de culpá-lo, afinal. Por que é que ele teria que resistir? Ele tinha sofrido um legítimo trauma sinovial dextrógiro Nível-Sei-Lá-O-Quê. Um tiro de uma Máquina 44 profissionalmente modificada. Ele está pós-trauma, com uma dor terrível, e todo mundo ouviu o cara dizer: ia ficar pior, a dor. E o cara aqui era um profissional de trauma de jaleco branco dando garantias de uso devido, caralho. O Gehaney ouviu; que porra os Bandeiras queriam dele? Isso aqui não era nem de longe a mesma coisa que dar uma corridinha ali na Unidade nº 7 com uma seringa e um frasco de Visine. Isso aqui era uma medida de contenção, uma medida-tipo-emergencial, uma provável intervenção de um Deus compassivo e tolerante. Um Demerolzinho rápido por receita médica — provavelmente no máximo uns dois, três dias de Demerol no soro, de repente até um dia com aqueles controles manuais do soro pra ele ficar segurando e administrando a dose do Demerol só Conforme a Necessidade. De repente era a Doença dizendo pra ele ficar com medo que um uso medicamente necessário fosse detonar tudo de novo, colocá-lo de volta na jaula. Gately se imagina tentando fazer um *shunt* num alarme tipo contato-magnético com uma mão e um gancho. Mas certeza que se o Francis Furibundo achasse um uso medicamente recomendado e de curto prazo suspeito, remotamente, o filho da puta daquele réptil ia *dizer* alguma coisa, fazer a porra do trabalho dele enquanto Crocodilo e padrinho, em vez de só ficar ali sentado fuçando com aquele tubinho não invasivo da narina.

"Olha só, garoto, eu vou zarpar e deixar você resolver essa merda e volto depois", vem a voz de Francis, contida e neutra, sem nenhum significado, e aí o rascar das pernas da cadeira e o sistema de grunhidos que sempre acompanha o ato de F. F. levantar de uma cadeira. O cabelo branco raspado surge como uma lenta lua sobre o ombro do paquistanês, com o único sinal de que o dr. reconheceu a presença de Francis sendo ele meio que enfiar o queixo no ombro como um violinista, dirigindo-se ao padrinho de Gately pela primeira vez:

"Então talvez se não for incômodo, sr. Gately, se o senhor puder ajudar a gente a ajudar o seu menino corajoso e preocupado aqui mas um menino que eu acho que está com uma atitude displicente que subestima o nível do desconforto que está por vir e que é infelizmente desnecessário de todo se ele deixar a gente ajudar, senhor", o paquistanês canta por sobre o ombro para o Francis Furibundo, como se fossem eles os únicos adultos no quarto. Ele está deduzindo que Francis Furibundo é o pai orgânico de Gately.

Gately sabe que um Crocodilo nunca se dá ao trabalho de corrigir uma impressão equivocada. Ele está a meio caminho da porta, andando com um cuidado ensandecedoramente lento como sempre, como quem caminha sobre gelo, retorcido e parecendo mancar das duas pernas e comoventemente desbundado dentro da calça frouxa de veludo cotelê largo de velho com os fundilhos brilhantes que ele sempre usa, nuca complexamente vincada no que se afasta dali, erguendo uma mão num gesto de recepção e desconsideração do pedido do dr.:

"Não sou eu que tenho que dizer que sim ou que não. O garoto tem que fazer o que ele decidir que precisa fazer por si próprio. É ele que está sentindo. É só ele que pode decidir." Ele ou para ou diminui ainda mais a velocidade diante da porta aberta, olhando de novo para Gately mas não nos olhos dele. "Não brocha aí, garoto, que depois eu trago mais uns fidasputa pra te ver." Ele acrescenta "Cê pode precisar Pedir Uma Ajuda pra decidir". Essa última parte vem do corredor branco enquanto a cabeça reluzente do paquistanês volta a se aproximar com um sorriso retesado agora de uma paciência tensa, e Gately pode ouvir ele inalando para se preparar para dizer que é claro que em traumas Nível-II desse tipo tão sério o tratamento preferencialmente indicado é a administração reconhecidamente C-II e com um potencial altíssimo de abuso mas insuperável em termos de eficácia de um comprimido de 50 mg diluído em solução fisiológica com duração de 3-4 horas de mep...

A mão esquerda boa de Gately esfola um dedo ao disparar entre as barras das grades de berço da cama e mergulhar sob o jaleco do dr. e agarrar bem as bolas do sujeito e espremer. O farmacologista paquistanês grita que nem mulherzinha. Não é tanto raiva nem vontade de machucar mas sim a falta de outras ideias para evitar que o filho da puta oferecesse algo que Gately sabe que não tem capacidade neste momento de recusar. O súbito esforço envia uma onda verde-azulada de dor sobre Gately que faz seus olhos revirarem enquanto ele espreme as bolas, mas não demais, pra não esmagar. O paquistanês faz uma reverência profunda e se dobra para a frente, desmoronando em volta da mão de Gately, mostrando todos os 112 dentes enquanto grita cada vez mais alto até atingir uma nota aguda rasgada como uma grande cantora operática de capacete viking tão estilhaçadora que faz as grades de berço e o vidro da janela tremerem e acorda Don Gately com um susto, braço esquerdo por entre a grade e retorcido com a força da sua tentativa de sentar de modo que a dor agora fez ele quase alcançar a mesma nota aguda do dr. estrangeiro do sonho. O céu do outro lado da janela estava lindo, cor-de-Dilaudid; o quarto, cheio de uma luz matinal das mais fortes; nada de neve no vidro. O teto latejava um tanto mas não respirava. A única cadeira de visitante estava de volta lá contra a parede. Ele baixou os olhos. Ou tinha derrubado o caderno de estenógrafo e a caneta da cama durante o sonho ou inventado essa parte também. A cama ao lado ainda estava vazia e bem-arrumadinha.

De repente ele entendeu por que as pessoas chamavam aquele jeito de dobrar lençol de cama de hospital. Mas a grade que Joelle van D. tinha baixado para sentar na cama usando a calça do merdinha do Erdedy ainda estava baixada e a outra grade ainda estava erguida. Portanto havia leves indícios a favor de uma parte, de que ela realmente estivera ali lhe mostrando as fotos. Gately trouxe a mão esfolada delicadamente de volta para dentro da grade e tateou para garantir que havia mesmo um grande tubo invasivo que lhe descia boca adentro, e havia. Ele podia revirar os olhos bem para cima e ver o monitor cardíaco enlouquecendo mudo. Saía suor de tudo quanto era parte dele, e pela primeira vez na Ala de Trauma ele sentiu que precisava cagar, e não tinha ideia das formas de cagar aqui mas suspeitou que elas não iam ser apetitosas. Segundo. Segundo. Ele tentou Aguentar. Nem um único segundo era impossível de suportar. O intercomunicador ficava dando dings triplos. Havia sons dos TP de outros quartos, e de um carrinho de metal sendo empurrado pelo corredor, e o cheiro metaloso da comida dos pacientes comestíveis. Ele não conseguia ver nada que se parecesse com uma sombra de chapéu no corredor, mas podia ser por causa daquele sol todo.

A nitidez do sonho tinha sido ou febre ou Doença, mas de um jeito ou de outro tinha deixado Gately como um animal enjaulado, puto. Ele ouvia a voz cantarolada prometendo um desconforto cada vez maior. Seu ombro pulsava como um grande coração, e a dor era mais nauseabundante que nunca. Nem um único segundo era insustentável. Lembranças do bom e velho Demerol surgiam, exigindo que ele as Entretivesse. O negócio do AA de Boston é que eles tentam te ensinar a aceitar um ou outro desejo de vez em quando, essas lembranças súbitas da Substância; eles te dizem que esses desejos súbitos de Substâncias vão vir inopidamente à superfície na mente de um verdadeiro viciado como bolhas no banho de um bebê. É uma Doença para a vida toda: não dá pra você evitar que as lembranças deem as caras. O negócio que eles tentam te ensinar é simplesmente Deixar Que Se Vão, esses pensamentos. Que venham como quiserem, mas não *Entretenha* esses pensamentos. Não há por que convidar um pensamento ou uma lembrança de Substância pra ficar, oferecer uma tônica e a cadeira preferida deles, bater um papinho sobre os velhos tempos. O negócio com o Demerol não era só o barato morno como um útero de todos os narcóticos sérios. Era mais tipo, assim, tipo a estética do barato. Gately sempre tinha achado o Demerol com um tantinho de Talwin um barato muito tranquilo e gostoso. Um barato de alguma maneira deliciosamente *simétrico*: a mente flutua leve bem no centro de um cérebro que flutua acolchoadinho num crânio morno que ele próprio está exatamente centralizado numa almofada de ar macio a certa distância apescoçada dos ombros, e dentro disso tudo há um sonolento zumbido. O peito sobe e desce por conta própria, bem distante. O rangido tranquilo do sangue da sua cabeça parece molas de cama a uma distância amigável. O próprio sol parece estar sorrindo. E quando você apaga, você dorme como um homem de cera e acorda na mesma última posição em que lembra de ter pegado no sono.

E todo tipo de dor vira só teoria, uma notícia vinda de distantes climas frios bem abaixo do ar morno em que você zumbe, o que você sente é basicamente gratidão por essa tua distância abstrata de tudo que não esteja dentro de círculos concêntricos e não adore o que está acontecendo.

Gately se aproveita do fato de já estar virado para o teto para Pedir Ajuda de verdade com a obsessão. Ele pensa muito em nada mais que isso. Sair c/ o velho Gary Carty no fedor pré-aurora da maré baixa pra lá de Beverly pra pegar as armadilhas de lagosta. O PN e as moscas. Sua mãe dormindo de boca mole num divã de chintz. Limpar o cantinho mais nojento de todo o Abrigo Shattuck. O véu que enfuna na menina velada. As jaulinhas de barras entre-hachuradas das armadilhas, as antenas dos olhos das lagostas sempre saindo pelos quadradinhos pros olhos olharem pro mar aberto. Ou os adesivos de para-choque do Ford velho do PN — TCHAUZINHOOOOO!! E NÃO GRUDE EM MIM QUE EU JOGO UMA MELECA DE NARIZ NO TEU PARA-BRISA! E DESAPARECIDOS EM COMBATE: ~~ESQUECIDOS~~ E FAZ TANTO TEMPO QUE EU NÃO TREPO QUE NÃO LEMBRO QUEM FICA AMARRADO! O peixe perguntando o que é isso de água. A enfermeira de nariz pontudo, bochechas redondas e olhos mortos com um estranho sotaque alemão que vendia para Gately umas amostrinhas grátis de xarope de Demerol da Sanofi-Winthrop, 80 mg/frasco, com um sabor nojento de banana, e aí deitava largada e de olhos mortos enquanto Gately X com ela, mal respirando, num apartamento abafado em Ipswich cujas esquisitas persianas marrons enchiam tudo de uma luz cor de chá fraco. Chamada Egede ou Egette, ela acabou contando a Gately que não conseguia nem chegar perto de gozar a não ser que ele a queimasse com um cigarro, o que marcou a primeira vez que Gately realmente tentou parar de fumar.

Agora uma enfermeira negra do St. E. que parece mais um jogador de futebol americano entra estrondosa, verifica os soros, escreve na ficha dele, aponta a artilharia dos peitos pra ele pra perguntar como ele está e o chama de "Nenê", o que ninguém acha ruim vindo de enfermeiras negras imensas. Gately aponta para a parte inferior do abdome na região do cólon e tenta fazer um largo gesto explosivo com um braço só, ligeiramente menos mortificado do que se fosse uma enfermeira branca tamanho-humano, pelo menos.

Gately foi apresentado ao Demerol com vinte e três anos de idade quando pruridos intraoculares o forçaram finalmente a abandonar o Percocet e explorar novos panoramas. Demerol era mais caro, mg por mg, que a maioria dos narcóticos sintéticos, mas também era mais fácil de encontrar, por ser o tratamento que os médicos preferiam para dores pós-operatórias alucinantes. Gately por nada neste mundo consegue lembrar quem ou exatamente onde em Salem ele conheceu o que os carinhas da North Shore chamavam de Pedritas e Bam-Bams, comprimidos de Demerol de 50 e de 100 mg, respectivamente muito minúsculos e minúsculos, uns disquinhos brancos de giz com um ⬛D/35 de um lado e a marca registrada logo adorada da Sanofi-Winthrop, uma espécie de ✔ do outro, com aquele estiloso ⬛✔ rompendo leve a película da vida com olhos irritados em North Shore. E meramente lembrar do ⬛D/35 já parece ser um jeito de Entreter a obsessão. Ele sabe que não foi muito depois do enterro do Nooch, porque ele estava sozinho e sem chapas em seja qual tenha sido o momento em que seja quem for lhe entregou dois comprimidos de 50 mg. Minúsculos demais para as suas mãos de dedos enormes, em vez de fosse lá o que fosse que ele queria, rindo quando Gately disse Mas que porra e Parece Bufferin pra formiga ou alguma merda dessas, dizendo: Vai Por Mim.

Deve ter sido no seu vigésimo terceiro verão Lá Fora, porque ele lembra de estar sem camisa e de carro na 93 quando ficou sem mais nada e encostou no estacionamento da Biblioteca JFK para tomar aquilo, tão pequenininho e sem gosto que ele teve que verificar a boca aberta no espelho retrovisor para conferir que tinha engolido. E ele lembra de não estar de camisa porque tinha tido ficado examinando seu enorme peito liso um tempão. E daquela sonolenta tarde no estacionamento da JFK em diante ele tinha sido um fiel criado do templo da deusa Demerol, até o último momento.

Gately lembra de andar — durante boa parte tanto da era Percocet quanto da era Demerol — com dois outros viciados em narcóticos da North Shore, que ele conhecia desde a infância um e tinha quebrado dedinhos pro Branquinho Sorkin o corretor de apostas enxaquequento com o outro. Eles não eram ladrões de casa, nenhum deles, esses caras: Fackelmann e Kite. Fackelmann tinha um histórico de lidar com cheques do tipo digamos criativo, fora que tinha acesso ao equipamento necessário para manufaturar RG, e o histórico de Kite era de monstrinho de informática na Salem State antes de levar um pé na bunda por ter hackeado as contas de telefone de certos caras totalmente encrencados por causa de umas ligações 0900 de sexo telefônico na conta geral da Administração da SS, e eles viraram um grupinho natural, F. e K., e tinham lá o seu esqueminha desambicioso mas elegante rolando, de que Gately só fez parte marginalmente. O que Fackelmann e Kite faziam era que eles forjavam uma identidade e um histórico de crédito que desse pra eles alugarem um apê luxuosamente mobiliado, aí eles alugavam um monte de eletrodomésticos tipo classe-A de uns lugares tipo Alugorama ou O Teu Hotel em Boston, e aí vendiam os eletrodomésticos luxuosos e a mobília pra um dentre uns intrujões confiáveis que conheciam, e aí traziam os seus próprios colchões de ar, sacos de dormir, cadeiras de lona e monitorzinho de TP comprado tudo certinho com alto-falantes e acampavam no apartamento luxuoso vazio, ficando muito doidos com os lucros líquidos da venda das coisas alugadas, até receberem o segundo aviso de Aluguel Atrasado; aí eles forjavam outra identidade, seguiam em frente e faziam tudo de novo. Gately também entrou no revezamento de ser o cara que tomava banho, fazia a barba e respondia a um anúncio de aluguel de apartamento de luxo com trajes yuppies emprestados, se encontrava com o pessoal da imobiliária, puxava o tapete debaixo dos banfis deles com aquele RG e aquele crédito e falsificava uma assinatura no contrato; e ele normalmente se instalava e ficava doido nos apês com Fackelmann e Kite, apesar dele, Gately, ter a sua própria carreira de fratura de dígitos e depois de roubo de residências, e os seus próprios intrujões, e tender cada vez mais a arranjar a sua própria grana e o seu próprio Percocet e depois o Demerol.

Ali deitado, cuidando de Aguentar e de não Entreter, Gately lembra como o bom, velho e perdido Gene Fackelmann — que pra um viciado em narcóticos tinha uma libido verdadeiramente insana — gostava de levar meninas diferentes pra qualquer apê que eles estivessem ocupando na época, e como o Fax abria a porta e olhava em volta com um espanto fingido pro apê de luxo vazio e desacarpetado e gritava "Caralho, roubaram tudo!".

Para Fackelmann e Kite, a ficha corrida de Gately era que se tratava de um cara bacana e (para um viciado em narcóticos, o que impõe certos limites à confiabilidade em termos racionais) decente, e um amigo e chapa ferozmente legal, mas eles simplesmente não entendiam nem a pau por que Gately escolhia ser dos narcóticos, por que eram essas as suas Substâncias preferidas, porque ele era um cara bacana, animadão, decente e felizinho de cara limpa, mas quando estava com a Pedrita ou narculado em geral ele virava uma pessoa totalmente taciturna, recolhida e quase-morta, eles sempre diziam, tipo um Gately totalmente diferente, sentado horas a fio bem enterrado naquelas cadeiras de lona, praticamente deitado numa cadeira cuja lona se inflava e cujas pernas se arqueavam, mal falando, e aí só uma ou duas palavras das mais necessaríssimas, e aí sem jamais parecer abrir a boca. Ele fazia qualquer um que ficasse doido com ele se sentir sozinho. Ele ficava súper, tipo, interiorizado. O termo de Pamela Hoffman-Jeep era "Voltado-ao-Outro". E era pior quando ele injetava alguma coisa. Você tinha quase que desgrudar na marra o queixo dele do peito. Kite dizia que parecia que Gately se picava com cimento em vez de narcóticos.

McDade e Diehl chegam lá pelas 1100h vindo de uma visita a Doony Glynn lá em algum lugar do Dep. de Gastroenterologia e tentam dar uns toca-aquis arcaicos velhos e caretas só de sacanagem e dizem que os caras das Tripas colocaram o Glynn numa superdose de Ormigrein[361] com codeína, pra diverticulite, e parecia que o Doon tinha passado por uma experiência meio espiritual vis-à-vis esse composto, e estava dando toca-aquis fervorosos em todo mundo e dizendo que os drs. de intestino estavam dizendo que tinha uma chance da condição dele ser inoperável e crônica e que o D. G. ia ter que ficar tomando aquilo a vida toda, com um dosador de borracha pra autoadministração, e o ex-fetal Doon estava sentado em posição de lótus e parecia estar no sétimo céu. Gately faz uns barulhinhos patéticos em volta do tubo oral enquanto McDade e Diehl começam a se interromper ao pedirem desculpa por estar parecendo que eles não vão poder se apresentar pra depor legalmente a favor de Gately como estavam dispostos a fazer num *pescar de olhos* se não fossem as diversas questões jurídicas que ainda pesam sobre eles que o advogado e o cara da condicional de cada um deles respectivamente disseram que entrar voluntariamente no Tribunal Distrital de Norfolk em Enfield era o e-que-valente de tipo um suicídio judício-penal, pelo que eles disseram.

Diehl olha para McDade e aí diz que também tem umas notícias depreciativas sobre a Máquina .44, que pela reconstrução dos acontecimentos de todo mundo lá é mais que provável que o Lenz deva ter afanado a Máquina ali da grama quando ele zarpou do complexo do HSPME logo antes dos Homens. Porque a merda desapareceu, e ninguém ia ter mocozado e não ia devolver sabendo o que dependia daquilo pro bom o velho G-zão aqui. Gately faz um barulho totalmente novo.

McDade diz que a notícia mais animadora é que pode ser que tenham achado o Lenz, que o Ken E. e o Burt F. Smith viram o que parecia ser ou o R. Lenz ou o C. Romero depois de uma doença terrível quando estavam voltando com o Burt F. S. na cadeira de rodas de uma reunião na Kenmore Square, praticamente tinham visto assim de lado e de costas, com um smoking de cauda aberta e um sombrero com bolas, e parece que oficialmente recaído, de volta Lá Fora, bêbado que nem um ontário, tão totalmente de perna bamba que quando eles viram o cara ele estava dando aquela andada-de-furação de bêbado, lutando de parquímetro em parquímetro e se agarrando a cada parquímetro. Wade McDade aqui acha bom inserir que a boataria sólida é que o HSPME está se preparando para alugar a Unidade nº 3 para uma agência de saúde mental de longo prazo que cuida de vítimas de agorafobia incapacitante, e que todo mundo na Casa está especulando o *quanto* aquilo ali vai ser um lugar constantemente lotado e claustrofóbico, ainda mais com a terribilidade do inverno que andam prevendo. Diehl diz que a sinusite dele sempre consegue prever quando vai nevar, e a sinusite dele está começando a prever pelo menos uns sopros de neve quem sabe até já hoje de noite. Eles nunca pensam em dizer a Gately em que dia estão. O fato de Gately não conseguir comunicar nem esse, o mais básico dos pedidos, faz ele querer gritar. McDade, no que é ou um aparte íntimo ou uma cutucada num Funcionário que não está em posição de cuidar de nada, confidencia que ele e o Emil Minty estão trabalhando com o Parias-Carbo — que trabalha para um ex-interno da Casa Ennet na Gráfica All-Bright perto da Escola Jackson-Mann — para fazer uns convites formais com cara de coisa séria pro pessoalzinho agorafóbico da Unidade nº 3 vir sem cerimônia mesmo dar uma passadinha na Ennet pra uma festança lotada, barulhenta e a céu aberto, de boas-vindas à região do HSPME. E agora Gately tem certeza de que foram McDade e Minty que colocaram a placa de PROCURA-SE: MARIA DEL SOCORRO embaixo da janela da senhora da Unidade nº 4 que grita Socorro. O nível geral de tensão no quarto aumenta. Gavin Diehl limpa a garganta e diz que todo mundo disse pra ele dizer que está tipo super-com-saudade de Gately lá na Casa e que todo mundo disse pra ele dizer "E aí? qualé?" e que eles esperam que o grande G. esteja logo de volta e sentando o braço na galera; e o McDade puxa um cartão de Melhoras não assinado do bolso e o coloca cuidadosamente por entre as barras da grade, onde ele fica perto do braço de Gately e começa a se abrir depois de ter sido dobrado e metido no bolso. Está na cara que aquilo foi roubado de uma loja.

Provavelmente é o patético cartão quente, dobrado e sem assinaturas, mas Gately súbito se vê tomado pelo calor das ondas de autopiedade e de ressentimento que sente não apenas pelo cartão mas pela perspectiva daqueles palhações comedores de ranho não se apresentarem como testemunhas oculares do *se offendendo* dele depois dele só ter tentado era fazer o seu trabalho sóbrio em defesa de um deles e estar agora deitado aqui com um nível de desconforto dextrógiro crescente que aqueles otários daqueles manés não iam conseguir imaginar nem se tentassem, se preparando pra ter que dizer não pra paquistaneses sorridentes sobre a droga preferida da sua Doença com um tubo invasivo goela abaixo e sem cad.erninho depois de ter pedido um, e precisando cagar e saber o dia e sem nenhuma enfermeirona negra à vista, e sem conseguir se mexer — de repente parece bisonhamente tonto se ver disposto a considerar a situação como prova da proteção e dos cuidados de um Poder Superior — é meio duro ver por que um *Deus de Amor* entre aspas faria ele passar pelo moedor-de-salsicha que foi ficar sóbrio só pra se ver aqui deitado com desconforto total e ter que dizer não pras Substâncias com recomendação médica e se preparar pra ir pra cadeia só porque a Pat M. não tem colhão pra fazer aqueles cuzões daqueles miseráveis egoístas se apresentarem e fazerem a coisa certa uma vez na vida. O ressentimento e o medo fazem tendões saltarem no pescoço roxo de Gately, e ele parece feroz mas nem de longe animado. — Porque e se Deus for na verdade o figurante vingativo e cruel que o AA de Boston jura pelos quatro cotovelos que Ele é, e Ele te deixa sóbrio só pra você poder sentir mais agudamente cada serrilha e cada gume dos tormentos especiais que Ele preparou pra você? — Porque por que diabos dizer não pra um dosador cheio do zumbido sonolento do Demerol, se são essas as *recompensas* da sobriedade e do trabalho rabidamente ativo no AA? O ressentimento, o medo e a autopiedade são quase narcotizantes. Bem além de qualquer coisa que ele tenha sentido quando uns canadenses desgraçados lhe deram socos e tiros. Aquilo era uma fúria súbita, total, amarga e impotente, tipo Jó, que sempre joga qualquer viciado sóbrio de volta numa queda para dentro de si, como o vapor que sobe por uma chaminé. Diehl e McDade estavam se afastando dele. E era bom mesmo caralho. A cabeçona de Gately parecia quente e fria, e a linha dos batimentos dele no monitor do alto começou a parecer as Rochosas.

Os residentes, entre Gately e a porta, de olhos esbugalhados, agora subitamente se separaram para deixar alguém passar. De início a única coisa que Gately conseguiu ver entre eles foi a cuba plástica em formato de rim e uma coisa cilíndrica com bico de seringa e meio tipo uma garrafa de ketchup que tinha *LACTO-PURGA* escrito na lateral num verdinho feliz. A ficha desse equipamento levou um tempo pra cair. Aí ele viu a enfermeira que se adiantou carregando aquilo tudo, e o seu coração enfurecido lhe caiu do peito com um baque surdo. Diehl e McDade fizeram barulhos de alegres-despedidas e vazaram porta afora com a vaga alacridade dos viciados de carteirinha. A enfermeira não era nenhum pinguinzinho de boca de risco ou matrona retumbante. Essa enfermeira parecia alguma coisa saída de um catálogo de roupas sensuais de enfermeira, tipo alguém que tinha que contornar certas quadras pra evitar construções na hora do almoço. A imagem que Gately projetou da sua união com essa enfermeira linda se desdobrou e ficou instantaneamente grotesca: ele de bruços e de bunda-ao-alto no balanço da varanda, ela de cabelo branco e angelical levando alguma coisa embora numa cuba com formato de rim para a pilha imensa que ficava atrás do chalé-retiro. Tudo de enfurecido nele se evaporou enquanto ele se preparava para morrer de uma vez de vergonha. A enfermeira ficou ali parada, rodopiou a cuba sobre um dedo, flexionou o longo cilindro de Lacto-Purga algumas vezes e fez um arco de límpido fluido sair pela pontinha e pairar à luz da janela, como um pistoleiro que gira o revólver no dedo pra se exibir como quem não quer nada, sorrindo de uma maneira que simplesmente partia a espinha de Gately. Ele começou a recitar mentalmente a oração da Serenidade. Quando se mexia, ele sentia seu próprio cheiro azedo. Isso pra nem falar do tempo e da dor que lhe custou rolar para o lado esquerdo, expor a bunda e puxar os joelhos para o peito com um braço só — "Segure os joelhos como se eles fossem a tua queridinha, é o que a gente diz", ela disse, pondo uma mão fria terrivelmente macia na bunda de Gately — sem sacudir a sonda, os soros ou o grosso tubo esparadrapado que lhe descia pela boca até sabe Deus onde.

Eu ia subir de novo pra cuidar da defenestração do Stice, pra dar uma olhada no Mario, trocar de meias e examinar a minha expressão no espelho em busca de sinais de hilaridade, ouvir as mensagens telefônicas do Orin e aí a ária de morte-prolongada da *Tosca* uma ou duas vezes. Não há trilha sonora melhor pra desgraça emocional que a *Tosca*.

Eu estava descendo o corredor úmido quando ele bateu. Não sei de onde veio. Era alguma variante do pânico telescopicamente autoconsciente que pode ser tão devastador durante um jogo. Eu nunca tinha me sentido exatamente assim fora da quadra. Não era totalmente desagradável. O pânico inexplicável afia os sentidos a um ponto quase insuportável. O Lyle tinha ensinado isso pra gente. Você percebe as coisas com muita intensidade. O conselho do Lyle era você voltar a percepção e a atenção para o próprio medo, mas ele tinha mostrado como a gente fazia isso só em quadra, no jogo. Tudo vinha com quadros demais por segundo. Tudo tinha aspectos demais. Mas não era desorientador. A intensidade não era algo com que você não conseguisse lidar. Era só uma coisa intensa e nítida. Não era como estar doido, mas ainda assim era muito: *lúcido*. O mundo parecia de repente quase comestível, disposto a ser ingerido. A fina pele de luz sobre o verniz dos rodapés. O creme do forro acústico do teto. Os veios longitudinais marrom-pele-de-cervo na madeira mais escura das portas. O brilho fosco do latão das maçanetas. Era sem o lado abstrato, cognitivo, do Bob ou da Estrela. O vermelho sinal-de-curva da placa acesa de SAÍDA da escadaria. Peterson T. P. Hibernando saiu do banheiro com um roupão xadrez deslumbrante, rosto e pés cor de salmão por causa do calor do chuveiro, e desapareceu pelo corredor no seu quarto sem me ver cambaleante, apoiado na fresca parede menta do corredor.

Mas o pânico estava ali também, endócrino, paralisante, e com um elemento hipercognitivo, tipo bad-trip, que eu não reconhecia dos visceralíssimos ataques de medo em quadra. Algo como uma sombra cercava a nitidez e a lucidez do mundo. A concentração da atenção fazia alguma coisa com ela. O que não parecia novo e não familiar parecia súbito velho feito pedra. Aconteceu tudo no espaço de uns poucos segundos. A familiaridade da rotina da Academia assumiu um aspecto cumulativo assoberbante. O número total de vezes em que eu tinha subido os ásperos degraus de cimento da escada, visto o meu tênue reflexo vermelho na pintura da porta de incêndio, caminhado os cinquenta e seis passos pelo corredor até o nosso quarto, aberto a porta e a reposto delicadamente de volta no umbral pra não acordar o Mario. Eu revivi o número total de passos dos anos, de movimentos, de alentos e pulsos ali. E aí o número de vezes que eu teria que repetir os mesmos processos, dia a dia, em tudo quanto era tipo de luz, até me formar, me mudar, sair e voltar pra algum dormitório de alguma universidade potência-tenística de algum lugar. Talvez a pior parte das cognições envolvesse o incrível volume de comida que eu ia ter que consumir no resto da minha vida. Refeição por refeição, fora os lanchinhos. Dia após dia após dia. Sentir essa comida in toto. Só a mera ideia da carne. Um megagrama? Dois megagramas? Eu vivi, vívida, a imagem de um quarto largo, fresco e bem iluminado, entupido do chão ao teto de nada além dos filés de frango levemente empanados que eu ia consumir nos sessenta anos seguintes. O número de aves vivisseccionadas para a carne de toda uma vida. A quantidade de ácido clorídrico, bilirrubina, glicose, glicogênio e de gloconol produzida, absorvida e produzida no meu corpo. E outro quarto, mais escuro, cheio da massa fermentante de excremento que eu geraria, com a porta de aço de tranca dupla do quarto cada vez mais se arqueando com a pressão que aumentava… Tive que apoiar a mão na parede e ficar ali corcovado até passar o pior. Fiquei olhando o chão secar. Com o seu brilho fraco iluminado atrás de mim pela luz da neve que vinha da janela leste. O azul-bebê da parede era complexamente filigranado de calombos e coágulos de tinta. Uma pelota não esfregada do cuspe de Kenkle restava perto do canto do umbral da porta da sv5, tremulando de leve no que a porta chacoalhava no batente. Vinham trancos e baques lá de cima. Ainda nevava pra diabo.

Eu fiquei deitado de costas no carpete da Sala de Vídeo 5, ainda no segundo andar, lutando contra sensação de que ou eu nunca tinha estado aqui antes ou tinha passado vidas inteiras bem aqui. A sala toda era coberta de painéis de um material reluzente, fresco e amarelo, chamado Kevlon. O monitor ocupava metade da parede sul, estava morto e era verde-acinzentado. O verde do carpete ficava mais perto dessa cor também. Os cartuchos de instrução e motivação estavam numa grande estante de vidro cujas prateleiras centrais eram longas e cujos níveis de cima e de baixo se estreitavam até serem quase nada. *Ovoide* transmitiria o formato da estante. Eu estava com o copo da NASA com a escova de dentes dentro equilibrado em cima do peito. Ele subia toda vez que eu inalava. Eu tinha o copo da NASA desde que era pequenininho, e o decalque de figuras de capacetes brancos acenando com toda autoridade pelas janelas de um protótipo de ônibus espacial estava desbotado e incompleto.

Depois de um tempo o Peterson T. P. Hibernando meteu a cabeça molhada e penteada pela porta e disse que o LaMont Chu queria saber se o que estava lá fora podia ser chamado de nevasca. Levou mais de um minuto de eu não dizendo nada pra ele ir embora. Os painéis do teto eram grotescamente detalhados. Eles pareciam vir atrás de você como algum patrocinador invasivo da ATE que te encurrala contra a parede numa festa. O tornozelo latejava devidamente com a pressão baixa da tempestade de neve. Eu relaxei a garganta e simplesmente deixei o excesso de saliva correr pós-nasalmente de volta, pra baixo. A mãe da Mães era etnicamente québecoise, o pai era anglo-canadense. O termo que a *Revista de Estudos do Alcoolismo de Yale* usava pra esse homem era *bebedor pesado episódico*. Todos os meus avôs estavam mortos. O nome do meio de Sipróprio era Orin, nome do pai do seu próprio pai. Os cartuchos de entretenimento da SV estavam dispostos nas prateleiras de polietileno translúcido que cobriam a parede toda. Os estojos individuais deles eram ou de plástico transparente ou de um plástico preto brilhante. O meu nome inteiro é Harold James Incandenza e eu tenho 183,6 cm de altura, descalço. O próprio Sipróprio projetou a iluminação indireta da Academia, que é engenhosa e quase cobre todo o espectro. A SV5 continha um sofá grande, quatro poltronas reclináveis, uma espreguiçadeira média, seis almofadas espectatoriais de veludo verde empilhadas num canto, três mesinhas e uma mesa de centro de mylar com porta-copos entalhados. A luz de teto em todos os cômodos da ATE vinha de um pequeno spot de carbono-grafite dirigido para o alto, para uma placa refletora de uma liga complexa logo acima dele. Não era necessário reostato; um pequeno joystick controlava a luminosidade alterando o ângulo de incidência do spot na placa. Os filmes de Sipróprio ficavam organizados na terceira prateleira da estante de entretenimento. O nome completo da Mães é Avril Mondragon Tavis Incandenza, Ed.D., ph.D. Ela tem 197 cm de altura com sapatos rasteirinhos e ainda batia só na orelha de Sipróprio quando ele se ajeitava e ficava ereto. Durante quase um mês na sala de musculação, o Lyle ficou dizendo que o nível mais avançado de meditação Vipassana ou de "Insight" consistia em ficar sentado plenamente alerta e contemplando a própria morte. Eu conduzi reuniões de Amigão na SV5 durante todo o mês de setembro. A Mães tinha crescido sem ter um nome do meio. A etimologia de *nevasca*, no fim se liga à noção de *branco*. O sistema de iluminação de espectro pleno tinha sido uma prova de amor de Sipróprio pela Mães, que tinha concordado em sair de Brandeis e dirigir o lado acadêmico da Academia e tinha o horror de uma canadense étnica pela iluminação fluorescente; mas quando o sistema foi instalado e seus defeitos corrigidos, a gestalt da luminifobia da Mães tinha se ampliado para toda e qualquer iluminação de teto, e ela nunca usou o sistema de spot-e-placa do seu escritório.

Petropolis Kahn meteu aquela cabeçona descabelada dele pra dentro e perguntou qualera a daquela balbúndia lá em cima, os trancos e os gritos. Ele perguntou se eu ia pro café da manhã. A boataria era que o café da manhã era imitação-de-salsicha e suco de laranja com gominhos palpáveis, ele disse. Fechei os olhos e recordei que conhecia Petropolis Kahn havia três anos e três meses. Kahn foi embora. Percebi a cabeça dele recuando no umbral: uma sucção levíssima no ar da sala. Eu precisava peidar mas até aqui não tinha peidado. O peso atômico do carbono é 12,01 e troco. Uma pequena e monitorada partida de Eskhaton agendada pro meio da manhã, com (diziam as más línguas) o próprio Pemulis como mestre-de-jogo, certamente seria cancelada pela neve. Tinha começado a me ocorrer, voltando de carro de Natick na terça, que se a coisa se transformasse numa escolha entre continuar a jogar tênis de competição e continuar a poder me chapar, seria uma escolha quase impossível. A maneira distante com que esse fato me chocou me chocou por si só. O fundador do

Clube do Túnel dos meninos do sub-14 tinha sido Heath Pearson quando era bem pequeno. A conversa de que o próprio Pemulis ia usar o gorrinho no próximo Eskhaton veio de Kent Blott; Pemulis estava me evitando desde que eu tinha voltado de Natick na terça — como se estivesse pressentindo alguma coisa. A mulher atrás do caixa do posto Shell ontem à noite tinha recuado quando eu me aproximei pra mostrar o cartão antes de abastecer, como se ela também tivesse visto alguma coisa na minha expressão que eu não sabia que estava lá. O *North American Collegiate Dictionary* defendia que qualquer tempestade de neve "muito pesada" com "ventos fortes" podia ser uma nevasca. Sipróprio, por dois anos antes de morrer, teve umas alucinações de um silêncio quando eu falava: eu achava que estava falando e ele achava que eu não estava falando. Mario atestou que Sipróprio nunca o acusou de não falar. Tentei lembrar se alguma vez eu tinha tocado nesse assunto com a Mães. A Mães se esforçava pra ser completamente abordável sobre qualquer tema a não ser Sipróprio e o que estava acontecendo entre ela e Sipróprio enquanto Sipróprio ia se recolhendo cada vez mais. Ela nunca proibiu perguntas sobre isso; só ficava tão dolorida e com a cara tão distorcida que você se achava cruel de ter perguntado alguma coisa. Eu fiquei considerando se por acaso a interrupção dos tutoriais de matemática do Pemulis não podia ser uma afirmação oblíqua, uma espécie de Você Está Pronto. O Pemulis vivia se comunicando numa espécie de cifra esotérica. Era verdade que eu tinha me mantido basicamente no meu quarto desde terça-feira. O *OED* condensado, num raro trecho de ornamentada imprecisão, definia *nevasca* como "Uma furiosa rajada atordoante de vento gelado e de neve em que homens e animais frequentemente se perdem", dizendo que a palavra *blizzard* era ou um neologismo ou uma corruptela do francês *blesser,* cunhada em inglês por um repórter do *Northern Vindicator* de Iowa em 1864 AS. Orin alegou no AEMT que quando pegava o carro da Mães de manhã ele às vezes notava marcas borradas de pés humanos nus no lado interno do para-brisa. A grade do duto de aquecimento da SV5 soltou um silvo estéril. Por todo o corredor havia sons da Academia ganhando vida, fazendo suas abluções competitivas, desafogando ansiedades e reclamações sobre a possível nevasca lá fora — querendo jogar. Havia um trânsito pedestre pesado no terceiro andar acima de mim. Orin estava passando por uma fase em que só se sentia atraído por mães jovens com filhos pequenos. Um jeito corcovado: ela se corcova; você se corcova. John Wayne tinha tido uma violenta reação alérgica a um descongestionante e havia se apossado do microfone da WETA e passado vergonha no programa de Troeltsch de terça, aparentemente, e tinha sido levado pra passar a noite em observação no St. Elizabeth, mas tinha se recuperado rápido o bastante pra voltar pra casa e aí acabar na frente do Stice na corrida de condicionamento de quarta-feira. Eu perdi tudo isso e quem me contou foi o Mario quando eu voltei de Natick — o Wayne parece que tinha dito umas coisas pouco gentis sobre vários membros da equipe de funcionários e da administração da ATE, nada levado a sério por ninguém que conhecesse Wayne e tudo que ele representava. O alívio por ele estar bem tinha dominado os relatos que todos fizeram do incidente inteiro; a própria Mães aparentemente tinha ficado ao lado do Wayne até tarde da noite no St. E., o que o Bubu achou louvável e bem a cara da Mães. Simplesmente imaginar o número total de ascensões e quedas do meu peito, ascensões e quedas. Se você quer especificidades prescritivas você vai atrás dos linhas-duras: o *Dicionário das Ciências Ambientais* de Sitney e Schneewind determinara uma queda contínua de 12 cm/hora de neve, ventos mínimos de 60 km/h e visibilidade abaixo de 500 metros; apenas se essas condições se verificassem por mais de três horas seria uma nevasca; menos de três horas era "Tempestade C-IV." A dedicação e a energia constante necessárias para a verdadeira perspicácia e expertise eram exaustivas só de imaginar.

Agora me parecia ultimamente meio que um milagre negro que as pessoas chegassem mesmo a dar grande importância a um tema ou um objetivo e continuassem assim por anos a fio. Pudessem dedicar a vida inteira a isso. Me parecia admirável e ao mesmo tempo patético. Nós estamos todos morrendo de vontade de entregar a nossa vida a alguma coisa, de repente. Deus ou Satã, política ou gramática, topologia ou filatelia — o objeto parecia um detalhe pra essa disposição de se entregar totalmente. A jogos ou agulhas, a outra pessoa. Algo de patético nisso. Uma fuga-de que assume a forma de um mergulho-em. Fuga de quê, exatamente? Desses cômodos placidamente preenchidos de excremento e de carne? Com que fim? Foi por isso que eles começaram tão cedo com a gente aqui: pra gente se entregar antes da idade em que perguntas como *por quê* e *pra quê* ganhem bicos e garras de verdade. Foi bondade, de certa forma. O alemão moderno está mais bem equipado pra combinar gerundivos e preposições que o seu primo vira-lata. O sentido original de *adição* envolvia estar preso, dedicado, fosse jurídica ou espiritualmente. Devotar a vida, mergulhar. Eu tinha feito essa pesquisa. Stice perguntou se eu acreditava em fantasmas. Sempre pareceu meio absurdo que Hamlet, apesar de toda aquela dúvida paralisante sobre tudo, nunca chegue a duvidar da realidade do fantasma. Nunca questione se a sua própria loucura afinal pode não ser fingida. Stice tinha prometido uma coisa bizarra de se ver. Ou seja, se Hamlet pode apenas estar *fingindo* fingir. Eu ficava pensando no solilóquio do professor de Estudos de Filmes e Cartuchos no inacabado *Homens de boa aparência em pequenos cômodos inteligentes que utilizam cada centímetro do espaço disponível com uma eficiência estarrecedora*, a paródia amarga do mundo acadêmico que a Mães tinha encarado como um estranho tabefe pessoal. Eu ficava pensando que eu precisava era ir dar uma olhada no Trevas. Parecia haver tantas implicações só no ato de pensar em sentar, me pôr de pé, sair da sv5 e dar um certo número variável de acordo com o tamanho da passada de passos até a porta da escada, repetidamente, que só a ideia de levantar me deixava feliz por estar deitado no chão.

Eu estava no chão. Eu sentia o carpete verde-Nilo com as costas das mãos. Estava completamente horizontal. Eu estava confortável deitado perfeitamente imóvel e encarando o teto. Estava gostando de ser um singular objeto horizontal numa sala plena de horizontalidade. Charles Tavis provavelmente não tem parentesco real com a Mães. A mãe franco-canadense extremamente alta dela morreu quando a Mães tinha oito anos. O pai dela foi embora da fazenda de batatas a "negócios" uns meses depois e passou várias semanas longe. Ele fazia esse tipo de coisa com certa frequência. Um bebedor pesado episódico. Acabava vindo um telefonema de alguma província ou estado distante dos EU, e um dos empregados ia pagar a fiança dele. Deste desaparecimento, no entanto, ele voltou com uma nova noiva de quem a Mães não sabia absolutamente nada, uma viúva americana chamada Elizabeth Tavis, que na pomposa foto do casamento em Vermont parece quase com certeza que era anã — a cabeçona quadrada, o comprimento relativamente longo do tronco em comparação com as pernas, a ponte nasal rasa e os olhos projetados, os bracinhos focomélicos em volta da coxa direita do sinhô Mondragon, uma bochecha cáqui apertada afetuosamente contra a fivela do seu cinto. C.T. era o filhinho que ela trouxe para a nova união, e o pai dele era um zé-mané que morreu num acidente bisonho jogando dardos competitivamente numa taberna de Brattleboro bem quando eles estavam tentando ajustar os apoios obstétricos para o trabalho de parto e o parto da acondroplástica sra. Tavis. O sorriso dela na foto do casamento é homodôntico. Segundo Orin, no entanto, C.T. e a Mães dizem que a sra. T. não era uma verdadeira homodonte como — por exemplo — Mario é um verdadeiro homodonte. Cada dente do Mario é um segundo pré-molar. Então era tudo meio frouxo. A história do desaparecimento, do acidente dos dardos e da incongruidade dentária vem do Orin, que dizia ter destilado aquilo tudo de uma extensa conversa unilateral que teve com um perturbado C.T. na sala de espera da Gin.-Obst. do Birgham and Women's enquanto a Mães estava prematuramente parindo o Mario. Orin tinha sete anos; Sipróprio estava na sala de parto, onde parece que o parto do Mario foi um negócio bem de alto risco. O fato de Orin ser a nossa única fonte de informação envolvia tudo aquilo numa camada adicional de ambiguidade, do meu ponto de vista. Acurácia total nunca foi o forte do Orin. A foto do casamento estava disponível para inspeção, claro, e confirmava a sra. Tavis como alguém cabeçudo e insanamente baixinho. Nem o Mario nem eu jamais tínhamos nos dirigido à Mães sobre isso, possivelmente por medo de reabrir feridas psíquicas de uma infância que sempre soou infeliz. A única coisa de que eu tinha certeza era que eu nunca tinha me dirigido a ela sobre isso.

Quanto a eles, a Mães e o C.T. sempre se descreveram exatamente como extremamente próximos mas não aparentados.

O último espasmo do ataque de pânico e de concentração profilática agora de repente quase me esmagou com a intensa horizontalidade que estava por toda parte à minha volta na Sala de Vídeo — teto, piso, carpete, tampos de mesa, assentos de cadeiras e as prateleiras atrás dos espaldares. E muito mais — as cintilantes linhas horizontais no Kevlon do revestimento parietal, o longuíssimo topo do monitor, as margens superior e inferior da porta, as almofadas de espectação, a base do monitor, o topo e a base do atarracado drive de cartuchos preto e os controlezinhos tipo interruptor que protuberavam como línguas abortadas. A horizontalidade aparentemente infinita dos assentos do sofá, das cadeiras e da espreguiçadeira, cada linha da parede de estantes, o emprateleiramento horizontal variado da estante ovoide, dois dos quatro lados de cada estojo de cartucho, e assim por diante. Eu fiquei deitado no meu pequeno sarcófago de espaço. A horizontalidade se derramava à minha volta. Eu era a carne do sanduíche da sala. Eu me senti desperto para uma dimensão básica que tinha negligenciado durante anos de movimento ereto, de estar de pé, correr, parar, saltar, de caminhar infinitamente ereto de um lado da quadra para o outro. Eu tinha me concebido durante anos como algo basicamente vertical, estranho caule aforquilhado com matéria e sangue. Agora eu me sentia mais denso; mais solidamente composto, agora que era horizontal. Impossível alguma coisa me derrubar.

O cognome de Gately na infância e durante os anos da escola pública era Goi, ou Goizinho, ou Goizonço etc., do acrônimo GOI, "Gigante Otário Indestrutível". Isso foi na North Shore de Boston, principalmente em Beverly e Salem. A cabeça dele era imensa, desde menininho. Quando ele chegou à puberdade com doze anos a cabeça dele já parecia ter quase um metro de largura. Um capacete de futebol americano normal parecia um gorrinho nele. Seus técnicos precisavam encomendar capacetes especiais. Gately valia o custo. Todos os técnicos depois da 6ª série lhe disseram que ele ia parar num time universitário da Primeira Divisão se se esforçasse e mantivesse a meta em mente. Lembranças de meia dúzia de técnicos sem-pescoço, corta-baratos e pré-infartados se condensam todas em torno de uma ênfase enrouquecida em se esforçar e em previsões de um futuro ilimitado para Don G., Goizinho G., bem até ele largar a escola no segundo ano do colegial.

Gately jogava de duas maneiras — de fullback no ataque e de zagueiro lateral na defesa. Ele tinha tamanho para compor a linha de defesa, mas sua velocidade seria desperdiçada ali. Já com 104 quilos e levantando bem mais que isso, Gately tinha marcado 4.4 nas 40 jardas na 7ª série, e a lenda dizia que o técnico da Escola Primária Beverly correu ainda mais que isso pra ir se masturbar em cima do cronômetro no vestiário. Sua maior vantagem era a cabeça gigante. Do Gately. A cabeça era indestrutível. Quando precisavam ganhar jardas, eles tentavam isolar Gately em cima de um só zagueiro e lhe passavam a bola pra ele baixar a cabeça e atacar, de olhos cravados na grama. O topo do capacete especial dele era como o saca-boi de uma locomotiva vindo na tua direção. Defensores, ombreiras, capacetes e chuteiras saíam quicando daquela cabeça, muitas vezes em direções diferentes. E a cabeça era destemida. Era como se ela não tivesse terminações nervosas ou receptores de dor ou sei lá o quê. Gately divertia os companheiros de time deixando eles abrirem e fecharem portas de elevador na cabeça. Ele deixava as pessoas quebrarem coisas em cima da cabeça — lancheiras, bandejas de cantina, estojos de violino de nerdzinhos quatro-olhos, tacos de lacrosse. Com treze anos ele nunca tinha que pagar cervejas: ele apostava um engradado com algum carinha que aguentava uma pancada com este ou aquele objeto na cabeça. A orelha esquerda dele ficou permanentemente meio roída por causa dos impactos das portas de elevador, e Gately prefere um corte de cabelo tigelinha, meio Príncipe Valente com os lados mais compridos pra ajudar a cobrir a orelha deformada. Um zigoma ainda tem uma plaquinha violácea e encovada de quando um menino de North Reading numa festa na 10ª série apostou um engradado grande com ele numa pancada com uma meia cheia de moedinhas e aí acertou embaixo do olho em vez de na cabeça. Todo o elenco de atacantes de Beverly foi necessário pra arrancar Gately do que sobrou do carinha. A opinião juvenil geral sobre Gately era que ele era totalmente boa-praça, tranquilão e simpático até certo ponto mas que se você passasse desse ponto com ele era melhor você conseguir fazer menos que 4.4 nas 40.

Ele sempre viveu meio que entre os meninos. Ele tinha uma ferocidade animada que assustava as meninas. E ele não fazia ideia de como lidar com as meninas a não ser tentando impressioná-las deixando que olhassem quando alguém fazia alguma coisa com a cabeça dele. Ele nunca foi o que se pudesse chamar de um sucesso feminino. Nas festas ele era sempre o centro de um grupo que bebia em vez de dançar.

Era surpreendente, talvez, dado o tamanho e a situação doméstica de Gately, que ele não fosse um bully. Ele não era bondoso nem heroico nem um defensor dos fracos; não que ele entrasse bondosamente em cena para proteger os nerds e os deslocados das predações dos meninos que eram mesmo bullies. Ele simplesmente não tinha interesse em brutalizar os fracos. Ainda não está claro pra ele se isso era um mérito para ele ou não. As coisas podiam ter sido diferentes se o PN tivesse dado umas pancadas em Gately em vez de concentrar toda a sua atenção numa sra. G. progressivamente mais fraca.

Ele fumou o primeiro charo com nove anos, um baseadinho duro e fino que nem uma agulha, comprado de uns negros do colegial e fumado com três outros jogadores de futebol da escola numa cabana de férias vaga de que um deles tinha a chave, assistindo na TV aberta uns negros surtando numa L.A., CA, em chamas depois de alguém ter feito um vídeo com uns dos Homens sentando o cacete pesado num negão. Aí o primeiro porre de verdade uns meses mais tarde, depois que ele e os jogadores começaram a andar com um cara da Orkin que gostava de deixar os meninos todos tortos de suco de laranja com vodca e que usava camisa marrom e coturno nas horas vagas e lhes dava altas palestras sobre o ZOG e *The Turner Diaries* enquanto eles bebiam o suquinho alcoólico que ele pagava e olhavam pra ele com uma cara neutra e reviravam os olhos um pro outro. Logo nenhum jogador com quem Gately andava estava interessado em outra coisa que não fosse tentar ficar chapado e fazer concursos de mijo e de air-guitar e falar em termos teóricos sobre dar um X numas minas da North Shore com aqueles cabelões. Todos eles tinham lá as suas situações domésticas também. Gately era o único verdadeiramente dedicado ao futebol, e isso era provavelmente só porque tinham lhe dito repetidamente que ele tinha talento de verdade e futuros ilimitados. Ele foi classificado como portador de Déficit de Atenção e esteve em Educação Especial desde a escolinha, com Déficits particularmente em "Artes da Linguagem", mas isso era parcialmente porque a sra. G. mal sabia ler e Gately não estava interessado em fazer ela se sentir pior. E mas não rolava Déficit nenhum na atenção que ele prestava na bola, ou num chope gelado, ou nos sucos com vodca, ou nos charos de alto teor de resina, ou especialmente na farmacologia aplicada, não depois de ter tomado o seu primeiro Mandrix[362] com treze anos.

Exatamente como toda a memória de Gately da sua entrada no mundo de vodcas e marijuanas tende a confluir para uma única lembrança de mijar suco de laranja no oceano Atlântico (ele, os jogadores e os bullies toscos e cruéis com quem ele festava tomando quase um litro de suco de laranja de uma só vez de deixar a garganta quente e ficando com água até os tornozelos em cima da areia grossa de uma praia da North Shore, de cara para o leste e soltando longos arcos de um xixi amarelo post-it nas ondas velozes que entravam e espumavam em volta dos pés deles escuma quente e tinta de amarelo-mijo — como cuspir contra o vento — Gately no púlpito tinha começado a dizer que estava se mijando desde o começo, com o álcool), bem do mesmo jeito, todos os anos antes dele descobrir os narcóticos orais, todo o período dos treze aos quinze em que ele era um devoto do Mandrix e da cerveja Hefenreffer desmorona e se acumula sob o que ele ainda lembra como "O ataque das calçadas assassinas". O Mandrix e a Hefenreffer também marcaram a entrada de Gately num grupo social mais sinistro e menos atlético da EPB, um de cujos membros era Trent Kite,[363] um nerdzinho informático de quatro costados, sem queixo e com nariz de tapir, e basicamente o último fã fanático do Grateful Dead com menos de quarenta anos na Costa Leste dos EU, cujo lugar de honra no sinistro grupo junky da Escola Primária Beverly se devia inteiramente ao seu talento para transformar a cozinha da casa de quaisquer pais que estivessem de férias num laboratório farmacêutico rudimentar, usar tipo potes de molho de churrasco como balões de Erlenmeyer e fornos de micro-ondas para ciclizar OH e carbono em compostos de três anéis, sintetizar compostos metilenodióxi-psicodélicos[364] a partir de noz-moscada e óleo de sassafrás, éter a partir de fluido de acender lareira, metanfetamina a partir de triptofano e l-histidina, às vezes usando apenas um fogão comum e o equipamento culinário parental, capaz até de destilar concentrações usáveis de tetraidrofurano a partir de Limpador de Cano de PVC — que naquela época muito boa sorte pra tentar encomendar tetraidrofurano de qualquer empresa de produtos químicos nos 48 contin./6 províncias sem receber uma visitinha imediata de uns caras do DEA com terninhos de três peças e óculos espelhados — e aí usar o tetraidrofurano e o etanol e qualquer catalisador de ligação proteica pra transformar o bom e simples Difenidrin numa coisa que estava a uma mólecula de H_3C de distância de virar a boa e velha metaqualona bifásica, vulgo o intrépido Mandrix. Kite chamava os seus isótopos de Mandrix de "Mandrakes", e eles eram muito estimados pelo Goizinho G. de 13-15 anos e pelo grupo sinistro, corcovado e de cabelos espetados com quem ele tomava Mandrix e Mandrakes, acompanhados de umas Hefenreffers, o que resultava numa espécie de semiapagão mnemônico em que todo aquele intervalo de dois anos — o mesmo intervalo durante o qual o ex-PN encontrou outra pessoa, uma divorciada de Newburyport que aparentemente resistia mais animadamente às surras do que a sra. G., e levantou acampamento com o seu Ford coberto de adesivos, sua sacola e casaco de marujo — o período todo se tornou na lembrança sóbria de Gately apenas a vaga era do Ataque das calçadas assassinas. Mandrixes e Hefenreffers grandes despertavam Gately e os seus novos drugues para a má vontade normalmente-dormente-mas-aparentemente-

-sempre-à-espreita de calçadas públicas de aparência inocente em toda parte. Você não tinha que ser o cerebrudo do Trent Kite pra sacar a equação (Mandrix) + (nem tanta cerveja assim) = tomar uma bifa da calçada mais próxima — tipo você andando inocentemente pela calçada e do meio do nada a calçada se levanta pra dar na tua cara: SPOF. Acontecia o tempo todo, caralho. Fazia o pessoalzinho todo reclamar quando tinha que ir a pé pra algum lugar depois dos Mandrakes já que eles ainda não tinham carteira, o que te dá uma ideia do QI total que estava metido nessa questão dos ataques. Uma minúscula plaquinha no olho esquerdo e o que parece um furinho no queixo são as únicas heranças que Gately traz do período que antecedeu a sua passagem para o Percocet, que uma vantagem de se afundar mais nos narcóticos orais era que Percocet + Hefenreffer não te permitiam o grau de mobilidade em posição ereta que te tornava vulnerável à má vontade sempre-à-espreita das calçadas.

Era incrível que nada disso parecesse prejudicar muito a performance de Gately no futebol, mas também ele era tão devoto do futebol quanto de depressivos orais do SNC. Pelo menos por algum tempo. Ele tinha regras pessoais bem disciplinadas naquela época. Absorvia Substâncias só à noite, depois dos treinos. Nem mesmo uma fração de chope entre 0900h e 1800h durante as temporadas de treino e de jogos, e ele se conformava com apenas um charinho nas noites de quinta-feira antes dos jogos propriamente ditos. Durante a temporada de futebol ele se governava com mão de ferro até o pôr do sol e aí se lançava à mercê das calçadas e do zumbido sonolento. Ele usava as aulas para compensar as horas de sono REM. No seu primeiro ano do colegial ele já estava começando no time dos Minutemen da Beverly-Salem e quase sendo expulso academicamente. Quase todos os membros do grupo sinistro com que ele andava antes tinham sido expulsos por vadiagem ou tráfico, ou coisa pior, já no segundo ano. Gately continuou se aguentando ali até os dezessete.

Mas Mandrix, Mandrake e Percocet são umas coisas letais em termos de lição--de-casa, especialmente quando acompanhados de uma Hefenreffer, e extraespecialmente se você é academicamente ambivalente e classificado como vítima de TDA e já está empregando cada partícula da tua autodisciplina pra proteger o futebol das Substâncias. E — infelizmente — o colegial é totalmente nada a ver com a educação superior em termos da influência dos técnicos dos esportes de maior visibilidade sobre os professores, no que se refere a atletas e notas. Kite conseguiu fazer Gately passar pela matemática e pelas aulas de reforço de ciências, e a professora de francês estava sendo comida pelo Coordenador Ofensivo bronzeado e seboso dos Minutemen até os seus olhinhos estrábicos revirarem em nome de Gately e de um beque semirretardado. Mas a porra do inglês simplesmente acabava com ele, Gately. Todos os quatro professores de inglês que o Dep. Esportivo tentou colocar pro Gately tinham lá essa ideia meio *sieg-heil* de que de alguma maneira seria cruel passar um garoto que não conseguia dar conta da matéria. E o Dep. Esportivo apontar pra eles que Gately tinha uma situação especialmente delicada em casa e que reprovar Gately e torná-lo inselecionável para o futebol eliminaria a sua única razão para pelo menos ficar na escola — isso tudo foi, tipo, em vão. Inglês era uma situação tipo tudo-ou-

-nada, o que ele então chamou de o seu "Oterlu". Os exames finais ele mais ou menos tirava de letra; o técnico de futebol tinha vários nerds contratados. Mas os exames feitos em sala e as provas acabavam com Gately, que simplesmente não tinha mais disposição restante depois do pôr do sol para escolher entre o explosivamente cacete *Ethan From* e o Mandrake com Hefenreffer. Fora que a essa altura autoridades de três escolas diferentes já o tinham convencido de que ele era basicamente burro mesmo. Mas principalmente eram as Substâncias. Teve um nerd tutor de inglês a serviço do Dep. de Esporte da B-S que passou todo um março de tardes do segundo ano na companhia de Gately, e quando a Páscoa chegou o menino estava pesando quarenta e três quilos, com um piercing no nariz, tremores nas mãos e foi colocado pelos pais desnorteados e funcionais numa instituição de reabilitação tipo intervenção-juvenil, onde a primeira semana inteira da Abstinência do nerd se passou num cantinho recitando o *Uivo* em inglês chauceriano em altos brados. Gately reprovou em Redação em maio do segundo ano e perdeu a oportunidade de ser selecionado no outono e saiu da escola para preservar a sua temporada no time júnior. E mas aí, sem a única outra coisa a que se devotava, o freio-de-mão psíquico estava solto, e o décimo sexto ano de Gately ainda é basicamente um branco-cinzento, a não ser pelo novo sofá televisivo da mãe, de chintz vermelho, e também por ele ter conhecido uma assistente de farmacêutico tolerante na Rite-Aid com um eczema desfigurante e sérias dívidas de jogo. Fora umas lembranças de um terrível prurido retroftálmico e de uma dieta básica de rango de loja de conveniência, fora os vegetais do copo de vodca da mãe, enquanto ela dormia. Quando ele finalmente voltou para o seu segundo ano de aulas e primeiro ano de futebol no colegial com dezessete e pesando 128 quilos, Gately estava enervado, flácido, aparentemente narcoléptico e num ritmo de dependência tão inflexível que precisava de 15 mg do bom e velho cloridrato de oxicodona que tirava do frasco de Tylenol que carregava no bolso de três em três horas para evitar os tremores. Ele era como um gatinho imenso e confuso lá no campo — o técnico fez ele passar por tomografias, com medo de esclerose múltipla ou da doença de Lou Gehrig — e até a versão em quadrinhos de *Ethan From* agora estava além da sua capacidade; e o bom e velho Kite tinha sumido já naquele último setembro do Tempo Insubsidiado, tendo sido aceito adiantadamente com uma bolsa integral para estudar Ciência da Computação na U. Salem State, o que significava que Gately agora estava por conta própria na matemática e na química de emergência. Para remate dos males, Gately perdeu a posição de titular no terceiro jogo para um calourão grande de olhos límpidos que o técnico disse que tinha um potencial quase ilimitado. Aí a sra. Gately sofreu a sua hemorragia cirrótica e a coisa do sangue cerebral no fim de outubro, logo antes da semana de provas em que Gately estava se preparando para ser reprovado. Uns caras com cara de tédio e roupas brancas de algodão sopraram bolas azuis e a meteram na traseira de uma ambulância bonachona sem sirenes para levá-la primeiro ao hospital e aí para uma ILP[365] do Sistema de Saúde lá do outro lado de Yirrell Beach em Pt. Shirley. A parte de trás dos olhos de Gately estava coçando demais até pra ele conseguir ficar parado lá nos degraus pingados de vermelho da varanda e enxergar ou dar adios. O primeiro careta que ele fumou na vida foi naquele dia, um longo de um maço pela metade dos genéricos da mãe, que ela deixou. Ele nunca nem voltou à escola pra esvaziar os armários. Ele nunca mais jogou futebol oficialmente.

Eu devo ter caído no sono. Mais umas cabeças entraram, esperaram por uma resposta e saíram. Eu posso ter apagado. Me ocorreu que eu não precisava comer se não estava com fome. Isso se apresentou quase como uma revelação. Eu não tinha fome havia mais de uma semana. Eu conseguia lembrar de quando estava sempre com fome, constantemente.

Aí num dado momento a cabeça do Pemulis apareceu na porta, com aquele estranho topete matinal torres-gêmeas balançando no ar enquanto ele olhava pra trás pro corredor por cima de cada ombro. O olho direito dele estava ou trêmulo ou inchado por causa do sono; alguma coisa estava errada com aquele olho.

"Mmmiallou", ele disse.

Eu fingi proteger meus olhos da luz. "Salve lá, desconhecido."

Não é o estilo do Pemulis pedir desculpas ou se explicar ou se preocupar que você possa pensar mal dele. Nisso ele me lembrava o Mario. Essa falta de insegurança quase aristocrática não combina direito com o estropiamento neurastênico que ele sofre em quadra.

"Qualé aí?", ele disse, sem se afastar da porta.

Eu podia antever a minha pergunta de onde ele tinha se metido a semana toda levando a tantas respostas possíveis diferentes e a perguntas adicionais que a perspectiva era quase acachapante, tão enervante que eu mal conseguia dizer que estava só ali deitado no chão.

"Deitado aqui, só isso", eu lhe disse.

"Foi o que me disseram", ele disse. "O Petropolitano mencionou certa histeria."

Era quase impossível dar de ombros deitado em decúbito dorsal no carpete grosso. "Veja você mesmo", eu disse.

Pemulis entrou de vez. Ele se tornou a única coisa dentro daquele cômodo que se compreendia como algo basicamente vertical. Ele não estava com a melhor cara do mundo; estava com uma cor feia. Não tinha feito a barba, e uma dúzia de cerdinhas negras se projetava da bola do seu queixo. Ele dava a impressão de estar mascando chiclete mesmo quando não estava mascando chiclete.

Ele disse: "Pensando?".

"O contrário. Profilaxia doxástica."

"Se sentindo meio mal?"

"Podia estar pior." Eu revirei os olhos para ele.

Ele soltou uma abrupta oclusão glotal. Ele se moveu para a periferia do meu campo visual e se encaixou na emenda das duas paredes atrás de mim; eu ouvi que ele deslizava para adotar a postura agachada com apoio dorsal de que às vezes gostava.

O Petropolitano era Petropolis Kahn. Eu estava pensando na palestra cinematográfica final de *Homens de boa aparência em pequenos cômodos inteligentes...* e aí no infortúnio de C.T. no enterro de Sipróprio. A Mães fez enterrarem Sipróprio na sepultura tradicional da família dela na Província de L'Islet. Eu ouvi um gritinho e dois estrondos diretamente acima de mim. As minhas costelas se contraíram e se expandiram.

"Incster?", Pemulis disse depois de um tempo.

Uma coisa digna de nota foi que o morro de terra em cima de uma sepultura recém-ocupada parece aerado, crescido e macio, que nem um bolo.

"Hal?", Pemulis disse.

"Jawohl."

"A gente tem que fazer uma interface tipo superimportante, mano."

Eu não abri a boca. Havia respostas potenciais em excesso, tanto espirituosas quanto francas. Eu podia ouvir os topetes de Pemulis se esfregando em cada parede enquanto ele olhava para os dois lados, e o tênue som de um zíper pequeno com que alguém brincava.

"Eu estou aqui pensando que a gente podia ir pra algum lugar discreto e tipo interfacear legal."

"Eu sou um antena horizontal supersintonizada em você bem aqui mesmo."

"Eu estava dizendo que a gente podia ir alhures."

"Agora essa pressa toda, então?" Eu estava tentando fazer uma entonação meio judaico-materna, aquele sobe-desce-sobe melódico. "A semana inteira: não liga, não escreve. E agora me vem com essa pressa toda?"

"Andou vendo a tua Mâmis por aí?"

"Não vi ela a semana inteira. Pode apostar que ela está lá ajudando o C.T. a arrumar um lugar pros jogos." Parei. "Pra dizer a verdade, ele também eu não vi a semana inteira", eu disse.

"O Eskhaton não vai rolar", Pemulis disse. "O mapa está todo ferrado lá fora."

"A gente vai receber algum anúncio sobre os carinhas do Québec daqui a pouquinho, eu estou sentindo", eu disse. "Eu estou supersintonizado aqui nessa posição."

"Mas que tal a gente pular o análogo de salsicha e dar um pulinho lá no Steak & Sundae pra comer."

Veio uma pausa que era de esperar enquanto eu rodava uma árvore de reações. Pemulis estava zipando e dezipando alguma coisa com um zíper curto. Eu não conseguia decidir. Finalmente tive que escolher quase aleatoriamente. "Eu estou tentando não frequentar lugares com um & comercial no nome."

"Escuta só." Eu ouvi os joelhos dele rangerem no que ele se inclinava na direção do alto da minha cabeça. "Sobre o *tu-savez-quoi...*"

"O Pedê Pemê Pezê. O bacanal sintético. Definitivamente cancelado, Mike. O mapa está mais do que ferrado."

"Isso é uma parte dos motivos da nossa interface, se você literalmente se mexer daí."

Eu passei um minuto inteiro vendo o copo da NASA cair e subir. "Nem comece, M.M."

"Que começo?"

"A gente está num hiato, lembra. A gente está vivendo que nem muçulmanos xiitas nesses trinta dias que você miraculosamente loroteou o cara pra ele dar pra gente."

"Não foi a lorota que conseguiu isso aí, Inc, aí é que está."

"E agora, o quê, vinte dias a mais. A gente vai produzir uma urina igual de nenê de mulá, a gente concordou."

"Não é isso…", o Pemulis começou.

Eu peidei, mas não produzi muito barulho. Eu estava de saco cheio. Não conseguia lembrar quando o Pemulis tinha me deixado de saco cheio. "E eu não preciso que você me venha com uma retórica-de-tentação", eu disse.

Keith Freer apareceu na porta, apoiado no batente com os braços nus cruzados. Ele ainda estava usando o estranho macacão com que tinha dormido, que o fazia parecer alguém que rasgava listas telefônicas ao meio num showzinho de circo.

"Será que alguém tem alguma explicação pra ter carne humana na janela do corredor do andar de cima?", ele disse.

"A gente está conversando aqui", o Pemulis lhe disse.

Eu meio que sentei. "Carne?"

Freer me olhou lá de cima. "Eu não acho que isso seja motivo pra rir, Hal. Eu juro por Deus caralho que tem uma tripa de carne de testa humana na janela do corredor, e o que parece ser duas sobrancelhas e pedacinhos de nariz. E agora o Vara-Paul disse lá no saguão que viram o Stice saindo da enfermaria usando uma coisa que parecia de um filme do Zorro."

O Pemulis estava completamente vertical, de pé de novo; deu pra ouvir os joelhos dele no que ele levantou. "É tipo um tête-à-tête aqui, mano. A gente está aqui malocado mano a…"

"O Stice ficou grudado na janela", eu expliquei, deitando de novo de costas. "O Kenkle e o Brandt iam soltar ele com uma baldada faxineiral de água morna."

O Pemulis disse: "Como é que alguém fica grudado numa janela?".

"Bom pelo que parece parece que eles desgrudaram foi metade da cara dele da cabeça", o Freer disse, passando a mão na própria testa e estremecendo um pouco.

O focinho porcino de Kieran McKenna apareceu numa fresta sob o braço do Freer. Ele ainda estava com aquela faixa de gaze na cabeça toda por causa do crânio supostamente machucado. "Vocês chegaram a ver o Trevas? O Gopnik disse que ele está parecendo uma pizza de mussarela que alguém arrancou o queijo. O Gopnik disse que o Troeltsch está cobrando doisão pra neguinho ver." Ele saiu correndo na direção da escada sem esperar uma resposta, com o bolso loucamente tilintante. Freer olhou pro Pemulis e abriu a boca, aí aparentemente reconsiderou e saiu atrás do outro pelo corredor. Nós ouvimos alguns assobios sarcásticos pro macacão do Freer.

Pemulis ressurgiu no alto do meu campo de visão; seu olho direito estava definitivamente tremendo. "É disso que eu estou falando com a coisa de ir pra algum lugar discreto. Quando foi que eu te pedi instantemente pra dialogar, Inc?"

"Com certeza não nos últimos dias, Mike, isso é certo."

Houve uma pausa dilatada. Eu ergui as mãos diante do rosto e fiquei olhando o formato delas contra as luzes indiretas.

O Pemulis finalmente disse: "Bom, o que eu quero é comer antes de ter que ver o Stice sem a porra da testa".

"Coma uma imitação por mim", eu disse. "Me avise se rolar alguma coisa sobre o amistoso. Eu vou comer se tiver que jogar."

O Pemulis lambeu a palma da mão e tentou fazer os seus topetes se comportarem. Do meu ponto de vista ali ele estava bem no alto e de cabeça pra baixo. "Então você vai levantar, subir, se vestir e ficar num pé só com aquela ópera tocando em algum momento? Porque eu podia comer e subir depois. A gente pode dizer pro Mario que precisa de um mano-à-tête."

Agora eu estava formando uma jaula com as mãos e olhando a luz atravessar aquele objeto enquanto eu o rotacionava. "Cê me faz um favor? Pegue *Homens de boa aparência em pequenos cômodos inteligentes que utilizam cada centímetro do espaço disponível com uma eficiência estarrecedora* pra mim. É tipo o décimo segundo cartucho da esquerda pra direita na terceira prateleira de cima pra baixo na estante de entretenimento. Põe em coisa de 2300, 2350 de repente? Tipo os últimos cinco minutos mais ou menos."

"Terceira prateleira de cima pra baixo", eu disse enquanto ele olhava, batendo um pé. "Eles juntaram todos os de Sipróprio na terceira prateleira."

Ele ficou procurando. "*Fotos de ditadores famosos quando bebês? Diversão mordaz?* A *fusão anular é nossa inimiga?* Eu nem ouvi falar de metade dessas porras do teu pai aqui."

"É *amiga*, não *inimiga*. Ou etiquetaram errado ou borrou. E devia estar em ordem alfabética. Tinha que estar bem do lado de *Fluxo na caixa*."

"E eu usando o laboratório do coitado", o Pemulis disse. Ele botou o cartucho no player e ligou o monitor, com os joelhos estalando de novo quando se agachou pra colocar o filme em 2350. A tela imensa zumbia num tom grave que ascendeu quando ela começou a aquecer, a tela assumindo um aspecto azul leitoso como o do olho de um pássaro morto. Os pés do Pemulis estavam descalços e eu fiquei olhando pros calos dos calcanhares dele. Ele jogou o estojo do cartucho displicentemente num sofá ou poltrona atrás de mim e me olhou de cima. "Que porra que deve ser o tema de *Diversão mordaz?*"

Eu tentei dar de ombros, lutando contra o atrito do carpete. "Basicamente o que ele diz que é mesmo." O enterro tinha sido no dia 5 ou 6 de abril em St. Adalbert, uma cidadezinha construída em torno de instalações para armazenagem de tubérculos a menos de cinco km a oeste do Grande Recôncavo. Todo mundo teve que ir de avião via Terra Nova por causa do volume de lançamentos de deslocamento-de-resíduos naquela primavera. E as linhas aéreas comerciais ainda não tinham recebido os dados referentes aos níveis de dioxinas de alta altitude sobre o Recôncavo. As nuvens impediram que a gente visse grandes coisas do litoral de New Brunswick, o que me disseram que foi uma bênção. O que aconteceu no enterro propriamente dito foi simplesmente que uma gaivota circunvolante acertou uma carga branca bem na mosca do ombro do blazer azul do C.T., e que quando ele abriu a boca chocado com a bala no alvo, um grande pássaro de corpo azul entrou na boca dele e foi difícil de extrair. Várias pessoas riram. Não foi nada sério demais ou dramático. A Mães provavelmente riu mais que todo mundo.

O contador do TP pulsava e estalava, e o monitor floresceu. O Pemulis estava usando calça de paraquedista, gorro escocês e óculos sem lentes, mas nada de sapato. O cartucho começou pertinho do que eu queria rever, a palestra climática do protagonista. Paul Anthony Heaven, do alto dos seus cinquenta quilos, agarrado ao púlpito com as duas mãos pra você poder ver que ele não tinha polegares, aquelas meadas tingidas tristemente penteadas pra cima da careca e visíveis porque ele estava com a cabeça abaixada, lendo a palestra no tom monótono e mortiço da academia que Sipróprio adorava de paixão. O tom monótono foi a razão de Sipróprio ter usado Paul Anthony Heaven, um não profissional, oficialmente funcionário de processamento de dados da Ocean Spray, em toda obra que exigisse uma presença mortiça institucional — Paul Anthony Heaven também tinha representado o supervisor ameaçador de *Diga adeus ao burocrata*, o Comissário Estadual de Praias e Segurança Aquática de Massachusetts de A *navegação segura não se dá por acidente* e o auditor empresarial parkinsoniano de *Civismo de baixa temperatura*.

"Assim revela-se que a verdadeira consequência do Dilúvio foi o ressecamento, gerações de hidrofobia em escala pandêmica", o protagonista lia em voz alta. A *jaula*, de Peterson, estava passando numa tela grande atrás do púlpito. Diversas tomadas de alunos de graduação com a cabeça em cima da mesa, lendo sua correspondência, fazendo bichinhos de origami, cutucando o rosto com uma concentração vácua, estabeleciam que a palestra climática não estava parecendo tão climática assim para a plateia dentro do filme. "Nós assim nos tornamos, na ausência da morte como fim teleológico, ressecados nós mesmos, privados de certo fluido essencial, aridamente cerebrais, abstratos, conceituais, pouco mais que alucinações de Deus", o acadêmico lia num rumor mortal, sem que seus olhos jamais saíssem do texto no púlpito. Os críticos de cartuchos-de-arte e os acadêmicos que mencionam a presença frequente de plateias dentro dos filmes de Sipróprio, e argumentam que o fato das plateias serem sempre ou burras ou incapazes de apreciar o que veem ou vítimas de algum macabro revés em termos de entretenimento trai mais do que mera hostilidade de um "auteur" classificado como alguém tecnicamente virtuosístico mas narrativamente chato, desprovido de tramas, estático e não suficientemente interessante — os argumentos desses acadêmicos parecem sólidos até aí, mas eles não explicam o incrível páthos de Paul Anthony Heaven lendo aquela palestra para um grupo de garotos de cara morta que se cutucam e desenham rabiscos à toa, de aviões e genitálias, em seus cadernos universitários pautados, lendo uma merdarada entorpecentemente empolada[366] — "Pois ao passo que o *clinamen* e as *tessera* se esforçam por reviver ou revisar o ancestral morto, e ao passo que a *kenosis* e a *daemonizatio* ajam para reprimir a consciência e a memória do ancestral morto, é, por fim, a *askesis* artística que representa o embate em si, a batalha-até-a-morte com o morto amado" — num tom monótono tão narcotizante quanto uma voz tumular — e no entanto o tempo todo chorando, Paul Anthony Heaven, enquanto uma sala verticalizada cheia de garotos se ocupa de olhar a correspondência, o professor de estudos cinematográficos não soluçando nem enxugando o nariz na sua manga de tuíde mas silenciosamente chorando, muito inabaladamente, de modo que lágrimas escorrem pelo rosto esquálido de Heaven e se acumulam no seu queixo subapoiado e caem para fora do enquadramento, brilhando leves, abaixo da moldura do púlpito. Aí isso também começou a parecer familiar.

Ele no começo não tinha roubado, casas, o Gately, como drogado de período integral, embora às vezes afanasse pequenos bens de valor dos apartamentos das enfermeiras doidonas que ele X e com quem descolava amostras. Depois que pulou fora da escola, Gately trabalhou período integral para um corretor de apostas da North Shore, um cara que também tinha vários clubes de striptease pela Rte. 1 em Saugus, Branquinho Sorkin, que tinha meio que por acaso ficado amigo dele quando Gately ainda jogava futebol de alto nível. A sua associação profissional com Branquinho Sorkin continuou em meio período mesmo depois que Gately descobriu sua verdadeira vocação para ladrão de residências, embora ele tendesse cada vez mais à criminalidade não violenta, menos exigente.

Mas entre tipo seus dezoito e vinte e três anos, Gately e o supracitado Gene Fackelmann — um viciado em Dilaudid extremamente alto, de ombros encurvados, quadris largos, barriguinha prematura, esquisitamente priapístico e congenitalmente nervosinho, com um bigode morsento que parecia ter uma vida neurológica própria — os dois serviram como tipo agentes do campo do Branquinho Sorkin, pegando as apostas e ligando para transmiti-las para Saugus, entregando os ganhos e cobrando as dívidas. Nunca ficou claro para Gately por que o Branquinho Sorkin era chamado de Branquinho, porque ele passava um tempo do cacete embaixo de umas lâmpadas ultravioleta como parte de um regime esotérico de tratamento contra dor de cabeça em salvas e portanto tinha a coloração constante de meio que tipo um sabonete escuro, com quase a mesma cor e o perfil clássico tipo moeda-de-imperador do alegre dr. paquistanês que tinha dito a Gately no Hospital Nossa Senhora das Mercês em Beverly o quanto Erra Trriste mas a cirrose e o derrame cirrótico da sra. G. tinham-na deixado basicamente no nível neural de uma couve-de-bruxelas e aí lhe dado instruções para usar o transporte público até a ILP de Point Shirley.

Eugene ("Fax") Fackelmann, que tinha largado o sistema educacional de Lynn, MA, tipo com dez anos, tinha conhecido o Branquinho Sorkin através do mesmo assistente de farmacêutico eczemático e inclinado ao jogo que tinha de início levado Gately a Sorkin. Ninguém chamava mais Gately de Goizinho ou de Dochka. Ele era Don agora, desapelidadamente. Às vezes Donny. Sorkin se referia a Gately e a Fackelmann como as suas Torres Gêmeas. Eles eram mais ou menos os capangas de Sorkin. Só que nada mesmo a ver com os retratos dos capangas dos figurões do mundo do crime no entretenimento popular. Eles não ficavam impassivamente parados flanqueando Sorkin em reuniões na cena do crime nem acendiam o charuto dele nem o chamavam de "chefe" nem nada disso. Eles não eram guarda-costas. Pra dizer a verdade eles não ficavam assim tanto tempo fisicamente perto dele; normalmente eles contatavam Sorkin e o seu escritório e a secretária em Saugus via bipes e telefones celulares.[367]

E se eles de fato cobravam as dívidas para Sorkin, inclusive as difíceis (especialmente Gately), não é que Gately saísse por aí quebrando rótulas de devedores. Até a ameaça de violência coercitiva era bem rara. Em parte, só o tamanho de Gately e de Fackelmann já bastava para evitar que essas delinquências escapassem ao controle. E em parte o negócio era que todos os envolvidos normalmente se conheciam — Sorkin, os seus apostadores e devedores, Gately e Fackelmann, outros viciados (que às vezes apostam, ou com mais frequência lidavam com Gately e Fackelmann em nome de caras que jogavam), inclusive os caras do esquadrão Antijogo dos Homens da North Shore, muitos dentre os quais também às vezes apostavam com Sorkin porque ele dava um desconto especial de funcionário público para os policiais na sua comissão. Era tudo tipo a comunidade dele. Normalmente o trabalho de Gately nas dívidas não pagas ou nos juros atrasados era ir atrás do devedor em algum bar onde o cara assistia esportes por satélite e simplesmente informar a ele que a dívida estava ameaçando escapar do controle — fazendo que a própria dívida parecesse o delinquente — e que o Branquinho estava preocupado, e combinar algum acordo ou forma de pagamento com o cara. Aí o jovem Gately ia até o banheiro do bar e celularava para o Sorkin e pegava o o.k. dele para fosse qual fosse o acordo a que tinham chegado. Gately era tranquilo e afável e nunca disse palavras duras a ninguém, praticamente. Nem o Branquinho: boa parte dos devedores dele eram fregueses antigos e estáveis, e as linhas de crédito se estendiam por todo o território. Quase todas as raras situações de dívida que pediam tamanho e coerção física envolviam caras com problemas com o jogo, uns caras furtivos e meio patéticos viciados no barato da aposta, que se enfiavam nuns buracos e aí tentavam suicidamente sair com mais apostas, e que apostavam com vários corretores ao mesmo tempo, que mentiam e concordavam com planos de pagamento que não tinham intenção de cumprir, suicidamente apostando que iam conseguir manter todas as suas dívidas no ar até conseguirem se dar bem com a grande vitória que sempre tinham certeza que estava para chegar. Esses sujeitos eram dolorosos, porque normalmente Gately conhecia os devedores e eles se aproveitavam desse fato, imploravam, choramingavam e apertavam tanto o coração de Gately quanto o do Branquinho com histórias daqueles que amavam e de doenças terríveis. Eles ficavam ali sentados olhando nos olhos de Gately e mentiam e acreditavam nas próprias mentiras, e Gately tinha que ir lá telefonar com as mentiras e os dramalhões dos devedores e obter uma decisão explícita de Sorkin sobre acreditar ou não nelas, e o que fazer. Esses sujeitos foram a primeira exposição de Gately ao conceito do vício real e das coisas em que ele pode transformar uma pessoa; ele ainda não tinha feito a conexão desse conceito com as drogas, mesmo, a não ser os caras da coca e os que se picavam tipo profissionalmente, que naquela altura lhe pareciam tão furtivos e patéticos quanto os viciados em jogo, à sua maneira. Esses carinhas de dramalhões e mais uma chance por favor eram também os sujeitos que faziam o Branquinho passar o diabo em termos de emocionalmente, deixando o Sorkin com dores de cabeça em salvas e uma neuralgia craniofacial horrorosa, e a certa altura o Sorkin começou a acrescentar (à aposta original, juros e comissão do delinquente) taxas extras para cobrir sua ingestão de comprimidos de cafergot,[368] a luz UV e as visitas à Fundação Nacional de Dor Craniofacial de Enfield, MA. O uso dos punhos tamanho-pernil-assado de Gately e Fackelmann para efetiva coerção mão-na-massa era necessário apenas quando as mentiras e o buraco de um devedor compulsivo ficavam sérios a ponto do Sorkin se ver disposto a perder o cara como cliente no futuro. Meio que a essa altura, o objetivo comercial do Branquinho passava de alguma maneira a ser induzir o devedor viciado a quitar suas dívidas com Sorkin antes do devedor quitar suas dívidas com quaisquer outros corretores com que estivesse metido, o que significava para Sorkin que ele tinha que demonstrar ao vivo e em cores para o devedor que o buraco do Sorkin era o menos agradável de todos e de onde era mais importante sair. Bem-vindas, Torres Gêmeas. A violência precisava ser muitíssimo bem controlada e gradualmente progressiva tipo em estágios. A primeira rodada de incentivização tipo balde-de-água-fria — uma surrinha leve, de repente um ou outro dígito fraturado — normalmente cabia a Gene Fackelmann, não somente porque ele era a Torre Gêmea mais naturalmente cruel e até gostava bastante de colocar um dedinho na porta do carro, mas também porque ele tinha uma contenção que faltava a Gately: Sorkin descobriu que quando Gately começava a agredir fisicamente alguém era como se uma coisa feroz e descontrolada tomasse um tranco dentro daquele cara enorme e começasse a despencar morro abaixo por conta própria, e às vezes Gately não conseguia se fazer parar antes do devedor estar reduzido a uma condição em que não ia conseguir nem levantar a cabeça, que dirá levantar fundos, quando então não só Sorkin tinha que esquecer a dívida como o gigante do Donny ficava tão cheio de culpa e de remorsos que triplicava a ingestão de drogas e virava um inútil total por uma semana. Sorkin aprendeu a usar as suas Torres de maneira a maximizar o poder delas. Fackelmann ficava com o trabalho coercitivo leve da primeira rodada de cobrança de dívidas, mas Gately era melhor que o Fax para negociar pagamentos com os caras de modo a nem precisar chegar à violência. E havia uns certos casos mais duros, uns casos que deixavam Sorkin de cama com estresse craniofacial por dias a fio porque eram uns viciados tão ferrados que ou eles estavam tão atolados em dívidas ou tão afundados em tantos buracos que a crueldade peso-leve de Fackelmann não resolvia a situação. Num ponto extremo de alguns desses casos Sorkin chegava a ponto de se ver disposto a não contar mais não apenas com as futuras apostas do devedor mas também com o dinheiro devido; a certa altura o objetivo era minimizar futuros *outros* casos difíceis deixando bem claro que B. Sorkin era um corretor em cujo buraco você não podia flagrantemente ficar deitadão por meses seguidos sem sofrer uma desfiguração do caralho no teu mapa. Aqui de novo, nesse tipo de caso o morro interno da ferocidade descontrolada de Gately era superior ao sadismo fácil mas no limite raso de Fackelmann.[369]

B. Sorkin, como a maioria dos neuróticos psicossomatizantes, era rancoroso com os inimigos e extragerenoso com os amigos. Gately e Fackelmann recebiam 5% cada um da comissão de 10% que Sorkin cobrava de toda aposta, e Sorkin corretava mais de $200000 em toda a North Shore só numa semana de futebol profissional, e para a maioria dos jovens americanos desdiplomados 1000+ por semana pré-milenar garantiria uma vida bem tranquila, mas para a rígida agenda de necessidades físicas de narcóticos das Torres Gêmeas isso não dava nem 60% por semana. Gately e Fackelmann faziam bicos, e por um tempo separadamente — a carreira paralela de Fackelmann com RGs e cheques pessoais criativos, Gately trabalhando como segurança freelancer para grandes jogos de cartas e pequenas entregas de drogas — mas ainda antes deles serem uma dupla de verdade eles compravam como uma unidade, tipo juntos, as suas drogas, fora que bem de vez em quando tinha também o V. Nucci, cuja corda Gately também ocasionalmente segurava em missões claraboísticas em farmácias no meio da noite, sua introdução ao roubo doméstico propriamente dito. O fato de Gately ser um devoto do Percocet e do Bam-Bam e Fackelmann do Dilaudid, possibilitava que eles tivessem um nível elevado de confiança com as posses um do outro. Gately tomava as azuizinhas, que precisavam ser injetadas, mas só quando não tinha nenhum narcótico oral e ele estava tendo que encarar o princípio da Abstinência. Gately temia e desprezava agulhas e morria de medo do Vírus, que naqueles dias estava derrubando picadores pra tudo quanto era lado. Fackelmann cozinhava o pó para Gately, lhe atava o cinto e deixava Gately olhar atentamente enquanto ele rasgava a embalagem de uma seringa novinha e o cartucho da agulha que Fackelmann conseguia com um RG falso para comprar Iletin[370] na saúde pública para diabetes mellitus. A pior coisa do Dilaudid para Gately era que a passagem da hidromorfona pela barreira hematoencefálica criava uma terrível alucinação mnemônica de cinco segundos em que ele era um bebezão pantagruélico dentro de um bercinho Fisher-Price XXG num campo de areia sob um céu com nuvens de tempestade que se inflava e retrocedia como um grande pulmão cinzento. Fackelmann afrouxava o cinto, se afastava e ficava vendo os olhos de Gately revirarem enquanto ele começava a suar malarialmente e encarava o céu respirítico imaginário ao mesmo tempo que suas manzorras esganavam o ar à frente exatamente como um bebê sacode as barras do berço. Aí depois de coisa de cinco segundos o Dilaudid atravessava e batia, e o céu parava de respirar e ficava azul. Um sono de Dilaudid deixava Gately mudo e empapado por três horas.

Além da coceira enlouquecedora atrás dos olhos, Fackelmann não gostava de narcóticos orais porque dizia que eles lhe davam uma vontade horrorosa de comer açúcar que o seu peso imenso, corcovado e molão não tolerava encarar. Não exatamente a nau mais veloz da esquadra de Sua Majestade em termos tipo de miolos e tal, Fackelmann resistia quando Gately apontava que o Dilaudid também deixava Fackelmann com uma vontade horrorosa de comer açúcar, assim como praticamente tudo por aí. A verdade pura e simples era que Fackelmann simplesmente gostava pacas de Dilaudid.

Aí o bom e velho Trent Kite tomou um pé na bunda administrativo da Salem State, que lhe informou que ele nunca ia estudar de novo naquele ramo, e Gately trouxe Kite para o grupo, Kite preparou uns Mandrakes das antigas para uma festinha de boas-vindas, Fackelmann apresentou Kite ao Dilaudid versão farmacêutica e Kite achou um novo amigo pra toda a vida, ele disse; e Kite e Fackelmann logo se meteram no golpe de RGs e histórico-de-crédito-e-apartamentos-mobiliados-de-luxo, em que a essa altura Gately se envolvia basicamente só como um hobby, preferindo o roubo descarado e noturno à fraude, que fraude tendia a envolver falar com as pessoas de quem você roubava, o que Gately achava repugnante e meio constrangedor.

Gately estava na Ala de Trauma com uma dor infeccionada terrível, tentando Aguentar entre as ondas de desejo de alívio lembrando uma tarde atordoantemente branca logo depois do Natal, quando Fackelmann e Kite estavam se livrando de uma parte da mobília de um apartamento mobiliado e Gately estava matando tempo no apartamento plastificando umas carteiras de motorista falsas do estado de MA encomendadas às pressas por uns garotos riquinhos da Academia Philips Andover[371] para o que acabou sendo a última Véspera de Ano Novo do Tempo Insubsidiado. Ele estava de pé diante de uma tábua de passar roupa no apartamento àquela altura já basicamente desmobiliado, passando a ferro o plástico de autorizações fajutas, vendo a boa e velha U. Boston jogar contra o Clemson no Ração-K-Nina-Magnavox-Seguros-Kemper Forsythia Bowl num HDV desajeitado de primeira geração da InterLace pendurado na parede nua, sendo o monitor de alta definição agora sempre o último item de luxo a ser passado para a frente. A luz do dia de inverno que atravessava as janelas da cobertura era deslumbrante e caía sobre a grande tela plana do monitor e fazia os jogadores parecerem descorados e fantasmáticos. Do outro lado das janelas, lá longe, estava o O. Atlântico, cinza e fosco de sal. O punter da BU era um carinha aqui de Boston que os locutores não paravam de lembrar que tinha simplesmente aparecido num treino e era uma história inspiradora porque nunca tinha participado de nenhum esporte de prestígio até chegar à universidade e agora já era um dos maiores especialistas em punts da história da NCAA, e tinha potencial para ver garantida uma carreira basicamente ilimitada no futebol profissional se se dedicasse e mantivesse sua meta em mente. O punter da BU era dois anos mais novo que Don Gately. Os grandes dígitos de Gately mal se encaixavam em volta do cabo emborrachado do ferro, e ficar dobrado sobre a tábua de passar lhe dava uma dor na parte de baixo das costas, e ele não tinha comido nada que não fosse frito e tivesse saído de uma embalagem de plástico em tipo uma semana, e o fedor do plástico quente sob o ferro era de doer, e a carona quadrada dele ia se derrubando cada vez mais enquanto ele encarava a fantasmática imagem digital do punter até se ver começando a chorar que nem

935

criancinha. Aquilo veio do meio do nada emocional e totalmente de repente, e ele se viu babando pela perda do futebol organizado, seu único talento e seu único outro amor, pela sua própria estupidez e falta de disciplina, aquela porra daquela merda daquele *Ethan From*, o Sir Hose da Mãe e aquela vegetabilização e o fato dele não ter ido visitar ainda depois de quatro anos, se sentindo de repente pior que a mosca do cocô do cavalo do bandido, parado na frente de plástico quente, quadradinhos de Polaroid e letrinhas adesivas do Dep. de Trâns. para uns caras ricos e louros, sob a chamejante luz do inverno, chorando entre o fedor fraudulento e o vapor das lágrimas. Foi dois dias depois disso que ele foi preso por atacar um leão-de-chácara com o corpo inconsciente de outro leão de chácara, em Danvers, MA, e três meses depois disso que ele foi para a Segurança Mínima de Billerica.

Rumo ao Estoque, com o olho trêmulo e verificando os dois lados atrás de si enquanto vem, dobrando a curva do corredor do Subdormitório B com a sua varinha e o banquinho sólido com forma de frusto, Michael Pemulis vê que pelo menos oito painéis do forro do teto de alguma maneira caíram dos seus vigotes de alumínio e estão no chão, alguns deles quebrados daquele jeito incompleto e tipo dobradiça em que as coisas que contêm tecidos se quebram — inclusive o painel relevante. Não há tênis velho em evidência no piso no que ele empurra os painéis para chantar o banco, com a sua incrivelmente potente lanterninha Bentley-Phelps entre os dentes, olhando para a escuridão por entre a treliça dos vigotes.

Dada a histórica propensão do Fac-símile para golpes fraudulentos, era impressionante para Gately que ele nunca tivesse ficado sabendo que Fackelmann estava passando fraudulentamente a perna no Branquinho Sorkin de tudo quanto era jeito pequenininho praticamente desde o começo, e nem sequer descobriu também até o golpe nem de longe pequenininho com o Bill Anos-Oitenta e o Bob Anos-Sessenta, que aconteceu durante os três meses em que Gately estava numa condicional que Sorkin tinha generosamente bancado. A essa altura Gately tinha se apaixonado por duas lésbicas viciadas em cocaína farmacêutica que tinha conhecido na academia fazendo abdominais de cabeça pra baixo penduradas na barra (as lésbicas, não Gately, que era estritamente supino, rosca e agachamento). Essas moças vigorosas tinham uma empresa algo intrigante de faxineiras-e-copiadoras-de-chaves-para-roubos-ulteriores em Peabody e Wakefield, e Gately tinha começado a afanar mercadorias pesadas e a passar a mão em veículos 4×4 para elas, roubos de verdade e período-integral, na medida em que o seu gosto até pela ameaça da violência diminuía por conta do remorso dos danos leão-de-chacarais que tinha infligido naquele bar de Danvers depois de apenas sete Hefenreffers e de um comentário inocente sobre a inferioridade dos Minutemen de B-S em relação aos Roughriders de Danvers; e Gately foi deixando uma parcela cada vez maior do trabalho de transferência-e-cobrança de Sorkin para

Fackelmann, que a essa altura tinha voltado aos narcóticos orais motivado pelo medo do Vírus e parou de resistir à vontade de comer açúcar que ele associava aos narcóticos orais e ficou tão gordo e tão mole que a frente da camisa dele parecia um acordeão quando ele sentava para comer M&M's de amendoim e pegava no sono, e agora também para um cara sujeiraça com quem Sorkin recentemente tinha feito amizade e que pôs para trabalhar, um garoto meio punk de cabelo fúcsia lá da Harvard Square com um físico de tronco e uns olhinhos pretos e redondos que não piscavam, um picador de rua à moda antiga conhecido pela alcunha de Bobby C ou simplesmente "C", e que gostava de machucar os outros, o único viciado em heroína EV que Gately tinha encontrado que realmente preferia a violência, sem nada de lábios, com um cabelo roxo em três grandes torres verticais, uns pedacinhos raspados entre os pelos do antebraço — de viver testando o gume da faca da bota —, uma jaqueta de couro com bem mais zíperes do que jamais seria necessário na vida e um brinco pré-elétrico que pendia comprido e era um crânio que urrava em chamas folheadas a ouro.

Gene Fackelmann estava, afinal, havia anos passando fraudulentamente a perna nas corretagens de apostas do Branquinho de tudo quanto era jeito de que Gately e Kite (segundo o Kite) não sabiam. Normalmente era alguma coisa tipo o Fax pegando as apostas mais tresloucadas com apostadores marginais que o Sorkin não conhecia bem e não passando os dados por telefone para a secretária do Sorkin, e aí, quando o tresloucado perdia, cobrava o grosso e a comissão[372] do apostador e mocozava tudo sozinho. Gately tinha achado aquilo depois que descobriu aquilo um risco tipo suicida, já que se algum daqueles tresloucados um dia *ganhasse* o Fackelmann seria responsável por pagar ao apostador o que ele ganhou do "Branquinho" — o que significava que seria o Sorkin a ouvir as reclamações se o Fackelmann não aparecesse com o $ por conta própria para dar ao apostador — e os custos farmacológicos do grupo todo ali significavam que eles sempre existiam nos limites absolutos da liquidez, pelo menos era o que Gately e Kite (segundo o Kite) sempre acharam. Foi só quando o mapa de Fackelmann tinha sido ao que parecia eliminado de vez e o Kite voltou do seu longo eato e o Gately e o Kite estavam juntando as coisas do falecido Fackelmann para rachar os bens de valor e jogar o resto fora, e Gately encontrou, grudados com durex na parte de baixo do estojo de armazenamento de cartuchos pornográficos de Fackelmann, mais de $22 000 em cédulas novinhas da ONAN, só então Gately percebeu que Fackelmann tinha graças a uma férrea determinação mantido guardada uma reserva de pagamento de grosso exatamente para uma possibilidade dessa tipo na-pior-das-hipóteses. Gately rachou esse $ fackelmanniano recém-descoberto com o Trent Kite, e aí mas foi lá e entregou a sua metade ao Sorkin, dizendo que foi tudo que eles encontraram. Não que ele tivesse entregado a sua metade ao Sorkin por algum tipo de medo — Sorkin teria lamentavelmente mandado aquele C e o pessoalzinho homocanadôncio que ele usava desmapearem ele, Gately, também, além de Fackelmann, se suspeitasse que Gately fazia parte do golpe do Fax — mas por uma culpa causada por ter sido tão sem-noção sobre o seu chapa Torre Gêmea ter ferrado o Sorkin depois de o Sorkin ter sido tão neurastenicamente hipergeneroso

937

com os dois, e porque a traição de Fackelmann tinha acabado machucando o Sorkin e lhe causado tanto sofrimento psicossomático que ele tinha passado uma semana inteira de cama em Saugus no escuro com uns oclinhos tipo Cavaleiro Solitário, tomando VO e Cafergot e agarrando o crânio e a face traumatizados, se sentindo traído e abandonado, ele tinha dito, com toda a sua fé abalada no animal humano, ele tinha chorado para Gately no celular, depois que tudo veio à tona. No final das contas, Gately deu a sua metade do $ secreto de Fackelmann a Sorkin basicamente para tentar dar uma animada no Sorkin. Para ele ver que alguém pensava nele. Ele também fez isso pela memória de Fackelmann, que ele estava lamentando a morte horrenda de Fackelmann ao mesmo tempo que o amaldiçoava por ter sido um mentiroso e um rato. Era um período de confusão moral para Don G., e a sua metade do $ post-mortem lhe pareceu o melhor que ele podia fazer em termos de tipo um gesto. Ele não abriu que o Kite estava com toda a outra metade, que o Kite gastou a sua metade do $ em discos piratas do Grateful Dead e numa unidade refrigeradora-semicondutora portátil para a placa mãe do seu DEC 2100 que aumentou a sua capacidade de processamento para 32 mb^2 de RAM, praticamente a mesma de uma subestação-disseminadora da InterLace ou de uma Central de telefonia celular da Bell NNI; ainda que não tenha levado dois meses para ele penhorar o DEC e enfiar a grana na veia e virar um viciado em Dilaudid tão morro-íngreme-abaixo que quando assinou contrato como novo parceiro de confiança para os roubos de Gately depois que Gately saiu de Billerica o outrora-portentoso Kite não conseguia nem desativar um alarme ou fazer um *shunt* num relógio de luz, e Gately se viu na posição de cérebro da equipe, que isso era já uma marca da sua própria decadência em ângulo obtuso ele não ter ficado mais nervoso com isso.

A enfermeira que tinha esguichado no cólon dele enquanto Gately chorava de vergonha agora voltou ao quarto com um dr. que Gately nunca tinha visto na vida. Ele fica ali com os olhos sumidos por causa da dor e dos esforços para Aguentar via memória. Um olho está coberto por uma película borrada tipo meleca-de-sono que não sai nem piscando nem esfregando. O quarto está cheio de uma luz vespertina invernal lamentosa e acobreada. O dr. e a linda enfermeira estão fazendo alguma coisa no outro leito do quarto, prendendo algo metalmente complexo que saiu de um estojo grande não muito diferente de uma caixa de prataria-de-mesa-de-qualidade, com entranhas moldadas de veludo para acomodar varas de metal e dois semicírculos de aço. O intercomunicador faz ding. O dr. está com um bipe no cinto, um objeto com associações ainda menos salutares. Gately não estava exatamente dormindo. O calor da sua febre pós-op. faz com que seu rosto pareça esticado, como se estivesse perto demais de uma fogueira. O lado direito do seu corpo se acomodou numa dor nauseabunda como a de uma virilha que tomou um chute. A frase favorita de Fackelmann era *"Isso é uma mentira vil!"*. Ele usava a frase em resposta a praticamente qualquer coisa. O bigode dele sempre parecia estar se preparando para sair rastejando do lábio. Gately sempre desprezou barbas em geral. O ex-PN tinha um grande bigodão grisalho-alourado que ele encerava para formar dois chifres pontudos de novilho.

O PN era vaidoso com o bigode e passava um tempo imenso aparando, penteando e encerando aquele bigode. Quando o PN apagava, Gately gostava de ir bem quietinho e delicadamente puxar as laterais endurecidas e enceradas do bigode para formar ângulos doidos e tortos. O terceiro e novo agente de campo de Sorkin, C, dizia que colecionava orelhas e tinha uma coleção inteira de orelhas. Bobby C com aqueles olhos sem brilho e a cabeça chata deslabiada, como um réptil. O dr. era um desses Drs. Aprendizes residenciais que parecem ter coisa de doze anos, esterilizados e arrumadinhos até ficarem com um brilho rosa-fraco. Ele irradiava a animação exultante que eles ensinam os drs. a irradiar sobre você. Tinha um corte de cabelo infantil, com pega-rapaz e tudo, e aquele pescocinho magro nadava frouxo no colarinho do jaleco branco de dr., e o protetor de bolso para as canetas do bolso e os óculos corujentos que ele ficava empurrando pra cima, junto com o pescocinho, deram a Gately a súbita sacada de que quase todos os drs., PPAs, DPs, OCs e analistas, as figuras de autoridade mais temidas na vida de um viciado em drogas, que esses caras vinham das fileiras de gente de pescocinho de lápis dos mesmos nerdzinhos sem queixo que os viciados em drogas normalmente desprezavam, humilhavam e agrediam, quando eram crianças. A enfermeira ficava tão atraente naquela luz cinza e com o borrão de meleca que era quase grotesco. Os peitos dela eram de um tal jeito que ela ficava com aquela fendinha de decote mesmo por cima do uniforme de enfermeira, que não era tipo uma coisa decotada e tal. O decote leitoso que sugere peitos que são duas bolas de sorvete de creme que essas meninas tipo-saudável provavelmente todas têm. Gately se vê forçado a confrontar o fato de que nunca, jamais ficou com uma menina saudável de verdade, nem mesmo nem com uma menina com algum grau de sobriedade. E aí quando ela se estica bem para soltar um parafuso em algum tipo de placa meio de aço na parede em cima da cama vazia tipo a barra do uniforme dela se recolhe lá para o norte de modo que as exuberantes curvas violinísticas da meia branca na parte de cima da parte de dentro das pernas dela dentro do algodão *LISLE* branco ficam visíveis numa silhueta iluminada por trás, e uma *ENLEVANTE* luz triste da janela brilha por entre as pernas dela. A sexualidade crua e saudável da coisa toda só falta deixar Gately nauseado de desejo e de piedade dele mesmo, e ele quer desviar a cabeça. O jovem dr. também está encarando o alongamento flexível e a barra que recua, sem nem fingir ajudar com o parafuso, errando quando vai empurrar os óculos de modo que acaba se espetando na testa. O dr. e a enfermeira trocam várias amostras de uma linguagem médica técnica pacas. O dr. derruba a prancheta duas vezes. A enfermeira ou não percebe nada da tensão sexual no quarto porque passou a vida toda como o olho de um furacão de tensão sexual, ou simplesmente finge não notar. Gately tem quase certeza que o dr. já tocou umas diante da imagem mental dessa enfermeira e se sente enojado por simpatizar totalmente com o dr. Seria tensão sexual *CIRCUM-AMBIENTE*, seria a palavra-fantasma. Gately nunca nem deixou uma mulher não saudável tipo doidona entrar no banheiro por pelo menos uma hora depois dele ter dado um cagão ali dentro, de vergonha, e agora essa criatura nauseante e circum-ambiente com aquela seringa de Lacto-Purga e aquelas mãos macias tinha provocado a vinda de um bolo frouxo e patético do ânus do Goizinho Gately, ânus este que ela então tinha visto bem de pertinho, produzindo uma cagada.

Gately nem se liga que está caindo uma nevinha bocó meio cuspida lá fora até se forçar a desviar a cabeça da janela e da enfermeira. O teto está latejando um pouco, como um cachorro com calor. A enfermeira tinha lhe dito, de trás, que o nome dela era Cathy ou Kathy, mas Gately quer pensar nela somente como a enfermeira. Ele pode sentir o próprio cheiro, um cheiro que parece de salame deixado ao sol, e sentir um suor gorduroso que lhe escorre por todo o crânio, o queixo não barbeado contra a garganta, e o tubo grudado na boca está grudento com a gosma do sono. O travesseiro ralo está quente e ele não tem como virá-lo para o lado fresco. É como se seu ombro tivesse criado testículos próprios e cada vez que o coração batesse um cara bem pequenininho desse um chute nos tais testículos. O dr. vê Gately abrir os olhos e diz para a enfermeira que o paciente que levou o tiro está semiconsciente de novo e se ele tem algum remédio agendado para a tarde. A neve está leve; ela soa como alguém jogando punhadinhos de areia na janela bem de longe. A enfermeira fatal, ajudando o dr. a prender algum tipo de coisa esquisitona de aço que parece um aparelho ortopédico com o que parece uma auréola de metal que eles montaram das partes que saíram do estojão, prendendo a coisa toda na cabeceira da cama e numas plaquinhas de aço sob o monitor cardíaco da cama — parece meio que a parte superior de uma cadeira elétrica, ele pensa — a enfermeira olha para baixo em pleno alongamento e diz Oi sr. Gately e diz O sr. Gately é alérgico e não toma remédios a não ser antipiréticos e Toragesic no soro dr. Pressburger não é mesmo sr. Gately seu alergicozinho mais corajosinho. A voz dela é de um jeito que dá pra você imaginar direitinho como ela ia soar sendo X-ada e gostando. Gately sente nojo de si próprio por ter dado um cagão na frente desse tipo de enfermeira. O nome do dr. tinha soado bem tipo "Pressburger" ou "Prissburger", e Gately agora tem certeza de que o coitado desse mané tomava surras diárias de sinistros futuros viciados em drogas, quando era novo. O dr. está perspirando envolvido pela sexualidade ambiente da enfermeira. Ele diz (o dr.) Mas e ele está entubado por que se está consciente e ventilando sozinho e está no soro. Isso enquanto o dr. está tentando parafusar a própria auréola ao topo da coisa meio aparelho ortopédico com uns parafusos sextavados, com um joelho em cima da cama e se esticando tanto que uma parte da parte superior vermelha e macia da sua bunda aparece por cima do cinto, sem conseguir aparafusar aquilo, sacudindo a auréola de metal como se fosse culpa dela ser teimosa, e até deitado ali Gately consegue ver que o cara está girando os parafusos sextavados para o lado errado. A enfermeira se aproxima e coloca uma mão fresca e macia na testa de Gately de um jeito que faz a testa querer morrer de vergonha. O que Gately pode pegar do que ela diz para o dr. Pressburger é que eles tinham receio de que Gately pudesse estar com um fragmento do projétil desconhecido que o invadiu, atravessado ou perto da sua traqueia alguma-coisa inferior, já que ele tinha sofrido um trauma alguma-coisa-com-sete-sílabas-que--começava-com-*Esterno*, ela disse que os resultados da radiologia não eram definitivos mas geravam dúvidas e que alguém chamado Pendleton tinha mandado deixarem um vaporizador sifuncular de 16 mm com 4 ml de Fluimucil[373] 20% de 2/2h só para evitar uma hemorragia ou um corrimento mucoidal, só para garantir. As partes disso tudo que Gately não entende ele simplesmente não liga. Ele não quer nem saber disso do corpo dele *ter* alguma porra de uma coisa com sete sílabas. A enfermeira horrorizante limpa o rosto de Gately o quanto pode com a mão e diz que vai tentar encaixar um horário para um banho de esponja nele antes de acabar o turno dela às 1600h, possibilidade que trava Gately de pavor. A mão da enfermeira cheira a loção para mãos e corpo marca Beije Meu Rosto, que a Pat Montesian também usa. Ela diz para o coitado do dr. deixar ela dar uma tentada com o suporte craniano, é sempre complicado parafusar essas coisas. O sapato dela é daqueles sapatos subaudíveis de enfermeira que não fazem ruído, de modo que parece que ela desliza para longe da cama de Gately em vez de se afastar andando. Suas pernas não ficam visíveis até ela chegar a uma certa distância de distância. O sapato do dr. faz um rangido úmido no pé esquerdo. O dr. parece que não dorme direito faz coisa de um ano. Tem uma leve aura de drinas de farmácia no cara, do ponto de vista de Gately. Ele caminha rangente ao pé da cama olhando a enfermeira torcer os parafusos da cama e empurra os óculos corujentos para cima e diz que Clifford Pendleton, por mais que seja ás no golfe, é um ontário pós-traumático, que Fluimucil vaporizado é pra (e aqui a voz dele deixa bem claro que ele está recitando de memória, tipo pra se mostrar) muco anormal, viscoso ou espessado, e não pra edema ou hemorragias potenciais, e que a própria entubação sifuncular de 16 mm já foi especificamente desacreditada como profilaxia para edemas intratraqueais na penúltima edição trimestral do *Trauma Mórbido* como algo tão diametralmente invasivo que tinha mais chances de exacerbar que de aliviar a hemoptise, segundo alguém que ele chama de "Laird" ou "Lerdo". Gately está ouvindo com a atenção concentrada e não compreensiva de tipo uma criança cujos pais estão discutindo algo adultamente complexo sobre criação de filhos na sua frente. A condescendência com que Prissburger insere que *hemoptise* significa ter algo chamado "hemorragia pertussiva", como se Kathy a enfermeira não fosse profissa o suficiente pra ele não ter que ficar inserindo explicaçõezinhas técnicas, deixa Gately triste pelo cara — é óbvio que o carinha pateticamente acha que esse tipo de merda mané e condescendente vai impressionar a enfermeira. Gately é obrigado a admitir que ele ia ter tentado impressionar a enfermeira talvez, se ela não o tivesse conhecido enquanto segurava uma cuba em formato de rim sob o seu ânus ativo. A enfermeira acabou de embalar as partes da coisa tipo suporte que o dr. não conseguia dar jeito de prender, enquanto isso. Ela estava dizendo que o dr. parecia superatualizadão sobre a metodologia de alguma coisa chamada 2R, enquanto eles iam saindo, e Gately percebeu que o dr. não percebeu que ela estava sendo um pouco sarcástica. O dr. estava se virando para tentar carregar o estojo da coisa, que Gately julga que deve pesar pelo menos 30 kg. Lhe ocorre assim diretamente pela primeira vez que o verdadeiro motivo de Stavros L. contratar os caras para a limpeza do abrigo entre os residentes de casas de recuperação era que assim ele não precisava se incomodar em pagar merrecas, e que ele (Don G.) deve certamente em algum nível ter sabido disso o tempo todo mas deve ter estado em algum tipo de Negação quanto a confrontar isso assim diretamente, que ele estava sendo fodido por Stavros o sapatólatra, e que a palavra *enlevante* tinha certamente sido outra palavra espectral invasiva, e aí agora também que ninguém parece exatamente estar correndo para ir buscar o papel e a caneta que certamente pareceu que a Joelle van D. tinha entendido que Gately estava pedindo com mímica, e que assim de repente a visita de Joelle e a sessão de fotos do álbum tinham sido tão alucinação febril quanto o espectro figurantado, e que tinha parado de cuspir nevinha mas as nuvens lá fora ainda estavam com cara de poucos amigos lá fora sobre Brighton-Allston, e que se a visita íntima de Joelle v.D. com o álbum de fotos era uma alucinação que pelo menos significava que era uma alucinação ela estar usando a porra da calça de universitário do Ken Erdedy, e que a tristeza em contra-plongé da luz matinal vespertina nublada significava que devia ser bem perto de 1600h horário da Costa Leste de forma que de repente Lá Pela Graça ele podia evitar de repente de ficar incontrolavelmente teso tomando banhinho pelado com a esponja da horrendamente atraente K/Cathy e mas ainda podia ganhar um banho de esponja daquela substituta brucutu dela, porque o cheiro azedo de carne que ele estava soltando era uma coisa feia, só de repente escapar do risco de entesamento e levar umas esponjadas da enfermeira grandalhona e com verrugas peludas do turno das 1600-2400h de meia de compressão, para quem o ânus de Gately era um desconhecido. Fora que 1600h da Costa Leste era hora de Disseminação-Espontânea do Sr. Pula-Pula, o apresentador de programa de criancinha totalmente demente que Gately sempre adorou e fazia tudo que podia com Kite e o coitado do Fackelmann para estar em casa e fundamentalmente alerta para ver, e que ninguém jamais se ofereceu para ligar o monitor HD que fica pendurado perto de uma gravura míope imitação de Turner com neblina e um barco na parede diante de Gately e da ex-cama do garoto, e que ele não tinha um controle remoto para ou ativar o TP às 1600 ou pedir para alguém ativar. Que sem algum tipo de caderno e lápis ele não conseguia comunicar nem a mais basiquíssima das questões ou tipo um conceito pra ninguém — era como se ele fosse uma vítima vegetada de um derrame hemorrágico. Sem um lápis e um caderno ele aparentemente não conseguia nem transmitir o pedido de um caderno e lápis; era como se ele estivesse preso dentro da sua imensa cabeça tagarela. A não ser, aponta então sua cabeça, que a visita de Joelle van Dyne tivesse sido real e a compreensão dela do gesto de caneta-e-caderneta tivesse sido real, e mas alguém lá fora de chapéu no corredor ou no escritório do presidente do Hospital ou no posto de enfermagem com os seus brownies M.-Hanley canfescados também tivesse canfescado o pedido de artefatos de escrita, por solicitação dos Homens, pra ele não poder acertar a sua estória com ninguém antes deles virem pegá-lo, que fosse tipo uma coisa para amaciar o sujeito pré-interrogatório, que eles estivessem deixando ele preso em si próprio, figurante, mudo, imóvel e inexpressivo como a senhorinha catatônica da Casa largada úmida e pálida na cadeira ou a irmã do reino vegetal da menina adotada do Grupo Básico Avançado, ou todo aquele pessoalzinho catatônico lá do Depósito da nº 5 do HSPME, calados e com uma cara amortecida mesmo tocando uma árvore

942

ou sustentados de pé entre fogos que estouravam no jardim. Ou o filho inexistente do espectro. Tem que ser mais de 1600h, em termos de luz, a não ser que são as nuvens que estão baixando. A visibilidade é de cerca de 0% ou menos do outro lado da janela incrustada de neve fina. A luz da janela que penetra no quarto está escurecendo para aquele tom de Pepto-Bismol que sempre marcou o momento logo-antes-do-pôr--do-sol do dia que Gately (como quase todos os viciados em drogas) sempre mais temeu, e quando ele sempre ou baixava o capacete e atacava extra-homicidamente alguém para bloquear (o pavor do fim do dia), ou tomava Mandrake ou narcóticos orais, ou ligava o Sr. Pula-Pula extra-alto, ou se atarefava com o chapéu bocó de chef na cozinha da Ennet, ou fazia questão de estar numa Reunião sentado bem na frente na região de enxergar poros nasais, para bloquear (o pavor do fim do dia), o pavor fim--de-tarde da luz cinzenta, sempre pior no inverno, o pavor, na luz aguada do inverno — exatamente como o pavor secreto que ele sempre sentiu toda vez que alguém por acaso saía do cômodo e o deixava sozinho num cômodo, um pavor terrível de afundar o estômago, que provavelmente data lá de antigamente quando ele ficava sozinho com o pijama XXG e o bercinho embaixo de Herman o Teto Que Respirava.

Ocorre a Gately que este exato momento agora é bem como quando ele era pequenininho e a Mãe dele e o seu companheiro estavam os dois apagados ou coisa pior: por mais que pudesse ficar com medo ou em pânico ele agora de novo não consegue fazer ninguém vir ou ouvir ou nem sequer *saber* disso tudo; o tubo desacreditado para prevenir sangramentos viciosos ou empiçados na sua traqueia duvidosa o deixou completamente Só, pior que uma criancinha que pelo menos podia berrar e uivar, sacudindo as barras do cercadinho aterrorizada pelo fato de nenhuma pessoa alta estar em condições de ouvi-la. Fora que essa hora pavorosa de luz fraca e cinza de fim de dia é a hora, foi a hora em que o espectro triste e com roupa de nerd apareceu ontem. Isso se fosse ontem. Isso se fosse um espectro de verdade. Mas o espectro, com a sua Coca chinoca e as suas teorias de velocidade post-mortem, tinha conseguido interfacear com Gately sem auxílio de fala ou de gesto ou de Bic, por isso que mesmo surtado Gately tinha que admitir para si próprio que devia ter sido uma alucinação, um sonho febril. Mas ele tem que admitir que ele meio que tinha gostado. Do diálogo. Do toma-lá-dá-cá. Do jeito que o espectro tinha de ver por dentro dele. O jeito dele ter dito que as melhores ideias de Gately eram na verdade comunicados enviados pelos mortos pacientes que Aguentavam. Gately fica pensando se o seu pai orgânico, o ferreiro, de repente agora não está morto e dando as caras e ficando bem paradinho de vez em quando para um comunicado. Ele se sentiu um pouquinho melhor. O teto do quarto não estava respirando. Ele estava lá plano como uma placa de gesso, ondulando só um tanto com os vapores de petróleo da febre e do cheiro do próprio Gately. Aí borbulhando do meio do nada de novo ele de repente confronta lembranças extremamente nítidas do último fim de Gene Fackelmann e do envolvimento de Gately e de Pamela Hoffman-Jeep no fim de Fackelmann.

Gately, por vários meses antes de puxar a sua cana Estatal por agressão, esteve desastrosamente envolvido com uma certa Pamela Hoffman-Jeep, a sua primeira

943

mulher com um hífen, uma espécie de moça de Danvers chique mas sem rumo e não muito saudável e pálida e incrivelmente passiva que trabalhava no Dep. de Aquisições de uma cia. de equipamentos hospitalares em Swampscott e era bem definitivamente alcoólica e tomava coquetéis coloridos com guarda-chuvinhas em clubes da Rte. 1 no fim da tarde até desvanecer e apagar com um baque forte. Era assim que ela dizia — *"desvaneci"*. Os desvanecimentos e os desmaios com um baque forte de quando a cabeça dela batia na mesa eram coisa praticamente de toda noite, e Pamela Hoffman-Jeep se apaixonava automaticamente por qualquer homem que ela definisse como "cavalheiresco"[374] o bastante para carregá-la até o estacionamento e levá-la para casa sem estuprá-la, estupro este de uma mulher inconsciente e de cabeça pendente que ela definia como *"Se Aproveitar"*. Gately foi apresentado a ela por Fackelmann, que uma vez enquanto ele atravessava para chegar ao estacionamento de um bar que transmitia partidas esportivas chamado Copo e Espada para dialogar com um devedor do Sorkin Gately viu o Fackelmann cambaleante carregando uma menina inconsciente até o seu possante, com uma mãozona enorme um tanto mais enfiada no vestido dela de tafetá com cara de roupa de formatura do que seria de fato necessário para carregá-la, e Fackelmann disse a Gately que se o Don desse uma carona pra aquela mina ele ficava e cobrava a dívida, que o coração de Gately não estava mais nas cobranças e ele aceitou sem pestanejar, desde que o Fackelmann jurasse pra ele que ela conseguia controlar os seus vários fluidos no 4×4 que ele estava dirigindo. Então foi o Facklemann quem disse a ele, enquanto colocava o corpo minúsculo e largado mas ainda continente nos braços dele no estacionamento do Copo e Espada, pra ficar de olho vivo, o Gately, e não dar uma violadinha na moça, porque essa moça aqui era uma dessas moças culturadas dos Mares do Sul que se o Gately levasse ela pra casa e ela acordasse não violada ela ia ser do Gately pra toda a vida. Mas Gately obviamente não tinha intenção de estuprar uma pessoa inconsciente, muito menos de pôr a mão dentro do vestido de uma menina que podia perder o controle dos fluidos a qualquer momento, e isso o deixou preso nessa situação. Pamela Hoffman-Jeep chamava Gately de seu *"Cavalheiro da Tábula Redonda"* e se apaixonou passivamente pela recusa dele de Se Aproveitar. Gene Fackelmann, ela confidenciou, não era o cavalheiro que Gately era.

O que ajudou a deixar o envolvimento desastroso foi que Pamela Hoffman-Jeep estava sempre ou tão tronchamente bêbada ou tão passivamente ressacada o tempo todo que qualquer espécie de sexo em qualquer momento com ela teria sido classificado como Se Aproveitar.

A moça era simplesmente a pessoa mais passivíssima que Gately já tinha visto. Ele nunca chegou a ver P. H.-J. de fato ir de um ponto a outro com suas próprias forças. Ela precisava que alguém cavalheiresco a catasse, a carregasse e a deitasse de novo 24 horas por dia, 7 dias por semana, o ano todo, parecia. Ela era meio que um bebezão sexual. Passava quase a vida toda apagada e dormindo. Dormia de um jeito lindo, como um gatinho, serena, sem nunca babar. Ela fazia a passividade e a inconsciência ficarem até bonitas. Fackelmann chamava ela de Garota-Propaganda

944

da Morte. Até no trabalho dela, na cia. de equipamento hospitalar, Gately a imaginava horizontal, enroscada fetalmente sobre algo macio, com toda a intensidade facial quente e frouxa de um bebê adormecido. Ele imaginava os chefes e os colegas dela todos andando na pontinha dos pés por ali Aquisitando e sussurrando uns pros outros pra não acordá-la. Ela em nenhuma ocasião chegou a ir no banco da frente de qualquer um dos carros em que ele a levou pra casa. Mas também nunca vomitou ou se mijou nem reclamou, só sorria e soltava um bocejinho lácteo de bebê e se enroscava mais em fosse qual fosse a coisa em que Gately tinha embrulhado seu corpo. Gately começou a fazer aquela coisa de gritar que eles tinham sido assaltados quando entrava carregando a moça em qualquer apê de luxo depenado em que eles se enfiassem. P. H.-J. não era o que se podia chamar de linda, mas era incrivelmente sexy, Gately achava, porque sempre dava um jeito de estar com cara de quem você tinha acabado de X até cair num estado de total desvanecimento prostrado, deitada ali inconsciente. Trent Kite disse a Fackelmann que ele achava que Gately tinha perdido a porra do juízo. Fax observou que o próprio Kite não era exatamente um W. T. Sherman com o sexo frágil nem com cocaditas e estudantes de enfermagem chapadaças e megeras dipsoides cujos rostos maquiados lhes pendiam frouxos do crânio. Fackelmann dizia que tinha começado um registro das tentativas de cantadas de Kite — umas frases de efeito certeiro como p. ex. "Você é a segunda mulher mais linda que eu já vi, sendo que a primeira mulher mais linda que eu já vi é a ex-primeira ministra britânica Margaret Thatcher" e "Se você fosse pra casa comigo eu estou estranhamente botando fé que eu ia conseguir uma ereção", e disse que se Kite ainda não era cabaço com vinte e três anos e meio isso era a prova da existência de algum tipo de graça divina.

Às vezes Gately saía de um sono de Demerol e olhava para uma pálida e passiva Pamela deitada ali dormindo lindamente e passava por uma coisa clarividente de tempo acelerado em que conseguia quase visivelmente ver ela perder a boa aparência ao chegar aos trinta e seu rosto começar a escorregar pelo crânio até cair no travesseiro que ela segurava como um bichinho de pelúcia, virando uma megera bem diante dos olhos dele. A visão despertava mais compaixão que horror, o que Gately nunca nem chegou a considerar que podia qualificá-lo como uma pessoa decente.

As duas coisas preferidas de Gately em Pamela Hoffman-Jeep eram: o jeito que ela tinha de sair do seu estupor e apoiar o rosto na mão e rir histericamente toda vez que Gately a carregava pela porta de algum apartamento depenado e berrava que tinham levado tudo; e o jeito que ela tinha de sempre usar longas luvas brancas de linho e tomara-que-caias de tafetá que a faziam parecer uma debutante chique da North Shore que tipo tomou umas conchadas a mais de ponche no Country Club e está simplesmente pedindo que algum sujeitinho pé-rapado e de tatuagem Se Aproveite dela — ela fazia um tipo de gesto lânguido em câmera-muito-lenta de quem chicoteava um boi com a mão dentro da longa luva branca enquanto se estendia onde quer que Gately a tivesse depositado e gemia com uma inflexão elegante "Don meu Anjo traz um drinque pra Mamãe" (ela chamava as bebidas de drinques), que no fim era uma imitação mortal da Mãe dela própria, que no fim acabava que essa senhora fazia a Mãe do Gately parecer uma senhorinha da TFP em comparação, em termos de goró: as únicas quatro vezes em que Gately viu a sra. H.-J. foram todas em PSS e sanatórios.

Gately fica ali deitado de olhão esbugalhado de culpa e de angústia acompanhado pelo silvo e pelos estalos da nevinha que voltou, no quarto crepuscular do St. E., ao lado da coisa reluzente tipo suporte-ortopédico-com-auréola-para-crânio presa exoesqueleticamente à cama ao lado, vazia, e cintilando devidamente em pontos seletos de solda, Gately tentando Aguentar, lembrando. Tinha sido Pamela Hoffman--Jeep quem finalmente deu o bisu pra Gately das pequenas maneiras com que Gene Fackelmann vinha historicamente passando a perna no Branquinho Sorkin, e quem o alertou para o desfiladeiro suicida em que Fackelmann tinha se metido com um certo golpe aposta-errada que tinha dado chabu bem no mapa dele. Até o Gately conseguiu sacar que alguma coisa estava errada: nas últimas duas semanas Fackelmann tinha ficado agachado todo suarento num cantinho da sala de estar depenada, logo na frente do quartinho de luxo em que estavam Gately e Pamela, lá fora agachado na frente do fogareirinho Sterno e de fantásticos morros gêmeos de Dilaudid azul--celeste e variegados M&M's, sem muito abrir a boca ou reagir ou se mexer e sem até dar pinta de cair no sono, só ali sentado corcovado, roliço e brilhando que nem um sapo acuado, com o bigode se debatendo em cima da boca. As coisas tinham que estar mesmo mal para Gately chegar a ponto de tentar obter informações coerentes de P. H.-J. Aparentemente o negócio era que um dos apostadores que apostavam com Sorkin via Fackelmann era um cara que Gately e Fackelmann conheciam só como Bill Anos-Oitenta, um cara impecavelmente elegante que usava suspensórios vermelhos sob roupas superfinas da Zegna, oclinhos de casco-de-tartaruga e docksiders, um executivo das antigas, assumidor-de-controle-acionário e saqueador-de-ativos, talvez com uns cinquentinha, com escritório no Exchange Place e um adesivo antigo LIBERDADE P/ MILKEN no para-choque do seu beeme — foi uma noite de drinques abundantes e de muita carregação de corpos largados, e Gately tinha que ficar dando uns petelecos no alto do crânio de P. H.-J. para mantê-la consciente o tempo que bastasse para ela ir seguindo à base de associações livres até chegar aos detalhes — que estava no seu quarto casamento com a sua terceira professora de aeróbica, que gostava de apostar só em basquete universitário tipo Ivy League, mas quando fazia — apostar — apostava umas quantias tão imensas que o Fackelmann sempre tinha que pegar uma pré-aprovação com o Sorkin pra aposta e aí ligar de volta pro Bill Anos-Oitenta, e assim por diante.

Mas então — segundo Pamela Hoffman-Jeep — esse Bill Anos-Oitenta, que é ex-aluno de Yale e via de regra descaradamente sentimental quanto ao que Pamela H.-J. rindo diz que Fackelmann chamou de sua "al-mamata" — bom, naquela vez específica parece que um passarinho impecavelmente elegante tinha sussurrado na orelha peluda de Bill Anos-Oitenta, porque só naquela vez o Bill Anos-Oitenta quer casar $125K na U. Brown contra a U. Yale, ou seja, apostar contra a almamata, só que ele quer (−2) pontos em vez da aposta limpa que Sorkin e o resto dos corretores de Boston estão pegando do pessoal de Atlantic City para o jogo. E Fackelmann tem que ligar de celular lá pra Saugus pra conferir isso com o Sorkin, só que o Sorkin está lá na cidade em Enfield na Fundação Nacional de Dor craniofacial levando o seu bombardeio semanal de UV e pegando uma dose nova de Cafergot com o dr. Robert ("Bob Anos-Sessenta") Monroe — o especialista em tratamento ergótico-vascular de cefaleia da FNDC-F, septuagenário de óculos escuros cor-de-rosa e paletozinho Neh-ru, um sujeito que nos tempos de outrora estagiou na Sandoz e foi um dos membros originais do círculo de tomadores de ácido de pote de maionese na hoje lendária casa de T. Leary em West Newton, MA, e é hoje (o B. A.-60) um conhecido íntimo de Kite, porque Bob Anos-Sessenta é um fã ainda mais fanático do Grateful Dead talvez até que o Kite, e às vezes se juntava ao Kite e a vários outros devotos do Dead (cuja maioria hoje andava de bengalas e tanques de O_2) e ficava trocando olhos-de-tigre tipo suvenir histórico, jaquetinhas com estampa de caxemira, roupas de batik, abaju-res de lava, bandanas, esferas de plasma e pôsteres multicoloridos pra luz-negra com convolutos padrões geométricos, e discutindo quais shows do Dead e quais piratas de shows do Dead eram os maiores de todos os tempos segundo diferentes pontos de vis-ta, e básica e simplesmente eles se divertiam pacas. O B. Anos 60, um colecionador inveterado e trocador pechincheiro de coisas várias, às vezes levava o Kite com ele em pequenas expedições por lojinhas ecléticas e ensebadas em busca de parafernália relacionada com o Dead, às vezes até informalmente receptando umas coisas pro Kite (e assim indiretamente pro Gately), cobrindo o Kite de $ quando a rígida agenda de picos do Kite não permitia uma negociação mais formal e arrastada, com o Bob Anos-Sessenta então trocando as mercadorias em vários pontos sebosos da cidade por uma tralha anos 60 que ninguém mais normalmente ia querer. Algumas vezes o Ga-tely teve que chegar de fato a catar com o dedo um cubo de gelo de um drinque para jogar pelo decote tomara-que-caia do vestido de formatura de P. H.-J. e tentar manter a mulher minimamente na linha. Como a maioria das pessoas incrivelmente passi-vas, a menina tinha extrema dificuldade para separar detalhes do que era realmente importante numa história, por isso raramente lhe perguntavam alguma coisa. Mas então a questão é que a pessoa que recebeu a ligação de Fackelmann sobre a aposta--monstro do Bill Anos-Oitenta no jogo Yale-Brown não foi de fato o Sorkin mas na verdade a secretária do Sorkin, uma certa Gwendine O'Shay, a ex-garota-do-IRA sem green card e com peitos de howitzer que tinha apanhado meio que excessivamente com os cassetetes dos policiais de Belfast na cabeça lá na Terrinha e cujo crânio ago-ra era (na terminologia do próprio Fackelmann) mais mole que cocô de filhotinho molhado de chuva, mas que tinha exatamente o tipo de ar avozal-distraído e cafona que a deixava perfeita pra estalar as mãozonas de juntas vermelhas nas bochechas e dar pios agudos quando reclamava seus ganhos lotéricos na Loteria de Massachusetts toda vez que o Branquinho Sorkin e os seus chapinhas comprados no governo de MA combinavam de fazer um sorkinita comprar um bilhete misteriosamente vence-dor da Loteria de Massachusetts de uma das incontáveis lojas de conveniência que Sorkin & chapinhas controlam através de corporações de fachada por toda a North

947

Shore, e que, não só porque ela sabia fazer o que Sorkin dizia ser a única massagem cervical adequada a oeste do Centro de Fontes Termais Alpinas de Berna mas também conseguia meter no processador de texto a quantidade bisonha de 110 ppm e manejar um shillelagh como poucos — fora que ela tinha sido parceira de joguinhos de tabuleiro da querida e falecida mãe garota-do-IRA do Sorkin em Belfast, na Terrinha — servia como principal auxiliar administrativa do Branquinho, atendendo os celulares quando Sorkin não estava ou estava indisposto.

E então mas a questão central do que P. H.-J. queria dizer, que Gately já estava quase a ponto de lhe rachar o crânio de tanto peteleco pra conseguir arrancar: Gwendine O'Shay, familiarizada com Bill Anos-Oitenta e a sua sentimentalidade para com os Bulldogs da UY, fora o fato de ser cranialmente mais mole que uma porra de uma uva podre, a O'Shay anotou *errado* o recado de Fackelmann, achou que o Fackelmann tinha dito que o Bill Anos-Oitenta queria 125K com (–2) pontos em *Yale* em vez de (–2) na *Brown*, mandou o Fackelmann esperar na linha e fez ele ficar ouvindo Muzak irlandês enquanto dava uma ligada para um infiltrado no Dep. Esportivo de YaleCMS retirado da base de dados criptografada INFILTRADOS de Sorkin e ficou sabendo que o ala-pivô que era o grande astro dos Bulldogs de Yale tinha recebido um diagnóstico de um transtorno neurológico extremamente raro chamado Vestibulite Pós--Coital[375] em que por várias horas depois do intercurso o ala-pivô tendia a sofrer de uma perda tão terrível de propriocepção que sem exagero não conseguia diferenciar a bunda do cotovelo, que dirá fazer um arremesso competente para a cesta. Fora que aí a segunda ligação da O'Shay, para o infiltrado do Sorkin no atletismo da Brown (um zelador do vestiário que todo mundo acha que é surdo), revela que várias das alunas héteros mais sereias e dotadas de espírito cívico da U. Brown tinham sido recrutadas, passado por audições, instruções e ensaios (i. e., "*sem-saias*", com uma risadinha de Pamela Hoffman-Jeep, cuja risadinha envolve o tipo de ondulações contorcidas dos ombros de alguém que sente cócegas, típico de uma menina bem mais nova que está recebendo cócegas de uma figura de autoridade e fingindo não gostar), e dispostas em pontos estratégicos — postos de parada na I-95, no compartimento do estepe na traseira do ônibus fretado pelos Bulldogs, nos arbustos de sempre-viva na frente da entrada especial das equipes para o Centro Esportivo Pizzitola em Providence, em recônditos côncavos ao longo dos túneis de Pizzitola entre a entrada especial e o vestiário dos visitantes, até num armário especialmente ampliado e sensualmente decorado perto do armário do ala-pivô no VV, todas preparadas — como as cheerleaders da Brown e as animadoras, que tinham sido induzidas a ir ao jogo descalcinhadas, eletrolisadas e dispostas a espacatos para ajudar a fornecer uma atmosfera pirotecnicamente glandular a todo o ambiente de jogo do ala-pivô — preparadas para fazer o penúltimo sacrifício pela equipe, pela escola e pelos membros influentes da Assoc. de Ex-Alunos da Brown. De modo que Gwendine O'Shay aí volta a falar com Fackelmann e libera a aposta-monstro e a diferença de pontos, assim tipo quem não liberaria, com esse tipo de informação privilegiada por trás de tudo. Só que é claro que ela

948

anotou a aposta ao contrário, i. e. O'Shay pensa que o Bill Anos-Oitenta agora botou 125K que Yale vai perder por pelo menos dois pontos, enquanto o Bill Anos-Oitenta — que no final das contas meio que está dando uma de Cavaleiro Salvador ao fazer uma oferta pelo controle acionário da Empresa Federada de Cones e Funis de Providence, a principal manufatura de receptáculos conoides da ONAN, sendo a EFC&F presidida por um destacado ex-aluno da Brown que é tão rabidamente devotado aos esportes universitários que chega até a usar uma cabeça oca e furiosa de urso nos jogos da sua equipe, cujo saco o Bill Anos-Oitenta está dedicado a puxar como o mais devoto sineiro da paróquia, P. H.-J. encaixa, insinuando que foi o Bill Anos-Oitenta que tinha dado à equipe da Brown o bisu sobre o canal-deferente-de-aquiles do ala-pivô — O B. A.-O. mais do que razoavelmente acha que apostou em dois pontos de vantagem da Brown as suas 125 quilo-patacas.

O acidente geográfico no sapato de todo mundo, com que ninguém de Providence contava, foi o surgimento, com faixas e socos-ingleses, das dworkinitas da Falange de Prevenção e Protesto contra a Objetificação Feminina da Universidade de Brown na frente dos portões principais do Centro Esp. Pizzitola bem na hora do jogo, duas FaPPOFs em cada moto, que atravessam os portões com filigranas de metal como se fossem meros lencinhos molhados e invadem a arena, fora uma divisão das mais robustas feministas do programa de graduação que executa um movimento de pinça descendo das cadeiras mais baratas lá em cima durante o primeiro pedido de tempo, no exato momento em que a primeira manobra de pirâmide das cheerleaders da Brown termina num espacato em pleno ar que faz com que o controlador do placar do Pizzitola caia em cima dos controles e apague os zeros tanto da equipe da CASA quanto dos VISITANTES, no placar, bem quando as motocas sem silenciador das FaPPOFs chegam rosnando malévolas pelos túneis do térreo e entram na quadra de jogo; e no imbróglio que se segue não apenas cheerleaders, animadoras e belas sereias da Brown são todas ou derrubadas com placas de protesto usadas como tacapes ou arremessadas aos gritos e esperneios sobre os robustos ombros de FaPPOFs militantes e carregadas para longe de lá nas estrondosas motos, deixando o delicado sistema nervoso do ala-pivô de Yale intacto conquanto hiperaquecido; mas dois titulares da equipe da Brown, um pivô e um ala-armador — ambos fissurados demais e perturbados por uma semana duríssima de audições e ensaios com belas sereias para terem o bom senso de sair correndo que nem uns demônios quando o imbróglio transborda para a madeira da quadra — são vitimados, por um soco-inglês da FaPPOF e um árbitro desorientado com formação em artes marciais, respectivamente; e aí quando a quadra é finalmente liberada, as macas retiradas e o jogo recomeça, a U. de Yale detona a U. de Brown com mais de 20 pontos de vantagem.

Aí então o Fackelmann liga pro Bill Anos-Oitenta e combina de pegar o grosso, que é $137 500 com a comissão, que o B. A.-O. lhe dá em cédulas grandes pré-ONAN numa sacola de ginástica com os dizeres *VAI BROWN* que ele tinha levado pro jogo pra ficar sentado ao lado do presidente de cabeça ursina com ela e agora serve pra menos que nada, mas aí o Fackelmann recebe o grosso no centro e dispara pela

Route 1 rumo a Saugus para entregar o grosso e pegar a sua comissão da comissão (U$625) imediatamente, com uma necessidade que está começando a ficar pesada de descolar umas azuizinhas etc. Fora que o Fackelmann está pensando que de repente ainda rola um bônus ou pelo menos alguma validação emocional do Sorkin por ele ter trazido uma aposta tão monstro e tão prontamente paga. Mas, quando ele chega ao bar de striptease da Rte. 1 nos fundos do qual o Sorkin tem o seu escritório administrativo atrás de uma porta corta-fogo não identificada e todo papel-de-paredado com uma coisa que pretende ser uma imitação de painéis de madeira, Gwendine O'Shay mudamente aponta de trás da sua mesa para a porta do escritório pessoal de Sorkin com um gesto ríspido que Fackelmann não acha que combine com a saltitância merecida pela situação, nem a pau. A porta tem um grande pôster de R. Limbaugh, de antes do assassinato. Sorkin está lá dentro trabalhando numas planilhas com seus óculos especiais com filtros-de-luz-de-monitor. As lentes dos óculos com aquelas molduras longas que protuberam parecem olhos de lagosta na ponta de umas antenas. Gately, Fackelmann e Bobby C nunca falam com Sorkin antes dele se dirigir a eles, não por alguma deferência capanguística mas porque eles nunca sabiam dizer qual era a condição craniofacial de Sorkin ou se ele estava conseguindo tolerar sons até verificavelmente ouvirem-no tolerar o seu próprio. (Som.)

Então G. Fackelmann espera mudamente para entregar o grosso do Bill Anos-Oitenta, parado ali alto e mole e palidamente suarento, com a cor e o formato gerais de um ovo cozido descascado. Quando Sorkin ergue uma sobrancelha ao ver a sacola *VAI BROWN* e diz que não está sacando a grande graça da piada, o bigode de Fackelmann positivamente ocupa todo o seu lábio superior, e ele se prepara para dizer o que sempre diz quando está desconcertado, que seja lá o que se está dizendo com o devido respeito é uma mentira vil. Sorkin salva o documento e empurra a cadeira para trás para poder alcançar bem no fundo da gaveta à prova de fogo. Os óculos são usados com frequência para processamento-de-dados-escravo e custam doisão. Sorkin solta um gemido enquanto ergue uma imensa caixa de bilhetes da Loteria de Mass com cartões pré-marcados e a lança sobre a mesa, onde ela fica obscenamente volumosa, cheia de 112,5K EU — tem 112,5 mil patacas ali, tudo em notas de um, 125 menos a comissão, o que Sorkin via O'Shay acredita ser o que o Bill Anos-Oitenta ganhou, tudo em notas pequenas, porque Sorkin está puto e não consegue resistir a essa sacanagenzinha. Fackelmann não abre a boca. O bigode dele fica frouxo enquanto o seu maquinário mental começa a acelerar. Sorkin, massageando as têmporas, encarando Fackelmann com aqueles óculos como se fosse um siri num aquário, diz que provavelmente não tem como culpar o Fax ou a O'Shay, que ele mesmo teria liberado a aposta, ainda com aquele bisu neurológico que eles tinham quanto ao ala de Yale. Quem é que teria previsto aqueles brucutus feminazis empedrando o sapato de todo mundo. Ele pronuncia alguma coisa em gaélico que Fackelmann não entende mas deduz que seja fatalista. Ele saca seis notas de cenzinho e uma de 25 da ONAN de um bolo do tamanho de um obus e empurra as notas pela mesa de metal para Fackelmann, a comissão da comissão dele. Ele diz Fazer o quê, caralho

950

(o Sorkin), esse garoto, esse Bill Anos-Oitenta é um sentimentalista irracional pela Yale e cedo ou tarde a gente fica quites com ele. Corretores veteranos tendem a ser estatisticamente filosóficos e pacientes. Fackelmann nem se dá ao trabalho de imaginar por que Sorkin se refere ao Bill Anos-Oitenta como "garoto" quando os dois têm mais ou menos a mesma idade. Mas uma lâmpada de alta potência está lentamente começando a incandescer sobre a cabeça úmida de Fackelmann. Tipo porque o Fac--símile está começando a conceitualizar o conceito geral do que deve ter acontecido. Ele ainda não abriu a boca, Pamela Hoffman-Jeep enfatiza. Sorkin dá uma olhada geral no Fackelmann e pergunta se ele andou ganhando algum peso meio assimétrico ali. O peitinho esquerdo do Fackelmann de fato parece perceptivelmente maior que o direito, sob o blazer, por causa do envelope com 137 de mil e uma de 500, o grosso de um Bill Anos-Oitenta que achava que tinha perdido. Exatamente como o Sorkin achava que O B. A.-O. tinha *ganhado*. O leve zumbidinho agudo ali dentro que Sorkin acha que é o seu drive Infernatron na verdade é o zumbido de Fackelmann mentando em alta velocidade. O bigode dele vibra como um chicote estalado enquanto ele lida com a sua própria planilha mental interna. 250K de uma cacetada só representavam tipo 375 gramas azul-celeste de cloridrato de hidromorfona[376] ou tipo 37500 comprimidos solúveis de 10 mg, disponíveis graças a um certo trafica de opiáceos rapace mas discreto em Chinatown que só vendia narcóticos sintéticos na base de 100 gramas — o que no fundo se traduzia, supondo que Kite pudesse ser convencido a catar o seu DEC 2100 e se mudar pra uma galáxia distante com Fackelmann pra ajudar ele a preparar uma matriz de distribuição de varejo em algum mercado urbano de uma galáxia distante, em coisa de vamos ver sobe um 1,9 milhão em valor de revenda, soma esta que significava que Fackelmann e em medida menor de sócio-jr. Kite ficariam com o queixão cravado no peito pelo resto da vida sem ter que depenar mais nenhum apê, forjar mais nenhum passaporte, quebrar mais nenhum dedão. Tudo se Fackelmann simplesmente ficasse com o mapinha fechado sobre a confabulação Yale/Brown//Brown/Yale da O'Shay, resmungasse alguma coisa sobre algum adulterante EV ter causado um súbito e temporário gigantismo de um peitinho e zarpasse dali direto pela Rte. 1 para esse tal Dr. Wo e Sócios, no Empório de Chá Frio Hung Toy, Chinatown.

A essa altura Pamela Hoffman-Jeep tinha sucumbido aos drinques e ao seu próprio calorzinho aninhado e estava irreversivelmente desvanecida, com ou sem gelo ou piparotes, com leves espasmos sinápticos e murmurando para alguém chamado Monty que ele certamente não era o que *ela* chamava de um cavalheiro. Mas Gately podia retraçar o resto da trajetória de Fackelmann rumo ao fundo da merda sozinho. Quando abordado por Fackelmann com uma sacola de ginástica *VAI BROWN* cheia do melhor Dilaudid por atacado do dr. Wo e convidado a levantar acampamento com ele e montar uma matriz de distribuição para um império de drogas próprio numa galáxia distante, Kite teria dado passos trêmulos para trás horrorizado com o fato de Fackelmann obviamente não saber que o apostador Bill Anos-Oitenta era na verdade ninguém menos que o *filho* do Bob Anos-Sessenta, ou seja, o enxaquecólogo pessoal do Branquinho, em quem o Sorkin confiava e com quem trocava confidências daquele jeito que apenas uma dose EV maciça de Cafergot possibilita, em termos de confiança e confidências, e pra quem o Sorkin indubitavelmente contaria tudinho sobre os ganhos gigantes do filho do cara com Yale, e que não era exatamente cu-e--cueca com o filho, esse Bob Anos-Sessenta, mas naturalmente ficava meio com um olho paterno distante no cara, e certamente teria ficado sabendo que o B. A.-O. na verdade tinha apostado em Brown numa tentativa de amansar o presidente cônico, e assim ia agora ficar sabendo que tinha rolado alguma confusão; e também que (Kite ainda estaria recuando trêmulo enquanto todas essas fichas caíam) fora isso, mesmo que o Sorkin de alguma maneira não ficasse sabendo da perda do Bill Anos-Oitenta e do golpe do Fackelmann graças ao Bill Anos-Sessenta, o fato era que o mais recente e mais selvagem dos curimbabas americanos do Sorkin, Bobby ("C") C, viciado numa marrom à moda antiga, comprava sempre uma heroína burnesa orgânica com esse dr. Wo tipo sempre, e não tinha como não ficar sabendo de uma venda no atacado de mais de 300 gramas de Dilaudid comprada por um Fackelmann sabidamente coempregado de Sorkin com C... e assim que o Fackelmann, que quando chegou ao Kite com a proposta já estava de posse de uma sacola da Brown cheia de 37 500 Dilaudids de 10 mg e sem os 250K de Sorkin — fora que ele como o Gately depois ficou sabendo tinha só 22K de capital para seguro contra golpes suicidas que saíssem pela culatra —, já estava morto: Fackelmann estava morto, Kite teria dito, recuando apavorado com a idiotice do Fax; Kite teria dito que já estava sentindo o cheiro da biodegradação do Fackelmann daqui. Mortinho da silva, ele teria dito ao Fackelmann, já preocupado por estar sendo visto sentado ali com ele em sei lá que bar de strip em que eles estavam quando o Fax veio com essa proposta pro Kite. E Gately, vendo P. H.-J. dormir, conseguia não só imaginar mas se Identificar plenamente com como o Fackelmann, ao ouvir o Kite dizer que já estava sentindo o cheiro dele morto e por quê, com como o Fackelmann, em vez de pegar aquela sacolada de azuizinhas e colar um cavanhaque e imediatamente voar para climas que nunca tinham nem ouvido *falar* da porra da North Shore da Grande Boston — que o Fac-símile tinha feito o que qualquer viciado de posse da sua Substância preferencial faria diante de notícias fatais e do terror delas decorrente: o Fackelmann tinha ido direto pra casa depenada de luxo deles, o seu lar familiar e com cara de seguro, tinha se largado num canto, imediatamente acendido aquele fogareiro, cozinhado o pó, atado o cinto, se picado, cravado o queixo no peito e se mantido ali com quantidades assombrosas de Dilaudid, tentando mentalmente apagar a realidade de que seria desmapeado se não tomasse alguma providência paliativa imediatamente. Porque, Gately já então percebia, era essa a maneira básica de um viciado em drogas lidar com os problemas, era usar a boa e velha Substância para apagar o problema. Também provavelmente medicando esse pavor se entupindo de M&M's de amendoim, o que explicaria aquele monte de embalagens jogado no chão do cantinho de onde ele não tinha saído. Que portanto é assim que Fackelmann se vê agachado úmido e calado num canto da sala de estar bem na frente deste preciso quarto aqui por dias a fio; era por isso a aparente contradição daquela quantidade bizarra de Substâncias que Fackelmann tinha na sacola de ginástica ao seu lado junto com a cara de sapo acuado de um cara amedrontadíssimo que a gente associa à Abstinência. Maquinando e pensando, batucando distraído no crânio inconsciente de P. H.-J., Gately percebeu que podia mais do que se solidarizar com a fuga de Fackelmann para o Dilaudid com M&M's, mas ele agora percebe que essa foi a primeira vez que realmente lhe caiu com força a ficha de que um viciado em drogas era no fundo uma criatura pusilânime e patética: uma coisa que basicamente se esconde.

A coisa mais sexual que Gately chegou a fazer com Pamela Hoffman-Jeep era que ele gostava de desembrulhar aquele casulo de cobertores dela e entrar ali com ela e ficar agarradinho bem com força, encaixando o corpanzil bem contra os lugares macios e côncavos dela, e aí pegar no sono com o rosto na nuca da moça. Gately ficava incomodado por conseguir se identificar com o desejo de Fackelmann de se esconder e apagar tudo, mas olhando pra trás agora ele fica mais incomodado por não ter conseguido ficar ali ao lado da moça comatosa ficando incomodado por mais de uns poucos minutos antes de sentir o conhecido desejo que apaga todos os incômodos, e por naquela noite ele ter desembrulhado o casulo de roupa de cama e se erguido tão automaticamente a serviço do seu desejo. E lamenta acima de tudo ter saído sonolento do quarto só de calça jeans e cinto para o lusco-fusco da sala de estar onde Fackelmann estava encolhido úmido e com a boca borrada no cantinho ao lado de uma montanha de Dilaudids de 10 mg e da sua tigelinha de água destilada e das suas tralhas de seringa e fogareiro, que Gately tenha ido sonolento tão automaticamente até Fackelmann com o pretexto — para ele próprio, também, o pretexto, isso é que era pior — o pretexto de que só ia dar uma olhadinha no coitado do Fackelmann, pra de repente tentar convencer o cara a fazer alguma coisa, ir todo penitente falar com o Sorkin ou desaparecer destes climas em vez de só ficar ali no cantinho com a cabeça em ponto morto e o queixo no peito e uma estalactite de baba achocolatada pendendo do lábio inferior, e crescendo. Porque ele sabia que a primeira coisa que o Fackelmann faria quando Gately abandonasse P. H.-J. e saísse sonolento para a sala de estar desmobiliada seria fuçar no seu estojinho de GoreTex em busca de uma seringa nova ainda na embalagem de fábrica e convidar Gately a se encolher ali com ele e ficar na boa com o planeta. I. e. ingerir um pouco daquela montanha de Dilaudid, para fazer companhia ao Fackelmann. O que para vergonha de Gately ele fez, tinha feito, e parte alguma da realidade da merda toda em volta de Fackelmann e da necessidade de agir nem sequer foi mencionada, de tão aplicados que eles estavam em curtir o barato letárgico das azuizinhas, apagando tudo, enquanto Pamela Hoffman-Jeep ficava ali bem embrulhadinha no quarto ao lado sonhando com donzelas e torres — Gately fez mesmo, ele lembra nitidamente, ele deixou Fackelmann dar um jeito legal em tudo, e se disse que estava fazendo isso pra fazer companhia ao Fackelmann, tipo ficar acordado com um amigo doente, e (o que pode até ser pior) acreditou que era verdade.

Pequenos entreatos de sonhos febris pontuam lembranças e estados de consciência, tipo assim. Ele sonha que está seguindo exatamente rumo norte num ônibus da mesma cor da fumaça do seu próprio escapamento, passando repetidamente pelas mesmas cabanas de praia estripadas e por um trecho de um mar pulsante, chorando. O sonho se repete indefinidamente, sem nenhuma espécie de resolução ou chegada, e ele chora e sua enquanto resta ali deitado, travado. Gately acorda abruptamente quando sente a linguinha áspera na sua testa — não muito diferente da língua hesitante de Nimitz, a gatinha de estimação do PN, quando o PN ainda tinha a gatinha, antes do misterioso período em que a gatinha desapareceu e o triturador de lixo não funcionou direito vários dias seguidos e o PN ficou sentado de ressaca com o seu caderninho na mesa da cozinha com a cabeça loura nas mãos, só ficou ali sentado vários dias, e a Mãe de Gately ficava andando por ali pálida como o diabo e se recusou a chegar perto da pia da cozinha por dias a fio, e foi correndo para o banheiro quando Gately finalmente perguntou o que estava acontecendo com o triturador de lixo e cadê a Nimitz. Quando Gately consegue desgrudar as pálpebras, no entanto, a língua não passa nem perto de ser a de Nimitz. O espectro está de volta, vestido como antes e borrado nas bordas sob a luz que vaza do corredor com seu recorte em formato de chapéu, e só que agora ele está com outro espectro, mais jovem e bem mais fisicamente em forma, com uma bermudinha de ciclismo meio boiola e uma regata EUA que está bem inclinado por sobre a gradinha de Gately e... *lambendo a porra da testa de Gately* com uma linguinha áspera, e quando Gately por reflexo solta a mão em cima do mapa do cara — homem nenhum põe a língua em D. W. Gately e sobrevive — ele mal tem tempo de perceber que a respiração do espectro não tem calor nem cheiro, antes dos dois espectros sumirem e de um relâmpago azul e forcado de dor daquele golpe repentino devolvê-lo ao travesseiro quente com a coluna arqueada e um grito travado no tubo, olhos revirando para trás sob a luz cor de pombo do que quer que não seja exatamente sono.

A febre dele está bem pior, e esses retalhinhos de sonhos têm um aspecto desmantelado e cubista que ele associa na memória a gripe infantil. Ele sonha que está olhando num espelho e não vê nada e fica tentando limpar o espelho com a manga. Um sonho consiste apenas da cor azul, vívida demais, como o azul de uma piscina. Um cheiro desagradável fica lhe subindo pela garganta. Ele está ao mesmo tempo dentro de um saco e segurando um saco. Visitantes surgem e somem em piscares, mas nunca o Francis Furibundo ou a Joelle van D. Ele sonha que tem gente ali no quarto mas ele não está entre eles. Sonha que está com um garoto muito triste e que eles estão num cemitério desenterrando a cabeça de um cara e é superimportante, tipo Emergência-Continental mesmo, e Gately é o melhor desenterrador mas está com uma puta fome, tipo uma fome irresistível, e está comendo com as duas mãos uns salgadinhos industriais de uns sacões tamanho-família e aí ele não consegue cavar direito, enquanto vai ficando cada vez mais tarde e o garoto triste está tentando gritar com Gately que a coisa importante foi enterrada na cabeça do cara e pra desviar a Emergência-Continental pra começar a desenterrar a cabeça do cara antes que seja tarde demais, mas o garoto mexe a boca mas não sai nada, e Joelle van D. aparece com asas e sem-roupa-de-baixo e pergunta se eles conheciam o cara, o cara morto ali da cabeça, e Gately começa a falar que conhecia apesar de no fundo ele estar em pânico por não ter a menor ideia de quem eles estão falando, enquanto o garoto triste segura alguma coisa horrível pelos cabelos e faz cara de quem está gritando em pânico: *Tarde Demais*.

Ela tinha cruzado as portas do St. E. e virado à direita para a rápida caminhada de volta à Ennet e uma mulher grotescamente imensa com a meia-calça calombuda de pelos que nasciam e cujos rosto e cabeça eram quatro vezes maiores que a maior mulher que Joelle já tinha visto lhe agarrou o braço pelo cotovelo e disse que lamentava ser ela a lhe dizer mas que sem saber disso ela estava correndo um risco horroroso.

Demorou algum tempo para Joelle dar uma boa olhada geral nela. "E isso por acaso é novidade?"

Aí e mas a manhã seguinte daquela noite tinha encontrado Gately e Fackelmann ainda ali no cantinho de Fackelmann, cintos presos aos braços, braços e narizes vermelhos de tanto eles coçarem, ainda ali, na ingestão, numa draga ferrada, cozinhando, curtindo e comendo M&M's quando ainda conseguiam achar a boca com a mão, se movendo como homens no fundo do fundo do mar, cabeças balouçantes sobre pescoços sem-força, o teto da sala vazia todo azul-celeste e inflado e sob ele pendente da parede no alto à direita deles o monitor chique de TP do apartamento num loop recursivo em câmera lenta de alguma coisa medonha de que Fackelmann gostava que era só uma série de tomadas de chamas de isqueiros de metal, fósforos de cozinha, luzes piloto, velas de aniversário, velas votivas, velas de sete dias, aparas de bétula, bicos de Bunsen etc., que o Fackelmann tinha pegado com o Kite, que logo antes do sol nascer tinha aparecido vestido e declinado de se chapar com eles e tossido de um jeito nervoso e anunciado que precisava se mandar por uns dias ou mais pra uma feira de software "superchave" e imperdível num CEP diferente, sem saber que Gately agora sabia que ele sabia que Fackelmann já estava morto, c/ o Kite então tentando se mandar discretamente com todo e qualquer hardware que possuía nos braços, inclusive o DEC não portátil, arrastando os cabos atrás de si. Aí um pouco depois, enquanto a luz matinal se intensificava amarela e fazia tanto Gately quanto Fackelmann amaldiçoarem que as cortinas tivessem sido depenadas e penhoradas, enquanto eles continuavam encolhidos cozinhando e se picando, tipo às 0830h Pamela Hoffman-Jeep estava de pé vomitando apressada e passando uma musse pra garantir o dia de preto pela frente, chamando Gately de Querido e de seu Cavaleiro da Tábula Redonda e perguntando se ela tinha feito alguma coisa ontem à noite que ia ter que explicar hoje pra alguém — meio que uma rotina matinal na relação deles —, aplicando blush, tomando o seu café da manhã antirressaca-padrão[377] e vendo os queixos de Gately e de Fackelmann caírem e subirem com ritmos subaquáticos ligeiramente diferentes. O cheiro do perfume dela e das balinhas retsinadas cobria a sala nua muito depois que ela tinha lhes dado Ciao Bello. Enquanto o sol matinal ficava mais alto e mais intolerável, em vez de fazerem alguma coisa e pregarem um cobertor ou alguma coisa em cima da janela eles decidiram na verdade obliterar a realidade da luz que lhes cozia os olhos e começaram a se fartar deveras com as azuis, flertando com uma overdose. Eles estavam escalando o Monte Dilaudid de Fackelmann a uma velocidade terrível. Fackelmann era por natureza um pé-na-jaca. Gately era tipicamente mais tipo um usuário de manutenção. Ele raramente entrava num clássico pé-na-jaca, que significava sentar o bundão com uma quantidade enorme de drogas e se chapar repetidamente por longos períodos sem se mexer. Mas quando começava mesmo a se fartar ele bem podia estar era atado no bico de um míssil de tanto controle que tinha da duração daquilo ou da inércia. Fackelmann estava saqueando a montanha de 10 mg como se nada mais importasse. Toda vez que Gately meramente começava a abordar a questão de como era que o Fac-símile tinha conseguido uma carga tão monstruosamente azul da Substância — tentando quem sabe levar Fackelmann a confrontar a realidade do seu problema ao descrevê-lo, tipo assim — Fackelmann o cortava com um suave "Isso é uma mentira vil". Isso era basicamente a única coisa que Fackelmann dizia, quando chapado, até em resposta a coisas tipo perguntas. Você tem que imaginar todos os intercâmbios verbais do momento pé-na-jaca como coisas que ocorriam muito lentamente, estranhamente distendidas, como se o tempo fosse mel:

"Caralho, mas que puta montoeira de azul que cê topou aqui, Fa…"

"Isso é uma mentira vil."

"Puta que pariu. Eu só tou torcendo pra Gwendine ou pro C estar lá com o telefone hoje, cara. Em vez do Branquinho. Nem vale a pena sair daqui hoje eu nem…"

"… 'ma mentira vil."

"Pode crer, Fax."

"… 'ma mentira vil."

"Fax. O Fac-símile. O conde Fáckula."

"Mentira *vil*."

Depois de um tempo com a distensão toda a coisa virava meio que uma piada. Gately içava a cabeçona e tentava alegar a rotundidade do planeta, a tridimensionalidade do mundo fenomenológico, a pretidão de todos os cachorros pretos… —

"… 'ma mentira vil."

Eles achavam cada vez mais engraçado. Depois de cada tiradinha dessas eles ficavam rindo sem parar. Cada exalação de riso parecia durar vários minutos. O teto e a luz das janelas retrocediam. Fackelmann mijou na calça; isso foi mais engraçado ainda. Eles ficaram olhando a poça de urina se espalhar pelo piso de madeira, mudar de forma, brotar em braços curvos, explorar o belo piso de carvalho. Os picos, vales e emendinhas. Pode ter ficado mais tarde e aí mais cedo de novo de manhã. A pletora de chamas pequenas do cartucho de entretenimento se refletia na poça que se alastrava, de modo que logo Gately assistia sem tirar o queixo do peito.

956

Quando o telefone tocou foi só um detalhe. O toque era como um ambiente, não um sinal. O fato dele tocar foi ficando cada vez mais abstrato. Tudo que um telefone que toca podia significar foi tipo totalmente obliterado pelo fato obliterante do toque. Gately apontou isso para Fackelmann. Fackelmann negou com veemência.

Num dado momento Gately tentou ficar de pé e foi violentamente atacado pelo chão, e mijou na calça.

O telefone tocava sem parar.

Num outro momento eles ficaram interessados em rolar cores diferentes de M&M's para as poças de urina e ficar olhando o pigmento colorido escorrer e deixar uma bola de futebol americano de M&M's branco-cadavérico num nimbo de pigmento colorido.

A campainha do intercomunicador que ficava na porta de vidro do complexo de apartamentos de luxo no térreo tocou, obliterando os dois com seu toque. Ela tocou e tocou. Eles discutiram que queriam que ela parasse como a gente discute que quer que pare de chover.

Aquilo virou o míssil intercontinenal da pé-na-jaquice. A Substância parecia inexaurível; o Monte Dilaudid mudava de formato mas nunca encolhia muito, que eles pudessem ver. Foi a primeira e a única vez na vida em que Gately tinha EV-zado narcóticos tantas vezes num braço só que ficou sem veias e teve que trocar pro outro braço. Fackelmann não tinha mais coordenação para ajudá-lo a atar o cinto e se picar. Fackelmann ficava fazendo um fio de baba achocolatada surgir e se distender até quase o chão. A acidez da urina deles estava corroendo o acabamento de madeira do piso do apê de maneira visível. A poça tinha brotado em muitos braços, como um deus hindu. Gately não conseguia saber direito se a urina tinha voltado explorando até quase os pés deles de novo ou se eles já estavam sentados na urina. Fackelmann ficava vendo até onde conseguia aproximar a pontinha do fio de cuspe da poça da urina misturada dos dois antes de chupar de volta pra dentro. O joguinho tinha uma aura inebriante de perigo. A percepção de que a maioria das pessoas gosta de riscos--de-brincadeira mas não gosta de perigo-de-verdade apareceu para Gately como uma epifania. Ele levou galões de tempo viscoso tentando articular essa sacada para Fackelmann para Fackelmann lhe dar o imprimatur de uma negação.

Uma hora a campainha parou.

A expressão "mais tattoos que dentes" também ficava passando pela cabeça de Gately enquanto se balançava (a cabeça), apesar de ele não ter a menor ideia de onde vinha a expressão ou a quem supostamente se referia. Ele ainda não tinha estado na Mínima de Billerica; ele estava numa condicional afiançada pelo Branquinho Sorkin.

O gosto de M&M's não conseguia cortar o gosto médico e esquisitamente adocicado da hidromorfona na boca de Gately. Ele estava olhando a coroa de chama azul de um velho queimador de fogão reluzir no brilho da urina.

Durante um período carmesim de luz crespuscular Fackelmann tinha tido uma pequena convulsão e evacuado na calça e Gately não tinha tido a coordenação de ir ficar ao lado de Fackelmann durante a convulsão, pra ajudar e só pra estar ali com ele.

Ele teve a pesadeleante sensação de que havia algo crucial que precisava fazer mas que tinha esquecido o que era. Injeções de 10 mg de Lagoa Azul evitavam a sensação por períodos cada vez menores. Ele nunca tinha ouvido falar de alguém ter convulsão por overdose, e o Fackelmann realmente parecia ter voltado à sua versão normal.

O sol do outro lado das janelonas parecia subir e descer como um iô-iô.

Eles acabaram com a água destilada que Fackelmann tinha na tigelinha, e Fackelmann pegou um algodão, empapou com a urina tinta de confeito do chão e cozinhou o pó com a urina. Gately achou que achou aquilo nojento. Mas nem a pau que ele ia tentar levantar pra ir até a cozinha depenada buscar a garrafa de água destilada. Gately garroteava o braço direito com os dentes, agora, de tão inútil que estava o esquerdo.

Fackelmann estava com um cheiro péssimo.

Gately apagou e entrou num sonho em que estava num ônibus da linha Beverly-Needham cujas laterais diziam ÔNIBUS MODELO: A LINHA CINZA. Na sua memória letárgica mais de quatro anos depois no St. E. ele percebe que esse ônibus é o ônibus do sonho que não acabava e não ia a lugar nenhum, mas tem a revoltante noção de que a conexão entre os dois ônibus é também um sonho, ou está num sonho, e é agora que a febre dele retorna a novas altitudes e a linha no monitor cardíaco fica com um dentinho esquisito como uma serrilha no primeiro e no terceiro vértices, o que faz uma luz âmbar piscar no posto de enfermagem lá do corredor.

Quando a campainha tocou de novo eles estavam assistindo o filme das chamas tarde da noite. Agora a voz da coitadinha da Pamela Hoffman-Jeep chegou a eles pelo interfone. O interfone e o botão que abria as portas da frente do complexo de apês ficavam os dois lá do outro lado da sala de estar, perto da porta do apartamento. O teto inflava e retrocedia. Fackelmann tinha posto a mão numa forma de garra e estava examinando a garra à luz das chamas do TP. O Monte Dilaudid tinha um grande desmoronamento numa encosta; uma avalanche desastrosa rumo ao Lago Urina não era impossível. P. H.-J. soava bêbada como um canadôncio. Ela disse pra deixarem ela entrar. Ela disse que sabia que eles estavam ali. Ela usou o verbo *festar* várias vezes. Fackelmann cochichava que era mentira. Gately lembra que tinha que se cutucar na bexiga pra poder saber se precisava ir ao banheiro. A Unidade dele parecia pequena e gelada contra a perna, dentro do jeans molhado. O cheiro de amoníaco da urina, o teto que respirava, a voz feminina bêbada e distante... Gately esticou as mãos no escuro procurando as grades do cercadinho, se agarrou a elas com as mãos gorduchas, se pôs de pé. Ele se levantar foi mais questão do chão se abaixar. Ele oscilava como um bebezão. O piso do apê abaixo dele fintava para a direita, para a esquerda, cercando e procurando uma brecha para atacar. As janelas de luxo enfeitadas de estrelas. Fackelmann tinha feito a garra ganhar vida em forma de aranha e estava deixando a aranha escalar lentamente a região do seu peito. A luz das estrelas era enodoada; não havia estrelas distintas. Tudo fora da linha de fogo do monitor de cartuchos estava escuro como a noite. A campainha soava enfurecida e a voz, patética. Gately esticou um pé na direção da campainha. Ele ouviu Fackelmann dizer pra aranha da garra da mão que ela estava presenciando o nascimento de um império. Aí quando Gately pôs o pé no chão não tinha nada lá. O chão se esquivou do pé dele e veio correndo ao seu encontro. Ele viu num relance o teto inflado e aí o chão o pegou na têmpora. Seus ouvidos badalaram. O impacto do chão contra ele sacudiu a sala toda. Uma caixa de plásticos de carteira se desequilibrou, caiu e abriu um leque de plásticos por todo o piso molhado. O monitor caiu da parede e projetou chamas carmesins no teto. O chão se apertou contra Gately, pressionando tudo, e ele caiu num cinza com o rosto esmagado virado para Fackelmann e para as janelas mais adiante, com Fackelmann estendendo a aranha em pleno ar pra ele poder inspecionar.

"Ah mas pelo amor de Deus então.

"Eu fiz duas cenas. Do resto eu não sei. Na primeira cena eu estou passando por uma porta giratória. Sabe como é, rodando numa porta giratória de vidro, e rodando pra sair enquanto eu rodo pra entrar está alguém que eu conheço mas que aparentemente não vejo há muito tempo, porque o reconhecimento provoca uma cara de espanto, e a pessoa me vê e faz uma cara igualmente espantada — nós parece que fomos muito próximos e agora não nos vemos faz um tempão, e o encontro é uma coisa aleatória. Em vez de entrar eu fico rodando na porta para sair atrás da pessoa, pessoa esta que ainda também está girando na porta pra entrar atrás de mim, e a gente rodopia na porta desse jeito várias vezes."

"P."

"O ator era um homem. Não era um dos de sempre do Jim. Mas a personagem que eu reconheço na porta é epicena."

"P."

"Hermafrodita. Andrógina. Não era óbvio que a personagem devesse ser uma personagem masculina. Imagino que você consiga se Identificar.

"A outra era com a câmera presa dentro de um carrinho de bebê ou de um moisés. Eu estava com um vestido branco incrível até o chão de algum tipo de tecido com um caimento incrível e eu me inclinava em cima da câmera do berço e simplesmente pedia desculpas."

"P."

"Pedia desculpas. Tipo as minhas falas eram vários pedidos de desculpa. 'Eu sinto muito. Eu sinto muito mesmo. Por favor me desculpe. Por favor saiba que eu sinto muito, muito mesmo.' Por um tempão. Duvido que ele tenha chegado a usar tudo, duvido muito que ele tenha chegado a usar tudo, mas eram pelo menos vinte minutos de permutações de 'Sinto muito'."

"P."

"Não exatamente. Não exatamente velada."

"P."

"O ponto de vista era do berço, isso. Uma visão-do-berço. Mas não era esse o motor da cena que eu mencionei. A câmera tinha uma lente com uma coisa que eu acho que o Jim chamava de auto-oscilo. Oftalmo-oscilo, uma coisa assim. Uma junta articulada atrás da baioneta que fazia a lente oscilar um pouquinho. Fazia um chiadinho também, eu lembro."

"P."

"Baioneta é o encaixe. Baioneta é onde você prende as lentes. A baioneta dessa lente do berço se projetava bem mais longe que as de uma lente convencional, mas não eram nem de longe do tamanho de uma lente catadióptrica. Parecia mais uma dessas antenas com olhos ou uns óculos de visão noturna do que uma lente. Comprida, magrela e projetada com essa oscilaçãozinha. Eu não entendo muito de lentes além de uns conceitos básicos tipo distância focal e velocidade. O forte do Jim eram as lentes. Isso não pode ser uma grande surpresa. Ele sempre andava com um estojão cheio. Ele cuidava mais das lentes e das luzes que da câmera. O outro filho dele carregava as lentes num estojo especial. O Leith ficava com as câmeras, o filho com as lentes. O Jim dizia que as lentes eram a contribuição que ele tinha para todo aquele mundo. Da cinematografia. De si próprio. Ele fazia todas as dele."

"P."

"Bom eu nunca lidei muito com eles. Mas eu sei que a visão deles tem alguma coisa oscilada e esquisita, parece. Acho que quanto mais recém eles são nascidos, mais oscila. Fora eu acho que um borrão lácteo. Nistagmo neonatal. Não sei onde eu ouvi esse termo. Não lembro. Pode ter sido o Jim. Pode ter sido o filho. O que eu mesma sei sobre bebês dava pra — pode ter sido uma lente astigmática. Não acho que haja muita dúvida de que a lente era pra reproduzir o campo visual pueril. Era isso que dava para sentir que era o motor da cena. O meu rosto não era importante. Você nunca ficava com a sensação de que era pra eu ser filmada realisticamente por aquela lente."

"P."

"Eu nunca vi. Não faço ideia."

"P."

"Enterraram com ele. As másters de tudo que não foi lançado. Pelo menos estava assim no testamento dele."

"P."

"Não tinha nada a ver com ele matar a si próprio. Menos que nada a ver."

"P."

"Não eu nunca vi a porra do testamento dele. Ele me contou. Ele me contava coisas.

"Ele tinha parado de ficar bêbado o tempo todo. Foi isso que acabou com ele. Ele não aguentava mas tinha feito uma promessa."

"P."

"Eu não sei nem que ele tinha terminado uma Máster. É *você* que está falando. Não tinha nada irresistível ou encantatório nas minhas duas cenas. Nada desses boatos de perfeição-real. Isso é uma boataria acadêmica. Ele falou disso de fazer alguma coisa entre aspas perfeita demais. Mas era *piada*. Ele tinha uma fixação nisso do entretenimento, de ser criticado por essa coisa de entretenimento v. não entretenimento e estase. Ele se referia à própria Obra como 'entretenimentos'. Mas era sempre de um jeito irônico. Nem nas piadas ele chegou a falar de uma antiversão ou de um antídoto pelo amor de Deus. Ele nunca ia levar uma coisa dessas a esse ponto. Uma piada."

"…"

"Quando ele falava dessa coisa como um entretenimento perfeito entre aspas, terminalmente atraente — era sempre irônico — ele estava me dando uma cutucadinha sarcástica. Eu tinha mania de andar dizendo que o véu era pra disfarçar uma perfeição letal, que eu era letalmente linda demais pras pessoas aguentarem. Era meio que uma piada que eu tinha tirado de um dos entretenimentos dele, aquela coisa da Medusa e da Odalisca. Que até na OFIDE eu me escondi no escondimento, numa negação da própria deformidade. Aí o Jim pegou uma obra que deu errado e me disse que ela era perfeita demais pra lançar — que ia paralisar as pessoas. Era totalmente claro que era uma piada irônica. Pra mim."

"P."

"O humor do Jim era um humor *seco*."

"P."

"Se ele fez mesmo e ninguém viu, a Máster, está lá com ele. Enterrada. É só um palpite. Mas eu aposto com você."

"…"

"Digamos que é um chute *embasado*."

"P."

"…"

"*P, P, P*."

"Taí a parte da piada que ele não sabia. Onde ele está enterrado agora *também* está enterrado, o lugar. Fica nessa zona-de-anulação de vocês. Não fica nem no *território* de vocês. E agora se vocês quiserem aquilo — ele ia gostar pacas da piada, eu acho. Ah puta que pariu ia mesmo."

Por uma coincidência bem arrepiante, acabou que, lá no nosso quarto, Kyle Dempsy Coyle e Mario também estavam assistindo a um dos velhos filmes de Sipróprio. Mario tinha posto a calça e estava usando a sua ferramenta especial de fechar zíperes e botões. Coyle parecia estranhamente traumatizado. Ele estava sentado na beira da minha cama, olhos estalados e o corpo todo com o leve tremor de algo que pende da ponta de uma pipeta. Mario me cumprimentou pelo nome. Neve continuava a girar em redemoinhos do outro lado da janela. Impossível avaliar a posição do sol. Os postes das redes já estavam enterrados quase até a altura dos encaixes das placas do placar. O vento amontoava a neve em camadas contra todos os ângulos retos da Academia e aí martelava as camadas para formar contornos incomuns. Todo o panorama da janela tinha o aspecto cinza e granulado de uma foto ruim. O céu parecia adoentado. Mario utilizava a ferramenta com grande paciência. Muitas vezes ele precisava de várias tentativas pra enroscar e encaixar os dentes da ferramenta na língua do zíper. Coyle, ainda com a placa dentária antiapneia, estava encarando o monitorzinho do nosso quarto. O cartucho era *Cúmplice!*, de Sipróprio, um melodrama curto com Cosgrove Watt e um menino que ninguém tinha visto nem voltou a ver.

"Você acordou cedo", Mario disse, sorrindo ao levantar os olhos da braguilha. A cama dele estava arrumada bem esticadinha.

Eu sorri. "E no final nem fui só eu."

"Você está com uma cara triste."

Eu ergui a mão com o copo da NASA pro Coyle. "Um prazer inesperado, K. D. C."

"Effa vona vo cafete", Coyle disse.

"O Kyle diz que o Jim Troeltsch rasgou um pedaço da cara do Ortho tentando arrancar ele de uma janela grudada na cara dele", Mario disse. "E aí o Jim Troeltsch e o sr. Kenkle tentaram colocar papel higiênico nas partes que rasgaram, que o Vara-Paul às vezes põe uns pedacinhos de lenço de papel num corte de barba, mas a cara do Ortho estava bem pior que um corte com lâmina de barba, e eles usaram um rolo inteiro, e agora a cara do Ortho está coberta de papel higiênico, e agora o papel grudou, e o Ortho não consegue tirar, e no café da manhã o sr. deLint estava gritando com o Ortho por ter deixado eles colocarem papel higiênico, e o Ortho saiu correndo pro quarto dele e do Kyle e trancou a porta, e o Kyle não está com a chave dele desde o acidente com a hidro."

Eu ajudei o Mario com o colete com a trava e prendi o velcro bem firme e bem direitinho. O peito do Mario parece tão frágil ao toque que deu pra eu sentir o coração dele tremendo enquanto batia do outro lado do colete e do moletom.

Coyle tirou a placa de apneia. Fios de um material oral noturno esbranquiçado apareceram entre a boca dele e a placa quando ele a extraiu. Ele olhou pro Mario. "Conta a pior parte pra ele."

Eu estava olhando Coyle bem atentamente pra ver o que ele planejava fazer com a plaquinha nojenta que estava segurando.

"Ô Hal, tem mensagem no teu telefone, e o Mike Pemulis passou aqui e perguntou se você estava de pé."

"Você não contou a pior parte pra ele", Coyle disse.

"Nem pense em largar esse negócio aí na minha cama, Kyle, por favor."

"Eu estou segurando ela longe de tudo, não se preocupe."

Mario usou a ferramenta pra fechar o longo zíper curvo da mochila. "O Kyle disse que teve um problema com um corrimento de novo…"

"Foi o que eu ouvi dizer", eu disse.

"… e o Kyle diz que ele acordou e o Ortho não estava, e a cama do Ortho também não estava, aí ele acendeu a luz…"

Coyle gesticulou com o artefato: "E eis que, tudo em maiúsculas, meu".

"… isso *e eis que*", Mario disse, "a cama do Ortho está lá perto do teto do quarto. Ergueram a estrutura e parafusaram no teto em algum momento da noite sem o Kyle ouvir nem acordar."

"Até o corrimento, pelo menos", eu disse.

"Agora deu", disse Coyle. "As latinhas e as acusações de que eu estou trocando as coisas dele de lugar são uma coisa. Eu vou lá na Alice Lateral pedir pra trocar que nem o Troeltsch foi. Isso é a *gota*."

Mario disse: "E a cama está lá no teto agora, ainda, e se cair vai atravessar direto o piso e cair no quarto do Graham e do Petropolis".

"Ele está lá dentro agora todo mumificado de papel higiênico, emburrado, com a cama dele lá no alto, de porta trancada, que eu nem posso entrar pra pegar as coisas de limpar a placa da apneia", o Coyle disse.

Eu não tinha ouvido nada sobre Troeltsch aparentemente ter trocado de quarto com Trevor Axford. Uma cunha gigante de neve escorregou de uma parte íngreme do telhado sobre a nossa janela, passou pela janela e caiu no chão lá embaixo com um baque forte. Por algum motivo o fato de que algo tão relevante quanto uma mudança de quartos no meio do semestre pudesse ter acontecido sem que eu soubesse me encheu de pavor. Houve alguns lampejos de um possível ataque de pânico incipiente de novo.

A mesa de cabeceira do Mario tinha um tubo de pomada pra queimadura da pélvis dele, espremido todo torto. O Mario estava olhando pra minha cara. "Será que você está triste por não poder jogar se cancelarem os caras do Québec?"

"E aí pra coroar a noite toda ele me acaba com a cara colada na janela", Coyle disse enojado.

"Congelada", eu corrigi.

"Só que mas agora escuta só a explicação do Stice."

"Deixa eu adivinhar", eu disse.

"Pra cama flutuante."

Mario olhou pro Coyle. "Você disse parafusada."

"Eu disse *supostamente* parafusada, isso que eu disse. Eu disse que a única explicação racional possível é parafuso."

"Deixa eu adivinhar", eu disse.

"Deixa ele adivinhar", o Mario disse pro Coyle.

"O Trevas acha que foram fantasmas." O Coyle ficou de pé e veio na nossa direção. Os dois olhos dele não eram dispostos bem no mesmo nível no rosto. "A explicação do Stice que ele me fez jurar guardar segredo mas isso antes da cama no teto foi que ele acha que de algum jeito ele foi selecionado ou escolhido pra ser assombrado por algum tipo de anjo ou de fantasma-da-guarda que reside e/ou se manifesta em objetos físicos comuns, que quer ensinar ao Trevas como não subestimar os objetos comuns e elevar o jogo dele a um nível tipo sobrenatural, pra ajudar no jogo dele." Um olho era sutilmente mais baixo que o outro, e assentado num ângulo diferente.

"Ou prejudicar o de outra pessoa", eu disse.

"O Stice está surtando", o Coyle disse, ainda se aproximando. Eu tomei cuidado pra ficar fora da área de alcance do bafo matinal dele. "Ele fica olhando as coisas com as veias das têmporas saltando, tentando exercer a vontade dele nelas. Ele apostou vintão comigo que conseguia subir na cadeira da escrivaninha e ao mesmo tempo erguer a cadeira, e aí não me deixou cancelar a aposta quando eu fiquei com vergonha alheia por ele meia hora depois, ali de pé com as têmporas saltando."

Eu também estava monitorando cuidadosamente o artefato oral. "Vocês ouviram que era imitação de salsicha e suco na hora no café?"

Mario perguntou de novo se eu estava triste.

O Coyle disse: "Eu estava *lá*. O mapa do Stice estava acabando com o apetite do refeitório inteiro. Aí o deLint começou a gritar com ele". Ele me olhava de um jeito esquisito. "Eu não estou vendo graça nisso, meu."

Mario caiu de costas na cama e se contorceu pra se encaixar na mochila com a facilidade que advém da prática.

Coyle disse: "Eu não sei se devia era ir falar com o Schtitt, ou com a Rusk, ou sei lá o quê. Ou com a Alice Lateral. E se eles mandarem ele pra algum lugar, e for minha culpa?".

"Mas não dá pra negar que o Escurão deu uma melhorada no jogo dele agora no outono."

"Tem recado da secretária eletrônica na secretária eletrônica, Hal, também", Mario disse enquanto eu segurava com cuidado as mãos dele e o puxava pra pôr ele de pé.

"E se for o surto mental que melhorou o jogo dele?", Coyle disse. "Ainda fica sendo surto mesmo assim?"

Cosgrove Watt tinha sido um dos pouquíssimos atores profissionais que Sipróprio usou na vida. Sipróprio muitas vezes gostava de usar amadores horríveis; ele queria que eles simplesmente lessem as falas com a autoconsciência desajeitada de um amador nos cartões que o Mario ou Disney Leith seguravam bem afastados do ponto pra onde a personagem supostamente estaria olhando. Até a última fase da sua carreira, Sipróprio aparentemente achava que aquele jeito travado e canhestro dos não profissionais ajudava a desvelar a ilusão perniciosa do realismo e a lembrar para a plateia que eles estavam na verdade vendo atores atuando e não pessoas agindo. Como o francês-parisiense Bresson que tanto admirava, Sipróprio não estava interessado em passar a perna na plateia com um realismo ilusório, ele dizia. A aparente ironia do fato de ser necessário usar *não atores* para obter esse aspecto travado e artificial tipo eu-só-estou-atuando-aqui foi uma das pouquíssimas coisas nos primeiros projetos de Sipróprio que de fato interessou aos críticos acadêmicos. Mas a verdade verdadeira era que o Sipróprio dos primeiros tempos não queria que atuações competentes ou críveis ficassem na frente das ideias abstratas e das inovações técnicas dos cartuchos, e isso sempre pareceu mais Brecht que Bresson. A inventividade conceitual ou técnica não tinha lá muito interesse para as plateias de cinema de entretenimento, no entanto, e uma forma de ver o fato de Sipróprio ter abandonado o anticonfluencialismo é que nos seus últimos vários projetos ele estava tão desesperado para fazer alguma coisa que as plateias comuns dos EU pudessem achar divertida, interessante e conducente ao autoesquecimento[378] que fez tanto profissionais quanto amadores chafurdarem profundamente em tudo quanto era emoção. Arrancar emoção não só

964

dos atores como também das plateias nunca me pareceu o forte de Sipróprio, se bem que eu lembrava de umas discussões em que o Mario dizia que eu não enxergava muita coisa que estava ali.

Cosgrove Watt era profissa, mas não era muito bom, e antes de Sipróprio o descobrir, a carreira de Watt consistia basicamente de comerciais para o mercado regional na televisão aberta. A sua maior exposição comercial tinha sido como a Glândula Dançante numa série de propagandas de uma cadeia de clínicas de endocrinologia da Costa Leste. Ele usava um figurino branco bulboso, peruca branca e/ou uma bola presa a uma corrente ou sapato branco de sapateado, dependendo de estar representando a Glândula-Antes ou a Glândula-Depois. Sipróprio durante um desses comerciais tinha gritado Eureca para o nosso Sony HD e ido pessoalmente até Glen Riddle, Pennsylvania, onde Watt morava com a mãe e os gatinhos dela, para recrutá-lo. Ele usou Cosgrove Watt em quase todos os seus projetos por dezoito meses. Watt por um tempo foi para Sipróprio o que DeNiro era para Scorsese, MacLachlan para Lynch, Allen para Allen. E até o momento em que o problema do lobo temporal de Watt tornou a presença social dele insuportável, Sipróprio tinha chegado a colocar Watt, mãe e gatinhos num conjunto do que depois vieram a ser os quartos dos pró-reitores no túnel principal da ATE, tendo a Mães aquiescido mas instruído Orin, Mario e eu para nunca, nunca, ficarmos a sós num cômodo qualquer com o Watt.

Cúmplice! foi um dos últimos papéis de Watt. É um cartucho triste e simples, e tão curto que o TP voltou ao começo do filme quase num piscar de olhos. O filme de Sipróprio abre quando um jovem prostituto de parada de ônibus, lindamente triste, frágil e epiceno e tão louro que tem até sobrancelhas e cílios louros, é abordado no café da rodoviária por uma figura lânguida e envelhecida de dentes cinzentos e sobrancelhas circunflexas e com óbvias dificuldades lobo-temporais. Cosgrove Watt faz o papel do velho depravado, que leva o menino para o seu apartamentinho exuberante mas meio seboso, na verdade o apartamento que Sipróprio tinha alugado para O. e a +BODE e tinha decorado com várias gradações de sebosidade para as internas de quase todos os seus últimos projetos.

O lindo e triste menino de cara ariana concorda em ser seduzido pela velha figura decaída, mas só com a condição de que o homem use um preservativo. O menino, que não é articulado, mesmo assim deixa essa estipulação extremamente clara. Sexo Seguro ou Sem Sexo, ele estipula, erguendo um pacotinho laminado familiar. A hedionda figura envelhecida — agora com um paletó de smoking e uma gravata ascot de seda cor de abricó, e fumando com uma longa piteira branca estilo FDR — se ofende, pensa que o jovem prostituto a tomou por uma figura envelhecida tão depravada e decaída que pode até ter Aquilo, o Vírus da Imunodeficiência Humana, ele pensa. O que ele pensa se apresenta via balõezinhos de pensamento de animação, que Sipróprio naquele fim da sua fase intermediária esperava que a plateia achasse ao mesmo tempo autoconscientemente não ilusórios e loucamente divertidos. A figura envelhecida de Watt está sorrindo cinza de um jeito que pensa ser agradável enquanto solicitamente pega o pacotinho e tira a gravata com o que acredita ser um floreio sensual... mas dentro do seu balão de pensamento ele está sofrendo espasmos lobo-temporais de uma fúria sádica contra o triste menino louro, por ele aparentemente tê-lo definido como um risco para a saúde. O óbvio risco para a saúde aqui é mencionado, tanto oralmente quanto no balão dos pensamentos, meramente como *Aquilo*. Por exemplo: "Fidaputa acha que eu tenho uma cara de tão decaído que eu faço isso aqui há tanto tempo que eu provavelmente tenho *Aquilo*, safado", a figura envelhecida pensa, com seu balão ficando todo serrilhado de raiva.

Então a lânguida figura envelhecida agora, com apenas sessenta minutos no cartucho, o contador em 510, agora está levando o menino lindo, daquele jeito homossexual-padrão (extravagantemente corcovado), para a cama de dossel do seu boudoir brega: o jovem prostituto assumiu obedientemente a posição homo-submissa curvada porque a bicha velha lhe mostrou que está usando a camisinha. O jovem prostituto, que é mostrado (curvado) só pelo lado esquerdo durante o ato propriamente dito, parece lindo de um jeito frágil, flancos esquálidos e costelas visíveis, enquanto a figura envelhecida tem a bunda frouxa e os peitinhos pontudos de um homem tornado grotesco por anos de depravação. A cena do intercurso é feita com luzes fortes, sem nenhuma espécie de foco flou ou de fundo de jazz suave na trilha sonora para realçar a atmosfera de distanciamento clínico.

O que o menino louro, triste e submisso não sabe é que a depravada figura envelhecida em segredo escondeu na palma da mão uma gilete antiquada de um só gume quando entrou no seu banheiro de azulejos bordôs para gargarejar enxaguatório de canela e aplicar Almíscar Feromônico marca Calvin Klein nos seus pulsos flácidos, e enquanto ele se inclina animalisticamente sobre o menino, está segurando a parte afiada da lâmina bem perto do ânus do menino triste enquanto obtém seu prazer, de modo que o lado cortante da lâmina corta tanto camisinha quanto falo ereto a cada estocada, com a hedionda figura envelhecida sem se importar com o sangue e sabe-se lá que dor esteja envolvida no fatiamento fálico enquanto, ainda inclinado e estocando, retira a camisinha cortada como se fosse a pele de uma salsicha. O jovem prostituto, submissamente curvado, sente o descascamento da camisinha, aí o sangue e começa a se debater como um condenado, tentando arrancar a figura envelhecida, sangrante, flácida e descamisinhada de cima e de dentro dele. Mas o menino é magro e delicado, e o velho não tem dificuldade para prendê-lo com seu peso murcho, frouxo e mole até ter feito caretas, dado gemidos e levado seu prazer até o fim. Aparentemente é uma convenção explícita da cena de sexo homossexual que a pessoa que fica na posição curvada, submissa mantenha o rosto virado para longe da câmera enquanto o falo do parceiro dominante estiver dentro, e Sipróprio presta tributo a essa convenção, ainda que uma nota de rodapé autoconsciente que aparece como uma legenda na tela aponte de maneira algo irritante que a cena está prestando tributo a uma convenção. O prostituto vira o rosto torturado para a câmera só depois que o depravado homossexual mais velho retirou o corpo e o falo desinflado pós-prazer, leva o rosto de sobrancelhas louras para a esquerda para encarar a plateia com um uivo mudo enquanto desmonta sobre seu peito delicado com os braços estendidos nos lençóis de cetim e o traseiro violado bem erguido no ar, revelando agora na fenda do traseiro e na parte superior da coxa uma vívida mancha roxa, mais vívida do que qualquer machucado e com oito tentáculos aracnídeos que dela irradiam e são, revela o balão de pensamento do horrorizado velho, o inconfundível sinal da mancha de vívida contusão com oito pernas do Sarcoma de Kaposi, o mais universal dos sintomas *Daquilo*, e o menino está soluçando e dizendo que o velho homossexual fez dele — do prostituto — um assassino, com os soluços rascantes do menino fazendo o traseiro erguido se sacudir diante da cara horrorizada da figura envelhecida enquanto o menino soluça no cetim cor de vinho e solta gritinhos de "*Assassino! Assassino!*" repetidamente, de modo que quase um terço da duração total de *Cúmplice!* é consagrado à rascante repetição dessa palavra — muito, mas muito mais tempo do que a plateia precisaria para absorver a virada da trama e todas as suas possíveis implicações e sentidos. Era bem sobre esse tipo de coisa que eu e o Mario discutíamos. Na minha opinião, mesmo que o fim do cartucho tenha os dois personagens manifestando emoções por absolutamente todos os poros, o projeto essencial de *Cúmplice!* continua abstrato e autorreflexivo; nós acabamos sentindo e pensando não nos personagens mas no próprio cartucho. Quando finalmente a última imagem repetitiva se escurece, se torna apenas sombra, os créditos passam por cima dela, o rosto do velho para de sofrer espasmos de horror e o menino cala a boca, a verdadeira tensão do cartucho passa a ser a questão: será que Sipróprio nos fez passar por 500 segundos do grito repetido de "Assassino!" por algum motivo, i. e. será que a desorientação e depois o tédio e depois a impaciência e depois a excruciação e depois a quase-fúria surgida na plateia do filme pelo repetitivo e estático 1/3 final do filme foram provocados com alguma finalidade teórico-estética, ou será que Sipróprio é simplesmente um editor espantosamente ruim de seus próprios filmes?

Foi só depois da morte de Sipróprio que críticos e teóricos começaram a tratar essa questão como algo potencialmente importante. Uma mulher da U. Cal-Irvine tinha ganhado estabilidade na carreira com um ensaio que defendia que o debate da razão-versus-falta-de-razão quanto ao que não era entretenimento na obra de Sipróprio iluminava os pontos-chave do cinema après-garde da virada do milênio, muitos dos quais, na era dos teleputadores e do entretenimento apenas em casa, envolviam a questão de se saber por que tantos filmes esteticamente ambiciosos eram tão chatos e por que tantos entretenimentos comerciais redutores e vabagundos eram tão divertidos. O ensaio era empolado a ponto de ser ilegível, além de usar *pensar* como transitivo direto e de pluralizar *ponto-chave* como *pontos-chave*.[379]

Da minha posição horizontal no chão do quarto eu podia usar o controle remoto do TP pra fazer tudo menos remover e inserir cartuchos no drive. A janela do quarto era agora uma placa translúcida de neve e vapor. As Disseminações Espontâneas da InterLace para a Nova Nova Inglaterra eram todas sobre o tempo. Com o nosso sistema de assinatura, a ATE recebia várias faixas Espontâneas de mercado-amplo. Cada faixa tinha uma abordagem ligeiramente diferente do tempo. Cada faixa tinha um tema ligeiramente diferente. Reportagens à distância sobre a North e a

South Shore de Boston, Providence, New Haven e Hartford-Springfield serviam pra estabelecer um consenso de que tinha caído neve pacas e que ela ainda continuava a cair e voar por aí e se acumular. Mostravam-se carros abandonados em ângulos apressados, e deu pra ver a universal forma branca de fusquinhas enterrados pela neve. Gangues de adolescentes com capacetes pretos em motos de neve eram mostradas espreitando as ruas de New Haven, nitidamente a fim de encrenca. Mostravam-se pedestres curvados e tropeçando; jornalistas que noticiavam à distância apareciam tentando ir tropeçantes até eles para conseguir suas opiniões e reflexões. Um repórter tropeçante em Quincy na South Shore desapareceu de vista de repente a não ser por uma mão com microfone que protuberava bravamente de algum tipo de vórtice de neve; mostraram-se as costas recurvadas dos técnicos indo aos tropeções para longe da câmera ajudá-lo. Pessoas com sopradores de neve em meio às suas próprias nevascas particulares. Um pedestre foi filmado executando uma espetacular queda de bunda. Carros em tudo quanto era ângulo nas ruas apareciam com os pneus girando, estremecendo em estase. Uma faixa ficava voltando e voltando para um homem que tentava incessantemente raspar um para-brisa que imediatamente embranquecia de novo depois de cada raspada. Um ônibus parado de nariz enfiado num monte de neve-monstro. Ventiladores ATHSCME sobre a muralha ao norte de Ticonderoga, NNY, apareciam fazendo ciclones horizontais de neve no ar. Seriíssimas mulheres maquiadas nos estúdios da InterLace concordavam que se tratava da pior nevasca que atingia a região desde 1998 AS e a segunda pior desde 1993 AS. Um sujeito em cadeira de rodas apareceu encarando petreamente um morro de dois metros de neve sobre a rampa da entrada do Palácio do Governo. Mapas de satélite do centro-leste da ONAN mostravam uma formação branca que era espiralada e felpuda e que parecia ter umas coisas que lembravam garras. Não era daquelas que normalmente vinham do Nordeste. Uma crista quente e úmida vinda do Golfo do México e uma frente fria do Ártico tinham colidido sobre o Recôncavo. A foto de satélite da tempestade foi sobreposta a representações esquemáticas do arrasa-quarteirão de 98 e elas eram praticamente idênticas. Um velho conhecido nada bem-vindo estava de volta, uma mulher impressionante de franja preta e com um batom brilhante disse, sorrindo seriíssima. Outra faixa iterava: não era uma daquelas que normalmente vêm do Nordeste. Podia ter sido melhor dizer "sorrindo sem alegria". Os olhos neutros e apagados do cara que impotente esfregava o para-brisa pareciam representar uma imagem visual importante; faixas diferentes ficavam voltando ao rosto dele. Ele se recusava a reconhecer a presença de jornalistas ou a aceitar os pedidos de depoimentos. A cara dele era a cara medonha e objetiva de alguém que está pegando cuidadosamente cacos de vidro da estrada depois de um acidente em que sua esposa decapitada foi empalada na barra de direção. A âncora de outra faixa era uma negra linda com batom roxo e o que parecia um corte de cabelo militar bem alto. Reportagens sobre a neve vinham de tudo quanto era lado. Depois de um tempo eu parei de contar quantas vezes a palavra *neve* foi repetida. Todos os sinônimos de *nevasca* se esgotaram rapidamente. Aventureiros descapacetados nas suas motos de neve davam cavalos de pau na Copley Square, no centro da cidade. Homens sem-teto se encolhiam quase cobertos pela neve nos umbrais das casas, fazendo snorkels de jornal enrolado. Jim Troeltsch, agora aparentemente morador do B-204, gostava de fazer uma imitação bem engraçada de uma âncora da InterLace tendo um orgasmo. Uma das motos de neve dos aventureiros perdeu o controle girando e afundou num monte de neve, e a câmera remota ficou no monte por um bom tempo, mas nada emergiu dali. Os Reservistas da Guarda Nacional de Connecticut receberam ordens de se apresentar mas não tinham se apresentado porque estava impossível transitar por Connecticut. Três homens de uniforme e capacete cinza perseguiam dois homens de capacete branco, todos eles com motos de neve, por motivos que um jornalista no local definiu como ainda não esclarecidos. Repórteres em locais distantes empregaram palavras como *esclarecidos, indivíduo, suposto, utilizar* e *desenrolar*. Mas toda essa fala impessoal era precedida pelo primeiro nome do/a âncora, como se a reportagem fosse parte de uma conversa íntima. Um entregador da InterLace apareceu entregando cartuchos gravados com uma moto de neve e foi descrito como destemido. Otis P. Lord tinha passado por uma cirurgia para a remoção do monitor Hitachi na quinta, LaMont Chu tinha dito. Eu nunca andei de moto de neve, de esqui ou de patins: a ATE desencorajava essas atividades. DeLint descrevia os esportes de inverno como praticamente um pedido ardente feito de joelhos para ganhar uma lesão. As motos de neve no monitor faziam todas sons como os de pequenas motosserras que eram extrapugnazes para compensar serem tão pequenas. Veio uma tomada tocante de um arado travado em Northampton. "Pessoas que não estão com razão de emergência para viajar" (sic) estavam sendo oficialmente desencorajadas a viajar por um policial com um chapéu preso no queixo. Um sujeito de Brockton com um casaco Lands' End levou um tombo burlesco demais pra não ter sido ensaiado.

Eu mal me lembrava da nevasca de 98. A Academia tinha sido inaugurada só uns meses antes. Lembro que as bordas do cume escalpelado ainda eram quadradas, íngremes e listradas de camadas sedimentares, porque as últimas etapas de construção tinham sido postergadas por causa de uns problemas jurídicos cabeludos com o hospital de veteranos lá embaixo. A tempestade veio atropelando tudo lá do Canadá em março. Dwight Flechette, Orin e os outros jogadores tiveram que ser levados pro Pulmão uns amarrados nos outros, em fila indiana, com o Schtitt na frente carregando um sinalizador de polícia rodoviária. Algumas fotos estão penduradas na sala de espera do C.T. O último menino da corda sumiu num cinza e triste remoinho. A nova bolha do Pulmão teve que ser desmontada e consertada quando o peso da neve a encavou de um lado. O T parou de circular. Eu lembro que alguns jogadores mais novinhos tinham gritado e jurado pra todo mundo que a nevasca não era culpa deles. Por dias a fio a neve jorrou sem parar de um céu grafite. Sipróprio tinha ficado sentado numa cadeira com espaldar de fusos, na mesma janela da sala de estar que o C.T. agora usa para preocupação avançada, e apontou uma série de câmeras não digitais para a neve que se acumulava. Depois de anos em que o seu desejo obsessivo tinha sido a fundação da ATE, Orin dizia, Sipróprio tinha começado com a obsessão cinematográfica quase imediatamente depois que a Academia estava pronta e funcionando. Orin dizia que a Mães tinha pensando que a coisa com o cinema era uma obsessão passageira. Sipróprio parecia interessado principalmente em lentes e rasters[380] de início, e nas consequências da sua modificação. Ele ficou sentado na cadeira durante toda a tempestade, bebericando brandy de um copo seguro com uma mão só, pernas compridas não exatamente cobertas por uma manta xadrez. As pernas dele me pareciam quase infinitamente longas naquele tempo. Ele sempre parecia estar bem à beira de cair doente com alguma coisa. O histórico dele até ali indicava que ele continuava obcecado por alguma coisa até ter sucesso nela, e aí transferia sua obsessão pra outra coisa. Da óptica militar à óptica anular à óptica empresarial à pedagogia tenística ao cinema. Na cadeira durante a nevasca ele tinha mantido ao seu lado diferentes tipos de câmera e um grande estojo de couro. A parte de dentro do estojo era estriada com lentes dos dois lados. Ele deixava o Mario e eu colocarmos diferentes lentes na frente dos olhos e apertar os olhos ao segurá-las, imitando o Schtitt.

Um jeito de ver a duração da obsessão cinematográfica é que Sipróprio nunca teve sucesso de verdade ou conseguiu o que queria com o cinema. Isso era outra coisa em que eu e o Mario tínhamos desistido de chegar a um ponto comum.

Levou quase um ano pra terminar a mudança de Weston pra ATE. A Mães tinha ligações sentimentais com Weston e fez tudo se arrastar. Eu era bem pequeno. Eu fiquei de costas no carpete do nosso quarto e tentei lembrar detalhes da nossa casa de Weston, futucando o controle remoto do TP com o polegar. Eu não tenho a cabeça do Mario pra lembrar detalhes. Uma faixa de disseminação simplesmente dava panorâmicas pelo céu e pelos horizontes da Grande Boston do alto da torre Hancock. Nas FMs, a WYYY estava aparentemente dando o seu boletim meteorológico via mimese, transmitindo apenas estática enquanto os estudantes que trabalhavam lá indubitavelmente fumavam maconha celebrando a tempestade e aí iam ficar escorregando no telhado cerebral do Diretório. A panorâmica da câmera da Hancock incluía o sincipúcio do Diretório Acadêmico do MIT, com as convoluções do seu telhado se enchendo de neve antes do resto dele, medonhas filigranas brancas contra o cinza-escuro do telhado.

O único carpete do nosso subdormitório era uma corrupção ampliada da página do tapete do Evangelho de Lindisfarne em que você tinha que olhar bem de perto pra distinguir as cenas pornográficas nos arabescos bizantinos em torno da cruz. Eu tinha adquirido o carpete muitos anos atrás durante um período de intenso interesse em pornografia bizantina inspirado pelo que eu considerava uma referência excitante no OED. Eu também transitei serialmente entre obsessões, na infância. Eu ajustei o meu ângulo no carpete. Estava tentando me alinhar com algum tipo de veios do mundo que eu mal sentia, desde que Pemulis e eu paramos. Os veios, não o mundo. Eu percebi que não conseguia separar as minhas próprias lembranças visuais da casa de Weston das lembranças de ouvir os detalhados relatos que o Mario fazia das suas lembranças. Eu me lembro de uma casa de três andares em estilo vitoriano tardio numa rua baixa e tranquila de olmos, jardins hiperfertilizados, casas altas com janelas ovais e varandas teladas. Uma das casas da rua tinha um florão de abacaxi. Só a

970

rua propriamente dita era baixa; os terrenos eram erguidos em corcovas e as casas, tão altas que a rua larga parecia mesmo assim constrita, uma espécie de garganta flanqueada de afluência. Parecia que era sempre verão ou primavera. Eu lembrava a voz da Mães bem lá em cima na porta de uma varanda telada, chamando a gente de volta quando o crepúsculo ia se instalando e os semicírculos de vitrais sobre as portas começavam a se iluminar em algum tipo de sincronia linear. Ou a nossa entrada de carro ou uma outra flanqueada de pedras caiadas com forma de contas ou gotas. A intricada horta da Mães no quintal delimitada por uma cerca de árvores. Sipróprio na varanda, mexendo um gim-tônica com o dedo. O cachorro da Mães, S. Johnson, ainda não castrado, confinado pela psicose numa espécie de grande curral cercado que fazia fronteira com a garagem, correndo sem parar em volta do curral quando soavam os trovões. O cheiro de Noxzema: Sipróprio atrás do Orin no banheiro do primeiro andar, uma torre inclinada, ensinando o Orin a fazer a barba a contrapelo, pra cima. Eu lembro do S. Johnson saltando empinado sobre as pernas traseiras e meio que tocando a cerca como um instrumento quando o Mario se aproximava do curral: o tom da cerca metálica chocalhante. O círculo de terra desnudado pela órbita de S. J. no curral quando soavam os trovões ou aviões passavam no alto. Sipróprio sentava afundado nas cadeiras e conseguia cruzar as pernas e ainda ficar com os dois pés bem firmes no chão. Ele ficava segurando o queixo enquanto te olhava. As minhas lembranças de Weston pareciam tableaux. Pareciam mais fotos que filmes. Uma estranha lembrança isolada de mosquitos de verão tricotando o ar sobre a hirsuta cabeça animal da cerca de topiaria de um vizinho. As nossas próprias sebes podadas planas como tampos de mesa pela Mães. Mais horizontais. O matraquear das podadoras, com seus cabos elétricos de um laranja-vivo. Eu tinha que engolir saliva praticamente toda vez que respirava. Lembro de escalar com o passo pesado de uma criança insegura com o bipedalismo os degraus de cimento que levavam da rua para uma casa vitoriana tardia com telhado amansardado cuja reduzida altura vista dos degraus lhe dava a aparência distendida de um líquido espesso pendente: lambrequins nos beirais, telhas onduladas de um vermelho desgastado, calhas de zinco que os orientandos da Mães vinham manter limpas. Uma estrela azul na janela da frente com as palavras MÃE DA QUADRA, o que sempre sugeriu ou uma mulher que quase ganhou na loteria ou a patronesse de algum esporte. O frescor e a semiescuridão internos e um cheiro de lustra-móveis. Eu não tinha lembranças visuais da minha mãe sem cabelo branco; a única coisa que variava era o comprimento. Um telefone de teclas, com um fio que ia até a parede, sobre uma superfície horizontal numa alcova embutida perto da porta da frente. Pisos de cortiça e estantes pré-montadas de uma madeira com cheiro de madeira. A arrepiante imagem emoldurada de Lang dirigindo *Metrópolis* em 1924.[381] Um imenso baú negro com tiras de latão nas dobradiças. Alguns antigos troféus pesados que Sipróprio ganhou no tênis servindo de apoios para livros nas estantes. Uma étagère cheia de antiquados vídeos magnéticos em coloridas caixas publicitárias, um grupo de delfts azuis e brancas na prateleira superior da étagère que foi diminuindo à medida que uma pecinha depois da outra ia sendo derrubada por Mario, cambaleante ou empurrado. As cadeiras brancas azuladas com o plástico de proteção que faziam as tuas pernas suarem. Um divã estofado com alguma lã iraniana meio jútica tingida cor de areia misturada com cinzas — que pode ter sido o divã de um vizinho. Algumas queimaduras de cigarros no tecido dos braços do divã. Livros, fitas de vídeo, latas de cozinha — tudo em ordem alfabética. Tudo dolorosamente limpo. Diversas cadeiras-de-capitão com espaldar de fusos de madeiras contrastantes de árvores frutíferas. Uma lembrança surreal de um espelho embaçado de banheiro com uma faca saindo do vidro. Um console televisivo gigante de cujo olho verde-acinzentado eu tinha medo quando a televisão estava desligada. Algumas lembranças têm que ser confabuladas ou sonhadas — a Mães jamais teria um divã com queimaduras.

Uma janela panorâmica pro leste, a direção de Boston, com figuras cor de vinho e um sol azul, tudo suspenso por uma teia de fios. O nascer de um sol tinto de doces por essa janela enquanto eu assistia televisão de manhã.

O sujeito alto, calado e magro, Sipróprio, com a pele irritada pela navalha, os óculos tortos e as calças curtas demais, cujo pescoço era estreito e os ombros, caídos, curvados sob a luz do sol adocidada pela janela leste com o cóccix apoiado em beirais de janelas, brandamente mexendo um copo de alguma coisa com o dedo enquanto a Mães ficava ali lhe dizendo que havia muito tinha abandonado qualquer esperança razoável de que ele estivesse ouvindo o que ela lhe dizia — essa figura silenciosa, da qual eu ainda lembro especialmente pernas infinitas, e o cheiro de creme de barba Noxzema, parece, ainda, impossível de se reconciliar com a sensibilidade de algo como *Cúmplice!*. Era impossível imaginar Sipróprio concebendo ideias de sodomia e navalhas, nem que fosse algo estritamente teórico. Eu fiquei ali deitado e consegui quase me lembrar do Orin me dizendo alguma coisa quase comovente que Sipróprio tinha lhe dito uma vez. Alguma coisa a ver com *Cúmplice!*. A lembrança pairava em algum ponto logo além do alcance consciente, e a sua inacessibilidade tipo na-ponta-da-língua parecia demais o prefácio de outro ataque. Eu aceitei o fato: eu não conseguia lembrar.

Lá descendo a Weston Street uma igreja com um quadro de avisos na grama da frente — brancas letras plásticas numa superfície negra com encaixes — e pelo menos uma vez eu e o Mario ficamos olhando um cara com cara de bode trocar as letras e assim o aviso. Uma das primeiras ocasiões em que eu lembro de ter lido alguma coisa envolvia o quadro de avisos avisando que:

A VIDA É COMO O TÊNIS
UM SERVIÇO BEM EXECUTADO
LEVA À VITÓRIA

com as letras todas assim bem espaçadas. Uma igrejona com cor de cimento fresco, generosa com o vidro, de denominação não lembrada, mas construída no que era, nos anos 1980 AS provavelmente, um estilo moderno — uma forma parabólica de concreto injetado enfunada e cristada como uma onda quebrando. Uma sugestão nela de algum vento paranormal em algum lugar que conseguia fazer o concreto se enfunar e estalar como uma vela estendida.

O nosso quarto do subdormitório tem agora três dessas cadeiras antigas de capitão de Weston cujo encosto te deixa a espinha vincada se você não se encaixar direitinho entre dois fusos. Nós temos um cesto de vime não utilizado que serve pra guardar a roupa suja e sobre o qual se empilham umas almofadas espectatoriais de veludo. Plantas baixas de Hagia Sophia e S. Simão em Qal'at Si'man na parede sobre a minha cama, a parte bem safada da *Consumação dos Leviratos* sobre as cadeiras, também vinda lá do antigo interesse em bizantinália. Alguma coisa naquele jeito rígido e desmantelado da pornografia em *maniera greca*: as pessoas quebradas em pedacinhos e tentando se rejuntar etc. No pé da cama do Mario ficava um baú comprado de sobras do Exército para o equipamento cinematográfico dele e uma cadeira de lona de diretor onde ele sempre largava a trava policial, os pesos de chumbo e o colete, à noite. Uma estante de compensado para o TP compacto e o monitor, e uma cadeira de estenógrafa pra usar o TP pra digitação. Cinco cadeiras no total num quarto em que ninguém jamais senta em cadeiras. Como em todos os quartos e corredores dos subdormitórios, um guilhochê cercava as nossas paredes a coisa de meio metro do teto. Os ATES mais novos sempre ficavam loucos contando os círculos entrelaçados do guilhochê. O nosso quarto tinha 811 e pedacinhos truncados de -12 e -13, duas metades esquerdas grudadas como parênteses abertos no canto sudoeste. Entre os onze e treze anos de idade eu tinha uma imitação barata de gesso de um friso constantiniano lascivo, o imperador com um órgão hiperêmico e uma expressão impura, pendurado por dois ganchos na beira inferior do guilhochê. Agora não tinha jeito de eu me lembrar do que eu tinha feito com o friso ou qual serralho bizantino o original decorava. Houve tempos em que dados como esses ficavam instantaneamente disponíveis.

A sala de estar de Weston tinha uma versão antiga da iluminação embutida de espectro total de Sipróprio e num extremo uma lareira elevada de pedras rústicas com uma grande cobertura de cobre que dava um tambor maravilhoso e ensurdecedor se você batia com colheres de pau, com lembranças de alguma adulta estrangeira que eu não reconhecia massageando as têmporas e implorando *Por* favor. A selva dos bebês verdes da Mães tinha invadido a sala vinda de outro canto, com os vasos das plantas em suportes de altura variada, pendendo de ninhos de barbante suspensos por braçadeiras, dispostos na altura dos olhos em treliças de ferro pintado de branco que se projetavam das paredes, tudo sob o brilho alienígena de uma lâmpada ultravioleta coberta de branco pendurada do teto por correntes fininhas. O Mario lembra de enredados violáceos de samambaias sob a luz e do brilho úmido e carnudo das folhas de seringueira.

E uma mesinha de centro de mármore negro rajado de verde, pesada demais pra alguém mudar de lugar, em cuja quina o Mario perdeu um dente depois do que Orin jurou pra tudo quanto era lado que foi um empurrão acidental.

As panturrilhas varicóticas da sra. Clarke diante do fogão. O jeito da boca da cozinheira sumir lá no alto quando a Mães reorganizava alguma coisa na cozinha. Eu comendo mofo e a Mães bem transtornada por eu ter comido — essa lembrança era do Orin contando a história; eu não tinha nenhuma lembrança infantil de comer fungos.

O meu fiel copo da NASA ainda repousava no meu peito, subindo quando subiam as minhas costelas. Quando eu olhava pelo comprimento do meu próprio corpo, a boca redonda do copo era uma fenda estreita. Isso por causa da minha perspectiva óptica. Havia um termo conciso para *perspectiva óptica* que de novo eu não conseguia fazer aparecer com clareza.

O que tornava difícil mesmo lembrar da sala de estar da nossa antiga casa era que muitas das coisas de lá agora estavam na sala de estar da Casa do Diretor, iguais e no entanto alteradas, e por mais do que apenas redistribuição. A mesinha de centro de ônix contra a qual Mario tinha caído (*especular* é o que se refere à perspectiva óptica; veio depois que eu parei de tentar lembrar) sustentava agora CDs, revistas de tênis e um vaso em forma de violoncelo com um eucalipto ressequido, e o suporte de aço vermelho para a árvore de Natal da família, quando chegasse a hora. A mesa tinha sido presente de casamento da mãe de Sipróprio, que morreu de enfisema logo antes do nascimento inesperado do Mario. O Orin relata que ela parecia um poodle embalsamado, toda tendões no pescoço, cachinhos brancos miúdos e uns olhos que eram só pupila. A mãe biológica da Mães tinha morrido no Québec de um infarto quando ela — a Mães — tinha oito anos, e o pai dela durante o segundo ano da faculdade dela em McGill sob circunstâncias que nenhum de nós conhecia. A minúscula sra. Tavis ainda estava viva em algum lugar de Alberta, com a fazenda de batatas original de L'Islet hoje sendo parte do Grande Recôncavo e perdida para sempre.

Orin e Bain et al. no jogo de Trívia da Família durante aquela nevasca terrível do primeiro ano, o Orin imitando o chiado agudo da Mães, "O meu filho comeu isso aqui! Meu Deus, por favor!", sem nunca cansar disso.

Orin também gostava de recriar pra nós a postura cifótica corcovada e medonha da mãe de Sipróprio, na cadeira de rodas, pedindo pra ele se aproximar com um gesto da garra, aquele jeito dela sempre parecer desmoronada sobre o entorno do peito como se tivesse sido atingida ali com uma lança. Um ar de profunda desidratação que pairava em volta dela, ele dizia, como se ela osmotizasse umidade de quem quer que se aproximasse. Ela passou seus últimos anos morando numa casa em Marlboro que eles tinham comprado antes do Mario e de eu nascermos, sob os cuidados de uma enfermeira gerontológica que o Orin sempre disse que tinha uma cara igual a de todo e qualquer retrato que a polícia faz de um criminoso. Quando a enfermeira não estava, um sininho de prata aparentemente ficava dependurado em um braço da cadeira de rodas da velhinha, pra ser tocado quando ela não conseguia respirar. Um alegre tilintar argênteo anunciando asfixia no primeiro andar. A sra. Clarke ainda empalidecia sempre que Mario perguntava dela.

Ficou mais fácil ver as mudanças climatéricas no corpo da Mães depois que ela começou a se confinar cada vez mais à Casa do Diretor. Isso ocorreu depois do enterro de Sipróprio, mas por etapas — o recolhimento gradual, a relutância em sair da propriedade e os sinais de envelhecimento. É difícil perceber o que você vê todo dia. Nenhuma mudança física tinha sido dramática — as pernas enervadas de dançarina dela ficando rígidas, filamentosas, um encolhimento do quadril e um espessamento que lhe cingia a cintura. O rosto dela está acomodado num ponto algo mais baixo do crânio do que quatro anos atrás, com uma leve dobrinha sob o queixo e um potencial emergente de algo enrugado em volta da boca, com o passar do tempo, eu achava que enxergava.

A palavra que melhor conotava a razão da boca do copo parecer um risquinho era provavelmente *escorçada*.

O Infantilista da SRQ sem dúvida se juntaria ao terapeuta de trauma pra perguntar como ver a Mães da gente começar a envelhecer faz a gente se sentir por dentro. Perguntas como essas viram quase koans: você tem que mentir quando a verdade é Absolutamente Nada, já que isso parece ser uma mentira clássica pros modelos terapêuticos. As questões mais brutais são as que te *forçam* a mentir.

Ou a nossa cozinha ou a cozinha de um vizinho coberta de painéis de nogueira e decorada com fôrmas de cobre para patê e raminhos de temperos. Uma mulher não identificada — não Avril nem a sra. Clarke — de pé na cozinha com uma confortável calça cereja, sapato baixo nos pés descalços, sacudindo uma colher de mexer panela, rindo de alguma coisa, um cometa com uma longa cauda farinácea na bochecha dela.

Me ocorreu então com alguma força que eu não queria jogar naquela tarde, nem se conseguissem montar algum tipo de desafio indoors. Nem era tanto-faz, eu percebi. Eu teria em geral preferido não jogar. O que o Schtitt podia ter a dizer v. o que o Lyle diria. Eu era incapaz de me manter pensando nisso tempo suficiente pra imaginar a reação de Sipróprio à minha recusa de jogar, se é que haveria.

Mas esse era o homem que tinha feito *Cúmplice!*, cuja sensibilidade embasava o hétero-hard-core *Tira, Möbius*, o sadoperiodôntico *Diversão mordaz* e vários outros projetos que eram simples e do-começo-ao-fim-mente pérfidos e doentes.

Aí me ocorreu que eu podia sair e dar um jeito de tomar um pacote, ou me espremer pela janela da escadaria dos fundos e cair vários metros até o morro íngreme lá embaixo, fazendo questão de aterrissar em cima do tornozelo ruim pra machucar mesmo, pra não precisar jogar. Que eu podia planejar cuidadosamente uma queda do gio de observação das quadras ou da galeria dos espectadores de fosse lá qual fosse o clube pra onde o C.T. e a Mães mandassem a gente pra ajudar a angariar fundos, e cair tão cuidadosa e desajeitadamente que acabasse arrasando todos os ligamentos do tornozelo e nunca mais voltasse a jogar. Nunca ia precisar, nunca ia poder. Eu podia ser a vítima inocente de um acidente bisonho e ser arrancado do jogo ainda na ascendente. Virar objeto de um lamento compassivo em vez de um lamento decepcionado.

Eu não conseguia manter essa fabulosa linha de pensamento por tempo suficiente pra explicitar de quem seria essa decepção que eu estava me dispondo a me aleijar pra evitar (ou renunciar a ela).

E aí do meio do nada aquilo me voltou, a coisa comovente que Sipróprio tinha dito ao Orin. Aquilo se referia aos filmes "adultos", que pelo que eu vi na vida são simplesmente tristes demais pra serem safados de verdade, ou até pra serem divertidos de verdade, ainda que o adjetivo *adulto* seja meio que equivocado.

O Orin tinha me contado que uma vez ele e o Smothergill, o Flechette e acho que o irmão mais velho do Penn tinham conseguido uma fita magnética de algum filme censura-18 antigo bem hard-core — A *porta verde* ou *Garganta profunda*, um daqueles festivais antigos de celulite e esporro. Houve planos empolgados de eles se encontrarem na sv3 pra assistir aquilo em segredo depois da hora de ir dormir. As Salas de Vídeo naquela época tinham televisões de antena e aparelhos magnéticos de videocassete, vk7s pedagógicos de Galloway e Braden etc. Orin e cia. ltda. tinham todos coisa de quinze anos na época, movidos por seus próprios hormônios — eles estavam de olhos esbugalhados só de pensar na possibilidade da genuína pornografia. Havia regras sobre a adequabilidade dos vídeos assistidos no Código de Honra, mas Sipróprio não tinha fama de disciplinador e o Schtitt ainda não tinha o deLint — a primeira geração dos ATES fazia basicamente o que queria fora de quadra, desde que eles fossem discretos.

Mesmo assim, o boato a respeito desse filme "adulto" correu, e alguém — provavelmente Ruth, a irmã da Mary Esther Thode, que naquele tempo era veterana e insuportável — rateou os planos espectatoriais dos meninos pro Schtitt, que levou a questão a Sipróprio. O Orin disse que ele foi o único que Sipróprio chamou pro gabinete do Diretor, que naquela era tinha só uma porta, que Sipróprio pediu pro Orin fechar. O Orin lembrava de não ter visto vestígios da intranquilidade que sempre acompanhava as tentativas de disciplina rígida de Sipróprio. Em vez disso Sipróprio pediu pro Orin sentar, lhe deu um refri de limão e ficou olhando pra ele, ligeiramente recostado de modo que a parte da frente da sua mesa lhe desse apoio na altura do cóccix. Sipróprio tirou os óculos e massageou os olhos fechados delicadamente — quase preciosamente, seus velhos globos — daquele jeito que Orin sabia que significava que Sipróprio estava ruminativo e triste. Uma ou duas interrogativas tranquilas desmantelaram a estória toda. Nunca dava pra mentir pra Sipróprio; de algum jeito simplesmente nunca dava coragem. Ao passo que o Orin transformava o mentir pra Mães quase num esporte olímpico. Enfim, o Orin logo confessou tudo.

O que Sipróprio disse então comoveu o Orin, ele me disse. Sipróprio disse pro Orin que não ia proibir os meninos de assistir aquilo, se eles queriam mesmo. Mas só por favor era pra manter aquilo tudo bem discreto, só o Bain, o Smothergill e o círculo próximo do Orin, ninguém mais novo que eles, e ninguém cujos pais pudessem ficar sabendo, e pelo amor de Deus não deixe a tua mãe nem imaginar. Mas que o Orin já tinha idade pra tomar as próprias decisões sobre entretenimento, e se ele decidisse assistir aquilo... E assim por diante.

Mas Sipróprio disse que se o Orin queria a sua opinião pessoal, paterna, em oposição à posição diretorial, aí ele, o pai do Orin — apesar de não proibir — ia preferir que o Orin ainda não assistisse um filme pornô. Ele disse isso com uma franqueza tão

976

reticente que não tinha como o Orin lhe perguntar como assim. Sipróprio passou a mão pelo queixo, empurrou os óculos pra cima várias vezes, deu de ombros e acabou dizendo que achava que temia que o filme desse a Orin uma ideia errada sobre o ato sexual. Ele disse que pessoalmente ia preferir que o Orin esperasse até encontrar alguém que amasse o suficiente pra querer fazer sexo com ela e fizesse sexo com essa pessoa, que ele esperasse até sentir por si próprio a coisa profunda e de fato comovente que o sexo podia ser, antes de assistir um filme em que o sexo era apresentado apenas como uns órgãos que entravam e saíam em e de outros órgãos, sem emoções, uma coisa muito solitária. Ele disse que achava que temia que algo como A *porta verde* desse a Orin uma ideia empobrecida e solitária da sexualidade.

O que o coitado do O. disse ter achado tão comovente foi a premissa de Sipróprio de que o O. ainda era cabaço. O que *me* levou a ficar com pena do Orin foi que parecia bem óbvio que isso não tinha nada a ver com o que Sipróprio estava tentando dizer. Foi a coisa mais franca que eu soube que Sipróprio tinha dito a alguém, e me parecia terrivelmente triste, de alguma maneira, ele ter gastado aquilo com o Orin. Eu nunca tive uma única conversa nem remotamente tão franca ou íntima assim com Sipróprio. A minha lembrança mais íntima de Sipróprio era o rosto pinicante e o cheiro do pescoço dele quando eu dormia na janta e ele me carregava pra cama no primeiro andar. O pescoço dele era fino mas tinha um cheiro quente, carnudo e gostoso; eu agora por algum motivo o associo ao odor do cachimbo do técnico Schtitt.

Eu tentei brevemente imaginar Ortho Stice erguendo a cama e parafusando a estrutura no teto sem acordar o Coyle. A porta do nosso quarto continuava entreaberta desde a saída do Mario com o Coyle pra achar alguém com uma chave-mestra. As cabeças do Repelente e do Wagenknecht deram uma aparecida rápida e me disseram pra ir dar uma olhada na cara destruída do Trevas e se retiraram quando não obtiveram resposta. O segundo andar estava bem calmo; quase todos eles ainda estavam fazendo hora no café da manhã, esperando alguma informação sobre o tempo e as equipes do Québec. A neve batia nas janelas com um som arenoso. O ângulo do vento tinha transformado um dos cantos do prédio dos subdormitórios num apito, e os apitos iam e viam.

Aí eu ouvi os passos do John Wayne pelo corredor, leves, regulares e silenciosos no piso, passos de um cara com um desenvolvimento estelar de panturrilhas. Ouvi seu suspiro baixo. Aí, apesar da porta estar muito atrás de mim pra eu ver, por um instante ou dois eu de alguma maneira soube com certeza que a cabeça do John Wayne estava dentro da porta aberta. Eu conseguia sentir claramente, quase dolorosamente. Ele estava olhando lá de cima e me vendo deitado no carpete de Lindisfarne. Não havia nada da tensão que se acumula quando uma pessoa decide se vai ou não falar. Eu sentia o equipamento da minha garganta se mexendo quando eu engolia. John Wayne e eu nunca tínhamos muito a dizer um pro outro. Também não havia hostilidade entre nós. Ele jantava com a gente na CD de vez em quando porque ele e a Mães eram chegados. A Mães nem fazia muita força pra disfarçar a sua ligação com

Wayne. Agora a respiração dele atrás de mim era leve e muito regular. Nenhuma perda, utilização total de cada alento.[382]

Entre nós três, foi o Mario quem passou mais tempo com Sipróprio, às vezes viajando com ele pra filmar em locação. Eu não fazia ideia do que os dois conversavam nem do grau de franqueza entre eles. Nenhum de nós jamais apertou o Mario pra ele falar muito disso. Me ocorreu me perguntar por quê.

Eu decidi levantar mas aí não cheguei a levantar. O Orin estava convencido de que Sipróprio era virgem quando conheceu a Mães já com seus trinta e muitos anos. Eu acho bem difícil de acreditar nisso. O Orin também acredita que não há dúvida de que Sipróprio foi fiel à Mães até o último momento, de que a ligação dele com a noiva do Orin não era sexual. Eu tive uma súbita e lúcida visão da Mães e do John Wayne presos num abraço sexual de alguma natureza. O John Wayne tinha se envolvido com a Mães sexualmente desde basicamente o segundo mês depois dele chegar. Os dois eram expatriados. Eu ainda não tinha conseguido identificar um sentimento forte pró ou contra a ligação deles, nem sobre o próprio Wayne, a não ser por admirar o talento dele e a sua concentração total. Eu não sabia se o Mario sabia da ligação, pra não falar do C.T.

Era impossível pra mim imaginar Sipróprio e a Mães sendo explicitamente sexuais juntos. Aposto que quase todos os filhos têm essa dificuldade quando se trata dos pais. O Sexo entre a Mães e o C.T. eu imaginava como algo simultaneamente frenético e exaustivo, com uma espécie de aura faulkneriana atemporal e condenada. Eu imaginava os olhos da Mães abertos e encarando apaticamente o teto o tempo todo. Eu imaginava o C.T. sem nunca conseguir calar a boca, falando pelos cantos e pelas frestas de tudo que estivesse ocorrendo entre eles. O meu cóccix tinha ficado amortecido por causa da pressão do piso através do carpete fino. O Bain, orientandos de pós-graduação, colegas gramaticais, coreógrafos de luta japoneses, Ken N., o dos ombros cabeludos, o dr. Islamita que Sipróprio tinha achado tão especialmente torturante — esses encontros eram imagináveis mas de alguma maneira genéricos, quase uma questão só de atleticidade e flexibilidade, diferentes configurações de membros, com um clima mais de cooperação que de cumplicidade ou paixão. Eu tendia a imaginar a Mães encarando inexpressivamente o teto o tempo todo. A paixão cúmplice teria surgido depois, provavelmente, com a necessidade que ela sentia de ter certeza que o encontro fosse às escondidas. Malgrado as alusões ao Peterson, eu ficava imaginando alguma obscura conexão entre essa paixão pelo ocultamento e o fato de Sipróprio ter feito tantos filmes chamados *Jaula*, e que a atriz amadora a quem ele se viu tão ligado era a menina velada, o amor do Orin. Eu ficava imaginando se era possível ficar em decúbito dorsal e vomitar sem aspirar o vômito ou se engasgar. O penacho do espiráculo de uma baleia. O quadro de John Wayne e a minha mãe na minha imaginação não era muito erótico. A imagem era completa e muito bem focalizada mas parecia rígida, como se tivesse sido composta. Ela se reclina em quatro travesseiros, num ângulo entre sentada e deitada, encarando o alto, imóvel e pálida. Wayne, longilíneo e bronzeado, com uma musculatura suavemente definida, também completamente imóvel, deitado sobre ela, bunda clara pra cima, rosto apático e estreito entre os seios dela, olhos sem piscar e língua fina projetada como a de um lagarto estupefato. Eles ficam bem desse jeito.

Ela não era estúpida — ela sacou que era provável que eles a soltassem só pra ver aonde ela iria.

Ela foi pra casa. Ela foi para a Casa. Pegou um dos últimos trens antes de fecharem o T, provavelmente. Levou uma eternidade pra ir da Comm. Ave. à Marina de Enfield de tamanco e saia na neve, e o gelo derretido empapava o véu e o fazia aderir aos traços que cobria. Ela tinha passado perto de tirar o véu pra se livrar daquela federal que parecia um zagueiro de futebol americano. Ela agora parecia exatamente uma versão pálida como um pano de si mesma. Mas não havia ninguém por ali na neve. Ela pensou que se conseguisse falar com a Pat M. a Pat M. podia ser convencida a colocá-la de quarentena com a Clenette e a Yolanda, nada de deixar os Homens entrar. Ela podia contar sobre as cadeiras de rodas pra Pat, tentar convencê-la a destruir a rampa. A visibilidade estava tão ruim que ela não viu até passar o Depósito o carro do Xerife do Condado de Middlesex, com agressivas correntes nos pneus, luzes azulmente piscantes, estacionado em ponto morto na ruelinha em frente à rampa, limpadores de para-brisa no temporizador, um cara de uniforme ao volante distraidamente passando a mão no rosto.

Ele diz: "Eu sou o Mikey, alcoólico, viciado e fodido, sabe como é?".

E eles riem e gritam "Pode crer" enquanto ele fica ali sacudindo levemente o púlpito, borrado um pouco através do véu, lambrecando um lado do rosto com uma mão de operário enquanto tenta pensar no que dizer. É outra dessas reuniões de revezamento, com cada orador escolhendo o próximo na plateia fumarenta da hora do almoço, indo correndinho até o púlpito de compensado tentando pensar no que dizer, e como, durante os cinco minutos que cabem a cada um. A pessoa que preside a reunião de uma mesa ao lado do púlpito tem um relógio e um gongo de loja de mágicas.

"Bom", ele diz, "bom eu vi uma amostra do velho Mikey de novo ontem, sabe como é? Fiquei com um puta medo. O negócio é que eu ia levar o meu garoto pra pista pra jogar um bolichinho. Com o meu garoto. Que ele acabou de tirar o gesso. Então eu estou todo contente e tal, tirei um dia de folga, pra ver o garoto. Passar um tempo sóbrio com o garoto. E coisa e tal e tal e coisa. Aí eu estou na maior felicidade e coisa e tal, com isso de ir ver o garoto, sabe como é? Daí, meu, daí eu ligo pra vaca da minha irmã. Ele está morando lá com elas, com a Mãe e a minha irmã, então eu dou uma ligada pra minha irmã pra ver se dá pra eu passar e pegar o garoto tal horas e tal. Porque cês sabem como que o juiz disse que eu preciso pegar uma porra daquelas autorização só pra ver o meu garoto. Sabe como é? Por causa da ação cautelar de afastamento aqui pro Mikey, das antiga. Eu tenho que pedir licença pra elas. E eu, meu, eu aceito, eu digo beleza, então eu estou lá ligando na maior aceitação e na felicidade e tal pra minha irmã consentir, e ela do fundo da bondade daquele coração lá dela me deixa esperando enquanto ela diz que tem que ver com a Mãe. E elas acabam concordando. E eu, meu, eu aceito, sabe como é? E eu digo que ia passar lá tal horas e tal, e a minha irmã diz se eu não ia nem dizer obrigado? Tipo toda se achando, sabe como é? E eu sifudê, meu, cê quer uma porra de uma medalha por me deixar ver o meu próprio filho. E a vaca me des*liga* na minha cara o telefone. Ah. Puta que os pa*riu*. E também o juiz com isso da medida, é assim toda se achando, as duas, a vaca e a Mãe. Aí depois que ela me desliga assim sem mais nem menos um pouquinho do antigo Mikey eu acho que começa a aparecer e eu vou lá e tudo bem que eu tenho que ser honesto que eu fui lá e estacionei mesmo na grama da porra do jardim delas, e eu vou lá e vou lá ver pra falar com ela e eu tipo sifudê vagaba, e a Mãe no corredor atrás dela na porta, eu digo Desliga na minha cara então, você é que devia fazer umas sessão de terapia sabe como é? E elas nenhuma delas ali não gosta nadinha desse comentário verbal, né? A vaca quase começa a rir e me diz, tipo, que *eu* estou dizendo pra *ela* ir fazer terapia?"

Risos na plateia.

"Tipo eu não estava exatamente aparecendo ali com uns bons anos de sobriedade, né? E eu aceito. Mas a vaca meteu aquele gancho na porta e está dizendo Quem que você *pensa* que é seu bosta pra vim aqui *me* mandar pra terapia caralho depois da puta sacanagem que você e aquela *piranha* aprontaram com esse garoto aqui que mal acabou de tirar o gesso. Ah, e nem sinal do garoto por ali. Só ela e a Mãe do outro lado da portinha de tela, tudo se achando e tal. E agora elas me mandam sair da porra da varanda, Não elas me falam, assim tipo Permissão Negada, possibilidade de ver o meu próprio garoto *recusada*. E a vaca ainda com aquela merda daquele roupão depois do meio-dia, e a Mãe atrás dela já meio zureta e agarrada na porra da parede. Sabe como é? A minha serenidade tipo: *Té maais!* E eu Cês vão tutomanocu, eu vim aqui pegar o meu garoto caralho. E agora a minha irmã diz que vai pro telefone, e a Mãe dizendo Sifudê, cascafora, Mikey. E fora que eu não sei se eu mencionei que nem sinal do garoto, e eu não posso nem tipo *encostar* na porta de telinha, não sem autorização delas. E eu ali esperando pra matar alguém ali caralho, sabe como é? E a minha irmã puxando a anteninha do telefone, e aí eu Beleza tou indo, mas eu tipo agarro as bola pra mostrar pra elas e aí eu digo Chupa cês duas, sabe como é? Porque agora é o Mikey das antiga de novo, e agora *eu* que tou tudo cheio também. Eu tou tão a fim de tocar fogo na vaca da minha irmã que eu mal consigo enxergar direito pra tirar a caminhonete da grama e ir embora dali. Mas e aí e mais aí eu estou voltando pra casa, e eu estou tão puto que do meio do nada eu tento rezar. E eu tento e eu rezo, dirigindo e tal, e aquilo me vem e eu saco que independente da pose fodida toda cheia lá delas eu ainda tenho que voltar lá e pedir desculpa independente mesmo, por agarrar as bola na frente delas, porque isso é coisa das antiga caralho. Eu saco que em nome da minha sobriedade mesmo, que eu tenho que voltar e tentar dizer que desculpa. Só a ideia da coisa toda quase me faz vomitar, sabe — mas eu volto, encosto a caminhonete lá na rua na frente da casa, rezo, subo de novo na varanda e eu peço a porra da desculpa, e eu chego pra minha irmã Por favor se pelo menos eu posso ver o garoto pra ver ele sem o gesso e a vaca Sifudê, cascafora, a gente não vai aceitar essa desculpinha de merda. E nem sinal da Mãe, e o garoto ali nem sinal dele, daí que eu tenho que aceitar a palavra dela e eu nem sei de verdade se tiraram mesmo o gesso. Mas por que que eu precisava dividir isso aqui eu acho que é porque me deu medo. *Eu* me dei medo, sabe como é? Eu falei com o terapeuta depois e eu disse que eu vou que eu tenho que dar algum jeito de controlar essa porra desse meu gênio senão eu vou acabar de novo na frente de algum juizinho do caralho porque eu toquei fogo em alguém de novo, sabe como é? E Deus que me livre caralho de ser alguém da minha família, porque eu já passei demais por esse caminho aí na vida. E eu tipo Eu sou louco, doutor, ou não? Será que eu tenho tipo um desejo de morte ou não? Sabe como é? Finalmente eles tiraram o gesso indagorinha e eu querendo tocar fogo na porra da vaca que tem que *consentir* pra eu poder ficar a menos de cem metros do garoto? Parece ou não parece que eu estou *tentando* arranjar uma desculpa pra tomar uns goró ou qual é a desse pavio curto meu, se eu estou sóbrio? O pavio e o juiz foi o motivo de eu ficar sóbrio pra começo de conversa? Então que porra é essa? Meu, nem fodendo. Eu só estou feliz porque eu botei um pouco pra fora. Isso estava na minha cabeça, me alugando, sabe como é? Eu estou vendo que o Vinnie já vai me gongar. Eu quero ouvir o Tommy E. lá no fundão. Opa, Tom*my*! Tá aí descascando uma bronha no fundão? Mas eu estou feliz de estar aqui. Eu só queria botar um pouco pra fora."

O vinco da calça do homem tinha sumido no joelho e o sobretudo Cardin dele parecia o de alguém que dormiu vestido.

"Bondade sua me conceder passagem."

Pat M. tentou recruzar as pernas e deu de ombros. "Você disse que não estava aqui profissionalmente."

"Bondade sua acreditar." O chapéu do Promotor Público Assistente do 4° Circuito do Condado de Suffolk lá na parte de cá da North Shore era um Stetson chique de boa qualidade com uma pena na faixa. Ele o segurava no colo pela aba e o girava lentamente movendo os dedos ao longo da aba. Ele tinha recruzado as pernas duas vezes. "Nós conhecemos você e o Mars na Regata Marblehead em prol daquela coisa da Casa McDonald's, das criancinhas, não no verão deste ano mas ou no do…"

"Eu sei quem você é." O marido de Pat não era uma celebridade mas conhecia várias celebridades locais graças à rede de lojas de carros esportivos chiques totalmente recondicionados por toda a cidade de Boston.

"Bom, é bondade sua. Eu vim aqui falar de um dos seus residentes."

"Mas não profissionalmente", Pat disse. Não era uma pergunta nem uma constatação. Ela era fria como aço no que se referia à proteção dos residentes e da Casa. Aí quando voltava pra casa na sua própria casa ela era uma casca estilhaçada de uma ruína.

981

"Pra dizer a verdade eu não sei bem por que eu estou aqui. Você acabou de descer do hospital. Eu passei os últimos três dias indo direto ao Saint Elizabeth. Talvez eu tenha que simplesmente soltar isso de uma vez. Os caras do 5º DP — os Defensores Públicos — falam bem daqui. Da sua casa aqui. Talvez eu tenha que simplesmente dividir isso, pra ganhar coragem. O meu padrinho não está servindo pra nada. Ele simplesmente disse pra eu fazer isso de uma vez se quiser ter alguma esperança de tudo melhorar."

Qualquer coisa abaixo de uma combinação de profissionalismo total e longos anos de AA teria pelo menos levantado uma sobrancelha quando um dos mais poderosos e impiedosos oficiais da justiça de toda a região disse *padrinho*.

"É a Comp-Fob-Anon", o PPA disse. "Eu frequentei a Escolhas[383] no inverno do ano passado e estou seguindo um programa de recuperação na Comp-Fob-Anon um dia de cada vez até onde eu consigo desde então."

"Sei."

"É a Tooty", o PPA disse. Ele fez uma pausa com os olhos fechados e aí sorriu, ainda de olhos fechados. "Na verdade, sou eu, e os meus problemas de envolvimento com a... situação da Tooty."

A Comp-Fob-Anon era uma dissidência de 12-passos da Al-Anon que existia havia uma década, para problemas de codependência relacionados com pessoas próximas que tinham fobias ou compulsões terríveis, ou ambas as coisas.

"É uma história comprida e não particularmente interessante, eu tenho certeza", o PPA disse. "Digamos apenas que a Tooty está sofrendo horrores em função de certos problemas com a ideia da violação oral-dental-higiênica que tem suas raízes pelo que nós descobrimos em certos problemas de infância cuja disfuncionalidade nós — bom, que ela estava negando havia não pouco tempo. Não vem ao caso. O meu programa é o meu próprio. Esconder as chaves do carro, cortar o crédito dela com diversos dentistas, verificar os cestos de lixo em busca de embalagens novas de escova de dentes cinco vezes por hora — a minha insustentabilidade é minha, e eu estou fazendo o que eu posso, dia a dia, pra me desembaraçar e me desligar com amor."

"Acho que eu sei como é."

"Eu estou tentando o Nove agora."

Pat disse "O Nono Passo".

O PPA reverteu a rotação do chapéu movendo os dedos na direção contrária ao longo da aba.

"Eu estou tentando pedir desculpas a toda e qualquer pessoa que o meu trabalho com o Quarto e o Oitavo passos revelou que eu prejudiquei, a não ser nos casos em que fazer isso fosse fazer mal a elas ou a outros."

Um microescorregão espiritual da Pat na forma de um sorriso condescendente. "Eu também já ouvi falar do Nono."

O PPA mal estava ali, de olhos fixos e dilatados. O ângulo impiedoso e cerrado das sobrancelhas que Pat sempre tinha visto nas fotos dele estava totalmente invertido. As sobrancelhas agora formavam um tetinho pontudo de páthos.

"Um dos seus residentes", ele disse. "Um certo sr. Gately, enviado pelo judiciário lá do 5º Circuito, Peabody acho eu. Ou funcionário conselheiro, ex-interno, alguma posição."

Pat fez uma espécie de cara exagerada inocente tipo estou-tentando-ligar-o-nome-à-pessoa.

O PPA disse: "Não vem ao caso. Eu conheço as suas restrições. Eu não quero nada de você nem dele. Foi ele que eu fui visitar lá no Saint Elizabeth".

Pat se permitiu uma narina ligeiramente dilatada diante dessa notícia.

O PPA se inclinou para ela, chapéu girando entre as pernas, cotovelos nos joelhos na estranha postura defecatória que os homens empregam para tentar comunicar a franqueza do que vão dividir. "Me disseram... que eu devo ao... a esse sr. Gately... uma desculpa. Eu preciso pedir desculpas a esse sr. Gately." Ele ergueu os olhos. "Você também — isso aqui não sai desta sala, como se fosse o meu anonimato. Tudo bem?"

"Claro."

"Não importa o motivo. Eu culpei o... eu guardei um certo rancor, contra esse Gately, no que se refere a um incidente que eu tinha considerado responsável por fazer a fobia da Tooty se reinflamar. Não vem ao caso. Os detalhes, ou a culpabilidade dele, ou a exposição dele a consequências judiciais do incidente — eu passei a acreditar que essas coisas não vêm ao caso. Eu guardei esse rancor. A foto do rapaz estava no meu quadro de prioridades junto com as fotos de ameaças bem mais objetivamente importantes à coisa pública. Eu estava só esperando pra pegar o sujeito. Esse último incidente — não, nem mencione, você não precisa dizer nada — parecia exatamente a minha chance. A minha última oportunidade foi tomada pelos federais e aí se apagou."

Pat se permitiu uma testa muito levemente intrigada.

O homem acenou com o chapéu. "Não vem ao caso. Eu odiei, *odiei* esse sujeito. Você sabe que Enfield fica no Condado de Suffolk. Esse incidente com o ataque dos canadenses, a suposta arma de fogo, as testemunhas que não podem depor por causa da sua própria fragilidade jurídica... O meu padrinho, o meu Grupo inteiro — eles dizem que se eu der voz a esse rancor eu estou perdido. Eu não vou conseguir alívio. Não vai ajudar a Tooty. Os lábios da Tooty ainda vão ser aquela ferida branca do peróxido, o esmalte dos dentes esfrangalhado por causa da escovação constante e irracional sem parar sem parar *sem parar...*" Ele colocou sua bela mão limpa sobre a boca e produziu um ruído agudo que francamente causou faniquitos na Pat, a pálpebra direita dele tremendo.

Ele respirou várias vezes. "Eu preciso me desligar disso. Eu passei a acreditar nisso. Não só a acusação — essa é a parte fácil. Eu já joguei fora a ficha, por mais que o... que esse sr. Gately tenha responsabilidades cíveis, isso é outra questão, não é problema meu. Só que é tão *irônico*. O sujeito vai escapar saltitandinho de no mínimo dos mínimos uma violação da condicional e de ser acusado formalmente por todas as suas ações *extremamente* condenáveis de antes porque eu preciso abandonar o caso, pela minha própria recuperação, eu, que não queria mais nada na vida a não ser ver esse sujeito trancafiado numa cela com algum psicopata pelo resto da vida natural dele, que ergui o punho para o teto e *jurei...*" e de novo o ruído, dessa vez ensurdinado pelo belo chapéu e portanto menos bem-ensurdinado, com o sapato dele batendo um tanto furioso no carpete de modo que os cachorros da Pat ergueram a cabeça e olharam para ele de um jeito zombeteiro, e o epiléptico teve uma convulsãozinha sonora, bem pequena.

"Eu estou ouvindo você dizer que isso é muito difícil mas que você decidiu o que precisa fazer."

"Pior", o PPA disse, drenando a testa com um lenço desdobrado. "Eu tenho que pedir desculpas, o meu padrinho disse. Se eu quero o crescimento que promete alívio verdadeiro. Preciso pedir diretamente, estender a mão e dizer que eu sinto muito e pedir que o sujeito me perdoe pela minha própria incapacidade de perdoar. É o único jeito que eu vou conseguir perdoar o cara. E eu não posso me desligar com amor da compulsão fóbica da Tooty até perdoar esse f... o homem que eu culpei no fundo do meu coração."

Pat olhou nos olhos dele.

"Claro que eu não posso dizer que arquivei o processo do canadense, eu não preciso ir tão longe eles dizem. Isso ia me deixar exposto a um conflito de interesses — quanta *ironia* — e podia fazer mal à Tooty, se a minha posição se visse ameaçada. Me disseram que eu posso simplesmente deixar a coisa em banho-maria até o tempo passar e nada acontecer." Ele ergueu os próprios olhos. "O que significa que você também não pode contar a ninguém. Deixar de acionar alguém por motivos pessoais e espirituais — os meus superiores — ia ser difícil alguém entender. É por isso que eu vim falar com você com essa confidência explícita."

"Eu estou ouvindo e honrando a sua solicitação."

"Mas escuta. Eu não consigo. Não dá. Eu fiquei na frente daquele quarto do hospital repetindo a Oração da Serenidade sem parar e rezando pra encontrar disposição, pensando nos meus próprios interesses espirituais e acreditando que essa compensação é o desejo de crescimento pessoal que vem do meu Poder Superior, e não consegui entrar. Eu vou lá e fico sentado paralisado na frente do quarto por várias horas, volto pra casa e arranco a Tooty da frente da pia. Eu não consigo levar isso adiante. Eu preciso olhar para aquele verme — não, *demônio*, eu estou profundamente convicto de que aquele filho de uma puta é *demoníaco* e *merece* ser removido da comunidade. Eu tenho que entrar lá, estender a mão e dizer a ele que lhe desejei mal e pedir que ele me perdoe — *ele* — se você *soubesse* a coisa *doentia, pervertida,* sadicamente *demoníaca* e *doentia* que ele fez com a gente, com ela — e pedir pra ele me perdoar. Se ele perdoa ou não, não faz diferença. É o meu lado da rua que eu devo limpar."

"Parece muito difícil mesmo", Pat disse.

O belo chapéu estava quase rodopiando entre as pernas do homem, onde a calça dele tinha sido erguida na inclinação defecatória para revelar pés de meia que não eram, parecia, exatamente da mesma textura de lã. Os pés de meia diferentes tocavam o coração de Pat mais que qualquer outra coisa.

"Eu nem sei por que eu vim aqui", ele disse. "Eu não podia simplesmente ir embora de novo e voltar pra casa. Ontem ela tinha raspado a língua com aqueles higienizadores Papas da Língua até sangrar. Eu não posso voltar pra casa de novo sem ter deixado a casa em ordem."

"Eu estou ouvindo."

"E você estava logo aqui no pé do morro."

"Entendo."

"Eu não estou esperando ajuda ou conselhos. Eu já acredito que preciso fazer isso. Eu aceitei a injunção de fazer isso. Eu acredito que não tenho escolha. Mas eu não consigo. Eu não tive a capacidade."

"A disposição, talvez."

"Ainda não tive a disposição. Ainda. Eu queria enfatizar o *ainda*."

20 DE NOVEMBRO
ANO DA FRALDA GERIÁTRICA DEPEND
IMEDIATAMENTE PRÉ-AMISTOSO-FESTIVO-DE-ARRECADAÇÃO
GAUDEAMUS IGITUR

Normalmente, parte da experiência de ver o lugar onde você mora dar uma festa de gala é ver diferentes pessoas chegando pras festividades — os Warshaver, os Garton e os Peltason, os Prine, os Chin, os Middlebrook, os Gelb, um ou outro Lowell, os Buckman com aquele Volvo bordô dirigido pelo filho mais velho e casado que você nunca espera ver a não ser quando está levando o Kirk e a Binnie Buckman a algum lugar. O dr. Hickle com aquela sobrinha horrorosa dele. Os Chawaf e os Heaven. Os Reehagen. A encarquilhada e megarrica sra. Warshaver com o seu par de bengalas de grife. Os irmãos Donagan das Unhas Svelte. Mas normalmente a gente nunca consegue ver o pessoal chegando, os amigos e patrocinadores da ATE, pro amistoso e pra festa de arrecadação. Normalmente enquanto eles estão chegando e sendo recebidos pelo Tavis nós estamos nos vestiários, botando roupa, fazendo alongamento, nos preparando pra amistosar. Sendo depilados e enfaixados pelo Loach etc.

Deve normalmente ser uma ocasião nada normal pros convidados, também, porque durante as primeiras horas eles estão aqui pra nos ver jogar — eles são só plateia — e aí num dado momento com os últimos poucos jogos acabando os caras de paletó branco e bandeja começam a surgir no Com.-Ad., e a festa começa, e aí são os convidados que viram participantes e atores.

Pôr roupa e fazer alongamento, enfaixar o cabo de raquete com Gauze-Tex ou encher um saquinho com argila esmética (Coyle, Freer, Stice, Traub) ou serragem (Wagenknecht, Chu), ser enfaixado, os que estão na puberdade, depilados e enfaixados. Um ritual. Até a conversa, normalmente, a que houver, tem um aspecto atemporal e ritual. John Wayne como sempre corcovado sobre o banco diante do seu armário com a toalha como um capuz na cabeça, rolando uma moeda pra lá e pra cá entre os dedos. Shaw beliscando a carne entre o polegar e o indicador, acupressura pra dor de cabeça. Todo mundo tinha entrado tipo no seu piloto automático ritual. O tênis do Possalthwaite estava com a ponta de cada pé virada pra dentro sob a porta de um cubículo. Kahn tentava rodar uma bola de tênis na ponta do dedo como se fosse uma bola de basquete. Na pia, Eliot Kornspan estava assoando os seios nasais com água quente; ninguém mais estava nem remotamente perto da pia. Em bom número boatos histéricos pré-competição sobre a Equipe Jr. do Québec e o rigor do clima circularam, foram refutados, trocaram antígenos e voltaram. Dava pra ouvir o extremo agudo do espectro de frequências do vento até aqui embaixo. Aquele menino Csikszentmihalyi estava fazendo um trote tipo piaffer no mesmo lugar, com os joelhos batendo no peito, alongando os iliopsoas. Troeltsch estava sentado encostado no armário dele perto de Wayne, usando um fone de ouvido com microfone que não estava ligado a nada e narrando o seu próprio jogo antecipadamente. Havia quem-peidous acusativos e recusativos. Rader chicotoalhou Wagenknecht, que gostava de passar longos momentos de pé com a cabeça entre os joelhos. Arslanian estava sentado muito imóvel num canto, vendado pelo que era ou uma ascot ou uma gravata muito visionária, com a cabeça de lado na atitude dos cegos. Não estava claro nem se as equipes B iam conseguir jogar; ninguém sabia direito quantas quadras o Diretório do MIT tinha com cobertura. Boatos voavam pra lá e pra cá. Michael Pemulis estava desaparecido desde o começo da manhã, quando Anton Doucette disse que tinha visto Pemulis entre aspas "se esgueirando" perto das lixeiras da Casa Oeste com uma cara entre aspas "angustiada e deprimida".

Aí uma leve mas inequívoca onda de gritos comemorativos veio de alguns jogadores quando Otis P. Lord apareceu à porta, escoltado pelo cadavérico pai, O. P. L. recém pós-operado e pálido mas com aquela cara de sempre, com só uma bandagenzinha de gaze tamanho-gargantilha em volta do pescoço pela retirada do monitor e uma estranha elipse de pele vermelha e seca em volta da boca e das narinas. Ele entrou, apertou a mão de alguns, usou o cubículo ao lado do Postal e foi embora; ele não ia jogar hoje.

J. L. Struck estava aplicando um adstringente em certas áreas da mandíbula.

Um boato histérico de que os jogadores do Québec tinham sido vistos descendo uma rampa de um ônibus fretado no estacionamento principal e eram por tudo que se pudesse ver não as equipes JDC e WC do Québec mas alguma espécie de grupo tenístico adulto meio paraolímpico — esse boato voou loucamente pelo vestiário e aí morreu quando alguns sub-14 que queimavam a energia do nervosismo correndo de um lado pro outro verificando os boatos correram escada acima pra verificar o boato e acabaram não voltando.

Do outro lado da parede entre as Mulheres era fácil ouvir a Thode e a Donni Stott invocando Camilla, a deusa da velocidade e do passo leve. A Thode tinha tido um ataque histérico depois do café porque a Poutrincourt não tinha aparecido pra reunião pré-amistoso do Feminino e parecia ter sumido. Loach et al. tinham equipado Ted Schacht com um complexo aparelho ortopédico no joelho com suportes articulados de alumínio dos dois lados e um buraco tamanho-moeda no elástico que passava sobre a rótula pra ventilação dermal, e o Schacht estava arrastando os pés por ali entre os cubículos e os armários de braços estendidos pra frente e com o peso só nos calcanhares fingindo que andava como Frankenstein. Várias pessoas falavam sozinhas na frente dos seus armários. Barry Loach estava com um joelho no chão depilando a perna esquerda de Hal pra colocar a bandagem adesiva. Alguns de nós comentaram que Hal não estava comendo os Snickers de sempre ou a barrinha de aminoácidos. Hal estava com as mãos nos ombros de Loach enquanto a bandagem era aplicada. Uma bandagem de jogo são duas camadas horizontais logo acima daquela bolinha do maléolo, aí direto pra baixo e quatro vezes em volta do tarso bem na frente da articulação, pra ficar uma lacuna bem grande pra você dobrar a articulação, mas uma bandagem compacta e firme. Aí o Loach coloca uma meia-base e uma meia de compressão por cima da bandagem, aí passa aquele treco inflável e bombeia até ficar na pressão certa, verificando com um medidorzinho, e fecha o velcro do treco com a força certa pra gerar suporte e flexão máxima. O Hal estava no banco com as mãos nos ombros do Loach durante todo esse ritualzinho. Todo mundo ficava com as mãos no ombro do Loach uma hora ou outra. A depilação e a bandagem do Hal levam quatro minutos. O joelho do Schacht e aquela coisa da coxa do Fran Unwin levam mais de dez cada. Parecia que a moedinha do Wayne estava dançando em cima dos nós dos dedos dele. Por causa da toalha em cima da cabeça só dava pra ver uma pequena seção oval do rosto dele, como uma amêndoa de pé. Deixavam o Wayne manter um disk-player pequeno no armário, e Joni Mitchell estava tocando nele, o que não incomodava ninguém porque estava bem baixinho. Stice soprava uma bola roxa. Freer estava tentando tocar nos dedos dos pés. Traub e Whale, também no banco das bandagens, mais tarde disseram que o Hal estava esquisito. Tipo eles disseram perguntando pro Loach se o vestiário pré-jogo de vez em quando não lhe dava uma sensação esquisita, oclusa, elétrica, como se tudo aquilo já tivesse sido feito e dito tantas vezes que parecia que estava pré-gravado, que eles todos ali existiam basicamente como Transformadas de Fourier de posturas e pequenos rituais, presos, armazenados e convocáveis pra retransmissão em momentos específicos. O que Traub ouviu como *Transformadas de Fourier* o Whale ouviu como *Transformadas de Fudê*. Mas também, por consequência, deletáveis, Hal tinha dito. Por quem? Hal antes dos jogos normalmente sentia a angústia meio ingênua e boba de alguém que nunca esteve numa situação nem remotamente aparentada com essa antes. O rosto dele hoje tinha assumido várias expressões que iam de uma hilaridade distendida a uma carantonha contracta, expressões que pareciam desconectadas de tudo que estava rolando. O que se dizia era que o Tavis e o Schtitt tinham fretado três ônibus pra levar o pessoal pra um lugar indoors que a sra. Inc tinha feito o ex-aluno Corbett Th-Thorp invocar favores gigantes pra arranjar — várias quadras basicamente não utilizadas nas profundezas do tecido neurológico do Diretório Acadêmico do MIT

— e que a festa toda seria transferida pro Diretório Acadêmico, e que a equipe do Québec e quase todos os convidados estavam sendo contatados por celular sobre o cancelamento do cancelamento anterior e da mudança de local, e que os convidados que não ouviram notícia da mudança iam seguir nos ônibus com os jogadores e a equipe técnica, alguns com trajes formais e de gala, provavelmente, os convidados. Traub também diz que também ouviu o Hal usar a palavra *moribundo*, mas Whale não pôde confirmar. O Schacht entrou num cubículo e travou o trinco com um certo som de objetividade que produziu aquele silêncio momentâneo tipo pistoleiro-entrou-no-saloon no vestiário todo. Ninguém na vizinhança imediata podia dizer que ouviu Barry Loach reagir de um jeito ou de outro às estranhas coisas tristonhas que Hal estava dizendo enquanto Loach travava aquele tornozelo pra um desempenho de alto nível. Wagenknecht parece que peidou mesmo.

O consenso entre os ATES é que o Treinador Principal Barry Loach lembra uma mosca sem asas — rombudo, atarracado etc. Uma das tradições da ATE consiste dos Amigões renarrarem pros Amiguinhos recentes ou muito novinhos a saga de Loach e de como ele acabou como Treinador Principal na elite muito embora não tenha um diploma oficial de Treinador ou sei lá do que do Boston College, que foi onde ele tinha estudado. Em forma de resumo, a saga é que Loach cresceu como o filho mais novo de uma enorme família católica, cujos pais eram católicos rigorosos da escola antiga de catolicismo extremamente rigoroso, e que o desejo mais fervoroso da vida da sra. Loach (tipo a mãe) era que um dos seus incontáveis filhos entrasse para a clerezia da igreja, mas que o filho homem mais velho dos Loach tinha cumprido um serviço de dois anos na Marinha dos EU e sido desmapeado no começo da ação conjunta ONAN/ONU no Brasil no AEMT; e que semanas depois do velório o segundo filho homem dos Loach tinha morrido de intoxicação alimentar ciquatóxica por ter comido garoupa contaminada; e o próximo Loach, Therese, graças a uma série de infortúnios adolescentes tinha acabado em Atlantic City, NJ, como uma dessas mulheres com colante de lantejoulas e salto alto que andam com uma grande placa com o nº do Round pelo ringue entre os rounds das lutas profissionais, de modo que as esperanças dessa Therese virar carmelita diminuíram consideravelmente; e seguindo a linhagem, um Loach se apaixonando perdidamente e casando assim que saiu da escola, outro ardendo apenas por tocar prato com uma filarmônica de primeira (hoje estrondando feliz com a O.F. de Houston). E assim por diante, até só restar um dos pequenos Loach, ninguém menos que Barry Loach, que era o mais novo e também totalmente dominado pela sra. L., emocionalmente; e que o jovem Barry tinha dado um imenso suspiro de alívio quando seu irmão mais velho — sempre um garoto pio e de coração grande, transbordante de amor abstrato e de uma fé inata na bondade que reside no cerne da alma de todos os homens — começou a demonstrar indícios de uma vera vocação espiritual para uma vida a serviço da clerezia católica e acabou entrando no seminário jesuítico, retirando um peso enorme da psique do irmão mais novo porque o jovem Barry — desde a primeiríssima vez em que meteu um Band-Aid num boneco dos X-Men — sentia que a sua verdadeira vocação não era para o sacerdócio mas para o ministério de linimentos e adesivos do treinamento profissional de atletas. Quem, por fim, poderá dizer os porquês e os dondes da vera vocação de alguém? E aí então o Barry era aluno de Treinadorismo ou sei lá o quê no BC, e por tudo que se possa saber estava seguindo direitinho rumo a um diploma, quando seu irmão mais velho, já bem adiantado na trilha de ser ordenado ou sacrado ou sei lá o que que se faz pra virar Jesuíta oficial, sofreu com vinte e cinco anos de idade um súbito e tremendo declínio em que sua fé básica na bondade inata que reside no cerne dos homens tipo entrou em combustão espontânea e sumiu — e sem nenhum motivo aparente ou dramático; só pareceu que o irmão subitamente contraiu uma visão-de-mundo negra e misantrópica assim como alguns homens de vinte e cinco anos contraem degeneração espinocerebelar ou esclerose múltipla, meio que uma esclerose lateral amiotrófica do espírito — e o interesse dele por servir ao homem e ao Deus-no-homem e cuidar do Cristo que reside no cerne das pessoas através de medidas jesuíticas entrou em compreensível parafuso, e ele começou a não fazer mais nada além de ficar sentado no seu quarto do dormitório do Seminário de S. João — bem pertinho da Academia de Tênis Enfield, por coincidência, na Foster Street em Brighton quase com a Comm. Ave., bem do lado do QG da arquidiocese ou sei lá o quê — sentado ali tentando jogar cartas de baralho num cesto de lixo posto no meio do quarto, sem ir às aulas ou às vésperas, sem ler as Horas, e falando com franqueza em largar de vez a vocação, o que como soma de fatores deixou a sra. Loach praticamente prostrada pela desilusão, e subitamente relastreou o jovem Barry de pavor e angústia, porque se o seu irmão pulasse fora da clerezia caberia de maneira quase irresistível ao Barry, o último dos Loach, desistir de sua vera vocação de talas e exercícios e entrar para o seminário, para evitar que sua perseverante e adorada Mãe morresse de desilusão. E assim ocorreu uma série de entrevistas pessoais com o irmão espiritualmente necrosado, com Barry tendo que se posicionar do outro lado do cesto de cartas de baralho para conseguir a atenção do irmão mais velho, tentando convencer o irmão a descer do telhado espiritual misantrópico em que se encontrava. O irmão espiritualmente adoentado tratava com considerável cinismo os motivos que levavam Barry Loach a tentar convencê-lo a descer, sendo que os dois sabiam que os sonhos profissionais do próprio Barry também estavam na reta aqui; embora o irmão sorrisse sardonicamente e dissesse que ultimamente não esperava nada muito diferente de um interesse autocentrado e egoísta dos seres humanos mesmo, desde o seu trabalho de estágio entre os rebanhos humanos de algumas localidades mais barras-pesadas do centro de Boston — a impossibilidade de se mudarem as condições, a ingratidão dos rebanhos bandidos, sem-teto, viciados e mentalmente doentes a que ele servia, e a total falta de compaixão e de auxílio em geral dos cidadãos, que grassa em todas as empresas jesuíticas — tinham aniquilado qualquer fagulha de fé inspirada que ele tivesse nas possibilidades mais alevantadas e na aperfeiçoabilidade do homem; então opinava ele o que é que ele podia esperar a não ser que o seu irmão caçula, tanto quanto o mais gélido transeunte que passa pelas mãos estendidas dos sem-teto e dos necessitados na estação da Park Street, fosse estar humanissimamente preocupado apenas com o seu propriíssimo umbigo. Já que uma carência básica de empatia e de compaixão e de correr-o-risco-de-dar-a-mão-ao-outro lhe parecia agora parte inelutável do caráter humano. Barry Loach estava compreensivelmente bem deslocado nesse terreno da discussão teológica tipo Apologia e redimibilidades humanas em geral — embora tenha sido capaz de mitigar um leve tranco no movimento do pulso do irmão que estava forçando o flexor ulnar do carpo do braço ativo e de assim melhorar consideravelmente a percentagem de cartas no cesto do irmão — mas ele estava não apenas desesperado para preservar o sonho da mãe e as suas próprias ambições atléticas indiretamente ao mesmo tempo, ele também era na verdade um sujeitinho espiritualmente animado que simplesmente não engolia esse súbito desespero do irmão diante da aparente falta de compaixão e de calor humano na criatura supostamente automimética e divina de Deus, e ele conseguiu envolver o irmão em alguns debates bem acalorados e elevados sobre espiritualidade e o potencial da alma, não tão dissimilares assim das conversas de Aliosha e Ivan no bom e velho *Irmãos K.*, ainda que provavelmente nem remotamente tão eruditos e literários, e com nada que viesse do irmão mais velho nem sequer se aproximando da acerbidade carcinogênica do Grande Inquisidor de Ivan.

Em resumo, tudo acabou se reduzindo a: um Barry Loach desesperado — com a sra. L. agora tomando 25 mg de Lorax[384] por dia e só faltando acampar de vez diante da abside à luz de velas da igreja da paróquia dos Loach — Loach desafia o irmão a lhe permitir de alguma maneira provar — arriscando seu próprio tempo, de Barry, e talvez de alguma maneira a sua segurança — que o caráter básico da humanidade não era tão desempático e necrótico quanto a atual condição deprimida do irmão o levava a pensar. Depois de algumas sugestões e rejeições de apostas insanas demais até para o desespero de Barry Loach, os irmãos finalmente concordam com, tipo, um desafio experimental. O irmão espiritualmente abatido basicamente desafia Barry Loach a não tomar banho e não trocar de roupa por algum tempo e se deixar parecer sem-teto e indigno de confiança, empiolhado e claramente precisado de uma caridadezinha humana básica, e se pôr de pé diante da estação do T na Park Street à beira do Boston Common, juntinho com o resto da escória lúmpen do agrupamento do centro da cidade, que normalmente ficam todos ali na frente da estação do T dingando trocados, e Barry Loach a estender a mão suja e em vez de dingar trocados simplesmente pedir que os passantes tocassem nele. Só tocassem nele. I. e. oferecessem um contato e um calor humanos básicos. E assim faz Barry Loach. E de novo. Passam-se dias. A sua própria constituição espiritualmente animada começa a tomar pancadas no plexo solar. Não fica claro se a verminosidade da sua aparência tinha tanto assim a ver com aquilo; no final era simplesmente uma questão de que o fato dele ficar ali parado defronte das portas da estação estendendo a mão e pedindo que as pessoas tocassem nele garantia que praticamente a última coisa que qualquer passante bom das ideias ia querer fazer era tocar nele. É possível que os cidadãos respeitáveis com suas pastinhas, celulares e cachorros de roupinhas de lã vermelha achassem que "Toquem em mim, só toque em mim, *por favor*" fosse uma espécie de novo jargão da mendicância para "Me dá um trocado", porque Barry Loach se viu levantando um total diário de $ bem impressionante — significativamente mais do que ganhava como estagiário de bandageamento de tornozelos e esterilização de próteses dentárias para os jogadores de lacrosse do Boston College. Os cidadãos achavam a sua abordagem aparentemente tocante o suficiente para que lhes dessem $; mas o irmão de B. Loach — que muitas vezes ficava ali civil e descolarinhado contra o umbral de plástico da saída da estação do T, curvado e sorridente, embaralhando distraído um baralho que tinha nas mãos — era sempre bem rápido para apontar o pudor espástico com que os mendigados deixavam cair moedinhas ou cédula$ na mão de Barry Loach com aquele tipo de movimento de chicote ou de elétrico vaivém como se estivessem tentando tirar alguma coisa de cima de uma boca de fogão acesa, sem jamais tocá-lo, e eles raramente perdiam o ritmo do passo e nem mesmo faziam contato visual enquanto jogavam esmolas na direção de B. L., que dirá colocarem a mão em qualquer lugar que se aproximasse de contato com a indigna mão de B. L. O irmão de maneira bem razoável desconsiderou o contato acidental de um único transeunte que tinha tropeçado enquanto tentava arremessar uma moedinha e aí deixou Barry aparar sua queda, para nem falar da velha bipolarmente doente com as sacolinhas que agarrou Barry Loach numa chave de pescoço e tentou arrancar a orelha dele com os dentes perto do fim da terceira semana do Desafio. Barry L. se recusou a reconhecer a vitória e a misantropia, e o Desafio foi se arrastando uma semana atrás da outra, e o irmão mais velho um dia cansou e parou de ir até lá, voltou para o quarto e ficou esperando a administração do Seminário de S. João lhe dar a papelada que oficializava o abandono, e Barry Loach quase reprovou nas aulas de Treinadorância daquele semestre e foi demitido do estágio por não dar as caras, e passou semanas e depois meses com uma crise espiritual pessoal na medida em que transeunte após transeunte interpretava o seu pedido de contato como uma solicitação de dinheiro e dava moedas abstratas em lugar de genuíno contato carnal; alguns dos outros dingos indignos da estação ficaram intrigados com a estratégia de Barry — isso para não falar da renda bruta dele — e começaram também a adotar o grito de "Toque em mim, por favor, por favor, *alguém*!", o que é claro afetou ainda mais as chances de Barry Loach fazer algum cidadão interpretar a sua solicitação literalmente e depor nele as mãos de maneira compassiva e humana; e a alma do próprio Loach começou a se ver assolada por umas manchinhas fúngicas de apodrecimento necrótico, e a sua visão animada da humanidade supostamente normal e respeitável começou a sofrer uma negra revisão; e quando os outros dingos sebosos e párias do distrito central o trataram como um chapinha, falaram com ele como entre-amigos e lhe ofereceram bebidas quentes de garrafas ensacadas em papel pardo ele estava se sentindo desiludido e friamente só demais para conseguir recusar, e assim começou a andar com a absoluta ralé do fundo da raspa do tacho socioeconômico da Grande Boston. E aí o que aconteceu com o irmão mais velho espiritualmente enfermo, para que paragens seguiu e o que aconteceu com a vocação dele nunca se resolve na história loachiana da ATE, porque agora o centro de atenção passa a ser só o Loach e como ele esteve perto de esquecer — depois de todos aqueles meses de repulsa dos cidadãos e de receber qualquer tratamento afetuoso ou empático apenas de dingos sem-teto e viciados — o que uma chuveirada ou uma máquina de lavar ou a manipulação ligamental representavam, que dirá ambições carreirísticas ou uma visão basicamente animada da bondade que reside no cerne dos homens, e de fato Barry Loach esteve perigosamente perto de desaparecer para sempre nas bordas e na borra da vida humana da Grande Boston e de passar toda a sua vida adulta como um sem-teto empiolhado dingando no Boston Common e bebendo coisas de dentro de sacos de papel pardo, quando lá pelo fim do nono mês do Desafio, o seu pedido — e na verdade também os pedidos da outra coisa de uma dúzia de dingos cínicos que estavam logo ao lado de Loach, todos implorando por apenas um toque de uma mão humana e de mãos estendidas — quando todos esses pedidos foram literalmente ouvidos e atendidos com um caloroso aperto de mãos — de cujo ofertante apenas os dingos mais severamente inebriados não se afastaram por reflexo, fora o Loach — dado pelo nosso Mario Incandenza, que tinha sido mandado rapidinho lá do apartamento da Back Bay em que seu pai estava filmando alguma coisa que envolvia atores vestidos de Deus e de Diabo jogando pôquer com cartas de tarô pela alma de Cosgrove Watt, usando vales do metrô como fichas, e Mario tinha sido mandado rapidinho para pegar outra pilha de fichas na estação mais próxima, que em função de uma fogueira numa lata de lixo perto da entrada da estação da Arlington Street acabou sendo a Park Street, e Mario, por estar sozinho e só ter catorze anos e ser basicamente sem-noção sobre estratégias defensivas antidingos na frente das estações do T, não tinha ninguém descolado ou adulto com ele pra explicar por que a solicitação de homens de mãos estendidas, de um simples aperto de mãos ou um toca-aqui não devia automaticamente ser levada a sério e atendida, e Mario tinha estendido a garra da sua mão e tocado e apertado calorosamente a mão fuliginosa do Loach, o que levou através de uma série convoluta mas meio que tocante e reafirmadora-da-fé de circunstâncias ao fato de B. Loach, mesmo s/ ser oficialmente bacharel, ganhar um emprego de Treinador Ass. na ATE, emprego no qual foi promovido poucos meses depois quando o então Treinador Principal sofreu o acidente terrível que resultou na eliminação de todas as fechaduras das saunas da ATE e no travamento já no sistema da temperatura máxima das saunas em não mais que 50°C.

O copo invertido era do tamanho de uma jaula ou de uma cela pequena de prisão, mas ainda era reconhecivelmente um copo tipo de banheiro, assim de gargarejar ou limpar a boca pós-escovação, só que imenso e de cabeça pra baixo, no chão, com ele dentro. O copo era como um objeto de cena; era o tipo de coisa que tinha que ser feita sob encomenda. O vidro era verde e o fundo sobre a sua cabeça era martelado e a luz lá dentro era do aquoso verde dançante das profundidades oceânicas extremas.

Havia como que uma tela venezianada no alto de uma das laterais do copo, mas não havia ar saindo. Entrando. O ar dentro do copo imenso era bem nitidamente limitado, também, porque já havia vapor de CO_2 nas laterais. O vidro era grosso demais pra ser quebrado ou pra se abrir uma saída a chutes, e parecia que ele já podia ter quebrado o pé da perna tentando.

Havia uns rostos verdes e distorcidos do outro lado do vapor da lateral do copo. O rosto na altura dos olhos pertencia à mais recente Cobaia, a destra e devotada modelo-de-mãos suíça. Ela olhava para ele, de braços cruzados, fumando, exalando verde pelo nariz, e aí olhava para baixo para debater com outro rosto, que parecia flutuar mais ou menos na altura da cintura, que pertencia ao fã tímido e aleijado que O. tinha percebido que tinha o mesmo sotaque suíço da Cobaia.

A Cobaia atrás do vidro sustentava o olhar de Orin sem vacilar mas não reconhecia a existência dele ou de nada que ele gritasse. Quando Orin tinha tentado sair a chutes foi quando reconheceu que a Cobaia estava olhando *para* os olhos dele em vez de olhar *nos* olhos como antes. Havia agora umas pegadas borradas no vidro.

De poucos em poucos segundos Orin limpava o vapor da sua respiração do vidro grosso para ver o que os rostos estavam fazendo.

O pé dele doía pacas, e os vestígios de sabe-se lá o que que tinha feito ele cair num sono tão pesado estavam lhe causando náuseas, e em suma essa experiência era bem nitidamente algo diferente dos pesadelos dele, mas Orin, nº 71, estava em profunda denegação quanto a isso não ser um sonho. Era como se no mesmo minuto em que ele se viu dentro de um copo imenso invertido ele tivesse optado por entender: sonho. A voz empolada e amplificada que vinha periodicamente pela telinha ou abertura de ventilação lá em cima, exigindo saber Onde Enterraram A Máster, era surreal e bizarra e inexplicável o suficiente para deixar Orin agradecido: era o tipo de exigência surreal, desorientadora, pesadélica e incompressível, mas veemente, que vive aparecendo em pesadelos bem pesados. Fora a bizarra angústia de não conseguir fazer a devotada Cobaia reconhecer a existência de qualquer coisa que ele dissesse através do vidro. Quando a tela do alto-falante voltou a se fechar, Orin desviou os olhos dos rostos no vidro para um ponto lá no alto, imaginando que eles iam fazer alguma coisa ainda mais surreal e veemente que acabaria confirmando de vez o estatuto inegavelmente onírico daquilo tudo.

Mlle. Luria P_____, que desdenhava os aspectos mais sutis das entrevistas técnicas e tinha tentado conseguir o direito de receber apenas uma luva de borracha e dois ou três minutos sozinha com os testículos da Cobaia (e que não era suíça na verdade), tinha previsto acuradamente qual seria a reação da Cobaia quando a tela do falante fosse retirada e as baratas de esgoto começassem a jorrar reluzente e negramente por ela, enquanto a Cobaia se estatelava contra o vidro do copo e apertava o rosto tão apertado contra a lateral do copo absurdo que o rosto passou de verde a branquíssimo, e, muito abafado, gritava para eles: "Façam isso com ela! *Façam isso com ela!*", Luria P_____ inclinou a cabeça e revirou os olhos para o líder da AFR, que ela havia muito considerava meio canastrão.

Seres humanos iam e vinham. Uma enfermeira pôs a mão na testa dele e puxou a mão com um ganido. Alguém lá no corredor estava matraqueando e choramingando. Num dado momento Chandler F., o vendedor de artefatos de cozinha inaderentes recém-formado, pareceu estar ali na clássica posição do confiteor dos residentes, de queixo nas mãos sobre a grade de berço da cama. A luz do quarto era de um cinza reluzente. A Gerente da Casa Ennet estava ali, passando o dedo onde a sobrancelha que lá faltava um dia esteve, tentando explicar alguma coisa sobre que a Pat M. não tinha vindo porque ela e o sr. M. tinham tido que expulsar a menininha da Pat de casa por ter usado uma coisa sintética de novo, e ela estava numa situação espiritualmente instável demais até pra sair de casa. Gately se sentia fisicamente mais quente do que jamais tinha se sentido. Parecia um sol dentro da cabeça dele. As grades tipo de berço se afinavam na parte de cima e se contorciam um pouco, como chamas. Ele se imaginou numa salva de alumínio da Casa com uma maçã na boca, pele dourada e crocante. O dr. que parecia ter doze anos apareceu com outros aureolados de névoa e disse Aumente pra 30 de duas em duas e Vamos Tentar Doris,[385] que o coitado do desgraçado estava queimando. Ele não estava falando com Gately. O dr. não estava se dirigindo a Don Gately. A única preocupação consciente de Gately era Pedir Ajuda para recusar o Demerol. Ele ficava tentando dizer *vício*. Ele lembra de quando era pequeno no parquinho e dizia pra Maura Duffy olhar pra dentro da camiseta e soletrar ócio. Outra pessoa disse Banho Gelado. Gately sentiu algo áspero e fresco no rosto. Uma voz que soava como a voz do seu próprio cérebro com um eco disse nunca tente erguer um peso que exceda o seu. Gately entendeu que podia morrer. Não era calmo e pacífico como se alegava. Era mais tipo tentar erguer uma coisa mais pesada que você. Ele ouviu o falecido Gene Fackelmann dizer saca só. Ele era o objeto de todo o agito no quarto. Um veloz entrechocar de frascos de soro no alto. Jorro de bolsas. Nenhuma das vozes no alto falando com ele. A participação dele, desnecessária. Parte dele torcia para eles estarem pondo Demerol no soro sem ele saber. Ele gorgorejava e mugia, dizendo *vício*. O que era verdade, era o que ele tinha, ele sabia. O Crocodilo que gostava de usar Hanes, Lenny, no púlpito gostava de dizer: "A verdade liberta, mas só depois de acabar com você". A voz lá no corredor estava chorando como se o seu coração fosse partir. Ele imaginou o PPA com o chapéu na mão devotamente rezando para que Gately sobrevivesse pra ele poder mandá-lo para Walpole. O som rascante que ele ouviu bem pertinho era o esparadrapo em volta da sua boca imbarbeada sendo arrancado tão rápido que ele mal sentiu. Ele tentou evitar projetar como ficaria seu ombro direito se eles começassem a sovar o peito dele que nem fazem no peito de quem está morrendo. O intercomunicador calmamente fez ding. Ele ouviu gente conversante no corredor passar pela porta aberta e dar uma paradinha pra olhar pra dentro, mas ainda conversando. Lhe ocorreu que se ele morresse todo mundo ainda ia existir, ir pra casa, comer, X a esposa e ir dormir. Uma voz conversante na porta riu e disse pra alguém que estava ficando cada vez mais difícil ultimamente diferenciar os homossexuais das pessoas que surravam homossexuais. Era impossível imaginar um mundo sem ele no mundo. Ele lembrou de dois colegas seus do time da Beverly surrando um menino supostamente homossexual enquanto Gately se afastava, sem querer se envolver com nenhum dos dois lados. Enojado pelos dois lados do conflito. Ele imaginou ter que virar homossexual em Walpole. Imaginou ir a uma reunião por semana, ter um cajado de pastor e um papagaio, jogar carteado valendo cigarro, deitar de lado na cama da cela virado pra parede, tocando uma com a lembrança de seios. Ele viu o PPA de cabeça curvada e com o chapéu apertado contra o peito.

Alguém no alto perguntou a alguém se eles estavam prontos, e alguém comentou o tamanho da cabeça de Gately e agarrou a cabeça de Gately, aí ele sentiu um movimento ascendente bem no fundo dele que era tão pessoal e horrível que ele acordou. Só um olho dele abria porque o impacto do chão tinha deixado o outro fechado, roliço e esticado como salsicha. Toda a parte da frente dele estava fria de ter ficado deitado no chão molhado. O Fackelmann em algum lugar lá atrás dele murmurava alguma coisa que consistia totalmente de letras g.

O olho aberto dele podia ver a janela do apê de luxo. Era aurora lá fora, um cinza reluzente, e os pássaros tinham muito a dizer nas árvores nuas; e na grande janela havia um rosto e uma barafunda de braços. Gately tentou ajustar a vertical da sua visão. Pamela Hoffman-Jeep estava à janela. O apê deles ficava no segundo andar de um complexo de luxo. Ela estava numa árvore do outro lado da janela, de pé num galho, olhando pra dentro, ou gesticulando alucinadamente ou tentando manter o equilíbrio. Gately sentiu uma onda de preocupação dela poder cair da árvore e estava se preparando pra pedir pro chão de repente pegar um pouco mais leve e deixar ele sair dali quando o rosto de P. H.-J. subitamente caiu e saiu pelo pé da janela e foi substituído pelo do Bobby ("C") C. Bobby C ergueu dois dedos lentos até a têmpora em saudação num olá impassivamente sarcástico enquanto conferia as provas de uma festança braba na sala, pela janela. Sacando o Monte Dilaudid com uma atenção especial, acenando com a cabeça pra alguém que estava embaixo da árvore. Ele caminhou com cuidado pelo galho até estar bem encostado na janela e empurrou com uma mão, tentando abrir a janela trancada. O sol que se erguia atrás dele projetava a sombra da sua cabeça no chão molhado. Gately gritou o nome de Fackelmann e tentou rolar pra ficar sentado. Os olhos dele pareciam cheios de vidro estilhaçado. Bobby C mostrou um engradado de Hefenreffer que balançou sugestivamente, tipo querendo entrar. Gately tinha acabado de conseguir se pôr parcialmente sentado quando o punho do C com aquela luva sem dedos atravessou a janela, espirrando vidro-duplo. A tela caída do TP continuava mostrando imagens de pequenas chamas, Gately podia ver. O braço do C atravessou e ficou tateando pra achar a tranca e ergueu a janela. Fackelmann estava balindo que nem ovelha mas sem se mexer; uma seringa que ele não tinha se dado ao trabalho de remover pendia da parte de dentro do seu cotovelo. Gately viu que o Bobby C estava com vidro no cabelo roxo e tinha uma Taurus-PT 9 mm antiga enfiada no cinto coberto de pinos de metal. Gately ficou ali sentado todo bobo enquanto o C entrou aos trambolhões, passou na ponta dos pés pelas variadas poças e revirou a cabeça de Fackelmann pra dar uma olhada nas pupilas. O C estalou a língua e deixou a cabeça do Fackelmann cair de novo contra a parede, com o Fax ainda balindo baixinho. Ele deu uma rápida guinada nos calcanhares dos coturnos e seguiu na direção da porta do apartamento, e Gately ficou ali sentado olhando pra ele. Quando chegou ao lugar em que Gately estava sentado no chão com as pernas molhadas curvadas parenteticamente na frente dele como algum tipo de imenso pirralho pré-verbal o C parou como quem vai dizer alguma coisa que acaba de lembrar, olhando lá de cima pro Gately, com um sorriso largo e caloroso, e Gately percebeu que ele tinha um dente escuro na frente bem quando o C lhe deu logo acima da orelha com a Taurus-PT e o fez cair de novo. O chão pegou a parte de trás da cabeça de Gately com mais força do que a coronha. Os ouvidos dele zuniram. Não foram estrelas o que ele viu. Aí o Bobby C chutou o saco de Gately, procedimento-padrão pra manter o sujeito no chão, e Gately encolheu as pernas, virou a cabeça e vomitou no chão. Ele ouviu a porta do apartamento abrindo e o som tranquilão dos coturnos do C descendo as escadas até a porta do complexo. Entre espasmos, Gately incitava Fackelmann a correr pra janela o mais rapidinho que desse. Fackelmann estava largado contra a parede; estava olhando para as suas pernas e dizendo que não estava sentindo as pernas, que estava amortecido do topo da cabeça para baixo e cada vez subia mais.

O C voltou logo, e na frente de todo um grupinho tipo de asseclas cuja cara Gately não achou nada legal. Lá estava o DesMonts e o Pointgravè, uns capangas tipo bandidões canadenses da Harvard Square que Gately conhecia de passagem, frilas sem maiores importâncias, canadensemente estúpidos demais pra qualquer coisa além dos trabalhos mais brutais. Gately estava desfeliz por vê-los. Eles estavam de macacão e com camisas de flanela que não combinavam. O coitado do assistente de farmacêutico eczemático estava atrás deles, carregando uma pasta preta de médico. Gately estava de costas pedalando com as pernas no ar, que é o que qualquer um que já jogou futebol de verdade sabe que é o que você tem que fazer quanto toma um toco nas bolas. O assistente de farmacêutico parou atrás do C e ficou ali olhando seu sapatinho. Três moças grandes e desconhecidas entraram com casacos vermelhos de couro e meias finas supercorridas. Aí a coitada da Pamela Hoffman-Jeep, com o tafetá rasgado e manchado e o rosto cinza em estado de choque, foi trazida porta adentro por dois orientais mal-encarados com jaquetas de couro brilhante. Eles estavam com as mãos embaixo da bunda dela e a carregavam sentada, com uma perna estendida e uma vareta branca de osso protuberando da canela, canela esta que estava em frangalhos. Gately viu isso tudo de cabeça pra baixo, pedalando com as pernas até conseguir levantar. Uma das grandalhonas estava com um bong Graphix das antigas e com um saquinho Feliz com fecho pra lixinho de cozinha. Ou o Pointgravè ou o DesMonts — Gately nunca conseguia lembrar quem era quem — estava com uma caixa de bebida de qualidade. O C perguntou meio que pra ninguém se era hora de Festar. A sala ia se iluminando enquanto o sol subia. A sala estava se enchendo. Uma das meninas fez comentários negativos sobre a urina no chão. O Fackelmann no canto começou a dizer que era tudo uma mentira vil. O C fingiu responder em falsete e

996

disse Isso podicrê quié hora di Festá. Agora um cara com cara de universitário, muito manso e arrumadinho com uma gravata Wembley entrou com uma caixa da TaTung que largou onde o assistente de farmacêutico ainda estava parado, e o cara manso rependurou o teleplayer na parede e ejetou o cartucho das chaminhas do TP, largando no chão molhado. Os dois orientais mal-encarados carregaram Pamela Hoffman-Jeep lá pra um canto afastado da sala de estar, e ela gritou quando eles a largaram em cima de uma caixa de selinhos adesivos falsificados do estado de MA. Eram pequenos, os orientais, e estavam olhando pra ele lá de cima, mas nenhum tinha pele ruim. Uma mulherzinha ameaçadora com um coque grisalho apertado e um sapato baixo e confortável entrou por último e trancou a porta do apê quando entrou. Gately rolou lentamente até se pôr de joelhos e levantou, ainda meio recurvado, sem se mexer, com um olho ainda inchado e fechado. Ele ouvia Fackelmann tentando levantar. P. H.-J. parou de piar, apagou e desmoronou até o queixo chegar ao peito e a bunda quase sair da caixa. A sala cheirava a Dilaudid e urina, ao vômito de Gately, às fezes de Fackelmann e o couro de qualidade dos casacos das meninas de couro vermelho. O C veio, se espichou, pôs o braço no ombro de Gately e ficou ali com ele daquele jeito enquanto duas das meninas duronas de casaco passavam garrafas de burbom que tiravam da caixa. Gately conseguia focalizar melhor quando estreitava os olhos. O sol da manhã pendia da janela, já acima da árvore, amarelando. As garrafas eram aquelas garrafas quadradonas de rótulo preto que significavam Jack Daniels. Um sino de igreja lá na praça bateu sete ou oito horas. Gately tinha tido uma experiência ruim com Jack Daniels com catorze anos. O sujeito empresarial manso e arrumadinho tinha inserido um cartucho diferente no TP e agora estava pegando um CD player portátil na caixa da TaTung enquanto o assistente de farmacêutico ficava olhando. Fackelmann disse que fosse o que fosse era uma mentira supervil. Pointgravè ou Des-Monts pegou a garrafa que o C tinha pegado das duronas e entregou a Gately. A luz do sol no chão pela janela se aracnoidava de sombras de galhos. As sombras de todo mundo ali dentro passeavam pela parede oeste. O C também estava segurando uma garrafa. Logo praticamente todo mundo tinha a sua própria garrafinha de Jack. Gately ouviu o Fackelmann pedir pra alguém abrir a dele porque ele estava amortecido até o topo e ia subindo e não conseguia sentir as mãos. A mulherzinha ameaçadora com jeito de bibliotecária foi até o Fackelmann tirando a bolsa do ombro. Gately estava pensando o que ele ia dizer em prol do Fac-símile quando o Branquinho Sorkin chegasse. Até aí ele tinha sacado que era uma festinha só do C e que melhor não irritar desnecessariamente o C. Parecia que estava demorando um tempo pra ele formular ideias mentais. A canela de Pamela Hoffman-Jeep parecia carne-moída. O C ergueu sua garrafa quadrada e pediu a permissão de todos pra tipo propor um brinde. Os lábios de P. H.-J. estavam roxos por causa do estado de choque. Gately estava se sentindo mal por sentir tão pouca preocupação romântica agora que ela tinha caído da árvore. Ele não gastou seu tempo pensando se ela tinha rateado, se tinha trazido o Bobby C até eles ou vice-veja. Ao menos uma das meninas dos casacos de couro vermelho tinha um pomo de adão enorme pra uma menina. O C rispidamente virou os ómbros de Gately na direção de Fackelmann no canto e brindou aos velhos amigos e aos novos amigos e ao que parecia um puta golpe de sorte ali pro Gene Fac-símile, dado o tamanho daquela pilha de Dilaudid e todas as provas de uma puta festona que todo mundo estava vendo ali, e o cheiro. Todo mundo bebia da sua garrafa. A mulherzinha de cara ameaçadora teve que ajudar o Fackelmann a achar a boca com a boca da garrafa. Todas as três grandalhonas exibiram pomos de adão quando viraram a cabeça pra beber. O gole educado de Jack quase fez Gately vomitar. A Máquina do C no cinto dele estava apertando a coxa de Gately e também alguns pinos de metal do cinto. DesMonts e Pointgravè estavam os dois com as suas s&w nos coldres de ombro. Os orientais mal-encarados não estavam com armas à mostra mas tinham cara de quem nunca nem tomava banho desarmados; dava pra apostar que eles tinham pelo menos aquelas coisinhas doidas e pontudas de china que são de jogar nos outros, Gately pensou. Vários membros do grupo do C talagaram a garrafa inteira. Uma das grandalhonas arremessou a garrafa contra a parede oeste, mas ela não quebrou. Por que é que você sente na barriga e não nas bolas propriamente ditas, quando toma um toco? Gately estava se virando e olhando pra todos os pontos pra onde o braço do C o virava. O rosto contorcido no monitor rependurado do cartucho do carinha empresarial era do Branquinho Sorkin, um retrato que o Sorkin tinha deixado um pintor neurálgico fazer dele tendo uma enxaqueca em salvas lá na Fundação Nacional de Dor Craniofacial na cidade, pra uma série de anúncios de aspirina. O cartucho parecia tipo só uma imagem contínua da pintura, e até parecia que o Sorkin da parede estava meio que presidindo a reunião de um jeito mudo e pesaroso. A mulherzinha com cara de bibliotecária estava passando linha numa agulha de costura, com a boca bem apertadinha. O assistente de farmacêutico estava deixando floquinhos de pele por toda a pasta preta no que se abaixava sobre ela tirando várias seringas da pasta e as enchendo com uma ampola de 2500-UI e as entregando pra que fossem passadas de mão em mão. A pintura da FNDC-F tinha um punho vermelho arrancando um punhado do cérebro de Sorkin pelo topo do crânio enquanto o rosto de Sorkin olhava lá do monitor com a clássica expressão de pensamento hiperintenso da vítima de enxaquecas, quase mais meditativa que dolorida. Um dos orientais estava acocorado chinudamente no cantinho bebendo Jack e o outro varrendo os plásticos que caíram no chão, usando uma aba da caixa da TaTung como pá. Os chinas varrem bem pra diabo, Gately refletiu. Outra menina jogou a garrafa na parede. Foi quando o C nem estava fazendo o Gately encarar as meninas que caiu a ficha do Gately de que as meninas de casaco e meia detonada eram uns veados vestidos de mulher, tipo uns transvestais. O Bobby C estava com um sorriso enorme. O primeiro momento de medo real tipo o-meu-na-reta que Gately sentiu foi quando percebeu que aquele pessoal basicamente parecia ser membro do grupinho pessoal do Bobby C, que eles não eram as pessoas que o Sorkin enviaria se estivesse enviando o seu próprio pessoal e estivesse pra chegar, portanto que a pintura do Sorkin na parede era simbólica de que o Sorkin não estava chegando, de que o Sorkin tinha dado carta branca pro Bobby C nessa situaçãozinha dolorosa ali. O assistente de farmacêutico pegou duas seringas pré-abastecidas da pasta, desembrulhando aquele plástico barulhento. O C disse pro Gately bem baixinho que o Branquinho tinha dito pra ele dizer que ele sabia que o Donnie não estava no esquema do Fackelmann pra foder com o Sorkin e o Bill Anos-Oitenta. Que ele não tinha que fazer nada, só relaxar e se divertir com a festa e deixar o Fackelmann dançar com sua própria música e não deixar nenhuma noção tipo século-XIX de defesa dos mais fracos e patéticos arrastar o Gately pra uma coisa dessas. O C disse que sentia muito por aquilo das pancadas, ele tinha que garantir que o Gately não ia tentar botar o Fackelmann janela afora enquanto ele estava lá embaixo destrancando a porta. Que ele esperava que o Gately não fosse guardar aquilo contra ele porque ele não lhe desejava nenhum mal e não queria treta depois. Isso tudo foi dito bem baixinho e intensamente enquanto as duas bichas de peruca que tinham tentado quebrar as garrafas estavam sentadas numa caixa enchendo o bong imenso de Graphix com a erva do saquinho Feliz, que continha erva. DesMonts estava sentado numa cadeira de diretor. Todos os outros bebiam das suas garrafas quadradas, parados ali de pé na sala ensolarada com as posturas sem-jeito que denotam haver bem mais gente do que assentos. Os braços deles eram pálidos e despelados. Os dois bandidos orientais estavam um garroteando o outro. A corrente de ar que passava pelo buraco de punho na janela fez Gately estremecer. A outra bicha fazia tipo comentariozinhos sobre o porte de Gately. Gately perguntou baixinho pro C se ele e o Fackelmann não podiam tomar um banho rapidão mesmo e aí eles podiam ir juntos ver o Sorkin, o Branquinho, o Gene podiam conversar racionalmente e chegar a algum acordo. Fackelmann encontrou a voz e perguntou em voz alta se alguém queria dar uma chegadinha ali no Monte Dilaudid e ficar torto pra *caralho*. Gately estremeceu. Bobby C sorriu pro Fackelmann e disse que parecia que já tinha dado pro Fax ali. Ao mesmo tempo o assistente psoriático foi até o Fackelmann, olhou as pupilas dele com uma lanterninha e aí o picou com uma pré-abastecida, usando uma artéria do pescoço. A parte de trás da cabeça do Fackelmann bateu várias vezes na parede, com o rosto avermelhando violentamente na reação clínica-padrão ao Narcan.[386] O farmacêutico então veio pros lados do C e do Gately. O CD player portátil começou com a coitada da Linda McCartney enquanto o C segurava o Gately e o ass. de farmacêutico o garroteava com uma tira de borracha de médicos. Gately ficou ali de pé levemente corcunda. Fackelmann estava fazendo uns barulhos como os de um homem há muito submerso que sobe pra tomar ar. O C disse pro Gately apertar os cintos. A urina tinha deixado parte do acabamento do piso de madeira de luxo do apê branca e mole, como escuma de sabão. O CD que estava tocando era um que o C ficava tocando o tempo todo na porra do carro quando o Gately estava com ele no carro: alguém tinha pegado um disco antigo do McCartney com os Wings — assim tipo o McCartney histórico dos Beatles — pegado o disco e passado por uma mesa Kurtzweil e apagado todos os canais das músicas a não ser os canais da coitada da sra. Linda McCartney cantando corinhos e batendo pandeiro. Quando as bichas chamavam a erva de Bob era confuso porque elas também chamavam o C de Bob. A coitada da sra. Linda McCartney simplesmente não sabia cantar nem fodendo, e arrancarem aquela vozinha trêmula e desafinada dela do abrigo de todo aquele som profissional multicanais bem-acabado pra mandar ver no solo era pra Gately indizivelmente deprimente — a voz dela soando tão perdida, tentando se esconder e se enterrar no meio das vozes corais profissionais; Gately imaginava a sra. Linda McCartney — na foto da parede do quarto de funcionário dele uma espécie de loura meio rochosa — imaginava a coitada ali parada perdida no meio do mar de ruídos profissionais do marido, com baixa autoestima e sussurrando desafinada, sem saber quando sacudir o pandeirinho: o CD deprimente do C era mais-que-cruel, era de alguma maneira meio sádico, como perfurar um olho-mágico na parede do banheiro dos deficientes. Dois transvestais estavam dançando como quem nadava no ar ao som da fita horrorosa no meio varrido do piso; o outro estava com um dos braços do Fackelmann enquanto o cara manso da gravata Wembley agarrava o outro braço do Fackelmann e ficava dando uns tabefes levinhos no Fackelmann lá no canto enquanto o Dilaudid resistia ao Narcan. Eles tinham deixado o Fackelmann sentado no seu cantinho na cadeira especial de Demerol do Gately. As bolas de Gately latejavam junto com o coração. A cara do assistente de farmacêutico estava bem grudada na de Gately. As bochechas e o queixo dele eram uma montoeira de flocos escamosos prateados, e um suor oleoso na testa dele refletia a luz da janela enquanto ele dava um sorrisinho apertado pro Gately.

"Eu já estou basicamente careta, ô C, depois dessa panca nos bagos", Gately disse, "se você não quiser desperdiçar o Narcan."

"Ah mas isso aqui não é Narcan", o C disse calmo, segurando o braço de Gately.

"Nem de longe", disse o assistente, tirando a proteção da agulha.

O C disse "Segura as pontas aí". Ele deu um cutucão no ombro do assistente. "Diz pra ele."

"É Solzinho[387] com concentração farmacêutica", o assistente disse, tateando pra achar uma veia boa.

"Segure os miolos aí", o C disse, olhando a agulha entrar. O farmacêutico a introduziu como um profissa, horizontal e rente à pele. Gately nunca tinha tomado Solzinho. Quase inobtível fora de um hospital canadense. Ele viu seu próprio sangue turvar o soro enquanto o farmacêutico estendia o polegar pra soltar o êmbolo de volta. O assistente de farmacêutico era bom de agulha. A língua do C estava no canto da boca enquanto ele assistia. O cara com cara de executivo estava segurando os braços do Fackelmann pra trás e uma transvestal que tinha ido pra trás da cadeira segurava a cabeça dele pelo queixo e o cabelo enquanto a senhorinha grisalha se ajoelhava diante dele com a agulha com linha. Gately não conseguia deixar de olhar aquilo entrar nele. Não havia dor. Ele ficou pensando um segundo se era uma injeção malhada: parecia uma trabalheira desgraçada só pra acabar com ele. A unha do polegar do farmacêutico estava encravada. Tinha uns flocos de eczema no braço de Gately onde o cara estava se inclinando. Você acaba gostando de ver o próprio sangue depois de um tempo. O farmacêutico já estava na metade do pico quando o Fackelmann começou a gritar. O tom do grito foi subindo à medida que se prolongava. Quando Gately conseguiu desviar os olhos do que entrava nele, viu que a senhora tipo bibliotecária estava costurando as pálpebras de Fackelmann na pele acima das sobrancelhas. Tipo eles estavam mantendo os olhos do coitado do Conde Fáckula abertos à base de costura. Um menino do parquinho tinha costume de virar as pálpebras do avesso pras meninas como eles estavam fazendo agora com o coitado do Fac-símile. Gately teve o reflexo de ir até ele, e o C o segurou firme com um braço só.

"*Cal*maí", o C disse bem baixinho.

O gosto do cloridrato no Solzinho era o mesmo, delicioso, o gosto do cheiro de todo consultório médico do mundo. Ele nunca tinha tomado Talwin-PX. Era impossível achar receita do PX, versão canadense; o Talwin[388] dos EU tinha 5 mg de naxolona misturados, pra cortar o barato, por isso o Gately só tomava NX em cima dos Bam-Bams. Ele entendeu que eles tinham dado um antinarcótico pro Fackelmann pra ele sentir a agulha enquanto eles costuravam os olhos dele. *Cruel* se escreve com *l*, ele lembrava. Linda McC. soava limitrofemente psicótica. A senhorinha grisalha trabalhava rápido. O olho que já estava costurado saltava de um jeito obsceno. Todo mundo na sala fora o C, o cara com cara de executivo e a senhora ameaçadora começou a se picar. Duas das bichas estavam de olho fechado e com a cara virada pro teto como se não conseguissem encarar o que estavam fazendo com o braço. O farmacêutico garroteava uma Pamela Hoffman-Jeep desmaiada, o que parecia requinte de crueldade. Tinha tudo quanto era estilo e nível de habilidade de garrote e injeção rolando ali. A cara do Fackelmann ainda era uma cara de grito. O sujeito tipo empresarioide estava pingando líquido de uma pipeta no olho costurado do Fackelmann enquanto a senhora passava linha de novo na agulha. Estava meio que parecendo pro Gately que ele tinha visto essa coisa dos fluidos no olho num cartucho ou num filme de que o PN gostava quando ele era um Goi jogando bola no chintz no mar quando o Solzinho atravessou a barreira e bateu.

Dava pra ver por que os EU faziam eles cortarem o barato. O ar da sala ficou extraclaro, com um brilho de glicerina, cores terrivelmente brilhantes. Se as próprias cores pudessem pegar fogo. O que se dizia do Talwin-PX C-II era que era um negócio intenso mas de curto prazo, e caro. Nada sobre sua interação com quantidades residuais massivas de Dilaudid-EV. Gately tentou pensar nisso enquanto ainda podia. Se fossem eliminar o mapa dele com uma overdose eles iam ter usado alguma coisa barata. E se a bibliotecária fosse costurar os olhos dele abertos. Gately tentava pensar. Também eles não iam ter dado. Pra ele. Dado mole.

O próprio ar da sala influ. Um balão. Os gritos de Fackelmann sobre mentiras subiam e caíam, difícil ouvir contra o estrondo arterial do Sol. McC. estava tentando abafar uma tosse. Gately não conseguia sentir as pernas. Ele sentia o braço do C em volta dele segurando cada vez mais seu peso. Os músculos dos braços do C subindo e endurecendo: ele conseguia sentir. As pernas dele estavam tipo: fui. Ataque dos chãos e calçadas. O Kite gostava de cantar uma musiquinha chamada "32 Utilidades do Fogareiro Rapaz". O C estava começando a colocá-lo delicadamente no chão. Sujeitinho forte, troncudo e firme. A maioria dos carinhas da heroína dá pra você derrubar com um assoprão. C: tinha uma gentileza no C, pra um garoto com olhos de lagarto. Ele o colocava no chão com toda a delicadeza. O C ia proteger o Goizinho Don do ataque do chão malvado. O desvanecimento apoiado por ele fez Gately girar, com o C andando à roda dele como um dançarino pra ralentar a queda. Gately teve uma visão rotatória da sala toda num foco quase infazível. Pointgravè estava vomitando pedaçudamente. Duas das bichas escorregavam parede abaixo onde estavam encostadas. Os casacos vermelhos estavam em chamas. A janela que passava explodia de luz. Ou era o DesMonts que estava vomitando e o Pointgravè tirando o monitor do TP da parede e esticando aquele cabo fibroide lá até o Fackelmann contra a parede. Um dos olhos do Fax estava tão aberto quanto a boca, revelando bem mais olho do que você podia querer ver em alguém. Ele não estava mais lutando. Encarava pirático em frente. A bibliotecária estava começando o outro olho. O sujeito manso estava com uma rosa na lapela e tinha posto uns óculos com lentes de metal e estava cego de tonto e errando o olho do Fax com o conta-gotas toda hora, dizendo alguma coisa pro Pointgravè. Um transvestal tinha erguido a barra esfarrapada do vestido de P. H.-J. e estava com uma mão aracnoide na coxa cor de carne dela. O rosto de P. H.-J. estava cinza e azul. O chão subia lento. A cara atarracada do Bobby C parecia quase bonita, trágica, semi-iluminada pela janela, enfiada sob o ombro rodopiante de Gately. Gately se sentia menos chapado que incorpóreo. Era indecentemente gostoso aquilo. Sua cabeça saiu dos ombros. Tanto o Gene quanto a Linda gritavam. O cartucho com os olhos mantidos abertos e o conta-gotas era aquele da ultraviolência e das sevícias. Um dos favoritos do Kite. Gately acha que *sevícias* se pronuncia "sevicias". A última visão giratória foram os chinas voltando pela porta, segurando uns quadradões brilhantes do quarto. Enquanto o chão voava pra cima e o C finalmente teve que largar, a última coisa que Gately viu foi um oriental se aproximando com o quadrado na mão e ele olhou pro quadrado e viu nitidamente um reflexo da sua própria cabeçona pálida e quadrada com os olhos fechando quando o chão finalmente saltou sobre ele. E quando voltou a si, ele estava estendido de costas na praia sobre a areia congelante, e caía chuva de um céu baixo, e a maré ia bem longe.

O
NOTAS

1. Cloridrato de metanfetamina, ou seja, cristal.

2. Orin nunca deu as caras no consultório de nenhum terapeuta profissional, diga-se de passagem, então o que ele pensa dos seus sonhos é sempre em geral coisa bem básica.

3. A ATE se estende como um cardioide, com os quatro edifícios principais virados para o centro, convexamente curvos nos fundos e nos lados para gerar uma curva cardioide, com as quadras de tênis e os pavilhões no centro e os estacionamentos para funcionários e estudantes atrás do Ed. Com.-Ad. Formando a covinha recolhida que do ar dá a todo o complexo o aspecto de coraçãozinho de Dia dos Namorados que ainda não teria sido verdadeiramente cardioide se os próprios prédios não tivessem suas convexidades todas derivadas de arcos de mesmo r, um feito impressionante se levarmos em consideração o terreno irregular e o espaço insanamente diferente requerido para conduítes elétricos e encanamentos nas paredes de dormitórios, escritórios administrativos e do Pulmão polirresinoso, encarável provavelmente por na Costa Leste inteira um cara só, o arquiteto original da ATE, o velho e caríssimo amigo de Avril, o Übermensch-do-mapeamento-de-curvas-fechadas do mundo da topologia A.Y. ("Campo vetorial") Rickey da Univ. Brandeis, ora falecido, que costumava absurdar Hal e Mario em Weston ao tirar o colete sem desvestir o paletó, o que M. Pemulis anos depois desmascarou como uma exploração-barata-de-mágico-de-festa de certas características básicas das funções contínuas, revelação que Hal lastimou de um jeito secreto e meio Papai-Noel-não-existe e que Mario simplesmente ignorou, preferindo ver a coisa do colete como pura magia.

4. Esses funcionários mais jovens que têm papéis duplos de instrutores acadêmicos e esportivos são, por convenção das academias de Tênis da América do Norte, conhecidos como "pró-reitores".

5. Conhecidas normalmente como drinas — ou seja, bolinhas peso-galo: Pemolina, Hipofagin,[a]

a Hipofagin é um dos nomes comerciais do cloridrato de anfepramona, desenvolvido pela Marion Merrell Dow Pharmaceuticals, tecnicamente um agente antiobesidade vendido com receita médica, adotado por alguns atletas por suas propriedades levemente eufóricas e concentradoras de capacidades físicas s/ o ranger de dentes e o horrendo baque depois da diminuição da contagem no sangue que geram as drinas mais cabeludas como o Fastin e a Pemolina, ainda que ele tenha uma curiosíssima tendência a causar nistagmo ocular quando diminui no sangue. Com ou seu nistagmo, o Hipofagin é um dos preferidos de Michael Pemulis, que guarda para consumo pessoal cada capsulazinha branca de 75 mg de Hipofagin que lhe caia nas mãos, e não as vende nem troca, a não ser de vez em quando, com seu colega de quarto Jim Troeltsch, que fica mendigando os comprimidos e também penetra no entreposto-quepe-de-marujo especial de Pe-

Fastin, Preludin e até de vez em quando Ritalina. Vale um N.B. lembrar que, ao contrário de Jim Troeltsch ou da preludínica Bridget Boone, Michael Pemulis (em função de algum estranho tipo de honra classe operária tipo eu cresci-na-rua) raramente ingere quaisquer drinas antes de um jogo, reservando-as para recreação — certas pessoas são configuradas de um jeito que faz com que o coração saltitante e os olhos ondulantes que as drinas estimulam sejam recreativos.

6. Tranqs peso-galo: Valium-III e Diazepam, os bons, velhos e fidedignos Xanax, Dalmadorm, Narol, Oxazepam e até Halcion (legalmente à venda no Canadá, incrivelmente, ainda); com os meninos inclinados a uma viagem mais pesada — Seconal, Meprospan, transdérmicos tipo "Adesivo Feliz", Equanil, Stelazine, de vez em quando um dextropopoxifeno receitado para alguma contusão) nunca duram mais que uma ou duas temporadas pela óbvia razão de que os tranqs mais pesados podem deixar até a respiração parecendo uma coisa difícil demais para a pessoa tentar, sendo que a causa de uma proporção carnuda das mortes ligadas a calmantes é registrada em off pelo pessoal dos prontos-socorros como "PP" ou "Preguiça Pulmonar".

7. Jogadores jr. de alto nível em geral são bem cautelosos com álcool porque as consequências físicas da ingestão de grandes quantidades — como náusea e desidratação e a piora da coordenação olho-mão — tornam quase impossível o desempenho de alto nível. Muito poucas outras substâncias normais têm ressacas de curto prazo tão proibitivas, na verdade, embora uma noitada de cocaína nem que seja sintética vá deixar os treinos da manhã seguinte extremamente desagradáveis, o que é o motivo de tão poucos dos mais radicais na ATE usarem cocaína, embora pese também a questão dos custos: por mais que muitos dos ATEs sejam filhos de pais de classe alta, os próprios garotos raramente têm montes de $ que venham de casa, já que basicamente toda e qualquer necessidade física é ou suprida ou proibida pela própria ATE. Talvez valha a pena notar que as mesmas pessoas que são configuradas para gostar das drinas recreativas tendem também a gravitar em torno da cocaína e da metedrina e de outros aditivos de motor desse tipo, enquanto outra classe de tipos naturalmente já mais acelerados tende para as substâncias aparadoras de arestas: tranqs, cannabis, barbitúricos e, sim, álcool.

8. Ou seja: psilocibina; Adesivos Felizes;[a] MDMA/Extasy (se bem que, roubada, isso do E); várias manipulações lo-tech do anel do benzeno em psicodélicos da classe dos metoxilos, normalmente fazíveis em casa; uns baratinhos sintéticos tipo MMDA, DMA, DMMM, 2CB, para-DOT I-VI etc. — mas perceba bem que essa classe não inclui e não deve incluir abaladores-de-SNC como STP, DOM, a mui infame "Lesão Corporal Grave" da Costa-Oeste-dos-EU (ácido gama-hidroxibutírico), LSD-25 ou -32, ou DMZ/M.P. O entusiasmo por esse tipo de coisa parece independente de tipologias neurológicas.

---

mulis e afana ainda outras sub-repticiamente, uma ou duas de cada vez, sentindo que elas melhoram sua loquacidade como comentarista esportivo, afanagens secretas estas que Pemulis conhece muito bem, e está só esperando para retaliar, não temais.

a Transdérmicos caseiros, normalmente MDMA ou Muscimol, com DDMS ou o comprável-sem-receita DMSO como carreadores transdérmicos.

9. Vulgo LSD-25, normalmente com mais uma drina, chamado de "Estrela Negra" porque na região de Boston o ácido que normalmente se consegue encontrar vem nuns quadradinhos de papelão fino com uma estrela preta feita a estêncil, que vêm todos de uma certa obscura cadeia de fornecimento lá de New Bedford. Todo o ácido e a Lesão Corporal Grave, bem como a cocaína e a heroína, entram em Boston principalmente via New Bedford, MA, que por sua vez consegue quase tudo que recebe via Bridgeport, CT, que é o verdadeiro intestino grosso da América do Norte, Bridgeport, não diga que eu não avisei, se você nunca passou por lá.

10. Como quase todas as academias de esportes, a ATE mantém a delicada ficção de que 100% dos seus alunos estão matriculados graças a sua própria e ambiciosa volição, e não, digamos, por exemplo, graças à de seus pais, alguns dos quais (os genitores desses jovens tenistas, como as mães de atrizes da lenda hollywoodiana) são chave de cadeia total.

11. Um complexo jogo árabe para mulheres que envolve umas conchinhas e um tabuleiro xadrez — mais ou menos um mahjongg sem regras, segundo as estimativas dos maridos diplomatas e médicos.

12. Cloridrato de meperidina e cloridrato de pentazocina, analgésicos narcóticos de Registro C-II e C-IV,[a] respectivamente, ambos cortesia daquele pessoalzinho bacana da Sanofi Winthrop Pharm-Labs. Inc.

13. Ainda que estivesse mascarado na fotografia usada como prova e nunca tenha sido entregue ou mencionado diretamente por Gately, para ninguém, pode-se presumir que esse indivíduo era Trent ("Mandrake") Kite, o velho e outrora talentoso amigo de infância de Gately em Beverly, MA.

14. A pequena marca pessoal desse PPA era ele sempre usar um anacrônico mas requintado chapéu de negócios da marca Stetson com uma pena decorativa na faixa, e de viver tocando ou brincando com o chapéu em situações tensas.

15. O Bureau de Álcool/Tabaco/Armas de Fogo, naquele tempo sob a temporária égide do Escritório de Serviços Aleatórios dos Estados Unidos.

16. Fatos subsequentes extremamente desagradáveis e relacionados-a-insurgentes-quebequenses-e-cartuchos não deixam dúvida de que se travava (de novo) de Trent ("Mandrake") Kite.

a Por determinação do Decreto Continental das Substâncias Controladas do AEMT, a hierarquia de analgésicos/antipiréticos/ansiolíticos da AADONAN estabelece classes de drogas da Categoria-II à Categoria-IV, sendo que os C-II's (p. ex. Dilaudid, Demerol) são considerados os mais pesados no que se refere a dependência e possibilidade de abuso, indo até as C-IVs, que são basicamente tão fortes quanto a mamãe te dando um beijinho na testa.

17. Mas do tipo sem codeína — quase o primeiro dado físico que Gately registrou no perverso clarão lâmpada-acesa de quando o quarto se iluminou, para você ter uma ideia da profundidade do envolvimento psíquico de um viciado em narcóticos orais.

18. Em cima dos conteúdos mais negociáveis do cofre da marinha, que estão eles também em cima de um desconectado e emborcado e absolutamente primus inter pares de um legítimo monitor/TP de última geração da InterLace num treco tipo um console de sistema de entretenimento de madeira de lei com rodinhas e multiprateleiras, com deck para cartuchos e um drive de cabeçote duplo num compartimento inferior com portinhas com uns puxadores superclassudos tipo umas folhas de bordo e várias prateleiras entupidas com cartuchos de filmes chiques com cara de coisa artística, que levaram o colega de Don Gately a só faltar babar literalmente pelo parquê em face do valor de escambo-potencial com clientes de bom gosto que tinham, potencialmente, se fossem raros ou transferidos de celulose ou não estivessem disponíveis na Grade de Disseminação da InterLace.

19. *"Une Personne d'Importance Terrible"*, ao que parece.

20. A fluorescência tinha sido proibida no Québec, assim como ofertas computadorizadas por telefone, aqueles cartõezinhos de publicidade que caem das revistas e que você tem que olhar para poder pegar e jogar no lixo, e a menção a todo e qualquer feriado religioso como apelo de venda para todo tipo de produtos e serviços, e isso é só um dos motivos por que ele ter se oferecido para morar por aqui foi um ato de altruísmo.

21. Q.v. nota 211 *infra*.

22. Nome comercial da Terfenadina, da Marion Merrell Dow Pharmaceuticals, a arma nuclear dos anti-histamínicos e dessecantes mucoidais não sonolentos.

23. Departamento de Pesquisa Naval, Departamento de Defesa dos EUA.

24.

JAMES O. INCANDENZA: UMA FILMOGRAFIA[a]

A lista que se segue é a mais completa que conseguimos coligir. Como os doze anos da atividade de diretor de Incandenza também coincidiram com grandes mudanças na distribuição dos filmes — desde os cinemas públicos de filmes de arte, passando pelas gravações magnéticas de videocassete, até a disseminação por TelEntretenimento laser e cartuchos de disco laser para armazenamento reassistível da InterLace — e como a própria produção de Incandenza

a *In*, Comstock, Posner e Duquette, "Os patologistas ridentes: obras exemplares da après-garde anticonfluencial: análises do movimento rumo à estase no cinema conceitual norte-americano (c/ Beth B., Vivienne Dick, James O. Incandenza, Vigdis Simpson, E. e K. Snow)".

compreende obras industriais, documentais, conceituais, publicitais, técnicas, paródicas, não comerciais dramáticas, não comerciais não dramáticas ("anticonfluenciais"), comerciais não dramáticas e comerciais dramáticas, a carreira deste cineasta apresenta consideráveis problemas arquivísticos. Esses desafios também se veem realçados pelos fatos de que, primeiro, por motivos conceituais Incandenza evitava tanto o registro na B. do C. quanto a datação formal até o advento do Tempo Subsidiado, segundo, sua produtividade aumentou linearmente até o limite em que, durante os últimos anos de sua vida, Incandenza frequentemente tinha vários trabalhos em produção ao mesmo tempo, terceiro, sua companhia era privada e passou por pelo menos quatro mudanças de razão social, e finalmente porque alguns de seus projetos altamente conceituais exigiam que as obras recebessem títulos e fossem expostas a análises, mas que jamais fossem filmadas, o que torna controverso o status dessas obras enquanto filmes.

Consoantemente, embora as obras estejam listadas aqui no que os arquivistas consideram ser sua provável ordem de finalização, queremos declarar que a ordem e a completude da lista são, neste momento, menos que definitivas.

O título de cada obra vem seguido: seja por seu ano de finalização ou por um "AS", que designa finalizações não datadas que se deram antes do Subsídio; pela companhia produtora; pelos atores principais, se creditados; pela bitola ou pelas bitolas da mídia (do "filme") de armazenamento; pela duração da obra arredondada para o minuto mais próximo; por uma indicação de estar a obra em p&b ou em cores ou ambos; por uma indicação de se o filme é mudo ou sonorizado ou ambos; por (se possível) uma breve sinopse ou resenha crítica; por uma indicação de se a obra é mediada por película de celuloide, vídeo magnético, Disseminação Espontânea InterLace, cartucho compatível com TPS InterLace ou distribuída particularmente pela(s) companhia(s) do próprio Incandenza. A designação não lançado será usada para as obras que nunca chegaram a ser distribuídas e agora estão publicamente indisponíveis ou perdidas.

Jaula.[b] Datado somente "Antes do Subsídio". Meniscus Films, Ltd. Elenco não creditado; 16 mm; 5 minutos; p&b; som. Paródia em solilóquio de uma propaganda de xampu para a TV aberta, utilizando quatro espelhos convexos, dois espelhos planares e uma atriz. NÃO LANÇADO

Tipos de luz. AS. Meniscus Films, Ltd. Sem elenco; 16 mm; 3 minutos; cor; mudo. 4444 frames separados, retratando cada um deles um instantâneo da luz de fonte, comprimento de onda e luminescência diferentes, cada uma delas refletida na mesma placa de estanho sem polimento e assim transformada em algo desorientador em velocidades normais de projeção graças à velocidade hiper-retinal com que passam. CELULOIDE, LANÇAMENTO LIMITADO À REGIÃO DE BOSTON, REQUER PROJEÇÃO A ¼ DA VELOCIDADE NORMAL

Lógicas negras. AS. Meniscus Films, Ltd. Atores não creditados; 35 mm; 21 minutos; cor; mudo com ensurdecedora trilha sonora de Wagner/Sousa. Tributo a Griffith, paródia de Iimura. Mão

---

b Com a possível exceção de *Jaula III: Espetáculo gratuito*, a série *Jaula*, de Incandenza não tem nenhuma relação perceptível com o clássico *A jaula*, de Sidney Peterson, de 1947.

infantil mas severamente paralisada vira páginas de manuscritos incunabulares sobre matemática, alquimia, religião e autobiografia política falsa, contendo cada página alguma articulação ou alguma defesa da intolerância e do ódio. Filme dedicado a D.W. Griffith e Taka Iimura. NÃO LANÇADO

Tênis, pessoal? AS. Heliotrope Films, Ltd./ATEU. Documentário narrado por Judith Fukuoka--Hearn; 35 mm; 26 minutos; cor; som. Produção publicital/relações públicas para a Associação de Tênis dos Estados Unidos em conjunção com Materiais Esportivos Wilson, Inc. VÍDEO MAGNÉTICO

"Aqui ninguém sai derrotado". AS. Heliotrope Films, Ltd./ATEU. Documentário narrado por P. A. Heaven; 35 mm; cor; som. Documentário sobre o Campeonato Nacional Júnior de Tênis de 1997, em Kalamazoo, MI, e Miami, FL, em conjunção com a Associação de Tênis dos Estados Unidos e Materiais Esportivos Wilson. VÍDEO MAGNÉTICO

Fluxo na caixa. AS. Heliotrope Films, Ltd./Wilson Inc. Documentário narrado por Judith Fukuoka-Hearn; 35 mm; 52 minutos; p&b/cor; som. História documental do tênis de caixa, plataforma, gramado e de quadra, da Corte do Delfim, no século XVII, até o presente. VÍDEO MAGNÉTICO

Graça infinita (I). AS. Meniscus Films, Ltd. Judith Fukuoka-Hearn; 16/35 mm; 90 (?) minutos; p&b; mudo. Primeira tentativa, nunca exibida e inacabada, de Incandenza realizar um entretenimento comercial. NÃO LANÇADO

A *fusão anular é nossa amiga.* AS. Heliotrope Films, Ltd./ Cia. Sunstrand de Luz e Força. Documentário narrado por C. N. Reilly; com tradução simultânea para língua de sinais para surdos; 78 mm; 45 minutos; cor; som. Produção publicital/relações públicas para a companhia Sunstrand de Luz e Força da Nova Inglaterra, uma explicação não técnica dos processos de fusão anular litiumizada de ciclo-DT e de suas aplicações na produção de energia doméstica. CELULOIDE, VÍDEO MAGNÉTICO

Luz amplificada anular: algumas reflexões. AS. Heliotrope Filmes/Cia. Sunstrand de Luz e Força. Documentário narrado por C. N. Reilly; com tradução simultânea para língua de sinais para surdos; 78 mm; 45 minutos; cor; som. Segundo infomercial para a Cia. Sunstrand, uma explicação não técnica das aplicações dos raios laser de fótons resfriados na fusão anular litiumizada de ciclo-DT. CELULOIDE, VÍDEO MAGNÉTICO

União de enfermeiras em Berkeley. AS. Meniscus Films, Ltd. Elenco documental; 35 mm; 26 minutos; cor; mudo. Documentário e entrevistas com closed-caption com enfs. e auxs. de enf. durante os distúrbios sociais provocados pela reforma da assistência médica de 1996. VÍDEO MAGNÉTICO, LANÇADO PARTICULARMENTE PELA MENISCUS FILMS, LTD.

União de gramáticos teóricos em Cambridge. AS. Meniscus Films, Ltd. Elenco documental; 35 mm; 26 minutos; cor; mudo, com uso pesado de distorção computadorizada nos close-ups faciais. Documentário e entrevistas com closed-caption com os participantes do debate público Steven Pinker–Avril M. Incandenza sobre as implicações políticas da gramática prescritiva durante a infame convenção dos Gramáticos Militantes de Massachusetts, que teria ajudado a incitar os distúrbios linguísticos do MIT no ano de 1997 AS. NÃO LANÇADO DEVIDO A LITÍGIO JURÍDICO

Viúvo. AS. Latrodectus Mactans Productions. Cosgrove Watt, Ross Reat; 35 mm; 34 minutos; p&b; som. Filmado em locações em Tucson, AZ, paródia de comédias domésticas da televisão aberta, um pai cocainômano (Watt) conduz o filho (Reat) pela propriedade deserta, imolando aranhas venenosas. CELULOIDE; RELANÇAMENTO EM CARTUCHO TELENT INTERLACE #357-75-00 (AF-MP)

Jaula II. AS. Latrodectus Mactans Productions. Cosgrove Watt, Disney Leith; 35 mm; 120 minutos; p&b; som. Autoridades penais sádicas põem um presidiário cego (Watt) e um presidiário surdo-mudo (Leith) juntos em "confinamento solitário", e os dois tentam criar meios de se comunicar. EXIBIÇÃO LIMITADA EM CELULOIDE; RELANÇADO EM VÍDEO MAGNÉTICO

Morte em Scarsdale. AS. Latrodectus Mactans Productions. Cosgrove Watt, Marlon R. Bain; 78 mm; 39 minutos; cor; mudo c/ legendas em closed-caption. Paródia de Mann/Allen, um endocrinologista dermatológico mundialmente famoso (Watt) fica platonicamente obcecado por um rapaz (Bain) que está se tratando de uma sudorese excessiva, e começa a sofrer também de sudorese excessiva. NÃO LANÇADO

Diversão mordaz. AS. Latrodectus Mactans Productions. Herbert G. Birch, Billy Tolan, Pam Heath; 35 mm; 73 minutos; p&b; mudo c/ gritos e uivos inumanos. Paródia de Kosinski/Updike/Peckinpah, dentista (Birch) realiza dezesseis tratamentos de canal sem anestesia num acadêmico (Tolan) que ele suspeita estar envolvido com sua mulher (Heath). VÍDEO MAGNÉTICO, LANÇADO PARTICULARMENTE PELA LATRODECTUS MACTANS PROD.

Graça infinita (II). AS. Latrodectus Mactans Productions. Pam Heath; 35/78 mm; 90 (?) minutos; p&b; mudo. Tentativa inacabada e nunca exibida de um remake de *Graça infinita (I)*. NÃO LANÇADO

Domínio imanente. AS. Latrodectus Mactans Productions. Cosgrove Watt, Judith Fukuoka-Hearn, Pam Heath, Pamela-Sue Voorheis, Herbert G. Birch; 35 mm; 88 minutos; p&b c/ microfotografia; som. Três neurônios de memória (Fukuoka-Hearn, Heath, Voorheis (c/ fantasias de poliuretano)) no giro frontal inferior do cérebro de um homem (Watt) lutam heroicamente para evitar sua substituição por novos neurônios de memória enquanto o homem passa por intenso processo de psicanálise. CELULOIDE; RELANÇAMENTO EM CARTUCHO TELENT INTERLACE #340-03-70 (AF-MP)

Tipos de dor. AS. Latrodectus Mactans Productions. Elenco anônimo; 35/78 mm; 6 minutos; cor; mudo. 2222 close-ups congelados de homens brancos de meia-idade sofrendo de quase todo tipo imaginável de dor, de unha de pé encravada a neuralgia craniofacial e neoplasia colorretal inoperável. CELULOIDE, LANÇAMENTO LIMITADO À REGIÃO DE BOSTON, REQUER PROJEÇÃO A ¼ DA VELOCIDADE NORMAL

Várias pequenas chamas. AS. Latrodectus Mactans Productions. Cosgrove Watt, Pam Heath, Ken N. Johnson; 16 mm; 25 minutos c/ loop recursivo para replay automático; cor; mudo c/ sons de coito humano apropriados de e atribuídos a Caballero Control Corp., vídeos adultos. Paródia dos filmes estruturalistas neoconceituais de Godbout e Vodriard, imagens de n-frames de uma infinidade de variedades de pequenas chamas domésticas, de isqueiros e velas de aniversário a bocas de fogão a gás e aparas de grama incendiadas pela luz do sol através de uma lente de aumento, alternadas com sequências antinarrativas de um homem (Watt) sentado num quarto escuro e bebendo burbom enquanto sua esposa (Heath) e um representante da Amway (Johnson) praticam coito acrobático no corredor iluminado que se vê ao fundo. NÃO LANÇADO DEVIDO A UM PROCESSO DE ED RUSCHA, DIRETOR CONCEITUAL AMERICANO DOS ANOS 60, AUTOR DE *VÁRIAS PEQUENAS FLAMAS* — RELANÇAMENTO EM CARTUCHO TELENT INTERLACE #330-54-94 (ACDT-B)

Jaula III: Espetáculo gratuito. AS. Latrodectus Mactans Productions/Infernatron Animation Concepts, Canadá. Cosgrove Watt, P. A. Heaven, Everard Maynell, Pam Heath; animação parcial; 35 mm; 65 minutos; p&b; som. A figura da Morte (Heath) controla a entrada da frente de um espetáculo marginal de circo cujos espectadores veem artistas sofrerem indizíveis degradações tão grotescamente interessantes que os olhos dos espectadores se tornam cada vez maiores até os próprios espectadores se transformarem em gigantescos globos oculares em suas cadeiras, enquanto do outro lado da tenda do pequeno circo a figura da Vida (Heaven) usa um megafone para convidar os passantes a um espetáculo em que, se os passantes consentirem em sofrer indizíveis degradações, podem presenciar o momento em que pessoas comuns se transformam aos poucos em gigantescos globos oculares. CARTUCHO TELENT INTERLACE #357-65-65

"A Medusa × a Odalisca". AS. Latrodectus Mactans Productions. Elenco não creditado; holografia laser por placas de Fresnel de James O. Incandenza e Urquhart Ogilvie, Jr.; coreografia da luta holográfica por Kenjiru Hirota, cortesia de Sony Entertainment-Ásia; 78 mm; 29 minutos; p&b; mudo c/ ruídos de plateia emprestados da televisão comercial aberta. Hologramas móveis de duas mulheres mitológicas visualmente letais que duelam com superfícies refletoras enquanto uma plateia de espectadores reais se transforma em pedra. EXIBIÇÃO LIMITADA EM CELULOIDE; RELANÇADO PARTICULARMENTE EM VÍDEO MAGNÉTICO PELA LATRODECTUS MACTANS PRODUCTIONS

A máquina no defeito: holografia anular para diversão e luto. AS. Heliotrope Films, Ltd./National Film Board of Canada. Narrador P. A. Heaven; 78 mm; 35 minutos; cor; som. Introdução não técnica a teorias de aprimoramento anular de imagens e usos de placas de Fresnel e suas aplicações na holografia laser de alta resolução. NÃO LANÇADO DEVIDO A TENSÕES DIPLOMÁTI-CAS EU/CANADÁ

Homo Duplex. AS. Latrodectus Mactans Productions. Narrador P. A. Heaven; super-8 mm; 70 minutos; p&b; som. Paródia dos "antidocumentários pós-estruturais" de Woititz e Shulgin, entrevistas com catorze americanos que se chamam John Wayne, mas não são o lendário ator de cinema do século XX John Wayne. VÍDEO MAGNÉTICO (LANÇAMENTO LIMITADO)

Cerimônia do chá em gravidade zero. AS. Latrodectus Mactans Productions. Ken N. Johnson, Judith Fukuoka-Hearn, Otto Brandt, E. J. Kenkle; 35 mm; 82 minutos; p&b/cor; mudo. A intricada otcha-kai é conduzida a 2,5 m do chão, na câmara de simulação de gravidade zero do Johnson Space Center. CELULOIDE; RELANÇAMENTO EM CARTUCHO TELENT INTERLACE #357--40-01 (AF-MP.)

Acordo pré-nupcial do céu e do inferno. AS. Latrodectus Mactans Productions/Infernatron Animation Concepts, Canadá. Animado c/ vozes não creditadas; 35 mm; 59 minutos; cor; som. Deus e Satã jogam pôquer com cartas de Tarô, valendo a alma de um vendedor alcoólico de saquinhos de sanduíche obcecado pelo "Êxtase de Santa Teresa" de Bernini. RELANÇADO PARTICULARMENTE EM CELULOIDE E VÍDEO MAGNÉTICO PELA LATRODECTUS MACTANS PRODUC-TIONS

A piada. AS. Latrodectus Mactans Productions. Plateia como elenco refletido; 35 mm × 2 câmeras; duração variável; p&b; mudo. Paródia dos "eventos específicos para um público" de Hollis Frampton, duas câmeras de vídeo Ikegami EC-35 localizadas no cinema gravam a plateia do "filme" e projetam o raster resultante na tela — a plateia do cinema assistindo a si própria se assistindo enquanto entende a óbvia "piada" e fica cada vez mais autoconsciente, desconfortável e hostil, resume o convoluto fluxo "antinarrativo" do filme. O primeiro projeto realmente controverso de Incandenza; Sperber, da Kultura de Filmes e Kartushos, atribuiu ao filme o mérito de ter "sem querer, decretado a morte do cinema pós-estrutural em termos de puro tédio". VÍDEO MAGNÉTICO NÃO GRAVADO PROJETÁVEL APENAS EM CINEMAS, HOJE NÃO LANÇADO

Várias figuras lacrimosas dos níveis médios da administração empresarial nos EUA. Inacabado. NÃO LANÇADO

Cada polegada de Disney Leith. AS. Latrodectus Mactans Productions/Medical Imagery of Alberta, Ltd. Disney Leith; 35 mm. Ampliado por computador/× 2 m.; 253 minutos; cor; mudo. Câmeras miniaturizadas, endoscópicas e microinvasivas atravessam todo o exterior e o interior de um dos membros da equipe técnica de Incandenza enquanto ele permanece sentado em um poncho dobrado no Boston Common ouvindo um fórum público sobre a metrificação uniforme da América do Norte. LANÇAMENTO PARTICULAR EM VÍDEO MAGNÉTICO PELA LATRODEC-TUS MACTANS PRODUCTIONS; RELANÇAMENTO TELENT INTERLACE #357-56-34 (AF-MP)

Graça infinita (*III*). AS. Latrodectus Mactans Productions. Elenco não creditado; 16/35 mm; cor; som; Inacabado, remake nunca exibido de *Graça infinita* (*I*), (*II*). NÃO LANÇADO

Drama achado I
Drama achado II
Drama achado III ... conceituais, conceitualmente infilmáveis. NÃO LANÇADOS

O homem que começou a suspeitar que era feito de vidro. Ano do Whopper. Latrodectus Mactans Productions. Cosgrove Watt, Gerhardt Schtitt; 35 mm; 21 minutos; p&b; som. Um homem que passa por intenso processo de psicoterapia descobre que é frágil, oco e transparente para os outros, e se torna ou transcendentalmente esclarecido ou esquizofrênico. CARTUCHO TELENT INTERLACE #357-59-00

Drama Achado V
Drama Achado VI ... conceituais, conceitualmente infilmáveis. NÃO LANÇADOS

O século americano visto por um tijolo. Ano do Whopper. Latrodectus Mactans Productions. Elenco documental c/ narração de P. A. Heaven; 35 mm; 52 minutos; cor c/ filtro vermelho e oscilofotografia; mudo c/ narração. No momento em que as históricas ruas do distrito de Back Bay, em Boston, EUA, são reformadas, com a retirada dos tijolos e sua substituição por cimento polimerizado, a carreira subsequente de um tijolo retirado é acompanhada, de instalação temporária de arte ready-made ao seu deslocamento por catapulta da DRE para uma pedreira-depósito no sul do Québec e seu uso nos distúrbios anti-ONAN incitados pela FLQ em janeiro/Whopper, tudo isso entremeado por tomadas ambíguas das alterações causadas por um polegar humano no padrão de interferência de uma corda tangida. LANÇAMENTO PARTICULAR EM VÍDEO MAGNÉTICO PELA LATRODECTUS MACTANS PRODUCTIONS

A ONANtíada. Ano do Whopper. Latrodectus Mactans Productions/sequências de ação em claymation © Infernatron Animation Concepts, Canadá. Cosgrove Watt, P. A. Heaven, Pam Heath, Ken N. Johnson, Ibn-Said Chawaf, Squyre Frydell, Marla-Dean Chumm, Herbert G. Birch, Everard Meynell; 35 mm; 76 minutos; p&b/cor; som/mudo. Triângulo amoroso oblíquo, obsessivo e não muito engraçado, em claymation, representado diante de um pano de fundo de atores reais que encenam a incepção da Interdependência da América do Norte e a Reconfiguração Continental. LANÇAMENTO PARTICULAR EM VÍDEO MAGNÉTICO PELA LATRODECTUS MACTANS PRODUCTIONS

O universo manda ver. Ano do Whopper. Latrodectus Mactans Productions. Elenco documental c/ narração de Herbert G. Birch; 16 mm; 28 minutos; cor; mudo c/ narração. Documentário sobre a evacuação de Atkinson, NH/Novo Québec, na incepção da Reconfiguração Continental. VÍDEO MAGNÉTICO (LANÇAMENTO LIMITADO)

Ave, aves. Ano do Whopper. Latrodectus Mactans Productions. Elenco documental c/ narração de P. A. Heaven; 16 mm; 56 minutos; cor; mudo c/ narração. Documentário sobre o gesto de criadores renegados de perus de North Syracuse que, para evitar a toxificação dos produtos para o dia de Ação de Graças, sequestraram longos e brilhantes caminhões da ONAN para transplantar mais de 200 mil aves pertússicas para Ithaca, ao sul. VÍDEO MAGNÉTICO (LANÇAMENTO LIMITADO)

Drama achado IX
Drama achado X
Drama Ready-Made XI ... conceituais, conceitualmente infilmáveis. NÃO LANÇADOS

Tira, Möbius. Ano do Whopper. Latrodectus Mactans Productions. "Paul Dooro", Pam Heath, "Coelhinha Loura", "Maçã do Amor"; 35 mm; 109 minutos; p&b; som. Pornografia-paródia, possivelmente homenagem paródica a *O show deve continuar*, de Bob Fosse, em que um físico teórico ("Dooro"), que só consegue ter insights matemáticos durante o coito, concebe a ideia da Morte como uma mulher letalmente linda (Heath). CARTUCHO TELENT INTERLACE #357-65-32 (AW)

Diga adeus ao burocrata. Ano do Whopper. Latrodectus Mactans Productions. Everard Maynell, Phillip T. Smothergill, Paul Anthony Heaven, Pamela-Sue Voorheis; 16 mm; 19 minutos; p&b; som. Possível tributo/paródia ao ciclo de anúncios de utilidade pública AS da Igreja de Jesus Cristo dos Santos dos Últimos Dias,[c] um apressado usuário do sistema de transporte público é confundido com Jesus Cristo por uma criança que derrubou ao passar.

Irmã de Sangue: uma freira de matar. Ano do Emplastro Medicinal Tucks. Latrodectus Mactans Productions. Telma Hurley, Pam Heath, Marla-Dean Chumm, Diane Saltoone, Soma Richardson-Levy, Cosgrove Watt; 35 mm; 90 minutos; cor; som. Paródia do gênero de filmes de ação de vingança/recidivismo, o fracasso de uma freira ex-delinquente (Hurley) em reabilitar uma delinquente juvenil (Chumm) leva a uma carnificina vingativa recidivista. DISSEMINAÇÃO POR PULSO TELENT INTERLACE EM 21 DE JULHO A.E.M.T., CARTUCHO #357-87-04

Graça infinita (IV). Ano do Emplastro Medicinal Tucks. Latrodectus Mactans Productions. Pam Heath (?), "Madame Psicose" (?); 78 mm; 90 minutos (?); cor; som. Tentativa inacabada e nunca exibida de conclusão de *Graça infinita (III)*. NÃO LANÇADO

Fiat Light! Ano do Emplastro Medicinal Tucks. Poor Yorick Entertainment Unlimited. Elenco documental c/ narração de Ken N. Johnson; 16 mm; 50 minutos (?); p&b; mudo c/ narração. Documentário inacabado a respeito da gênese da indústria do burbom de calorias reduzidas. NÃO LANÇADO

Sem título. Inacabado. NÃO LANÇADO

---

c Veja Romney e Sperber, "Será que James O. Incandenza algum dia produziu uma única obra original ou não apropriada ou não derivativa?", *Jornal de Cartuchos Cinematográficos Pós-Milênio*, nᵒˢ 7-9 (outono/inverno, AF-MP), pp. 4-26.

Des-Troia. Ano do Whopper. Latrodectus Mactans Productions. Sem elenco; holografia de superfície líquida por Urquhart Ogilvie Jr.; 35 mm; 7 minutos; cor aprimorada; mudo. Recriação em modelo holográfico em escala do bombardeio da cidade de Troy, NY, por Veículos de Deslocamento de Resíduos descalibrados, e sua consequente eliminação pelos cartógrafos da ONAN. VÍDEO MAGNÉTICO (LANÇAMENTO PARTICULAR LIMITADO A NEW BRUNSWICK, ALBERTA, QUÉBEC) Nota: Arquivistas do Canadá e da Costa Oeste dos EUA não listam *Des-Troia*, e sim títulos como *A cidade violeta* e *A ex-cidade violeta*, respectivamente, levando os estudiosos a concluir que o mesmo filme foi lançado com várias designações diferentes.

Sem título. Inacabado. NÃO LANÇADO

Um valioso cupom foi removido. Ano do Emplastro Medicinal Tucks. Poor Yorick Entertainment Unlimited. Cosgrove Watt, Phillip T. Smothergill, Diane Saltoone; 16 mm; 52 minutos; cor; mudo. Possível paródia de psicodrama escandinavo, um garoto ajuda o pai, um alcoólico que sofre de alucinações, e sua mãe a desmontar a cama em busca de roedores, e depois ele intui a futura exequibilidade da fusão anular litiumizada de ciclo-DT. CELULOIDE (NÃO LANÇADO)

Fotos de ditadores famosos quando bebês. Ano do Emplastro Medicinal Tucks. Poor Yorick Entertainment Unlimited. Elenco documental ou não creditado c/ narração de P. A. Heaven; 16 mm; 45 minutos; p&b; som. Crianças e adolescentes jogam um jogo de estratégia nuclear quase incompreensível com seu equipamento de tênis contra um pano de fundo real ou holográfico (?) de torres de deslocamento atmosférico ATHSCME 1900 sabotadas, que explodem e desmoronam durante a Emergência Química da Nova Nova Inglaterra no AW. CELULOIDE (NÃO LANÇADO)

Fique atrás dos homens com o cabo. Ano do Emplastro Medicinal Tucks. Poor Yorick Entertainment Unlimited. Elenco documental c/ narração de Soma Richardson-Levy; super-8 mm; 52 minutos; p&b/cor; som. Filmado em locações ao norte de Lowell, MA, documentário sobre a expedição do Dep. do Xerife de Essex County e do Departamento de Serviços Sociais de Massachusetts para localizar, verificar, capturar ou apaziguar o descomunal bebê selvagem que supostamente teria esmagado, mastigado com as gengivas ou apanhado e largado mais de uma dúzia de residentes de Lowell em janeiro, AEMT. CARTUCHO TELENT INTERLACE #357-12-56

Fora outrora. Ano do Emplastro Medicinal Tucks. Poor Yorick Entertainment Unlimited. Cosgrove Watt, Marlon Bain; 16/78 mm; 181 minutos; p&b/cor; som. Um instrutor de tênis de meia-idade, que se prepara para instruir o filho no tênis, fica embriagado na garagem da família e sujeita o filho a um monólogo sem pé nem cabeça enquanto o filho chora e perspira. CARTUCHO TELENT INTERLACE # 357-16-09

O inteligentinho desgraçado. Inacabado, nunca exibido. NÃO LANÇADO

A fria majestade dos inertes. Inacabado, nunca exibido. NÃO LANÇADO

Homens de boa aparência em pequenos cômodos inteligentes que utilizam cada centímetro do espaço disponível com uma eficiência estarrecedora. Inacabado devido a hospitalização. NÃO LANÇADO

Civismo de baixa temperatura. Ano do Emplastro Medicinal Tucks. Poor Yorick Entertainment Unlimited. Cosgrove Watt, Herbert G. Birch, Ken N. Johnson, Soma Richardson-Levy, Everard Maynell, "Madame Psicose", Phillip T. Smothergill, Paul Anthony Heaven; 35 mm; 80 minutos; p&b; som. Paródia de Wyler em que quatro filhos (Birch, Johnson, Maynell, Smothergill) disputam o controle de um conglomerado fabricante de saquinhos de sanduíche depois que seu pai e CEO (Watt) tem um estático encontro com a Morte ("Psicose") e fica irreversivelmente catatônico. DISSEMINAÇÃO NACIONAL NA SÉRIE "CAVALGADA DO MAL" DA INTERLACE TELENT — JANEIRO/ANO DA BARRA DOVE TAMANHO PEQUENO — E CARTUCHO TELENT INTERLACE #357-89-05

(Pelo menos) Três vivas para a causa e efeito. Ano do Emplastro Medicinal Tucks. Poor Yorick Entertainment Unlimited. Cosgrove Watt, Pam Heath, "Paul Dooro"; 78 mm; 26 minutos; p&b; som. O diretor de uma recém-construída academia de esportes de alta altitude (Watt) fica neuroticamente obcecado pelas disputas judiciais referentes aos danos ancilares provocados pela construção no hospital de Veteranos do Exército que fica bem abaixo da construção, como forma de se distrair do caso mal ocultado de sua esposa (Heath) com o topologista matemático academicamente renomado que está atuando como arquiteto do projeto ("Dooro"). CELULOIDE (NÃO LANÇADO)

(O) Desejo de desejar. Ano do Emplastro Medicinal Tucks. Poor Yorick Entertainment Unlimited. Robert Lingley, "Madame Psicose", Marla-Dean Chumm; 35 mm; 99 minutos (?); p&b; mudo. Um residente de patologia (Lingley) se apaixona por um lindo cadáver ("Psicose") e pela irmã paralisada (Chumm) que ela morreu ao resgatar do ataque de um bebê selvagem descomunal. Listado por alguns arquivistas como inacabado. NÃO LANÇADO

A navegação segura não se dá por acidente. Ano do Emplastro Medicinal Tucks (?). Poor Yorick Entertainment Unlimited/Fotografia em raios X e infravermelhos por Shuco-Mist Sistemas de Pressão Medicinal, Enfield, MA. Ken N. Johnson, "Madame Psicose", P. A. Heaven. Paródia de Kierkegaard/Lynch (?), um instrutor claustrofóbico de esqui-aquático (Johnson), que luta com sua consciência romântica depois que o rosto de sua noiva ("Psicose") é grotescamente deformado por uma hélice de lancha, fica preso no elevador lotado de um hospital com um monge trapista despadrado, dois missionários penteadíssimos da Igreja de Jesus Cristo dos Santos dos Últimos Dias, um enigmático guru da boa forma, o Comissário de Praias e Segurança Aquática do Estado de Massachusetts e sete optometristas embriagados com chapéus infantis e charutos que explodem. Listado por alguns arquivistas no ano seguinte, ACDT-B. NÃO LANÇADO

Baixíssimo impacto. Ano do Emplastro Medicinal Tucks. Poor Yorick Entertainment Unlimited. Marla-Dean Chumm, Pam Heath, Soma Richardson-Levy-O'Byrne; 35 mm; 30 minutos; cor;

som. Uma instrutora de aeróbica narcoléptica (Chumm) luta para esconder sua situação de alunos e empregadores. LANÇAMENTO PÓSTUMO AL-LQM. CARTUCHO TELENT INTERLACE #357-97-29

A noite usa sombrero. Ano do Emplastro Medicinal Tucks (?). Poor Yorick Entertainment Unlimited. Ken N. Johnson, Phillip T. Smothergill, Dianne Saltoone, "Madame Psicose"; 78 mm; 105 minutos; cor; mudo/som. Tributo/paródia a *O diabo feito mulher*, de Lang, um caubói aprendiz e míope (Smothergill), jurando vingança contra o pistoleiro (Johnson) que estuprou aquela que ele (o caubói) equivocadamente acredita ser a maternal dona de bordel (Saltoone) por quem ele (o caubói) está secretamente apaixonado, perde o rastro do pistoleiro depois de ler errado uma placa na estrada e acaba num sinistro rancho mexicano onde pistoleiros edipianamente magoados são ritualmente cegados por uma misteriosa freira com o rosto coberto por um véu ("Psicose"). Listado por alguns arquivistas no ano anterior, AW. CARTUCHO TELENT INTERLACE #357-56-51

Cúmplice! Ano do Emplastro Medicinal Tucks. Poor Yorick Entertainment Unlimited. Cosgrove Watt, Stokely "Estrela Negra" McNair; 16 mm; 26 minutos; cor; som. Um pederasta que está envelhecendo se mutila por amor a um michê de rua com estranhas tatuagens. CARTUCHO TELENT INTERLACE #357-10-10 retirado de disseminação depois que os resenhistas do *Mundo Cartucho* chamaram *Cúmplice!* de "[...] o produto mais estúpido, nojento, primário e mal editado de uma carreira pretensiosa e desgraçadamente irregular". HOJE NÃO LANÇADO

Sem título. Inacabado. NÃO LANÇADO

Sem título. Inacabado. NÃO LANÇADO

Sem título. Inacabado. NÃO LANÇADO

Disque C para concupiscência. Ano do Sorvete Dove Tamanho-Boquinha. Poor Yorick Entertainment Unlimited. Soma Richardson-Levy-O'Byrne, Marla-Dean Chumm, Ibn-Said Chawaf, Yves Fran-Coeur; 35 mm; 122 minutos; p&b; mudo c/ legendas. Tributo paródico estilo noir a *Os anjos do pecado*, de Bresson, uma telefonista de sistema de celular (Richardson-Levy-O'Byrne), que um terrorista québecois (Francoeur) toma por outra telefonista de sistema celular (Chumm), que a FLQ tinha equivocadamente tentado assassinar, entende equivocadamente suas equivocadas tentativas de se desculpar como tentativas de assassiná-la (a ela, Richardson-Levy-O'Byrne) e foge para uma bizarra comunidade religiosa islâmica cujos membros se comunicam uns com os outros através de bandeiras semafóricas, onde se apaixona por um adido médico do Oriente Próximo que não tem braços (Chawaf). LANÇADO NA SÉRIE DE FILMES UNDERGROUND "UIVOS DAS MARGENS", DA TELENT INTRLACE — MARÇO/A.B.D.T.P. — E CARTUCHO INTERLACE TELENT #357-75-43

Nação insubstancial. Ano do Sorvete Dove Tamanho-Boquinha. Poor Yorick Entertainment Unlimited. Cosgrove Watt; 16 mm; 30 minutos; p&b; mudo/som. Um impopular cineasta de après-garde (Watt) ou sofre uma convulsão no lobo temporal e fica mudo ou é vítima de uma alucinação que acomete a todos, de que a sua (de Watt) convulsão no lobo temporal o deixou mudo. LANÇAMENTO PARTICULAR EM CARTUCHO PELA POOR YORICK ENTERTAINMENT UNLIMITED

Era um grande prodígio estar ele no pai sem conhecê-lo. Ano do Sorvete Dove Tamanho-Boquinha. Poor Yorick Entertainment Unlimited. Cosgrove Watt, Phillip T. Smothergill; 16 mm; 5 minutos; p&b; mudo/som. Um pai (Watt), vítima da alucinação de que seu filho etimologicamente precoce (Smothergill) está fingindo ser mudo, passa-se por "conversador profissional" para fazer o menino se manifestar. LANÇADO NA SÉRIE DE FILMES UNDERGROUND "UIVOS DAS MARGENS" DA TELENT INTERLACE — MARÇO/A.B.D.T.P. — E CARTUCHO INTERLACE TELENT #357-75-50

Jaula IV: Teia. Inacabado. NÃO LANÇADO

Jaula V: Jim Infinito. Inacabado. NÃO LANÇADO

A morte e a moça solteira. Inacabado. NÃO LANÇADO

A adaptação cinematográfica de A perseguição e o assassinato de Marat conforme encenada pelos internos do sanatório de Charenton sob a direção do Marquês de Sade, *de Peter Weiss*. Ano do Sorvete Dove Tamanho-Boquinha. Poor Yorick Entertainment Unlimited. James O. Incandenza, Disney Leith, Urquhart Ogilvie, Jr., Jane Ann Prickett, Herbert G. Birch, "Madame Psicose", Marla-Dean Chumm, Marlon Bain, Pam Heath, Soma Richardson-Levy--O'Byrne-Chawaf, Ken N. Johnson, Dianne Saltoone; super-8 mm; 88 minutos; p&b; mudo/som. "Documentário interativo" ficcional sobre a produção teatral em Boston da peça-dentro--de-uma-peça século-xxana de Weiss, em que o diretor quimicamente prejudicado do documentário (Incandenza) repetidamente interrompe o espetáculo de bonecos/cabriolagem dos internos e os diálogos de Marat e Sade para discursar incoerentemente sobre as implicações da atuação estilo Método, de Brando, e do Teatro da Crueldade de Artaud para o entretenimento filmado da América do Norte, irritando o ator que representa Marat (Leith) a tal ponto que ele tem uma hemorragia cerebral e desmonta no palco muito antes da morte de Marat no roteiro, quando então o míope diretor da peça (Ogilvie), tomando equivocadamente por Incandenza o ator que representa Sade (Johnson), joga Sade no banho medicinal de Marat e o sufoca até a morte, quando então a figura extradramática da Morte ("Psicose") descende como deus ex-machina para levar Marat (Leith) e Sade (Johnson) embora, enquanto Incandenza vomita sobre toda a primeira fila da plateia. CELULOIDE DE PROJEÇÃO SINCRONIZADA 8 MM. NÃO LANÇADO DEVIDO A LITÍGIO, HOSPITALIZAÇÃO

Diversão demais. Inacabado. NÃO LANÇADO

O infeliz caso de mim. Inacabado. NÃO LANÇADO

Arrependido para todo lado. Inacabado. NÃO LANÇADO

Graça infinita (V?). Ano do Sorvete Dove Tamanho-Boquinha. Poor Yorick Entertainment Unlimited. "Madame Psicose"; nenhuma outra informação definitiva. Um problema cabeludo para os arquivistas. Último filme de Incandenza, tendo a morte de Incandenza ocorrido durante sua pós-produção. Quase todas as autoridades arquivísticas registram o filme como inacabado, nunca exibido. Alguns o registram como a conclusão de *Graça* (IV), no qual Incandenza também usou "Psicose", e assim registram o filme na produção de Incandenza do AEMT. Malgrado a inexistência de qualquer sinopse ou relato de espectadores, dois breves ensaios em diferentes volumes do *Periódico dos Cartuchos do Leste* se referem ao filme como "extraordinário"[d] e "de longe a obra mais interessante e instigante [de James O. Incandenza]".[e] Arquivistas da Costa Leste registram a bitola do filme como de "16... 78... n mm", baseando a bitola em alusões críticas[f] a "experimentos radicais com a perspectiva óptica dos espectadores e seu contexto" como sendo a marca mais característica de *GI* (V?). Embora o arquivista canadense Tête-Bêche registre o filme como terminado e distribuído de forma particular pela PYEU graças a determinações póstumas no testamento do cineasta, todas as outras filmografias exaustivas registram o filme ou como inacabado ou como não lançado, tendo seu cartucho master sido destruído ou inumado *sui testator*.

25. Foi mais julho-outubro, na verdade.

26. Encefalina sinteticamente aprimorada, um pentapeptídeo ou suposta endorfina similar aos opiáceos que é fabricado na espinha humana, um dos compostos proeminentemente envolvidos no infame escândalo "CadáverGate" que derrubou tantos diretores de funerárias no Ano do Frango-Maravilha Perdue.

27. Gíria subdialetal da região de Boston — origem desconhecida — para cannabis, maconha, erva, bagulho, bengue, liamba, ganja, marijuana, beque, preta, kief etc.; com "Bing Crosby" designando a cocaína e os metoxilos orgânicos (drinas), e — inexplicavelmente — "Doris" representando as bolinhas sintéticas, os psicos e os fenis.

28. Inibidores da monoamina-oxidase, venerável classe de antidepressivos/ansiolíticos da qual o Parnate — nome fantasia da SmithKline Beecham para o sulfato de tranilcipromina — é membro. O Zoloft é cloridrato de sertralina, um inibidor-seletivo-de-recaptação-deserotonina (ISRS) não tão diferente do Prozac, fabricado pela Pfizer-Roerig.

---

d E. Duquette, "Em débito com a visão: óptica e desejo em quatro filmes après-garde". *Periódico de Cartuchos do Leste*, vol. 4, nº 2, AEMT, pp. 35-9.

e Anônimo, "Ver v. Crer", *Periódico de Cartuchos do Leste*, vol. 4, nº 4, AL-LQM, pp. 93-5.

f Ibidem.

29. Eletroconvulsoterapia.

30. Solução oftalmológica bórica neutra, uma espécie de Visine com motor turbo da Wyeth Labs, que você compra sem receita, com uma tacinha ocular de plástico azul-boticário que é simplesmente linda quando você olha contra a luz da janela.

31. O termo de Schtitt para o sr. A. deLint, que tecnicamente significa "alma gêmea" ou "cônjuge", mas sem nenhuma intenção sexual no que se refere a deLint, não há por que duvidarmos.

32. Em tradução livre: "Eles até podem te matar, mas te comer é juridicamente meio complicadinho".

33. Ou seja, "Antes do Subsídio" ou do começo do calendário ONANita subsidiado no mandato do presidente Gentle; cf. *infra*.

34. Vulgo "DEL", aquele broto ainda verdinho do ramo da matemática pura que trata de sistemas e fenômenos cujo caos está além até das Equações Estranhas e Atratores Aleatórios da matemática mandelbrotiana, uma reação delimitadora contra as Teorias do Caos dos meteorologistas e analistas de sistemas bem satisfeitinhos com os fractais, essa DEL, cujos teoremas e provas de existência pós-gödelianos em alguns casos são o equivalente de derrotas admitidas de maneira extremamente lúcida e elegante, um dar de ombros c/ total justificativa dedutiva. Incandenza, cujo frustrado interesse nos fracassos de grande escala nunca diminuiu durante suas quatro diferentes carreiras, teria grudado na Dinâmica Extralinear que nem esfíncter anal e roupa íntima masculina, tivesse ele sobrevivido.

35. Ou seja, presumivelmente, "de-Georg-Cantor", sendo Cantor um teórico de conjuntos do começo do século XX (alemão também) e mais ou menos o fundador da matemática transfinita, o homem que provou que certos infinitos eram maiores que outros infinitos, e cuja Prova Diagonal de lá por volta de 1905 demonstrou que pode haver uma infinidade de coisas entre quaisquer duas coisas por mais próximas que elas estejam uma da outra, Prova D. essa que embasava solidamente a noção do dr. J. Incandenza, da estética transestatística do tênis sério.

36. Baixo-bávaro para algo como "o estado de quem caminha sozinho por um território desorientador e arrasado além de todos os limites mapeados e de todos os marcadores de orientação", supostamente.

37. Cadeira de rodas.

38. Fenômeno de sombras- e luzes-monstro característico de certas montanhas; p. ex. q.v. a Parte I do *Fausto* de Goethe, um grande arrasta-pés de seis dedos no Harz-Brocken, em que há a descrição de um clássico "*Brockengespenstphänom*". (*Gespenst* quer dizer espectro ou espírito.)

39. Superior de Marathe na AFR,[a] líder da célula americana dos Assassinos Cadeirantes e ex-amigo de infância dos falecidos irmãos mais velhos de Marathe, ambos atingidos e mortos por trens.[b]

40. Em outras palavras, M. Fortier e a AFR (até onde Marathe sabia) acreditavam que Marathe estava agindo como uma espécie de "agente triplo" ou dúbio "agente duplo" — por instruções de Fortier, Marathe tinha fingido se aproximar do BSS pretendendo trocar informações sobre as atividades anti-ONAN da AFR por proteção e cuidados médicos para sua (de Marathe) esposa hediondamente doente — apenas (até onde Marathe sabe) Marathe e muito poucos agentes do BSS sabem que Marathe agora está apenas *fingindo* fingir trair, que M. Steeply sabe perfeitamente bem que Marathe atende às convocações do BSS com o que M. Fortier acredita ser seu (de Fortier) pleno conhecimento, de que M. Fortier não tem (até onde Marathe e Steeply supõem em termos racionais) pleno conhecimento dos encontros de Marathe com Steeply, e de que a morte violenta do próprio Marathe será o menor de seus (de Marathe) problemas caso seus compatriotas de Mont-Tremblant venham a suspeitar do número par de suas lealdades finais.

41. Termo de uso interno na ONAN que significa "funcionar como agente duplo"; vale o mesmo para "triplicar", e assim por diante.

42. A "coisa de importante" parece ser que os superiores de Marathe na AFR acreditam que ele está apenas fingindo traí-los para obter tecnologia cardíaco-prostética avançada dos EUA para sua esposa; mas na verdade ele realmente os *está* traindo (os superiores, o seu país) — provavelmente realmente por aquela tecnologia médica — e assim está somente fingindo estar somente fingindo.

43. Inflamação crônica do íleo terminal e dos tecidos adjacentes, batizada em dúbia homenagem a um certo dr. Crohn em 1932 AS.

44. Eufemismo profissional para interrogatório involuntário, c/ e/ou s/ incentivos físicos.

45. Veja nota 304 *infra*.

46. Remedinho tópico sem receita para a corticização da pele, a tintura de benjoim propicia o desenvolvimento dos tipos de calos que não formam bolhas de sangue por baixo. Muitíssimo mais comum e universal entre os jogadores sérios que o lustra-móveis. Por acharem o cheiro da t. de b. enjoativo, alguns jogadores juniores preferem aplicar uma camada de amido de milho ou talco de bebê, o que deixa mais fácil lavar a t. de b. depois, mas também deixa umas marquinhas esquisitonas de digitais brancas em tudo que você toca.

a *Les Assassins des Fauteuils Rollents*, vulgo Cadeirantes Assassinos, meio que a célula terrorista mais temida e predatória do Québec.
b Ver nota 304 *infra*.

47. *Le Front de la Libération du Québec,* uma célula algo mais jovem, bagunçada e menos implacavelmente objetiva que a AFR, que simbolicamente adotava certos costumes, músicas e motivos associados ao Havaí, supostamente numa referência irônica à ideia de que o Québec agora também é uma espécie de anexo ou de território dos EU, uma província canadense somente no papel e separada de sua verdadeira nação-carcereira por distâncias de espaço e de cultura instransponíveis.

48. Progressivo estreitamento assimétrico de um ou mais dos seios cardíacos; pode tanto ser aterosclerose quanto neoplástica em sua origem; rara antes da Interdependência Continental; hoje, terceira causa mortis entre a população adulta do Québec e de New Brunswick e sétima entre a população adulta do Nordeste dos EUA; associada à exposição crônica a baixos níveis de compostos de 2,3,7,8-tetraclorodibenzo-para-di- e -trioxina.

49. Redundância *sic*.

50. Latagões quejandos também conhecidos, no círculo de AAs do velho fundador, o Grupo Bandeira Branca de Enfield, MA, como "Os Crocodilos".

51. Sintaxe *sic*, o que tinha ajudado a levar a sra. Avril Incandenza — com todas as suas cartas aos editores e queixas formais aparentemente ignoradas em todos os níveis políticos — a ajudar a fundar os Gramáticos Militantes de Massachusetts, desde então um calhau no sapato de publicitários, empresas e de todos aqueles a quem tanto faz como tanto fez a integridade do discurso público — cf. *infra*.

52. O exame por Cromatografia Gasosa/Espectrometria de Massa emprega o bombardeamento de partículas e uma leitura de íons positivos por um espectrômetro. É o teste de nível médio mais escolhido por empresas e organizações atléticas, bem menos caro que análises cromossomáticas de amostras de fios de cabelo, porém — desde que os controles ambientais do equipamento sejam estritamente observados — mais abrangente e confiável que os antigos testes de urina via EMIT e AbuScreen/RIA.

53. Eskhaton é uma versão modificada-para-quadras-de-tênis e com o envolvimento de participantes reais do jogo de conflagração nuclear da Ensath, que roda em ROM.

54. I. e., Gramática Prescritiva (Ano 10), Gramática Descritiva (11), Gramática e Significado (12).

55. Hal, que pessoalmente acha que o termo correto aqui seria *cilada* e não *armadilha* — a não ser que a própria pessoa na linha fosse da polícia —, fica na sua quanto a isso e basicamente acho tudo legal para ficar tudo legal.

56. ... ou PMA, Lesões Graves, a miristicina da noz-moscada, ou a ergina das sementes da Argyreia nervosa, ou a ibogaína da iboga africana, a harmalina ayahuasca... ou o conhecido

muscimol do fungo mata-moscas, que o fitviávico DMZ lembra quimicamente, mais ou menos como um F-18 lembra um teco-teco...

57. Os relatos que os ingestores fizeram das consequências de percepção temporal da DMZ na literatura são, na opinião de Pemulis, vagos e deselegantes e mais tipo místicos na veia do *Livro-Morto-Tibetano* que rigorosa ou referencialmente claros; um relato que Pemulis não entende completamente mas cujo espírito neurotitilante consegue ao menos captar é o de uma citação casual numa monografia a um litógrafo italiano que ingeriu DMZ uma vez e fez uma litografia que comparava ele mesmo sob efeito do DMZ com uma coisa tipo uma escultura futurista, sulcando a muitíssimos nós por hora o próprio tempo, cinético mesmo quando em estase, sulcando tempo afora, com o tempo espirrando dele como a água da esteira de uma onda.

58. Conselheira Certificada (pelo Estado de Massachusetts) para Abuso de Substâncias.

59. Cloridrato de oxicodona c/ acetaminofeno, classe C-II, Du Pont Pharmaceuticals.

60. Substituindo o antigo Centro Estudantil neogeorgiano J. A. Stratton, logo ali na Mass. Ave., estripado com um C-4 durante os ditos Levantes Linguísticos do MIT, doze anos atrás.

61. Movimento digital de retroguarda, vulgo "Paralelismo Digital" e "Cinema da Estase Caótica", caracterizado por uma recusa teimosa e talvez intencionalmente irritante de que as diferentes linhas narrativas se fundam em qualquer tipo de confluência significativa, a escola é derivada em alguma medida tanto da bradicinesia de Antonioni quanto do formalismo desassociativo de Stan Brakhage e Hollis Frampton, englobando períodos das carreiras da falecida Beth B., dos irmãos Snow, Vidgis Simpson e do falecido J. O. Incandenza (período médio).

62. No zênite do movimento dos grupos de autoajuda da metade da década de 1990 AS, estimou-se que havia mais de 600 fraternidades completamente diferentes baseadas em programas de passos nos EUA, todas moldadas, ainda que herética ou alucinadamente, nos "12 passos" dos Alcoólicos Anônimos. No AFGD, o número já caiu para cerca de um terço disso.

63. (analogia do engenheiro estagiário)

64. Sem 100% de certeza aqui, mas o espírito da coisa é que o T e o Q são os dois programas de estudos que levavam historicamente ao equivalente tipo século XVIII de um diploma de Ciências Humanas e uma especialização, ou de repente um mestrado, respectivamente, em fulcros de classicalidade encanecida como as U. de Oxford e Cambridge no tempo de Samuel Johnson — basicamente o linha-dura gramato-léxico-pedagógico original — e que o trívio te faz seguir gramática, lógica e retórica, e aí se você ainda estiver de pé você pega o quadrívio de matemática, geometria, astronomia e música, e que nenhuma das disciplinas — inclusive as potencialmente peso-pluma tipo astronomia e música — era peso-pluma de verdade, que é uma das razões possíveis para os retratos desses bacharéis e doutores clássicos e neoclássicos em

Oxford e Cambridge parecerem tão pálidos, detonados, apavorados e tétricos. Isso sem falar que o único dia em que a ATE não tem aula é domingo, em parte para compensar o quanto eles perdem aula com viagens; e lá na ATE os domingos sem aula são um dia de três sessões nas quadras, tudo isso dando nas pessoas que não vêm de academias uma impressão de brutalidade quase fanática. Para questões mais gerais de pedagogia cf. o algo empolado e datado livro da era AS de P. Beesley *Renascimento das humanidades na educação americana*, ou melhor ainda a versão atualizada do mesmo pela dra. A. M. Incandenza, com a prosa atualizada, as gralhas erradicadas e a argumentação bem mais refinada, disponível em CD-ROM via InterLace@ cornup3.COM ou em edição de capa mole da Cornell University Press, 3ª edição © Ano do Emplastro Medicinal Tucks.

65. Apelidinho da Casa do Diretor na ATE.

66. Alguns alunos do MIT são compulsivos para gravar os programas e aí ouvir as músicas de novo e tentar localizá-las em lojas e arquivos universitários, o que não é tão diferente de como seus pais tinham matado noites inteiras tentando entender a letra de fitinhas do R.E.M. e do Pearl Jam etc.

67. Alguns funcionários da Segurança do Hospital de Saúde Pública da Marina de Enfield conhecem Hal Incandenza da ATE por terem encontrado o seu irmão Mario quando James O. Incandenza contratou os funcionários como figurantes sem falas em papéis de policiais de fundo de cena tanto para *Disque C para concupiscência* quanto para *Três vivas para a causa e efeito*. Os funcionários da M. de E. às vezes estão lá na taberna A Vida Insondada nas noites do Leão-de-Chácara Cego quando Hal está lá com Axford, sendo que Hal cai n'A Vida com uma frequência algo menor que a de Axford, Struck e Troeltsch, que raramente perdem uma noite temática tipo Traga-Sua-Identidade-em-Braille n'A Vida Insondada e parecem conseguir render bem durante os treinos matutinos mesmo depois de vários Mudslides com guarda-chuvinhas ou da Especialidade da Casa, umas coisas à base de conhaque Blue Flame que você tem que soprar pra apagar antes de beber dos seus imensos copos de borda azul. Os seguranças da M. de E. podem tanto ser jovens camaradas normais grandões, bobões e classe operária (literalmente) quanto beques de futebol americano do ensino médio que ganharam barriga, com queixos barbeados a navalha e ficando vermelhos de gim, e eles às vezes brindam os ETAS com historinhas sobre alguns dos espécimes mais coloridos que são pagos para manter em segurança. Há algo compulsivo no particular interesse que os seguranças demonstram especialmente pelos catatônicos crônicos da nº 5. Os seguranças da M. de E. chamam a Unidade nº 5 de "Depósito", eles dizem, porque os seus residentes não parecem tanto abrigados quanto *armazenados* lá. Os seguranças da M. de E. pronunciam "*almazenados*". Os próprios catatônicos crônicos eles chamam de "objê dars", que é outra coisa que Don G. ali da nº 6 nunca entendeu. Tomando Mudslides, eles soltam várias anedotas exemplares sobre os diversos objê dars do Depósito, e uma das razões para eles brindarem os ETAS somente quando Hal está lá n'A Vida Insondada é que Hal é o único ATE que parece verdadeiramente interessado, que é o tipo de coisa que o polícia veterano médio sempre consegue sentir. P. ex. um dos objê dars que

eles curtem é a senhorinha que fica sentada bem paradinha de olhos fechados. Os seguranças explicam que a senhorinha não é catatônica no sentido estrito de *catatônico* mas sim "DF", que é gíria de instituição de saúde mental para *Debilitantemente Fóbica*. O barato dela aparentemente é que ela está quase psicoticamente apavorada com a possibilidade de estar ou cega ou paralisada ou as duas coisas. Então p. ex. ela fica de olhos fechados 24 horas por dia 7 dias por semana 365 dias por ano por causa do raciocínio de que enquanto ela ficar de olhos bem fechados ela pode viver com a esperança de que se decidir abri-los vai conseguir enxergar, eles dizem; mas que se ela um dia decidisse abrir mesmo os olhos e não conseguisse ver mesmo, raciocina ela, ela teria perdido aquela preciosa tipo margem de esperança de que talvez ela não estivesse cega. Aí eles repassam o raciocínio similar dela de ficar absolutamente imóvel por causa de uma fobia de estar paralisada. Depois de cada historinha anedótica (eles têm meio que uma rotina de contar piadas, os seguranças da M. de E.), o funcionário de segurança mais baixinho da M. de E. sempre usa a língua para manipular o guarda-chuvinha verde de um lado da boca para o outro enquanto segura o copo bem firme com as mãos e faz as bochechas acordeonizarem no que ele balança a cabeça e expõe que a coisa aterradora é que o sintoma comum unificador de quase todos os objê dars do Depósito é um terror tão aterrador que faz o objeto do terror virar verdade, de alguma maneira, observação que sempre faz os dois trabalhadores grandes e bobões tremerem com um tremor idêntico e meio quase-delicioso de ver, empurrando os bonés para trás e sacudindo a cabeça olhando para os copos, enquanto Hal sopra o fogo de um segundo Blue Flame que eles pagaram para ele, fazendo um desejo antes de soprar.

68. O apelido "O Viking" de Freer é invenção dele mesmo, e ninguém usa, chamando-o na verdade de "Freer", e considerando a ideia como um clássico lance patético tipo-Freer isso dele andar por aí tentando fazer as pessoas o chamarem de "O Viking".

69. NA = Narcóticos Anônimos; CA = Cocaína Anônimos. Em algumas cidades também existem Psicodislépticos Anônimos, Nicotina Anônimos (também, desorientadoramente, chamado de NA), Drogas Sintetizadas Anônimos, Esteroides Anônimos e até (especialmente em e nas redondezas de Manhattan) algo chamado de Prozac Anônimos. Em nenhuma dessas irmandades Anônimas em qualquer lugar é possível evitar o confronto com essa coisa de Deus em algum momento.

70. Sem falar, segundo certas escolas linha-dura do pensamento 12-passos, em ioga, leitura, política, chicletes, palavras cruzadas, paciência, intriga romântica, trabalho voluntário, ativismo político, participação em associações de proprietários de armas de fogo, música, arte, limpeza, cirurgia plástica, assistir cartuchos mesmo a distâncias normais, a lealdade de um bom cão, o zelo religioso, estar sempre disponível para ajudar, estar sempre disposto a fazer o inventário de outras pessoas, o desenvolvimento de escolas linha-dura de pensamento 12-passos, ad muito quase infinitum, incluindo as próprias irmandades 12-passos, de modo que discretas lendas às vezes circulam pela comunidade AA de Boston sobre certas pessoas em recuperação incrivelmente avançadas e linhas-duras, as pessoas, que foram podando uma fuga potencial depois da outra até que finalmente, dizem as histórias, elas acabam sentadas numa cadeira

seca, nuas, numa sala vazia, sem se mexer mas também sem dormir ou meditar, ou abstrair, avançadas demais para engolir a ideia da potencial fuga emocional de que fazer qualquer coisa pode representar, e simplesmente acabam sentadas ali completamente sem-fuga e movimento até que muito tempo depois tudo o que alguém encontra delas na cadeira vazia é um pozinho muito fino de um material cinéreo meio branco que você consegue limpar totalmente com um lencinho de papel úmido.

71. O slogan do AA de Boston relativo a esse fenômeno é "Não se Pode Desbadalar um Sino".

72. Gerente paquistanês esse, e sua ancestralidade, com aquele bigodinho de rato e um estilo de gerenciamento todo certinho sobre os quais McDade tem lá uma ou duas opiniões bem interessantes, meu amigo.

73. Uma das tarefinhas dos pró-reitores formados é supostamente andar pelos vários pisos de subdormitórios e verificar os quartos em quesitos tais que se as camas estão bem esticadinhas, com desagradáveis treinozinhos extras acrescentados aos regimes dos preguiçosos em fazer-cama e recolocar-tampa-de-tubo-de-pasta-de-dente, ainda que poucos dos pró-reitores tenham a soma de analidade e motivação para realmente fazer a ronda dos quartos que lhes foram atribuídos com uma listinha de itens a verificar, sendo as exceções Aubrey deLint, Mary Esther Thode e o keniano de rosto entalhado a machado Tony Nwani, que mantém a suíte Pemulis/Troeltsch/Schacht sob estreitíssimo escrutínio o tempo todo.

74. A Copa Davis é masculina; a Wightman, feminina.

75. O medo particular de Hal é que Tavis queira que ele ofereça o seu próprio mapa competitivo e a sua dignidade a John ("N.a.V.") Wayne — que jamais em diversos jogos perdeu mais que três games de um mesmo set para Hal — para extrema satisfação dos ex-alunos e patrocinadores nas exibições para arrecadação de recursos de novembro, embora isso seja bem improvável logo antes do WhataBurger, quando Hal há de enfrentar Wayne nas semis de qualquer maneira, e o Schtitt não há de desejar um desmapeamento total assim tão fresco na cabeça de Hal logo antes de um evento importante.

76. Durante certo tempo de sua infância suspeitaram que Hal Incandenza tinha alguma espécie de Transtorno de Déficit de Atenção — em parte porque ele lia assim tão rápido e gastava tão pouco tempo em cada nível de vários videogames pré-CD-ROM, em parte porque praticamente qualquer menino mais endinheirado nem que fosse só um tantinho a bombordo ou a estibordo do ápice da curva de sino era considerado naquela época uma vítima do TDA — e por algum tempo houve uma certa frequência de visitas de especialistas, e muitos dos especialistas eram veteranos do tempo de Mario e estavam precondicionados a ver Hal também como alguém problemático, mas graças à esperteza diagnóstica do Centro de Desenvolvimento Infantil de Brandeis as avaliações foram não só retiradas mas totalmente revertidas para o outro lado do contínuo Doente-Superdotado, e durante boa parte desse período glabro da sua infância Hal ti-

nha sido classificado como algo entre "Limitrofemente Superdotado" e "Superdotado" — ainda que parte desse ranqueamento cerebral elevado se devesse ao fato de os testes diagnósticos do CDIB não serem assim tão acurados no que se referia a distinguir dons neurais em estado bruto e o interesse e esforço monomaniacamente obsessivos do jovem Hal, como se Hal estivesse tentando, como se na sua vida estivesse em jogo agradar alguma pessoa ou pessoas, mesmo que ninguém jamais tivesse insinuado que a sua vida dependesse de parecer superdotado ou precoce ou nem mesmo excepcionalmente agradável — e quando ele decorou dicionários inteiros e softwares de checagem-lexical e manuais de sintaxe e depois teve alguma chance de recitar alguma pequena parcela do que tinha socado na sua RAM para uma mãe orgulhosamente cheia de nonchalance ou até um a-essa-altura-no-que-lhe-dizia-respeito-basicamente-zureta de um pai, nesses momentos de performance e prazer públicos — o Distrito Escolar de Weston, MA, no começo da década de 1990 AS tinha competições tipo concursilho-de-soletração-repertório--de-leitura-e-memória chamadas de "Batalha dos Livros", que essas competições eram para Hal tipo meio que uma chutação de cachorro-morto e um festerê de elogios públicos — quando ele extraía o que se desejava da memória e irreparavelmente pronunciava esse conteúdo diante de certas pessoas, ele sentia quase aquela mesma aura clara e doce que o brilho do LSD lhe causava, uma certa corona láctea, tipo quase um halo de graça elogiosa, tornado ainda mais lácteo pela irreparável nonchalance da Mãe que deixava bem claro que o valor dele não era dependente de ele ganhar o primeiro ou nem mesmo o segundo lugar, nunca.

77. Está certo que Pemulis, durante o verão (ele fica na ATE no verão mas não se qualificou mais para o Circuito europeu desde o AFMP), tinha feito e distribuído (com um certo custo) umas poucas cópias de um joguinho de TP de baixa-memória tremendamente divertido cujos gráficos continham uma imagem de deLint e uma reprodução do painel do Inferno do tríptico *O jardim das delícias terrenas* de H. Bosch, joguinho de TP este que continua a gozar de um seleto culto madrugueiro entre os sub-16.

78. (Sujeito à ratificação do contrato final entre a RFF Ltda., Zanesville, OH, e o Escritório de Renda Patrocinada, dos Escritórios de Serviços Aleatórios dos Estados Unidos pelo Comitê de Fiscalização do Dep. de Pesos e Medidas, Vienna, VA, 15 de dezembro do AFGD.)

79. E vai s/ dizer, s/ um daqueles bilhetes suicidas ou despedidas emocionadas de doentes terminais gravados em vídeo, beijinhos digitais vindos do além-túmulo que, depois de breve e semivideofônica moda, na altura do Ano do Sorvete Dove Tamanho-Boquinha, eram usados apenas pelos desprovidos de bom gosto e bregas de matar, c/ os mais bregas usando Tableaux c/ famosas celebridades calibre-Elvis/-Carson para transmitir o seu adeus.

80. Orin Incandenza sabia que Joelle van Dyne e o dr. James O. Incandenza não eram amantes; a sra. Avril Incandenza não sabia que eles não eram amantes, embora na altura em que conheceu Joelle, Jim não estivesse em condições de ser amante de ninguém, neurologicamente falando, embora não esteja claro para Joelle se Avril sabia ao menos isso, já que Jim e Avril não tiveram contato íntimo, i. e., conjugal, por algum tempinho, embora Jim não soubesse o

motivo preciso de Avril ser tão definitiva quanto a eles não terem contato íntimo até o incidente com o Volvo, onde aparentemente Avril estivera com alguém (Orin não dizia quem nem se sabia quem), no Volvo, e tinha distraída — e desastrosamente, seja por motivos inconscientes ou não — e presumivelmente pós-coitalmente escrito o primeiro nome da pessoa no embaço do vidro embaçado do carro, nome este que tinha desaparecido com o embaçamento mas reaparecido na vez seguinte em que a janela embaçou, que foi quando James estava indo para aquele preciso casarão para filmar Joelle na estranha cena do monólogo maternal "Eu-sinto-muito-mesmo" com a lente tremida do último filme que tinham feito, e que aí ele nunca mostrou a ela, e tinha ordenado que o cartucho fosse enterrado no ataúde de bronze c/ ele no mesmo testamento em que tinha legado uma anuidade absurda (e que permitia o vício), que Avril nunca se rebaixou ao nível de vir a contestar, mas que mal se poderia esperar não solidificasse a aparência de terem eles sido amantes, Joelle e Jim.

81. "Teoria e Práxis no Uso do Vermelho por Peckinpah." *Estudos clássicos de cartuchos* vol. IX, nᵒˢ 2 & 3. YY2007MRCVMETIUFI/ITPSFH,O,OM(s).

82. Talvez tipo em oposição psíquica à coisa da Mães deles com a limpeza compulsiva, tanto Orin quando ele estava na ATE quanto agora Hal são dolorosamente zoneiros. No caso de Hal isso é possibilitado pelo fato de que o pró-reitor do terceiro andar do Subdormitório Com é o incrivelmente lasso e relaxado Corbett Thorp, que pode até chegar a inventar umas experienciazinhas meio chutadas com os jogadores mais jovens mas nunca te aparece com uma luva branca e uma prancheta. Mario faz a sua cama sem falha, mas você tem que manter em mente que não é exatamente que ele tenha muita coisa pra fazer. O lençol e o sobrelençol de Hal são de flanela da James River-Bean num padrão verde e preto de xadrez tipo Night Watch, e como cobertor ele usa um saco de dormir verde de fibra para acampamentos de inverno que tem origem e preço insabidos porque ele ganhou de Natal e estava com todas as etiquetas recortadas.

83. Departamento de Polícia de Boston.

84. Disponível em ROM via InterLace@deltad3.COM ou em brochura (sobra de estoque) da divisão Delta/Delacorte da Bantam-Doubleday-Dell-Little,-Brown, que por sua vez é uma divisão da Bell Atlantic/TCI.

85. = sem filiação a academias.

86. O Circuito júnior da ATONAN permite oxigênio na quadra desde uma infeliz embolia em Raleigh, NC, AL-LQM.

87. Q.v. nota 24 *supra*.

88. Desde que acusou misteriosos e absurdos índices de problemas de fabricação e aí uma vez o rep. da Dunlop acabou passando por Allston quando saía de Boston vindo da ATE e viu não

só um mas três meninos em três esquinas diferentes com raquetes Dunlop novinhas em folha no que representava, segundo a acusação da Dunlop, quase Fraude Organizada, no YY2007MR-CVMETIUFI/ITPSFH,O,OM(s).

89. O fato de que nem de longe fique claro o que significam esse *aquilo* e esse *ligar*, ou como é que podem esperar que você se importe de forma passional e ao mesmo tempo não se importe, de que imensas quantidades de energia psíquica interna acabam sendo gastas na tentativa de chegar a alguma compreensão aceitável disso tudo, particularmente dos dezesseis até tipo os dezoito, não é acidental nem uma fraqueza na pedagogia da ATE, na opinião de Schacht, embora um contingente considerável de ATEs considere Schtitt tantã e essencialmente um laranja e prefira se guiar mais pela prancheta e pelas estatísticas redutoras do pró-reitor chefe deLint, que pelo menos te dão uma ideia segura de onde você está, comparativamente, o tempo todo.

90.

AMOSTRA ESCOLHIDA DOS HORÁRIOS DE INTERFACE-INFORMAL-INDIVIDUAL-COM-RESIDENTES CUMPRIDOS POR D. W. GATELY, FUNCIONÁRIO-RESIDENTE, CASA ENNET DE RECUPERAÇÃO DE DROGAS E ÁLCOOL, ENFIELD, MA, INTERRUPTAMENTE DE LOGO DEPOIS DA REUNIÃO DE JOVENS AAS DE BROOKLINE ATÉ CERCA DE 2329H, QUARTA-FEIRA, 11 DE NOVEMBRO DO AFGD.

"Eu receio que eu simplesmente tenha que negar a insinuação de que é desleal ou ingrato você se ver perturbado por certas inconsistências bem óbvias desse Programa mestre entre aspas que vocês todos aparentemente esperam que a gente abra bem a boquinha pra engolir inteiro e aí saia andando com os bracinhos esticados pra frente papagaiando, recitando."

"Geoff — Geoffrey, cara, eu não acho que ninguém aqui está tentando insinuar alguma coisa em você, mano. Eu sei que eu não estou."

"Não, você simplesmente fica aí sentado de braço cruzado balançando a cabeça com essa paciência atemporal que comunica condescendência e condenação sem se expor à responsabilidade por ter insinuado alguma coisa às claras."

"De repente quando eu estou com cara de paciência é porque na verdade eu estou tentando ter paciência comigo, por não ter terminado a escola e tal e achar difícil te acompanhar."

"Essa tática AA de mascarar a condescendência por trás da humildade…"

"Acho que eu só fico com pena de você por você estar frustrado com o Programa hoje. Eu sei que tem um monte de dias que eu fico frustrado. Então eu não sei o que dizer pra te ajudar a não ser o que eles me disseram, pra não desistir."

"Um Dia de cada Um Dia de cada Um dia."

"Mano, é só a única coisa que eu sei de te dizer que funcionou pra mim. Eu sei que pra mim não faz a menor se tem dias que eu *odeio* a porra toda. Eu tenho que fazer e pronto. E não me ajuda e não ajuda ninguém se eu ficar por aí negativando os recém-chegados e tentando descontar as minhas coisas tentando foder com a cabeça deles com essas cabecices de Deus."

"Meu caro sr. Gately, eu hoje à noite me vi sentado em mais uma Reunião dos Alcoólicos Anônimos cuja Mensagem central era a importância de ir a ainda mais Reuniões dos Alcoólicos Anônimos. Esse aspecto enfurecedor de cenoura-pra-burrico de você se arrastar pras Reuniões só pra ouvir eles dizerem pra você se arrastar pra ainda mais Reuniões."

"Eu estou te ouvindo."

"Como, assim, o que é que supostamente há de ser comunicado nessas reuniões *futuras* a que me exortam a comparecer que não pode simplesmente ser comunicado *agora, nesta* reunião, em vez da recitação monótona de exortações pra nós comparecermos a essas vagas reuniões revelatórias futuras?"

"Eu estou fazendo o melhor que eu posso pra te acompanhar aqui, cara."

"E esta noite eu mal acabo de me acomodar em mais uma cadeira bamba, cultivando aquele estado mental espectatorial e monótono que é *nitidamente* o que eles estão tentando inspirar nos efebos, me acomodando ao lado de um Emil M. definitivamente *redolente* e tentando manter a minha pobre cabecinha confusa e encharcada de Negação aberta com todas as forças disponíveis, ouvindo um sujeitinho acabadíssimo de Yale de calça amarela detalhar episódios de delirium cuja nojeira proibia qualquer tipo de Identificação da minha parte…"

"Eu estou lembrando de ter ouvido a Pat te dizer que pensar que neguinho que está andando na tua frente está te seguindo é DT do bom, mano."

"E eu infor*mei* a ela que existe uma conhecida tática de vigilância chamada de vigilância *Cercada*, que envolve certos membros da equipe de vigilância postados *diante* do vigiado."

"Só que eu não estou conseguindo lembrar de você ter explicado por que um professor de sociologia que vai cerzindo o seu caminho do quarto para o quinto bar ia ser importante a ponto de quatro caras de alguma conspiração tipo você-nunca-mencionou-qual chegarem a montar esse negócio complexo pacas desse tipo de vigilância."

"…"

"Só que eu estava te interrompendo ali o que você estava dividindo, eu sei, e me desculpa."

"Essa sua decência básica é o motivo de ser você o cara a quem eu trago as minhas ideias, Don. Você sabe disso."

"Isso me faz bem, cara."

"Daí, com quem mais é que eu podia falar? A menina que tira o olho e fica fazendo carinho? O coitado do Ewell com aqueles registros obsessivos de tatuagens? O *Lenz?*"

"Me faz bem você achar que eu sou um cara decente pra conversar. A princípio é pra isso que eu estou aqui. Eu bem que precisei conversar no comecinho. Você lembra onde você estava indo quando eu inva… eu te interrompi?"

"Alguma coisa que esse universitário destruído disse, alguma tiradinha AA. Ele disse que só um recém-chegado em um milhão é que entra numa Reunião Fechada dos Alcoólicos Anônimos e descobre que ali não é o lugar dele."

"Ou seja, que afinal ele não tinha a Doença você está dizendo."

"Isso. E que ele disse que aspas se *Você* — olhando *bem* pra este que vos fala, aparentemente, com aquela expressão de paciência exausta que vocês todos devem treinar na frente do espelho — ele disse que só um recém-chegado em um milhão não devia estar aqui, e se aspas *Você* acha que *Você* é esse um-em-um-milhão, o seu lugar *definitivamente* é aqui. E todo mundo ria de se lascar, batia o pé no chão, cuspia café pelo nariz, enxugava o olho com as costas da mão e se dava cutucõezinhos com o cotovelo. Rindo de se lascar."

"Mas você ficou, tipo, insorridente."

"E todo mundo classifica de Negação ou ingratidão o que na verdade é *horror*, Don. O *horror* de reconhecer que você aparentemente tem algum tipo de problemas com sedativos leves e um bom Chianti, e de esperar com toda sinceridade dar toda chance que seja decente a uma modalidade de tratamento que milhões juram de pés juntos que os ajudou com os seus problemas."

"Você está falando do AA."

"De tanto querer acreditar naquilo, e tentar, e aí pro seu *horror* descobrir que o Programa está coalhado dessas falácias e reductia ad absurdum imbecis que…"

"Eu vou precisar te pedir pra você tentar dizer isso de novo nuns termos que dê pra eu acompanhar, Geoffrey, se você quiser que eu te acompanhe de verdade. E desculpa se isso te parece descendente."

"Don, eu estou falando sinceramente quando eu digo que me dá *medo* quando eu descubro que há coisas nessa doutrina supostamente miraculosa do Programa que simplesmente não procedem. Que não formam um todo coeso. Que não fazem nem a mais remota sombra de sentido."

"Agora eu estou sacando, mano."

"O exemplo do um-em-um-milhão desta noite, digamos. Don, deixa eu te perguntar, Don. Por que é que todo e qualquer ser humano não deveria estar no AA?"

"Agora eu não estou te acompanhando mais, Geoffrey."

"Don, por que é que todo e qualquer bípede não plumado do planeta não é um candidato ao AA? Pelo raciocínio do AA, por que é que todo mundo em toda parte não é alcoólico?"

"Bom, Geoffrey meu velho, admitir a Doença é uma decisão totalmente particular, ninguém pode ir dizer pra um outro cara que ele…"

"Mas só me escuta um segundo. Pela própria lógica professada pelo AA, todo mundo devia estar no AA. Se você tem algum tipo de problema com Substâncias, então o seu lugar é no AA. Mas se você diz que *não* tem um problema com Substâncias, em outras palavras se você *nega* ter um problema com Substâncias, ora então por definição você está em *Negação*, e assim você aparentemente precisa da Irmandade Destruidora-de-Negação do AA ainda mais do que alguém que consegue admitir o seu problema."

"…"

"Não fique me olhando desse jeito. Me mostre a falha do meu raciocínio. Eu estou implorando. Me mostre por que todo mundo não devia estar no AA, dada a maneira com que o AA considera aqueles que não acham que aqui é o seu lugar."

"…"

"E agora você não sabe o que dizer. Não tem nenhum clichezinho esquenta-coração pra essa situação."

"O slogan que eu conheço que pode funcionar aqui é o slogan *Paralisanálise*."

"Ah que lindo. Ah muito bom. De maneira alguma tente *pensar* na validade lógica daquilo de que eles estão dizendo que a sua vida depende. Ah não pergunte o que aquilo é. Não pergunte se aquilo não é coisa de louco. Simplesmente abra bem o bocão."

"Pra mim, o slogan quer dizer que não tem um jeito definido de discutir essas coisas intelectuais sobre o Programa. Se Renda Para Vencer, Dê Para Não Perder. Deus Como Você O Vê. Você não pode pensar nessas coisas como umas coisas intelectuais. Confie em mim porque eu tentei, meu. Você pode analisar a coisa toda até ficar quebrando tampo de mesa com a cabeça e achar um motivo pra se mandar, pra voltar pra Lá Fora, lá onde a Doença fica. Ou você pode ficar e não desistir e fazer o melhor que pode."

"A resposta do AA a uma pergunta sobre os seus axiomas, então, é invocar um axioma sobre a desaconselhabilidade de tais perguntas."

"Eu não sou o AA, cara. Nenhuma pessoa pode responder pelo AA."

"Será que é exagero meu ver uma coisa totalitária nisso? Uma coisa eu ouso dizer não americana? Proibir uma pergunta doutrinal fundamental através da invocação de uma doutrina contra o questionamento? Não foi esse exatamente o horror que horrorizou os madisonianos em 1791? As Emendas I e IX? A Minha Queixa é anulada porque a minha Petição de Reparação fica a priori interdita graças à desaconselhabilidade de toda e qualquer Petição?"

"Cara eu vou tomar uma volta aqui de tanto que eu não estou te acompanhando mais. Você não enxerga mesmo que é meio birutão isso que você está falando da Negação?"

"Eu estou achando que a sua incapacidade de lidar com a própria questão aqui comigo significa que ou eu estou certo, e toda a matriz de Pertencimento versus Negação do AA se ergue sobre areia-lógica-movediça, e aí *horror*, ou significa que você está estupefato de tanta pena condescendente de mim por algum motivo que eu não consigo compreender, indubitavelmente por conta da Negação, e aí a expressão no seu rosto neste exato momento é a mesma paciência exausta que me faz ficar com vontade de *berrar* nas reuniões."

"Então berre. Eles não podem te expulsar."

"Grande consolo."

"Taí uma coisa que eu sei. Eles não podem te expulsar."

91. *Mordedor-de-fronha* é um termo da North Shore, que Gately cresceu ouvindo, e junto com v*do é o único termo para homossexuais masculinos que ele conhece ainda hoje.

92. Diane Prins, Perth Amboy, NJ.

93. Um carnaval de angústias muito bem representado pelos pôsteres em formato de flâmulas que deLint mandava D. Harde afixar todo outono nas áreas dos veteranos dos dois vestiários e que diziam *VENCEDORES NUNCA PRECISAM DESISTIR* até que algum dos outros pró-reitores foram falar com o Schtitt e conseguiram que ele fizesse deLint tirar os cartazes.

94. Certamente já se disse com todas as letras que os pró-reitores ministram uma única disciplina marginal por semestre, trabalham como assistentes em-quadra do *lebensgefährtin* de Schtitt, Aubrey deLint, que a existência deles na ATE é marginal e desprestigiada, que o seu estado de espírito fica na região inferior de uma escala que vai de amargurado a resignado, e que para muitos dos alunos mais neurastênicos da ATE os pró-reitores são meio repulsivos como as pessoas hediondamente velhas são repulsivas, por lembrarem aos alunos o tipo de destino purgatorial e desprestigiado que espera pelo jogador júnior marginal e mal ranqueado; e por mais que alguns pró-reitores sejam temidos, nenhum deles é muito respeitado, e eles são evitados e se mantêm todos próximos uns dos outros, ficam na deles e parecem em

geral tristes, com aquela sensação pós-graduanda de adolescência prolongada e de fuga da realidade pairando neles.

95. Sendo *Pink* o primeiro DOS pós-Windows da Microsoft Inc., que logo sofreu um upgrade para o Pink$_2$ quando a InterLace levou tudo para um nível 100% interativo e digital; no AFGD ele já é meio dinossáurico, mas ainda é o único DOS que roda uma árvore Mathpak\EndStat sem precisar parar para recompilar a cada tipo 10 segundos.

96. Um empreguinho meio pró-reitoristicamente tristonho na Administração de Esportes Amadores em Fredericton, NB, onde C.T. se formou.

97. É tanto perverso quanto meio compreensível que conseguir alguma espécie de estipêndio universitário (ou "Bolsa"), quando pouquíssimos ATEs (e certamente não Orin Incandenza) têm qualquer tipo de necessidade financeira real, que mesmo assim uma bolsa seja enormemente importante em termos de autoestima, já que optar pelo caminho do tênis universitário para começo de conversa já é meio que uma admissão de derrota e uma desistência de sonhos acalentados com amor de um dia estar no Circuito profissional.

98. E para ficar com um distante mas bizarramente miúdo e obsessivo olho em Mario, de cuja lordótica presença em dado cômodo Tavis corria exatamente como Avril andava correndo da tentação de hiperpressionar Orin sobre a BU, de modo que por alguns dias quando tanto Orin quanto Mario entravam em algum cômodo havia o barulho de uma tremenda colisão no corredor quando os vetores de fuga de C.T. e de Avril se encontravam.

99. Departamento de Receita de MA.

100. A formulação de um Bandeira Branca, p. ex., é que 99,9% do que rola na vida da gente a bem da verdade não é problema nosso, sendo que o 1% que a gente controla consiste basicamente na opção de aceitar ou negar a nossa inevitável impotência diante dos outros 99,9%, que tipo só tentar fazer a conta disso tudo faz a testa de Don Gately ficar roxa.

101. Alguns dos primeiros encontros dos dois foram para ver filmes comerciais, e Orin uma vez de forma completamente não premeditada tinha lhe dito que era uma sensação esquisita assistir a filmes comerciais com uma garota que era mais bonita que as mulheres dos filmes, e ela tinha lhe dado um soco bem forte no braço de um jeito que praticamente o deixava louco.

102. Irmandade Internacional dos Trabalhadores de Píeres, Cais e Docas.

103. Um entre aspas "episódio de descarga neuronal excessiva manifestado por disfunção motora, sensória e/ou [psíquica], com ou sem perda de consciência e/ou [movimentos] convulsivos", além de rolar os olhos e engolir a língua.

104. Para que as academias da ATONAN possam ser qualificadas como escolas de fato e não só

tipo uns ginásios esportivos de longo prazo, todos os instrutores e pró-reitores a não ser o Diretor têm que estar listados mais como tipo instrutores acadêmicos que pró-reitoram nas horas vagas.

105. Uma organização dworkinista de jaquetão de couro cujo número de associadas na Costa Leste dos EU estava na casa das dezenas de milhares até que os desagradáveis Levantes de Pizzitola em Providence, RI, no AL-LQM desacreditaram as FPPOFs e as fragmentaram.

106. Há uma Sala de Vídeo em cada andar de subdormitórios e TPs tamanho-quarto c/ consoles de telefone e (se um dos meninos quiser) modem são material-padrão, mas só os juniores e os seniores da ATE podem ter monitores de cartuchos de verdade nos seus quartos nos subdormitórios — uma concessão administrativa de dois anos de idade cujo crédito vai basicamente para Troeltsch, que encheu tanto o saco de Charles Tavis com isso que Tavis finalmente cedeu só para evitar que o garoto ficasse espreitando a sala de espera do seu escritório, falando na mão fechada, fingindo fazer uma reportagem sobre "o fogo da controvérsia a respeito dos direitos individuais, ardendo logo aqui, na pacífica Enfield" — e nenhum desses monitores (e o mesmo vale para as unidades das Salas de Vídeo) pode ter cartões-de-placa-mãe para Disseminações Espontâneas da InterLace ou jogos de calibre ROM, transmissões e jogos videóticos que encorajam uma passividade estuporosa que a filosofia da ATE ora considera venenosa para o conjunto todo de motivos por que os meninos são matriculados aqui para começo de conversa.

107. P. ex. o WhataBurger supostamente será filmado para transmissão somente por encomenda em mercados marginais ainda no fim do mês.

108. Às vezes, especialmente no começo do outono e no fim da primavera, isso pode envolver um intervalo de várias semanas; a WETA não transmite quando a maioria dos meninos está fora em alguma competição, e as aulas de sábado também vivem sendo canceladas por isso — esse é um dos motivos por que tantas aulas dos pró-reitores são relegadas aos sábados pela sra. A. M. I.

109. Aparentemente o Parti Q. é provincial e intraquébecois; o Bloc é o seu gêmeo do mal, c/ membros do Parlamento, e coisa e tal e tal e coisa.

110.
Q.v. aqui no fim do mesmo dia, 7/11, enquanto Hal Incandenza está sentado na beira da sua cama bagunçada, sem roupas, com a perna boa dobrada embaixo do corpo e o tornozelo bichado de molho num balde com sais de Epsom, revirando uma das velhas caixas de sapato Hush Puppy em que Mario guarda cartas e retratos. Os sábados envolvem aulas, treinos e jogos vespertinos mas nada de corrida ou de circuitos de peso. Os bisonhos jogos desequilibrados da tarde disputados em Quadras Centrais que os funcionários enxugaram sob um estável céu metálico sem-sol. Ar ainda úmido depois da chuva do almoço. O jogo bisonho de Hal foi interrompido de repente quando Hugh Pemberton da equipe C tomou uma bolada no olho lá na rede e começou a andar pela linha de saque em círculos tortos. Hal pulou uma corridinha

até a Sala da Bomba e conseguiu tomar uma ducha quase solo no vestiário principal. O jantar comunitário do Dia da Interdependência amanhã na ATE é coisa séria e inclui um chapéu especialmente selecionado por cada pessoa, fora sobremesa de verdade e um filme pós-prandial da lavra de Mario, e às vezes todo mundo canta junto. Hal e Pemulis, Struck, Axford, Troeltsch, Schacht e às vezes Stice têm o seu próprio festão especial e particular de ceia-ritualística-fora-da-academia-e-passada-no-Vida-Insondada-de-véspera-do-Dia-I, já que domingo é um dia de total e absoluto repouso, compulsório. Os jogos ininterruptos estão se desenrolando lá fora, Hal pode ouvir. O sol está aparecendo bem a tempo de se pôr. Os canos do Com.-Ad. começam a gemer e a cantar ao som de banhantes meninos aos montes. Tênues sombras de rede começam a se alongar agudamente pelas linhas laterais do lado norte das quadras. Mario é mais ou menos o arquivista ex officio da família Incandenza. Mario passou o dia todo malocado com Disney Leith preparando tudo para o momento de gala fílmica pós-prandial de domingo. O fone resta mudo sobre a secretária eletrônica acoplada ao console da unidade central de telefone. Sua antena está recolhida e ele simplesmente resta ali, exsudando a vaga ameaça contida em todos os telefones mudos. A campainha do telefone meio que pia em vez de tocar. A unidade central somente-áudio do sistema de comunicação fica aparafusada num receptáculo na lateral do TP de Hal e Mario, e sua luzinha vermelha de ligado pisca na lenta frequência líquida de uma torre de rádio. O telefone e a secretária são sobras dos tempos de Orin na ATE, modelos velhos de plástico transparente, de modo que dá pra ver o espaguete quadricolor de fios, chips e discos de lata de tudo lá dentro. A única mensagem quando Hal chegou era de Orin às 1412h. Orin tinha dito que só tinha ligado para saber se por acaso Hal já tinha percebido alguma vez que toda a Emily Dickinson — tipo Emily Dickinson a Bela de Amherst, a canônica poetisa agorafóbica — que todo e qualquer dos canônicos poemas da srta. Dickinson cabia sem perda ou distorção silábica na melodia de "The Yellow Rose (of Texas)". "Já quieu *não* pa*rei* pra *morte* Ela *pa*rou *para mim*", Orin cantou ilustrativamente na gravação. "Es*peroque* o *pai* do *cé-éu* Le*vante* e*sta* menina." Na verdade mais tipo meio que cantou. Tinha uns barulhos de vestiário-profissional no fundo — portas de armários batendo, vozes de baixo em lajotas e aço, estéreos particulares, silvos de antiperspirante e de espuma de cabelo. O estranho eco encerrado dos vestiários de todo o mundo, juniores ou pros. "Em meu *vulcão cresce a grama* Um lu*gar* de *meditar*", e assim por diante. O estalido carnudo de uma toalha profissionalmente chicoteando pele adulta. A risada em falsete de um negro. A voz gravada de Orin disse que só tinha aproveitado um segundinho de tempo livre para inquirir o que a secretária de Hal podia achar desse fato.

Hal cospe sumo de tabaco Kodiak num velho copo da NASA ornado por um foguete na mesinha de cabeceira, à toa e sem nenhum motivo especial, revirando cartas densamente amontoadas, tridobradas e socadas de pé, uma espécie de agenda-rotatória de diferentes suvenires e correspondências postais que Mario resgatou de cestos de lixo, latas de reciclagem, lixeiras, e discretamente guardou em caixas de sapato. Mario não acha ruim Hal fuçar nas coisas do armário dele. O armário de Mario tem uma tira de lona em vez de um puxador. O ideal é que houvesse também um balde de água bem gelada, e Hal tiraria o tornozelo bichado de um e colocaria no outro e tiraria do outro e colocaria no um. Soa um assobio perto das Quadras Oeste das meninas. Alguém pequeno no corredor do outro lado da porta fechada grita "Mais uma chance de adivinhar!" para alguém na outra ponta do corredor. Nenhuma das cartas do correio-véio na caixa de Hush Puppy é do ou para o Mario. A cama de Mario está feita frouxa, nada-analmente. A cama de Hal não está feita. A mãe de Hal e Mario tinha feito o seu trabalho de conclusão de curso na McGill sobre o uso de hifens, travessões e dois-pontos em E. Dickinson. A água-de-Epsom embranquece-lhe os calos. Roupa-de-cama por-lavar flutua à roda dele. O fone pia. *Faz ampla esta cama*, ou *Fa-azamplaesta cama*. O fone pia de novo.

UM COMOVENTE EXEMPLO DO TIPO DE CARTA-FÍSICA QUE A SRA. AVRIL INCANDENZA TEM MANDADO A SEU FILHO MAIS VELHO, ORIN, DESDE O ATO FINAL DO DR. J. O. INCANDENZA, O TIPO DE CORRESPONDÊNCIA COTIDIANA E ALEGRINHA QUE — E ESSA É QUE É A PARTE COMOVENTE — PARECE IMPLICAR UM CONTEXTO DE REGULAR COMUNICAÇÃO ENTRE AS PARTES, AINDA

20 de junho AL-LQM

Caro Filbert,[a]

Passamos uma semana tranquila aqui no Monte Aijisúis[b] — hoje faz um calor de matar, sem vento, um silêncio tumular, exuberante e belo. Cada unidade floral do terreno está de pistilo em riste e de pétalas tremulantes de maneira verdadeiramente desavergonhada, pois há abelhas no ar. O morro todo zumbe sonolento. Ontem, seu Tio Charles foi abordado na trilha norte por um zangão que ele alega ser tão imenso que soava qual tuba, e ele despachou o sr. Harde e a equipe de manutenção com rifles de ar-comprimido e ordens de "… derrubar aquele desgraçado daquele Sikorski". Vou poupar você dos detalhes dos subsequentes infortúnios da equipe de manutenção, dois de cujos membros já se recuperam satisfatoriamente.

A escassez de decibéis aqui se deve em parte à ida de todas as seis equipes A ontem para Milão, com Gerhadt, Aubrey, Carolyn e Urquhart capitaneando a nau pedagógica. Parece que foi há apenas poucas luas que mandamos você, Marlon, Ross e o resto para o festim de saibro europeu. Lembro-me bem de apertar o bico materno contra o vidro da janela do terminal, tentando distinguir meu Filbert lá em algum ponto detrás das impossíveis janelinhas que parecem buracos de bala no avião. Eu chorava qual tola toda vez, como é claro que chorei de novo ontem, abraçando a todos menos Mario, que também chorou.

Quanto a mim, transporei e labotei a manhã toda, acionando o videofone do seu Tio Charles e tenteando convencer os editores de várias publicações internas de supermercados a publicar o último pedido desesperado dos GMM[c] para que se tirem os acentos de *Itens* naquelas !*#!*# daquelas plaquinhas dos caixas-rápidos. Um sujeito bem puta-velha do mundo editorial disse que adoraria me ajudar mas que o folheto que ele publicava era integralmente devotado

a Nem pergunte.
b Ibidem.
c I. e., os Gramáticos Militantes de Massachusetts, um grupo de elite da integridade sintática que Avril tinha montado com mais dois ou três amigos próximos e colegas da região de Boston.

a questões promocionais. Quando eu sugeri que uma certa leveza cômica sob a forma do boletim do acento podia vir a calhar, ele cachinou. Cachinar é uma coisa boa. Nós gostamos de cachinar. Contudo, consegui torcer o braço (o que é mais difícil de fazer telefonicamente do que se poderia pensar) de um certo *Vegetais da Semana*, do *Caixa Trimestral* do Star Market, e do *Prateleira e Carrinho*, da PriceChopper, portanto as rodinhas da justiça ortográfica continuam, conquanto lerdas, a girar.

O último dos últimos nacos de novas da Academia é que o seu Tio Charles fez um exame de colesterol no fim da semana passada. Apesar de o veredicto declarado não ter sido pior que um "Normal a Normal-elevado" (sic), esse último modificador causou, como você poderia imaginar, muito andar-de-lá-pra-cá e gemer-sem-parar, assim como votos de xerofagia eterna daqui em diante. O seu Tio Charles já desenvolveu, há alguns meses, o hábito de engolir três colheres de chá de óleo de fígado de peixe logo antes de esticar o administrativo esqueleto na cama para dormir. Os seus irmãos têm vindo até aqui nas noites calmas para ver ele engolir o óleo, unicamente movidos pelo entusiasmo gerado pelas caretas que o Charles faz no que a coisa segue sua via goelal. Eu e-encomendei para o coitado um livro de receitas de baixo teor de lipídios e pró-artérias como uma espécie de presente Para-com-isso no dia em que chegaram os resultados, e o seu Tio Charles já passou os olhos por tudo e marcou diversas gostosuras. Nós vamos testar hoje à noite uns hambúrgueres de repolho, porque gostamos de viver perigosamente. Acho que o coitado vai acabar dando um jeito de meter fibra de arroz[d] na pasta de dentes antes desse espasmo de angústia desaparecer. Mas ele faz de coração — por assim dizer!

Puxa vida, mas essa máquina favorece mesmo a logorreia. Era melhor eu voltar ao meu assédio de mascates. Um dos matriculados[e] deste semestre é filho de um homem que aparentemente virou um dono estupidamente rico de Telemercadinho[f] no norte do Meio-Oeste, então talvez a questão dos solecismos de caixas-rápidos simplesmente venha a desaparecer destes cantos aqui também.

Vai sem dizer que você, claro, está usando a sua auréola e o seu protetor bucal em todos os momentos adequados e comendo pelo menos um vegetal verde e folhudo por dia.

Ah — foi *ma-ra-vi-lho-so* ficar sabendo da arbitração e do contrato. O sr. deLint nos leu um relato detalhado e nos contou tudo. Orgulho, como sempre, de conhecer você.

Saudade e muito amor,

&c.

d A febre alimentício-miraculosa antiesclerótica do Ano do Lava-Louças Quietinho Maytag.
e O então-magérrimo Eliot Kornspan, antes de Loach e Freer botarem as mãozinhas nele.
f Simultaneamente high-tech e de alguma maneira atavísticos, os serviços de Telemercadinho te permitem fazer encomendas direto do TP e aí receber a mercadoria bem na porta de casa, entregue por umas figuras meio tipo universitárias, normalmente em questão de horas, o que poupa as pessoas do estresse e da labuta fluorescente da compra pública de comida. No AFGD o serviço ainda faz muito sucesso em certas áreas e não tanto em outras. O primeiro serviço de Telemercadinho só foi aparecer na região de Boston no AUdPMpvd-CdRMFdIT2007psdTPD,EOMI/i, e ainda é em Boston uma coisa reles e meio classe operária, estranhamente.

E UM EXEMPLO DA INVARIÁVEL RESPOSTA
QUE ESSAS CARTAS GERAVAM

Cara <u>Senhora Incandenza</u>,

Devido à grande quantidade de cartas que os New Orleans Saints® têm a sorte de receber tanto assim de todas as partes da 2ª Região InterLace,[g] nós lamentamos informar que <u>ORIN INCANDENZA N° 71</u> não pode responder pessoalmente à sua carta, contudo, em nome dos New Orleans Saints® <u>"ORIN"</u> me pediu para dizer Obrigado pela sua carta e pela sua torcida, com um grande abraço.

Por favor aceite, em anexa, uma foto especial, 20 × 25 centímetros, colorida, de <u>ORIN INCANDENZA N° 71</u> em ação, como uma forma de lhe dizermos Obrigado e demonstrarmos quanto a sua carta foi importante para nós.

Cordealmente,

Jethro Bodine

Funcionário-técnico assistente de correio

&c.

"Mmmiallou."

"Apresentando a Estratégia Veloz de Sedução Número 7."

"Orin. Feliz Véspera de InterDia. E Unibus Pluram e coisa e tal. Ainda se esquivando de aleijados?"

"Uma *cláusula* já de cara, Hallie: a Número 7 nunca falha."

"E nem todo poema da Dickinson é cantável com a melodia de 'Yellow Rose', O. Sinto muito te desapontar. Por exemplo tipo '*Fazam*pla *essa cama — faz* com *reverência*' nem é jâmbico, muito menos tetrâmetro/trímetro."

"Só uma teoria. Só estava jogando pra consideração da plenária."

"Um hábito que deve ser encorajado. Mas essa teoria em particular é asneira. Fora que eu acho que você não queria exatamente dizer *cláusula*."

"Mas a Número 7 continua sendo uma proposta sem-erro. Imagina só. Obtenha uma aliança. Tipo aliança de casado. De modo que você se apresenta à Cobaia como alguém visivelmente casado."

"Você sabe que eu detesto essas ligações estratégicas."

---

g A InterLace atende praticamente todas as áreas habitáveis da ONAN; cada nação compreende (grosso modo) uma "Região" de disseminação-de-entretenimento.

"Claro que também funciona se por acaso você for casado *mesmo*. E aí você já vai ter a aliança."

"Eu estou sentado aqui com o tornozelo de molho, O."

"E o objetivo é você se apresentar à Cobaia como uma pessoa casada, tipo bem casada, e você começa uma conversa com ela em que você não para de falar do quanto você é apaixonadíssimo pela sua mulher, do quanto ela é maravilhosa, a esposa, como queima azul e pura a chama do piloto da paixão no sistema de aquecimento central do seu amor por ela, a sua esposa, mesmo depois de todos esses muitos anos em que vocês estão juntos."

"Eu estou aqui sentado olhando uma caixa velha de cartas só pra matar um tempinho antes de subir com uma galerinha no reboque pra pintura anual de sete que o Pemulis promove na Véspera do Dia-I."

"Mas enquanto você está dizendo isso pra Cobaia, as tuas atitudes mesmo assim vão indicando que você está atraído por ela."

"É tocante até esse jeito de você sempre usar a palavra *Cobaia* sem nem se dar conta da adequação."

"Mas não de um jeito flertoso ou lábrego, as tuas atitudes. Mais assim tipo vigorosa e involuntariamente atraído. Quase como que hipnotizado contra a vontade. As tuas atitudes podem sugerir isso simplesmente ao seguir os movimentos conversacionais e as mudanças de postura ou a expressão facial da Cobaia daquele jeito meio vazio e intenso com que uma pessoa que está com fome olha alguém comer. Seguir os movimentos do garfo como que memerizado. Com, claro agora, um ou outro relance de dor e de conflito nos olhos diante do fato de que vê você ali involuntariamente memerizado por alguém que não é a sua serápica esposa, sendo que o objetivo aqui…"

"Tempo. Opa. Acho que você quer dizer *seráfica*. E também acho que você quis dizer *lúbrico* e *mesmerizado*."

"Sabe qual é o teu problema, Hallie?"

"Eu só tenho um?"

"Mas espera só até você sacar que a 7 não vale a pena de você ficar fazendo eu me distrair, espera. Porque o objetivo aqui é transmitir como é um incrível tributo aos atordoantes encantos femininos da Cobaia o mero fato de você conseguir *enxergar* essa mulher, a Cobaia, já que você é tão apaixonado pela esposa que mal enxerga as outras mulheres como mulheres hoje em dia, quanto mais ficar involuntariamente atraído pela Cobaia, quanto mais de repente ver a ideia da infidelidade relampejar por mais involuntariamente que seja pela tua mente devotada. E não é que você tenha que dar essas informações assim direto. A Cobaia vai fazer as elações por conta própria. É esse o objetivo das piscadinhas conflitantes dos teus olhos memerizados, ou no máximo de um gemido torturado involuntário, uma rápida mordida na junta do indicador."

"A mão na testa ou coisa assim."

"É dar um jeito de causar uma impressão só com esse tanto de conflito interno que a própria Cobaia vai começar sozinha a te fazer falar disso, da atração involuntária que é tão dolorosa pra você e tributária pra ela."

"Então espera. Isso é tipo numa conversa que você fica afetando esse monte de gestinhos e de gemidos? Tipo assim conversa à toa numa festinha? Ou você simplesmente sacode a tua aliança falsa na cara de alguma menina num ponto de ônibus e manda ver um tributo torturado à tua esposa seráfica?"

"Pode ser qualquer lugar. Cabe em qualquer palco. A 7 é portátil e à prova de erro. A questão é manobrar a coisa da tua dor atraída e devotada até o ponto em que você pode parecer quase meio que desmontando e aí você pode perguntar pra Cobaia com toda a sinceridade torturada do teu coração se ela acha que o fato de você involuntariamente achar ela tão visivelmente fêmea e atraente faz você ser um mau marido. Demonstre vulnerabilidade e peça pra ela avaliar tipo a integridade do teu coração. Pareça desesperado. Toda a tua autoimagem marital está abalada. Praticamente implore pra Cobaia te reconfortar e dizer que você não é um sujeito sem coração. Aperte a Cobaia até ela dizer o que ela acha que pode ser que exista nos encantos dela pra poder afastar a tua esposa seráfica por um só segundo do teu coração. Você apresenta a atração que está sentindo pelo tópico como uma crise involuntária que está ameaçando a tua própria identidade e te destroçando a alma e que simplesmente exige a ajuda dela, da Cobaia, de pessoa pra pessoa."

"Parece bem comovente."

"E se por acaso você for casado mesmo, a vantagem adicional da pegada da 7 é que tanto você quanto a Cobaia, por mais que seja por pouco tempo, chegam mesmo a acreditar. Na pegada. Aquela coisa involuntária meio cavaleiro-errante-passional-condenado."

"E claro, O., que a Cobaia por acaso também é casada, quase sempre tem filhos pequenos, o que coloca a coitada direto na tua alça de mira."

"Uma questão de como é que chama preferência e gosto pessoal que não afeta a qualidade infalível 100-por-cento da 7, de jeito nenhum. O que aparentemente nenhuma Cobaia aguenta é a qualidade involuntária de perdição e de queda-do-homem-bom."

"…"

"Ainsi, então."

"Bom, O., esse negócio é nojento. É até mais nojento que a 4. Era 4? Aquela que você disse que foi o Loach que inspirou, em que você supostamente tinha acabado naquele dia mesmo de abandonar um seminário jesuíta depois de trocentos anos de celibato disciplinado por causa de anseios carno-espirituais que você não tinha nem sacado direito que eram de natureza carno-espiritual até agora mesmo no preciso momento em que você pôs os olhos na Cobaia? Com o breviário e o colarinho clerical alugado?"

"Era a 4, isso mesmo. A 4 é basicamente uma ginecópia, também, mas dentro de uma escala demográfica e psicológica mais estreita de Cobaias potenciais. Perceba que eu nunca disse que a 4 era 100-por-cento."

"Bom você deve estar muito orgulhoso, rapaz. Essa é mais nojenta ainda. A aliança falsa e a esposa fictícia. É que nem inventar alguém que você ama só pra seduzir outra pessoa pra ela te ajudar a trair aquela outra. É isso. É que nem subornar alguém pra te ajudar a violar uma tumba que eles não sabem que está vazia."

"É isso que eu ganho por transmitir frutos inestimáveis de uma larga experiência a alguém que ainda acha que fazer a barba é um tesão."

"Eu tenho que me ligar. Eu tenho um puta cravão pra cuidar."

"Você não perguntou por que eu te liguei de volta tão rápido. Por que eu estou ligando no horário das tarifas altas."

"Além do mais eu estou meio que com um comecinho de dor de dente, e é fim de semana, e eu queria falar com o Schacht antes do festim de forno da sra. Clarke no sol de amanhã. Fora que eu estou pelado."

"Eu estou surpreso até de você estar aí. Em pessoa. Eu estava esperando a Voz Incorpórea e que ia te pedir pra você retornar já-já essa ligação. Que horas são aí, 1600? Por que é que você não está lá fora dando duro? Não me conte que o Schtitt começou a cancelar os vespertinos de vésperado Dia-I."

"Eu carimbei o olho de um carinha chamado Pemberton na rede. Foi imprevidente. A gente só tinha jogado quatro games. Ele deu um approach mole que nem bunda de ganso e eu estava tentando devolver no corpo dele. Eu bati só pra cravar o cara. Ele nem chegou a erguer a raquete. Bem no globo direito. Fez um barulho igual uma rolha de champanhe. Um pró-reitor chamado Corbett Thorp disse que achava que o Pemberton podia estar com um descolamento de retina. Tudo bem que alguma coisa ali tinha que estar descolada. Ele ficou andando em círculos cada vez menores como se tivesse tomado uma porretada."

"Parece que você está superconsumido pelo remorso."

"Queimaduras e chamas, O. Eu já tomei a minha cota de boladas em tudo quanto é lugar. E daonde essas teorias métricas bizarras sobre a Emily Dickinson assim do meio do nada, aliás? E qual é a das figuras sinistras de cadeiras de rodas?"

"Você de repente agora é um tenista júnior Top-Dez, Hallie, qual que é a do Schtitt de te dar um trapo como o Hugh Pemberton pra bater bola, afinal?"

"Você lembra dele?"

"Quem é que pode esquecer um garoto que parece que está fazendo uma reverência quando saca? Com a viseirinha branca e os oclinhos amarelos? Esse jovem está pendurado pelas unhas no degrau mais baixo da escada desde os nove anos."

"A semana inteira foi uma carnificina. O Schtitt está emparelhando as equipes C contra as A. É pra desenvolver as C, a Donni disse. E também porque hoje meio que vazou da torre que teve gente na equipe administrativa que achou que as As estavam meio inseguras contra Port Wash."

"Eles desprezam insegurança."

"Acho que eles só querem a gente no limite da arrogância pro evento de Arrecadação e depois pro WhataBurger, onde o Wayne tem uma chance de arrancar do mastro a cabeça desse tal de Veach."

"E não vamos esquecer de você também, H. Eu posso aparecer pelo menos nas semis do WhataBurger se você chegar até lá, se você quiser incentivo."

"Assim em pessoa, O.?"

"Diz que agora vale a pena ver você jogar."

"Diz-que?"

"Eu fico com a orelha grudadinha no cimento, Hallie."

"Pelo menos no que se refere às Cobaias bem baixinhas, imagino."

"A gente vai pegar os Patriots naquela sexta, vai ser tipo 27 ou 28 acho, mas é um jogo de sábado à tarde. Eu posso chegar lá tipo no meio da tarde do domingo se você ainda estiver no rolo."

"Pode bem ser que você precise usar alguma placa no pescoço pra eu saber que é você."

"..."

"Então aí você vai estar por aqui bem quando a gente está lá, estranhamente, jogando."

"Não precisa nem dizer que você vai me dar um bisu prévio se alguém que eu não quiser ver por acaso estiver planejando ir pra lá com vocês."

"A coisa das C contra as A ficou mais pro grotesco que pro incentivo da confiança. Os caras estão descontando a tensão de uns jeitos meio pervertidos. O Struck ganhou do Gloeckner em quarenta minutos e aí mostrou pra todo mundo que estava usando uma caneleira de três quilos embaixo da meia. O Wayne fez o Van Slack chorar bem na frente de todo mundo."

"Diz que o Wayne tem só uma marcha."

"Aí na quinta o Coyle amarrou a mão esquerda no tornozelo direito e ainda estava ganhando desse carinha novo, o Stockhausen, até o Schtitt mandar o Tex Watson dizer pra ele parar de bobagem."

"Então mas o motivo mesmo de eu estar ligando, Hallie."

"E você está sendo evasivo sobre o pavor dos deficientes. Aqueles tipo capangas-rolantes."

"Faz dias que eu não vejo nem uma rodinha. Eu ando achando que de repente era tipo um fã-clube supertímido, de gente sem pernas que acha que eu estou no alto…"

"Duplo sentido meio grotesco, O."

"… tipo da escala das pernas. Eles usam ardis diferentes pra me seguir e nunca se aproximam nem abrem a boca porque são supertímidos porque não têm perna. Aí agora a minha cabeça repousa mais tranquilamente."

"Agora se as fobias de baratas e de aranhas-nas-alturas dessem uma amainada você podia andar de cabeça erguida de verdade."

"Então o motivo de eu estar ligando."

"Eu já disse que ia te avisar quando e se. Nenhum registro de jornalista nenhum. O tal perfil da *Moment*."

"A bem da verdade eu estou feliz de ter te achado em pessoa. Eu ia pedir pra você me ligar."

"Só porque às vezes eu te chamo de desligado, O.?"

"Essa foi baixa pra você. E dá pra ouvir que você ainda está mascando aquela porra medonha. Essa merda vai fazer a tua mandíbula cair. Eu já vi isso aqui, vai por mim. E você fica imaginando por que será tanto problema dentário assim de repente."

"Tabaco estimula a produção de saliva. A bem da verdade dá um up na higiene bucal, se você ainda levar em conta o quanto você escova os dentes a mais. As cáries são o legado de Sipróprio. Você sabe. Aquele Sipróprio cujos tratamentos de canal pagaram a faculdade dos filhos do dr. Zegarelli."

"Essa ligação basicamente não social, H., é porque eu preciso da tua opinião numas coisas que me vieram de uma meia dúzia de seis ou sete conversas extremamente complexas, amplas e profundas que eu tive com uma certa Cobaia."

"Não a pessoa da residência-móvel, com certeza."

"Cobaia totalmente nada a ver com essa. A teoria Dickinson eu tenho que admitir que surgiu dessas conversas."

"Parece uma garota das mais profundas."

"Cheia de níveis e dimensões. A gente teve uma série de intercursos verbais intensíssimos. Poética transcendentalista foi só uma das questões abarcadas. Essa Cobaia me deixa na pontinha dos meus cascos cerebrais."

"A Dickinson é tão transcendentalista quanto o Poe. A tua Cobaia já está tomando de 2 a 0."

"Isso tudo nem tem a ver com o telefonema. Eu disse pra essa Cobaia que eu ia considerar certas questões com muito cuidado antes de dar uma resposta."

"O que queria dizer que você ia considerar o que ela queria ouvir e como entupir ela com isso até ela implorar pra você transar com ela."

"E logo eu precisava de umas respostas com cara de sérias pra duas questões básicas."

"Por que essa coisa doente de me fazer virar cúmplice dessas estratégias de conquista quando você sabe que eu acho que elas são pervertidas e doentes? É que nem pedir pra alguém te ajudar a cultivar antraz ou uma coisa dessas."

"Só duas perguntas e pronto."

"Agora eu estou começando a quase conseguir sentir os batimentos cardíacos no dente, parece que a infecção está ganhando força com uma velocidade..."

"Primeiramente, o que é que significa a seguinte palavra que eu não achei no dicionário: s-a-m-i-z-d-a-t."

"*Samizdat*. Substantivo composto russo. Gíria soviética do século XX. *Sam* — radical: 'auto'; *izdat* — verbo inconjugado: 'publicar'. Acho que a denotação literal é tecnicamente arcaica: a disseminação sub-rosa de materiais politicamente arriscados que eram proibidos quando o Krêmlin da era Eskhaton ficava por aí proibindo coisas. Conotativamente, o sentido genérico agora é o de qualquer tipo de imprensa politicamente subterrânea ou ilegal, ou o material por elas publicado. Não existem samizdats de verdade nos EU, stricto sensu, Primeira--Emenda-mente e tal, acho eu. Imagino que algum material ultrarradical québecois e albertano possa ser considerado samizdat ONANita."

"Uff."

"Agora, não só um panfletinho Séparatisteur, sabe. Ia ter que ser mais incendiário. Material que defendesse o uso da violência, destruição de propriedade, interrupção das Malhas, terrorismo anti-ONAN e assim por diante. Eu nem acho que a ONAN tenha determinações proibitivas stricto sensu, acho que não, mas a Poutrincourt disse que os RCMPs têm poder de apreender material impresso e até equipamentos de publicação pra desktops e InterLinks sem nenhum tipo de mandado."

"RCMP."

"Polícia Montada, O."

"Os carinhas tipo Nelson Eddy com aqueles chapéus bocós e botonas de montaria."

"Quase isso. Próxima pergunta."

"Então você não tem ideia de por que o nome d'a Cegonha Demente ia aparecer no contexto de uma frase com a palavra *samizdat* no meio."

"Isso é a segunda pergunta?"

"Digamos que é 1(a)."

"Não num sentido preciso do termo. De repente até algum Séparatisteur podia tentar ler a ONAN*tíada* ou o *Tijolo* como filmes antirreconfiguração. Quem sabe umas coisas tipo *Ave, aves*. E boa parte dos filmes de Sipróprio também tinha distribuição própria. E *Domínio imanente* é supostamente num determinado nível uma alegoria sobre o Recôncavo, embora essa leitura passe por cima do fato de que o Gentle nem era presidente quando o filme saiu. Mas você pode dizer pra sua Cobaia que o trabalho de Sipróprio era todo ele bem consciente-mente americano. O interesse dele pela política se subordinava às questões formais. Sempre. E nenhum dos filmes está proibido. Qualquer coisa que ainda esteja nos menus de catálogo da InterLace é inter-Malha: dá pra encomendar *A* ONAN*tíada* em Manitoba, Vera Cruz, em qualquer lugar."

"E o assunto é Separatismo do Québec, interessante."

"Por que é que eu estou com uma sensação dolorosa de que isso vai ser 1(a)-ponto-um ou alguma coisa assim? De repente era melhor eu te ligar amanhã pra gente poder jogar conversa fora. Eu vou ficar aqui estudando pros exames até o Eskhaton das 1400. É barato ligar no feriado."

"Eu é que estou pagando aqui."

"Ou quem sabe você podia simplesmente ligar pra pessoa que é realmente a pessoa certa pra tudo quanto é questão canandense, O."

"Engraçadinho."

"Seguindo direto pra pergunta 2, então — os meus sais de Epsom estão ficando frios."

"A grande questão é o que você teria a dizer se alguma Cobaia espetacular e megacabeça te perguntasse o que você teria a dizer sobre como tudo quanto é Séparatisteur canadôncio por lá, do Bloc Québecois e dos Fils de Montcalm até o lado mais aloprado mesmo das seitas e das células terroristas mais radicais…"

"Eu vou ter que reclamar do uso da palavra *canadôncio*, O."

"Mil perdões. A questão seria por que todo esse pessoal Séparatisteur do Québec por lá largou mão totalmente do objetivo da independência do Québec e virou casaca assim aparen-temente da noite pro dia pra pôr todas as fichas na agitação contra a ONAN e a Reconfiguração e forçar a devolução do Recôncavo ao nosso mapa."

"O., isso é política ONANita. Eu ia olhar bem no fundo dos imensos olhos azuis da minha Cobaia e lhe dizer que o campo da nanomicroscopia ainda não está tão avançado para que seja possível medir o meu interesse nos meandros da política ONANita. A aula da Poutrincourt já me desestabiliza o suficiente. A coisa toda é desagradável, árida, repetitiva e basicamente chata. O Thevet tem lá uma ladainha romântico-histórica até que meio interessantinha, vá lá, sobre…"

"Eu estou falando sério. Você pelo menos teve uma formação. O único pró-reitor canadôn-cio que a gente teve dava aula de cerâmica."

"Mas você é que é o cara com a Pléiade e uma nota 5 nos exames de francês e com capa-cidade para pronunciar aquele *R* vibrante."

"Isso é parisiense. Agora eu nem vejo mais os melhores momentos dos esportes, muito menos ainda a parte política. Só tente um segundinho. Essa Cobaia levantou questões que estavam muito acima da minha profundidade."

"Cara, isso nem faz sentido como metáfora. Você está me dizendo sinceramente que quer aumentar a sua profundidade? Ou você só está procurando um resumex molinho pra poder incorporar a impressão de profundidade a alguma nova campanha de remoção de calcinhas? Você vai dizer pra ela que estudou política ONANita com os jesuítas?"

"A situação toda era meio beco-sem-saída. Eu tive que dizer pra Cobaia que eu tinha que pensar no assunto e ponderar, que eu sempre dava um tempinho pra ponderar profundamente antes de arriscar uma opinião."

"E nem me conte: é a repórter da *Moment*? O seu Boswell com sutiã XG? É por isso que ela está a caminho? Aquela estória toda de perfil famílio-histórico da semana passada era só uma manobra? Por acaso é pra eu sentar com ela e te pintar agora como um ex-seminarista politizado que casou com alguém que só alguma espécie de deusa de proporções épicas poderia te tentar a trair? Porque eu vou te dizer neste exato momento que o Schtitt não vai deixar ninguém aqui falar com ninguém de nenhuma revistinha de fofoca como a *Moment* sem ele ou o deLint sentadinhos bem ali com a gente. Foi-se o tempo em que Sipróprio não dava bola pra quantos jornalistas sensacionalistas tipo quem-será-a-próxima-Venus-Williams ficavam cercando a escola, meu. O Schtitt agora é que manda nisso de quem fala com quem. O deLint fez um apêndice todo virulento no Manual de Matrícula sobre o desenvolvimento esportivo e os malefícios da atenção exagerada da imprensa."

"A Helen vai dar um jeito de entrar."

"O Schtitt não vai deixar eu bombar a tua acuidade política ou a tua pseudoesposa ou sei lá mais o quê. Ele fez o C.T. ver isso aqui como uma espécie de profilático contra a atenção comercial. Ele acha que a atenção comercial nos juniores é deformadora. O manual agora diz para nós nos considerarmos in utero e a atenção como sendo talidomida. O Schtitt vai deixar ela entrar e vai meter ela numa sala com o C.T. e deixar o C.T. bombardear a moça até ela se atirar pela janela como aquela jornalista da Condé Nast no começo do ano."

"Esqueça o perfil. Fale com ela ou não fale. Isso aqui é pessoal."

"O que quer dizer que você descobriu que ela tem filhos pequenos e quem sabe até um casamento que você pode estragar."

"Eu vou ignorar isso tudo. A Helen é um tipo diferente de Cobaia. Eu descobri níveis e dimensões na Helen que não têm nada a ver com perfis."

"O que quer dizer que ela não é mole. O que quer dizer que você assestou a mira e ela ainda não sucumbiu. E ela sabe que você não é casado e que não é um jesuíta atormentado. Ela resiste às estratégias porque sabe demais pra se deixar engambelar por uma persona."

"Copondere comigo um segundo, se é que já acabou seu discursinho. Pode me parar quando for o caso. Entre na conversa quando estiver a fim. Tanto pra ultraesquerda quanto pra ultradireita, o santo graal sempre foi a secessão independente do Québec, historicamente, não é? Erro meu? A Fronte Libération e tal? Os Fils de Montcalm. Ou será que é *du*? São eles aqueles de calça colante e maquiagem pesadona? As tortas gigantes que eles largaram em Ottawa depois do Terceiro Acordo de Meech Lake?"

"..."

"O Parizeau e tudo mais e tal. Pode se sentir à vontade pra me parar ou entrar na conversa. Era tudo uma questão de tirar o Québec do Canadá, certo? As revoltas de Meech Lake e

Charlottetown. O assassinato do Crétien. 'Notre Rai Pays.' Terrorismo de camisa xadrez. Um Canadá francês para os francófonos. Sionismo acadiano. 'La Québecois Toujours.' 'On ne parle pas d'Anglais ici.'"

"Com todo o terrorismo especialmente dirigido contra Ottawa, pressão sobre Ottawa e o Canadá. 'Permettez Nous Partir, Permettez Nous Être.' Ou a gente explode Frontenac. Ou a gente irradia Winnipeg. Ou a gente mete um cravo de ferrovia no olho do Crétien. Isso aí não é exatamente uma profundidade das mais profundas, O."

"Certo e aí mas de repente tudo muda quando Ottawa, pressionada ou não, se coloca sob o pé cirurgicamente estéril da ONAN, com o surgimento da ONAN, Gentle, entre aspas Experialismo."

"Não parece que você está precisando da minha ajuda com tudo isso, O."

"Mas aí mas então em *imediato uníssono* todos os vários e diversos grupos Separatistas largam a questão da secessão e da independência como se fosse uma batata quente e transferem todos eles o seu ressentimento insurgente pra ONAN e os EU, e agora se insurgem contra a ONAN em nome do mesmo Canadá que eles tinham passado décadas tratando como inimigo. Isso parece um tantinho bizarro?"

" ... "

"Isso não parece um tantinho bizarro, Hallie?"

"Cara, juro, eu sou o parente errado pra responder perguntas sobre as complexidades da mente canadense radical, O. A gente tem um parente específico com cidadania dupla, caso você tenha esquecido. Que eu tenho certeza ia adorar refletir sobre o fluxo ideológico Separatista com você o quanto você quisesse e mais um tempinho ainda. Certeza. Assim que o queixo dela se recuperasse do deslocamento causado pela alegria de você ter se dado ao trabalho de ligar."

"Cara, eu estou aqui dando tapa não só num joelho mas nos dois de tão engraçadi..."

"Cê sabia que ela nunca perguntou, nunquinha, se eu ou o Bubu falamos com você? Nunca. Meio que um orgulho espantado. Ela tem vergonha até de sofrer por causa disso, meio que..."

"Sem nenhuma piada aqui, meu, eu estou falando sério. A bizarria da coisa. Você sabe que eu respeito os teus lobos frontais. Eu estou pedindo profundidade, e não algum tipo de expertise."

"Você acabou de ignorar a parte central de tudo que eu acabei de dizer. Você parece um velho com essa estória. Com a estranhíssima audição seletiva de um velho."

"Eu vou deixar essa parte toda de roto-rindo-do-esfarrapado quanto a audições seletivas simplesmente passar, certo? Como uma demonstração de que esse telefonema é coisa séria. Por que todos eles aparentemente ao mesmo tempo trocaram de objetivos?"

"E agir em nome de todo o Canadá, o Québec, de repente, é o que você quer que eu explique. Ou você simplesmente quer que eu confirme que é bizarro?"

"A Cobaia citou umas pesquisas de quando eles ainda se davam ao trabalho de fazer pesquisa de opinião por lá que diziam que mais de quatro quintos de todos os canadenses queriam sair da ONAN e torciam pro presidente Gentle sofrer um acidente pavoroso na sua cabine de bronzeamento UV, et cetera."

"Então a segunda e última pergunta se refere a essa mudança de um nacionalismo quebequense anticanadense pra um nacionalismo canadense anti-ONAN."

"O que eu estava pensando é que será que isso de repente não é um caso clássico da teoria Johnny Gentle de encontrar-um-inimigo-para-uma-nação-dividida-se-reunificar-através-de--acusações-e-ódio em ação? Será que isso é meio que o Québec tipo fazendo uma rodinha com as carroças deles de Alberta e das outras províncias em face de um inimigo comum?"

"..."

"Hal?"

"Sempre dá pra você apontar pra repórter que rola uma bela de uma ironia no fato de a estratégia do Gentle reunificar o Canadá às nossas custas, quando ela era obviamente feita pra nos reunificar às custas do Canadá."

"Mas parece que você acha que a resposta mais profundamente ponderada seria outra."

"Eu só sei umas coisas básicas de aulinha de história por causa da disciplina da Poutrincourt. E porque me beneficio de um contato ocasional com a Mães."

"Manda."

"O registro histórico indica com bastante clareza que o único nacionalismo na alma québecoise é o nacionalismo québecois. É 'Nous v. La Pluplart Toujours', e tanto mais quanto mais você vai aos extremos do espectro. Eu não consigo conceber os Séparatisteurs considerando o Québec como uma verdadeira parte do Canadá mais do que o Lesoto se via como parte da AFSUL. A Poutrincourt fica batendo na tecla de que não existe comparação válida entre o Québec e o nosso Sul pré-guerra civil. Por que é que você acha que Meech Lake III[h] foi por água abaixo? É porque no fundo eles nunca se viram como algo diferente de reféns de Ottawa e das províncias anglófonas. Até Séparatisteurs moderados como o Parizeau falavam da rendição final nas Planícies de Abraham como de uma espécie de transferência forçada de propriedade, sendo que toda a guerra original[i] era uma guerra em que os franco-canadenses não eram tanto vencidos quanto prêmio. Butim."

"Isso tudo bate com a opinião da Cobaia."

"A impressão que me fica é que o ódio que o Québec sente do Canadá anglófono transcende tudo que eles podem juntar contra a ONAN. É só mencionar 1759 pros lábios da Mães sumirem. O Pemulis e o Axford vivem chegando antes pra colocar um *1759* gótico bem grandão no quadro-negro da aula de G&S[j] só pra ver os lábios da Mães desaparecerem quando ela entra e vê."

h Depois de Meech Lake I, Charlottetown I e II, e Meech Lake II, essa foi a quinta e derradeira tentativa de Ottawa para aplacar o Québec com uma emenda constitucional que formalizava o direito da província gálica de "preservar e promover" uma "sociedade e uma cultura diversas."

i A guerra entre franceses e índios, conhecida pelos quebequenses como "La Guerre des Britanniques e des Sauvages", *c.* 1754-60 AS, em cujas batalhas finais, nas Planícies de Abraham em 59 e em Montreal em 60, os ingleses e os americanos sentaram o cacete naquele pessoal de um jeito que os québecois nunca esqueceram, um pessoalzinho cuja memória para insultos é absolutamente legendária. O ardiloso Amherst esteve lá, também, em Ticonderoga e Montreal, com os seus bons e velhos cobertores variolentos.

j Gramática e Significado.

"A minha sensação é que a Cobaia concorda sobre a avaliação-de-ódio. Eles querem sair e pronto, sempre quiseram. Fodam-se o Seguro Saúde e o NAFTA. Foi por isso que eles sabotaram todos os Acordos de Meech Lake, diz ela. Parece que ela quer insinuar que a coisa anti-ONAN é algum tipo de manobra anômala de esquiva ou alguma coisa assim."

"Eu tenho que confessar uma certa curiosidade agora sobre essa repórter que você ainda na semana passada estava se preparando pra desconversar sobre Sipróprio. Sem nem falar que você comparou a mulher a um beque de futebol americano. Rubenesco nunca foi o teu tipo, pelo menos eu não achava."

"..."

"Fora que qualquer Cobaia que te faça se preocupar em dar uma impressão de profundidade. Isso é mais trabalho do que você tem com o teu tipo normal de Cobaia, normalmente, né?"

"..."

"Isso é outra coisa que não é a tua cara. Você nunca ficou tímido por discutir as Cobaias comigo."

"É complexo. Ela está meio que ganhando espaço comigo."

"É só um *jeitinho* especial dela de tomar notas das tuas explicações dos chutes de canto--de-caixão."

"É complicado. Tem muita coisa que eu não estou te dizendo. Ela tem níveis. Eu descobri níveis e dimensões nela que eu não sabia que estavam originalmente lá."

"Ah, O., *por favor* não venha me dizer que é só porque você acabou de descobrir que ela é casada e tem filhinhos. Não é isso por acaso, né? Por favor que seja alguma coisa diferente de filhinhos."

"..."

"Que seja alguma coisa diferente das horas de Cobaias cujos relatos estratégicos passo a passo, sádicos e sadicamente detalhados, eu fiquei aqui ouvindo. Orin 'Destruidor de Lares' Incandenza, é assim que o pessoal da equipe te chama, tipo pra fazer graça? Seu monstrenguinho."

"*Eu* que sou monstrengo? *Eu*, é?"

"... Quer botar a culpa nela, não quer admitir, precisa admitir, não admite, põe a culpa da coisa toda de Sipróprio nela, se recusa a conversar com ela ou pior nem reconhece que ela existe, guarda rancor até do fato dela perdoar coisas tipo você e o Marlon Bain terem matado o cachorro dela..."

"... um cara que atropelou-e-fugiu-e-deu-ré-e-atropelou-de-novo, eu te *disse* montes de..."

"... finge que manda o funcionário mais retardado do RP que dá pra fazer segurar um giz de cera mandar umas respostinhas grotescas solecísticas e pseudoimpessoais pras cartas patéticas dela. Jethro Bodine, O.? Jethro *Bodine*?"

"Uma piadinha particular. Ela nunca ia sacar."

"Renega ela — pior, mais monstruoso ainda, fica se dizendo que se convenceu de que ela nem existe, como se ela nunca tivesse existido, mas por alguma estranha coincidência tem esse fetiche voraz por jovens mães casadas que pode levar a trair os maridos e quem sabe ferrar com a cabeça dos filhos pra sempre, e tem essa necessidade voraz aparentemente ainda mais compulsiva de ligar pra um parente que nem vê há quatro anos e falar tudinho sobre cada uma das Cobaias e sobre cada Estratégia, passo a passo, em DDD, com detalhes nanomicroscópicos. Vamos dar uma parada pra ponderar sobre *essas* coisas um minuto, O., que achas?"

"Eu vou deixar isso aqui tudo passar que nem água nas costas de um pato. Dá pra ver que é por causa do dente. Eu lembro bem o estresse que rola aí. A única coisa que eu posso te dizer é vai por mim: essa Cobaia da *Moment* é tipo doudamente dessemelhante do que você está indexando. Os níveis e as circunstâncias não são essas que você quer tanto chamar de vorazes. É a única coisa que eu posso dizer até o momento."

"Por que é que eu suspeito que é simplesmente porque você tentou fazer o X maiúsculo com ela e ela refugou e isso simplesmente açulou o teu interesse? Durante o meu intervalo unguial de perfeição aqui você estava dizendo que uns beques imensos estavam fazendo comentários sobre a bunda ser tão enorme e tão mole que dava pra ficar sovando com uma antena de carro sem machucar."

"Hallie eu nunca disse uma merda dessa. Você tirou essa do nada. E *eu* que sou um monstro?"

"Você disse que ela era obesa."

"Eu disse que ela era mulher e meia pra tudo quanto era lado. E de repente tinha uma coisa que parecia transcultural nisso tudo: eu tive um lampejo de compreensão de como as culturas podem considerar a gordura uma coisa erótica. Mais de alguém pra gente amar. Isso sem falar que é estranha, esquisitamente intensa, viva e vibrante."

"E ela ignorou uma cantadinha à toa, te mostrou fotos dos rebentos imensos dela e você ficou de orelhas em pé."

"Com um rostinho lindo de matar, também, Hal, toda macia e expedita, daquele jeito das gordinhas."

"Eu vou ter que manter isso escondido de um cara aqui que se chama Ortho Stice, por-que ele é um rubensófilo de verdade. Depois dos vespertinos quando a gente fica sentado de bobeira ele fica falando horas sobre seios enormes, barrigas de melão e colos saltitantes até todo mundo começar a fazer careta e tapar o nariz. E seja lá o que você queria dizer, não era *expedita*."

"O beque reserva que fica perto de mim naquelas coisas horrorosas daqueles voos fantasiados de pré-jogo disse uma coisa que eu achei bacana. A Helen passou por ele no vestiário e ele — você quer ouvir essa?"

"Ela estava no vestiário?"

"É a lei. O mundo profissional não é um gulag de RP. Ele disse que ela tinha um rosto que era de partir o coração e aí também de partir o coração de qualquer um que fosse correndo te dar uma mão enquanto você ia caindo de lado com as mãos no peito."

"Essa é das boas mesmo, O."

"Mas até aqui a gente concorda com essa da bizarria básica, parece. Se os radicais querem ainda um Québec livre do Canadá, e essa sempre foi a pérola inestimável, por que tipo eles ficarem se dissipando tentando semear a cizânia por aqui quase no mesmíssimo momento em que se declara a Interdependência? 'ce pas?'

"Eu preferia concordar de uma vez que não faz sentido, aí ir secar o tornozelo, achar uma camiseta limpa, pegar o Schacht e descolar uma benzocaína com ele antes de a gente se mandar de caminhão."

"Né? E será que esses grupos diferentes se acertam, entre eles, as flanges Separatistas diferentes?"

"Não segundo a Poutrincourt, não mesmo."

"Então por que a mudança unida e combinada de tipo Larga Mão do Québec senão a gente vai espetar umas facas no olho de uns VIPs canadenses e largar uns doções imensos na Rue Sherbrooke no Dia de St. Jean-Baptiste pra assim de repente Larga Mão do Canadá ou senão a gente vai explodir umas torres da ATHSCME, meter uns espelhões no meio da pista das estradas dos EU, pendurar umas flâmulas de flor-de-lis nos monumentos dos EU, atrapalhar os pulsos da InterLace, escrever umas obscenidades canadôncias nos céus de Buffalo, sacanear uns veículos lançadores de detritos pra fazer chover guano de alce em New Haven, matar uns VIPs ONANitas em território dos EU e por pouquinho não vai conseguir injetar umas toxinas anaeróbicas nos potes de amendoins Planters?"

"Se bem que você tem que admitir que a coisa da chuva-marrom de New Haven foi de cachinar."

"Cachinar é bom. A gente gosta de cachinar. Mas qual é a motivação política desse meia--volta-volver? Me explique essa parte. Só tem é que soar sobriamente ponderado."

"Orin, eu estou tentando reconciliar a tua seriedade indubitavelmente sincera quanto a isso tudo com a tua escolha de mim como coponderador."

"Eu só…"

"Eu sou um macho americano branco e privilegiado de dezessete anos. Eu sou aluno de uma academia de tênis que se considera um profilático. Eu como, durmo, evacuo, marco coisas com um destacador amarelo e bato numa bolinha. Eu levanto coisas, sacudo coisas e corro em imensos círculos a céu aberto. Eu sou basicamente a coisa mais apolítica que se pode ser. Eu estou fora de todos os circuitos, menos um, intencionalmente. Eu estou aqui sentado com o pé dentro de um balde. O que exatamente você espera conseguir de mim numa estória dessas? Eu fico aqui me desconcentrando sem saber se você quer uma abordagem, um palavrório que pareça profundo pra facilitar o X-mento dessa Cobaia carnuda ou se por acaso você foi seduzido a achar que vale mesmo a pena meditar sobre os processos mentais escabrosos dos canadenses radicais. De *qualquer* radical. Os objetivos dos *Novos Contras* brasileiros te parecem consistentes? Os dos *Noie Störkraft*? Do Sendero Luminoso? Dos CCCs da Bélgica? Dos Esquadrões de Ataque Pró-Vida? Do *Iz-ad-dinn-al-qassan*? Os objetivos incendiários de criadouros de pele do PETA? Pelamordedeus, o Gentle e os coitadinhos do PEUL?"[k]

"Os *coitadinhos* do PEUL?"

"Por que não dar de ombros serenamente, invocar o termo *doidões* e deixar por isso mesmo? Por que não dizer pra ela que você é um rapaz radicalmente simples e meio monstrengo que ganha a vida dando uns chutões bem fortes na bola?"

"Eu só…"

"Por que não dizer simplesmente *e eu com isso*? Isso tudo não é problema nosso. A pessoa que motiva isso tudo é a pessoa que você diz que deletou da tua RAM. Por que não dizer a porra da verdade uma vez na vida?"

"*Eu* dizer a verdade? *Eu* mentir?"

k O Partido dos Estados Unidos e Limpos de Johnny Gentle, a Voz de Veludo.

"Qualé, essa jornalista ascapártica de revistinha de banheiro feminino vai te passar tipo uma prova de vestibular sobre o extremismo francófono? Tipo uma prova de gino-admissão? Você tem que acertar tipo tantos por cento pra ela deixar você X ela no chão do berçário bem do ladinho do berço? Quem é que você está tentando enganar? De quem é que você acha que a gente está falando aqui de verdade? Será que você é tão monstruoso que não consegue nem admitir por *telefone*, caralho?"

"..."

"Ou não?"

"..."

"Desculpa, O. Eu sinto muito."

"Imagina. Eu sei que você não quis me ofender."

"Eu odeio perder o controle."

"Você não está parecendo legal, Hallie. Parece que você tá acabadão."

Hal esfrega o olho com um dedo. "Essas dores de dente estão me deixando como aquela figura molenga berrando na litografia do Munch."

"Esse tabaco vai carcomer as tuas membranas todinhas. É um vício vicioso, cara. Eu estou te dizendo isso de coração. Pergunte pra aquele Schacht."

Michael Pemulis entreabre a porta de Hal lentamente e lentamente mete a cabeça e um ombro para dentro, sem abrir a boca. Ele tomou banho mas ainda está enrubescido, e o seu olho direito fica meio trêmulo de um jeito estranho quando está passando o efeito de dois ou três Hipofagins. Ele está com o quepe de iatista, dragonas douradas de passamanaria naval falsa, e numa orelha uma argola bucaneira de ouro que acende em sincronia com o batimento cardíaco. Com a porta só entreaberta e a cabeça metida no quarto ele puxa o outro braço por cima do corpo como se não fosse dele, com a mão no formato de uma garra logo acima da cabeça, e faz como se a garra o estivesse puxando de volta para o corredor. C/ os olhos revirando de terror fingido.

Hal está curvado, examinando o dedo em busca de material ocular. "Com toda essa empolgação a gente esqueceu a resposta mais óbvia, então, O. A tua resposta pra prova, que aí eu posso ir secar o tornozelo." Ele ouve Pemulis perguntando alguma coisa a Petropolis Kahn e a Stephan Wagenknecht lá no corredor, pela porta entreaberta.

"Acho que eu já tentei a resposta óbvia com ela, mas manda."

"O Pemulis acabou de dar a primeira passada e deixou a porta só encostada. Eu estou aqui sentado pelado no vento encanado de uma porta aberta desconsiderando o fato meio tortuosamente óbvio de que coisa de, quanto?, sei lá três quartos da fronteira norte do Recôncavo correm junto do Québec."

"Egzactamente."

"Então e se então Ottawa não apendeu formalmente o Recôncavo a uma dada província em particular. Um puta favor, sem sombra de dúvida. Porque o mapa fala por si próprio. Sem contar uns pedacinhos do oeste de New Brunswick e uma pontinha de Ontário, o Recôncavo — o fato físico e o fardo do Recôncavo — é problema do Québec. Coisa de tipo 750 quilômetros de fronteira ao longo do Recôncavo, com o chorume decorrente, pra Notre Rai Pays."

"Isso. Fora a maior parte dos detritos aéreos dos ATHSCMEs de altitude, fora ser a província que leva meleca quando os veículos da DRE erram o Recôncavo. Foi o que eu tentei já de cara com ela."

"Então qual que é o mistério. Se ponha no lugar do Québec. Mais uma vez eles ficam com o lado gosmento da faquinha de patê do Canadá. Agora é basicamente um monte de nenês do Québec, do tamanho de um Fusca, estronçando por aí sem crânio. É no Québec que tem gente com cloracne, tremores e alucinações olfatórias e criancinhas que nascem só com um olho bem no meio da testa. É o leste do Québec que fica com os crepúsculos verdes, os rios índigo, uns cristais de neve grotescamente assimétricos e uns gramados que eles têm que abater a machete se quiserem botar o carro na garagem. Eles é que ficam com as incursões de hamsters selvagens, as depredações infantis e as neblinas corrosivas."

"Se bem que neguinho também não está exatamente correndo pra New Brunswick ou Lake Ontario. E os ATHSCMES costeiros mandam os fenóis costeiros lá pra cima de Fundy, e supostamente as lagostas de lá parecem umas criaturas de filme japonês antigo, e supostamente a Nova Scotia brilha, de noite, nas fotos de satélite."

"Mas mesmo assim, O., diz pra ela que em termos proporcionais foi o Québec que ficou com o maior fardo do que o Canadá teve que encarar. O fardo *de novo*, segundo o pensamento deles, não esqueça. Não é de estranhar que as mentalidades radicais sejam violentamente anti--ONAN por lá. Tem que rolar uma supersensação de camelo-e-agulha nisso tudo."

A porta se abre completamente e bate na parede atrás dela. Michael Pemulis fingiu que abriu com um chute. "Amém Jisúis, mais credincrúiz quiuguri tá pelado", ele diz, entrando e fechando a porta para dar uma olhada atrás dela. Hal ergue uma mão para ele esperar um minuto.

"Só que olha só", Orin diz. Pemulis fica parado ansioso num canto não tomado pelo caos da metade de Hal do quarto e consulta ostensivamente o pulso como se tivesse um relógio. Hal acena para ele com a cabeça e ergue um dedo.

"Só que olha só", Orin está dizendo. "A questão que ela levanta é será que tem alguma esperança minimamente realista do Québec fazer o Gentle convencer a ONAN a reverter a Reconfiguração. Pegar o Recôncavo de volta, desligar os ventiladores, fazer a gente reconhecer aqueles resíduos todos como resíduos fundamentalmente americanos."

"Bom provavelmente claro que não." Hal ergue os olhos para Pemulis, faz sua mão virar uma garra e faz gestos gárricos para o telefone. Pemulis está andando compulsivamente pelo quarto abrindo e fechando zíperes de tudo que tenha zíper, um hábito que Hal odeia. "Mas agora ela fez você voltar a exigir uma lógica realista e consistente de mentalidades radicais, de novo."

"Mas Hallie guentaí. O Canadá como um todo não pode se opor à ONAN. Não ia se opor. Ottawa agora já está tão comprometida com a situação que eles não iam estrilar nem se ficassem com três vezes o que já precisam engolir. Tipo de sapo."

Pemulis está apontando veementemente para a janela oeste na direção do estacionamento onde o guincho está estacionado e fazendo gestos exagerados à la Henrique VIII, de estraçalhar e mastigar. Os olhos dele, sob os últimos vestígios dos estimulantes vespertinos, não ficam alegres ou vidrados. Eles simplesmente ficam minúsculos e sem luz e ainda mais próximos naquele rosto estreito, como um segundo par de narinas. O leve tremor do olho direito não está em sincronia com o batimento do brinco.

Vem o som de Orin trocando a mão do telefone. "Então aí eu vou te perguntar o que foi que pareceu que ela estava perguntando retoricamente: será que as campanhazinhas e os gestos patéticos dos Separatistas e das células radicais por aqui são basicamente inúteis e patéticos?"

"Será que bosta de peixe escorre lentamente pro fundo do mar, O.? Como é que ela podia considerar isso tudo de algum outro jeito, se ela é tão descolada quanto você diz?" Hal retira o encarquilhado pé branco do balde e seca com um lençol embolado. Ele aponta para uma cueca perto do docksider de Pemulis. Pemulis pega a peça no chão com dois dedinhos e joga para Hal com um estremecimento fingido.

"Então simplesmente e basicamente simbólico, na melhor das hipóteses, então?"

Hal está deitado de costas tentando enfiar as pernas na cueca só com uma mão. "Diz pra ela depois de muito cofiar a queixola que *sim*, O. O., o Pemulis está aqui parado já de quepinho e fingindo que está batendo um sino de jantar. Ele está com uns megafiozões de uma baba brilhante pendurados no beiço." Na verdade Pemulis está fazendo um complexo sistema de gestos que indica tanto os procedimentos para enrolar um baseado quanto o adiantado da hora. Nos últimos dois anos, Hal, Pemulis, Struck, Troeltsch e às vezes B. Boone criaram meio que um ritualzinho de se mandarem para a pequena clareira escondida atrás das lixeiras do estacionamento da Casa Oeste para dividirem um baseado obsceno do tamanho de um charuto antes da expedição de Véspera-de-Dia-I para jantar fora, enquanto Schacht e às vezes Ortho Stice ficam sentados dentro do guincho, com o rosto verde por causa do brilho verde do painel do caminhão, aquecendo o motor. Hal senta reto na cama e faz um gesto sacudido de anda-se-manda para Pemulis.

"Mas é você que está com o… o sr. *Hope*", Pemulis declara num sussurro teatral.

"Só um minuto por favor." Hal agarra firme o bocal do telefone com uma mão, cobre fone e mão com dois travesseiros e um pouco de roupa de cama, e sussurra teatralmente: "Cadê a tua parte do sr. H. assim de repente? Por que é que a gente tem que enrolar um zepelim com a *minha* parte do Hope que eu comprei no varejo de *você* não tem nem três dias?".

O nistagmo macabrifica o revirar de olhos mais.

"Extenuações. A gente acerta tudo depois. Ninguém vai tipo *explorar* você."

E aí fica difícil extrair mão e fone. "O., eu vou ter que zarpar aqui tipo num segundo."

"Só que tal assim. Pondere isso adiantado pra mim e tente ficar na vertical até conseguir me dar uma ligada. Essa que era a proposta tipo central da Cobaia. Pode ligar a cobrar se quiser."

"Eu não preciso responder", Hal diz.

"Correto."

"Eu só escuto e aí a gente interrompe a conexão."

"Pra me ligar hoje de noite ou amanhã antes do almoço, a cobrar se no Dia-I não tiver desconto."

"Eu só fico aqui sentadinho só um pouquinho, aí a conversa acaba e a gente pode se mandar." Hal está dirigindo isso tudo mais para Pemulis, que está andando de um lado para o outro segurando o busto de Constantino e o examinando de perto, sacudindo a cabeça.

"Tudo pronto? Aí vai. Está pronto?"

"Vai logo de uma vez."

"A pegadinha dela é assim. Se o grande objeto dos Separatistas sempre foi a secessão independente, e se eles têm tipo lhufas de chance de um dia conseguir a des-Reconfiguração da ONAN, e se praticamente tudo quanto é canadense despreza o Gentle e a transferência do Recôncavo e todo o sanduíche de merde que foi o experialismo, mas especialmente o Recôncavo, o fato cartográfico de um Recôncavo no nosso mapa e de um novo Reconvexo no deles, que os mapas agora dizem que é solo canadense, essa área tipo toxificosa: vamos admitir que isso tudo obviamente está certo; então por que é que os Separatistas do Québec não usam o fato da sua odiância do Recôncavo pra ir meter as suas peruquinhas parlamentares e zarpar pra Ottawa no Parlamento e dizer pro resto do Canadá tipo: Olha, deixa a gente seceder, que aí a gente leva o Recôncavo *com* a gente depois da secessão, vai ser problema nosso e não de vocês, vai constar dos mapas como sendo québecois e não canadense, vai ser a *nossa* mácula e o *nosso* pé-de-guerra com a ONAN, e a honra do Canadá vai ficar irretocada, e a patética reputação do Canadá na ONAN e tipo na comunidade de reputações internacionais vai ser reabilitada por causa da forma engenhosa pela qual o Parlamento de Ottawa vai ter re-ajambrado o mapa da ONAN sem encarar diretamente os EU? Por que não isso? Por que é que eles não vão pra Ottawa e dizem Cuibono pra tudo quanto é lado e dizem Desse jeito ninguém sai perdendo? A gente fica com o nosso Notre Rai Pays e vocês tiram do mapa o tapa na cara que era o Recôncavo. A Cobaia colocou por que é que os canadôncios não veem a odiância do Recôncavo de repente como a melhor coisa que já aconteceu com eles em termos da persuadibilidade do Canadá pra deixar o Québec em paz. Ela me sapecou um por que é que os canadôncios militantes mais espertinhos não usam o Recôncavo como moeda de troca pela independência, por que é que eles querem que a ONAN leve de volta a única coisa odiosa o suficiente pra ser moeda?"

"Com quem que você está falando que não dá pra ligar depois?" Pemulis fala alto, andando para a frente e para trás com umas meias-voltas de soldadinho de brinquedo, com a argola cintilando enlouquecidamente.

Hal abaixa o fone mas não o cobre. "É o Orin, querendo saber por que o Québec e a FLQ e assim por diante não tentaram barganhar com a administração canadense, oferecendo a adoção cartográfica do Recôncavo pelo Québec em troca da Separação." Hal põe a cabeça ligeiramente de lado. "Isso aí podia ser o sentido de verdade da dita Separação e Retorno da Poutrincourt, acabou de me ocorrer."

"Orin tipo o teu irmão, o da perna?"

"Ele está todo despirocado com isso da política ONANita."

Pemulis faz um megafone com as mãos. "Diz pra ele que todo mundo aqui está pouquíssimo se fodendo! Manda ele ir ler um livro! Diz pra ele acessar uma da dúzia de D-Bases na net! Diz que você tem certeza que ele tem grana pra pagar!" As mãos de Pemulis são esguias e de juntas vermelhas, seus dedos são longos e meio falcados. "Diz pra ele que você está ouvindo o guincho acelerar impacientemente enquanto numa das quase nenhumas noites totalmente livres que a gente tem os teus amigos estão prestes a sair sem você. Lembre ele que a gente tem que comer na hora certa aqui se não quiser ficar molengão. Diz que a gente lê livros e acessa D-bases o tempo todo e corre que nem uns doidos e tem que comer em vez de ficar aqui balançandinho uma perna pra cima e pra baixo sem parar pra ganhar milhões."

"Manda o Penisnulis ir sentar em alguma coisa afiada", Orin diz.

"O., ele está certo, eu já estou sentindo aquela sensação do meu corpo começando a se alimentar de si próprio. Você disse que eu podia pensar e te ligar de volta. Eu te chamo no pager se você quiser."

Pemulis usou um pé pra abrir caminho em meio à roupa suja, aos disquetes, livros e equipamentos de tênis rumo à janela oeste, onde está fazendo largos gestos complexos para uma pessoa ou pessoas lá fora no terreno que a grande soleira da janela impede Hal de ver. A cueca de Hal está na diagonal em relação à pélvis. Orin ao telefone está dizendo:

"Imagina só isso e vê o que você acha. Hipotetize isso. A FLQ e outras várias células Separatistas todas subitamente desviam as suas energias terroristas do Canadá e subitamente começam a montar uma campanha insurgente de perturbação da paz dos EU e do México. Mas o negócio é que elas fazem uma puta questão de propagandear que essa insurgência terrorista contra a ONAN se dá em nome de *todo* o Canadá. Elas até chegam a achar um jeito de incluir os ultradireitistas de Alberta, fora outros radicais provincianos, e aí fica parecendo pra ONAN que de repente tipo o Canadá inteiro está se insurgindo."

"Eu não preciso imaginar. É o que está rolando. A FPCC[1] faz incursões contra Montana que nem um reloginho. Teve aquele congestionamento horrível dos pulsos da InterLace e a substituição dos programas infantis por filmes pornôs lá perto de Duluth em junho que conseguiram atribuir àquele quinteto psicótico do sudoeste de Ontário. As rodovias a norte de Saratoga ainda são supostamente intrafegáveis depois do pôr do sol."

"Exato."

"Então alguma questão pra eu ponderar tem que emergir bem rapidinho, aqui, Orin."

"A questão é que eu fui retoricamente convidado pela Cobaia a conceber a hipótese de que isso é tudo coisa dos canadôncios. Que a coisa pancanadense é uma manobra. Os Separatistas todos de alguma maneira unificados e orquestrando o anti-ONANismo. A pergunta retórica passa a ser imagine isso e se pergunte: Por que eles iam fazer uma coisa dessas?"

"A gente está aqui arranhando a mesma faixa do disco de novo, O. É porque o Recôncavo afeta principalmente o Québec."

"Não, tipo ela quis dizer por que eles iam fazer tanta questão de dizer que estavam se insurgindo em nome de todo o *Canadá* e fazer tanta força pra orquestrar a aparência de um anti-ONANismo pan*canadense*."

"E aí a julgar pelos precedentes a Cobaia te deu uma resposta hipotética à sua própria pergunta. Por acaso você conseguiu dizer uma palavra que fosse nessa série inteira de entrevistas, O.?"

"E se for que os Separatistas canadôncios sabem totalmente bem que se a administração da ONAN vê o Canadá como uma barata assim desse tamanhão na cozinha, o Gentle e os carinhas de branco dos Serviços Aleatórios podem se reunir com o vichyficado Estado-marionete do México e deixar as coisas *bem* desagradáveis pra Ottawa. Eles podiam transformar o Canadá no tipo de bode preto expiatório de toda a ONAN. Dá pra imaginar pouca coisa pior que ser o único

---

1 A Falange Pró-Canadá de Calgary.

1054

país de um Anschluss continental de três países em quem os outros dois países estão caindo matando e deixando tudo bem desagradável."

"*Vichyficado*? *Anschluss*? Isso não parece nenhuma versão que eu conheça do Orin. Isso é um vocabulário alucinadamente politizado. Que tipo de jornalista fofa tipo *Moment* rubenesca e encantadora é esse que você está tão determinado a...?"

"A desagradabilidade é bem fácil da gente imaginar. Os vetores da DRE podiam ser facilmente recalibrados mais pro Norte, o Gentle podia dizer pra eles. Os nossos recursos-residuísticos são vastos. Na melhor das hipóteses, ele podia dizer, belas porções do Canadá poderiam ser Reconcavitizadas."

"Eu tenho que ir. O Pemulis está encostado na parede com as mãos na barriga e se deixando escorregar parede abaixo com uma puta cara pálida e trêmula."

"Pondere sobre a imagem das unhas parlamentares roídas até chegar na parte esfiapada rosa e molinha enquanto os canadôncios orquestram o terrorismo pra parecer cada vez mais uma questão de Canadá contra a ONAN."

Hal está de calça e com uma meia social e uma meia de ginástica e pegando várias camisetas do chão, tentando achar uma limpa pelo cheiro. "Mas isso é só..."

"Kyaaaa!" Pemulis salta sobre um canto da cama de Hal e tenta agarrar a antena do fone transparente como se fosse arrancá-la. Hal se vira para proteger o fone com um ombro, chicoteando Pemulis com um moletom.

Orin está dizendo "O que eu estou te pedindo é pra você ponderar será que de repente podia acabar sendo que o Québec, depois de instaurar várias cizânias diferentes por aqui e dar a impressão de que é todo o Canadá, que os caras do PQ ou alguém de respeito se emperuca e vai lá pra Ottawa e oferece este acordo: o Parlamento convence o PM e o governo a convencerem as outras províncias a deixarem o Québec ir embora, se Separar, *aller*, *partir*, e em troca o Québec vai recrudescer a campanha e a insurgência anti-ONAN enquanto ao mesmo tempo *abandona* a fachada de que as outras províncias nem sequer estejam envolvidas e que todo o Canadá esteja se insurgindo e deixa publicamente claro que é o Québec e só o Québec que é o verdadeiro nêmesis da ONAN. Eles dizem pra Ottawa que vão oferecer a contiguidade do Recôncavo como sendo o seu motivo e vão usar absolutamente tudo que têm na mão em termos de terrorismo contra a ONAN e o Gentle, ficando com todo o crédito em cada ocasião. Se oferecendo como mártires e a des-Reconfiguração como objetivo."

"Então a tua jornalista nivelada está hipotetizando um tipo de metaextorsão." Hal ouve a respiração assobiada de Pemulis. "A Separação ainda é o verdadeiro objetivo dos insurgentes do Québec, e a insurgência anti-ONAN desse pessoal não é o que parece ser." Hal está no escuro embaixo da mesa sobre cujo canto o TP extensível, os drives e o console do telefone com o modem estão empilhados, cercado por ninhos de cabos, tentando achar o outro pé do seu sapato social. "Supostamente foi só um estratagema pra despertar a ira da ONAN contra o Canadá pros quebequenses poderem usar os EU e o México como alavancas em Ottawa."

"Tentando montar a coisa de um jeito que deixasse o Canadá mais do que feliz de se afastar deles", Orin diz. "E eu estou dizendo que não tenho a formação nem os lobos pra nem sequer saber se ela podia estar me sacaneando, testando a minha profundidade."

"Você sempre teve um pavor todo especial de testes de profundidade."

1055

"Que tal você simplesmente me passar o Bob e eu e o Aiquefoda vamos lá deixar tudo prontinho e ficamos te esperando", Pemulis sussurra teatralmente para os fundilhos da calça de Hal, que são basicamente a única coisa visível embaixo da mesa. A mão de Hal surge do espaço para as pernas sob a mesa, ergue um dedo e o sacode um pouquinho para dar ênfase. Pemulis está parado ao lado do pequeno monitor do TP — que fica apoiado como uma foto grande com uma coisa meio tipo contraforte que se encaixa na parte de trás — e do drive de discos e cartuchos do TP, que ocupa menos de um quarto do topo da mesa e tem o console e a unidade de energia aparafusados num receptáculo na lateral do drive.

A voz de Hal está abafada e tem o tom forçado tenso de alguém que está tentando limpar ninhos de cabos empoeirados para achar alguma coisa. "Só que Orin eu não vejo necessidade de muita ponderação aqui. A insurgência total anti-EU até agora foi malfadada e pouca-por-caria demais pra teoria dela funcionar. Um ou outro bombardeio com tortas ou guano, uns espelhinhos numas estradas abandonadas, até desmapear oficiais e botulinizar um ou dois potes de amendoim. Nada disso vai fazer o Canadá ou o Québec parecerem alguma espécie de ameaça grave."

Michael Pemulis, quepe janota empurrado para trás e lábios contraídos como quem assobia, mas não assobiando, está mui casualmente passando a mão sobre a unidade de energia do drive e do console, como quem mata o tempo distraidamente tirando pó. Sua outra mão sacode moedas no bolso. Vem o som de Hal dando com a cabeça em alguma coisa embaixo da mesa. A bunda dele é ossuda e seu cinto passou por fora de duas presilhas. A chave da unidade de energia fica perto de uma joiazinha rubra de uma luz indicadora que pisca na mesma frequência de um alarme de incêndio quando a chave está no ON.

Hal espirra duas vezes. Pemulis batuca num leve galope anapéstico sobre o topo da unidade. Orin soa como alguém que está sentado bem reto. "Hallie meu jovem agora você está me sacando, é aqui que entram os teus lobos ponderosos, porque essa foi exatamente a minha resposta, que não tinha nada suficientemente mais que um incômodo incômodo tipo-mosquito-de-praia por causa das insurgências, que foi onde ela mergulhou pra além da minha profundidade e de volta para 1(a), se você ainda lembra, quando ela veio com aquela palavra *samizdat* em conex…"

111. Termo de Hal, e na verdade um termo da família Incandenza, que na verdade não é um termo inadequado aqui porque como quase todos os termos da família Incandenza cujo uso foi iniciado por Avril, que é uma quebequense expatriada, *choramungar* é um termo idioletal para uma reclamação vigorosa e estrídula, quase como um choramingo só que uma nuança semântica de legitimidade da queixa em questão.

112. Os logo-logo aqui-conhecidos e apavoradores *Assassins des Fauteuils Rollents* da região galardoada-de-receptáculos-da-DRE de Papineau no sudoeste do Québec.

113. Material tendinoso que é descrito pelo especialista em ginecologia-obstetrícia no seu DictaFone como "cinza-neuronal".

1056

114. © MCMLXII BS, Cia. Feliz de Receptáculos Flácidos, Zanesville, OH, patrocinador do ultimíssimo dos anos do Tempo Subsidiado ONANita (q.v. nota 78). Todos os Direitos Reservados.

115. A contratura de Volkmann é um tipo de severa deformação serpentina dos braços em consequência de uma fratura que não consolidou na posição correta ou em que houve lascas de ossos ou em que se deixou que o braço ficasse todo chagadamente curvado durante a imobilização; *bradiauxese* se refere a certa(s) parte(s) do corpo que não cresce(m) na mesma velocidade de outras partes do corpo — Sipróprio e a Mães ganharam considerável familiaridade com essa espécie de vocabulário para termos de problemas congênitos e muitos outros, no que se refere a Mario, particularmente as variações sobre o radical médico *bradi*, que vem do grego *bradys*, que significa lento, tais como bradilexia (cf. leitura), bradifenia (pensamento tipo resolução-de-problemas-práticos), bradipneia noturna (eventual respiração lenta durante o sono, que é o motivo de Mario usar quatro travesseiros, no mínimo), bradipedestrianismo (óbvio) e especialmente a bradicinesia, um adagietto quase gerontológico em quase todos os movimentos de Mario, uma lentidão exagerada que ao mesmo tempo evoca e permite uma atenção lenta e extremamente detida a seja o que for que se esteja fazendo.

116. Basicamente a BMW das câmeras de cartuchos-digitais 16 mm, produzida em quantidades limitadas pela Paillard Cinématique de Sherbrooke, Québec, CAN, poucas semanas antes de suas instalações de produção serem anularmente hiperfloriadas e da companhia ter estrebuchado.

117. ... já passou da hora de mencionar que a cabeça de Mario — numa perversa oposição ao problema com os braços dele — é *hiper*auxética e tem, com o rosto também, de duas a três vezes o tamanho de um camarada típico tamanho de-elfo-a-jóquei.

118. Era de imaginar que Mario fosse cu e cueca com o pessoal classe-c da zeladoria, da cozinha e das equipes técnicas e de manutenção, mas, é estranho, ele e eles nunca têm muito o que se dizer, e com raras exceções nenhum dos ATES, Mario incluso, nada tem de interpessoal com os trabalhadores de meio período em reabilitação por nove meses, que basicamente podam, esfregam, esvaziam latas de lixo, carregam as lavadoras de louça do refeitório, e que irradiam uma espécie de desconfiança de olhinhos entrecerrados que parece bem mais sombria e ingrata que tímida.

119. ... também já passou da hora de incluir que Mario é homodonte: todos os seus dentes são bicúspides e idênticos, os da frente e os de trás, mais ou menos como os de um boto; o que é uma fonte de conflitos infindos para Ted Schacht, que tende a evitar Mario porque sempre que ele está por perto ele tem que lutar contra o impulso de mandar ele abrir a boca e se submeter a uma avaliação, o que Schacht pode muito bem imaginar que ia magoar o menino: ninguém quer ser objeto de um interesse clínico desse tipo.

120. Sendo esse fenômeno básico o que adultos pós-hegelianos mais capazes de abstrações chamam de "consciência histórica".

121. Os pré- e pós-procedimentos do Eskhaton são tão convolutos que um jogo de verdade é montado uma vez por mês mais ou menos, no máximo, quase sempre num domingo, mas mesmo assim nem todos os doze meninos de um ano conseguem encontrar tempo para jogar, o que é o motivo da margem e do excesso de pessoal envolvido.

122. Série Cartográfica ONANita W-520-500-268-6^W-9^W-9^{W}14^{W4}, © 1994 AS, Rand McNally & Cia.

123. Pemulis aqui, ditando para o Inc, que tem todo direito de ficar ali sentadinho fazendo uma cúpula com os dedinhos e esfregando a boca e nem anotar nada e esperar e tipo inscrever [sic] quando estiver a fim assim na semana que vem e repetir tudo verbatim, a bestinha. Usar a fórmula do Valor Médio para dividir a megatonelagem disponível entre Combatentes cujas razões PIB/Forças-Armadas//Forças-Armadas/Capacidade-Nuclear variam de Eskhaton para Eskhaton evita que você tenha que calcular uma razão nova para cada Combatente toda vez, fora que isso te permite multirregredir os resultados para os Combatentes serem compensados por uma ocasional prodigalidade termonuclear [ocasionais floreios verbais são de Hal — HJI]. A fórmula também é provável pelo Teorema do Valor Extremo, dito VE que tem ele próprio uma prova que é simplesmente tipo a maior torradeira-de-unidade desgraçada em todo o campo da diferenciação aplicada, mas eu estou vendo o Hal fazendo careta, então vamos manter isso aqui compacto, apesar que esse negócio todo é superinteressante se você estiver interessado e tal.

Digamos que você tem um Combatente e um registro das suas razões PIB/Forças-Armadas//Forças-Armadas/Capacidade-Nuclear passadas. Nós queremos que o Combatente receba exatamente a média de todas as megatonelagens passadas que ele recebeu no passado. A média exata é chamada de "Valor Médio", o que dada a capacidade destrutiva dessas ogivas parece até irônico.

Então aí mas A vai representar o Valor Médio da razão constantemente flutuante de um Combatente e portanto de uma megatonelagem inicial constantemente flutuante. Nós queremos descobrir A e dar ao Combatente exatamente A megatons. Como fazer isso é uma coisinha bem elegante, e a única coisa necessária são dois dados: o maior valor que essa razão já teve e o menor que ela já teve. Esses dois datums [sic] são chamados de Valores Extremos da função cn-n de que A é o Valor Médio, diga-se de passagem.

Então aí mas f vai representar uma função não negativa contínua (ou seja, a razão) no intervalo [a, b] (ou seja, a diferença entre o menor valor que a razão já teve e o maior que ela já teve e tal). Essas explicaçõezinhas são exasperantes [sic]? O Inc está me olhando de um jeito que ia congelar bunda de pinguim. É difícil saber o que supor v. o que explicar. Eu estou tentando ser o mais claro que eu posso [sic]. E agora ele está me olhando como se eu estivesse desviando. Por que é que você não me passa aquele determinado item logo ali, Inculador. Mas então a gente tem f e os maiores valores da função $f(x)$ e a gente tem [a, b]. E digamos que r e R sejam o menor e o maior valores da função $f(x)$ para o intervalo [a, b]. Então agora verifique os retângulos de altura r e de altura R para o intervalo [a, b] no diagrama marcado como ah vamos de uma vez chamar esse diagrama digamos de PEMUCHO:

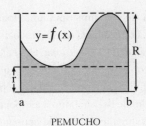

PEMUCHO

O Valor Médio que nós estamos procurando, A, pode agora ser escrito integralmente como a Área de um certo retângulo de tipo intermediário cuja altura é mais alta [sic] que r mas mais baixa [sic] que R. Daqui pra frente é teta. A gente precisa de uma constante. Neguinho sempre precisa de uma constante. O Inc está balançando a cabeça sarcasticamente como se eu achasse que estou dizendo alguma coisa sábia. Digamos que d seja uma constante qualquer, por motivos computacionais quanto mais próxima de 1 melhor, então digamos que d tenha as dimensões da Unidade do Hal.

Adendo de Hal Incandenza: em metros.

Retomada de Michael Pemulis: superengraçado. Então agora basta olhar o incrivelmente iluminador diagrama PEMUCHO aí em cima, e você pode ver que essa Área que nós queremos:

$$A = \int_a^b f(x)dx$$

vai ser maior que a área do retângulo de altura r e mas também vai ser menor que a área do retângulo de altura R. O puro raciocínio mental [sic] *obriga*, então, que [sic] em algum ponto ali entre r e R fica a altura exata, $f(x')$, tal que (eu tenho que dizer que toda demonstração de um teorema estatístico tem *Digamos* e *tal que*, em geral eu acho que é porque é divertido pacas de dizer) tal que o retângulo com essa altura $f(x')$ em todo o intervalo [a, b] tem *exatamente* a Área que nós queremos, o Valor Médio de todas as históricas [sic] razões de gastos; em outras palavras de forma abstrata:

$$\int_a^b f(x)dx = f(x')(b - a)$$

onde (b − a) é simplesmente o tamanho do intervalo. E assim nós damos uma olhadinha no revelador diagrama rotulado HALBOIOLA:

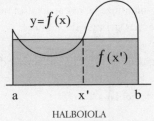

HALBOIOLA

1059

Essa porra *funciona*. Não precisa calcular uma nova razão toda vez pra cada Combatente pra entregar o armamento. Você só dá uma olhada nas razões mais altas e mais baixas dos registros do Eskhaton que o Gorrudo anota toda vez. Isso é *foda*. Isso é *elegante* pra caralho. Perceba que (*Perceba que* é outro termo tipo compulsitório [sic]) perceba que o Valor Médio da megatone-lagem do Combatente vai mudar, ligeiramente, de Eskhaton pra Eskhaton, exatamente como a média de rebatidas de um jogador de beisebol numa temporada vai se alterar só um tiquinho a cada lance, dependendo integralmente do que ele conseguiu na sua última viagem até o campo. Perceba também que você pode usar esse poupa-tempo do Valor Médio com tudo que varie dentro de um conjunto (*definível*) de limites e tal — tipo qualquer linha, ou os limites de uma quadra de tênis, ou tipo de repente sei lá a variação do nível de uma certa droga na urina entre Limpo e Totalmente Ferrado. Como tipo um exercício, se você estiver interessado, jogue três horas de tênis júnior de alto nível assim de primeiro nível [sic] e aí calcule o Valor Médio das razões entre primeiros serviços e subidas à rede e de subidas à rede e pontos ganhos; pra um jogador de saque-e-voleio, é assim que você vê o quanto a performance dele depende do saque. O deLint faz esse tipo de exercício todo dia de manhã sentadinho na privada. Vai ser interessante de ver [sic] se o Hal, que acha que ele é superbacaninha só por tentar descrever Eskhaton na terceira pessoa do presente [sic] tipo um Eskhatologista queixudo das antigas com uns remendos de couro no cotovelo [sic], se o Inc consegue transpor [sic?] essa matemática aqui sem uma ajudinha da Mamucha. Mais tarde.

P. S. Viva Allston.

124. Tanto a EndStat quanto a Mathpak são marcas registradas da Aapps Inc., ela própria hoje uma divisão da InterLace TelEntretenimento.

125. Precisa de duas mãos para carregar um cesto de roupa suja de plástico quadriculado e eles não deixam você ficar quicando mais bolinhas com a raquete; os baldes faxineirais descartados têm o tamanho de um cestinho de lixo de tamanho médio, mas uma alça forte de aço tipo barrica, e sua composição de polímeros rígidos garante uma alta durabilidade. Foi num balde exatamente como esse que Pemulis vomitou antes de sua vitória meio suspeita por VD lá em Port Washington.

(Várias empresas de equipamentos esportivos vendem vários receptáculos especialmente projetados para bolas com nomes como "Papa-Bolinha" e "Banco de Bolas" — o consenso acadêmico geral é que isso é coisa de diletantes e bichinhas.)

126. Sendo pratiquissimamente impossível evitar que o presente contamine até mesmo uma Consciência Histórica lúdica e infantilizada, os canadenses normalmente acabam tendo pa-péis insignificantes mas perversos nas SITDETs eskhatônicas.

127. Várias dessas tiradinhas e gracinhas são o Inc se divertindo, não a SITDET do Otis, que é 100% mão na massa.

P.S. Os Aranhas-Lobos hão de herdar a Terra.

128. Lobeador Mais Valioso.

129. M. Pemulis é, na melhor tradição de Allston, MA, um bom amigo e um inimigo bem indesejável, e até os ATEs que não gostam dele tomam cuidado para não fazer nem dizer qualquer coisa que possa pedir um acerto de contas, porque Pemulis é um gourmet refinadíssimo no mundo das vinganças frias, e não está nada acima de batizar a garrafa de água de alguém ou eletrificar a maçaneta da porta de uma pessoa ou colocar alguma coisa aterradora no seu arquivo médico da ATE ou mexer no espelho em cima da escrivaninha naquela partezinha meio escondida do seu quarto no subdormitório pra quando você olhar no espelho de manhã pra se pentear ou espremer um cravo ou alguma coisa assim você ver um negócio te encarando ali que nunca mais vai conseguir esquecer completamente, que foi o que levou dois anos para finalmente acontecer com M. H. Penn, que depois não conseguia dizer o que tinha visto mas parou totalmente de fazer a barba e, todo mundo concorda, nunca mais voltou a ser bem ele mesmo.

130. Pemulis a bem da verdade não diz literalmente "alento e sustento".

131. Antes das reuniões de orador regulares dos Grupos de Boston muitas vezes há reuniões fechadas, de meia hora, de discussão para os Iniciantes, onde os recém-chegados podem dividir com os outros sua desorientação, sua fraqueza e seu desespero numa atmosfera privada, tolerante e acolhedora.

132. A palavra *Grupo* na expressão *Grupo* AA é sempre com inicial maiúscula porque o AA de Boston dá uma enorme ênfase à necessidade de você entrar para um Grupo e se identificar como membro dessa coisa maior, o Grupo. E maiúsculas também tipo em *Promessa, Entregar Tudo* & c.

133. O quartinho de Gately no porão úmido da Casa Ennet está coberto em cada centímetro de cada parede que esteja seca o bastante para segurar durex de fotos grudadas de tudo quanto é tipo de celebridades variegadas e esotéricas do passado e do presente, que variam conforme os residentes vão jogando revistas nas lixeiras do HSPME e são frequentemente selecionadas porque as celebridades são de alguma maneira grotescas; é meio que um hábito compulsivo mantido desde a infância razoavelmente disfuncional de Gately em North Shore, quando ele era um demônio da tesoura e do durex.

134. E se você acabou de chegar, assim tipo está nos seus três primeiros dias, e portanto em compulsória Restrição à Casa não punitiva — como a velada Joelle van Dyne, que entrou na Casa hoje mesmo, 8/11, Dia da Interdependência, depois que o médico do PS do Hospital Brigham and Women's que ontem à noite encheu o corpo dela de Inderal[a] e nitroglicerina

a Cloridrato de propranolol, Wyeth-Ayerst, um anti-hipertensivo betabloqueador.

tinha olhado seu rosto sem véu e ficado profundamente afetado, e tinha se investido de um interesse especial, uma de cujas consequências depois que Joelle recobrou a consciência e a fala tinha envolvido uma ligação para Pat Montesian, cujo paralisante derrame alcoólico o médico tinha tratado naquele mesmíssimo PS quase sete anos antes, e em cujo caso ele também tinha se investido de especial interesse, e tinha acompanhado, de modo que era agora amigo pessoal da sóbria Pat M. e tinha um assento honorário no Quadro de Diretores da Casa Ennet, de modo que sua ligação para a casa de Pat numa noite de sábado tinha colocado Joelle na Casa imediatamente, assim que recebeu alta do B&W na manhã do Dia da Interdependência, saltando literalmente dúzias de pessoas na lista de espera e colocando Joelle no programa intensivo de tratamento residencial da Casa Ennet antes até de ela sacar o que estava acontecendo, o que olhando agora pode ter sido uma sorte — se você é tão novo assim a bem da verdade o Funcionário não pode nem perder contato visual com você, ainda que na prática essa regra seja suspendida quando você tem que ir ao banheiro feminino e o Funcionário é homem, ou vice-versa.

135. Uma convicção comum a todos que Aguentam Firme no AA, depois de um tempo, e concentrada no slogan "Pensar Com Clareza Me Pôs Nesta Situação".

136. Nome comercial Adipex, ®SmithKline Beecham Inc., uma drina de nível baixo não muito diferente do Hipofagin, apesar de contar c/ ranger de dentes mais frequente.

137. Nenhum desses termos é de Don Gately.

138. Em p. ex. Boston: entre para um Grupo, seja Ativo, pegue n^{os} de telefone, arranje um padrinho, fale diariamente por áudio com o padrinho, vá diariamente às reuniões, reze como um demônio pela liberdade da Doença, não se engane achando que dá pra comprar refri nas lojas de bebidas ou namorar a sobrinha do traficante ou achar por um único segundinho que você ainda pode ficar de bobeira nos bares jogando dardos e só tomando Refris 2000 ou um Nescauzinho etc.

139. O Conselheiro Voluntário Eugenio ("Gene") M. prefere tropos e analogias entomológicas, o que é especialmente eficaz com residentes novinhos em folha que acabam de vir de safáris subjetivos pelo Reino dos Insetos.

140. O significante North Shore de Don G. para banal/trivial é: *mané*.

141. Da mesma maneira que o termo particular dele para negros é *crioulos*, que infelizmente ainda é o único que ele conhece.

142. A oradora não usa realmente os termos *o mesmo*, *decididissimamente* ou *sistema límbico operante* (e também não usa ênclises), embora de fato tenha dito, antes, *filo dos cordados*.

143. Sic.

144. P. ex. cf. Ursula Emrich-Levine (University of California-Irvine), em seu "Vendo a Grama Crescer Enquanto Alguém nos Maceta Repetidamente a Cabeça com um Objeto Pesado: Fragmentação e Estase em *Viúvo, Diversão mordaz, Cerimônia do chá em gravidade zero* e *Acordo pré-nupcial do céu e do inferno*, de James O. Incandenza", *Art Cartridge Quarterly*, vol. III, n°s 1-3, Ano do Frango-Maravilha Perdue.

145.

TRECHO DE TRANSCRIÇÃO DE UMA SÉRIE DE ENTREVISTAS PARA UM PUTATIVO PERFIL DA
REVISTA *MOMENT* SOBRE O PUNTER PROFISSIONAL DOS PHOENIX CARDINALS O. J. INCANDENZA,
PELA PUTATIVA REDATORA-DE-PERFIS DA REVISTA *MOMENT* HELEN STEEPLY,
3 DE NOVEMBRO, AFGD

"P."

"Bom, até que rolam uns consolos meio doidos nisso de ver alguém ir ficando progressivamente tantã na tua frente, como por exemplo que às vezes a Cegonha Demente surtava com as coisas de um jeito meio engraçado. A gente sempre achou que ele era divertido na maior parte do tempo.

"Você tem que lembrar que ele entrou nisso dos entretenimentos basicamente por um interesse em lentes e luzes. A maioria dos diretores tipo cabeça eu acho que vão ficando mais abstratos ao longo da carreira. Com ele foi o contrário. Uma boa parte das coisas mais engraçadas que ele fez era bem abstrata. Esses brincos são de cobre de verdade? Você consegue usar cobre de verdade?"

"P."

"Você tem que lembrar que ele saiu desse grupinho de diretores cabeçudos das antigas que eram súper 'ne pas à la mode' na época em que ele apareceu, não só o Lang, o Bresson e a Deren mas os abstratos anti-New Wave tipo Frampton, uns canadôncios piradaços tipo Godbout, uns diretores anticonfluenciais tipo o Dick e os Snow que não só tinham mesmo que estar era num quartinho cor-de-rosa bem tranquilo em algum lugar mas que também estavam autoconscientemente por trás de tudo o tempo todo, fazendo tudo quanto era gesto filme-cabeça sobre os filmes, a consciência, a existitude, a difração e a estase & cetera. A maioria das mulheres extremamente bonitas que eu conheci na vida reclama de ficar tipo com uma crostinha verde comichenta quando elas usam cobre de verdade. Aí os acadêmicos e os críticos que estavam saudando essa coisa nova do Neorrealismo Ortocromático da virada do milênio como a verdadeira vanguarda da hora estavam avançando na carreira acadêmica sentando o pau no Dick, no Godbout, nos Alucinados Irmãos Snow e na Cegonha por tentarem ser vanguarda, quando na verdade eles estavam autoconscientemente tentando ser mais tipo *après*-garde. Eu nunca saquei direitinho o que significa isso do *Ortocromático*, mas era superchique. Mas a Cegonha Demente falava um monte de atavismo intencional, retrogradismo, estase. Fora que os acadêmicos que odiavam ele odiavam os cenários artificiais e a iluminação em chiaroscuro, e a Cegonha tinha tipo um fetiche total por lentes doidas e chiaroscuro.

"Depois que a coisa com a Medusa e a Odalisca saiu, e A *piada*, e as moçoilas teoréticas do mundo do cinema ainda estavam com carinha de nojo dizendo que o Incandenza ainda está atolado nesse formalismo tedioso, autorreferente do fim do século e nessa abstração irrealista, depois de um tempo Sipróprio, A Cegonha, lá do seu jeito progressivo e tantã, decidiu se vingar. Ele planejou uma boa parte da coisa lá no McLean Hospital, que é lá em Belmont, que é onde Sipróprio tinha quase um quarto particular reservado àquela altura. Ele inventou um gênero que ele considerava o ápice do Neorrealismo e conseguiu que umas revistas de cinema publicassem umas coisas proclamatórias e editorialoides que ele escreveu sobre o tal gênero, e conseguiu que Duquette lá do MIT e mais uns outros acadêmicos em começo de carreira que estavam sabendo da pegadinha começassem a se referir àquilo e a escrever uns artiguinhos em revistas e periódicos acadêmicos sobre o assunto e a falar disso em vernissages e estreias de peças e filmes de vanguarda, alimentando esse telefone-sem-fio, elogiando esse movimento novo que eles chamavam de Drama Achado, esse suposto ápice do Neorrealismo que todos eles declaravam que era tipo o futuro do drama e da arte cinematográfica etc.

"Porque eu estou aqui pensando que se você gosta de coisas de cobre e soizinhos astecas tem um lugarzinho lá em Tempe que eu conheço o dono e ele tem umas pecinhas de cobre incríveis que a gente podia ir lá dar uma olhadinha e tal. A minha teoria é que precisa ter uma compleição natural incrível pra poder usar os metais menos nobres, se bem que pode ser só uma coisa de alergia, isso de umas mulheres reagirem e outras não."

"P."

"O que o Drama Achado era — e você não pode esquecer que o Duquette e um crítico de cinema da Brandeis chamado tipo Posener que sabiam da vingança cada um deles ganhou tipo uma bolsa gigante por causa disso tudo, e a Cegonha Demente ganhou duas menores, duas bolsas, pra visitar programas de pós-graduação em cinema do país inteiro dando umas palestras túrgidas, teóricas e sérias de matar sobre esse Drama Achado, e aí eles voltavam pra casa em Boston e a Cegonha e esses poucos críticos tomavam uns porres homéricos e ficavam inventando mais palestras teóricas sobre o Drama Achado e riam e gargalhavam até começar a transparecer que era hora de Sipróprio voltar para a desintoxicação."

"P."

"Tipo um apelido de família. O Hal e eu ou chamávamos ele de Sipróprio ou de a Cegonha Gemente. A Mães foi a primeira a dizer *Sipróprio*, que eu acho que é alguma coisa canadense. O Hal quase só dizia Sipróprio. Sabe lá Deus do que é que o Mario chamava ele. Vai saber. Eu dizia *Demente*, a Cegonha Demente."

"P."

"Não olha só não *tinha* nenhum cartucho ou peça de Drama Achado. A piada era essa. O que era era só você e uns chapinhas tipo o Leith ou o Duquette que pegavam uma lista telefônica da Grande Boston, arrancavam uma página aleatoriamente, pregavam na parede com tachinha e aí a Cegonha jogava um dardo lá do outro lado da sala. Na página. E o nome que o dardo acertasse virava o tema do Drama Achado. E tudo que acontecer com o protagonista com o nome que você acertou com o dardo durante tipo a próxima hora e meia é o Drama. E quando a hora e meia acaba, você sai e toma umas com os críticos que tipo risonhentamente te parabenizam pelo definitivo Neorrealismo."

"P."

"Você faz o que quiser fazer durante o Drama. Você não está lá. Ninguém sabe o que o nome da lista telefônica está fazendo."

"P."

"A teoria da piada é que não tem plateia, não tem diretor e não tem palco nem cenário porque, a Cegonha Demente e os camaradinhas defendiam, na Vida Real essas coisas não existem. E o protagonista não sabe que é o protagonista de um Drama Achado porque na Vida Real ninguém acha que está em algum tipo de Drama."

"P."

"Quase ninguém. Muito bem lembrado. Quase ninguém. Eu vou me arriscar aqui e te dizer direto que eu estou me sentindo meio intimidado aqui."

"P."

"Eu estou com medo que isso possa soar sexista ou ofensivo. Eu já encontrei mulheres muito, muito lindas na vida, mas eu não estou acostumado delas serem superespertas, atiladas, politicamente alfabetizadas, penetrantes, multicomplexas e intimidantemente inteligentes. Desculpa se isso soou sexista. Só foi a minha experiência até aqui. Eu vou até o fim agora e vou simplesmente te dizer a verdade e me arriscar a ver você achar que eu sou algum tipo de atleta neanderthal estereotípico ou algum palhaço sexista."

"P."

"Absolutamente não, não, nada era gravado ou filmado. Sendo que a Vida Real não tem câmeras, como rezava a piada que eu novamente sublinho aqui. Ninguém nem sabia o que o cara da lista telefônica andava fazendo, ninguém sabia qual tinha sido o Drama. Se bem que eles gostavam de especular quando saíam depois que dava a hora de irem tomar umas e fingir que estavam analisando o Drama. Sipróprio normalmente imaginava que o cara estava sentado lá assistindo cartuchos, ou contando algum padrão no papel de parede, ou olhando pela janela. Não era impossível de repente até que o nome que você acertou com o dardo fosse de alguém morto no ano passado que a lista telefônica ainda não tinha atualizado, e olha ali o cara morto e só um nome aleatório numa lista telefônica virando tema do que as pessoas por uns meses — até Sipróprio não aguentar mais ou ter se vingado direitinho dos críticos, porque os críticos estavam celebrando — não só os críticos que sabiam da piada, mas acadêmicos de verdade que estavam subindo na carreira às custas de avaliações, destruições, elogios — estavam celebrando aquilo como um momento do auge do Neorrealismo de vanguarda, e dizendo que de repente a Cegonha merecia uma reavaliação, por um Drama sem plateia e com atores que não sabem que são atores e que podiam ter se mudado ou morrido. Uma certa Cegonha Demente ganhou duas bolsas com isso e depois fez um monte de inimigos porque se recusou a devolver as bolsas depois que a fraude foi tipo revelada. A coisa toda era meio tantã. Ele espalhou a grana das bolsas do Drama Achado numas companhias locais de improvisação. Ele também não ficou com a grana. Não é que ele precisasse. Acho que ele especialmente gostava da ideia de que a estrela do espetáculo já podia ter se mudado ou morrido recentemente e de que não tinha como saber."

146. Veja por exemplo a primeira colaboração narrativa de Incandenza c/ a Infernatron-Ca-

nadá, a animação O *acordo pré-nupcial do céu e do inferno*, feita no que se reconhece como o auge do seu período anticonfluencial — AS Lançamento Particular, LMP.

147. Sendo a festividade aqui devida em grande medida ao fato de que tanto ele quanto Gerhardt Schtitt voltaram de pequenas apresentações da ATE em vários clubes de tênis tarde demais para ficarem sabendo do degenerante forrobodó Eskhatônico e das sérias lesões de Lord, Ingersoll e Penn, tendo tanto o treinador Barry Loach quanto o pró-reitor Rik Dunkel contado a Avril, e Schtitt devendo receber a notícia de Nwangi ou de deLint, o primeiro que tomar coragem, e a questão de contar a Tavis ficando como sempre nas mãos de Avril, que — porque Tavis já andou perdendo sono ao se preparar retórica e emocionalmente para a chega- da iminente da putativa jornalista "Helen" Steeply da *Moment*, que ele se deixou convencer a permitir que entrasse na escola graças ao argumento de Avril de que o escritório da *Moment* jura que o tema do perfil e do inevitável hype subsequente envolve tão somente um ex-aluno da ATE (Avril deixou de dizer a Tavis que tinha quase certeza que era Orin) e que uma certa publicidade do tipo ameno para a ATE-enquanto-instituição não havia de fazer mal fosse no departamento de arrecadação fosse no de recrutamento de corações e mentes — que quase certamente vai esperar e contar a Tavis (que está num humor festivo demais para perceber a ominosa ausência de três ou quatro meninos mais novos na ceia e na festa) de manhã, se é para o coitado ter a menor chance de dormir um pouquinho (o que também dá tempo para Avril decidir como podem rolar cabeças de meninos mais velhos, como é claro que devem rolar, dados o caos e as lesões encerra-temporada sob direta supervisão de Amigões oficialmente designados, sem que tais cabeças incluam a de Hal, que — ao contrário, graças a Deus, do John — foi identificado como estando presente junto com aquele tal Pemulis). Hal percebe só pela Gestalt emocional do refeitório que nem Schtitt nem Tavis sabem do Eskhaton, mas sacar a Mães é quase impossível, e Hal não vai saber se lhe contaram da debacle até poder arrancar Mario de perto de Anton ("Catota") Doucette e pegar a ficha da Mães direto do Bubu depois do filme.

148. Troeltsch usa um boné da InterLace Sports, Keith Freer um operático capacete viking de dois chifres com colete de couro e tudo mais, Fran Unwin, um fez e o pequeno e feroz Josh Gopnik, com o gorrinho branco com as marcas sujas da roda do carrinho depois da de- bacle desta tarde. Tex Watson usa um Stetson marrom com uma copa alta pacas e a pequena Tina Echt uma boina xadrez bisonhamente grande que cobre metade da cabecinha dela, as gêmeas Vaught um chapéu-coco monstruoso com duas copas e uma aba, Stephan Wagenk- necht um elmo de plástico — isso é só olhando assim por cima; os ornamentos não acabam nunca, toda uma topografia de chapéus —, Carol Spodek um boné de pintor com o nome de um fabricante de tintas e Bernadette Longley um kalpak que obstrui a visão das pessoas atrás dela. Duncan van Slack está com um chapeirão c/ fivela. Provavelmente valia a pena mencionar também que Avril está usando uma máscara de microfiltragem Fukoama, já que é cedo demais para ela jantar mesmo. Ortho Stice usa um solidéu, a Fragata Millicent Kent um fedora desabado estilo noir, o Vara-Paul Shaw, bem lá no fundão, um elmo com escudo de conquistador, e Mary Esther Thode um pedaço de papelão apoiado na cabeça onde está

escrito CHAPÉU. A esplêndida barretina de pele de urso de Idris Arslanian é presa por uma tira de passar no queixo.

149. (i. e. Vocalistas de ternos de seda estalando os dedinhos e dizendo ao público dos cassinos que eles eram todos seres humanos maravilhosos e mas quando chega a hora de começar mesmo a cantar os lábios do cantor se movem mas nada de melífluo emerge dali, contenção sonora total, uma Manifestação Trabalhista, que ficava ainda mais pavorosa graças à competência com que os Frankies e Tonies dublam o silêncio total — e à forma com que as lindas plateias dos cassinos, atingidas em algum lugar que amavam, de alguma maneira, claramente, reagiram com sentimentos quase psicóticos de privação e abandono, tornaram-se uma turba furiosa, quase destruíram os salões de baile, derrubaram mesinhas redondas, arremessaram coquetéis cheios de gelo, tendo as plateias na sua bem-taqueada maioria agido como criancinhas disfuncionais ou inadequadamente educadas.)

150. Sendo os anos da virada do milênio um período horroroso nos EU, então, em termos de ozônio, de aterros e de dioxinas-descartadas-que-nem-a-nossa-cara, c/ os ciclos de fusão anular DT no estágio em que eles tinham dominado bem melhor a coisa do isso-gera-uma-cacetada--de-resíduos-de-alta-R que a do como-consumir-os-resíduos-num-processo-nuclear-cujos-pró-prios-resíduos-são-o-combustível-para-a-primeira-fase-de-alto-nível-de-resíduos-do-círculo-de--reações.

151. Termo efetivamente empregado: *súper nada a ver*.

152. Já que uma sala de musculação noturna pouco iluminada e onde olhos se desviam de olhos não é exatamente um lugar para sobrenomes.

153. Às vezes a coisa se resume a orientar alguém a sapecar no noivo aquela bifa de mão espalmada que ela está secretamente morrendo de vontade de dar desde que ele uma vez sacaneou a menina dizendo para ela pôr uns Band-Aids naquelas picadas de mosquito no peito dela.

154. = o anticonfluencial *Jaula III: Espetáculo gratuito*; q.v. nota 24 *supra*.

155. A Medusa usa uma espécie de vestido de festa frente-única de cota de malha e sandálias helênicas, a Odalisca um corselete.

156. O especulativo espetáculo de bonecos de Mario pega talvez meio pesado nessa coisa de implicar que o ex-padrinho-de-grupos-de-apoio-para-TOC e posteriormente gerente de campanha do PEUL e agora chefe do ESA Chefe Rodney Tine seja a verdadeira força negra por trás da Reconfiguração e do desmapeamento da Nova Inglaterra e da transferência do Grande Recôncavo, de que Johnny Gentle, a Voz de Veludo, era e continua sendo um laranja levemente fora-dos-eixos mas fundamentalmente simpático e perdido, que se satisfaz apenas rodopiando o microfone e imolando a epiderme desde que o seu escritório esteja limpinho e a sua comida

seja pré-provada, e que foi na verdade Tine quem esteve por trás da analidade política e do Experialismo do PEUL, e que Tine estava essencialmente mexendo os pauzinhos que mexiam os braços de Gentle durante todo o Gabinete do Recôncavo e a subsequente Reconfiguração e relocação populacional em massa. Essa, a bem da verdade, é simplesmente uma das teorias e das direções em que se apontar o dedo, e tende a se desmantelar no que se refere à questão do motivo exato que levaria Tine a realizar tudo isso, já que se documentou que seu TOC é ruminativo e não higiênico, para nem falar que ele está desesperadamente apaixonado pela quebequense Luria P____. A *ONANtíada* do próprio J. O. Incandenza, sendo uma produção adulta, era consideravelmente mais contida e ambígua em todo esse campo Tine-enquanto--força-negra.

157. Um enviesado tributinho interno do Mario à Mães, fala diante da qual todo ano Avril na Mesa do Diretor tira o chapéu de bruxa, o segura pela aba e o agita em três círculos entusiasmados por cima da cabeça.

158. Os juízes dos torneios jr. dos EU costumam ser diretores de escola aposentados cuja única remuneração é a chance de exercer de novo uma mínima autoridade sobre os jovens.

159. Clipperton acaba aperfeiçoando a manobra de toss-com-a-mesma-mão-do-saque cujo primeiro expoente foi o especialista de duplas sul-africano Colin van der Hingle depois que um terrível acidente com a hélice de um avião particular arrancou seu braço direito, sua orelha e sua costeleta no que era apenas o segundo ano da sua carreira no Circuito, em Durban.

160. Certas outras imagens em filme indubitavelmente perturbadoras do suicídio de Clipperton ainda existem, tendo — com talvez meia dúzia de outros cartuchos-máster emocional ou profissionalmente delicados — sido consideradas Inassistíveis em codicilo testamentário e, pelo menos até onde Hal ou Orin saibam, trancafiadas em alguma espécie de cofre a que só os advogados de Sipróprio e quiçá Avril têm acesso. Até onde se pode determinar, só aqueles advogados, Avril, Disney Leith e talvez Mario sabem que os cartuchos, na verdade, junto com o seu estojo de lentes especiais, foram enterrados com o corpo morto de J. O. Incandenza[a] — põe nojinho nisso — já que havia espaço no ataúde de bronze só porque a elevadíssima estatura de Incandenza ditava um tamanho de ataúde que seu porte exíguo nem chegava perto de preencher em largura e profundidade.

161. Sendo a outra aquela presciente invocação do herói catatônico, também para os dois semestres do Entretenimento de Ogilvie.

a (No jazigo da família Mondragon do Cimetière du St. Adalbert na hoje extraexuberante região batatífera às margens da Autoroute Provincial 204 na Província de L'Islet, Québec, logo além da fronteira do que hoje é o Recôncavo leste, de modo que o enterro teve que ser atrasado e depois apressado para se encaixar entre ciclos de anulação.)

162. Cada entrevistado da Nielsen parecia reagir com uma repulsa neural especial a um ou outro retrato em particular. Havia um de uma mulher com cada ferramentinha de carpinteiro desse mundão de meu Deus saindo da cara dela. Uma de um rapaz com uma lança de luz escarlate que lhe atravessava a têmpora e saía reto pelo outro lado. Uma mulher com o escalpo entre os incisivos de algum tipo de tubarão tão imenso que ultrapassa o campo de visão do quadro. Uma figura tipo vovozinha com rosas, mãos humanas, um lápis e outros tipos de flora exuberante saindo serpentinalmente do topo aberto de seu crânio. Uma cabeça saindo num jorro comprido de um tubo espremido de pasta; um sábio talmúdico barbado de agulhas; um papa baconiano com o chapéu em chamas. Três ou quatro dentais que fizeram as pessoas correrem para o banheiro e passar fio dental até sangrar. A pintura que tinha particularmente pegado Hal com nove anos e acabou fazendo ele tomar Nunhagen compulsivamente até começar a ouvir um zunido que não parou por quase uma semana foi a de um sujeito com um forte bronzeado artificial e uma aparência vagamente classe alta, com um punho decepado arrancando um punhado de miolos pela orelha esquerda do cara enquanto o seu rosto extrassaudável, como a maioria dos rostos daqueles anúncios, tem uma estranha aparência de concentração intensa e infeliz, uma expressão mais de cisma do que de expressão convencional de dor.

163. A Papas da Língua Inc. acabou ocupando o lugar nº 346, que antes era da CBS, do grupo Hoechst, Hal anotava com, supreendentemente, pouca ironia.

164. Tudo bem que isso fica violentamente simplificado na leitura efêbica de Hal; Lace-Forché e Veals na verdade são gênios transcendentes de um tipo particularmente complexo de hora-e-lugar-certos, e seus apelos a uma ideologia americana dedicada à *aparência de liberdade* são quase inanalisavelmente interessantes.

165. Tudo bem que, *pace* os críticos, isso foi em parte para evitar os protestos dos processos judiciais do ACDC de que a InterLace estava basicamente sapateando em cima do Ato Sherman contra monopólios de 1890 AS, com salto agulha.

166. "Redução de Instruções dos Sistemas Computacionais Originais", descendentes dos "Power PCs" IBM/Apple, com um tempo de resposta igual ao de certos mainframes e .25 terabytes de DRAM e diversos slots de expansão para vários aplicativos matadores.

167. Alguns dos primeiros documentários mais acessíveis de Incandenza foram comprados pela InterLace num sistema de contingência fatorado em termos de distribuição, mas a não ser por um, bem chato e meio TV-educativa sobre os princípios gerais da anulação DT, eles nunca deram à Meniscus/Latrodectus mais que uma fração dos juros sobre os juros da fortuna gerada pelos espelhos-retrovisores de Sipróprio. A InterLace acabou adquirindo os direitos apenas de algumas de suas produções mais ousadas para a sua linha de produtos "Uivos da Margem", que tinha baixas expectativas de volume, durante a vida de Sipróprio; a maior parte da produção dele só chegou aos menus da ILT depois de seu inesperado falecimento.

168. A campanha original de J. Gentle vv, intensamente centrada em ideias de raízes e tal, não ganhou nadinha na ultraliberal Enfield com o fato de que um de seus primeiros fiéis empolgados de cartazinho e tudo mais foi o próprio Gerhardt Schtitt da ATE, que politicamente era tão adernado a estibordo que até quem não tinha relógio olhava o relógio e se referia a compromissos que acabava de lembrar toda vez que os olhos de Schtitt ficavam com um certo tom particular de azul-marinho e ele pronunciava qualquer um dos seguintes termos: *América, decadência, Estado* ou *Lei*; mas Mario I. era basicamente o único que tinha sacado que a atração que Schtitt sentia por Gentle tinha mais a ver com a abordagem tenística de Schtitt do que com qualquer outra coisa: o Técnico ficou embevecido pelas implicações atlético-Wagnerianas das propostas de Gentle para o lixo, com essa estória de mandar para longe de você aquilo que você espera que não volte.

169. Triaminotetralina, um alucinógeno sintético cuja elevada biodisponibilidade transdérmica o transforma num ingrediente popular dos "Adesivos Felizes" tão presentes no Oeste e no Sudoeste da América do Tempo Subsidiado — O *Quarterly* 17, 18 (Primavera, Ano do Sorvete Dove Tamanho-Boquinha) oferece um relato detalhado da síntese e da psicoquímica transdermal das aminotetralinas em geral.

170. Francês québecois: "pegando embalo".

171. Estilo Caseiro. Pronta para Servir.

172. Perseguir a felicidade.

173. Q.v. nota 304 *infra*.

174. "Nada de bordunagens", presumivelmente.

175. A logística toda dessa situação de mãos-cheias é difícil de imaginar, mas o realismo não era bem a questão central dessa imagem para os rancorosos meninos da Brigada.

176. É também o momento em que Mario deve mais a Sipróprio, cuja *ONANtíada* se preocupava mais centralmente com os amores condenados de personagens executivos de massinha do que com comentários políticos, ainda que a coisa do amor no filme de Incandenza Sr. se referisse não a Tine e uma fatale québecoise mas a um caso putativamente condenado e não consumado entre o presidente J. Gentle e a igualmente higienófila e germófoba esposa do "ministro do Meio Ambiente e do Desenvolvimento de Recursos" do Canadá, sendo o caso apresentado como condenado e não consumado porque o ministro contrata um malévolo jovem canadense especialista em *Candida albicans* para induzir na esposa uma infecção fúngica severa e para todos os efeitos permanente, levando tanto a esposa quanto Gentle a colapsos gerados por uma neurose desejo-ardente-v.-higiene durante os quais a esposa se atira nos trilhos diante de um trem-bala québecois e Gentle decide cobrar sua vingança em escala macrocar-

tográfica. A *ONANtíada* não era o trabalho mais forte de Sipróprio, nem de longe, e meio que todo mundo na ATE concorda que a paródia-de-explicação-da-Reconfiguração de Mario é mais divertida e mais acessível que a de Sipróprio, ainda que um tantinho mais mão-pesada.

177. Termo oficialmente diluído para forçar o Canadá a aceitar território dos EU e deixar a gente jogar basicamente o que desse na nossa telha não querer mais na sua *Reconfiguração Territorial*. *Grande Recôncavo* e *Grande Convexité* são mais gírias de rua dos EU/Canadá que foram adotadas e generalizadas pela mídia.

178. Um epigrama mais abstrato porém mais verdadeiro em que os Bandeiras Brancas com um monte de tempo de sobriedade às vezes transformam esse é mais ou menos: "Nem se preocupe com isso de entrar em contato com os seus sentimentos, que eles entram em contato com você".

179. Supostamente reuniões do AA da North Shore, mas Gately não lembra de algum dia ter ouvido a palavra *AA*; a única coisa que ele lembra daquela época são só "Reuniões" e um Diagnóstico que ele tinha interpretado de um jeito medieval.

180. Mas Avril tinha conseguido que o ex-aluno do MIT e nº 1 de Simples no Masculino Corbett Thorp levasse Mario até a coisa cerebral do Centro Acadêmico de V. F. Rickey, onde Thorp usou a sua antiga carteirinha de aluno (dedão em cima da data de expiração) para eles passarem pela moça da Segurança no rectus Bulbi e desceram até o gélido porão cor-de-rosa do estúdio da YYY, onde a única pessoa que não falava como um personagem enfurecido de desenho animado, um homem violentamente carbuncular diante da mesa de som, a título de comentário apenas apontava para um biombo tripartite de papel-bíblia que estava dobrado sob um relógio de parede sem ponteiros, possivelmente indicando que nenhuma suspensão podia ser tão longa se a parte ausente não tinha levado seu querido biombo. Mario não tinha a menor ideia de que MP usava um biombo, no ar. Foi aí que ele ficou agitado.

181. O apelidinho de Corbett Thorp entre os meninos menos bondosos é "Tt-tt-tt-tt".

182. Também conhecidos como "Vomitanças".

183. Do tipo Kenkle & Brandt, de metal fosco, não os baldes brancos de plástico de solvente industrial associados ao Eskhaton e à debacle de ontem.

184. Estar indo rápido numa direção, receber uma bola em algum ponto atrás de você, ter que tentar parar e reverter o movimento muito velozmente também é conhecido como "contrapé" e resulta num número considerável de contusões em joelhos e tornozelos juvenis; ironicamente é Hal, depois da explosão, quem é conhecido como o verdadeiro mestre da ATE em bolas colocadas e em jogar o adversário de um lado para outro e no bom e velho contrapé. Também vale uma rápida menção ao fato de que Dennis van der Meer, pai do Lado-a-Lado, era um

imigrante holandês nos níveis mais baixos do profissionalismo que virou um técnico de tênis de alto nível e um guru da formação tenística, no mesmo nível tipo de um Harry Hopman ou um Vic Braden.

185. Os lendariamente disfuncionais pais de Stice estão no Kansas, mas ele tem duas tias, ou tias-avós, ou coisa assim, vagamente lesbiânicas, lá em Chelsea que vivem trazendo umas comidas que a equipe de funcionários não deixa ele comer.

186. Jogadores juniores sérios nunca pegam bolas de tênis do chão com a mão. Os meninos tendem a se abaixar e fazer as bolinhas quicarem com a cabeça da raquete; há diversos pequenos subestilos para isso. As meninas e alguns meninos menores que curtem menos se abaixar ficam de pé e prendem a bola entre o pé e a raquete e levantam o pé num gesto de breve contorção, com a raquete trazendo a bolinha para cima. Os homens que fazem isso prendem a bola contra a parte de dentro do pé, enquanto as mulheres prendem a bola contra a parte externa do pé, o que parece mais feminino. O esnobismo-do-avesso na ATE nunca chegou a um ponto em que as pessoas se abaixassem até o fim para pegar as bolas manualmente, o que, como usar viseira, é considerado uma marca definitiva do novato ou do tosco.

187. N.b.: Europeus e australianos chamam smashes de "overhands" enquanto os sul-africanos às vezes também os chamam de "pointers".

188. O orçamento não permite jantares comunitários nos fins de semana, e o menu semanal traz abaixo de SÁB e DOM a palavra *pilhagem*, o que com certa percentagem dos residentes deste outono acaba sendo literal.

189. Expandindo onde necessário a nota 12: Demerol é hidroclorito de meperidina, um narcótico sintético Categoria C-II, disponibilizado pelos Laboratórios Sanofi Winthrop em xarope sabor banana; unidades de cartucho com agulha de 25, 50, 75 e 100 mg/ml; e (mais popular com D. W .G.) os comprimidos de 50 e 100 mg conhecidos na região de Shore como Pedrita e Bam-Bam, respectivamente. (DP e OC nesses casos, claro, significam Defensor Público e Oficial de Condicional, por falar nisso.)

190. Se alguém morre enquanto um delito é cometido, nem que seja por causa de um marca-passos com defeito ou de um relâmpago, o meliante passa a encarar homicídio culposo e pena sem recursos, pelo menos em MA, uma determinação legal apavorante no que se refere à maioria dos viciados em drogas ativos, já que embora eles tendam à não violência, eficiência e atenção aos procedimentos de segurança não são exatamente marcas registradas dos crimes motivados pelo vício, que tendem a ser impulsivos e mal-ajambradamente concebidos na melhor das hipóteses.

191. Também conhecido como colocar o caso no "Arquivo Azul", o que significa colocá-lo numa espécie de limbo judicial por um período específico, sendo ele reabrível ("Arquivo Ver-

melho") em qualquer momento em que os OCs e as Juntas decidissem que o réu não estava apresentando "progresso satisfatório".

192. Ela não disse literalmente *merdarada*.

193. Gately não ficou sabendo nada disso com Pat Montesian; é basicamente tipo parte da mitologia da Casa Ennet, com alguns fatos documentáveis tendo vindo de Gene M. e Calvin Thrust, que, ambos, acham que Pat M. praticamente inventou a lua.

194. Uma coisa totalmente diferente de uma contratura de Volkmann (cf. nota 115).

195. Cujo conserto ele teve que bancar, mas por sorte o semi-Crocodilo Sven R. era marceneiro e voluntariamente consertou a rachadura com uma resina maluca que imitava madeira, aí o Gately só teve que pagar pela porra do tubo de resina de imitação de madeira em vez de uma mesa institucional inteira nova.

196. P. ex., "Meu, a sobriedade é que nem ficar de pau duro: assim que você consegue você quer foder com aquilo"; eles soltavam essas coisas sem parar; eles tinham um milhão dessas frases.

197. (Sem jamais ter olhado na lateral da caixa em busca de possíveis instruções.)

198. O projeto MK-Ultra, incepção pela CIA-EUA em 4/3/53AS: "A atividade central do programa MK-Ultra era conduzir e financiar experiências em lavagem cerebral com drogas perigosas e outras técnicas [sic] realizadas em pessoas que não eram voluntários, por funcionários da Divisão de Serviços Técnicos da CIA, agentes e terceirizados". Processo Civil nº 80-3163, *Orlikow et al. Contra os Estados Unidos da América*, 1980, AS.

199. Alprazolam, a grande contribuição do pessoal da Upjohn Inc. para o cartel das benzodiazepinas, categoria apenas C-IV mas geradora de uma dependência ferrada, c/ severas penalidades desagradáveis para a abstinência abrupta.

200. Análise do quase-ex-interno da Casa Ennet Chandler Foss, que você pode apostar que foi exposta longe dos ouvidos de Gately.

201. Outro vestígio: Gately ainda sempre automaticamente registra grades e cercas, as chapas e os contatinhos magnéticos dos alarmes residenciais, os pinos das dobradiças etc.

202. Gíria local para a Storrow Drive, que acompanha o Charles desde a Back Bay até Alewife, com múltiplas pistas e escherianas placas, e entradas e saídas a um carro de distância umas das outras, e sem limite de velocidade e com bifurcações repentinas, e uma experiência motorística em termos gerais tão empapante de testa que está especificado no contrato do Sindicato dos Policiais de Boston que eles não precisam nem chegar perto dali.

203. Seja erro ortográfico inglês ou um solecismo québecois, sic.

204. Capacitores manuais Choca-Aqui®, almofadinhas Peidorreca® (com uma celebridade no rótulo!), charutos Um Estouro®, bandejas-plásticas-de-gelo-c/-mosca Seu Garçom Faça O Favor®, óculos de raio X Veja Só® etc. que via de regra são simplesmente entregues, junto com os cartões melosos e os postais da Saudações Saprogênicas®, das instalações de Waltham da Acmé Inc., vulgo "A Família Acmé de Pegadinhas & Piadinhas, Emoções Bem Embaladas, Surpresas e Disfarces Malucões", com um desconto substancial e politicamente motivado, já que a empresa é de propriedade do magnata albertano obscuro e pró-Québec que foi uma força tão determinante no ACDC antirredes, e que mais de uma década atrás tinha explorado os severos problemas de liquidez e RP da então americana Acme logo depois das tragédias seriais com os Charutos Um Estouro para entrar em cena e assumir hostilmente o controle acionário da empresa por coisa de 30% do seu real valor.

205. O que os desafortunados Antitoi não sabem é que isso não quer dizer necessariamente que eles sejam virgens. Cartuchos copiáveis, vulgo Másteres, necessitam de um monitor ou TP com drive de 585 rpm para rodar, e num drive convencional de 450 se negam a mostrar até estática, parecendo na verdade vazios e virgens. Q.v. aqui a nota 301 *infra*.

206. Por estar fora do contexto sociolinguístico, L. A. não tem como saber que "Ouvir o rangido" já é o mais negro dos eufemismos do Canadá contemporâneo para um desmapeamento súbito e violento.

207. Tendo L. A. uma intuição bem razoável de que o comunicante singular "*va chier putain!*" não seria uma boa ideia neste contexto.

208. Do Cap. 16, "O Despertar de Meu Interesse por Sistemas Anulares", em *O Arrepio da Inspiração: Reminiscências Espontâneas de Dezessete Pioneiros da Fusão Anular Litiumizada de Ciclo-DT*, prof. dr. Günther Sperber (ed.), Institut für Neutronenphysik und Reaktortechnik, Kernforschungszentrum Karlsruhe, URG, disponível em inglês num volume violentamente caro de capa dura apenas, © AEMT da Springer-Verlag Wien NNY.

209. E.g.: Ted Schacht ajeitando as munhequeiras e a faixa da cabeça. Carol Spodek se esticando para volear na rede, com o corpo inteiro distendido, o rosto sério e cheio de tendões. Uma antiga de Marlon Bain depois de um forehand poderoso, com um halo de suor reluzindo em toda volta, o braço maior atravessado na frente da garganta. Ortho Stice plantando bananeira. O Repelente escorregando num backhand baixinho. Wayne no verão deslizando no saibro fino de Roma, com uma nuvem vermelha escondendo tudo abaixo dos joelhos. Pemulis e Stice parados de braços cruzados contra a luz do deserto e uma cerca. Shaw com aquele bigodinho ralo pseudo-Newcombe. As fotos foram tão vistas que estão desbotadas. Hal no ápice do saque, joelhos mais dobrados do que gostaria. Wayne erguendo uma salva de prata. A equipe masculina que foi para a Europa três verões atrás perfilada na frente

de uma van quadradona com o volante do lado errado, alguém com talvez dois talvez três dedos erguidos atrás da cabeça de Axford. Schtitt falando com meninos de quem você apenas enxerga as costas. Todd Possalthwaite cumprimentando um menininho negro na rede. Troeltsch fingindo entrevistar Felicity Zweig. As gêmeas Vaught dividindo uma salsicha de quase meio metro num quiosque do US jr. Open do Bronx. Todd Possalthwaite na rede com um menino da ATPW. Cada músculo da perna dianteira de Amy Wingo destacado no que ela se adianta um pouco num backhand. E assim por diante. Elas não estão bem em linha reta; estão mais colocadas de um jeito caótico. Heath Pearson, ex-sócio acionário do guincho, hoje em Pepperdine, desviando o olhar da câmera, sob a luz do pulmão, correndo. As quadras da Palmer Academy com uma cara meio brega por causa do calor. Muitas fotos são retratos que Mario tirou. Peter Beak caindo feio depois de um voleio esticado, com os pés fora do que parece ser a grama sintética de Longwood. As fotos cercadas de nuvens e céus ilocalizados. Freer nas arquibancandas de Brisbane de chinelo de dedo e camiseta regata, fazendo um sinal da paz para a câmera. O Pulmão em processo de ereção com Pearson, Penn, Vandervoort, Mackey e o resto dos veteranos daquele ano lá nas cadeiras treliçadas do pavilhão, de pés para cima no frio, dando palpites enquanto Hal, Schacht e os outros meninos carregam peças. Uma das cozinheiras da sra. Clarke com uma redinha de cabelo misturando alguma coisa com um pilão do tamanho do braço de alguém numa tigela que ela tem que inclinar para poder segurar. Nenhuma de Mario nem de Orin. Um batalhão de meninos com roupas de moletom correndo morro acima numa neve funda, dois ou três bem atrás e ominosamente abaixados. Alguns retângulos de um azul mais claro onde fotos foram retiradas e ainda não substituídas. Um Freer sem camiseta jogando microtênis com Lori Clow. Um close de uma Gretchen Holt de oclinhos encarando descrente a decisão de um juiz de linha. Wayne e um manitobano com camisetas com folhas desenhadas, mãos sobre o coração, virados para o norte. Kent Blott com uma boca bumerangue horrorizada e com o nariz protuberando do suporte atlético que está preso nas orelhas e no nariz dele e Traub e Lord caindo ao lado dele fosse por hilaridade fosse por horror. Hal e Wayne na rede nas duplas, os dois inclinados bem para a esquerda como se a quadra toda estivesse inclinada.

210. Hal e Mario há muito tempo já tiveram que aceitar[a] o fato de que Avril, com + de 50, ainda é endocrinamente atraente para os machos da espécie.

211. Como com a coisa neurogástrica só Ted Schacht e Hal sabem que o medo mais profundo de Pemulis é da expulsão e ejeção acadêmica ou disciplinar, de ter que se arrastar de novo pela Comm. Ave. rumo à operária Allston sem diploma, sem lenço nem documento, e agora no seu último ano de ATE o pavor aumentou inenarravelmente, e é uma das razões por que Pemulis toma precauções tão elaboradas em todas as atividades extracurriculares — fazer um comprador de Substâncias explicitamente suborná-lo etc. — e é porque Hal e Schacht lhe deram no seu último aniversário o pôster que está sobre o console do quarto de Pemulis que tem um rei preocupado e dotado de uma coroa imensa, sentado no seu trono cofiando a barba e

a "Aceitar" não é a mesma coisa que "achar o máximo", claro.

meditando, com a legenda: TUDO BEM, EU SOU PARANOICO — MAS SERÁ QUE EU SOU PARANOICO O SUFICIENTE?

212. Ainda que tenha ido sem dizer, todo mundo na sala de espera exceto Ann Kittenplan está muito bem consciente do fato de que Lord e Postal são responsabilidade de Pemulis, Penn e Ingersoll do Aiquefoda; fora o fato de que nem Struck nem Troeltsch parecem ter sido convocados para potenciais castigos.

213. Como as quadras de tênis ficam dispostas lado a lado e nelas jogam humanos que batem firme mas são falíveis, bolas errantes vivem voando das raquetes, dos postes da rede e até das cercas e indo quicantes e rolantes para o território dos outros. A partir normalmente das quartas de final de torneios sérios tem gandulas para pegar essas bolas. Nas primeiras rodadas e nos treinos, no entanto, a etiqueta delicada é que você suspende o jogo e pega as bolas dos outros para eles, se elas entram rolando, e manda as bolas de volta para a sua quadra de origem. O jeito certo de pedir esse tipo de ajuda é gritar "Desculpa aí!" ou "Dá uma mão aqui na Três?" ou alguma coisa assim. Mas tanto Hal quanto Axford parecem constitucionalmente incapazes de fazer isso, pedir ajuda com bolas errantes. Os dois param com tudo e vão correndo até a tal outra quadra, detendo-se em cada quadra interposta para esperar que um ponto acabe, para pegar suas próprias bolas. É uma curiosa incapacidade de pedir ajuda que parece incorrigível apesar de todo o reforço negativo oferecido por Tex Watson ou Aubrey deLint.

214. Que se refere a uma pura orgia álgica tipo corre-para-a-linha-de-saque-depois-de-um-lob--ofensivo-aí-corre-de-volta-para-frente-e-dá-um-tapinha-na-fita-da-rede-com-a-raquete-bem--quando-Nwangi-ou-Thode-manda-outro-lob-ofensivo-por-cima-da-tua-cabeça-e-você-precisa--voltar-correndo-e-voltar-na-hora-ou-eles-vão-acrescentando-lobs-à-tua-dieta.

215. Uma lenda quase Clippertoniana envolve o pequeno ATE de há muito ex-ATE que no AL-LQM tinha ligado para o Departamento de Serviços Sociais de MA e caracterizado as Vomitanças disciplinares como abuso infantil, resultando no surgimento diante do portão-levadiço de duas senhoras do DSS de bocas apertadinhas e desprovidas de senso de humor que passaram o dia todo assombrando a academia e tornaram necessário que Schtitt efetivamente confinasse Aubrey deLint ao seu quarto, de tão purpureamente furioso deLint ficou com o menino que tinha batido o fio.

216. Menor ideia.

217. Hal tinha perdido as etapas macias de grama, saibro e Har-Tru do Jr. Slam pelo fato de que uma singular desvantagem de frequentar uma academia norte-americana é que as regras da ATONAN para o Jr. Slam permite apenas um inscrito por academia em cada faixa etária, e John Wayne ficou com as vagas.

218. A Produtos Ópticos Meniscus do falecido J. O. Incandenza tinha desenvolvido aqueles

estranhos espelhos retrovisores grande-angulares para as laterais dos automóveis que diminuem tanto os carros atrás de você que um estatuto federal passou a exigir que eles tragam impressos bem ali no vidro que Os Objetos No Espelho Estão Mais Próximos Do Que Parece, um textinho que Incandenza achava tão desconcertante que ficou meio chocado quando os fabricantes de automóveis dos EU e os importadores compraram os direitos de usar os espelhos, lá nas antigas, para o primeiro e inquietante contracheque empresarial de Incandenza — os ATES gostam de imaginar que isso tinha sido inspirado pelo sempre escorçado Charles Tavis.

219. Apresentador extremamente irritante de um programa infantil de Dissem.-Espont. da InterLace.

220. ® CardioMed Fitness Products, uma coisa meio StairMaster de quarta geração só que regulada mais para parecer uma escada rolante descendente de alguma maneira alterada para um número sádico de rpms, de modo que o exercitante tem meio que correr subindo que nem um alucinado para evitar ser lançado para trás pelo escritório todo pela máquina, que é o que explica a grande esteira de sala de musculação presa ao pedaço da parede sem qualquer enfeite na frente da parte de trás da máquina, para que Tavis tinha passado, vindo do StairMaster, depois de um assustador exame de colesterol, e com que ele teve certa dificuldade de se acostumar de início, chegando a precisar de um suporte ortopédico uma vez.

221. O profissional-satélite de quem Hal tinha arrancado um set, um letão de peito inflado que achava que o nome de Hal era *All*.

222. N.B. de novo que a língua nativa de Marathe não é o bom e velho francês parísio-europeu idiomático contemporâneo mas o francês québecois id. cont., que está mais ou menos à altura do basco em termos de dificuldade, por ser cheio de idiomatismos esquisitos e ter características gramaticais tanto flexionais quanto não flexionais, um dialeto inato e turbulento, e no qual na verdade Steeply mal conseguiu um "Aceitável", no treinamento de entrevistas técnicas do Exército em Vienna/Falls Church, VA, e que não admite expressão coeva tranquila em inglês ou outro idioma.

223. Viz. diante da alusão à suposta coisa anticonfluencial, metaentretenimentística e cheia de hologramas da Medusca-v.-Odalisca do suposto *samizdateur*, em que na verdade a cena de luta da peça-dentro-do-filme pode ser subdividida numa série do que se chama "Transformações Rápidas de Fourier", ainda que vá lá saber o que diabos é "ALGOL", a não ser que não seja um acrônimo mas algum termo efetivamente québecois, "*l'algol*", que se for não está em nenhum dicionário ou nos índices lexicais on-line em qualquer parte da 2ª ou da 3ª Malha de IL/IN.

224. Q.v. William James sobre "... aquele processo latente de preparação inconsciente que muitas vezes precede um súbito despertar para o fato de que a maldade foi irreparavelmente cometida", a frase que na verdade fez Lenz se ligar do que estava armando quando ele a leu por acaso numa imensa edição com letras grandes que tinha encontrado atrás de uma estante

de livros na parede norte da sala de estar da Casa Ennet de uma coisa chama *Princípios da Psicologia com as Palestras Gifford sobre a Religião Natural*, de William James (obviamente), disponível em fontes grandes QCV na Microsoft/NAL-Random House-Ticknor, Fields, Little, Brown & Cia., © AEMT, um volume que passou a significar muito para Lenz.

225. ® A Divisão de Plásticos da Filial de Produtos para Varejo da Mobil Chemical Co., Pittsford, NNY.

226. ® Ibidem.

227. Vulgo Haloperidol, McNeil Pharmaceutical, seringas pré-abastecidas de 5 mg/ml: imagine várias xícaras de chá Canela Calmante da Celestial Seasoning seguidas de uma porretada com um saco cheio de chumbo na nuca.

228. Agência de Segurança Nacional, absorvida c/ a ATF, o DEA, a CIA, o ONR e o Serviço Secreto pelo âmbito do Escritório de Serviços Aleatórios.

229. A AAAAO, a divisão mais aleatória e mais elitizada dos Serviços Aleatórios, que na última missão de campo de Hugh Steeply está lhe pagando o salário, embora os seus cheques e os bônus de pensão alimentícia sejam encaminhados por algo chamado "Fundação pela Liberdade Continental", que é de esperar com fervor que seja fachada/laranja.

230. Termo de rua em Charlestown/South Boston para metros.

231. Vitamina B_{12} em pó, convincentemente azeda e com textura de talco, que Lenz sempre preferiu a B_{12} ao Manitol para malhar porque Manitol deixa ele com essa coisa meio alérgica que ele fica com uns calombos vermelhos bem pequenininhos com uns carocinhos brancos na ponta dos dedos.

232. A hidrólise é o processo metabólico pelo qual a cocaína orgânica é quebrada em benzoilecgonina, metanol, ecgonina e ácido benzoico, e um dos motivos por que nem todo mundo nasce pronto para curtir a bingomania é que o processo é essencialmente tóxico e pode gerar desagradáveis efeitos negativos neurossomáticos em certos sistemas: p. ex. no neurossistema de Don Gately, aranhas vasculares e uma tendência a ficar beliscando a pele das costas da mão, devido a cuja tendência ele sempre odiou e detestou a coca e os coqueiros em geral; no sistema de Bruce Green, nistagmo binocular e uma depressão cavalar ainda enquanto o barato da coca está rolando, que é responsável pela tendência para ataques de choro com o rosto nistágmico escondido na dobra do seu grande braço direito; em Ken Erdedy uma rinorragia incontível que o mandou para o pronto-socorro nas duas vezes em que ele usou cocaína na vida; em Kate Gompert blefarospectatividade e agora uma hemorragia cerebral instantânea porque ela está tomando Parnate, um antidepressivo tipo IMAO; em Emil Minty um hemibalismo tão descontrolado que ele cheirou coca só uma vez. Hemispasmos dos lábios orais são um efeito

comum da hidrólise da cocaína, tão leve que as pessoas podem ter isso e ainda curtir muito a coca; os espasmos podem ir de uma leve sensação de roer ou se contorcer em Lenz, Thrale, Cortelyu e Foss a uma série de contorções expressivas alternadas tipo Edvard Munch-Jimmy Carter-Pagliacci-Mick Jagger tão severa que todo mundo que estiver na sala exceto a vítima fica com vergonha. No ex-cocainômano Calvin Thrust, a hidrólise causava um priapismo que levou diretamente à sua primeira escolha profissional. Randy Lenz também fica com nistagmo, mas só no olho direito, assim como vasoconstrição, diurese extrema, fosfenismo, ranger de dentes compulsivo, megalomania, fobofobia, memória eufórica, alucinações de estar sendo perseguido e/ou de inveja homicida, sociose, coriza pós-nasal, um leve priapismo que transforma a enurese numa questão enjoadinha e meio acrobática, uma ocasional acne rosácea e/ou um rinofima, e — especialmente se rola uma sinergia com quase um maço inteiro de Winston sem-filtro e quatro xícaras de um café do GJB alcalino e forte de te deixar de mamilo ereto — confabulação simultânea a uma garrulidade maníaca suficiente para causar tendinite lingual, fasece pulmonar e uma completa incapacidade de se livrar de qualquer pessoa que pareça ainda que remotamente disposta a ouvi-lo.

233. Vulgo lignocaína, xilocaína-L, um composto de dietilamina e oxilidina usado como anestésico dental e maxilofacial, o melhor malho de Bing do mundo porque amortece e produz uma garganta amarga bem igual ao velho Pó, e ainda até dá um up temporário no embalo da coca EV, se bem que se você for fazer base o gosto não tem nada a ver com o da coca oxidada, e ainda é mais caro que Manitol ou B_{12} e mais difícil de conseguir porque precisa de receita, o que significa que o ortodontista era um sujeito bem popular mesmo entre os traficas.

234.

TRECHOS DA TRASNCRIÇÃO DA SÉRIE DE ENTREVISTAS PARA UM PUTATIVO PERFIL DO PUNTER PROFISSIONAL O. J. INCANDENZA DOS PHOENIX CARDINALS NA REVISTA *MOMENT*, COM A PUTATIVA REPÓRTER PERFILADORA HELEN STEEPLY DA REVISTA *MOMENT* — NOVEMBRO DO AFGD

"Eu não vou falar por que eu não falo mais com a Mães."

"P."

"Ou das aventuras da Cegonha Demente na comunidade da saúde mental, também."

"P."

"A gente não está começando bem aqui, moça, por mais que você esteja linda com esse terninho."

"P."

"Porque a pergunta não quer dizer nada, é por isso. *Insano* é só tipo uma palavra-ônibus, não descreve nada, não é razão pra nada. A Cegonha foi um alcoólatra totalmente demente nos últimos três anos da vida, e ele pôs a cabeça no micro-ondas, e eu acho que só em termos de desagradabilidade você já tem que ser meio insano pra se matar de um jeito tão doloroso. Então mas ele era insano. Nos últimos cinco anos da vida dele ele montou uma academia de tênis, reuniu uma equipe de treinadores de nível nacional, conseguiu a filiação e a sanção da ATEU e financiamentos multidistribuídos, preparou o começo de um fundo financeiro para a

ATE, e também me veio com esse tipo novo de vidro pra janela que não embaça e não fica gordurento quando as pessoas encostam ou respiram em cima dele e desenham carinhas com óleo-de-dedo, aí vendeu pra Mitsubishi, e também gerenciou os recursos de todas as suas patentes anteriores, fora é claro beber até miar todo santo dia e aí precisar de pelo menos duas horas pra ficar ali sentado embaixo de um cobertor piniquento e tremer, e ele saía por aí imitando vários tipos de profissionais da saúde durante certos períodos em que ele achou que era um profissional da saúde, de quando ele teve aquelas novas carreiras alucinógenas tipo delirium tremens, e nas *horas vagas* ele fazia documentários profundos e uma dúzia de filmes de arte sobre os quais neguinho ainda está escrevendo teses de doutorado. Então ele era insano? É verdade, o cara da *New Yorker,* o cara do cinema que ficou no lugar do cara que ficou no lugar do Rafferty, como é que ele chamava, é verdade que ele ficava dizendo que os filmes eram como que o psiquismo mais psicótico do planeta Terra tentando se resolver bem ali na tela e pedindo pra você pagar pra assistir. Mas você tem que lembrar que esse cara pegou umas queimaduras de terceiro grau com a coisa toda do Drama Achado. Aquele cara foi um dos críticos de alto coturno que disseram em letra impressa que aqui Incandenza tinha posto o drama três ou quatro passos gigantescos à frente com um único salto visionário, e depois que a Cegonha finalmente não conseguiu mais ficar com cara de sério e deu com a língua nos dentes da rádio da NPR durante uma mesa-redonda de dramaturgia da sessão "Ar Fresco" o cara da *New Yorker* sumiu dos olhos da crítica por tipo um ano e aí quando ele voltou ele estava com Sipróprio atravessado legal na garganta, o que é compreensível."

"P."

"O que eu estava começando a dizer é que se essas fontes entre aspas que você não pode declarar dizem que o motivo de eu não estar em contato é que eu digo que a Mães está insana, bom, o que é *insano* quer dizer. Será que eu confio ou não confio nela. Será que eu quero estar ligado a ela de qualquer maneira — negativo. Se eu acho que ela é irredimivelmente lelé? Uma das melhores amigas dela é a conselheira da ATE, Rusk, que tem doutorados tanto em Gênero quanto em Desvios. Será que ela acha que a Mães é lelé?"

"P."

"Os critérios que eu estava analogizando com a Cegonha é saber se a Mães funciona. E a Mães funciona e mais um pouco. A Mães voa pela rotina dela ligada no turbo e em quinta marcha. Tem isso do gestoramento generalizado na ATE. Tem a carga didática plena dela lá. Tem isso dos relatórios de acreditação e de estruturar tanto o quadrívio quanto o trívio três anos antes no começo de cada ano. Tem isso dos livros de linguística prescritiva que saem a cada trinta e seis meses de um jeito que dá até pra você acertar o relógio por eles. Tem as conferências e as convenções gramaticais, que ela não sai mais do terreno mas está presente videofonicamente faça chuva ou faça sol em todas elas. Tem os Gramáticos Militantes de Massachusetts, que ela co-fundou com alguns entre aspas caros amigos acadêmicos, também lelés, em que os GMMs por exemplo andam pelas ruelas das cidades e ligam pras imobiliárias se um cartaz diz ALUGA-SE CASAS em vez de ALUGAM-SE casas e assim por diante. No ano antes da morte da Cegonha Demente o pessoal da Crush veio com uma campanha de outdoors e cartõezinhos encartados em revistas que diziam *CRUSH: VOCÊ SABE PORQUE É A ME-LHOR,* tipo com um PORQUE junto, e eu te juro que o pessoal do GMM perdeu a cabeça; a Mães passou cinco semanas indo e voltando pra NNY, organizou dois comícios diferentes na Madison Avenue que engrossaram legal, agiu como sua própria advogada no processo que o pessoal da Crush abriu, não dormiu, viveu de cigarro e de salada, umas saladas imensas consumidas sempre bem tarde da noite, a Mães tem essa neura de só comer quando já é bem tarde."

"P."

"Parece que é o barulho, ela não aguenta o barulho urbano, diz ela, por isso o Hallie diz que ela não pôs nem o primeiro sapatinho de cristal pra fora da Academia — você tinha que perguntar pro Hallie. O Volvo já estava erguido nuns blocos quando eu estava na faculdade no centro. Mas eu sei que ela foi ao enterro da Cegonha, que não foi na academia. Agora ela arrumou um tri-modem e videofonia a dar com pau, ainda que ela nunca vai usar um Tableau, que eu sei."

"P."

"Bom está bem claro desde o começo lá em Weston que a Mães tem Transtorno Obsessivo Compulsivo TOC. O único motivo de ela nunca ter recebido um diagnóstico ou um tratamento pra isso é que nela o Transtorno não impede que ela funcione. Parece que tudo retorna a isso de funcionar. Traversão é caráter, segundo o Schtitt. Um cara de quem eu fui bem próximo na ATE por anos desenvolveu aquele tipo violento de TOC que te faz precisar de tratamento — o Bain gastava um tempo enorme com um monte de rituais infinitos de se lavar, se limpar, verificar coisinhas, andar, tinha que levar uma régua T pra quadra pra garantir que todas as cordas da raquete estavam se intersectando a 90°, só conseguia passar por uma porta se tivesse passado a mão por todo o caixilho, verificando sabe Deus o que no caixilho, e aí era totalmente incapaz de confiar nos seus sentidos e sempre tinha que verificar de novo a porta que tinha acabado de verificar. A gente tinha que carregar fisicamente o Bain para fora do vestiário antes dos torneios. A bem da verdade a gente foi próximo a vida toda, isso apesar de que Marlon Bain é simplesmente o ser humano mais suarento que você vai aceitar a menos de um quilômetro de distância. Acho que o TOC pode ter começado como resultado de um suor compulsivo, que começou o próprio suor depois que os pais dele morreram num acidente grotesco, os pais do Bain. A não ser que a tensão dos rituais constantes e do próprio detalhismo exacule a perspiração. A Cegonha usou o Marlon em *Morte em Scarsdale*, se você quiser ver bem mais do que quer saber na vida sobre perspiração. Mas a equipe da ATE fazia vistas grossas pra patologia e pras portas do Bain porque o mentor do próprio Schtitt tinha uma devoção patológica por essa ideia que você é o que você passa embaixo. É tão bom poder falar uma frase que não fecha direito assim quando é mais fácil. Jesus amado eu estou pensando em termos sintáticos de novo. É por isso que eu evito o assunto da Mães. Esse assunto todo começa a me infectar. Eu levo dias pra me limpar. Traversão sendo caráter segundo o Schtitt. Não é toda mulher que fica bem de terninho, na minha opinião. Eu sempre…"

"P."

"Acho que o que eu queria dizer era que com o Transtorno Obsessivo Compulsivo propriamente dito eu tive que ver boa parte da vida do meu antigo parceiro de duplas travar porque ele levava três horas pra tomar banho e aí mais duas pra sair pela porta do boxe. Ele estava numa espécie de paralisia de movimentos compulsivos que não servia pra nenhuma função. A Mães, por outro lado, consegue funcionar com as compulsões porque ela também é compulsivamente eficiente e prática no que se refere às compulsões. Se isso faz ela ser mais insana que Marlon Bain ou menos insana que Marlon Bain, quem é que vai saber. Só pra dar um exemplo a Mães resolveu vários problemas que tinha com limiares mandando construírem o primeiro andar da CD sem portas nem limiares de verdade de modo que os cômodos são todos divididos por ângulos, divisórias e plantas. A Mães segue uma agenda prussiana de uso do banheiro pra não precisar passar horas lá dentro lavando as mãos até a pele cair que nem a do Bain, ele teve que usar luvinhas de algodão no verão todo que veio logo antes de ele sair da ATE. A Mães por um tempo mandou instalar câmeras de vídeo pra poder verificar obsessivamente se a sra. Clarke tinha deixado o fogão aceso ou pra verificar a distribuição das plantas ou se todas as toalhas dos banheiros estavam alinhadas com as franjas bem retinhas sem verificar fisicamente; ela tinha uma parede só de monitores no escritório dela na CD; a Cegonha tolerou as câmeras mas a sensação que me dá é que o Tavis não vai curtir muito ser fotografado no banheiro ou em qualquer outro lugar, então de repente ela teve que empregar outro recurso.[a] Você pode verificar por conta própria lá. O que eu estou tentando dizer é que ela é compulsivamente eficiente até sobre as obsessões e compulsões que tem. Claro que tem portas lá em cima, portas com trancas, mas isso está a serviço de outras compulsões. Da Mães. Pode ir lá perguntar pra ela do que eu estou falando. Ela é tão compulsiva que arrumou as próprias compulsões tão eficientemente que consegue fazer tudo e ainda ter bastante tempo de sobra pros filhos. Que são um peso constante pras baterias dela. Ela tem que manter o crânio do Hal bem atado ao dela sem fazer isso tão às claras que o Hallie possa ter alguma ideia do que está rolando, pra evitar que ele tente arrancar o crânio dali. O guri ainda está obcecado pela aprovação dela. Ele vive pelo aplauso de exatamente duas mãozinhas. Ele ainda está se exibindo pra ela, sintática e vocabularmente, com dezessete anos, como estava quando tinha dez. O garoto é tão fechado que conversar com ele é que nem jogar uma pedra num lago. O garoto não tem ideia nem que sabe que alguma coisa está errada. Fora que a Mães tem que ficar obcecada pelo Mario e pelos diversos desafios e tribulações e pelas pequenas patetiquicidades do Mario e idolatrar o Mario e achar que o Mario é uma espécie de mártir secular da zona em que ela transformou a sua vida adulta, tendo o tempo todo que manter uma fachada de laissez-faire e de um gerenciamento relaxado em que finge deixar o Mario na dele fazendo o que quiser."

"P."

"Eu não vou falar disso."

"P."

"Não e não insulte a minha inteligência, eu não vou falar sobre por que eu não quero falar disso. Se isso aqui vai sair na *Moment*, o Hallie vai ler, e aí ele vai ler pro Bubu, e eu não vou falar da morte da Cegonha ou da estabilidade da Mães num negócio que eles vão ler e que eles vão ter que ler algum relato de autoridade sobre a minha opinião da coisa em vez deles mesmos entenderem e se acertarem sobre isso. Com isso, melhor. Se acertar com, se acertar sobre. Não, se acertar com isso."

"…"

a Isso pode ser mentira — mais ninguém na ATE sabe da existência de câmeras na cozinha, no banheiro etc. da CD.

"Pode ser que os dois tenham que esperar até eles saírem de lá antes até de poderem perceber o que está rolando, que a Mães é irretocavelmente lelé da cachola. Todos esses termos que viraram clichês —*negação, esquizogenia, sistemas patogênicos de aparência familiar* e coisa e tal e tal e coisa. Um ex-conhecido dizia que a Cegonha Demente sempre dizia que os clichês ganharam a sua posição de clichês porque eram tão obviamente verdade."

"..."

"Eu nunca vi os dois brigarem, nem uma vez em dezoito anos domésticos e acadêmicos, só te digo isso."

"P."

"A falecida Cegonha foi vítima da pegadinha mais monstruosa que alguém já fez, na minha opinião, só te digo isso."

"..."

"Está certo, eu vou relatar uma antidota[b] que pode revelar melhor que qualquer adjetivo o clima do mundinho emocional da Mães. Jesus amado, está vendo, eu começo a me referir explicitamente às classes de palavras só de pensar nisso tudo. O negócio com as pessoas que são loucas de verdade, maldosamente: o gênio real desse pessoal é fazer as pessoas em volta delas acharem que *elas* é que são loucas. Na ciência militar isso se chama Guerra Psicológica, pro teu governo."

"*P.*"

"Como? Ah tá, uma ilustraçãozinha. O que escolher. Coisa boa demais pra ser verdade. Eu vou pegar uma assim na louca. Eu acho que eu tinha coisa de doze anos. Eu estava no 12, eu sei, no circuito de verão daquele ano. Se bem que eu estava jogando no 12 desde que eu tinha dez. Foi dos dez aos treze que eu fui considerado talentoso, com um futuro no tênis. Eu comecei a decair perto do que deve ter sido a puberdade. Digamos que eu tinha uns doze. Estava todo mundo falando do NAFTA e de uma coisa chamada Catraca da Informação entre aspas e ainda tinha TV aberta, se bem que a gente tinha uma antena de satélite. A Academia não era nem um sonho na cabeça de ninguém ainda. A Cegonha sumia periodicamente quando entrava uma grana. Acho que ele ficava voltando a ir ver o Lyle em Ontário. Digamos que eu tinha dez anos. A gente ainda estava morando em Weston, conhecida como Volvolândia. A Mães jardinava que nem uma louca lá. Era outra coisa que ela *precisava* fazer. Tinha neura. Ainda não tinha passado pras plantas internas. Chamava o que nascia no jardim de Meus Bebês Verdes. Não deixava a gente comer as abobrinhas. Nunca colhia, elas foram ficando monstruosas, secas, e caíram e apodreceram. Mó diversão. Mas a neura de verdade mesmo era preparar a horta toda primavera. Ela começava a fazer listas, cotar os implementos e traçar as linhas em janeiro. Por acasou eu mencionei que o pai dela plantava batata e chegou a ser milionário tipo barão dos batatais, no Québec?

"Mas então é começo de março. Esses brincos são elétricos ou é você? Como é que eu não tinha visto ainda esses brincos? Eu achava que as mulheres que conseguem dar conta de usar brinco de cobre só usavam cobre. Você tinha que se ver nessa luz. A fluorescência não faz bem pra maioria das mulheres. Deve ser só com um tipo excepcional de..."

b Sic.

"P."

"Na sepultura da família da Mães. St-Quelquechose Québec ou coisa assim. Nunca fui lá. O testamento dele só dizia pra ser bem longe do túmulo do pai dele. Bem pertinho do Maine. Coração do Recôncavo. A cidade da Mães foi apagada do mapa. Ecociclos ruins, terra de facão mesmo. Eu ia ter que tentar lembrar a cidade. Mas aí então aí a Mães está lá no jardim gelado. É março e está fri-*io*. Eu tenho a manha dessa história. Eu relatei esse incidente a diversos profissionais tipo-família, e nenhuma sobrancelha jamais ficou no lugar. É o tipo de antidota que faz as sobrancelhas de um profissional de sistemas patogênicos subirem até o topo do crânio e desaparecerem pela nuca."

"…"

"Então aí digamos que eu tenho treze anos, o que quer dizer que o Hallie tem quatro. A Mães está no jardim da parte de trás, arando o solo infamemente pedregoso da Nova Inglaterra com um Roto-arado alugado. A situação é ambígua entre ser a Mães que pilota o Roto-arado ou vice-versa. Aquela máquina velha, cheia de gasolina que eu tinha vertido com um funil — a Mães tem a crença secreta de que os derivados de petróleo dão leucemia, a solução dela é fingir pra si própria que não sabe o que está errado quando aquele negócio não quer mais funcionar e ficar ali torcendo as mãozinhas e deixar algum adolescente louco-pra-puxar-saco estufar o peito por ser capaz de diagnosticar o problema, e aí eu ponho a gasolina. O Roto-arado é barulhento e difícil de controlar. Ele ruge, ronca, salta e o passo da minha mãe atrás dele parece o passo de alguém que está levando um são-bernardo não-treinado pra passear, ela está deixando umas pegadas bêbadas e cambaleantes atrás de si na terra arada, atrás da coisa. Tem alguma coisa numa mulher muito alta tentando operar um Roto-arado. A Mães é incrivelmente alta, bem mais alta que todo mundo fora A Cegonha, que sobressaía até à Mães. Claro que ela ia ficar horrorizada se um dia se obrigasse a reconhecer o que estava fazendo, orquestrando um menininho pra ele lidar com a gasolina que ela acha que é cancerosa; ela nem *sabe* que tem fobia de gasolina. Ela está usando dois pares de luvas de jardinagem e uns sacos plásticos tipo cirúrgicos por cima das alpargatas, que era o único calçado com que ela podia jardinar. E uma máscara Fukoama de microfiltragem de poluição, que de repente você lembra delas dessa época. Os dedos dos pés dela estão azulados dentro dos sacos plásticos. Eu estou uns metros na frente da Mães, encarregado da remoção preventiva de pedras e torrões. É a expressão dela. Remoção preventiva de pedras e torrões.

"Agora veja aqui comigo, veja bem. No meio dessa aração toda lá vem o meu irmãozinho Hallie, com coisa de quatro anos na época e com um pijaminha vermelho felpudo, um casaquinho recheado de plumas e uns chinelos que tinham aquelas carinhas sorridentes horrorosas de tenha-um-bom-dia nos dois bicos. A gente estava naquilo tinha talvez uma hora e meia, e a terra do jardim já estava praticamente arada quando o Hal sai e me desce da varanda de pau-brasil tratado por pressão e vem andando bem firminho e bem sério até a beira da horta que a Mães tinha delimitado com uns pauzinhos e barbante. Ele está com a mãozinha estendida, está mostrando alguma coisa pequena e escura e vindo na direção da horta enquanto o Roto-arado ronca e chacoalha atrás de mim, arrastando a Mães. No que ele vai chegando mais perto a coisa que está na mão dele mostra ser algo que simplesmente não tem uma cara muito bonita de se ver. Hal e eu nos olhamos. A expressão dele está muito séria muito embora o seu lábio inferior esteja sofrendo uma espécie de pequena convulsão epilética, o que significa que ele está se preparando para abrir o berreiro. Agora não escreve mais com o *p* mudo, tá. Eu lembro que o ar estava cinza de poeira e que a Mães estava de óculos. Ele estende a coisa na direção do vulto da Mães. Eu aperto os olhos. A coisa que está cobrindo a palma da mão dele e caindo pelos lados da palma é um pedaço rombusoide de fungo. Um pedação de mofo doméstico velho. Sublinhe *pedação* e *velho*. Deve ter saído de algum canto quente da fornalha lá do porão, algum canto que ela deve ter deixado passar com o lança-chamas, depois da enchente que a gente tinha sempre no degelo de janeiro. Eu estava sopesando um torrão ou uma pedra, eu ali encarando fixo, cada folículo meu está cerrado e tensionado. Dava pra sentir a tensão, era como ficar lá no Sunstrand Plaza quando eles ligavam os transformadores, cada folículo se cerra e tensiona. Era um verde meio nasal, com uns pontinhos pretos, peludo que nem um pêssego peludo. Também tinha uns pontinhos alaranjados. Um pedaço de mofo bem tipo coisa-ruim. O Hal está me olhando no meio da barulheira com o lábio inferior todo alucinado. Ele está olhando pra Mães, a Mães está concentrada na linha aprumada Roto-arada, bustrofedando. A pièce é que o mofo parece tipo estranhamente incompleto. Tipo me cai a ficha bem naquela hora *comido*, Helen. E sim enquanto eu aperto os olhos pra tentar ver, um pouco daquela coisa nojenta e peluda ainda está ali tipo grudada nos dentes da frente do garoto e peludamente lambrecada em volta da boca.

"Revisite a cena comigo, Helen. Sinta as nuvens meio wagnerianas se acumulando. O Hallie sempre disse que sempre tinha meio que essa sensação quando ele era criança com a Mães de que o cosmos inteiro estava logo à beira de se ver fulminado em nuvens ferventes de gás primal e que só estava sendo mantido materialmente unido graças a um exercício heroico de determinação e engenhosidade da Mães.

"Tudo fica beeem lento. Ela está dando a volta com a máquina no fim de uma fileira e vê o Hallie usando os chinelinhos felizes fora de casa no frio, o que por si só já basta pra dar um tiro nas tripas do cosmos no que se refere a ela, normalmente. Agora nós estamos vendo o Roto-arado ser desligado no que ela se dobra bem pra alcançar o afogador que eu tinha mostrado pra ela. A máquina dieseleia um pouco e peida uma fumaça azul. A máquina chupa o toco da corda de dar partida pra dentro. Dá pra eu sentir a voltagem como se eu ainda estivesse lá. Descende a calma tintinante pós-estrondo. Vem o pio inseguro de um pássaro. A Mães vai até o Hal ali parado com o seu casaquinho vermelho. Ela está enfiando uma mechinha de cabelo de novo pra dentro do elástico da sua touquinha de plástico especial. O cabelo dela na época era castanho-escuro, ela está se dirigindo a ele, ela tem um apelidinho incrivelmente humilhante pro menino que eu vou ter a bondade com ele de não contar pra ninguém.

"Mas aí ela está indo até ele. O Hal está ali parado. Estende o horrendo pedaço de fungo. A Mães vê primeiro só o seu filhinho estendendo alguma coisa, e como todas as mães pré-programadas pra maternidade ela estende a mão pra pegar o que o seu menino lhe oferece. O único tipo de caso em que ela não ia verificar antes de estender a mão pra pegar alguma coisa que lhe fosse oferecida."

"P."

"Mas a Mães agora para no limite da fronteira de barbante e aperta os olhos, os óculos dela estão empoeirados, ela começa a ver e a processar o que é exatamente que o menino está estendendo pra ela. A mão dela está esticada no ar acima do barbante da horta e ela para."

"O Hallie dá um passo à frente, de braço esticado e erguido como que numa saudação nazista. Ele diz 'Eu comi isso aqui'.

"A Mães diz como assim.

"Helen, você decide. Mas considere a fragilidade do controle obsesso-compulsivo. As terríveis fobias que dominam toda uma vida. Os quatro cavaleiros dela: clausura, imprecisão comunicacional e falta de higiene, que não dá pra você ser mais des-higiênico que com um pedaço de mofo de porão."

"P."

"O quarto cavaleiro fica oculto, claro, como em todas as escatologias de alto nível, a carta virada na mesa, reservada pra hora do jogo de verdade.

"'Eu comi isso aqui', Hal diz, ele ainda está estendendo aquele negócio, sem chorar, com uma espécie de severidade clínica sobre aquilo, como se o mofo fosse algum documento que é dever dele mostrar a ela. E você quer saber se ela encostou naquilo?"

"P."

"De repente me ocorreu aqui que se você quer saber coisas da Mães e da Cegonha Demente você podia entrar em contato com o Bain. Ele praticamente morava com a gente em Weston. Como fonte tipo secundária. Eu tenho certeza que ele ia discutir os pontos fracos da Mães quanto você quisesse. O cara ainda praticamente ergue um crucifixo à menção do nome dela. A empresinha de cartões de festas dele acabou de ser comprada por uma imensa indústria de brindes, então eu tenho certeza que ele está no seu quartão enorme lá deitado com alguém sacudindo umas frondes de palmeira em cima dele e enxugando a testinha dele, se sentindo rico e volúvel. Mas eu acho que eu preferia que você não perguntasse pra ele dos meus pontos fracos, mas ele é inexaurível no que se refere à Mães e ao TOC. Ele nunca sai de casa, casa esta que é um único cômodo, a Sala de Leitura Infantil reformada do que era a Biblioteca Pública de Waltham, que ocupa todo o terceiro andar. Ele aprendeu com a Mães a minimizar os limiares que tem que atravessar. Infelizmente ele não está InterNetado e tem uma neura TOC-fóbica com e-mail. O endereço de correio-véio dele é Marlon K. Bain, Saudações Saprogênicas Inc., Prédio BPL-Waltham, 1214 Totten Pond Road, Waltham MA 021549872/4. Também ia ser bom se desse pra você evitar de mencionar o número 2 pra ele. Ele tem problemas com o número 2. Eu não sei se ele não sair de casa é similar à Mães não sair de casa. Fazia séculos que eu não pensava tanto na Mães, pra te ser sincero. Você tem um jeito de saber arrancar as coisas de mim. Parece que você só faz ficar aí sentada com esse cigarro e você já é a única coisa que eu vejo e a única coisa que eu quero fazer é te agradar. Parece que eu não consigo evitar. Isso é só competência jornalística, Helen?"

"..."

"Ou será que tem alguma coisa a mais rolando aqui, algum tipo de estranha conexão que eu sinto entre nós que meio que tipo detona com todas as minhas fronteiras normais de vida--pessoal e me deixa totalmente aberto pra você? Acho que eu tenho é que torcer pra você não se aproveitar. Será que isso tudo está parecendo alguma cantada? Talvez se fosse uma cantada ia soar menos mané. Acho que eu bem queria soar mais refinado. Eu não sei mais o que fazer a não ser dizer o que está rolando aqui dentro, mesmo que soe mané. Eu nunca tenho a menor ideia do que você está pensando disso tudo."

"..."

"'Socorro! O meu filho comeu isso aqui!' Ela gritou a mesma coisa um monte de vezes, segurando o rombo de mofo como se fosse uma tocha erguida, dando voltinhas dentro das fronteiras de barbante enquanto eu e o Hallie nos afastávamos estupefatos, literalmente tipo estupefatos, chocados diante da nossa primeira visão do apocalipse, com um cantinho do universo subitamente descascado pra revelar o que fervilhava ali logo atrás de toda aquela organização. O que restava logo ao norte da ordem.

"'Socorro! O meu filho comeu isso aqui! O meu filho comeu isso aqui! Socorro!', ela ficou gritando, correndo numas meias-voltas apertadinhas sem sair daquele quadrado perfeito de barbante, e eu estou vendo o rosto da Cegonha Demente na porta de vidro que dá pra varanda, com as mãos estendidas e os polegares unidos para enquadrar a cena, e o Mario, o meu outro irmão, do lado dele como sempre na altura dos joelhos dele, com o rosto do Mario todo achatado contra o vidro por estar suportando o peso dele, com a respiração deles na vidraça se espalhando, o Hal dentro dos barbantes finalmente e tentando ir atrás dela, chorando, e não impossivelmente eu também chorando um pouco, só pelo estresse contagioso, e aqueles dois através do vidro da porta dos fundos só assistindo, e o porra do Bubu também tentando fazer aquela moldura de enquadramento com as mãos, então finalmente foi o sr. Reehagen, o vizinho do lado, que por assim dizer era 'amigo' dela, que teve que sair e ir até ali e finalmente teve que ligar a mangueira."

235. Ela mesma tinha disposto as fotos, que saíram da sua bolsa, em cima da cômoda; ele não teve que pedir para ela fazer isso; o que se somava à sensação de misericórdia síncrona, uma bondade cósmica que contrabalançava o pássaro morto da hidromassagem e a repórter frigidamente invasiva.

236. Abreviação da ATE: Vetor/Ângulo/Velocidade/Efeito.

237. O ângulo de NO a NE na antiga Montpelier VT não é exatamente de 90°, mas fica bem perto. Aliás, o triângulo Syracuse-Ticonderoga-Salem é um daqueles triângulos 25-130-25 que ficam tão horrorosos quando projetados num dos globos de distorção de Corbett Thorp na Trigonometria Cubular do Trívio.

238. Quod vide aqui Cap. 7. "Tudo Começou com uma Neoplasia Colo-Retal, uma Receptividade para Manifestações que Comunicassem a Graça Divina, e um Sujeitinho Seboso que Em Público Levantava uma Cadeira Sobre a Qual Estava, Que Era Nitidamente uma Tal Manifestação", em *O Arrepio da Inspiração: Reminiscências Espontâneas de Dezessete Pioneiros da Fusão Anular Litiumizada de Ciclo-DT*, ed. prof. dr. Günther Sperber, Institut für Neutronenphysik und Reaktortechnik, Kernforschungszentrum Karlsruhe, U.R.G., disponível em inglês apenas num volume ferozmente caro de capa dura, © AEMPT, da Springer-Verlag Wien NNY. (NB que enquanto o metatratamento anular é extremamente eficaz em cânceres metastáticos, ele acabou sendo uma decepção nos vírus do espectro do HIV, já que a AIDS já é uma metadoença.)

239. Como ele jurou que nunca ia falar do assunto, Green não conta a Lenz que Charlotte Treat tinha dividido com Green que o pai adotivo dela tinha sido um dia presidente da Associação Regional Nordeste de Anestesiologistas Odontológicos, e tinha sido bem liberal com o uso do bom e velho N_2O e do tiopentato de sódio lá no lar dos Treat em Revere, MA, por motivos pessoais e extremamente desagradáveis.

240. ® The Mauna Loa Macadamia Nut Corp., Hilo, HI — "ALIMENTO COM BAIXO TEOR DE SÓDIO".

241. Populares bandas de hard-rock-empresarial, conquanto demonstre o verdadeiro início do declínio psicológico de Bruce Green, o fato de que, a não ser pelos 5BD, essas bandas todas tenham sido famosas dois ou três anos atrás, e agora sejam ligeiramente velhas, com os Fidasputas Exigentes tendo se separado de vez a essa altura para explorar direções criativas individuais.

242. Esse é um dos motivos por que ele aceita ficar dependurado no espaço lá do gio de Schtitt para filmar jogos em todas as quadras, sustentado apenas por algum pró-reitor que o segura firme pela parte de trás do colete da trava, o que os jogadores que estão olhando lá de baixo para a postura inclinada de salto aéreo de Mario lá da gávea acham incrivelmente aterrador e audacioso e macho pacas, e Avril nem sai da CD durante essas filmagens.

243. Isso apesar de Avril nunca ter admitido de uma vez por todas a preocupação dela com essa segurança noturna de Mario, sem querer parecer estar dando importância demasiada aos déficits e às vulnerabilidades dele ou parecer inconsistente quando deixa Hal sair toda noite para onde quiser ou simples e basicamente parecer de qualquer maneira inibir a sensação de autonomia e liberdade de Mario fazendo ele se preocupar com a preocupação dela — o que ele faz, e muito, se preocupar com Avril se preocupando com ele. Se é que isso faz sentido.

244. Mario, como seu tio materno Charles Tavis, tem um desamor pela iluminação fluorescente.

245. Viz.: "Está melhor?".
"Logo vou estar."
"Isso aí quer dizer alguma coisa? O que é que isso aí quer dizer?"
"Nada. Literalmente nada."

246. Uma deprimente Balada Sóbria nova na Davis Square de Somerville onde AAS e NAS — em geral novinhos e novatos — se empetecam de dar dó e dançam todos durinhos, tremem com uma angústia sexual sóbria e ficam por ali com suas Cocas e seus R2000 um dizendo pro outro como é legal estar num ambiente intensamente social com todas as tuas inibições autoconscientes não medicadas e gritando dentro da tua cabeça. Só os sorrisos nesses lugares já são de te torcer o coração.

247. Uma Restrição significa apenas nada de ficar na rua à noite naquela semana e uma Tarefa Doméstica a mais; uma Restrição Doméstica significa que você tem que voltar uma hora depois do trabalho e das reuniões noturnas; a Doméstica Plena é só sair da Casa para trabalhar e ir às reuniões, e com 15 minutos para voltar, e nada de sair nem para comprar cigarros ou um jornal, e nem sair para ir tomar oxigênio no quintal, e uma violação só já significa expulsão: a RDP é a versão Ennetiana de uma Solitária, e é temida.

248. A Casa Ennet leva os seus exames de urina para a clínica de metadona, que tem tudo quanto é tipo de cliente que precisa fazer um exame de urina por semana para apresentar a tribunais e programas variados, e a clínica deixa a Ennet colocar os seus grátis na remessa semanal que eles mandam para uma clínica que roda EMITs lá na distante Natick, e em compensação bem de vez em quando a Pat recebe um telefonema do assistente social com cara de duende que cuida da nº 2 sobre algum cliente de lá que decidiu que quer largar a metadona, também, e Pat joga o cliente lá para cima na lista de Entrevistas e dá uma entrevista para ele e normalmente deixa o cliente entrar — tanto Calvin T. quanto Danielle S. originalmente entraram na Casa Ennet desse jeito, i. e., via nº 2.

249. Pode ser significativo que Don Gately jamais tenha deixado de limpar todo e qualquer vômito ou incontinência que sua mãe tivesse embriagadamente deixado pelo caminho ou sobre os quais ela tivesse apagado no chão, por mais que estivesse puto ou enojado ou o quanto ele próprio ficasse nauseado: jamais.

250. (que tem um Lincoln, o Henderson, de origem desconhecida e suspeita)

251. Isso é tudo por Razões de Seguro, a linguagem de cujas instruções aos Funcionários Gately não entende direito, e teme, as Instruções.

252. É contra as regras da Casa fumar no primeiro andar dentro dos quartos — mais Razões de Seguro — e uma Restrição de uma semana é supostamente compulsória, e Pat pessoalmente pira nessa regra, mas Gately, por mais que tema as medonhas letrinhas miúdas do seguro, sempre finge que não viu nada quando vê alguém fumando lá em cima, já que quando ele era residente ele também às vezes fumava *dormindo* de tão tenso que estava, e bem de vez em quando ainda acorda e descobre que ainda faz, i. e., acende um careta e aparentemente fuma e apaga tudo dormindo, lá na cama da sua enxovia de Funcionário no porão.

253. (sendo poucos e raros os itens dos cestos de roupas de doação da Casa que servem em Gately)

254. Gately determinou ferreamente que nunca mais na vida há de correr de novo, depois de ficar sóbrio.

255. Gíria de rua da NNI para qualquer tipo de arma de fogo.

256. (As mãos de Erdedy ainda no alto, c/ chaves.)

257. (Região da NNE, fazendo muita força para não irritar Tine Sr. ao se mexer na cadeira.)

258. (Região Deserto-SO, discreto e elegante com uma saia de camponesa gigante e umas rasteirinhas bem razoáveis.)

259. Que, ® várias empresas bacanas, são como versões enormes daqueles implementos de lavar para-brisa nos postos de gasolina — um cabo industrial de esfregão c/ uma lâmina de borracha inclinada na ponta, usados para espalhar a água empoçada para ela secar mais rápido, em certas academias substituídos pelo secador-de-quadra CKJÁ com rolo-de-espuma-de-alta--densidade na ponta, que a ATE evita por causa da velocidade com que a esponja rolante da ponta mofa e cheira mal.

260. A sra. Incandenza sempre corrige tudo com tinta azul.

261. Um fenômeno não de todo desconhecido, a saber, empregados subalternos e trabalhadores temporários mineirando o lixo reunido pela ATE em busca de valores jogados fora, e permitido pela administração e pelo sr. Harde, ou na verdade simplesmente não desencorajado ativamente, já que "O que é lixo para uns…" e assim por diante, sendo que a única exigência era uma certa discrição visual ao se transportarem os refugos da ATE, simplesmente porque a coisa toda é meio constrangedora pra todo mundo.

262. I. e., a Women's Tennis Association, o equivalente menininha da ATP.

263. Sic, presumivelmente por Betamax (®Sony).

264. Sic, mas está mais do que na cara o que Marathe quer dizer aqui.

265. Unidade de Espectação de Alumínio Reforçado.

266. Vez por outra via-se um genitor de classe alta saindo do Com.-Ad. e passando por trás da cerca sul das Quadras Oeste para o estacionamento asfaltado e o que eram inequivocamente automóveis parentais, todos conspícuos graças à pressão corretíssima dos pneus, aos espinhos de antenas de celulares e à ausência de quaisquer sorrisos na poeira dos vidros traseiros ou laterais. Charles Tavis tinha passado a manhã interfaceando com os pais dos meninos da ATE que haviam se ferido no forrobodó do Eskhaton do Dia-I. Alice Moore Lateral, para se divertir, tinha ficado ouvindo Tavis e os pais nos fones de ouvido, enquanto digitava, em vez da sua coleção de favoritos aeróbicos. Struck e Pemulis tinham ido até ali antes do almoço e passado a conversa nela para se revezarem diante do alto-falante do intercomunicador dela por uns minutos. Você precisava ouvir o C.T. fechado com os pais dos alunos numa hora dessas. Eram só alguns pais — o pai de Todd Possalthwaite estava em lua de mel nos Açores, a mãe de Otis P. Lord teve alguma coisa no ouvido interno e os Lord

não andavam de avião. Mas Pemulis e Struck concordaram que todo mundo com algum tipo de administração nas veias devia ouvir o Diretor da ATE com pais numa missão paliativa, um vaselina profissional com um talento além de qualquer escala social, um Houdini dos grilhões da verdade, interfaces como seduções sem fluidos — Pemulis dizia que aquele cara tinha perdido uma puta carreira em vendas — todo mundo praticamente querendo um cigarrinho depois, os pais saem chorando, apertando vigorosamente a mão de Tavis — um genitor em cada mão — praticamente implorando para ele aceitar tanto os agradecimentos deles quanto as desculpas por terem ousado possivelmente *pensar*, nem que fosse só por um *minuto*. Aí, apoiados um no outro, passando sobre o terceiro trilho de Alice Moore·Lateral e pelos sorrisos largos dos rapazinhos extremamente *educados* junto à mesa dela, saindo pelas portas de vidro pressurizado do saguão, atravessando o átrio neogeorgiano de colunas brancas, as quadras e arquibancadas, entrando em seus automóveis com a manutenção em dia e saindo pelo portão levadiço e muito lentamente descendo a entrada calçada do morro antes de nem sequer lembrarem que tinham esquecido de falar com seu filho ferido, assinar o gesso dele, sentir a temperatura da sua testa, dizer Oi.

267. I. e., aces/duplas-faltas, mais ou menos como o índice de strikes em relação às bases por bolas de um arremessador de beisebol.

268. Era como se Steeply nunca tivesse visto tanta gente canhota: tanto Hal Incandenza quanto o menino de preto eram canhotos, uma das menininhas a quatro quadras dali era canhota, deLint estava marcando a planilha com a mão esquerda. Tanto o vira-casaca dos AFR Rémy Marathe quanto a agente tripla quebequense Luria P_____ eram canhoteiros, embora Steeply percebesse que isso dificilmente podia ser significativo.

269.

Saudações Saprogênicas*

QUANDO VOCÊ É TÃO ATENCIOSO QUE PEDE PARA UM PROFISSIONAL DIZER POR VOCÊ

* Orgulhosamente membro da Família ACMÉ de Pegadinhas & Piadinhas, Emoções Pré-Fabricadas, Tiradas e Surpresas e Disfarces de Beleza

Srta. Helen Steepley
E Coisa e Tal
Novembro do AFGD

... (1) Orin Incandenza e eu jogamos, treinamos e de maneira geral passamos tempo juntos durante boa parte do que na época pareciam ser os nossos anos de formação. Nós nos conhecemos porque eu vivia encontrando com ele do outro lado da rede nos torneios regionais de tênis que a gente jogava por toda a Grande Boston, sub-10. Nós éramos os dois melhores jogadores de 10 anos de idade em Boston. Logo começamos a treinar juntos, com as nossas mães nos levando toda tarde durante a semana para um programa de desenvolvimento de jogadores juvenis no Auburndale Tennis Club em West Newton. Depois que os meus pais faleceram de uma maneira horrorosa indo para o trabalho na Jamaica Way numa manhã em que houve a improvável queda de um helicóptero que fazia a cobertura do trânsito para a imprensa, eu virei meio que um agregado na casa da família Incandenza lá em Weston. Quando J. O. I. fundou a Academia, eu fui um dos primeiros matriculados. Orin e eu éramos inseparáveis até cerca dos 15 anos de idade, quando eu cheguei ao meu próprio zênite em termos de puberdade precoce e potencial atlético e comecei a ganhar dele. Ele sofreu com isso. Nós nunca mais fomos inseparáveis. Passamos períodos de tempo juntos de novo brevemente por alguns meses do ano seguinte, durante um período em que nós dois experimentamos pesado substâncias recreacionais. Nós dois acabamos perdendo entusiasmo pelas substâncias depois de uns poucos anos, Orin porque tinha finalmente entrado na puberdade e descoberto o sexo frágil e percebido que precisava de todas as suas faculdades e ardis, e eu porque umas experiências metóxi-psicodélicas bem negativas me deixaram com certas Incapacidades que até hoje tornam a vida normal um desafio excepcional, e que eu tendo a considerar culpa de eu ter tomado halucinógenos ferradamente sérios durante uma espécie de estágio psicológico larval durante o qual nenhum adolescente n.-americano deveria ter permissão para tomar alucinógenos. Essas Incapacidades levaram à minha saída da Academia de Tênis Enfield com dezessete anos, antes da formatura, e à minha retirada do tênis júnior de competição e da vida contemporânea do resto das pessoas deste nosso mundo. Orin também já estava praticamente acabado para o tênis com dezessete, ainda que ninguém com mais de dois neurônios pudesse ter previsto uma deserção para o futebol americano organizado no futuro dele.

Um balé gemebundo e abraçado de homossexualidade reprimida, srta. Steepley, o futebol americano, na minha opinião. A largura exagerada dos ombros, a erradicação mascarada da personalidade facial, a ênfase em contato-v.-evitar-contato. Os ganhos em termos de penetração e resistência. As calças justas que acentuam os glúteos e os jarretes e o que tem toda a cara de ser uma saqueira. A gradual mudança lenta do terreno para "superfície artificial", "grama artificial". Não é verdade que parece que tem umas saqueiras renascentistas naquelas calças? E dê uma olhada naqueles caras estapeando a bunda dos outros depois de cada jogada. É como se o Swinburne tivesse sentado na noite mais escura da sua alma e concebido um esporte organizado. E não me preste atenção quando o Orin vier defender o futebol americano como um substituto ritualizado do conflito armado. O conflito armado já é bem ritualizadinho, e já que nós temos um conflito armado de verdade (dê uma voltinha pelos distritos de Roxbury e Mattapan em Boston qualquer noite dessas) não há necessidade ou sentido para a existência de um substituto. O futebol americano é pura maricagem homofobicamente reprimida, e não me deixe o O. vir com outra história para você.

... (3c) Eu não posso te ajudar muito com os fatos sobre o suicídio do dr. Incandenza. Eu sei que ele anulou a sua cartografia de um jeito medonho. Me disseram que no ano que levou à sua morte o dr. Incandenza estava exagerando no consumo de álcool etílico diariamente e trabalhando num gênero completamente novo de cartucho-cinematográfico que o Orin na época dizia que estava deixando o dr. Inc maluco.

... (3e) A suposta causa da separação deles é que o dr. Incandenza começou a usá-la no seu trabalho cada vez mais extensamente e acabou pedindo para ela trabalhar no supracitado tipo novo e completamente radical de entretenimento filmado que supostamente estava levando o dr.

a um colapso nervoso. Eles supostamente ficaram próximos, James e Jo-Ellen, ainda que o Orin na minha opinião não seja uma fonte confiável de informação sobre o relacionamento deles.

O único outro fato cabível que eu conheço — e eu fiquei sabendo disso não pelo Orin mas por uma parenta inocente minha que esteve (brevemente) em posição de interfacear com o nosso punter de uma maneira íntima e com um grau de exposição totalmente impossível entre dois homens heterossexuais — é que ocorreu algum incidente no Volvo dos Incandenza que envolveu uma das janelas e uma palavra — a única coisa que me disseram é que o O. diz que nos dias que antecederam a morte do dr. Incandenza uma suposta "palavra" apareceu num "vidro" "embaçado" do Volvo amarelo-claro da sra. Inc, e a palavra gerava suspeitas conjugais para tudo quanto é lado. E só.

... (5) A "advertênsia velada" (gralha?) a que você se refere na minha resposta postal é simplesmente o fato de que você deve considerar o que Orin diz de um modo que leve altos teores de sódio. Eu não tenho certeza de poder apontar de uma vez o Orin como um exemplo de mentiroso patológico clássico, mas é só você olhar para ele em certos tipos de ação para ver que pode existir algo chamado *sinceridade interessada*. Eu não tenho ideia de qual seja a sua relação com o Orin ou quais são os seus sentimentos — e se o Orin quiser assim eu receio poder prever que os seus sentimentos por ele vão ainda ser bem fortes — então eu só vou lhe dizer que por exemplo na ATE eu vi o Orin em bares ou em bailes pós-torneios ir até uma moça que ele queria cantar e usar uma Estratégia de abordagem seção-transversálica e à prova de erros que envolvia uma abertura como "Me diga que tipo de homem você prefere, e aí eu vou simular os modos desse homem". Que de certa forma, claro, é um jeito de ser quase patologicamente aberto e sincero sobre toda a empresa cantadora, mas também tem uma qua-lidade tipo Olha-Eu-Aqui-Sendo-Tão-Totalmente-Aberto-E-Sincero-Que-Eu-Me-Destaco-De--Todo-Esse-Processo-Dissimulado-E-Afetado-De-Atrair-Alguém-,-E-Transcendo-A-Dissimula-ção-Generalizada-Numa-Manada-De-Fregueses-De-Bar-De-Uma-Maneira-Autoconsciente--Particularmente-Descolada-E-Inteligente-,-E-Se-Você-Ceder-À-Minha-Cantada-Eu-Vou--Não-Apenas-Continuar-Sendo-Assim-Tão-Inteligente-E-Transcendentemente-Aberto-,--Mas-Vou-Te-Levar-A-Esse-Mundo-De-Transcendência-Da-Falsidade-Social, o que é claro que ele não pode fazer porque toda essa coisa de modos de sinceridade e tal é *por si própria* uma falsidade social interesseira; é uma pose que finge não ter pose; Orin Incandenza é o *homem menos aberto* que eu conheço. Passe um tempinho com o tio do Orin, Charles vulgo "Gretel a Vaca de Açougue Em Seção Transversal" Tavis se você quiser ver a verdadeira aber-tura em movimento, e você vai ver que a legítima abertura patológica é para todos os efeitos tão sedutora quanto a síndrome de Tourette.

Não é que Orin Incandenza seja um mentiroso, mas eu acho que ele passou a considerar a verdade como um *construto* em vez de um *relato*. Ele chegou a essa ideia, educacionalmente, é a única coisa a mais que eu vou dizer. Ele estudou quase dezoito anos aos pés da maior mani-puladora psicológica que eu já conheci, e até hoje está tão atordoado que acha que a maneira de escapar da influência dessa pessoa é através da renúncia e do ódio por essa pessoa. Definir a si mesmo em oposição a alguma coisa ainda é ser anaclítico em relação àquela coisa, não é? Eu certamente acho que é. E as pessoas que acreditam que odeiam o que na verdade elas *temem necessitar* são de interesse limitado, eu acho.

... De novo, eu queria te lembrar que o Orin e eu estamos meio afastados no momento, então algumas opiniões minhas podem estar com uma carência temporária de tolerância.

Um dos motivos por que o Orin não é um mentiroso puro e simples é que o Orin não é um mentiroso particularmente competente. As poucas vezes em que eu vi ele tentar mentir conscientemente foram patéticas. Esse é um dos motivos por que a fase juvenil dele com os químicos recreacionais passou tão rápido na comparação com a de alguns colegas nossos da ATE. Se você vai entrar a sério nas drogas enquanto ainda é menor e está debaixo do teto dos teus pais, você vai ter que mentir muitas vezes e mentir direito. Orin era um mentiroso estranhamente estúpido. Eu estou lembrando aqui que teve uma tarde de um dia de folga da sra. Clarke em que a sra. Inc teve que dar uma saída para ir ser megaeficiente em outro lugar e o Orin teve que ficar de babá do Mario e do Hal, que estavam naquele estágio meio insano dos bebês em que eles iam se machucar se não fossem supervisionados de perto, e eu estava lá, e o Orin e eu decidimos dar uma corrida até o quarto que ficava em cima da garagem da casa de Weston para fumar um pouco de Bob Hope, o que quer dizer marijuana com altos teores de resina, e no quarto, chapados, nós entramos desastrosamente naquele tipo de labirinto mental pseudofilosófico em que os fumantes de Bob Hope vivem entrando, se perdendo e gastando quantidades imensas de tempo[a] dentro de um cômodo intelectual de que não conseguem achar uma saída, e quando a gente ainda não tinha resolvido o problema abstrato que nos colocou no labirinto mas como sempre acabou ficando com tanta fome que abandonou o problema e desceu cambaleante pela escadinha de madeira do quarto, o sol já estava lá do outro lado do céu por cima de Wayland e Sudbury, e a tarde toda tinha passado sem que Hal e Mario tivessem recebido nenhuma supervisão protetora; e Hal e Mario de alguma maneira sobreviveram àquela tarde, mas quando a sra. Incandenza voltou à noite ela perguntou ao Orin o que nós e os bebês tínhamos feito a tarde toda e o Orin mentiu que nós tínhamos ficado bem ali, respectivamente brincando e supervisionando, e a sra. Incandenza manifestou para o Orin seu pasmo pelo fato de dizer que tinha tentado ligar para casa várias vezes à tarde mas não ter conseguido, e o Orin replicou que enquanto supervisionava ele tinha pastoreado os bebês cuidadosamente rumo a cômodos com linhas de telefone e feito chamadas e tinha estado ao telefone várias vezes por longos períodos por causa disso e daquilo, e foi por isso que ela não conseguiu linha, diante do que a sra. Incandenza (que é extremamente alta) piscou várias vezes, ficou com uma cara

---

a Essa tendência à abstração convoluta às vezes é chamada de "Pensamento Maconheiro"; e aliás, a dita "Síndrome Amotivacional" em decorrência do consumo pesado de Bob Hope é um equívoco terminológico, pois não é que os fumantes de Bob Hope percam interesse no seu funcionamento prático, mas sim que eles entram via Pensamento Maconheiro em labirintos de abstração reflexiva que parecem pôr em dúvida a própria possibilidade do funcionamento prático, e o esforço mental de achar uma saída dali consome toda a atenção disponível e faz o fumante de Bob Hope parecer fisicamente entorpecido, apático e amotivado ali sentado, quando na verdade ele está tentando rasgar com as unhas a parede do labirinto. Perceba que a fome avassaladora (a chamada larica) que acompanha a intoxicação por cannabis pode ser um mecanismo natural de defesa contra esse tipo de perda de função prática, já que não há função mais prática neste mundo que procurar comida.

muito confusa e disse que mas que o telefone não estava ocupado, só tinha ficado tocando sem parar. Numa encruzilhada quejanda, os homens e os meninos se separam em termos de prevaricação, eu declaro. E a única coisa que o Orin conseguiu foi um olhar firme enquanto dizia, como que nos fundos da Casa Branca: "Eu não tenho uma resposta pra essa pergunta". Resposta esta, incrivelmente estúpida, que ele e eu achamos incrivelmente engraçada por semanas depois disso, especialmente já que a sra. Incandenza *nunca dava castigos* e se recusava a agir como se acreditasse que a mentira fosse ao menos uma possibilidade no que se referia aos filhos dela, e tratava uma mentira deslavada como um mistério cósmico insolúvel em vez de uma mentira deslavada.

O pior exemplo tanto da idiotice mendaz do Orin quanto da falta de disposição da sra. Incandenza para encarar uma mentira idiota veio num dia lúgubre logo depois de o Orin ter finalmente conseguido sua licença para conduzir veículos automotores. O O. e eu nos vimos com uma tarde livre no meio de uma semana de agosto depois de perdermos logo num torneio de grama sintética lá em Longwood, e o Hal ainda estava vivo no que então era o sub-10 e assim uma bela fração da comunidade de verão da ATE ainda estava lá em Longwood, inclusive Mario e a sra. Incandenza, que tinha chegado de carona com um médico internista residente monilial morenamente estrangeirado que a sra. Inc tinha apresentado como um suposto "caro e amado amigo" mas sem explicar como eles tinham se conhecido, e o dr. Incandenza estava indisposto e sem condições de incomodar ninguém naquele dia, eu lembro, e o Orin e eu estávamos com quase toda a ATE só para nós, até o portão levadiço da entrada estava abandonado e aberto, e como isso era no ápice do nosso interesse por essas coisas a gente não perdia muito tempo para começar a ingerir algum tipo de substância recreacional, eu não consigo lembrar qual tipo mas lembro que era particularmente debilitante e decidimos no entanto que não estávamos ainda bem debilitadinhos, e decidimos ir de carro morro abaixo para uma das lojas de bebida pouco respeitáveis da Commonwealth Avenue que aceitavam a tua palavra de honra como prova de idade, e a gente entrou no Volvo, desceu o morro a toda, subimos a Commonwealth Avenue, severamente debilitados, e ficamos especulando por que as pessoas nas calçadas da Commonwealth pareciam estar acenando para nós, segurando a cabeça, apontando e pulando que nem loucas no lugar, e o Orin acenando todo alegrinho para elas e segurando ele também a cabeça numa imitação amistosa e tal, mas foi só quando a gente chegou lá na bifurcação Commonwealth-Brighton que a percepção terrível nos atingiu: a sra. Incandenza com frequência durante os dias de verão mantinha o adorado cachorro dos Incandenza, S. Johnson, preso à traseira do Volvo ao alcance das tigelas de água e de ração dietética, e o Orin e eu tínhamos saído em disparada com o carro sem nem pensar em dar uma olhada para ver se S. Johnson estava atado a ele. Eu não vou tentar descrever o que nós encontramos quando encostamos num estacionamento e nos esgueiramos até a traseira do carro. Digamos que era um cotoco. Digamos que o que nós achamos foi uma guia, uma coleira e um cotoco. Segundo as poucas testemunhas que conseguiram falar, S. Johnson tinha demonstrado considerável valentia ao tentar manter o ritmo ali atrás pelo menos por algumas quadras da Commonwealth, mas em algum momento ele ou perdeu o equilíbrio ou passou em revista a sua situação canina e sacou que era o seu dia de se mandar, e desistiu, caiu no asfalto, depois do que a cena que as testemunhas descreveram era indescritível. Tinha pelo e digamos matéria animal pelo meio da pista da esquerda sentido leste por cinco ou seis quadras. O que nos restava para levar lentamente morro acima para a Academia era uma guia, uma coleira com etiquetas que descreviam alergias a medicamentos e sensibilidades alimentares, e um cotoco de digamos matéria animal.

A questão é que eu te desafio a imaginar a sensação de ficar ali com o Orin no fim daquele dia na sala de estar da CD diante de uma sra. Incandenza em decúbito dorsal e doloroso pranto e ouvir o Orin tentar construir uma versão dos eventos em que eu e ele tínhamos de alguma maneira pressentido que Johnson estava morrendo de vontade de um belo passeio puxado de agosto e estávamos andando com ele pela Commonwealth,[b] dizendo que lá estávamos nós levando o bom e velho S. Johnson bem-comportadinhamente pela calçada quando um motorista alucinado não só entrou derrapando na calçada para atropelar o cachorro como aí deu ré, passou de novo por cima dele, foi para a frente, passou por cima dele de novo, e repetidamente, assim mais tipo uma pulverização que um atropelamento, enquanto o Orin e eu tínhamos ficado ali paralisados demais pelo terror e pela dor até para pensar em perceber a marca e a cor do carro, que dirá a placa do demônio. A sra. Incandenza de joelhos (há algo de surreal numa mulher muito alta de joelhos), em prantos e apertando a mão contra a clavícula mas aquiescendo com a cabeça diante de cada sílaba com que o Orin ia desfiando a sua mentirinha patética, o O. estendendo a guia e a coleira (com cotoco) tipo Prova nº 1, comigo ali do lado dele enxugando a testa e desejando que o piso de madeira imaculadamente encerado e esterilizado engolisse aquela cena inteira in toto.

… (7) Srta. Steeples, no meu modo de pensar, o termo "abuso" é vão. Quem pode definir "abuso"? A dificuldade com os casos realmente interessantes de abuso é que a ambiguidade do abuso se torna parte do abuso. Graças a décadas do exercício enérgico da sua própria profissão, srta. Steeley, nós todos já ouvimos membros da FAA, da AlaTeen, da FANA, da FAJ e dos BUNDOES relatarem casos de tipos diferentes de abuso: surras, manipulações, estupros, privações, dominação, humilhação, cativeiro, tortura, críticas excessivas ou simplesmente total desinteresse. Mas pelo menos as vítimas desse tipo de abuso podem, quando dragaram isso tudo depois da infância, confiantemente chamar aquilo de "abuso". Há no entanto casos mais ambíguos. Mais difíceis de cobrir jornalisticamente, eu poderia dizer. De que você chamaria um genitor que é tão neurastênico e depressivo que qualquer oposição à sua vontade parental o faz cair numa espécie de depressão psicótica em que ele não sai da cama por dias a fio e só fica ali sentado limpando o revólver, de modo que o filho passasse a ficar morrendo de medo de se opor à sua vontade e de fazê-lo mergulhar numa depressão e quem sabe causar o seu suicídio? Essa criança seria vítima de "abuso"? Ou um pai que é tão tarado por matemática que fica envolvidíssimo quando ajuda o filho com a tarefa de álgebra e acaba esquecendo a criança e fazendo tudo sozinho de modo que o filho tira 10 em Frações mas nunca aprende Frações de verdade? Ou até um pai que sabe cuidar de absolutamente tudo em casa e consertar tudo, e faz o filho ajudar, mas fica tão envolvido pelas coisas que está fazendo (o pai) que nunca pensa em

---

b Agora, o Orin nunca tinha levado S. Johnson para passear. O Orin nem era tão fã do S. Johnson, porque o cachorro estava sempre querendo copular com a perna esquerda dele. E enfim, S. Johnson era fundamentalmente o cachorro da sra. Incandenza, e em horas rigidamente especificadas do dia.

explicar para o filho como as coisas são feitas de fato, de modo que a ajuda do filho nunca passa de simplesmente passar uma chave específica para o pai ou lhe pegar uma limonada ou parafusos com cabeça tipo Phillips até o dia em que o pai vira consomê num acidente insano na Jamaica Way e todas as oportunidades de instrução transgeneracional se perdem para sempre, e o filho nunca aprende como consertar as coisas em casa sozinho, e quando as coisas param de funcionar no seu quarto-e-sala ele tem que pagar uns sujeitos cheios de desprezo e com umas unhas imundas para vir consertar, e se sente terrivelmente inadequado (o filho), não só porque não sabe mexer com as coisas mas porque essa capacidade lhe parecia ter representado para o pai tudo que era independente, másculo e não-Defeituoso num homem americano. Você gritaria "Abuso!" se você fosse o filho incompetente, olhando para trás? Pior, será que você *chamaria* aquilo de abuso sem sentir que era um monte de bosta patético e autocomplacente, com tudo quanto é caso arrepiante de abuso físico e emocional por aí sendo diligentemente relatado e analisado por jornalistas (e revistalistas!) conscienciosos?

Eu não sei se você ia chamar isso de abuso, mas quando eu estive (há muito tempo) no exterior no mundo dos homens secos, eu vi pais, normalmente endinheirados, talentosos, funcionais, brancos, pacientes, amorosos e que apoiam os filhos, preocupados e envolvidos com a vida dos filhos, pródigos em elogios e diplomáticos com críticas construtivas, loquazes em seus pronunciamentos de amor incondicional por e aprovação de seus filhos, que correspondem em cada fiapo/detalhe a qualquer definição possível de um bom pai, eu vi genitores e genitores, todos inatacáveis, que criavam crianças que eram (a) emocionalmente retardadas ou (b) letalmente autocomplacentes ou (c) cronicamente deprimidas ou (d) limitrofemente psicóticas ou (e) consumidas por um ódio narcisístico por si próprias ou (f) neuroticamente motivadas/viciadas ou (g) defeituosas psicossomaticamente de várias maneiras ou (h) alguma permutação conjuntiva de (a) ... (g).

Por que isso? Por que será que tantos pais que parecem incansavelmente determinados a produzir filhos que sintam que são boas pessoas que merecem amor produzem filhos que crescem sentindo que são pessoas hediondas que não merecem amor e que simplesmente deram sorte de ter pais tão maravilhosos que chegam a amá-los mesmo sendo eles hediondos?

Será sinal de abuso uma mãe produzir um filho que acredita não que é inatamente lindo, digno de ser amado e merecedor de um magnífico tratamento maternal mas de alguma maneira que ele é uma criança hedionda e impossível de se amar que de alguma maneira deu sorte de ter uma mãe realmente magnífica? Provavelmente não.

Mas será que essa mãe pode *mesmo* ser tão magnífica, se essa é a visão que o filho tem de si próprio?

Eu não estou falando da minha própria mãe, que foi decapitada por uma lâmina cadente de rotor bem antes de poder causar muitos efeitos de um jeito ou de outro no meu irmão mais velho, na minha inocente irmã mais nova e em mim.

Eu acho, srta. Starkly, que estou falando da sra. Avril M.-T. Incandenza, embora essa mulher seja tão complexa e à-prova-de-acusações que seja difícil alguém se sentir confortável com qualquer espécie de incriminação unívoca sobre uma coisa qualquer. Alguma coisa simplesmente não estava *certa*, é o único jeito de dizer. Alguma coisa *medonha*, mesmo na superfície culturalmente estelar. Por exemplo, depois que o Orin tinha mais do que obviamente matado o seu amado cachorro S. Johnson de uma maneira realmente pavorosa conquanto acidental, e aí tinha tentado escapar da responsabilidade por esse fato com uma mentira que um genitor bem menos inteligente que Avril teria desmontado rapidinho, a reação da sra. Inc foi não apenas convencionalmente passiva, mas parecia quase excessivamente incondicional nos seus amor, compaixão e altruísmo para poder ser verdade. A reação dela à patética mentira do Orin sobre a pulverização automobilística não foi tanto agir de forma crédula quanto agir como se toda aquela ficção grotesca nunca tivesse chegado aos seus ouvidos. E a reação dela à própria morte do cachorro foi bizarramente bifurcada. De um lado, ela chorou muito dolorosamente a morte de S. Johnson, pegou a guia, a coleira e o cotoco canino e montou exuberantes eventos memoriais e fúnebres, que incluíram um caixãozinho de cerejeira que era pequeno de cortar o coração, chorou quando solitária de maneira audível por semanas etc. Mas a outra metade das suas energias emocionais foi usada para ser abertamente solícita e polida com o Orin, aumentando a dose diária de elogios-e-reforços-positivos, providenciando comidas preferidas nas refeições da ATE, fazendo os equipamentos tenísticos preferidos dele aparecerem magicamente na cama e no armário dele com bilhetinhos amantíssimos presos a eles, basicamente fazendo os milhares de pequenos gestos pelos quais o genitor tecnicamente estelar consegue fazer o rebento se sentir particularmente valorizado[c] — tudo movido por uma preocupação de que o Orin *de modo algum* pensasse que ela estava ressentida com ele pela morte de S. Johnson ou que o culpasse ou o amasse menos de qualquer maneira por causa daquele incidente. Não só não houve castigo nem uma frustração visível, mas o bombardeio de amor-e-apoio *aumentou*. E tudo isso somado a elaboradas maquinações para manter o luto, os eventos fúnebres e os momentos de melancólica nostalgia canina ocultos do Orin, por medo de que ele visse que a Mães estava sofrendo e assim se sentisse mal ou culpado, de modo que na presença dele a sra. Inc se tornava ainda mais animada, loquaz, espirituosa, próxima e bondosa, sugerindo até de algumas maneiras enviesadas que a vida agora estava de certa forma de repente até *melhor* sem o cachorro, que algum tipo de irreconhecível bode tinha sido de algum modo retirado da sua cozinha mental, e assim por diante.

O que é que uma analista profissional dos nossos perfis jornalísticos culturais como você acha disso, srta. Starksaddle? Será uma coisa alucinadamente cheia de consideração, amor e apoio, ou há nisso algo… *medonho*? Talvez uma pergunta mais perspícua: será que a generosidade quase patológica com que a sra. Inc reagiu ao fato do seu filho pegar o carro dela num estado quimicamente alterado e arrastar o seu amado cachorro até uma morte grotesca e aí tentar mentir para escapar daquilo tudo, será que essa generosidade era pelo Orin ou pela própria Avril? Será que era a "autoestima" do Orin que ela estava salvaguardando ou a sua própria visão de si mesma como uma Mães mais estelar do que qualquer filho da raça humana pode um dia ter a esperança de sentir que merece?

Quando o Orin faz a sua imitação da Avril — que eu duvido que você ou qualquer outra pessoa consiga que ele volte a fazer, ainda que fosse de parar o trânsito lá no nosso tempo de Academia — o que ele faz é adotar um imenso sorriso cálido e amoroso e se mover constantemente na sua direção até estar tão perto que o rosto dele está estatelado bem contra o seu e a

c É — tudo bem — isso pode ser o começo de uma resposta: não "*valioso*" mas "*valorizado*."

respiração de vocês dois se misturam. Se você vier a poder passar por isso — pela imitação — o que é que vai lhe parecer pior: a proximidade sufocante ou o calor e o amor inatacáveis com que ela se realiza?

Por algum motivo eu estou pensando agora naquele tipo de filantropo que parece humanamente repulsivo não apesar da sua caridade mas *por causa* dela: em algum nível você pode ver que ele considera os receptores da sua caridade não como pessoas mas sim como equipamentos de ginásica em que pode desenvolver e demonstrar sua própria virtude. O que é medonho e repulsivo é que esse tipo de filantropo nitidamente *precisa* de privação e sofrimento para continuar, já que é a sua própria virtude o que ele estima, em vez dos fins aos quais a virtude ostensivamente se dirige.

Tudo que define a mãe do Orin é sempre terrivelmente bem organizado e multivalente. Eu suspeito que ela tenha sido vítima de abusos terríveis quando criança. Não tenho nada de concreto para sustentar isso.

Mas se, srta. Bainbridge, você cedeu os seus próprios encantos ao Orin, e se o Orin lhe parecer um amante maravilhosamente talentoso e atencioso — o que segundo várias fontes ele é — não só competente e físico mas magnificamente generoso, empático, atento, amoroso — se lhe parece que ele, de verdade, extrai os seus maiores prazeres do fato de lhe dar prazer, você pode querer refletir sobriamente sobre essa visão do Orin imitando a sua querida Mães enquanto filantropa: uma pessoa crescendo na sua frente, de braços bem abertos, sorrindo.

270. ® Cia Feliz de Receptáculos Flácidos, Zanesville, OH.

271. (inclusive K. McKenna, que diz ter tomado uma pancada no crânio mas que na verdade não tomou uma pancada no crânio)

272. Por isso é que Ann Kittenplan, bem mais culpável pelos danos Eskhatônicos que qualquer um dos outros meninos, não está aqui com o pessoal castigado com a limpeza, é que aquilo se tornou uma operação de facto do Clube dos Túneis. LaMont Chu foi o escolhido para dizer a ela que ela podia pular essa e que eles iam registrar a presença dela, o que tudo bem para a Kittenplan, já que nem mesmo a menininha mais sapatona parece ter esse fetiche protomasculino por se ver presa embaixo das coisas.

273. = Estrelas, meteoros, estrelas cadentes.

274. Poutrincourt usa o idiomatismo canadôncio *réflechis* em vez do mais padrão *réflexes*, e de fato soa mais canadense que xarope de bordo, ainda que o sotaque dela não tenha os sufixos gemebundos de Marathe, e mas enfim é certeza que uma certa jornalista vai mandar e-mails para Falls Church, VA, na linha à-prova-de-clippers do EEU para solicitar a ficha não-editada de uma certa "Poutrincourt, Thierry T.".

275. Usando *s'annuler* em vez do mais quebequense *se détruire*.

276. Usando o québecois comum *transperçant*, cuja conotação idiomática de condenação total Poutrincourt não teria nenhum motivo para pensar que Steeply, falante de parisiense, conhecesse, o que é o deslize que indica que Poutrincourt sacou que Steeply não é nem jornalista civil nem mulher, o que Poutrincourt provavelmente soube assim que Steeply acendeu o Flamengo com o cotovelo da mão que segurava o isqueiro para *fora* em vez de para *dentro*, o que só homens e lésbicas radicalmente machorras fazem, e que junto com as marcas da eletrólise constitui a única fresta real na persona feminil do agente, cuja percepção só seria possível para alguém quase profissionalmente hipervigilante e suspeito.

277. Idiomatismo da região de Trois-Rivières, que significa basicamente "razão para sair da cama de manhã".

278. Onde estava a *sra.* Pemulis esse tempo todo, tarde da noite, com o nosso amigo Paiê "acordando" o Matty aos sacudões até os dentes dele sacudirem e o Micky se enroscando contra a parede lá longe, respirando contidamente, quieto como a morte, é o que eu queria saber.

279. O menino é o ex-ATE cujo nome fica escapando de e torturando Hal, que não passa vinte e quatro horas sem ficar chapado em segredo há bem mais de um ano, e não está se sentindo nada bem, e acha a escapantidade do nome do menino uma coisa emputecedora.

280. *Anedonia* foi aparentemente um termo cunhado por Ribot, um francês europeu, que no seu livro *Psychologie des Sentiments* no século XIX diz que a palavra deve denotar o psicoequivalente de *analgesia*, que é a supressão neurológica da dor.

281. Essa havia sido uma das mais profundas e prenhes abstrações de Hal, uma abstração que ele tinha encontrado uma vez enquanto se chapava secretamente na Sala da Bomba. De que nós todos estamos sozinhos por alguma coisa que não sabemos que estamos sozinhos. Senão como explicar a curiosa sensação de que ele anda por aí sentindo saudade de alguém que nunca conheceu? Sem a abstração universalizante, a sensação não faria sentido.

282. (o maior motivo de as pessoas que estão com dor serem tão autocentradas e desagradáveis no convívio)

283. ISRS, dos quais o Zoloft e o malfadado Prozac foram ancestrais.

284. Uma forma barata e tosca de metedrina comburente, preferida pelo mesmo tipo de classe de viciados que cheira gasolina ou passa cola de avião dentro de um saco de papel, põe o saco na cabeça e respira até cair e entrar em convulsão.

285. Isso tem que ser um erro de pronúncia ou uma catacrese de R.v.C., já que a clonidina — 2-(2,6-dicloroanilino)-2-imidazolina — é um anti-hipertensivo decididamente adulto; a criança teria que ter o tamanho de um jogador de futebol americano para tolerar esse medicamento.

286. Kate G. nunca usou Ice, ou crack/freebase/crank, nem mesmo cocaína ou drinas de baixo impacto. Os drogados tendem a se dividir em classes diferentes: os que gostam de downs e do sr. Hope raramente curtem estimulantes, enquanto os drinococainômanos via de regra detestam a maconha. Essa é uma área de estudos potencialmente frutíferos na viciologia. Perceba que, no entanto, basicamente todas as classes de viciados bebem.

287. Desde o inverno passado, quando um cheiro rançoso, um monte de estimuladores dentais jogados no chão e uma única bituca fina molhada de cuspe indicaram que um certo veterano tinha fumado seus panatelas tarde da noite na SV3.

288. O Melhor Iogurte do Continente®.

289. A bem de uma verdade totalmente desconhecida por Hal, IdeS:UFdaP era na verdade um tristíssimo festival-de-auto-ódio de Sipróprio, uma alegoria velada do sistema de padrinhos e do quanto o próprio Sipróprio desgostava miseravelmente dos sorrisos vazios e das platitudes redutivas do AA de Boston a que os médicos e conselheiros o viviam encaminhando.

290. Nunca se explicita no filme se as horrendas cicatrizes de queimadura da menina são resultado de um acidente de freebase. Bernadette Longley diz que ela meio que está torcendo para ser, porque senão as cicatrizes iam funcionar como símbolos de algum ferimento/feiura mais espiritual, e a equação simbólica de deformidade facial e moral parece a todos com mais de treze anos naquela sala algo brega, pesado e batido.

291. Depois de um apogeu durante o frenesi de autoajuda pré-milenar, o CA voltou a ser uma facção do ainda imenso Narcóticos Anônimos; e Pat Montesian e os Funcionários da Casa Ennet, ainda que não tenham nada contra um residente com problemas com a cocaína ir a uma ou outra reunião do CA, sugerem vigorosamente que os residentes fiquem mesmo com o AA ou o NA e não façam de facções como o CA ou a Viciados Em Drogas Sintéticas Anônimos ou o Tranquilizantes de Farmácia Anônimos suas irmandades primárias para a recuperação, principalmente porque as facções tendem a ter menos Grupos e reuniões — e algumas nem os têm em certas partes dos EU — e porque o seu posicionamento extremamente específico sobre a Substância tende a estreitar a abertura para a recuperação e se centrar demais na abstinência de apenas uma Substância em vez da sobriedade completa e de uma nova forma de vida in toto.

292. Amedrontado em parte porque os Funcionários da Casa Ennet desencorajam vigorosamente que os residentes formem qualquer tipo de conexão sentimental com membros do sexo oposto durante a sua estadia de nove meses,[a] que dirá conexões com os Funcionários.

---

a Isso é um corolário da sugestão do AA de Boston de que os recém-chegados solteiros não se envolvam romanticamente durante o primeiro ano de sobriedade. O maior motivo para isso, os AA de Boston com algum tempo explicam se você apertar bem, é que a repentina retirada das Substâncias deixa um imenso

293. Ao que parece a palavra de-cor corrente para outros indivíduos de-cor. Joelle van Dyne, diga-se de passagem, foi aculturada numa região dos EUA em que as atitudes verbais para com os negros são datadas e inconscientemente derrogatórias, e está fazendo basicamente o melhor que pode — *de-cor* e coisa e tal — e de qualquer maneira é o protótipo da sensibilidade racial se comparada ao tipo de cultura em que Don Gately foi condicionado.

294. É uma coisa dos bostonianos de-cor que vêm nas Promessas, isso de fazer todas as falas serem uma longa apóstrofe dirigida a um certo "Jim" ausente, Joelle observou de uma forma sociológica e neutra.

295. Autoridade Habitacional de Boston.

296. Mistura-se a 5/1 com cloreto férrico para gerar "Sangue A+B", uma presença constante nos efeitos especiais de filmes violentos baratos.

297. A repetitiva ênfase do cartucho no desejo da Madre Superiora de *calar* a noviça leva B. Boone — uma aluna preguiçosa mas uma menina bem inteligente — a opinar que os calados trapistas envoltos em panos marrons que tinham ficado superfluamente passando pelas beiradas do filme como um coro grego mudo tinham uma finalidade mais simbólica que narrativa, o que Hal acha sagaz.

298. É também uma tiradinha à-clef dirigida a Schtitt, claro, por equivaler a algo como Somos O Que Injuriamos ou Somos Aquilo Em Volta Do Qual Rodamos Incessantemente Na Maior Velocidade Possível Olhando Para O Outro Lado, se bem que quando Schtitt menciona o lema ele nunca lhe dê nenhuma conotação moral nem o traduza para falar a verdade, permitindo que os pró-reitores e Amigões adaptem suas traduções para que elas sirvam às necessidades de cada momento pedagógico.

299. © Departamento de Loterias do Estado de MA.

---

buraco esfiapado na psique do recém-chegado cuja dor o recém-chegado tem mesmo que sentir para que ela o leve a se ajoelhar para rezar que o AA de Boston e o bom e velho Poder Superior o encham, o buraco, e intensos envolvimentos românticos oferecem um ilusório analgésico para a dor do buraco e tendem a fazer os envolvidos se grudarem um no outro como isótopos famintos por covalências, e substituam um pelo outro as reuniões e a Atividade num Grupo e a Entrega, e aí se o envolvimento não der certo no final (que tipo quantos entre recém-novatos você acha que dão) ambos os envolvidos ficam detonados e com uma dor buracal ainda maior que antes e agora não têm a força que vem apenas com o intenso trabalho no AA para encarar a devastação sem voltar à Substância. Os gnomas relevantes aqui podem incluir "Viciados Não Têm Relacionamentos, Eles Fazem Reféns" (sic) e "Um Alcoólico É Um Míssil Guiado Por Alívio". E assim por diante. Essa coisa de não envolvimento tende a ser o Waterloo de todas as sugestões, para os recém-chegados, e o celibato muitas vezes é a questão que separa os que Continuam dos que Voltam Para Lá Fora.

300. Facilmente encontrável quando penhorando uma Cafeteira de Café-au-Lait M. Café ® sem-fio numa loja de penhoras de Brookline, pois Fortier, Marathe e a AFR conheciam muito bem a paixão de M. DuPlessis pelo café au lait matinal.

301. Tendo no seu programa de MBA absorvido as lições litigiosas dos produtores de música versus fabricantes de fitas cassete e companhias de produção cinematográfica v. cadeias de locação de videotape, Noreen Lace-Forché protegeu a galinha dos ovos de ouro dos direitos autorais da InterLace especificando que todos os cartuchos laser compatíveis com TPs disponíveis para o consumidor final fossem elaborados como Somente-leitura — Cartuchos Máster copiáveis requerem códigos OS especiais e um equipamento especial para rodarem,[a] e você precisa ter licenças tanto para os códigos quanto para o equipamento, o que mantém a maioria dos consumidores fora do ramo de cartuchos piratas mas não é uma barreira difícil de eliminar se você tem recursos financeiros e um incentivo político (i. e., forjar um Máster).

302. Graças à traição de Marathe, esse plano puramente maldoso é conhecido pelo Escritório de Serviços Aleatórios, embora não seja impossível que Fortier tenha deliberadamente permitido que Marathe passasse esse dado, Marathe sabe, pela esperança de instilar arrepios ainda mais profundos de medo no *Sans-Christe* do Gentle e nos seus *chiens-courants* da ONAN. Marathe suspeita mas não sabe que Fortier planeja fazer Marathe ver o Entretenimento à força antes dos planos de disseminação de cópias de um Máster estarem firmemente encaminhados. Isso não porque Fortier por um só momento suspeite que o amor de Marathe pela saúde de sua esposa tenha detonado sua traição de *Leur Rai Pays* — Fortier tinha sido o responsável pelos dois *jeux du prochain train*[b] em que os irmãos mais velhos de Marathe tinham sido atingidos e mortos, e Fortier há muito guarda a suspeita de que Marathe guarda sonhos de vingança por causa disso.

303. Embora seja a esperança a última a falecer, essa notícia era aguardada por Broullîme e Fortier desde o momento em que viram os irmãos da loja ativos e operantes. Pois eles acreditavam que nenhum cartucho Máster teria ficado não-arquivado num saco ou numa caixa úmida: até os tontos irmãos Antitoi, vendo o singular estojo e o tamanho ligeiramente maior de um Máster, teriam colocado esse cartucho de especial lado e obtido um equipamento especial de 585-r.p.m. para assistir e verificar algum valor especial, e já estariam perdidos.

304.
P. ex. @ 2030h do dia 11 de novembro do ano da FGD, 308, Subdormitório B, Academia de Tênis Enfield, onde James Albrecht Lockley Struck Jr. está sentado largado, queixo nas mãos, testa lambrecada de $(C_2H_5CO)_2O_2$,[c] cotovelos em minúsculas clareiras abertas na es-

a N.L.-F. tinha até dado um jeito de que os Máster tivessem que rodar a 585 rpm. em vez dos 450 rpm. de um TP de consumidor.
b Q.v. nota 304, *infra*.
c Creme para espinhas.

crivaninha, TP compactamente zunindo, conversor de processamento de texto plugado no seu dock de luzinha verde acesa, tela HD posta sobre o chassi do monitor de cartuchos no seu suporte dobrável como a foto de uma pessoa amada, teclado arrancado do caos meio McGee do seu armário e regulado para Toque Pesado, cursor pulsando suavemente no canto superior esquerdo da tela antes de Struck, debruçado remelentamente sobre o que começa a se revelar uma quantidade inabsorvível de material de pesquisa para o seu ensaio final para aquela coisa lá de História da Zona Toda com o Canadá da srta. Poutrincourt. Struck sempre se refere mentalmente às suas aulas como "coisas". As esperanças originais de pelo menos um tema original já foram há muito tempo lançadas por sobre a amurada, emocionalmente. Acaba que quanto mais tetricamente impressionante é a abordagem do tópico que você escolhe, mais as pessoas já andaram por lá antes de você deixando pegadas em que você tem que pisar e os seus artigos obscuramente tipo revista-acadêmica para você tentar absorver e, tipo, sintetizar. Struck está nessa há mais de uma hora, e as suas sacadas originais diminuíram consideravelmente. Ele está se sentindo meio podre desde cedo, seios nasais com aquela infalível sensação de tempestade-a-caminho, de peso e entupimento, e uma dor de cabeça que parece uma máscara de hóquei que pulsa junto com o coração dele, e ele agora está tentando achar algum recurso novo nas pilhas que seja obscuro e amadorístico o bastante para ele transpor e semiplagiar sem se preocupar com a possibilidade de que Poutrincourt tenha lido e sinta o cheiro do rato na pilha de lenha.

"Quase tão pouco de definitividade acadêmica irretocável se sabe também sobre os infames Separatistas chamados 'Assassinos Cadeirantes' (*Les Assassins des Fauteuils Rollents* ou AFRS) do sudoeste de Québec quanto o que se aceita como axiomático quanto às manadas de 'Bebês Selvagens' gigantescos que supostamente habitam os trechos florestais periodicamente hiperabitáveis da Reconfiguração leste."

Uma busca na database ArchFax da BPB das palavras-chave conjuntas *AFR, cadeirante, fauteuil rollent, Quebec, Québec, Separatismo, terrorista, Experialismo, história* e *seita*, que era de pensar que pudesse dar uma bela estreitada na coisa toda, gerou mais de 400 itens, artigos, ensaios e papers, em tudo quanto é tipo de coisa desde *The Continent* até a *Us*, da *Foreing Affairs* até uma coisa chamada *Loucas Presunções*, uma coisinha marginal fuleira com cara de ter sido feita num desktop e publicada por algum lugar chamado Bayside Community College lá na I-93 em Medford, longe de toda e qualquer baía possível, e editada pelo cara de mesmo nome cujo ensaio sobre os assassinos cadeirantes na *Loucas Presunções* Struck, depois de ter lido a primeira frase várias vezes só para conseguir entender, avalia que é bem seguro copiar, já que nem a pau que a Poutrincourt ia gastar o seu inglês de estrangeira pra encarar um academiquês americano tão insuportável:

"[...] que os supracitados bebês agigantados supostamente existem, são anômalos e imensos, crescem mas não se desenvolvem, alimentam-se da abundância de comestíveis anularmente disponíveis que representam os períodos de crescimento extraordinário da região, de fato depositam excrementos de titânicas dimensões, e por ali presumivelmente de fato tonitruantes engatinham, ocasionalmente se aventurando ao sul das muradas linhas de retenção para áreas populosas da Nova Nova Inglaterra." Numa curiosa reversão da situação plagiária normal, o trabalho mais duro para Struck aqui será o de higienizar a prosa dessa coisa lá do cara da *Loucas Presunções*, ou pelo menos levar os verbos e modificadores a um número mais parecido com o total do ozônio, que o tal do academiquês aqui no geral soa para Struck como o tipo de megalograndiosidade espumante que ele associa a Mandrix com vinho tinto e aí um ou outro Preludin pra se arrancar do grandioso mergulho de cabeça dos Mandrix com vinho tinto. Fora que nem me fale do trabalho de manutenção nessas transições alucinadas; a Poutrincourt tem uma coisa meio de fetiche com as transições.

"Os bebês imensos, selvagens, formados pela toxicidade e sustentados pela anulação, contudo, são, da perspectiva chã desse Ano do Lava-Louças Quietinho Maytag, essencialmente ícones passivos da Gestalt Experialista. Quem dera o fossem também os infames *Assassins des Fauteuils Rollents*." Struck quase consegue ver a Poutrincourt colocando um grande QUOI? vermelho e triplamente sublinhado sob uma transição torturada e alucinante como essa. Struck imagina o cara da *Loucas Presunções* totalmente vituperante enquanto escreve, babando espuma na escrivaninha, quase. "Pois os argumentos que nos levam a supor o estado irredutivelmente ativo da infame célula Separatista quebequense incluem os seguintes. Os aleijados Assassinos Cadeirantes Quebequenses, embora desprovidos de pernas e confinados a cadeiras de rodas, mesmo assim conseguem ter situado grandes aparatos de reflexão em autoestradas ímpares dos Estados Unidos com o propósito de desorientar e pôr em risco os americanos que seguissem rumo norte, rompido tubulações entre pontos de processamento da malha de fusão anular da Reconfiguração leste, estar ligados a tentativas sistemáticas de causar danos às instalações federalmente subsidiadas de lançamento e recepção da Deslocamento de Resíduos Empire nos dois lados da Reconfigurada fronteira intracontinental, e, talvez mais infamemente, derivar o apodo da própria célula na vox Populi —— 'Assassinos Cadeirantes' —— da ativa prática de assassinar proeminentes políticos canadenses que apoiam ou até toleram o que eles —— os *AFRs*, em infrequentes comunicados públicos —— consideram como a 'Sudetenlandização' tanto do Québec quanto do Canadá *in toto* pela —— como os *AFR* a caracterizam —— mesma Organização das Nações da América do Norte dominada pelos americanos que empurrou um território ecologicamente distorcido e possivelmente mutagênico sob a sua —— da nação do Canadá e mais específica e intensamente da província do Québec —— égide no recém-subsidiado Ano do Whopper [...]" — Struck, meio torto na cadeira da escrivaninha por causa do desenvolvimento desproporcional do lado direito do seu corpo, está também tentando picar cada uma das sentenças desse diarreico G. T. Day, Ms., em frases menos longas e mais coesas que soem mais diretas e púberes, como alguém honestamente em embate com a verdade em vez de alguém que pontilha a testa de saliva enquanto deblatera grandiosamente — "[...] materializando-se os Assassinos Cadeirantes nesses assassínios mais do que públicos, eu cito 'como que do nada' fim da citação, mestres da discrição, causando terror em corações canadenses proeminentes, concedendo avisos nenhuns exceto o ominoso ranger das lentas rodas, atacando ágeis e sem avisos, assassinando canadenses proeminentes e aí se dissolvendo de novo na noite escura" — em oposição a uma noite clara? Struck força um ar súbito pelo nariz cheio, produzindo um som derrisório grave e como que de uma tuba — "atacando sempre à noite, um tipo de assinatura performativa, atacar somente à noite, deixando atrás de si apenas sinuosas redes de esguias marcas duplas sobre neve, orvalho, folhas ou terra, como assinaturas performativas, de modo que uma dupla linha sinuosa em formato de *S* sobre o tradicional motivo da *fleur-de-lis* do Separatismo Québecois é o estandarte da célula dos *AFR*, seu brasão ou 'símbolo', quiçá, nos seus infrequentes e sempre hostis comunicados para as administrações do Canadá e da ONAN. De forma que, eu cito, 'ouvir o rangido', fim da citação, é já hoje uma compreendida locução eufemística entre políticos em altos pontos da hierarquia québecois, canadense, e ONANita para uma morte instantânea, aterradora e violenta. E para a mídia também. Tal como, eu cito, 'Diante de muitos milhares de chocados eleitores, o recém-eleito líder do Bloc Québecois Gilles Duceppe e um assistente, protegido por nada menos que doze unidades de elite da Equipe Doméstica dos Couraçados Montados, mesmo assim ouviram o rangido ontem à noite durante um discurso espontaneamente disseminado no retiro lacustre de Pointe Claré."[d]

Struck, apertando a cabeça com uma mão, está tentando encontrar *eufemísmica* na Base--Lex do TP.

"[…] ligações, por vezes supostas, entre o núcleo sêitico central de *Les Assassins* de um lado e as mais radicais e violentamente subversivas das organizações *Séparatisteuses* do Québec —— a *Fronte de la Libération de la Québec*, os *Fils de Montcalm*, o ultradireitista e antirreconfigurativo vixnu do *Bloc Québecois* —— tendem, contudo, a ser contraditas tanto pelos programas declarados —— as falanges Separatistas convencionais demandando apenas a secessão independente do Québec provincial e a eliminação de cognatos anglo-americanos dos discursos públicos, enquanto os objetivos declarados da *AFR* são nada menos totais que a total devolução de todos os territórios Reconfigurados para a administração americana, a cessação de toda a atividade de deslocamento de resíduos por via aérea da DRE e de deslocamento massivo de ar por dispositivos rotatórios ATHSCME por 175 quilômetros de solo canadense, a remoção de todos os anulares de fissão/resíduo/fusão a norte do paralelo 42N e a secessão do Canadá *in toto* da Organização das Nações da América do Norte —— e pelo fato de que numerosas figuras proeminentes da sócio--história recente do movimento Separatista —— p. ex., Schnede, Charest, Remillard, tanto Bouchard Sr. quanto o Jr. —— já, nos últimos 24 meses —— particularmente no violento e sangrento outono do Ano do Sorvete Dove Tamanho-Boquinha —— 'ouviram o rangido'."

Os arquivos Lex internos do pequeno TP de Struck confirmam *vixnu*, pelo menos. Fora que tem uma pegada quase selvagem na incoerência do artigo que Struck está quase começando a achar legal, um pouquinho: ele fica imaginando o hifenzinho de ruga que aparece no meio das sobrancelhas da Poutrincourt quando ela não está entendendo alguma coisa e não sabe direito se é culpa do inglês dela ou do seu. "Anteriormente à Lei da Liberdade Especulativa do AF-MP, dados sócio-históricos críveis sobre as origens e evolução de *Les Assassins des Fauteuils Rollents* de uma obscura Seita adolescente e niilista para uma das células mais temidas dos anais do extremismo canadense eram lamentavelmente incompletos e dependentes de boatos provindos de fontes cuja veracidade era de uma integridade algo menos que inatacável." Struck aqui imagina Thierry Poutrincourt, que tende a ficar com aquela ruguinha de confusão--irritada às vezes até com os mais lúcidos ensaios dos alunos, baixando a cabeça alta e correndo de encontro a uma parede. Um seio nasal parece perceptivelmente maior que o outro seio

---

d CBC/PATHÉ 1200h–0000h. Cartucho Sumário nº 911-24-04, 4 de maio do AF-MP, © AF-MP. PATHÉ Nouvelle Toujours, Ltda.

nasal, e tem alguma coisa meio esquisita com o pescoço dele por ficar esse tempo todo sentado curvo, e ele seria capaz de matar parentes por um baseadinho rápido.

"*Les Assassins des Fauteuils Rollents* do Québec são essencialmente uma seita, que localiza tanto sua *raison d'être* política quanto seu *dasein* filosófico nos limites do intervalo sócio-histórico norte-americano de intensiva difração de interesses especiais que precedeu —— ou, ousemos dizê-lo, manteve integral relação causal com respeito a —— as criações quase simultâneas do domínio ONANita, da Interdependência Continental, e da subsidização comercial de um calendário lunar da ONAN. Como a maioria das pós-seitas canadenses, contudo, os Assassinos Cadeirantes e suas derivações semirreligiosas se provaram substancialmente mais fanáticos, menos benignos, menos razoáveis e substancialmente mais malignos —— em suma, mais difíceis de as autoridades responsáveis anteverem, controlarem, interditarem ou dialogarem até que as mais passionais cabalas dos EUA. Este artigo acadêmico subscreve em muitos aspectos essenciais a tese de que Seitas canadenses e não americanas em geral, em contraste com quase tudo a não ser o que Phelps e Phelps defendem ser bolsões isolados de esteliformismo americano anti-histórico, persistem tão estranhamente em dirigir sua reverente devoção a princípios, eu cito, 'muitas vezes não apenas isomórficos com relação a mas ativamente *opostos* ao próprio prazer individual dos membros da seita, seu conforto, *cui bono*, ou entretenimento, a ponto de estar praticamente fora das lindes tanto dos sofisticados modelos preditivos da ciência psicossocial quanto da rudimentar compreensão da razão humana'.[e] finda citação."

Isso tudo dá um trabalhão para Struck conseguir espremer um significado e aí reelaborar tudo de um jeito menos metido e mais tipo prosa estudântica básica. Duas vezes no corredor que fica na frente do quarto dele, de Shaw e de Pemberton, Rader e Wagenknecht e mais alguns alunos que soavam meio sub-16 passam pelo corredor, todos eles fazendo "*Ee, ah, ii, uu, ah, ee, ah, ee, ah, ii...*" e assim por diante. "É fato consabido que a Seita de base de *Les Assassins*, de uma maneira típica daqueles cujos objetos se divorciam da busca racional dos interesses individuais, assume, para seus ritos e personalidade, rituais intimamente ligados a '*Les jeux pour-memes*', jogos competitivos formais cujo fim é menos qualquer espécie de 'prêmio' que uma forma de identidade básica: i. e., ou seja, o 'jogo' como ambiente metafísico, lócus psico-histórico e gestalt." O pai histórico do próprio Struck, durante a infância do próprio Jim em Rancho Mirage, era um inveterado ingestor de vinho-tinto-com-acompanhamento--de-tranquilizantes-pesados, que fazia ligações telefônicas tarde da noite para pessoas que não conhecia muito bem e afirmações que mais tarde tinha que retirar laboriosamente, até que finalmente numa noite de outono o pai tinha saído cambaleante e tentado um mortal-e-meio carpado na piscina do quintal da família Struck que ele não lembrou que tinha sido esvaziada, resultando num suporte ortopédico de pescoço vitalício que acabou com a carreira dele como

---

[e] in PHELPS & PHELPS, *As seitas do eu resoluto: um guia para as seitas de especulação monetária, Melanina, Fitness, Bioflavonoides, Espectação, Assassínio, Estase, Propriedade, Agorafobia, Reputação, Celebridade, Acrafobia, Performance, Amway, Fama, Infâmia, Deformidade, Escopofobia, Sintaxe, Tecnologia de Consumo, Escopofilia, Presleyismo, Hunterismo, Criança Interior, Eros, Xenofobia, Cirurgia Plástica, Retórica Motivacional, Dores Crônicas, Solipsismo, Sobrevivencialismo, Preterição, Antiaborcionismo, Kevorkianismo, Alergia, Albinismo, Esporte, Quiliasmo e Telentretenimento na América do Norte pré-ONAN*, © AFP.

golfista nível 80 e poucos, resultando em incrível amargura e trauma familiar, antes do pequeno J. A. L. S. Jr. ser mandado para a Academia Rolling Hills.

"É, por exemplo, largamente aceito que o confinamento de *Les Assassins* a suas epitéticas cadeiras de rodas pode ter suas origens encontradas no infame '*Le Jeu du Prochain Train*' do sudoeste rural pré-experialista do Québec, e que a própria seita original dos AFR era composta em grande medida ou talvez integralmente de veteranos devotos e praticantes desse *jeu pour-meme* selvagem, niilista e testador de brios.

"'*La Culte du Prochain Train*', muitas vezes traduzido como 'O culto do próximo trem', originou-se, sabe-se, pelo menos uma década antes da reconfiguração entre os filhos homens de mineiros de amianto, níquel e zinco na desolada região de Papineau do que então era o extremo sudoeste do Québec. A participação no arrepiante jogo e o culto que dele surgiu logo se espalharam por toda a rede de linhas férreas não ionizadas e pré-Interdependentes que levavam minérios brutos para o sul rumo a Ottawa e aos Grandes Portos Lacustres dos Estados Unidos." Sobre a pequena escrivaninha de Struck pende um aeromodelo feito inteiramente de partes diferentes de latas de cerveja. Enquanto o Inc curtia toda aquela coisa terrorista de espelhos-nas-estradas dos princípios da ONAN, e o ensaio de Schacht se concentrava nos violentos protestos franco-católicos contra a fluoretação municipal no governo Mulroney, Struck tinha escolhido a conexão daquela coisa AFR-e-seita-de-puladores-de-trem-meio-roleta-russa, e estava se mantendo fiel a ela com a mesma tenacidade que o mantinha na equipe A do sub-18 apesar de um saque que deLint descrevia como a mesura de uma debutante. O avião tem latas achatadas em lugar de asas, latas espremidas no lugar das rodas, parte de uma lata grande para a fuselagem e o bico.

"Como com muitos jogos, *Le Jeu du Prochain Train* era por si próprio substancialmente mais simples que a organização da competição." Um sorrisinho de Struck. "Jogava-se depois do pôr do sol em sítios específicos, especificamente *les passages à niveau de voie ferrée* que marcavam a interseção de cada estrada rural quebequense com um trilho de trem. No Ano do Whopper, havia mais de 2 mil (2000) dessas interseções apenas na região de Papineau, embora não tivessem todas o tráfego pesado que era necessário para acomodar as complexidades da verdadeira competição.

"Seis meninos, filhos de mineiros, entre dez e talvez dezesseis anos, falantes de francês québecois, se alinham em seis pontas de seis dormentes bem próximos aos trilhos. Duzentos e dezesseis (216) meninos —— nunca nem mais nem menos —— envolvem-se nas rodadas iniciais de cada noite, organizados em grupos de seis, com cada grupo de seis encarando um trem diferente, parados sobre dormentes consecutivos bem próximos a um dos trilhos, esperando, indubitavelmente tensos, esperando pela entrada de uma noiva verdadeiramente terrível. O quadro do pesado tráfego de cruzamentos de trens é conhecido pelo episcopado de *les directeurs de jeu* de *Le Jeu du Prochain Train* —— meninos mais velhos, pós-adolescentes, veteranos de *les jeux* prévios, muitos deles sem pernas e cadeirantes ou —— para os filhos dos mineiros de amianto, muitos órfãos e desesperadamente pobres —— usuários de toscas pranchas com rodinhas. Não se permite o uso de relógios pelos jogadores, que ficam sob total controle dos *directeurs* do jogo, cujas decisões são definitivas e muitas vezes cumpridas à força. Eles ficam todos calados, ouvindo o som do motor da locomotiva, um som que é triste e cruel ao mesmo tempo, enquanto o som se aproxima e começa a sutilmente sofrer efeitos Doppler. Eles retesam pernas palidamente musculosas por sob calças de veludo herdadas de irmãos mais velhos enquanto o único olho branco do próximo trem contorna a curva do trilho e se dirige aos meninos que esperam para o jogo."

Struck fica se atolando nessas partes em que parece que o cara simplesmente abandona totalmente o tom acadêmico, e até provavelmente começa a inventar ou sonhar com uns detalhes mirabolantes que nem a pau que Jim Struck podia se representar como testemunha real daquilo, e ele está marcando tudo quanto é parte com círculos azuis de deleção, fora que está coçando o olho e cutucando a testa, suas duas respostas mais ou menos constantes ao estresse criativo.

"*Le Jeu du Prochain Train* em si próprio é a simplicidade em movimento. O objetivo: ser o último dos seis da sua rodada a saltar de um lado do trilho para o outro —— ou seja, por sobre o trilho —— antes da passagem do trem. Os seus únicos adversários reais são os outros cinco dos seus seis. Nunca o próprio trem é considerado um adversário. O trem acelerado e berrante é considerado na verdade como o limite de *le jeu*, sua arena e sua razão. Seu tamanho, sua velocidade ao descer a extremamente gradual rota norte-sul do que então era o sudoeste do Québec, e as especificações mecânicas precisas de cada trem previsto —— esses dados são conhecidos pelos *directeurs*, eles representam as constantes num jogo cujas variáveis são as disposições respectivas dos seis dispostos ao longo do trilho, e suas estimativas da disposição dos outros de arriscar tudo para vencer."

Struck transpõe um material nitidamente metido e não adolescente como esse para: "A variável do jogo não é tanto questão do trem, mas da coragem e da disposição do jogador".

"Os últimos poucos instantes, inapreensivelmente curtos, quando o jogador pode se lançar por sobre o trilho, por sobre dormentes de madeira, fedor de creosoto, brita e ferro triscado, entre o berro do apito que perfura tímpanos quase acima dele, capaz de sentir o imenso baque do terrível ar deslocado pelo saca-boi do convencional ou o nariz arredondado do expresso, para ir se estatelar na brita do outro lado dos trilhos e rolar vendo rodas, flanges, engates e bielas, o furioso ir e vir de eixos transversais, sentindo o vapor do apito se condensar em garoa por toda parte —— esses poucos segundos são conhecidos, familiares como a própria pulsação deles, para os meninos que se reúnem e jogam." Struck agora passou a enfiar toda a base da mão na órbita ocular, produzindo ali uma espécie de espiralzinha ectoplásmica vermelha. Será que até as locomotivas pré-bala tinham flange, saca-boi e apitos que soltavam vapor?

Num lapso desastroso, Struck copia *inapreensivelmente curtos*, uma locução adjetiva decididamente não-struckiana, verbatim no seu texto.

"[...] que a verdadeira variável que transforma *le Jeu du Prochain Train* numa disputa e não meramente num jogo envolve a audácia, a fortaleza e a disposição de arriscar tudo de qualquer um ou de todos os cinco que esperam ao seu lado no trilho. Quanto eles aguentam esperar? Quando vão escolher? A vida e os membros deles valem quantas moedas com a cabeça da rainha na noite de hoje? Mais radical de longe que o jogo automobilístico que a juventude americana chama de 'Chicken' com que seus princípios frequentemente são comparados (cinco, não uma, disposições diferentes a serem comparativamente avaliadas, além da firmeza da sua própria disposição, e a ausência de movimentos ou ações que distraiam você da tensão de esperar imóvel para se mover, esperando enquanto um a um os outros cinco se acovardam e se salvam, saltam para vencer o trem...", e aí a sentença simplesmente acaba, sem nem fechar os parênteses, embora Struck, com um olho atilado para esse tipo de coisa, saiba que a analogia com o jogo da galinha vai agradar na medida em termos de ensaio para a disciplina.

"Os historicamente melhores em *Le Jeu*, supostamente, contudo, ignoram completamente seus cinco adversários, concentrando toda sua atenção em determinar o último instante viável em que saltar, considerando que o último, final, e único adversário verdadeiro do jogo são suas próprias disposição, coragem e intuição quanto ao último instante viável em que saltar. Esses inabaláveis poucos, os virtuoses de *le Jeu* — muitos dos quais passarão a *directeurs* de futuros *jeux* (se não, muitas vezes, a membros de *Les Assassins* ou de seus rebentos esteliformes) — esses inabaláveis gênios do autocontrole nunca veem os tremores ou os tiques dos adversários ou o escurecimento da calça de veludo na virilha, nenhum dos sinais normais de uma disposição que vacila que os jogadores menos refinados procuram — pois os melhores jogadores do jogo frequentemente fecham completamente os olhos enquanto esperam, confiando na vibração dos dormentes da estrada de ferro e no tom do apito, assim como na intuição, e no destino, e em quaisquer numinosas influências que jazem logo além do destino." Struck em certos momentos se imagina agarrando as duas lapelas desse cara da *Loucas Presunções* com uma mão e selvagem e repetidamente estapeando o cara com a outra — forehand, backhand, forehand.

"O princípio do jogo da seita é simples. O último dos seis a saltar na frente do trem e aterrissar intacto ganha a rodada. O quinto até o segundo a saltar perderam, mas foram absolvidos.

"O primeiro a se acovardar e saltar numa dada rodada volta imediatamente para casa, sozinho sob a lua, em desgraça e vergonha.

"Mas mesmo o primeiro a se acovardar e saltar saltou. Muito mais que proibido, não saltar de todo é considerado impossível. '*Perdre son coeur*' e não saltar de todo está fora dos limites de *le Jeu*. A possibilidade simplesmente não existe. É inconcebível. Só uma vez, na extensa história oral de *le Jeu du Prochain Train*, o filho de um mineiro não saltou, perdeu a coragem e travou, permanecendo em seu dormente quando o trem da rodada passou. Esse jogador depois veio a se afogar. '*Perdre son coeur*', quando é sequer mencionado, é conhecido também como '*Faire un Bernard Wayne*', em duvidosa honra desse solitário filho de mineiro de amianto não-saltador, sobre quem pouco se sabe além de seu afogamento subsequente no Reservatório Baskatong, denotando seu nome uma figura de ridículo e de nojo entre os falantes do dialeto da Região de Papineau." Desastrosamente, Struck todo alegrinho transpõe isso também, sem nem uma lampadinha miniatura tipo de aparelho doméstico acendendo em qualquer parte da sua cabeça.

"O objetivo do jogo é saltar por último e aterrissar ainda dotado de todos os membros no talude oposto.

"Os expressos são 30 k.p.h. mais velozes que os convencionais, mas o saca-boi de um convencional lacera. Um menino atingido frontalmente por um trem em movimento é lançado como que de um canhão, arrancado do chão, descreve um elevado arco enquanto se debate no ar, e é transportado para casa num saco de juta. Um jogador apanhado embaixo de uma roda e atropelado é frequentemente espalhado por uma centena ou mais de rubros metros de trilhos carmesins, e é transportado para casa em diversas pás de mineração de amianto e de níquel cerimoniais fornecidas pelos *directeurs* mais velhos e frequentemente desmembrados do *Jeu*.

"Como acontece com mais frequência, supostamente, um menino que mergulhou mais da metade do caminho por sobre os trilhos quando é atingido e derrubado, perde uma ou mais pernas —— ou ali mesmo, se tiver sorte, ou mais tarde, com gás anestésico e serras ortopédicas aplicadas ao que normalmente são massas violentamente retorcidas de carne irreconhecivelmente contusa." O paradoxo aqui para Struck enquanto plagiário, alguém que precisa de algo com um grau suficiente de detalhamento para poder basicamente só dar uma requentada, é que essa coisa aqui tem praticamente detalhes demais, boa parte arroxeada; nem parece tão acadêmico assim; parece mais que o cara do Bayside C. C. da *Loucas Presunções* pareceu ir ficando cada vez mais bêbado enquanto a coisa ia seguindo até ele se sentir à vontade para inventar boa parte daquilo, tipo p. ex. os pedaços sobre carne contusa etc.

O que é mais interessante para Hal Incandenza sobre a sua opinião a respeito de Struck, às vezes Pemulis, Evan Ingersoll, et al. É que os plagiários congênitos trabalham muito mais para camuflar o seu plágio do que seria necessário para simplesmente escrever um trabalho do zero conceitual. Normalmente parece que os plagiários são mais meio que navegacionalmente inseguros do que preguiçosos. Eles têm dificuldades de navegação sem um mapa detalhado que garanta que alguém já esteve antes ali. Sobre esse incrível cuidado detalhista para esconder e camuflar o plágio — seja ele desonestidade ou algum tipo de vício cleptomaníaco em emoções ou sei lá o quê — Hal não desenvolveu muito nenhuma espécie de opinião.

"É assustadoramente simples e direto. Às vezes o último dos seis a saltar é atingido; aí o penúltimo saltador se torna último e vencedor, e avança, com cada vencedor literalmente 'sobrevivendo' para a próxima rodada do jogo, uma espécie de semifinal sextuplicada, seis rodadas de seis meninos canadenses em cada uma: chamados de, eu cito, '*Les Trente-Six*' daquela noite. Os meninos das primeiras rodadas —— os que não formam nem os últimos nem os desgraçados primeiros a saltar —— têm direito de ficar em *le passage à niveau de voie ferrée*, reunidos para se tornarem a audiência silente das semifinais. Todo *Le Jeu du Prochain Train* é consuetudinariamente conduzido em silêncio." num conjunto desastroso e talvez inconscientemente autodestrutivo de lapsos, Struck reabilita a prosa mas mantém boa parte dos mirabolantes detalhes descritivos, sem notas de rodapé, ainda que obviamente ele não tenha como fingir que esteve lá.

"Os perdedores sobreviventes entre *Les Trente-Six* então engordam as fileiras da galeria silente enquanto os seis inabaláveis vencedores —— os finalistas, os '*attendants longtemps ses tours*' desta noite —— alguns sangrando ou brancos pelo estado de choque, sobreviventes já de dois saltos postergados diferentes e de vitórias por um fio de cabelo, olhos vazios ou fechados, bocas se contorcendo num desgosto prelibado, esperam pelo Expresso 2359 de toda noite, o ultraionizado '*Le Train de la Foudre*' de Mont Tremblant a Ottawa. Eles vão soltar por sobre os trilhos diante de seu nariz de alta velocidade no momento final, cada um deles tentando ser o último a saltar e a sobreviver. Não é raro que vários finalistas de *le Jeu* sejam atingidos." Struck tenta decidir se ia ser inverossímil ou verossímil de um jeito não-autoconsciente ele continuar usando seu nome, que calha de ser homófono com o particípio do verbo *strike*, atingir — será que um cara com algo a camuflar ia usar o próprio nome?

"[...] que vários sobreviventes e o diretorado organizacional de *La Culte du Prochain Train* acabaram fundando e dando corpo a *Les Assassins des Fauteuils Rollents* está fora de qualquer questionamento sócio-histótico, embora a relação ideológica precisa entre os selvagens torneios da Culto do Trem ao mesmo tempo intrépido e niilístico da era AS e a atual célula sem-membros de extremistas anti-ONAN continue sendo tema do mesmo debate acadêmico que cerca a evolução no norte do Québec de *La Culte de Baiser Sans Fin* para a célula não particularmente temida mas com boas conexões midiáticas dos *Fils de Montcalm* que se acredita ter sido responsável por largar uma casca de torta de 12 metros, cheia de excremento humano, no púlpito do segundo Discurso de Posse do Presidente Gentle dos EU.

"Como no caso de *La Culte du Prochain Train*, a Seita do Beijo Sem Fim das regiões mineradoras de ferro que cercam o Golfo de St. Lawrence, amalgamou-se a partir de uma competição periódica semelhante a um torneio, este composto de 64 adolescentes canadenses, em sua metade mulheres.[f] Assim, a primeira rodada era um embate entre 32 casais, cada um deles formado por um quebequense homem e uma mulher." Struck está tentando ligar para Hal, mas só cai na enfadonha mensagem da secretária eletrônica do quarto dele; será que dá para usar *contrapostos* com tipo uma preposição diferente de *a* na frase? Struck imagina o acadêmico da *Loucas Presunções* totalmente alucinado a essa altura, de olhos cruzados e com a cabeça balançando de lado e ele tendo que tapar um olho com a mão só para não ver a tela dobrada, e datilografando com o nariz. Mas com a aparente credulidade autodestrutiva que caracteriza muitos plagiadores, por mais que sejam talentosos, Struck vai em frente e mete um *contrapostos com*, imaginando tabefes de forehand e backhand o tempo todo. "De cada par, uma metade, designada por sorteio, encheu os pulmões totalmente com ar inalado, enquanto a outra exalava maximamente para esvaziar os seus. As bocas dos casais eram então acopladas velozmente seladas por um membro organizador da seita com fita oclusiva, que então competentemente empregava polegar e indicador de ambas as mãos para lacrar as narinas dos combatentes. Assim, a batalha do Beijo Sem Fim tinha início. Todo o conteúdo pulmonar do/a jogador/a designadamente inalante eram então oralmente exalados nos pulmões esvaziados do/a adversário/a, que por sua vez exalava novamente o inalado para sua fonte original, e assim por diante, revezadamente, sendo o mesmo ar trocado de um para outro, com a proporção de oxigênio para dióxido de carbono se tornando progressivamente mais espartana, até que o organizador que lhes segurava as narinas oficialmente declarava que um ou outro dos combatentes estava '*evanoui*', ou 'desmaiado', ou caído no chão ou ainda de pé. A teoria por trás da disputa se presta a uma avaliação das táticas pacientes, desgastantes, irritantes de *Séparatisteurs* québecois tradicionais como *Les Fils de Montcalm* e a *Fronte de la Libération du Québec*, em oposição à crueldade e às táticas extremas dos herdeiros aleijados da Seita original de '*Le Prochain Train*'. O objetivo figurativo da competição do '*Baisser*' parece —— segundo Phelps e Phelps —— envolver o uso do que se recebe com níveis maximamente exaustivos de eficiência e resistência antes de excretá-lo de novo para o lugar de onde veio, uma posição estoica para com a utilização dos resíduos que os Phelps de maneira algo sem-cerimônia empregam para iluminar a relativa indiferença dos *Montcalmistes* para

f Exceto em certas variações muito esotéricas do jogo.

com a Reconfiguração continental que constitui toda a '*raison de la guerre outrance*' para *Les Assassins des Fauteuils Rollents*."ᵍ

305. (ela achava naquela época)

306. Algumas das melhores discussões entre ela e Jim foram sobre as conotações da frase "Crítica todo mundo sabe fazer", que Jim gostava de repetir com todos os tons e nuances diferentes dos vários gumes da ironia.

307. Joelle van Dyne e Orin Incandenza lembram, cada um dos dois, terem sido eles os originalmente abordados. Não está claro qual das duas lembranças é precisa, se é que alguma delas é, embora valha a pena notar que essa é uma entre as apenas duas vezes no total em que Orin se percebeu como o abordado, sendo a outra a "modelo-de-mãos suíça" em cujo flanco nu ele ficou furiosamente traçando sinais de infinito durante toda a ausência da Cobaia da *Moment*.

308. = ponto de vista.

309. No Shopping Center Chestnut Hills em Boylston/Rte. 9, por onde as equipes A da ATE passam saltitantes várias vezes por semana, correndo — uma franquia, mas uma franquia bem alto padrão e bem decente, e o Legal de Brookline tem uma seleção marinha particularmente decente, e o taberneiro parecia conhecer o dr. Incandenza, o chamava pelo nome e lhe trouxe um bonded duplo sem esperar pelo pedido.

310. Jargão: Estudos de Cinema/Cartuchos.

311. Burocracia trilateral para a imigração norte-americana.

312. Jargão da AA de Boston. QUASES é "Quando Um Amigo Sofre Eu Sofro", uma arma para destruir as negações daqueles que comparam as consequências horrendas que os outros sofreram com as suas até aqui, e a questão é fazer você ver que o dingo com meias em vez de luvas e bebendo Listerine às 0700h só está um pouco mais além na mesma estrada em que você está, quando você Entra. Ou alguma coisa assim.

313. A burocracia das pensões québecoises, que tinha decidido bancar apenas um marca-passo Kenbeck usado para o pai de Marathe, ora falecido.

314. Veja nota 304 *supra*.

---

g "Razão para a guerra total", que Struck insere sem nem se dar ao trabalho de verificar a definição que Day estava entorpecido demais para dar, o que é de si próprio e por si próprio um ato quase suicida, já que Poutrincourt sabe exatamente quanta facilidade com a língua francesa Struck tem, ou na verdade não tem.

315. *Malentendu* de Marathe para *residente*.

316. Tipo p. ex. nas vezes em que o C.T. e a Mães iam até Logan para pegar o Mario e Sipróprio que tinham ido filmar, Mario agarrado ao equipamento, Sipróprio suado e grudento por causa da pressurização da cabine e da falta de espaço para as pernas e com os bolsos do blazer sempre estalidando de garrafinhas plásticas com tampas difíceis de abrir, e na viagem de carro de volta a Enfield o tio de Mario ficava num longo monólogo ofélico que fazia os dentes do coitado de Sipróprio ranger de um jeito que quando eles encostavam no acostamento e Mario dava a volta para abrir a porta para Sipróprio sair tinha um pozinho no vômito que saía, um visível pozinho branco odontológico, de tanto ranger.

317. © AS 1981, Routledge & Kegan Paul Plc, Londres, GBR, capa dura insanamente caro; não disponível em disco.

318. Definitivamente o Maine já era, lembre.

319. Idiomatismo da família Incandenza para sobras de ontem.

320. Biblioteca Principal, MIT, East Cambridge.

321.
Q.v. para um exemplo confirmatório 1930h. Qui., 12 de novembro do AFGD, Qrt. 204 Subdorm. B:
"Não, olha, ainda é Elevação sobre Deslocamento. A derivativa é a inclinação da tangente num dado ponto da função. Não faz diferença qual ponto até eles te darem o ponto na prova."
"Mas e isso vai cair na prova? Eles vão além de trigonomoteria?"
"Isso é trigonometria, cacete. Eles vão passar probleminhas textuais que podem envolver quantidades que mudam — alguma coisa que acelera, uma voltagem, a inflação da moeda da ONAN em relação à moeda dos EU. Diferenciação vai te salvar metade das vezes, aquele monte de triângulos dentro de triângulos pra dar conta da mudança na trigonometria. Trigonometria é um pé na Unidade com taxas flutuantes. As derivativas são só trigonometria com um pouco de imaginação. Você imagina os pontos se movendo inexoravelmente um na direção do outro até que pra todos os fins e propósitos eles são o mesmo ponto. A inclinação de uma linha definida se torna a inclinação de uma tangente daquele ponto."
"Um ponto que de fato na verdade são dois pontos?"
"Use a porra dessa tua *imaginação*, Inc, mais uns limites que te passarem. E eles não vão foder com vocês metendo limites na prova geral, vai por mim. Isso aqui é um puta bico molinho comparado com um cálculo de Eskhaton. Você move os dois pontos pros quais você está calculando Altura sobre Deslocamento até eles estarem infinitesimalmente próximos, e você acaba com uma fórmula aplicável."
"Posso te contar o meu sonho agora e aí a gente usa o embalo pra mandar ver nisso aqui?"
"Só escreve isso no pulso pelo menos. Função x, exponente n, a derivativa vai ser $nx + x^{n-1}$ pra qualquer tipo de taxa de aumento de primeira ordem que eles inventem de te pedir. Isso

pressupõe um limite definível, claro, porque nem a pau que eles vão foder com vocês com limites na porra do Vestibular."

"Foi um sonho de DMZ."

"Dá pra você ver como é que você vai aplicar isso aqui a uma historinha tipo taxa-de-aumento que eles vão passar?"

"Tinha a ver com o teu soldado experimental, a dose maciça."

"Deixa só eu fechar essa porta aqui."

"Era o detento de Leavenworth. Aquele que você disse que abandonou o planeta. O cara que urrava canções de Ethel Merman. Foi horrível, Mikey. No sonho eu era o soldado."

"Então agora você vai concluir que uma experiência real com a-coisa-em-questão vai ser semelhante à experiência de um pesadelo."

"Arrá. Por que pesadelo? Por que é que você dá como certo que foi um pesadelo? Por acaso eu usei a palavra *pesadelo*?"

"Você usou a palavra *horrível*. Eu estou deduzindo que não foi um passeio pelas campinas."

"No sonho o horror era que eu não estava cantando 'There's no business like show business'. Eu estava era pedindo socorro. Eu estava gritando tipo 'Socorro! Eu estou pedindo socorro e todo mundo fica agindo como se eu estivesse cantando covers de Ethel Merman! Sou eu! Sou eu pedindo socorro!'"

"Um sonho nível-Rusk, Inc. Um sonho ninguém-me-entende-padrão. O DMZ e a Mermanização foram incidentais."

"Mas tinha um quê de *solidão*. Diferente de tudo. Ficar gritando que eu estou pedindo socorro em vez de cantar um número de musical e ver os zeladores e os médicos em volta de mim estalando os dedos e batendo os pezinhos."

"Por acaso eu mencionei que o DMZ não aparece num CG/EM? O Struck achou essa numa nota de rodapé obscura sobre flora digestiva. É a base de bolor fitviavi. Se o negócio aparece ele aparece como um caso leve de leveduras desequilibradas."

"Eu achava que só as meninas tinham esse tipo de problema."

"Inc, não seja tão tonto, porra. O fato número dois é que o Struck está quase determinando que o propósito original dessa coisa era induzir o que eles chamavam entre aspas de experiências transcendentes em saca só em alcoólicos crônicos no fim dos anos 60 no Hospital Protestante Verdun em Montreal."

"Como é que pode que é só eu vacilar nos últimos tempos que todo mundo de repente começa a mencionar o Québec em tudo quanto é tipo de contexto radicalmente diferente? O Orin andou me ligando com uma obsessão sem fim por quebequenses anti-ONAN."

"… O Tavis me vem anunciair que o Québec vai ser os joões no evento de Arrecadação desse ano. A tua Mãe é do Québec."

"E aí bem nesse santo semestre eu faço a disciplina de insurgência da Poutrincourt, que é basicamente uma quebecolância total."

"Ah eu *definitivamente* que eu ia suspeitar de um tipo de uma conspiração ou uma armadilha. É óbvio que tudo está apontando para você metido numa cela berrando Mermanices. Inc, acho que está dando pra ouvir os primatas aí no andar superior. Acho que é isso que chegar no topo pulando platô faz com o sujeito. Acho que um relevante interlúdio transcendente tipo

DMZ com processamento não urêmico antes de Tucson é bem o que o zelador do zoológico recomendou, por causa dos primatas. Pra evitar que você fique fumando Bob Hope de novo todo dia quando a prova está aí. Aquela merda vai te acabar com os pulmões. Aquela merda vai te deixar gordo, mole, suado e pálido, Inc. Eu já vi isso. Você precisa de coisa mais séria que trinta dias limpo. O *tu-sais-qué* podia ser bem a reconfiguração que você precisa pra começar a variar as atividades, deixar o Bob Hope em paz, achar alguma coisa que você pode levar pra universidade e pro Circuito sem ficar paralisado. Essa merda vai te paralisar com o tempo, Incubado. Eu vi isso acontecer trocentas vezes lá no bairro. Uns caras que todo mundo botava fé passando a vida na frente do TP, comendo manteguinha de amendoim e punhetando numa meia velha. A fadinha Deumerda chega de mala e cuia pra passar um tempão, Inc. E a indecisão? Você não viu um cara indeciso até ver um cara com peitinho de gordo largado numa cadeira no décimo ano de Bob Hope ininterrupto. Uma experiência transcendente comigo e com o Aiquefoda pode ser bem a cura pros gritinhos dos primatas aí dentro. Estar com um pessoal diferente de vez em quando. Não me faça ficar lá só com o Aiquefoda matraqueando sobre Yale. Deixe o Visine em casa."

"Era *transcendente*? O termo que o Struck leu? Ou será que era *transcendental*?"

"E que diferença, caralho?"

"Mike, e se eu te dissesse que estou meio que numas de ficar mais de um mês sem."

"Abobonai toda Hopança, ó vos.ª Era bem o que eu estava falando."

"Eu estou falando de tomar uma decisão. Pra sempre. E se fosse que na verdade que eu estava cada vez fumando mais e a coisa ficando cada vez menos legal mas eu continuava fumando cada vez mais e o único jeito de moderar o barato ia ser dar tchauzinho de uma vez."

"Aplaudo. Um transcendentalismozinho de baixo risco comigo e com o Foda-Dolorosa podia ser bem a impotência pra esse tipo de coisa as…"

"Mas ia ser tudo. Fogo Azul, as drinas. Se eu tomar qualquer coisa eu sei que vou voltar pro Bob. Eu ia mandar uma Madame Psicose com vocês e a minha mais firme resolução ia desmoronar e eu ia pegar a marica e ficar choramingando até você me Abobar uma Hoperação ilimitada."

"Você é muito tonto, Inc. Você é tão inteligente pra umas coisas e tão criancinha careca e de perna pelancuda pra outras. Você acha que vai simplesmente decidir Decidi, de uma vez, e dar marcha a ré total e largar tudo?"

"O que eu disse foi e se."

"Hal, você é meu amigo, eu fui teu amigo de jeitos que você nem imagina. Então te prepara aí pra dar uma crescida a jato. Você quer largar porque você está começando a ver que precisa da coisa e…"

"Exatamente. Pems, pensa como ia ser horroroso se o cara *precisasse*. Não só *gostasse* pacas pacas pacas. Precisar do bagulho vira uma ordem toda diferente de… Parece horroroso. Parece tipo a diferença entre gostar mesmo de uma coisa e ser…"

"Diga a palavra, Inc."

"…"

"Porque sabe o quê? E se for verdade? A palavra. E se você for? Aí a resposta é simplesmen-

a Q.v. nota 334 *infra*.

te dê as costas? Se você está viciado você *precisa* disso, Hallie, e se você *precisa* o que é que você acha que rola se você ergue a tua bandeirinha branca e larga, larga tudo?"

"..."

"Você surta, Inc. Você morre por dentro. O que é que acontece se você tenta ficar sem alguma coisa de que a máquina *precisa*? Comida, umidade, sono, O_2? O que é que acontece com a máquina? Pense nisso."

"Você estava agora mesmo aplaudindo a ideia de Abobonar toda a Hopança. Você acabou de invocar uma imagem de mim com peitos, me masturbando na roupa suja, com teias de aranha entre a bunda e a cadeira."

"Isso pelo *Bob*. Eu não me ouvi dizendo *tudo*. Se você precisa do Bob, Inc, você só consegue largar o Bob se seguir adiante acima pra alguma outra coisa."

"Drogas mais pesadas. Bem que nem aqueles filminhos antigos que a maconha abre a porta para as drogas mais pesadas, que tinham o Grilo Falante..."

"Ah vai se foder. Não tem que ser mais pesado. Só que tem que ser alguma coisa. Eu sei de gente que largou heroína, coca. Como? Eles passaram estrategicamente pra um engradado de Coors por dia. Ou metadona, sei lá. Eu sei de uns caras que bebiam ferrado mesmo Inc que largaram a cana passando pro Bob Hope. Eu mesmo, você já viu, eu troco o tempo todo. O negócio é achar a mudança certa pro sistema do cara. Eu estou dizendo que uma superlimpeza de teia de aranha comigo e com o Axford depois do evento de Arrecadação podia pôr a tua cabeça bem no lugar, parar com essas infantilices e com essas decisões radicais fajutas meu nem a pau que você pode bancar e comece a sacar de verdade como é que você pode ramificar pra largar o Bob, que eu aplaudo mesmo isso de você sair do Bob, Inc, não é pra você, você estava começando a ficar com cara de alguém que ia acabar com peitinho."

"Então você de forma muito sutil está fazendo campanha pró-DMZ dizendo que você não acredita que eu fosse conseguir simplesmente largar tudo. Já que você com certeza não tem planos de largar. Com esse teu olho esquerdo pulando que nem louco. Você não parou com o Hipofagin. 'Desistir não leva à vitória' e as merdinhas todas do deLint que..."

"Eu não me ouvi dizer nada disso. E eu acho que você provavelmente conseguia largar tudo. Por um tempo. Você não é bundão. Você tem colhão, eu sei. Aposto que você conseguia encarar."

"Por um tempo, você está dizendo."

"E mas o que é que você acha que ia acontecer depois de um tempo, por outro lado? Sem uma coisa que você *precisa*?"

"Qualé, você está dizendo que eu ia pôr a mão no peito e tombar de lado? Agarrar a cabeça no meio de um Toque & Pique e morrer de um aneurisma que nem aquela menina ano passado em Atwood?"

"Não. Mas você ia morrer por dentro. Quem sabe por fora também. Mas o que eu vi, se você é de verdade, *precisa* do bagulho e simplesmente corta tudo de uma vez, você morre por dentro. Você surta. Eu vi isso acontecer. Cold Turkey eles dizem, o Peru. Na marra. Uns caras que simplesmente tinham largado tudo porque estavam afundados demais e largaram tudo e simplesmente morreram."

"Tipo Clipperton, assim? Você está dizendo que Sipróprio se matou porque ficou sóbrio?

Porque ele não ficou sóbrio. Tinha um treco de Wild Turkey bem ali em cima do balcão do lado do forno quando ele explodiu a cabeça. Então não venha tentar me buzunhar com *ele*, Mike."

"Inc, o que eu sei do teu velho eu podia escrever com um lápis de cera grosso na borda de um copo de licor. Eu estou falando de uns caras que eu *conheço*. Uns caras da escola. De Allston, que largaram. Teve uns que deram de Clipperton, é verdade. Uns acabaram no Ritz Pinel. Uns conseguiram entrando no NA ou numa seita ou numa igreja aloprada e saíram por aí de gravata falando de Jesus ou de se Entregar, mas essa merda toda não vai acontecer com você porque você é inteligente demais pra engolir essa bosta do pessoal do Esquadrão-de-Deus. No geral nada de grandes coisas rolou com quem precisava e largou. Eles levantavam, iam trabalhar, voltavam pra casa, comiam, iam dormir e levantavam, todo santo dia. Mas mortos. Tipo umas máquinas; quase dava pra ver o mecanismo de corda nas costas deles. Você olhava o mapa dos caras e alguma coisa tinha desaparecido. Os mortos-vivos. Eles gostavam tanto que precisavam e largaram e agora estão esperando morrer. Alguma coisa se encerrou por dentro."

"A *joie de vivre* deles. O fogo na barriga."

"Hal, faz quanto tempo, agora, pra você, dois dias e meio sem? Três dias? Como é que você está aí dentro já, maninho?"

"Eu estou na boa."

"Ã-*rãh*. Incubista, eu só sei que eu sou teu amigo. Sou mesmo. Você não quer comunar com a Madame, ora, você pode ficar segurando a minha bolsinha e a do Aique. Você faz o que você quiser e me mostra quem tiver uma opinião diferente. Eu só estou te dando um conselho pra você dar uma olhada um tantinho além daquele segundo em que você decide uma coisa que eu sei que você não vai se permitir modificar depois."

"Alguma parte vital da minha tipo pessoidade ia morrer sem alguma coisa pra ingerir. Essa é a tua opinião."

"Às vezes você não escuta muito bem, não, Hallie. Tudo bem. Passe um tempinho entendendo essa *necessidade*. Tipo qual parte de você passou a *precisar* do bagulho, me diz."

"Você está alegando que é essa parte que vai morrer?"

"Só qual parte de você passou a *precisar* do que você está planejando tirar dela."

"A parte que é dependente ou incompleta, você quer dizer. O *viciado*."

"Isso é só uma palavra."

322. Johnette F., cuja primeira madrasta era policial em Chelsea, MA, foi condicionada desde a primeira infância a se referir à polícia como "polícia" ou "a Lei", já que quase todos os empregados do BPD acham o termo coloquial *os Homens* meio sardônico.

323. Quem é de fora da comunidade AA de Boston sempre usa esse A e diz A *Casa Ennet*; é um dos jeitos de saber se alguém é novo ou vem de fora da comunidade.

324.

17 DE NOVEMBRO – ANO DA FRALDA GERIÁTRICA DEPEND

Às vezes nuns horários estranhos do dia o vestiário masculino da ATE no térreo do Com.--Ad. fica vazio, e você pode ir pra lá e meio que ficar de bobeira e ouvir os chuveiros pingando e os ralos gorgorejando. Dá pra você sentir a estranha aura aturdida que lugares costumeiramente lotados têm nos horários vazios. Dá pra você se vestir bem devagar, se alongar na frente do espelhão em cima da pia; o espelho tem uns espelhinhos laterais que se projetam pra você poder dar aquela olhada nos bíceps pelos dois lados, ver o queixão de perfil, treinar expressões faciais, tentar ficar com cara natural e não montada pra poder tentar ver qual é a tua cara normal pros outros. O ar do vestiário fica coalhado do odor de axilas, desodorante, benzoína, pó canforado, chulé brabo, vapor antigo. Também lustra-móveis e um leve cheiro de coisa elétrica queimada dos secadores de cabelo abusados. Vestígios de pó e de argila esmética[a] no carpete azul, entranhados demais pra você conseguir tirar sem uma máquina de vapor. Dá pra você pegar um pente do potão de Desinfetante que fica na prateleirinha do lado da pia, e tipo um secador calibre 38, e fazer altas experiências. É o melhor espelho da Academia, intricadamente iluminado de todos os ângulos. O dr. J. O. Incandenza entendia de adolescentes. Nas horas de pouco movimento, às vezes o zelador-chefe Dave ("A. C. I.") Harde pode ser encontrado aqui, tirando uma sonequinha num dos bancos que ficam na frente dos armários, que ele diz que os bancos fazem alguma coisa paliativa com os funiculi das espinhais dele. Mais normal é ter um dos incrivelmente idosos e intercambiáveis zeladores-para-tarefas-ancilares de Dave por ali varrendo um carpete ou espirrando desinfetante industrial nos mictórios. Dá pra você ir até a área dos chuveiros, não ligar a água e cantar, soltar a voz mesmo. Os vocais do próprio Michael Pemulis soam nível profissa aos ouvidos dele, mas só quando está cercado por azulejos de banheiro. Às vezes quando está vazio aqui dá pra você entreouvir vozes e intrigantes ruídos de higiene feminina do vestiário feminino do outro lado da parede dos vestiários.

Em quase todas as outras horas do dia, aquele certo tipo de ATE jr. de constituição mais delicada usa os primitivos chuveiros e pias do subdormitório e evita o vestiário lotado a todo custo. Jamais o homem ocidental deveria ter concebido a ideia de colocar privadas e chuveiros quentes no mesmo espaço-aéreo lotado de gente. T. Schacht consegue esvaziar um vestiário enevoado quase inteiro simplesmente se dirigindo a um cubículo de privada e passando a tranca com certa força determinada.

Os pró-reitores têm seus próprios chuveiros numa espécie de saguão perto dos quartos deles, com um Monitor e poltronas reclináveis, um frigobarzinho e uma porta à prova de michamento.

Quando M. M. Pemulis desceu para se vestir para a tarde cerca de 1420h,[b] as únicas pessoas no vestiário eram o gênio sem igual dos lobs do sub-14 A, Todd Possalthwaite, sentado de cabeça baixa e chorando, e Keith Freer, com quem Pemulis tem que jogar e que parecia

a Tipo uma argila seca e marguenta, superabsorvente, empregada por alguns para dar aderência ao grip, evitada por outros porque tem montes de silicatos de alumínio e o pânico do "alumínio-causa-impotência" do AEMT ainda pesa bastante nas mentes de certos jogadores púberes.

b Nos horários de muitos alunos mais veteranos não há aulas no último período, ou há vagas para Estudo-Independente no último período, e quando dois desses veteranos — p. ex. Pemulis & Freer — têm um jogo vespertino marcado, eles podem começar às 1430h em vez de 1515h, e normalmente acabam cedo, o que é um belo bônus, já que eles podem chegar tanto à sala de musculação quanto ao vestiário em horas mortas e vazias.

estar com pressa de se vestir e ir lá fora jogar, e podia muito bem ter sido o motivo do choro do Postal. O assim chamado "Viking" estava sem camisa, com uma toalha no pescoço e parado diante do espelho cuidando da pele. Ele tinha um cabelo louro quase branco duro e de pé e um pescoço e uma mandíbula inferior extremamente musculosos, com um certo tipo de projeção dos ângulos mandibulares que fazia a parte de cima do rosto parecer afilada e ardilosa. O cabelo dele sempre fazia Hal Incandenza lembrar de ondas congeladas, Hal dizia. Todd Possalthwaite estava quase nu e dobrado em cima do banco da frente do seu armário, rosto nas mãos, com as bandagens brancas do nariz visíveis entre os dedos abertos, chorando baixinho, ombros tremendo.

Pemulis, que é o Amigão do Postal e meio que um mentor de lob e Eskhaton e que gosta mesmo do garoto, largou as suas coisas e lhe deu uns soquinhos falsos tipo um-dois assim de afeto masculino tipo Pense Rápido. "mé que tá o nariz, Toddynho?" Como todos eles, Pemulis conseguia fazer a combinação do seu armário só no tato, de tantos meses e anos de constante fazeção de combinação. Ele estava olhando em volta de si e pelo vestiário. Freer fez um barulhinho quando Pemulis perguntou ao Posteiro aqui se ele podia fazer alguma coisa.

"Nada é de verdade", O Postal soluçava, com a voz na surdina das mãos, se balançando de leve no banco. O armário dele estava aberto e todo bagunçado com coisas de menino novinho. Ele estava usando só uma camisa de flanela desabotoada e um suporte atlético Johnson & Johnson jr., tinha uns pezinhos brancos minúsculos[c] e delicados dedos dos pés que pareciam conchas. Ele devia estar tirando uma pra cima da Donni Stott agora, Pemulis sabia.

"Qualé, angústia metafísica com treze anos?" Pemulis dirige a pergunta ao reflexo do entre-aspas Viking no espelho. As costas de Freer se afunilam na cintura e são desbaconzificadas e para as costas de um tenista têm uma soberba definição latissimal mas estão ligeiramente salmilhadas pelas repetidas aplicações de esfoliações de lustra-móveis, sendo o freer um usuário esbanjador de lustra-móveis porque tem obsessão pelo tom da pele e tem aquele tipo de pele nordiulante que descasca em vez de bronzear. Ele ainda está de jeans e de sapato, Pemulis vê. Pemulis fica esperando o singular ânimo atitudinal de duas capsulinhas de Hipofagin pré--jogo.[d] O armário de Pemulis está tão cheio quanto precisamente organizado, praticamente em ordem alfabética, como o baú de um marujo experiente. Balança desmontável e um mocó generalizado e substâncias de alteração de estados psíquicos ficavam escondidas em vários nichos ocultos do sistema especial de prateleiras portáteis entupido de nichos secretos de fábrica que Pemulis mandou instalar com quinze anos. Fora os saquinhos de pano com pimenta caiena moída, pra desorientar um sempre-remotamente-possível cão farejador, quando ele era um jovem verdinho. Isso foi antes da descoberta do entreposto definitivo sobre o teto rebaixado do corredor masculino do Subdormitório B.

c Uma vantagem da mediocridade competitiva é que você pode ficar na arquibancada e tomar bastante sol nos pés e no peito, porque você foi eliminado da competição tipo na segunda rodada. Daí o fato de que pés grotescamente pálidos são meio que uma perversa marca de status competitivo, de repente que nem a falta de dentes no hóquei ou alguma coisa assim.
d Especialmente elaborados para reagir rapidamente com a enzima hidrolítica esterase e assim estar completamente fora dos tecidos em 36 h.

"Só um pequetucho tristinho." A risada de Freer tende a ser desprovida de alegria. "Foi o que eu consegui arrancar dele antes do chororô, o velho do Postal prometeu isso e aquilo pra ele se o menino conseguir fazer sei mais o quê." A fala dele estava distorcida porque ele estava inflando a bochecha com a língua e aplicando um creme cor de carne para uma possível espinha ali. "E o Postigo aqui acha que deu conta da parte dele, e agora eu meio que entendi que o Papai está dando pra trás."

Os ombros de Possalthwaite continuavam a tremer enquanto ele chorava nas mãos.

"Em outras palavras você diz que o pai dele bigodeou", Pemulis disse a Freer.

"Pelo que eu entendi o Pai está tentando reestruturar o combinado original assim do meio do nada."

Pemulis soltou o cinto. "A cenoura que se ostentava é removida, o aro de metal se faz de difícil, para forjar uma nova máxima."

"Alguma coisa com a Disney World, antes de abrir a torneirinha."

Pemulis tirou seu tênis não esportivo raspando um dos calcanhares com o bico do outro pé, olhando para o tocante redemoinho bem no meio do cabelo de Possalthwaite. Ele nunca ia ser tão boiola a ponto de verbalmente perguntar ao Freer se ele tinha alguma pretensão de se vestir pra eles irem jogar lá fora; ele nunca ia deixar o Freer achar que ele estava deixando o Freer ocupar algum espaço na cabeça dele antes do jogo começar. "Postal, isso é por causa do incidente com o Eskhaton? É por causa do nariz? Porque eu posso pegar um megafone aqui e dizer pro velho sr. Postal Sênior que eles não vão culpar ninguém abaixo de dezessete, no fim, você devia dizer pra ele, Toddynho. Vai ser um fudevu monstro, mas não vai espirrar nada em vocês, você devia achar isso um alívio."

"*Nada é de verdade*", pranteava o Postal, sem erguer os olhos, em surdina, de mamilos chatos, sem gorduras naquela barriga jovem, pés espectrais sob o marrom das pernas, balançando, sacudindo a cabeça, com uma cara terrivelmente jovem e inocentemente vulnerável, meio tipo pré-moral. Umas listrinhas brancas de bandagem protuberavam das bordas externas das mãos dele, do apocalipse do Dia-I.

"Bom, não tem muita coisa *justa*, pelo menos", Pemulis admitiu. O Viking fez um barulho para si próprio.

Pemulis evoca o pai do Postal na tela. Empreiteiro da área de Minneapolis. Shoppings, parques de diversões, lugares fervilhantes às margens de anéis viários lotados. Quarenta e tantos, magro, um bronzeado hipercultivado, um pouco elegante demais no departamento de roupas, com um charme de vendedor duro-na-queda tipo seminário-motivacional. Um pai só faca, com um bigode fininho e couro reluzente nos sapatos. Ele tentou visualizar uma imagem dessa figura paterna sentando um rolo de massa na cachola do Keith Freer e aí um galo de desenho animado surgindo no crânio do Freer. (Pemulis calcula que uma vitória ou até um jogo de três sets c/ o Freer representaria um lugar no avião que leva ao WhataBurger, que é o motivo dele estar disposto a violar uma espécie de código de honra pessoal e tomar Hipofagin pré-jogo, o que mesmo com a curva de eliminação de trinta e seis horas é meio leviano, já que ele e o Inc escaparam à urinálise ali-na-hora só porque o Pemulis deu a entender à sra. Incandenza que ele ia contar ao Incster sobre a Avril ter algum tipo de interlúdio esportivo com John Wayne, e Avril é uma figura administrativa do tipo tranquilo-e-frio-mas-não-foda-comigo, e junto com C.

["Gretel a Vaca em Seção Transversal"] Tavis não é exatamente fã de Pemulis mesmo, certamente desde o incidente da maçaneta-eletrificada da Rusk e do litígio daí decorrente. Parecia que as drinas não estavam dando liga. Em vez da onda de verve competitiva desprovida de estômago, a única coisa que Pemulis sentia era uma tonturinha ligeiramente desagradável e uma espécie de secura nos olhos e na boca que parecia meio forçada, como se estivesse encarando um vento quente.) Pemulis nunca na vida tinha visto o próprio Paiê com outra coisa além de uma camiseta branca Hanes permanentemente amarela embaixo dos braços.

"Nada é justo porque nada é *de verdade*", Possalthwaite chorava nas mãos. Os ombrinhos flanelados dele sacudiam.

Algo velho num dos ralos dos chuveiros suspirou e gorgolejou, um som nauseabundo.

"Força, garoto." Pemulis estava pegando todos os artigos esportivos necessários, redobrando tudo e colocando na sua sacola esportiva não gratuita Dunlop com precisão militar. Ele pôs um pé sobre o banco e olhou brevemente para os dois lados. "Porque se é isso que está te azucrinando então deixa eu te tranquilizar, Código Postal: certas coisas são de verdade mesmo, tipo de pedra, alto nível."

Freer tinha feito uma pinça com os dedos e estava na outra face. "Deixa ele chorar. Deixa o nenê ficar de bico. Puta reclamão. Treze anos, caralho. Um cara de treze anos ainda nem dormiu na casa da desilusão de verdade. Ainda nem olhou nos olhos da frustração de verdade, da tristeza e da dor. Treze: a dor é um boato. Como é que chama. Angústia. O nenê aí não ia reconhecer uma angústia tipo coisa séria nem se ela viesse e segurasse ele pelas orelhas."

"Nada a ver com a angústia tipo de verdade de uma possível-espinha-na-bochecha, hein, Vique?"

"Senta e rodopia, Pemulis", sem se dar ao trabalho de olhar. Tanto Pemulis quanto Freer tinham pronunciado *angústia* com três sílabas, Hal teria observado. O Viking contorceu a boca e ergueu o queixão pra verificar a carne do pescoço, virando-se de leve pra usar os espelhos laterais também.

Pemulis sorriu aberto, tentando imaginar Keith Freer sentado com uma roupa-de-contenção de lona em posição de lótus, com um olhar vazio, acertando todas as notas agudas de "No Business Like Show Business", enquanto auxiliares de enfermagem com roupas brancas esterilizadas e enfermeiras pudicas com chapéus dobrados ficam em volta estalando os dedos, com os tenizinhos brancos baratos e limpos das instituições de saúde batendo sem ruído por toda a eternidade. Ele estava só com a calça esporte e uns pés de um marrom clarinho. Ele considerou uma camiseta azul com uma aranha-lobo preta v. uma camiseta coincidentemente vermelha e cinza que dizia "A vodca é inimiga da produtividade" no que putativamente era russo. As suas quatro raquetes Dunlop boas estavam empilhadas no banco à esquerda de Possalthwaite. Ele pegou duas, testou a tensão das cordas batendo a lateral da cabeça de uma raquete contra a face encordoada da outra e ouvindo as cordas e aí trocando as raquetes e repetindo o processo. A tensão exata tem um certo tom. Dunlop Média Enqvist TL Compósitas. U$ 304,95 no varejo. As cordas de tripa de verdade têm um cheiro adocicado meio odontológico. O logo de ponto-e-circunflexo. Ele nem olhava muito pro Possalthwaite. Escolheu a camiseta cirílica com o glifo da garrafa. Ele a enrolou e passou a cabeça pelo buraco da cabeça primeiro, o estilo tradicional do seu grande e falecido Paiê. Os meninos mais riquinhos aqui sempre faziam o buraco dos braços primeiro. Aí eles faziam a cabeça. Também dá pra você sacar os meninos que têm bolsa porque por algum motivo eles põem uma meia e um tênis e aí uma meia e um tênis. Veja por exemplo o Wayne, que estava no quarto deles logo depois que o Pemulis tinha tomado a decisão de ir buscar um Hipofagin pré-jogo. O quarto do Wayne ficava bem ali pertinho e ele estava de pé do lado do criado-mudo farmacopeico do Troeltsch sem camiseta e com o cabelo molhado, com os olhos cheios de remela e as narinas reluzentes por causa do hidratante nas narinas irritadas pelos Kleenex. O Viking estava apertando uma bola de tênis úmida com a mão esquerda enquanto examinava a testa basicamente pelo tato. A contra-estratégia psíquica de Pemulis era não parecer ter pressa de se vestir, se alongar e ir lá pra fora também. Pemulis — que temia e odiava que pessoas não autorizadas entrassem no seu quarto, e que estava constantemente pegando no pé do Schacht por causa de esquecer de trancar a porta quando saía, e que não se intimidava com o talento e o sucesso e a contenção não emotiva de Wayne, mas tomava cuidado perto dele, de John Wayne, mais ou menos como um predador formidável fica não intimidado mas toma cuidado perto de outro formidável predador, particularmente desde o desempenho virtuosístico mas tenso num certo escritório administrativo uma semana atrás, que não tinha sido mencionado por nenhum deles — tinha tranquilamente perguntado a Wayne se podia ajudá-lo, e Wayne com a mesma tranquilidade tinha não levantado os olhos do processo de remexer nas coisas do criado-mudo do adoentado Jim Troeltsch e tinha dito que estava procurando o Teldane do Troeltsch,[e] que o Pemulis de fato tinha ouvido o Troeltsch no café da manhã descrever a um assoante Wayne como o artefato nuclear do mundo dos anti-histamínicos que não te deixava tonto demais pra funcionar num nível incrivelmente alto de funcionamento. Pemulis ajeitou as tiras traseiras do suporte atlético, tentando lembrar o porquê dessa lembrança-de-Wayne. Wayne queria uma cabeça clara e uma função pulmonar elevada porque ia jogar com o Satélite Sírio num amistoso informal às 1515h. Wayne não tinha oferecido essa explicação; Pemulis sabia pelo e-quadro. Um motivo de Pemulis ser cautelosamente não assertivo quanto à presença não autorizada de Wayne no quarto era o panfleto que, dado um certo incidente-de-escritório não era impossível que Wayne decidisse suspeitar da mão de Pemulis no folhetinho com fontes tipo Inglês Antigo em vários quadros de avisos e inserido no e-quadro-de-avisos comunitário dos TPs da ATE do dia 14/11 anunciando uma apresentação conjunta de aritmética de JohnWayne/dra. Avril Incandenza para os sub-14 pré-quadriviais sobre como 17 cabe em 56 bem mais que 3294 vezes. O porquê era o fato do semivestido Wayne estar ali naquela hora com um pé descalço e outro de meia e de tênis. Pemulis sacudiu levemente a cabeça, olhou pro Possalthwaite e tentou juntar saliva.

O alto-falante perto do relógio no saguão de cimento junto à sauna ganhou chiante vida para o começo da rádio ATE semanal, com sua canção-tema arrasa-vidraças, de Joan Sutherland. Pemulis colocou o tênis de rua na prateleira de tênis de rua. "Força aí, T. P., é só um espasmo de angústia. Você só está sofrendo as consequências de um buzunho paterno temporário. A verdade filosófica está mostrando a cara em toda parte. Com ou sem Disney World. Com ou sem nariz. O Eskhaton sobrevive, acredite em mim. Com ou sem ilegalidade. Você tem um dom, um talento. Um lança-mísseis do teu calibre. Segura a onda, rapazinho."

e Q.v. nota 22 *supra*.

Possalthwaite tinha tirado o rosto das mãos e encarava petreamente algum ponto atrás de Pemulis, os lábios se movendo no tradicional reflexo de amamentação que fazia tirarem tanto sarro da cara dele. Seu rosto tinha a aparência rósea e limpinha de uma criança chorando como Deus mandou. As mãos dele tinham deixado aranhas marrons de tintura de benzoína nas bochechas. Ele estava com dois borrões de machucado embaixo dos olhos. Fungava carnudamente por um nariz ainda coberto por faixas horizontais de fita cirúrgica. "Eu dão sou ub rapazinho."

"É isso que todos os rapazinhos dizem, garoto", o Viking disse sem se alterar, retirando algo de uma narina com uma pinça. Os seios nasais de Pemulis pareciam autoestradas e o seu olfato estava bem mais aguçado do que um cara dentro de um vestiário gostaria. O armário de Freer ao lado do de Gloeckner ao lado do do nosso amigo Inc estava escancarado, com o colposcópio aparafusado reluzindo sob as luzes do teto e as raquetes Fox de cabeça grande dele de um nauseabundo laranja-fluorescente Costa-Leste com o glifo registrado da Fox pintado nas cordas.

Possalthwaite coçava um pé com as unhas do outro. "Se não dá pra você confiar nos teus pais…"

"Cara, deixa eu tanto dizer que sim quanto te lembrar que o buzunho que está te fazendo sofrer é baseado em emoções e não em fatos."

Possalthwaite abriu a boca.

"Você agora vai dizer que se você não consegue confiar no seio patriarcal ostensivamente amoroso não consegue confiar em mais ninguém, e se você não consegue confiar nas pessoas em quem é que você pode confiar, em termos de confiabilidade invariável, ó Postal, não é isso?"

"Ai meu Jesus da Silva Pinheirinho que lá vem", o Viking disse para o reflexo de sua testa.

Pemulis estava colocando uma meia e um tênis, com a boca bem pertinho da orelha do Postal. "Isso não é um probleminha de araque. Isso aí é tipo um problema emociono-filosófico sério que você está enfrentando. Eu acho que é um bom sinal você vir falar comigo em vez de ficar segurando isso tudo traumatizadinho aí dentro."

"Quem é que foi falar com você?" Freer virava o rostão pra lá e pra cá. "Ele já estava aqui nesse nhe-nhe-nhem."

Pemulis tentou visualizar Keith Freer sendo dobrado sobre a rede por beduínos de turbantes roxos e solidamente enrabado, fazendo o tipo de sons que o J. Gleason histórico e p&b de Leith fazia quando estava com dor. Para Possalthwaite ele estava dizendo "Porque eu lembro de encarar de frente esse mesmíssimo tipo de coisa, se bem que um buzunho mais filosoficalizado que de emoções."

Freer disse: "Não pergunte como assim, garoto".

Aí entraram uns sub-16, G. ("Repelente") Rader e um garoto eslavoide meio marginal cujo primeiro nome era Zoltan e cujo sobrenome ninguém conseguia pronunciar, e ignoraram o conselho de Freer de fugir desesperadamente porque o dr. Pemulis andou tomando o que ele mesmo receita de novo e ia começar a deblaterar, e largaram o equipamento e foram imediatamente pegar toalhas limpas no armário perto dos chuveiros e se chicotear com elas.

"Como assim?", perguntou Possalthwaite.

"A armadilha se fecha, a arapuca se fecha, lá vem."

Rader rodava os punhos e espiralava a toalha para o que ele chamava de máxima doloridade. O Viking se virou e disse que se ele sentisse um ventinho atoalhado na bunda que fosse eles estavam ferrados, os dois. Pemulis estava tirando raquetes. Os meninos do sub-16 da ATE eram fechados enquanto grupo, conspiratórios, glandulares, panelinhazísticos. Eles excluíam todo mundo que não estava no seu conjunto. Tinham técnicas e estratagemas de exclusão bem mais avançados que os sub-18 ou sub-14. (Eles tendiam a excluir o Stice basicamente porque ele dormia no mesmo quarto de Coyle e treinava quase sempre com os sub-18, e andava com eles, e mais recentemente o Kornspan, eles excluíram, basicamente porque ele era cretino e cruel e agora quase unanimemente suspeito de ter torturado e matado os dois gatinhos sem coleira cujos corpos queimados tinham sido encontrados na encosta do morro durante as corridas pré-treino umas semanas atrás.) Eles tinham os seus próprios dialeto e código, piadinhas internas dentro de piadinhas internas.[f] E na ATE só os sub-16 chicoteavam com toalhas, e só por um ou dois anos, mas eles se dedicavam à atividade com grande ímpeto, isso de chicotear com toalhas, uma breve genuflexão reverente ao estereótipo do menino-atleta, um estágio em que existe uma paixão meio primata por ritos de amizade com bundas vermelhas em ambientes vaporosos. Eles estavam na idade de olhar no cano do revóver não do Será que alguma coisa é de verdade mas de Será que eu sou de verdade, de O que sou eu, de O que é isso aqui, e isso os deixava esquisitos.

O eternamente sentado no muro entre os sub-18-B/C Duncan van Slack, o menino que levava um violão pra onde ia mas nunca tocava, e recusava todos os pedidos de tocar nas reuniões de fim de noite no quarto de alguém, e que todos suspeitavam que nem sabia tocar aquele negócio, e cujo Pai era um suposto e temido sequenciador de genes em Savannah, enfiou a cabeça e o braço do violão pela porta e disse *venham correndo* e aí retirou a cabeça antes de alguém poder perguntar o que estava rolando.

"Se você não tivesse tanto a manha desses vetores de lançamento eu não ia ter certeza que você está pronto pra ouvir isso, Postalete."

"Acaba de me ocorrer que esse é o verdadeiro talento do mala: o talento de te aprisionar", diz o Viking. "Foge enquanto podes, garoto."

Possalthwaite assoou o nariz na dobra do cotovelo e deixou aquilo ali.

Pemulis, que ainda usava legítimas cordas de tripa, zipou as duas raquetes que tinha escolhido nas capas Dunlop. Ele colocou um tênis com suporte plantar no banco ao lado do traseiro do Postal, olhando para a direita e para a esquerda:

"Toddynho, dá pra confiar na matemática."

Freer disse: "Você ficou sabendo aqui primeiro".

Pemulis zipava e dezipava compulsivamente uma das capas. "Dá um tempo, Keith. Todd,

---

f Por exemplo, durante o primeiro mês do circuito europeu de saibro do verão passado, depois de um sinal pré-combinado todos os meninos do sub-16 se agacharam e ficaram meio saltitando braquiacionisticamente com os nós dos dedos quase encostando no chão em um círculo, batendo no peito e dizendo *Ee ah ii uu ah*, sem parar, até o pró-reitor N. Hartigan finalmente perder a paciência quando eles fizeram isso de novo na fila da Aduana em L'Aéroport Orly e teve um ataque histérico tão bisonho de se ver num sujeito tão alto como ele que a prática sumiu tão misteriosamente quanto tinha surgido.

confie na matemática. Tipo números, contas mesmo. Lógica de predicados de primeira ordem. Nunca te deixa na mão. Quantidades e as suas relações. Taxas de flutuação. As estatísticas vitais de Deus ou coisa assim. Quando tudo mais der errado. Quando o pedregulho rolou de novo até lá embaixo. Quando os descabeçados estão distribuindo culpas. Quando você não sabe por onde ir. Você pode parar e reagrupar em torno da matemática. Cuja verdade é a verdade dedutiva. Independente de sentidos ou de emocionalidades. O silogismo. A identidade. Modus Tollens. Transitividade. A trilha sonora do paraíso. A luz noturna na parede negra da vida, de madrugada. O livro de receitas do paraíso. A espiral de hidrogênio. O metano, a amônia, H_2O. Ácidos nucleicos. A e G, T e C. A inevitabilidade que te espreita. Sócrates é mortal. A matemática não é mortal. O que ela é é: escuta só: verdade."

"Isso vindo de um cara que está em observação acadêmica por sabe Deus quanto tempo."

Algo relativo a Freer e um aguilhão molhado com soro fisiológico se recusava a se fixar direito na mente. E ainda nada da verve desprovida de estômago ou do bem-estar do Hipofagin, só um zumbido cintilado na cabeça e nos seios nasais dele que pareciam túneis de vento. Pemulis tendia a respirar pela boca. O Viking ergueu uma perna para peidar na direção de Pemulis de uma maneira vaudevilliana, fazendo Csikszentmihalyi e Rader rirem, eles que já estavam basicamente despidos e tinham se acomodado num banco na frente de Pemulis e do Postal, com as toalhas pendendo desenrolantes das mãos, assistindo, e só de vez em quando e de um modo meio automático fingindo que estavam prestes a dar uma chicotada um no outro.

"Eu não sou da matemática, o Pai fala", falou o Postal. De novo o nariz fez as palavras saírem *dão* e *batebática*. Csikszentmihalyi fingiu um golpe e aí soltou mesmo um golpe e rolou um breve surto atoalhado.

Pemulis dezipou a capa. "O axioma. Os silogismos. Escuta só: 'Se dois conjuntos diferentes de equações paramétricas representam a mesma curva J, mas a curva se traça em direções opostas nos dois casos, então os dois conjuntos de equações geram valores para uma linha integral sobre J que são negativos um do outro'. Não 'Se tal-e-tal'. Não '*a não ser* que um corretor comercial boa-praça de Boardman, MN, com o seu mocassim Banfi de $ 400 mude de ideia'. Sempre e pra sempre. Tipo pondo o *a* em *a priori*. Uma lâmpada honesta nas trevas mais negras, Toddynho Postal."

Vinham vozes e pés correndo como em algum tipo de balbúrdia. McKenna enfiou a cabeça ali, olhou alucinado em volta e saiu sem abrir a boca. Csikszentmihalyi saiu atrás dele. Freer e Rader disseram Mas que porra. Pemulis só com um dos botões da braguilha abotoado estava apontando para o teto com um dedo:

"... Só que em momentos como esse, quando você está sem-direção numa mata escura, confie no dedutivo-abstrato. Quando estiver de joelhos, se ajoelhe e reverencie o duplo S. Salte como um cavaleiro da fé para os braços de Peano, Leibniz, Hilbert, L'Hôpital. Eles vos exaltarão. Fourier, Gauss, LaPlace, Rickey. Elevarão. Jamais vos deixarão cair. Wiener, Reimann, Frege, Green."

Csikszentmihalyi voltou com Ortho Stice, os dois corados.

Pemulis zipa e dezipa zíperes compulsivamente, é o motivo dele só usar calça e shorts de jogar tênis com botões.

Cs/yi disse: "Tem expressão. Vocês devem, imediatamente vir".

1126

Freer desviou os olhos do espelho, com as duas mãos num pente. "Mas que porra está rolando?"

"John Wayne está insanamente sustentando pensamentos os mais íntimos para ouvidos públicos."

"Nunca confiai no pai que podeis ver", Pemulis disse a Possalthwaite.

Stice já estava saindo de novo e disse por cima do ombro: "O Troeltsch está com o Wayne no ar e o Wayne perdeu a cabeça".

325. (cujas teorias de detecção e entrevistas são solidamente embasadas nos filmes noir em p&b que Tine curtia tanto quando era menino tarde da noite na televisão aberta local, e de que sente saudade)

326. (e mais um pouco)

327. Os modelos Bolex H64, 32 e 16 vêm com um suporte que aceita três lentes C, o que dá aos modelos uma aparência multiocular, meio alienígena.

328. (mas nunca sem o véu)

329. (o que na verdade é totalmente asneira, mas passa batido pelos agentes do ESA, que são bem safos nessa de escolher onde empenhar suas ferramentas heurísticas)

330. (dado o histórico do cara com a ingestão)

331. *Picaresco* bem obviamente se referindo à tradição cômico-surrealista de avant-gardeístas da Bay Area como Peterson & Broughton, já que o tema Mãe-e-Morte no *Salmo envasado* de Peterson e o do olho desconectado e do aprisionamento craniano de *A jaula* são bem obviamente pedras de toque para muitas produções pastelônico-paródicas de Sipróprio.

332.

17 NOV. AFGD

"Mas ora puxa vida", Pemulis disse, agarrando o tornozelo da perna que tinha cruzado para fazer o pé parar de balançar.

"Rusk, Charles e a sra. Incandenza estão com ele agora. Schtitt apareceu para vê-lo. Loach fez uma verificação completa de reflexos. O John Wayne vai ficar legal."

"Nossa mas que maravilha tirar esse peso da cabeça de todo mundo", Pemulis disse.

Eram Pemulis, deLint, Nwangi e Watson no escritório do Gestor de Questões Acadêmicas. O ventilador da sra. Inc silvava e algo zumbia um pouco. DeLint estava atrás da escrivaninha alta, com cara de menininho malvado. Ninguém tinha dito se alguém ainda acima de deLint ia aparecer. Pemulis não sabia se isso era bom ou ruim.

"Vamos só confirmar direitinho se isso aqui está em ordem e nas tuas palavras." Nwangi e Watson só serviam de enfeite. Isso aqui era o palco do deLint. O rosto dele meio que desmontava quando ele sorria. "Sem conhecimento prévio de qualquer coisa inadequada, você é arrancado do vestiário e fica no saguão com vários outros alunos, o que é a sua primeira impressão de haver algo inadequado com Wayne."

Pemulis percebeu que nenhum dos administradores tinha ouvido aquilo; eles sempre fechavam suas portas à prova de som às 1435h; Pemulis não tinha ideia do que Wayne tinha dito sobre nada, ou Jim Troeltsch, que muito prudentemente não deu nem sinal da sua carinha no quarto deles desde a apocalíptica transmissão. Pemulis tinha levado coisa de metade da sua corrida des-salivada até o B-204 para sacar o que tinha acontecido e encontrar os seus Hipofagins roubados no frasco de Teldane do bostinha. Pemulis meio que estremeceu ao imaginar o impacto da drina no sanguezinho virgem cor de rubi de Wayne. O ligeiro zumbido do seu córtex trabalhando em velocidade máxima era mascarado pelo silvo do ventilador, o som de apitos, de jogos e do megafone de Schtitt lá fora.

"Eu estou lá me arrumando para o Freer e fazendo uma intervençãozinha tipo Amigão com o Possalthwaite que estava em crise e o Zoltan e o Trevas entram tipo surtados dizendo que o Troeltsch tinha enjambrado o Duque pra ele soltar o verbo na transmissão da rádio ATE."

"Eles disseram o quê, que Troeltsch tinha engrupido Wayne pra ele falar sem peias e sem consciência de que aquilo está passando na rádio ATE em todos os quartos?"

Pemulis percebeu a manezice daquilo tudo, que tipo todo mundo ia sacar que o Wayne ia ter que estar sentado bem ali com o Troeltsch grudado no microfonão antigo de metal na mesa curva da Alice Moore Lateral. Ele já tinha ouvido a Lateral dizer que foi mais tipo o Wayne chegando ensandecido, jogando o Troeltsch de lado, agarrando o microfone e começando a deblaterar enquanto o Troeltsch e a Alice Moore Lateral ficaram com cara de pasmudos; e que o Dave Harde, que estava lá embaixo cuidando ali de uma manutenção no terceiro trilho desativado de A. M. L., tinha ficado tão pasmudado que tinha caído de cara narcolepticamente e ficado ali daquele jeito de cara no carpete azul e com a bunda para cima por quase uma hora, e que o estresse da própria Lateral tinha levado ao agravamento da cianose crônica a ponto de que o rosto todo dela ainda estava tinto de azul e enfiado no meio dos joelhos quando Pemulis chegou nela.

"Isso foi mais tipo uma impressão meio geral que de repente eu posso ter inconcebido pela agitação dos caras. Fora o quanto o Wayne estava soando deswaynificado, tipo como é que alguém podia dizer esse monte de merda se achasse que não estava ali só com o Troeltsch sozinho, muito menos o Wayne, que como todo mundo sabe é basicamente a contenção em movimento."

As narinas de deLint deram aquela dilatada pálida que elas dão, Pemulis sabia, quando ele cheirava asneira e sabia que você sabia. Pemulis sabe que deLint está com ele atravessado na garganta desde o incidente com o carinha da ATPW que começou a tontear e aí saiu deblaterando pela ATPW, que foi uma coisa totalmente nada a ver com isso agora. A ironia era que a dopada do Wayne tinha sido total um acidente e nem a pau era coisa do Pemulis, se era coisa de alguém era do Troeltsch, mas o córtex não conseguia captar nenhum jeito de passar essa ideia sem admitir a posse de uma drina, o que dadas as instáveis bases farmacêuticas desde o Eskhaton e o urologista da ATONAN ia ser o equivalente a se clippertonizar. Nwangi mostrava dentes terceiro-mundísticos de te deixar quase cego, mas não dizia nada. Os olhos de Watson tinham quase uma nictitância de uma película de estupidez, menos baços que mortos, a luz morta da varanda que diz que ninguém está em casa em chez Tex Watson. Pemulis viu o panfleto sobre Wayne e a sra. I. e divisões desviantes nos papéis que deLint segurava.

"O que foi segundo você a primeira ocasião em que você soube de inadequações em relação a Wayne."

"A minha primeira foi que eu saí de lá ainda tentando dar uns conselhos pro Postheimer e aqui no falante o Wayne está fazendo o que o Keith observou que podia ser meio que uma imitação do dr. Tavis."

Tinha sido muito louco. Aquilo tinha deixado o Stice totalmente no chinelo. Wayne mandou o Troeltsch fingir que era uma adolescente: aquilo era o Tavis adolescente convidando a moça pra sair; Pemulis estremeceu; ele não conseguia lembrar exatamente de todos os maneirismos, que Wayne nitidamente tinha cravado por causa do Tavis sempre sentar do lado dele no ônibus na volta das vitórias solando na orelha dele sem parar, mas no geral era o Chuckie Tavis chegando tipo numa líder de torcida canadense ou coisa assim e dizendo que ia ser completamente franco com ela: ele tinha um medo horrível de ser rejeitado; ele estava dizendo para ela assim de cara agora que amanhã ele ia pedir para sair com ela e estava *implorando* pra ela não o rejeitar abertamente se não quisesse ir, pra pensar numa desculpa plausível — se bem que é claro que ele disse que percebia que o que estava dizendo ia dificultar acreditar naquela desculpa, agora que ele tinha abertamente pedido pra ela inventar uma desculpa.

"E eis que senão quando aí a Academia inteira ouve o sr. Troeltsch solicitar que Wayne tripudie publicamente de seus vários pares e instrutores."

"Eu tenho que dizer que pareceu mesmo que o Troeltsch tinha meio que orquestrado as coisas de algum jeito, senhor, que foi essa a minha impressão."

"Se referindo a Corbett Thorp como um…" Fingindo repassar os papéis para Pemulis ter que ver o folheto do 17-em-56 várias vezes enquanto ele ia aparecendo na repassada.

"Acho que a expressão foi 'mongo rengo', Nwangi disse a deLint.

"Isso 'mongo rengo'. E Francis Unwin entre aspas 'em quadra parece um roedor encurralado'. E Disney R. Leith: aspas 'o tipo de cara que sempre acaba sentando do teu lado em cerimônias cívicas'. A srta. Richardson-Levy-o'Byrne-Chawaf como a presidente de algum tipo de comitê que tratava do tema entre aspas dos 'Peitinhos pituquinhos pequeninhos'. Quanto ao técnico Schtitt, entre aspas, que parecia que ele 'tinha sido privado de algum tipo de umidade vitalmente importante do parto em diante'. O nosso sr. Nwangi aqui sendo numa citação aproximada se eu tenho mesmo que citar 'o tipo de cara que vai num restaurante chinês com você e nem se digna a dividir a comida ou trocar comida'."

"Ou seja um mesquinho." Nwangi jogou a cabeça para trás e deu um sorriso enorme como se fosse cego. O que era pavoroso era que no roteiro do Wayne o Tavis realmente consegue, o Wayne projeta, seduzir a líder de torcida canadense ou sei lá o quê, mesmo quando é totalmente franco no encontro deles sobre o fato de que tinha deliberadamente contado pra ela que tinha medo de rejeição já de cara somente como uma estratégia para se fazer diferente dos outros carinhas, mais honesto e aberto, de modo que o roteiro era que a honestidade era tão cansativa que ela basicamente tinha caído de exaustão e deixado o cara X com ela só pra fazer ele calar a boca. Só que — pavorosamente — ele não tinha calado a boca.

"… incluindo uma espécie de imitação do dr. Tavis mantendo um monólogo durante o ato do intercurso sexual", deLint disse, tentando encontrar o trecho na pilha. "Sobre Bernadette Longley: 'Parece que a cabeça da Bernadette Longley nasce do cabelo dela em vez do contrário'. Sobre Mary Esther Thode: 'Um rosto de panqueca'. Sobre o próprio falecido Fundador da academia e esposo da Gestora de Quest.-Ac.: 'Tão cheio de si que podia cagar um braço'. Fecha aspas. Sobre o seu próprio parceiro de duplas Hal Incandenza: 'Por tudo que se pode ver o cara é viciado em tudo que não esteja amarrado, não consiga correr mais que ele e caiba na boca'."

"Eu estou aqui lembrando que a palavra foi *inserível*." Pemulis se deu um chute mentalmente. A coisa da panqueca tinha sido expandida em tipo quinze segundos enquanto Wayne esboçava uma descrição do rosto de M. E. Thode como circular, queimado, sardento, com crateras, massudo, brilhante, empapado, e assim por diante. Fora o fato de alguma maneira ainda mais pavoroso de que Pemulis sabia graças ao Inc que a tirada pseudo-Tavis "Eu-vivo--com-medo-da-rejeição" de Wayne estava realmente no top cinco ou dez das perturbadoras "Estratégias" que Orin o irmão do Inc que era punter evocava para o Hal sobre o que ele empregava para X jovens mulheres casadas.

"Nós recebemos a informação de que Donni Stott tem 'uma pele que parece couro de valise e é um puta anúncio de protetor solar'. Eu mesmo sou, entre aspas, abre aspas 'um sujeito que não ia emprestar uma moeda para a mãe dele comprar uma sapata de borracha para a muleta'."

"Por acaso o que está emergindo aqui é que isso vai diminuir as minhas chances de entrar na viagem do WhataBurger?"

Nwangi se amarrotou todo e deu um tapa no joelho. O rosto dele literalmente parecia uma machadinha bem escura. Tex Watson meteu a mão atrás do console na cadeira diante do qual estava largado, fisgou o boné especial de iatista de Pemulis e sacudiu o boné no ar como uma coisa que você quer que um cachorro pule para pegar. De algum lugar sob a cadeira de Nwangi apareceram duas balanças farmacêuticas, várias lupas de ourives, o estoque de frascos vazios de Visine que estava no caminhão mais cada frasquinho da mesa de cabeceira de Troeltsch, que claramente o Troeltsch tinha comido uma fatia monstro de um pútrido queijo delatório.

Pemulis sentiu o gosto do gosto metálico de um estômago violentamente ansioso. "Eu solicito uma conversa com a Gestora de Quest.-Ac. antes disso aqui ir mais longe."

"E temos ainda a srta. Heath, aparentemente bem presente na cabeça de certas pessoas hoje, que agora se diz ser o tipo de pessoa que entre aspas 'chora com truques de cartas'. Temos um Rik Dunkel que 'não ia ser capaz de achar a própria bunda nem usando as duas mãos e uma bússola náutica de precisão milimétrica'. Temos uma revanchezinha com a srta. Heath, descrita como alguém que 'reside permanentemente na fronteira de um vasto continente de histeria menstrual'. Temos o nosso adorado Tex, sentado bem aqui, descrito como alguém que tem 'uma bolhinha minúscula cheia de fluido no alto da espinha' em vez de funções corticais mais elevadas."

"Aubs, falando sério aqui: um negócio superimportante que eu tenho que interfacear com a sra. Inc. Diz pra ela que é sobre as relações EU-canadenses."

A risada de Nwangi era alta e tinha aquele ligeiro chiadinho de chaleira fervendo das risadas de tudo quanto é negro grande do mundo inteiro. "Ela mandou um *abraço*, a Gestora pediu pra te dizer." Ele bateu três vezes no joelho.

DeLint estava com uma cara um tantinho menos feliz porque nitidamente não sabia que estória era aquela e não gostava de ser mensageiro críptico, mas ainda assim estava com uma cara bem felizinha: "Michael Mathew Pemulis, a Gestora de Questões Acadêmicas da Academia pede que nós digamos a você que a administração está naturalissimamente preocupada demais com o estado de um dos nossos dois maiores talentos na atualidade, que nitidamente ele foi involuntariosamente dopado com um estimulante artificial proibido por estatutos federais, regulamentos da ATONAN e pelas Especificações do Código de Honra da Academia de Tênis Enfield sobre Substâncias Artificiais, para se permitir a satisfação de lhe enviar uma saudação cordial da Gestora e seu desejo de que aspas 'a estrada se levante para vir ao teu encontro aonde quer que te levem teus futuros caminhos'." DeLint cutucou o ouvido. "Acho que em resumo era isso."

Pemulis ficou muito tranquilo e mascarado-de-bronze. Ele estava respirando muito claramente pelo nariz, e o ar do escritório parecia mentolado. Tudo foi ficando muito tranquilo e formal dentro dele e transparente como glicerina. "Aubs, antes de qualquer coisa aqui ser cravada na pedra que nós todos eu juro pra você e pra sra. Inc que nós todos aqui vamos lamentar..."

DeLint disse: "O que me foi transmitido é que você pode ou terminar o semestre para garantir créditos ou meter o pé na estrada com o teu bonezinho de velejador cheio de bolsos pendurado numa varinha que nem uma trouxa de caipira a caminho de alguma outra instituição da ATONAN pra ver se eles aceitam um veterano sem nenhum tipo de referência positiva, que o que eu entendi aqui é que a administração diz que nem sonhando vai rolar uma referência".

Tex Watson disse alguma coisa sobre urina.

Pemulis recruzou a perna. DeLint olhou para Nwangi:

"Acho que o menino está sem fala."

"Acho que ele não tem o que dizer."

"Acho que não."

"E alguma coisa sobre você ter todo o direito de gritar sei lá o quê você ameaçou a administração dizendo que ia gritar do morro mais alto que você encontrasse, que logo-logo não vai ser este aqui."

Nwangi soltou entre risos: "E que as maçanetas dos escritórios administrativos foram emborrachadas e aterradas, os arquivos administrativos todos recriptografilados, os espelhos dos quartos de todo mundo reanodizados e selados com massa corrida, a sra. Inc mandou te dizer".

O repassar de cartas do baralho que é o som das asas da Fada Fodeu, que ele interiormente concebe como uma espécie de íncubo violáceo com a cara fechada e molenga do Paiê. Pemulis coçou muito tranquilamente perto da orelha. "E isso afeta o WhataBurger, as minhas chances?"

DeLint disse a Pemulis que desse jeito ele acabava de vez com ele, enquanto Watson olhava de um rosto para o outro e Nwangi balançava, chiava e batia no joelho, e Pemulis, de boca fechada e respirando com uma facilidade incrível, achava o bom humor deles quase contagioso.

333. Publicado pela Divisão Mass da SAS, que arrolava as reuniões de todos menos os mais lunáticos e radicais dos Programas de 12 passos da cidade, seus sub- e exúrbios, nas duas Shores, no Cabo e em Nantucket.

334. O tropo inspirado por Pemulis que Hal emprega para largar o Bob H. diário secreto, que começou como uma piada mental sombria e espirituosa e agora numa semana virou o modo como Hal caracteriza a abstinência para si próprio, o que qualquer AA de Boston pode te dizer que não é um jeito lá muito promissor de pensar nisso, em termos de autocomiseração.

335. A não ser claro um certo tipo hard-core de viciado em pornografia e sexo onanístico, o que deu origem a algumas irmandades bem esquisitonas baseadas em programas de passos.

336. (segundo seu sudorífero e ágora-compulsivo irmão caçula, M. Bain)

337. O erro de latim no lugar do *se defendendo* da legítima defesa é *sic*, ou uma bagunçada confusa de um termo jurídico, ou um lapso pós-freudiano, ou (menos provável) um cutucão muito indireto e sutil para Gately de um Ewell bom conhecedor da cena do cemitério do *Hamlet* — nomeadamente V.i.9.

338. Cetorolaco de trometamina, um analgésico não narcótico, pouco mais que um Motrin com ambições — ® Syntex Labs.

339. Irmandade Internacional dos Eletricistas.

340. Hiclato de doxiciclina, um antibiótico EV — ®Parke-Davis Pharmaceuticals.

341. Cloridrato de oxicodona + acetaminofeno, um analgésico oral narcótico C-III — ®Du Pont Pharmaceuticals.

342. Ou possivelmente *Babel*.

343. Slogan do AA de Boston que significa tentar abandonar o uso de Substâncias Viciantes sem passar por qualquer tipo de Programa de Recuperação.

344. Testes Padronizados de Nivelamento Avançado da STE,[a] que Hal Incandenza se inscreveu para fazer em inglês e francês (parisiense).

345. O Ed. da Faculdade de Estudos Básicos na esquina da Commonwealth com a Granby, aproximadamente a 3 km este-sudeste da ATE.

346. Aeroporto Internacional de Montréal-D'Orval, estando o Aeroporto de Cartierville agora restrito apenas a voos intra-Québec.

a Serviços de Testes Educacionais Inc., Princeton, NJ.

347. (Que na verdade ela não passou, mas estava com perfume na última vez em que usou o huipil.)

348. Uma igreja Cat. Rom. logo ao lado do Brighton Center.

349. Sic.

350. Ou um rosto se contorcendo de involuntária repulsa diante da falta de braço e do gancho do próprio Don G., de repente.

351. Tipo uma combinação do Primeiro e do Décimo Segundo Passos, segundo a piada do AA: "A Minha Vida É Insustentável e Eu Queria Dividir Com Você".

352. Referência a janeiro-fevereiro do AFGD, quando uma pessoa ou pessoas incertas foram passando em escovas escolhidas das equipes masculinas e femininas sub-16 o que finalmente foi identificado como extrato de noz-de-areca, provocando pânico e conflitos intestinos e resultando em visitas em série para tratamento de oxidação ao dr. E. Zegarelli, odontólogo, de cerca de meia dúzia de ETAs até que a adulteração de escovas cessasse tão abruptamente como começara; e agora nove meses depois ninguém ainda tem a menor ideia sobre o criminoso ou objetivo.

353. Que corre não no sentido Enfield-Brighton mas para Roxbury e Mattapan, lugares em que é um megacarma pesado noturno você ser ao mesmo tempo branco e incapacitado.

354. Q.v. nota a nota 12.

355. Anexsia — ®SmithKline Beecham.

356. Levo-Dromoran — ®Roche.

357. Numorphan, meio que um Dilaudid diluído — ®Du Pont.

358. Perwin NX, ®Boswell Medications Ltd., Canadá — o que explica o C-III, porque os canadenses são notoriamente insanos no que se refere a previsões de potencial aditivo.

359. Vulgo cloridrato de clorodiazepóxido — ®Roche — um tranquilizante fraquinho tipo meio Valium.

360. Um narcótico oral C-III e tipo nível básico, cujos efeitos colaterais e cujo barato inconsistente muitas vezes fazem os usuários subirem um degrau rumo aos compostos C-II.

361. Vulgo sulfato de hiosciamina — ®Schwarz Pharma Kremers Urban, Inc. — um antiespasmódico para tudo, de colite a Síndrome do Intestino Irritável.

362. Vulgo metaqualona, hoje fabricado fora da jurisdição da ONAN com o nome comercial de Parestol.

363. Posteriormente um terço da gangue de alugar-e-depenar-apês-de-luxo, e mesmo depois disso colega de confiança de Gately em algumas das suas invasões domésticas mais desastrosas e mais aceleradoras de fundo-de-poço, inclusive aquela de um certo G. DuPlessis, que Kite acabou lamentando exponencialmente mais que Gately, depois que a AFR acabou com ele.

364. MDA, MDMA ("Ecstasy"), MMDA-2 ("O Barco do Amor"), MMDA3a ("Eva"), DMMDA-2 ("Noite Feliz") etc.

365. Instituição de Longo-Prazo.

366. Que soa algo suspeitamente como os empolados estudos do Professor H. Bloom sobre a *influenza* artística — ainda que não fique claro como tanto as discussões sobre o Dilúvio como as de ancestrais mortos possam ter qualquer ligação com o clássico dos baixos orçamentos de S. Peterson, *A jaula*, que é basicamente sobre um globo ocular peripatético que rola por aí, a não ser pelo fato de que J. O. Incandenza adorava esse filme e metia minipedacinhos dele ou referências a ele praticamente onde conseguisse meter; de repente a "disjunção" ou a "desconexão" entre o filme da tela e a filosófica discussão que o ph.D. fazia da arte fossem parte do sentido geral.[a]

367. Se bem que de fato, bem como na imagem do crime organizado que aparece no entretenimento popular, eles viviam trocando os celulares que usavam, para evitar um grampo potencial ou aparelhos que gravavam os números discados — com o Sorkin comprando aparelhos e n[os] novos, Gately com mais frequência emprestando celulares de estudantes de enfermagem e aí devolvendo para elas depois de uns dias. Um dos maiores desafios de Gately nessa carreira era lembrar aquele monte de números diferentes e de endereços dos apês-de-luxo-da-semana quando estava chapadaço de Bam-Bam meio que direto.

368. Cimetidina — ®SmithKline Beecham Pharmaceuticals — comprimidos de 800 mg para males craniovasculares generalizados (derivado, o que há de ser meio interessante, do mesmo mofo ergot do centeio de que veio o LSD).

369. Para os dois mapas que Sorkin teve que mandar eliminar de vez durante esse período, de repente vale a pena observar que ele evitou as duas Torres e acabou usando os capangões mais bandidos ex-quebequenses DesMonts e Pointgravè, que não tinham lealdades reais ou pertencimentos a quaisquer comunidades e se ofereciam como guardiães para corretores e agiotas de juros altos em todas as duas Shores. Gately de fato, enquanto cobrador coercitivo, desmapeou uma pessoa, mas foi essencialmente um acidente — o devedor era louro, e estava bebendo

a (O que obviamente pressupõe que houvesse um sentido geral.)

Heineken, e quando as coisas foram às vias de fato ele tinha espirrado spray de pimenta na cara de Gately, e uma cortina rubra de fúria tinha descido sobre a visão de Gately, e quando ele voltou a si a cabeça do devedor estava virada 180° no pescoço e ele estava com a latinha de spray de pimenta inteira enfiada numa narina, e aquilo foi o maior momento de horror profissional de Gately até aquela coisa com o PIT canadense sufocado, que de qualquer maneira aconteceu bem depois e quando Gately estava mais inclinado à não violência.

370. Insulina de porco purificada numa suspensão de zinco — ®Lilly Pharmaceuticals.

371. Uma escola particular de ensino médio para a elite lá perto da ponta de Methuen.

372. Certamente *grosso* e *comissão*, representando a dívida e a percentagem automática do corretor de apostas (normalmente 10% subtraídos dos ganhos ou acrescentados ao grosso) não são só termos da Grande Boston.

373. Vulgo Acetilcisteína-20 — ®Bristol Laboratories — um profilático vaporizável contra o acúmulo pós-traumático de muco anormal, viscoso ou espessado.

374. Com aquela dedicação dos nativos da North Shore a um vocabulário pernóstico e elitista.

375. Chamado com menos sensibilidade pelos residentes da neurologia de "Doença do Dom--juan Demente" ou às vezes só "3D".

376. O bom e velho Dilaudid dos laboratórios Knoll — $666,00/g no atacado e $5/mg na rua em valores do AL-LQM.

377. Um "magtíni", vodca com leite de magnésia, que Gately acha nojento e chama privadamente de "gosmex".

378. (Em oposição ao autoconfrontamento, supõe-se.)

379. Veja nota 144 *supra*.

380. O retângulo de proporções 1.3:1 escaneado pelos raios de elétrons na produção de imagens de vídeo, hoje substituído pela produção de imagens digitais de campo sólido multi-interlace.[a]

---

a Motivo do nome da empresa seminal de Noreen Lace-Forché ser um tipo de trocadilho sarcástico: *interlace* 2:1 era o termo da televisão pré-HD para o ato de dividir o quadro em dois campos de 262,5 linhas para o escaneamento de raster-padrão de 525 linhas... Uma piada muito para-bom-entendedor cujo objetivo era ser atraente para as mesmas Quatro Grandes que Noreen L.-F. estava então cortejando.

381. Mais tipo 1926 AS, segundo o Arquivo de Fotogramas do Museu de Arte Moderna de NNY. Fora que NB a foto — que Hal lembra bem que Avril sempre odiou[a] — pré-datou de muito a primeira vez que J. O. I. meteu a mão numa câmera.

382. Fosse em simples contra ele ou em duplas com, quando Hal está em quadra com Wayne ele sempre fica com a sensação medonha de que Wayne controla lá fora não só o seu SNC voluntário mas também os batimentos cardíacos, a pressão sanguínea, o diâmetro das pupilas etc., sensação que não só é medonha como também distrai, o que aumenta a tensão de jogar com o Wayne.

383. Instituição em Winter Park, FL, para Problemas relacionados com envolvimentos, codependências e compulsividade.

384. Vulgo Lorazepam — ®Wyeth-Aherst Labs — um venerável tranquilizante antiansiedade, do qual 25 mg/dia bastam pra ansiolisar um manga-larga de bom tamanho.

385. Provavelmente querendo dizer Doryx, o hiclato de doxiciclina da Parke-Davis, o míssil de cruzeiro dos antibióticos gram-negativos.

386. Cloridrato de Nalaxona, o Exocet dos antagonistas dos narcóticos — ®DuPont Pharm. — seringas pré-abastecidas de 2 ml/20 ml de soro fisiológico.

387. A terceira coisa mais difícil de comprar nas ruas da Grande Boston depois de ópio vietnamita puro e do incrivelmente potente DMZ, Solzinho é cloridrato de pentazocina e ácido mefenâmico[b] — ®Sanofi Winthrop, Canadá, Inc. — c/ nome comercial Talwin-PX — seringas pré-abastecidas com soro amarelo-fosforescente, 7 ml/20 ml de soro fisiológico.

388. Talwin-NX — ®Sanofi Winthrop EUA.

a Daí a relativa exoticidade do fato de ela ainda estar na parede da sala de estar da CD quatro anos depois do ato final de Incandenza — não é que alguém tenha pedido pra ela deixar aquilo lá.
b Um analgésico não narcótico vendido nos EU como Ponstel — ®Parke-Davis — basicamente (por mais que seja estranho) para dismenorreia, meio que um mega-Buscopan.